100 ANS D'ACTUALITÉS

D'ACTUALITÉS

1900
2000

La Presse

ISBN 2-922635-00-7
Dépôt légal - Bibliothèque nationale du Québec, 1999
Dépôt légal - Bibliothèque nationale du Canada, 1999

Responsable du contenu: Yves Jasmin
Secrétariat de rédaction: Denis Dion et Claude Fortin
Recherchiste: Andrée Prévost-Lanthier
Documentation et production: Roland Forget
Graphisme de la couverture et de la jaquette: Jocelyne Potelle
Chef de projet: Guy Granger
©La Presse Ltée

La mission d'informer

Avec l'arrivée de l'an 2000, *La Presse* signe par ce livre une autre étape marquante de sa mission d'informer.

Déjà, en 1984, elle avait rappelé les événements qui avaient chaque jour marqué nos vies comme la vie du monde depuis le premier jour de sa parution en 1884.

Ainsi plus de 300 pages, soit pendant une année entière, furent publiées jusqu'à la date anniversaire du 20 octobre 1984. Colligées par la suite en un album de fortes dimensions, elles connurent une nouvelle et durable notoriété dans le public.

Mais l'actualité ne s'arrête pas à une date précise. Elle se poursuit inlassablement, jour après jour. Et parallèlement, les moyens modernes de communication la rendent de plus en plus présente et, disons-le, actuelle.

Là se situe la fonction première de *La Presse* en sa qualité de grand quotidien d'information. Dans les 16 années qui ont suivi la mémorable étape de 1984, *La Presse* est demeurée fidèle à la tradition, rappelant chaque jour, dès sa première page, les événements les plus récents, heureux comme malheureux, souvent les plus glorieux et les plus tragiques aussi, que le monde avait connus dans les 24 dernières heures.

Ce passage du temps, au cours du dernier siècle, ne devait pas se satisfaire de la simple mémoire. Il fallait encore l'inscrire en un document pour la suite de ce siècle et du monde.

C'est ce que cet ouvrage, que l'on doit au travail de monsieur Yves Jasmin, vient accomplir.

Un document sur le siècle passé et, ne faudrait-il pas le souhaiter, pour la gouverne de celui qui commence? Un simple coup d'oeil sur les pages qui suivent remettront facilement à l'esprit les règles de conduite qui s'en dégagent dont plusieurs, sous la pression du temps, sont tombées dans l'oubli.

Mais la vie est ainsi faite qui se traduit par des hauts et des bas, par des espoirs et des chagrins, par des amitiés et des haines, et par l'amour qui peut tout guérir.

De ces événements qui définissent nos vies, *La Presse* en restera le témoin, fidèlement attachée aux qualités professionnelles qui la définissent et qui se reflètent à chaque page du présent ouvrage.

Roger D. Landry, C.C., O.Q.
Président et éditeur

En hommage à nos camelots, petits et grands, sans qui un journal ne saurait exister.

Un défi exaltant

Présenter le vingtième siècle tel qu'on le retrouve dans *La Presse* a été un défi exaltant relevé au cours des deux dernières années et qui voit son aboutissement par la publication de ce volume dont nous sommes fiers.

Nous avons choisi de reprendre la formule utilisée dans la présentation du centenaire de *La Presse* (1884-1984), reproduite quotidiennement dans le journal au cours de l'année 1984, sous la direction de M. Guy Pinard.

Ce livre sur les «100 ans d'actualités» telles que vues par *La Presse*, relève les grandes manchettes des cent dernières années, englobant aussi bien les événements marquants sur le plan mondial que les faits divers et les actualités locales qui ont eu lieu de 1900 à nos jours.

En parcourant ce livre, vous noterez que nous avons conservé autant que possible le caractère des textes et les expressions du début du siècle afin de respecter la réalité du temps. Les événements avaient alors tous un qualificatif. Les tragédies étaient épouvantables, les incendies lamentables, les attentats lâches, et les autos et les patinoires étaient au masculin. On ne mettait pas non plus d'accents ou de cédilles aux majuscules.

Vous pourrez constater que plusieurs événements sont traités avec un certain recul. Par exemple, le lundi noir du 29 octobre 1929 est présenté plusieurs années plus tard, permettant d'épiloguer sur l'étendue mondiale du désastre économique qui s'ensuivit, alors que le jour même on expliquait que l'indice Dow Jones avait chuté de 82 points, passant de 381 à 299 points, sous le seuil magique d'alors qu'on avait arbitrairement fixé à 300. Un incident mineur aujourd'hui. Cinq jours plus tard, c'était la débâcle, l'indice tombait à

230. On peut expliquer maintenant les raisons de cet affaissement et parler des redressements apportés qui devraient en empêcher la répétition.

D'autre part, si nous avons cité la majorité des événements le jour même où ils sont survenus, il y a inévitablement quelques décalages, *La Presse* n'en faisant état que le lendemain ou quelques jours plus tard lorsqu'il y avait conjoncture de fêtes et de dimanches, alors qu'en ce temps-là, *La Presse* n'était pas publiée.

L'importance d'une nouvelle est toujours relative par rapport à une autre. Des événements importants parus dans une première édition du journal pouvaient se retrouver en deuxième valeur dans la seconde et être complètement relégués en troisième place dans la dernière édition du même jour, quelque chose de plus grave ou de plus important ayant trouvé préséance. Il fallait choisir dans la masse des informations et abandonner certains textes moins importants dans la perspective du siècle.

L'index que l'on retrouve à la fin de ce livre devrait permettre de retrouver facilement les principaux événements, personnalités et lieux recherchés.

Au premier quart du siècle, *La Presse* publiait de grandes pages illustrées sur de grands thèmes comme la mode, les saisons, les Fêtes, le retour à l'école, etc... Vous trouverez de ces illustrations, la plupart considérablement réduites et dont le texte est très souvent illisible. Si le sujet vous intéresse, le service de commercialisation de *La Presse* pourra vous en tirer copie à pleine grandeur, moyennant des frais minimes.

Les nécessités d'impression, de reliure et de préparation générale ont exigé que l'on ferme ces pages à la fin de juin 1999 pour rendre ce livre disponible à ce moment-ci. Si des événements en nombre et en importance devaient le justifier, *La Presse* publiera, au début de l'année 2000, un addenda que les détenteurs pourront ajouter à leur livre, de façon à posséder un siècle complet.

Nous tenons à remercier le président et éditeur de *La Presse*, M. Roger D. Landry, qui a eu l'idée de ce livre, ainsi que le responsable du projet, M. Guy Granger; l'équipe de documentation et de production, dirigée par M. Roland Forget; les secrétaires de rédaction, MM. Denis Dion et Claude Fortin; la recherchiste qui nous a appuyé tout au long de cette préparation, Mme Andrée Prévost-Lanthier, et tous les services de production du journal qui se sont aimablement pliés à toutes nos exigences.

Yves Jasmin, O.C.

Avalanche mortelle dans le Grand Nord

Des tonnes de neige dure ont dévalé la montagne et enseveli l'école de Kangiqsualujjuaq et le gymnase attenant.

«L'avalanche est survenue à 1 h 45 et à 4 h (le 1er janvier 1999), j'ai vu qu'ils sortaient un bébé de la neige. Il était tout froid, mais il vivait. À voir ce qui reste de l'école, c'est incroyable qu'il n'y ait pas eu plus de victimes», a constaté Anne Lanteigne en regardant les débris de l'école de Kangiqsualujjuaq, où elle enseigne depuis 11 ans.

Mme Lanteigne est l'une des rares personnes qui n'étaient pas présentes à la fête du Nouvel An, jeudi soir, quand des tonnes de neige dure ont dévalé la montagne et enseveli l'école et le gymnase attenant.

Sur la recommandation d'experts du ministère des Transports, arrivés sur les lieux de l'avalanche à Kangiqsualujjuaq, la Sûreté du Québec a évacué une dizaine de bâtiments situés le long de la montagne. Des spécialistes des avalanches sont attendus demain matin, pour une expertise plus poussée.

Neuf personnes sont disparues, dont cinq enfants. Vingt-cinq sont blessées. L'école est détruite. Et beaucoup ont perdu leurs biens. Les motoneiges toujours encastrées dans l'école éventrée témoignent de la force de l'avalanche, une calamité peu commune au Québec.

Il est possible que les funérailles de tous les disparus ne soient pas célébrées ensemble. Un bûcher destiné à réchauffer la terre gelée pour permettre de creuser les tombes a été échafaudé. Toutes les lumières et décorations de Noël ont été retirées, en signe de deuil.

Tragédie à Chapais: 42 morts, 50 blessés

Après l'incendie, il ne restait plus rien du club Opémiska, où 42 personnes ont perdu la vie.

À la suite de l'incendie d'un club de Chapais qui a fait au moins 42 morts et une cinquantaine de blessés dans la nuit du Nouvel An (le 1er janvier 1980), les autorités procèdent aujourd'hui à l'identification des victimes. Il s'agit du pire incendie que le Québec ait connu depuis 1938.

La panique s'est emparée des quelque 400 personnes qui se trouvaient dans le club Opémiska lorsque le feu a été allumé à des guirlandes de sapin séché décorant les murs vers 1 h 30 du matin. Tout indique que le responsable soit un fêtard qui a brandi son briquet pour s'amuser.

Les flammes, qui ont pris naissance près de l'entrée principale, se sont rapidement propagées à tout l'édifice, un immeuble en bois datant de 25 ans, et ont pris au piège ceux qui se trouvaient à l'intérieur. Le club a été complètement détruit par l'incendie.

Jour de l'An endeuillé à Chicago

Jamais peut-être, on ne vit de jour de l'An plus triste, plus morne, plus lugubre qu'aujourd'hui (le 1er janvier 1904) à Chicago. De tous côtés, on voyait se détacher sur la blancheur de la neige la noirceur des corbillards conduisant des morts en terre.

Le théâtre Iroquois a brûlé, causant plus de 300 morts, la plupart des enfants. On a pu établir l'identité d'un certain nombre de cadavres, mais la plupart n'ont pas encore été reconnus.

De nombreux messages ont été reçus, dont les suivants:

— Washington: À l'hon. Cartier H. Harrison, maire Chicago - «Avec toute la nation, je vous offre à vous ainsi qu'à toute la population de Chicago, l'expression de ma plus profonde sympathie dans la terrible catastrophe qui vient de fondre sur la ville.» Théodore Roosevelt, président.

— Londres: Le roi Édouard VII et la reine Alexandra ont envoyé des messages de sympathie au gouvernement des États-Unis, à l'occasion de la catastrophe de Chicago.

Note discordante

La traditionnelle remise de la Canne à pommeau d'or au premier bateau océanique de l'année dans le port de Montréal a été marquée d'une note discordante, cet après-midi (le 1er janvier 1993). Le navire, battant pavillon de Hong Kong, a amené dans sa cargaison six réfugiés roumains clandestins.

Une fois la surprise passée, le pdg du Port de Montréal, M. Dominic Taddeo, est monté à bord du M / V OOCL Assurance pour féliciter le capitaine, Roger Llewellyn. «C'est un honneur pour moi. Montréal est un des meilleurs ports du monde. Je l'ai vu grandir depuis 1959», a souligné le capitaine Llewellyn avec un humour très britannique. Une déclaration bien accueillie par M. Taddeo au moment où les activités portuaires se ressentent, elles aussi, de la récession.

Le port de Montréal célèbre, en ce début de l'an 1993, la 154e remise annuelle de la canne à pommeau d'or et le 29e anniversaire de la navigation toute l'année sur le Saint-Laurent.

Le navire, enregistré à Hong Kong, a quitté Le Havre, en France, il y a deux semaines. Le voyage, qui dure habituellement sept jours, a été beaucoup plus long cette fois-ci à cause du mauvais temps. Affamés au bout d'une semaine, les six réfugiés sont sortis de leur cachette le 30 décembre, après 13 jours en mer.

D'après le capitaine, ces Roumains auraient payé un passeur 1 000 francs (225 $) au Havre pour embarquer clandestinement dans un conteneur.

Le Ouimetoscope ouvre ses portes

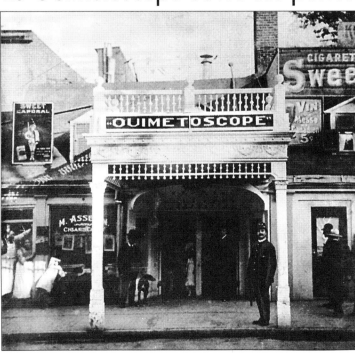

Première salle au monde consacrée exclusivement au cinéma, le Ouimetoscope ouvre ses portes (le 1er janvier 1906) dans l'est de Montréal. Son propriétaire, Léo-Ernest Ouimet, technicien, électricien de génie, projectionniste, fut le premier à deviner l'engouement du public pour les «vues animées». Ayant inventé un projecteur, le «ouimetoscope», il s'en servit pour offrir au public montréalais les créations mondiales qu'il sous-titra en français, le cas échéant. Son flair en fit un millionnaire qui fréquenta les plus hautes sphères du cinéma international. Ouimet reçut des mains de Mary Pickford, en 1951, le grand prix du Canadian Film Award.

L'opposition du clergé au cinéma au début du siècle et de nombreuses poursuites et autres déboires ont fait qu'il finit dans la misère et dans l'oubli. Léo-Ernest Ouimet mourut à Montréal à 94 ans, en 1972.

C'EST ARRIVÉ UN 1er JANVIER

1994 — Au moment où l'Accord de libre-échange nord-américain (ALENA) est adopté par les institutions législatives du Canada, des États-Unis et du Mexique, il recueille un appui plus grand que jamais dans les trois pays, mais n'obtient pas encore la majorité au Canada, indiquent les résultats d'un sondage effectué par l'Institut Gallup. Quelque 40 % des Canadiens sont favorables à l'ALENA, 42 % s'y opposent et 18 % n'ont pas d'opinion.

1990 — À l'instar de nombreux travailleurs canadiens, les députés fédéraux ont eu droit aujourd'hui à une augmentation de salaire. Ils toucheront un salaire annuel supérieur à 80 000 $, grâce à une augmentation de 3,54 % de leurs émoluments. Ce qui signifie que la plupart des députés toucheront au moins 82 700 $ en 1990, incluant un compte de dépenses non-imposable de 20 600 $. Selon Statistique Canada, le salaire annuel moyen des Canadiens à la fin de 1988 était de 23 709 $.

1988 — Les Australiens ont entamé les célébrations du bicentenaire de la fondation de leur pays par des Immigrants européens et plus particulièrement britanniques, alors que les militants aborigènes ont abordé ce qu'ils appellent une année de deuil. Des gerbes de fleurs ont été déposées sur la plage où débarqua en 1770 l'explorateur anglais James Cook, 18 ans avant l'arrivée des bagnards britanniques qui allaient coloniser le pays.

1970 — La Grande-Bretagne compte maintenant quelque trois millions d'électeurs de plus, tous les jeunes de 18 à 21 ans sont maintenant considérés comme majeurs devant la loi.

1960 — Le Cameroun vient d'obtenir son indépendance après 79 années de colonialisme et de tutelle par la France.

1940 — D'ici la fin de l'année, tous les Britanniques ayant de 19 à 27 ans seront sous les armes et des renforts iront en France et au Proche-Orient. Une proclamation royale appelant sous les drapeaux environ 2 000 000 d'hommes donne virtuellement à la Grande-Bretagne une armée d'au moins 3 500 000 hommes.

1934 — Le Dr Arthur Guett, eugéniste du ministère de l'Intérieur, dit qu'il faudra encore plusieurs jours pour la mise au point de la campagne de stérilisation obligatoire décrétée par le gouvernement nazi, touchant les personnes jugées inaptes à la production de purs aryens. Comme le travail d'organisation n'est pas terminé, plusieurs cours de stérilisation n'ont pu fonctionner en Allemagne aujourd'hui tel que convenu. Les experts ont calculé que 400 000 personnes passeraient devant les tribunaux pour arrêter la transmission des maladies mentales ou physiques héréditaires.

1922 — Une dépêche spéciale de Riga dit que vingt-sept millions de Russes souffrent actuellement de la famine. Jusqu'ici, le gouvernement soviétique a dépensé cent millions de roubles d'or (soit 51 000 000 $) dans les districts en détresse, mais cette somme n'a permis de soulager qu'une très faible partie des affamés.

1905 — Port-Arthur est aux mains des Japonais. Cette forteresse occupée par l'armée russe et réputée invincible est tombée sous les coups d'un ennemi, qui n'a rien épargné pour arriver à son but.

Paul Sauvé est mort

Des milliers de personnes se sont rendues à Saint-Eustache rendre un dernier hommage à celui qui a transformé la province en quelques mois seulement.

Paul Sauvé, qui avait remplacé Maurice Duplessis comme premier ministre à la mort de celui-ci le 7 septembre 1959, est mort subitement la nuit dernière (le 2 janvier 1960) d'un arrêt cardiaque à sa résidence de Saint-Eustache.

Le premier ministre Paul Sauvé, qui a remplacé Maurice Duplessis comme premier ministre à la mort de celui-ci le 7 septembre 1959, est mort subitement la nuit dernière (le 2 janvier 1960) d'un arrêt cardiaque à sa résidence de Saint-Eustache.

Les routes menant à ce village sont engorgées ce matin d'innombrables voitures des curieux et des visiteurs venant rendre un dernier hommage à celui qui a transformé la province en quelques mois.

Joseph-Migneault-Paul Sauvé, député des Deux-Montagnes, le matin du 11 septembre dernier, prononçait les paroles sacramentelles « Je le jure » en s'engageant solennellement à « bien servir Sa Majesté » et à travailler dans l'intérêt de « ses sujets ». Le nouveau premier ministre devait demeurer moins de seize semaines à son poste avant d'être foudroyé par la mort dans la pleine force de l'âge, mais ces quatre mois allaient être marqués d'une activité fébrile et de réalisations innombrables qui ont fortement impressionné les différents milieux politiques du pays et qui ont eu des échos jusqu'à l'étranger.

Quand, le 18 décembre dernier, le chef du gouvernement avait clos pour la Noël le travail du Parlement après l'acceptation de 66 nouvelles lois, il avait dit aux députés : « Nous partons tous l'âme sereine ». Jamais on aurait cru que la carrière de Paul Sauvé était sur le point de se terminer.

M. Georges Émile Lapalme lui-même, le chef de l'opposition, s'était réjoui en constatant le 24 novembre que la formation du ministère Sauvé constituait le « commencement de la déstalinisation au Québec », faisant allusion aux actions des chefs de l'Union soviétique qui avaient voulu se démarquer du dictateur Staline à la mort de celui-ci.

L'éducation, une priorité

Dernièrement, le *Times* de Londres comparait le député des Deux-Montagnes à Sir Georges Étienne Cartier, le Père de la Confédération, et un bulletin de New York le décrivait comme le successeur possible du Très Honorable John Diefenbaker à la tête du parti conservateur progressiste du Canada.

La célérité avec laquelle M. Sauvé s'attaquait aux problèmes les plus complexes, les étudiait et leur trouvait une solution, lui avait fait surnommer « le chef pressé ».

Son gouvernement paraissait sur le point de régler la question des subventions fédérales aux universités, question qui avait assombri les relations entre Québec et Ottawa pendant sept années.

Nos institutions de haut savoir avaient dû refuser les subventions parce que, comme le disait l'hon. Maurice Duplessis, l'enseignement est du ressort de l'administration provinciale et ne relève pas de la juridiction fédérale.

Lors de son voyage dans la capitale du Canada, le 16 octobre dernier, le député des Deux-Montagnes proposa une façon de satisfaire tout le monde : Ottawa laisserait à Québec une plus grande partie de l'impôt sur les sociétés commerciales et cet argent serait versé par la province aux universités. L'offre semblait acceptable aux autorités fédérales et, depuis ce temps, on s'efforçait de déterminer le moyen de mettre en oeuvre la suggestion.

Des moyens différents

Devant l'attitude de M. Sauvé dans ce cas et à d'autres occasions, certaines personnes l'ont accusé de tourner le dos à la politique de son prédécesseur.

Le député des Deux-Montagnes avait dit le 10 septembre aux journalistes qui lui demandaient si, premier ministre, il allait continuer l'oeuvre de M. Duplessis : « Aucun chef de gouvernement ne peut améliorer les objectifs fixés par celui qu'on a enterré aujourd'hui. Les moyens pour y arriver peuvent différer, mais en ce qui concerne les grandes questions comme les droits de la province, aucun premier ministre ne peut rien modifier...»

M. Sauvé a donc ouvert et clos ses fonctions de chef de gouvernement avec à peu près la même profession de foi.

Au cours d'une émission de télévision en fin d'année, un de ses derniers actes d'homme public, le premier ministre a laissé entendre :

1 — que des négociations étaient amorcées en vue de rendre à la Pologne les trésors gardés au Musée provincial depuis la dernière Grande guerre et que M. Duplessis refusait énergiquement de restituer à l'État polonais tant que ses dirigeants resteraient communistes ;

2 — qu'il souhaitait collaborer avec Ottawa au sujet de la route trans-canadienne. M. Duplessis n'avait pas voulu signer d'accord par crainte d'ouvrir la porte à d'autres empiètements fédéraux, cette fois dans le domaine de la voirie.

Dans bien d'autres secteurs, depuis seize semaines, M. Sauvé avait pris le contre-pied de son prédécesseur ; c'était, pour

le nouveau premier ministre, presque une tactique de satisfaire les demandes de l'opposition. N'a-t-il pas annoncé le retour au système des deux « énumérateurs » (recenseurs) pour la confection de la liste électorale dans les villes ? N'a-t-il pas fait adopter le projet de loi soumis par les libéraux pour exiger du président de l'Assemblée législative qu'il remplisse certaines conditions d'impartialité ? N'a-t-il pas permis le vote de la motion présentée par M. Émilien Lafrance pour obtenir la protection de notre industrie textile ? N'a-t-il pas remis à l'honneur la « journée des députés » dont la disparition, à la Chambre basse, avait fait crier au bâillon ? Cela faisait dire aux libéraux que le député des Deux-Montagnes volait leur programme...

Le chef du gouvernement n'avait pas d'objections à l'établissement de l'assurance contre l'hospitalisation, mais avant de conclure une entente à ce sujet, il voulait savoir exactement quelles obligations il en résulterait pour l'administration provinciale. Et au ministère de la Santé, on examinait le problème sous tous ses angles.

L'amabilité de M. Sauvé et la manière dont il savait manier les hommes (qualité qu'avait développée son père l'hon. Arthur Sauvé et un long séjour dans l'armée) incitaient les gens à lui exposer leurs désirs et leurs sujets de récrimination.

Avant ou entre les séances de l'Assemblée législative, le député des Deux-Montagnes recevait quantité de délégations, porte-parole de groupements professionnels, de syndicats et autres.

Auparavant, pendant des années, certaines de ces associations s'étaient abstenues de venir à Québec présenter leur mémoire traditionnel parce qu'elles craignaient un accueil inamical et blessant de la part de M. Duplessis qui, depuis quelque temps se montrait plus cassant et moins diplomate.

Mais les pèlerinages annuels ont repris avec M. Sauvé.

La succession

Déjà, inévitablement, se pose la question de la succession.

Il n'y aura pas de chef intérimaire de l'Union nationale. Celui qui sera choisi sera premier ministre de plein droit dès sa nomination au caucus de jeudi prochain..

Trois noms sont mis de l'avant : MM. Paul Beaulieu, ministre de l'Industrie et du Commerce, Yves Prévost, secrétaire de la province et Daniel Johnson, ministre des Ressources hydrauliques. C'est finalement Antonio Barrette, ministre du Travail, qui fut choisi.

C'EST ARRIVÉ UN 2 JANVIER

1991 — Wayne Gretzky, des Kings de Los Angeles, inscrit son 700e but en carrière contre les Islanders de New York.

1988 — Au terme de plus d'une année de débats et de négociations, les États-Unis et le Canada signent officiellement aujourd'hui, sans tambour ni trompette, le traité établissant un régime de libre-échange économique entre les deux pays.

1988 — Depuis 1977, les Canadiens s'appauvrissent lentement, mais sûrement. Ils ont perdu l'enrichissement auquel ils s'étaient habitués ; en outre, ils ne peuvent plus compter sur une forme d'indexation qui protégerait leur pouvoir d'achat.

1950 — La tradition du rigorisme dominical est rompue, le maire McCallum a obtenu un vote record. Les prudes électeurs de Toronto ont rompu avec une tradition et autorisé la présentation des sports le dimanche.

1918 — Un incendie rase l'aréna de Westmount : le travail ardu des pompiers n'a pu sauver l'édifice qui s'est effondré peu après leur arrivée et n'est plus qu'un monceau de ruines fumantes. Le Canadien jouera sa parties locales au Jubilé, d'une capacité de 3 200 places.

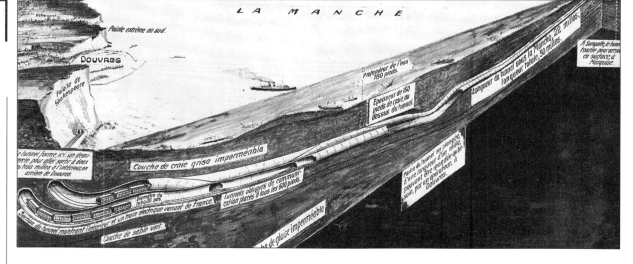

Le projet d'un tunnel sous la manche renaît

Après près de deux siècles de faux départs et de méfiance, le projet d'une tunnel sous la Manche retrouve une nouvelle jeunesse.

L'idée de relier les côtes française et britannique par un tunnel de 37 km, dont l'idée avait été pour la première fois émise par Napoléon, bénéficie de l'appui inattendu du premier ministre britannique, Margaret Thatcher.

Celle-ci, qui s'était montrée jusqu'ici plutôt réservée, a maintenant rejoint le président François Mitterrand pour voir dans cette possible relation « un projet très enthousiasmant ».

L'un et l'autre ont d'ailleurs fait part d'un « optimisme prudent » à l'issue de leur rencontre du mois dernier, dans le cadre des sommets périodiques entre la France et la Grande-Bretagne.

De nombreux projets morts-nés de tunnel sous la Manche qui se retrouvent dans nos archives, celui que nous reproduisons ici date de 1919. (Texte tirée d'une nouvelle publiée le 2 janvier 1985).

Le pape propose un code moral aux deux grands

Dans une déclaration incisive sur la question du désarmement, le pape Jean-Paul II a estimé hier (1er janvier 1985) que les nouveaux pourparlers américano-soviétiques sur le désarmement seront difficiles et « devront être guidés par des considérations morales et humanitaires ».

Il a profité de l'occasion pour élaborer également un code de conduite aux États-Unis et à l'URSS, dans l'espoir de garantir la réussite des négociations sur le désarmement qui s'ouvrent le 7 janvier.

Prenant la parole devant plus de 40 000 pèlerins rassemblés sur la place Saint-Pierre, le Souverain Pontife a affirmé que la reprise des conversations de Genève représente « un rayon d'espoir » après plus d'une année d'incertitude.

Il a toutefois estimé que tout accord demeurera fragile et précaire s'il ne repose pas sur « une nouvelle philosophie des relations internationales » qui laisserait de côté les intérêts égoïstes et idéologiques.

Les pourparlers peuvent être couronnés de succès si les deux parties réalisent qu'elles risquent la destruction mutuelle, si le dialogue est honnête et si les systèmes de vérification assez étendus sont acceptés, croit le Saint-Père.

« La voie des négociations est le choix de la sagesse, même si

le chemin est parsemé d'embûches. Chaque fois que les deux parties reviennent à la table des négociations, elles font face à des problèmes encore plus complexes. Des armements d'une complexité et d'une puissance insoupçonnées doivent être étudiés », a-t-il ajouté.

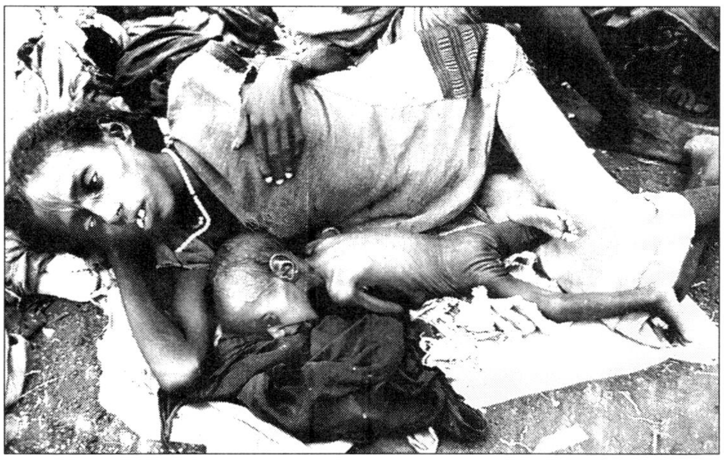

Pendant que les peuples bien nantis célèbrent les fêtes du Nouvel An, les enfants continuent à mourir de faim en Afrique.

Les enfants meurent de faim en Afrique malgré l'abondance de nourriture

La famine est due davantage aux politiques suivies par les gouvernements qu'à une vraie pénurie alimentaire

En Afrique, les marchés regorgent de céréales alors que, tout près, des enfants meurent de faim. En Asie, la faim fait des ravages malgré des récoltes record. Pour la plupart des experts, la famine est due davantage à la pauvreté et à la politique suivie par les gouvernements qu'à une véritable pénurie alimentaire.

Alain Vidal-Naquet, expert de l'Organisation des Nations-Unies pour l'alimentation et l'agriculture (FAO), affirme : « Il y a de la nourriture en quantité, la difficulté c'est de la faire parvenir là où il faut et quand il le faut ».

La famine qui sévit en Éthiopie aurait pu être évitée, expliquent de nombreux spécialistes. Elle a commencé à être considérée comme un problème critique à partir du moment où la télévision a montré des images.

« Nous savons qu'après l'Éthiopie, ce sera le tour du Soudan parce que le sénateur américain Edward Kennedy y a passé Noël avec une équipe de télévision », déclare Georges Simon, du Programme alimentaire mondial (PAM). « La situation y est dramatique... quatre millions de personnes au moins sont concernées. »

De l'avis des experts, un minimum de planification permettrait d'éviter qu'une pénurie passagère se transforme en famine catastrophique et l'évolution de la situation dépend en grande partie des gouvernements locaux.

Silence des dirigeants

Ainsi en juin dernier à Addis Abeba, le chef d'État éthiopien, le colonel Haile-Mariam Mengistu, a pris la parole devant un congrès réunissant divers pays et organisations donateurs. « Les gens mouraient déjà de faim et il n'a rien dit », affirme un responsable des Nations unies : « Le gouvernement (éthiopien) ne voulait pas admettre un quelconque échec en dix ans de régime marxiste-léniniste. »

En 1984, la production alimentaire et agricole mondiale a augmenté de 4,9 %, la plus forte hausse depuis 1972.

Les réserves mondiales de céréales, évaluées à 291 millions de tonnes, devraient permettre de dégager un surplus de 26 millions de tonnes l'année prochaine, soit 10 % de plus que l'année dernière.

Rien qu'en Asie, la production a augmenté de 9 % au cours des deux dernières années, soit plus rapidement que la population.

Mais pour parvenir dans les villages les plus touchés par la famine, l'aide alimentaire doit d'abord être allouée, envoyée sur place et distribuée.

Des quantités considérables de vivres sont perdues à cause de retards administratifs, d'une mauvaise planification, de vols et, dans certains cas, de réquisitions par les autorités militaires locales.

Selon des experts, la situation s'améliore toutefois dans la plupart des pays, à l'exception des pays africains où le problème est extrêmement grave.

Liste rouge

Depuis dix ans, la production alimentaire a baissé d'un pour cent par an en Afrique. Chaque année depuis 1977, la FAO a établi une liste de 20 à 30 pays africains touchés par la famine. Cette année, quinze pays, représentant un tiers de la population africaine, sont sur la liste rouge.

(Ce texte a été publié le 3 janvier 1985)

L'affichage unilingue contrevient à la Charte québécoise des droits

Dans un jugement rendu public hier (**2 janvier 1985**), la Cour supérieure du Québec a invalidé les articles de la Loi 101 interdisant l'affichage dans des langues autres que le français.

Le juge Pierre Boudreault a ainsi donné raison à cinq marchands montréalais qui estimaient que l'interdiction d'afficher en anglais était discriminatoire.

Pour la première fois, un tribunal invoque la Charte québécoise des droits de la personne, et non la Charte canadienne, dans une cause linguistique.

Selon le jugement rendu public par le groupe de pression anglophone Alliance Québec, les dispositions contestées de la Loi 101 contreviennent à l'article 3 de la Charte des droits de la personne qui garantit la liberté d'expression.

Le gouvernement québécois a un mois pour en appeler de la décision du juge Boudreault rendue le 28 décembre 1984.

Alliance Québec, qui a financé la poursuite, espère qu'il n'en fera rien.

Des sondages ont démontré que la majorité des Québécois favorisent l'affichage bilingue, a déclaré le président du groupe, M. Éric Maldoff.

« Nous espérons que dans le nouveau climat de réconciliation, le gouvernement acceptera ce jugement qui respecte autant les droits des francophones que ceux des anglophones », a-t-il ajouté.

À la question de savoir s'il craignait que Québec n'aille en appel, Me Harvey Yarosky, avocat des marchands et d'Alliance Québec, a souri et répondu : « Non, nous n'avons pas peur, même s'ils le font ».

Le président du Mouvement national des Québécois, M. Gilles Rhéaume, a réservé tout commentaire pour le week-end. Il s'est contenté d'indiquer que les articles sur l'affichage constituaient la vitrine de la Loi 101.

Plumes perdues

Depuis son adoption en 1977, un an après la prise du pouvoir par le Parti québécois, la Loi 101 a perdu beaucoup de plumes, si bien que ses différences d'avec la Loi 22 de l'ancien gouvernement libéral s'amenuisent d'année en année.

Ainsi, c'est la Loi 22 qui avait rendu l'affichage en français obligatoire.

Le jugement Boudreault maintient cette obligation. Mais, tout comme en vertu de la Loi 22, il sera désormais possible d'afficher également dans toute autre langue que le français.

Les mêmes marchands qui ont contesté les articles sur l'affichage et qui ont plaidé leur cause en juin — les fleuristes McKenna, la marchande de laine Valerie Ford, du West Island, les magasins de chaussures Brown's, le Nettoyeur et Tailleur Masson, de la rue du même nom dans l'est de la ville, et la Compagnie de fromage Nationale — ont déjà obtenu en cour le droit de produire des brochures publicitaires bilingues.

L'année dernière, le gouvernement a apporté des amendements à la Loi 101 permettant aux marchands spécialisés dans la vente de produits étrangers ou ethniques d'apposer des affiches bilingues.

Les mêmes amendements ont aboli les tests de connaissance du français pour les professionnels qui ont complété leurs cours dans des écoles anglophones. Ils ont aussi permis à certaines compagnies d'embaucher des travailleurs qui ne parlent que l'anglais.

En juillet dernier, la Cour suprême a déclaré inconstitutionnelle la « clause Québec » de la Charte de la langue française, qui interdisait à tout parent canadien-anglais, même venant d'une autre province, d'envoyer ses enfants dans une école anglophone au Québec.

Un autre jugement de la Cour d'appel du Québec a permis aux employeurs et aux employés de parler entre eux seulement en anglais, si tel est leur désir mutuel.

Alliance Québec a indiqué que les articles contestés sur l'affichage avaient essentiellement une valeur symbolique.

« En leur reconnaissant le droit d'afficher dans leur langue, le jugement reconnaît que les anglophones sont des Québécois à part entière », a dit M. Maldoff.

Il s'agissait là d'un des derniers articles de la Loi 101 qui irritait le groupe de pression, mais il y en a d'autres.

Alliance Québec souhaite ainsi que le gouvernement acceptera désormais de communiquer en anglais avec les anglophones et d'offrir des services dans d'autres langues que le français.

Le groupe voudrait aussi que l'accès à l'enseignement anglais soit élargi à des ressortissants de pays étrangers.

Singer

D'autre part, la papeterie Allan Singer, dans l'ouest de Montréal, plaide toujours devant la Cour d'appel son droit d'afficher en anglais seulement. Alliance Québec ne soutient pas cette cause.

Le groupe de pression défend cependant Mme Nancy Forget, une infirmière opposée aux examens de connaissance du français qu'impose la Loi 101 aux membres de certaines corporations professionnelles. La Cour d'appel ayant donné raison à Mme Forget, Québec a demandé à la Cour suprême la permission d'en appeler.

60% des Canadiens croient que leurs députés sont malhonnêtes

À peine quatre Canadiens sur dix croient que leurs députés provinciaux et fédéraux sont honnêtes et sincères. Et, fait encore plus inquiétant pour les parlementaires, ce sont les jeunes qui font preuve du plus grand cynisme à leur endroit.

C'est ce que révèle un sondage effectué par Environics l'automne dernier. Il permet de constater une érosion de la confiance de la population envers ses élus, puiqu'une enquête semblable avait été menée il y a deux ans avec des résultats davantage favorables aux députés. (**Texte publié le 3 janvier 1987**).

TPS et TVQ: confusion dans le taxi, résignation des consommateurs

Pendant que la plus grande confusion règne dans l'industrie du taxi, la TPS et la nouvelle taxe de vente provinciale sont payées le plus souvent sans commentaires par une clientèle résignée dans les restaurants, les dépanneurs et les pharmacies.

Dans le taxi, où la taxe provinciale ne s'appliquera que l'an prochain, la taxe sur les produits et services (TPS) de 7 % du gouvernement fédéral ne devait au départ être perçue que par les chauffeurs dont le revenu dépassait 30 000 $. La plupart croyaient donc y échapper.

Mais Ottawa a changé son fusil d'épaule il y a deux semaines et décidé que toutes les courses seraient taxables. Les compagnies ont été prises au dépourvu et il en résulte un beau fouillis. Les clients ont intérêt à « magasiner », car il sera possible pendant encore quelques semaines d'éviter la TPS.

Tous s'entendent toutefois pour estimer que cette nouvelle taxe est une calamité pour leur industrie.

Dans les commerces, c'est la résignation des clients qui étonne. Ils paient presque toujours sans commentaires, même si on leur demande souvent 15,56 % de plus (la TPS de 7 %, plus la taxe provinciale de 8 %).

Les clients sont surtout surpris de voir qu'il y a une taxe sur des produits comme les journaux, les magazines, les tampons et les couches. Pour le reste, ils savaient que la taxe allait venir et bien peu protestent. C'est compliqué aussi de leur expliquer qu'il n'y a pas de taxe sur les arachides non-salées, mais qu'il y en a sur celles qui le sont. Même chose pour l'eau gazéifiée (taxée) et l'eau plate (non taxée).

Dans les dépanneurs, la politique varie d'un endroit à l'autre. Chez Provi-Soir, tous les prix des articles déjà taxés par le fédéral ont été diminués.

Même les timbres

Les bouteilles de vin, par contre, ont vu leur prix diminuer de 13 %, de sorte que la taxe fait moins mal. Mais ce n'est pas partout pareil. Au dépanneur du métro Longueuil, les prix n'ont pas été changés, de sorte qu'une Cuvée des Patriotes marquée 8,67 $ coûte maintenant 10,02 $, ce qui fait cher pour le gros rouge !

La TPS touche même les timbres, qui ont également subi une hausse d'un cent au premier janvier. Le coût pour envoyer une lettre au Canada passe donc de 39 à 43 cents, une hausse de 10 %. Les envois à l'étranger qui coûtent plus de 5 $ peuvent toutefois être détaxés, mais il faut passer par le bureau de poste pour obtenir le crédit. (**Cette nouvelle a été publiée le 3 janvier 1991**).

En 1907, LA PRESSE offrait à ses abonnés ce calendrier perpétuel de la grosseur d'une pièce de monnaie de 50 sous, et utile jusqu'en 1927. Cette pièce a été précieusement conservée par M. David Mancini, de la rue Saint-Dominique, à Montréal.

AEROPLANE SOUS-MARIN

New York — Une dépêche de Norfolk, Virginie, publiée par l'« Evening World », dit : « Le lieutenant Resnati, aviateur italien, essaiera bientôt de rendre encore plus glorieux son nom. Il se prépare à voler dans un nouvel aéroplane italien qui peut évoluer sous les flots. On dit que cet aéroplane est le seul de ce genre et qu'il peut avancer beaucoup plus vite qu'un sous-marin lorsqu'il est immergé.

L'ECHAFAUDAGE-AUTOMOBILE

Une ingénieuse application de l'automobilisme inaugurée à Paris par M. D. Macdonald.

La Compagnie de tramways de l'Est parisien innovait, à la fin de 1902, en utilisant, pour l'entretien de fils aériens des tramways et la remise sur les rails des tramways déraillés, un véhicule automobile à plateforme escamotable, et capable de porter un poids de 500 kg et six employés de la compagnie. Ce véhicule a été construit par la Société des automobiles Delahaye, et c'est à un Canadien, Duncan Macdonald, qu'on le devait. Les photos qui accompagnent ce texte ont paru dans LA PRESSSE du *3 janvier 1903*.

C'EST ARRIVÉ UN 3 JANVIER

1996 — Pour la première fois depuis sa création il y a 30 ans, l'actif de la Caisse de dépôt et placement du Québec dépasse les 50 milliards de dollars canadiens.

1987 — Selon un sondage effectué par Environics l'automne dernier, à peine quatre Canadiens sur dix croient que leurs députés provinciaux et fédéraux sont honnêtes et sincères.

1979 — Proclamation de l'Année internationale de l'enfant par l'ONU.

1967 — Jack Ruby, l'assassin de Lee Harvey Oswald, le meurtrier du président John Kennedy, meurt d'un cancer à Dallas.

1965 — L'Épiscopat canadien fait paraître deux ordonnances prévoyant qu'à compter du 7 mars prochain, presque toute la messe sera célébrée en français et tous les sacrements seront aussi administrés en français.

1961 — Les États-Unis rompent leur relations diplomatiques avec Cuba.

1959 — L'Alaska devient le 49e États à joindre les États-Unis.

1958 — L'explorateur Sir Edmund Hillary atteint le Pôle Sud.

1946 — Pendaison pour haute trahison envers l'Angleterre de William Joyce, connu sous le vocale de « lord Haw-Haw » sur les ondes de la radio nazie.

1944 — Le destroyer *Turner* explose dans la baie de New York : 138 morts.

1935 — Début du procès de Bruno Richard Hauptmann, présumé ravisseur du bébé du célèbre aviateur Charles Lindbergh.

Affichage: Québec en appelle

Le gouvernement du Québec a décidé d'en appeler du jugement de la Cour supérieure déclarant inopérant l'article 58 de la Loi 101 portant sur l'affichage public et la publicité commerciale.

C'est ce qu'a annoncé hier soir (**le 3 janvier 1985**) le premier ministre suppléant et ministre des Relations internationales et du Commerce extérieur, M. Bernard Landry, en précisant que cette décision avait été prise « pour une série de raisons juridiques et aucunement dans un esprit de confrontation ».

M. Landry a souligné que la décision rendue le 28 décembre par le juge Pierre Boudreault, de la Cour supérieure, touchait deux grandes législations québécoises, la Charte des droits et libertés et la Charte de la langue française.

« Ce ne sont donc pas des législations secondaires, mais des pièces majeures de notre droit, et il est dans l'intérêt de toutes les parties que des jugements définitifs soient prononcés à cause de la règle de droit qui s'appelle l'autorité de la chose jugée. La Cour d'appel et la Cour suprême ne sont jamais liées par les décisions des tribunaux inférieurs, par conséquent, si on veut vraiment connaître le fond de la question, il faut aller à l'étape suivante, et éventuellement plus haut. »

Le gouvernement aurait pu facilement se tirer de ce piège en modifiant la Charte de la langue française pour dire que l'article 58 s'applique nonobstant la Charte des droits.

Mais comme toute réduction de la portée de la Charte des droits est impopulaire, il semble avoir préféré aller d'abord en appel, en espérant que la Cour d'appel ou la Cour suprême lui donneront raison.

Plus on va à la messe, plus on a voté NON au référendum

Qui retrouvait-on dans les 49,4 % qui ont dit OUI et les 50,6 % qui ont dit NON au référendum du 30 octobre 1995 ?

Combien de vieux et de jeunes, d'hommes et de femmes, de vieilles et nouvelles souches, de métropolitains et de provinciaux, de patrons et de syndiqués, de francos et d'anglos ou d'allos ?

Jacques Parizeau avait sa petite idée là-dessus et les experts ont multiplié les répartitions : langue, sexe, âge, ethnie et région.

La maison de sondage Angus Reid ajoute un nouveau facteur de clivage : la religion catholique et la fréquence d'assistance à la messe dominicale.

Selon deux sondages pré-référendaires, l'intention de voter NON croissait avec la pratique religieuse chez les catholiques francophones. Plus souvent on allait à la messe plus on avait l'intention de voter NON.

Angus Reid et Andrew Grenville, président et vice-président de la firme de sondage, viennent de sortir ces données, dans le quotidien *Ottawa Citizen*, sous le titre *Comment les francophones catholiques ont contribué à la défaite du référendum sur la souveraineté*.

Les chiffres sont éloquents : même si 60 % des francophones ont voté OUI, 60 % des francophones qui vont à la messe chaque semaine avaient l'intention de voter NON. Il appert que 13 % de la population du Québec va à la messe chaque semaine.

L'explication est cependant moins convaincante. MM. Reid et Grenville évoquent la thèse que le nationalisme a supplanté la religion au Québec et font valoir que les catholiques convaincus sont plus réceptifs à la différence et moins enclins à embrasser la séparation d'avec la grande communauté canadienne.

Gilles Therrien et Guy Larocque, de la maison de sondage SOM, ne sont guère impressionnés par cette explication, que M. Larocque qualifie même de farfelue. « Il faut plutôt y voir le partage des valeurs conservatrices, qu'on retrouve également chez les personnes plus âgées, qui ont amené les gens à voter contre le changement », selon les experts de SOM.

Les données d'Angus Reid tendent justement à confirmer cette hypothèse puisqu'on y apprend que 64 % des gens de 75 ans et plus vont à la messe chaque semaine contre 3,7 % chez les 18-24 ans. Plus on est vieux, plus on va à la messe ; plus on va à la messe, plus on vote NON ! Est-ce une question d'âge ou de religion ? M. Grenville admet cette relation mais estime qu'elle n'explique pas tout. « La moitié des catholiques de moins de 45 ans allant à la messe chaque semaine avaient l'intention de voter NON alors que c'était seulement 20 % chez les moins de 45 ans qui n'affichaient aucune identification religieuse. »

« Les résultats du référendum québécois démontrent qu'on ne peut ignorer le rôle de la religion dans la construction de nos sociétés, sous peine d'appauvrir notre connaissance et notre compréhension », concluent MM. Reid et Grenville.

On peut s'étonner des explications des gens d'Angus Reid, mais on ne peut ignorer leur contribution à une meilleure compréhension du vote référendaire.

(**Ce texte a été publié le 4 janvier 1996**).

La plupart des informations de ces 30 dernières années ont été enregistrées sur des systèmes primitifs ou devenus périmés. C'est-à-dire inintelligibles ou sur le point de l'être.

Quand les ordinateurs tuent l'histoire...

La révolution informatique a son revers et certains épisodes de l'histoire des États-Unis sont aujourd'hui à peu près aussi indéchiffrables que les hiéroglyphes égyptiens avant la découverte de la pierre de Rosette.

La plupart des informations de ces 30 dernières années ont en effet été enregistrées sur des systèmes primitifs ou devenus périmés. C'est-à-dire inintelligibles ou sur le point de l'être.

En conséquence, des centaines de milliers d'Américains ne pourront bientôt plus trouver trace de leurs ancêtres dans les archives nationales. Pis encore : la perte de ces données inestimables pourrait provoquer d'importants retards dans la détection d'une maladie, d'une menace pour l'environnement ou encore de modifications dans une classe sociale.

« La complexité des ordinateurs modernes constitue une menace pour la consultation des archives historiques de notre nation », a récemment souligné le président de la sous-commission parlementaire (à Washington) chargée de l'information.

D'ores et déjà, certaines données archivées sont devenues indéchiffrables par ceux qui sont chargés par Washington de connaître les effets de l'Agent orange sur les soldats vietnamiens. Ces chercheurs n'ont pu utiliser les bandes informatiques sur lesquelles avaient été enregistrées la date, le lieu et l'ampleur de chaque bombardement de ce dangereux produit défoliant.

De même, le fichier le plus complet sur les Américains qui ont servi dans les forces armées durant la Seconde Guerre mondiale n'existe que sur 1 600 cartes perforées. Et rien ni personne ne peut plus transcrire ces données sur un ordinateur de technologie récente.

Troisième exemple : le recensement des années 1960 et les premières observations du système solaire par la Nasa sont consignés sur un millier de vieilles bandes qui ne supporteraient plus d'être lues par les ordinateurs de l'époque. « Nous ne voyons encore que la partie émergée de l'iceberg », constate Kenneth Thibodeau, directeur des fichiers électroniques des Archives nationales, à Washington. Fort d'une vingtaine de personnes, son service est responsable de tous les fichiers gouvernementaux archivés sur ordinateurs.

« Si les organismes qui nous ont confié des données au cours des 20 dernières années nous les fournissaient aujourd'hui, il nous faudrait 25 ans pour les traiter », explique-t-il.

Les archives sont actuellement à pied d'oeuvre pour décrypter les fichiers du département d'État sur la guerre du Vietnam et pour concevoir des programmes de transcription. Et ce n'est qu'un début.

Pourquoi n'a-t-on pas conservé un ordinateur avec ses logiciels d'origine ? Réponse de M. Thibodeau : « C'est ce dont nous avons besoin en théorie. » Mais, ajoute-t-il, « pourrait-on encore trouver des pièces détachées pour un ordinateur des années 1960 ? Et pourrait-on faire appel à des opérateurs capables de le faire fonctionner ? »

À la Nasa, on reconnaît volontiers que plusieurs centaines de milliers de bandes sur les quelque 1,2 million qu'a accumulées l'agence depuis 1958 sont stockées « dans des conditions déplorables ».

Bien qu'un coûteux programme soit actuellement à l'étude pour les remettre en état, le laboratoire de propulsion aéronautique de la Nasa à Pasadena (Californie) a déjà perdu 225 images informatisées des planètes Mars, Vénus, Jupiter et Saturne. Et certaines photographies de la face cachée de la lune prises en 1960 pourraient connaître le même sort, une perte d'autant plus grave que ces documents pourraient être utiles à l'élaboration d'une mission entre la Lune et Mars.

(**Texte publié le 4 janvier 1991**).

C'EST ARRIVÉ UN 4 JANVIER

1988 — À 5 h 30 ce matin, quatre nouvelles stations de métro de la ligne 5 ont ouvert leurs portes : Outremont, Edouard-Montpetit, Université-de-Montréal et Côte-des-Neiges. Dans quelques mois, celle de L'Acadie accueillera ses premiers voyageurs.

1980 — Le président des États-Unis, Jimmy Carter, gèle le traité Salt II en guise de représailles contre l'URSS à cause de l'invasion de l'Afghanistan.

1974 — La société United Aircraft réplique à un « sit-in » de ses employés en cessant ses activités. Ce sera le début d'un long conflit ouvrier.

1971 — Francis Simard et les frères Paul et Jacques Rose sont tenus criminellement responsables de la mort par strangulation de l'ex-ministre du Travail du Québec, M. Pierre Laporte.

1967 — L'hydroplane Bluebird de Donald Campbell explose alors qu'il filait à 300 milles à l'heure. On ne retrouve aucune trace du célèbre conducteur.

1961 — Le Québec demande à Ottawa de prendre les moyens pour favoriser la circulation hivernale sur le Saint-Laurent.

1960 — Albert Camus, prix Nobel de littérature, philosophe et maître à penser de la jeunesse d'après-guerre, s'est tué hier dans un accident d'auto.

1955 — Le gouvernement égyptien ferme le canal de Suez aux navires israéliens.

1933 — Le paquebot français Atlantique brûle au large de Cherbourg, où il a été abandonné à la dérive par son équipage. Il avait été retiré du service transatlantique que deux ans plus tôt.

1924 — Les flammes causent pour 100 000 $ de dégâts à l'hospice Gamelin, à Montréal.

1910 — L'aviateur français Léon Delagrange se tue à Bordeaux lors d'une démonstration d'acrobatie aérienne.

Voici une photo du groupe d'élèves du professeur Noël publiée dans notre journal le 4 janvier 1905 : 1. Eugène Dubreuil; 2. Lucien Bourbonnière; 3. Thomas Eagan; 4. Lucien Langevin; 5. Léo Normandin; 6. Adrien Morneau; 7. Émile Saint-Jean; 8. Raoul Bouchard; 9. Armand Pageau; 10. Wilfrid Danis; 11. Roméo Barck; 12. Lucien Paquet; 13. Émile Lafrance; 14. Aimé Dubois; 15. Joseph Quenneville; 16. Paul Martin; 17. Emmanuel Auger; 18. Jean Granger; 19. Victor Rivet; 20. Adrien Desjardins.

LA CAUSE DE L'INSTRUCTION PRIMAIRE

L'école fondée par LA PRESSE, il y a deux mois, donne des résultats très encourageants

LORSQUE, il y a un peu plus de deux mois, la direction de « La Presse », mue uniquement par le désir de faire le bien et de pousser au progrès, instituait, à ses frais, en cette ville, un cours d'études primaires sous la direction du professeur J. M. A. Noël, elle était loin de s'attendre au succès complet qui couronne aujourd'hui ses généreux efforts. Cette école fut ouverte, comme on le sait aux vainqueurs d'un concours qui eut lieu au mois d'août dernier entre les petits amis de « La Presse ».

L'ouverture de cette école qui devait se faire vers la mi-septembre fut retardée par des circonstances incontrôlables jusque vers la mi-octobre, de sorte que, si nous omettons les jours de congé, les dimanches et autres jours de fête, il se trouve que le 31 décembre dernier (**ce texte a été publié le 4 janvier 1905**), l'école de « La Presse » entrait dans son soixantième jour d'existence.

Quand arriva l'heure de l'ouverture de cette école, les élèves dont l'âge varie entre six et huit ans furent déclarés dûment qualifiés pour la fréquenter.

Comme nous l'avons déjà dit dans un entretien précédent, les méthodes d'enseignement du professeur Noël sont sans rivales et sont approuvées par les autorités les plus compétentes en matière d'éducation. Le même représentant de « La Presse » qui, vers le milieu de novembre dernier, fut témoin d'un examen subi devant lui par les élèves de M. Noël retourna à cette école le 29 du même mois, où il lui a été donné de constater les progrès vraiment surprenants accomplis par ces enfants dans un espace de temps aussi court.

Il convient de dire d'ailleurs que le professeur Noël ne néglige absolument aucun détail de nature à créer chez ses jeunes élèves une favorable impression. Son système consiste surtout à infiltrer, lentement, mais sûrement, l'instruction dans les jeunes intelligences qui lui sont confiées.

La lecture, l'écriture, l'orthographe, l'arithmétique, le catéchisme, l'histoire sainte et la géographie sont enseignés tous les jours à des heures fixes aux cours de M. Noël. (...) Sa manière d'enseigner l'arithmétique en se servant de blocs en bois et de chiffres mobiles est la plus parfaite et la plus pratique, croyons-nous, qui puisse se trouver. (...) Ces jeunes enfants apprennent aussi à parler la langue anglaise d'une façon réellement prodigieuse. Enfin, le tout à cette école est enseigné, raisonné et commenté par le professeur Noël, et non récité en une sèche théorie par les élèves.

É.-U. et Cuba: rien ne va plus

Les États-Unis ont rompu leurs relations diplomatiques avec le gouvernement cubain. Cependant, on précise à Washington que cette décision n'affectera en rien le statut de la base navale américaine de Guantanamo, en territoire cubain, qui compte 10000 résidents américains.

« Il y a une limite à ce que les États-Unis peuvent supporter sans porter atteinte au respect qu'ils se doivent. Cette limite est maintenant atteinte », a déclaré hier soir le président Eisenhower, en annonçant la rupture définitive avec Cuba.

(**Cela se passait le 4 janvier 1961**).

Premier triomphe du club Canadien

Il bat Cobalt par 7 à 6 dans une lutte excitante au possible

Le Canadien a disputé le tout ***premier match de son histoire*** *le* ***5 janvier 1910,*** *en affrontant le Cobalt. Or, comme à l'époque LA PRESSE ne publiait pas le 6 janvier, fête des Rois, il a fallu attendre au 7 avant de lire le compte-rendu* ***intégral*** *du match que nous vous proposons. Les sous-titres sont contemporains.*

LE Canadien a triomphé du Cobalt mercredi soir au Jubilée, dans l'une des parties de hockey les plus contestées et les plus excitantes vues à Montréal. Le score a été de 7 à 6, et il a fallu jouer cinq minutes de plus que le temps réglementaire pour obtenir un résultat décisif. A la fin d'une heure de jeu, le score était de 6 à 6, et les équipes laissèrent la glace. Une partie des spectateurs s'en allèrent alors croyant que tout était fini et que les deux clubs avaient fait partie nulle. Les arbitres ordonnèrent cependant aux clubs de continuer la lutte, annonçant que le premier point enregistré déciderait de la victoire. Le Canadien eut à soutenir de rudes assauts dans ces minutes finales, mais il réussit à écarter le danger et Poulin compta le treizième point de la soirée, celui qui donnait la victoire à l'équipe canadienne-française.

Un public enthousiaste

Il se produisit alors une scène d'enthousiasme extraordinaire. L'assistance composée en grande partie de sportsmen de la partie est acclama les vainqueurs avec autant de frénésie que s'ils eussent remporté le championnat du monde. Ajoutons que la foule se montre enthousiaste pendant toute la durée de la joute. Chaque élan du Canadien, chacun de ses exploits, de ses beaux coups, provoquaient de longues et chaleureuses acclamations. Certes l'encouragement n'a pas manqué aux joueurs, même à ceux de Cobalt, car ceux-là aussi avaient leurs partisans et non des moins bruyants.

Le vif intérêt porté par les spectateurs aux moindres incidents de la joute a stimulé les joueurs et ceux-ci se sont surpassés. Certes, on s'attendait à la victoire du Canadien, mais Cobalt a pris le public par surprise, car on était loin de croire ses joueurs aussi forts.

Du jeu dur

Le jeu a été dur, la lutte opiniâtre et acharnée. Plusieurs joueurs se sont oubliés dans l'ardeur du combat, et ont commis des actes qui les ont fait expulser de la glace pour quelque temps. Les membres du club Cobalt ont passé 36 minutes à la clôture, et ceux du Canadien, 34. Campbell et Laviolette ont pris chacun 15 minutes de repos, et Small, 13 minutes.

La plupart des joueurs portent aujourd'hui la marque du dur engagement auquel ils ont pris part. Ils ont la figure ou la tête endommagée. Small, Lalonde et Pitre ont été les plus malmenés. Lalonde, du Canadien, s'est blessé à la cheville du pied, au cours du deuxième mi-temps, et a été forcé de se retirer. Kennedy, de Cobalt, fut alors mis de côté pour égaler les chances. Le Dr Aumont, qui a donné ses soins à Lalonde, dit que ce dernier ne pourra probablement pas jouer avant une dizaine de jours.

Beau but de Lalonde

Le Canadien eut l'avantage dans le premier mi-temps qui se termina avec un score de 2 à 1. Le troisième point du club local fut enregistré par Lalonde, après une course de toute beauté de presque toute la longueur de la glace. Les visiteurs s'améliorèrent immensément dans la deuxième moitié du match. Ils égalèrent le score, puis prirent l'avantage. Le Canadien égala à son tour, et chaque club se trouva à avoir quatre points à son crédit. Laviolette fut alors envoyé à la clôture, et pendant qu'il prenait ainsi un repos forcé, Cobalt passa de nouveau en avant, prenant le neuvième, puis le dixième point de la soirée. On put croire alors que c'en était fait du Canadien, mais ce dernier, répondant aux prières de ses partisans, fit un sérieux élan et réussit à égaler le score. Le temps réglementaire expira sur les entrefaites, mais tel que dit plus haut, le Canadien l'emporta dans la période supplémentaire.

Les étoiles

Laviolette et Pitre ont été les étoiles du Canadien. Vair a joué une partie sensationnelle pour Cobalt. Small s'est aussi distingué.

L'assistance était de 3 000 personnes environ. Tout ce monde était chaud partisan de l'un ou de l'autre club. Les femmes n'étaient pas les moins enthousiastes et n'ont pas ménagé leurs encouragements. L'une d'elles, qui se trouvait au bord du rond, a reçu par accident un coup de bâton de l'un des joueurs et a eu la joue et le nez déchirés.

L'animation à la joute était telle qu'on aurait cru que la coupe Stanley était en jeu.

Les deux clubs sont satisfaits du résultat. Cobalt espère prendre sa revanche chez lui. En attendant, il rencontrera les Wanderers, samedi soir, au Jubilée.

Sommaire du match

Noms des joueurs :

	COBALT	
	Jones	
	H. McNamara	
	Smaill	
	Vair	
Campbell	Clarke	Kennedy
	o	
Poulin	Décarie	Bernier
	Lalonde	
	Pitre	
	Laviolette	
	Cattarinich	
	CANADIEN	

Referee. M. R. Hern : assistant. M. Reg. Percival : chrônométreurs. M.M. W. R. Naylor et H. Raymond.

SOMMAIRE

1—Canadien.	Lalonde	17.00
2—Canadien.	Poulin	2.06
3—Canadien.	Lalonde	5.00
4—Cobalt.	Clarke	1.00
Deuxième période :		
5—Cobalt.	Vair	2.35
6—Cobalt.	Vair	11.25
7—Cobalt.	McNamara	2.00
8—Canadien.	Bernier	4.25
9—Cobalt.	Clarke	0.50
10—Cobalt.	Smaill	2.00
11—Canadien.	Bernier	0.40
12—Canadien.	Laviolette	1.20
Période supplémentaire :		
13—Canadien.	Poulin	5.35

Punitions — Poulin, 5 et 3 min. : Bernier. 2 : Lalonde, 2 et 1 : Laviolette. 2 : Kennedy. 3 : Smaill, 2 et 2 : Vair. 3 : Laviolette. 3, 5 et 5 : Pitre. 3 et 3 : Clarke. 2 : Campbell. 3, 3, 3, 3 et 3 : Smaill. 3, 3 et 3. Total, Canadien. 32 : Cobalt. 33.

Le procès de la décennie n'aura pas lieu

Brian Mulroney

Le procès de la décennie n'aura pas lieu. Le gouvernement fédéral et Brian Mulroney ont conclu une entente à l'amiable (**le 5 janvier 1997**) qui annule le procès pour atteinte à sa réputation que faisait M. Mulroney au gouvernement, et qui devait commencer ce matin.

Par cette entente, Ottawa et la Gendarmerie royale du Canada, que M. Mulroney poursuivait pour 50 millions, présentent leurs excuses à l'ancien premier ministre du Canada (1984-93) pour l'avoir associé à une affaire de pots-de-vin entourant la vente d'avions par la société Airbus, en 1988.

La GRC reconnaît du même coup que la preuve recueillie ne permet aucunement et ne permet toujours pas de conclure à quelque malversation que ce soit de la part de M. Mulroney.

En contrepartie de cette déclaration, M. Mulroney renonce à toute réclamation monétaire pour les dommages subis. S'il renonce à demander de l'argent, c'est que les sommes qui auraient pu lui être payées auraient été puisées à même les fonds publics, dira l'entente.

La GRC s'engage toutefois à rembourser à M. Mulroney tous ses frais — quatre avocats principaux, expertises et autres dépenses.

Après seulement 14 mois de procédures, les frais de M. Mulroney s'élèvent à au moins 1 million, probablement autour de 2 millions selon nos informations. Un arbitre choisi par les deux parties sera chargé d'évaluer précisément ces frais.

Mystérieux meurtre au Colorado

Mystérieux meurtre d'une jeune « miss » retrouvée étranglée à Noël, à Boulder, Colorado

Le meurtre inexpliqué d'une fillette de six ans, lauréate d'un concours de beauté pour enfants, retrouvée morte à Noël dans la cave de sa maison, intrigue l'Amérique par les nombreuses zones d'ombre qui entourent cette affaire peu ordinaire.

Au lendemain de Noël, le corps de la petite Jon Benet Ramsey, étranglée et violée, selon plusieurs sources, était retrouvé au sous-sol de sa maison, située dans un quartier aisé de Boulder, près de Denver (Colorado). Le père de la victime, John, affirmait avoir découvert lui-même le corps de sa fille.

Quelques heures auparavant, la mère, Patsy, ancienne « miss Virginia », avait appelé la police pour expliquer que sa fille avait été kidnappée. Pour preuve, elle avait brandi un message réclamant une rançon de 118 000 $.

La police a toujours refusé de confirmer que l'enfant avait été enlevée, et elle a lancé un appel au calme à la population après les déclarations de la mère.

Les médias américains se sont rapidement emparés de cette affaire, survenue dans une période creuse de l'actualité. Les télévisions diffusent des vidéos amateurs montrant la fillette, « Little Miss Colorado 1995 », chantant et dansant lors d'un gala, maquillée et vêtue d'un habit de lumière façon Las Vegas. (**Texte publié le 5 janvier 1997**)

Les licences de radio sont obligatoires

LE chef du service de radio pour le gouvernement fédéral, M. C.-P. Edwards, vient d'adresser la lettre suivante à tous les inspecteurs du Canada :

« Avant de prendre des mesures énergiques de poursuite légale contre les personnes qui font usage, sans licence, d'appareils récepteurs radiophoniques, le département désire employer tous les moyens possibles pour informer le public que la licence est obligatoire pour tous ceux qui ont des postes de réception.

« Le moyen le plus direct de se mettre en communication avec les possesseurs est le poste d'émission où vous lirez les messages ci-dessous, là où on vous le permettra. »

AVIS DE L'INSPECTEUR

Voici l'avis que M. Edwards a donc demandé de faire lire dans les postes montréalais : « Afin que les personnes qui se servent d'un récepteur de radiophonie sans licence ne puissent plaider ignorance de la loi, le département de la Marine et des Pêcheries désire informer le public que la période de grâce pour obtenir sa licence sans encourir la pénalité de la loi, est sur le point de prendre fin.

« On doit prendre avis que la licence est obligatoire pour n'importe quel système d'antenne, extérieure, intérieure, en cadre ou reliée aux fils électriques.

« Les personnes résidant dans le district de Montréal peuvent obtenir une licence de réception privée en s'adressant personnellement aux bureaux de poste de Montréal, Wesmount, Lachine, Saint-Hyacinthe et Verdun ; au département du radio, 6, place Youville, Montréal ; à M. l'inspecteur A. Reid, 202, avenue Birch, Saint-Lambert ; ou par lettre, au département du radio, ministère de la Marine et des Pêcheries, Ottawa. Le montant exigé pour une licence est de $1.00 ».

Cela se passait le 5 janvier 1924.

C'EST ARRIVÉ UN 5 JANVIER

1996 — La Ligue antifasciste mondiale déclare « événement fasciste de l'année au Québec » le discours du premier ministre Jacques Parizeau le soir du référendum.

1990 — Le général Manuel Antonio Noriega, bien que désormais aux mains des Américains, leur a lancé un nouveau défi hier en refusant de reconnaître la compétence du tribunal fédéral qui l'a officiellement inculpé hier à Miami de trafic de drogue et blanchiment de narco-dollars.

1989 — Les États-Unis ont invoqué hier la « légitime défense » après que la chasse aérienne basée sur la 6e flotte, en Méditerranée, eut abattu deux Mig-23 libyens. Mais la Libye voyait un « acte de terrorisme prémédité », jurait de « répondre au défi par le défi » et se réservait le droit de légitime défense.

1963 — Le Pathet Lao abat un avion civil américain transportant du riz pour les populations du Vietnam, à 250 milles de Vientiane.

1957 — Pour contrer la pénétration du communisme, les États-Unis offrent de venir en aide à tout gouvernement du Moyen-Orient.

1956 — Décès de Mistinguett à l'âge de 87 ans.

1933 — Décès de Calvin Coolidge, trentième président des États-Unis.

Lionel Groulx antisémite ?

Deux auteurs montréalais, David Rome et Jacques Langlais, publient chez Fidès une étude consacrée aux 200 ans d'histoire commune des juifs et des Québécois francophones dans laquelle ils affirment que « par certains de ses écrits signés d'un pseudonyme et d'autres de son nom véritable, le chanoine Groulx a été un des chefs de file de l'antisémitisme au Canada français ».

David Rome, d'origine lithuanienne, est aujourd'hui attaché au Congrès juif canadien à titre d'historien ; Jacques Langlais, lui, est un prêtre catholique engagé depuis plus de vingt ans dans le mouvement oecuménique et le fondateur du Centre interculturel Monchanin, un organisme voué aux échanges entre les divers groupes culturels et religieux implantés au Québec.

Leur jugement sur le chanoine Groulx s'appuie sur des textes fort éloquests. «On y retrouve bon nombre des grands thèmes antisémites » à la mode dans les années 30, expliquent les auteurs. Le plus important a été publié sous le pseudonyme de Jacques Brassier dans l'*Action nationale* de juin 1933. Réagissant à des manifestations de sympathie organisées au Canada en faveur des Juifs dont les compatriotes sont persécutés par Hitler, en Allemagne, le chanoine dénonce le traitement de faveur dont ceux-ci bénéficieraient au Québec.

Les deux auteurs s'entendent cependant pour reconnaître au célèbre chanoine d'indéniables qualités d'historien, de grand homme d'esprit et de grand Canadien. « Je continue à lui vouer une profonde admiration, précise Jacques Langlais, mais monsieur Rome m'a fait découvrir certains aspects de son oeuvre que je n'avais jamais remarqués. De mon côté, tout au long de la rédaction de cet ouvrage, j'étais le questionnement du Québécois francophone face aux affirmations de David Rome ». Pour sa part, son collègue de travail se définit lui-même comme « une sorte de provocateur professionnel. Mon rôle me force presque continuellement à choquer. Autant quand je m'emploie à expliquer les Juifs aux Québécois francophones que lorsque je fais l'inverse auprès des mes compatriotes. »

Cette influence réciproque constitue la base même de l'ouvrage qu'ils viennent de publier. Avec le résultat qu'ils se déclarent parfaitement d'accord avec tout le contenu de leur livre. Un ouvrage fascinant pour tous ceux qui s'intéressent au Québec d'aujourd'hui et qui, pour mieux comprendre ce qui s'y passe, devraient mieux connaître les origines des problèmes auxquels il est confronté.

(Ce texte a été publié le 5 janvier 1987)

Juliette Béliveau.

Au théâtre Chanteclerc

ENCORE une primeur, la semaine prochaine, au Chanteclerc ; une des plus belles pièces de notre auteur favori, M. Fernand Meynet, intitulée : « Le martyr d'un enfant trouvé », grand drame en six actes. C'est l'histoire d'un pauvre malheureux enfant de 13 ans qui, enlevé à la tendresse de sa mère, tombe entre les mains d'un paysan avaricieux.

Le rôle du p'tit gars sera joué par Mlle Juliette Béliveau qui, dans ces rôles, a toujours remporté un immense succès.

Cela se passait le 5 janvier 1918.

Une femme à la Défense!

Prétendante à la succession de Brian Mulroney, la ministre Kim Campbell devient la première femme à diriger le ministère de la Défense, fait marquant d'un remaniement ministériel annoncé hier (**le 4 janvier 1993**) par le premier ministre du Canada.

L'avocate de 45 ans de la Colombie-Britannique, étoile montante du cabinet, succède au controversé Marcel Masse, qui, à l'instar de quatre autres ministres, quitte le cabinet, n'ayant pas l'intention de se représenter aux prochaines élections fédérales.

Titulaire du portefeuille de la Justice au cours des trois dernières années, Mme Campbell s'est fait remarquer au cours de la dernière session en produisant de nouvelles lois Sur le contrôle des armes à feu et les agressions sexuelles.

L'incertitude entourant l'avenir politique de Brian Mulroney a aussi placé Mme Campbell sous le feu des projecteurs au cours des derniers mois. Mme Campbell et le ministre des Communications Perrin Beatty sont les principaux prétendants à la succession du premier ministre à la tête du Parti conservateur.

À titre de ministre de la Défense, Mme Campbell devra redéfinir le rôle de maintien de la paix des Forces canadiennes à la lumière des nouvelles tensions sur la scène internationale. Elle devrait jouer un rôle important dans la volonté du Canada de promouvoir une politique plus interventionniste de la force internationale dans des pays comme Haïti.

Cette nomination de Mme Campbell représente aussi un clin d'oeil du premier ministre Mulroney à l'électorat féminin, lui qui se targue d'avoir nommé plusieurs femmes à des postes clés au cours de son règne de huit ans. Puisque la ministre Barbara McDougall demeure aux Affaires extérieures, la politique étrangère sera l'affaire de ministres féminins.

Mme Kim Campbell

L'EPIPHANIE

Dans son édition du 5 janvier 1900, LA PRESSE publiait l'avis suivant: *« Il est difficile pour un journal, dont une grande partie de la clientèle est anglaise, de suspendre l'opération de ses contrats; en sorte que l'administration se trouve obligée de publier « La Presse » demain. Elle a pris des mesures pour qu'aucun travail manuel ne soit fait après 9 heures du matin. »* Ceci permet de comprendre que LA PRESSE ait été publiée ce *6 janvier 1900* à une époque où la fête de L'Épiphanie était un jour chômé par les catholiques. Il faudra ensuite attendre *1958* pour que LA PRESSE publie de nouveau un 6 janvier et elle n'a jamais cessé de le faire depuis.

Nouvelle alerte à la méningite

Sylvie Bouthiller n'en finissait plus, hier (**5 janvier 1992**), de répondre au téléphone.

Secrétaire au Département de santé communautaire de Valleyfield, elle a répondu à une centaine d'appels, surtout de parents d'adolescents inquiets après avoir appris la mort de la jeune Christina Pauzé par suite d'une méningite. La situation était d'ailleurs similaire à Rigaud et dans plusieurs hôpitaux de l'Ouest de l'île de Montréal.

Au DSC de Valleyfield, les cas susceptibles de soulever de l'inquiétude étaient référés à une équipe de médecins et d'infirmières qui répondaient aux questions.

Maladie d'origine bactérienne ou virale, la méningite affecte habituellement des gens dont le système immunitaire est faible, comme les jeunes enfants et les gens âgés. On croit que le phénomène actuel pourrait être le résultat d'une nouvelle souche de bactéries particulièrement virulentes et affectant les adolescents. Certains individus sont porteurs de ces bactéries ou de ces virus mais sans que la maladie se manifeste (asymptomatique).

Selon le docteur Jocelyne Sauvé, responsable du DSC de Valleyfield, il ne s'aurait être question pour l'instant de procéder à une vaccination préventive comme dans certaines écoles de Saint-Jérôme, là où plusieurs cas de méningites avaient récemment été signalés.

Grace Kelly, actrice d'une remarquable beauté et vedette montante du cinéma américain, se fiançait le *6 janvier 1956* au prince Rainier III de Monaco, lequel allait devenir, l'été suivant, le premier monarque régnant à épouser une actrice de cinéma. Fille de M. et Mme John B. Kelly, une famille réputée dans sa Philadelphie natale, la princesse Grace s'est fort bien acquittée de sa tâche, dans son tout premier rôle de princesse, lors d'un bal de bienfaisance à l'hôtel Waldorf-Astoria de New York. Cette photo a été prise lors de l'arrivée du couple princier au bal.

Mort du Frère André, thaumaturge du Mont-Royal

Son coeur est conservé dans une urne exposée à la crypte

Le si renommé et si modeste religieux repose dans un décor d'une émouvante simplicité. — Obsèques samedi en la basilique de Montréal.

TÉMOIGNAGE de suprême vénération envers le grand thaumaturge que fut le Frère André, son coeur sera conservé dans une urne placée pour le moment dans la crypte de l'Oratoire, mais qui sera plus tard transportée dans l'église, sous une châsse précieuse. Les autorités de la congrégation de Sainte-Croix n'ont pas permis que le corps du saint homme fût embaumé.

C'est par grappes humaines, qui en quelques heures formeront une foule énorme allant et venant sans cesse, que la population montréalaise va rendre le dernier hommage à celui qu'elle a vénéré de son vivant: le FRERE ANDRE.

Le thaumaturge du Mont-Royal repose en charpelle ardente dans la crypte de l'oratoire Saint-Joseph, son oeuvre, inachevée peut-être, mais qui un jour prochain dominera les flancs du Mont-Royal.

Le vénérable vieillard repose dans un cercueil très simple, en bois comme l'exigent les règles de sa congrégation. Par permission spéciale de l'archevêché, la dépouille mortelle a été placée au haut de l'allée principale de la chapelle où les fidèles peuvent aller jeter un dernier regard sur celui qui demandait à tous de prier saint Joseph.

Modeste durant toute sa vie, le Frère André dort son dernier sommeil dans l'ambiance, le décor qu'il aurait certainement souhaités. Aucune pompe, pas de fleurs, la plus grande simplicité.

*La mort du frère André, à minuit et 50 minutes, le **6 janvier 1937**, a complètement bouleversé la vie montréalaise à l'époque, sans aucun doute avec raison, si on en juge par l'importance accordé à sa mort par LA PRESSE notamment dès son édition du 7. Et c'est justement cette abondance d'informations qui nous force à vous présenter sous forme de capsules les nombreux articles et photos consacrés à cette événement majeur.*

Tout d'abord à la page 1, commençait le texte principal dont nous avons reproduit les premiers paragraphes. Le tout était accompagné du montage de trois photos du frère André à différentes époques de sa vie, et que nous reproduisons dans cette page. Le texte du télégramme du cardinal Villeneuve venait compléter le tout.

À la page 3, une photo montrant le frère André à l'agonie, prise sept heures avant sa mort, et qui choquerait nombre de ses admirateurs d'aujourd'hui si elle était reprise dans cette page. On y expliquait que le célèbre thaumaturge âgé de 92 ans souffrait d'hémiplégie et avait succombé à l'asthénie cardiaque.

La page 14 était entièrement consacré au frère André. On y trouvait les éléments suivants: un texte biographique et notamment consacré à la foi vive qu'entretenait le frère André envers saint Joseph; un texte sur l'affluence à l'oratoire; l'avis du médecin, le Dr Lionel Lamy, quant aux raisons de sa mort; un montage photographique consacré à l'oratoire (et également reproduit dans cette page), une photo de la cellule du thaumaturge, et une photo du frère André en chapelle ardente.

Enfin, une grande partie de la page 15 était consacrée à cet événement. On y faisait état d'une entrevue avec une parente, une cousine, la seule qu'on lui connaissait à Montréal à ce moment-là, trois photos, l'une prise en juillet 1936 chez cette cousine, une deuxième consacrée à la construction de son mausolée, et une troisième le montrant à l'âge de 25 ans, en 1870. À part quelques articulets consacrés à des témoignages à son endroit, un tout petit article complétait cette « couverture » exceptionnelle. Ce court article faisait état de la mort à Hull, dans la même nuit (ironie du sort) que le frère André, d'une autre cousine, Mme J.-B. Bessette, à l'âge de 84 ans. Le frère André lui avait rendu une dernière visite le 17 novembre avant sa mort.

Le texte suivant servait de légende au montage photographique initialement publié dans l'édition du 7 janvier 1937. Le frère André n'est plus mais un double monument s'élèvera à sa mémoire vénérée; la basilique que sa piété autant que les dons des fidèles ont élevée sur le flanc du Mont-Royal, le mausolée que les religieux de Sainte-Croix feront dresser bientôt tout auprès. Comme il y a loin de l'humble chapelle de 1904 au chef-d'oeuvre d'architecture que nous pourrons contempler dans quelques années! On voit ci-dessus:

1 — la première chapelle, ayant déjà subi un premier agrandissement; 2 — l'oratoire Saint-Joseph tel qu'on le connut jusqu'en 1917 alors que fut inaugurée la crypte actuelle; 3 — le beau monument à saint Joseph qui s'élève à l'entrée du vaste terrain de la basilique; 4 — une vue prise en avion, montrant un état tout récent des constructions, la première structure de la basilique s'élevant au-dessus de la crypte; 5 — l'aspect imposant que présentera le monument d'art et de foi, lorsqu'il sera entièrement terminé.

LA BONNE FIGURE DU VENERABLE DISPARU

Le frère André, à trois époques de sa vie: à gauche tel qu'il apparaissait en 1912; puis à l'âge de 80 ans, en 1925; enfin, à droite, l'une des dernières photos du thaumaturge, prise en 1933.

C'EST ARRIVÉ UN 6 JANVIER

1993 — Une catastrophe écologique menace les îles Shetland, au nord de l'Écosse, où un pétrolier transportant 90 millions de litres de brut, le Braer (affrété par la Canadian Ultramar Limited), s'est échoué, par une violente tempête, à la suite d'une panne de ses machines.

1975 — Une grève de 5000 camionneurs québécois paralyse tout le transport régional.

1974 — Dans le but d'économiser l'essence, les États-Unis décident d'adopter l'heure avancée de l'est à titre d'essai.

1969 — La France impose un embargo sur toute livraison d'armes à l'État d'Israël.

1961 — Le général de Gaulle remporte une éclatante victoire lors du référendum tenu pour résoudre le problème algérien.

1951 — Maurice Richard devenait le meilleur compteur de l'histoire du Canadien en enregistrant son 271e but dans un triomphe de 5-2 sur les Red Wings de Detroit. L'ancienne marque de 270 buts appartenait conjointement à Howie Morenz et Aurèle Joliat.

1950 — La Grande-Bretagne reconnaît le gouvernement de la République populaire de Chine.

1919 — Décès de Theodore Roosevelt, ex-président des États-Unis d'Amérique.

770 000 foyers privés d'électricité

De mémoire d'homme, Hydro-Québec vient de connaître la pire panne causée par le verglas de son histoire, jusqu'à 770 000 foyers (soit un abonné sur quatre) se retrouvant plongés dans le noir.

Rien de surprenant, lorsqu'on sait que, de Drummondville à Hull, le Québec a subi sa pire tempête de glace depuis 1961. Résultat : en Montérégie, 353 000 familles se sont retrouvées sans électricité ; plus 247 000 dans l'île de Montréal, ainsi que 155 000 dans les Laurentides et l'Outaouais.

Et on n'est pas au bout de nos peines. Après les 20 à 30 mm tombés depuis dimanche soir, un charmant cocktail de pluie verglaçante, neige et grésil pourrait nous garder sur le qui-vive jusqu'à samedi. Sans compter les vents qui risquent de s'élever et de causer de nouveaux ravages.

Hydro-Québec incite donc ses clients à la patience. « À partir du moment où le verglas cessera, ça devrait encore prendre des heures, et peut-être plusieurs jours avant que le courant soit rétabli partout », prévient Lucie Bertrand, du service à la clientèle.

Déjà, 2000 réparateurs et leurs renforts ne savaient plus où donner de la tête, alors que de nouvelles branches d'arbre se brisaient et venaient saboter leur travail au fur et à mesure.

Les monteurs de ligne devront donc répéter leur exploit de l'an dernier, alors qu'ils ramenaient la lumière dans 300 000 foyers de Lanaudière. L'opération d'alors avait coûté 15 millions.

Or, la tempête des derniers jours a frappé une région deux fois plus vaste et des secteurs beaucoup plus peuplés. On imagine la facture...

Ce sont surtout les régions boisées qui écopent, des milliers et des milliers d'arbres craquant sous le poids de glaçons et, dans leur chute, bloquent les rues et arrachent les câbles. Le spectacle de désolation était particulièrement navrant entre le fleuve Saint-Laurent et la rivière Richelieu, et partout dans l'ouest de l'île.

À Saint-Césaire, la route 112 a même été fermée pendant des heures, parce que des fils électriques serpentaient soudain sur la chaussée. Près de Drummondville, où régnait un trafic monstre, huit pylônes soutenant des câbles de 735 000 volts se sont tordus le long de l'autoroute 20, qu'on a dû fermer pendant plusieurs heures. La ville devra donc s'accommoder d'une ligne parallèle pendant encore plusieurs semaines, voire plusieurs mois.

En attendant, Hydro-Québec profitait hier soir de l'accalmie pour parer au plus pressant. On voulait d'abord rétablir le courant dans cinq hôpitaux (dont l'hôpital Charles-Lemoyne et l'hôpital juif de Montréal) ainsi que dans les centres pour personnes âgées.

Les plus jeunes ont aussi vécu leur dose d'aventure. Sur l'île de Montréal, presque toutes les écoles ont été fermées (et pourraient d'ailleurs le rester aujourd'hui si les pannes persistent). De nombreux étudiants ont également eu droit à un congé improvisé, les pannes ayant forcé Concordia et l'Université de Montréal à fermer plusieurs pavillons. À l'UQAM, les jeunes se sont toutefois plongés dans leurs livres, puisque la plupart des salles de cours sont situées à deux pas du métro.

Mais s'il faisait bon voyager sous terre, il n'en allait pas de même à l'« étage » supérieur. Certains départs d'autobus ont en effet été annulés ou retardés à Laval. Les usagers des trains de banlieue reliant Rigaud et Deux-Montagnes à la métropole sont aussi restés paralysés pendant plusieurs minutes.

Fait assez rare, même les « vrais » trains ont pâti de la température. Le gel des aiguillages ou les arbres jonchant les rails ont beaucoup allongé les voyages entre Montréal, Québec, Ottawa et Toronto. À Dorval, la situation était encore pire, puisqu'on déplorait 69 vols annulés et d'innombrables retards.

Seule consolation, bien que glacées, les routes sont restées étonnamment tranquilles. « Les gens conduisent tellement lentement dans des conditions pareilles, que même le peu d'accidents qui surviennent sont moins graves que d'habitude », a affirmé l'agent Pierre Robichaud. Un petit miracle si l'on considère que la signalisation lumineuse du pont Jacques-Cartier n'a pas fonctionné de l'après-midi ni de la soirée.

Dans le reste du Québec, on craint d'y passer à son tour. Hydro-Québec a quand même appelé des renforts de Québec, de Trois-Rivières et de l'Abitibi, et en attend de Rimouski et du Saguenay. En cas de catastrophe, les monteurs de ligne pourraient même se pointer de l'Ontario et des États-Unis. (**Texte publié le 6 janvier 1998**)

M. Serge Champagne, pressier à LA PRESSE de son métier, a en sa possession un document qui, s'il n'est pas unique, n'existe qu'en un nombre très restreint d'exemplaires. Il s'agit d'un exemplaire du grand *Catéchisme en images* (25 par 37 cm) publié par la Maison de la bonne presse, à Paris, en 1908. Ce catéchisme contient toutes les affiches que nous avons si bien connues à la belle époque et notamment celle de l'Enfer qui nous donnait des sueurs froides. Et cet exemplaire a ceci d'exceptionnel qu'il avait été commandité par LA PRESSE comme en fait foi une note sur la couverture.

C'EST ARRIVÉ UN 7 JANVIER

1979 — Chute du gouvernement khmer rouge de Pol Pot, au Cambodge, devant des rebelles cambodgiens aidés par des soldats vietnamiens. Les Khmers rouges sont accusés d'avoir, en moins de quatre ans de pouvoir, assassiné ou laissé mourir plus du tiers des huit millions de cambodgiens.

1973 — Barricadés sur le toit d'un hôtel de la Nouvelle-Orléans, deux forcenés tirent sur la foule et tuent sept personnes.

1960 — Antonio Barrette succède à Paul Sauvé comme premier ministre du Québec.

1959 — Début des purges à Cuba.

1958 — J.T. Williamson, surnommé le « roi du diamant », meurt à Nairobi, Kenya. Âgé de 52 ans, il était natif des Cantons de l'est. Diplômé en géologie de l'université McGill, il avait fait fortune en découvrant de riches mines de diamants au Tanganyika.

1955 — La cantatrice Marian Anderson devient la première Noire à monter sur les planches du Metropolitan de New York pour y chanter dans un opéra.

1952 — Un incendie cause des dégâts de $1,5 million à Sept-Iles.

1950 — Plus de 600 trains sont retirés de la circulation aux États-Unis à cause de la pénurie de charbon imputable à la grève des mineurs.

1944 — L'honorable juge Thibodeau Rinfret succède à sir L. Duff comme juge en chef de la Cour Suprême

1929 — Le baron Pierre de Coubertin, rénovateur des Jeux olympiques de l'ère moderne et fondateur du Comité international olympique, reçoit le prix Nobel de la paix.

1927 — Le radiotéléphone transatlantique devient un fait accompli.

Encore le verglas

C'est aujourd'hui (**le 7 janvier 1998**) le troisième acte d'une tempête de verglas qui ne semble plus vouloir finir. Après les 10 mm de lundi et les 20 mm de mardi, c'était 20 à 30 nouveaux millimètres qui menacent de napper la ville et, surtout, les fils électriques, déjà trop alourdis de glace. De quoi faire craquer les arbres de toutes parts. Et saboter le travail des réparateurs d'Hydro, qui ont profité de l'accalmie d'hier pour raccorder 363 000 abonnés, avant de reperdre du terrain à toute allure.

Conclusion : tout indique qu'on va bientôt dépasser le record tout frais de 760 000 familles plongées dans le noir, ou du moins le frôler de nouveau.

Surtout qu'en plus d'une nouvelle couche de verglas, on attend aujourd'hui des vents de 40 km / h.

« Or, le moindre coup de vent, avec 50 mm de glace sur les fils et les arbres peut tout faire tomber », prédisait hier le météorologue Edgar Cormier, d'Environnement Canada.

En fin de soirée, un nouveau pylône a effectivement plié sur la 112 près de Marieville, ce qui porte à neuf le compte des structures de métal tordues. Lundi, à Drummondville, huit géants se sont transformés en sculptures modernes.

Voyant qu'elle perdrait la partie contre les éléments, Hydro a donc appelé à la rescousse 120 équipes d'élagueurs de la Nouvelle-Angleterre et de la Nouvelle-Écosse dès l'après-midi. Une première depuis 1965. Ces renforts s'ajouteront aux 2000 employés et retraités qui se serrent déjà les coudes depuis trois jours et trois nuits. Au total, ce sont 82 % des réparateurs de la société d'État qui s'activent dans l'île (où 108 000 familles restaient dans l'obscurité tard hier soir) de même qu'en Montérégie (244 000 familles) et dans l'Outaouais et les Laurentides (83 000 familles).

Un paysage absolument surréaliste. Des milliers d'abres ont courbé l'échine sous le poids du verglas. À Montréal seulement, environ 16 000 arbres ont été sérieusement endommagés.

Une Québécoise photographe en chef de la Pravda

Il y a des pays où n'importe quoi peut arriver, le meilleur comme le pire, et la Russie est un de ceux-là. Après trois ans d'études russes à l'université McGill, Heidi Hollinger, 26 ans, était déjà tombée sous le charme de l'âme slave. Mais elle ne se doutait pas que les Russes l'aimeraient autant en retour. Et si vite.

Après une exposition de ses photographies d'hommes politiques, à Moscou, où elle réside depuis deux ans, la jeune femme vient de se voir confier la lourde tâche de diriger le service de photo du plus célèbre des quotidiens russes, la Pravda. Un gros bond quand on travaille au McGill Daily, un journal étudiant, et qu'on a pas d'expérience significative en journalisme.

À Moscou, à partir de janvier, elle dirigera cinq photographes et aura la responsabilité de mettre un peu de vie dans les pages d'un journal qui a rudement besoin d'un « face lift ».

Pour 500 dollars par mois, un salaire assez spectaculaire dans la Russie post-communiste.

« C'est arrivé très vite, explique la jeune fille, résidante de Westmount. J'étais connue comme photographe pigiste parce que j'ai fait beaucoup de photos de personnages publics. Mais parce que je suis une femme, jeune, et que j'ai beaucoup de facilité à socialiser, je crois qu'on ne me prenait pas très au sérieux. Mon exposition, en juin, a changé cela. »

La jeune photographe, il est vrai, a osé bien des choses qu'un Russe n'aurait pas faites. Comme d'intégrer, par exemple, une photo du bouillant leader d'opposition Vladimir Jirinovski, couché dans une pose langoureuse qui manque singulièrement de classe, et vêtu seulement d'un boxer. Elle a aussi rencontré et photographié des fascistes russes, généralement peu hospitaliers envers la presse locale.

Après avoir été identifiée à la presse « progressiste » et avoir été mis au ban par les réactionnaires, le général déchu Alexandre Roustkoi, ennemi juré de Boris Eltsine, lui a quand même demandé, récemment, de faire les photos officielles en vue de la sortie de son prochain livre.

Mais surtout, le sens inné des relations publiques, dont Heidi Hollinger semble naturellement dotée, l'a fort bien servie; après avoir assisté au vernissage de son exposition du mois de juin, un journaliste russe a écrit qu'il y avait suffisamment de députés à l'événement pour obtenir le quorum parlementaire.

Dans la vie publique moscovite, à la direction du département de photo d'un ex-journal de propagande d'État maintenant soutenu financièrement par des Grecs (!) et où l'histoire s'écrit presque jour après jour, elle est toutefois consciente que ses nouvelles fonctions ne seront pas de tout repos.

Et si tout devait basculer encore une fois dans ce pays « qu'on aime tout de suite à cause de l'âme ou qu'on déteste, parce qu'on n'y comprend rien », il lui resterait quand même cette arme contre laquelle les Russes semblent incapables de trouver une parade : son charme.

(Texte publié en janvier 1996)

La patineuse Nancy Kerrigan agressée à coups de barre de fer

DETROIT

Nancy Kerrigan, patineuse artistique américaine qui compte parmi les grandes favorites pour la médaille d'or aux Jeux olympiques de Lillehammer, a été attaquée hier (**le 6 janvier 1994**) par un homme qui lui a donné des coups de barre de fer sur une jambe quand elle quittait la patinoire après une séance d'entraînement.

Kerrigan, qui patinait au Cobo Arena, a été conduite à l'hôpital pour y subir des radiographies et des traitements. On ne connait pas la gravité de son état, mais elle était en mesure de marcher quand elle a quitté l'aréna. Son assaillant a pu s'enfuir.

Hirohito est mort

Son fils aîné, le prince Akihito, lui succède

Le doyen de tous les chefs d'État contemporains, l'empereur Hirohito du Japon, est mort à 6 h 33 ce matin (**le 7 janvier 1989**) au Palais impérial de Tokyo. Le souverain, âgé de 87 ans, a succombé à un cancer du duodénum.

La mort de l'empereur a été annoncée lors d'une conférence de presse convoquée d'urgence peu avant 8 h locales par le directeur général de la maison impériale, Shoichi Fujimori.

Le cancer dont souffrait Hirohito s'était généralisé au cours des quatre derniers mois. L'état de santé du souverain est devenu critique à 6 h 09 locales. Les membres de la famille impériale, dont le prince héritier Akihito, ont alors été appelés au Palais.

Le Dr Akiro Takagi, médecin en chef de l'équipe soignante de l'empereur, s'est lui aussi rendu d'urgence au Palais, ainsi que M. Fujumori, le premier ministre Noboru Takeshita et d'autres responsables de haut rang.

En annonçant officiellement le décès de l'empereur, le grand chambellan Shoji Fujimori a reconnu pour la première fois que la presse ne s'était pas trompée en parlant de cancer.

La Cour impériale du Japon, codifiée par un système bureaucratique extrêmement strict, avait jusqu'alors constamment refusé de révéler les raisons médicales du malaise subi par Hirohito le 19 septembre et du long traitement médical ensuite mis en oeuvre pour prolonger sa vie. Pendant les trois mois et demi de son agonie, l'empereur avait subi un grand nombre de transfusions sanguines, représentant un total de 30 litres de sang.

Après l'annonce de la mort de l'empereur, des centaines de policiers anti-émeutes ont été déployés dans le centre de Tokyo, par mesure de précaution contre « divers événements », pour reprendre la terminologie officielle. Les responsables de la sécurité craignent en effet que des extrémistes politiques ne profitent de l'émotion occasionnée par la mort d'Hirohito pour susciter des incidents. Dans les rues de la capitale, rien ne semblait toutefois présager une telle éventualité.

Souverain du Japon depuis décembre 1926, il a établi le record de longévité politique de l'histoire contemporaine.

Le fils de Hirohito, le prince héritier Akihito, âgé de 55 ans, a pris immédiatement sa succession sur le trône du chrysanthème.

La disparition de son père fait d'Akihito le 125e « tenno » du Japon. Le fils de l'empereur assumait déjà les fonctions impériales, dont il avait pris les responsabilités le 22 septembre.

Les funérailles d'Hirohito n'auront pas lieu avant 45 jours. Elles consisteront en une série de rites et de cérémonies qui commenceront pas une veillée funèbre au Palais impérial et culmineront par une procession funéraire avant l'inhumation.

Celle-ci aura probablement lieu au cimetière impérial, situé à Hachioji, à 35 km à l'ouest de Tokyo. Il se pourrait cependant qu'un nouveau site soit choisi pour y construire le « goryo » (mausolée) d'Hirohito.

Le monarque défunt sera désormais désigné au Japon sous le titre d'empereur Showa, nom donné à son règne (1925-1989) et signifiant « paix éclairée ».

Le cabinet du premier ministre Noboru Takeshita devrait annoncer sous peu le nom donné à l'ère du prince héritier Akihito. Les cérémonies de couronnement de celui-ci prendront environ un an. Il commencera par hériter des attributs de la monarchie et du sceau impérial. Les attributs impériaux sont les joyaux de la Couronne, un sabre et un miroir sacrés. Tous datent du cinquième siècle, époque où l'empereur-dieu était aussi le chef du Shintoïsme, religion nationale au Japon.

Le prince Akihito fut pendant longtemps un virtuel inconnu pour le monde extérieur. Mais il s'est graduellement construit ces dernières années l'image d'un homme discret et profondément intéressé à la politique de son pays, dont l'idéal est de rapprocher la population japonaise de la famille royale.

LA PRESSE salue aujourd'hui un couple de Sainte-Anne-des-Plaines qui a l'immense bonheur de célébrer son 70e anniversaire de mariage. Édouard Rivest et Élizabeth St-Jean ont uni leurs destins le *7 janvier 1914*, à Sainte-Julienne, dans Montcalm, et la photo que nous vous proposons fut prise à l'occasion de leur mariage. Le couple Rivest demeure à Sainte-Anne-des-Plaines depuis 1937, et M. Rivest fut d'ailleurs maire du village de 1944 à 1952. Édouard et Élizabeth Rivest eurent dix enfants, quatre garçons et six filles. Tous sont vivants à l'exception de la dernière née, Isabelle, décédée au cours de l'été de 1983.

Mitterrand s'éteint

L'homme d'État est mort à Paris des suites d'un cancer

L'ancien président français François Mitterrand, qui avait joué un rôle-clé dans la construction de l'Europe et transformé le paysage politique de la France durant quatorze ans de pouvoir, est mort aujourd'hui (**8 janvier 1996**) à Paris à l'âge de 79 ans.

M. Mitterrand est décédé à son domicile parisien entouré des siens, des suites d'un cancer de la prostate qui s'est généralisé, près de huit mois après avoir quitté la plus haute charge de l'État français qu'il occupa durant deux septennats, de 1981 au 17 mai 1995, un record sous la Ve République.

Son successeur, le président de droite Jacques Chirac, a été l'un des premiers à aller s'incliner devant la dépouille de l'ancien chef de l'État socialiste et à lui rendre hommage.

La gauche au pouvoir

« Pendant 14 ans, M. Mitterrand a écrit une page importante de l'histoire de notre pays », a déclaré M. Chirac à une foule de journalistes invités à l'Élysée pour les traditionnels voeux présidentiels à la presse.

Sa victoire à l'élection présidentielle de 1981, qui consacrait l'arrivée de la gauche au pouvoir, avait été saluée par des manifestations de joie monstres dans Paris. Pour se conformer aux promesses faites au « peuple de gauche », il prendra 4 ministres communistes et pratiquera une politique résolument sociale, dont le coût exorbitant le contraint deux ans plus tard à changer de cap et à revenir à l'économie de marché.

Il restera aussi sur le plan intérieur celui qui a aboli la peine de mort et appuyé la décentralisation du pouvoir en créant les régions.

M. Mitterrand s'est éteint dans la sérénité, selon ses proches, entouré de son épouse Danielle et de ses deux fils, Jean-Christophe et Gilbert.

Il sera inhumé, selon ses voeux, dans la plus stricte intimité, dans son village natal de Jarnac (sud-ouest). Une messe solennelle devrait se dérouler au même moment à la cathédrale Notre-Dame de Paris et les Parisiens seront conviés à lui rendre hommage au cours d'un grand rassemblement populaire.

Une grande émotion a saisi la France dès l'annonce du décès, dans la matinée. Tous les médias audiovisuels ont interrompu leurs programmes pour annoncer en « flash » la nouvelle.

Très discret depuis sa retraite de la vie politique, M. Mitterrand était soumis à d'éprouvants traitements chimiothérapiques et radiothérapiques. Il était alité depuis mardi dernier, après un ultime déplacement dans sa ferme landaise de Latche (sud-ouest).

Rue Frédéric-Le Play, sur la rive gauche de la capitale, où François Mitterrand est décédé, des centaines de badauds, dont beaucoup de jeunes, se sont pressés, fleurs à la main, toute la journée d'hier, pour rendre un dernier hommage à l'ancien chef de l'État.

En milieu d'après-midi, deux tables recouvertes de nappes violettes ont été installées sur la chaussée fermée à la circulation et des registres de condoléances y ont été disposés.

Rue de Bièvre, où M. Mitterrand avait longtemps résidé, une jeune fille rousse pleure à chaudes larmes. « J'ai entendu la nouvelle de sa mort dans mon walkman. Je suis venue ici pour ne pas être seule, c'était mon grand-père spirituel, j'ai toujours voulu lui écrire pour lui dire que je l'aimais et maintenant c'est trop tard », dit-elle entre deux sanglots.

Fin sereine

François Mitterrand était devant l'échéance fatale, a indiqué le professeur Vallancien, l'urologue qui suivait l'ancien président depuis plusieurs mois.

Il avait passé les fêtes de Noël à Assouan, en Haute-Égypte, en famille. Ses médecins lui avaient déconseillé d'entreprendre ce long déplacement, en raison de son état de fatigue. Constamment assisté de son médecin, l'ancien chef de l'État n'avait guère quitté l'appartement mis à sa disposition par le président égyptien Hosni Moubarak, à l'hôtel Old Cataract, sur les bords du Nil.

Chaque année, cet amoureux de l'Égypte antique ne manquait pas de revenir sur les rives du Nil pour se reposer et admirer les monuments pharaoniques évocateurs d'éternité. « Je suis venu chercher le soleil et la paix », avait-il expliqué durant son avant-dernier voyage, en février 1995. « Je viens souvent en Égypte car j'aime l'Égypte et les Égyptiens. C'est certainement l'un des plus beaux pays du monde. »

Rue Frédéric-Le Play, sur la rive gauche de la capitale, où François Mitterrand est décédé, des centaines de badauds, dont beaucoup de jeunes, se sont pressés, fleurs à la main, toute la journée, pour rendre un dernier hommage à l'ancien chef de l'État.

C'EST ARRIVÉ UN  JANVIER

1989 — Alexandre LeSiège, 13 ans, de Longueuil, figure déjà parmi les plus forts joueurs d'échecs de sa génération.

1934 — Auteur du scandale qui ébranle le gouvernement Chautemps, Serge Stavisky, le « bel Alex » s'est tiré une balle dans la tête aujourd'hui dans une villa de Chamonix au moment d'être arrêté. Stavisky était accusé d'avoir dépouillé le public de 50 000 000 $ par une vente d'obligations contrefaites. Cette affaire entraîna un scandale national. Le « bel Alex » avait fui Paris il y a deux semaines.

Micheline et Laurence Lévesque, photographiées à Montréal en novembre 1987.

Deux Saguenéennes arrêtées à Rome avec 6,6 kg d'héroïne

Les deux profs menaient une vie exemplaire

Deux enseignantes de la région du Saguenay, l'une de 56 ans et l'autre de 53, toutes deux honorables, dévouées, rangées et respectées de tous, ont été prises dans une affaire absolument invraisemblable, hier (**le 7 janvier 1986**), à l'aéroport de Rome : elles ont été arrêtées avec deux valises à double fond remplies de 6,6 kg d'héroïne pure d'une valeur de 16,1 $ millions sur le marché noir. Une quantité suffisante pour approvisionner les 5 000 héroïnomanes de Montréal durant un mois !

Micheline Lévesque, professeur de français à la polyvalente d'Arvida depuis 14 ans, et sa soeur Laurence, retraitée depuis un an, qui ont presque fait le tour du monde au cours des dernières années, revenaient cette fois-ci d'un voyage de trois semaines en Inde. Elles rentraient à Montréal après une halte en Italie lorsqu'elles sont tombées dans les griffes des douaniers dont l'attention a été attirée par les valises de plastique rouge qui semblaient anormalement épaisses.

Les deux femmes sont actuellement détenues à la prison romaine de Rebibbis où elles doivent être interrogées par un juge d'instruction Le consul du Canada en Italie, qui attend toujours l'autorisation de les rencontrer, a toutefois promis de veiller à ce qu'elles aient de bonnes conditions de détention. On s'assurera aussi que les procédures soient accélérées, la justice italienne n'étant pas des plus expéditives. On se refuse cependant à fournir des détails sur cette affaire qui étonne tout le monde, surtout au Saguenay-Lac-Saint-Jean où elles vivent depuis très longtemps.

Réactions

Le fils de Micheline Lévesque, Jean Roy, 21 ans, étudiant en mécanique du bâtiment, qui vit seul avec elle dans une petite maison à Jonquière, a été renversé par la nouvelle. « Ça ne se peut pas ! Ma mère a seulement fumé une Player's Plain et bu de la tisane dans sa vie. Elle n'a même jamais reçu une contravention...», a-t-il dit au cours d'un entretien téléphonique, hier soir.

« Elle a même menacé de me mettre à la porte un jour que j'avais fumé un joint... », ajoute-t-il comme pour démontrer à quel point cette histoire de trafic d'héroïne est incroyable.

Depuis hier, il tourne et retourne les morceaux du puzzle dans l'espoir de trouver une réponse logique à tout cela. Mais les informations lui parviennent au compte-gouttes ; elles arrivent seulement par les médias d'information, éparses et même contradictoires.

« Honnêtement, je pense qu'elles ont été victimes d'un frame-up. »

Abasourdi lui aussi, Robert Roy, un oncle qui s'occupe de toutes les démarches nécessaires dans les circonstances, refuse de croire à la version des autorités italiennes. Selon lui, les deux soeurs vivaient une existence paisible, partagées entre le travail et leur chalet au Lac-Saint-Jean. Leur seul luxe était ce voyage annuel qu'elles s'offraient depuis une dizaine d'années durant la période des Fêtes. « On ne sait pas sur quel pied danser, s'il faut aller là-bas ou non, déléguer un avocat. Il n'y a que l'ambassade qui puisse nous aider. » La famille s'est même adressée directement au bureau de Joe Clark, secrétaire d'État aux Affaires extérieures.

Tout le monde s'accorde pour dire qu'elles n'avaient aucun souci financier. La plus âgée, Laurence, 56 ans, demeurait seule et profitait calmement de sa retraite après avoir fait carrière dans l'enseignement où elle avait accumulé des revenus intéressants. Quant à sa soeur Micheline, 53 ans, elle a élevé seule son garçon et sa fille (aujourd'hui âgée de 25 ans), après la rupture avec son mari, il y a 15 ans. Ce dernier s'est suicidé en 1983, laissant un héritage à la famille.

« Elles sont du genre intellectuel. Leurs loisirs se limitent à la lecture, aux mots croisés et aux voyages », précise Jean Roy qui a reçu une carte postale de sa mère, en provenance de New-Delhi, dans laquelle elle affirmait que tout allait bien. « C'était toujours des voyages culturels. Avant l'Inde, il y a eu Israël, la Grèce, le Maroc, etc. »

Les deux soeurs Lévesque, en juillet 1986, en train de rédiger l'histoire de leur «plus grand voyage», durant leur détention en Italie.

À la polyvalente

À la polyvalente d'Arvida, où Micheline Lévesque devait reprendre son travail à 9 h hier matin, on ne savait pas si l'on devait rire ou pleurer. Personne n'en croyait ses oreilles. Encore là, les soeurs Lévesque avaient une réputation sans tache. « Il faudrait que je me fabule pour trouver une seule raison de croire qu'elles ont pu tremper dans le commerce de la drogue », déclare Yvon Perron, directeur de l'école, qui s'est même rendu à la station de radio locale pour vérifier l'exactitude des faits qui venaient d'être lancées sur les ondes.

« Micheline est une prof dévouée, compétente, qui s'implique dans toutes les activités de l'école. Et de plus, je ne connais pas de personne plus straight qu'elle...» Elle enseigne le français à quelque 120 élèves de Secondaire III.

Un ami de longue date a aussi confirmé qu'elles menaient une vie exemplaire. On ne leur connaissait pas de mauvaises fréquentations. « Si elles fréquentaient des individus louches, tout le monde le saurait à Arvida », s'est-il exclamé en riant de bon coeur.

Le capitaine Gervais, de la police de Jonquière, affirme que ces femmes n'ont jamais eu affaire à la justice et que le mystère demeure entier.

77 ENFANTS TROUVENT LA MORT DANS L'INCENDIE DU THEATRE LAURIER PALACE

Le théâtre Laurier Palace, lieu de la tragédie, au lendemain de la journée fatidique du 9 janvier 1927.

Récits palpitants de témoins et d'enfants qui ont miraculeusement échappé à l'hécatombe — Famille qui perd ses trois seuls enfants. — Un pompier trouve son fils écrasé sous un amas de cadavres.

*Le 6 janvier dernier, à l'occasion de l'anniversaire du décès du frère André, nous vous avons souligné l'importance que LA PRESSE avait accordée à l'événement. Or, dix ans plus tôt, LA PRESSE s'était surpassée encore plus à l'occasion de la tragédie du théâtre Laurier-Palace, survenue le **9 janvier 1927**.*

Il faut dire que l'événement était fort émouvant puisque pas moins de 77 enfants avaient trouvé la mort, surtout à cause de la panique et de la fumée, dans l'incendie de ce cinéma de l'est montréalais, situé rue Sainte-Catherine, entre les rues Déséry et Saint-Germain, tout juste en biais avec le poste de pompiers no 13 de l'époque. En plus de semer la douleur dans un grand nombre de familles du quartier, cette tragédie devait en effet servir de prétexte aux politiciens pour interdire l'entrée au cinéma aux enfants de moins de 16 ans, réglementation servant aussi la cause, est-il besoin de le préciser, d'une censure occulte et démesurée qui allait rester en vigueur jusqu'au début de la révolution tranquille, quelque 35 ans plus tard.

La couverture de LA PRESSE dans son édition du lundi 10 janvier 1927 comprenait les pages suivantes: pages 1 et 3 au complet; page 9 au complet hormis la publicité; pages 16 et 17 au complet; page 19 au complet hormis la publicité; et une bonne partie de la page 21. Donc, au total, plus de six pages complètes.

Devant l'abondance de nouvelles, il fallait trier, et nous avons opté pour les récits des témoins oculaires, à cause de la tragique réalité qui en transpire.

LES scènes qui se sont déroulées dans les familles, hier (**9 janvier 1927**), à la suite de la terrible hécatombe, étaient à la fois pathétiques et émouvantes. Dans ces logements ouvriers où règnent l'amour familial, l'angoisse était des plus empoignantes. Beaucoup de mères ignoraient encore, (...) tard dans la soirée, ce qu'étaient devenus leurs enfants. (...)

Dans plusieurs cas, des enfants avaient désobéi à leur mère et au lieu de se rendre à une adresse indiquée avaient pris le chemin du cinéma. Ce n'est qu'à la morgue que plusieurs purent se rendre compte de la triste vérité. Au retour du père à la maison, c'était encore un moment de profonde tristesse que d'annoncer la nouvelle à la mère.

COMMENT CES ENFANTS ECHAPPERENT A LA MORT

Ernie Fitzpatrick, 10 ans, qui demeure à deux portes du théâtre, réussit à se traîner par-dessus les têtes et les corps pour se faire un chemin jusqu'à la sortie. Il ne put prendre pied que dans la rue. Il fut un peu affecté par la fumée. (...) Le garçon se tenait dans l'aile du balcon quand le feu commença. « On jouait une comédie et tout le monde riait, dit-il. J'étais là depuis environ une heure et demie, et je n'avais pu m'asseoir. J'étais debout dans l'aile. Le garçon qui avait payé pour moi avait eu un siège, mais son frère se tenait près de moi. Nous vîmes le feu et la fumée qui provenait de la première rangée du balcon, dans le centre. Quelques hommes combattaient le feu avec des extincteurs et avertissaient les gens que ce n'était pas grave. La fumée commença à nous prendre à la gorge et chacun se mit à crier et à courir. Je dis une prière, puis je grimpai sur les bancs et sur la tête des autres. C'était presque tous des enfants dans le balcon. Puis, au bas de l'escalier, quelqu'un me porta dans ses bras et me transporta plus loin. »

M. GEORGES LABERGE

M. Georges Laberge, employé à la maison Dupuis Frères Limitée, est l'un des témoins oculaires de l'hécatombe d'hier: « S'il y avait eu quelqu'un, dit-il, pour contrôler les enfants et les faires descendre en bon ordre, il n'y aurait pas eu une seule mortalité. Je connais le théâtre Laurier Palace pour y avoir travaillé comme placier. Je suis électricien de mon métier, et je cessai de travailler le soir à ce théâtre quand je m'aperçus que nombre de fils électriques ne passaient pas dans des tuyaux. (...) Tout le temps que j'ai travaillé au Laurier Palace, on avait l'habitude de barrer le bas des escaliers avec des chaînes pour empêcher les enfants de sortir trop vite. Je ne saurais dire si ces chaînes avait été mises en travers du passage, hier après-midi.

PAS DE LUMIERE

« Lorsque l'incendie éclata, vers une heure 20, j'étais en arrière, dans le bas du théâtre. Voyant les gens effrayés par la fumée, je sautai sur un banc et criai à la foule: « Prenez votre temps, vous avez tous le temps de sortir! »

Le feu avait pris sous le plancher de la galerie et courait sous le plancher. Deux placiers se pressèrent de courir là où la fumée sortait et se mirent en mesure d'éteindre le feu avec des extincteurs chimiques. D'autres placiers dirent aux enfants, dans la galerie: « Ce n'est rien, ne sortez pas, ça ne durera pas. » Mon garçon était lui-même dans la galerie et me dit qu'un « homme » empêchait les enfants de descendre. Mon enfant ajoute: « Il a voulu m'empêcher de passer et je ne comprends pas comment j'ai pu sortir du théâtre. »

Pendant ce temps-là, les gens de l'orchestre sortaient précipitemment. Un placier vint ensuite piocher dans le plancher, là où sortait la fumée. Aussitôt qu'il eût enfoncé une planche, il y eut comme une explosion de fumée et de flammes qui sortit du trou. Ce fut le commencement de la panique. Ça brûlait déjà et la fumée emplissait la galerie. Cependant, on n'allumait pas les lumières et on n'ouvrait pas les « exits » de la galerie.

« Je ne comprends pas pourquoi on n'allumait pas les lumières, car les enfants couraient pêle-mêle à la noirceur sans savoir où ils allaient. De même, si on avait ouvert les portes d'urgence, les enfants s'y seraient dirigés et auraient tous pu sortir. Ce n'est qu'après des minutes interminables qu'on s'occupa d'allumer les lumières et d'ouvrir les portes. Les enfants étaient déjà affolés et criaient: « Au feu! Au feu! » (...)

« C'était affreux d'entendre les cris et les plaintes de tous les enfants que nous ne pouvions aider. Je me souviens, à un moment que la fumée sembla disparaitre, avoir vu, dans la masse des enfants, une petite tête de garçon qui me cria: « Sortez-moi donc, monsieur! » Mais il n'avait que la tête visible, le reste du corps étant perdu dans la masse agonisante. Il est mort là, étouffé, le pauvre petit.

« Beaucoup d'enfants ont sauté en bas de la galerie, qui est haute d'environ 14 pieds. Plusieurs se sont tués dans la chute. J'en ai vu un qui a sauté, est tombé enfourché sur un dos de siège, mais il se releva tout de suite et se sauva sans paraitre blessé. » (...)

FAMILLES LE PLUS LOURDEMENT EPROUVEES

Deux familles ont perdu chacun trois de leurs membres. (...) M. Octave Quintal, 2108, Joliette, perd trois enfants, Sylvie, 8 ans, et ses deux frères, Adrien, 18 ans, et Hildegarde, 9 ans.

D'autre part, le constable Adélard Boisseau, de Tétreaultville, perd ses trois enfants qui étaient toute sa famille. C'est lui-même qui reconnut un de ses enfants en aidant aux autres agents à sortir les cadavres. Plus tard, quand tous les corps eurent été sortis, et que deux autres enfants étaient introuvables, il se rendit à la morgue où il les retrouva. Les victimes sont Germaine, 13 ans, Rolland, 11 ans, et Yvette, 8 ans.

Soulignons en guise de conclusion le sort réservé au pompier Alphéa Arpin, du poste no 13, qui se rendit le premier au théâtre Laurier dès la déclaration de l'incendie. Incapable de sauver son fils, Gaston, âgé de six ans, il eut la douleur de le trouver écrasé sous un amas de cadavres.

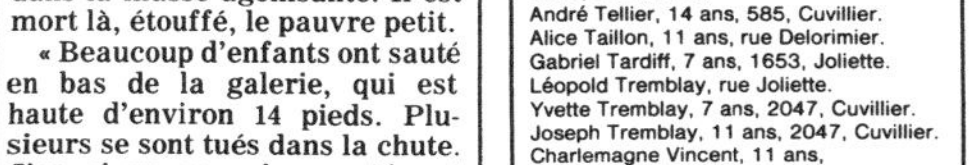

Au haut de l'escalier que l'on voit au fond, se trouvait le palier où l'on a trouvé un véritable bouchon de cadavres d'enfants.

Les victimes de la tragédie

Voici une liste des victimes par ordre alphabétique, avec leur âge et leur adresse. Cette liste contient 77 noms.

Gaston Arpin, 6 ans, 63b, Rouville.
Marcel Baril, 15 ans, 1871, Bourbonnière.
Annette Bisson, 16 ans, 1836, Darling.
Germaine Boisseau, 18 ans, 1870, Joliette.
Yvette Boisseau, 8 ans, 1870, Joliette.
Rolland Boisseau, 11 ans, 1870, Joliette.
Raoul Bouchard, 10 ans, 1489, Moreau.
Raoul Benoît, 11 ans, 581, Moreau.
Roger Coulombe, 11 ans, 1606, Aylwin.
René Champagne, 16 ans, 1629, Chambly.
Roland Clément, 7 ans, 1538, Desery.
Thérèse Couture, 14 ans, 596, Davidson.
Armand Cournoyer, 1 ans, 2077, Adam.
Jean-Marc Dumont, 13 ans, 940, Saint-Donat, Tétreaultville.
Germaine DeTonnancourt, 12 ans, 597, Cuvillier.
Maurice Dumont, 16 ans, 940, Saint-Donat, Tétreaultville.
Antonio Dufour, 12 ans, 2099, Saint-Germain.
Laurette Francoeur, 16 ans, 1464, Desery.
Édouard Fréchette, 12 ans, 1661, Desery.
Jean-Louis Gagné, 13 ans, 507, Davidson.
Jean-Marc Gagné, 14 ans, 5045, Parthenais.
Lucien Gervais, 11 ans, 1723, Saint-Germain.
Maurice Gervais, 14 ans, 1723, Saint-Germain.
Marcel Girard, 9 ans, 1666, Joliette.
Maurice Grondines, 11 ans, 580, Joliette.
Roland Guérin, 10 ans, 400, boul. Lapointe, Tétreaultville.
Adrien Gauthier, 10 ans, 2059, Moreau.
Roland Gravel, 7 ans, 581, Darling.
Raoul Girard, 8 ans, 1970, Adam.
Réjane Gauthier, 10 ans, 57a, Rouville.
Lucien Gervais, 12 ans, 2028, Lafontaine.
Ida Godin, 10 ans, 513, Cuvillier.
Arthur Godon, 13 ans, 1916 ruelle Winnipeg.
Bernard Houde, 13 ans, 1546, Cuvillier.
Adrien Hétu, 9 ans, 3456, Rouen, Montréal-Est.
Alda Leduc, 16 ans, 2171, Adam.
Ange-Aimé Levasseur, 13 ans, 2069, Darling.
Marcel Levasseur, 9 ans, 2069, Darling.
Armand Lavallée, 10 ans, 1889, Sainte-Catherine est.
Roland Leduc, 11 ans, 1837, Davidson.
Cécile Martin, 8 ans, 567, Davidson.
Édouard Morin, 18 ans, 1863, Aylwin.
Antonio Ménard, 12 ans, 545, Bourbonnière.
George McCleary, 8 ans, enfant adoptif de M. Joseph Marquette, 28, Marlborough.
Michael Murphy, 14 ans, 1541, Notre-Dame est.
Rita Maheu, 7 ans, 545, Davidson.
Éva Martel, 8 ans, 549, Davidson.
Philippe Nantel, 12 ans, 1853, Préfontaine.
François Otis, 10 ans, 1410, Cuvillier.
Marthe Paquin, 6 ans, 1428, Cuvillier.
Françoise Pesant, 14 ans, 1512, Aylwin.
Roméo Pelchat, 9 ans, 530, Desery.
Arthur Paul, 11 ans, 2277, Ontario est.
Raoul Pageau, 9 ans, 2067, Adam.
Roger Pageau, 14 ans, 2175, Davidson.
Hildegarde Quintal, 10 ans, 2103, Joliette.
Adrien Quintal, 13 ans, 2103, Joliette.
Sylvia Quintal, 8 ans, 2103, Joliette.
Marcel Ratté, 11 ans, 1519, Saint-Germain.
Louis-Philippe Rémillard, 11 ans, 1671, Desery.
Germaine Rivard, 14 ans, 2932, Adam.
Albert Reade, 11 ans, 5, ruelle Arthur.
Albert Robidoux, 11 ans, 517, ruelle Arthur.
René Roy, 14 ans, 1440, Préfontaine.
Édouard Saint-Pierre, 18 ans, 2058, Joliette.
Gertrude Sauvageau, 14 ans, 1889, Adam.
Georges Stoneff, 7 ans, 1438, Chambly.
Simone Séguin, 13 ans, 1871, Préfontaine.
André Tellier, 14 ans, 585, Cuvillier.
Alice Taillon, 11 ans, rue Delorimier.
Gabriel Tardiff, 7 ans, 1653, Joliette.
Léopold Tremblay, rue Joliette.
Yvette Tremblay, 7 ans, 2047, Cuvillier.
Joseph Tremblay, 11 ans, 2047, Cuvillier.
Charlemagne Vincent, 11 ans, 1452, Frontenac.
Jeanne-d'Arc Viens, 4½ ans, 1602, Desery.

Violence à Kahnawake

L'affrontement prévu depuis plusieurs semaines est finalement survenu hier (**le 8 janvier 1991**) à Kahnawake: huit Mohawks ont été arrêtés en début de soirée et six policiers ont été blessés au cours de l'affrontement.

La police a fermé le pont Mercier à la circulation pendant plus de deux heures, par mesure de sécurité.

C'est une arrestation pour une infraction au Code de la sécurité routière vers 14 h 30, sur la route 132, qui a mis le feu aux poudres. Une auto-patrouille de la GRC a fait immobiliser un camion; puis, selon la SQ, les policiers ont été pris à partie par les occupants et ont demandé des renforts. Un affrontement entre une cinquantaine de Mohawks et les policiers s'en est suivi...

50 millions aux Cris

Les Cris et Hydro-Québec ont cessé les hostilités, hier (**le 9 janvier 1993**), le temps de signer une entente de 50 millions, en dollars constants, qui atténuera l'impact sur le mode de vie des populations cries, de travaux du complexe La Grande entrepris en 1988. « Nous maintenons notre ferme opposition, de dire le Grand chef Mathieu Coon Come. Cette entente témoigne cependant du fait que le peuple cri n'est pas contre tout développement. »

"Bouteilles" de papier

Cette vignette publiée dans LA PRESSE du ***9 janvier 1929*** comportait la légende suivante: ***Les distributeurs de lait de Manhattan, New York, ont commencé à se servir de récipients faits de papier très fort traitée avec une préparation de parafine stérilisée. Deux « bouteilles » d'une chopine entrent dans une boîte de carton. Le coût moyen de ces récipients est de trois quarts de sou comparé à sept sous pour une bouteille à lait ordinaire. Le bris de bouteilles et les pertes de lait font perdre aux Etats-Unis tous les ans $15,000,000.***

C'EST ARRIVÉ UN 9 JANVIER

1981 — Nouveau changement de cap dans sa carrière politique: Roch LaSalle devient chef de l'Union nationale au Québec.

1975 — Mort du célèbre acteur français Pierre Fresnay, à l'âge de 76 ans.

1970 — Le gouvernement français autorise la vente de 50 chasseurs *Mirage* à la Libye

1969 — Début du procès de Sirhan Sirhan, présumé assassin de Robert Kennedy, à Los Angeles.

1967 — De graves incidents surviennent à la frontière de la Syrie et d'Israël.

1965 — Au Vietnam, les militaires restituent le pouvoir aux civils.

1959 — Le gouvernement canadien accepte de remettre à la Pologne les trésors placés sous sa surveillance. — Le barrage de Vega de Tera, en Espagne, cède, détruit le village de Rivadelago et fait 300 morts.

1957 — Profondément marqué par les événements de Suez, le premier ministre Anthony Eden démissionne et cède sa place à Harold McMillan, en Angleterre. — Au Canada, création d'un Conseil des arts, des humanités et des sciences sociales, avec dotation de départ de $50 millions.

1953 — En épilogue au terrible drame du Sault-au-Cochon survenu en septembre 1949, Marguerite Pitre expie son crime sur l'échafaud.

1948 — Un incendie détruit le dôme du marché Bonsecours en moins d'une heure et cause des dommages de plus de $100 000 à ce monument vieux de 103 ans.

1945 — Trois villes canadiennes, Vancouver, Victoria et New Westminster, se retrouvent simultanément sans transport en commun.

1942 — À la boxe, Joe Louis bat Buddy Baer en moins d'un round, à New York.

UN CAS DE FECONDITE
CINQ JUMEAUX EN 12 ANS

En douze ans de mariage, les époux Delphis Lépine demeurant dans la partie est de notre ville, ont eu quatorze enfants dont dix survivent

LA RESSEMBLANCE DES JUMEAUX

Elle n'est pas seulement physique, elle est aussi morale et physiologique — Les saintes Ecritures disent que Dieu bénit les nombreuses familles.

LE SAINT-PERE BENIRA LES NOUVEAUX-NES

Dans son édition du ***9 janvier 1905***, LA PRESSE relevait l'invraisemblable cas de fécondité que représentaient les époux Delphis Lépine, un populaire employé de Dupuis Frères demeurant au 269, rue Maisonneuve. En douze ans de mariage, les Lépine avaient eu, au moment de la rédaction de l'article, 14 enfants, dont 10 survivaient (le plus vieux, Eugène, n'avait que dix ans). À une époque où les familles nombreuses pululaient, ces données n'auraient représenté rien de vraiment extraordinaire, sauf que parmi ces 14 enfants, on relevait pas moins de cinq paires de jumeaux, dont les derniers-nés montrés en photo à l'âge de neuf jours, Joseph-Gérard et Marie-Claire. Les deux premiers jumeaux, Émile et Delphis, nés 12 ans plus tôt,

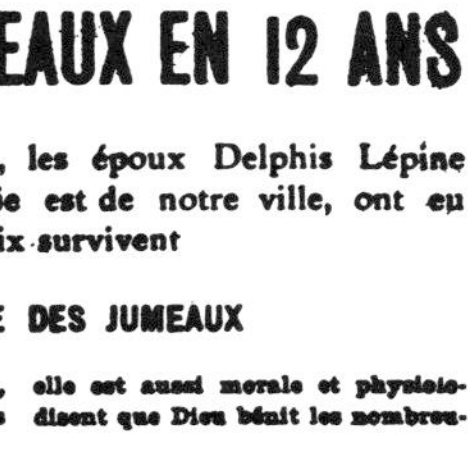

étaient décédés à l'âge d'un an. Du deuxième couple, des filles cette fois, Bernadette et Alice nées neuf ans plus tôt, seule Alice survivait. En 1901, naissaient Ovila et Aimé, et tous deux étaient toujours vivants. Thérèse, âgée de deux ans et demi, était là seule survivante du couple qu'elle formait avec Antoinette à sa naissance.

Bourassa opéré de nouveau

Le cancer frappe de nouveau le premier ministre du Québec, M. Robert Bourassa.

Opéré une première fois en septembre 1990 pour un mélanome au bas du dos, M. Bourassa a subi l'ablation d'une tumeur maligne logée cette fois du côté droit de la cage thoracique.

Le cancer frappe également d'autres zones, précise le National Cancer Institute de Washington qui a émis hier (**le 8 janvier 1993**) un bulletin officiel de santé, à la demande de M. Bourassa.

Le premier ministre récupère en Floride, mais doit rentrer à Québec dès mercredi prochain pour présider à un conseil de ses ministres.

Les feux encerclent Sydney

SYDNEY, Australie

Le feu a redoublé de violence près de Sydney hier (le 10 janvier 1994), forçant des milliers de personnes à fuir leurs maisons et les pompiers craignaient que les flammes n'atteignent pour la première fois des zones à forte densité d'habitation de la banlieue de la grande ville australienne.

Avec la diminution des températures et des vents hier matin, les pompiers de la région de Sydney avaient cru pouvoir annoncer que « le pire semblait passé » après une semaine d'incendies. Mais, avec la reprise des vents tournants, la métropole se trouvait de nouveau encerclée par les feux quelques heures plus tard. Les incendies ont au contraire progressé à 20 km au nord du centre-ville, menaçant des maisons sur un front de 10 km.

Près de 10 000 pompiers, dont de nombreux volontaires et des soldats, luttent pour éteindre les 135 foyers d'incendie qui cernent la ville au nord, au sud et à l'ouest. Dans les abords de la ville déjà touchés, des murs de flammes franchissaient les routes et changeaient rapidement de direction sous l'action de vents instables.

15 000 personnes évacuées

Au total, quatre personnes dont deux pompiers ont été tuées et plus de 60 personnes hospitalisées, tandis que plus de 15 000 personnes ont été évacuées ou bloquées en raison des routes et voies ferrées coupées. Les autorités estimaient qu'environ 150 bâtiments avaient été détruits par ces feux, les pires qu'ait enregistrés le pays en 206 ans de colonisation.

Les associations de protection de la nature craignaient en outre que des dizaines de milliers d'animaux sauvages aient péri dans les flammes, qui atteignaient parfois 10 m de haut. Des personnes habitant près de parcs nationaux ont notamment rapporté que des kangourous et des cerfs s'étaient réfugiés dans des jardins, leur peur du feu étant plus forte que celle des humains. On a aussi vu des kangourous et des émeus hagards sur les routes.

Le feu échappait à tout contrôle dans le parc national de Kuring-gai, franchissant plusieurs routes en direction de maisons. Toute la région était couverte d'une épaisse fumée. Et les habitants de sept banlieues proches ont été prévenus qu'ils devaient se préparer au pire, éventuellement, pour la nuit.

Des dizaines d'habitants de la banlieue d'Oxford Falls ont aussi fui, de même que 300 résidents de plusieurs maisons de retraite. Beaucoup étaient trop frêles ou vieux pour marcher et ont été emmenés en civière ou en fauteuil roulant.

Des scènes similaires étaient enregistrées dans les banlieues sud, où un autre incendie sévissant également depuis plusieurs jours faisait rage dans le Parc national royal. La petite ville de Waterfall a été évacuée.

Des rues dévastées

Des hélicoptères bombardiers d'eau s'alimentaient dans les lacs et réserves proches, tandis que des pompiers allumaient des contre-feux. Des habitants aspergeaient leur maison avec des tuyaux d'arrosage et, pour le troisième jour consécutif, un nuage de fumée planait sur Sydney, qui compte 3,6 millions d'habitants.

Au total, quelque 135 incendies étaient signalés dans cet État des Nouvelles-Galles du Sud, sur plus de 500 000 hectares de forêts et prairies. Samedi, d'importants feux avaient approché le centre de Sydney de 8 km. Et les pompiers estimaient qu'en l'absence de pluies, les feux pourraient continuer pendant encore plusieurs jours.

La police, selon laquelle nombre de foyers sont l'oeuvre de pyromanes, a arrêté 11 suspects.

Il faudra non pas réparer, mais carrément reconstruire 40 % du réseau qui alimente en électricité la région de Montréal.

Tout s'écroule

C'est comme si la Montérégie avait été bombardée. Il faudra non pas réparer, mais carrément reconstruire 40 % du réseau qui alimente en électricité cette région, la plus ravagée par la tempête de verglas qui sévit depuis une semaine.

Même Montréal est gagné par le chaos. Le centre-ville et plusieurs autres quartiers, jusque-là partiellement épargnés, se retrouvent plongés dans le noir, après qu'Hydro-Québec eut « brûlé » une de ses lignes de transport en tentant de lui faire supporter une charge trop importante. L'eau manque aussi en certains endroits.

Au total, près de la moitié de la population du Québec (répartie dans 1,3 million de foyers) s'inquiète donc dans le noir. Il faudra au moins deux à trois jours pour qu'elle voie la lumière au bout du tunnel. Et plusieurs semaines pour qu'Hydro finisse son travail. (Texte publié le 10 janvier 1998)

Roch Voisine s'établit solidement en France

PARIS

Roch Voisine entreprend une nouvelle carrière retentissante en France. Déjà au sommet du Top 50 (hit-parade français) avec sa chanson Hélène, il a droit cette semaine à la couverture du plus grand hebdomadaire. Son portrait fait la une de Télé 7 jours, le magazine de télévision qui tire chaque semaine jusqu'à trois millions et demi d'exemplaires.

« Roch Voisine, le secret d'Hélène » titre l'hebdomadaire qui annonce en pages intérieures un reportage au Canada chez le séducteur du top 50. Sur deux pleines pages largement illustrées, où l'on voit le chanteur en joueur de hockey, buvant une bière avec son frère Marc ou encore dans la neige du Mont-Royal, donnant une cacahuète à un écureuil, on apprend que Roch Voisine va bientôt faire une entrée en force sur les petits écrans français.

(Texte publié le 10 janvier 1990)

Le 10 janvier 1914, LA PRESSE consacrait sa première page à Napoléon et à l'île Sainte-Hélène.

Mort de Buffalo Bill

DENVER, Colorado — Le fameux colonel William F. Cody, mieux connu sous le nom de Buffalo Bill, est mort à midi, hier (**10 janvier 1917**), à la résidence de sa soeur. (...)

Le colonel Cody naquit dans l'Iowa, le 26 février 1846. A dix ans, il accompagna son père dans le Missouri et le Kansas. A 14 ans, il s'engagea à bord de l'un des transports du gouvernement, faisant alors la navette entre Salt Lake City et le Missouri. Plus tard, il fut tour à tour chasseur, éclaireur, soldat, shérif, directeur de cirque et propriétaire de ranch.

En 1886, il épousa Mlle Louise Frederici, de Saint-Louis. Il entreprit de fournir la compagnie Kansas Pacific Railway d'assez de viande de buffalo pour nourrir les ouvriers employés à la construction du chemin de fer ; dans 18 mois, il tua 4 280 buffalos ; cet exploit lui valut le surnom de « Buffalo Bill ».

De 1868 à 1873, il prit part aux opérations militaires contre les Sioux et les tribus Cheyenne. En 1873, il fut député à la législature du Nebraska. La même année, il servit de guide au grand duc Alexis, de Russie, dans des chasses sensationnelles. En 1876, il fut nommé pour la seconde fois chef des éclaireurs dans la guerre contre les Sioux. Au cours d'une rencontre à Bonnet Creek, tandis que les forces ennemies étaient en présence, un chef indien, Yellow Head, sortit des rangs et vint provoquer Buffalo Bill. Celui-ci se lança à l'attaque et réussit à tuer son adversaire, après un corps à corps émouvant.

En 1890 et en 1891, le colonel fut placé à la tête de la Garde nationale du Nebraska avec ses quartiers généraux à Pine Ridge, et prit part à la bataille de Wounded Knee. En 1893, il organisa un cirque et, vers la même époque, entreprit de diriger un ranch, à North Platte, Nebraska. (...)

A la tête de son cirque « Wild West », il a donné des représentations devant la reine Victoria, le roi Edward VII, le roi du Danemark, le roi de Grèce, l'héritier au trône d'Autriche, etc. (...)

Buffalo Bill fut maintes fois blessé au cours de sa longue et aventureuse existence, mais toujours il se remit, grâce à sa constitution particulièrement robuste.

Inculpations pour le massacre d'Oradour

Huit Allemands
Quatorze citoyens français

Le procès des vingt-deux SS qui participèrent à l'effroyable massacre de la quasi-totalité de la petite commune d'Oradour-sur-Glane — qui fit 642 victimes sur 648 habitants en juin 1944 — remue profondément l'opinion française. Sur les 22 inculpés, 8 sont Allemands et 14 citoyens français nés en Alsace.

Douze des Français affirment avoir été enrôlés de force dans la division SS « Das Reich ». Le treizième, René Boos, a reconnu s'être engagé volontairement. Il était sergent à Oradour, et y a sans doute commandé un peloton d'exécution. Le cas du quatorzième Paul Grass, est moins clair et, s'il affirme avoir été versé dans les SS par la force, il semble bien qu'au préalable il se soit engagé sans contrainte dans la Wehrmacht. Il comparut avec les SS par le force, il semble bien qu'au préalable il se soit engagé sans contrainte dans la Wehrmacht. Il comparut avec les SS devant la Cour de justice de Limoges et fut condamné à mort in absentia.

(Texte publié le 10 janvier 1953)

ECLATANTE VICTOIRE DU CANADIEN SUR LE CLUB TORONTO A L'ARENA

Le Bleu Blanc Rouge gagne par 14 à 7 devant une assistance de plus de 7,000 personnes. — Lalonde compte six points pour sa part.

Voici comment LA PRESSE a rendu compte du résultat du match du Canadien, au soir du 10 janvier 1920, à l'arena Mont-Royal.

Il est péché de danser la rumba ou le cha-cha

ROME — Il y a péché à danser le cha-cha ou la rumba, mais le rock'n roll est peut-être moins luxurieux, selon un père dominicain qui a fait une étude des danses modernes.

La valse, la polka et la mazurka pour leur part ont passé l'épreuve morale haut la main.

Un résumé de l'étude du père Reginaldo Fracisco apparaît dans le numéro courant de la « Vie pastorale », une revue mensuelle à l'usage du clergé, publiée par la société Saint-Vincent-de-Paul.

Le religieux dit que les danses « présumément d'origine espagnole » telles que la rumba, le boléro, le mambo, la samba, le swing, le boogie-woogie, la cha-cha, le calypso ne sont pas « seulement des occasions prochaines de pécher, mais un péché grave en elles-mêmes ».

Il dit que les postures, les mouvements, les balancements sont décrits comme « lascifs » par les experts, et « offensent particulièrement la vertu de la modestie ». Mais « chez certaines personnes, une position éloignée et les mouvements acrobatiques — comme dans le rock'n roll — peuvent en diminuer la sensualité et atténuer en partie les effets sexuellement excitants ».

Cela se passait le 10 janvier 1961.

DIX-HUITIEME ANNEE—No 58 MONTREAL, SAMEDI 11 JANVIER 1902 VINGT-QUATRE PAGES

APRÈS LA TÉLÉGRAPHIE LE TÉLÉPHONE

Cela devait être ainsi : après la télégraphie sans fil, la téléphonie sans fil !

Cependant que Marconi, l'inventeur italien, poursuivait et menait à bien les expériences que tous nos lecteurs connaissent bien, un Américain, le professeur A. Frederick Collins s'appliquait, de son côté, dans le silence de son laboratoire, à découvrir le moyen de simplifier cette admirable invention qu'est le téléphone. Et il a touché le but s'il faut en croire les journaux américains enthousiasmés.

La découverte du professeur Collins diffère de celle de Marconi en ce que les courants terrestres sont employés de préférence aux courants atmosphériques.

Le professeur Collins réclamant l'honneur d'avoir découvert la véritable téléphonie sans fil est évidemment en train de prendre rang parmi les célébrités du jour qui ont nom Edison, Tesla et Marconi. Pour ceux qui ont vu l'entreprenant yankee à l'oeuvre, la possibilité de la mise en pratique à bref délai de la nouvelle découverte ne fait plus de doute. Ce n'est plus qu'une question de temps.

Les dernières expériences de Marconi
à peine terminées qu'un américain,
fesseur Frederick Collins, réclame l'honneur d'avoir trouvé le téléphone sans fil.
Le lieutenant Heap et son topophone.
Le professeur Collins à son appareil.

Le professeur Collins expliquant les détails de son invention.

Le système du professeur Collins n'a pas encore atteint, cela va de soi, tous les dévéloppements qu'on est en droit d'en attendre ultérieurement. Nous devons cependant ajouter qu'il est présentement en pleine opération à Narberth, Pennsylvanie, où se poursuivent tous les jours des expériences de plus en plus concluantes. Pour tout dire, le système Collins est de beaucoup plus avancé que ne l'était le système Bell dont l'apparition à l'Exposition continentale de Philadelphie, en 1876, provoqua l'étonnement du monde entier.

Nous ne pouvons donner une meilleure idée de la nouvelle découverte qu'en donnant une description succincte des opérations qui se poursuivent à Narberth et de l'installation en cet endroit des différents postes de téléphonie sans fil.

LES COURANTS TERRESTRES

Disons tout d'abord que le professeur Collins utilise, pour la transmission des sons articulés, les courants que l'on rencontre dans le sol terrestre ou des vagues atmosphériques employés par Marconi.

Chaque poste ou station de téléphonie sans fil installé à Narberth consiste en un trépied quelconque supportant une légère boîte de bois à laquelle sont fixés, au moyen d'une tige métallique conductrice, un transmetteur du genre de celui dont on se sert pour les téléphones ordinaires, deux bobines magnétiques enveloppées de caoutchouc très résistant, et enfin deux pièces doublées de cuivre communément appelées «condensateurs électriques».

Au-dessous du trépied est enfouie dans le sol une pièce de cuivre ou de zinc reliée par un simple fil métallique, au mécanisme de la boîte que nous avons signalée. Il est bien évident qu'avec une installation aussi primitive, on ne peut communiquer que d'une certaine façon : c'est-à-dire qu'une personne recevant ainsi une communication téléphonique et qui voudrait y répondre devrait avoir à côté d'elle, outre l'appareil récepteur, un appareil similaire à celui de la station correspondante. Mais les appareils destinés à un usage régulier comme ceux par exemple qui sont en opération dans un grand établissement de Philadelphie sont des appareils «à combinaison» parce qu'ils sont pourvus d'un récepteur et d'un transmetteur. Leur apparence extérieure est à peu près identique à celle des téléphones qui ornent nos bureaux et nos maisons privées.

BASE SUR UN PRINCIPE SCIENTIFIQUE

Le système de téléphone sans fil du professeur Collins est basé sur ce principe scientifique bien connu que les entrailles de notre planète sont chargées d'électricité : il s'agissait tout simplement de s'emparer de cette force latente.

On conçoit naturellement que les courants électriques passant à travers le sol entre deux stations ne sont pas assez puissants pour transmettre les sons de la voix d'un appareil à l'autre ; aussi est-il absolument nécessaire, pour le bon fonctionnement des appareils de renforcer ces courants, de leur donner une puissance de vibration plus considérable en adjoignant des génératrices électriques aux batteries que supportent les trépieds dont nous avons déjà parlé.

Cette augmentation de puissance électrique a son point de départ, à proprement parler, à la pièce de cuivre enfouie dans le sol sous chaque appareil transmetteur et récepteur. D'une plaque de cuivre à l'autre, l'électricité est transportée par les courants terrestres avec une vélocité égale à celle que met la lumière à se répandre. Les vibrations de la voix ainsi mises en marche par le transmetteur sont interceptées par la plaque de cuivre de l'appareil récepteur et transmises à la lame métallique vibrante ; c'est là tout le secret de la téléphonie sans fil.

DIFFICULTE RESOLUE

Comme pour le système de télégraphie Marconi, le grand problème à résoudre qui nous occupe consistait à trouver le moyen de permettre à plusieurs personnes, dans une même localité, de se téléphoner sans qu'il y eût confusion. (...) Le professeur Collins prétend avoir surmonté cette difficulté et voici comment :

Dans chaque téléphone, il place une couple de disques semblables aux serrures à combinaison des coffres-forts. La résistance de chaque téléphone est réglée par ces disques ou clefs. Un abonné voulant téléphoner à un autre abonné n'a qu'à rechercher le numéro d'inscription de ce dernier, tourner le disque de façon à relier son numéro à celui de l'abonné avec lequel il veut communiquer, et tout est dit. Un signal automatique avertira l'appelé et la conversation pourra s'engager sans qu'il y ait à craindre que les autres propriétaires de téléphone puissent entendre quoi que ce soit.

Les fumeurs relégués... au fumoir !

Avis à tous ! Les moeurs sociales sont en train de changer radicalement : les citoyens veulent respirer de l'air pur dans leurs milieux de travail : les fumeurs sont refoulés au... fumoir.

Le bon vieux fumoir des demeures bourgeoises et des collèges classiques des années trente, crachoir en moins, est une institution qui ressuscite. Il n'est plus le rêve de certains écologistes intransigeants. Il revient parmi nous pour de bon en commençant par les bureaux du gouvernement fédéral et de plusieurs grandes entreprises.

Pour en avoir la preuve, il faut commencer par regarder du côté d'Ottawa. La récente plainte d'un fonctionnaire fédéral à laquelle un arbitre syndical a fait droit n'est qu'un simple signe des temps nouveaux. Ce commis du ministère fédéral de la Santé, M. Peter Wilson, a gagné. Il a fait reconnaître le fait que la fumée de la cigarette, en milieu de travail, est une « substance dangereuse » contre laquelle les employés doivent être protégés. Mais ce fait n'est que la manifestation d'une pression sociale plus générale. Les fumeurs sont perçus comme des agresseurs devant être isolés plus ou moins en douceur.

Le gouvernement fédéral en convient du reste. Le représentant du Conseil du Trésor fédéral, M. Jean-Pierre Kingsley, qui a décidé d'en appeler en Cour fédérale de la décision de l'arbitre. Si le gouvernement fédéral en appelle, explique-t-il, ce n'est pas pour favoriser la fumée. C'est pour tenter d'instaurer, dans les bureaux du gouvernement, le système des fumoirs, de gré à gré si possible.

Cet adjoint aux politiques d'administration du personnel explique que, depuis la mise en application d'une politique incitative, plusieurs ministères fédéraux ont déjà instauré des systèmes de fumoirs pour protéger les droits des non fumeurs à un environnement sain. Dans plusieurs bureaux de ce gouvernement, ceux de l'Expansion économique et régionale et du Vérificateur général par exemple, les employés, représentés par leurs syndicats, se sont entendus. Les fumeurs iront au fumoir. Pour lui, la récente affaire Wilson n'est que l'occasion d'accélérer le pas. La préoccupation des nonfumeurs est « normale », dit-il, la société doit « se pencher » sur le sujet et « se presser » de le régler.

Le Québec a le douteux championnat du tabagisme au Canada. 35,5 % des gens de 25 ans et plus fument « habituellement ».

(Ce texte a été publié le 11 janvier 1986)

Un fumeur sur 3 fume des cigarettes de contrebande

L'imposition de taxes toujours plus élevées a fait se développer un marché parallèle de la cigarette et des produits du tabac en général qui a pris une ampleur démesurée au cours des derniers mois, à ce point que tout le monde ou presque fait maintenant commerce de tabac.

Les Mohawks ne sont plus les seuls, il y a aussi des membres du crime organisé et de simples citoyens, chômeurs, retraités, assistés sociaux. Il est facile d'acheter des cigarettes «hors taxe» dans les brasseries, les restaurants, les salons de coiffure, les dépanneurs.

Selon les estimations, le marché noir a triplé au cours des six derniers mois. À tel point que 35 % des cigarettes sont vendues illégalement dans la région de Montréal, cette proportion atteignant 20 p. cent dans l'ensemble du Québec. Les chiffres sont effarants.

Les revenus générés annuellement par ce commerce illicite dépassent, selon la GRC, un demi-milliard de dollars, et ne font que s'accroître. On estime à plus de 200 millions le manque à gagner du fisc québécois en 1991 à cause de la contrebande de cigarettes.

(Ce texte a été publié le 11 janvier 1992)

Amelia Earhart à l'assaut d'un nouvel exploit

Amélia Earhart a annoncé par son appareil de sans-fil à 8 h 20 hier soir (**le 11 janvier 1935**) que tout allait bien.

Amélia Earhart Putnam, la seule aviatrice qui ait traversé l'océan Atlantique en solitaire, s'est envolée hier soir d'Hawaï dans une randonnée à travers l'océan Pacifique, randonnée longue de 2 400 milles, jusqu'à la Californie. Jamais aucun aviateur n'a encore tenté ce voyage en solitaire.

Bien qu'il tombât une forte pluie qui couvrait de boue l'aérodrome Wheeler, Amélia Earhart monta dans les airs à 4 h 45 pm en direction d'Oakland.

(Amélia Earhart s'est perdue en mer et n'a jamais été retrouvée.)

Bourassa part, Johnson arrive

Il y aura plus de jeunes et un anglophone de moins au sein du conseil des ministres de Daniel Johnson. Le nouveau chef du gouvernement présente aujourd'hui une équipe rajeunie où la répartition des responsabilités sera passablement modifiée, fruit du « réalignement » gouvernemental préparé depuis plus d'un an.

L'atmosphère était à la nostalgie hier (**le 10 janvier 1994**), lors de la dernière réunion de cabinet présidée par Robert Bourassa. « C'est une page, sinon un chapitre complet, de l'histoire du Québec qui prend fin, a souligné Pierre Paradis (Environnement). « M. Bourassa a gouverné durant plus d'une décennie, il l'a fait en laissant un héritage remarquable, tant sur le plan social qu'économique. »

Lise Bacon, qui n'était pas réapparue depuis les coups de griffe qu'elle avait décochés à l'endroit de Daniel Johnson à la mi-décembre, avait tenu à assister à cette ultime réunion du cabinet Bourassa. « Je suis très sereine. C'est le début d'une nouvelle vie, et je me sens très moderne », a-t-elle lancé, une allusion au commentaire que lui aurait fait le nouveau chef, qui souhaitait insuffler plus de « modernité » à son gouvernement.

Selon la plupart des ministres, avec la formation du nouveau gouvernement débute une période de six mois où l'équipe Johnson devra prouver que la création d'emplois est clairement au sommet des priorités, martelait-on hier à l'entrée de la dernière réunion du cabinet Bourassa.

RUE HAVEMEYER
RUE SUD
RUE SUD
RUE SUD
ENDROIT OÙ IL A ÉTÉ TRANSPORTÉ
ANCIEN SITE DE L'ÉDIFICE

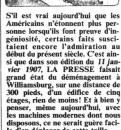

S'il est vrai aujourd'hui que les Américains n'étonnent plus personne lorsqu'ils font preuve d'ingéniosité, certains faits suscitaient encore l'admiration au début du présent siècle. C'est ainsi que dans son édition du *11 janvier 1907*, LA PRESSE faisait grand état du déménagement à Williamsburg, sur une distance de 300 pieds, d'un édifice de cinq étages, rien de moins ! Et à bien y penser, même aujourd'hui, avec les machines modernes dont nous disposons, ce ne serait guère facile d'en déplacer de cette taille...

Anne Hébert remporte le prix Gilles-Corbeil

La romancière, poète et dramaturge Anne Hébert a mérité hier (**le 10 janvier 1994**) le prix Gilles-Corbeil, de la Fondation Émile Nelligan, pour l'ensemble de son oeuvre. Assorti d'une bourse de 100 000 dollars, ce prix littéraire s'avère le plus riche du Canada.

La romancière, qui vit maintenant surtout à Paris, a fait l'unanimité du jury. Son président, l'écrivain Pierre Nepveu, professeur à l'Université de Montréal, a souligné hier soir, à la Bibliothèque nationale du Québec où avait lieu la cérémonie, qu'il y a de ces choix clairs, entiers, que l'on aurait bien tort de vouloir contourner.

Émue, la romancière a rappelé que l'un de ses premiers souvenirs littéraires est quand son père lui avait lu le Vaisseau d'or, le célèbre poème d'Émile Nelligan.

Le généreux créateur du prix, Gilles Corbeil, était en effet un neveu d'Émile Nelligan. Homme d'affaires et propriétaire d'une galerie de peinture très réputée à Montréal, il s'est toujours fortement intéressé aux arts et à la littérature. Lorsqu'il est décédé tragiquement à l'étranger en 1986, dans un accident d'automobile, il a laissé un testament dans lequel il ordonnait que la majeure partie de sa fortune soit léguée à la Fondation Émile-Nelligan et chargeait Gaston Miron et Pierre Vadeboncoeur (un ami d'enfance), de créer le prix qui porte son nom.

Maintenant âgée de 77 ans, mais paraissant plus jeune, Anne Hébert a mérité presque tous les honneurs durant sa carrière, notamment le prix du Gouverneur général, le prix France-Canada, le prix Duvernay et le prix Athanase David.

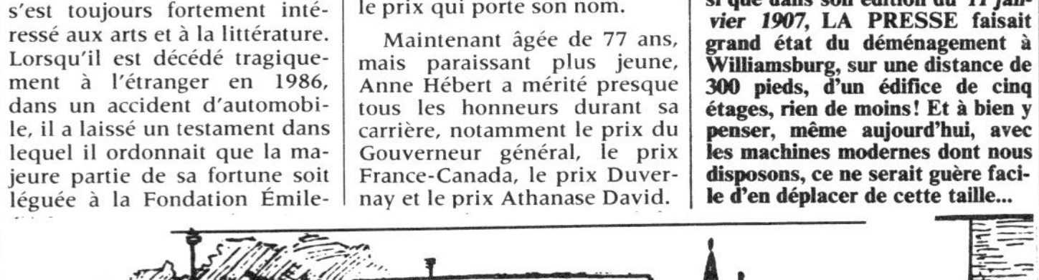

Dans son édition du *11 janvier 1904*, LA PRESSE soulignait l'inauguration du Grand-Nord, soit le train qui devait relier Montréal à Shawinigan Falls en passant par l'Assomption, Joliette et Grand'Mère. Le prix du billet aller-retour, en première classe, entre les deux extrémités du parcours, avait été fixé à $4,85. La vignette illustre le départ, à 8 h 45 du matin, du premier train de l'histoire de la liaison, à la gare du Grand Nord, alors située à l'angle des rues Sainte-Catherine et Moreau.

C'EST ARRIVÉ UN 11 JANVIER

1979 — La Baie acquiert 87 p. cent des actions de Simpson's.

1976 — Une junte militaire dépose le président Guillermo Rodriguez Lara en Équateur.

1975 — L'URSS lance *Soyouz XVII* transportant deux cosmonautes vers la station spatiale *Salyout IV*.

1973 — Fin du contrôle des prix et des salaires aux États-Unis.

1970 — Les aspirations sécessionnistes du Biafra s'estompent. La guerre civile prend fin au Nigeria, après 30 mois.

1970 — Vol inaugural « officieux » en liaison commercial du Boeing 747, entre New York et Londres.

1966 — Début de graves problèmes au Nigeria. Le général Gowon assume tous les pouvoirs.

1961 — M. Yves Prévost abandonne son poste de chef de l'Union nationale. M. Antonio Talbot lui succède et devient le cinquième chef de l'UN en 15 mois.

1954 — Des avalances font 200 morts dans la région du col du Brenner. — Décès du compositeur Oscar Strauss, auteur de 50 opérettes, à l'âge de 83 ans.

1952 — Décès à Paris du général Jean de Lattre de Tassigny, haut commissaire français en Indochine et héros de la deuxième grande guerre.

1946 — Les dépenses des trésoreries de tous les pays du monde durant le dernier conflit mondial se sont chiffrées par $680 milliards, quatre fois plus que la première Grande guerre.

1938 — Un gros hydravion à quatre moteurs de la Pan American Airways, le *Samoan Clipper*, s'abîme au large de Pago-Pago avec ses sept membres d'équipage, lors d'un vol d'essai entre Honolulu et la Nouvelle-Zélande.

1925 — Décès à Québec d'un musicien de grand renom, Arthur Lavigne, à l'âge de 79 ans.

Le radio de LA PRESSE
UN POSTE NOUVEAU
C'est à Saint-Hyacinthe que sera érigée la nouvelle station CKAC. — La tonalité du nouvel émetteur sera 18 fois plus forte que celle du poste actuel
DOUBLE STUDIO, RUE SAINTE-CATHERINE

Dans son édition du 12 janvier 1929, LA PRESSE publiait ce reportage sur sa filiale, la station de radio CKAC.

INTÉRESSÉE à tous les progrès, scientifiques et autres, la « Presse » a toujours été, depuis sa fondation, une pionnière et une vulgarisatrice hors pair. C'est ainsi que, depuis déjà longtemps, la « Presse » a pris un grand intérêt à la télégraphie sans fil et à la radiophonie.

La « Presse » a été le seul journal de la province de Québec à installer et à contrôler un poste de T.S.F. Ce poste, installé à Joliette, était tenu continuellement en communications avec une station, à Montréal. Ce poste premier fut inauguré le 23 août 1904. Ce n'est donc pas d'hier.

Puis, la vogue du radio grandissant toujours, la « Presse », peu lente à comprendre et à prévoir le rôle important que jouerait dans notre vie moderne cette source inépuisable de distractions et d'utilités, fonda son poste CKAC.

LES DÉBUTS DU POSTE CKAC

Le 2 mai 1922, la « Presse » signait un contrat avec la compagnie Marconi du Canada pour l'installation du premier poste radiophonique au Canada. (...)

Le poste de la « Presse » fut promptement installé et quelques mois après la signature du contrat, il fonctionnait. Cependant, les débuts furent difficiles. Le public paraissait sceptique et il était difficile de trouver des artistes pour les concerts. De plus, l'installation mécanique laissait parfois à désirer et créait souvent des embarras aux techniciens.

Sans se décourager jamais, la « Presse » n'épargnant rien au surplus, perfectionna son poste dans l'espoir que le succès couronnerait tant d'efforts. Or, le poste CKAC est maintenant l'un des plus puissants du Canada en même temps que l'un des plus patronés par les annonceurs et les radiophiles.

AMÉLIORATIONS

Des changements considérables ont été apportés à la radiophonie depuis quelques années. (...) Il y a à peine quelques années, ce qui portait le nom d'émetteur n'était ni plus ni moins qu'un criard ne produisant qu'une série de grondements. Écouter et transmettre, c'était un supplice. Mais quelle différence aujourd'hui! Grâce aux perfectionnements apportés aux instruments, émetteurs et récepteurs, on a un rendement parfait, si la température est au beau, satisfaisant si le temps est défavorable. On entend un poste de radio, même éloigné à des centaines de milles, tout comme si l'on écoutait un gramophone chez soi.

L'expérimentation est à peu près terminée en radiophonie et le radio est maintenant considéré comme un objet de nécessité dans presque tous les foyers. Ce n'est plus un objet de luxe, mais un objet utile à tous, jeunes comme vieux, vieux comme jeunes.

LA NOUVELLE INSTALLATION DU POSTE CKAC

Après mûre délibération et désireuse toujours d'aller de l'avant, la direction de la « Presse » a décidé d'améliorer encore la qualité de ses concerts et de sa transmission. Voilà pourquoi elle a décidé de transformer son poste actuel, d'aménager un nouveau poste tout à fait moderne.

Le transmetteur du nouveau poste sera installé hors de Montréal, à 35 milles à vol d'oiseau, soit à Saint-Hyacinthe. Le

Ce croquis montre le projet soumis par les architectes Richer et Bournet, de Saint-Hyacinthe. L'immeuble devait mesurer 58 pieds de profondeur par 48 pieds de largeur. Dans les trois médaillons, on peut voir, à gauche, l'un des tubes amplificateurs refroidis par eau, à droite l'un des tubes rectificateurs, et au centre, M. René Richer, un des deux architectes.

terrain acquis par la « Presse » mesure environ dix-huit arpents. Il est sis entre l'équerre que forme, à un demi-mille de la ville, la route nationale et la rivière Yamaska. L'usine du poste sera donc érigée sur une pointe de terre s'avançant dans la rivière Yamaska.

INSTALLATION COÛTEUSE

La « Presse », ne voulant reculer devant aucune dépense, fera de son nouveau poste une station radiophonique incomparable. Outre l'usine, il y aura une habitation pour le personnel, contiguë au poste.

La direction de la « Presse » a accepté les plans soumis par les architectes Richer et Bournet, de Saint-Hyacinthe. La construction et les appareils de transmission coûteront environ $150,000. Le coût de l'opération du poste s'élèvera à environ $60,000 par année.

Cette page a été publiée dans *La Presse* du 12 janvier 1907. Elle reste toujours vraie 92 ans plus tard.

Bouchard chef du PQ

En devenant, aujourd'hui (le 12 janvier 1996), chef du Parti québécois et premier ministre du Québec le 29 janvier, Lucien Bouchard confirmera une tendance marquée au cours des dernières années dans le monde politique québécois et canadien : il aura été élu sans opposition.

Faute de véritable débat d'idées, le nouveau chef aura donc toute la latitude nécessaire pour soumettre les siennes à une équipe qui a déjà amorcé le virage d'une souveraineté assortie d'un partenariat avec le Canada.

C'EST ARRIVÉ UN 12 JANVIER

1976 — Agatha Christie meurt en Angleterre à l'âge de 85 ans. Elle avait écrit plus de 100 romans policiers.

1973 — Un incendie fait sept morts au sein d'une même famille, à LaSalle.

1969 — Les Jets de New York causent une forte surprise en battant les Colts de Baltimore dans le match du Super Bowl.

1957 — Les trains roulent, mettant ainsi fin à la grève qui paralysait depuis le 2 janvier le réseau ferroviaire du Pacifique Canadien.

1953 — Investiture de 24 nouveaux cardinaux, dont le cardinal Paul-Émile Léger, archevêque de Montréal.

1950 — Le sous-marin *Tru-* culent heurte un pétrolier dans la Tamise et sombre avec ses 65 passagers.

1933 — L'église Saint-Louis-de-France est détruite par un incendie. Elle avait été construite en 1897.

1928 — Début des travaux de construction du stade de Lorimier, à l'intersection des rues de Lorimier et Ontario.

1904 — Montréal et les villes de la rive-sud sont désormais reliées par des voitures-automobiles à 20 places.

le carnet
DE RAYMOND GUÉRIN

Avant d'occuper ses fonctions actuelles de rédacteur principal au service des nouvelles d'Air Canada, Raymond Guérin détint, pendant de longues années, une chronique humoristique à la page 3. À l'occasion du centenaire de LA PRESSE, il nous offre donc le texte original suivant:

ODE À «LA PRESSE»...
(Rotativement parlant)

Ah! LA PRESSE!
Sacrée vieille Presse!
Te voilà donc, séculaire et honorable,
Consacrée tradition québécoise
Au même titre que le sirop d'érable
Et peut-être le Père Ambroise.
Sans que ton âge paraisse,
Toi, tu parais depuis cent ans,
Toujours bien remplie, parfois un peu épaisse
(Dans le bon sens du mot, s'entend!)
Tu nous as toujours offert une savoureuse bouillabaisse
De l'actualité depuis les jours d'antan.
Tu es avant tout une chronique de la faune montréalaise:
Monde ordinaire, artistes, clochards, bourgeois à l'aise,
Drogués s'adonnant au méprisable hash, à la vile mari
Qu'ils extirpent de leur jeans prêt-à-porter
(Doux Jésus! Les origines de Ville-Marie
Ne prévoyaient pas une population aussi capotée!)
Mais tu es aussi une véritable macédoine
De tout ce qui se passe au Québec et ailleurs,
Jusque par delà les douanes,
Jusque dans les pays pacifistes ou guerroyeurs.
Mais surtout, tu as été fidèle
A notre patrimoine prestigieux,
Et cela compte plus, devant l'Eternel,
Qu'une victoire fortuite de Nos Glorieux.
Il y a des choses à préserver
Qui méritent un combat farouche:
Tout le monde ne tient-il pas à conserver
La recette de la tarte à la farlouche?
Ah! Tu es bien encrée dans nos habitudes
(Le premier «e» dans «encrée» est voulu)
Et d'est en ouest, du nord au sud,
Tu nous stimules, comme un café bien moulu,
À chaque matin, dès qu'on est debout,
De Drummondville à Wabush,
De Chibougamau à Mascouche,
Et ça vaut mieux qu'une rasade de caribou.
Rappelle-toi, ô estimable centenaire,
Comme tu nous en a raconté, des affaires!
Rappelle-toi nos légendes, nos quadrilles
Et nos belles grosses familles.
Eh oui, bien des Ginette ont fait passer
Dans leurs cerceaux
Nos ancêtres empressés
Et ça été ça, la r'vanche des berceaux!
(C'était avant l'heure
De Morgenthaler)
Mais autrefois... Scapulaire!
Défense de se tirer en l'air!
Aujourd'hui on fait l'amour à la sauvette
Et on fabrique des bébés-éprouvette:
Un numéro, une classification
... Et hop! L'Immatriculée-Conception!
Oh! Mais rappelle-toi la volupté du péché
Dénoncé par tous les évêchés.
La faute, le remords, la confesse
Et puis bof! Swing la baquaisse!
Bein voyons donc! Et que l'fun
Continue d'être parmi nous,
Et prendre un verre de bière, mon minou,
Aïe — prends-en donc une bonne!
Ah oui, la religion, pauvre d'elle,
Depuis longtemps bat de l'aile.
C'est qu'elle a reçu un grand coup de pied au culte
Et naturellement, cela a causé un certain tumulte
Chez un peuple qui, né d'agriculteurs,
S'est vu transformé en une masse d'horticulteurs.
Des filles qui naguère auraient été ingénues
Se retrouvent aujourd'hui danseuses nues,
Ce qui, assurément, est une vocation discutable
(Notez que pour $5, elles dansent à vos tables
Dans des contorsions pas trop compliquées
Mais qu'elles imaginent très soffessetiquées).
Ah oui, rappelle-toi, et ça remonte loin,
Tout ce dont tu as été témoin
Et qu'on retrouve dans tes reportages et ta publicité.
Voyons un peu ce qu'on pourrait bien citer...
Ah oui! Tu as été témoin des p'tits chars et des gros chars
Et puis de Maurice et Henri Richard,
De la laiterie J.J. Joubert
Et d'Yvon Robert
Et du chapelet à la radio à 7 heures
Et de la Commission des Liqueurs
(Devenue la Satiété des Alcools)
Et de l'action bienfaisante de Robol.
Et rappelle-toi la Commission des Tramways
Et les «tourist rooms» aux chambres à louer,
Et Octave Crémazie,
Et la famille Soucy
Et nos belles danses carrées,
Et les remèdes de l'abbé Warré,
Et les mitasses, les capines et les tuques
Et les turlutages de la Bolduc.
Rappelle-toi la construction de l'Oratoire,
Et la lutte à la télé le mercredi soir.
Et les jumelles Dionne, d'Ontario,
Et les nuits glorieuses du Mocambo,
Et Aurore, l'enfant-martyr,
Et les «bons soirs pour sortir»,
Et Tit-Coq
Et les millions de p'tites coques,
Et le sirop du Dr Lambert,
Et Dupuis Frères...
Vraiment, la nomenclature peut aller s'éternisant,
Mais il faut revenir au présent
Et passer du Titanic
A Spoutnik
Et du savon Barsalou
Au triomphe de «Broue».
Aujourd'hui tu nous parles de Vitagro
Et de Jean-Guy Moreau,
Et du PQ
Qui analyse son vécu.
Et tu fais des éditoriaux
A l'endroit de la RIO
Ou de la Royale Gendarmerie
Ou du problème des garderies
Ou du sort des allophones
(Ce sont ceux qui répondent «allo» au téléphone),
Ou de quoi encore? Ah, tu ne seras jamais à bout
Pour traiter des sujets de l'heure!
D'ailleurs, cela fait cent ans que tu nous en passes un papier,
Et comme papiers, cela commence à en faire plusieurs.
Coule au-dessous
Du pont Jacques-Cartier
Avant que tu ne sois rendue au bout
De tes rouleaux!

Raymond Guérin
Décembre 1983

Un Jardin Botanique à nous

La magnifique entrée du Jardin botanique de Montréal, d'après une photo aérienne de septembre 1938 et publiée dans LA PRESSE du *13 janvier 1940.*

*Dans son édition du **13 janvier 1940,** LA PRESSE consacrait un long article abondamment illustré à ce qui était devenu l'objet de fierté par excellence (et Dieu sait si on en avait besoin, au sortir de la grande crise économique!) du Montréalais, « son » Jardin Botanique. Nous en reproduisons de larges extraits.*

MONTRÉAL a depuis quelques années un Jardin Botanique qui est à peu près le plus moderne au monde. Vous en doutiez-vous?

Notre Jardin Botanique fait parler de lui aux quatre coins du globe. Il entretient des relations suivies et fait des échanges avec les savants de toutes les parties de l'univers. (...) Toronto l'envie de grand coeur. Le seul endroit où on le connaisse encore moins et peu, c'est Montréal.

C'est pourtant de toutes les entreprises nées du rêve de quelques-uns des nôtres l'une des plus gigantesques et l'une des mieux réussies. Un grand palais d'Aladin d'allure très vingtième-siècle a surgi sur l'immense tapis magique qui a remplacé un parc Maisonneuve laissé si longtemps en friche. Il n'a fallu que trois ans pour réaliser tout à coup un rêve nourri depuis tant d'années par un savant de chez nous. Tout a poussé soudain, avec l'éclosion rapide des plantes tropicales. Cela tient du miracle dans un climat tempéré comme le nôtre, qui laisse tant de projets s'étioler et mourir. Mais la crise est venue, et le chômage. Et c'est à la crise que Montréal doit, en somme, son Jardin Botanique. Ce sont les travaux de chômage qui ont réalisé le projet. (...)

Le Jardin Botanique de Montréal est le seul au Canada. Il est né d'une pensée canadienne-française. L'indispensable technicien qu'il a fallu à l'organisation adéquate du projet, ce rare homme qui se trouve être le botaniste doublé d'un horticulteur, M. Teuscher prépare et forme soigneusementa sur place des assistants et un corps d'experts parmi les nôtres.

L'animateur de l'oeuvre

J'ai trouvé le R. Frère Marie-Victorin, D.Sc., M.S.R.C., assis dans son clair bureau, comme un homme heureux installé en plein coeur du grand rêve qui a été sa vie. (...) Il est né à Kingsey-Falls, P.Q., en cette année 1885 où l'on dût abandonner le projet d'un jardin botanique sur le Mont-Royal. L'oeuvre attendait son homme! Professeur (...), il commença dès 1908 la publication de travaux botaniques aussi bien que d'oeuvres littéraires, qui se mirent à lui valoir les prix David ou les prix d'Action intellectuelle dans deux ou trois sections à la fois. Appelé à la chaire de Botanique de l'Université de Montréal en 1922, invité à donner des cours à Harvard en 1929 et 1930, prix Gandoger 1932 et de Coincy 1935 de France, décoré par le roi d'Angleterre en 1935, le Frère Marie-Victorin est une personnalité qui rayonne l'enthousiasme. (...) On a l'impression avec lui que le vrai botaniste est un poète avant tout.

Il n'a pas voulu parler de lui mais, avec une cordialité pleine de soleil, il a rendu témoignage à ses collaborateurs et esquissé en deux paragraphes le triple but de « son » Jardin Botanique :

Un tout petit mot d'histoire

« Je n'ai pas inventé le projet d'un Jardin Botanique à Montréal; j'ai simplement repris, dit-il, une entreprise qui avait reçu un commencement d'exécution sur le flanc du Mont-Royal en 1885, et qui fut écrasée dans l'oeuf.

« C'est le 14 décembre 1929 que je lançai officiellement le projet, dans un discours présidentiel à la Société Canadienne d'Histoire Naturelle. La campagne dura sept ans. Enfin, la Cité de Montréal créa le Jardin Botanique par une résolution de l'Exécutif datée du 4 mars 1932.

« Mais les travaux ne commencèrent, sur une grande échelle, qu'en 1936. En trois ans, grâce à la collaboration de la Cité, du gouvernement fédéral et du gouvernement provincial, un travail énorme a été accompli, qui place déjà le Jardin Botanique de Montréal non seulement sur le plan national, mais sur le plan international ainsi que l'indique le projet d'y tenir le prochain Congrès international de Botanique.

Hommage aux collaborateurs

« Ce résultat, cette réussite, est due à la valeur des hommes qui compose le personnel technique essentiel du Jardin. Je dois mentionner particulièrement M. Jacques Rousseau, M. Henry Teuscher et M. Lucien Keroack, architecte.

Le frère Marie-Victorin, directeur du Jardin botanique.

« M. Jacques Rousseau est l'un des meilleurs botanistes du pays. (...) A M. Henry Teuscher revient le très grand mérite de la conception du plan du Jardin Botanique. (...)

« M. Teuscher, qui fut l'assistant d'un des plus grands botanistes du XIXe siècle, Adolf Engler, fut amené en Amérique par M. Charles Sprague Sargent, le créateur de l'Arnold Arboratum de Boston. (...)

« M. Teuscher a créé le Morton Arboretum de Boston. (...) Mais le couronnement de sa carrière sera certainement la réalisation technique du Jardin Botanique de Montréal. (...)

Triple but général

« Le Jardin Botanique de Montréal (...) a un triple but que ses promoteurs ne perdent pas de vue :

a) c'est une institution scientifique d'envergure nationale et internationale, destinée à faire avancer la science pure, mais aussi à aider l'horticulture scientifique;

b) c'est un oasis de beauté; un refuge pour les petites gens qui ne peuvent fuir la grande ville; une attraction pour les touristes américains et plus encore pour les voyageurs européens;

c) c'est une institution d'enseignement populaire, l'une de celles qui nous manquaient totalement. Pour réaliser ce programme, le Jardin Botanique a des services coordonnés et recevant une impulsion commune;

1) coopération avec la Commission des Ecoles Catholiques pour visites d'écoliers et causeries sur le terrain et dans les écoles;

2) jardinets d'écoliers;

3) école d'apprentissage horticole;

4) école de l'Eveil;

5) cours d'Horticulture aux adultes. (...)

L'Hôtel-Dieu restera là!

Première décision du gouvernement de Daniel Johnson : mettre un point final à la saga du déménagement de l'Hôtel-Dieu.

L'institution séculaire ne bougera pas du centre-ville (avenue des Pins) et sera même rénovée.

D'autre part, un hôpital de 300 lits sera construit à Rivière-des-Prairies, pour répondre aux besoins des Montréalais de ce secteur.

« L'Hôtel-Dieu de Montréal ne déménage pas, il sera rénové et un hôpital sera construit dans le nord-est de Montréal, a soutenu hier (**le 13 janvier 1994**) M. Johnson, des investissements qui pourront assurer à court terme le rôle et l'existence de l'Hôtel-Dieu de Montréal», a-t-il ajouté.

Le nouvel hôpital de Rivière-des-Prairies sera une institution de première ligne qui, sans avoir les spécialités d'un hôpital universitaire, offrira tous les services d'un hôpital général.

Les investissements requis ne seront pas plus élevés que les montants nécessités par le projet de déménagement. Le nouvel hôpital de 300 lits coûtera entre 140 et 150 millions. Quant à la rénovation de l'Hôtel-Dieu, elle coûtera entre 50 et 100 millions. « L'objectif est que cela ne dépasse pas les coûts de 260 millions quand on avait prévu le déménagement », a dit M. Johnson. L'Hôtel-Dieu, qui a toujours son statut d'hôpital universitaire — qu'il risquait de perdre si aucune amélioration n'était apportée —, compte toujours 570 lits et 250 médecins qui partagent leur temps entre la pratique et la recherche.

Hydro réplique au *New York Times*

Le président et chef de la direction d'Hydro-Québec, M. Richard Drouin, répondra dès aujourd'hui, par lettre, à l'article paru hier (**le 13 janvier 1992**) dans le supplément magazine du *New York Times*.

Dans cette lettre, le président affirme qu'il « est faux de donner l'impression, comme le fait cet article, que les développement hydroélectriques futurs survenant au Québec dépendront des achats new-yorkais ».

Voici la lettre que le président et chef de la direction d'Hydro-Québec, M. Richard Drouin, fera parvenir aujourd'hui au *New York Times*. La traduction est de *La Presse*.

L'article de Sam Howe Verhovek (« Power Struggle », 12 janvier), constitue une déformation de l'impact qu'aura le développement hydro-électrique du nord-ouest du Québec. De tels comptes rendus accordent un statut indû à certaines nouvelles apocryphes et à certaines analogies erronées qui sont répandues sur une vaste échelle par les adversaires du projet. Si elles font à n'en pas douter de bons sujets d'articles, ce serait une fort mauvaise politique publique que de s'y fier pour prendre des décisions.

Hydro-Québec s'est engagée à entourer ses développements hydroélectriques de pratiques environnementales saines. C'est la raison pour laquelle la compagnie a accepté de participer à cinq analyses indépendantes d'impact écologique qui doivent être menées à bien par les gouvernements fédéral et québécois en coopération avec les Cris et les Inuit. Le Canada et le Québec ont mis sur pied des processus rigoureux d'analyse de l'impact environnemental, qui se comparent, s'ils ne lui sont pas supérieurs, à tout ce qui se fait ailleurs dans le monde.

Les premières audiences débuteront le 20 janvier, sous la présidence du chef cri Billy Diamond. Toutes les parties intéressées auront la latitude de participer à ce processus public.

Même si nous attachons la plus grande importance aux rapports que nous entretenons depuis 75 ans avec l'État de New York, il est faux de donner l'impression, comme le fait l'article en question, que les développements hydro-électriques futurs survenant au Québec dépendront des achats new-yorkais. L'énergie hydraulique engendre 95 % de l'électricité du Québec, qui, à son tour, chauffe 70 % de nos demeures. En dépit d'objectifs de conservation bien définis, la demande excédera l'offre dans notre province au début de la prochaine décennie. Nous répondrons à cette demande, ainsi qu'à nos objectifs d'exportation, grâce à une énergie hydro-électrique engendrée par des développements additionnels.

Outre la conservation, l'énergie hydro-électrique est la ressource la plus avantageuse, la plus fiable et la plus aisément renouvelable qui puisse satisfaire aux besoins d'électricité du Québec et d'ailleurs. Hydro-Québec s'engage à développer cette précieuse ressource tout en assurant la protection de l'environnement et en continuant de prendre en considération les droits et la dignité des peuples autochtones affectés par ces développements.

37 % des allophones adoptent maintenant le français

La proportion de Canadiens parlant le français à la maison continue sa lente chute à travers le pays. Mais au Québec, où le pourcentage d'allophones adoptant le français vient de bondir, la situation demeure tout à fait stable.

Voilà en effet ce que révèle une étude de Statistique Canada rendue publique hier (**le 12 janvier 1993**) et effectuée à partir de données recueillies durant le recensement de 1991.

Ainsi, même si le nombre de Canadiens parlant le français à la maison a augmenté, passant de 6,032 millions en 1986 à 6,29 millions en 1991, leur poids relatif au sein du Canada a diminué passant de 24,1 % à 23,3 %.

Au Québec, en revanche, la place du français est demeurée tout à fait stable. En 1986, 83,1 % de la population parlait français ; aujourd'hui, 83 % de la population parle cette langue, et même 83,4 % si on exclut les résidents non permanents — demandeurs du statut de réfugié, étudiants, etc., inclus pour la première fois en 1991 — pour rendre les statistiques plus comparables aux données de 1986.

Les porte-parole des communautés culturelles se réjouissent de l'augmentation du taux de francisation des allophones, qui est passé de 29 % en 1986 à 37 %.

LA PRESSE du *13 janvier 1900* consacrait sa première page à l'usine hydroélectrique des chutes Niagara. On aura remarqué que si on illustre bien les chutes américaines, on aurait pu mieux illustrer les chutes canadiennes en forme de fer à cheval, les plus spectaculaires évidemment.

13 C'EST ARRIVÉ UN JANVIER

1973 — Exécution des 11 officiers impliqués en août 1972 dans l'attentat contre le roi Hassan II, du Maroc.

1967 — Début d'une grève des enseignants au Québec, qui obligent 217 000 écoliers à prendre un congé forcé.

1965 — Conclusion d'un pacte de l'automobile entre le Canada et les États-Unis.

1963 — Début d'un coup d'État au Togo, au cours duquel Sylvannus Olympio sera assassiné et remplacé par un beau-frère, Nicolas Grunitsky.

1960 — La ville péruvienne d'Arrequipa est complètement détruite par un tremblement de terre qui fait 63 morts.

1953 — Neuf médecins soviétiques sont accusés d'avoir attenté à la vie des dirigeant du pays. — Le célèbre sculpteur Alfred Laliberté meurt à Montréal à l'âge de 74 ans.

1919 — On annonce que le travail de nuit dans les fabriques de Québec est désormais interdit aux femmes.

1915 — Un tremblement de terre fait 50 000 morts et blessés à Avezzano, dans le centre de l'Italie.

1908 — Environ 225 spectateurs, hommes, femmes et enfants, meurent brûlés vifs ou foulés aux pieds dans l'incendie d'un théâtre de Boyertown, Pennsylvanie.

C'EST ARRIVÉ UN 14 JANVIER

1994 — Un mois après sa fondation, la formation de Jean Allaire et Mario Dumont devient le parti Action démocratique du Québec. Ses membres choisiront leur chef et adopteront leur programme début mars.

1986 — Au moins 20 millions de boîtes de thon de marque Star-Kist, jugées impropres à la consommation, sont retenues dans des entrepôts à travers le pays, sur l'ordre du ministère des Pêches et Océans.

1980 — L'Assemblée générale de l'ONU «déplore violemment» l'intervention soviétique en Afghanistan.

1977 — Décès d'Anthony Eden, premier ministre de Grande-Bretagne, de 1955 à 1957.

1974 — Jules Léger devient le 21e Gouverneur général du Canada.

1973 — Les Dolphins de Miami gagnent le Super Bowl et terminent la saison avec une fiche parfaite.

1968 — Un violent tremblement de terre secoue la Sicile: 600 morts.

1957 — Mort à 54 ans du célèbre acteur américain Humphrey Bogart.

1955 — Des millions de sauterelles venues du désert du Sahara sèment la désolation au Maroc.

1932 — Les femmes propriétaires auront désormais le droit de vote aux élections municipales de Montréal.

1932 — Le frère Marie-Victorin propose qu'on construise un jardin botanique dans le parc Maisonneuve.

1926 — Un incendie détruit toute la plus vieille partie du Château Frontenac, à Québec, causant des dommages estimés à l'époque à plus de 3 millions de dollars. Cette partie de l'édifice avait été construit en 1893 sur l'emplacement de l'historique château Saint-Louis, lui-même détruit par un incendie en 1834.

En 1900, le gouvernement provincial adopte une loi, proposée par M. Honoré Mercier, alors premier ministre, accordant une concession de 100 acres de terre à tout chef de famille de 12 enfants vivants.

D'un rapport daté de mars 1904 (cette page consacrée aux grosses familles a été publiée le 14 janvier 1905), il résulte que 3415 familles devaient profiter de cette offre entre l'adoption de la loi et la rédaction du rapport. Ce qui amenait LA PRESSE du jour de conclure qu'entre mars 1904 et la parution de la page, ce nombre devait avoir doublé.

Pour compléter les statistiques, on expliquait que les 3415 chefs de famille avaient eu 3751 épouses, et que ces dernières avaient enfanté 21774 garçons et 20481 filles. Le taux de mortalité s'élevait alors à 8,38 p. cent. Des 3415 familles, pas moins de 1574 avaient perdu au moins un enfant.

L'article décomposait également les familles de la manière suivante:

12 enfants	2662	31944
13 enfants	451	5863
14 enfants	172	2408
15 enfants	88	1320
16 enfants	17	272
17 enfants	15	255
18 enfants	6	108
19 enfants	1	19
20 enfants	1	20
23 enfants	2	46

L'article se terminait en rappelant que si Sylvain Lambert, de Beauce, avait été le plus chanceux en ayant conservé ses 23 enfants vivants. Paul Bélanger, de Fraserville, avait été moins chanceux, puisqu'il avait perdu 24 de ses 36 enfants que lui avaient donné trois épouses différentes.

Fin du cauchemar

Hydro-Québec a donné un feu orange pour la réouverture des commerces et des tours à bureaux du centre-ville de Montréal (**le 14 janvier 1998**), à « la condition expresse que les usagers de l'électricité, autant commerciaux et institutionnels que résidentiels, fassent preuve de grande modération ».

La société d'État devance ainsi d'une journée le retour à la normale des activités commerciales et professionnelles du coeur de la métropole qui ne devaient reprendre leur cours que demain matin.

« Les édifices à bureaux ne devraient accueillir leurs employés que durant la période de 9h à 16h, et rester fermés à l'extérieur de cette période », insiste Hydro-Québec dans son communiqué bilan. Les périodes de pointe de la demande en électricité s'étirent de 6 h à 9 h le matin, au réveil du Québec, et de 16 h à 21 h, quand tout le monde rentre chez soi pour le souper. Hydro-Québec croit que si ses grands clients n'empiètent pas sur ces heures critiques, le réseau tiendra.

C'est pourquoi le gouvernement du Québec s'est aussi permis de rappeler au travail dès ce matin à 9 h tous ses fonctionnaires qui travaillent au centre-ville de Montréal. La direction de la Communauté urbaine de Montréal a aussitôt emboîté le pas en faisant savoir que son personnel était requis de se présenter au travail pour neuf heures ce matin.

Quant aux commerces, « intérieurs » ou « extérieurs », ils devront fermer beaucoup plus tôt que d'habitude. Les employés travaillant dans des entreprises et bureaux professionnels logeant au centre-ville devraient aussi terminer leur quart de travail un peu plus tôt.

Les pompiers ont effectué du déglaçage sur certains toits d'édifices publics.

Le virus du vendredi 13 a frappé en Angleterre

Le virus informatique a fait un retour en force (**le 14 janvier 1989**) en Grande-Bretagne, mettant plusieurs sociétés dans un état de chaos quant leurs employés ont découvert que leurs disques avaient été effacés.

Des centaines de personnes possédant des ordinateurs se sont mises à leur console et attendent l'exécrable virus, qui aurait été programmé pour attaquer vendredi 13, ce qui les rend encore plus nerveux.

Le président d'un centre de maintenance d'ordinateurs a déclaré que, depuis plusieurs jours des hommes d'affaires et des particuliers dont les ordinateurs sont frappés par le virus « 1813 », ne cessaient de les appeler.

« Nous sommes débordés et des centaines de gens, y compris une grande société possédant plus de 400 ordinateurs, ont téléphoné pour nous parler de leurs problèmes », a déclaré M. Alan Salomon, président des Entreprises S and S à Amersham (sud-ouest).

La firme avait réussi à retracer l'origine du virus « 1813 », qui est probablement l'oeuvre d'un pirate informatique, à Jérusalem. C'est la première fois que le virus attaque un vendredi 13.

M. Salomon a expliqué que le virus existe dans les ordinateurs personnels et compatibles IBM, et qu'il arrive que ces ordinateurs perdent un tiers de leur rapidité de fonctionnement. Ce vendredi 13, le virus a effacé des programmes entiers.

Sa pathologie est comparable à celle d'un véritable virus qui s'installe dans une cellule et fini par contaminer toutes les autres. C'est un petit programme introduit dans un système informatique par un pirate. Il peut entièrement modifier le programme auquel il s'attache, bloquer un ordinateur, s'infiltrer dans tout un réseau et ralentir considérablement les opérations des ordinateurs qu'il a contaminés. Les plus graves, les « virus mortels », détruisent les programmes atteints.

Il n'existe pas de véritable remède actuellement. Le seul traitement consiste à créer un programme vaccin qui a pour but d'empêcher un nouveau chargement en mémoire du programme infectieux.

Des craquements dans la toiture: surtout pas de panique

Bruits sourds, grincements, craquements intenses, les toitures de nombreuses résidences ont été volubiles depuis le début de la vague de froid, il y a deux jours, parfois au point de nous réveiller la nuit.

Pas de panique!

Le toit n'est pas en train de vous tomber sur la tête, rassure la Régie de la construction du Québec. « C'est tout simplement le bruit de la glace qui se contracte sous l'effet du froid, ou encore, ce sont des grincements de la charpente soumise, elle aussi, aux mêmes changements climatiques, explique Marc Émond, de la Régie. Tout cela est normal. »

Selon la Régie, la plupart des inquiétudes au sujet du poids du verglas accumulé sur la toiture, notamment sur les toits plats fort nombreux à Montréal, sont injustifiées.

En se basant sur les données météorologiques de la semaine dernière, l'accumulation maximale de glace sur un toit plat à Montréal serait actuellement de quatre pouces (10 cm), ce qui correspond à un poids d'environ 20 livres par pied carré (9,05 kg/30 cm²).

« Selon le code du bâtiment, un toit doit pouvoir supporter au moins 40 livres par pied carré (18,1 kg/30 cm²), ce qui correspond à huit pouces (20 cm) de glace vive. Nous sommes donc loin du compte même si l'accumulation peut être plus grande ailleurs », dit M. Émond. (**Texte publié le 14 janvier 1998**).

Une nouvelle ligne à haute tension pour desservir Montréal

Afin de consolider son réseau de distribution d'électricité dans l'île de Montréal, Hydro-Québec construira d'ici un an une nouvelle ligne à haute tension entre le poste Duvernay, à Laval, et Anjou.

« C'est une des premières réponses à la question de savoir ce qu'on peut faire pour que le centre-ville de Montréal n'ait pas à souffrir encore des interruptions de service », a déclaré le président d'Hydro-Québec, André Caillé, lors d'une conférence de presse en soirée (**le 14 janvier 1998**).

Cette nouvelle ligne permettra de fournir 1000 mégawatts additionnels à Montréal et à sa banlieue — qui en consomment présentement jusqu'à 6500 en période de pointe — solidifiant ainsi le réseau montréalais, lequel, comme l'a admis le premier ministre Lucien Bouchard, « est passé à un doigt du désastre », ces derniers jours.

En Montérégie, 52 équipes s'affairent présentement à reconstruire le réseau d'approvisionnement en électricité, à raison de 15 à 20 kilomètres de lignes par jour, a dit M. Caillé. Au total, 120 kilomètres de lignes doivent être rebâties.

Selon le président d'Hydro, tous les abonnés de l'extérieur de la Montérégie auront été rebranchés d'ici samedi. Le délai pour la Montérégie demeure d'une à deux semaines.

Qu'on poursuive le chef de police!

LA publicité pornographique soulève beaucoup de commentaires depuis quelques mois, et il est permis de croire que l'intervention des différents paliers de gouvernements ne saurait tarder.

Mais en 1904, on ne lésinait pas avec ces choses, comme en fait foi LA PRESSE du **14 janvier 1904.** On peut y lire en effet que la Société de protection des femmes et des enfants, devant la recrudescence de l'affichage immoral et suggestif en différents endroits de la ville, menaçait rien de moins que de traîner le chef de police Legault devant les tribunaux, à cause de sa trop grande tolérance à l'endroit de ce genre d'affichage.

Un membre du comité, M. D.A. Watt, fait remarquer que *le conseil de ville a le droit d'empêcher tout affichage immoral et que ni le conseil de ville, ni le comité de police n'ont rien fait en ce sens et que l'affichage immoral continue.*

« Le chef de police, dit M. Watt, devrait être poursuivi pour tolérer ce genre d'affiches immorales, suggestives et représentant des scènes de violence et de crime.

« M. White, collecteur des douanes, a dit que s'il est encore passé de l'étranger des affiches immorales, il verra à ce que la chose ne se produise plus ».

Un volcan dans l'oreille

Carl Vrenelli, de son vrai Carl Verneville, aventurier natif de France et installé au Québec depuis six mois au début de 1907, ne manquait pas d'étonner, et pour cause! En effet, comme en témoigne cette photo parue dans LA PRESSE du ***14 janvier 1907,*** lorsqu'il fumait la cigarette, c'est par la trompe d'Eustache de son oreille gauche qu'il évacuait la fumée, en raison du fait qu'il avait le tympan perforé, et à la condition de se boucher le nez et la bouche. ***La chose est facile,*** disait l'article, ***c'est affaire d'habitude. On assure que c'est assez ennuyeux les premiers soixante ans; mais on s'y fait comme, d'ailleurs, on se fait à fumer les cigares d'amis ou les havanes claros, maduros ou colorados que nos excellentes épouses nous achètent pour Noël et le Nouvel An. Il y a bien quelques tirements... d'oreilles, pour les fumer, mais on se jette bravement dans l'entreprise et on en sort sans aller à l'hôpital ou aux petites maisons.*** Et tout d'un coup que Vrenelli aurait des émules dans le Québec d'aujourd'hui!

Première audition des concerts symphoniques

Les débuts du nouvel orchestre, sous la présidence de son fondateur l'honorable Athanase David, constituent un événement dans l'histoire de la musique chez nous.

À l'heure où on lira ces lignes, tous les billets auront été vendus pour la première audition des Concerts symphoniques qui a lieu ce soir à l'Auditorium du Plateau. Et tous les auditeurs de ce concert qui passera par la suite dans l'histoire de la musique à Montréal, voudront manifester d'enthousiaste façon leur satisfaction de voir naître un orchestre symphonique formé par des Canadiens-français, présentant comme chefs et comme solistes quelques uns de nos compatriotes qui nous ont fait le plus d'honneur par leurs études et leurs carrières.

C'est donc un véritable triomphe qui attend ce soir l'interprétation d'un programme magnifique par l'Association des Concerts Symphoniques de Montréal. (Devenu plus tard l'Orchestre symphonique de Montréal)

(**Texte publié le 14 janvier 1935**)

LES ATELIERS DU PACIFIQUE

Les nouvelles usines de l'est seront connues sous le nom d'usines « Angus »

PEU de nos lecteurs ont eu la curiosité d'aller jeter un coup d'oeil sur les immenses ateliers que la compagnie du Pacifique Canadien est à faire construire dans l'Est. Vingt bâtisses plus grandes les unes que les autres n'attendent plus que leur parachèvement pour donner de l'emploi à 5 000 ouvriers. Les édifices eux-mêmes couvrent un espace de vingt arpents, tandis que le terrain sur lequel ils sont construits comprend une superficie de cent-quarante-deux arpents.

L'aspect de ces mines est grandiose; et lorsque la fumée s'échappera des hautes cheminées, que l'on entendra le marteau résonner sur l'enclume, ainsi que le ronflement des puissantes machines servant à travailler l'acier; que l'on verra le va-et-vient des millier d'ouvriers, alors on se fera une idée de la vie que la construction de ces ateliers va amener dans cette partie de notre ville.

Les constructions sont en brique, faites d'après les derniers modèles adoptés aux Etats-Unis pour ces genres d'édifices, sont spacieuses, largement éclairées et très bien ventillées. L'une d'elle a une longueur de six cents pieds et une largeur de deux cents.

Ces magnifiques ateliers serviront à la construction et à la réparation des locomotives. On y fera aussi les wagons pour le transport des marchandises et celui des passagers. Là on y construira depuis le wagon plateforme jusqu'à ces palais roulants qui font l'étonnement des étrangers.

Lorsqu'il s'est agi de donner un nom à ces usines, le bureau de direction, voulant rendre un témoignage public de sa reconnaissance envers un de ceux qui ont le plus contribué aux succès du Pacifique Canadien, a décidé de les appeler « usines Angus », en l'honneur de M. R.B. Angus, l'un de nos citoyens les mieux vus et les plus estimés (...).

Cela se passait le 14 janvier 1904.

Vue générale des usines Angus, publiée dans l'édition du *14 janvier 1904*.

Blitz anti-méningite dans les Laurentides

Près de 200 infirmières et une quarantaine de médecins commenceront, demain matin (**le 16 janvier 1992**), à vacciner 100 000 jeunes âgés de six mois à 19 ans, habitant ou fréquentant des écoles des Laurentides, dans le cadre d'une opération de prévention d'envergure pour contrer la méningite.

Lors d'une rencontre avec la presse, hier, le docteur Gilles Poupart, chef du Département de santé communautaire de l'Hôtel-Dieu de Saint-Jérôme, a déclaré que la situation était actuellement calme. Le dernier cas de méningite dans cette région a été signalé le 6 janvier. En 1991, 20 cas ont été rapportés ; habituellement, il y en a entre cinq et six par année.

Le programme de vaccination va débuter par la clientèle jugée jusqu'à maintenant comme étant à risques, soit les jeunes du niveau secondaire et les enfants de six mois à quatre ans, pour se terminer avec les jeunes du niveau primaire et les étudiants du niveau collégial.

Le programme de vaccination porte à plus de 400 000 le nombre de jeunes qui seront vaccinés au Québec ainsi que dans la région d'Ottawa et à l'Île-du-Prince-Édouard. La méningite a causé 13 décès au Canada depuis le début du mois de décembre.

La polio

C'est le ministre de la Santé et des Services sociaux, Marc-Yvan Côté, qui a annoncé cette campagne de vaccination, hier à Québec.

« Du jamais vu », a dit le ministre. Il s'agit en effet du plus important programme de vaccination au Canada depuis les années 1950, lors de la lutte contre la poliomyélite.

Vers le milieu de 1957, quelque quatre millions d'enfants avaient en effet été inoculés contre la polio, une terrible affection qui avait tué ou paralysé des centaines de personnes depuis 1953, année où avait éclaté la pire épidémie de l'histoire canadienne.

Cette année-là, on avait enregistré près de 9 000 cas de polio à travers le pays. Plus de 400 des malades succombèrent. À l'époque, il n'existait ni vaccin ni cure contre cette maladie.

« Il n'y a pas d'épidémie, soutient formellement le ministre Côté. Ce que nous voulons, c'est éviter que nous franchissions l'irréparable et que nous soyions dans l'épidémie. Au lieu d'intervenir après l'épidémie, nous intervenons de façon préventive pour des régions spécifiques », a souligné le ministre, ajoutant qu'il ne fallait pas non plus céder à la panique.

Chaque injection coûte en moyenne 5 $, ce qui porte à 750 000 $ le coût de la vaccination des 150 000 enfants de l'Outaouais québécois et des Laurentides. Le vaccin sera dispensé gratuitement.

À la gare centrale hier matin, des employés de Via Rail portaient un cercueil sur lequel avaient été posées les photos du premier ministre Brian Mulroney et du ministres des Transports Benoît Bouchard.

Via Rail enterre le Transcontinental

Le train reliait la côte est à la côte ouest depuis 1886

Le dernier train de Via Rail qui effectue la liaison Montréal-Vancouver, passera à l'histoire de façon tragique.

Deux personnes ont en effet été tuées par le train à un passage à niveau de Petawawa, une municipalité située à quelque 180 kilomètres au nord-ouest d'Ottawa, lorsque leur camionnette a été heurtée par le « Canadien » qui effectue présentement son dernier voyage vers l'ouest.

Après l'accident, le train, qui avait quitté la Gare centrale de Montréal hier matin (**le 14 janvier 1990**) à 9 h 55 pour Vancouver, a pu poursuivre sa route vers Chalk River, en Ontario, avec quelques heures de retard. Si le reste du voyage se déroule sans incident, le train devrait arriver à Vancouver mercredi avant-midi.

Manif à la Gare centrale

C'est aujourd'hui que le programme de réduction de service et les licenciements annoncés cet automne par le gouvernement fédéral prennent effet chez Via Rail. Et avec le dernier départ de Montréal du « Canadien », une page d'histoire a été tournée, hier au Canada.

Une poignée de manifestants, portant un cercueil recouvert d'un drap noir sur lequel on pouvait lire « Via », sont montés à bord du train pour « enterrer » le « Canadien ». Ils imputent au ministre des Transports, Benoît Bouchard, et au premier ministre Brian Mulroney la mort du train. Dorénavant, ce qui reste du « Canadien » empruntera un autre parcours entre Toronto et Vancouver via Winnipeg et Edmonton, mais trois fois par semaine seulement.

Le leader du Nouveau Parti démocratique, Mme Audrey McLaughlin, et son candidat dans Chambly, Phil Edmonston, étaient de ceux qui dénonçaient hier matin à la Gare centrale l'abandon du service transcontinental et les réductions de service et de personnel chez Via.

« Non seulement les Canadiens perdent un service auquel ils ont droit mais nous perdons en plus une partie de notre patrimoine, puisque le train reliait la côte est à la côte ouest depuis 1886 », a déclaré M. Edmonston.

Mme McLaughlin a été très claire : le gouvernement Mulroney fait fausse route en coupant 18 des 38 liaisons déficitaires de Via Rail.

« Le système de transport ferroviaire devrait non seulement être modernisé, mais aussi considéré comme l'un des plus sûrs pour protéger l'environnement.

« Ce gouvernement s'acharne à détruire le transport en commun au pays. Les conservateurs vont s'apercevoir tôt ou tard qu'il est beaucoup plus onéreux de tenter de rétablir un moyen de transport plutôt que de l'améliorer afin de le rendre plus attrayant pour les usagers et, par conséquent, plus rentable », a indiqué Mme McLaughlin.

Naufrage dans la Baltique

Les autorités allemandes ont annoncé hier (le 14 janvier 1993) que le naufrage d'un ferry polonais dans la Baltique a fait 51 morts sur les 60 personnes qui se trouvaient à bord. Le Jan-Heweliusz a coulé peu avant 11 heures après avoir flotté quille en l'air pendant plusieurs heures. Les autorités émettent l'hypothèse d'une rupture des attaches des wagons de chemins de fer transportés dans la soute, en raison de la tempête, pour expliquer le naufrage.

Cinq ans de prison pour «une des plus grosses fraudes de l'histoire du Québec»

L'homme d'affaires montréalais Jacques Tozzi, 52 ans, a pris le chemin des cellules pour cinq ans, hier.

Le juge Yves Lagacé, de la Cour du Québec, a condamné Tozzi à cinq ans de pénitencier (**le 15 janvier 1994**) pour avoir détourné 7,5 millions de dollars des fonds de pension qu'il administrait.

Tozzi, un autodidacte, avait fondé en 1980 une société nommée Maro-Franc, qui administrait des portefeuilles immobiliers pour des fonds de pension. En 1989, Maro-Franc gérait des immeubles d'une valeur de 250 millions.

Tozzi veillait à louer des espaces commerciaux, à récolter des loyers, à faire faire l'entretien... Bref, à rentabiliser au maximum ce parc immobilier.

En 1989, Tozzi, voyant la flambée des prix des immeubles, décide de se lancer luimême dans un projet immobilier. Il investit dans divers projets, mais peu de temps après, le marché s'effondre.

Croyant pouvoir se « refaire », Tozzi s'est mis à piger allègrement dans les comptes des sociétés qu'il administrait. Le ministère public évalue la fraude à 7 534 666 $.

Quand les inspecteurs ont découvert les malversations de Tozzi, tout l'argent avait disparu. L'homme a déclaré faillite, et 29 000 $ seulement ont pu être récupérés.

L'avocat du ministère public, Me Randall Richmond, estime qu'il s'agit d'« une des plus grosses fraudes de l'histoire du Québec ».

Une disco se transforme en chambre à gaz en Espagne: 43 morts

Quarante-trois personnes, toutes de nationalité espagnole, ont péri asphyxiées dans la nuit de samedi à dimanche (**le 13 janvier 1990**) lors de l'incendie d'une discothèque à Saragosse, dans le nord-est de l'Espagne, qui s'est transformée en quelques minutes en véritable chambre à gaz.

Presque toutes les victimes de la discothèque, le Flying, qui avaient pour la plupart entre 30 et 50 ans, ont succombé à l'inhalation d'acide cyanhydrique, un gaz très toxique contenu dans la fumée qui s'est répandue d'une façon fulgurante par le système de ventilation. Cet acide était l'un des composants utilisés dans les chambres à gaz des camps d'extermination nazis.

Ce violent poison, qui vient de la combinaison d'hydrogène avec du cyanogène, est dégagé par la combustion d'éléments en plastique, de rideaux et de tapis fabriqués avec des matériaux interdits en Europe.

La présence d'acide cyanhydrique explique les morts fulgurantes des victimes. De nombreux cadavres étaient assis sur leurs sièges lorsque les pompiers ont pénétré dans la discothèque, située en plein centre de Saragosse et qui n'a été que très peu endommagée par les flammes.

La bataille des Titans est engagée

Une bataille titanesque s'est engagée au sein du cabinet de Jean Chrétien à l'approche du budget fédéral de février.

Le débat dure depuis plusieurs mois mais s'il a éclaté au grand jour avec la fuite d'un document-choc du ministère des Finances proposant l'abandon sans condition, par Ottawa, de l'ensemble du secteur des programmes sociaux aux provinces, c'est que les échéances approchent à grands pas.

Le cabinet fédéral doit se prononcer, au cours d'une séance spéciale, sur les choix à faire en prévision du budget du mois prochain. Il sera alors confronté à deux diagnostics divergents.

Celui du ministre des Finances Paul Martin se résume simplement : les taux d'intérêt aidant, le déficit est galopant. Il est en voie d'étouffer le Canada et il n'y a pas de répit en vue. Le gouvernement fédéral ne peut plus attendre, même une seule autre année, pour donner un grand coup au déficit. Et il ne peut plus augmenter les impôts pour y arriver sous peine de freiner l'économie canadienne et de provoquer une révolte des contribuables.

Paul Martin

Pour assainir une fois pour toutes les finances publiques, il doit donc couper maintenant dans le vif de ses activités. Pour le faire, Ottawa devrait forcément, comme jamais auparavant, pelleter son déficit dans la cour des provinces en matière de santé, d'enseignement post-secondaire et de bien-être social. Ce qui est proposé, c'est de leur céder en même temps le contrôle du manche de la pelle.

(**Texte publié le 15 janvier 1995**)

Julie et Félicie

Au moment où la SPCA de Montréal vient de trouver in extremis une bouée de sauvetage en la personne de Brigitte Bardot qui patronne désormais sa campagne de financement, la populaire animatrice de télévision Julie Snyder a elle aussi mis l'épaule à la roue en adoptant, dans un vrai coup de coeur, Félicie, une adorable petite chatte malade.

(**Texte publié le 15 janvier 1995**)

C'EST ARRIVÉ UN 15 JANVIER

1987 — **L'Iran a intensifié ses pressions sur l'Irak en ouvrant un nouveau front à 140 kilomètres au nord-est de Bagdad, et en procédant à un nouveau tir de missiles sur la capitale irakienne, le troisième en quatre jours.**

1987 — **Un incendie, en apparence bénin, au consulat général de l'Union soviétique, à Montréal, s'est transformé en un gigantesque brasier, hier, après que les autorités soviétiques eurent repoussé les premiers pompiers arrivés sur les lieux. L'historique maison de l'avenue du Musée, au flanc du Mont-Royal, a été presque complètement détruite.**

1974 — **Les «forces occultes» qui, selon le général Alexander Haig, chef d'état-major de la Maison Blanche, sont à l'origine de certains mystères entourant des bandes magnétiques intéressant les enquêteurs du Watergate, ont asséné hier, un nouveau coup au président Richard Nixon. Un groupe de six experts conclut que le «trou» qui rendait une des bandes magnétiques saisies dans l'affaire du Watergate inaudible pendant 18 minutes était dû à des «effacements et réenregistrements» intervenus «sur au moins cinq, et peut-être même neuf parties distinctes et contiguës» de la bande.**

25ᵐᵉ ANNÉE—Nᵒ 82 — MONTRÉAL SAMEDI 16 JANVIER 1909 — DEUX CENTINS

Dans son édition du 16 janvier 1909, LA PRESSE consacrait sa première page au château de Ramezay (la particule «de» vient et va au gré du temps, et sans doute selon l'humeur du moment, même si elle devrait y être tout le temps selon certains...). Dans un court article qui accompagnait la page, on rappelait que le château construit en 1705 et alors habité par Claude Ramezay (ou est-ce Claude DE Ramezay?), onzième gouverneur de Montréal, avait été cédé à la Société des antiquaires et numismates pour que celle-ci y installe une galerie d'art et un musée. Les illustrations représentent le vieux château, le château tel qu'il apparaît aujourd'hui, et diverses salles à l'intérieur.

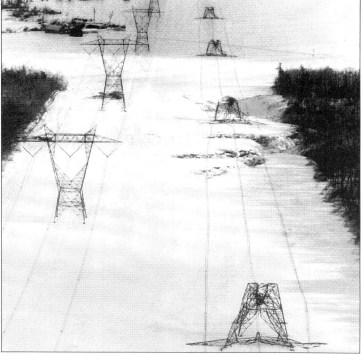

Le réseau de transport d'Hydro-Québec en a pris pour son rhume, durant le verglas.

Du jamais vu !

Même dans l'État de New York, qui en a vu d'autres, la tempête de pluie verglaçante qui glace le sud du Québec, le nord de l'État de New York et une partie de la Nouvelle-Angleterre et de l'Ontario est sans conteste la pire jamais vue ! Par sa sévérité, son étendue et sa durée.

Rien n'aurait pu être fait pour la prévenir ou pour amenuiser les dégâts au réseau électrique hydro-québécois ou aux autres réseaux.

« On n'a jamais fait face à cela, dit Louis Champagne, président du Syndicat professionnel des ingénieurs d'Hydro-Québec. Le taux de destruction du réseau dépasse largement ce qu'une armée ennemie aurait eu besoin de faire pour détruire les installations d'Hydro. »

Il n'y a pas de précédent pour ce type de tempête. M. Elias Channoum, un des principaux spécialistes en transport d'énergie d'Hydro-Québec, rappelle que le verglas qui a frappé la région de Lanaudière prétendant que la confusion dans les chars est cause de cette accumulation. Cependant, on ne sort que quelques chars chaque jour, et on en entre des centaines.

La priorité pour Hydro est d'abord de reconstruire le réseau pour alimenter ses clients. Après, ce sera le temps du post-mortem. Il faudra alors étudier ce qui se fait ailleurs en technologie de déglaçage, notamment au Manitoba, et voir si cette technologie se transpose au Québec, note M. Champagne. « Il faudra revoir toutes nos façons de faire et

Si Hydro peut se prémunir et protéger son réseau contre le givre des nuages, un phénomène que la société d'État connaît bien notamment dans la région de Sept-Îles, elle ne peut pas se prémunir contre la pluie verglaçante, ajoute M. Channoum. « On sait que le verglas c'est notre ennemi au Québec. » Cela fait 27 ans qu'il conçoit des lignes de transport et jamais dans la documentation « a-t-on vu une tempête de pluie verglaçante s'étendre sur une si grande distance. »

Outre l'étendue, a aussi nui à Hydro la durée de la tempête qui en fait est la succession de trois tempêtes. Du déglaçage préventif ? Il s'en faisait dès le début, mais avec autant de verglas, il était difficile d'atteindre les équipements, et l'ensemble du réseau était glacé.

Et, le réseau de distribution ? Si le réseau de transport a flanché, répond M. Channoum, le réseau de distribution n'avait aucune chance.

soumettre les coûts aux Québécois. »

Seule Hydro dispose au Canada de lignes de transport de 735 kiloVolts (kV). Dans les autres provinces, ce sont des lignes de 500 kV. Selon les dernières données de l'Association canadienne de l'électricité, les lignes de 735 kV sont dix fois plus fiables que les autres.

La dernière panne majeure que le Québec ait connue remonte à 1989. Causée par un orage magnétique solaire, elle a laissé la province sans électricité pendant environ 24 heures. Depuis, les pannes majeures de quelques heures sont souvent du délestage requis après un bris d'équipement qui met en péril tout le réseau.

Hydro a connu ses années noires au chapitre des pannes, à la fin des années 80. Depuis 1989, Hydro a investi environ deux milliards de dollars pour améliorer tout son réseau, soit le transport, la distribution et la répartition (la liaison entre le transport et la distribution) et l'entretien du réseau. L'indice de continuité est passé de 6,6 heures par client, par année, en 1991 pour atteindre 3,2 heures en 1996. Cet indice détermine le nombre d'heures moyen pendant lequel le courant est interrompu chez un abonné sur une base annuelle. (**Texte publié le 16 janvier 1998**).

Assez de romantisme, dit le patron de Via Rail

Les Canadiens auraient intérêt à regarder le système de transport au Canada de façon « plus réfléchie » et à mettre de côté le « sentiment de romantisme » qui les envahit dès qu'il est question du train.

Tel est en gros le message que le président de Via Rail, M. Ron E. Lawless, a adressé aux Canadiens hier (**le 15 janvier 1990**), jour de l'entrée en vigueur officielle des compressions de service chez Via, occasionnant la perte de 2700 emplois. M. Lawless a fait appel à plus de « réalisme » de la part des farouches partisans du train.

« Je suis persuadé que si nous devons maintenir des services de trains de passagers au Canada... ce doit être non pas au nom d'un idéalisme romantique, mais en celui d'un réalisme économique à long terme », a déclaré le président directeur-général.

On entasse le charbon dans les cours pour faire hausser les prix

NEW YORK — Le fait que des milliers de chars de charbon anthracite attendent sur les quais du chemin de fer « New Jersey Central », à Elizabethport, N.J., a été vérifié par un reporter du « Journal » (le New York Journal), qui en a pris une photographie.

Il y a là 1 871 chars de charbon détenus depuis une semaine, et il en arrive environ 200 autres par jour; de ces chars, 1 524 contiennent du charbon anthracite, soit 50 380 tonnes; 347 chars contiennent du charbon mou, soit 11 600 tonnes; total: 62 690 tonnes de charbon.

A la huitième rue ouest, il y a 1 074 chars de charbon. 672 chars contiennent 23 220 tonnes d'anthracite et 602 chars contiennent 14 700 tonnes de charbon mou, soit un total de 37 920 tonnes de charbon; total des deux endroits: 99 900 tonnes.

On sait de plus que le chemin de fer « Pennsylvania » a des centaines de milles de tonnes de charbon dans des chars parqués

sur les voies d'évitement du chemin de fer de Long Island.

Les voies d'évitement de la rive nord de Long Island sont couvertes de chars sur une longueur de six milles, et il en est de même entre Long Island et Woodside, sur une longueur de deux milles et demi. Tous ces chars sont chargés d'anthracite.

Les officiers des compagnies mentionnées refusent de discuter la situation. Les détenteurs de charbon dans le New Jersey prétendent que la confusion dans les chars est cause de cette accumulation. Cependant, on ne sort que quelques chars chaque jour, et on en entre des centaines.

La plus grande partie de ce charbon est la propriété des mines indépendantes qui retiennent le combustible pour augmenter la disette et rendre leurs profits plus certains. Ils trouvent que le loyer de $1 par jour pour chaque char est une petite dépense comparée aux profits qu'ils réaliseront.

Cela se passait le 16 janvier 1903.

Le Casino de Montréal : une vache à lait qui rapporte trois fois plus que prévu

Depuis son ouverture, le 8 octobre dernier (1993), le casino de Montréal a généré des bénéfices nets de 36,5 millions, soit trois fois plus que ne l'espérait Loto-Québec.

Le succès phénoménal de cette première maison de jeux contrôlée par Québec est venu renverser toutes les prévisions. Au départ, le ministère des Finances comptait tirer des profits d'environ 50 millions par année. Si le taux d'achalandage actuel se maintient, le casino versera plutôt 150 millions par année dans les coffres de l'État.

Face à cette performance exceptionnelle, la Société des casinos, filiale de Loto-Québec, a déjà pris des mesures pour tirer le maximum de sa poule aux oeufs d'or. Les travaux d'agrandissement du troisième étage sont en branle et les nouvelles machines à sous seront

installées d'ici avril, avance-t-on chez Loto-Québec.

L'année dernière, à cette même date, au moment où le casino annonçait ses offres d'emploi, 155 000 personnes avaient postulé, ce qui représentait 116 candidats pour chaque emploi offert.

En somme, les Québécois se sont mis à jouer à la loterie des emplois au moment où le chômage demeurait très élevé. Les salaires payés par le casino sont un peu supérieurs à ceux du secteur public, en raison d'horaires de travail plus longs, soit 40 heures par semaine, surtout le soir et en week-end. La majorité des emplois sont à temps plein, mais les employés ne bénéficient pas de la sécurité d'emploi garantie aux fonctionnaires du gouvernement.

(**Texte publié le 16 janvier 1994**)

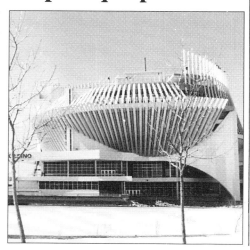

C'EST ARRIVÉ UN **16** JANVIER

1989 — L'architecte montréalaise Phyllis Lambert a été nommée personnalité de l'année dans le domaine de l'habitation par l'Association provinciale des constructeurs d'habitation du Québec (APCHQ).

1984 — Ray Kroc, fondateur de la chaîne de restauration rapide McDonald, est mort à l'âge de 81 ans. M. Kroc est né en 1902 dans une banlieue de Chicago, d'une famille d'immigrants pauvres, qui venaient de Bohème.

1979 — Le shah d'Iran quitte son pays pour un exil d'une durée inféfinie.

1965 — Un avion citerne s'écrase dans une rue de Wichita, faisant 30 morts et 50 blessés et détruisant 11 maisons.

1958 — Lester B. Pearson succède à Louis Saint-Laurent à la tête du Parti libéral du Canada.

1957 — Le grand maître Arturo Toscanini meurt à New York à l'âge de 90 ans.

1942 — L'actrice américaine Carole Lombard, épouse de Clark Gable, meurt dans un accident d'avion au Nevada.

1920 — La loi imposant la prohibition d'un bout à l'autre des États-Unis entrera en vigueur une minute après minuit, la nuit prochaine. Elle ne défend pas seulement de vendre des boissons alcooliques, mais interdit aussi à qui que ce soit d'en donner ou d'en recevoir gratuitement. Même pour ce qui est de chez soi, les restrictions sont très dures. Quelqu'un qui a des alcools chez lui doit prouver qu'il les a obtenues légalement avant le 1er juillet 1919. Pratiquement rien n'empêche un employé du revenu de pénétrer dans une maison et d'obliger l'occupant de prouver qu'il a obtenu ces alcools avant l'époque susdite.

TERRIBLE EXPLOSION AUX POUDRIERES DE BELOEIL

Un bassin rempli de nitro-glycérine prend feu. — Le bruit de l'explosion se répercute à plusieurs milles à la ronde.

SAMEDI dernier (**17 janvier 1903**), vers onze heures et demie de l'avant-midi, l'un des bâtiments agglomérés sur la rive nord du Richelieu et que l'on appelle communément les « poudrières de Longueuil », fut détruit par une formidable explosion dont la répercussion s'étendit à plusieurs milles à la ronde et qui fut perçue par les habitants des localités voisines, telles que St-Hilaire, St-Basile, St-Jean-Baptiste, St-Marc, etc.

A St-Hilaire, de l'autre côté du Richelieu, les maisons furent ébranlées sur leur base, différents objets précipités des meubles sur le sol, les carreaux brisés, etc.

A quelques arpents des poudrières, un cultivateur de Beloeil vit tous les carreaux de son habitation voler en éclats.

La construction détruite, dont il ne reste plus qu'un tas de cendres et de débris informes mesurait quarante pieds de largeur par quarante pieds de longueur et avait été construite tout récemment. Elle servait à la fabri-cation de la nitro-glycérine, un explosif des plus violents.

Le préposé à cette fabrication, M. Sydney Donais, Canadien français d'origine, surveillait l'arrivée, dans un grand bassin « ad hoc », des matériaux qui entrent dans la composition de la nitro-glycérine, lorsqu'il s'aperçut que la « charge », comme on dit là-bas, menaçait d'être trop forte, c'est-à-dire que le contenu allait dépasser la capacité du contenant. Il savait ce que cela voulait dire: c'était le débordement des acides corrosifs contenus dans le bassin, le feu et l'explosion finale à bref délai. Il était trop tard pour arrêter le flot des ingrédients qu'une conduite quelconque déversait dans le bassin, et il n'y avait pas une minute à perdre.

Avec un sang-froid admirable, et une présence d'esprit digne des plus grands éloges, M. Sydney Donais laissa passer la vision de la mort qui dut se présenter tout d'abord à ses yeux, s'oublia un instant lui-même pour penser uniquement à sauver d'une mort atroce ses compagnons de travail occupés à d'autres manipulations dans des bâtiments voisins. Il se pendit désespérément au sifflet d'alarme, tant et si bien, que l'attention de tous les employés occupés, comme nous l'avons dit, dans les autres construc-tions, fut attirée par ce bruit insolite. Tous se précipitèrent aux fenêtres et comprirent à l'épaisse fumée qui commençait à s'échapper du bâtiment occupé par M. Donais, de quelle terrible catastrophe ils étaient menacés.

Ce fut un sauve-qui-peut général: les uns s'éloignant vers les champs, les autres dégringolant la berge de la rivière, courant de toute la vitesse de leurs jambes.

Ce qu'avait prévu M. Donais arriva. En débordant du bassin, les acides mirent le feu au parquet, et en moins de temps qu'il n'en faut pour le dire, le feu atteignit le bassin où était en formation quelques centaines de livres de nitro-glycérine. L'explosion se produisit, rasant le bâtiment et lançant à plusieurs arpents de distance des débris de fer et de fonte. (...)

Au moment de l'explosion, le train No 145 de l'Intercolonial était à environ un demi-mille à l'est de St-Hilaire. Un des voyageurs qui se tenait sur la plate-forme, a parfaitement bien entendu la détonation. (...)

Les poudrières de Beloeil appartiennent à la « Hamilton Powder Co. ». Ce n'est pas la première fois qu'une catastrophe de ce genre s'y produit. Il y a une douzaine d'années on eut même à enregistrer deux ou trois pertes de vie. (...)

Scène reconstituée par le dessinateur de LA PRESSE d'après un témoin oculaire. La photo de la poudrière avant l'explosion avait été prise spécialement pour LA PRESSE.

Le Canada engagé dans la guerre du Golfe

Pour la première fois depuis le conflit coréen de 1953, le Canada est entré en guerre hier soir (**le 16 janvier 1991** aux côtés des forces multinationales levées contre l'Irak.

Selon le premier ministre Mulroney, ce conflit est armé est la conséquence directe de l'entêtement de Saddam Hussein à poursuivre son occupation brutale et son annexion illégale du Koweit, au mépris de l'opinion mondiale.

« Si le Canada était resté à l'écart, nous aurions ce faisant trahi nos propres intérêts, abdiqué nos propres responsabilités et déshonoré nos propres traditions », a déclaré M. Mulroney devant des députés encore sous l'effet du choc provoqué par l'attaque surprise lancée sur Bagdad à 19 heures hier.

Le premier ministre a été prévenu du déclenchement des hostilités par le président américain George Bush alors qu'il se trouvait à sa résidence officielle du 24 Sussex Drive. Il est promptement revenu au parlement pour tenir une réunion d'urgence de son cabinet.

Le chef d'état-major de la Défense, le général John de Chastelain, a reçu du conseil des ministres toute l'autorité voulue pour engager les Forces canadiennes dans les opérations de la force multinationale. Les navires canadiens effectuent présentement des manoeuvres de soutien des forces navales de la coalition. L'aviation, pour sa part, poursuit des patrouilles de combat dans le nord du Golfe.

Le Canada s'est ainsi engagé en guerre avant même que ne s'achève le débat spécial visant a réaffirmer l'appui du Parlement aux résolutions des Nations Unies.

La guerre en direct

Le crépitement des batteries anti-aériennes irakiennes ouvrant le feu sur les avions de combat américains attaquant Bagdad a retenti en direct partout dans le monde, au cours de la nuit (**le 17 janvier 1991**), grâce à la télévision câblée américaine CNN (Cable News Network).

« Je vais ramper jusqu'à la fenêtre de ma chambre et tendre le bras avec le micro pour que nos téléspectateurs puissent entendre aussi clairement que nous ce qui se passe », a dit Bernard Shaw, un des trois correspondants de CNN à Bagdad avec Peter Arnett et John Holliman.

Alors que la mort s'abat sur la ville, les reporters américains s'émerveillent des « belles traces rouges et oranges » dans le ciel de Bagdad et soulignent que le « grand barrage bruyant » de la DCA irakienne couvre le bruit des avions américains lâchant leurs bombes sur la ville.

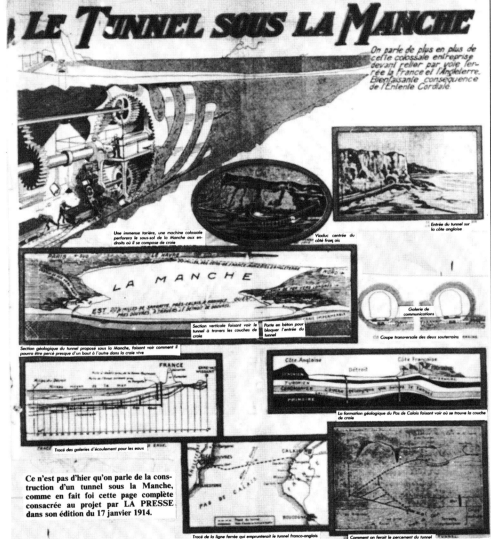

Ce n'est pas d'hier qu'on parle de la construction d'un tunnel sous la Manche, comme en fait foi cette page complète consacrée au projet par LA PRESSE dans son édition du 17 janvier 1914.

C'EST ARRIVÉ UN 17 JANVIER

1988 — Le 35e anniversaire de cardinalat du cardinal Paul-Émile Léger a permis, jeudi dernier (le 17 janvier), à des personnalités non seulement de Montréal, du Québec et du Canada mais de plusieurs pays de rendre un hommage grandiose à un grand homme.

1976 — Lancement en Floride du Satellite technologique de communication, un projet canado-américain.

1975 — Lucien Rivard rentre à Montréal après dix ans de détention dans des pénitenciers américains.

1973 — Le procès Ellsberg, au sujet de la publication des documents secrets du Pentagone, s'avère un test fondamental pour la liberté d'information aux États-Unis.

1971 — Les Colts de Baltimore gagnent le Super Bowl, grâce à un placement réussi à 5 secondes de la fin de la partie.

1970 — Un jeune économiste aux tendances nationalistes, Robert Bourassa, est élu chef du Parti libéral du Québec. Il succède à Jean Lesage, le « père de la Révolution tranquille» et chef du gouvernement québécois de 1960 à 1966.

1966 — Un B-52 de l'Armée de l'air des États-Unis échappe une des bombes atomiques qu'il transportait au large de la côte espagnole.

1957 — La Canada prend possession de son premier porte-avions, le Bonaventure, de triste mémoire.

1955 — Premiers essais du tout premier sous-marin atomique, le Nautilus.

1950 — Sept bandits masqués réussissent un vol de 1,5 million de dollars en argent dans une voûte de la société Brink's, à Boston.

1947 — Le cardinal Villeneuve, archevêque de Québec, meurt à Los Angeles, où il était en visite.

1945 — Les Soviétiques s'emparent de Varsovie, et s'approchent à 12 milles de la frontière allemande, tandis que les Américains prennent Saint-Vith.

1936 — L'affaire Stavinsky connaît son dénouement en France avec neuf condamnations, après avoir entraîné la chute de deux gouvernements.

Québec se donne un programme de relance économique de 1 milliard

Robert Bourassa fait sa rentrée politique aujourd'hui

Plus de 1 milliard de dollars d'activité économique supplémentaire, près de 15 000 emplois préservés ou créés. Le premier ministre Robert Bourassa fera aujourd'hui (**le 17 janvier 1991**) sa rentrée politique avec en poche un programme de relance économique, destiné à contrer les effets de la récession.

Disparu de la scène publique depuis le mois de novembre, après six semaines de convalescence et trois de vacances, le premier ministre Bourassa a mis fin hier à une série de spéculations sur son état réel en présidant le conseil des hebdomadaire des ministres.

Selon les informations obtenues de plusieurs sources par *La Presse*, le programme rendu public aujourd'hui, conjointement avec le titulaire des Finances, Gérard D. Levesque, promet d'augmenter de plus de 1 milliard l'activité économique globale du Québec. L'objectif est de créer environ 15 000 emplois. Une partie importante du projet portera sur la construction et la rénovation domiciliaire. Un autre volet permettra le devancement de travaux publics déjà prévus, un peu plus de 300 millions d'investissements qui seront faits plus tôt que prévu, a appris *La Presse*.

L'un des volets du plan de relance se traduira par un ensemble d'abattements fiscaux pour stimuler la construction domiciliaire et la rénovation, surtout destinés à régénérer le parc d'immeubles locatifs et de maisons de chambres.

Dans les prochaines semaines, Québec confirmera aussi deux investissements étrangers majeurs. La firme espagnole Petresa, investira plus de 100 millions à Bécancour, sur la rive sud du Québec dans une usine de substitut des phosphates, un projet qui doit créer environ 100 emplois, en attente d'une confirmation depuis septembre. Un autre projet étranger, d'égale importance, est prévu pour la Mauricie.

47 MORTS et 5 MOURANTS

C'EST ARRIVÉ UN 18 JANVIER

1989 — La Compagnie de la Baie d'Hudson annonce la fusion de ses magasins Simpsons et la Baie de la grande région de Montréal. Concrètement, cette décision se traduira par la fermeture, le 28 janvier, du magasin Simpsons du centre-ville et par la mise à pied de ses 900 employés (300 employés à temps plein et 600 à temps partiel).

1985 — Selon un sondage CROP-*La Presse*, seulement 19 % des Québécois opteraient aujourd'hui pour l'indépendance du Québec ou la souveraineté-association avec le reste du Canada, alors qu'il y a près de cinq ans, lors du référendum de mai 1980, un peu plus de 40 % d'entre eux avaient voté OUI à la souveraineté-association.

1977 — Des chercheurs du Centre de contrôle des maladies d'Atlanta découvrent la cause (une bactérie très rare) de la «maladie du légionnaire».

1976 — Les Steelers de Pittsburgh gagnent le Super Bowl en battant les Cowboys de Dallas 21-17, au football américain.

1974 — L'Égypte et Israël signent un accord par lequel ils consentent à ce que leurs troupes respectives soient séparées par une zone tampon patrouillée par l'ONU.

1969 — Début à Paris de la première conférence élargie sur le Vietnam, avec la participation des États-Unis, du Sud-Vietnam, du Nord-Vietnam et du Vietcong.

1963 — Paul Bienvenu et Cecil Carsley sont nommés aux postes de commissaire et commissaire-adjoint de l'Exposition universelle de Montréal.

1957 — Trois B-52 de l'Armée américaine complètent un tour du monde de 24 325 milles sans escale en 45 heures et 19 minutes.

1946 — Grève des 700 000 travailleurs des acieries américaines.

1936 — Décès de l'écrivain Rudyard Kipling, à Londres.

Le sinistre bilan augmente toujours

19 cadavres retrouvés

Le corps de 4 religieux et de 24 élèves se trouve encore dans les décombres glacés. — Anxiété et angoisse des parents en face d'identités impossibles à établir

des envoyés spéciaux de la « Presse »

SAINT-Hyacinthe — Le nombre des mortalités se précise encore. A 2 h 30 *(au lendemain du feu)*, on apprend que parmi les disparus jusqu'ici inconnus, il faut ajouter deux autres élèves qui manquent à l'appel; le bilan est donc de 47 victimes.

Ces dernières précisions nous sont communiquées par les RR. FF. Gaétan, directeur de l'académie Girouard, et Lucius, directeur du collège du Sacré-Coeur.

Nos envoyés spéciaux, vérification faite, nous déclarent que LE NOMBRE DES RELIGIEUX MORTS EST DE 5, qu'on a retrouvé un seul de leurs cadavres, les 4 autres restant sous les décombres; que LE NOMBRE DES ELEVES MORTS EST DE 42, qu'on a identifié 2 des 19 cadavres retrouvés et qu'il reste dans les ruines 24 corps d'enfants; soit un sinistre total de 47.

L'identification se poursuit.

L'enquête du coroner commence à 3 h 30. Vingt témoins seront entendus.

S.-Hyacinthe — Le désastre qui endeuille la ville de S.-Hyacinthe et la province de Québec peut garder beaucoup de son mystère. Une explication de l'incendie du collège du Sacré-Coeur **(vers 1 h 30 du matin, le 18 janvier 1938)** sera peut-être donnée au cours de l'enquête qui a lieu aujourd'hui, mais il semble qu'il faudra des mois de recherches pour établir la cause véritable.

Reste le fait brutal du nombre des victimes: 45 *(le total devait finalement se situer à 47, y compris cinq religieux)* actuellement. A l'hôpital Saint-Charles, on entretient des craintes au sujet de plusieurs blessés. C'est dire que d'heure en heure, la liste funèbre peut s'allonger et personne ne sait encore à quel affreux total elle s'arrêtera.

Depuis combien de temps l'incendie faisait rage? Par quoi l'expliquer? Explosion, court-circuit, combustion spontanée?

Les témoins occulaires eux-mêmes ne peuvent se prononcer. L'hypothèse d'une explosion s'appuie sur un détail suffisamment significatif.

Dans les hautes branches de tous les arbres du parc du collège, dans la cour d'honneur, l'on peut voir encore ce matin des débris de la toiture. Celle-ci s'est effondrée. Alors comment expliquer la présence de pareils débris dans les arbres?

La théorie de l'explosion prend encore quelque crédibilité du fait que le mur nord-est de l'édifice, au-dessus des fournaises, n'existe plus. Le reste de la bâtisse a résisté à la violence du feu, à la pression de la fumée et à la formidable action des gaz.

Evidemment, seuls des experts pourront apporter à ce problème, à défaut de solution, au moins une plausible explication. Ici, dans la ville, l'opinion n'est pas formée. D'aucuns se contentent de dire: c'est un grand malheur, sans en chercher l'explication.

Il y a pire encore! Selon les sapeurs qui travaillent avec acharnement au déblaiement, il faudra des semaines avant de retirer des décombres les 30 cadavres qui y sont encore ensevelis. A l'été, la chose serait facile, mais ce matin, le mercure est à 15 degrés sous zéro *(-27 C)*.

La glace recouvre les débris. Les victimes qui reposent au fond de l'édifice démoli sont défendues par un cercueil de neige et de glace. Cinq sapeurs, avec des précautions infinies, armés de pics, de pelles, soulèvent avec prudence des poutrelles, des amas de briques, un pan de mur, du fer tordu. Les recherches sont d'autant plus lentes que les murs menacent de s'écrouler d'un moment à l'autre.

Il faut donc procéder aux fouilles avec méthode. Le nombre des victimes est déjà assez grand sans risquer la vie des sauveteurs.

Dès cinq heures ce matin, malgré le froid sibérien, les pompiers ont repris leur triste mais nécessaire besogne.

Où sont les victimes? Dans quelle partie de l'édifice écroulé? Personne ne le sait. On travaille à l'aveuglette, en procédant toutefois aux opérations là où, hier, on a retiré tant de cadavres, c'est-à-dire au pied de la tour centrale. Celle-ci se dresse encore à 100 pieds de hauteur, témoin tragique d'un sinistre que les mots se refusent à traduire. (...)

Ces deux photos témoignent de la violence de l'incendie, et des difficultés qu'ont rencontrées les pompiers à retrouver les cadavres, incommodés qu'ils étaient par la fumée âcre et opaque qui se dégageait toujours du brasier quelques heures après le début de l'incendie.

— LA PRESSE —

Le Salon de l'Auto

1 9 3 0

QUELLES sont les surprises que nous réserve, cette année, le Salon national de l'Automobile du Canada, dont l'ouverture officielle se fait ce soir au Stade? Rares en effet sont les automobilistes, voire même les distributeurs et vendeurs d'autos, qui ont pu visiter le Salon de la grande métropole américaine que l'on vient de clore et dont le nôtre se fait l'écho. Au point de vue purement mécanique, il a certainement apporté à l'automobile 1930 d'appréciables améliorations. Ainsi, un constructeur exhibe une voiture garnie d'un moteur de seize cylindres; deux voitures de marques différentes ont des roues avant motrices. Les autres changements tendent à satisfaire l'acheteur qui réclame moteur efficace et plus grande vitesse. Or, ce désir des automobilistes est parfaitement comblé. Quant aux carrosseries, les constructeurs les ont faites spacieuses, basses, luxueuses et tout le confort demeure, même à rouler sur une bonne route à 60 milles à l'heure. Mais ce qui frappera davantage, si possible, le visiteur, se sont les combinaisons nouvelles de couleurs. Enfin, le touriste n'est pas oublié au Salon qui lui fera admirer en effet une réelle «maisonnette sur roues» renfermant toutes les commodités que l'amateur de grand tourisme et même le villégiateur puissent désirer. Cette roulotte, invention d'un citoyen de Montréal, fut, la semaine dernière, la grande sensation du Salon de New York.

Page consacrée au Salon de l'automobile et publiée le *18 janvier 1930.*

Saddam bombarde Israël

Soumis sans désemparer depuis 24 heures aux bombardements à saturation de l'aéronavale coalisée, l'Irak a élargi la guerre comme il l'avait promis en tirant hier soir (**le 17 janvier 1991**) des missiles sur Israël, entraînant l'État juif dans le conflit et frappant au coeur de la coalition américano-arabe réunie contre lui.

Des hélicoptères et des avions de Marines attaquaient de leur côté des positions irakiennes au Koweït après avoir subi des tirs d'artillerie à partir de ces positions.

Cette escalade, intervenue alors que le monde entier restait perplexe devant la « non riposte » apparente de l'Irak en dépit de l'intensité foudroyante des bombardements coalisés, suivait de quelques heures une déclaration du président américain George Bush excluant toute pause dans la guerre pour laisser à son homologue irakien Saddam Hussein la possibilité de réfléchir à une évacuation du Koweït, occupé depuis le 2 août dernier.

L'ambassadeur d'Irak en France, Abdoul Razzak al-Hachimi, lui donnait la réplique en déclarant que l'Irak et son président ne se rendraient pas.

Vers deux heures du matin en Israël, entre huit et 12 missiles Scud se sont abattus sur des quartiers populeux de Tel-Aviv et Haïfa ainsi que sur des zones non peuplées d'Israël.

Malgré l'alerte générale aux masques à gaz, les missiles ne semblaient pas équipés d'ogives chimiques et un bilan officiel faisait état de sept blessés légers.

...et reconnaît sa défaite, un an plus tard

Un an jour pour jour après le début de la guerre du Golfe, le président irakien Saddam Hussein a reconnu hier (**le 17 janvier 1992**) que son pays avait subi une défaite militaire, mais a revendiqué une nouvelle fois une victoire morale.

« D'un point de vue conventionnel et matériel, le rassemblement des fidèles a été battu et le rassemblement du vice et de la corruption a triomphé », a déclaré Saddam Hussein dans la matinée, lors d'un discours radiodiffusé.

Jamais jusqu'à présent le président irakien n'avait reconnu aussi ouvertement que son pays avait perdu « la mère de toutes les batailles ».

REUTER

La magnitude de ce tremblement de terre, le plus violent à avoir frappé Los Angeles depuis juin 1992, était de 6,6 sur l'échelle ouverte de Richter.

Un violent séisme secoue Los Angeles

Vingt-sept morts et des centaines de blessés

Un violent séisme a secoué dans la nuit d'hier (**le 17 janvier 1994**) la région de Los Angeles, provoquant de nombreux incendies, coupant l'électricité un peu partout et faisant s'effondrer plusieurs bâtiments, ainsi que des autoroutes. Le bilan des victimes, toujours provisoire, n'a cessé de s'alourdir tout au long de la journée; il s'établissait hier soir à 27 morts et des centaines de blessés.

Quelques heures plus tard, le président Clinton déclarait la région de Los Angeles zone sinistrée, permettant ainsi au gouvernement fédéral d'accorder une aide d'urgence et des prêts à taux promotionnels aux victimes et aux collectivités locales et régionales concernées.

La magnitude de ce tremblement de terre, le plus violent à avoir frappé Los Angeles depuis juin 1992, était de 6,6 sur l'échelle ouverte de Richter selon Kate Hutton, de l'Institut californien de technologie à Pasadena.

L'épicentre du séisme a été localisé à 30 km au nord-ouest du centre de Los Angeles. La secousse a été ressentie jusqu'à San Diego, à environ 200 km au sud, Las Vegas, à quelque 400 km à l'est et même Phoenix, aux confins de l'Arizona.

Le séisme a duré environ trente secondes et a été suivi de nombreuses répliques, dont plusieurs d'une magnitude au moins égale à 5 sur l'échelle de Richter. La nature des dégâts s'explique, selon les spécialistes, par le fait que ce séisme était profond, à environ 14 km de la surface. Les habitants, surpris dans leur sommeil, ont quitté leurs appartements soudain dévastés et privés de téléphone. Ils sont descendus dans les rues, où retentissaient le bruit des sirènes des pompiers et ambulances et les systèmes d'alerte anti-vols des magasins et des voitures.

Quelques scènes de pillage sporadiques se sont produites dans les premières heures de la matinée mais la situation semblait être sous contrôle en milieu d'après midi.

LE COMMERCE DES BONBONS ALCOOLISES

La police décide d'y mettre un terme. — Des poursuites en perspective.

NOS lecteurs n'ignorent pas qu'il se vend une sorte de chocolat qui contiendrait du brandy. On se rappelle que la semaine dernière, un bambin fut ramassé, dans la rue, en état d'ébriété. Questionné par le recorder, le pauvre petit déclara qu'il s'était trouvé subitement ivre, après avoir mangé une certaine quantité de chocolat contenant de la boisson. Cette découverte engagea la police à faire une enquête et, vendredi dernier, elle saisissait pour plusieurs centaines de dollars de chocolat-brandy à la manufacture Walter M. Lowney, 169 rue William, où on les fabrique.

Les policiers enquêteurs n'en restèrent pas là, ils découvrirent que trente magasins vendaient ces chocolats-brandy, et des poursuites seront intentées aujourd'hui (**18 janvier 1909**) même contre les propriétaires des établissements en question qui seront accusés d'avoir vendu des liqueurs enivrantes, sans licence.

Comme on le voit, ces poursuites vont provoquer des débats intéressants. Le revenu se fait fort de prouver que les marchands qui vendent les savoureux chocolats-brandy, dont les jeunes filles font une grande consommation au théâtre, enfreignent la loi des licences.

Un cauchemar!

Les secours sont débordés à Kobe

Les incendies faisaient toujours rage dans Kobe hier (**le 17 janvier 1995**) à la nuit tombante, 15 heures après le tremblement de terre qui a fait plus de 2 700 morts et disparus dans le deuxième port du Japon, dont les survivants, encore sous le choc, restaient dans les rues de peur de nouvelles secousses.

Le dernier bilan des victimes publié par la police faisait état de 1 803 morts et 966 disparus. Au moins 6 334 personnes ont été blessées et 8 380 édifices détruits ou endommagés.

Le paradoxe du séisme de Kobe est qu'il a frappé une zone réputée plus sûre, épargnée par les tremblements de terre ces 40 dernières années..

L'EGLISE STE-CUNÉGONDE EN FEU

A 1 heure 30 cet après-midi, ce superbe Temple de la Banlieue est la proie des flammes

AU moment où nous allons sous presse **(le 19 janvier 1904)**, nous apprenons que l'église de Ste-Cunégonde est en flammes. Une deuxième alarme vient d'appeler sur les lieux tout le corps de pompiers.

Le clocher de l'église est tout embrasé et on appréhende une catastrophe.

Toute la brigade de l'ouest de Montréal, sous les ordres du sous-chef Mitchell, est rendue sur le théâtre de l'incendie.

UNE BELLE EGLISE

C'était une des plus belles églises de l'île de Montréal. Son clocher unique était d'une hauteur considérable.

Son site ne pouvait être mieux choisi. Elle est situé à l'angle des rues Saint-Jacques et Vinet. Devant sa façade se trouve le joli square d'Iberville, au milieu duquel s'élève le monument d'Iberville, oeuvre du sculpteur Hébert.

Le presbytère de Sainte-Cunégonde, qui, au moment où nous mettons sous presse, est en grand danger d'être détruit, est aussi un joli édifice.

Il y a longtemps qu'il n'y a pas eu d'église incendiée à Montréal, si l'on excepte l'église Sainte-Marie, si a été la proie des flammes, il y a trois ans, à l'angle des rues Craig et Panet.

L'ORIGINE DU FEU

Le feu aurait commencé dans le clocher.

C'est de la pharmacie Cheval qu'on a aperçu d'abord les flammes. M. Lacoste, commis de M. Cheval, était alors seul dans l'établissement. Ce fut lui qui vit les premiers signes du désastre.

Singulier détail: c'était du clocher seul que venait la flamme. M. Lacoste téléphona aux brigades de pompiers de Ste-Cunégonde, St-Henri et Montréal. Les pompiers de Ste-Cunégonde furent les premiers rendus sur les lieux. Mais la violence du feu était telle que lorsqu'ils firent leur apparition, l'opisthodome de l'église était déjà tout en flammes.

Bientôt cependant arrivèrent sur les lieux les brigades de St-Henri et de Montréal. On se mit à l'oeuvre. Plus de 15 boyaux furent étendus en un clin d'oeil.

Cependant, la situation était désespérée, et les chefs de pompiers qui se trouvaient là le comprirent aussitôt. Le chef Jos. Tremblay, commandait tous les héros qui étaient là, à ce moment, à combattre le terrible élément.

Le chef pompier et de la police de Ste-Cunégonde, en dépit des obstacles vraiment insurmontables qu'il a rencontrés là, s'est montré un héros.

L'EGLISE DE SAINTE-CUNEGONDE

L'église de Sainte-Cunégonde est en feu; elle est la première érigée dans la paroisse. Elle date de 1885. C'est un élégant édifice en pierre bourrelée, avec façade en pierre de taille s'élévant à l'intersection des rues Saint-Jacques et Vinet. La flèche du clocher porte à 220 pieds du sol, la croix qui la surmonte. L'intérieur est remarquable, par toute une nuée de tableaux décoratifs, du plus joli fini, et de l'inspiration la plus pieuse.

PAS D'EAU!

Le clocher est un brasier ardent. La foule est immense et contemple d'un regard en même temps triste et curieux la ruine du temple divin.

Le clocher va tomber. Les flammes font un crépitement qui terrifie. La foule s'écarte. (...) La fumée et les flammes s'échappent de toutes les issues. Les fenêtres sont des yeux de feu. Parfois les vitres volent en éclats, et il s'en échappe une fumée âcre et compacte.

Les pompiers sont désespérés. Il n'y a pas d'eau. La plupart des bornes-fontaines sont gelées. Il n'y a pas de pression. Désolés, les pompiers regardent brûler l'église. Ils se servent du peu d'eau qu'ils ont à leur disposition pour protéger le presbytère. Le presbytère a pris feu vers deux heures.

On nous apprend que les saintes espèces n'ont pu être sauvées.

La vie des pompiers a été grandement menacée par la chute du clocher qui a brisé les fils électriques.

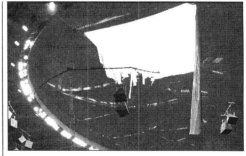
Photo prise pendant l'incendie de l'église Sainte-Cunégonde.

Fusion Molson-O'Keefe

LES Compagnies Molson, de Montréal, et la multinationale australienne Elder's IXL, propriétaire des Brasseries Carling O'Keefe, de Toronto, confirment qu'elles fusionneront leurs activités brassicoles en Amérique du Nord, donnant ainsi naissance à une nouvelle entité canadienne — détenue à parts égales — qui sera connue sous la raison sociale Les Brasseries Molson.

L'entente de fusion, annoncée hier (**le 18 janvier 1989**) lors de conférences de presse simultanées à Toronto et

Montréal, fera des Brasseries Molson le plus important brasseur au Canada, avec un chiffre d'affaires de 2,3 milliards de dollars. Elles contrôleront plus de la moitié (52%) du marché de la bière au Canada, devançant les Brasseries John Labatt, qui sont responsables d'environ 40% des ventes au Canada.

Les Brasseries Molson, avec des ventes de 12,6 millions d'hectolitres par année, se classent dorénavant au sixième rang en Amérique du Nord et au 20e rang dans le monde.

L'Î.-P.-É. dit oui à un pont ou un tunnel

LES partisans d'un pont ou d'un tunnel qui reliera l'Île-du-Prince-Edouard à la terre ferme ont remporté la victoire, hier (**le 18 janvier 1988**), à l'issue du référendum tenu sur l'île durant la journée.

À 23 h 25, lorsque le dépouillement des 403 bureaux de votation a été terminé, il y avait 33 167 bulletins en faveur du lien et 22 655 contre.

Le plébiscite demandait aux habitants de la plus petite province du pays de se prononcer sur une suggestion fédérale de confier au secteur privé le financement et la construction d'un lien stable avec le Nouveau-Brunswick.

En dépit des arguments de certains opposants qui soutenaient qu'un pont ou un tunnel pouvait menacer le mode de vie distinctif des insulaires, les résidents de la plus petite province canadienne se sont

prononcés en faveur du projet, mais le vote a été plus serré que prévu. Si 59% des gens se sont prononcés pour un pont, 41% ont voté contre, tandis que la participation n'a été que de 65%.

« C'est une indication très claire que la majorité des habitants de l'Île-du-Prince-Edouard appuient la construction d'un lien avec le continent. C'est un mandat très clair pour négocier avec le gouvernement fédéral tout en respectant les inquiétudes des personnes qui ont voté contre le projet », a déclaré tout soutiré le premier ministre Joe Ghiz.

Le premier ministre a ajouté qu'il demandera au gouvernement fédéral de réaliser une étude complète de l'impact environnemental du projet avant de procéder à la construction.

Ottawa désavoue les élections en Haïti

LE gouvernement du Canada ne reconnaît pas les résultats des élections qui se sont tenues en Haïti et remet en question ses relations avec ce pays, y compris l'aide au développement.

C'est ce qu'a fait savoir hier (**le 18 janvier 1988**) le secrétaire d'État aux Affaires extérieures, M. Joe Clark, qui a ajouté cependant que le Canada entendait continuer à aider les populations les plus pauvres d'Haïti.

« Nos objectifs, a dit hier le ministre en Chambre, sont

d'instaurer un système vraiment démocratique en Haïti et de poursuivre l'appui historique du peuple canadien à l'endroit, en particulier, des personnes les plus démunies. »

« Le défi, a-t-il également déclaré, est de trouver des moyens concrets qui permettraient au Canada, aux États-Unis et aux pays voisins d'Haïti dans les Antilles de s'unir pour favoriser la démocratie, tout en aidant les citoyens d'un des pays les plus pauvres du monde.»

C'EST ARRIVÉ UN 19 JANVIER

1979 — L'acteur Paul Meurisse meurt à 65 ans d'une crise cardiaque.

1975 — Émission inaugurale du réseau de télévision Radio-Québec.

1974 — Le gouvernement français décide de sortir le franc du « serpent européen » et de le laisser flotter.

1970 — Les évêques néerlandais publient un document dans lequel ils manifestent leur opposition au célibat des prêtres.

1966 — Mme Indira Gandhi, fille de Nehru, succède à Lal Bahadur Shastri comme premier ministre de l'Inde.

1962 — Formation d'un gouvernement de coalition, au Laos, sous l'égide du chef neutraliste, le prince Souvanna Phouma.

1961 — Un avion mexicain s'écrase à New York, entraînant dans la mort quatre des 106 passagers. — Arthur Michael Ramsey, archevêque de York, devient le 100e archevêque de Canterbury.

1958 — Bernard Geoffrion marque le 200e but de sa carrière.

1956 — Le Conseil de sécurité des Nations-Unies adopte une résolution condamnant l'État d'Israël pour agression à l'égard de la Syrie, en décembre 1955.

1947 — Les naufrages de deux navires font mille morts.

1945 — Fin de la grève du transport en commun à Vancouver.

1913 — Des célébrations marquent à New York le centième anniversaire de naissance de sir Henry Bessemer, à qui on doit le procédé de fabrication de l'acier.

Le Stade est fermé

LE Stade olympique de Montréal restera fermé au moins jusqu'au 15 février, ce qui coûtera plusieurs millions à la Régie des installations olympiques ainsi qu'aux organisateurs du Salon de l'automobile et de l'Exponautique, tous deux annulés.

On ignore encore pourquoi le tout nouveau toit de fibre de verre et de téflon s'est rompu. Cet automne encore, au moment de lancer ses travaux de 37 millions, la RIO jurait qu'on n'aurait pas besoin de déneiger la toile et qu'elle durerait 25 ans. (**Texte publié le 19 janvier 1999**).

Coiffé d'un trou béant, le Stade olympique restera fermé au moins jusqu'au 15 février.

CENTENAIRE D'EDGAR POE

AUJOURD'HUI, 19 janvier **(1909)**, il y a cent ans que le célèbre poète, littérateur, critique et journaliste américain Edgar Allan Poe, est né à Boston.

Ce centenaire est célébré partout, car l'auteur du « Corbeau » et des histoires fantastiques si universellement connues, appartient à cette catégorie de penseurs qui n'ont pas de patrie littéraire.

Edgar Allan Poe, excellent dans tout ce qu'il entreprenait: journalisme, poésie, narration, critique et, dans un ordre secondaire, l'on pourrait ajouter l'athlétisme, comme les annales sportives de l'Université de Virginie en font foi.

La célébration de l'anniversaire a commencé samedi dernier à cette université où le jeune Poe termina ses études. La société littéraire Jefferson, dont il était membre, a donné une soirée en son honneur. Ce soir, la célébration prend les proportions d'une solennité internationale.

Pour les amateurs de petite histoire, ajoutons qu'Edgar Allan Poe devait mourir à Baltimore le 7 octobre 1849.

LA PRESSE **LE SALON DE L'AUTOMOBILE DE 1918**

Cette première page consacrée au Salon de l'automobile de l'année a été publiée dans l'édition du *19 janvier 1918*.

LA COIFFURE DU JOUR.

Voici comment réussir cette « coiffure du jour », tel que suggéré dans LA PRESSE du *19 janvier 1901*. Séparer les cheveux en quatre parties, et faire ensuite une petite fondation sur le sommet de la tête. Crêper les deux parties du devant pour former le bandeau (Vig. 1). Crêper les deux parties de la nuque et les rouler, comme l'indique le modèle (Vig. 2), en ramenant les pointes sur le sommet. Placer ensuite une branche de 60 centimètres, avec pointes bouclées, et traverser les deux rouleaux avec. Pour la monture de la branche (Vig. 3), faire une grosse coque lisse, avec la pointe, faire des bouclettes sur le cou.

PREMIÈRE SECTION PAGES 1 a 4 — LA PRESSE — MONTREAL, SAMEDI, 20 JANVIER 1912 — DEUX CENTS

LES HIVERS D'AUTREFOIS

Le fleuve en face de Montréal, sans glace, le 29 décembre 1911.

Photo Adélard Quêry 29 décembre 1911

Les hivers d'antan. L'aspect des rues de Montréal il y a une quinzaine d'années.

ET CEUX D'AUJOURD'HUI

La neige dans les rues de Montréal, le 1er décembre, autrefois

La place du palais de justice avec ses pelouses vertes, photographiée le 29 décembre, 1911.

Le dernier voyage du «Boucherville» et du «Longueuil» le 29 décembre 1911.

Photo Adélard Quêry 29 décembre 1911

Unanimité nécessaire pour l'avance de l'heure

AURONS-NOUS l'été prochain l'heure légale ou l'heure solaire? La question vient de se poser définitivement car déjà les dépêches nous apprennent que des villes voisines, Ottawa par exemple, ont décidé de pratiquer de nouveau l'économie de la lumière artificielle.

Cette réforme que nous devons à la guerre a ses chauds partisans comme elle a ses détracteurs. L'important n'est pas toutefois d'en discuter les mérites et les défauts. Le ferait-on d'ailleurs que cela n'avancerait à rien puisque les villes et les municipalités ne consultent pas les contribuables avant de l'imposer.

L'important, au contraire, est d'en venir à une entente et de mettre fin à la situation ridicule qui a prévalu l'année dernière. Si l'on est fermement convaincu que le Canada ne peut retirer que des avantages de cette mesure, qu'elle est profitable à la masse des citoyens et que seuls quelques groupes sont susceptibles d'en souffrir, eh bien qu'on la décrète pour tout le pays, qu'on la mette en vigueur dans toutes les villes.

Nous n'avons pas beoins de redire les ennuis sans nombre auxquels nous avons été exposés par suite du quiproquo de l'été dernier. Cependant que l'heure était avancée dans une ville, elle ne l'était pas dans l'autre. Un tel état de choses ne doit pas se répéter.

Dans l'intérêt de tous, l'uniformité est nécessaire. Qu'on garde l'heure solaire si on le veut, mais si on préfère l'heure légale, qu'on s'arrange de façon que tous les villages et toutes les villes en bénéficient.

L'occasion est d'ailleurs propice à une entente. La Législature est en session, le parlement fédéral le sera bientôt. Que les deux gouvernements discutent la situation entre eux et qu'ils en viennent à un modus vivendi. De l'avis de presque tous, cela vaudra mieux que l'anarchie passée.

Cela se passait le 20 janvier 1921.

L'amour: 46,2 minutes, 7,37 fois par mois

Quoi de mieux pour oublier la dette nationale et le froid arctique qu'un sondage sur les habitudes sexuelles des Québécois qui démontre que l'on fait l'amour en moyenne 7,37 fois par mois et que la durée moyenne de la relation sexuelle est de 46,2 minutes, si l'on tient compte des préliminaires.

Ceux qui s'attendaient toutefois à des révélations brûlantes seront déçus. Les Québécois ont une conduite plutôt sage. Pour la majorité, le meilleur moment de la journée pour faire l'amour est en soirée et l'endroit préféré demeure la chambre à coucher. Quoi de plus traditionnel! Très peu optent pour le plancher du salon, la baignoire à remous ou le bureau du patron comme dans *Scoop*. De plus, la fidélité demeure un objectif essentiel dans la relation de couple.

Dans la relation sexuelle, les Québécois consacrent 27,8 minutes aux préliminaires et 18,4 minutes pour le reste...

(Texte publié le 20 janvier 1994)

Comme on le disait il y a quelques semaines, cette chronique apparaissait fréquemment mais et à droite de la page 3 ou de la première d'un cahier. Cette caricature-photo de Pierre Forest avait été publiée dans l'édition du *20 janvier 1941* pour souligner son élection à la présidence du comité général de la Jeunesse ouvrière catholique du Canada.

PHOTO AP

Tonya Harding et Nacy Kerrigan, lors de jours meilleurs...

Tonya Harding faisait partie du complot contre Nancy Kerrigan

Tonya Harding était au courant du projet d'agression contre sa rivale Nancy Kerrigan, et elle s'est même plainte de ce qu'on tardait à passer aux actes, révèle son garde du corps, Shawn Eckardt, dans une interview publiée hier (le **19 janvier 1994**) par *The Oregonian*, un quotidien de Portland.

Kerrigan a subi une agression le 6 janvier dernier à coups de barre de fer par un inconnu, disait-on alors. Son assaillant avait pu s'enfuir mais on a arrêté quelques jours plus tard Jeff Gillooly, soupçonné d'être son agresseur. Les blessures de Kerrigan n'étaient pas graves cependant et elle avait pu quitter le lieu de l'agression en marchant. L'attaque avait pour but, semble-t-il, d'empêcher Kerrigan de participer aux Jeux d'hiver de Lillehammer.

Eckardt affirme également que l'ex-mari de Harding, Jeff Gillooly, l'instigateur présumé de l'agression du 6 janvier, avait proposé un chèque de 10 000 $, tiré sur l'Association américaine de patinage artistique, comme boni si l'agression était commise rapidement. (Les meilleurs patineurs américains bénéficient d'une aide financière de cet organisme.)

Eckardt aurait déclaré au journal qu'il avait rencontré Gillooly à plusieurs reprises pour préparer l'agression. Lors d'une de ces rencontres, à minuit vers la 3e décembre, ils discutaient pendant que Harding s'entraînait devant eux. Shane Stant, qui devait commettre l'agression, était alors à Boston, cherchant le meilleur moment d'attaquer la patineuse, en compagnie de Derrick Smith, le chauffeur de la voiture qui devait assurer la fuite de l'assaillant.

À un certain moment, Tonya Harding s'est approchée de son mari et d'Eckardt, et leur a déclaré qu'« elle était déçue que ces types n'aient pas encore fait ce qu'ils avaient dit qu'ils allaient faire ». Eckardt ajoute que Gillooly lui montra un chèque de 10 000 $ tiré sur l'association.

Selon le document accompagnant le mandat d'arrêt contre l'ex-mari de Harding, Shane Stant et Derrick Smith devaient recevoir 6 500$. Il aurait été convenu que Stant frapperait la jambe droite de la patineuse, car c'est sur cette jambe qu'elle retombe après les sauts, a dit Eckardt aux autorités.

C'EST ARRIVÉ UN **20** JANVIER

1981 — Libération des 52 membres de l'ambassade américaine gardés en otages à Téhéran depuis 444 jours.

1981 — Le républicain Ronald Reagan prête serment comme 40e président des États-Unis.

1981 — Les Steelers de Pittsburgh gagnent une 4e édition du Super Bowl en battant les Rams de Los Angeles 31-19.

1977 — Assermentation de James E. Carter comme 39e président des États-Unis. Dès sa première journée comme président, il accorde tel que promis le pardon aux objecteurs de conscience de la guerre du Vietnam.

1976 — La Cour d'appel du Québec maintient l'acquittement de Henry Morgentaler, accusé d'avortement illégal.

1969 — Richard Mulhous Nixon est assermenté comme 37e président des États-Unis.

1964 — L'indépendantiste Marcel Chaput met fin à son jeûne de 63 jours après n'avoir atteint que 40 % de son objectif d'amasser 50 000 $.

1961 — Investiture de John Fitzgerald Kennedy, 35e président des États-Unis.

1956 — «The Wild Ones», film mettant en vedette Marlon Brando, est retiré des cinémas montréalais à cause de la violence qu'il inspire aux «vestes de cuir».

1953 — Inauguration du républicain Dwight D. Eisenhower comme 34e président des États-Unis.

1948 — William Mackenzie King annonce sa retraite de la vie politique après 40 ans comme député à Ottawa, 29 ans comme chef du Parti libéral du Canada et 21 ans comme premier ministre.

L'acharnement contre Groulx

On ne peut aujourd'hui que s'étonner de l'acharnement de certains milieux à dépeindre feu le chanoine Lionel Groulx, historien et théoricien du nationalisme, comme un abominable « raciste ». Même si l'accusation était fondée, il serait temps de tourner la page, le chanoine Groulx étant décédé il y a plus de 25 ans (en 1967).

La démesure dans le réquisitoire choque. À entendre les détracteurs du disparu, Groulx est à classer parmi les criminels de guerre nazis. Les camps de la mort, le génocide, l'holocauste, c'est lui. Quel délire !...

...Groulx était-il antisémite? L'était-il par conviction religieuse ou du fait de sa doctrine sociale et politique d'homme de droite ?

Lionel Groulx était prêtre. Spirituellement, les catholiques de l'époque étaient antisémites. Pas seulement ici. Il n'y a pas un enfant de chœur qui n'a pas entendu, durant la Semaine Sainte, son curé parler du juif « perfide », assassin de Jésus. (Cette expression a été effacée des textes liturgiques depuis)...

...Mais il ne faut pas confondre les idées et l'action. La pensée de Lionel Groulx eut une influence limitée sur la jeunesse des années 40. Il ne faut pas oublier que l'Action catholique s'implantait chez la jeunesse au même moment. Or, ces mouvements étaient mondialistes, universalistes, internationalistes dans leur inspiration, voire antinationalistes et presque antinationaux.

Groulx était un prêtre-soldat, dans la tradition des prêtres de la Nouvelle-France. Raciste ? Certainement ethnocentriste, c'est-à-dire qu'il avait tendance à privilégier son peuple et à en faire le seul modèle de référence.

(Extraits d'un éditorial de Guy Cormier, publié le 20 janvier 1992)

LES PREMIERS AUTOMOBILES DANS LA METROPOLE CANADIENNE

Ce montage de photos tiré de l'édition du *20 janvier 1923* de LA PRESSE, était présenté dans le cadre du Salon de l'automobile en cours. Rangée du haut, de gauche à droite: U.-H. Dandurand au volant d'une *Winton* à deux vitesses avant et de marche arrière, et dirigée par un levier; une *Crestmobile*, premier modèle de véhicule à gazoline à circuler au Québec, et muni d'un moteur de ¾ de cheval-vapeur installé à l'avant, avec système d'entraînement à chaîne vers l'essieu arrière; une voiture à vapeur *Stanley*, conduite par M. Carl Stanley. Rangée du bas, dans le même ordre: M. Dandurand, photographié devant une voiture *Rambler*; encore M. Dandurand, cette fois dans une *Dion-Bouton*, première voiture à traction mécanique importée d'Europe à circuler au Québec; enfin, la *Rambler* de M. Lou Robertson. Ces photos avaient été prises en 1901 lors de la première course automobile organisée au Québec et présentée sur la piste de Lorimier. On notera qu'à l'époque, le mot « automobile » était toujours du genre masculin.

Ces photos exclusives à LA PRESSE (ce qui était un coup de maître à l'époque) montrent à gauche le redressement d'une voiture renversée, au centre, les sauveteurs cherchant à dégager les victimes submergées, et à droite, le pont où l'accident s'est produit.

TERRIBLE CATASTROPHE A SUDBURY

Un train du Pacifique Canadien saute hors de la voie à l'entrée du pont de la Rivière aux Espagnols. — Une partie du convoi tombe dans la rivière pendant que le feu faire rage dans une autre.

OTTAWA — Une dépêche de Toronto au correspondant canadien de la « Presse Associée », annonce qu'un terrible accident est arrivé hier **(21 janvier 1910)** après-midi, sur la ligne du Pacifique Canadien, près de la gare de Webbwood, à trente sept milles à l'ouest de Sudbury. Le convoi qui filait à toute vitesse dérailla, forçant le remblai, et tomba dans la rivière des Espagnols (Spanish River). Plusieurs personnes trouvèrent la mort dans cet accident. On croit que le nombre des morts s'élève à quarante, tandis que la liste des blessés est très longue. Les dernières dépêches annoncent que sept cadavres ont été identifiés. Les convois spéciaux de sauvetage ont été dépêchés sur le théâtre de la catastrophe avec des médecins, des ambulancières et des plongeurs, car il faudra plonger dans la rivière pour recueillir les victimes.

Les dernières dépêches mentionnent que le feu s'étant déclaré dans les voitures renversées sur le bord de la rivière, le nombre des victimes brûlées est aussi considérable que celui des personnes qui sont au fond de la rivière.

On croit que pas moins de dix-huit personnes qui se trouvaient dans le wagon de première ont péri. Ce char est disparu sous l'eau. Un grand nombre sont morts dans l'incendie. (...) Il est impossible d'obtenir un chiffre exact des morts. Les rapports varient entre 20 et 40 *(on devait finalement en dénombrer 37).* Le nombre des blessés est estimé entre 50 et 70.

LE RAPPORT OFFICIEL

Aux bureaux-chefs de la compagnie du Pacifique, M. McNicholl, vice-président de la compagnie, a fait le rapport officiel suivant :

« La dernière partie du train de Montréal à destination de Minneapolis, parti du premier endroit, jeudi soir *(donc le 20 janvier)*, a sauté de la voie vendredi après-midi, à environ quatre milles à l'ouest de Nairn, sur la division Algoma, justement à l'est du pont traversant la Rivière aux Espagnols. La cause de cet accident est encore inconnue.

« Un char a frappé l'extrémité du pont et a été démoli. Le char suivant est tombé dans la rivière. Environ 20 voyageurs ont été blessés, dont deux ou trois grièvement. Plusieurs cadavres ont été retirés des décombres et un plus grand nombre sont supposés être dans le char sous l'eau.

« Le char-buffet a été partiellement submergé et les voyageurs sont sains et saufs. Le wagon-dortoir est tombé sur le flanc. » (...)

NOYES DANS LE CHAR

Le train se composait d'une locomotive, d'un waggon-poste, de deux chars de seconde, d'un char de première, d'un waggon-buffet et d'un waggon-dortoir. Les trois premiers sont restés sur la voie, le deuxième char de seconde a roulé en bas du talus, tandis que celui des premières enfonçait sous l'eau, entraînant à sa suite le char-buffet. Celui-ci s'arrêta cependant à mi-chemin et une partie seulement fut submergée.

Le feu se déclara par la suite dans le char de seconde, le détruisant complètement. Aux crépitements des flammes, au son sourd du feu qui tord, du bois qui s'écrase, se mélangent les gémissements et les lamentations des blessés et des mourants.

Les voyageurs du char de seconde furent pour la plupart asphyxiés et brûlés dans l'incendie de cette voiture. Dans le wagon-buffet, au moment où l'accident se produisit, quatre personnes étaient à prendre leur dîner. Pas une n'a péri. Mais il n'en fut pas de même dans le char de première. L'immersion fut si soudaine que pas un voyageur ne put chercher son salut dans la fuite, puisque tous ont été noyés. (...)

Le conducteur Reynolds, par un heureux hasard, put briser une partie du char et s'aidant comme il put, il réussit à sauver de la mort huit personnes dont un enfant de six ans.

Le drapeau provincial à fleurs verticales

C'est le *21 janvier 1948* que le gouvernement provincial dirigé par Maurice Duplessis dotait officiellement la province de Québec du fleurdelysé, geste alors qualifié de « plus solennelle affirmation du fait français depuis 1867 » par nul autre que le chanoine Lionel Groulx. Le modèle choisi était déjà utilisé depuis plusieurs années au Québec, à cette différence près que les quatre fleurs de lys étaient placées selon la verticale, plutôt qu'orientées vers le centre du drapeau.

Un grand deuil pour les Rouges

Mort de Nicolas Lénine

MOSCOU — La mort de Lénine a été un coup de foudre pour ses millions de partisans. Malgré ses deux ans d'absence du Kremlin, il était cher aux Russes qui l'avaient suivi et aidé à détrôner les Romanoff. Ils avaient toujours espéré son retour à la vie active, à part quelques-uns qui connaissaient la vérité sur son état.

Mais Lénine est mort d'une maladie dont la nature n'est pas bien connue. Il a vécu assez longtemps pour contempler son oeuvre et voir son pays reprendre sa place parmi les puissances.

Au moment où Lénine disparaît, le pouvoir échappe des mains de celui qui l'a aidé, Léon Trotsky. Celui-ci, ministre de la Guerre, a été relégué à la septième place parmi les chefs du parti le moins radical de Russie.

On ne peut présager quel effet aura la mort de Lénine sur les destinées de Trotsky. Beaucoup prétendent qu'il ne retournera jamais à la place qu'il occupait quand Lénine et lui étaient à la tête de la Russie bolchévique.

ENIGME POUR LES SIENS

Malade depuis plusieurs mois, le chef bolcheviste est décédé, quand d'autres étaient à la tête du gouvernement qu'il a établi.

Lénine était devenu une énigme pour ses compatriotes. Il vivait dans la solitude, faisant ignorer sa situation au reste du monde. On a su qu'il souffrait d'une forme de paralysie et qu'il avait fait venir de partout de fameux spécialistes.

Il y a deux semaines, on annonçait dans toute la Russie que sa santé s'améliorait et qu'il avait été à la chasse au lièvre au jour de Noël et au Jour de l'an. (...)

Personne d'en dehors ne pouvait voir Lénine. Il était gardé de près, pendant que d'autres s'occupaient des affaires du gouvernement. (...)

Lénine est mort à 7.10 heures, lundi soir **(le 21 janvier 1924)**, à Gorki, petite ville près de Moscou. Les funérailles auront lieu samedi. Son corps sera enseveli au Kremlin, à côté de celui de Svertloff, un de ses assistants dans la révolution de Russie.

C'EST ARRIVÉ UN 21 JANVIER

1980 — Le Canada expulse trois diplomates soviétiques, pour espionnage.

1976 — Vol inaugural de deux aérobus supersoniques *Concorde*.

1975 — Mort de 13 personnes dans l'incendie criminelle du bar-salon « Le Gargantua », à Montréal.

1971 — En l'absence du chef d'État, Milton Obote, participant à la conférence du Commonwealth, les militaires s'emparent du pouvoir en Ouganda.

1970 — Réfugiée aux États-Unis, Svetlana Allilouieva Staline apprend que l'UURSS l'a déchue de sa nationalité soviétique.

1963 — Georges « Le père Noël » Marcotte, Jean-Paul Fournel et Jules Reeves sont formellement accusés du meurtre de deux policiers.

1960 — Une catastrophe minière fait 417 morts à Coalbrook, Afrique du Sud.

1954 — Lancement par les États-Unis du *Nautilus*, premier sous-marin atomique.

1953 — Arrestation de cinq prêtres polonais pour « espionnage ».

1952 — Le président Truman demande au Congrès américain de lui consentir un budget de $85,4 milliards pour sa mission de paix.

1940 — Le paquebot italien *Orazio* est détruit par un incendie au large de Toulon.

1936 — Edouard VIII succède à George V qui s'est éteint, comme il l'avait désiré, dans le paix de Sandringham.

1934 — Un tremblement de terre fait 50 000 morts dans la région de Quetta, en Inde.

1914 — Décès dans son palais de Londres de lord Strathcona, haut-commissaire du Canada en Angleterre, et surnommé le « Grand Vieillard du Canada ».

Cette première page de LA PRESSE du *21 janvier 1905* permet de constater que la pêche aux petits poissons des chenaux ne date pas d'hier, qu'elle n'a pas beaucoup changé, et que si les voyages s'effectuaient évidemment en train plutôt qu'en voiture, c'était déjà un prétexte pour s'offrir du bon temps. Quant au nom, on disait « petite morue », et si on la pêchait déjà à Batiscan, c'est Trois-Rivières qui était La Mecque de ce genre de pêche sur la glace.

Clinton nie avec colère

Le président Bill Clinton, déjà éclaboussé par de nombreux scandales, a nié avec colère les allégations selon lesquelles il aurait eu une relation sexuelle avec une jeune stagiaire de la Maison-Blanche et cherché à faire obstruction à la justice en lui demandant de donner un faux témoignage, ce qui serait susceptible d'une possible destitution.

« Les allégations que j'ai lues ne sont pas vraies », a affirmé M. Clinton dans une interview à la chaîne américaine PBS. « Je n'ai demandé à personne d'aller dire quelque chose qui ne soit pas vrai ».

Le président a nié l'existence d'une aventure avec cette ancienne stagiaire, Monica Lewinsky, qui a commencé à travailler à la Maison-Blanche à 21 ans en 1995, mais en employant à chaque fois le temps présent. « Il n'y a pas de relation sexuelle — une relation sexuelle inappropriée — ou aucune autre relation inappropriée d'aucun type », a-t-il dit.

Le président Clinton a encore indiqué qu'il ne voyait rien qui puisse servir de fondement aux révélations explosives qui ont fait surface dans la presse américaine. « Tout ce que je sais, je l'ai lu. Je coopérerai avec l'enquête », a déclaré M. Clinton.

Le procureur indépendant Kenneth Starr a reçu l'autorisation de la justice américaine pour étendre à ces nouvelles allégations son enquête actuelle sur les différents scandales touchant l'administration Clinton, dont l'imbroglio politico-immobilier Whitewater.

Un responsable a indiqué en soirée que le bureau de M. Starr avait officiellement demandé la saisie de documents à la Maison-Blanche concernant cette affaire.

« La destitution pourrait très bien être une option », a déclaré le président de la Commission judiciaire de la Chambre des représentants, le républicain Henry Hyde, lors d'un entretien accordé à la chaîne CNN, si les faits s'avéraient. (**Texte publié le 21 janvier 1998**)

Affichage à la porte des théâtres

(du correspondant de LA PRESSE)

QUÉBEC — Un mouvement vient de s'organiser parmi les femmes de Québec contre l'affichage aux cinémas. Ce mouvement a pris une importance considérable et jusqu'à présent, les requêtes que l'on a fait circuler se sont couvertes de 4,000 signatures. Ces requêtes seront présentées au maire et aux échevins cet après-midi, par une délégation exclusivement féminine qui ira les rencontrer à l'hôtel de ville à 3 heures.

Mme L.-A. Taschereau sera en tête de cette délégation qui demandera aux autorités municipales, au nom de toutes les mères de familles de la ville, la suppresion des affiches illustrées ou panneaux réclames à la porte des théâtres ou des cinémas.

Hier, dans toutes les églises, les curés ont encouragé les paroissiens à se joindre à ce mouvement que l'on doit à l'initiative de Mme Taschereau, admirablement secondée par un groupe de de dames. Les pasteurs ont insisté sur le danger qu'il y a surtout pour la jeunesse et les enfants des écoles qui sont souvent attirés au mal par les images, ajoutant que dans certains cas, il arrive que les affiches ou panneaux réclames sont plus suggestifs que les pièces ou les films que l'on montre dans les théâtres ou cinémas. (**Cela se passait le 21 janvier 1924**).

Explosion au marché de Saint-Léonard

Réunis autour de M. Antoine Geloso, président du marché public de Saint-Léonard, une vingtaine de commerçants tentaient de se serrer les coudes, cet après-midi (**le 21 janvier 1985**), à la suite de l'explosion, de toute évidence d'origine criminelle, qui a lourdement endommagé l'édifice en forme de pyramide.

Haïti proclame l'État de siège pour 30 jours

Quelques heures après avoir procédé à l'arrestation d'une douzaine de responsables politiques de tendances diverses, le gouvernement provisioire du général Prosper Avril a proclamé hier (**le 20 janvier 1990**) l'état de siège sur Haïti pour une durée de 30 jours.

Le décret officiel souligne dans ses considérants « la succession d'actes attentatoires à l'ordre public tendant à gêner le fonctionnement régulier des institutions nationales et perturber le processus démocratique », et suspend des clauses de la Constitution.

Mais par un hasard qui ne surprend aucun des observateurs de la capitale haïtienne, le décret remet en vigueur la principale arme de l'arsenal de la dictature duvaliériste. Le décret officiel a en effet annoncé le rétablissement (inconstitutionnel) du visa d'entrée au pays pour tous les Haïtiens (aboli après la chute du régime Duvalier, en 1986) pour empêcher « l'infiltration d'agents terroristes ».

La proclamation de l'état de siège a été précédée hier après-midi par l'arrestation d'une douzaine de personnalités politiques. Le gouvernenent militaire du général Prosper Avril, pour justifier cette vague d'arrestation, a évoqué « l'escalade de la violence ».

Saddam Hussein utilise des prisonniers de guerre comme boucliers humains

L'Irak a annoncé hier (**le 21 janvier 1991**) avoir placé une vingtaine d'aviateurs alliés faits prisonniers comme « boucliers humains » sur des sites stratégiques, un traitement dénoncé avec virulence par le camp occidental.

Mais ce retour à une stratégie déjà employée avec des civils n'a pas empêché les forces alliées de continuer leurs bombardements aériens, pour la cinquième journée consécutive. Les analystes militaires doutent cependant que cette stratégie suffise à faire plier Saddam Hussein.

L'Irak a, de son côté, lancé deux nouveaux missiles sur l'Arabie Saoudite, l'un tombant au large de Bahrein et l'autre étant intercepté in extremis dans le ciel de Ryad par un missile Patriot. Les autorités saoudiennes ont par ailleurs reconnu hier que douze personnes ont été « légèrement blessées » dimanche à Ryad par des éclats à la suite de l'interception de cinq ou six missiles SCUD irakiens par des Patriot.

Quelque 20 prisonniers de guerre ont été placés depuis dimanche soir sur des objectifs économiques et des installations scientifiques irakiens, a affirmé Radio-Bagdad en qualifiant cette mesure de « défensive » après les raids qui, selon la radio, ont « visé les populations civiles et les intérêts vitaux » de l'Irak.

Le Comité international de la Croix-Rouge (CICR) s'est élevé contre cette mesure, affirmant qu'elle constitue une violation flagrante des conventions de Genève sur les prisonniers de guerre. Une condamnation reprise aussi bien à Washington, Londres, Ottawa que Paris.

Selon le Pentagone, Washington a d'ores et déjà prévu des mesures pour traîner Saddam Hussein et d'autres Irakiens devant un tribunal pour crimes de guerre, après la fin des hostilités dans le Golfe.

Selon l'organisation de défense des droits de l'homme Middle East Watch, l'Irak avait maltraité beaucoup des 70 000 Iraniens capturés en huit ans de guerre. En octobre dernier, M. Bush avait menacé Saddam Hussein d'un procès pour crimes de guerre pour « le sac du Koweït », en comparant le chef de l'État irakien à Adolf Hitler.

Le chef du Pentagone a indiqué que les États-Unis avaient « des raisons de croire » que les Irakiens détenaient « au moins trois Américains », mais qu'il ne pouvait confirmer le chiffre d'une vingtaine de prisonniers cité par Radio Bagdad. Londres a reconnu que deux de ses aviateurs étaient aux mains des Irakiens. Au moins un Américain, un Britannique et un Italien ont été identifiés.

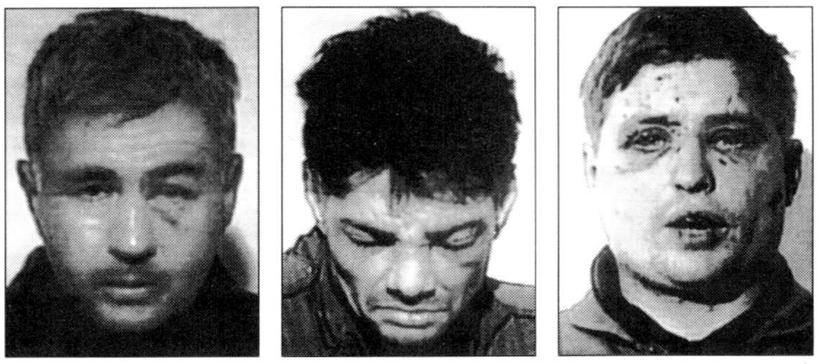

Trois pilotes alliés, parmi la vingtaine qui, selon Radio Bagdad, ont été capturés depuis le début des hostilités, ont été exhibés hier à la télévision irakienne.

Sur le front politico-diplomatique, l'Irak a rejeté un plan de paix de Mikhaïl Gorbatchev et dénoncé le traité de non-agression le liant à l'Arabie Saoudite.

L'Égypte, elle, semble intensifier ses efforts pour trouver une issue diplomatique alors que la pression de la rue s'accentue. Selon un journaliste proche du président Hosni Moubarak, le Caire souhaite voir accorder à Bagdad un cessez-le-feu temporaire pour permettre à Saddam Hussein d'annoncer et d'engager le retrait de ses forces du Koweït.

L'OLP était en concertations avec l'Algérie, la Jordanie, la Libye, le Yemen, la France, l'Union soviétique et la Chine pour constituer « un barrage politique » contre la guerre, a-t-il précisé.

Bombardements

Sur le théâtre des opérations, les bombardements alliés se sont poursuivis hier, quoique à un rythme quelque peu « ralenti », du fait de l'épaisse couverture nuageuse. Une mission des CF-18 canadiens a ainsi été reportée en raison des conditions météo.

Selon l'agence irakienne INA, l'aviation alliée a effectué 15 raids lundi, dont trois contre Bagdad. Tikrit, la ville natale de Saddam Hussein, a aussi été frappée.

Malgré l'intensité des raids — 8 100 sorties des aviations alliées depuis le déclenchement des hostilités jeudi dernier —, les principaux objectifs militaires irakiens, notamment la plus grande partie des sites de missiles SCUD, restent opérationnels, a déclaré hier à Ryad un officier supérieur de l'armée de l'air américaine. On estime que l'Irak utilise des leurres pour tromper la chasse alliée. La plupart des analystes militaires estiment désormais que les raids aériens massifs de l'opération « Tempête du désert » ne suffiront pas à faire plier Saddam Hussein.

Lorena Bobbitt est acquittée

Lorena Bobbitt, 24 ans, accusée d'avoir tranché le pénis de son mari en juin 1993, a été acquittée hier (**le 21 janvier 1994**) par le jury de Manassas (Virginie) composé de sept femmes et cinq hommes, ayant estimé qu'elle avait agi dans un moment de « folie passagère ».

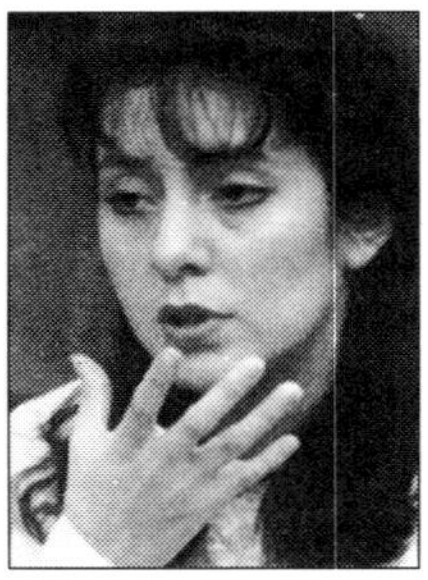

Lorena Bobbitt

À l'énoncé du verdict, Lorena n'a manifesté aucune émotion. Elle a immédiatement été escortée hors de la salle d'audience, alors qu'à l'extérieur du palais de justice, une centaine de personnes, pour la plupart d'origine hispanique, manifestaient leur satisfaction au cri de « Lorena, Lorena ».

Ce verdict constitue une victoire pour la défense, les jurés ayant admis après plus de sept jours de délibérations que Lorena avait obéi à une « pulsion irrésistible » lorsque, dans la nuit du 22 au 23 juin, elle a coupé le sexe de son époux avec un couteau de cuisine.

Jugé pour le viol de son épouse, son mari, John Wayne Bobbitt, avait été acquitté en novembre par un autre tribunal.

Des chirurgiens ont réussi à recoudre son pénis, que sa femme avait jeté par la fenêtre de sa voiture et que la police a retrouvé au bord d'une route.

Au cours du procès de Lorena Bobbitt, ses avocats ont fait valoir qu'elle avait agi sous le coup d'une impulsion pour supprimer « l'instrument de sa torture ».

Pour étayer sa thèse, la défense avait, grâce à de multiples dépositions, longuement décrit « le règne de terreur » que John Wayne Bobbitt, un ex-Marine de 26 ans, avait institué dans le couple. Un témoin a décrit comment il avait contraint Lorena à avorter.

Excédée par ces traitements avilissants, la jeune femme a perdu la raison et a commis son geste alors qu'elle venait de basculer dans la folie, a conclu Blair Howard, l'un des avocats de la défense.

Le procès a eu un énorme retentissement aux États-Unis où il a été retransmis en direct par deux réseaux de télévision.

Pas de conscription, dit Joe Clark

Peu importe la durée ou l'ampleur des hostilités au Moyen-Orient, le Canada n'aura pas recours à la conscription et ne déploiera pas son infanterie dans la région du Golfe, a affirmé hier (**le 21 janvier 1991**) le ministre des Affaires extérieures, M. Joe Clark.

« Il n'y a aucune circonstance où le gouvernement pourrait avoir recours à la conscription », a dit M. Clark devant le comité permanent des Affaires extérieures des Communes.

Devant les journalistes, le ministre Clark a ajouté que la durée de la guerre ou l'ampleur des hostilités ne pourraient influencer la décision du gouvernement de ne pas recourir à l'enrôlement obligatoire.

Le ministre de la Défense nationale, Bill McKnight, avait laissé entendre la semaine dernière que le Canada n'aurait pas recours à la conscription mais c'était la première fois hier que le gouvernement se prononçait aussi clairement sur le sujet.

Le Canada compte quelque 87 800 militaires dans ses forces régulières et environ 40 000 réservistes. Jusqu'à présent, 1 830 militaires ont été dépêchés dans la région du golfe Persique, dont 21 volontaires de la réserve.

Ottawa exclut aussi toute participation aux hostilités de son infanterie, car les troupes terrestes des Forces canadiennes n'ont pas été entraînées pour combattre dans le désert, dit M. Clark.

Il demeure toutefois possible que le Canada augmente son effort de guerre. Le rôle de l'aviation canadienne pourrait notamment être modifié, a suggéré M. Clark.

Aussi, le gouvernement canadien n'exclut pas la possibilité d'équiper les 24 CF-18 déployés dans le Golfe de missiles air-sol. Les chasseurs canadiens pourraient alors participer directement aux raids aériens effectués en Irak et au Koweit par la force multinationale. Mais aucune décision en ce sens n'a toutefois été prise jusqu'à présent, a dit M. Clark.

Le plan de paix proposé par le secrétaire-général des Nations unies Javier Perez de Cuellar peu avant l'ultimatum du 15 janvier demeure pertinent, dit M. Clark. Mais Saddam Hussein devra démontrer qu'il se retire du Koweit avant que des pourparlers soient tenus.

Manif à la mémoire de Louis XVI

Le bicentenaire de l'exécution de Louis XVI a été marqué hier (le 21 janvier 1993) en France par plusieurs cérémonies et aussi par une manifestation au Panthéon, qui a abouti à l'interpellation de 77 monarchistes.

Près de 5 000 personnes ont rendu hommage au souverain guillotiné.

Le silence est tombé sur la place à 10 h 22 précises, heure à laquelle le couperet de la guillotine trancha la tête de Louis XVI.

C'EST ARRIVÉ UN 22 JANVIER

1910 — Trente et un morts et 46 blessés, tel est jusqu'à maintenant le bilan de l'épouvantable catastrophe ferroviaire survenue à Webbwood, près de Sudbury. Deux personnes sont introuvables depuis l'accident. On ignore si elles sont prisonnières des 28 wagons submergés ou si elles ont trouvé un asile quelque part après le désastre.

1905 — À Saint-Pétersbourg, les troupes du tsar tirent sur des milliers de grévistes pacifiques, conduits par le père Gopon, cherchant à atteindre le palais d'hiver par la porte Nawva. « À bas l'Empereur », crient des milliers de révoltés, dont des centaines sont massacrés par les fantassins et les cosaques du tsar.

1901 — La reine Victoria est morte. La souveraine du Royaume-Uni, de la Grande-Bretagne et d'Irlande, impératrice des Indes, s'est éteinte cet après-midi, à quatre heures, dans son château d'Osborne, après une longue mais paisible agonie.

Patient de 3000 ans traité à l'hôpital Saint-Luc

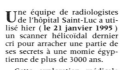

Une équipe de radiologistes de l'hôpital Saint-Luc a utilisé hier (**le 21 janvier 1995**) un scanner hélicoïdal dernier cri pour arracher une partie de ses secrets à une momie égyptienne de plus de 3000 ans.

Cette exploration médicale inusitée, une première mondiale croit-on, a été conduite de concert avec les spécialistes des musées McCord et Redpath. Elle visait à obtenir le maximum de nouvelles données sur une momie qui dort à Montréal depuis 1859.

« On sait maintenant que Red II — c'est le surnom de la momie — est un jeune adulte de taille moyenne décédé alors qu'il avait entre 25 et 40 ans. Nous en apprendrons davantage dans quelques semaines, lorsque nous aurons effectué une analyse approfondie des radiographies », a déclaré le docteur Étienne Cardinal.

La momie du Musée Redpath et les résultats de cette recherche scientifique seront d'ailleurs présentés au grand public, à partir du 9 mai, dans le cadre de l'exposition « L'invisible se révèle », au Musée McCord. Cette manifestation soulignera le centième anniversaire de la découverte des rayons-X par le professeur de physique bavarois Wilhelm Roentgen.

Même si on est parvenu hier a déterminer l'âge et le sexe de la momie, il est peu probable que les médecins puissent établir la cause du décès. Ceux-ci sont en effet privés de preuves de pathologies, compte tenu que les organes ont été retirés du corps lors de l'embaumement, a noté le docteur Cardinal.

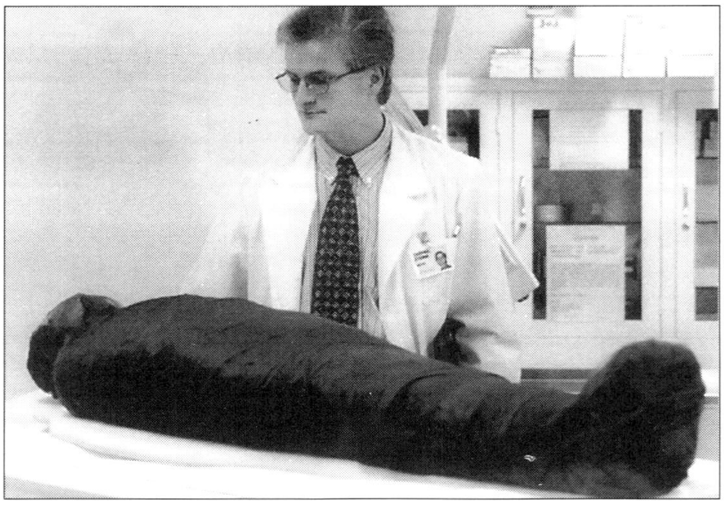

Le Dr Étienne Cardinal examine la momie.

Les spécialistes ont, par exemple, obtenu des informations très utiles sur le type de momification pratiqué dans l'ancienne Égypte et sur le statut social de Red II.

Ainsi, ils ont découvert qu'on retirait le cerveau du crâne en agrandissant l'orifice nasal du sujet et qu'un produit de conservation, sans doute une résine, était injecté dans le corps et la tête. L'homme était bien nourri, puisque son ossature était bonne. Il semblait n'avoir souffert d'aucune maladie grave, estiment les médecins.

L'absence d'amulettes à l'intérieur des bandelettes, ou de pochettes contenant les organes de l'homme, porte à croire qu'il était de condition sociale modeste. Les riches et les puissants faisaient l'objet d'un rituel plus élaboré qui s'étendait sur 70 jours, a expliqué Barbara Lawson, la conservatrice de la collection au Musée Redpath.

On trouve seulement une vingtaine de ces momies égyptiennes au Canada, dont quatre au Musée Redpath, à Montréal, et une autre au Musée du Séminaire, à Québec. Celle qu'on a examinée hier a été acquise par le musée montréalais au milieu du siècle dernier, mais elle n'a jamais été soumise à une autopsie, de crainte de la détruire.

Entièrement recouverte de bandelettes brunâtres, sauf sur le visage, elle a un peu l'air d'un grand blessé enveloppé de bandages chirurgicaux. La peau du visage est presque noire, comme du cuir usé par la patine du temps, et elle colle aux os en raison de la déshydratation du corps.

Les médecins de Saint-Luc l'ont examinée au moyen d'un CT-Scan, ou tomodensimètre à haute révolution, acquis tout récemment. Cet appareil, unique en son genre au Québec, combine l'ordinateur avec les rayons-X. Il est le dernier-né de la génération des scanners et a coûté 1,2 million de dollars.

Contrairement aux appareils plus anciens, celui-ci permet d'acquérir des images de façon continue, comme une vis sans fin, et non plus par tranches. On le qualifie d'hélicoïdal en raison du mouvement exécuté autour du patient lors de la prise d'images.

Les radiologistes ont capté de 350 à 400 images de la momie en une heure, hier, et ils ont même reproduit sur l'écran le corps sans ses bandelettes, grâce à ce nouveau procédé. Un tel exament exigeait autrefois une journée entière de travail, a expliqué le docteur Cardinal.

Le directeur du service de radiologie a souligné que la réalisation de cette expérience ne nuisait aucunement au service régulier de l'hôpital, puisqu'un autre appareil était libre pour les cas d'urgence. Il a également noté que tous les médecins avaient offert leur collaboration de manière bénévole.

UNE EFFROYABLE CONFLAGRATION

Un incendie qui s'est déclaré vers huit heures, hier soir, chez Saxe & Sons, cause pour $2,500,000, de pertes. — Jamais Montréal n'a encore été aussi terriblement éprouvé.

L'INCENDIE RAVAGE LA PARTIE OU LE HAUT COMMERCE DE LA METROPOLE AVAIT SES QUARTIERS GENERAUX

Toute la première page et la presque totalité de la page 11 de l'édition du 24 janvier étaient consacrées à cet incendie aussi spectaculaire que désastreux, survenu la veille, ***23 janvier 1901.***

UN incendie, le plus désastreux que nous ayions connu depuis les grandes conflagrations dont les anciens se rappellent et qui sont maintenant du domaine de l'histoire, s'est déclaré, hier soir, à 8.05 heures, dans l'établissement de MM. Saxe et fils, marchands-tailleurs en gros, angle des rues Saint-Pierre et Lemoine. L'élément destructeur a causé des pertes estimées à deux millions et peut-être deux millions et demi. Ce n'est que vers une heure, ce matin, que les flammes ont pu être maîtrisées. La rangée d'édifices bornée par les rues St-Sacrement, St-Pierre, St-Paul et St-Nicholas, a été détruite de fond en comble. Dans ce bloc se trouvait la superbe bâtisse du « Board of Traded » érigée en 1894, au coût de $605,000, terrain compris. A l'heure qu'il est, il n'en reste plus que les murs enfumés et couverts de glace. Sur la rue St-Pierre, depuis la rue Lemoine jusqu'à la rue St-Paul, tout a été consumé. Les flammes ont traversé la rue St-Paul et se sont frayé un passage, jusqu'à la rue des Commissaires.

Grâce aux efforts de la brigade, l'imprimerie de MM. John Lovell and Son, sur la rue St-Nicholas et les constructions du côté nord de la rue St-Sacrement ont été sauvées. Ce feu fut extraordinairement difficile à combattre. A l'exception du Board of Trade, c'était tous de vieux édifices; de plus, les rues sont étroites et la foule des curieux était énorme, ce qui rendait encore plus difficile le mouvement des pompiers.

Le feu s'est répandu avec une rapidité inouie, aidé qu'il était par la nature inflammable des marchandises contenues dans les édifices incendiés. Ceux qui se trouvaient sur les lieux n'ont pu avoir une idée d'ensemble du spectacle, à la fois lugubre et grandiose, qu'offrait cette véritable conflagration, à cause de l'étroitesse des rues et de la hauteur des bâtisses dans cette partie centrale de la cité; mais le firmament était embrasé et de tous les points, même les plus reculés de la ville, on pouvait voir l'immense lueur qui illuminait le ciel et qui revêtait d'une teinte rose les épais nuages de fumée montant dans l'espace. (...)

L'incendie qui a eu lieu, vendredi dernier, chez Thomas May, n'est rien à côté de celui-ci, qui a détruit des propriétés de prix sur une surface de plusieurs arpents. Heureusement, il ne ventait pas trop fort, et l'on doit en remercier la Providence; autrement, les maisons d'affaires de cette partie de la ville n'auraient pu échapper au désastre. (...)

LE COMMENCEMENT DE L'INCENDIE

A 8.05 heures, l'alarme fut sonnée à l'avertisseur No 415, coin des rues St-Pierre et St-Sacrement. Quand les capitaines Brière et Gordon arrivèrent sur les lieux, avec les hommes des casernes Nos 4 et 5, le feu, qui s'était déclaré chez MM. Saxe et Fils, avait déjà traversé la rue et atteint le magasin de fantaisies, jouets, etc. de H. A. Nelson, Fils et Cie, et il y faisait des ravages, réduisant tout en cendres sur son passage. Le drapeau qui flottait à mi-mât sur le Board of Trade disparut comme par enchantement, dévoré par les flammes.

De l'établissement Nelson, le feu parvint jusqu'à la rue St-Pierre, pénétra dans la bâtisse de la Beardmore Bating Co., puis chez Silverman, Boulter and Co., chapeliers et marchands de fourrures en gros, coin des rues St-Pierre et St-Paul.

De l'autre côté de la rue St-Pierre, le feu avait déjà détruit les édifices entre les rues Lemoine et St-Paul. Toute la rue St-Pierre ressemblait à une fournaise monstre, l'incendie faisant rage de chaque côté.

Aucun effort humain ne pouvait arrêter promptement l'élément destructeur.

BOARD OF TRADE

A neuf heures, les débris embrasés de la bâtisse Nelson commencèrent à pleuvoir sur la bâtisse du Board of Trade. Pendant plusieurs heures, des jets d'eau ont protégé les parties les plus exposées, mais n'ont pu empêcher le feu de se communiquer au coin sud-ouest du cinquième étage. Pendant dix minutes, les pompiers espérèrent que l'élément destructeur bornerait là son travail dans cette superbe bâtisse, mais graduellement il s'étendit peu à peu et bientôt la maison fut couverte de flammes.

Aussitôt que la chose fut possible, une échelle fut placée, et des pompiers montèrent avec des boyaux à incendie. (...)

Des hommes de police placés aux portes ont empêché que les curieux et les rôdeurs n'allassent ou piller les bureaux, ou se faire asphyxier. (...)

Malgré les efforts des pompiers, le feu faisant des progrès constants et bientôt consumait le cinquième et le quatrième plancher. Une noire fumée et une chaleur intense obligèrent les pompiers à descendre. Le Board of Trade deavait périr. Les pompiers impuissants et une foule de curieux assistèrent alors à un spectacle terrifiant. Les flammes s'élevèrent à une hauteur extraordinaire. (...) A minuit il ne restait de ce riche édifice qu'une portion des murs extérieurs: c'est une perte totale.

L'édifice de la Bourse de Montréal, ou « Board of Trade » comme on préférait dire à l'époque, logeait plus d'une centaine de locataires. Le feu détruisit également, outre l'établissement Saxe & Son à l'origine de la conflagration, plus d'une cinquantaine de commerces des rues Saint-Paul, Saint-Pierre, Saint-Nicholas, Saint-Sacrement, Lemoine et des Commissaires.

L'élément destructeur enveloppe complètement l'édifice du « Board of Trade ». Cette scène a été croquée par le dessinateur de LA PRESSE, installé un peu plus à l'est, rue Saint-Sacrement.

Cette photo publiée initialement dans l'édition du *21 janvier 1926* de LA PRESSE, montre le premier véhicule moteur fabriqué au Canada, et plus précisément à Montréal par M. H.-E. Bourassa, qui se trouve à bord de son véhicule (à gauche), flanqué d'un ami, Bruno Lalumière. Il s'agit d'un modèle à deux cylindres développant 4 c.-v., à refroidissement par ailettes, avec transmission par friction, et doté de deux vitesses. L'allumage était effectué par piles sèches en séries, et la direction se faisait au moyen d'un levier.

Discovery s'envole avec la Canadienne Roberta Bondar

Sept astronautes, dont une Canadienne, ont commencé leur périple dans l'espace à bord de la navette Discovery après son lancement, hier (**le 22 janvier 1992**) à 9 h 53, de Cap Canaveral en Floride.

La neurobiologiste Roberta Bondar, seule femme de l'équipage, et Ulf Roberta Merbold, physicien allemand, sont les premiers astronautes étrangers à participer à une mission du programme spatial américain depuis 1985.

Roberta Bondar, 46 ans, de Sault Ste. Marie en Ontario, a inauguré les expériences de la mission en aidant son compagnon astronaute Norman Thagard, de Floride, à mettre en route Spacelab, le laboratoire installé dans les soutes de Discovery.

Discovery emporte dans l'espace des échantillons divers, parmi lesquels des embryons de souris, des larves de mouche, des oeufs de grenouille et des graines céréalières, à partir desquels l'équipage conduira quelque 55 expériences scientifiques en apesanteur.

L'astronaute canadienne Roberta Bondar est l'une des deux spécialistes de charge utile de la mission qui réaliseront 43 expériences, notamment sur la micro-gravité, au nom du Canada et de 12 autres pays.

Au cours des sept jours de mission, plus de cinquante expériences scientifiques, conçues aux États-Unis, dans 11 pays d'Europe, au Japon au Canada et même en Chine, doivent être consacrées à l'étude du comportement des organismes vivants et des matières inertes en apesanteur.

Ces études, spécialement en ce qui concerne les modifications physiologiques enregistrées chez l'être humain en apesanteur, sont essentielles pour la poursuite des travaux sur les stations spatiales de l'avenir, à bord desquelles les équipages devront être capables de rester plusieurs mois sans éprouver les symptômes associés au « mal de l'espace » dont sont victimes aujourd'hui les astronautes.

LE SKI

Devant l'intérêt de ses lecteurs pour le ski, LA PRESSE reproduisait, dans son édition du *23 janvier 1906*, une leçon de ski tirée d'un magazine français. On y proposait de savantes explications sur les différences entre le ski de plaine et le ski de montagne (ce *qu'on qualifierait aujourd'hui de ski de randonnée et de ski alpin*). En outre, on y expliquait comment marcher, faire demi-tour, monter, descendre, s'arrêter et sauter. Et si l'illustration concernant le demi-tour ne surprend personne, on ne peut en dire autant de la méthode suggérée pour l'arrêt. « Quand la pente n'est pas trop forte, peut-on y lire, on peut s'arrêter net en se servant du bâton comme d'un frein. La rondelle d'osier dont il est muni l'empêche de s'enfoncer dans la neige ». C'est évidemment une méthode à NE PAS utiliser...

C'EST ARRIVÉ UN 23 JANVIER

1976 — Reconnu coupable d'outrage au tribunal, le ministre fédéral de la Consommation et des Corporations, André Ouellet, est obligé de s'excuser auprès du juge Kenneth Mackay. — Décès à l'âge de 77 ans du chanteur noir Paul Robeson, qui dut s'exiler à cause des attaques des maccarthyistes.

1974 — Un incendie majeur éclate dans le métro de Montréal entre les stations Rosemont et Laurier. Les dégâts sont importants mais il n'y a pas de pertes de vie.

1962 — Jackie Robinson, le premier joueur noir à évoluer dans les ligues majeures, est élu au Temple de la renommmée du baseball en compagnie de Bob Feller.

1961 — Fin d'une grève générale de 33 jours en Belgique, provoquée par le programme d'austérité décrété par le gouvernement. — Acte de piraterie en pleine mer: des adversaires du régime Salazar, du Portugal, arraisonnent le *Santa Maria*.

1960 — Le bathyscaphe *Trieste* avec à son bord, Jacques Piccard et le lieutenant Don Walsh, descend à plus de sept milles au-dessous du niveau de la mer. — Ouverture du boulevard Métropolitain, attendu depuis 38 ans.

1959 — La skieuse canadienne Anne Heggveit gagne le slalom international de Saint-Moritz, en Suisse.

1957 — Grace Kelly, princesse de Monaco, est l'heureuse maman d'une fille, qui portera le nom de Caroline.

1945 - Le romancier Claude-Henri Grignon est élu maire de Sainte—Adèle.

Subventions à la recherche: McGill dépasse l'UdM

Grâce à un rayonnement facilité par l'anglais et à un bureau de recherche dynamique, l'Université McGill a recueilli en 1995-96 davantage de subventions de recherche que l'Université de Montréal, qui accuse depuis 1992-93 un recul de 27 % à ce chapitre.

Les revenus de recherche de l'Université de Montréal s'élevaient à 167 millions l'an dernier, alors qu'ils étaient de 136 millions en 1990-91 et de 230 millions en 1992-93, selon les chiffres préliminaires du Système informatisé de recherche universitaire du ministère de l'Éducation. McGill a elle aussi connu un bond entre 1990-91 et 1991-92, ses revenus de recherche passant de 115 à 160 millions, pour atteindre 169 millions l'an dernier.

S'il minimise ce mouvement, le vice-recteur à la recherche de l'UdeM, Maurice Saint-Jacques souligne que McGill a plus de facilité à attirer les capitaux internationaux à cause de la langue. « L'écart (de deux millions) ne représente que quelques contrats, que nous pourrions aller chercher cette année. Mais il est vrai que nous devenons de moins en moins concurrentiels dans le monde anglophone, sans qu'il s'agisse de discrimination. Le chercheur francophone de calibre moyen se positionnera plus difficilement que son collègue anglophone. Des liens avec la France engendrent moins de subventions qu'un rayonnement aux États-Unis. De plus, contrairement aux anglophones, les francophones assimilent souvent de façon péjorative l'excellence à l'élitisme. »

Son homologue de McGill, Bernard Robaire, fait valoir que les chercheurs anglophones obtiennent moins de subventions gouvernementales québécoises. Selon lui, la langue seule n'explique pas la performance de McGill. « Ce n'est pas à moi d'analyser celle de l'UdM, mais je constate que l'administration centrale a moins de possibilité de pousser un chercheur à demander des subventions. »

McGill a multiplié les séminaires pour apprendre aux chercheurs à obtenir des bourses s'ils n'en ont pas eu depuis quelques années, ou à décrocher plusieurs bourses. « Des membres de jurys sont venus s'adresser à nos professeurs, et nous avons distribué une base de données répertoriant une foule de fonds subventionnaires internationaux. Le National Institute of Health a cinq fois plus de budget per capita que son équivalent canadien, le Conseil de recherche médicale. »

Depuis six ans, McGill a connu une croissance de ses revenus de recherche de 46 % à 169 millions, Laval de 38 % à 116 millions, l'Université du Québec de 26 % à 89 millions et l'Université de Montréal de 22 % à 167 millions. Les chiffres provenant des universités sont en général plus élevés que ceux du ministère, car ils tiennent compte d'autres subventions. (**Texte publié le 23 janvier 1997**).

Un vingtième enfant

Une Britannique de 40 ans, Nicola Pridham, déjà mère de 19 enfants, est une nouvelle fois enceinte et attend la naissance de son 20e bébé au mois de mai, rapporte le tabloïd News of World.

Mais la « super-maman » qui occupe une maison de huit chambres à Lincoln, dans l'est de l'Angleterre, avec son mari Kevin, âgé de 38 ans, est encore loin du record mondial et même du record national dans ce domaine.

Le record anglais appartient toujours à Elizabeth Mott, de Kirby, qui a eu 42 enfants entre 1676 et 1720. (**Texte publié le 23 janvier 1999**).

LE PREMIER POSTE DE TELEPHONE AUTOMATIQUE FONCTIONNERA BIENTOT

Le changement s'effectuerait en avril pour les abonnés du service Lancaster

EXPLICATION DU SYSTEME

Ce reportage, qui paraîtra incidemment empreint d'une certaine naïveté, vu avec les yeux d'aujourd'hui, a été publié dans LA PRESSE du **24 janvier 1925.**

UNE fois terminée la construction du superbe immeuble Lancaster à l'angle des rues Ontario et Saint-Urbain, le premier poste central de téléphone automatique à être installé à Montréal, sera sur le point de fonctionner. Il y a certes encore beaucoup à faire pour terminer la canalisation des câbles souterrains et aériens, et le montage au poste central des appareils d'aiguillage n'est pas encore complété. Mais on s'attend à ce que d'ici trois mois tous les abonnés desservis par le poste central Lancaster soient pourvus d'un appareil automatique.

Le nouvel annuaire du téléphone contient un grand nombre d'abonnés du poste Lancaster et la Compagnie y ajoutera, de temps en temps, d'autres abonnés. On est à installer dans les demeures et les places d'affaires de ces abonnés des appareils téléphoniques munis de cadrans et, en temps et lieu, on leur donnera des instructions personnelles les indiquant la manière exacte de se servir de ce nouvel appareil. D'après les prévisions actuelles, la Compagnie sera en mesure, en avril prochain, d'effectuer le changement au service automatique du territoire Lancaster.

Le nouveau poste central Lancaster, installé au coin des rues Ontario et Saint-Urbain.

LE FONCTIONNEMENT

« Mais comment ceci fonctionne-t-il ?, demandait-on à M. Frank C. Webber, gérant de la Compagnie de Téléphone Bell, comment appellera-t-on par exemple LAncaster 0456 ? »

« Bien, dit M. Webber, en posant devant nous, sur le bureau, un appareil automatique, voyons quelles sont les opérations requises pour appeler le numéro que vous mentionnez — Lancaster 0456 — et dans quel ordre elles se présentent.

« D'abord nous décrochons le récepteur et écoutons pour percevoir ce qu'on est convenu d'appeler le « ton du cadran » — un bourdonnement continu qui indique que le mécanisme est prêt à transmettre nos signaux.

« Après avoir perçu le bourdonnement et en tenant toujours le récepteur décroché, nous signalons la lettre « L » du numéro LAncaster 0456. »

Plaçant l'index dans le trou où apparaît la lettre « L », M. Webber tourne le cadran jusqu'au point d'arrêt. Puis il dégagea le cadran qui retourna à sa position normale.

« Ensuite, nous signalons de même la lettre « A » ». Encore une fois, il tourna avec l'index le cadran jusqu'au point d'arrêt, puis le laissa revenir à sa position initiale.

« Maintenant que nous avons signalé les deux premières lettres du nom du poste central, nous commençons à signaler les chiffres 0 - 4 - 5 - 6. »

Ici M. Webber localisa à tour de rôle chacun des chiffres et, après avoir tourné le cadran jusqu'au point d'arrêt, le laissa revenir au repos.

« Maintenant, si ce téléphone était réellement raccordé, je devrais entendre le ronron qui m'indiquerait que la sonnerie du poste appelé tinte. Nous avons complété toutes les opérations nécessaires à un appel d'un poste automatique à un autre : d'abord les deux premières lettres du nom du poste central, lesquelles sont indiquées en majuscules dans l'annuaire, et ensuite les quatre chiffres du numéro sans omettre le zéro initial.

POINTS A NOTER

« Les points suivants sont à noter pour signaler, continue M. Webber. Vous avez pu constater que j'ai eu soin de ne pas toucher au cadran pendant qu'il retournait à sa position de repos. J'obtiendrais probablement une fausse communication si j'essayais d'en hâter ou d'en ralentir le retour.

« Remarquez aussi que les lettres sont noires et les chiffre sont rouges. Ceci permet de différencier facilement la lettre « O » (noire) du chiffre « 0 » qui est rouge. Les confondre donnerait lieu à une fausse communication, d'où l'importance de les distinguer.

« Supposons que nous éprouvons quelque difficulté? lui demanda-t-on. J'imagine que beaucoup auront besoin d'aide ».

«« Remarquez le mot « Operator » au bas du cadran, dit le gérant. Un tour au cadran vous mettra en communication avec une téléphoniste qui aura pour fonction d'aider les abonnés qui éprouveront des difficultés à signaler. Vous voyez que les abonnés desservis par le téléphone automatique ne doivent pas avoir l'impression qu'ils n'ont à leur disposition en cas d'urgence qu'une machine inerte. De fait, nous avons choisi certains numéros spéciaux servant à des appels déterminés — par exemple : Information 113 (trois tours au cadran); Commis des réparations 114 (trois tours au cadran) ; Longue distance 110 (trois tours au cadran). »

« Comment signaler un numero de ligne double? »

« Signalez le numéro de la même façon, dit M. Webber, en y ajoutant la lettre W ou J — tel qu'indiqué dans l'annuaire.

« Maintenant, 'la ligne est occupée'? »

« Si le poste que vous appelez n'est pas libre, vous entendrez un 'buzz buzz' rapide au récepteur, similaire à ce que vous entendez actuellement avec la téléphonie manuelle. Raccrochez le récepteur et rappelez un peu plus tard. »

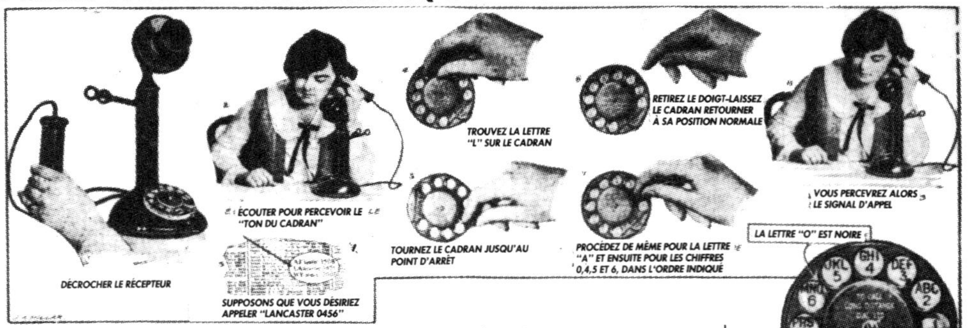
DÉCROCHER LE RÉCEPTEUR
ÉCOUTER POUR PERCEVOIR LE "TON DU CADRAN"
SUPPOSONS QUE VOUS DÉSIRIEZ APPELER "LANCASTER 0456"
TROUVEZ LA LETTRE "L" SUR LE CADRAN
TOURNEZ LE CADRAN JUSQU'AU POINT D'ARRÊT
RETIREZ LE DOIGT-LAISSEZ LE CADRAN RETOURNER À SA POSITION NORMALE
PROCÉDEZ DE MÊME POUR LA LETTRE "A" ET ENSUITE POUR LES CHIFFRES 0,4,5 ET 6, DANS L'ORDRE INDIQUÉ
VOUS PERCEVREZ ALORS LE SIGNAL D'APPEL

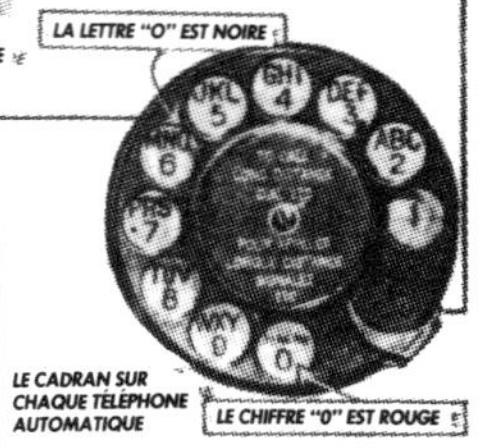
LA LETTRE "O" EST NOIRE
LE CADRAN SUR CHAQUE TÉLÉPHONE AUTOMATIQUE
LE CHIFFRE "0" EST ROUGE

Semaine Internationale du Radio Jan 23-30
ANGLETERRE
ETATS-UNIS
FRANCE
JAPON
ALLEMAGNE
AMERIQUE DU SUD
CANADA

C'est demain soir (24 janvier 1926), à 11 heures, temps officiel de l'Est, que s'ouvre la Semaine Internationale du Radio, attendue avec anxiété par tous les amateurs de l'univers. Cette semaine est consacrée aux essais radiotéléphoniques particulièrement entre l'Europe et l'Amérique du Nord, mais, l'Australie et l'Afrique se sont également inscrits et plusieurs centaines d'amateurs de ces pays tenteront également de capter les concerts transmis à l'étranger, tandis que les postes émetteurs donneront des concerts, utilisant la plus forte somme d'énergie possible, pour être entendus au loin.

Dans tout le Dominion et dans la plus grande partie des Etats-Unis, cette semaine a été attendue avec d'autant plus d'anxiété que, depuis deux ou trois semaines, les conditions de la réception ont été plus mauvaises qu'elles ne l'ont été depuis deux ou trois ans, pour le moins.

A Montréal, par exemple, depuis des semaines, bien que nous soyons pratiquement entourés de postes émetteurs « super-power » ou de très grande énergie, comme ceux de Pittsburgh, KDWA; New York, WJZ; Schenectady, WSGT, et maints postes à Chicago, Cleveland, Cincinnati et autres, les amateurs qui ont pu capter, chaque soir, les émissions de deux ou trois de ces postes, peuvent se compter très chanceux.

NDLR — On n'explique pas pourquoi l'ouverture officielle de la semaine qui commençait le 23 s'est effectuée le 24...

C'EST ARRIVÉ UN 24 JANVIER

1979 — Début d'une grève des employés de la Banque d'épargne de la Cité et du District de Montréal, la première de l'histoire dans le secteur des banques.

1975 — En cavale depuis le 24 octobre 1974, Richard Blass est abattu par la police, à Val David.

1974 — Roger Lemelin, président et éditeur de LA PRESSE, est élu membre canadien de l'académie Goncourt.

1973 — Un cessez-le-feu intervient au Vietnam à la suite d'un accord conclu par Henry Kissinger, au nom des États-Unis, et Le Duc Tho, au nom du Nord-Vietnam.

1966 — 117 personnes trouvent la mort quand un B-707 d'Air India s'écrase sur le mont Blanc.

1965 — Sir Winston Churchill meurt des suites d'une attaque cardiaque à l'âge de 90 ans.

1963 — Reconnus coupables d'un attentat contre le président Habib Bourguiba, dix Tunisiens sont passés par les armes.

1960 — La révolte éclate entre métropolitains et extrémistes de droite en Algérie. On dénombre 27 morts. Les extrémistes réclament que l'Algérie reste française.

1952 — L'hon. Vincent Massey devient le premier Canadien à être nommé au poste de gouverneur général du Canada.

1947 — Funérailles à Québec du cardinal Villeneuve.

1939 — La ville de Chillan, au Chili, est entièrement détruite par un tremblement de terre; on dénombre 2000 morts.

1921 — Réunion à Paris des pays alliés afin de discuter notamment des réparations de guerre qui seront exigées de l'Allemagne vaincue.

1905 — Lord et Lady Grey sont l'objet de brillantes réceptions à l'Hôtel de ville et au Board of Trade.

1901 — Edouard VII est proclamé officiellement roi du Royaume-Uni, de Grande-Bretagne et d'Irlande, et Empereur des Indes.

Où le golf peut conduire...

Waldon Chamberlain, golfeur de l'État de Washington, a réussi le plus long coup de départ connu à l'époque, soit 650 verges. Il faut dire que ce mordu du golf avait pris tous les moyens pour réussir son exploit. Il a tiré la balle du faîte d'une aiguille de 6,000 pieds dans le parc national Ranier. La balle a franchi une distance de 250 verges, pour ensuite rouler sur 400 verges. Cette photo assez exceptionnelle a été publiée à la page une de l'édition du *24 janvier 1931.*

Apple lance le MacIntosh

Solide répartie d'Apple Computer dans la lutte féroce qui l'oppose à IBM sur le terrain des ordinateurs domestiques : Apple lançait hier (**le 23 janvier 1984**) le MacIntosh, petit dernier de la vallée du silicone, cet eden californien où mûrissent chaque année les fruits de micro-circuits et d'écrans cathodiques.

Selon Future Computing de Richardson, au Texas, le marché des ordinateurs personnels était de 2,7 milliards $ en 82 et passera à 15 milliards d'ici 86.

Apple a connu une progression annuelle des ventes de 70 % par an. Mais au quatrième trimestre de l'année dernière, ses revenus ont accusé une baisse de 75 %. Cette chute est attribuable au PC d'IBM qui, deux ans à peine après sa mise en marché en 81, a ravi à Apple 26 % des ventes.

La sempiternelle bataille Apple/IBM devrait provoquer une croissance annuelle du marché de 60 %, estime le Yankee Group de Boston.

Nouvelle «course de l'espace» entre les États-Unis et l'URSS

Le projet de station orbitale habitée en permanence, évoqué par le président Reagan, laisse présager une nouvelle « course de l'espace » entre les États-Unis et l'Union soviétique.

Cette dernière prépare depuis des années la mise en orbite d'une station habitée, les États-Unis ayant pour leur part envoyé en missions orbitales leurs navettes spatiales. Moscou a aussi commencé à développer sa propre navette, et Washington s'apprête à construire une station spatiale.

Les deux superpuissances, qui n'ignorent rien des implications militaires de la conquête de l'espace, vont consacrer des milliards de dollars dans les prochaines années aux deux types de vaisseaux spatiaux, dans le but de s'assurer une position de supériorité.

L'Union soviétique passe pour avoir entrepris un effort d'envergure en vue de sa présence permanente sur orbite proche da la terre. En plus du développement d'une navette, elle construit deux fusées d'appoint d'un nouveau type, dont l'une est la plus puissante jamais conçue.

D'après la plupart des spécialistes, ces fusées devraient être utilisées dans un avenir peu éloigné pour le transport dans l'espace des principales composantes d'une grande station devant être assemblée en orbite, puis habitée en permanence par des cosmonautes.

Des hommes et des femmes pourraient effectuer des travaux susceptibles de produire métaux, cristaux et médicaments « exotiques » dont la gravité terrestre interdit la fabrication.

Une station orbitale habitée en permanence pourrait également servir de base de lancement à d'autres missions spatiales telles que des voyages de colonisation de la lune. (**Texte publié le 24 janvier 1987**).

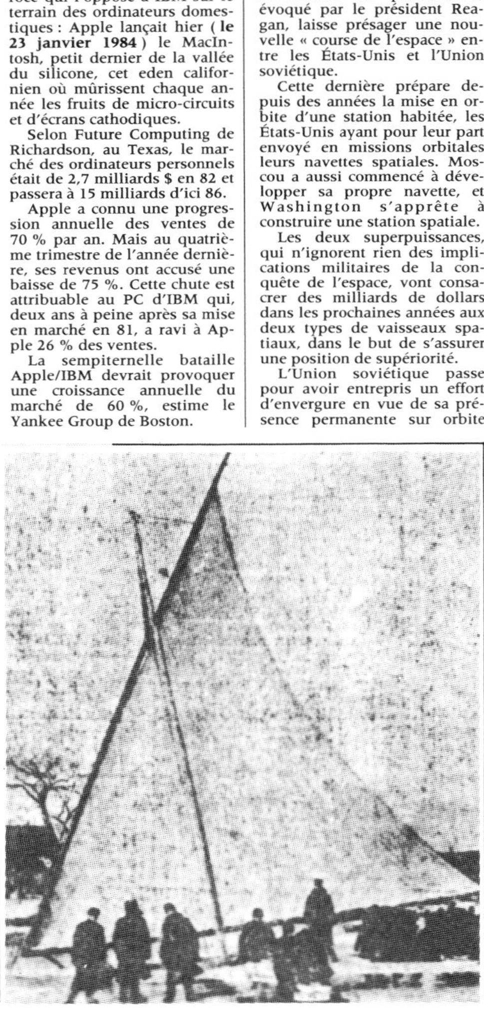

LE YACHT

Le yachting sur glace, c'est vieux!

S'il en était qui croyaient que le yachting sur glace était une discipline sportive qu'on ne pratiquait que depuis quelques années au Québec, ceux-là seront surpris d'apprendre que ce genre de sport se pratiquait déjà au tournant du siècle comme en font foi ces photos prises lors de la course disputée le *24 janvier 1906* sur le lac Saint-Louis. Ce dessin montre l'*Hurricane* qui s'était enfoncé dans la glace où, comble de malheur, il devait être frappé par un autre yacht, l'*Éléphant blanc*.

UN NOUVEAU POUVOIR HYDRAULIQUE GIGANTESQUE

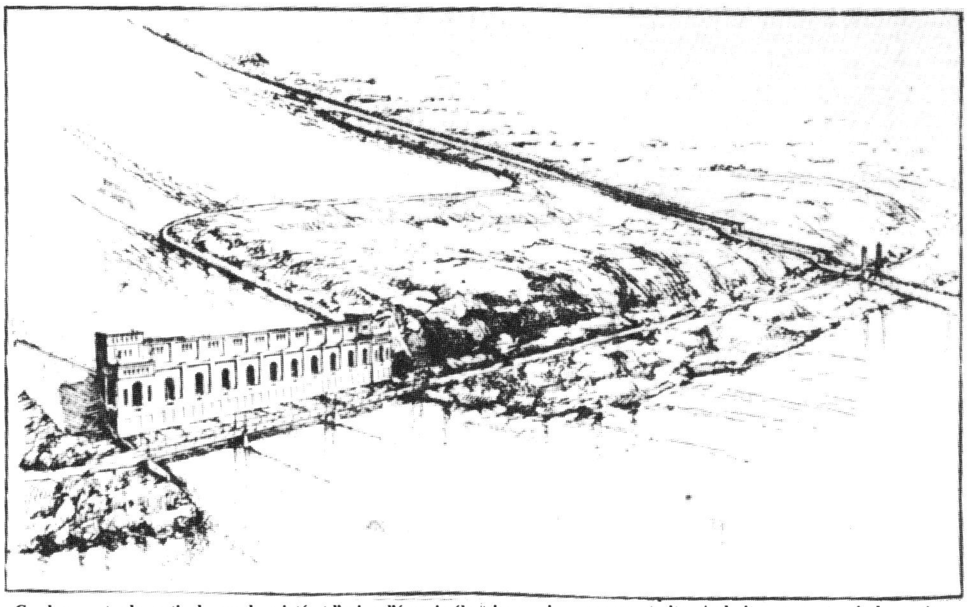

Ce plan montre la sortie du canal projeté et l'usine d'énergie électrique qui y sera construite. A droite, on peut voir le système d'écluses qui y sera installé en cas de besoin.

Un canal reliera les lacs Saint-François et Saint-Louis pour assurer la production de 500,000 H.P. — Une solution du problème de la canalisation du Saint-Laurent

HOUILLE BLANCHE A BAS PRIX

Cette importante nouvelle a été publiée dans LA PRESSE du ***25 janvier 1928.***

L'AMÉNAGEMENT d'un nouveau pouvoir hydraulique gigantesque sera bientôt réalisé par la Beauharnois Light, Heat & Power Co. Les promoteurs du projet sont assurés du concours d'un groupe de financiers canadiens-français et anglais. Le harnachement d'un tel pouvoir d'eau assurera la subsistance à 150,000 ouvriers de notre province.

La compagnie veut aménager un pouvoir initial de 500,000 H.P. à Beauharnois, à 25 milles de Montréal seulement. Déjà 300,000 H.P. de ce pouvoir ont été vendus à diverses industries qui s'installeront aussitôt que le projet aura été réalisé. La compagnie n'a plus qu'à obtenir certaines garanties nécessaires du gouvernement fédéral et du gouvernement provincial pour commencer ses grands travaux.

Les diverses industries sont certaines de se procurer au nouveau pouvoir de l'énergie électrique à un prix modéré.

UNE ENTREPRISE QUI NOUS INTERESSE

La réalisation de l'entreprise intéresse souverainement le Canada français. Le projet terminé, les industries qui en dépendront augmenteront les salaires payés annuellement dans la province de $250,000,000 et assureront la subsistance à 150,000 de nos ouvriers. Ces chiffres ne sont pas le fruit des rêves d'un ingénieur. Ils sont basés sur des comparaisons avec plusieurs centaines de compagnies exploitant des pouvoirs d'eau semblables aux Etats-Unis et ailleurs.

En moyenne, pour chaque 1000 H.P., les compagnies de pouvoir d'eau et les industries qui en dépendent paient annuellement en salaires $580,000 et emploient 450 ouvriers. Aussi, peut-on se rendre compte des possibilités qu'offrira un tel pouvoir développé à Beauharnois.

GOUVERNEMENTS SYMPATHIQUES

Comme nous le disions au début, la compagnie doit obtenir du gouvernement provincial et du gouvernement fédéral certains privilèges et garanties avant d'entreprendre tout travail. Elle a été assurée de la sympathie du gouvernement de Québec et à Ottawa on verrait le projet d'un oeil bienveillant. Aussi, les officiers de la compagnie croient que les travaux commenceront cette année.

LES PLANS DE LA COMPAGNIE

La compagnie commencera ses opérations avec une usine à pouvoir de 500,000 H.P. Elle pourra disposer, dès les débuts, d'un pouvoir initial de 300,000 H.P., déjà vendu.

Les ouvriers sont donc assurés d'avoir du travail, non seulement durant le temps de construction du pouvoir d'eau, mais aussi bien après. Des industries métallurgiques et nombre d'autres sont prêtes à s'installer. Elles requièrent des quantités considérables d'énergie électrique et l'énergie créée à Beauharnois ne sera pas dispendieuse.

A l'heure actuelle, les usines établies à Montréal ou dans les environs paient de $30 à $36 le H.P. Dans l'Ontario, on paie de $18 à $20. Cette différence est appréciable et il n'est pas étonnant que les industries se développent plus rapidement dans la province-soeur. Il en sera de même ici, si le projet à l'étude aboutit. On pourra produire de la houille blanche à aussi bon marché qu'en Ontario. (...)

LE POUVOIR D'EAU

La compagnie, après une étude approfondie, a décidé de construire un canal entre le lac Saint-François et le lac Saint-Louis. On sait qu'une différence de niveau appréciable existe entre ces deux lacs. C'est ce dont se servira la compagnie.

Le canal aura 14 milles de longueur, 3,000 pieds de largeur et 27 pieds de profondeur. (...) L'usine hydraulique sera située à la sortie du canal.

Le creusement du canal nécessitera l'enlèvement de 190,000,000 verges cubes de terre. Le projet initial coûtera environ $60,000,000. Eventuellement, on développera le pouvoir de façon à ce qu'il puisse fournir une énergie électrique de 2,000,000 H.P. Complètement terminé, le projet coûtera dans les environs de $200,000,000.

SOLUTION POUR LA CANALISATION DU S.-LAURENT

Les plans de la compagnie sont conformes en tout au projet de canalisation du Saint-Laurent. Il sera assez large et profond pour que les océaniques puissent y naviguer à l'aise. Il sera pourtant nécessaire d'installer, à la sortie, sur le lac Saint-Louis, une ou deux écluses.

Un point important pour le gouvernement, c'est qu'il n'aura pas un sou à débourser pour la construction de ce canal et qu'il pourra s'en servir, s'il en montre le désir.

Pas de querelle Ottawa-Québec pendant le 450e ?

Il ne sera certainement pas toujours facile d'éviter la guerre des drapeaux entre Ottawa et Québec au cours des 63 jours de célébrations du 450e anniversaire de la fondation par Jacques Cartier de la Nouvelle-France. Même l'objet de la découverte du marin de Saint-Malo a déjà suscité la controverse : l'importante publicité fédérale à l'étranger devait toutefois y mettre rapidement fin, décrétant que Jacques Cartier avait tout simplement découvert et fondé tout le Canada en débarquant à Gaspé le 24 juillet 1534.

Les occasions de vouloir pavoiser, les uns avec le plus de fleurs de lys possible et les autres avec des feuilles d'érable, ne manqueront pas au cours de prochains mois : par exemple, les premiers ministres Trudeau et Lévesque se trouveront au même endroit et vraisemblablement au même moment pour participer aux cérémonies de départ des grands voiliers à Saint-Malo, en France, à la mi-avril...

(Texte publié le 25 janvier 1984)

Ding et Dong à Paris

Lorsque l'on vous demande à Paris dans quelle partie de l'Afrique se situe le Québec, il s'agit là d'un véritable choc culturel. Une grande leçon d'humilité...

Je pensais justement que le Québec est vraiment mal connu et mal perçu en regardant Ding et Dong qui présentait leur sketch « Avis de recherches » à la TV française. Un numéro de dix minutes à l'intérieur d'une émission de trois heures. Pas beaucoup de rires parmi l'auditoire qui occupait une partie du plateau. Lorsque l'animateur a demandé à Claude Brasseur à qui l'émission était consacrée, s'il aimait ce genre d'humour, Brasseur a répondu qu'il se bidonnait tous les soirs en voyant Ding et Dong dans un petit club de Montréal. Mettons que Brasseur exagère un tantinet et que les lundis des Ha ! Ha ! n'étaient présentés que le lundi, mais le ton de l'animateur ne laissait aucun doute. Ding et Dong, c'était l'exotisme, une joyeuse farce folklorique que Brasseur ramenait d'Amérique comme une tête d'orignal.

(Extraits d'un texte du journaliste Jean Beaunoyer publié le 25 janvier 1984)

Croquis montréalais

L'EGLISE BONSECOURS

«Bonsecours», la vieille chapelle construite par Marguerite Bourgeoys, en 1657. C'est par-dessus tout l'Étoile de la Mer qui accueille les matelots dès leur arrivée au port.

LA BANQUE DE MONTRÉAL

«Un portique Corinthien élève ses colonnes canellées et son fronton orné des attributs du Commerce et de la finance au nord de la Place d'Armes, sur le niveau de la rue Saint-Jacques; c'est la Banque de Montréal, qui compte parmi les plus fortes institutions financières du monde.»

Ces deux croquis, tirés du *Magazine illustré* du *25 janvier 1930*, font partie d'une série commanditée par le Pacifique Canadien. Les dessins étaient l'oeuvre de M. Charles W. Simpson, tandis que M. Victor Morin signait les textes.

UN BOUDOIR MODERNE

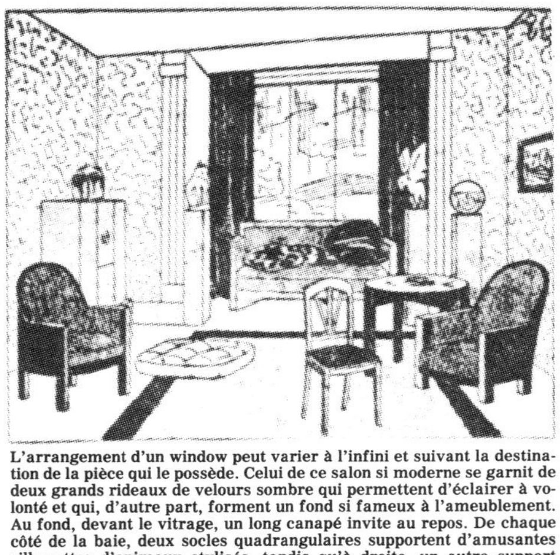

L'arrangement d'un window peut varier à l'infini et suivant la destination de la pièce qui le possède. Celui de ce salon si moderne se garnit de deux grands rideaux de velours sombre qui permettent d'éclairer à volonté et qui, d'autre part, forment un fond si fameux à l'ameublement. Au fond, devant le vitrage, un long canapé invite au repos. De chaque côté de la baie, deux socles quadrangulaires supportent d'amusantes silhouettes d'animaux stylisés, tandis qu'à droite, un autre support nous offre l'aspect chatoyant d'un aquarium. Tout ce détail anime et égaie le salon qui, d'autre part, comporte à gauche un meuble de radio, accompagné d'un large fauteuil. A droite, un petit guéridon entouré de sièges variés du même style. De chaque côté de l'ouverture deux similicolonnes peintes en stuc crème isolent cette baie et lui donnent le recul nécessaire. Un papier vermicelle tapisse tous les murs sans aucun ornement, ni bordure, ni panneaux, laissant toute son importance à la large fenêtre et à son vitrail.

C'EST ARRIVÉ UN 25 JANVIER

1980 — Élection du premier président de la République islamique d'Iran, Abol Hassan Bani Sadr.

1979 — Publication du rapport de la commission d'enquête Pépin-Robarts. Parmi ses 175 recommandations, elle propose notamment l'attribution d'un statut particulier pour le Québec.

1973 — Création de la Commission d'enquête sur le crime organisée, mieux connue sous le vocable de « Ceco ».

1965 — L'archevêque de Québec, Mgr Maurice Roy, est élevé au cardinalat en compagnie de 26 autres archevêques.

1959 — Le pape Jean XXIII annonce la convocation d'un concile oecuménique.

1948 — Mort à 48 ans d'Al Capone, l'ancien chef du monde interlope qui vivait en reclus à Miami Beach depuis 1939.

1946 — Marine Industries obtient un contrat de $12 millions de la France pour la construction de quatre dragueurs et de deux remorqueurs. — Un incendie détruit tout un quartier commercial de la ville de Jonquière. Les dégâts sont évalués à $600 000.

1937 — Le premier ministre Maurice Duplessis est acclamé après un discours virulent à l'égard du communisme.

1925 — Un garçonnet de 8 ans, Hector Galarneau, a succombé à l'hôpital Sainte-Justine aux brûlures causées par un bain dans l'eau bouillante à l'orphelinat d'Huberdeau, conclut l'enquête du coroner.

1906 — Funérailles nationales en l'honneur de l'hon. Raymond Fournier Préfontaine, ministre de la Marine et des Pêcheries.

LE PATINOIR DE LA "PRESSE"

Température peu clémente

La température n'a pas été bien clémente, samedi dernier *(25 janvier 1908)*, pour les gymnastes du professeur Scott, qui devaient assister à l'inauguration du patinoir que la « Presse » leur offre, cette année encore, sur les terrains de l'Académie Commerciale Catholique. La petite neige folle qui tombait depuis le matin couvrit la glace d'une couche un peu trop lourde et, à une heure de l'après-midi, lorsque les gymnastes arrivèrent, il fallut remettre à plus tard la joute de hockey et le programme des courses qu'on avait préparé pour cette fête. Malgré l'inclémence du temps, il y avait près de trois cents patineurs sur la glace, à une heure. On se groupa un peu partout, les uns pratiquant un peu de hockey, d'autres faisant de courts emballages de course.

Marc-Aurèle Fortin a son musée

Rue Saint-Pierre fermée pour la circonstance, on inaugurait en grande, hier soir (**le 24 janvier 1984**), le Musée Marc-Aurèle Fortin. Aménagé dans Le Cours Saint-Pierre, dans une partie de l'édifice qui a servi d'hôpital aux Soeurs Grises au début de la colonie, le nouveau musée a une allure de petit hôtel particulier.

Le Musée doit son existence à l'initiative de René Buisson, président de la Fondation Marc-Aurèle Fortin et à celle de Jean Lapointe, grand collectionneur de Fortin, qui a fait don de ses tableaux à l'établissement, et de son frère Gabriel. Québec et Ottawa ont ensuite apporté financièrement leur aide au projet.

Un embargo « injuste et moralement inacceptable », dit le pape à Cuba

Le pape Jean-Paul II a quitté La Havane hier soir à destination de Rome après une visite historique de cinq jours au cours de laquelle il a notamment condamné catégoriquement l'embargo américain en le qualifiant « d'injuste et de moralement inacceptable », quelques minutes avant son départ.

Fidel Castro avait auparavant accompagné son hôte jusqu'au pied de la passerelle et l'avait salué une dernière fois de la main lorsque l'appareil s'était éloigné sur le tarmac.

Il a félicité le souverain pontife pour avoir « rendu visite à ce que l'on appelle le dernier bastion du communisme ».

Le pape, âgé de 77 ans et en mauvaise santé, a accompli sans faille un programme officiel et a reçu un accueil enthousiaste des Cubains.

Durcissant le ton progressivement, il a lancé des appels répétés au changement, notamment en demandant la « reconnaissance des droits de l'homme » et en plaidant la cause des dissidents et prisonniers politiques.

Jean-Paul II a livré son plus puissant message de liberté et de justice dans le lieu emblématique de la révolution cubaine, au coeur de la Havane, face à une marée humaine donnant libre cours à une intense émotion.

Le pape a serré la main à Fidel Castro.

Dans un des moments les plus forts de sa visite à Cuba, le pape, flanqué des images du Che et de Jésus-Christ et face au président Fidel Castro, assis au premier rang, a demandé à Cuba de « s'engager sur de nouveaux chemins » sous les vivats d'une foule estimée à près d'un demi-million de personnes.

Au cinquième et dernier jour de sa visite, le pape célébrait son ultime messe à Cuba sur la Place de la Révolution, coeur politique de La Havane et lieu de rassemblement historique des manifestations de soutien au régime communiste.

Avant l'aube, une véritable marée humaine avait commencé à converger vers la Place de la Révolution où s'étaient également dirigés des dizaines d'autobus pleins à craquer venant parfois de villes distantes de centaines de kilomètres.

Agitant ballons, drapeaux cubains et drapeaux jaunes aux couleurs du Vatican, jeunes et vieux, familles avec enfants et pique-niques, handicapés en chaises roulantes meublaient l'attente en musique, sous un ciel gris, au son de cantiques au rythme tropical.

Devant l'austère bâtiment du ministère de l'Intérieur qui jouxte la place éclataient indifféremment l'« Ave maria » et l'hymne cubain tandis que résonnaient des slogans jamais entendus en 40 ans comme « Vive l'Église » ou « Vive le Christ roi », « libres, libres, le pape nous veut tous libres ».

La célébration a été retransmise en direct par la télévision d'État, la seule accessible aux Cubains, tandis que les rues de La Havane étaient pratiquement désertes.

Visiblement joyeux, Jean-Paul II, revêtu d'une chasuble verte aux couleurs de l'espoir, a plaisanté avec la foule, la remerciant notamment de ses nombreux applaudissements : « Lorque vous applaudissez, le pape peut se reposer », a-t-il dit malicieusement, sous le regard de Fidel Castro au premier rang, riant de bon coeur.

Mais ce sont de simples mots comme « liberté », « justice sociale », « droits de l'homme », « vérité » et « espérance » qui ont galvanisé les centaines de milliers de personnes présentes sur la place.

Dans un des moments les plus émouvants et les plus spectaculaires de la messe, on a pu voir Fidel Castro faire le geste liturgique « de la paix », et étreindre les mains de ses voisins.

C'est la première fois que le « Lider maximo » assistait à une messe à Cuba depuis 1959, l'année de son arrivée au pouvoir.

Les plus hauts représentants de l'Église catholique de tout le continent américain, dont des représentants du Canada et des États-Unis — en tout 15 cardinaux et 132 évêques — étaient venus en force à La Havane et entouraient le souverain pontife de leur présence.

Jean-Paul II a ensuite déjeuné à l'Archevêché de La Havane et s'est adressé aux évêques de Cuba. Il a réclamé à cette occasion au régime castriste « le respect de la liberté religieuse garantissant les espaces, les oeuvres et les moyens » nécessaires pour que l'Église remplisse sa mission.

« Il ne s'agit ni d'un don, ni d'un privilège, ni d'une autorisation liée à des situations passagères, à des stratégies politiques ou à la volonté de l'autorité, mais d'un droit inaliénable », a-t-il souligné, quelques heures avant son départ à l'issue de sa visite historique. (**Texte publié le 26 janvier 1998**)

C'EST ARRIVÉ UN 26 JANVIER

1984 — Il faudra ajouter 3 millions à la facture, déjà épicée, de l'aventure olympique. Et ces dollars iront à l'architecte Roger Taillibert, à qui le juge Charles D. Gonthier vient d'allouer une somme de 2 819 844 $, en plus des intérêts encourus depuis le mois d'avril 1983. Cette nouvelle inscription au débit de la Régie des installations olympiques (RIO) porte à 8 674 000 $ le coût global des services rendus par le concepteur des installations sportives les plus coûteuses — plus de 855 millions — au monde.

1979 — Décès à 70 ans de Nelson A. Rockefeller. Il avait été gouverneur de l'État de New York de 1958 à 1973, puis vice-président des États-Unis de 1974 à 1976, sous le règne de Gerald Ford.

1979 — Georges Lemay est de nouveau arrêté par la GRC qui l'accuse d'avoir exploité un laboratoire de drogue clandestin.

1971 — Le satellite soviétique Venus VII se pose en douceur sur la planète Vénus et commence à envoyer des photos vers la Terre.

1969 — Quinze Irakiens, dont neuf d'origine juive, sont condamnés à mort pour espionnage au profit d'Israël, à Bagdad.

1963 — Jean Béliveau marque le 300e but de sa carrière contre Lorne Worsley.

1950 — Proclamation de la République indienne. Le Dr Rajendra Prasad en est nommé président.

1932 — Le sous-marin britannique M-2 coule au large de Portland, en Angleterre, entrainant dans la mort 56 hommes d'équipage.

1900 — Le Barreau de Montréal célèbre son cinquantième anniversaire d'existence.

Le pont de Niagara s'écrase sur l'embâcle

Un amas de poutres enchevêtrées, voilà tout ce qui restait du pont international de Niagara Falls, après qu'il eut été emporté, à 11h du matin, le 26 janvier 1938, par un formidable embâcle de glace qui s'était formé à environ 1,000 pieds en aval des chutes canadiennes. Des milliers de personnes avaient assisté à l'effondrement spectaculaire de cette structure d'acier d'un poids de 4,5 millions de livres et longue de 1,200 pieds. D'ailleurs, la photo du haut nous montre le pont au moment où il s'écrase dans la rivière.

Ottawa dit oui à la baisse des taxes sur les cigarettes

Le gouvernement fédéral et celui du Québec sont déterminés à baisser les taxes sur le tabac pour freiner la contrebande des cigarettes. Jean Chrétien et Daniel Johnson ont tous deux promis que leurs gouvernements prendront très bientôt des mesures en ce sens, qu'ils soient appuyés ou non par les autres provinces.

Pour la première fois hier (**le 25 janvier 1994**), le premier ministre Chrétien a pris publiquement parti dans cette controverse. La solution, a-t-il indiqué, passe à la fois par une baisse des taxes et un renforcement des contrôles aux frontières. Après avoir discuté de la question avec cinq de ses homologues provinciaux, il a souligné qu'il serait « préférable » que toutes les provinces se concertent, mais qu'Ottawa était déterminé à agir seul s'il le fallait.

Un plan

Il y a deux semaines, *La Presse* révélait l'existence d'un plan élaboré par le gouvernement fédéral et Québec, une intervention vigoureuse s'appuyant sur une baisse importante de la taxe pour chacun des gouvernements — entre 75 cents et un dollar — afin de ramener à environ 30 $ le prix d'une cartouche de huit paquets. Actuellement, Québec perçoit au total 2,35 $ sur un paquet de cigarettes et le gouvernement fédéral, 2,60 $. Une baisse de taxe sur les 170 millions de paquets de cigarettes vendus chaque année au Québec entraînerait des pertes de revenus, mais elles seraient atténuées par l'impact de l'augmentation des ventes de paquets pour lesquels les droits seront acquittés.

La crise du Golfe: missiles et marée noire

Bagdad, — accusé par Washington de créer une énorme marée noire en déversant du pétrole dans les eaux du Golfe pour paralyser toute tentative de débarquement — a lancé hier (**le 25 janvier 1991**) de nouvelles attaques contre Israël et l'Arabie saoudite.

Ces attaques de missiles irakiens, qui ont occasionné deux morts et 88 blessés, ont été le fait marquant de la neuvième journée de la guerre du Golfe, qui a vu les alliés poursuivre les préparatifs de la deuxième phase de l'opération « Tempête du désert » : isoler les troupes d'occupation irakiennes au Koweït de leurs bases arrière.

Par ailleurs, Washington a accusé l'Irak de créer une énorme marée noire en déversant du pétrole dans les eaux du Golfe. Cette manoeuvre de l'Irak aurait pour but de paralyser toute tentative de débarquement. Mais en agissant ainsi, l'Irak risque de provoquer un désastre écologique pire encore que celui créé par le pétrolier Exxon Valdez en Alaska en 1989, a déclaré Marlin Fitzwater, porte-parole de la Maison blanche.

George Bush a déclaré pour sa part que les États-Unis feraient tout leur possible pour arrêter le phénomène. Cette marée noire pourrait mettre hors d'usage des usines de désalinisation d'eau de mer, perturber la pêche et causer des ravages dans l'environnement. Selon un porte-militaire saoudien, cette marée coule depuis trois jours d'un oléoduc offshore, non loin de la ville de Koweït, et la nappe s'étend sur environ 15 km.

L'ABUS DES CIGARETTES

Un jeune homme du nom de Leblanc devient fou. — Il a par moments concience de sa situation et souffre horriblement

UN reporter de « La Presse » a été, ce matin (26 janvier 1900), dans un bureau bien connu témoin d'une scène des plus lamentables.

M. Alfred Leblanc, le jeune employé préposé aux travaux ordinaires de ce bureau, indisposé depuis quelques jours, est soudainement apparu, accompagné d'un ami. Le malheureux jeune homme avait l'air égaré, l'oeil brillant, la démarche mal assurée. Il commença alors, en un langage incohérent, une série de révélations pénibles sur le danger qu'il y a pour un jeune homme de « fréquenter les mauvais compagnons », etc. Depuis deux jours, cet infortuné est devenu complètement fou.

« J'ai peur de devenir fou, dit-il, dans ses moments de calme, je sens que je perds la raison, et je ne puis exprimer les douleurs et l'accablement moral dont je me sens saisi. »

Le patron de ce pauvre jeune homme dit que c'est l'abus de la cigarette qui a produit chez son employé la perte totale de la raison.

Rien n'est plus triste que l'abattement moral et physique qui succède aux crises auxquelles le malheureux se trouve en proie. Il tombe épuisée sur une chaise, se serre violemment la tête des deux mains, puis se relève quelques minutes après, pour reprendre une marche désordonnée et son discours échevelé, sur tous les sujets qui ont frappé son imagination avant la perte de la raison.

Le jeune homme va être confié aux soins d'un médecin aliéniste. Il appartient à une famille des plus respectables.

FEU ARTHUR BUIES

Le publiciste et pamphlétaire bien connu est décédé à Québec à l'âge de 61 ans

Quelques traits caractéristiques de la carrière de cet homme de lettres

SAMEDI (26 janvier 1901), à 1heure p.m., est décédé, après une courte et cruelle maladie, à l'âge de 61 ans, M. Arthur Buies, homme de lettres. M. Buies a succombé à la congestion des poumons.

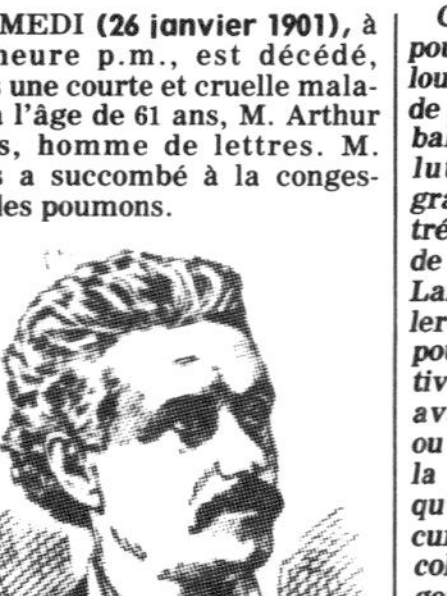

Figure bien originale que celle dont une dépêche nous annonce la disparition. Dernier survivant d'une génération qui fit du bruit en son temps, à l'occasion de l'Institut Canadien, Buies trouvait le moyen de se signaler à l'attention des gens plus encore par ce qu'il faisait au jour le jour que par la légende qui s'était formée autour de son nom. (...)

Il vit le jour à la Côte-des-Neiges le 24 janvier 1840. (...) Il fréquenta nos collèges avant d'aller étudier à Paris. (...) Il n'a jamais quitté le Canada depuis son retour au milieu de nous en 1863, et il s'y était fait recevoir avocat en 1866.

Ce texte consacré à Buies se poursuit longuement sur ce ton louangeur, alors qu'on fait état de ses aventures auprès de Garibaldi et de son mouvement révolutionnaire dirigé contre le grand-duc de Toscane, de son entrée à la rédaction du « Pays », de sa décision de fonder « La Lanterne » où il devait se signaler comme pamphlétaire, rôle pour lequel il subissait les invectives d'à peu près tout ce qu'il y avait d'aristocratie, religieuse ou politique, de son retour « dans la bonne voie » vers 1873 alors qu'il prend à coeur d'épauler le curé Labelle dans son oeuvre de colonisation, et enfin de son rangement complet, en 1887, alors qu'il prenait pour épouse Marie Mila Catellier, fille de l'ex-sous-secrétaire d'État à Ottawa. Et l'article se terminait par les paragraphes suivants:

M. Buies était non seulement un érudit, mais aussi ce que nous pourrions appeler un artiste de la plume. C'était un puriste dont les cheveux se hérissaient en apercevant une faute de français.

Personne mieux que lui n'a chanté les beautés de notre pays. En lui disparaît un des meilleurs écrivains de langue française au Canada, l'un de ceux qui écrivaient le plus purement la langue de Corneille, Racine et Boileau, et dont les écrits, quoique très répréhensibles, en certains endroits, au point de vue de la doctrine et des idées religieuses, appartiennent à l'histoire de la littérature française en Amérique du Nord. (...)

Le *26 janvier 1928*, M. Arthur Sicard faisait la démonstration sur le Champ-de-Mars, sous les yeux des autorités municipales de Montréal, de l'efficacité de la *chargeuse à neige* (la souffleuse d'aujourd'hui) qu'il venait d'inventer. Comme l'expliquait LA PRESSE de l'époque, « la neige est mise en poudre par des pelles rotatives, puis lancée par un boyau dans une voiture qui suit la chargeuse en opération... à raison de 20 verges cubes par minute ». Notons que cette invention était déjà utilisée par la ville d'Outremont.

LE tout jeune bambin qui apparaît sur cette photo publiée dans LA PRESSE du 26 janvier 1907 n'avait que 21 mois et pourtant il faisait déjà osciller l'aiguille de la balance jusqu'à 93 livres, tandis que son tour de poitrine faisait 37 pouces. Les parents de cet enfant qui mesurait trois pieds et trois pouces de hauteur était tout à fait normaux. Le père, August Oppe, était sergent-major de cavalerie, à Malstatt, Allemagne.

Mademoiselle Gabrielle Rivet, candidate de LA PRESSE proclamée gagnante du concours de « Mademoiselle Montréal », *le 26 janvier 1923*, à l'occasion du Carnaval d'hiver de Montréal.

Les agents Louis Samson, André Lapointe, Michel Vadeboncoeur et Pierre Bergeron ont pris tout le monde par surprise, hier, en admettant avoir violé le code de déontologie policière lors de l'arrestation de Richard Barnabé.

Affaire Barnabé : les quatre policiers confessent leurs torts

Déjà condamnés en Cour du Québec, les quatre agents de la police de la CUM impliqués dans la tragique arrestation du chauffeur de taxi Richard Barnabé, en 1993, ont joué le tout pour le tout en admettant avoir enfreint les règles les plus sévères du code de déontologie des policiers québécois.

À la suite de ce plaidoyer pour le moins surprenant, les policiers Pierre Bergeron, André Lapointe, Louis Samson et Michel Vadeboncoeur sont maintenant passibles de congédiement de la part du comité de déontologie policière.

Par contre, de l'avis des avocats des policiers et de la Commission de déontologie, chargée d'exposer la preuve devant le comité, ils devraient, au pire, être suspendus sans solde pour des périodes de 150 à 200 jours. Après avoir entendu la suggestion commune des parties, le comité de déontologie, formé de Me Gilles Mignault, Carole Michaud et de l'inspecteur-chef Robert Saint-Jean, de la police de la CUM, a pris les sanctions en délibéré.

Les quatre policiers ont reconnu avoir fait usage d'une force excessive lors de l'arrestation et la détention de Richard Barnabé, dans la nuit du 14 décembre 1993. Ils ont aussi avoué l'avoir fouillé de façon abusive, ainsi que d'avoir fait fi de sa santé en le conduisant au poste de police plutôt qu'à l'hôpital, alors qu'il était gravement blessé.

Selon les gestes qu'ils ont faits lors de ce drame qui s'est joué à Laval et au poste 44, les quatre policiers ont admis tous les accrocs éthiques qu'on leur reprochait. Bergeron faisait face à cinq manquements ; Vadeboncoeur, quatre ; Lapointe et Samson, trois. Ce dernier a notamment reconnu avoir rédigé un faux rapport.

En dépit de la gravité de l'affaire, Me Christiane Mathieu, qui représente la Commission de déontologie, a recommandé aux comités de ne pas congédier les policiers. Selon elle, la mort de Barnabé n'est pas le résultat d'un acte prémédité, mais le fruit d'une technique de contrôle de détenus désuète et dangereuse. **(Texte publié le 27 janvier 1997)**

Cette photo d'un des plus grands joueurs de l'histoire du Canadien a été initialement publiée en 1927

LE PREMIER TÉLÉPHONE QUI AIT JAMAIS ÉTÉ INSTALLÉ À MONTRÉAL

Il fut établi, grâce à l'initiative de cinq jeunes gens qui, après avoir entendu parler de l'invention de Bell, conçurent l'idée de s'en servir, avant qu'elle ne fut tombée dans le domaine public. -- Un réseau particulier. -- Installation et appareils rudimentaires.

*Ce texte est tiré de l'édition du **27 janvier 1912**.*

LE téléphone est sans doute l'une des inventions les plus utiles que nous ait léguées le siècle dernier, mais personne maintenant ne songe à s'étonner devant cet extraordinaire instrument qui annihile si merveilleusement les distances. On téléphone aujourd'hui aussi naturellement que l'on mange, que l'on écrit, que l'on dort, et pour un Montréalais, parler avec un ami à New York ou à Chicago ne paraît pas chose plus ahurissante que de s'entretenir avec un voisin de table. Cependant, pouvons-nous nous figurer l'émotion intense qui dut s'emparer du public, lorsque, il y a un peu plus de trente-cinq ans, Bell exposait pour la première fois à ses concitoyens sa géniale invention?

Autant la vue d'un aéroplane voltigeant légèrement dans l'atmosphère nous empoignait naguère d'un enthousiasme délirant, autant jadis, lorsqu'il fit son apparition, le téléphone souleva l'intérêt intense de tout le monde, aussi l'un des premiers systèmes téléphoniques, tout primitif qu'il était, lorsqu'il fut installé à Montréal, en 1878, excita-t-il une curiosité extrême.

Ce sont cinq jeunes gens, camarades très intimes, qui eurent l'idée de communiquer ensemble par le moyen du téléphone. Bell venait d'exposer son invention à l'expostion de Philadelphie. Un jeune électricien canadien, Mathias Jannard, réunit ses amis et leur proposa d'établir un téléphone en suivant les principes exposés par Bell. L'idée fut adoptée immédiatement et l'on se mit à l'oeuvre.

M. Jannard, qui était domicilié sur la rue Sanguinet, près de la rue Emery, fut institué ingénieur en chef, et bientôt la communication se trouva établie entre ce dernier endroit et MM. Louis Dansereau, rue Saint-Hubert, le Dr Sydney Craig, rue Saint-Denis, près Ste-Julie, M. Arthur Dauphin (maintenant gérant du téléphone Bell à Québec), rue Sainte-Catherine, près Saint-Hubert, et Georges Bélanger (chez H.P. Labelle et Cie, marchands de meubles), rue Berri, près de Dorchester, chez qui était installé le « central ».

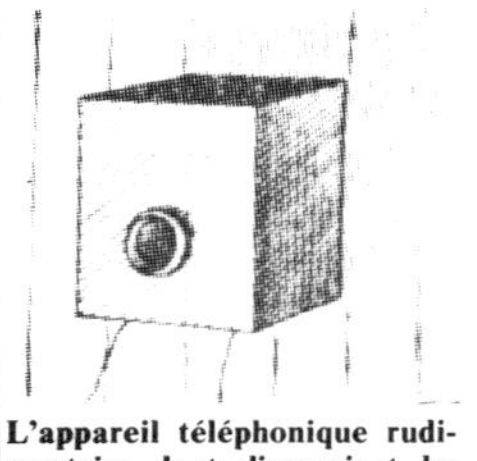

L'appareil téléphonique rudimentaire dont disposaient les cinq premiers « abonnés » du téléphone de Montréal, avant même que la société Bell ne voit le jour.

Ça n'avait pas été une petite affaire que d'installer les fils nécessaires à la transmission, car en ce temps-là, les rues que nous avons mentionnées plus haut, n'étaient pas peuplées comme aujourd'hui. Il y avait un grand nombre de lots vacants, surtout sur la rue Saint-Denis entre les rues Dorchester et Sainte-Catherine, où presque tout le côté est était occupé par les vergers de M. Cherrier, et les poteaux faisaient défaut. On trouva cependant la solution du problème en attachant solidement ces fils à différentes cheminées et en les isolant par des bouts de boyau en caoutchouc; le fil de retour communiquait avec les tuyaux de l'aqueduc et donnait un circuit parfait.

APPAREIL RUDIMENTAIRE

L'instrument pour la réception et l'envoi d'un message consistait en une petite boite en acajou, munie d'une ouverture, qui servait à la fois à la transmission et à la réception. Il fallait, tour à tour, lorsque l'on voulait soit parler, soit écouter, placer la boite sur l'oreille ou près de la bouche; n'empêche que malgré cette organisation peu compliquée, on entendait très bien. (...) Ce téléphone était un sujet inlassable d'amusement et nombre de visiteurs venaient, chaque jour, se payer le plaisir d'une conversation dans la mystérieuse petite boite. On avait même imaginé d'approcher le téléphone d'un piano; on ouvrait alors la communication de tous les abonnés et chacun pouvait écouter, à domicile, le morceau de musique à la mode en ce temps-là.

Cette organisation privée de téléphone disparut quand la Cie Bell commença à établir ses réseaux en ville, mais elle avait été fort populaire en son temps.

Découverte d'un mammouth dans les glaces de Sibérie

ON vient de découvrir dans les glaces de l'embouchure de la Léna (Sibérie), le corps complètement conservé d'un mammouth, qui compte parmi les plus gigantesques qui aient été retrouvés.

Il y a déjà vingt-sept ans que l'on avait signalé la présence de fossiles dans une île de Léna. Mais, jusqu'à présent, aucune tentative n'avait été faite pour le tirer de la prison de glace qui le conserve depuis les âges préhistoriques. Nous apprenons que les fouilles viennent d'être entreprises par les agents de la station polaire de Custi-Léna, à l'embouchure du fleuve (78' lat. nord), pour opérer le sauvetage de l'animal.

Un docteur, M. Boungé, est installé à 37 kilomètres de la station, dans un hangar de neige, où git le mammouth. Celui-ci est couché sur son côté droit. Il est haut de 5 m 50. A l'exception de la patte de devant, il est complet et dans un état de conservation absolue. Il paraît que, jusqu'aux intestins, tout est intact. Il est incontestable que son autopsie sera du plus vif intérêt pour la science.

Les travaux d'exhumation sont excessivement difficiles et pénibles. Le sol gelé et les glaçons qui entourent l'animal sont durs comme la pierre.

D'autre part, les Yacontes (les Indigènes des environs), contrarient les fouilles par leur mauvais vouloir. Fort superstitieux, ils ont peur de voir sortir le mammouth des glaces, considérant comme un péché mortel d'enlever à la terre ce qu'elle ne rend pas elle-même volontairement.

C'EST ARRIVÉ UN 27 JANVIER

1976 — Accrochages entre Marocains et Algériens à Amgala, dans le Sahara occidental.

1973 — Signature du traité de paix mettant fin à la participation des États-Unis à la guerre au Vietnam. La plus longue guerre de l'histoire américaine prend donc fin après 12 ans.

1968 — Le sous-marin français *Minerve* coule au large de Toulon avec 52 hommes à bord.

1967 — Première catastrophe depuis le début du programme aérospatial des États-Unis : les trois astronautes Virgil Grissom, Ed White et Roger Chaffee, d'*Apollo I*, sont brûlés vifs dans leur cabine pendant la générale précédant le lancement. — Washington, Londres et Moscou signent l'accord international sur l'utilisation pacifique de l'espace.

1963 — M. Gérard Filion est nommé directeur général de la Société générale de financement.

1955 — L'auteur du roman *Histoire d'O* vient quérir le Prix des Deux Magots une cagoule sur la tête. Le mystère demeure donc autour du nom de cet écrivain qui signe du pseudonyme de Pauline Reage.

1949 — Arrestation à New York de Sam Carr, un Canadien recherché pour espionnage au Canada, à la suite des révélations faites par le transfuge soviétique Igor Gouzenko.

1930 — Mort à 75 ans du grand peintre québécois Charles Huot.

Reagan amorce une nouvelle «course de l'espace»

Le projet de station orbitale habitée en permanence, évoqué mercredi soir (**le 25 janvier 1984**) par le président Reagan, laisse présager une nouvelle « course de l'espace » entre les États-Unis et l'Union soviétique.

Cette dernière prépare depuis des années la mise en orbite d'une station habitée, les États-Unis ayant pour leur part envoyé en missions orbitales leurs navettes spatiales. Moscou a aussi commencé à développer sa propre navette, et Washington s'apprête à construire une station spatiale.

Les deux superpuissances, qui n'ignorent rien des implications militaires de la conquête de l'espace, vont consacrer des milliards de dollars dans les prochaines années aux deux types de vaisseaux spatiaux, dans le but de s'assurer une position de supériorité.

Nouvelles fusées

L'Union soviétique passe pour avoir entrepris un effort d'envergure en vue de sa présence permanente sur orbite proche da la Terre. En plus du développement d'une navette, elle construit deux fusées d'appoint d'un nouveau type, dont l'une est la plus puissante jamais conçue.

D'après la plupart des spécialistes, ces fusées devraient être utilisées dans un avenir peu éloigné pour le transport dans l'espace des principales composantes d'une grande station devant être assemblée en orbite, puis habitée en permanence par des cosmonautes.

D'après la NASA, le projet sur dix ans qu'a formulé M. Reagan coûterait environ neuf milliards de dollars. Toutefois, d'autres estimations avancent un coût d'entre vingt et trente milliards de dollars.

Utilisations

Parmi les opérations prévues par la nouvelle station, il y a des observations de la Terre et de l'atmosphère, d'étoiles et de galaxies lointaines, sans qu'on soit gêné par la densité de l'atmosphère du globe.

Des hommes et des femmes pourraient aussi effectuer des travaux susceptibles de produire métaux, cristaux et médicaments « exotiques » dont la gravité terrestre interdit la fabrication.

Une station orbitale habitée en permanence pourrait également servir de base de lancement à d'autres missions spatiales telles que des voyages de colonisation de la Lune, voire d'autres planètes. De telles initiatives ne semblent toutefois envisageables qu'au siècle prochain.

Pareille station se prêterait aussi à des usages militaires, même si les deux superspuissances assurent ne poursuivre dans l'espace que des fins pacifiques. Les responsable du Pentagone disent certes ne voir aucune application concrète dans une but de défense, mais les sceptiques estiment que « les militaires finiront bien par trouver une utilisation à en faire ».

(Texte publié le 27 janvier 1984)

LES FEMMES DU MANITOBA TRIOMPHENT

La Législature leur accorde les mêmes droits politiques qu'aux hommes

WINNIPEG — La Législature a adopté, en troisième lecture, hier **(27 janvier 1916)**, la loi accordant le droit de vote aux femmes et leur reconnaissant aussi le droit de siéger comme membres de la Législature. Des manifestations du plus grand enthousiasme se sont produites: on a chanté et on a applaudi. Les dames, qui encombraient les galeries, et dont quelques-unes avaient aussi pris place sur le parquet de la Chambre, ont chanté « Ô Canada » et « For they are jolly good fellows ». Les membres de la législature ont répondu par des chants appropriés.

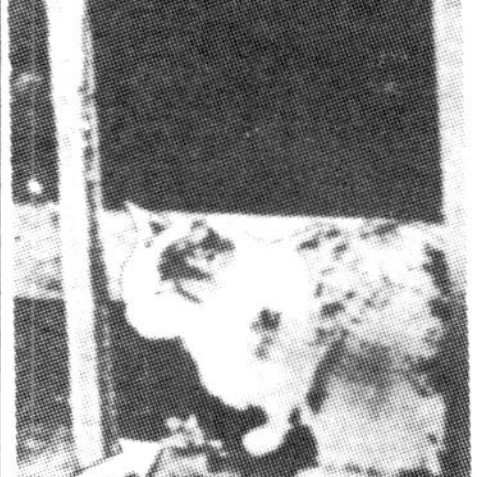

Menacée par une inondation à Portsmouth, en Ohio, cette souris a préféré s'en remettre à l'hypothétique tolérance de son ennemi principal, le chat, plutôt que de risquer la noyade. Cette photo a été tirée de l'édition du *27 janvier 1937*.

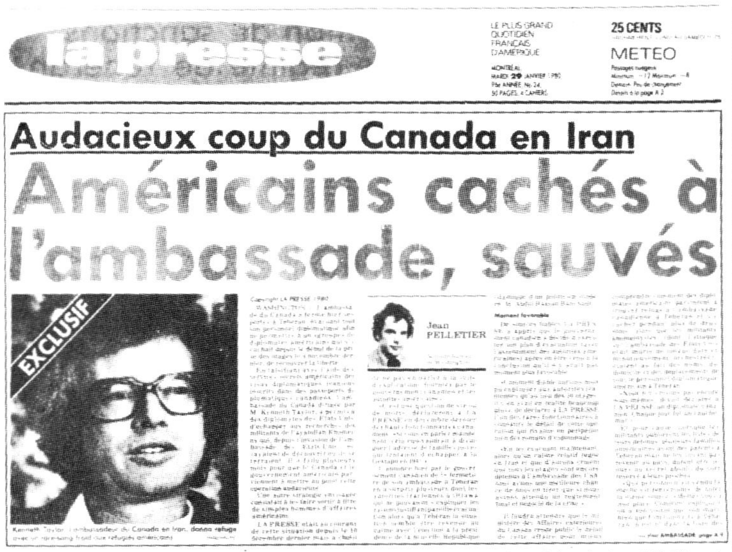

Audacieux coup du Canada en Iran

Américains cachés à l'ambassade, sauvés

EXCLUSIF

Jean PELLETIER

Réussir à publier une nouvelle qui s'avère une primeur sur le plan local et régional, c'est déjà bien et c'est l'objectif que tout journaliste cherche à atteindre tout au long de sa carrière. Réussir à obtenir une primeur à la grandeur du pays, c'est encore mieux, et de toute évidence plus difficile à dénicher. Mais réussir à publier en primeur mondiale une nouvelle à caractère international, quand ce fait d'armes sert de base à un livre et de scénario à un film, c'est un coup de maître qui se présente une fois par cent ans dans la vie d'un journal, et c'est ce qui lui permet, sans fausse prétention et au delà des chiffres et du format, d'aspirer au titre de « grand quotidien ». Ce coup de maître, *LA PRESSE*, grâce à son journaliste *Jean Pelletier*, le réussissait en dévoilant au monde entier que dans la journée du *28 janvier 1980*, grâce à la complicité du personnel de l'ambassade canadienne, six diplomates américains avaient réussi à sortir d'Iran près d'un an avant que leurs collègues retenus en otages au pays des ayatollahs ne soient libérés par l'Iran. D'ailleurs, Pelletier ne fut pas étranger au succès de l'opération, puisqu'il avait accepté de ne pas divulguer prématurément les informations qu'il avait glanées afin de ne pas en compromettre le résultat. Sa compréhension fut récompensée par cette exclusivité mondiale publiée le 29 janvier 1980 dans LA PRESSE évidemment!

Le président de Softimage vante le Québec à New York

L e président de Softimage Daniel Langlois a longuement vanté à New York les avantages du Québec comme base d'activités.

M. Langlois prononçait une allocution (le **28 janvier 1994**) devant l'Americas Society, dans le cadre d'une série de rencontres organisées par cet institut de recherches et l'École des hautes études commerciales de Montréal.

Devant une cinquantaine de personnes, comprenant plusieurs représentants des milieux financiers new-yorkais et des milieux de la production artistique, comme Jim Henson Productions, le jeune président a énuméré les avantages de Montréal, du Québec, de la main-d'oeuvre québécoise et de la vision particulière des entreprises québécoises, des éléments qui ont tous contribué selon lui au succès de Softimage.

Fondée en 1986 à Montréal, Softimage est maintenant un leader dans le domaine de l'animation par ordinateur. L'entreprise, qui accapare présentement plus de 50 pour cent du marché mondial des programmes professionnels d'animation en trois dimensions, a notamment mis au point le programme qui a permis la création des dinosaures du film de Steven Spielberg « Parc Jurassique ».

M. Langlois a affirmé que Softimage avait pu saisir cette part de marché parce qu'elle s'était concentrée sur l'aspect créatif de l'animation par ordinateur, au lieu de chercher à envahir des marchés établis.

Il a ajouté que, comme plusieurs jeunes entreprises québécoises, Softimage s'était dès le début orientée vers le marché extérieur, le marché intérieur étant très limité.

« C'est un des avantages d'être au Québec, a-t-il expliqué. Nous sommes dans un petit territoire, nous nous sentons différents, mais nous sommes ouverts sur le monde. »

Il a ajouté qu'au début, Softimage s'était surtout concentrée en Europe et en Asie, le marché nord-américain étant déjà passablement occupé par des firmes importantes. Et grâce à la différence québécoise, l'entreprise a pu faire des gains. « Nous sachant différents au Québec, nous savons qu'il faut agir de façon différente en France, en Belgique ou au Royaume-Uni, parce qu'il s'agit de cultures différentes », a-t-il expliqué.

Les Québécois sont parfaitement à l'aise à l'idée de se retrouver dans une nouvelle culture après trois heures de déplacement, a-t-il fait valoir.

Il a affirmé que bien des entreprises américaines se rendaient encore en Europe en pensant que les Européens allaient automatiquement changer leurs façons de travailler pour s'adapter à des produits fabriqués en fonction d'Hollywood.

Ce n'est qu'une fois bien établie en Europe et en Asie que Softimage s'était attaquée au marché américain, a indiqué M. Langlois, parlant à partir de notes lues directement sur son ordinateur portatif.

Comme bien des Européens considèrent Montréal comme une chaînon entre l'Europe et l'Amérique du Nord, cela les a encouragés à transférer leur technologie à Softimage pour avoir accès au marché nord-américain, a-t-il poursuivi.

Le président de Softimage a fait valoir la qualité de son personnel. Si, au début, il faisait appel à des gens d'un peu partout dans le monde, aujourd'hui, le personnel est surtout québécois.

Il a expliqué que les universités montréalaises sont nombreuses et excellentes et que grâce à l'Office national du film, il y a une tradition en fait d'animation et de post-production à Montréal.

Il a fait valoir que la qualité de la vie à Montréal permet d'attirer de talent et de garder des employés de talent.

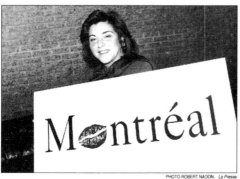

PHOTO ROBERT NADON, *La Presse*
Mme Claude Zalloni, vice-présidente Marketing de l'Office des congrès et du tourisme du Grand Montréal présentant la nouvelle «griffe» de Montréal.

Une nouvelle signature

A près plusieurs tentatives malheureuses, Montréal adopte une nouvelle signature. En remplaçant son «o» par de pulpeuses lèvres rouges, Montréal fait un baiser à ses visiteurs. Les slogans utilisés dans le passé — on n'a qu'à penser à *Montreal: Big on Life, Montreal Paradoxical* et *Montreal: an attitude* — n'avaient jamais réussi à rallier l'industrie touristique. Cette fois, l'Office des congrès et du tourisme du Grand Montréal (OCTGM) mise sur la simplicité avec un symbole visuel qui n'est accompagné d'aucun texte et, donc, facilement exportable.

(Cela se passait le 28 janvier 1993)

CINQ TRAMWAYS SE TAMPONNENT EN PLEINE RUE BLEURY, CE MATIN

Malgré la foule qui se pressait dans les voitures électriques, on n'a heureusement aucun accidenté grave à enregistrer jusqu'ici. — Cependant, quelques personnes ont été blessées

Un employé civique bien connu reçoit quelques contusions et blessures. — Il est transporté chez lui par les employés de la compagnie

U N accident qui aurait pu avoir les suites les plus graves, s'est produit ce matin **(28 janvier 1907)**, sur la rue Bleury, près de l'avenue des Pins. Cet accident qui a mis la vie de centaines de personnes en danger, n'a heureusement pas eu de résultat fatal. Un homme cependant, un vieux serviteur de la ville, a vu la mort de bien près, et en outre a reçu des blessures assez graves ; il souffre d'un fort choc nerveux. Le nom du blessé est John P. Connolly, et il demeure au No 543 de la rue Esplanade.

Voici comment cet accident, au cours duquel

CINQ TRAMWAYS ÉLECTRIQUES

se sont tamponnés, s'est produit, au dire des témoins oculaires.

Il était 6 h. 30, ce matin, et à cette heure matinale, à cause de l'affluence des voyageurs, pressés d'entrer dans les usines, le service des tramways est rapide. Il ne se passe que peu d'instants entre le passage des voitures électriques. Les chars descendaient donc la rue Bleury lorsqu'à quelques verges seulement de l'endroit où un

ACCIDENT S'EST PRODUIT

le 6 décembre au soir, avec le fatal résultat que l'on sait, cinq tramways se sont tamponnés avec une grande force.

Les lourds véhicules avançaient sur les rails de la rue Bleury, lorsque l'un d'eux dut arrêter, à quelques pas plus loin que l'avenue des Pins, pour laisser monter des voyageurs.

A cet endroit, la voie fait une courbe, et un second tramway vint frapper le premier ; peu d'instants après, une troisième voiture fit voler en éclats les vitres des

DEUX CHARS PRÉCÉDENTS.

Un quatrième véhicule venait

Voici comment, à partir des témoignages, le dessinateur de LA PRESSE avait imaginé la scène après le tamponnement des cinq tramways de la Montreal Street Railway, en ce matin de 1907.

à quelques verges plus loin. Le garde-moteur s'apercevant de l'accident, appliqua ses freins avec tellement de force qu'il parvint à arrêter sa voiture avant que celle-ci ne vint donner sur celles qui la précédaient.

Mais, si ce brave serviteur de la compagnie avait pu prévenir le danger qui le précédait, il n'était pas en son pouvoir de se soustraire à l'accident.

Juste comme il se félicitait d'avoir arrêté sa voiture,

UN CHOC TERRIBLE

faillit le jeter sur le dos.

C'était un autre tramway, qui n'obéissant pas aux freins venait de tamponner le sien.

Cet accident qui aurait pu avoir de terribles conséquences, alors que les voitures de la compagnie portent de si nombreux voyageurs, se résume en soi, à peu de chose. Quelques personnes ont bien été blessées, mais légèrement. (...)

Les vitres des tramways ont été brisées et les éclats de verre ont blessé plusieurs voyageurs, mais sans gravité.

Le filet protecteur de quelques-uns des tramways a été brisé et l'avant des chars, fortement endommagé. Les moteurs furent brûlés sous la force du choc.

Les chars demeurèrent en panne, pour la plupart, et durent être conduits aux remises de la compagnie, rue Côté, où on leur fera subir les réparations nécessaires.

LA CAUSE DE L'ACCIDENT

Après les grands froids que nous avons eus et le temps doux relatif qu'il faisait ce matin, un frasil se formait sur la voie, ce qui rendait presque inefficace l'application des freins. Les chars glissèrent sur les rails comme un toboggan dans une côte de glace. (...)

LES VEILLÉES

A près les semaines un peu fiévreuses qui ont marqué le temps écoulé depuis Noël, emploient en réjouissances, soupers de gala, réceptions ouvertes, bals, etc. les bonnes veillées familiales, les soirées intimes se dégagées de toute étiquette vont reprendre leur cours.

[...texte illustration...]

Cette page a été publiée le 28 janvier 1905.

CHALLENGER EXPLOSE EN VOL

La pire tragédie de l'histoire spatiale; «Nous pleurons sept héros», dit Reagan

Une explosion catastrophique a détruit la navette Challenger hier (le **28 janvier 1986**), 75 secondes après son décollage, tuant les astronautes à bord et causant la pire tragédie de l'histoire spatiale.

« Nous pleurons sept héros », a déclaré hier soir le président Ronald Reagan, visiblement bouleversé, dans un discours qui a remplacé son message annuel sur l'État de l'Union. « Nous continuerons notre exploration de l'espace », a-t-il cependant affirmé.

Dans l'après-midi, des navires, des avions et des hélicoptères avaient été dépêchés à quelque 80 km des côtes de Floride où des débris en flammes tombaient encore une heure et demie après la terrible explosion, survenu à 11 h 39 (heure normale de l'Est), mais ils n'ont pu récupérer que des morceaux des deux moteurs-fusées.

« J'ai le regret de vous annoncer qu'après les premières recherches effectuées sur l'océan, là où Challenger s'est abîmé ce matin, ces recherches n'ont trouvé aucun indice qui pourrait donner à penser que l'équipage a survécu », a dit M. Jesse Moore, chef du programme des navettes, cinq heures après l'explosion.

À bord de la navette, il y avait Christa McAuliffe, une enseignante que l'on avait surnommée la première « passagère civile » à aller dans l'espace », cinq astronautes et un ingénieur.

Causes

Il est difficile de fournir une explication des causes de l'accident, mais des images de télévision au ralenti donnent à penser qu'il y a eu une première explosion dans l'un des deux moteurs-fusées de la navette, suivie d'une gigantesque explosion dans le réservoir principal de Challenger. Celle-ci a complètement détruit la navette elle-même au-dessus de l'Atlantique sous le regard atterré des familles des astronautes, des spectateurs et des dirigeants de la NASA qui se trouvaient à Cap Canaveral.

D'autres observateurs ont fait remarquer que les moteurs-fusées avaient continué leur course folle dans le ciel après l'explosion, les moteurs tournant encore à plein, ce qui pourrait indiquer que l'explosion fatale serait survenue dans l'énorme réservoir central lui-même.

La navette, qui transportait près d'un demi-million de gallons d'hydrogène et d'oxygène, un mélange hautement explosif, ne comportait aucune issue de secours.

Challenger se trouvait à une altitude de 16 km au moment où l'explosion s'est produite. Le grondement du décollage n'était déjà plus qu'un souvenir et la majestueuse traînée laissée par la navette s'est soudainement métamorphosée, en silence, en un serpent de fumée et de feu ondulant dans le ciel.

« Nous ne formulerons pas d'hypothèses sur la cause de l'explosion en nous basant sur ces images », a dit M. Moore, en faisant allusion à ce que des millions de téléspectateurs ont vu sur leur écran. Les dirigeants de la NASA ont décidé hier de mettre sur pied une commission d'enquête et M. Moore a dit que les membres de cette commission allaient « étudier toutes les données avant d'être en mesure de fournir des conclusions ».

Les victimes de la tragédie sont le commandant Francis « Dick » Scobee, 46 ans, le copilote Michael Smith, 40 ans, Judith Resnik, 36 ans, Ellison Onizuka, 39 ans, Ronald McNair, 35 ans, l'ingénieur Gregory Jarvis, 41 ans, et Christa McAuliffe, 37 ans. Ce sont les premiers Américains à mourir lors d'une mission dans l'espace.

En effet, pas une fois lors des 56 vols habités effectués par les Américains des astronautes n'étaient morts en vol, bien que trois astronautes avaient trouvé la mort lors d'un test de lancement effectué il y a 19 ans.

« Ça fait presque 25 ans que nous pensions que cela pouvait arriver », a déclaré le sénateur John Glenn, qui, en 1962, avait été le premier Américain à faire un vol orbital. « Nous espérions que ce jour ne viendrait jamais. Malheureusement, il est venu ».

Reagan

Le président Reagan a remis d'une semaine le discours sur l'état de l'Union qu'il devait prononcer hier soir et il s'est plutôt adressé à la nation, à 17 h, en déclarant qu'il s'agissait d'un jour de peine et de souvenir, à la mémoire de l'équipage.

« Nous partageons notre douleur avec tous les gens de ce pays », a-t-il dit.

« Nous continuerons notre exploration de l'espace. Il y aura d'autres vols de la navette, d'autres équipages, oui, d'autres volontaires, d'autres civils, d'autres enseignants dans l'espace. Rien ne s'arrête ici », a déclaré le président.

Pour sa part, le vice-président Bush, dépêché au Kennedy Space Center par le président Reagan, est arrivé à Cap Canaveral en fin d'après-midi en compagnie du sénateur Jake Garn, qui avait participé à une mission spatiale l'an dernier.

Retards

L'explosion survenue hier s'est produite après un décollage qui semblait parfait, décollage qui avait toutefois été retardé de deux heures en raison de glaçons qui s'étaient formés sur la tour de lancement dans le petit matin glacial.

« Il n'y avait pas de signes de choses anormales sur les écrans au moment où les contrôleurs du vol suivaient le décollage et l'ascension », a révélé une source. Celle-ci, qui se trouve au centre de contrôle du Johnson Space Centre, à Houston, a dit que l'explosion était survenue « de manière tout à fait inattendue.. »

L'Amérique frappée de stupeur

Sur la tribune de Cap Canaveral, les enfants applaudissaient lorsque Challenger a décollé. Ils n'ont pas compris tout de suite ce qu'était cette boule de feu dans le ciel de Floride.

Ils avaient craint que le ciel couvert d'hier ne leur cache le départ de ce vol historique qui, pour la première fois, emportait dans l'espace un civil, l'institutrice Christa McAuliffe.

Mais l'événement, qui devait être une fête, a tourné au tragique lorsque Challenger, en une horrible seconde, s'est transformé en une gigantesque boule de feu.

Plusieurs spectateurs pensèrent d'abord que l'explosion n'était que la séparation, certes impressionnante, de la navette et des fusées. Les enfants venus de Concord, dans le New Hampshire, pour encourager leur institutrice, continuaient à crier des hourras.

Quelques secondes plus tard, les haut-parleurs de la NASA annonçaient qu'il y avait apparemment un problème grave. Le silence se fit, et tous regardèrent la colonne de fumée, se demandant ce qui s'était passé.

Dans les gradins, où les familles des sept astronautes de Challenger assistaient également au décollage spectaculaire de la navette, tout le monde éclatait en sanglots.

Les enfants hurlaient. Les parents, essayant de les consoler, essuyaient leurs propres larmes. « Oh, Dieu du ciel », sanglotait Mary Wuellenweber, de Concord, en essayant de réconforter un enfant en pleurs.

Scott McAuliffe, neuf ans, n'était pas avec ses camarades de classe dans les gradins quand le vaisseau emportant sa mère a décollé. Il était avec son père, Steven, sa soeur Caroline, six ans, et d'autres membres de la famille dans un bâtiment spécial d'observation près de la tribune.

Le directeur de l'école de Mme McAuliffe, Clint Cogswell, éloigna immédiatement les enfants des gradins, et les mena jusqu'à leur car, où ils montèrent en pleurant toujours.

Les parents de Mme McAuliffe, Ed et Grace Corrigan, de Framingham, Massachusetts, ont assisté au décollage depuis les gradins, main dans la main et en silence. En entendant l'annonce, ils parurent frappés de stupeur.

Quelques instants plus tard, un responsable de la NASA s'est avancé vers eux et leur a dit : « Le véhicule a explosé ».

Mme Corrigan l'a regardé, et a répété les mêmes mots, comme pour une question. On les emmena, serrés l'un contre l'autre. Elle s'essuyait les yeux remplis de larmes.

Pendant ce temps, dans l'école de Concord, au New Hampshire, où Christa McAuliffe enseignait, les enfants ont d'abord applaudi vigoureusement lorsque la navette Challenger s'est élancée de la tour de lancement, puis ce fut le silence complet au moment de l'explosion du véhicule spatial.

Le principal de l'école, M. Charles Foley, ordonna alors qu'on interdise l'accès des lieux aux journalistes et aux photographes et aux élèves, en pleurs, quittèrent l'école les larmes aux yeux en baissant la tête.

Les enfants n'étaient pas seuls à être prostrés. L'Amérique entière s'est arrêtée plusieurs heures à la suite de la tragique explosion de la navette Challenger avec son équipage de sept astronautes, mais passées la stupeur et les larmes, le mot d'ordre unanime était : l'aventure spatiale continue...

L'émotion ressentie aux États-Unis a rappelé celle qui a suivi l'assassinat du président John Kennedy en 1963.

À Chicago, les transactions ont été suspendues sur le parquet de la Bourse.

40 millions pour l'île Ste-Hélène

Le gouvernement fédéral injectera 40 millions$ pour aménager un lieu de rassemblement populaire et un parc dans la partie ouest de l'île Sainte-Hélène et remettre en état l'ancien pavillon américain d'Expo 67, la Biosphère.

Le ministère fédéral de l'Environnement dépensera 17,5 millions pour réparer la biosphère, qui demeurera toutefois « à ciel ouvert », et y aménager d'ici à 1993 un Centre d'interprétation sur l'eau et l'environnement.

D'ici à l'an prochain, la structure de la biosphère sera solidifiée et peinte, mais ne sera pas recouverte pour des raisons de sécurité et d'économie d'énergie.

Aucun matériau translucide et ininflammable n'a pu être trouvé, a-t-on expliqué, pour redonner au bâtiment l'apparence qu'il avait avant de passer au feu il y plus d'une décennie. Sur un autre plan, climatiser et chauffer un si grand volume coûterait très cher sur le plan énergétique.

(Texte publié le **29 janvier 1991**)

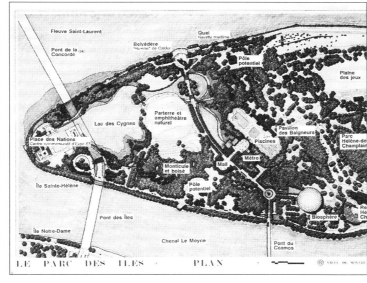

LE PARC DES ÎLES · PLAN ·

1992 — Le Québec compte entre 400 et 500 tuberculeux, mais le chiffre pourrait augmenter au cours des prochains mois. L'alarme vient d'être sonnée aux États-Unis où, comme ici, la maladie touche en priorité les classes défavorisées et les consommateurs de drogue. Si la tuberculose répond habituellement bien au traitement traditionnel à base de repos et d'antibiotiques, un des bacilles mortels, pour lesquels il n'existe présentement aucun médicament.

1988 — Notant que la loi sur l'avortement au Canada constituait clairement « une atteinte à l'intégrité physique et émotionelle d'une femme », la Cour suprême statue que la loi ne permettant que les avortements thérapeutiques est inconstitutionnelle.

1985 — Du 31 mai au 19 juin — en dehors de la date d'ouverture habituelle de La Ronde — Montréal accueillera le premier festival international de feux d'artifice jamais tenu en Amérique du Nord, festival qui devrait se continuer pour plusieurs années.

1985 — Jules Boucher, député péquiste de Rivière-du-Loup, siégera dorénavant comme député indépendant. Non seulement quitte-t-il le caucus ministériel mais M. Boucher rompt tous ses liens avec le Parti québécois et rend sa carte membre. Il n'est pas question pour lui de briguer un troisième mandat à l'Assemblée nationale. Son collègue Pierre de Bellefeuille, député indépendant de Deux-Montagnes depuis novembre dernier, a lui aussi décidé de couper les ponts avec le parti auquel il s'était joint en 1970. M. de Bellefeuille a déclaré à *La Presse* « ne plus se considérer membre du PQ ».

LES COULEURS CANADIENNES FLOTTERONT AUSSI DANS LES AIRS, GRACE A LA « PRESSE »

Cette première page de l'édition du *30 janvier 1915* vous propose quelques images de la Grande Guerre de 1914-18.

Le sphérique de la « Presse » cube 1,200 mètres, peut enlever quatre passagers et est équipé en vue de longs voyages

Ce reportage a été publié dans l'édition du 30 janvier 1911, mais il a trait à des événements antérieurs.

L'AÉROSTATION est la science nouvelle qui a permis à l'homme de conquérir l'air, de s'élancer comme les oiseaux, à la grande aventure, vers l'infini du ciel bleu. Cette science, comme d'autres, est redevable de beaucoup de ses progrès récents, à ces jeunes hommes audacieux et braves, qui par entrainement sportif, ont reculé les bornes de l'activité humaine.

En ces derniers temps, les hommes de l'air se sont couverts de gloire. Tous les grands pays du Vieux-Monde, et les Etats-Unis après eux, ont institué des concours, en leur honneur. Seul le Canada n'avait encore rien fait pour cette science. (...) LA PRESSE se devait à elle-même, par une initiative hardie et heureuse, de faire en sorte que le Canada ne se laissât distancer par aucun autre pays.

Il y a quelques semaines, LA PRESSE envoyait donc à Paris un de ses collaborateurs, M. Emile Barlatier, rédacteur des sports mécaniques, avec mission de se procurer un ballon qui pût porter haut et vaillamment, les couleurs canadiennes et françaises dans les prochains concours pour la conquête de l'air par l'homme, durant l'année qui commence.

Mais pour être faite de bravoure, de sang-froid et d'adresse, l'aérostation repose sur l'observation, sur la connaissance des courants aériens, sur leur direction, leur force, leur constance. C'est à l'ignorance du régime des vents qu'il faut principalement attribuer les échecs essuyés au Canada par les aéronautes.

Il fallait donc adjoindre au ballon, les instruments de précision scientifique nécessaire à l'installation d'un poste complet d'observation météorologique, afin d'arriver, par une étude constante, à la connaissance parfaite des courants qui re-

Émile Barlatier, rédacteur des sports mécaniques à la « Presse ».

gnent dans les couches supérieures de l'atmosphère.

Le dernier courrier de France, nous apporte les nouvelles les plus heureuses. M. Barlatier a rempli avec un plein succès la mission dont nous l'avions chargé. Il a pu acheter de l'Aéro-Club de France, un ballon sphérique cubant 1,200 mètres, pouvant enlever quatre passagers dans les airs et équipé en vue des voyages les plus longs, les plus mouvementés. Il a aussi fait l'acquisition d'un poste d'observation météorologique complet.

Ainsi qu'il convenait, l'Aéro-Club de France a donné à notre aérostat le

NOM DE LA « PRESSE »

avant qu'il ne reçut le baptême de l'air dans une ascension qui a eu en France un grand retentissement. Ajoutons que le poste d'observation météorologique de LA PRESSE sera en communication constante avec le bureau météorologique de France et qu'il apportera aussi sa contribution à l'étude du régime mondial des vents, aussi nécessaire aux aéronautes que l'est aux navigateurs la connaissance des courants marins.

LA PREMIERE ASCENSION

Les journaux parisiens ont publié de cette ascension des comptes-rendus détaillés. M. Armand Massard, le rédacteur sportif de La « Presse », de Paris, publie le récit (NDLR — que nous devrons forcément résumer) particulièrement attachant que voici, sous les titres : « UNE ASCENSION MOUVEMENTEE » — « Enlevez le ballon ». — « Le rédacteur sportif de « La Presse » monte à bord du ballon « La Presse ». — Le départ de Saint-Cloud ».

Notre confrère Balatier, de La Presse de Montréal (Canada),

vint hier nous faire une visite — et une proposition.

Ayant acheté pour le compte de son journal un ballon de 1,200 mètres cubes, il nous conviait au baptême de l'air du sphérique La « Presse ». Nous ne pouvions manquer de participer à cette solennité sportive en l'honneur de notre excellent homonyme canadien.

Après un repas sommaire, pendant lequel s'effectuait le gonflement du ballon au parc aérostatique de Saint-Cloud, nous grimpâmes à quatre dans la nacelle, Barlatier, Louis Brouazin (de la « Libre Parole »), notre pilote et votre serviteur.

LACHEZ TOUT!

Pendant les préparatifs, Brouazin, vieux chauffard, interviewa anxieusement le pilote : « Vous avez vos papiers? Votre permis de conduire? Celui-ci le rassura en lui exhibant son brevet de pilote de l'Aéro-Club de France. (...)

Il était deux heures. Deux minutes après, nous filions à 55 kilomètres à l'heure, à 250 mètres d'altitude, dans la direction nord-nord-est.

TOUT VA BIEN

Nous ne tardions pas à passer au-dessus de la forêt de Chantilly. Puis nous entrions dans une mer de nuages, à 673 mètres d'altitude. Le coup d'oeil était véritablement grandiose, dans cet enveloppement d'ouate, avec ses éclaircies lumineuses et ses soudains assombrissements.

Celui d'entre nous qui était chargé de faire le point, gêné par une excursion d'une demi-heure dans la brume intense supprimant les repères, dut bientôt renoncer à relever notre route sur la carte. Notre pilote, grisé, lui aussi, par la vitesse, recommanda à Brouazin et à moi de surveiller attentivement si nous apercevions la mer. Puis nous descendîmes, une grande ville était toute proche, on descendit encore. A 200 mètres, les mains en porte-voix, nous hurlâmes tous les quatre en coeur : « Oùùùùùù Sooommmes-

On ne nous entendait pas. Nous baissâmes encore de 50 mètres, et nous recommençâmes l'expérience. La voix porta. On nous répondit : « Près de Noyon ». (...)

Financement universitaire : la sortie de Shapiro n'impressionne guère les entreprises

L e recteur de l'Université McGill a piqué une crise au beau milieu du Cercle Canadien, accusant les gens d'affaires de se ficher des périls budgétaires qui menacent les universités québécoises.

À entendre la réaction du milieu des affaires, force est de conclure que Bernard Shapiro, qui est aussi président de la Conférence des recteurs et principaux des universités du Québec (CREPUQ), va devoir réviser sa tactique s'il veut se faire des alliés dans sa croisade contre les compressions imposées par Québec.

Le président de la Chambre de commerce du Montréal métropolitain, André Godbout, estime que M. Shapiro, un membre du conseil d'administration de la Chambre, s'époumone en pure perte.

« Toute la société subit des contractions et les universités doivent en subir comme les autres, il n'y a pas de solutions miracles, a-t-il dit. Je ne pense pas que le milieu des affaires soit indifférent au sort des universités, mais celles-ci ont toujours voulu fonctionner dans leur monde à l'abri des intempéries. Elles sont bien retranchées dans leur ancien mode de gestion, et je n'ai pas vu encore de révolution dans un milieu où pourtant la créativité et l'imagination sont supposées être importantes. »

À l'Alliance des manufacturiers et exportateurs du Québec, le jugement était moins cinglant. « On est un peu surpris parce que c'est la première fois que la CREPUQ nous interpelle publiquement de la sorte sans nous en avoir parlé privément auparavant », a déclaré le président de l'alliance, Gérald Ponton.

Tout en appelant les universités à continuer de faire leur part, M. Ponton s'est dit prêt à discuter avec la CREPUQ « si des problèmes particuliers se posent ». Il a repoussé les accusations d'indifférence en soulignant que son organisme participe aux travaux des comités sur le suivi de la réforme de l'éducation et sur le financement des universités mis sur pied par la ministre de l'Éducation, Pauline Marois.

Au Conseil du patronat, on a la conscience tout aussi tran-

quille. « M. Shapiro a tout à fait raison de s'inquiéter du sous-financement des universités (...) mais ça fait 15 ans qu'on fait des représentations sur cette question en commission parlementaire, au Conseil supérieur de l'éducation et au ministère de l'Éducation », a fait valoir le porte-parole du CPQ, Jacques Garon.

Si le milieu des affaires s'émeut peu des reproches, c'est aussi parce qu'il contribue déjà directement au financement des universités par le moyen des campagnes de dons. Les largesses corporatives sont toutefois d'une ampleur bien moindre que les compressions imposées aux universités.

Selon une rapide tournée effectuée par *La Presse*, plus de la moitié des sommes recueillies par les fondations des universités proviennent des entreprises. Dans certains cas, comme à l'Université Laval ou Sherbrooke, les dons corporatifs atteignent même 70 % ou 75 % de tous les dons.

Sur une base annuelle, les dons corporatifs reçus à l'UQAM, à l'Université de Montréal, Concordia, Laval et Sherbrooke totalisent 29 millions

À l'UQAM, les largesses des entreprises équivalent à 1,3 % du budget de fonctionnement de 209 millions prévu pour 1998. Les quelque 2,8 millions récoltés l'an dernier auprès d'entreprises paraissent toutefois bien maigres devant les compressions de 21 millions absorbées par l'UQAM.

Les banques et les caisses populaires occupent une place importante au palmarès des donateurs, donnant jusqu'à 40 % du budget philanthropique aux universités. À titre d'exemple, le Mouvement Desjardins a donné environ 600 000 $ au réseau universitaire l'an dernier.

Les porte-parole des institutions bancaires n'ont pas voulu commenter les déclarations de M. Shapiro, soulignant qu'il n'est pas dans leur habitude de monter aux barricades pour défendre des intérêts corporatifs... autres que les leurs. (Texte publié le 30 janvier 1998).

Gandhi assassiné par un extrémiste

M ahandas-K. Gandhi a été assassiné aujourd'hui (le 30 janvier 1948) . Gandhi a été mortellement blessé par Ram Naturam, probablement l'un des extrémistes qui s'opposaient aux efforts de Gandhi pour réconcilier Hindous et musulmans.

Quelques minutes seulement après qu'on eût appris à Bombay la mort du mahatma, des troubles commencèrent dans trois districts habités par des extrémistes. La réaction fut si rapide qu'on se demande si le coup de feu qui abattit Gandhi n'était pas un signal provoquant des émeutes raciales

et religieuses dans toutes les Indes.

Pardon

Des informations subséquentes révèlent que Gandhi reçut de très près trois coups de feu dont l'un l'atteignit à la poitrine, l'autre, au haut de la cuisse droite et le troisième à l'abdomen. Il s'écroula immédiatement sans prononcer un mot. Mais, en tombant, il se couvrit la figure d'une main dans un geste final de pardon à son assassin. Il ne prononça aucune parole avant de mourir et expira dans les bras de sa petite-fille Mani.

Un feu fait cinq morts à l'hôpital de Saint-Jérôme

U n incendie, vraisemblablement allumé par un homme souffrant de troubles mentaux, a ravagé, tôt ce matin (le 30 janvier 1989), l'urgence de l'hôpital Hôtel-Dieu de Saint-Jérôme et fait cinq victimes parmi les patients de l'institution.

Le feu s'est déclaré peu après 1 h du matin dans une des salles de l'urgence, au rez-de-chaussée de l'hôpital. Il a forcé l'évacuation des 275 pa-

tients — dont certains déjà fort mal en point et à la veille de subir une intervention chirurgicale.

La grande majorité des malades ont trouvé refuge dans le pavillon psychiatrique attenant au bâtiment principal de l'hôpital. Quelque 60 patients ont été conduits au sous-sol de l'église Saint-Antoine et une quarantaine d'autres ont été transférés dans les hôpitaux de la région.

500 animaux hébergés par la SPCA retrouvent leurs maîtres

Pierre Barnotti ne pensait jamais en arriver là, mais la Société protectrice des animaux, qu'il préside à Montréal, va demander à être entendue lors des audiences sur la catastrophe du verglas que présidera Roger Nicolet.

« S'il y a une chose que notre SPCA a apprise durant cette crise, c'est qu'un grand nombre de personnes sinistrées ont refusé de quitter leur résidence privée de chauffage à cause d'un animal domestique. À tout le moins, ils ont retardé leur décision.

« Ça a l'air un peu bête, mais c'est un facteur qui a compté dans les décisions des gens. Il va falloir en tenir compte en matière de planification d'urgence et de sécurité civile. »

Dans la région de Saint-Jean-sur-Richelieu seulement, au moins 500 personnes ont évacué leur maison uniquement après qu'un réseau de bénévoles eut effectué un maillage avec les SPCA de Montréal et de Laval pour recueillir les animaux familiers dans les installations chauffées de Laval.

La SPCA participait hier à l'opération retour au bercail des 500 chiens et chats à Saint-Jean-sur-Richelieu.

« Si je n'avais pas eu un endroit sûr où envoyer Prunelle et Crystal (un berger du Shetland et un bichon maltais), il aurait fallu que je les fasse piquer. Et ça, jamais », a dit Lirette Gingras, de Saint-Luc, venue récupérer ses deux chiennes. « Je ne l'aurais pas fait et j'aurais réintégré ma maison, chauffage, pas chauffage », a-t-elle affirmé.

« On n'a pas hébergé que des chiens et des chats, a noté M. Barnotti. On a eu un macaque, un lot complet d'animaux de basse-cour et j'attends un boa de six pieds dont le maître a été tué dans une rixe à Victoriaville durant la crise... »

La participation de la SPCA à une opération d'urgence peut paraître saugrenue, mais l'organisme n'en est pas à sa première crise.

Lors du feu de forêt de Parent, en 1995, et durant les inondations du Saguenay en 1996, M. Barnotti avait déployé là-bas une équipe de la SPCA de Montréal.

Lors du déluge de 1996, particulièrement, la SPCA s'était montrée assez pertinente pour que l'armée héliporte l'équipe de bénévoles au village évacué de Ferland-Boileau, à la rescousse d'animaux de ferme, de chats et de chiens laissés derrière. (Publié le 31 janvier 1998)

Sabrina Bourgouin, de Saint-Jean, était très heureuse de retrouver son chat, Coquin,

Le Cirque du Soleil à Paris

Le jeune Cirque du Soleil de Montréal participera bientôt au seizième Festival du cirque de demain, à Paris, qui se veut une sorte d'olympiades où se retrouvent, notamment, des artistes de Chine et d'URSS. Notre cirque canadien y présentera trois numéros, dont celui de la trapéziste québécoise Jacinthe Tremblay.

Le Cirque du Soleil retire beaucoup de fierté de cette première participation à un événement où se rencontrent les meilleurs artistes de cirque au monde.

En plus de sa trapéziste, un bon nombre des membres du cirque installé à Montréal se rendront à Paris pour présenter leurs numéros de bicyclette et de planche sautoir.

(Texte publié le 31 janvier 1987)

LE PONT DUPLESSIS CROULE: 4 MORTS

À 2 h 55, au petit matin du *31 janvier 1951,* quatre travées (soit une longueur de 720 pieds) du côté trifluvien du pont Duplessis, à Trois-Rivières s'effondraient dans le Saint-Maurice, entraînant la mort de quatre automobilistes, engloutis par les flots dans leur véhicule. Le premier ministre Maurice Duplessis, député de cette circonscription à l'Assemblée législative, avait immédiatement parlé de sabotage, accusant mais sans les nommer des éléments subversifs qui désiraient saboter les moyens de communications entre les grandes villes.

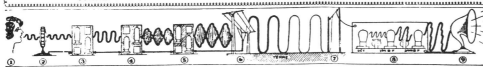

COMMENT LE SON VOYAGE DU MICROPHONE, DANS L'AIR ET AU RECEPTEUR

Voici de quelle façon LA PRESSE expliquait à ses lecteurs, dans son édition du *31 janvier 1925,* la progression de la voix humaine entre le microphone et le haut-parleur: *La voix (1) frappant le microphone (2), est convertie en vibrations électriques, amplifiées par un amplificateur (3). De là, les vibrations passent par le modulateur (4) qui les transforme en fréquences continues qui sont produites par l'oscillateur (5). En quittant ce dernier, les fréquen-* *ces combinées chargent l'antenne (6) et prennent la forme d'ondes électro-magnétiques. Après avoir voyagé dans l'air, ces ondes atteignent l'antenne de réception (7), puis la première lampe du poste récepteur (8), où les courants sont reconvertis en sons, puis amplifiés de façon à stimuler le haut-parleur (9), lequel projette la voix dans la pièce.*

LES CHEVAUX FONT PLACE AU PROGRES

Ce montage de deux photos a paru dans l'édition du *31 janvier 1936.* On voulait souligner l'exil involontaire à l'île Sainte-Hélène des deux derniers chevaux utilisés par la brigade des incendies de Montréal, qu'on venait de remplacer par le nouveau fourgon à boyaux de la caserne no 40 (photo du haut). On remarquera sur la photo du bas, que le maire Camillien Houde (troisième de gauche) s'était même déplacé pour assurer un cachet bien particulier à l'événement.

Cette première page du *Magazine illustré* de LA PRESSE du *31 janvier 1931* illustrait une scène de patinage au parc Outremont, « croquée sur le vif par Georges Latour », précisait-on.

Un important transfert de fonds à l'avantage des pétrolières canadiennes

C'est la somme astronomique de 8,2 milliards de dollars qui sera dépensée entre 1982 et 1987 pour l'exploration des zones frontalières du Canada, sur la côte Est et en mer de Beaufort, dans les territoires du Nord-Ouest. Toute cette opération a pour but, bien sûr, d'assurer l'autosuffisance énergétique au Canada, mais elle consiste aussi pour Ottawa un moyen de procéder à un important transfert de fonds des sociétés étrangères aux pétrolières canadiennes.

Toute cette exploration des zones frontalières est en grande partie financée par Ottawa, qui y recycle les revenus qu'il tire de la taxe sur les recettes pétrolières et gazières (TRGP). Tout est fonction du degré de propriété canadienne des compagnies. Lorsque les sociétés impliquées sont entièrement canadiennes, Ottawa défraie 80 5. cent des coûts grâce aux subventions d'encouragement au secteur pétrolier (PIP).

Soquip

Le Québec participe lui aussi à l'exploration des zones frontalières canadiennes, par l'entreprise de Soquip, la Société d'initiatives pétrolières québécoises, qui y consacre 20 millions au cours des cinq prochaines années.

Le porte-parole de Soquip Pierre Boivin, explique qu'avant de s'engager dans le forage offshore dans cette région, Soquip a pu établir que l'opération a toutes les chances d'être rentable, même si le prix international du pétrole et du gaz ne fait que se maintenir au niveau actuel.

En outre, Soquip souhaite éventuellement, c'est-à-dire vers les années 1990, obtenir pour le Québec un approvisionnement en pétrole qui lui appartiendrait, comme elle l'a fait dans le cas du gaz albertain qu'elle vend actuellement à Gaz Inter-Cité. Ce pétrole, il faut qu'elle aille le chercher à l'extérieur de la province, car la géologie du Québec ne renferme pas de gisements importants d'hydrocarbures.

La côte Est a été choisie en raison de son potentiel déjà confirmé, parce que ce territoire est situé relativement près des marchés québécois et parce que les dépenses d'exploration sont admissibles aux subventions du Programme d'encouragement du secteur pétrolier (PIP). Le gouvernement fédéral paie en effet 80 % des coûts, les trois compagnies formant Parex étant canadiennes.

Soquip estime que la mise en production des régions d'Hibernia et de Venture contribuera à améliorer la sécurité des approvisionnements du Québec et assurera des retombées économiques importantes.

(Texte publié le 31 janvier 1984)

C'EST ARRIVÉ UN **31** JANVIER

1979 — Le colonel Chadli Bejedid succède à Houari Boumedienne à la présidence de l'Algérie.

1971 — Lancement de la mission *Apollo XIV* par les Américains.

1966 — La reprise des bombardements américains au Nord-Vietnam marque la fin de l'« offensive de paix » de cinq semaines.

1958 — Mise en orbite du premier satellite américain, l' *Explorer.*

1953 — Le pire désastre du siècle en Europe: un ouragan fait 1 500 morts et cause d'énormes dégâts sur les côtes anglaises, hollandaises, belges et françaises.

1950 — Le président Truman donne le feu vert à la fabrication de la super-bombe.

1945 — Le ministère de la Marine du Canada annonce que le dragueur de mines *Clayoquot* a été torpillé.

1929 — Eleanor Smith établit un nouveau record féminin d'endurance en passant plus de 13 heures et 16 minutes au volant d'un avion.

24ᵉ ANNÉE—N° 76 MONTREAL, SAMEDI 1 FÉVRIER 1908 DEUX CENTINS

Rêves et Cauchemars d'un Candidat

LA PRESSE décidait de consacrer sa première page du *1er février 1908* à cette illustration humoristique de la campagne électorale pour la bonne raison qu'au tournant du siècle, les élections municipales se déroulaient au début de février, plutôt qu'à l'automne comme c'est le cas aujourd'hui.

PLUS DE MIDI À QUATORZE HEURES
La Pendule de la réforme
UNE SCÈNE TYPIQUE, À L'HÔTEL DE VILLE, CE MATIN

IL est tout à fait inutile de s'appeler le parti de la Réforme, si l'on ne réforme rien. Le comité des finances, après s'être donné beaucoup de mal, a découvert que certains employés n'arrivaient pas à l'heure réglementaire. Il y en avait même qui paraissaient à leurs bureaux à neuf heures moins cinquante-neuf minutes et trois quarts, lorsqu'ils auraient dû faire acte de présence à 9 heures précises. On acheta au coût de quelques centaines de dollars un de ces appareils fin de siècle qui font le désespoir des fonctionnaires publics, une horloge monstre dnas le ventre de laquelle, en guise de boyaux, fonctionne un mécanisme capable d'enregistrer les entrées et les sorties des employés.

Cet appareil bienfaisant, mais que l'on menace de réduire en poudre, tant la méchanceté humaine est grande, a été inauguré, hier après-midi, et M. Arnoldi qui remplace le trésorier, actuellement malade, a eu l'agréable devoir d'en expliquer le fonctionnement à tous les intéressés. La chose était devenue nécessaire, car on conçoit que les chefs de départements qui continueront à ignorer l'existence de l'horloge, et qui ne prendront comme d'habitude leur siège moelleux qu'à 10 ou 11 heures, ne pourront constater par eux-mêmes si leurs subalternes sont à leur poste à l'heure voulue.

La chose est tellement frappante qu'un échevin — pas de la Réforme — faisait observer, ce matin (1er février 1901), au représentant de «La Presse» que c'était justement comme lors de la question de réduction des salaires: les «gros» sont laissés en paix et ne pouvant faire plus, on s'attaque aux «petits». Malgré les meilleures intentions du monde, l'innovation a des lacunes et ne rencontre pas tout à fait le but proposé. L'ordre suivant a été affiché dans tous les bureaux:

«Ordre a été donné aux chefs de départements de suspendre tout employé qui arrivera ou partira avant les heures de bureau, ou qui prendra plus d'une heure pour son repas du midi.»

Or, ce matin, une scène indescriptible et des plus mouvementées a eu lieu, à l'hôtel de ville. Tous les employés devaient arriver à neuf heures, et la conséquence naturelle, c'est qu'il y avait foule. On s'est bousculé, et il s'est produit, comme notre vignette le laisse voir, des scènes drôlatiques. L'on conçoit, en effet, que celui qui se trouve le dernier de la procession, bien qu'arrivé à l'heure juste, ne peut s'enregistrer à temps. Alors, il y a confusion. On se pousse, on se bouscule, etc.

Scène à l'hôtel de ville, ce matin, à l'arrivée des employés civiques.

La traque aux chômeurs par les douanes est illégale

La chasse aux chômeurs vacanciers vient de prendre fin abruptement. Dans un jugement rendu, la Cour fédérale déclare illégal (le 1er février 1999) le couplage de données qui permet au gouvernement fédéral de retracer les prestataires d'asurance-emploi qui ont quitté le pays tout en continuant de toucher leur chèque.

Dans un jugement qui pourrait freiner sérieusement l'intérêt d'Ottawa pour le couplage informatique, le juge Danièle Tremblay-Lamer statue que la loi sur la vie privée et la loi sur les douanes n'autorisent pas Revenu Canada à dévoiler des renseignements confidentiels au ministère du Développement des ressources humaines.

«La loi (sur la vie privée), écrit le juge, permet le dévoilement de renseignements personnels quand le ministre croit que l'intérêt du public est supérieur à toute invasion de la vie privée qui peut en résulter. Selon les preuves qui me sont présentées, cette sous-section de la loi ne s'applique pas.»

Très lucratif, le programme de couplage entre Douanes Canada et le ministère du Développement des ressources humaines a rapporté 45 millions au trésor fédéral en 1997-98 au terme de 62 000 enquêtes. Des données préliminaires recueillies par *La Presse* en juin avan-

çaient les chiffres de 80, voire 100 millions pour 1998-99.

Pour y arriver, les enquêteurs de l'assurance-emploi utilisent les formulaires E-311 que tout voyageur doit remplir quand il rentre au pays en avion. En couplant les dates d'absence des voyageurs aux fichiers de paiement de l'assurance-emploi, on tombe automatiquement sur les imprudents chômeurs qui ont quitté le pays sans en avertir leur agent d'assurance-emploi.

C'est payant et facile, il suffit de demander aux ordinateurs de faire les recherches. Cette façon de fonctionner, en plus de repérer les fraudeurs, assure la confidentialité, a toujours affirmé le ministère de Pierre Pettigrew.

Lancé en 1996, le couplage remonte jusqu'en 1993, ce qui signifie qu'environ 10 millions de formulaires E-311 devaient passer au détecteur. Les enquêteurs estimaient à 150 000 le nombre de chômeurs fautifs entre 1993 et 1996.

C'est justement contre la rétroactivité de la mesure qu'en avait le Commissaire à la vie privée, Bruce Phillips, qui s'est opposé au couplage dès le début. Selon le protecteur de la confidentialité des Canadiens, les voyageurs ne savaient pas quel usage on ferait de ce petit formulaire au moment où ils l'ont rempli.

Dans le but de mettre fin aux risques que couraient les piétons de se faire écraser par les lourds chariots, piétiner par un cheval emballé, voire de se faire arroser à proximité des flaques par les véhicules, LA PRESSE proposait, dans son édition du *1er février 1905*, le projet suivant. L'élément principal du plan était la construction d'une passerelle s'étendant de la rue Notre-Dame jusqu'aux débarcadères, en passant au-dessus de la place Jacques-Cartier, du «mur de revêtement» comme on disait à l'époque, des voies ferrées et des quais. La Commission des parcs et traverses acceptait de donner suite, mais en faisant commencer la passerelle à la rue des Commissaires seulement. Malgré cet assentiment, le projet n'a jamais eu de suite comme on le sait. Quant au tramway qui aurait circuler à l'époque rue des Commissaires, c'est une énigme

Des Big Mac à Moscou

Des milliers de Soviétiques — 15 000 à 20 000 dans les cinq premières heures, selon des responsables — ont patiemment attendu leur tour hier (le 31 janvier 1990)sur la Place Pouchkine de Moscou pour bénéficier parmi les premiers d'une des premières réformes gorbatchéviennes goûteuses et appréciables: un hamburger chez McDonald.

Il a fallu à McDonald-Canada quelque 14 ans d'efforts mais hier, dès l'ouverture, les Soviétiques ont pu voir de près des valeurs guère communes chez eux: un service efficace, rapide et avec le sourire.

Contrairement à la plupart des autres sociétés occidentales, McDonald vend ses hamburgers en roubles.

LE DEUIL A MONTREAL

La parade militaire à l'occasion des funérailles de la Reine a été grandiose et touchante. Tous les régiments ont pris part à la marche funèbre

LA suspension générale des affaires, samedi **(2 février 1901)**, eut pour effet de faire masser sur nos rues une foule de curieux, dont la plupart portaient des rubans noirs ou des médailles recouvertes de crêpe, en signe de deuil *(pour la reine Victoria)*.

De bonne heure, les gens commencèrent à inonder les rues par où devaient défiler nos soldats et surtout les environs du carré Victoria où la statue de la reine attirait tous les regards.

Dans les quartiers commerciaux de la ville, des bannières à mi-mât, des portraits de la reine, tout entourée de tentures aux couleurs sombres, s'étalaient en signe de deuil national.

Jamais peut-être on n'a vu à Montréal un tel déploiement d'ornements funèbres, depuis le carré Victoria jusqu'à l'hôtel de ville. Aucun édifice n'apparaissait à nu au regard: tous portaient les marques de la tristesse générale. Samedi, avec les magasins fermés et les citoyens en deuil, l'effet de ces décorations était saisissant. (...) Les résidences privées, les collèges, les entrepôts, les manufactures et les magasins rivalisaient pour honorer la souveraine à qui trois générations de sujets ont obéi.

Il était tout naturel alors que nos rues fussent bondées tout le jour, de gens que la curiosité y amenait ou de citoyens qui revenaient de l'église. Vu le mauvais état des trottoirs, les tramways furent largement encouragés.

La foule était innombrable, surtout au moment où les cloches annoncèrent le service religieux aux diverses églises; mais tout l'après-midi, Montréal offrit l'aspect d'un dimanche d'hiver.

LA STATUE DE LA REINE

La statue de la reine, sur le carré Victoria, était pour tous le principal centre d'attraction; tous, pauvres comme riches, y apportaient des tributs floraux. Le centre du piédestal était orné de fleurs magnifiques, présentées par les étudiants de l'université McGill, et représentant l'étoile de l'Ordre de la Jarretière, la décoration la plus convoitée qui soit au monde. 600 élèves, professeurs en tête, apportèrent au pied de la statue ce tribut d'hommage.

La ville de Montréal a envoyé une couronne de violettes portant les armes de la ville. Le Conseil national des femmes, dont Mme Drummond est la présidente, a présenté une magnifique couronne de lis blanc. (...)

Le comité chargé de décorer le carré Victoria s'acquitta de sa tâche d'une manière artistique, et ne laissa rien de côté, de ce qui était envoyé, en signe de regret et de deuil, par les citoyens de la ville.

DRAPEAUX EN BERNE

Le maire Préfontaine a reçu un télégramme du Secrétaire provincial le notifiant du désir du Roi, qui est de tenir les drapeaux en berne jusqu'à lundi *(5 février)*. (...)

PARADE MILITAIRE

Le jour de deuil national fut des mieux observés par les autorités militaires, qui organisent une parade d'églises.

Une note touchante de cette parade fut la présence dans les rangs, d'au-delà de 200 vétérans, comprenant les vétérans de terre et de mer, ceux de l'invasion fénienne et de la rébellion du Nord-Ouest.

Ces vieux débris de nos armées, formant un bataillon à eux seuls, étaient sous le commandement du lieut.-col. Frank Bond, avec le major Porteous et le capitaine Armstrong en tête des deux compagnies.

La majorité des vétérans portaient sur la poitrine des médailles de service voilées de crêpe.

À 10 heures, les Carabiniers, au nombre de 200, quittèrent leurs quartiers généraux de la rue Cathcart, et se rendirent à la salle d'exercices où ils joignirent les autres corps. Aussitôt que la brigade fut au complet et eût pris ses positions, le lieut.-col. Peters, D.O.C., en compagnie du lieut.-col. Geo. Starke, agissant comme officier de brigade, monta sur une des galeries qui entourent l'édifice, et de là, le colonel Peters lut la proclamation annonçant la mort de la reine et l'avènement au trône du roi Edouard VII.

A LA CATHEDRALE

Une grande foule de fidèles remplissait la cathédrale St-Jacques, à la grand'messe chantée (...) pour attirer les bénédictions du ciel sur les membres de la famille royale. M. le chanoine Martin officiait, assisté de MM. les abbés Geoffrion et Forges. Mgr l'Archevêque de Montréal présidait au trône. L'élite de la société assistait.

LE 65e REGIMENT

La population de Montréal a été particulièrement touchée de la parade du 65e Bataillon (...) à travers les principales rues de cette ville, à l'occasion des démonstrations sympathiques offertes de toutes parts en l'honneur de notre regrettée souveraine. Les Canadiens-Français, surtout, étaient saisis d'orgueil au passage de notre bataillon, à l'allure martiale, à la tenue irréprochable, et enfin, à l'apparence remarquable. L'ensemble du bataillon présentait le plus beau coup d'oeil, et les félicitations les plus chaleureuses lui sont offertes en cette circonstance.

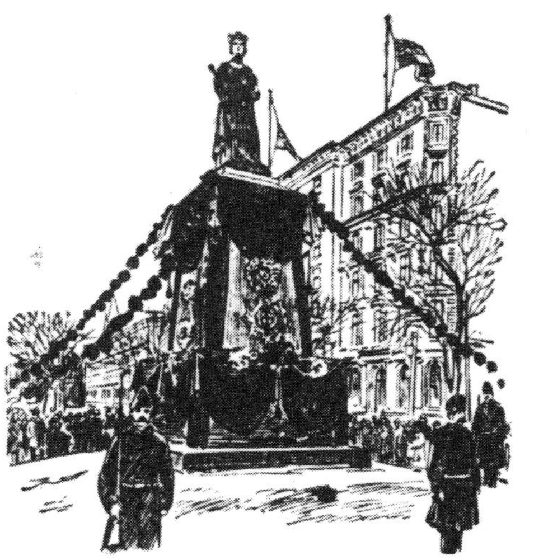

Les soldats montent la garde au pied de la statue de la reine Victoria.

C'EST ARRIVÉ UN 2 FÉVRIER

1973 — Les chefs des trois grandes centrales syndicales se présentent à la prison d'Orsainville pour y purger une peine d'un an de prison. Ils seront libérés trois mois et demi plus tard.

1970 — Décès de Bertrand Russell, célèbre philosophe britannique gagnant d'un prix Nobel de littérature.

1964 — Le satellite américain Ranger VI s'écrase sur la Lune sans pouvoir transmettre de photos vers la Terre.

1961 — La folle équipée du Santa Maria, arraisonné 11 jours plus tôt en pleine mer par le chef rebelle Henrique Galvao, prend fin à Recife, au Brésil, par la libération des 607 passagers et des 368 membres d'équipage.

1961 — Création de la ville de Chomedy par la fusion de trois villes.

1959 — L'affaire des « Ballets roses » a eu un rebondissement sensationnel avec l'inculpation de M. André Le Troquer, ancien président de l'Assemblée nationale française. Il a été accusé d'atteinte aux bonnes moeurs en rapport avec des scènes scandaleuses qui se seraient déroulées à sa résidence officielle, près de Paris, et auxquelles auraient participé des jeunes filles mineures.

1955 — À la ligne « H » succède la ligne « A », telle est la décision annoncée, par Christian Dior à la présentation de sa nouvelle collection de printemps et d'été. « La silhouette de ce printemps substitue une ligne plus libre, plus évasée que symbolise la lettre A, à la rigueur du parrallélisme de la ligne H de cet hiver. Évolution et non révolution », ajoute-t-il.

1922 — Le désastre de la Bianca Italiana di Sconto entraîne la chute du gouvernement Boboni, en Italie.

Le rapport Allaire propose un rapatriement massif de pouvoirs

Les Pères de la Confédération ont dû se retourner dans leur tombe, mardi (**le 29 janvier 1991**), quand le Parti libéral du Québec a rendu public le rapport de son comité constitutionnel présidé par Me Jean Allaire, intitulé *Un Québec libre de ses choix*.

Le gouvernement fédéral, qu'ils avaient voulu fort et centralisateur, se trouvait soudain amputé du gros de ses pouvoirs. Ses compétences exclusives se comptaient désormais sur les doigts d'une seule main : défense, douanes, monnaie et dette, péréquation.

Le document du PLQ établit trois listes de compétences :

1. domaines de compétence exclusive du Québec ;
2. domaines de compétence partagée ;
3. domaines de compétence exclusive du Canada.

Dans son rapport, le Comité Allaire propose l'abolition du pouvoir de dépenser d'Ottawa dans les domaines qui ne sont pas de sa compétence. Ainsi, des domaines qui sont présentement de compétence exclusive du Québec le deviendraient véritablement.

Cette demande du Comité Allaire est loin d'être négligeable puisqu'Ottawa dépense présentement la moitié de son budget dans les champs de compétence des provinces ! Cela lui confère un pouvoir d'intervention qu'autrement il n'aurait pas.

UN MUSICIEN CANADIEN-FRANÇAIS REMPORTE A PARIS LE PREMIER PRIX D'UN CONCOURS DE COMPOSITION

*Ce texte publié par LA PRESSE du **2 février 1924** fait état d'un événement survenu le 21 janvier, mais qui n'était pas encore connu à Montréal de toute évidence.*

LE courrier qui apportait « Le Matin » du 21 janvier annonçait une bonne nouvelle aux amis de l'art en particulier et aux musiciens en général. M. Claude-Adonaï Champagne, compositeur de musique canadien-français, a gagné le premier prix de mille francs au premier concours pour le million du « Matin ».

Voici comment notre confrère de Paris raconte les circonstances du tirage et le bonheur de notre compatriote.

« Dans le hall de l'hôtel du « Matin » avait été dressée la machine qui, mue par la main des hommes les plus honorables ou par celle de la jeune innocence, allait dans son indifférente infaillibilité proclamer le verdict de la chance.

« En face d'elle, avec la gravité qui sied au constat de la Fortune, Me Blanche, huissier, comme il en avait été prié par « Le Matin », après avoir établi un long et minutieux procès-verbal, notait au fur et à mesure les numéros, heureux gagnants de nos prix.

« Quatre-vingt fois ainsi, la Fortune appela ses élus, et si par prudence elle désigna trois bénéficiaires suppléants, c'est qu'elle n'entendait point que par suite de la non-distribution possible d'un numéro, l'un des prix du « Matin » pût lui rester en compte.

« Pour porter à des gens une bonne nouvelle, il semble que vous poussent des ailes.

« Quatre à quatre, les étages du 5 de la rue Nicholas-Flamel ont été gravis.

-84 215! avons-nous murmuré essoufflé.

« Il n'en a pas fallu davantage pour que M. Claude Champagne et sa jeune femme comprennent qu'Ils étaient les heureux bénéficiaires du prix de mille francs de la première répartition du million.

« M. Claude Champagne est âgé de 35 ans, compositeur de musique, auteur déjà d'un grand poème symphonique, « Hercule et Omphale ». Il a quitté le Canada, son pays d'origine, pour venir suivre à Paris les cours du Conservatoire. (...)

Hollywood a 100 ans

Quand, le 1er février 1887, Harvey Wilcox fit enregistrer au cadastre de Los Angeles le plan de son ranch, il ne pouvait pas savoir qu'il avait donné naissance à un mythe. C'est sa femme, Deida, qui avait choisi le nom du ranch : Hollywood

Ville mirage, mecque ou terre promise du cinéma, usine à rêves : les qualificatifs ne manquent pas pour désigner ce qui ne fut, jusqu'au début du 20e siècle, qu'un hameau entouré de collines ou poussaient orangers et avocatiers.

Hollywood a célébré hier (**le 1er février 1987**) son centième anniversaire, même si le cinéma n'y fit son apparition que plusieurs années après la démarche officielle de M. Wilcox.

« Ce fut l'une des plus grandes fêtes jamais organisées à Hollywood », affirme le président du Comité du centenaire, Michael Temann. Temps fort des festivités qui se prolongeront toute l'année, une parade, en présence notamment de Bob Hope et James Stewart sur le Walk of Fame, le célèbre bout de trottoir sur Hollywood Boulevard où les stars ont laissé dans le béton les empreintes de leur pied ou de leur main.

Le tournage

Au tout début du cinéma américain, l'action ne se trouvait pas en Californie, mais à New York. Même les westerns, genre déjà populaire, étaient tournés non loin de Manhattan.

Deux raisons principales ont contribué au destin d'Hollywood : d'une part son climat sec et doux qui permettait de tourner en extérieur toute l'année, d'autre part la volonté de certains producteurs de briser le monopole exercé par Thomas Edison.

En 1907, le colonel William Selig, principal rival d'Edison, filma près de Los Angeles un documentaire (le départ d'un dirigeable), et en 1909 il fit construire le premier grand studio sur la côte ouest. Mais il faudra attendre Cecil B. De Mille pour qu'en 1913 Hollywood prenne son véritable essor.

Le cinéaste et producteur voulait tourner un western, *The Squaw Man*, dans l'Arizona, mais ne trouvant pas le décor à son goût, il prit le train jusqu'au terminus. C'était Hollywood. Il y resta et fit construire son premier studio dans une écurie.

En l'espace de quelques mois, les autres producteurs suivirent son exemple, et, dès 1920, avec l'émergence du star system, Hollywood, qui produisait près de 800 films par an, était devenu sans conteste la capitale du cinéma.

L'usine à rêves

Hollywood demeura la plus grande usine à rêves du monde jusqu'à la fin des années 40, quand deux événements vinrent bouleverser l'industrie du cinéma : la naissance de la télévision et le vote d'une loi antitrust obligeant les grands studios à séparer leurs activités de production de leurs activités d'exploitation.

La puissance prodigieuse des Majors, MGM, Paramount, Warner, Fox, RKO, Columbia, Universal, allait en être ébranlée. Plus jamais on verrait comme dans les années 30 la Warner pouvoir maintenir 350 décors permanents ou la MGM disposer d'une garde-robe de 15 000 costumes pour les hommes et 8 000 pour les femmes.

Pour des raisons budgétaires, un nombre croissant de long métrages allaient être tournés en dehors d'Hollywood. Ce phénomène des *runaway films*, n'a fait que s'accélérer au cours des dernières années et ce n'est qu'en 1986 que la municipalité de Los Angeles a pris des mesures pour tenter d'arrêter l'hémorragie.

Le déclin

Dans les années 60, le quartier d'Hollywood, comme n'importe quel centre urbain américain, s'est mis à péricliter. Les stars fuyaient. La drogue et la prostitution s'installaient le long de Hollywood Boulevard. Symbole de cette décadence, l'immense panneau sur la colline où est écrit le nom d'Hollywood perdait ses lettres et personne ne songeait à les remplacer.

« C'était une zone sinistrée aux immeubles abandonnés et on avait peur de se promener dans la rue, dit Mme Marian Gibbons qui a créé au début des années 80 une association pour la préservation d'Hollywood.

Les efforts entrepris récemment pour redonner de son lustre au quartier commencent cependant à donner des résultats. Des millions de dollars ont été investis pour sauver de nombreux sites désormais classés monuments historiques.

Comme une star vieillissante qui a besoin d'un lifting, Hollywood centenaire cherche à retrouver sa prospérité d'antan, mais son âge d'or semble bien révolu.

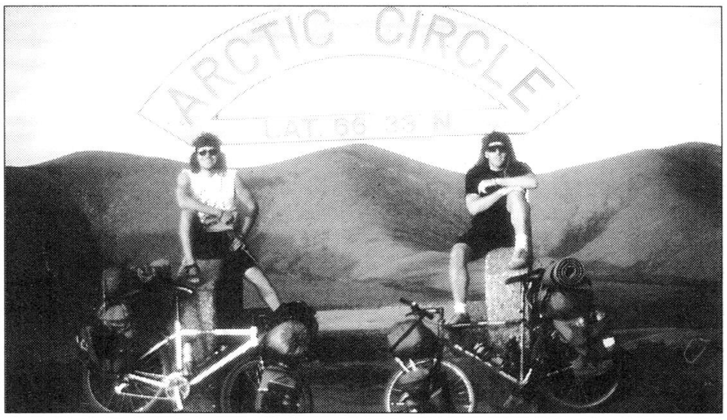

Partis il y a quatre ans et demi avec 500 $ à deux, Pierre Bouchard et Steve Bellemare ont parcouru le monde à vélo.

À vélo autour du monde

Ils ont pris leur décision un de ces soirs où on dit n'importe quoi devant une avant-dernière bière, celle pour la route. « On part ». Et ils sont partis.

À vélo autour du monde. Ils y sont restés quatre ans et demi.

Ils ont été reçus comme des amis dans la campagne russe. « Le matin quand on quittait le village, ils remplissaient nos sacoches de victuailles. Un oignon, un bout de saucisson, un pied de laitue, un morceau de cochon. »

Ils ont aimé... tout. Pédaler sous le soleil de minuit, la forêt du nord des Îles de la reine Charlotte, le sable gris des pistes d'Islande qui les amènent à travers les glaciers.

Ils ont été obligés de travailler pour manger. Entretien de piscine à Los Angeles, travaux ménagers dans les Alpes françaises. « On a exposé nos photos sur bien des trottoirs ; les gens nous donnaient des pièces...»

Le temps de changer de bottines et ils partent pour la Chine d'un jour à l'autre. D'abord Hawaï, où ils serviront de guides à un groupe de cyclotouristes, et puis les Philippines, Hong Kong, la Chine.

Ils ont déjà « fait » le Mexique, le Grand Canyon, les Territoires du Nord-Ouest, la France, l'Italie, le Danemark, la Belgique, le Luxembourg, la Suisse, l'Écosse, l'Irlande, le pays de Galles, l'Angleterre ; Vladivostok, Seattle, Kelowna.

Qu'est-ce qu'on apprend au cours d'un voyage comme celui que vous venez de faire ?

« On obtient un autre son de cloche ; ce qu'on entend dire n'est souvent pas conforme à ce qui se passe vraiment. On apprend qu'on vit tous sous le même ciel et que chacun de notre côté on essaie de se démerder de son mieux. On apprend la confiance, on apprend à communiquer avec les mains dans la campagne turque. On apprend à réparer un vélo. »

(Texte publié le 2 février 1995)

C'EST ARRIVÉ UN 3 FÉVRIER

1981 — Pétro-Canada prend le contrôle de Pétro-Fina.
1974 — Amorce d'une nouvelle révolution culturelle sous la direction du président Mao, en République populaire de Chine.
1967 — Le premier ministre Lester B. Pearson annonce qu'Anne Francis présidera la Commission royale d'enquête sur le statut de la femme.
1966 — *Luna IX*, un satellite soviétique, se pose en douceur à la surface de la Lune, qu'il photographie.
1962 — Les États-Unis décrètent un embargo sur tous les produits cubains.
1959 — L'écrasement d'un *Electra* d'American Airlines dans la East River, à proximité de l'aéroport La Guardia fait 65 morts.
1957 — Décès à Coteau-Landing de J.-Édouard Jeannotte, député provincial de Vaudreuil-Soulanges.
1953 — Le Parlement canadien adopte une loi faisant d'Elizabeth II la « reine du Canada ».
1947 — Quinze des bourreaux du camp de Ravensbruck sont condamnés à mort pour atrocités.
1946 — Selon Washington, la bombe atomique lâchée sur Hiroshima a fait 78 150 morts.
1924 — L'ex-président Woodrow Wilson, des États-Unis, meurt dans son sommeil.
1908 — Election de Louis Payette à la mairie de Montréal.

UN EPOUVANTABLE INCENDIE DETRUIT LA NUIT DERNIERE LE PARLEMENT D'OTTAWA

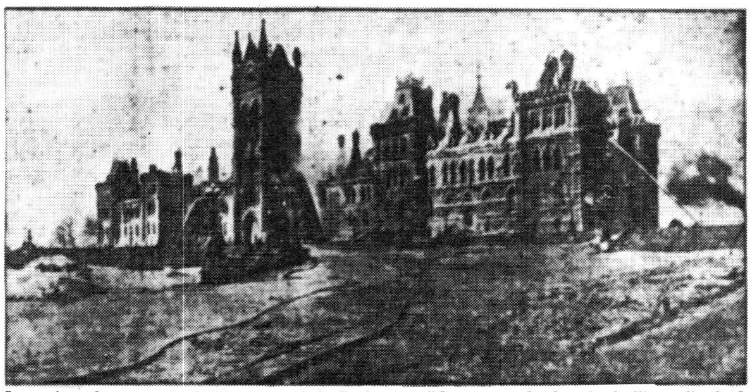
Les ruines fumantes de l'édifice central du Parlement d'Ottawa, au lendemain de l'incendie du 3 février 1916.

Ce serait là l'oeuvre de criminels! — Le maire Martin, M.P., de Montréal, donne l'alarme. — Le député B.B. Law aurait péri.

La nouvelle qu'un mystérieux incendie avait éclaté au Palais Législatif d'Ottawa, détruisant la partie centrale de l'édifice et causant plusieurs pertes de vie, a jeté la consternation dans le pays tout entier.

Alors que nos législateurs venaient à peine de se mettre à l'oeuvre et que tout marchait dans l'ordre le plus parfait, un cri d'alarme retentit et apporta la confusion au sein de cette assemblée. Une épaisse fumée remplit en quelques secondes les corridors et gagne bientôt la salle des délibérations, ce qui rend plus difficile le travail de sauvetage. Dans le tumulte qui s'ensuit, deux femmes, appartenant à la société de Québec, hôtes de Mme Albert Sévigny, femme de l'Orateur de la Chambre, qui assistaient à la réunion, périssent dans les flammes. (...) Et ce n'est que grâce au sang-froid montré par tous ceux qui se trouvaient dans l'édifice, au moment où les flammes firent leur apparition, si l'on n'a pas à déplorer de plus grands malheurs encore.

La brigade des pompiers se met promptement au travail. (...) Peine inutile, l'incendie accomplit son oeuvre et une heure plus après, toute la partie centrale du parlement n'est plus qu'un amas de ruines fumantes.

Des rumeurs persistantes disent que l'incendie aurait été allumé par une main criminelle allemande ou autrichienne et que le coup aurait été préparé de longue date. La rapidité avec laquelle l'élément destructeur s'est propagé (...) donne un air de vérité à cette assertion. (...) D'aucuns vont jusqu'à dire que le département de la Justice avait été averti trois semaines à l'avance par un journal des Etats-Unis, que les ennemis de l'Empire projetaient des attaques sur les principaux édifices de la capitale canadienne.

C'est en ces termes que commençait l'impressionnante couverture consacrée par LA PRESSE à l'incendie du Parlement d'Ottawa, dans la soirée du ***3 février 1916****. L'abondance de nouvelles nous force à résumer succintement les faits, sinon c'est toute cette page qu'il faudrait consacrer à l'événement aux conséquences terribles puisque pas moins de sept personnes, dont le député libéral de Yarmouth, M. Bowman Law, devaient y perdre la vie.*

Le début de l'incendie

L'incendie s'est déclaré vers 21 h dans la salle de lecture attenante à la chambre des délibérations de l'assemblée législative, alors que les députés écoutaient l'argumentation de M. Clarence Jamieson, de Digby, qui exigeait la tenue d'une enquête sur les prix payés aux pêcheurs pour leur poisson.

La plupart des témoins occulaires ont parlé d'une explosion en tout début d'incendie, l'un d'entre eux, le chef Graham, du service des incendies d'Ottawa, allant même jusqu'à affirmer qu'on avait entendu pas moins de cinq explosions. Les flammes et la fumée aussi dense que noire se sont propagées avec une rapidité telle que d'aucuns furent portés à accréditer la rumeur d'un incendie criminelle. Et la prétention du « Providence Journal » à l'effet qu'il avait avisé (ce qui fut démenti rapidement par Washington et Ottawa) trois semaines plus tôt le département de la Justice (lequel, le journal ne le disait pas) trois semaines à l'avance des intentions d'employés de l'ambassade allemande de Washington d'attaquer les principaux édifices du gouvernement canadien. Cependant, dans les milieux bien renseignés, on devait attribuer la propagation ultra-rapide du feu à l'inflammabilité élevée des matériaux utilisés pour la décoration intérieure, et les « explosions » au bruit que faisait le feu en s'engouffrant subitement dans un corridor.

Quant à la rumeur de sabotage par des Allemands, elle donna lieu momentanément à une chasse aux sorcières, au point qu'on alla jusqu'à arrêter le pianiste Charles Strony, à Windsor, parce qu'il avait eu le malheur de prendre un billet pour Chicago après qu'il eut celui de se trouver à Ottawa le soir de l'incendie. Ce qu'il ne pouvait pas nier puisqu'il accompagnait Madame Edvina à un concert auquel assistaient le gouverneur général, le duc de Connaught, et son épouse.

Le hasard a voulu que l'alarme soit donnée par le maire Médéric Martin, député de Sainte-Marie, qui entendit une explosion au moment où il entrait dans la chambre. C'est au cri de « Le feu...et un gros! » qu'il avertit ses collègues.

Les conséquences de l'incendie

L'incendie fit sept victimes, mais il aurait pu être encore plus regrettable n'eut été de nombreux gestes de courage et de sang-froid de la part des centaines de personnes qui se trouvaient alors à l'intérieur de l'édifice.

Les morts furent, outre le député Law, M. J.-B. Laplante, assistant-greffier de la Chambre, Alphonse Desjardins, constable, son homonyme, plombier, Randolph Fanning, employé aux postes, et Mmes Henri Bray et Louis Morin, de Québec. On crut pendant un certain temps que le député J.0. Lavallée, du comté de Bellechasse, avait également péri dans l'incendie, mais il fut retrouvé sain et sauf à son domicile.

On parvint à sauver les documents sessionnels les plus importants ainsi que les peintures qui ornaient la Chambre du Sénat, mais on n'a malheureusement pas pu sauver celles de la Chambre des Communes, parmi lesquelles se trouvaient évidemment des peintures hors de prix.

L'incendie força évidemment le gouvernement de sir Robert Borden à s'installer ailleurs temporairement, et on choisit de siéger au musée « Victoria Memorial » en attendant la reconstruction de l'édifice.

Historique de l'édifice

C'est le 20 décembre 1859, sous l'administration Cartier-Macdonald, que furent commencés les travaux de l'édifice conçu par les architectes Fuller et Jones. Les travaux devaient être terminés en en 1862, mais ils ne le furent qu'en 1866, avec la session inaugurale commençant le 8 juin de cette année-là, donc un an avant la Confédération. La façade avait une longueur de 472 pieds, et la tour centrale de l'édifice de trois étages s'élevait à 160 pieds de hauteur.

L'édifice devait coûter initialement $348 000 mais le devis fut augmenté en cours de construction. Au moment de l'incendie, l'ensemble des édifices était évalué à $6 millions, et les dégâts de l'incendie, à $3 millions.

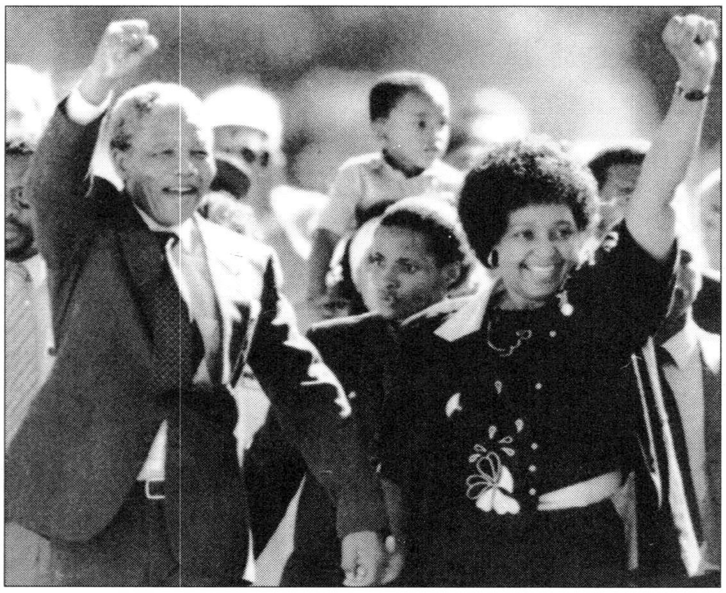
Le président sud-africain Frederik De Klerk a annoncé hier la libération prochaine du chef historique du mouvement nationaliste noir, Nelson Mandela, détenu depuis plus de 27 ans. (M. Mandela apparaît ici en compagnie de sa femme Winnie le jour de sa sortie de prison, le 11 février).

Brèche dans l'apartheid

De Klerk autorise l'ANC et libère Nelson Mandela

Le président sud-africain Frederik De Klerk a annoncé hier (**2 février 1990**) les plus importantes réformes en 40 années d'histoire sud-africaine, levant notamment l'interdiction qui frappait le Congrès national africain (ANC), tout en annonçant la libération prochaine du chef historique de ce mouvement nationaliste noir, Nelson Mandela, détenu depuis plus de 27 ans.

Affirmant que « l'accent, maintenant, doit être mis sur la négociation », M. De Klerk, dans un discours prononcé au Cap pour inaugurer la session parlementaire, a annoncé des mesures qui correspondent en grande partie aux cinq conditions préalables posées par l'ANC, plaçant ainsi résolument la balle dans le camp de cette organisation.

Ces mesures ont pour but de « normaliser le processus politique sans mettre en danger le maintien de l'ordre », a-t-il dit, rappelant que le but des négociations serait « une constitution nouvelle et démocratique », garantissant « le droit de vote » pour tous et « la protection des minorités ».

Au sujet de M. Mandela, M. De Klerk a affirmé que le gouvernement avait déjà pris « la ferme décision » de relâcher « sans condition » cet homme de 71 ans, condamné en 1964 à la prison à perpétuité pour sabotage et complot visant à renverser le régime.

La date de sa sortie de prison sera déterminée « bientôt », a-t-il poursuivi, précisant qu'un « court laps de temps supplémentaire » était nécessaire en raison de certains facteurs, parmi lesquels la « situation personnelle » du prisonnier et « sa sécurité ».

M. De Klerk a annoncé une suspension de toutes les exécutions capitales, jusqu'à l'examen par le Parlement d'une réforme visant à limiter la peine de mort « aux cas extrêmes », et à donner aux condamnés un droit automatique d'appel.

M. De Klerk a aussi confirmé que la loi permettant à une municipalité de réserver l'accès des lieux publics aux Blancs serait abolie au cours de la prochaine session parlementaire.

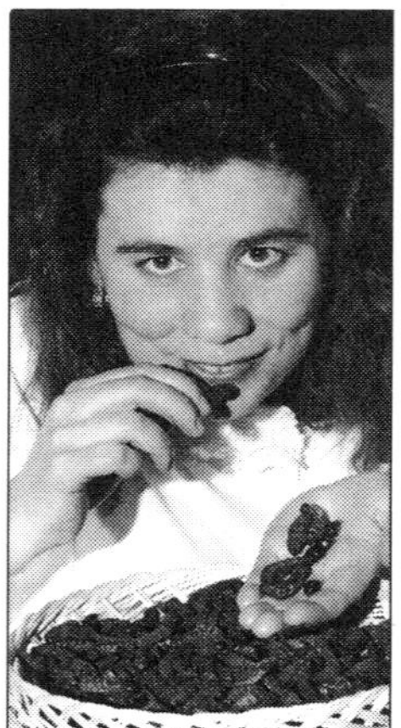

Délice à six pattes!

Chrysalides de vers à soie marinées, chenilles de chatoum déshydratées, biscuits vivifiants aux larves de ténébrions, fourmies rôties et salées de Colombie répondant au nom prosaïque de caviar Santender, admettez que déjà, vous avez l'eau à la bouche.

C'était le cas de Marjolaine Giroux (du moins l'affirmait-elle). Elle n'a pu s'empêcher de goûter à ces chenilles séchées et à ces fourmies salées pour les besoins de la photo. Un délice!

Préposée aux renseignements entomologiques à l'Insectarium de Montréal, Mlle Giroux mettait la dernière main hier (**le 2 février 1993**) aux préparatifs en vue de l'exposition sur les insectes dans l'alimentation humaine. Exposition accompagnée d'une dégustation. Et qui sait si nos considérations envers les bibites ne changeront pas. Après tout, il y a au moins 500 espèces d'insectes qui entrent dans l'alimentation des humains à travers le monde.

Un peu plus cuite la chenille, s'il vous plaît!

Réorganisation du réseau hospitalier

Le gouvernement Parizeau a décidé d'une réorganisation majeure du réseau hospitalier à Montréal et à Québec.

L'hôpital Sainte-Justine continuera d'être l'hôpital universitaire pour la formation pédiatrique mais, pour l'ensemble des autres spécialités, on regroupe les hôpitaux Notre-Dame, Hôtel-Dieu et Saint-Luc dans un nouveau centre hospitalier universitaire (CHU).

À Québec, le président de l'École nationale d'administration publique, Pierre De Celles, présidera le comité d'implantation. La Vieille capitale ne conserve qu'un CHU, centré autour du CHUL appuyé par l'Hôtel-Dieu et Saint-François D'Assise. Le grand perdant reste l'hôpital Saint-Sacrement, qui passe au rang de centre affilié comme l'Hôtel-Dieu de Lévis ou l'hôpital l'Enfant-Jésus. L'hôpital Laval obtient le statut d'institut, à cause de sa spécialité en cardiologie et en pneumologie.

(**Texte publié le 3 février 1995**).

L'«Intrépide» n'est plus

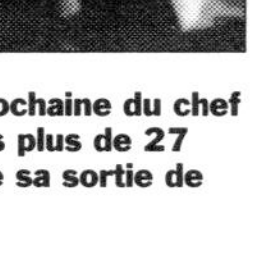

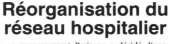

Sir William Stephenson, le maître-espion britannique de la Seconde Guerre mondiale connu sous le nom de code « Intrépide » est mort.

Sir William, qui s'était lui-même qualifié de «sage-femme» ayant présidé à la naissance des services de renseignement américains, s'est éteint mardi à l'âge de 93 ans dans le manoir des Bermudes dont il avait fait sa retraite.

L'un de ses élèves au Camp « X », un centre d'entrainement situé à Oshawa, en Ontario, fut Ian Fleming, le créateur de James Bond. Décoré et honoré par plusieurs pays, Sir William se retira aux Bermudes en 1960.

(**Texte publié le 3 février 1989**).

Barbie en pleine crise de la quarantaine

Avec sa jolie frimousse, son éternel sourire, et son corps longiligne, on imagine mal Barbie en pleine crise de la quarantaine. Pourtant, comme beaucoup de gens de son âge, la plus célèbre blonde de la planète tente, à 40 ans, de se réinventer : un tatouage sur le ventre et des copines portant un anneau au nez.

Depuis sa première apparition publique, le 9 mars 1959, à la Foire du jouet de New York, le succès de la poupée lisse et sans âge, au corps de rêve ou supposé tel (taille de guêpe et seins en forme d'obus), aux multiples professions (plus de 75), ne s'est jamais démenti.

Actuellement, l'entreprise Barbie rapporte au fabricant Mattel quelque deux milliards de dollars. Et Barbie reste la poupée la plus connue et la plus vendue au monde.

« Les goûts des gamines changent. Elles ne jouent plus à la poupée autant qu'avant et elles cessent d'y jouer beaucoup plus jeunes qu'avant », explique Eric Johnson, professeur à l'Université Vanderbilt de Nashville (Tennessee). « Bien sûr, ça rend Barbie nerveuse. » (**Texte publié le 3 février 1999**).

Inquiétant trou dans la couche d'ozone au-dessus de l'Arctique

Un rapport de la NASA donne raison aux Canadiens

Les scientifiques canadiens avaient observé il y a deux ans un trou dans la couche d'ozone, au-dessus de l'Arctique, mais leurs confrères américains avaient mis en doute la justesse de leurs observations. Un rapport publié par la NASA semble aujourd'hui (**le 4 février 1992**) donner raison aux Canadiens, reconnaissant que la situation est grave.

Les environnementalistes s'inquiètent des résultats de cette étude laissant entendre qu'un trou dans la couche d'ozone, au-dessus de l'Arctique et des latitudes moyennes de l'hémisphère Nord, soit probablement en train de s'agrandir.

« Il appert que le phénomène soit à se produire au-dessus de la tête des Canadiens, de dire Robin Round, de Friends of Earth. Nous pouvons nous attendre à une hausse marquée de l'incidence des cancers de la peau au cours des dix prochaines années. »

M. Round a demandé à Ottawa d'interdire d'ici 1995 tous les produits chimiques provoquant la destruction de l'ozone, soit deux ans plus tôt que le programme d'élimination prévu par les autorités fédérales.

« Tout le monde devrait s'inquiéter de ce phénomène », de dire Michael J. Kurylo, directeur des projets de recherche en haute atmosphère de la NASA.

« Nous constatons que les conditions sont propices à la destruction de l'ozone de l'atmosphère. Cette couche est dans un état beaucoup plus pitoyable que nous l'avions cru. »

M. Kurylo a précisé que des instruments, à bord d'avions et de satellites, ont mesuré des niveaux de monoxyde de chlore, un produit chimique artificiel, allant jusqu'à 1,5 partie par milliard, soit les niveaux les plus élevés jamais enregistrés.

Il a ajouté que les niveaux de chlore et de brome relevés lors de ces recherches démontrent qu'il est possible que la couche d'ozone s'amincisse de 30 %, cet hiver, au-dessus de l'hémisphère Nord, dépendant des conditions climatiques.

Quant à Greenpeace, elle réclame une interdiction immédiate de tous les produits chimiques détruisant l'ozone.

« Il est horrible de croire qu'il faudra une épidémie de cancers de la peau pour inciter le gouvernement canadien à interdire les CFC », remarque Sarita Srivastava.

Les chlorofluorocarbones (CFC), qui sont depuis longtemps utilisés dans les systèmes de conditionnement d'air et de réfrigération lorsqu'ils s'échappent, s'élèvent dans la haute atmosphère, détruisant l'ozone par réaction chimique.

La couche d'ozone protège la vie terrestre des effets dangereux des rayons ultraviolets du Soleil. L'exposition aux ultraviolets peut provoquer des cancers de la peau, des cataractes et endommager le système immunitaire de l'organisme. Elle peut également nuire aux récoltes et à la vie marine.

On estime qu'une réduction d'un pour cent de la couche d'ozone pourrait se traduire par une hausse de 4 % des cancers de la peau.

Cette vignette faisait état de la victoire de 4 à 1 du club Montréal aux dépens du Victoria de Winnipeg, le *4 février 1903*, victoire qui, aux dires de LA PRESSE, permettait au club Montréal de conserver la coupe Stanley. Mais le Silver Seven d'Ottawa devait contester la victoire du Montréal, et finalement mériter la coupe Stanley, comme en témoigne d'ailleurs le livre officiel de la Ligue nationale de hockey.

C'EST ARRIVÉ UN 4 FÉVRIER

1981 — En accédant au poste de premier ministre de Norvège, Mme Gro Harlem Bruntland devient à 41 ans le plus jeune premier ministre du pays, et la première femme à occuper ces fonctions.

1977 — Un accident dans le métro de Chicago fait 11 morts et 200 blessés.

1976 — Ouverture des Jeux olympiques d'hiver d'Innsbruck. — Violent tremblement de terre (enregistrant 7,5 à l'échelle Richter) au Guatemala: on dénombre 20 000 morts et 65 000 blessés.

1975 — Le gouvernement fédéral approuve le projet Syncrude, évalué à $2 milliards.

1973 — Yvon Dupuis est élu chef du Parti créditiste du Québec.

1966 — Un *B-727* d'All Nippon s'abîme dans la baie de Tokyo et fait 133 morts.

1963 — Démission de Douglas Harkness, ministre canadien de la Défense, à cause de ses vues irréconciliables avec celles du premier ministre Diefenbaker en matière d'armement nucléaire.

1961 — L'URSS place sur orbite un satellite de 7,1 tonnes.

1958 — Tout mineur doit dorénavant être assuré pour au moins $20 000 avant d'obtenir un permis de conduire.

1957 — Le prototype du *CL-28* ou *Argus*, le plus gros avion jamais fabriqué au Canada, sort de l'usine Canadair.

1945 — Roosevelt, Churchill et Staline préparent l'après-guerre à la conférence de Yalta, en Crimée.

La contraception, c'était.. pour les autres !

« Ils se marièrent, vécurent heureux, et eurent beaucoup, beaucoup d'enfants ».

En 1984, personne ne gobera cette entrée en matière... Reprenons : « Ils se marièrent, eurent exactement dix-neuf enfants, un par an, et connurent des hauts et des bas. Ils ne regrettent rien, mais affirment qu'ils ne recommenceraient pas ». Ça sonne plus juste, non ? Et c'est l'histoire vraie des Boutet de Laval.

Ils se sont mariés « avec l'idée d'accueillir tous les bébés que le bon Dieu nous enverrait ». La contraception, c'était.. pour les autres ! Elle, Fléchette, 48 ans, mariée à 17 ans. Vingt-deux grossesses menées à terme, trois nouveaux-nés décédés peu après la naissance, et dix-neuf rejetons bien portants, intelligents, débordants de vie. Lui, Alphondor, 60 ans, peintre en bâtiments de métier. Aussi plombier-maison, électricien-maison, menuisier-maison... forcément. Un homme tranquille, qui laisse à sa femme assumer la discipline à la maison. (**Publié le 4 février 1984**)

Fait unique dans le service des postes
Une lettre mise à la poste il y a 53 ans n'a été livrée qu'hier

UNE missive qui, heureusement, n'annonçait aucun événement important et ne contenait rien qui put affecter en quelque manière les destinées du pays, a été livrée hier (4 fév. 1908) seulement, après avoir passé cinquante-trois ans entre les mains des autorités postales.

Elle était adressée à Mlle Lizzie Garthwaite, de New York, par Mlle Fanny Brittin, de la Nouvelle-Orléans.

L'auteur de la missive était la fille d'un citoyen important de la Nouvelle-Orléans. Elle demeure actuellement à El Paso, Texas. Celle à qui elle était destinée (Mlle Garthwaite) est aujourd'hui Mme John A. Nichols et demeure au No 14 rue Fulton, Newark.

En 1854, Mlles Garthwaite et Brittin, qui sont cousines, était des fillettes fréquentant la même école. Elles demeuraient à Elisabethtown, qui porte aujourd'hui le nom de Elisabeth tout court. La famille Brittin quitta cette année-là le New Jersey pour aller demeurer dans le sud. Les deux jeunes filles correspondaient; mais une des lettres de Mlle Garthwaite resta sans réponse. Cette réponse avait pourtant été écrite et mise à la poste ; mais elle est restée là du 30 décembre 1854 au 2 février 1908.

Les autorités postales donnent pour explication qu'au cours de la distribution la lettre sera tombée entre une table et le mur de l'édifice et y sera restée jusqu'au jour où l'on jugea à propos de changer la table de place.

Ce croquis du dessinateur de LA PRESSE montre les ruines d'un désastreux incendie qui a jeté sept familles sur le pavé en détruisant autant de maisons de Sainte-Anne-de-Bellevue, le *4 février 1901*. Heureusement, les flammes ont épargné la maison (marquée d'un «x») où le poète irlandais Thomas Moore a vécu les dernières années de sa vie et où il a écrit son oeuvre « The Canadian Boat Song ».

Dans son édition du *4 février 1948*, LA PRESSE publiait cette photo d'Ed. M. Bauer, de Campbellsport, Wisconsin. Âgé de 41 ans, M. Bauer prétendait être le plus gros tavernier du monde, avec un poids de 780 livres et un tour de taille de 86 pouces.

2000 acres de verdure

De 1950 à 1980, l'île de Montréal avait perdu un millier d'acres d'espaces verts, sacrifiés à la construction domiciliaire et aux parcs industriels. À l'aube des années 80, de vastes territoires récréatifs étaient encore menacés de disparaître à court terme, dont le bois de Saraguay où l'administration de Montréal avait déjà accordé des permis de construction. Il fallait faire vite pour sauvegarder de vastes étendues et en récupérer d'autres, déjà sous le contrôle de la spéculation immobilière. C'est à cette tâche gigantesque que s'est attaquée la CUM au début de 1980.

En trois ans seulement, grâce à une mise de fonds initiale de 11 millions de dollars, augmentée par la suite à 20 millions, et grâce notamment au travail d'une équipe de « missionnaires des espaces verts » dirigée par Guy Gravel, la CUM a récupéré près de 2 000 acres de grands espaces récréatifs et de berges, au total 67 millions de pieds carrés de terrains récréatifs, de lacs et d'étangs, de bois et de prés. C'est probablement unique en Amérique du Nord.

(Texte publié le 4 février 1984)

HUMILIANTE DEFAITE

TOPEKA, Kansas — La parade des femmes, défenseurs du foyer domestique (Home Defenders) n'a pas eu lieu aujourd'hui (**4 février 1901**) comme on l'avait annoncée. Elle a été remise à demain, car aujourd'hui, les rues de la ville sont couvertes quasi d'un pied de neige.

Comme la parade n'avait pas lieu, Mme Nation et les femmes de son bataillon ont essayé de détruire une buvette portant le nom de place Murphy. La troupe, en arrivant à la porte de la buvette, fut arrêtée par des gardes armés et chargés de protéger l'établissement. Les femmes tentèrent alors d'arriver jusqu'à la porte, et Mme Nation, sa hache à la main, se préparait à frapper à coups redoublés la porte quand une main à l'arrière saisit la hache de Mme Nation et la lui arracha des mains.

Une bagarre terrible commença alors entre les gardiens de la buvette et les femmes de la troupe. Durant l'excitation du combat, les coups pleuvèrent sur les yeux et le nez des combattants. Mme Nation, la paupière de l'oeil coupée par le tranchant d'une hache, était incapable de diriger ses femmes, et en conséquence, on leur ordonna de recommencer l'assaut.

Durant près d'un quart d'heure, les femmes luttèrent dans la rue, au milieu des cris d'encouragement de la foule assemblée et sympathique à Mme Nation. Plusieurs rencontres corps à corps entre les combattants eurent lieu, mais la police ne pouvait arrêter la lutte. Finalement, les constables s'emparèrent de Mme Nation et la conduisirent en prison.

Le rapport Allaire, «c'est la destruction du Canada», dit Clyde Wells

L'homme qui a sonné le glas de l'accord du lac Meech, le premier ministre de Terre-Neuve Clyde Wells, a jugé sévèrement hier (**le 4 février 1991**) le rapport Allaire sur la réforme du fédéralisme canadien.

« Si ces propositions s'appliquent à toutes les provinces du Canada, on élimine la nation canadienne. On réduit le Canada à une alliance économique et militaire entre dix États relativement insignifiants sur la scène mondiale », a déclaré M. Wells au cours d'une entrevue téléphonique avec *La Presse*.

En vacances à l'étranger lors de la publication du rapport, la semaine dernière, M. Wells s'est empressé hier de commenter la nouvelle proposition constitutionnelle à l'étude chez les libéraux du Québec.

« C'est la destruction de la nation canadienne et je ne crois pas que cela soit acceptable au peuple canadien. Ça ne l'est pas pour moi en tout cas, et je ne crois pas que cela le soit pour la population de Terre-Neuve », a ajouté M. Wells.

Si, par contre, les recommandations du comité Allaire ne visent que le Québec pendant que le reste du Canada demeure inchangé, ce n'est guère mieux, dit-il.

« Cela place une province dans une situation tout à fait privilégiée et, par conséquent, cela met un terme à l'égalité entre les citoyens. Le citoyen du Québec serait dans une position tout à fait différente de ceux des autres provinces », soutient M. Wells.

Selon lui, il est peu probable que les habitants des autres provinces du Canada acceptent une telle réforme, surtout si on en juge par leur réaction à l'accord du lac Meech, une entente qui allait dans le même sens, affirme-t-il.

« C'est la destruction du Canada », lance-t-il d'une voix grave.

« Si le Québec veut l'indépendance, c'est son droit, mais j'aimerais convaincre les Québécois de demeurer au sein du Canada sur le même pied que les autres provinces tout en tenant compte de leur culture », de conclure M. Wells.

Pour parvenir à une telle entente, le gouvernement de Terre-Neuve est même prêt à renoncer au principe de l'unanimité des provinces en vue de modifier la formule d'amendement de la constitution. L'accord de sept provinces regroupant 50 % de la population est bien suffisant, dit-il.

Cela étant dit, M. Wells ne veut plus être perçu comme l'empêcheur de tourner en rond. En dépit de ce qu'il pense des propositions du Parti libéral du Québec, il se dit prêt à reprendre les discussions avec ses collègues premiers ministres. Mais il faudra bien y mettre une fin un jour, laisse-t-il tomber d'une voix lasse.

D'ici ce temps-là, c'est « business as usual » avec le Québec. « Vous savez, je ne suis pas un homme déraisonnable, dit-il. À Ottawa de jouer maintenant, sans attendre les recommandations de la Commission Bélanger-Campeau ».

De nombreux chômeurs français rêvent du Québec

Depuis le début de l'année (**ce texte a été publié le 5 février 1993**), des dizaines de Parisiens se rendent chaque jour à la libraire canadienne Abbey Book Shop, près de la Sorbonne, en plein coeur du Quartier latin. Ils ne vont pas y acheter les livres de Réjean Ducharme ou de Robertson Davis, mais plutôt *La Presse* du samedi, le seul journal québécois vendu à Paris, dont les exemplaires s'envolent comme des petits pains chauds.

N'allez pas croire que les Français se sont découvert une passion soudaine pour l'actualité québécoise et canadienne. Ces gens sont tout bonnement des Parisiens qui songent à émigrer au Québec et qui veulent consulter les offres d'emplois. Ils ont trouvé ce truc dans *Rebondir*, un tout nouveau magazine destiné aux trois millions de chômeurs français et qui consacrait une partie de son premier numéro aux possibilités de travail dans « la belle province qui recherche désespérément des francophones ».

Depuis la parution de cet article particulièrement bien documenté, la librairie canadienne est submergée d'appels téléphoniques. « Le téléphone ne dérougit pas. Ça n'arrête pas une seconde », raconte un employé de la librairie, Charles Côté, en désignant l'appareil qu'il a laissé décroché pour s'accorder quelques minutes de pause. Chaque jour, entre 20 et 50 clients se présentent dans l'étroite boutique pour demander *La Presse* et des publications qui parlent du Québec.

L'épaisse édition du samedi du quotidien montréalais arrive le mardi matin à l'Abbey Book Shop, où on peut se la procurer pour la coquette somme de 40 francs, soit près de 10 dollars. Ce n'est pas donné. Pourtant, on se l'arrache. La librairie canadienne, qui distribue *La Presse* depuis septembre, en vendait auparavant une trentaine par semaine. Maintenant, elle écoule facilement les 300 exemplaires qu'elle reçoit.

Au service de l'immigration du Québec à Paris, on a évidemment ressenti l'impact de l'article du magazine *Rebondir*. Les demandes d'information, qui se comptent déjà par centaines chaque semaine, ont sensiblement augmenté.

Le Québec s'est donné comme objectif d'accueillir 50 000 immigrants par année, dont 40 % de « parlants français », à compter de 1995.

Il y a 20 ans, le Concorde

Deux compagnies exploitent aujourd'hui 14 exemplaires du Concorde. À défaut de réussite commerciale, les industriels français et britanniques ont su relever de défi technique.

« Jamais peut-être depuis le début de l'ère industrielle dans nos vieux pays (...) un projet ne devait soulever autant d'enthousiasme, susciter autant de lignes et de colonnes dans la presse et, peut-être, autant de controverses que Concorde. »

C'est André Turcat, directeur des essais en vol du programme supersonique, qui a écrit ces lignes au lendemain de l'entrée en service de l'appareil, le 21 janvier 1976. C'était il y a vingt ans.

Ce jour-là, les deux pays constructeurs, la France et la Grande Bretagne, ont gagné un formidable pari technique, celui de mettre en ligne un avion de transport civil volant à deux fois la vitesse du son.

Et depuis vingt ans ses exploitants, Air France et British Airways, prouvent chaque jour la justesse des choix opérés dans les années 60 par les constructeurs — Aérospatiale et British Aerospace pour la cellule, Rolls Royce et la Snecma pour le réacteur. Des choix qu'a mis encore plus en valeur l'échec du Tupolev 144 soviétique.

Concorde, même s'il accumule moins d'heures de vol qu'on l'espérait, est à créditer d'un bon taux de régularité et de ponctualité. En août dernier, un appareil d'Air France n'a-t-il pas effectué sans encombre un tour du monde en six étapes dans le temps record de 31 heures et 27 minutes ?

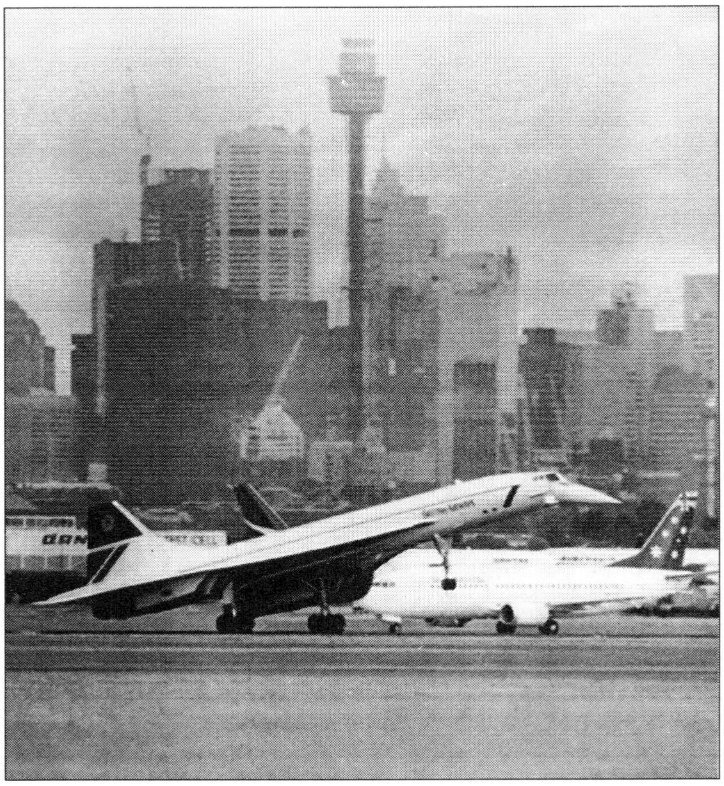

Jamais peut-être depuis le début de l'ère industrielle, en Europe, un projet ne devait soulever autant d'enthousiasme, susciter autant de lignes et de colonnes dans la presse et, peut-être, autant de controverses que le Concorde.

Le Concorde, qui a volé pour la première fois le 2 mars 1969, est entré en service commercial sept ans plus tard. Et, depuis vingt ans, s'il confirme une réussite technique, il ne peut faire oublier son échec commercial puisque seize exemplaires seulement ont été construits : deux prototypes, quatre pour Air France, cinq pour British Airways et cinq laissés-pour-compte offerts aux deux compagnies en 1980.

Coût astronomique

Le coût du programme étant évalué à quelque 10 milliards de dollars pour les pays constructeurs, il aurait fallu vendre près de cent machines pour parvenir à l'équilibre financier. Il n'en a rien été. Et, pourtant, en avril 1967, on comptait déjà 74 options prises par seize compagnies. Pourquoi un tel échec ?

Paradoxalement, l'arrêt du programme concurrent américain, le 24 mars 1971 a porté un premier coup suivi d'un deuxième — avec relation de cause à effet entre les deux ? — le 31 janvier 1973 quand, simultanément, les compagnies américaines Panam et TWA annulent leurs treize options, bientôt suivies par American Airlines. Le ton était donné et, l'un après l'autre, les autres clients allaient s'éclipser. Et le barrage américain à Concorde devait se poursuivre pour la desserte de New York finalement obtenue après deux ans ou presque de discussions et de procès.

Le premier choc pétrolier, celui de 1973, en provoquant un triplement du prix du carburant en trois ans, n'a pas aidé Concorde, gros consommateur de kérosène : pour traverser l'Atlantique, il lui faut presque autant de pétrole qu'un Boeing 747 qui, lui, transporte quatre fois plus de passagers, en deux fois plus de temps il est vrai.

Enfin, une capacité limitée à cent places et un rayon d'action à 6 500 kilomètres ce qui, par exemple, interdit de relier Rome ou Francfort à New York d'un seul coup d'aile ont refroidi d'éventuels clients, peut-être également influencés, dans le même temps, par les campagnes écologiques.

Alors, fallait-il faire le Concorde ?

Au moment où les États-Unis, sans parler du Japon se lancent, avec de gros moyens financiers, dans la course à l'avion supersonique de deuxième génération, l'acquis de l'Europe en ce domaine constitue encore un bon atout. À condition qu'il y ait d'abord la volonté politique, on peut espérer qu'elle pourra faire bonne figure dans cette compétition.

(Ce texte a été publié le 4 février 1996)

Restauration réussie de la maison du Gouverneur

On reproche souvent aux grandes entreprises d'être de mauvais « citoyens corporatifs », et l'accusation, quand elle est lancée, est généralement justifiée.

C'est un reproche qu'on ne pourra cependant pas adresser à la Société des alcools du Québec, du moins dans le dossier de la restauration de la maison du Gouverneur de la prison du Pied-du-Courant. Car quiconque a la chance de la visiter peut apprécier les efforts déployés pour redonner son lustre d'antan à cette résidence recyclée en maison de réception, après avoir servi de siège social à la SAQ (et à ses prédécesseurs, la Commission des liqueurs du Québec et la Régie des alcools du Québec) pendant plus de sept décennies. L'architecte-maison Claude Bousquet et une petite armée de spécialistes ont réalisé un bijou de restauration, tant à l'extérieur qu'à l'intérieur.

Comme le rappelle M. Bousquet, la maison fut construite en 1895 pour abriter le gouverneur (d'où son nom) de la prison, Charles-Amédée Vallée, le seul d'ailleurs qui l'habita, avec sa femme et ses six enfants, entre 1895 et 1912.

(Texte publié le 5 février 1994)

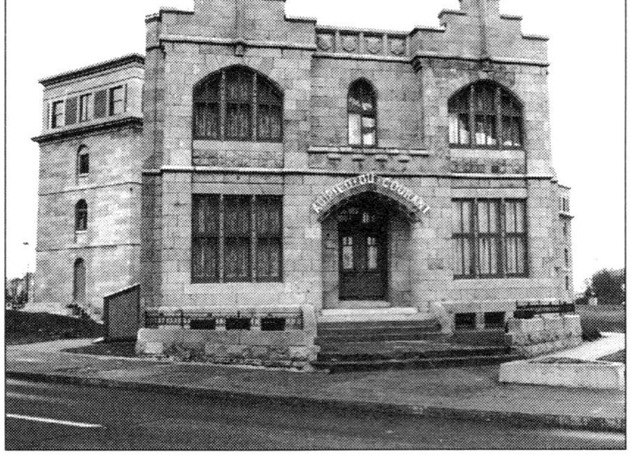

Les murs extérieurs de la maison du Gouverneur ont retrouvé leur intégrité de 1895.

31 ¢ de salaire pour un jeans de 50 $!

Partout au Canada, on peut acheter des vêtements que de très jeunes enfants d'Amérique centrale ou d'Asie ont confectionné pour quelques cents, quelques fèves et dans des conditions de travail misérables.

L'organisme canadien Développement et Paix s'est ému de cette situation et a lancé hier (**le 4 février 1996**) une campagne de sensibilisation. Une enquête du quotidien britannique *Sunday Telegraph* vient de révéler la misère vécue par de tels enfants au Honduras.

La journaliste Rachel Sylvester s'est rendue à l'usine de Chaloma, près de San Pedro Sula, où un sous-traitant de Levi Strauss fabrique 35 000 vêtements par semaine.

Elle relate la dure vie professionnelle de ces enfants, malgré l'adoption d'un code de conduite que la multinationale dit imposer à ses sous-traitants.

En décembre, assurent les ouvriers interrogés par Mme Sylvester, les dirigeants coréens de l'usine ont fait travailler les enfants 17 heures par jour, car la commande de Noël était plus importante que d'ordinaire. Pour chaque vêtement confectionné (et vendu environ 50 $ au Canada), l'enfant reçoit... 31 cents.

C'EST ARRIVÉ UN 5 FÉVRIER

1992 — La récession continue de faire des victimes au Canada. Il y a eu 5 745 faillites canadiennes en décembre, une progression de 16,5 % par rapport à 1990. Pour toute l'année 1991, les banqueroutes ont augmenté de 39 %, pour atteindre 75 773, dont 62 277 liquidations personnelles et 13 496 banqueroutes d'affaires représentant un passif de 6,2 milliards.

1992 — Alessandra Mussolini, 28 ans, petite-fille de l'ancien dictateur Benito Mussolini, annonce dans une interview publié hier par le quotidien milanais *Corriere della Sera* qu'elle sera candidate à Naples du parti néo-fasciste italien MSI aux élections législatives d'avril prochain.

1979 — Mme Jeanne Sauvé, ministre fédéral des Communications, a révélé qu'Ottawa acceptera une seule question à l'occasion du prochain référendum sur l'indépendance : « Êtes-vous favorable à la séparation du Québec du reste du Canada ? ».

1947 — L'hon. juge Séverin Létourneau, juge en chef de la province, a rejeté ce matin la requête de Frank Roncarelli, restaurateur de la métropole, dont le permis avait été annulé parce qu'il avait cautionné en faveur des Témoins de Jéhovah. Roncarelli demandait l'autorisation de poursuivre personnellement le juge Édouard Archambault, gérant de la commission des liqueurs, pour une somme de 253 741 $, somme qui représentait selon lui la perte subie, à raison de l'annulation de son permis ou d'une confiscation de ses alcools ou encore à raison de la perte de ses profits.

1945 — L'agence Reuter rapporte dans une dépêche de la capitale des Philippines que le général Arthur MacArthur est arrivé aujourd'hui à Manille. Les Américains combattent l'ennemi et les incendies dans la capitale.

1917 — L'hon. M. Reid, au nom du gouvernement fédéral, a annoncé la construction d'une route nationale de l'Atlantique au Pacifique, à la convention de l'association des bonnes routes de l'est de l'Ontario.

LA GREVE EST DECLAREE

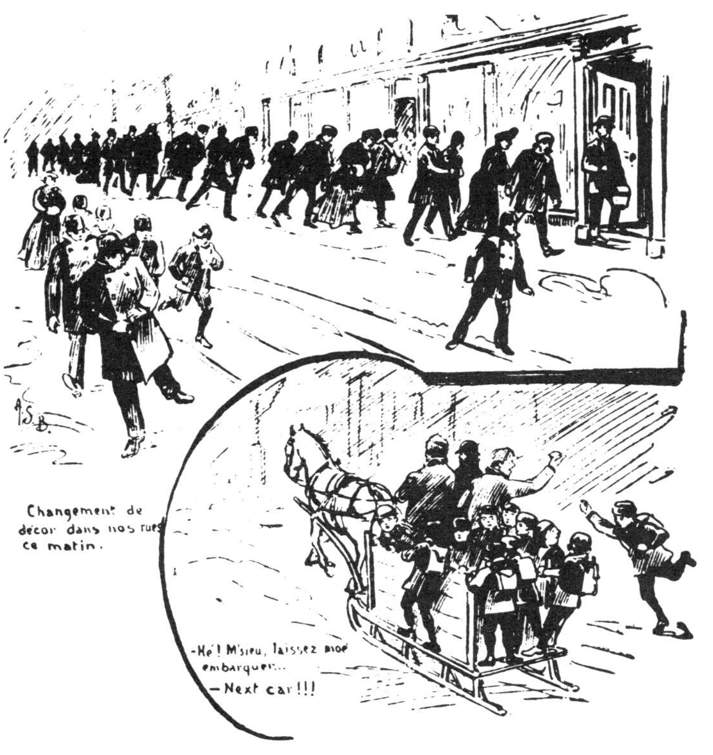
Changement de décor dans nos rues ce matin.
-Hé! M'sieu, laissez moé embarquer...
—Next car!!!

La principale cause de ce désastre public est le refus de la Compagnie de recevoir, hier, une députation des Employés des Tramways exposant les griefs. On n'a pas voulu répondre à une offre de passer par arbitrage.

Les instructions données aux grévistes par leurs chefs est de respecter l'ordre public.

MONTRÉAL, ce matin **(6 février 1903)**, dès les premiers rayons du jour, avait l'aspect d'une cité des morts. Le son du « gong » des Tramways auquel nos oreilles sont si habituées ne se faisait plus entendre, on ne voyait plus de loin en loin les lumières mouvantes sur les rails, on n'apercevait plus les étincelles bleuâtres se détacher des fils électriques avec un bruit sec de craquement, enfin on ne voyait plus les gens attendant avec impatience aux coins des rues pour savoir combien la voiture espérée était en retard.

C'était la grève des p'tits chars qui venait d'être déclarée.

Jamais une grève n'a suscité autant d'intérêt dans toute la population de la ville de Montréal, puisqu'elle touche de près, chaque citoyen en particulier, depuis le riche actionnaire, qui voit avec désespoir, baisser ses points, jusqu'à la petite ouvrière aux épaules maigrelettes et aux souliers éculés qui est obligée de parcourir trois, quatre, et cinq milles à pied pour se rendre à son travail, et revenir, le soir, au foyer.

C'est par ces paragraphes lyriques que LA PRESSE entreprenait, dans son édition du jour, une couverture absolument spectaculaire — et sans doute à la mesure des ennuis que causait cet arrêt de travail à la population — à la grève du transport en commun, en consacrant au conflit ouvrier près de quatre pages (sur dix!) le premier jour seulement. LA PRESSE, tout comme la population ainsi que l'ensemble des grévistes d'ailleurs, et contrairement au « Montreal Star » (le « city editor » de ce journal avait incidemment provoqué l'hilarité de la salle de rédaction en remettant...deux billets de tramway (!) au journaliste responsable de la grève!) appuyait très nettement le point de vue des grévistes, mais tout en laissant la chance à l'entreprise d'exprimer ses opinions. C'était une couverture sans doute partisane, mais honnête.

LA DECLARATION DE LA GREVE

Voyons à partir du texte comment la grève s'est déclarée.

Il était minuit: dans l'immense salle du marché Bonsecours avaient retenti des cris d'enthousiasme poussés par dix mille poitrines. La foule mouvante élevait la voix de temps à autre pour protester contre certains actes de la compagnie des tramways et applaudir à certaines périodes que les orateurs semblaient prononcer avec plus de pathétique à cause de l'importance des circonstances et la portée des paroles qu'ils prononçaient.

M. John Bumbray, le jeune avocat choisi par le comité pour donner la direction au point de vue légal, avait la parole.

« Messieurs, dit-il, le temps est venu d'agir; il faut faire la séparation des boucs et des brebis. Que les employés de la « Montreal Street Railway Company » se place à l'extrémité ouest de la salle; que les amis venus ici pour nous encourager par leur présence et la promesse de leur concours prennent l'extrémité est! Bon, comme cela... dressons mieux la ligne de séparation.

« Maintenant, messieurs les employés des chars urbains, conducteurs et garde-moteurs, qui depuis si longtemps courbez les épaules sous la tyrannie d'une compagnie impitoyable, êtes-vous décidés de secouer le joug? » — « Oui, oui, crient des milliers de voix » — « Dans ce cas, continue M. Bumbray, que ceux d'entre vous qui sont consentants à se mettre en grève immédiatement, restent là où ils sont, que les autres se retirent dans ce coin là ».

Comme démocratie syndicale on aurait pu évidemment souhaiter mieux. Mais il faut comprendre que le syndicalisme en était à ses premiers balbutiements, et que l'Union (comme on disait à l'époque) des employés des tramways risquait d'être mort-née puisque c'est justement le refus de la compagnie de reconnaître son existence qui se trouvait à la base même du conflit ouvrier.

Dans une déclaration reproduite in extenso par LA PRESSE, et signée de la main de F.L. Wanklyn, gérant général de la compagnie, cette dernière se défendait de maltraiter ses employés en soulignant que c'était la première fois que surgissait un accrochage entre les deux parties. La compagnie soulignait par exemple que en juin 1899 (nous étions en février 1903, est-il nécessaire de le rappeler?) la compagnie augmenta les salaires des conducteurs et des mécaniciens à son emploi depuis deux ans ou plus; tous les employés reçoivent en outre gratuitement une assurance contre la maladie et les accidents; tous les conducteurs et les mécaniciens depuis cinq ans ou plus au service de la compagnie reçoivent gratuitement des uniformes, des casquettes et des pardessus. En juillet 1902, les salaires des conducteurs et des mécaniciens à l'emploi de la compagnie depuis deux ans et plus furent encore augmentés.

CONSEQUENCES DE LA GREVE

Au début, ce fut évidemment une surprise, et jamais n'avait-on vu autant de piétons sur les trottoirs, au point que LA PRESSE comparaît les grandes artères (Sainte-Catherine, Saint-Jacques et Saint-Laurent) au Broadway de New York.

Mais rapidement, profitant du temps doux, les bicyclettes faisaient leur apparition. LA PRESSE disait d'ailleurs à cet effet: L'un de ces bicyclistes qui avait une grosse cloche attachée à sa machine, descendait la rue Saint-Denis, vers sept heures. A l'angle de la rue Duluth, il a failli causer une panique en sonnant trop fort sa cloche dont le son ressemblait, à s'y méprendre, à un « gong » de tramway.

Les cochers de place, comme en témoigne LA PRESSE, faisaient des affaires d'or: Le public est enchanté du service des cochers de place qui n'ont pas profité de la grève des tramways pour surcharger leurs clients. Ils se sont mis à la disposition du public, et pour n'importe quelle destination, ils n'ont chargé que les taux alloués par leur tarif. (...) Oh! ceux-là font des affaires d'or. Ce matin, les postes des gares Bonaventure et Windsor étaient presque déserts. Tous les cochers fument le cigare aujourd'hui; tous rient de bon coeur. Tant mieux, il y aura toujours quelqu'un de satisfait!

Et on pourrait en dire des restaurants et des hôtels, dont les propriétaires bénissaient la grève pour reprendre l'expression de LA PRESSE.

LES APPUIS AUX GREVISTES

Quant aux grévistes, ils avaient la sympathie d'à peu près tout le monde, et plusieurs entreprises le leur ont fait sentir en leur envoyant des présents, cigares, café, sandwiches, « cordiaux » comme on disait pudiquement, etc.

Il faut dire qu'à part quelques accrochages et quelques vitres cassées, à cause de tentatives de sortir des tramways des différents dépôts de la compagnie, la grève se déroulait dans un calme relatif. Mais les hommes du chef de police Legault étaient prêts à intervenir. Ce dernier toutefois refusait de faire des commentaires: Aujourd'hui, *dit-il*, je n'y suis pour personne, surtout pour « La Presse »!

Même les usagers appuyaient les revendications des employés. Comme le disait l'un deux: Si on traitait plus humainement ces pauvres gens et qu'on leur payât un meilleur salaire, ils ne se seraient pas mis en grève. *Sur 100 personnes interrogées, disait LA PRESSE, une seule n'était pas d'accord avec la grève, jugeant les demandes des grévistes exagérées.*

C'EST ARRIVÉ UN 6 FÉVRIER

1970 — Des hommes grenouilles égyptiens coulent un navire israélien, à Eilath.

1968 — Ouverture des Jeux olympiques d'hiver de Grenoble.

1958 — En gagnant la descente de Bad Gastein, Autriche, Lucille Wheeler devient la première Canadienne à enlever une épreuve internationale de ski.— Parmi les 20 morts d'un accident d'avion, à Munich, on retrouve sept joueurs de l'équipe de football Manchester United.

1953 — Le président Eisenhower abolit les contrôles des prix et des salaires.

1952 — Le roi George VI d'Angleterre succombe à une crise cardiaque dans son sommeil, et sa fille Elizabeth doit rentrer d'urgence d'Afrique.

1951 — L'effondrement d'un pont cause le déraillement d'un train à Woodridge, New Jersey; on dénombre 81 morts et 500 blessés.

1950 — Le président Truman invoque la loi Taft-Hartley dans la grève des charbonneries américaines, mais 370 000 mineurs défient l'ordre de retour au travail.

1948 — La Canadienne Barbara Ann Scott gagne la médaille d'or du patinage artistique aux Jeux olympiques de Saint-Moritz.

1948 — Suicide de Otto von Stulpnagel, ancien gouverneur militaire allemand à Paris.

1922 — Élu pape à la succession de Benoît XV, le cardinal Achille Ratti adopte le nom de Pie XI.

1918 — À Québec, le comité des bills privés décide d'annexer Maisonneuve à la cité de Montréal.

1908 — Grève d'une quarantaine de « charroyeurs à neige » à l'emploi de la Ville de Montréal.

Fin de la grève à la SAQ

Les 640 employés d'entrepôt de la Société des alcools du Québec (SAQ) ont mis fin hier soir (**le 5 février 1991**) à quatre mois d'une grève ponctuée de vandalisme, d'invectives et de recours aux tribunaux de part et d'autre. Il s'agissait de la première grève des employés d'entrepôt de la SAQ en 18 ans.

Les syndiqués rentreront au travail demain, le 7 février, mais pas tous. Sept d'entre eux ont été congédiés pendant le conflit et douze autres ont été suspendus pour une durée inférieure à un mois.

« Nous sommes confiants que les employés congédiés seront réintégrés », a déclaré le président du syndicat, M. Réal Laberge. « Ce qu'on leur reproche ne peut justifier un congédiement », a-t-il dit. Le conseiller syndical du SCFP dans ce dossier, M. Gilles Charland, a indiqué pour sa part que les infractions reprochées sont « très mineures », comme le fait, par exemple, d'avoir brisé l'antenne radio d'une voiture.

Selon la SAQ, il faudra compter de trois semaines à un mois pour que tous les produits offerts normalement par la Société soient de nouveau disponibles dans toutes les succursales; le temps de reprendre le processus d'importation.

Récupération et recyclage: on en est aux premiers pas...

Il y a beaucoup de sous à faire dans le domaine... laisse tomber M. Albert Leblanc, président de la Société québécoise de récupération et de recyclage — une société d'État —, aussi connue sous le nom de RECYC-QUÉBEC.

C'était il y a quelques semaines, au premier colloque réunissant à la fois les entreprises de récupération et celles de recyclage, qu'avait mis sur pied la société gouvernementale et qui réunissait 180 cadres de cette industrie de nature particulière.

L'objectif: trouver le moyen de récupérer une plus grande proportion des matières diverses qui renferment les ordures ménagères, dont 92 % finissent encore aujourd'hui dans les dépotoirs, prudemment renommés... sites d'enfouissement.

Les chiffres: le Québec produit annuellement sept millions de tonnes de déchets industriels et ménagers, ces derniers comptant pour le tiers de l'ensemble, soit 2,3 millions de tonnes. Or, avec les deux modes de récupération en vigueur dans le cas des foyers — la collecte sélective et la consigne de contenants à remplissage unique —, « il y a 275 000 tonnes de récupérées sur 2,3 millions», soit 8 %, signalait-il dans une interview à *La Presse* à l'occasion de ce colloque.

« Par le bac vert, on ne récupère qu'une infime partie de ce qu'on peut récupérer: 15 à 20 % des déchets domestiques, alors que 70 % des déchets contenus dans les sacs verts sont récupérables, pour en faire du compost ou d'autres matériaux. On veut susciter de nouveaux modes de récupération. »

La solution à laquelle songe RECYC-QUÉBEC, et dont fait état son président, serait de remplacer le système du bac vert par la double collecte. Elle demande que les gens partagent leurs déchets en deux lots, un sac contenant alors les déchets humides, c'est-à-dire les déchets de table bons à faire du compost, et le second tous les autres matières formant la collecte sèche: papier, carton, verre, métaux et plastiques, surtout.

Des expériences de double collecte sont en cours, précise-t-il, notamment à Victoriaville et à Drummondville.

Toutefois... rien n'est facile, et il y a bien sûr des obstacles à franchir pour en arriver là. Le principal étant, signale-t-il, que les centres de tri n'ont pas pour cela l'équipement voulu, et qu'il faudrait donc les équiper à cet effet.

« Il y a aussi des craintes chez les récupérateurs qu'ils soient obligés de s'adapter à un nouveau mode de collecte », ajoute-t-il.

(**Texte publié le 6 février 1996**).

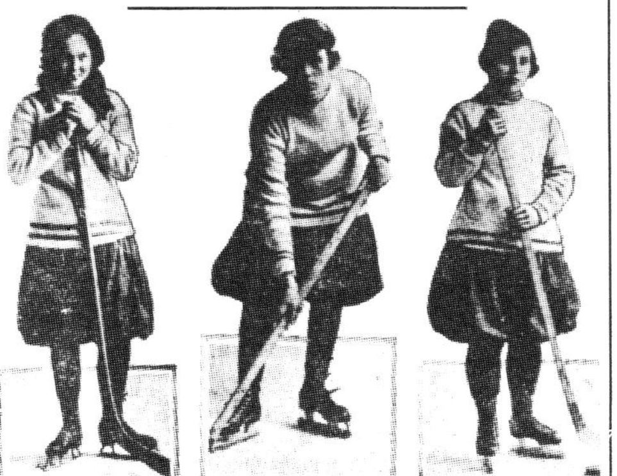

Mlle MAY CARPENTER — Mlle EVELYN LEFEBVRE — Mlle BERTHA MASSON

***L'intérêt de la femme pour le hockey n'est pas un phénomène récent, comme en fait foi cette photo publiée dans LA PRESSE avec l'articulet suivant:* Le club Cornwall a triomphé du Western par un score de 3 à 0 hier soir *(6 février 1917)*, devant douze cent personnes au Jubilé. Mlle Albertine Lapensée, capitaine du Cornwall, a joué une partie de toute beauté et a compté les trois points de son club. Mlle Arnold et Mlle Barnes, du Western, ont fait un travail énorme sur la défense, mais elles n'ont pu réussir à paralyser les efforts de Mlle Lapensée, qui est de beaucoup le plus brillant joueur *(vous noterez qu'on ne disait pas « joueuse »)* dans les clubs de jeunes filles.**

Contrebande: la police veut plus de pouvoir

Les directeurs de police du Québec trouvent que la farce a assez duré et demandent que les 15 000 policiers provinciaux et municipaux aient l'autorisation d'arrêter à vue toute personne qui s'adonne à la contrebande de cigarettes, de spiritueux ou autres produits.

La Presse a appris que les 20 membres du conseil d'administration de l'Association des directeurs de police et de pompiers du Québec (ADPPQ), réunis hier (**le 5 février 1994**) dans un hôtel de la Vieille Capitale, avaient en effet adopté unanimement une résolution à cet effet qui a été envoyée au premier ministre Daniel Johnson.

L'ADPPQ propose dans sa requête que la coordination des opérations de lutte aux contrebandiers des policiers de la province soit confiée à la Sûreté du Québec.

Actuellement, seule la Gendarmerie royale du Canada (GRC) est habiletée à effectuer des perquisitions et des arrestations dans les affaires de la contrebande.

Entrepreneur florissant et millionnaire à 14 ans

Larry Adler n'est pas la seule personne à employer quatre avocats, un gérant et un consultant en relations publiques. Il n'est pas non plus le seul homme d'affaires à se déplacer dans une limousine conduite par une chauffeur.

Mais cet entrepreneur de 14 ans est certainement le seul gars de son âge à pouvoir espérer empocher 1 million d'ici la fin de l'année.

L'argent provient de trois entreprises, toutes trois fondées, possédées et exploitées par Larry Adler. Il s'occupe de l'entretien de maisons et de pelouses, vend des produits pour enfants et exploite une firme de consultants. (**Cela se passait le 6 février 1988**).

GRAND SUCCES DE LA MASCARADE DES GYMNASTES DE « LA PRESSE »

Son honneur le Maire Payette et Mlle Payette président cette belle fête où plus de cinq mille personnes accourent. — Les prix pour les costumes les plus originaux

LA mascarade des gymnastes au Stadium hier **(7 février 1908)**, laissera dans la mémoire des petits et des grands le souvenir d'une fête inoubliable. C'était un spectacle ravissant que ce patinoir, qui semblait avoir été transformé, pour la circonstance, en un immense caravansérail, où toutes les couleurs, toutes les gaietés, toutes les jeunesses apportaient leur tumultueuse contribution.

Les arcades de la voûte disparaissaient sous des jetés de drapées multicolores, de lanternes chinoises, vénitiennes, turques et japonaises; les murs étaient festonnés de banderoles, retenues ici et là par des écussons lumineux.

On sentait dans l'atmosphère que c'était une fête de jeunesse et, de la glace où évoluaient des centaines et des centaines d'en-

L'aspect général que présentait le Stadium pour la mascarade.

Les « Trois Mousquetaires de la mascarade: Arthur Lebel, P. Guillemette et Ernest Tessier. Certains de leurs descendants les auraient-ils reconnu?

fants, montaient des cris, des chants, des clameurs pleins d'un enthousiasme qui se communiquait d'autant plus facilement à la foule qu'une musique de cuivres éclatants, rythmait ce brouhaha de jeunesse en liberté.

Ce qui ajoutait à l'originalité du spectacle, ce sont les costumes où la bizarrerie, le caprice et un peu de folie s'étaient certainement consultés pour arriver à composer ce groupe hétéroclite.

Il y avait des petits marquis Louis XV, hauts comme la rampe, qui cherchaient des yeux, la gracieuse mairesse et qui l'ayant découverte, l'indiquaient aux arlequins, aux méphistophélès. On saluait on agitant les dentelles des manches et la troupe folichonne repartait pour faire place à d'autres.

La fantaisie avait à toutes ses plus folles créations: des diables évoluaient aux côtés de deux enfants de choeur; un ours blanc camaradait avec un marmot

rose et un Teddy Bear faisait des grâces en exécutant le « tour de l'ivrogne ». Il y avait des polichinelles, des petits princes, des parias, des « Oncle Sam », enfin quiconque assista à l'une de ces fêtes sait quel étrange coup d'oeil offrent ces démonstrations de joie.

Vers huit heures trente, Son Honneur M. le maire et Mademoiselle Payette arrivèrent escortés du nouveau leader du conseil, l'échevin L.A. Lapointe, l'échevin et Mme Giroux, le maire de Saint-Louis et Madame Turcot. Le groupe fut reçu à la porte par quelques rédacteurs de « La Presse » qui conduisirent leurs distingués invités aux places d'honneur retenues pour eux dans l'estrade.

La musique attaqua une marche triomphale, puis la foule mariant ses vivats à ceux des enfants,

UNE LONGUE OVATION monta vers le nouveau maire, qui salua avec émotion.

Sur un coup de sifflet du professeur Scott *(il était l'organisateur de la soirée)*, le bruit cessa; le petit Joseph Bluteau, de l'école Murphy, dans un attrayant costume Louis XV, s'avança et fit le petit discours suivant :

« Les gymnastes réunis ce soir désirent remercier par ma voix la gracieuse mairesse qui a bien voulu honorer notre mascarade de sa présence. Nous la prions avec reconnaissance de vouloir accepter de notre part ces quelques fleurs.

« A Monsieur le Maire, nous offrons nos hommages et nos félicitations pour la victoire qu'il vient de remporter.

« Pour accentuer les voeux généraux des gymnastes nous donnerons un ban en l'honneur de nos distingués visiteurs. »

Des applaudissements prolongés éclatèrent et M. Maurice Scott, approchant, présenta à Mademoiselle Payette une ravissante gerbe de fleurs. (...)

Vingt millionnaires ont payé moins de 100 $ d'impôt !

Vingt Canadiens millionnaires ont payé moins de 100 $ chacun d'impôt en 1991, affirme George Baker, député de Terre-Neuve, qui réclame l'élimination des échappatoires fiscales qu'utilisent les riches.

M. Baker a déclaré que des hauts fonctionnaires du ministère des Finances ont confirmé que 190 Canadiens qui ont gagné plus de 250 000 $ par an n'ont pas payé d'impôt en 1991.

Les statistiques fiscales pour 1992 ou 1993 n'ont pas encore été compilées et rendues publiques par Statistique Canada.

Des 190 personnes relevées dans les statistiques fiscales pour 1991, Baker a précisé que les fonctionnaires lui avaient indiqué que 25 % ont déclaré des revenus de plus d'un million de dollars.

M. Baker a dit que 20 millionnaires ont payé chacun

moins de 100 dollars par an en impôt fédéral et provincial et cela trois ans d'affilée.

« Revenu Canada a vérifié pour moi que 60 personnes ayant des revenus déclarés de plus de 125 000 $ ont reçu un crédit d'impôt pour enfants en 1991 et 13 000 personnes ayant les mêmes revenus ont reçu une remise de TPS en 1993 », a déclaré M. Baker.

(Texte publié le 7 février 1994)

Aux Jeux! : un grand voeu de paix...

Et si les enfants gouvernaient le monde ? C'est sur ce thème ensorcelant que les XVIIIe Jeux olympiques d'hiver ont commencé, ce matin (le 7 février 1998), à Nagano. « Laissez porter vos voix, prononcez ce voeu dans vos coeurs, plus de lutte, plus de haine », a chanté avec une douceur inouïe Ryoko Moriyama, une des artistes les plus populaires du Japon. Elle était accompagnée par un choeur de 150 bambins, les enfants des neiges.

Du coup, le ton était donné. La cérémonie d'ouverture s'est poursuivie dans une ambiance chaude, pleine d'intensité inté-

rieure, à l'image du shintoïsme et du bouddhisme, les deux religions du pays.

Plus tôt, l'empereur Akihito et l'impératrice Michiko avaient pris place dans la loge d'honneur du Stade olympique, saluant avec délicatesse les 50 000 personnes présentes dans l'enceinte et les centaines de millions de téléspectateurs à travers le monde. De tous les chefs d'État au monde, ils sont enveloppés d'une aussi étonnante couche de mystère. Même si ses pouvoirs politiques sont inexistants, l'Empereur représente l'essence de la nation japonaise. Pour des milliers de ses sujets, le simple

fait d'apercevoir son visage à l'écran représente un événement unique.

Pour cette journée fabuleuse de l'histoire contemporaine de l'archipel nippon, le ciel était d'un bleu magnifique et l'air sentait bon le printemps. Dès les premières lueurs du jour, les citoyens de Nagano se sont massés le long des rues, un petit drapeau du pays à la main, pour participer à la fête en saluant les visiteurs.

Guidée par Jean-Luc Brassard, la délégation du Canada a été la 14e à pénétrer dans le Stade. Endossant des anoraks blanc et rouge, athlètes et accompagnateurs ont salué avec générosité les spectateurs.

TROTTOIRS FAITS DANS LES CHAMPS

IL appert, d'après un rapport du département de la voirie dont le maire a pris connaissance, ce matin (7 février 1917), que l'on a construit des trottoirs, dans le quartier Mercier, là où il n'y avait pas encore de rue. C'est au bout de la rue Tellier qu'on les a a ainsi construits. Le maire dit qu'il n'y a pas de lignes homologuées, en cet endroit, et que les trottoirs ont été construits dans les champs. On en aurait ainsi fait pour la somme de $6,394, ce qui représente une longueur considérable. Certains propriétaires des

« lots » sur lesquels ils sont placés, refusent de payer la proportion du coût qui est chargée aux propriétaires et ils demandent même à ce que les trottoirs soient enlevés de sur leurs propriétés.

Le maire était très vexé de la chose et il se propose, a-t-il dit au représentant de « la Presse », de désarçonner aux commissaires s'il n'y a pas moyen de faire payer par l'employé de la ville qui est responsable de la chose les dommages causés.

Ces travaux faisaient partie de

la liste totale pour un montant de $611,000, adoptée en avril 1915.

« Vous comprenez, a dit le maire, qu'il n'y a pas moyen de surveiller personnellement chaque petit bout de rue, sur une telle quantité. Il faut se fier aux employés, dans une certaine mesure. Je veux savoir quel est l'employé coupable. Si c'est un employé qui a commis une erreur aussi grave, je considère qu'on devrait lui faire rembourser les dommages dont souffrira la ville. Nous ne pouvons courir les champs pour tout vérifier par nous-mêmes.

LA PRESSE
VICTOIRE POUR LES GREVISTES

La Compagnie des Tramways, dans ses nouvelles propositions, reconnait complètement tous les droits des grevistes.--Le President du Comite ne veut pas accepter l'arrangement pris hors de sa connaissance.

CETTE manchette spectaculaire de LA PRESSE du *7 février 1903* prouve l'importance qu'on attachait, tant au journal que dans la population, à la grève des « p'tits chars » commencée la veille. Le titre permet de croire que les grévistes allaient avoir gain de cause ; c'était vrai, sauf sur un point :

si la « Montreal Street Railway » acceptait en principe le droit de ses employés d'appartenir à une association, elle refusait en revanche de reconnaître celle qui était à l'origine du conflit ouvrier, et qu'elle avait bien tenté de tuer dans l'oeuf en congédiant ses dirigeants. À demain pour la suite.

Pacte de suicide

Incapables de s'intégrer à la société, deux adolescents d'Asbestos, une fille de 15 ans et un garçon de 16 ans, follement amoureux, ont conclu un pacte de suicide qu'ils ont mis à exécution cette semaine, emportant avec eux leurs secrets.

Ce drame, qui survient en ce début de l'année internationale de la Jeunesse, met encore en lumière la détresse de ces jeunes qui sont en conflit avec leurs parents, l'école, en somme avec la société toute entière dans laquelle ils voudraient se tailler une place.

Malgré l'aide des professionnels de l'enseignement et de la médecine, le garçon n'a pu résoudre ses problèmes psychologiques reliés à des déchirements familiaux et à des échecs scolaires.

Sa petite amie, souffrant d'être surprotégée par les siens, l'a suivi dans ce terrible projet de pacte de suicide.

(Texte publié le 7 février 1985)

La dette olympique

Vingt ans après l'adoption de la loi constituant le Fonds spécial olympique, on peut dire que la dette de 763 millions, largement attribuable à la construction du stade, est entièrement épongée. Mais les fumeurs n'en continueront pas moins d'écoper jusqu'en 2003-2004 et auront probablement payé un troisième milliard avec les intérêts d'ici à ce qu'ils obtiennent leur quittance. Les livres indiquent en effet qu'en juin 1995, la dette olympique avait coûté 2,1 millions, en tenant compte des dépenses d'immobilisation. Or, que les fumeurs québécois continueront à payer, en réalité, c'est une somme de 427 millions sur les 450 millions investis depuis 1976 par la RIO dans les immeubles.

(Texte publié le 7 février 1996)

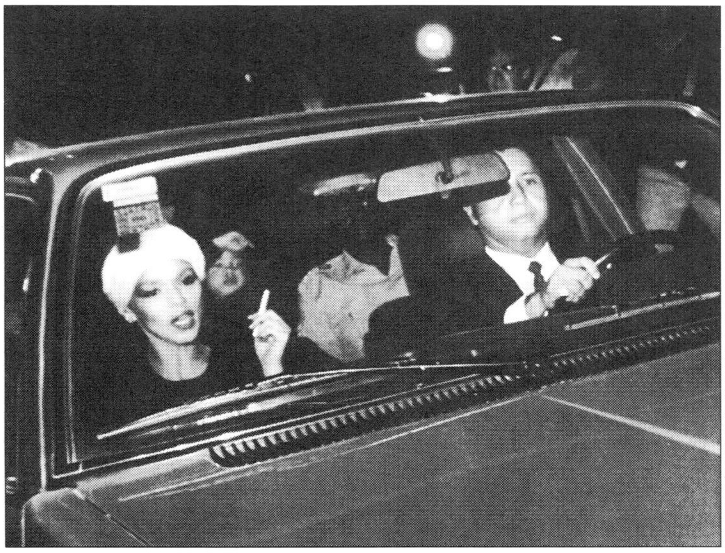

À 3 h 25 du matin, Jean-Claude Duvalier, accompagné de sa femme Michelle, débouche au volant de sa BMW blanche sur la piste de l'aéroport François-Duvalier...

Duvalier parti, explosion de joie et de vengeance

L'explosion de joie qui a suivi à Port-au-Prince le départ du président Jean-Claude Duvalier s'est transformée en très violentes actions de représailles contre les tontons macoutes et les symboles de l'ancien régime établi il y a 28 ans par Papa Doc, père du dictateur en fuite.

Le déchaînement a pris des proportions telles que le nouveau gouvernement civilo-militaire a instauré le couvre-feu sur tout le territoire pour « protéger les vies et préserver les biens des citoyens haïtiens et étrangers ». Avant l'instauration de cette mesure, qui devait être en vigueur au moins jusqu'à 6 h ce matin (**le 8 février 1986**), on estimait qu'au moins cinq personnes avaient été tuées dans les rues de la capitale.

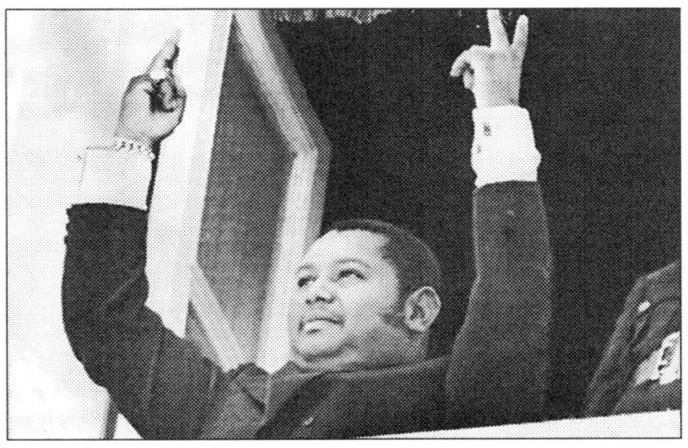

Jean-Claude Duvalier prenait à 20 ans la succession de son père François.

Le Conseil national de gouvernement, qui comprend trois militaires et deux civils, a été mis en place dès le décollage, à 3 h 46, de l'avion militaire américain C-141 qui transportait le dictateur déchu vers Grenoble, dans le sud-est de la France, où il a atterri en présence d'un important dispositif policier.

En compagnie du dernier carré de ses fidèles et de membres de sa famille, M. Duvalier, 34 ans, s'est ensuite rendu à Talloires (Haute-Savoie), sur les bords du lac Annecy. Il séjournera dans un hôtel de cette localité de 800 habitants pour un délai maximum de huit jours que lui a laissé le gouvernement français pour trouver un autre pays d'accueil. Tard hier, il ne semblait pas qu'une capitale étrangère ait accepté de recevoir M. Duvalier.

La junte de gouvernement est dirigée par le général Henri Namphy. La junte s'est engagée, dans une déclaration, à respecter les droits de l'Homme et à maintenir les forces armées à l'écart de la politique.

La chute du régime duvaliériste a été accueillie avec soulagement par les communautés haïtiennes à l'étranger. Toutefois, plusieurs responsables de groupes d'opposition ont désapprouvé la mise en place du Conseil national de gouvernement, craignant que le nouveau pouvoir ne soit « un duvaliérisme sans Duvalier ». D'autres s'inquiètent du rôle joué par Washington dans les événements ayant amené le départ de Bébé Doc après plusieurs mois d'agitation durement réprimée par son régime.

À Port-au-Prince, des milliers d'Haïtiens de toutes conditions ont accueilli l'armée dans un enthousiasme délirant. On entendait crier « Duvalier fini », « Nous sommes libérés », « Le singe est parti ». Cependant, la joie a dégénéré en colère et en vengeance.

Dans le cimetière de Port-au-Prince, les manifestants se sont attaqués avec acharnement au tombeau de Papa Doc. Les mains en sang, ils frappaient ce petit monument de couleur claire à coups de pierres. Les quatre murs de l'édifice ont été abattus. Des jeunes, des vieux, des femmes redoublaient d'efforts, comme pour se libérer de toute une violence accumulée. Dans la rue, des manifestants faisaient brûler ce qui était, selon eux, les restes de François Duvalier.

D'autres tombes ont été saccagées, dont celle du général Gracia Jacques, qui a été chef de la garde présidentielle pendant vingt ans. Deux cercueils ont été sortis, dont l'un a été ouvert.

« J'ai besoin d'un tonton macoute pour boire son sang », a lancé un protestataire exalté. Un autre a affirmé qu'un macoute avait été tué à coups de feu devant lui et que son corps avait été brûlé. Selon un témoin étranger, un autre macoute a été tué à coup de pierres.

L'armée et la police tentaient de s'opposer à ceux qui pillaient les biens des macoutes. Dès l'arrivée des forces de l'ordre, les pillards se dispersaient en emportant sous le bras des pièces de tissus, des bouteilles ou des planches.

Il était impossible la nuit dernière d'établir un bilan des victimes, les troubles s'étant étendus à une grande partie de Port-au-Prince, ville d'un million d'habitants.

UNE VICTOIRE INCOMPARABLE

La Compagnie des tramways cède sur tous les points, et se rend aux conditions imposées par ses employés en grève

La grève des tramways, commencée à minuit jeudi soir, s'est terminée à minuit, samedi *(le service a repris le dimanche **8 février 1903**)*. Elle a duré quarante-huit heures, pendant lesquelles, s'il n'avait fallu marcher, on ne se serait jamais aperçu qu'il y avait du trouble en ville, une lutte entre les plus grands capitalistes de Montréal et leurs employés, alors que le total de ces employés forme à peu près un demi pour cent de la population de la métropole et de la banlieue.

Hier, tout le monde s'entre-félicitait. On criait « Vive l'Union! » afin de manifester ses sympathies pour les employés et on criait « Vive les tramways! » pour exprimer le plaisir qu'on avait de revoir en circulation ces voitures électriques qui vous font si souvent jurer en attendant aux coins des rues. « C'est une belle victoire, » répète-t-on partout. Victoire pour les employés ou pour les patrons? La réponse à cette question est bien simple pour certaines gens: « Nous avons les p'tits chars, donc les grévistes ont gagné; c'est à eux la victoire ». (...)

C'est en ces termes que LA PRESSE commençait l'article consacré à la fin de la première (mais non la dernière, l'histoire allait nous le prouver...) grève dans le transport en commun à Montréal.

Et il ne faisait pas l'ombre d'un doute que le titre de LA PRESSE, reproduit en tête d'article disait la vérité. La compagnie avait effectivement cédé sur tous les points, qu'on peut résumer de cette façon: reconnaissance syndicale; augmentation immédiate de tous les salaires de 10 p. cent; création d'un comité de griefs; fin des congédiements effectués sans entendre au préalable l'employé concerné; réévaluation de tous les cas de congédiements, en montrant à une députation les dossiers à la base des congédiements. La seule porte de sortie que la « Montreal Street Railway Co. » s'était conservée, c'était le droit d'engager des employés non syndiqués, ou non-unionistes comme on disait à l'époque.

C'EST ARRIVÉ UN 8 FÉVRIER

1984 — Le phénomène des motards hors-la-loi a pris une telle ampleur que la Sûreté du Québec et les différents corps policiers de la région de Montréal décident d'unir leurs efforts pour démanteler ces redoutables gangs.

1974 — Amerrissage du troisième et dernier équipage de *Skylab*, après un séjour de 84 jours dans l'espace.

1965 — Un *DC-7B* d'Eastern Airlines s'écrase au départ de New York, entraînant 84 personnes dans la mort.

1961 — Création d'une Commission royale d'enquête sur la qualité de l'enseignement au Québec.

1958 — Après avoir gagné la descente du championnat du monde, à Bad Gastein, la Canadienne Lucille Wheeler gagne le slalom géant, et se classe deuxième au combiné alpin.

1956 — Décès à 93 ans de Connie Mack, grand magnat du baseball.

1949 — Condamnation à la réclusion à vie de Mgr Joseph Mindszenty, primat de Hongrie, par un tribunal militaire.

1945 — La Ville de Montréal lance une campagne de recrutement pour combler 500 vacances au sein du corps de police.

Le cinéma interactif est né

Dans le premier film parlant de l'histoire du cinéma, *Le Chanteur de jazz*, Al Jolson prononçait la fameuse phrase: « Vous n'avez encore rien entendu. » Aujourd'hui le slogan du premier film interactif de l'histoire du cinéma, *Je suis votre homme*, pourrait bien être le suivant: « Vous n'avez encore rien vu. »

C'est en effet une petite révolution apparue depuis un mois et demi aux États-Unis: un film de cinéma dont les spectateurs choisissent eux-mêmes le déroulement.

« Pendant 85 ans les films disaient aux gens de s'asseoir, d'être tranquilles et de regarder. Maintenant c'est fini: pour la première fois nous disons: ne vous contentez pas de rester assis! », dit Bob Bejan, l'un des inventeurs de cette nouvelle technique.

Le principe est simple: les sièges de la salle de cinéma sont munis d'une manette en forme de pistolet ou de souris de jeu électronique, avec trois boutons lumineux (rouge, vert, jaune). Toutes les trois ou quatre minutes, les personnages du film demandent aux spectateurs ce qu'ils doivent faire: sauter sur le toit de l'immeuble? Défoncer la porte?

Les spectateurs appuient sur le bouton de leur choix. La majorité l'emporte. Et le film continue avec la suite choisie: d'une durée de 20 minutes, *Je suis votre homme* offre ainsi 68 scénarios possibles...

Depuis la sortie de *Je suis votre homme*, ce nouveau cinéma interactif est en effet devenu un nouveau jeu: pendant les séances les spectateurs crient et conseillent aux autres quelle solution choisir, certains se précipitent sur les manettes des fauteuils vides pour voter plusieurs fois, le spectacle est dans la salle autant que sur l'écran...

L'article omet de mentionner que ce « nouveau cinéma » a été présenté à l'Expo 67 à Montréal au pavillon tchécoslovaque. Kiné Automat, qui ne bénéficiait pas de l'automation de nos jours, offrait quand même 29 scénarios possibles.

(Texte publié le 8 février 1993)

Le Canada ferme la porte aux sidéens

La loi canadienne de l'immigration (1976) permet d'interdire l'entrée du Canada aux immigrants atteints du SIDA

L'automne dernier, le comité de révision médicale de l'immigration à Ottawa a ainsi recommandé que les candidats affectés par la maladie tombent dans la catégorie des « personnes non admissibles ». Pas de bruit autour de leur exclusion.

« Le SIDA est considéré comme une maladie contagieuse qui présente une menace pour la santé publique. Ses victimes se trouvent non admissibles en vertu des dispositions de la loi », a déclaré à *La Presse* le docteur Scott Leslie, du ministère fédéral de la Santé, responsable du service de certification médicale pour l'immigration.

(Texte publié le 8 février 1986)

Premier satellite humain

L'astronaute américain Bruce McCandless est devenu hier (**le 8 février 1984**) le premier satellite humain de l'histoire, en sortant de la navette Challenger aux commandes de son sac à dos à réaction.

Environ 90 minutes plus tard, c'était au tour de Robert Stewart de flotter librement dans l'espace, à 280 km de la Terre.

C'est à 8 h 10 que Bruce McCandless est sorti de la soute de Challenger, aux commandes de l'extraordinaire sac à dos à réaction de la NASA, d'une valeur de 10 $ millions. Pour la première fois, un homme quittait ainsi un vaisseau spatial sans y être relié par le moindre cordon.

LES MEMOIRES DE LOUIS CYR, L'HOMME LE PLUS FORT DU MONDE

*En février 1908, LA PRESSE entreprenait la publication des Mémoires de Louis Cyr par tranches hebdomadaires. Voici de quelle manière elle présentait le projet à ses lecteurs dans son édition du **8 février 1908**.*

Au moment où le sport au Canada, et dans l'univers entier, s'affirme comme l'un des plus gros facteurs sociaux qu'ait jamais connu l'humanité, la « Presse », après tout ce qu'elle a fait de sa propre initiative pour développer le mouvement, a le plaisir d'annoncer à ses lecteurs qu'elle va commencer incessamment la publication des Mémoires de Louis Cyr, l'homme le plus fort du monde.

Louis Cyr n'a pas rien que des muscles. Les discours dont il émaillait volontiers ses tours de force légendaires ont prouvé qu'il maniait aussi facilement la parole que les haltères et c'est ce talent oratoire chez lui que la « Presse » entreprend de mettre à contribution aujourd'hui pour le développement de plus en plus marqué du sport.

Huit jours durant, en sa superbe résidence de Saint-Jean-de-Matha, où il vit en « gentleman farmer », Monsieur Cyr, pièces justificatives en mains pour l'édification de ses visiteurs, plutôt que pour l'évocation de ses souvenirs, a raconté sa vie par le menu aux deux représentants de la « Presse » qui étaient allés l'interviewer. C'est cette relation sténographiée avec le plus grand soin et transposée depuis en écriture ordinaire qui, avec le plein consentement de Monsieur Cyr donné sous sa signature, constitue les « Mémoires de l'homme le plus fort au monde ».

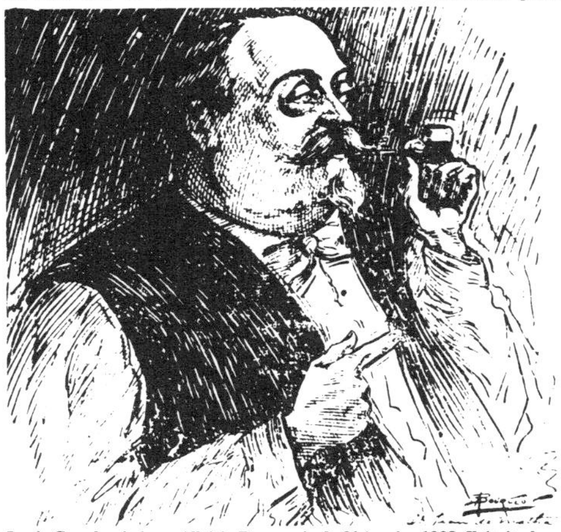

Louis Cyr, dessiné par Albéric Bourgeois, le 31 janvier 1908. Il était alors âgé de 44 ans puisqu'il était né le 10 octobre 1863.

x x x

La genèse de ce document historique vaut d'être racontée dans ses détails.

Dans la dernière semaine de janvier, le secrétaire de la rédaction à la « Presse », M. Arthur Berthiaume, constatait que les mémoires de Pons, en cours de publication à Paris, avaient un énorme succès, et, pour l'intérêt qu'il porte au sport, déplorait que rien de pareil ne put se faire au Canada

— Mais comment donc! se récria le « city editor »; les mémoires de Cyr ne seraient-ils pas autrement intéressants que ceux de Pons qui, lui, ne fut qu'un lutteur de réputation locale, avec mille et un rivaux dans le monde et plus d'un supérieur, dont Hackenschmidt, tandis que Cyr est sans contexte, sans second même, l'homme le plus fort du monde avec un record qui n'a jamais été égalé par d'autres depuis des milliers d'années et qui ne le sera peut-être pas pour des milliers d'années à venir.

— Affaire entendue, déclara le secrétaire de la rédaction; qu'on aille demander à Monsieur Cyr de nous dicter ses mémoires. Il a trop de sens sportif et patriotique pour se refuser à la tâche; nous les publierons en bonne position dans la « Presse » pour l'enseignement qu'ils comportent et ils constitueront pour leur auteur un véritable monument dans l'histoire.

C'est le lendemain de ce jour, 27 janvier, que deux représentants de la « Presse », Messieurs L. Septime Lafferrière et Albéric Bourgeois, dessinateur, prenait la route de Saint-Jean-de-Matha pour s'acquitter de leur mission sportivo-littéraire.

Le maire Doré inaugure l'Insectarium de Montréal

Si les visiteurs du nouvel Insectarium de Montréal manifestent le même intérêt que le maire Jean Doré l'a fait hier (**le 9 février 1990**) devant les milliers d'insectes morts ou vifs qui peuplent ce nouveau musée, son succès est assuré. Ils étaient d'ailleurs plusieurs centaines, au moment de l'inauguration, à découvrir l'univers des insectes qui compose 80 % du monde animal.

Avec quel enthousiasme le maire s'émerveillait-il de l'ingénieux camouflage de tel papillon qui se donne des allures de hibou pour échapper aux prédateurs ou encore de l'audace de telle guêpe qui doit tuer une tarentule trois fois plus grosse qu'elle, l'évider et pondre ses oeufs dans sa carcasse.

M. Doré tenait son savoir tout neuf du héros de la journée, M. Georges Brossard, qui, par le don de sa collection de 250 000 insectes à la ville de Montréal, a permis la mise sur pied de ce haut lieu des sciences naturelles.

La collection de l'Insectarium comprend aussi les dons de 4 000 insectes de Paul et Katie Barbeau, et les 1 500 spécimens de Louis-Philippe Durocher. Il se classe, dès son ouverture, premier au monde avec l'Insectarium de Tama, au Japon. Le maire a rendu hommage à tous ceux qui ont mené ce projet à terme, en particulier à M. Pierre Bourque, le directeur du Jardin botanique.

La construction de l'Insectarium, près du Jardin botanique, a coûté 4,7 millions dont 2,5 millions payés par la Ville. Les gouvernements y ont mis 1,6 million, et le public, 600 000 $.

Le soir où les Beatles ont changé l'Amérique

Vingt-cinq ans après, on se souvient toujours aux États-Unis de ce soir de février 1964 où les Beatles, alors quasiment inconnus, pulvérisèrent les records d'audience à l'émission télévisée d'Ed Sullivan.

Il faisait froid ce 9 février 1964, les Américains étaient encore sous le choc de l'assassinat de John F. Kennedy, survenu dix semaines plus tôt à Dallas.

Ce fut la folie. Alertés plus par la rumeur que par le « clip » qu'avait diffusé la télévision six semaines plus tôt 50 000 curieux voulurent assister au « Show d'Ed Sullivan » dans les studios de CBS. On en prit 728, mais déjà, le record de demandes (7 000 pour Elvis Presley à ses débuts en 1957), était battu.

Mais la surprise survint le lendemain quand l'audiomètre Nielsen accusa le record absolu pour une émission de variétés : 74 millions de téléspectateurs.

Même le prédicateur Billy Graham, plus habitué à « parler dans le poste » qu'à le regarder, sortit de sa réserve de révérend pour qualifier le groupe de « symptôme de l'incertitude des temps et de la confusion des êtres ».

On raconte que, pendant l'émission, le taux de criminalité aux États-Unis fut à son plus bas en 50 ans, qu'il n'y eut pas un vol à New-York (banlieue comprise) et qu'aucun adolescent ne fut arrêté à Washington à l'heure cruciale.

Dans le studio d'Ed Sullivan, en revanche, il fallut calmer les « fans », surtout les filles, qui se déchaînaient devant ces nouvelles idoles. Les Beatles, eux, paraissaient bien sages, presque guindés, dans leur costume net.

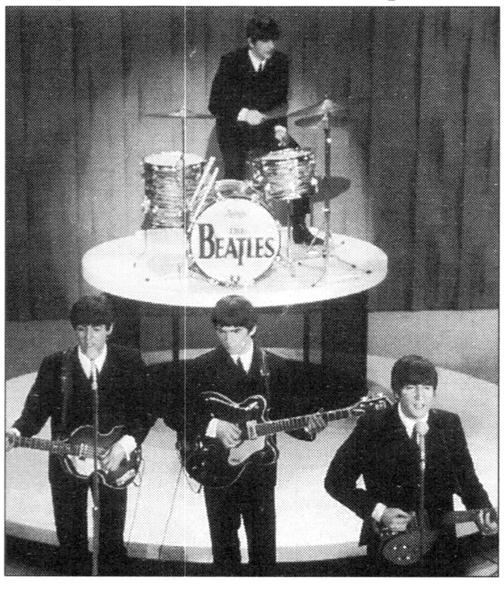

Ils chantèrent « All My Loving », « Till There Was You », « She Loves You » et, après une publicité qui devait catapulter les ventes du cirage Griffin, « I Saw Her Standing There » et surtout « I Want to Hold Your Hand ». Ce fut le délire.

Un mois après leur apparition au Show d'Ed Sullivan, les Beatles vendaient 2,5 millions de disques aux États-Unis seulement et des milliers de jeunes, le coeur chaviré par la disparition de Kennedy, se surprenaient à fredonner : « She loves you, yeah, yeah, yeah ». Selon de nombreux experts, rien n'aurait été plus salutaire après la tragédie de Dallas. « L'Amérique était devenue muette de stupeur sous le coup d'un événement immense et terrible, écrit notamment Phillip Norman dans un ouvrage sur les Beatles. Et voilà qu'elle retrouvait sa voix grâce à un événement qu'aucune thérapeutique psychiatrique n'aurait pu égaler ».

(**Texte publié le 9 février 1989**)

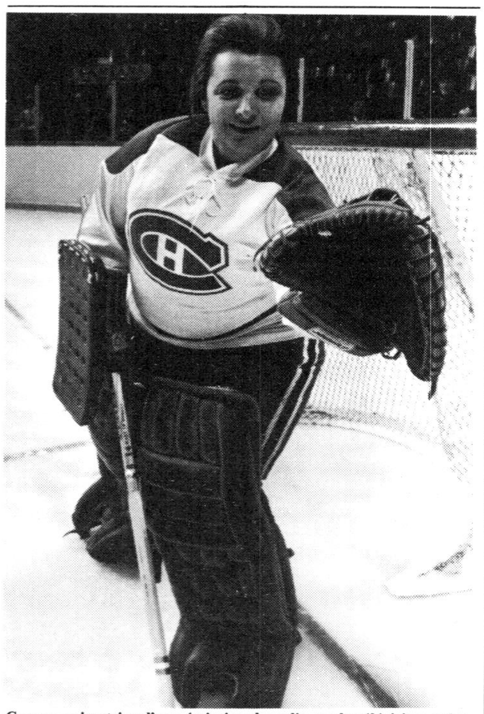

Comme animatrice d'une émission de radio ou de télévision, voire comme politicienne, Lise Payette a toujours aimé relever des défis. Et le *9 février 1973*, elle en relevait un de taille, celui d'affronter les lancers des francs-tireurs du Canadien (c'était encore vrai à l'époque, le Canadien sachant encore s'amuser tout en gagnant des matchs de hockey...). Madame Payette s'en était très bien tirée... et LA PRESSE lui avait fait l'honneur de sa première page.

Le *Normandie* incendié

Le *Normandie*, gloire de la Compagnie Générale Transatlantique, qui avait coûté 56 millions de dollars à ses armateurs et qui remporta plusieurs fois le Ruban Bleu sur l'Atlantique, a chaviré de côté, près d'un quai de la rivière Hudson de bonne heure ce matin (**le 9 février 1942**).

Retenu pour remplir un rôle de premier plan comme transport de troupes, le luxueux paquebot était en réfection à New York. Un incendie éclata à l'intérieur de sa superstructure. Le feu fut maîtrisé en moins de 40 minutes, mais les tonnes d'eau déversées à l'intérieur par les pompiers ont fait chavirer le navire.

Le *Normandie* fut finalement envoyé à la ferraille.

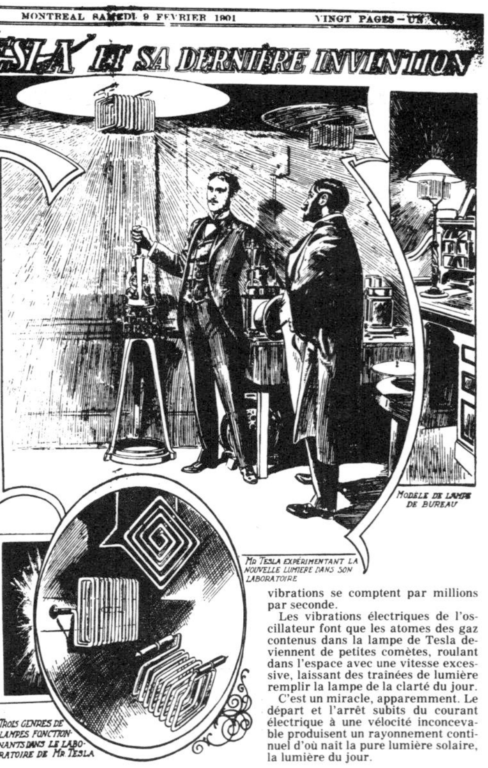

Nikola Tesla et sa dernière invention

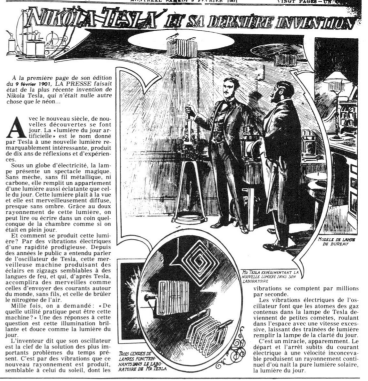

À la première page de son édition du **9 février 1901**, *LA PRESSE faisait état de la plus récente invention de Nikola Tesla, qui n'était nulle autre chose que le néon...*

Avec le nouveau siècle, de nouvelles découvertes se font jour. La «lumière du jour artificielle» est le nom donné par Tesla à une nouvelle lumière remarquablement intéressante, produit de dix ans de réflexions et d'expériences.

Sous un globe d'électricité, la lampe présente un spectacle magique. Sans mèche, sans fil métallique, ni carbone, elle remplit un appartement d'une lumière aussi éclatante que celle du jour. Cette lumière plaît à la vue et elle est merveilleusement diffuse, presque sans ombre. Grâce au doux rayonnement de cette lumière, on peut lire ou écrire dans un coin quelconque de la chambre comme si on était en plein jour.

Et comment se produit cette lumière? Par des vibrations électriques d'une rapidité prodigieuse. Depuis des années le public a entendu parler de l'oscillateur de Tesla, cette merveilleuse machine produisant des éclairs en zigzags semblables à des langues de feu, et qui, d'après Tesla, accomplira des merveilles comme celles d'envoyer des courants autour du monde, sans fils, et celle de brûler le nitrogène de l'air.

Mille fois, on a demandé: «De quelle utilité pratique peut être cette machine?» Une des réponses à cette question est cette illumination brillante et douce comme la lumière du jour.

L'inventeur dit que son oscillateur est la clef de la solution des plus importants problèmes du temps présent. C'est par des vibrations que ce nouveau rayonnement est produit, semblable à celui du soleil, dont les vibrations se comptent par millions par seconde.

Les vibrations électriques de l'oscillateur font que les atomes des gaz contenus dans la lampe de Tesla deviennent de petites comètes, roulant dans l'espace avec une vitesse excessive, laissant des traînées de lumière remplir la lampe de la clarté du jour.

C'est un miracle, apparemment. Le départ et l'arrêt subits du courant électrique à une vélocité inconcevable produisent un rayonnement continuel d'où naît la pure lumière solaire, la lumière du jour.

Inauguration d'un nouveau service de colis postaux

OTTAWA — Ce soir **(9 février 1914)**, à minuit, sera inauguré le service des colis postaux au Canada. Par une délicate attention du ministre des Postes, l'hon. Louis P. Pelletier, le premier « colis » qui sera expédié sera une superbe et riche sacoche en cuir, à destination de Son Altesse Royale le duc de Connaught, et qui servira par la suite à transporter le courrier du gouverneur général du Canada.

L'effet immédiat de ce nouveau service, outre la commodité qu'il présentera, sera sans doute de réduire le coût de la vie, en facilitant la distribution des produits, en mettant le consommateur plus directement en rapport avec le producteur, puis en forçant un abaissement du taux des messageries.

La « Presse » a publié, il y a quelques temps, un tableau du tarif d'affranchissement mis à la poste dans la province de Québec. Nous donnons aujourd'hui un succinct résumé des principaux règlements relatifs à l'expédition des colis par la poste. Ils sont puisés dans la brochure que le ministère a fait publier pour expliquer le fonctionnement du nouveau service.

NATURE DES OBJETS

Les objets qui peuvent être acceptés au tarif des colis postaux comprennent les produits de la ferme et des manufactures, les marchandises de toutes sortes, telles que merceries, épiceries, ferronneries, confiseries, papeterie et librairie (y compris les registres, etc.), graines, boutures, bulbes, racines, plantes de serre, scions ou greffes, et tous autres objets à part ceux compris dans la première classe, et dont la transmission par la poste n'est pas interdite d'après les règlements généraux à ce sujet.

CLAUSES IMPORTANTES

L'affranchissement des colis postaux doit être payé au moyen de timbres-poste placés sur les colis. Les colis postaux non affranchis seront envoyés au bureau succursale des Rebuts. — La franchise de port ne s'applique pas aux colis postaux. — Un paquet expédié par la malle peut être assuré jusqu'à concurrence de $50. — Les colis postaux doivent être emballés de manière à ce que le contenu puisse être facilement examiné. — Il serait bon que l'adresse de l'expéditeur fut indiquée sur le colis. Cette adresse doit être complètement séparée de celle de la personne qui devra le recevoir. — Le maximum du poids d'un colis postal est fixé à onze livres. — Un colis peut contenir des factures et des comptes, pourvu qu'ils se rapportent exclusivement à son contenu. — Les colis postaux contenant quelque chose de nature fragile doivent porter l'indication: « Fragile — avec soin ». Les paquets contenant des objets sujets à détérioration, tels que le poisson, les fruits, la viande, etc., doivent être marqués: « Sujet à détérioration ». (...) — Pendant la période d'organisation, comprenant les mois de février, mars et avril 1914, un droit additionnel de cinq cents payable en timbres-poste, sera imposé sur chaque colis. Pendant les mois de février, mars et avril 1914, on n'acceptera pour transmission aucun colis postal qui pèsera plus de 6 livres.

C'EST ARRIVÉ UN 9 FÉVRIER

1991 — Selon François-Marc Gagnon, historien d'art et professeur à l'Université de Montréal, le peintre Jean-Paul Mousseau occupe une grande place dans l'art québécois: « L'environnement de Montréal est marqué par Mousseau ».

1981 — Le général Wojciech Jaruzelski, ministre de la Défense, est nommé chef du gouvernement polonais, en remplacement de Josef Pinkowski.

1971 — Les dégâts se chiffrent par $1 milliard après un tremblement de terre qui a causé 35 morts, à Los Angeles.

1967 — Un séisme fait 61 morts, 200 blessés et d'énormes dégâts, en Colombie.

1966 — Des émeutes font sept morts et plus de 50 blessés, à Saint-Domingue. — Le gouvernement ontarien hausse la taxe de vente de 3 à 5 p. cent.

1961 — Un avion soviétique transportant le président Leonid Brejnev viole l'espace aérien français en survolant le territoire algérien sans autorisation, et subit des coups de semonce d'un réacté français.

1954 — Le gouvernement Duplessis dépose le projet de loi qui crée un impôt sur le Revenu dans la province de Québec.

1953 — Une bombe éclate à la légation soviétique de Tel Aviv.

1945 — Les chasseurs à réaction allemands Messerschmitt 262 font des ravages au sein des escadrilles de bombardiers alliés.

1937 — Un bimoteur de United Airlines s'écrase dans la baie de San Francisco, causant 11 pertes de vie.

1922 — Une délégation de 75 femmes se rend à Québec pour demander le droit de vote pour les femmes.

1922 — Un incendie détruit l'immeuble Standard Life, rue Saint-Jacques.

1911 — Les aviateurs français Noël et Delatorre perdent la vie quand leur avion s'écrase à Douai.

1909 — Inauguration officielle de l'Institut agricole d'Oka.

FONDEUR INGENIEUX

Le problème de l'enlèvement de la neige semblerait avoir une solution par l'invention des frères Bloomingdale, (...) de New York. A l'aide d'une machine *(de leur invention)*, les frères Bloomingdale n'ont pas eu besoin du service de la voirie pour faire disparaître les bancs de neige qui encombraient leur magasin.

Cette machine ressemble beaucoup à celle dont on se sert ordinairement pour refaire l'asphalte des rues. Elle consiste en un grand réservoir contenant du pétrole monté sur un « truck », ayant par devant un fourgon fait d'une feuille de fer de cinq pieds carrés environ. Ce fourgon est élevé de 15 pouces du sol et dessus se trouve le foyer alimenté par le pétrole.

Le fourgon est plongé dans le banc de neige et on peut s'imaginer avec quelle rapidité cette neige se change en eau. Au moyen de ce fondeur ingénieux, en un court espace de temps on a pu enlever la neige dans plusieurs rues.

Cela se passait le 9 février 1907.

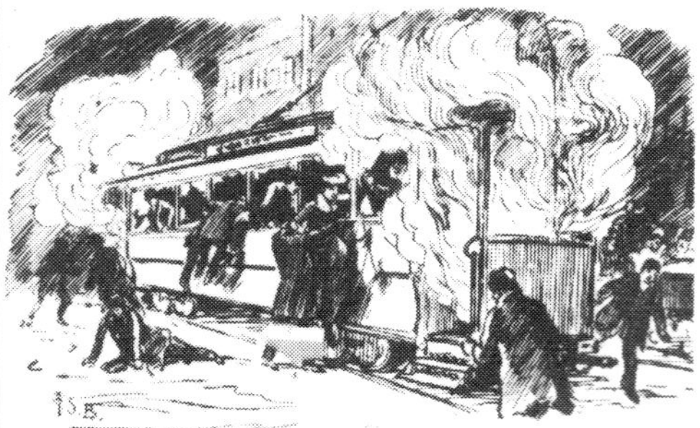

L'explosion survenue sous un tramway du circuit de la rue Notre-Dame, près de la rue des Seigneurs, le *9 février 1903*, a complètement détruit le véhicule, mais sans heureusement faire de victimes.

Montréal dans les chaînes

L'AUTONOMIE DE MONTREAL N'A EU QUE PEU DE DEFENSEURS A L'ASSEMBLEE LEGISLATIVE

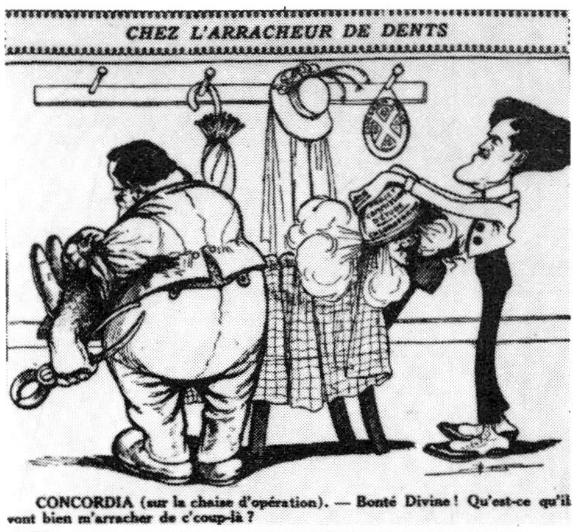

CONCORDIA (sur la chaise d'opération). — Bonté Divine ! Qu'est-ce qu'il vont bien m'arracher de c'coup-là ?

Onze députés seulement ont protesté et voté contre la prolongation du terme d'office du maire et des échevins de la métropole

(du correspondant de la PRESSE)

QUÉBEC — Par un vote de 48 à 11, l'Assemblée Législative a approuvé hier **(10 février 1920)**, en comité plénier, après une longue discussion, le projet David, comportant la nomination d'une commission chargée de choisir le meilleur mode d'administration municipale pour la cité de Montréal et surtout la prolongation du terme du maire et des échevins de Montréal pour deux autres années, sans la consultation nécessaire des contribuables.

Quand le bill de Montréal fut étudié en comité plénier, les choses se passèrent tranquillement jusqu'à la clause 23, qui contient la proposition David.

C'est alors que M. Vautrin se leva et proposa de biffer de cette proposition tous les mots comportant la prolongation du terme d'office du maire et des échevins. Il fit l'historique de l'administration de la cité de Montréal depuis une dizaine d'années. Il se dit satisfait du travail accompli jusqu'ici par la commission administrative de Montréal. Cette commission a relevé les finances de la cité de Montréal et a réussi à administrer la métropole sans contracter de nouvelle dette.

De là à approuver la prolongation du terme d'office du maire et des échevins il y a loin. Les échevins n'ont jamais cessé de blâmer la Législature de s'ingérer dans le mode d'administration de Montréal et de s'en faire du capital politique devant leurs électeurs. On sait quelles difficultés les députés libéraux de Montréal ont éprouvées à se faire réélire à cause des critiques suscitées par l'ingérence de la Législature de Québec dans les affaires de Montréal. Quant à lui *(M. Vautrin)*, il s'est présenté comme franc libéral, il a été élu, mais ce n'est pas pour favoriser une mesure aussi anti-libérale que celle qui est maintenant devant la Chambre. (...)

Explications

La manchette choisie pour la page d'aujourd'hui mérite des explications. Ce n'était pas la première fois que le gouvernement provincial s'ingérait dans l'administration montréalaise, sauf que onze ans plus tôt, il avait eu raison de le faire. Citons quelques faits pour étayer cette affirmation.

Tout avait commencé par la commission d'enquête créée en 1909 à la demande du milieu des affaires. Au cours de ses travaux, elle étala l'existence à l'hôtel de ville d'un véritable système de corruption et de patronage. Les autorités provinciales furent donc obligées d'adopter, en 1910, un système administratif qui réduisait les pouvoirs du conseil municipal, le soumettant à un comité de contrôle de quatre membres. Ce système peu efficace a été en vigueur jusqu'en 1918, alors que le gouvernement a légiféré pour confier la gestion de la Ville à une commission administrative de cinq membres (dont deux nommés par Québec!), et restreindre du même coup les pouvoirs du conseil.

Nous en sommes là quand le gouvernement adopte ce projet de loi dont il question aujourd'hui. Ce projet de loi eut l'heur de secouer l'apathie des Montréalais, piqués au vif par LA PRESSE notamment. Avec des titres et des exergues lapidaires comme « Montréal dans les chaînes », *ou* « Onze justes pour sauver la Législature de Québec », *ou encore* « On conspue les conspirateurs et les spoliateurs de nos droits », *et avec des caricatures du genre de celles que nous vous proposons, LA PRESSE affichait clairement ses couleurs.*

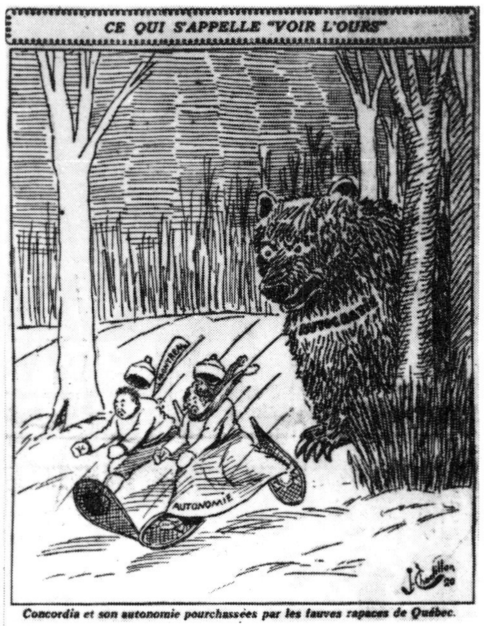

Concordia et son autonomie pourchassées par les fauves rapaces de Québec.

C'EST ARRIVÉ UN 10 FÉVRIER

1981 — Le gouvernement iranien relâche l'écrivain américain Cynthia Dwyer, après neuf mois de détention dans une prison de Téhéran.

1977 — Décès de Sergei Iliouchine, constructeur d'une cinquantaine de modèles d'avions de transport soviétiques.

1973 — Le plus gros réservoir de gaz naturel au monde explose à New York et fait 43 morts.

1970 — Une avalanche fait 42 morts à Val d'Isère.

1962 — Prisonnier depuis le 1er mai 1960 après que son avion-espion *U-2* eût été abattu au-dessus du territoire soviétique, Francis Gary Powers est échangé en retour de l'espion Rudolf Abel.

1950 — Le Britannique d'origine allemande Klaus Fuchs reconnaît avoir vendu des secrets de la bombe atomique à l'URSS.

1949 — Nathuram Vinsyck Godse, assassin de Gandhi, est condamné à mort en compagnie de Narayan Dattarya Apte, cerveau de l'attentat.

1948 — Un incendie dans un refuge pour personnes âgées fait 34 morts à Saint-Jean, Terre-Neuve.

1947 — Des milliers d'usines anglaises ferment leurs portes par suite du manque d'électricité imputable à la pénurie de charbon.

1939 — La mort du Pape Pie XI sème le deuil à travers le monde.

1926 — M. l'abbé Louis-Joseph-Pierre Gravel, fondateur de la ville de Gravelbourg, Saskatchewan, meurt à l'Hôtel-Dieu.

Wilbert Coffin pendu à la prison commune

WILBERT Coffin a été pendu, tôt ce matin **(10 février 1956)**, à la prison commune, à Bordeaux, sans avoir pu obtenir la permission d'épouser sa concubine, Marion Petrie, et légitimer leur fils de huit ans, James.

Son exécution, qui fut remise à sept reprises depuis sa condamnation à mort, met fin à l'une des causes criminelles les plus longues et les plus riches en incidents de toutes sortes dont fassent mention les annales judiciaires dans notre province.

Coffin, qui était âgé de 43 ans, est monté sur l'échafaud à 12 h 19 ce matin. Il a été déclaré mort à 12 h 33, soit 14 minutes plus tard.

Le prospecteur, qui avait été jugé coupable du meurtre d'un jeune chasseur américain, assassiné avec ses deux compagnons dans les forêts de la Gaspésie, au début de l'été 1953, s'était enfermé dans un mutisme complet plus de deux heures avant son exécution.

Le shérif Paul Hurteau, C.R., qui a assisté à la pendaison, a déclaré que Coffin a marché calmement à l'échafaud et n'a fait aucune déclaration avant de mourir.

Le corps de Coffin a été remis à la famille à la suite de l'exécution. Il sera transporté en Gaspésie, où il sera inhumé.

Le shérif Hurteau a déclaré que les dernières paroles prononcées par Coffin, plus de deux heures avant son exécution, furent pour protester de nouveau de son innocence. Il ne prononça plus une seule parole par la suite. (...)

Sa mort a été constatée par le Dr Marius Denis, médecin de la prison. (...)

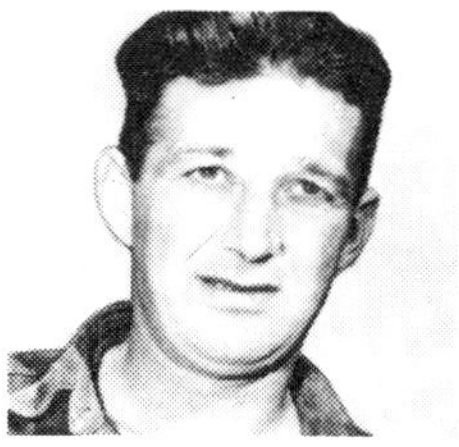

Le shérif a déclaré que Coffin avait fait preuve d'un grand sang-froid et demeuré calme jusqu'à la fin. Il a ajouté qu'il n'a laissé aucune lettre. (...) Lorsqu'on lui demanda s'il avait quelque chose à dire avant de quitter sa cellule, il ne fit aucune déclaration. Il ne reçut aucune visite à la suite de celle que lui fit son avocat, Me François Gravel, dans le courant de la journée d'hier (...)

Coffin, qui avait mangé du poulet, peu après midi, a pris son dernier repas, composé d'oeufs et de jambon, peu après 6 h hier soir.

Après qu'il eut appris, hier après-midi, que le cabinet avait rejeté sa requête de commutation de peine, Coffin a demandé s'il pouvait encore espérer pouvoir épouser Marion Petrie. (...) Cette demande fut rejetée par l'hon. Maurice Duplessis, premier ministre et procureur général de la province. « Nous ne pouvons permettre à ces deux personnages de se rencontrer, a déclaré M. Duplessis, cela irait à l'encontre de l'intérêt public et de la saine administration de la justice. »

Les cochers protestent

LES ouvriers n'ont pas besoin de tramways au Parc Mont-Royal.

Tels étaient les mots inscrits sur une bannière que portaient à leur tête, hier soir **(10 février 1903)**, une foule de cochers de place en procession dans nos rues. Environ 75 voitures (...) suivaient cette bannière, aux sons d'une fanfare.

Après la parade, des discours furent prononcés. On dénonça très énergiquement le projet de construire un chemin de fer pour les tramways à travers le parc Mont-Royal. (...)

Le premier orateur fut M. L. Thompson, président de l'Union des cochers de place. M. Thompson croit absolument nécessaire d'empêcher qu'on ne construise un chemin de fer à la montagne. Il ajoute que pour sa part, il ne croit pas que les ouvriers aient besoin de ce que la « Montreal Street Railways » semble si désireuse d'obtenir. (...)

M. W. Walker, secrétaire de l'association, adresse aussi la parole : « La parade, dit-il, a eu un grand succès, sans doute, mais elle en aurait eu un beaucoup plus grand si les chemins eussent été en meilleur état. Les bancs de neige, mais plus encore la voie des chars ont été les principaux obstacles qui se sont opposés à une procession plus nombreuse. Eh bien! dites-moi, mes amis, qu'arriverait-il donc, aux promenades de la montagne, si l'on construisait là une nouvelle voie pour les tramways, ainsi que plusieurs échevins l'ont proposé? On nous parle des besoins des pauvres gens; Eh!... qui les connaît mieux que les cochers? »

Ross Rebagliati pourrait perdre sa médaille d'or parce qu'il a fumé du «pot»

Des traces de marijuana ont été détectées dans le corps du Canadien Ross Rebagliati, médaillé d'or en slalom géant de surf des neiges, annonce le Comité olympique international (**le 10 février 1998**).

Ross Rebagliati, 26 ans, pourrait être dépouillé de sa médaille, selon les recommandations de la commission médicale. L'Association olympique canadienne entend déposer un appel devant une cour d'arbitrage indépendante qui aura ensuite à rendre une décision dans les 24 heures.

Richard Pound, le vice-président du CIO, a précisé que le surfer des neiges a échoué aux deux parties du test antidopage auquel les médaillés sont soumis durant les Jeux olympiques. Le vote du comité exécutif du CIO a été serré : trois membres voulaient enlever à Rebagliati sa médaille, deux s'y opposaient et autant s'abstenaient.

Le test sur l'échantillon A a révélé la présence de métabolite de marijuana ; le test de l'échantillon B a révélé une concentration de 17,8 nanogrammes par millilitre.

Ross Rebagliati a reçu sa médaille d'or trois jours plus tard. Il appert qu'il avait aspiré de la fumée de marijuana par personne interposée, participant à une soirée où beaucoup de gens fumaient. Cette explication a satisfait les juges qui lui ont remis sa décoration.

O.J. Simpson condamné à 33,5 millions

Civilement responsable de la mort de son ex-épouse et de l'un de ses amis, O.J. Simpson a été condamné à verser à leurs familles un total de 33,5 millions de dollars US de dommages et intérêts (**le 10 février 1997**), seize mois après avoir été déclaré non coupable de leur assassinat.

Les jurés — six femmes et six hommes — ont accordé lundi 12,5 millions à la famille de Nicole Brown Simpson ainsi qu'à celle de Ronald Goldman, un jeune serveur de restaurant venu rapporter, le 12 juin 1994, une paire de lunettes oubliée. Mardi dernier, le jury avait déjà condamné l'ancien joueur de football américain à payer 8,5 millions à la famille Goldman.

Ces différents dommages et intérêts ont deux justifications différentes : les premiers visaient à « compenser » la perte subie par les parents de Ronald Goldman, les seconds ont pour but de « punir » O.J. Simpson pour le meurtre dont il a été reconnu civilement responsable.

Même si O.J. Simpson fait appel du verdict, sa condamnation à verser des millions de dommages et intérêts est immédiatement exécutoire. Le seul moyen d'en suspendre l'application serait pour O.J. Simpson de déposer une caution égale à 1,5 fois la somme à laquelle il a été condamné.

La question est maintenant de savoir ce que O.J. Simpson va effectivement payer. Les experts s'accordent pour prédire d'une part que les familles des victimes ne toucheront pas la totalité de ces dommages et intérêts, et d'autre part qu'O.J. Simpson ne pourra jamais plus vivre la vie de luxe à laquelle il était accoutumé. La loi californienne stipule cependant qu'il ne peut être réduit à la misère.

Ce verdict met - pour l'instant - un point final à une saga qui a passionné et divisé les Américains depuis la découverte des corps lardés de coups de couteau de Nicole Brown Simpson et Ron Goldman. Mais O.J. Simpson n'en a sans doute pas totalement fini avec la justice : ses beaux-parents envisagent de faire appel du jugement lui confiant la garde de ses deux jeunes enfants.

Le travail «au noir»: 500 millions

La moitié des travaux de rénovation résidentielle faits au Québec échappent à tout contrôle à cause de la multiplication du travail « au noir », qui représente au moins 500 millions de dollars par année.

Telle est la conclusion que l'on peut tirer d'une étude confidentielle menée l'an dernier pour le compte du ministère de l'Habitation et de la Protection du consommateur, qui s'apprête à présenter une politique globale de l'habitation au Québec

Le rapport d'étude s'intitule Étude sur la situation de l'industrie de la rénovation résidentielle au Québec. Le document, gardé confidentiel depuis son dépôt en mai 1983, est signé par Danièle Tanguay-Renaud, une économiste montréalaise qui a rencontré les divers intervenants de cette industrie nouvelle et fort lucrative (plus de 1 milliard de dollars en travaux de rénovation faits par des artisans ou des entrepreneurs, actuellement — en plus de 600 millions de dollars de travaux effectués par les propriétaires eux-mêmes —, et près de 2 milliards par an au cours des prochaines années, selon Statistique Canada, c'est-à-dire la moitié de toute la construction domiciliaire au Québec.

Le rapport cite divers porte-parole de l'industrie de la construction, qui situent la part du travail « au noir » entre 35 et 75 % dans la rénovation, selon les interlocuteurs.

L'Association provinciale des constructeurs d'habitations du Québec (APCHQ) qui a participé à la recherche, estime que le travail «au noir» dans la rénovation représente jusqu'aux trois quarts des travaux dans certains cas (travaux de moins de 10 000 $) et au moins 50 % dans l'ensemble du secteur. Cette estimation porte à au moins 500 millions la valeur des travaux non déclarés officiellement (tarifs sous les normes du décret de la construction et falsification du nombre d'heures travaillées déclarées à l'Office de la construction du Québec), considère M. Hugues Moisan, économiste de l'APCHQ. Le travail « au noir » existe autant dans les travaux subventionnés par les gouvernements que dans ceux qui ne le sont pas, disent l'étude et l'APCHQ.

À l'office de la construction du Québec, on admet qu'« il y a de la fraude », mais on s'avoue impuissant à la quantifier et à contrôler le travail « au noir ».

(Texte publié le 10 février 1984)

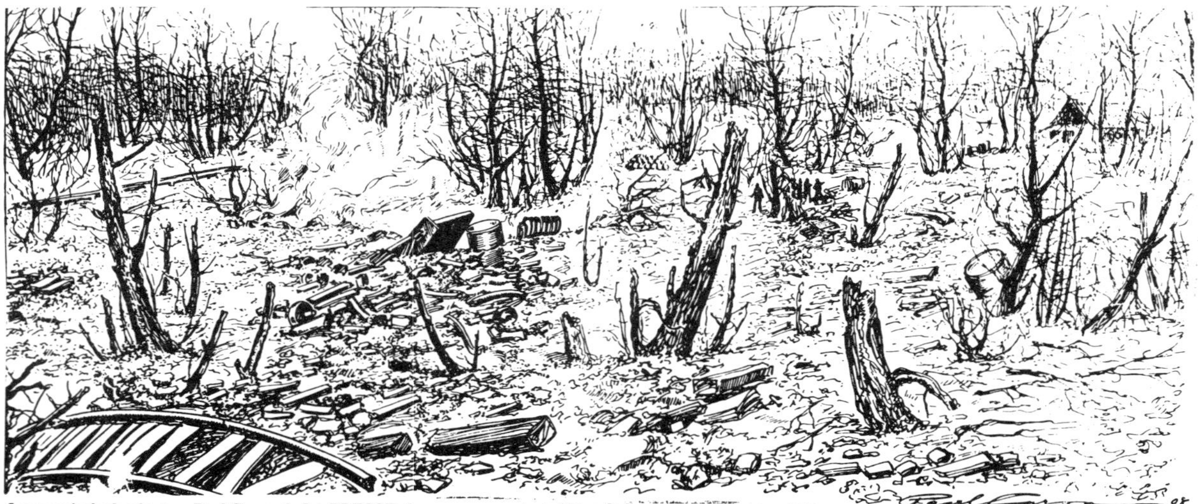

Le croquis du dessinateur Paul Caron, de LA PRESSE, donne une assez juste idée de l'ampleur du désastre: bâtiments détruits, rails soulevés, arbres rasés, rien n'a résisté au souffle de l'explosion à proximité du bâtiment.

LA CATASTROPHE FAIT PLUS DE 25 ORPHELINS ET HUIT VEUVES

Les cadavres des victimes de l'épouvantable explosion de la cartoucherie de l'île Perrot sont pulvérisés. — Deux ouvriers seulement échappent miraculeusement à la mort. — Tout est ébranlé dans un rayon de 10 milles. — Les ponts tremblent sur leurs piliers.

(Des envoyés spéciaux de LA PRESSE)

VAUDREUIL — L'île Perrot, sise entre les lacs des Deux-Montagnes et Saint-Louis, a été, hier **(11 février 1908)**, vers une heure de l'après-midi, le théâtre d'un désastre affreux dont les dépêches télégraphiques ont transmis déjà de courts mais épouvantables détails.

En un moment la pénible nouvelle avait volé aux quatre coins de la province encore sous le coup de l'émotion pénible qu'a provoquée la catastrophe du pont de Québec au cours de laquelle une centaine de braves travailleurs perdaient la vie, en septembre dernier et nul ne voulait croire que le malheur fut si grand que le prétendaient les services d'information. (...)

Et tandis que la foule divisée en groupe sur la grande route, s'entretenait du triste événement de la journée, les représentants de la « Presse » se dirigeaient vers l'hôtel Central où, prévenus de leur arrivée, quelques ouvriers de la « Standard Explosive Co. » s'étaient donné rendez-vous.

Là, il nous fut donné d'entendre les récits les plus émouvants de

L'AFFREUSE CALAMITE

et de constater combien grande est la sympathie dont sont l'objet les familles dont les chefs ont trouvé une mort si affreuse. (...)

Décrire le spectacle qui s'offrait aux yeux du voyageur arrivant à la cartoucherie qu'une explosion venait de détruire, n'est pas chose facile. Partout, sur le sol glacé, des membres meurtris, des

CHAIRS SAIGNANTES

des lambeaux de vêtements maculés de sang et aux branches des arbres tordus, fendus, quasi arrachés pendaient des loques souillées, banderoles sinistres, que le vent faisait claquer lugubrement.

Plusieurs solides gars, poussant devant eux de lourds traîneaux, parcouraient les environs de l'usine et ramassaient les débris humains, enfouis sous la neige rougie.

Tous ceux que la simple curiosité poussait vers l'île Perrot, à cette heure inoubliable, en sortaient bientôt le coeur gonflé, l'esprit hanté de visions sombres de foyers déserts, de veuves en larmes, d'orphelins sans soutien, de cercueils à jamais clos.

Retour à l'hôtel Central, il nous fut donné d'y rencontrer

M. JOSEPH SEGALA,

préposé à des travaux d'empaquetage à la « Standard Explosive Co. ». Voici ce qu'il a déclaré à notre représentant: « Vers une heure moins dix minutes, je me rendais à mon travail quand, à environ cinq arpents de la fabrique, j'aperçus soudain

UNE BOULE DE FEU

s'élevant dans les airs avec un bruit formidable. J'eus tout d'abord l'idée que c'en était fait de moi et je me jetai dans la neige, près d'un arbre que je saisis nerveusement.

« La poudrerie No 9 venait de sauter et à peine avais-je eu le temps de me remettre du choc nerveux qui était venu m'assaillir, qu'une seconde détonation se produisit, ébranlant tout autour de moi. Je fus un des premiers à me rendre sur les lieux du sinistre et à constater que de mes compagnons de travail, nul n'avait survécu.

« Dans la poudrerie No 9 se trouvaient les infortunés Pierre Ménard, Arthur Legault, Urgel Lauzon, J.D. Dumberry et Ferdinand Trépanier. Au second pavillon, situé à quelque trois cents pieds du foyer principal de la catastrophe, travaillaient J.-B. Robillard, Jos. Rozon, Joseph Pain dit Cayen et Georges (Nargé) Rousseau. (...)

Un témoin fort important, qui sera entendu samedi, au cours de l'enquête régulière, a bien voulu nous raconter ce qu'il sait du malheur d'hier midi. C'est

M. ALPHONSE ROBILLARD

contremaître à la cartoucherie et constable spécial de la « Standard Explosive Co. ». Celui-ci fut légèrement blessé à la main gauche et à la jambe droite. C'est un rude gaillard, franc et sympathique, qui s'estime heureux aujourd'hui de s'en être tiré à si bon compte: « J'étais dans la partie de l'atelier qui m'est assignée, attendant l'heure de la reprise des travaux, en compagnie de dix-neuf jeunes ouvriers de douze à quinze ans, quand la poudrière No 9 a sauté. Le choc fut terrible. Tout le dedans de la pièce où je me trouvais fut démoli; mais à part moi, aucun des jeunes manoeuvres ne fut blessé. » *(L'autre employé qui échappa à la mort fut Johnny Leduc.)* (...)

La poudrerie (...) fut construite dans l'île Perrot il y a deux ans et neuf mois. C'est la première fois qu'un si violent accident s'y produit. Cependant, il y a sept mois, un ouvrier y perdait la vie dans des circonstances tragiques *(qu'on n'explique pas)*. C'était Théodore Dupuis.

Les rapports entre patrons et employés sont excellents; tous ceux qui occupent des emplois à cette fabrique de poudre sont unanimes à le déclarer.

Les causes du désastre, nul ne les connaît encore et s'il faut en croire ceux à qui nous en causions, nul ne les connaîtra jamais. C'est ce qu'a d'ailleurs déclaré M. Alphonse Robillard, contremaître.

LES MORTS

Ferdinand Trépanier, 44 ans, marié, père de neuf enfants; **David Dumberry,** 50 ans, marié, père de sept enfants; **Georges (Narge) Rousseau,** 37 ans, marié, père de six enfants; **Louis-Henri Pain** dit **Cayan,** marié, père de quatre enfant; **Pierre Ménard,** 33 ans, marié, père de deux enfants; **Jean-Baptiste Robillard,** 48 ans, marié et père d'une fille; **Arthur Legault,** 28 ans, marié, sans enfant; **Joseph Rozon,** marié, sans enfant; **Urgel Lauzon,** célibataire, 24 ans.

C'EST ARRIVÉ UN 11 FÉVRIER

1984 — Youri Vladimirovitch Andropov, 69 ans, cinquième chef de l'État soviétique depuis la Révolution d'octobre, mais celui qui y est resté le moins longtemps (454 jours), est décédé.

1977 — Le lieutenant-colonel Mengistu Haïlé Marian devient chef de l'État éthyopien.

1970 — Les Japonais parviennent à placer leur premier satellite sur orbite.

1969 — L'université Sir Georges Williams est le théâtre de violentes manifestations étudiantes qui font de lourds dégâts.

1965 — Les employés de la Régie des alcools du Québec votent en faveur de mettre fin à une grève de plus de deux mois.

1958 — Centenaire des apparitions de Lourdes.

1956 — On retrace à Moscou deux fonctionnaires du ministère des Affaires extérieures britanniques, Guy Burgess et Donald Maclean, disparus depuis mai 1951.

1952 — Un *DC-6* de la National Airlines s'écrase sur des maisons à Elizabeth, New Jersey, théâtre d'un troisième accident d'avion en deux mois. On dénombre 34 morts, dont quatre au sol.

1950 — Démission de Mgr Joseph Charbonneau, archevêque de Montréal.

1949 — Willy Pep bat Sandy Saddler et reconquiert son championnat du monde des poids plumes, à la boxe.

1937 — Fin d'une grève de 44 jours chez le constructeur automobile américain General Motors.

1923 — Winnifred Blair est proclamée « Mademoiselle Canada » aux dépens notamment de « Mademoiselle Montréal », soit Gabrielle Rivet, la candidate de LA PRESSE.

Le « mystère » entourant la démission de Mgr Charbonneau enfin éclairci

Au lendemain de la mort de Mgr Charbonneau, un éditorialiste du *Victoria Daily Times* devait affirmer que la déposition soudaine de l'archevêque de Montréal, survenue en 1950, était un des plus grands secrets de l'histoire de l'Église canadienne.

Environ deux ans plus tard, *Le Nouveau Journal*, fondé en 1961 par Jean-Louis Gagnon avec des transfuges de *La Presse*, confia à Renaude Lapointe, qui devait s'illustrer par la suite comme éditorialiste à *La Presse*, puis en tant que présidente du Sénat, la tâche délicate d'éclaircir le mystère de la démission de Mgr Charbonneau.

Déjà, dans *La Presse* du 2 décembre 1959, une fois la poussière retombée sur les funérailles du défunt prélat, un lecteur, le curé Edgar Bissonnette, affirme que Mgr Chabonneau, quelque temps à peine après sa démission, lui avait écrit de Victoria les phrases suivantes : « Dieu merci, ma santé est meilleure que jamais. C'est pour des raisons de haute politique que je suis forcé de démissionner. Hier, j'étais un dieu ; aujourd'hui, je ne suis plus rien. J'en ai appelé au Secrétariat d'État à Rome ; mon appel fut rejeté. J'ai envoyé un télégramme au Saint-Père lui demandant d'aller en personne présenter ma cause... Cela aussi fut refusé. »

Or, dans L'histoire bouleversante de Mgr Charbonneau, Renaude Lapointe affirme qu'à la suite de la publication par *La Presse* de sa lettre, l'abbé Edgar Bissonnette reçut deux missives le menaçant de porter son geste à l'intention du Saint-Siège et lui suggérant de détruire toutes les lettres de Mgr Charbonneau s'il ne voulait pas être destitué.

Renaude Lapointe n'y va pas par quatre chemins. Elle accuse le premier ministre Maurice Duplessis et un groupe d'évêques réactionnaires de l'époque, rangés sous la bannière confessionnaliste, nationaliste et ruraliste de Mgr Courchesne, archevêque de Rimouski, qui se voyait comme le sauveur de l'Église canadienne menacée, d'avoir réussi à obtenir du Vatican la tête de Mgr Charbonneau. Elle cite le Rapport Custos dont la paternité a été attribuée au père Émile

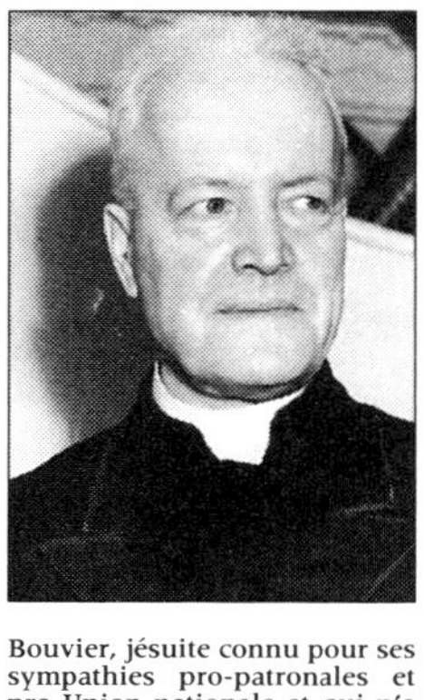

Bouvier, jésuite connu pour ses sympathies pro-patronales et pro-Union nationale et qui n'a jamais opposé de démenti à cette prétention.

Ce dit rapport, soumis à l'attention du Vatican, laissait entendre que la grève d'Asbestos de 1949 avait fait le jeu de Moscou, et désignait, sans les nommer, Mgr Charbonneau et quelques autres, accusés en substance de se faire les complices des chefs communistes en exerçant une influence indue pour démolir l'autorité du « seul gouvernement catholique en Amérique du Nord ».

Renaude Lapointe soutient également que Mgr Courchesne est allé lui-même présenter à Rome un long mémoire de 128 pages où il demandait, avec quelques autres têtes, celle de Mgr Charbonneau, accusé « de ne plus être en communion avec la hiérarchie, de préparer un schisme dans l'Église du Québec en se séparant des évêques et en voulant diviser leur opinion, et de prêcher un catholicisme social avancé, c'est-à-dire de gauche ».

L'enquête de Renaude Lapointe devait rompre ce silence en milieu francophone. Désormais, heureusement, on saurait la vérité sur cette page d'histoire ténébreuse du Québec. Selon elle, la disgrâce de l'archevêque de Montréal ne fut pas la conséquence du seul mémoire Courchesne. Elle fut plutôt le résultat d'un concours extrêmement complexe de circonstances que nous pourrions classer ainsi :

1- graves difficultés personnelles avec le délégué apostolique ;

2- attitude désinvolte envers l'épiscopat du Québec en n'assistant pas à ses réunions ;

3- situation de conflit avec le gouvernement, laquelle était sans issue ;

4- trop grande confiance envers les congrégations, lors de son voyage à Rome ;

5- influence des intégristes québécois grâce à leurs relations en Europe.

Comme devait le confier pour sa part le sociologue Jean-Charles Falardeau, de l'Université Laval, qui lui avait rendu visite à Victoria en 1957, « Mgr Charbonneau avait devancé son époque. Il voulait s'opposer au *monstre* , mais il dut plier. Ce fut un triste moment pour l'épiscopat. Mais l'archevêque de Montréal avait rendu la tâche plus facile à ceux qui le suivirent. Il nous a aidé à faire peau neuve ».

(Texte publié le 11 février 1995)

Figure du Jour

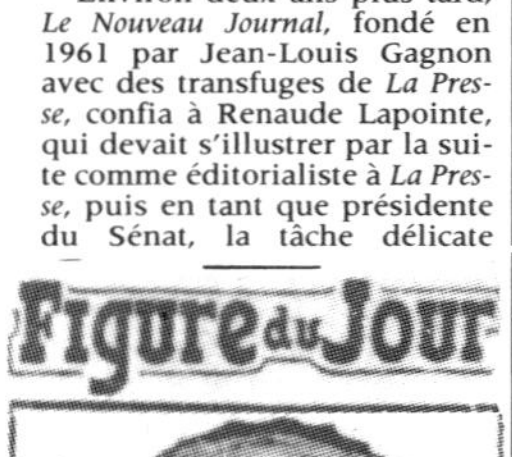

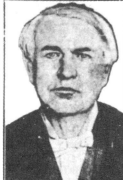

Thomas A. Edison, qui célèbre aujourd'hui (disait-on le *11 février 1914)* le soixante-septième anniversaire de sa naissance.

Des présidents et des voitures

Les États-Unis se piquent d'être le pays où l'automobile est reine. Il est donc très normal que le président de ce pays s'intéresse de près aux voitures. D'ailleurs, le premier président à effectuer une balade en voiture fut William McKinley en 1900. Il prit place à bord d'une Stanley Steamer. Malheureusement, il fut également le premier président à voyager dans une ambulance suite à l'attentat dont il fut victime en 1901.

Théodore Roosevelt fut le premier chef des États-Unis à conduire une voiture. Quant à Warren G. Harding, il fut le premier à circuler en auto lors de la cérémonie d'investiture en 1921. Cette coutume s'est interrompue en 1976, alors que Jimmy Carter décidait de marcher.

Et bien que les chevaux soient depuis longtemps disparus de la Maison Blanche, ce n'est qu'en 1951 que le Congrès adoptait une législation qui en éliminait officiellement les écuries.

(Texte publié le 11 février 1985)

FIASCO COMPLET

La plainte pour libelle criminel portée par M. L.-G. Robillard, de l'Union Franco-Canadienne, contre M. Jules Helbronner, Rédacteur à LA PRESSE, a été renvoyée par l'hon. juge Choquet

L'ACCUSATION de libelle criminel portée par M. L.-G. Robillard, président de l'Union Franco-Canadienne, contre M. Jules Helbronner, rédacteur en chef de « La Presse » a eu un bien triste sort, hier **(11 février 1902)** après-midi, à l'enquête préliminaire que présidait l'hon. juge Choquet.

Après avoir entendu une couple de témoins de la poursuite et sans même qu'un seul témoin ait été appelé du côté de la défense, le juge enquêteur ayant constaté qu'il n'y avait pas l'ombre d'une cause dans toute cette affaire, a renvoyé l'action sans plus de cérémonie.

Celle du même plaignant contre M. Ed. Charlier, éditeur-propriétaire des « Débats », a été ajournée à mardi prochain afin de permettre la production de tous les livres de l'« Union Franco-Canadienne ». Cette production est ordonnée par l'hon. juge Choquet.

Comme nos lecteurs se le rappellent sans doute, cette poursuite avait été intentée contre M. Jules Helbronner et Ed. Charlier, conjointement, à la suite d'un article publié dans les « Débats », le 23 juin dernier, et intitulé: « Chassons les vendeurs du temple » et dans lequel M. Robillard se croyait visé.

N.D.L.R. — L'article était signé « Julien Verronneau », et M. Robillard était convaincu qu'il s'agissait là d'un pseudonyme emprunté par M. Helbronner.

L'entente sur les richesses offshore garantit à Terre-Neuve la part du lion

Les premiers ministres Brian Mulroney et Brian Peckford ont signé hier (**le 11 février 1985**) un important accord sur les ressources pétrolières offshore qui garantit à Terre-Neuve 225 millions de dollars en aide au développement et la part du lion en matière de revenus.

L'entente constitue « une pierre angulaire de la réconciliation nationale », ont déclaré les deux chefs de gouvernement conservateurs, après avoir signé l'accord qui intervient au terme de plusieurs années de négociations infructueuses entre le gouvernement Peckford et l'ancien régime libéral. L'entente introduit le principe de la taxation des ressources offshore comme si elles se trouvaient sur la terre ferme.

« Par-dessus tout, cet accord rend sa dignité à Terre-Neuve et au Labrador, une province longtemps ignorée. Aujourd'hui marque le début d'une nouvelle ère », a déclaré le chef du gouvernement fédéral en présence d'un auditoire entassé dans la salle de conférence d'un hôtel de Saint-Jean.

« Il n'existe aucun autre document signé par Terre-Neuve qui lui ouvre ainsi la voie à la prospérité et au développement », a pour sa part affirmé le premier ministre terreneuvien.

À Ottawa cependant, l'ex-ministre de l'Énergie, M. Jean Chrétien, a soutenu à sa sortie des Communes qu'un gouvernement libéral aurait pu accorder à Terre-Neuve de meilleures conditions d'entente que celles consenties par le gouvernement conservateur.

Selon M. Chrétien, la persistante impasse dans les négociations entre Ottawa et Saint-Jean, à l'époque où il détenait le porte-feuille de l'Énergie, est attribuable au refus de M. Peckford de conclure, pour des raisons politiques, une entente avec les libéraux.

L'entente, baptisée Accord de l'Atlantique, prévoit la création le 1er avril prochain d'un fonds de développement de 300 millions destiné à la mise sur pied de l'infrastructure nécessaire à l'exploitation du pétrole offshore située à l'intérieur d'un périmètre de 1,8 million de kilomètres carrés et comprenant le puits Hibernia.

Ottawa fera une contribution de 225 millions à ce fonds, tandis que la province fournira le reste. Le développement offshore sera géré par un conseil d'administration de sept personnes, dirigé par un président neutre et au sein duquel Ottawa et Saint-Jean bénéficieront d'une représentation égale.

Ottawa contrôlera le rythme du développement des ressources jusqu'à ce que le Canada ait atteint l'auto-suffisance en matière énergétique et ait assuré la sécurité de ses approvisionnements.

Terre-Neuve pourra quant à elle choisir le mode de développement, mais à condition que son choix ne retarde pas la réalisation de l'auto-suffisance canadienne.

L'entente, qui devrait être inscrite au menu législatif des deux gouvernements d'ici un an, introduit par ailleurs une formule complexe de financement afin que Terre-Neuve ne voit pas ses revenus de péréquation diminuer de manière trop radicale lorsque la production de pétrole aura commencé.

La formule prévoit le remboursement de 90 % des pertes de péréquation encourues par le gouvernement de Saint-Jean en raison des revenus qu'il tirera de l'exploitation pétrolière. Ces remboursements seront réduits à 80 % dans cinq ans, et de 10 % annuellement par la suite.

La mise en place d'une infrastructure industrielle, qui comprend notamment la construction de plates-formes de forage et possiblement l'installation d'un pipeline sous-marin, s'étendra sur une période de quatre à cinq ans et pourrait entraîner la création de 20 000 emplois.

C'EST ARRIVÉ UN 12 FÉVRIER

1988 — C'est parti ! Brandissant le drapeau canadien, le champion canadien de patinage artistique Brian Orser marche à la tête de l'équipe olympique canadienne, pendant la cérémonie d'ouverture des Jeux d'hiver, au stade MacMahon de Calgary.

1986 — Le commissaire de police de la région de Yonkers, Andrew O'Rourke, affirme les enquêteurs « recherchent un meurtrier » dans l'affaire Diane Elsroth, cette jeune femme qui a succombé à un empoisonnement au cyanure après avoir absorbé deux comprimés de Tylenol.

1985 — Sept personnes, dont quatre frères, sont arrêtées en relation avec le « vol du siècle » commis le 21 décembre 1984 aux dépens de la firme de courtage Merrill Lynch. La police affirme du même coup avoir récupéré la presque totalité des titres d'une valeur de 68,5 millions.

1985 — Le ministre de la Défense nationale, M. Robert Coates, a remis sa démission à la suite de la publication d'un reportage sur sa présence dans une boîte de strip-tease lors d'une voyage officiel en Allemagne de l'Ouest, en novembre dernier.

1979 — Une rescapée d'Hiroshima, Mme Matsu Yoshikuni, fête son 109e anniversaire à Beppu, dans l'île de Kyushu, au sud du Japon.

— Leçon soviétique aux étoiles de la LNH ! Valeri Vasilye et Boris Mikhailov, de l'équipe soviétique championne du monde au hockey, ont procédé au tour d'honneur portant la coupe Défi à bout de bras, après leur victoire décisive de 6-0, hier soir à New York, dans le match final de la série 2 de 3, face aux étoiles de la ligue Nationale.

1976 — Un autre tremblement de terre de forte intensité a de nouveau été enregistré au Guatemala. Le chiffre des victimes de la série de plus de 700 secousses ressenties depuis une semaine s'élève à plus de 19 000 morts et d'innombrables blessés et sans-abris.

1975 — Pour la première fois dans l'histoire de la Grande-Bretagne, une femme a été appelée à diriger un grand parti politique. Margaret Thatcher, ancien ministre de l'Éducation, a été élue au deuxième tour par les députés tories de la Chambre des communes au poste de leader du Parti conservateur, en remplacement de l'ancien premier ministre Edward Heath.

1973 — La guerre du Viet-Nam a marqué la fin de l'innocence américaine. Le cessez-le-feu, si désespérément attendu, est enfin venu.

1971 — Jean Béliveau, du Canadien, enfile ses 498e, 499e et 500e buts de sa carrière.

1966 — Le ministre de l'Éducation, M. Paul Gérin-Lajoie, annonce que l'Assemblée législative sera saisie, dès la présente session, d'un projet de loi visant à établir la gratuité scolaire par tout le Québec aux niveaux élémentaire et secondaire, tant dans les institutions indépendantes que dans les écoles publiques.

1961 — Le premier ministre du Congo ex-belge, Patrice Lumumba, et ses deux compagnons, Okito et Mpolo, ont été assassinés. M. Lumumba était âgé de 36 ans.

Contre les violeurs: « l'eau de putois »

L'odeur de putois pourrait constituer une défense efficace en cas de tentative de viol, si l'on en croit la firme qui vient de lancer le produit dans les magasins de Washington.

Le « parfum » est contenu dans des capsules qui peuvent être fixées sur les dessous féminins et qui s'ouvrent sur simple pression du doigt. Si tout se passe comme prévu, l'agresseur sera inondé d'un liquide dont la puanteur ne peut que le mettre en fuite et dont il mettra plusieurs jours à se débarrasser. La police n'aura alors aucun mal à l'identifier, affirment les responsables de la firme.

La victime, quant à elle, n'aura qu'à attendre d'être en sécurité pour aller se laver avec un produit neutralisant l'odeur, livré avec le parfum de putois.

(Texte publié le 12 février 1980)

Deux attentats sanglants à Alger

Deux attentats à la voiture piégée perpétrés à quelques heures d'intervalle ont fait au moins 18 morts et 93 blessés hier (**le 11 février 1996**) dans la capitale algérienne, plongée dans le conflit qui oppose les forces de sécurité aux fondamentalistes islamiques depuis 1992.

Le second attentat, le plus meurtrier des deux, commis devant la Maison de la Presse dans la rue Hassiba Ben Bouali du quartier de Belcourt, au centre d'Alger, s'est soldé par 18 morts et 52 blessés, selon l'agence algérienne APS, qui cite les services de sécurité et fait état d'importants dégâts matériels.

Parmi les victimes, les services de sécurité ont identifié le rédacteur en chef du quotidien indépendant *Le Soir* d'Algérie, Allaoua Aït Mbarek, et Dorbane Mohamed, un chroniqueur au même journal, dont les locaux ont été entièrement soufflés.

Un troisième journaliste du *Soir*, Djamel Deraza, qui s'occupait de la page Jeux et Détente, a également été tué, a-t-on appris auprès de l'Association des éditeurs de journaux (AEJ).

Plus de 60 journalistes et employés des médias ont été tués depuis juin 1993 dans des attentats imputés aux islamistes.

Six heures plus tôt, l'explosion d'une voiture piégée contre la mairie de Bab el Oued, quartier populaire de la capitale, avait fait 41 blessés, dont six

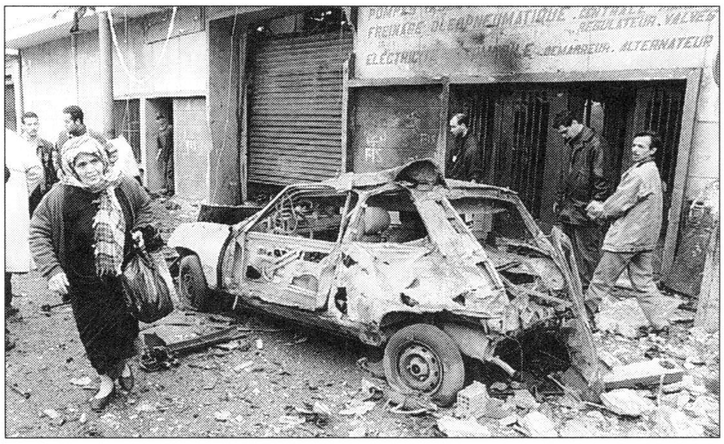

L'attentat le plus meurtrier a été commis devant la Maison de la Presse.

étaient hier soir dans un état grave, et des dégâts matériels importants, selon un autre communiqué des forces de sécurité cité par APS.

L'attentat d'hier contre la Maison de la Presse est intervenu dans un contexte de conflit ouvert entre le pouvoir et la presse indépendante sur le traitement de « l'information sécuritaire ».

La semaine dernière déjà, la presse indépendante avait critiqué, au nom du « droit de savoir », un texte du ministère de l'Intérieur menaçant d'appliquer « rigoureusement » une loi réprimant « tout manquement aux dispositions régissant l'information sécuritaire ». Les journaux progouvernementaux avaient par contre fait valoir que « respecter la loi, c'est renforcer la République ».

« Le retour de l'imprimatur va livrer la population au règne ravageur de la rumeur », avait écrit *El Watan*. « Chaque Algérien a le droit de savoir, d'être informé, de dire son mot, pour ou contre », avait dit *Le Matin*. « L'imprimatur est de retour » et « le pouvoir veut revenir à la censure », avait renchéri *Liberté*.

Hier matin, ces journaux rapportaient que les autorités avaient décidé d'installer des « Comités de lecture » dans les imprimeries pour contrôler l'information liée au « terrorisme » et détruire éventuellement les éditions non-conformes.

Les gais reconnus?

Lentement mais sûrement, la communauté gaie acquiert sa légitimité auprès de la ville

D'ici quelques mois, probablement à la fin de l'été, l'administration du maire Jean Doré recevra une demande de locaux pour la création d'un centre communautaire pour la communauté gaie de Montréal.

En soit, l'événement est presque anodin. La ville de Montréal appuie des centaines d'organismes communautaires à chaque année en leur prêtant des locaux et en leur accordant un soutien technique. Mais si la requête est acquiescée, ce sera peut-être la première fois que l'administration municipale reconnaîtra ouvertement l'existence et la légitimité d'une communauté homosexuelle. Le conseilleur Raymond Blain du RCM, qui défendra ce dossier au comité exécutif, est l'un des rares politiciens canadiens qui ait réussi à se faire élire après avoir fait état de son homosexualité. Un autre est le néodémocrate Svend Robinson, de Vancouver.

Selon M. Blain, la mise sur pied d'un centre communautaire pour les gais est essentielle.

M. Blain explique que le projet de centre communautaire vise à créer d'autres endroits de rencontres que les bars et les saunas pour la communauté gaie. «Il faut permettre aux gens de se voir autrement».

(Texte publié le 12 février 1989)

Le Club Canadien sera préservé

Le comité exécutif de Montréal a décidé de citer comme monument historique l'ancien Club Canadien, situé aux 434-438 est, rue Sherbrooke, non loin de la rue Berri.

L'immeuble du siècle dernier, malheureusement coincé contre une haute tour, était connu autrefois comme la maison Arthur Dubuc.

Le Club Canadien formé en majorité d'hommes d'affaires, y a longtemps eu son siège. Les nombreuses pièces de la maison servaient de salons, de fumoirs, de salle à manger, etc.

Le Club Canadien a fermé ses portes il y a environ quatre ans, et l'immeuble est maintenant occupé en partie par une firme de gestion d'immeubles.

Sise dans le quartier Saint-Jacques, la maison Arthur Dubuc a été érigée en 1894 par l'entrepreneur en construction qu'était M. Dubuc, selon des plans de l'architecte Alphonse Raza.

(Cela se passait le 12 février 1989)

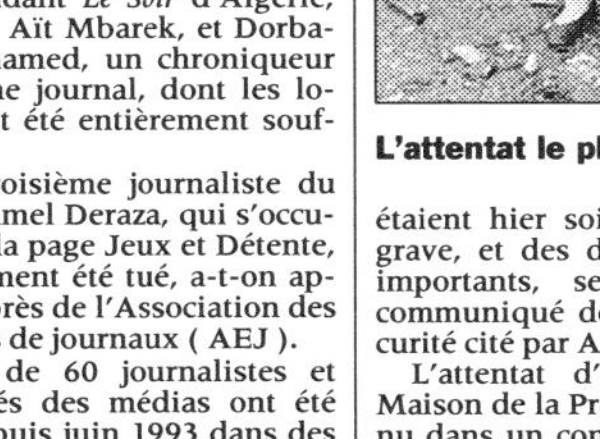

La crainte des embâcles ne date pas d'hier

Le dernier grand embâcle sur le Saint-Laurent en amont de Sorel et les craintes d'inondation en plein hiver remontent à 1981. Mais il fut un temps où ce que l'on appelle « les champs de glace » s'étendaient à chaque année du pont de Québec à la métropole. Les grands embâcles se formaient à plusieurs endroits le long du fleuve.

Et Montréal se trempait les pieds dans l'eau à chaque fois.

« La glace arrivait ici brisée par les Rapides de Lachine et s'empilait à chaque hiver en amont du Lac St-Pierre — comme c'est le cas cette année — mais aussi au Pied-du-Courant et à d'autres endroits », a expliqué hier (**le 10 février 1993**) Pauline Desjardins, archéologue à la Corporation du Vieux-Port de Montréal.

« Il y avait des inondations au printemps, avec le réchauffement des températures et le début de la crue. Mais il y avait aussi des inondations d'hiver. Au XIXe siècle, le vieux Montréal était inondé jusqu'à la rue St-Paul. »

Selon Mme Desjardins, le premier habitant français de Montréal s'est vite aperçu de cette particularité de son nouveau domicile : « Durant son premier hiver ici, en 1642, Maisonneuve a vu l'eau monter jusqu'au seuil de la porte du Fort Ville-Marie. En 1654, l'inondation d'hiver a eu lieu en janvier, poursuit-elle. Le registre des sépultures indique qu'on avait dû enterrer un mort dans le jardin, le cimetière étant submergé. »

« La grande inondation de 1886 a été un record. On peut encore voir la marque de l'eau sur le mur de l'Édifice Allen, le siège social de la Société du Vieux-Port, au 333, rue de la Commune Ouest. L'eau est montée à 9,7 mètres au dessus du niveau normal actuel du fleuve. »

Les glaces qui s'amoncelaient devant le port étaient aussi un problème, eau ou pas eau. On a donc bâti un mur le long de la rue de la Commune, pour empêcher les glaces de monter jusqu'aux maisons, commerces et entrepôts.

Les Montréalais d'alors aimaient le Saint-Laurent autant que ceux d'aujourd'hui, mais ils ont fini par en avoir jusque là des inondations. Divers ouvrages ont été entrepris pour contrer la montée des eaux.

La jetée de la Cité du Havre, complétée en 1899, a fait dévier vers l'aval la glace qui arrivait jadis des Rapides de Lachine. « Puis, en 1901, on a construit le grand « Mur de la crue », tout le long de la rive. C'était un ouvrage impressionnant, avec de larges ouvertures devant chaque grande rue menant au port. »

À l'automne, on fermait ces passages au moyens de grands madriers, qu'on calfeutrait avec de l'étoupe, comme les planches d'un bateau. Cela protégeait la ville de la montée des eaux provoquée par les embâcles d'hiver et la crue printanière.

« Le Mur de la crue avait été monté à 22 pouces au-dessus du niveau de la grande inondation de 1886 », souligne Mme Desjardins. On peut encore apercevoir quelques restes du Mur de la crue le long de la rue de la Commune, entre Berri et le marché Bonsecours, ainsi qu'entre McGill et le pont de la rue Mill.

Selon Michel Turgeon, du Port de Montréal, le problème a été réglé à sa source à partir de 1962, lorsque les brise-glace ont commencé à s'attaquer aux embâcles. En 1964, le fleuve est resté ouvert à la navigation durant tout l'hiver, grâce à l'estacade construit pour protéger les îles de l'Expo, ce qui a marqué la fin de l'hibernation annuelle du Port de Montréal.

(Texte publié le 11 février 1993)

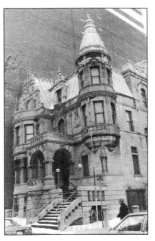

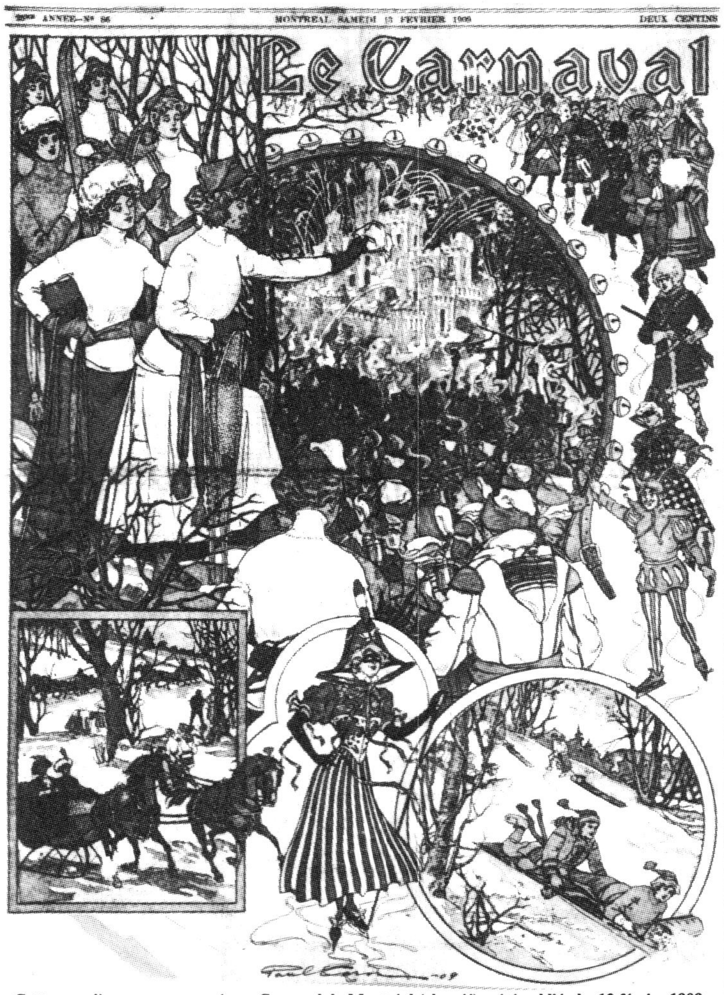

Cette première page consacrée au Carnaval de Montréal (eh oui!) a été publiée le *13 février 1909*.

Constitution: Paul Desmarais souligne l'urgence d'un règlement

La relance de l'économie canadienne, en vue notamment de la rendre apte à affronter la concurrence internationale croissante, exige qu'on règle d'abord la question constitutionnelle, estime le président du conseil et chef de la direction de Power Corporation du Canada, M. Paul Desmarais.

« Pour relever ce défi de l'économie, il est urgent que nous trouvions une réponse satisfaisante à la question de savoir si nous voulons continuer de vivre ensemble l'expérience canadienne », a-t-il déclaré hier (**le 12 février 1991**) dans sa causerie devant la Chambre de commerce du Montréal métropolitain.

« Pour ma part, a-t-il dit, je n'ai pas reçu ni trouvé de réponses adéquates à ces questions qui seraient susceptibles de modifier ma profonde conviction que l'expérience canadienne doit continuer. (...) Nous devons continuer de rechercher à l'intérieur du Canada les aménagements nécessaires pour nous permettre de bâtir un pays uni capable de relever les vrais défis des années à venir. »

« J'aime toujours être pleinement informé avant de prendre une décision. À ce jour, plusieurs questions n'ont pas encore reçu de réponses satisfaisantes ou n'ont tout simplement pas encore été posées », a-t-il déclaré devant le vaste auditoire.

Il devait ajouter : « Or, face à l'option canadienne et à l'option de l'indépendance, nous avons le devoir de poser de vraies questions. »

Questions qui pourraient se résumer ainsi : quels seraient les effets, principalement sur le plan économique, de l'accession du Québec à l'indépendance ?

CAMPAGNE CONTRE LE BLASPHEME

Le premier ministre de la province, l'honorable L.-A. Taschereau, était aux bureaux du gouvernement provincial, rue Notre-Dame est et il a reçu une délégation de l'Association Catholique des Voyageurs de Commerce qui demanda que le gouvernement prit toutes les mesures nécessaires pour combattre le blasphème qui se généralise dans la province.

Le premier ministre a répondu qu'il appréciait très hautement l'initiative de la délégation, mais il a fait remarquer aux délégués que les abus n'étaient pas du ressort du gouvernement provincial. C'est à celui qui entend blasphémer de prendre des mesures contre celui qui se rend coupable d'un crime aussi laid.

Il a déclaré qu'il existait contre le blasphème une loi fédérale très sévère. Quiconque entend une personne blasphémer peut la dénoncer et la faire punir. Il a ajouté que les représentants de la loi et les juges ne sont jamais cléments envers celui qui est convaincu de cette faute, mais il appartient au public de voir à ce que ce crime ne reste pas impuni.

Cela se passait le 13 février 1922.

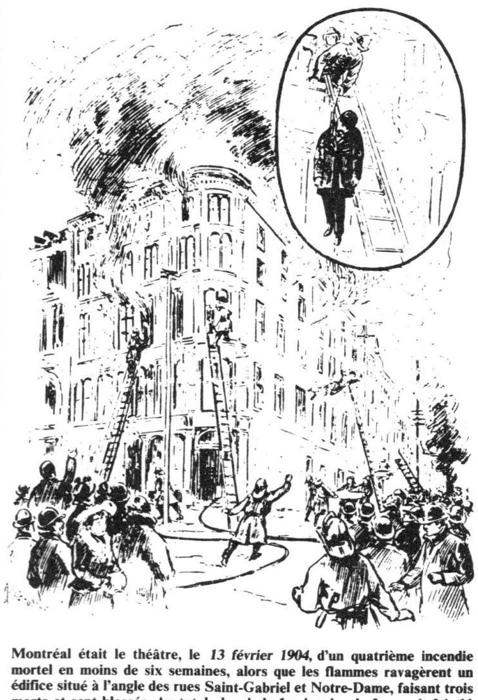

Montréal était le théâtre, le *13 février 1904*, d'un quatrième incendie mortel en moins de six semaines, alors que les flammes ravagèrent un édifice situé à l'angle des rues Saint-Gabriel et Notre-Dame, faisant trois morts et sept blessés. Au total, depuis le 1er janvier, le feu avait fait 11 morts et plus de 15 blessés. Les trois morts furent Louis Desjardins, un père de six enfants, Francis Clowe, un père de trois enfants, ainsi qu'une jeune fille âgée de 20 ans, une demoiselle Bélisle. L'incendie aurait pu être encore plus désastreux puisque de nombreux occupants, affolés, ont décidé de sauter dans le vide, mais personne heureusement ne perdit la vie de cette manière. La mort de M. Clowe est la plus curieuse. M. Clowe était en effet sorti sans égratignures de l'édifice en flamme et, selon le reporter de LA PRESSE, « pris soudain de vertige causé probablement par la fumée qui l'étouffait, il traversa la rue et alla se heurter de toutes ses forces contre l'édifice en face. Le malheureux fut tué instantanément ». La vignette montre une dame Gagné alors qu'elle plongeait dans le vide, et en médaillon, on descend le corps de M. Desjardins.

L'HOTEL VIGER ET LA PETITE HISTOIRE

*Grâce à la collaboration de l'historien E.-Z. Massicotte, LA PRESSE publiait dans son édition du **13 février 1932** un article consacré à l'emplacement occupé à ce moment-là par la gare-hôtel Viger. Le contenu historique de cet article en surprendra plusieurs...*

La fermeture toute prochaine de l'hôtel Place Viger, rue Craig est, et l'abandon de la gare comme point d'arrivée et de départ des trains à voyageurs se dirigeant vers Québec, dans le nord de la province et leur retour ensuite dans la métropole, ont ramené en lumière l'endroit historique sur lequel s'élève ce magnifique « château aux tourelles pointues » qui bientôt sera transformé en bureaux.

Propriété du Pacifique Canadien, construit et administré par lui, ce majestueux édifice date de 1898 et a connu des jours de splendeur. (...)

Selon E.-Z. Massicotte, l'archiviste érudit du Palais de Justice à qui nous devons la grande partie des renseignements qui apparaissent dans cette nouvelle, l'hôtel Place Viger fut la réalisation du désir formulé par l'honorable Raymond Préfontaine, alors maire de Montréal et ministre dans le cabinet Laurier, de doter le public canadien-français de la partie est de la ville d'un hôtel de tout premier ordre — les autorités muncipales mêmes en reconnurent si bien la nécessité qu'elles voulurent coopérer, afin d'en assurer la construction.

Et M. Massicotte ajoute : « Car il y a plus d'un siècle, entre la rue Bonsecours et la rue Beaudry, au lieu de l'excavation profonde qu'enjambe le viaduc de la rue Notre-Dame, se dressait un monticule d'une soixantaine de pieds au-dessus du niveau actuel de cette rue. Ce monticule fut pendant un siècle et demi le terme de la rue Notre-Dame vers l'est; rendus à la rue Bonsecours, les passants devaient descendre jusqu'à la rue Saint-Paul pour contourner la colline, puis remonter, s'ils voulaient prendre le chemin qui conduisait à la route de Québec.

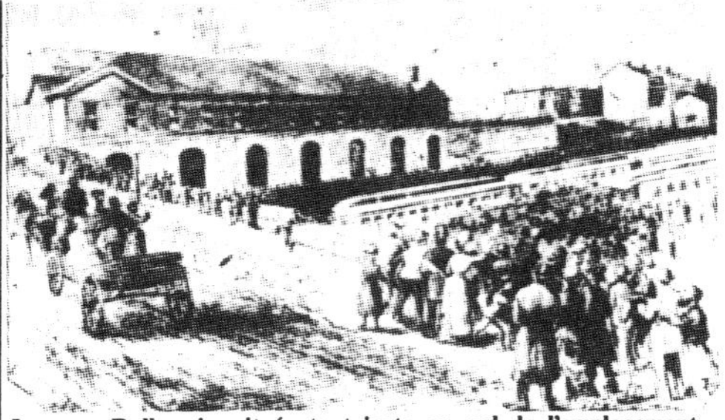

La gare Dalhousie, située tout juste au sud de l'emplacement choisi pour la construction de la gare Viger, en 1885.

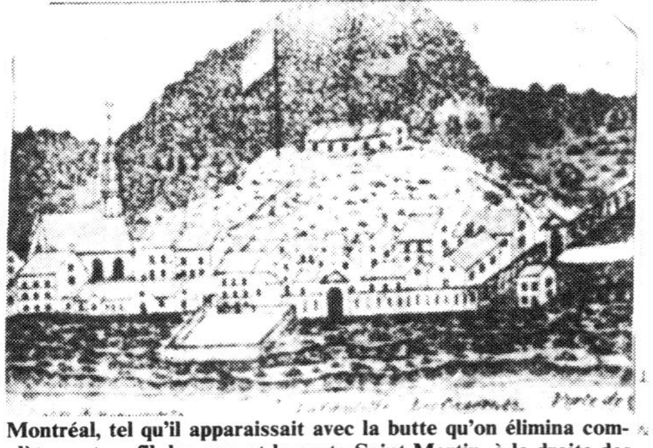

Montréal, tel qu'il apparaissait avec la butte qu'on élimina complètement au fil des ans, et la porte Saint-Martin, à la droite des fortifications. D'après une vieille estampe datée de 1803 et retracée à Londres.

Un monticule-citadelle

ce monticule-citadelle conserva son aspect jusqu'au 19e siècle, mais il devint évident que cet amas de terre nuisait à l'agrandissement de Montréal. D'ailleurs, par la démolition des fortifications entre 1801 et 1808, l'utilité de la citadelle était si amoindrie qu'en 1812 on commença à tailler la partie est de la butte, autrement dit celle qui était flanquée de la porte Saint-Martin. De la terre enlevée, on fit une tranche du Champ de Mars actuel. Lorsqu'en 1818, le gouvernement impérial acquit l'île Sainte-Hélène pour y établir un poste qui commandât mieux l'entrée du port de Montréal, le sort de la vieille butte se trouva réglé. Tout aussitôt on charroya ce qui restait de terre au Champ de Mars que l'on prolongea de la rue Gosford à la rue Saint-Gabriel. Par ces travaux, le talus qui jadis descendait de la rue Notre-Dame à la rivière Saint-Martin (rue Craig) se transforma en un plateau qui, à ses débuts, fut non seulement un champ d'exercices militaires, mais aussi une promenade estimée des Montréalais. (...)

Ouverture de la rue Notre-Dame

Quand le monticule fut rasé, continue M. Massicotte, on ouvrit la rue Notre-Dame, à l'est de la rue Bonsecours, et le site de l'ancienne porte Saint-Martin prit la forme d'un square qui, en 1821, fut ouvert par le gouverneur Dalhousie à la ville de Montréal. (...)

Cette partie de la ville se couvrit de résidences fashionables. Sur un des côtés, s'éleva le grand théâtre Hayes, l'un des plus beaux de l'époque et qu'un incendie détruisit en 1852; tout près, le fameux hôtel Donegana ou logea le prince de Galles en 1860 et que, plus tard, l'on convertit en hôpital. En face de cet édifice demeura une célébrité canadienne-française, sir George-Étienne Cartier; non loin, le négociant philanthrope E.-A. Généreux; le fameux voyageur canadien, François Mercier, et combien d'autres? Il semblait que ce coin de terre dût rester longtemps dans ce nouvel état mais il fallut compter avec le progrès.

Autour de la gare Viger

La Compagnie du Pacifique Canadien dont le chemin de fer, entre Québec et Montréal, ne se rendait qu'à Hochelaga, cherchait à pénétrer près du centre des affaires. Ses ingénieurs songèrent d'abord à ériger une gare terminale sur le terrain qui comprend le marché de Bon-Secours et un pâté de maisons faisant face à la place Jacques-Cartier, mais un obstacle imprévu surgit tout à coup. Pour atteindre son but, la compagnie ferroviaire devait exproprier et démolir la chapelle du Bon-Secours, une vieille relique, chère à tous les Montréalais sans distinction de croyance. De si fortes protestations se produisirent contre ce projet que la Compagnie modifia ses plans et s'arrêta à la place Dalhousie.

Tout d'abord, les ingénieurs se contentèrent de niveler le côté sud de la rue Notre-Dame mais par la suite, on décida de creuser tout un quartier, de le baisser au niveau de la rue Craig et de construire là un hôtel et une gare qui seraient un ornement pour la grande ville commerciale du Dominion. Et ce fut fait. Ainsi par un enchaînement de circonstances difficiles à prévoir, le plus haut point de l'ancien Montréal est devenu l'un des plus bas du Montréal moderne.

C'EST ARRIVÉ UN 13 FÉVRIER

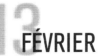

1995 — Début des cérémonies du cinquantenaire du bombardement de Dresde, l'un des plus meurtrier de l'histoire, par l'aviation alliée, les 13 et 14 février 1945. L'opération, qui visait surtout à démoraliser la population, reste très contestée.

1986 — Depuis minuit et une minute, c'est la grève des quelque 4 000 cols bleus de la Ville de Montréal et de la CUM.

1976 — À la surprise de tous, la Canadienne Kathy Kreiner remporte la médaille d'or du slalom géant, au Jeux d'hiver d'Innsbruck.

1975 — Massacre à l'hôtel Lapinière, à Brossard: on y découvre quatre morts et cinq blessés.

1973 — Le rapport Gendron est rendu public à Québec; il recommande une langue «officielle», le français, et deux langues «nationales», le français et l'anglais.

1969 — Un attentat fait 32 blessés à la Bourse Montréal.

1969 — Début du procès de Sirhan Bishara Sirhan, présumé assassin de Robert F. Kennedy.

1959 — Pour la première fois de l'histoire, un transatlantique atteint Québec en plein hiver.

1949 — À minuit le 13 février 1949, la grève est déclenchée spontanément par les 2 000 mineurs de la Canadian Johns-Manville, à Asbestos. Vingt-quatre heures plus tard les 3 000 mineurs de trois mines de Thetford-Mines emboîtent le pas. Au total, 5 000 mineurs se retrouvaient illégalement en grève dans les Bois-Francs.

1939 — Le service de nouvelles allemand «Dienst aus Deutschland» laisse entendre aujourd'hui que le chef nationaliste espagnol Francisco Franco a assuré le chancelier Hitler que l'axe Rome-Berlin occupait la première place dans les pensées nationalistes quand il s'agissait de relations extérieures.

1935 — Manfried Hauptmann est condamné à mort pour l'enlèvement et le meurtre du bébé de Charles Lindberg.

1933 — On confirme, à l'archevêché, ce matin la désignation au cardinalat de Mgr Rodrigue Villeneuve.

Il y a 45 ans, la grève de l'amiante...

Quarante-cinq ans plus tard un mineur retraité d'Asbestos, Aimé-Jean Côté n'hésite pas à affirmer : « Si la grève de l'amiante de 1949 n'avait pas eu lieu, il aurait fallu l'inventer. »

L'aumônier des syndicats de Thetford-Mines, l'abbé Henri Masson abonde dans le même sens. Il croit que la grève de l'Asbestos de 1949, comme on la désigne souvent, a été un événement historique pour l'avancement du syndicalisme au Québec.

Un ancien gréviste d'Asbestos, Henri Côté, est convaincu que sans la grève de 1949, « je ne pourrais pas jouir aujourd'hui de la belle retraite que j'ai et les jeunes n'auraient pas de bons salaires. » Son souvenir est encore vivace au sein de la population, si bien que lorsqu'un briseur de grève décède, son éloge funèbre tient dans ces mots: « C'était un scab ».

C'est à minuit le 13 février 1949 que la grève est déclenchée spontanément par les 2000 mineurs de la Canadian Johns-Manville, à Asbestos. Vingt-quatre heures plus tard les 3000 mineurs de trois mines de Thetford-Mines emboîtent le pas. Au total, 5000 mineurs étaient en grève dans les Bois-Francs. (**Texte publié le 13 février 1994**)

EPOUVANTABLE TRAGEDIE

L'établissement des Soeurs Grises, angle Saint-Mathieu et Dorchester, est partiellement détruit par les flammes.

UN incendie a en partie détruit l'une des ailes de l'institution des Soeurs Grises, à Montréal, hier soir **(14 février 1918)**. Ce sinistre comptera parmi les plus tragiques qui aient eu lieu dans la métropole depuis un grand nombre d'années. Si l'on n'a pas à déplorer la mort d'aucun adulte, en revanche l'on a à regretter la mort de nombreux enfants, de nombreux bébés dont le plus âgé n'avait pas plus d'un an. Les recherches d'aujourd'hui ont porté à près de 50 *(en fait, le nombre des victimes devait atteindre 53)*, mais l'on a tout lieu de croire que les recherches qui se continuent feront découvrir d'autres petits cadavres. À combien d'actes de dévouement, ce malheur n'a-t-il pas donné lieu! On ne peut que faire des conjectures sur les causes du désastre. Les uns croient qu'il est dû à des fils électriques défectueux servant aux appareils de rayons X, dans la section réservée aux militaires. (...)

C'est un peu après 7 heures 30, que l'incendie a été découvert au troisième étage, occupé par la Crèche, au-dessus de la section de l'établissement réservée à la Commission des hôpitaux militaires pour les soldats convalescents. Une alarme fut aussitôt sonnée, mais quand le chef de district Morin arriva sur les lieux, il jugea la situation extrêmement grave et fit sonner un deuxième appel. (...)

SCENE INDESCRIPTIBLE

Mais avant même l'arrivée des pompiers, ceux des soldats convalescents qui le pouvaient s'étaient porté avec le plus grand empressement au secours des vieillards, des hospitalisés et des enfants occupant les étages au-dessus ou voisins de leurs quartiers. C'est avec un courage inouï et un dévouement sans borne que les Soeurs, aidées par les soldats, se précipitèrent dans les salles envahies par le feu et la fumée. On ne saurait compter les actes de sublime héroïsme qui se produisirent alors. Dans les salles de la crèche se trouvaient cent soixante-dix bébés dont les plus vieux n'avaient que quatre ans. Dans la partie réservée aux vieillards, il y avait quatre-vingt-dix-huit hommes et cent douze femmes, quelques-uns d'entre eux presque centenaires. (...)

PAS DE PANIQUE

Ce qu'il y eut de particulièrement remarquable et qui mérite tout spécialement d'être signalé, c'est que, bien qu'il se produisit une excitation, surtout parmi les vieillards, il n'y eut pas un moment de panique. Sous la direction de Soeur Laframboise, Soeurs, soldats et pompiers travaillèrent avec calme et avec ordre au sauvetage. C'est certainement grâce à cela que tant d'enfants purent être sauvés et que les vieillards purent être transportés si rapidement en dehors de leurs salles. On craint, cependant, que plusieurs des vieillards et des infirmes ne succombent au choc nerveux qu'ils ont éprouvé.

DUR TRAVAIL DES POMPIERS

Pendant ce temps, les pompiers s'étaient mis à l'oeuvre. (...) Il fallait empêcher le feu de se propager à toutes les sections des édifices. (...) Le travail de la brigade fut particulièrement remarquable, car elle parvint non seulement à empêcher les flammes de se propager aux sections plus à l'est et au nord, mais aussi aux étages au-dessous de la partie où le feu avait pris naissance. Vers 10 heures 50, l'on put se rendre compte que le feu était absolument sous contrôle. (...)

Quand les pompiers purent pénétrer dans une des salles de la Crèche, ils y trouvèrent les corps de trente-huit bébés, carbonisés par les flammes. Il était certain que d'autres petites victimes devaient se trouver aussi dans d'autres salles, mais il était impossible d'y continuer les recherches.

SAUVETEURS ASPHYXIES

Durant la conflagration, les médecins durent donner leurs soins à plusieurs des sauveteurs qui faillirent être victimes de leur dévouement. Des pompiers durent retirer des salles embrasées une des religieuses qui à plusieurs reprises était venue chercher des enfants pour les transporter dans un endroit de sûreté, Soeur Côté, et qui était tombée asphyxiée, mais que des soins énergiques firent revenir à elle. Le sous-chef Presseau fut aussi victime de l'asphyxie et ne fut sauvé que par ses hommes. Soeur Bourget et Soeur Maranda se signalèrent aussi en arrachant aux flammes des bébés en danger. Soeur Bourget, à elle seule, parvint à sauver onze enfants. (...)

LA CAUSE DU SINISTRE

Le chef Tremblay, de même que plusieurs soeurs, ont déclaré, la nuit dernière, à un représentant de La « Presse », que le feu semble avoir été allumé par un fil électrique passant entre le plafond de la section réservée aux soldats et le plancher des salles de la Crèche, et servant aux appareils de rayons X dans la section des soldats convalescents. Quoiqu'il en soit, c'est à cet endroit même que les flammes ont été découvertes. (...)

TRES GRANDES PERTES

L'aile de l'ouest qui a été la proie de l'incendie, hier, avait été élevée en 1897, et le coût de sa construction avait été d'environ $117 000. De l'étage supérieur il ne reste plus guère que des débris calcinés et le toit s'est effondré sur la plus grande étendue. (...) Il ne reste plus d'utilisable que la structure des trois étages inférieurs. Il serait encore difficile d'évaluer le montant des dommages d'une manière précise pour le moment. Mais on ne saurait douter qu'il doit être très élevé. On disait que les pertes devait dépasser le montant de $100 000. (...)

L'institution des Soeurs Grises, plus connue sous le nom d'Hôpital des Soeurs Grises, fut d'abord élevée en 1755 dans le bas de la ville sur un emplacement aujourd'hui occupé par des entrepôts. C'est en 1871 que les Soeurs se transportèrent dans le local qu'elles occupent actuellement, rue Guy. (...)

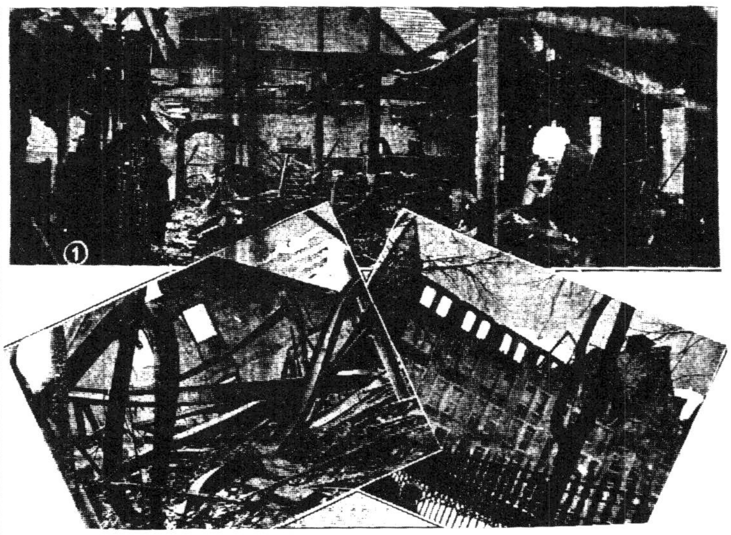

Ces quatre photos illustrent fort bien l'ampleur du désastre et l'épouvantable chaleur dégagée par les flammes, comme en témoigne l'acier tordu des poutres affaissées au sol. Seules les pierres des murs ont pu résister à la violence du feu.

Michel, veux-tu m'épouser?

Drrring. « Allô *La Presse* ? Bonjour, je m'appelle Nancy Ayotte. J'ai 29 ans, deux enfants et je suis fiancée depuis cinq ans. Qu'est-ce que vous en dites, le jour de la Saint-Valentin, d'échanger un meurtre passionnel ou une nouvelle politique contre une demande en mariage en manchette de votre journal ? Ça ferait différent. Surtout, si la demande provient d'une femme ! »

Message reçu. Nancy, une maman resplendissante, avec des yeux de ciel, programmeuse informatique de profession a, un jour, décidé de jouer les héroïnes. « Je veux avoir une histoire à raconter à mes enfants. » Mieux : elle veut pimenter son quotidien amoureux. « Deux enfants, c'est dur sur le couple. Faut alimenter la flamme. » Mission accomplie. On parle d'incendie. Nancy a du front. Mais qui est donc cette fiancée enflammée et culottée ?

On s'en doute, Nancy adore son fiancé. Michel, âgé de 30 ans. Mais, car il y a un mais... Monsieur le programmeur informatique a un défaut : « Slowmo ». Lent à comprendre.

« Sa mère m'a toujours répété que les Goupil sont du ben bon monde, mais ils ne sont pas vites ».

Nancy veut se marier. Elle a beau souligner à son fiancé son désir au marqueur jaune citron néon. Lui faire des simagrées. Silence.

« Il n'y a pas longtemps, je lui ai hurlé que j'allais essayer la robe de mariée de ma soeur rangée depuis quatre ans, histoire de vérifier si elle me faisait. » Silence.

« Sinon, quand je prépare une bouffe, je lui lance, parfois, en rigolant : ' Penses-tu que je suis bonne à marier ? ' ». « Ben oui ! » répond-il. « Faudrait attendre encore. Les enfants, ça coûte cher. La maison, les hypothèques, les paiements, les assurances. Si on avait de l'argent, il y a longtemps qu'on se serait mariés. » Michel est franchement trop romantique... Il renchérit : « Ça ne me tente pas de m'endetter pour 10 ans pour un mariage ! » Autant dire alors qu'il faudrait attendre jusqu'à la saint-glinglin. Le bon billet de la 6/49. Le gros lot au Casino ou au bingo.

Avant, on se mariait pour faire plaisir aux parents, au curé et par respect des traditions. Aujourd'hui, le problème, c'est qu'on ne sait plus trop pourquoi on se passe l'anneau au doigt. Pourquoi ? Pour faire plaisir à la femme (ce sont les hommes qui parlent). Par amour, nostalgie, par envie de féerie (ce sont les femmes qui parlent). Pour les enfants, leur sécurité (ce sont les parents qui parlent). Difficile de s'y retrouver.

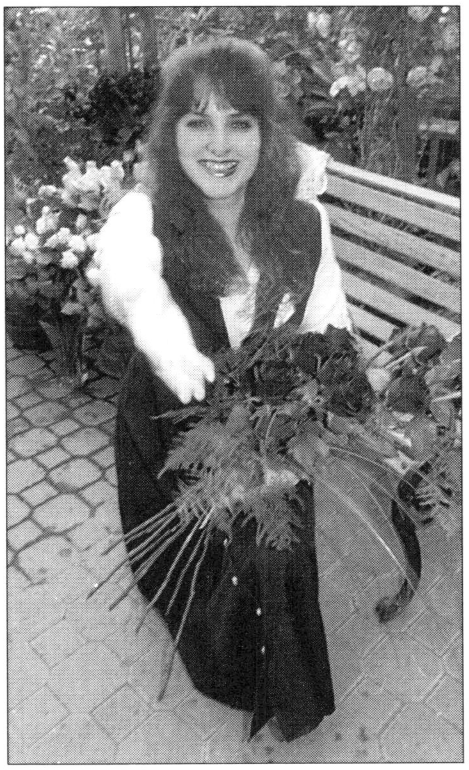

Nancy Ayotte, mère de deux bambins, rêvait de se marier depuis des années.

Avant 30 ans, Nancy s'était juré de se payer un conte de fées chromé. « Ça vient de loin, confie-t-elle. J'ai été élevée dans les mariages, ceux de mes tantes, de mes oncles, on était une grosse famille. J'aurais aimé me marier avant d'avoir des enfants. Je rêvais d'une robe blanche avec des froufrous, d'un gâteau de noces à trois étages, d'une lune de miel à Hawaii. »

Et de l'autre côté, Michel qui s'arrache les cheveux. « Lui qui est si réfléchi, analytique. Moi, si prompte. Lui qui se lève tous les matins à 5 h 30. Qui fait ses exercices. Moi qui aime me raconter des histoires. » Mais Michel ne cesse de radoter, en silence : « Jamais je ne pourrais lui offrir tout ça. »

Nancy peut se contenter de moins. « C'est vrai, je n'en demande pas tant dans le fond. Il y aura toujours quelque chose de plus important à faire que de se marier en grande pompe. Alors, j'ai pris les grands moyens. J'ai provoqué le destin. »

Parlant de destin, n'est-ce pas pour 1996 que Michel préparait une surprise ? « C'est vrai, le jour où l'on a débuté notre relation, le 12 août 1989, plus précisément, Michel a commencé à me donner un cadeau, chaque mois, pour souligner notre anniversaire. Au septième mois, il m'a offert sept petits présents. Et il m'a dit : ' quand ça fera sept ans, je te réserverai une autre grosse surprise '. »

Ça fait sept ans pile cette année. Et si tu l'avais déjà oublié, Nancy réitère sa demande : « Michel, veux-tu m'épouser ? »

Michel a dit OUI

« Je lui réponds un grrrros OUI ! Je l'épouse, c'est promis. Elle m'a bien eu ! J'ai toujours dit qu'elle était unique », a déclaré Michel Goupil à *La Presse* le lendemain de la demande en mariage de sa fiancée.

(Cela se passait en 1996)

C'EST ARRIVÉ UN 14 FÉVRIER

1992 — Nancy B., cette jeune femme presque totalement paralysée qui avait obtenu il y a deux mois le droit légal de mettre fin à sa vie, s'est éteinte à l'Hôtel-Dieu de Québec, après avoir demandé à ses médecins de débrancher son respirateur.

1989 — L'ayatollah Khomeiny a décrété la condamnation à mort de l'auteur Salman Rushdie et des éditeurs du roman Les versets sataniques et a demandé aux musulmans de les rechercher et de les exécuter.

1985 —
Rejetant la défense d'aliénation mentale, cinq femmes et sept hommes ont déclaré Denis Lortie trois fois coupable de meurtre au premier degré. Camille Lepage, Roger Lefrançois et Georges Boyer avaient tous trois été abattus lors de la fusillade du 8 mai 1984, à l'Assemblée nationale.

1975 — Bobby Hull égale le record de Maurice Richard de 50 buts en 50 matchs.

1963 — Syncon, le premier satellite «immobile», est placé sur orbite par les Américains.

1961 — Inauguration de l'Institut Leclerc, nouveau centre de réhabilitation.

1951 — Sugar Ray Robinson ravit le titre de champion du monde des poids moyens à Jake La Motta.

1949 — Les représentants du premier parlement moderne juif se sont réunis aujourd'hui neuf mois après la proclamation du nouvel État d'Israël. La réunion à Jérusalem, ancienne capitale des Hébreux, souligne les prétentions d'Israël à cette ville. Quarante pays ont déjà reconnu le nouvel État juif.

1929 — Sept gangsters de Chicago sont abattus dans un garage par une bande rivale: c'est le Massacre de la Saint-Valentin.

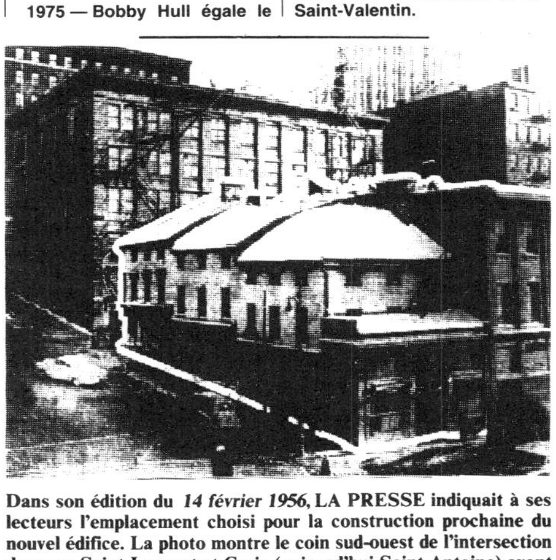

Dans son édition du *14 février 1956*, LA PRESSE indiquait à ses lecteurs l'emplacement choisi pour la construction prochaine du nouvel édifice. La photo montre le coin sud-ouest de l'intersection des rues Saint-Laurent et Craig (aujourd'hui Saint-Antoine) avant que LA PRESSE ne s'y installe en neuf.

Il y a 50 ans, le premier ordinateur

Le jour même de la Saint-Valentin, en 1946, le général américain Gladeon Barnes faisait la première démonstration publique d'un ordinateur, un appareil gigantesque de 30 tonnes d'acier, de tubes et de fils électriques reconnu comme étant le premier ordinateur « électronique » au monde.

« Cet événement a lancé l'ère de l'informatique », affirme Herman Goldstine, un des derniers survivants de l'équipe qui a mis au point l'Electronic Numerical Integrator and Computer (ENIAC).

L'ENIAC comptait pas moins de 17 468 tubes à vide et avait coûté 450 000 $, une somme énorme pour l'époque. Il pouvait faire simultanément des calculs avec 20 nombres de dix chiffres dans sa mémoire électronique et les restituer à la vitesse de 100 kilohertz à la seconde. L'Eniac pouvait compter de 1 à 5 000 en un cinquième de seconde, ce qui stupéfia le monde scientifique où, à l'aide de calculatrices mécaniques, il fallait 12 heures pour réaliser ce que l'ENIAC réalisait en une demi-minute. **(Publié le 14 février 1996)**

LE MAIRE INAUGURE LE PALAIS MUNICIPAL

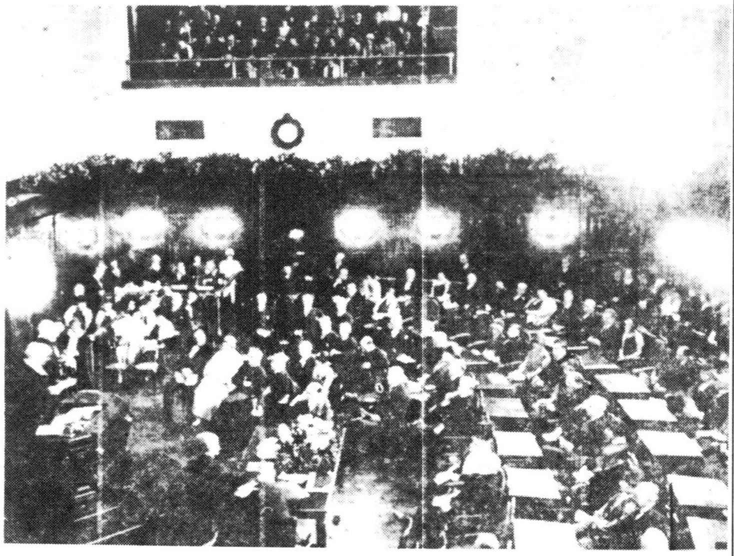

La salle du conseil, lors de l'inauguration officielle du 15 février 1926. Ceux qui sont familiers avec cette salle remarqueront que les pupitres étaient disposés différemment, et que le siège du maire se trouvait du côté sud de la pièce, plutôt que du côté ouest.

LE palais municipal *(c'est ainsi qu'on identifiait l'hôtel de ville à l'époque)* constitue un monument vraiment digne de la métropole du Canada; c'est spatieux, d'un style sobre et délicat, c'est à la fois imposant, somptueux, luxueux même!

Cette phrase exclamative, nous n'avons cessé de l'entendre à l'inauguration officielle de notre hôtel de ville reconstruit, ou, du moins, s'est-on exprimé en des termes approchants au cours de la brillante cérémonie d'hier **(15 février 1926)** après-midi, qu'a présidée notre premier magistrat, Son Honneur le maire Charles Duquette.

Ce n'est pas sans raison en effet, que l'administration ait qualifié d'étalage de luxe l'ensemble qui le composent: hall d'honneur, chambre des échevins, bureau du maire, salle de réceptions et autres. Certes, on peut dire que nos architectes et ingénieurs ne se sont pas écartés des règles de l'esthétique. La bronzerie sous divers motifs, le marbre aux teintes variées, et la boiserie d'une facture élégante fournissent une ornementation qui nous ramène à la splendeur des grands palais, aux chefs-d'oeuvre de l'architecture. La réception d'hier a naturellement donné de la vie à cette magnificence.

Les portes de bronze de l'entrée principale se sont ouvertes toutes grandes pour la première fois officiellement hier, pour laisser pénétrer dans l'enceinte du palais le flot des invités. Parmi les hôtes distingués des hauts dignitaires de la métropole, on remarquait des maitres venus d'un peu partout, les sommités du clergé, de l'industrie et du commerce, de la littérature, les hommes de profession — avocats, médecins, notaires — et des représentants de la finance et de la classe laborieuse. Chaque catégorie avait ses délégués. Les dames, présentes en grand nombre, rehaussaient l'éclat de la fête.

ASSEMBLEE DU CONSEIL

La première partie du programme d'inauguration comportait une séance spéciale du Conseil municipal. Après avoir disposé des articles inscrits au feuilleton du jour, le maire Duquette prononça un discours, lequel porta sur l'historique de la ville. Il fut suivi de l'échevin J.-A.-A. Brodeur, président du comité exécutif, qui appuya sur le travail de la commission des architectes et des entrepreneurs chargés de l'exécution des travaux, n'oubliant pas la tâche imposée aux ingénieurs et aux architectes du service municipal des Travaux publics. (...)

L'autre partie du programme comprenait la grande réception civique tenue dans le hall d'honneur. (...) L'orchestre du Windsor fournit le programme musical; il avait pris place dans une des petites galeries centrales du hall. Il était dirigé par M. Raoul Duquette. Pendant plus d'une heure, les airs les plus entraînants résonnèrent par tout l'édifice.

La maison Dupuis Frères avait été chargée de l'organisation des buffets, que l'on avait installés dans la salle des caucus et dans l'antichambre du maire. Des hors-d'oeuvre, des sandwichs, des limonades, des vins, des gâteaux et des glaces de toutes sortes furent servis avec diligence et bon goût. (...)

INFORMATIONS ADDITIONNELLES

Pour les amateurs d'histoire, il importe de rappeler ici que cet hôtel de ville était le troisième dans l'histoire de Ville-Marie, devenue Montréal par la suite. Ces renseignements sont tirés du discours prononcé par le maire Duquette lors de l'inauguration, et publié intégralement par LA PRESSE.

Constituée en corporation municipale dès 1644, le premier édifice occupé par les administrateurs locaux ne le fut qu'en 1667. Il était situé à un endroit à proximité de la place d'Youville. En 1669, on s'installait dans la salle d'audience d'une demeure offerte à M. de Maisonneuve par la compagnie des Cent-Associés. En 1698, on déménage dans un troisième « hôtel de ville », à un emplacement actuellement occupé par la partie est du marché Bonsecours. Entre la reddition de 1760 et 1774, les affaires municipales se décidaient au château de Ramezay, qui devint donc, du moins officieusement, notre quatrième « hôtel de ville ».

Après que le Conseil législatif eut administré les affaires municipales de Montréal de 1774 à 1796, Montréal retrouva son autonomie cette année-là, et le personnel administratif de la ville s'installa dans un cinquième « hôtel de ville », à l'angle des rues Notre-Dame et Saint-François-Xavier, pour déménager trois ans plus tard au palais de justice, sur l'emplacement occupé par la suite par le « vieux Palais de justice », qui a servi de siège social au Comité organisateur des Jeux olympiques. Ce déménagement était compréhensible puisque de 1799 à 1832, Montréal a été administré par des juges. En 1832, Montréal reprenait son autonomie, mais demeurait au Palais de justice qui devenait ainsi officiellement un sixième « hôtel de ville ».

Après quatre années (1836 à 1840) de retour sous une administration par des juges, Montréal obtenait son incorporation en 1840, charte qui demeure en vigueur, même si elle a depuis subi des centaines d'amendements. À partir de 1840, l'administration municipale occupa successivement un édifice (complètement disparu) de la rue Notre-Dame, entre les rues Saint-François-Xavier et Saint-Jean (1840 à 1844), puis un immeuble en pierre du côté sud de la rue Notre-Dame, à l'est de la rue Bonsecours (1844 à 1852), puis le marché Bonsecours (1852 à 1878). En 1869, la décision avait été prise d'acheter le « jardin du gouverneur », face au château de Ramezay, pour y loger un futur hôtel de ville. Les travaux de cet édifice du plus pur style de la Renaissance française fut terminé en 1875.

Certains s'étonneront d'apprendre alors qu'on procédait à l'inauguration de l'édifice en 1926. Il importe alors de préciser que l'édifice avait été détruit par un incendie le 3 mars 1922 (dont nous vous parlerons le 3 mars) et qu'on avait mis quatre ans et $1,75 million à le reconstruire.

Sur la scène de l'actualité

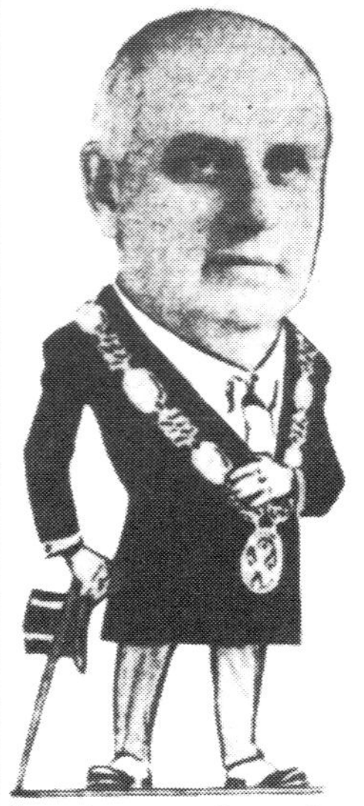

Son honneur le maire CHARLES DUQUETTE, qui a présidé l'inauguration du nouvel hôtel de ville de Montréal, et tel que vu par un dessinateur de LA PRESSE dans l'édition du *15 février 1926.*

Mme Norman F. Wilson, première femme à siéger au Sénat canadien

(du correspondant de la PRESSE)

OTTAWA — Mme Norman F. Wilson *de son nom de fille, Cairine-Rhea Mackay)*, a l'honneur d'être la première femme au Canada, appelée à siéger à la Chambre haute, tel que la « Presse » le laissait entendre, la semaine dernière. Mme Wilson a été nommé sénatrice à la séance du Conseil des ministres, samedi **(15 février 1930)** après-midi.

L'hon. W. L. Mackenzie-King, en annonçant cette nomination aux journalistes, fait remarquer que le gouvernement a saisi la première occasion qui se présentait, depuis que le Conseil privé a décidé en faveur de l'éligibilité des femmes au Sénat. Comme il n'existe des vacances que dans Québec et dans Ontario *(sic)*, la première femme nommée au Sénat ne pouvait venir que d'une de ces deux provinces. (...)

Le premier ministre ajoute que l'hon. Mme Norma Wilson est mère de huit enfants. Toujours elle a pris une part très active à la vie sociale et publique. Son père était le sénateur Robert Mackay, de Montréal, et son mari est un ancien député à la Chambre des communes pour le comté de Russell. Mme Wilson parle français. Née dans la province de Québec, elle habite maintenant dans la province d'Ontario; elle était une camarade de sir Wilfrid et de lady Laurier. (...)

Mme Wilson *(elle était présidente honoraire de la Fédération nationale des femmes libérales du Canada)* dit que sa nomination fut une grande surprise car elle ne l'avait pas demandée. La première femme sénateur est une brune, paraissant âgée d'une quarantaine d'années. En religion, elle est presbytérienne; elle est mariée depuis 21 ans. Ses enfants sont cinq filles et trois garçons, (...) dont l'âge varie de 20 à 4 ans.

C'EST ARRIVÉ UN 15 FÉVRIER

1990 — Environ 300 000 personnes ont signé les pétitions sur le contrôle de la vente d'armes, mises en circulation au lendemain du massacre de Polytechnique, affirme Alain Perrault, président de l'Association des étudiants de Polytechnique.

1982 — Une tempête emportait la plate-forme de forage Ocean Ranger, faisant 84 morts. Construite en tenant compte des technologies les plus avancées, l'Ocean Ranger avait la taille de deux terrains de football et avait la réputation, du moins dans l'industrie pétrolière, d'être insubmersible... comme le Titanic.

1976 — Clôture des Jeux olympiques d'hiver d'Innsbruck.

1971 — La grève des enseignants entraîne la fermeture de 42 écoles francophones de Montréal.

1965 — Nat King Cole meurt à l'âge de 47 ans.

1951 — Le gouvernement britannique nationalise les acieries.

1946 — Le transfuge soviétique Igor Gouzenko permet de mettre au jour un réseau d'espions soviétiques au Canada.

1926 — Déjà chef du Parti libéral et premier ministre du Canada, William Lyon Mackenzie King peut enfin siéger à la Chambre des Communes après avoir gagné l'élection partielle de Prince-Albert.

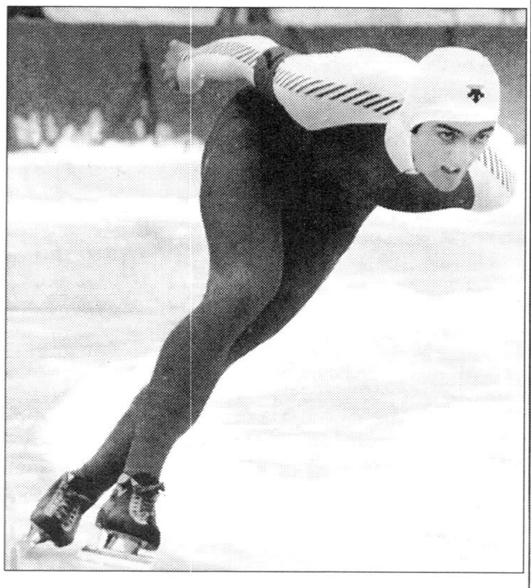

Gaétan Boucher double médaillé d'or

LE rêve est devenu réalité. « J'avais gagné la première médaille d'or pour mon père; j'ai gagné celle-ci pour moi et ma famille », a déclaré hier (**le 16 février 1984**) Gaétan Boucher après avoir remporté une deuxième médaille d'or aux Jeux olympiques de Sarajevo, à l'anneau de vitesse de Zetra.

Le patineur de Saint-Hubert est devenu l'athlète canadien le plus médaillé de l'histoire des Jeux olympiques d'hiver en remportant l'épreuve des 1 500 mètres.

«Un fils en or!»

«On n'a pas seulement une médaille en or, on a aussi un fils en or. On peut dire que nous l'avons presque gagnée avec lui, cette médaille d'or! Nous n'en avons pas dormi de la nuit, tellement nous étions à la fois nerveux et anxieux. Je pense que nous ne réalisons vraiment pas ce qui nous arrive » avaient déclaré il y a deux jours les parents de Gaétan alors qu'il venait de remporter sa première médaille d'or dans l'épreuve des 1 000 mètres.

Pour les Boucher, c'était la fierté, la consécration. Leur fils était devenu le premier athlète canadien-français et le premier Québécois à mériter une médaille d'or individuelle aux Jeux olympiques d'hiver. Et il venait tout juste de gagner la médaille de bronze, dans l'épreuve des 500 mètres.

Microsoft acquiert Softimage

Après avoir fait renaître les dinosaures de l'ère jurassique, Softimage, le success-story montréalais de l'animation par ordinateurs, tombe dans les pattes du monstre mondial du logiciel.

Le groupe américain Microsoft, le plus grand fabricant de logiciels au monde, a mis sur la table 130 millions de dollars US en actions pour acquérir la petite compagnie fondée en 1986. **(Texte publié le 15 février 1994)**

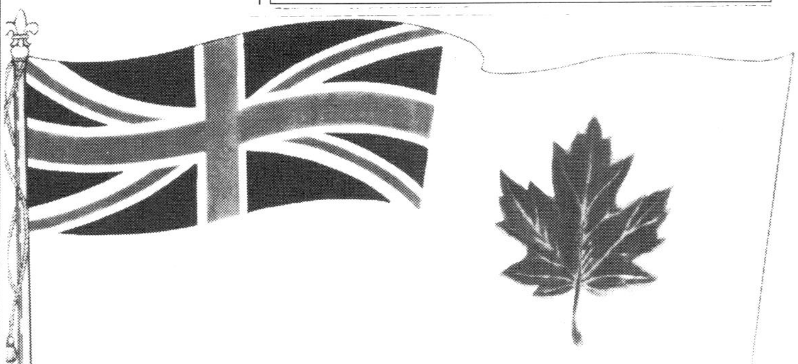

Projet de drapeau national

LE 15 février marque l'anniversaire de l'adoption de l'unifolié, en 1965, comme drapeau national du Canada, à la suite d'un débat houleux à la Chambre des communes, plus particulièrement alimenté par les plus royalistes des députés de l'opposition conservatrice. Mais savait-on que dès 1926, LA PRESSE avait jugé bon d'organiser un concours pour trouver un drapeau national pour le Canada. Pour ce faire, elle avait formé un jury des plus prestigieux, comprenant notamment Arthur G. Doughty, archiviste du pays; Pierre-Georges Roy, archiviste en chef de la province de Québec; Me Édouard-Z. Massicotte, chef des archives judiciaires de Montréal et historien à ses heures; Samuel M. Baylis, vice-président de la Société d'archéologie et de numismatique de Montréal; Victor Morin, président de la Société historique de Montréal. Le concours avait attiré pas moins de 1 700 concurrents. Le motif retenu par le jury et que nous vous proposons aujourd'hui, peut être défini de la manière suivante en termes héraldiques: « D'argent à l'Union Jack en franc quartier et une feuille d'érable de sinople en coeur de deuxième parti ». La feuille d'érable était verte sur un fond blanc qui symbolisait la période héroïque du régime français. Ce drapeau a flotté pour la première fois sur l'édifice de LA PRESSE le 8 juin 1926, et en 1940, Hugh Savage, un journaliste de Colombie-Britannique recommandait à un comité conjoint du Sénat et des Communes son adoption comme drapeau national (**le 15 février 1965**).

Un incendie cause des dommages de $1.5 million à l'hôpital St-Michel-Archange, à Québec

QUÉBEC — L'hôpital Saint-Michel-Archange n'est plus, ce matin, qu'un immense amas de décombres fumants. La célèbre institution dirigée par les RR. SS. de la Charité et qui abritait plus de 2 000 aliénés et 200 religieuses, gardiens et gardiennes, a été entièrement consumée en un peu plus de 24 heures.

Quelques dépendances étaient encore en flammes ce matin, mais le corps principal de l'édifice ne brûlait plus, le feu y ayant tout détruit. Il ne restait plus debout qu'une partie de l'aile des hommes, située à l'extrémité est, et une couple d'immeubles adjacents, la buanderie, la chaufferie, etc.

Québec a vécu hier (**16 février 1939**) des heures tragiques. Une atmosphère lourde d'anxiété a flotté sur la ville à la nouvelle que l'hôpital Saint-Michel-Archange avait pris feu.

La population toute entière, inquiète du sort des malheureux patients de l'institution, a été sur le qui-vive toute la journée et s'est rendue dans une grande proportion sur les lieux constater les ravages de l'incendie et obtenir l'assurance qu'aucun malade n'avait trouvé une fin tragique dans le sinistre.

On n'aura en effet à déplorer qu'une seule perte de vie au cours de ce malheur, l'un des plus grands qui ait atteint Québec au cours de toute son histoire. Il s'agit d'un vieillard, administré le matin même par l'aumônier de l'institution, l'abbé J. Dubé, et qui, inquiet du branle-bas général qui a suivi la découverte des flammes, s'échappa de son lit et mourut sur-le-champ de la commotion qu'il éprouva à la vue des flammes.

Pompiers en danger

Il s'en est fallu de peu cependant que l'on ait eu des tragédies à déplorer. En effet, huit pompiers qui, installés dans une salle de l'aile centrale alors en flammes, s'occupaient de défaire quelques murs et de noyer le foyer de l'incendie sous des tonnes d'eau, ont été trouvés à demi-asphyxiés.

Deux d'entre eux étaient assez gravement affectés et l'on eut de la difficulté à leur faire évacuer les lieux. Leurs compagnons, eux-mêmes, furent près de suffoquer. Trois policiers ont également eu de la difficulté à sortir des salles où ils faisaient une dernière ronde. (...)

L'évacuation des malades a provoqué l'admiration de toute la population pour la façon disciplinée avec laquelle elle a été effectuée. Les religieuses de la Charité, bravant le danger, ont tenu à faire la visite de toutes les salles à mesure que le feu les menaçait. En bon ordre, elles ont maintenu les patients dans les salles avoisinantes, malgré la fumée âcre et noire qui leur brûlait les yeux et attendirent patiemment que les malades de l'infirmerie eussent été mis en lieu sûr avant de prendre elles-mêmes, avec leurs cortèges d'aliénés, le chemin de l'extérieur. (...)

La marche de l'incendie

Le feu, qui a débuté vers 8 heures hier matin, dans l'aile des hommes a, de salle en salle, gagné toutes les autres parties de l'édifice. L'instant le plus dramatique fut peut-être celui où les murs s'écroulèrent, éparpillant dans les champs avoisinants une traînée d'étincelles et de tison.

Toute la nuit, le ciel a été illuminé par la lueur tragique de l'incendie et ce matin encore, les dernières dépendances se consumaient rapidement. (...)

Au cours de la journée, environ 360 malades vont réintégrer la partie de l'aile des hommes que les flammes ont épargnée. Les RR. SS. de la Charité se sont remises dès ce matin courageusement à l'oeuvre et ont pris des mesures pour assurer un abri à leurs patients et pour faire reconstruire immédiatement les édifices incendiés. (...)

Les dommages

On évalue les dommages à environ $1 500 000. D'après les meilleurs témoignages, on croit que la reconstruction de l'édifice à l'épreuve du feu exigera une dépense d'environ $3 000 000. (...)

Cette institution a été fondée en 1845. A ce moment, l'édifice ne comprenait que la partie centrale. C'est alors que l'annexe sud-est et sud-ouest, actuellement la section des femmes, furent construites. (...)

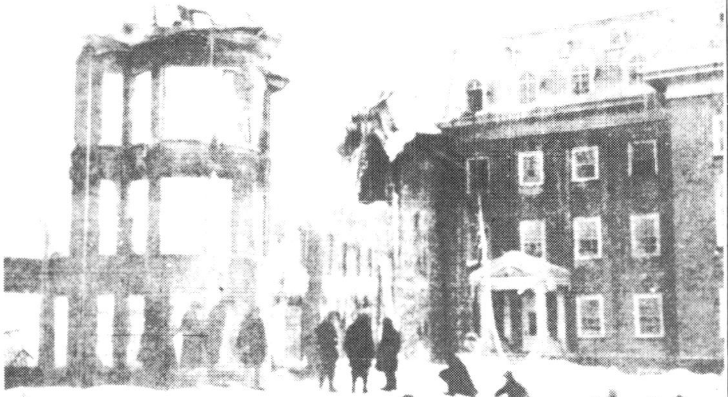

Cette photo, prise au lendemain de l'incendie, témoigne de la fureur de l'élément destructeur. Dans la partie incendiée, seuls quelques murs restaient encore debout.

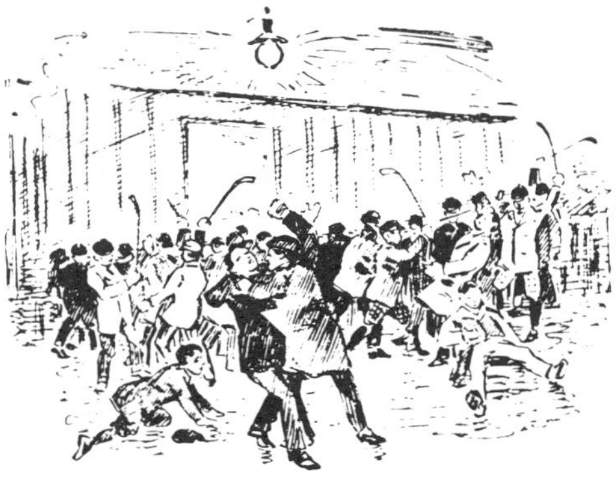

Une scène de la bagarre qui a éclaté à Richmond, au sortir du patinoir.

SANGLANTE JOUTE DE HOCKEY A RICHMOND

Les partisans du club de cette ville et ceux du club de Waterville en viennent aux mains après une violente partie.

Une vingtaine de personnes sont grièvement blessées. — Le maire de Richmond, à la suite de cet événement, interdit le hockey pour le restant de la saison.

RICHMOND — Notre ville a été témoin, samedi soir (**16 février 1907**), d'une scène des plus regrettables. Une bagarre, qui a éclaté entre le club de hockey de Waterville et notre club, a eu pour résultat une vingtaine de blessés. Depuis la grève des terrassiers du Grand Tronc, en 1887, nous n'avions pas eu de scènes aussi violentes.

Samedi après-midi, par le convoi qui entre en gare à 4 heures, arrivait le club de Waterville, accompagné de près de 200 personnes, toutes décidées à ne pas laisser passer, sans protester vigoureusement, les points que marqueraient leurs adversaires, les membres de notre club, et à prêter, au besoin, main-forte à leurs amis. C'est donc décidé à tout qu'on se rendit au patinoir de la rue du Collège, où devait avoir lieu la joute.

On sentait de la poudre dans l'air, et à peine le caoutchouc avait-il été lancé que le désordre commençait. Les coups portés par les joueurs furent innombrables. Des injures partaient des galeries. Des gros mots, les partisans des deux clubs en vinrent aux menaces. Des bras, des cannes se levèrent, mais la police réussit à rétablir un semblant d'ordre jusqu'à la fin de la partie. C'est au sortir du patinoir qu'on commença à se battre pour vrai.

LE SANG COULE

Tout le monde en vint aux coups, et il y avait bien là cinq cents personnes. De part et d'autre, on s'était monté la tête, on ne raisonnait plus. Des injures volèrent, puis on cogna. Des bâtons de hockey, des bouts de planche arrachés aux bandes du patinoir, des glaçons, tout servit d'armes. La mêlée devint furieuse et des blessés tombèrent.

Malgré les efforts de plusieurs citoyens que cette lutte sauvage remplissait de dégoût,

LES VICTIMES

ont été nombreuses. Une vingtaine de personnes furent relevées sans connaissance et baignant dans leur sang. La police se voyant débordée, incapable de maîtriser seule les lutteurs, fit appel aux citoyens de bonne volonté. Après une lutte vive, le parti de l'ordre finit par se rendre maître du terrain. Des arrestations ont été faites. Parmi eux, étaient deux des visiteurs. Ils ont été émis en liberté sur leur cautionnement personnel.

La nouvelle de cette sanglante bagarre s'est répandue avec la rapidité de l'éclair. L'indignation devint générale et les gens de Waterville auraient passé un mauvais quart d'heure s'ils ne s'étaient empressés de sauter dans le train qui quitte notre ville à 10 h. 45.

Une enquête sera faite et plusieurs personnes auront à se disculper de graves accusations. En attendant, il n'y aura plus, à Richmond, de match de hockey durant le reste de la saison. Ainsi en a décidé le maire.

Chrétien empoigne un manifestant

Pour la deuxième fois en une semaine au Québec, un événement politique qui se voulait «rassembleur» a tourné au vinaigre hier (**le 15 février 1996**). Et, dans les deux cas, un premier ministre aux nerfs à fleur de peau était au coeur du désordre.

Le premier ministre canadien Jean Chrétien a carrément rudoyé un membre d'un groupe de manifestants qui venait de gâcher la fête du Drapeau, qui se déroulait à Hull.

Plus tôt cette semaine, Lucien Bouchard a créé un émoi lundi en apostrophant avec véhémence un commettant fédéraliste qui avait eu le malheur de jeter une fausse note dans une tournée de sa circonscription de Jonquière.

Chahuté par des opposants à sa réforme de l'assurance-chômage au cours d'un rallye organisé pour souligner la journée du Drapeau, le premier ministre fédéral a saisi l'un d'entre eux par le cou et l'a violemment écarté de son passage. L'homme était dans son chemin et n'aurait pas dû être là, a-t-il expliqué sur le coup pour justifier son geste.

Par la suite, son bureau a déclaré que le premier ministre s'était senti agressé et s'était défendu en conséquence. Mais Bill Clennett n'avait pas fait de geste menaçant. Les services de sécurité qui l'ont retenu après l'incident l'ont rapidement relâché. Hier soir, aucune accusation n'avait été portée contre lui. Au contraire, il dit qu'on lui a plutôt demandé s'il voulait porter plainte pour agression contre le premier ministre. Il y songe.

Dans un communiqué émis en fin d'après-midi, la Gendarmerie royale du Canada (GRC) précise qu'elle n'a pas été prise au dépourvu par la manifestation qui attendait Jean Chrétien à Hull et que des mesures de sécurité « adéquates » étaient en place.

La version des événements livrée en conférence de presse par un porte-parole de la GRC ne corrobore pas la thèse d'une agression contre Jean Chrétien. Les images diffusées hier par les divers réseaux de télévision non plus. Elles montrent plutôt un premier ministre hors de lui et déterminé à faire son chemin coûte que coûte.

Chose certaine, au moment de l'incident, Jean Chrétien était excédé par le chahut d'une poignée de manifestants. Incapable de se faire entendre des gens qui s'étaient rassemblés pour célébrer l'unifolié, il a dû couper court à son allocution.

À Jonquière comme à Hull, le débat sur l'avenir du Québec et du Canada a été un des éléments déclencheurs des incidents. Lundi, à Jonquière, Lucien Bouchard a interpellé un électeur qui refusait de lui serrer la main. Ce dernier, qui s'est excusé par la suite, a expliqué qu'en tant que fédéraliste, il ne voulait pas saluer le nouveau premier ministre qui aspire à devenir son député.

Hier, les manifestants avec lesquels Jean Chrétien a eu maille à partir protestaient contre la réforme de l'assurance-chômage. Mais pour la vice-première ministre Sheila Copps, ce n'était pas le vrai motif de leur présence à la fête du Drapeau organisée par le gouvernement fédéral. « C'est des séparatistes qui se déguisent en chômeurs », a-t-elle lancé. Selon des sources, Bill Clennett serait bel et bien un militant souverainiste. Mais la manifestation d'hier était organisée par le mouvement Action-chômage et les centrales syndicales du Québec et elle ciblait la réforme du régime entreprise par Ottawa.

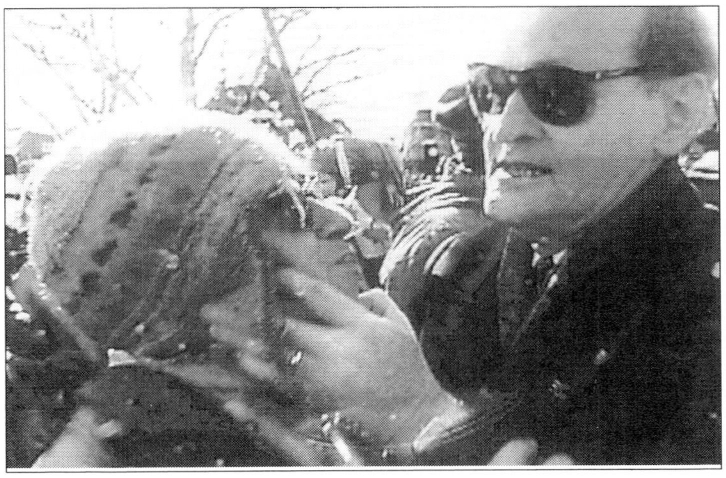

Dans une scène saisissante captée par les caméras de télévision, le premier ministre Jean Chrétien serre le cou d'un manifestant, Bill Clennett.

Liste

Voici la liste des incidents, outre celui d'hier, impliquant la sécurité du premier ministre Jean Chrétien.

Novembre 1995 : un intrus armé d'un couteau à cran d'arrêt entre par effraction dans la résidence du premier ministre, 24, Promenade Sussex. Avant d'être appréhendé, il aura eu le temps de se rendre devant la chambre des Chrétien, où l'épouse du premier ministre se retrouve face à face avec lui.

Mai 1995 : un homme armé d'une arbalète est arrêté à l'intérieur du palais des Congrès de Winnipeg juste avant que le premier ministre n'y arrive pour prononcer un discours.

Mars 1994 : M. Chrétien se retrouve au beau milieu d'une foule agitée, à Mexico, lors d'une cérémonie à la mémoire d'un candidat à la présidence assassiné.

Mars 1994 : M. Chrétien passe dans un groupe de manifestants rassemblés devant son bureau de circonscription à Shawinigan. Il y a bousculade. Une vitrine est brisée. L'incident fait un blessé.

C'EST ARRIVÉ UN 16 FÉVRIER

1989 — Avec l'arrestation du mari de Michèle Perron, assassinée le 15 décembre 1987, la police de Laval croit avoir élucidé ce qui semblait être un crime parfait. Réalisateur à Radio-Canada, Gilles Perron n'a pas résisté à son arrestation.

1980 — Dans l'espoir de mettre fin à la prise d'otages à l'ambassade américaine à Téhéran, les Nations unies acceptent e former une commission pour enquêter sur les prétendues méfaits du shah d'Iran.

1973 — Le comédien Léo Ilial est proclamé le plus bel homme du Canada à l'émission de télé de Lise Payette.

1968 — Pierre Elliott Trudeau annonce sa candidature à la succession de Lester B. Pearson.

1960 — La grandeur d'une nation ne s'exprime pas seulement en puissance économique. Voilà ce qu'avait compris le marquis de Lorne en 1920 et ce qu'a rappelé le premier ministre, M. Diefenbaker, à la cérémonie d'ouverture de la Galerie nationale.

1956 — Les Communes anglaises approuvent la suppression de la peine capitale.

1949 — Les Communes canadiennes approuvent l'admission de Terre-Neuve dans la confédération canadienne.

1948 — La Corée du Nord déclare son indépendance et adopte l'appellation République démocratique populaire de Corée.

1947 — Barbara Ann Scott est proclamée championne du monde de patinage artistique.

1946 — On apprend que la GRC a arrêté un groupe non spécifié de personnes tandis que le gouvernement ouvrait une enquête sur la divulgation «d'informations secrètes et confidentielles» concernant peut-être le secret de l'énergie atomique «à des membres d'une mission étrangère en cette capitale».

1944 — Les canons de siège américains ont ouvert un feu concentré sur la colline du monastère et des « brèches » ont été pratiquées dans le secteur allemand dominant Cassino, annonce-t-on aujourd'hui. Mais les quartiers généraux alliés admettent la perte de Carroeceto, au nord d'Anzio.

1926 — Bill Tilden perd à Forest Hill après avoir dominé le tennis pendant plus de six ans.

SUCRE ET SIROP D'ÉRABLE

Enfin ce produit national du Canada est trop sounégligé. De beaux revenus à réaliser. La récolte du sirop et du sucre d'érable est tout profit, pas d'ensemencement, pas de préparation coûteuse

Une belle « érablière » canadienne avec les ustensiles modernes pour la collection de l'eau d'érable.

Tonne de ramassage de sève en fer galvanisé, avec un fond en bois renforcé et avec tuyau d'écoulement pouvant s'abaisser lorsqu'il s'agit de vider la tonne.

Chalumeau ou goudrelle en métal pour l'écoulement économique de l'eau d'érable avec crochet de suspension pour les seaux à sève.

Thermomètre pour indiquer la température de cuisson pour le sucre; A, dur; B, mou; C, sirop type; D, Sève; E, eau.

Un « party » de sucre assistant à la vaporisation de l'eau d'érable, à la mode d'autrefois.

Modèle d'évaporateur moderne à fond plissé, avec compartiment communiquants permettant à la sève de circuler en zigzag.

L'École Sucrière de Beauceville — Le déchargement de l'eau d'érable dans un réservoir placé sous un abri, en dehors de la cabane; le charretier n'a qu'un robinet à ouvrir.

Page publiée le 17 février 1917.

WILFRID LAURIER EST MORT

Sir Wilfrid Laurier

L'illustre homme d'État est décédé après une agonie de plusieurs heures. — Le Dominion tout entier pleure son « Grand vieillard »

OTTAWA — Sir Wilfrid Laurier n'est plus. A 3 hrs moins dix, hier **(17 février 1919)** après-midi, le politique remarquable qui a rendu tant de services signalés à son pays au cours d'une carrière publique de près d'un demi-siècle, a rendu son âme à Dieu. Il a succombé en à peu près 24 heures, à trois hémorragies cérébrales et à la paralysie, qui en a été la conséquence inévitable. Il avait perdu presque complètement l'usage de la parole, dès la première attaque du mal qui l'a emporté, gardant cependant, durant de longs intervalles, toute sa lucidité d'esprit. Pas un instant il ne se fit d'illusions sur la gravité de son état et ses premières paroles, péniblement articulées, quand il reprit connaissance, après sa première syncope, furent pour dire : « C'est la fin. » Ce furent là ses dernières paroles à lady Laurier, sa fidèle compagne.

AU CHEVET DU MOURANT

Quand il rendit le dernier soupir, lady Laurier, énergique malgré sa faiblesse physique et sa poignante douleur était à ses côtés, avec le R.P. Lejeune, O.M.I., son directeur spirituel. (...)

Peu de temps avant sa troisième rechute, il avait évidemment toute sa connaissance, mais était incapable de parler. Il portait attentivement son regard de sa femme à son confesseur, le père Lejeune, comme s'il eût voulu leur adresser la parole, mais pas un mot ne s'échappa de ses lèvres. Il mourut sans avoir repris l'usage de la parole. L'hon. juge L.0P. Brodeur et l'hon. sénateur F.-L. Béique sont les exécuteurs testamentaires de Sir Wilfrid Laurier.

DES FUNÉRAILLES D'ÉTAT

Le gouvernement a fait offrir à la famille des funérailles nationales pour l'illustre chef du Parti libéral. L'offre a été acceptée avec gratitude et les arrangements suivants ont été faits avec M. Thomas Mulvey, sous-secrétaire d'État. La dépouille mortelle de Sir Wilfrid Laurier sera exposée chez lui, rue Laurier, jusqu'à jeudi après-midi; quand la cérémonie d'ouverture de la session qui sera réduite à sa plus simple expression, sera terminée, le cercueil sera transporté à la Chambre des Communes où les restes du chef de l'opposition seront exposés en chapelle ardente jusqu'à samedi matin, à onze heures. Samedi avant-midi, un service solennel sera chanté à l'église du Sacré-Coeur, paroisse de Sir Wilfrid. M. l'abbé P. Laflamme, O.M.I., curé de cette paroisse, a invité S.G. Mgr Mathieu, archevêque de Régina, actuellement à Québec, à venir chanter le service. (...)

C'EST ARRIVÉ UN *17* FÉVRIER

1994 — Jean-Luc Brassard se moque du Français Edgar Grospiron et remporte la médaille d'or en ski acrobatique aux jeux de Lillehammer. Jean-Luc Brassard est le premier Québécois à gagner une médaille d'or individuelle aux Jeux d'hiver depuis Gaétan Boucher, en 1984.

1992 — Israël abat le chef du Hezbollah libanais, le cheikh Abbas Moussaoui, dans un raid mené au Liban sud en représailles contre l'assassinat de trois soldats la veille dans le nord d'Israël. Les États-Unis exhortent «toutes les parties à faire preuve de la plus grande retenue».

1992 — La moitié de l'effectif du Service de prévention des incendies de la métropole a été mobilisé pour combattre dans le Vieux-Montréal un sinistre d'une rare ampleur, qui menaçait même la basilique Notre-Dame.

1986 — Un million de manifestants à Manille dénoncent la fraude électorale qui a permis à Ferdinand Marcos de garder le pouvoir. Corazon Aquino refuse de s'incliner et lance un appel à une grève générale d'une journée au lendemain de la prestation de serment du président pour un quatrième mandat.

1979 — Les troupes chinoises envahissent le Vietnam pour «infliger une bonne leçon» aux Nord-Vietnamiens, accusés de violer la frontière commune.

1977 — L'opinion internationale qualifie «d'assassinats camouflés» les morts de l'archevêque anglican d'Ouganda et de deux ministres d'Idi Amin Dada.

1972 — La Chambre des communes britannique accepte le principe de l'adhésion de la Grande-Bretagne au Marché commun.

1969 — Ouverture à Niamey, au Niger, de la première conférence des pays francophones: les divergences entre Québec et Ottawa éclatent au grand jour.

1969 — À la suite de la mort accidentelle d'un aquanaute, la Marine américaine suspend les expériences de Sealab III.

1968 — Le Français Jean-Claude Killy remporte sa troisième médaille d'or aux Jeux olympiques de Grenoble. Nancy Greene sauve l'honneur du Canada.

1967 — Au Québec, les enseignants rentrent au travail sous le coup d'une loi d'exception du gouvernement de Daniel Johnson.

1965 — Une bombe explose au Vatican, mais ne fait pas de dégâts.

1963 — Les 1 400 employés de la société Shawinigan Chemicals mettent fin à une grève de 185 jours.

1962 — Un ouragan fait 239 morts et sème la désolation sur les côtes de la Mer du Nord.

1959 — Le premier ministre turc Adnan Menderes survit à l'écrasement d'un Viscount de la Turkish Air Lines près de Gatwyck, Angleterre. Bilan: 10 morts.

1948 — Un incendie détruit le moulin de Giffard, monument historique construit il y a plus de 200 ans.

1910 — Marie Curie fait ajouter le polonium comme nouvel élément.

Vanessa arrêtée à Dorval en possession de haschisch

Vanessa Paradis, en tournée de promotion à Montréal, a été arrêtée hier matin (**le 16 février 1995**) à l'aéroport de Dorval, en possession de trois grammes de haschisch.

Le voyage de la petite chanteuse de « Joe le taxi » avait commencé dans la bisbille avec la bousculade d'un photographe de *La Presse*, à Mirabel lundi. Mais, hier, il a pris des allures de véritable catastrophe.

La star de 22 ans a été mise en état d'arrestation, tôt hier matin, au moment où elle allait franchir les contrôles de l'immigration américaine, à Dorval. Elle avait réservé un billet sur le vol de 8 h 50 d'Air Canada à destination de Miami et des Caraïbes.

Vanessa Paradis voyageait seule. Son arrestation a été confirmée par l'inspecteur Raymond Thibodeau, chef enquêteur de la section des stupéfiants au quartier général de la Gendarmerie royale du Canada, à Montréal.

Selon les informations obtenues par *La Presse*, Vanessa Paradis s'est fait demander ses papiers au point de fouille de l'immigration américaine, à Dorval. La drogue ne se trouvait pas dans ses bagages mais dans son sac à main. Et c'est en ouvrant son sac pour obéir à l'agent des douanes que les trois grammes sont tombés par accident sur le comptoir.

Rappelons que Vanessa Paradis est arrivée à Montréal lundi pour un séjour de trois jours, avec le réalisateur Jean Becker, dans le but de promouvoir le film Élisa, dans lequel elle joue le rôle principal aux côtés de Gérard Depardieu.

Le petit village de Saint-Clet, à 35 milles de Montréal, était le théâtre d'un spectaculaire tamponnement de deux trains du Pacifique Canadien, le **17 février 1954**, quand la deuxième section (c'était l'époque où les trains étaient assez populaires pour qu'un train parte en deux sections différentes!) du train Toronto-Montréal emboutit l'arrière de la première, à la gare du village, où cette dernière s'était arrêtée à cause de la tempête. L'accident devait faire un mort et 73 blessés et cette photo illustre bien la violence du choc.

Une carrière bien remplie

La carrière de Wilfrid Laurier fut bien remplie. Une fois admis au Barreau, il s'attaqua à une brillante carrière politique. D'abord député de Drummond-Arthabaska à l'Assemblée législative du Québec, Sir Wilfrid Laurier tourna son regard vers la Chambre des Communes où il représenta la même circonscription à partir de 1874.

En 1878, il siégeait à Ottawa à titre de représentant de Québec-Est. Fait assez rare dans nos annales politiques, Sir Wilfrid Laurier a également été élu en Saskatchewan (1896), dans la circonscription de Wright (1904), celle d'Ottawa en 1908 et celle de Soulanges en 1911.

Chef de l'opposition de 1887 à 1896, Sir Wilfrid Laurier devint premier ministre du pays en 1896 et occupa ces fonctions pendant 17 ans sans interruption. La mort de Wilfrid Laurier provoqua des centaines de témoignages venus des quatre coins de l'univers et de tous les milieux. Et *La Presse*, qui lui vouait visiblement une grande admiration, consacra un nombre impressionnant de pages à l'événement pendant plus d'une semaine.

EMOUVANTS DETAILS SUR LA CHASSE AUX LOUPS

Après avoir passé 10 jours au fond des bois, chassant les loups devant eux, nos Nemrods les cernent au lac Shelden. Ils en tuent trois. — Le camarade Tremblay est grièvement blessé par les bêtes.

Cet article écrit la veille à Desbarats, Ontario, traite du retour au bercail, le ***18 février 1907****, d'un véritable « commando » formé pour la chasse aux loups, et il ne manque pas d'intérêt puisque ce carnassier défraie actuellement la manchette, sans que l'unanimité soit faite, loin de là, sur la pertinence de déclarer la mort au loup... Les envoyés spéciaux de LA PRESSE étaient Ernest Tremblay, rédacteur de l'article, et L.-S. Laferrière.*

(Des envoyés spéciaux de LA PRESSE)

DESBARATS, Ont. Nous sommes revenus à Desbarats. La chasse aux loups est terminée, et glorieusement. Nous revenons avec des dépouilles, mais brisés, moulus, abattus par des fatigues que toutefois nous serions tous prêts à braver de nouveau.

Le précédent est créé. M. L.0. Armstrong a prouvé que la guerre au loup systématiquement organisée est possible, qu'elle s'impose impérieusement. Le mouvement est lancé; il ne pourra que réussir. (...).

Il a surtout l'appui de ce journal, sur lequel compte, avant tout, M. Armstrong. Ce n'est pas pour le simple plaisir de passer par les émotions d'une semaine dans nos grands bois que MM. les chasseurs de loups viennent de s'imposer de telles privations. Non, une autre idée a présidé à l'organisation de l'expédition. C'est celle de l'extermination de ces pirates des bois qui contribuent d'une si désastreuse façon à dépeupler nos vastes solitudes du chevreuil, de l'orignal et de tout le gibier le plus intéressant.

Il s'agit presque, pour nous, d'une question d'intérêt national. Nous avons le choix; ou bien de nous résigner à voir les sportsmen étrangers déserter nos domaines de chasse, en laissant les loups s'y établir en maîtres, ou bien de continuer, dorénavant, plus formidable que jamais, la croisade contre ces carnassiers. (...)

LA CHASSE

Nous avions parcouru environ deux milles de plus que le soir précédent, quand, soudain, Charley *(il s'agit de Charley Deutschman, surnommé le « tueur de grizzly »)* part à toute allure, puis s'arrête et nous fait signe de cesser tout bruit.

Nous nous acheminons à l'endroit où se trouve notre guide, et de là, nous voyons un lac d'environ un mille et demi de long. En plein centre, on distingue parfaitement plusieurs postes et dans le lointain, nous voyons

UNE BANDE DE LOUPS

poursuivant un chevreuil. A la hâte, nous tournons le lac et gagnons vers le Nord l'endroit où la bande elle-même pénètre au pas de course. Nous traversons le lac du nord au sud, et c'est un peu à l'Est, où s'élève un roc formidable, que nous nous plaçons en embuscade. Le roc s'avance audessus du lac et nous cache de merveilleuse façon.

Nous étions admirablement bien logés pour voir sans être vus et attendre les loups. Le chevreuil (...) se dirigea de notre côté, poursuivi toujours par les carnassiers affamés.

Je vous avoue franchement qu'en dépit de mes compagnons je me sentais très isolé. La peur, dans ses moments là, fait place

A L'ANGOISSE.

La troupe s'avançait; le chevreuil savait certainement que des hommes étaient là. Cherchait-il à se réfugier dans le but de se faire protéger par nous? C'est très possible. (...)

Tout ce qui arriva alors se passa dans l'éclair d'une seconde, mais pour le décrire la plume doit aller son train. Précédés par le chevreuil, les loups venaient droit sur nous. Arrivés près du rocher, ils tournèrent pour gagner le bois, ils étaient à peine à 150 pieds de nous. Il y eut

UNE SECONDE TERRIBLE.

Deutschman cria: « That's the chance of your life: shoot! » Ce fut une décharge générale. (...) Je vidai les huit coups de mon « Browning » au même moment. Trois des loups volèrent sur la neige en se tordant dans les tourments de l'agonie. Ils hurlaient d'une manière effrayante. Landriault et Armstrong *(deux des membres de l'équipe)* continuèrent à tirer dans la direction des fauves, mais ces derniers changèrent leur course et ils s'enfuirent, quoique blessés, dans la montagne.

TREMBLAY BLESSE

Quand les coups de feu eurent cessé, je courus au plus gros que Landriault avait abattu, mais au moment où j'arrivais près de lui, le loup redressa la tête, se secoua, et d'un coup de sa patte il m'attrapa la jambe gauche, déchirant tous mes vêtements et me lacérant profondément les chairs. D'un coup de hache, vigoureusement asséné, je donnai au carnassier le coup de grâce.

Ma blessure était ainsi vengée; nous chantâmes un hallali frénétique, et, en moins d'une demi-heure, les trois bêtes étaient écorchés et pelés. (...)

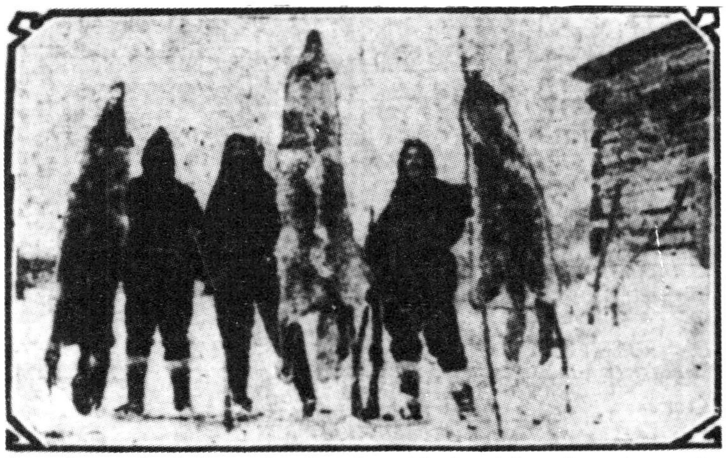

Les représentants de « La Presse », brandissant les trophées des trois loups abattus. Au centre, le capitaine Landriault, de l'équipe expéditionnaire, flanqué de Tremblay (à sa gauche) et de Laferrière (à sa droite).

C'EST ARRIVÉ UN 18 FÉVRIER

1980 — Le premier ministre Pierre Elliott Trudeau et ses troupes libérales reprennent le pouvoir à Ottawa en enlevant 146 sièges, contre 103 pour les Conservateurs, et 32 pour le NPD.
1977 — Premier vol d'essai de la navette spatiale américaine, *à dos de B-747.*
1967 — Mort aux États-Unis du Dr Robert Oppenheimer, impliqué dans les travaux sur la bombe atomique.
1964 — L'île de Sao Jorge, aux Açores, devra être vidée de tous ses occupants; on craint que les violents tremblements de terre en cours ne la fassent disparaître complètement.
1954 — La Conférence des quatre se termine à Berlin sans qu'aucune décision n'ait été prise sur les questions allemande et autrichienne.
1948 — John A. Costello succède à Eamon de Valera comme premier ministre de l'Eire. De Valera avait occupé ces fonctions pendant 16 ans.
1947 — Un accident ferroviaire fait 25 morts et 124 blessés à Bennington, Pennsylvanie.
1945 — Une conflagration ravage le quartier des affaires de Chicoutimi et cause des dommages évalués à $1 million.
1920 — M. Paul Deschanel succède à M. Raymond Poincaré comme président de la République française.

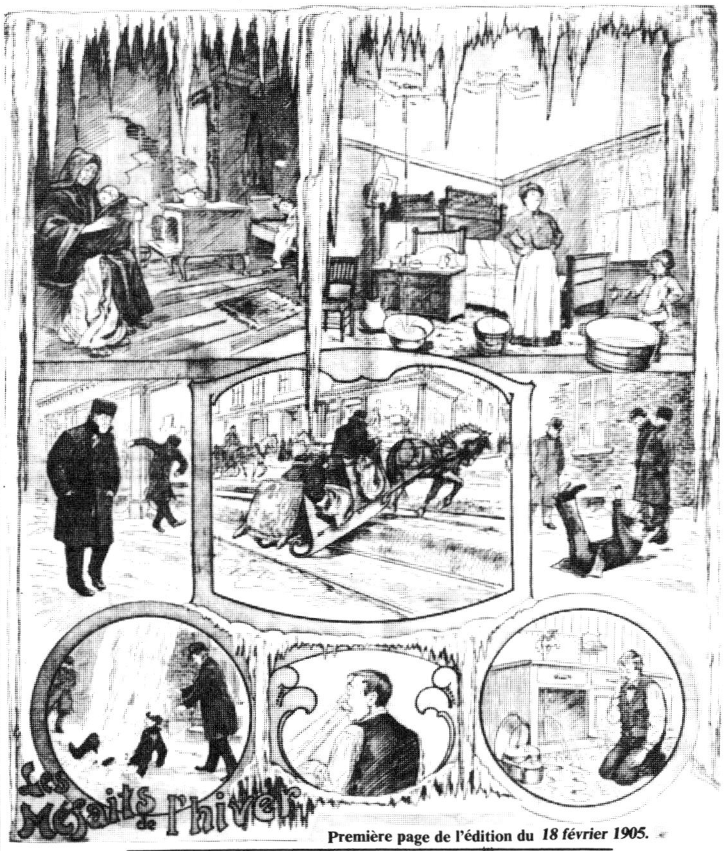

Première page de l'édition du *18 février 1905.*

Quand Beethoven écrivait pour les Québécois...

Jean et Brigitte Massin dans leur livre sur Beethoven, et surtout Helmut Kallmann dans l'*Encyclopédie de la musique au Canada*, relatent un événement qui nous touche de près et qui se déroula dans les dernières années de la vie de Beethoven.

Le 16 décembre 1825, jour de son 55e anniversaire de naissance, le compositeur reçut la visite d'un jeune professeur de musique de Québec, d'origine allemande, nommé Theodore Friedrich Molt qui lui demanda « un souvenir », qui serait pour lui « un document éternellement précieux à une distance de 3000 heures ».

Les paroles adressées par Molt à Beethoven ont été retrouvées dans les fameux « cahiers de conversation » auxquels le compositeur, complètement sourd à ce moment-là, devait avoir recours pour communiquer (les gens écrivaient la question, Beethoven y répondait de vive voix).

Comme « souvenir », Beethoven griffonna sur une feuille de papier un petit canon à deux voix, en do majeur, de dix mesures, sur les mots « Freu dich des Lebens » (traduction libre : « Profite bien de la vie »). Sauf erreur, il s'agit là du seul contact qu'ait eu Beethoven avec l'Amérique.

Après son retour à Québec, Molt devint organiste de la basilique ; il vécut aussi à Montréal et mourut à Burlington, Vermont, en 1856. Quant au petit canon, il ne figure évidemment pas dans les oeuvres publiées de Beethoven, mais on en trouve la mention au numéro WoO 195 du catalogue de Kinsky et Halm où sont inscrites les oeuvres ne portant pas de numéro d'opus.

Propriété d'un des fils de Molt, le manuscrit fut acquis par un antiquaire de Berlin en 1933, mais revint au lieu de sa destination première puisqu'il fut acheté en 1966 à New York par un collectionneur montréalais, Lawrence Lande, lequel le vendit en 1979 à la Bibliothèque Nationale du Canada.

En 1967, Alexander Brott composa sur le canon « québécois » de Beethoven une oeuvre pour orchestre intitulée Paraphrase in Polyphony. Il en dirigea la création à la salle Wilfrid-Pelletier le 3 novembre de cette même année et l'enregistra avec l'Orchestre de Radio-Canada, sur un disque RCA Victor (CCS-1029, série « Canada International ») qui contient également le canon original (57 secondes) chanté par les Petits Chanteurs du Mont-Royal.

(Texte publié en février 1990)

UN JARDIN ZOOLOGIQUE SUR L'ILE STE-HELENE

L'AMÉNAGEMENT d'un jardin zoologique sur l'île Sainte-Hélène, projet conçu par M. Richard Follett, expert en établissements de ce genre, et dont le goût artistique et la science nous sont recommandés par M. Wilfrid Bovey, directeur du département des relations extra-muros à l'université McGill, sera bientôt soumis à nos autorités municipales.

Les raisons qui militent en faveur de son installation permanente à Montréal sont en si grand nombre et d'une telle diversité que La « Presse » exprime tous ses voeux pour la réalisation prochaine du projet.

M. Follett ne s'est pas encore définitivement prononcé sur le choix d'un emplacement pour son jardin, et le parc LaFontaine a déjà été mentionné, mais l'île Sainte-Hélène nous semble toute désignée, le pont de la Rive-Sud devant en faciliter l'accès dans une couple d'années et la transformer en une véritable Coney-Island.

UNE ATTRACTION NECESSAIRE

M. Follett nous donne les raisons qui devraient inciter la ville à entreprendre cet aménagement. (...) Maintenant que nous routes conduisent dans notre ville des hordes de touristes l'été, Montréal se doit d'ajouter au pittoresque qui la rend si attrayante un jardin du genre comme en possèdent d'ailleurs les principaux centres du monde. Cet aménagement, inspiré par les jardins zoologiques les mieux dessinés et les mieux garnis, promettrait une réalisation dont la perfection serait insurpassée. On sait par exemple, par l'expérience des autres jardins, que les carnivores s'accommodent parfaitement de grandes cavernes ouvertes à la vue du public. L'animal, ainsi présenté, gagne en pittoresque et vit dans des attitudes de liberté.

ENTREPRISE EDUCATIONNELLE

En plus de l'attraction qu'il ajouterait aux divertissements que nous offrons aux touristes, ce jardin intéresserait par le côté éducationnel qu'il représente et qui constitue l'une de ses principales nécessités. Le public y trouverait une occasion inespérée de se familiariser avec les moeurs des animaux les plus variés. (...)

LES FACILITES D'ACCES

En construisant un chalet récréatif qui fera partie du pont de la Rive-Sud, la commission du port désire transformer l'île Sainte-Hélène en Coney Island. Le projet de M. Follett aiderait à l'embellissement de l'île où nous trouverons des baignoires, jeux de toutes sortes, kiosque de musique, salles pour jeux d'intérieur, etc. On avait parlé de conserver son pittoresque à l'île et le jardin zoologique viendrait ici faciliter ce projet.

Ces informations furent publiées dans l'édition du 18 février 1928, et l'article ne proposait malheureusement pas de vignettes du projet.

82 % du Québec menacé par les pluies acides

La moitié du Canada et 82 % du territoire québécois sont très vulnérables aux effets nocifs des pluies acides.

Ces informations ont été colligées par le ministère de l'Environnement et transposées sur une carte du Canada rendue publique, hier (**le 17 février 1988**), par le ministre Tom McMillan.

C'est la première fois qu'est cartographiée et résumée à l'échelle nationale la vulnérabilité aux pluies acides du sol et des eaux canadiens.

« Cette carte, a précisé le ministre McMillan, démontre qu'aucune région n'est à l'abri des dangers des pluies acides. Elle devrait nous rappeler la vulnérabilité de nos richesses naturelles à leurs effets dévastateurs et tremper notre volonté de poursuivre notre lutte contre ce fléau ».

Les cartographes ont démontré de façon évidente que quatre millions de kilomètres carrés — ou 46 % de la surface terrestre du Canada — sont considérés comme possédant des écosystèmes aquatiques qui ont une sensibilité élevée aux pluies acides.

Cette importante proportion du territoire canadien comporte la plus grande réserve d'eau fraîche au monde. L'étude démontre en outre que seulement 23 % de la superficie du Canada contient des écosystèmes aquatiques qui ne sont pas sensibles aux pluies acides.

Les provinces les plus menacées par l'acidification sont : le Québec, avec 82 % ; Terre-Neuve, 56 % et la Nouvelle-Écosse 54 %.

LE CHAMPIONNAT DU SAUT A SKI SUR LES PENTES DE LA COTE-DES-NEIGES

PRÈS de 4 000 personnes ont assisté aux épreuves de saut à ski, disputées samedi **(18 février 1911)** après-midi pour le championnat du Canada. L'événement eut lieu aux glissoires du Montreal Ski Club, situées chemin de la Côte-des-Neiges, près de la grande porte du cimetière catholique. Peu de spectateurs cependant payèrent un prix d'admission, la plupart préférant rester sur le chemin public, d'où l'on voyait tout aussi bien. La température de ces derniers jours avait mis la glissoire principale en assez mauvais ordre et ce n'est que sur les 4 heures, après un travail ardu, que commencèrent les sauts. Dans de telles conditions il devenait impossible aux sauteurs de briser les records et chacun fit de son mieux pour se tenir debout après le saut. Plusieurs concurrents venus du New Hampshire, d'Ottawa et de Sherbrooke, tentèrent en vain de vaincre les Montréalais qui remportèrent les deux épreuves de la distance et de l'élégance. Il y eut de nombreuses chutes mais personne ne fut blessé. (...)

Le plus long saut de l'après-midi fut fait par Adolph Olson avant l'ouverture régulière du tournoi et mesurait 81 pieds. Durant le tournoi il ne put faire mieux que 75 pieds et fut défait par son homonyme A. Olson, de Montréal, qui fit un saut de 77 pieds.

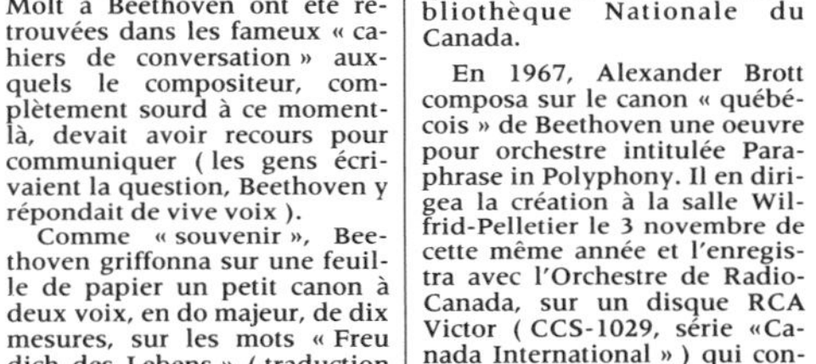

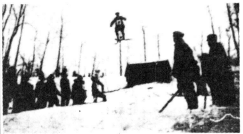

Le Montréalais Olson, lors de saut de 77 pieds qui devait lui permettre de gagner le championnat.

Super Myriam!

La Québécoise devient la première Nord-Américaine à remporter le biathlon

Parcourir 15 kilomètres en ski de fond, à toute allure, dans des vallées et des vallons au sommet d'une montagne, reprendre son souffle en cinq ou six secondes, faire feu pour atteindre cinq cibles en cinq coups et devoir le faire quatre fois pendant la course...

Lutter contre des Françaises très fortes, des Russes, des Allemandes, des Suédoises, des Italiennes, des Norvégiennes et gagner la médaille d'or avec près d'une minute d'avance, c'est un exploit colossal...

Mais Myriam Bédard a fait encore bien plus. Harcelée, suspendue il y a dix-huit mois à peine par les bureaucrates de Biathlon-Canada, menacée d'expulsion de l'équipe nationale de « son » pays parce qu'elle ne voulait pas se plier aux diktats injustes d'une fédération qui voulait casser sa seule vedette, elle s'est battue, a tenu son bout, a acquis son indépendance dans la direction de sa carrière et de son entraînement...

Pour remporter une superbe médaille d'or hier midi (**le 18 février 1994**) au stade de biathlon de Birkebeineren, à quelques kilomètres de Lillehammer. Dans une atmosphère de fête joyeuse, devant 15 000 spectateurs brandissant des drapeaux de différents pays et acclamant la championne olympique dans toutes les langues.

« Je veux tous vous embrasser », s'est écriée Myriam après sa victoire aux 15 kilomètres en se dirigeant vers les journalistes québécois qui l'attendaient à la sortie du stade. Et nous avons tous eu droit à la bise, une bise joyeuse, heureuse, une bise qui allait tout à fait à l'encontre de la neutralité journalistique.

Plus tard, en conférence de presse internationale, elle expliquera : « Je ne veux pas épiloguer sur mes différends avec Biathlon-Canada. Cette année, on m'a laissée m'entraîner comme je le voulais. On m'a appuyée. Mais c'est moi qui ai misé sur les Jeux olympiques, quitte à connaître une saison plus difficile en Coupe du Monde. C'est moi qui prenais le risque. Ce risque, je l'ai pris pour moi-même, parce que je croyais en moi et que je croyais en mon coach ».

Ce coach, on ne le connaît pas. Myriam et lui ont convenu de ne pas dévoiler son identité.

Ce coach mystérieux communique avec Myriam par fax. Chaque mois, il lui fait parvenir son programme d'entraînement : « Je ne dis pas qu'il est meilleur que nos entraîneurs. Je dis que j'ai confiance en lui et qu'il faut avoir totalement confiance en quelqu'un pour devenir championne olympique », a-t-elle dit.

Myriam ne pouvait s'empêcher d'avoir le fou rire à la moindre remarque. Cette jeune femme intense, volontaire, décidée, une jeune femme de 24 ans qui a livré une dure bataille contre les gens de Biathlon-Canada, pouvait enfin se libérer, rire, s'éclater.

Il faut dire que Myriam est une fille sérieuse qui s'entraîne avec un acharnement rare : « Depuis mon arrivée au village olympique, je refusais de parler aux gens ou de manger avec quelqu'un. Je voulais atteindre une concentration absolue », a-t-elle expliqué.

Elle a gagné comme elle a vécu ces dernières années. En se fixant un objectif et en serrant les dents pour ne pas y déroger : « J'avais les jambes qui brûlaient, je ne pouvais plus glisser. Dans ce temps-là, t'essaies de penser à autre chose qu'à la douleur, t'essaies de penser à ta technique. Tu ne lâches pas », de raconter Myriam en recevant les accolades de sa mère Francine, de son père Pierre et de ses commanditaires, Jean-Marc Saint-Pierre, de la Métropolitaine, et la famille Chagnon de Vidéotron.

En soirée, Myriam a ébloui Lillehammer et tous ceux qui ont regardé la cérémonie de la remise des médailles à la télé. Une classe folle dans son costume inspirée de l'uniforme de la Gendarmerie royale, un sourire éclatant et toujours ce bonheur qui éclairait son visage dans la nuit froide de la Norvège.

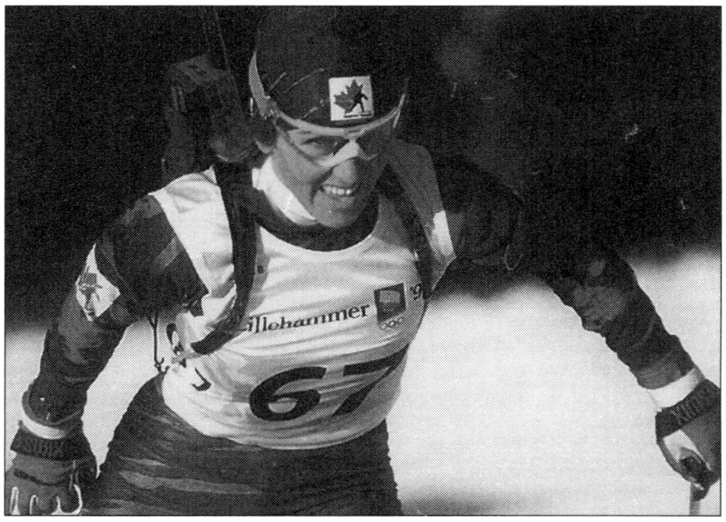

Myriam Bédard est devenue hier la première Nord-Américaine à remporter le biathlon, devançant la médaillée d'argent par plus d'une minute.

10 C'EST ARRIVÉ UN FÉVRIER

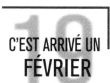

1997 — La Chine a perdu son « petit Timonier». Le numéro un chinois, vétéran de la révolution communiste, Deng Xiaoping, l'homme qui a introduit une dose d'économie de marché dans le pays mais qui a aussi ordonné la répression sanglante du Printemps de Pékin à la place Tiananmen, est mort à l'âge de 92 ans.

1993 — La police régionale de Niagara a porté des accusations de meurtre contre Paul Bernardo, un comptable de 28 ans, déjà inculpé d'une quarantaine d'agressions sexuelles. Les meurtres en question sont ceux de Leslie Mahaffy, 14 ans, de Burlington, et de Kristen French, 15 ans, de St. Catharines. En 1991, le corps dépecé de Leslie Mahaffy avait été retrouvé dans plusieurs blocs de béton, dans le fond d'un lac de la région de St. Catharines. Quant à Kristen French, son corps nu (la tête rasée) avait été trouvé, le 30 avril 1992, dans un fossé situé près de la demeure de Leslie Mahaffy.

1981 — Le discours prononcé par le président des États-Unis, Ronald Reagan, sur l'état de l'économie américaine a créé une consternation sans précédent dans de nombreux milieux : à l'exception de la Défense nationale, rien ne va échapper au couperet de la nouvelle administration qui se propose de réduire les dépenses fédérales de 50 milliards de dollars d'ici à la fin de 1982 afin de mater l'inflation et d'éliminer un déficit budgétaire qui frôle cette année les 60 milliards.

1942 — Poursuivant leur marche victorieuse, les armées de Staline contournent Smolensk, capturent Kresty et foncent en direction de Vitebsk. Sur le front de Leningrad, les Russes élargissent une brèche dans les lignes allemandes ; en Crimée ils s'attaquent à Théodosie. Les armées soviétiques semblent aujourd'hui refermer les mâchoires d'une gigantesque trappe autour de 600 000 à 1 000 000 d'Allemands coincés dans le « corridor napoléonien » s'étendant depuis Mozhaisk jusqu'à Smolensk.

Photos macabres au procès d'un soldat canadien accusé d'avoir tué un Somalien

Des photographies macabres de deux soldats canadiens posant avec un adolescent somalien ensanglanté et les yeux bandés ont été déposées comme preuves hier (**le 18 février 1994**) lors du procès en cour martiale d'un soldat accusé d'avoir torturé et tué le jeune homme.

Deux des sinistres souvenirs montrent le soldat Elvin Kyle Brown tenant la tête couverte de sang de Shidane Arone.

Le Somalien de 16 ans est mort dans un trou couvert de sacs de sable à l'intérieur d'un camp du Régiment canadien aéroporté, près de Belet Huen, en Somalie, la nuit du 16 mars 1993.

Brown est accusé de meurtre et de torture.

Au cours d'un autre témoignage hier, un sergent a raconté que Brown avait admis qu'il avait frappé le jeune homme à trois reprises, mais a affirmé qu'il ne l'avait pas tué.

Le sergent Joseph Hillier — celui qui avait fait Arone prisonnier dans un entrepôt abandonné se trouvant près des quartiers des soldats canadiens — a déclaré que Brown lui avait dit : « Je l'ai frappé une fois à la mâchoire, je lui ai donné deux ou trois coups de poing, mais je ne suis pas responsable de la condition dans laquelle il se trouve à l'heure actuelle. »

Le sergent a ajouté que Brown semblait être pris de remords et qu'il lui avait demandé qu'est-ce qui se passerait maintenant.

« J'ai dit qu'on allait avoir de gros emmerdements. »

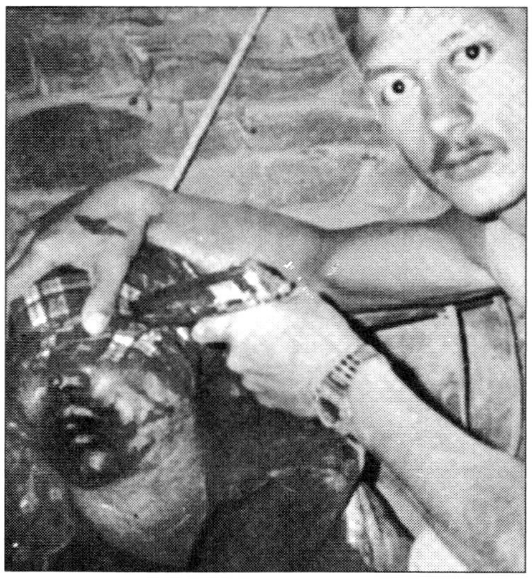

Voici une des photos produites hier au procès de soldat Elvin Kyle Brown, accusé d'avoir torturé et tué un adolescent somalien, Shidane Arone. Sur cette photo, le caporal Clayton Matchee appuie un pistolet automatique Browning sur la tête ensanglantée de l'adolescent.

Les 16 photographies ont été développées à partir de la pellicule saisie dans l'appareil photographique de Brown par la police militaire peu après la mort de l'adolescent.

Sur les photos, on peut voir Brown et un autre soldat qui ne peut être nommé, conformément aux termes d'une ordonnance de non-publication partielle.

Les photos permettent de constater qu'Arone était ligoté et menotté. Son visage est tuméfié et il saigne du nez et de la bouche. Dans une photo, un bâton anti-émeute sert de bâillon entre ses lèvres ensanglantées et, dans une autre, un parachutiste le sourire en coin appuie un pistolet automatique Browning sur sa tête.

Il y a d'autres premiers plans d'Arone montrant son visage enflé et le foulard ayant servi à lui bander les yeux.

Une photo montre un autre soldat penché à l'entrée du bunker et observant la scène. L'enseigne rouge de la feuille d'érable est clairement visible sur sa manche dans la photo en couleurs.

Hillier a raconté qu'il était abasourdi et en colère lorsque, retournant d'une patrouille à minuit, il était allé vérifier l'état du prisonnier. Le jeune homme qui était en bonne santé lorsqu'il l'avait confié aux gardiens trois heures auparavant, était couvert de sang et haletait.

Il a immédiatement donné l'alarme, contacté le poste de commandement et alerté les autorités médicales, a poursuivi Hillier.

Le sergent a dit que Brown était venu le trouver le jour suivant et qu'il lui avait répété avoir frappé le prisonnier, mais ne pas l'avoir tué.

Le sergent a ajouté que Brown lui avait également dit avoir été menacé.

Le sergent a dit qu'il avait demandé à un de ses hommes de surveiller Brown et de « s'assurer que personne n'essaie de le battre ».

Il s'est ensuite porté volontaire pour emmener Brown voir les autorités supérieures.

Rushdie exprime ses regrets à l'Iran

Quatre jours après la condamnation à mort prononcée contre lui par l'ayatollah Khomeiny, l'écrivain britannique Salman Rushdie a exprimé publiquement, hier (**le 18 février 1989**), ses regrets auprès des « vrais fidèles de l'Islam » que la publication de son roman *Les Versets sataniques* a « peinés », a annoncé son agent littéraire à Londres, M. Gilan Aitken.

Les regrets de Salman Rushdie surviennent au lendemain d'un début de marche arrière des autorités iraniennes qui, par la voix du président Ali Khamenei et du chargé d'affaires à Londres Akunzadeh Basti, avaient appelé l'auteur à présenter ses excuses.

Toute la question est maintenant de savoir si les regrets de M. Rushdie suffiront aux fondamentalistes musulmans. Dans une dépêche datée de Londres, l'agence iranienne IRNA a en effet aussitôt noté que M. Rushdie ne parlait pas de retirer son livre de la vente et ajoutait que ses regrets « étaient loin » du « repentir public » qui lui avait été demandé.

Le conseil des ministres iranien a appelé hier à une « rencontre sérieuse » des organisations et des États musulmans pour contrer la « conspiration » constituée, selon lui, par la publication des Versets sataniques, selon l'agence IRNA

Des fonds destinés à l'exécution de l'écrivain britannique sont dès à présent collectés par des comités pro-iraniens dans différents pays, affirmait hier le quotidien *The Khallej Times*, de Dubai (État des Émirats arabes unis).

Au Pakistan, un haut dirigeant religieux, Maulana Kausar Niazi, a estimé hier que les regrets de Rushdie n'étaient pas suffisants tant que ce livre « blasphématoire » n'était pas retiré de la vente. M. Niazi avait appelé dimanche, à une manifestation à Islamabad contre Les Versets sataniques, qui s'était soldée par six morts et une centaine de blessés.

À Beyrouth, le Hezbollah (intégriste pro-iranien) a estimé, hier, que la sentence de mort prononcée par l'iman Khomeiny contre Salman Rushdie était « la décision adéquate pour mettre un terme au complot contre l'Islam », dont l'écrivain britannique est « l'instrument ».

Hier après-midi, après la publication de son communiqué, M. Rushdie restait dans sa retraite secrète, sous protection policière.

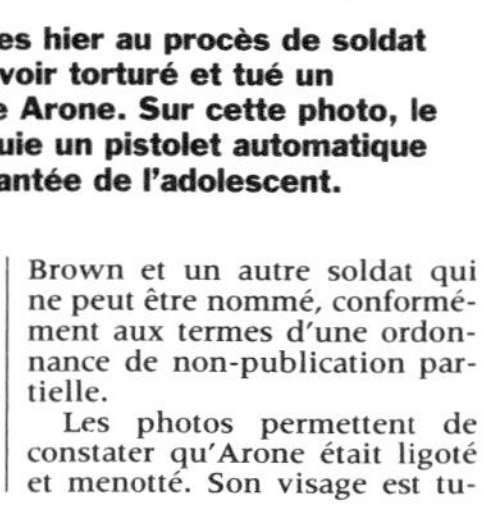

Salman Rushdie

Riopelle fait du rattrapage

Dans le dossier sur le marché canadien des oeuvres d'art publié aujourd'hui (**le 19 février 1990**), on rapporte que cinq des oeuvres de Riopelle figurent dans ce sélect palmarès. Ce n'est pas sur le relevé effectué par M. Anthony Westbridge, président de Westbridge Publications, une société spécialisée dans le marché canadien des oeuvres d'art.

Mais aux dires de M. Guilbault, qui suit les encans les plus prestigieux à travers le monde, le portrait du palmarès a changé ces derniers mois. La raison ? De nouvelles oeuvres de Riopelle ont été récemment vendues à des prix variant entre 400 000 et 900 000 $.

Pour M. Guilbault, Jean-Paul Riopelle est le seul peintre canadien qui peut se vanter d'être reconnu à l'échelle internationale.

Malgré le prix élevé des oeuvres de Riopelle, M. Guilbault estime qu'il y a encore beaucoup de potentiel de plus-value.

Il explique cela par le fait que Riopelle fait partie de la « bande » des six grands maîtres qui s'étaient donné rendez-vous à Paris dans les années 50 : Frantz Kline, Jackson Pollock, Sam Francis, William de Kooning, Mark Rothko.

Les oeuvres de ces cinq célèbres peintres se vendent aujourd'hui à prix d'or. Riopelle ne ferait que les rattraper...

Ottawa lorgne le contrôle des salaires

Suivant ainsi le ton donné par le gouvernement de la Colombie britanique, le gouvernement Trudeau prépare un programme de contrôle des salaires pour les employés de la Fonction publique fédérale, et demandera du même coup aux ministres et députés fédéraux d'accepter des coupures dans les hausses qui leur ont été consenties à la fin de 1981.

Selon des informations recueillies par *La Presse* auprès du Conseil privé et au bureau du premier ministre, Ottawa a obtenu la certitude que le gouvernement albertain de M. Peter Lougheed suivra l'exemple de M. Bill Bennett, de la Colombie Britannique, qui a annoncé tard hier soir un programme de restrictions salariales à l'endroit des 40 000 fonctionnaires de cette province dont les contrats seront échus en juillet.

C'est dans ce contexte que le cabinet Trudeau se prépare à imposer des mesures de contrôle à ses employés, et à demander à ses élus de donner l'exemple.

(**Texte publié le 19 février 1982**)

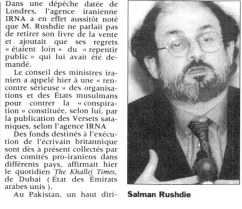

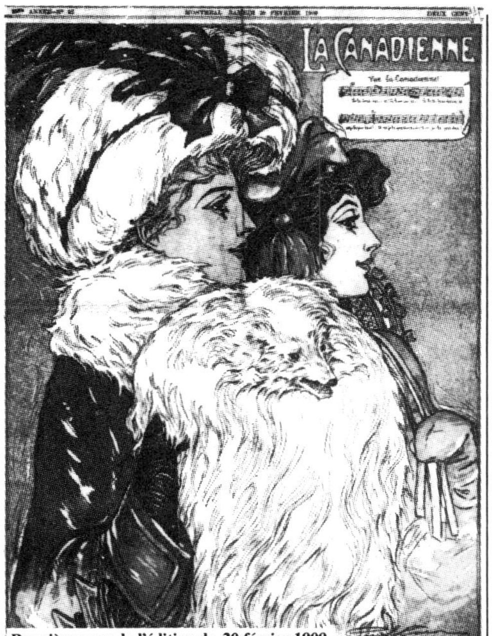

Première page de l'édition du *20 février 1909.*

LES « MICHELINES »
Les trains de demain rouleront-ils sur des pneus d'automobiles ?

TOut le monde est au courant de la crise aiguë que traversent les chemins dans le monde entier à l'heure actuelle. Tout le monde s'intéresse aussi aux remèdes suggérés pour lutter contre les difficultés présentes. Nous voulons parler encore une fois, aujourd'hui, des chemins de fer sur pneus, l'invention de la compagnie Michelin, de France, que nous avons décrite à plusieurs reprises déjà, dans « La Presse». Ce serait, d'après les inventeurs, le remède radical aux maux actuels. (...) Mais laissons la parole à la compagnie Michelin:

« Il y a deux moyens de tuer ce déficit *(celui des chemins de fer sous-utilisés par les usagers* : l'impôt ou le progrès. Nous préférons le progrès à l'impôt. Comme nous avions déjà vu le pneu rénover les transports routiers, nous avons pensé que le pneu pourrait peut-être rénover les transports sur rails. (...)

LA « MICHELINE »

Pourquoi le véhicule de chemin de fer est-il si lourd? C'est d'abord que, pour ne pas patiner, ses roues d'acier doivent être très chargées. C'est ensuite que ses roues transmettent inévitablement tous les chocs occasionnés par les défectuosités de la voie. Cela nécessite une construction très résistante et, par suite, très pesante.

Entre le marteau, constitué par la voiture, et l'enclume, constituée par le rail, le pneu vient interposer un coussin d'air; le choc, au lieu d'être brusque et sec, est ralenti et amorti. Le luxe de résistance, et par suite de poids, nécessité par la roue de fer, devient inutile.

Il est possible, pour la voiture sur pneu, la *Micheline*, de durer tout en étant légère. Elle profite encore de cette chance : l'adhérence du pneu sur le rail étant triple de celle de la roue d'acier, la charge nécessaire pour empêcher le patinage pourra être réduite d'autant.

Cette légèreté, d'où découle l'économie, nous était imposée par ailleurs. La bande étroite du rail ne peut recevoir, en effet, que des pneus étroits, permettant une charge maximum de 1,400 kilogrammes par essieu. Une construction ultra légère de la voiture était donc, pour nous, impérative. (...)

Le poids d'une *Micheline* est même sensiblement inférieur à celui d'un autobus de même capacité. On comprend, en effet, qu'une voiture fatigue moins sur rail que sur route et peut-être construite plus légèrement. La *Micheline* est donc plus économique que l'autobus. (...)

ROULER SUR UNE LAME DE COUTEAU

La première difficulté consistait à maintenir le pneu sur un rail qui offre une largeur utile de roulement de 4 à 5 centimètres. C'était pour nous un tel changement d'habitudes, que nous avons eu, au début, l'impression qu'il faudrait faire rouler les bandages sur une lame de couteau!

Sur les véhicules de chemin de fer, une joue de guidage qui fait partie de la roue, vient frotter contre le rail quand se produit un déplacement latéral. Mais il y a surtout, pour assurer la tenue de voie, le poids considérable qui presse la roue sur le rail. Nous pouvions bien munir nos roues de joues de guidage, mais l'extrême légèreté, qui devait caractériser nos voitures, nous privait du second et principal facteur de stabilité.

Les études faites par la société Michelin l'ont conduite à adopter une roue amovible, en tôle emboutie, à toile pleine, du type habituel pour les automobiles ; mais le bourrelet de jante situé du côté interne se présente sous forme d'une couronne assez large dont le diamètre dépasse celui du pneu et dont la périphérie est munie d'un ourlet jouant le rôle du mentonnet classique des roues de chemin de fer, en venant porter contre la face interne du champignon du rail.

Article initialement publié le 20 février 1932.

Du huard au polar

Après le huard, venu remplacer en 1987 le papier-monnaie, c'est maintenant au tour de l'ours polaire d'annoncer la mise au rancart du billet de deux dollars.

Depuis hier (**le 19 février 1996**), la nouvelle pièce bicolore de 2 $, frappée à l'image d'un ours polaire, est en circulation à travers le pays.

Quelque 60 millions de pièces ont été frappées et 300 millions supplémentaires de 2 $ en argent sonnant seront mis à la disposition du public d'ici un an et demi.

Le fait de troquer le papier-monnaie pour le métal fera épargner au trésor public 250 millions de dollars au cours des 20 prochaines années, selon les calculs du gouvernement fédéral.

La durée d'utilisation moyenne du papier-monnaie est d'environ une année, alors qu'une pièce peut circuler une bonne vingtaine d'années.

Le nouveau deux dollars est la première pièce bimétallique mise en circulation au Canada. Le contour est de nickel et son centre fait de cupro-aluminium et de couleur bronze. Il est de plus grande taille que le huard et pèse 7,3 grammes.

L'effigie de la reine Elisabeth II figure sur une face et un ours polaire sur l'autre. Le dessin de l'ours a été exécuté par le peintre canadien Brent Townsend.

Durant le lancement officiel de la nouvelle pièce, des manifestants de Greenpeace sont venus rappeler que l'ours polaire n'était pas visé par le projet de loi fédéral portant sur les espèces menacées, présentement à l'étude. Greenpeace dit craindre que la pièce de 2 $ « survive à l'espèce elle-même ».

L'intercepteur « Arrow » définitivement mis au rancart par le gouvernement fédéral

OTTAWA — La fabrication de l'intercepteur *Arrow* prend fin dès aujourd'hui **(20 février 1959)**, vient d'annoncer le premier ministre Diefenbaker.

Il a déc aré aux Communes que la cons.ruction de l'*Arrow* et de son moteur à réaction, connu sous le nom d'*Iroquois*, a été couronnée de succès, mais que malheureusement ces réalisations extraordinaires ont été dépassées par les événements.

Au cours des derniers mois, a ajouté le premier ministre, on en est venu à la conclusion que la menace posée par les bombardiers contre lesquels le *CF-105* devait fournir protection a diminué. D'autres moyens de prévenir les bombardements ont été trouvés beaucoup plus tôt que prévu.

M. Diefenbaker a souligné que l'*Arrow* ne pourrait être utilisable de façon efficace qu'à la fin de 1962 et qu'alors « la menace des fusées balistiques intercontinentales sera beaucoup plus dangereuse, tant par le nombre que par l'efficacité des projectiles mis à la disposition des belligérants d'une guerre éventuelle. »

Commandes non remplacées

La déclaration de M. Diefenbaker ne donne aucune assurance à Avro Aircraft Limited, de Malton, Ontario, maison qui a créé l'*Arrow*, que d'autres commandes remplaceront la fabrication de cet avion.

« Les besoins canadiens d'avions civils sont minimes par comparaison avec cette énorme opération d'armement et la franchise m'impose d'avouer que présentement il n'y a pas d'autre ouvrage que le gouvernement puisse confier aux compagnies qui ont travaillé à l'*Arrow* et au moteur de ce dernier.

« La présente décision est une frappante illustration du fait que la rapide évolution de la situation militaire nécessite de difficiles changements, et le gouvernement regrette les inéluctables conséquences de la décision sur la production, l'embauche et les études techniques de l'avionnerie et des industries connexes. »

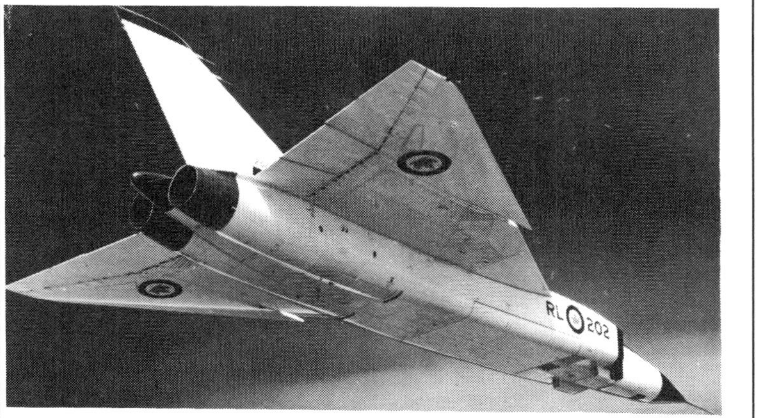
Le CF-105, un petit chef-d'oeuvre aéronautique...

M. Diefenbaker ajoute: « Le gouvernement des Etats-Unis, après une étude complète et favorable, a décidé qu'il ne serait pas économique que son aviation utilisât l'*Arrow*. L'aviation américaine a déjà décidé de ne pas poursuivre le développement et la fabrication d'avions américains ayant à peu près la même performance que l'*Arrow*. Les travaux qui se poursuivent actuellement aux Etats-Unis et à l'étranger sur les avions de chasse concernent des modèles différents. »

Le *CF-100* sera-t-il remplacé ?

M. Diefenbaker révèle que le gouvernement canadien n'a pas encore décidé d'acheter des avions pour remplacer le *CF-100*, qui reste une arme efficace pour défendre l'Amérique du Nord contre le danger des bombardiers. (...)

M. Diefenbaker souligne: « Le gouvernement canadien n'avait d'autre mesure possible ou justifiable à prendre que de décommander la fabrication de l'*Arrow*. Nous ne devons pas abdiquer notre mission d'assurer que les sommes énormes que nous avons le devoir de demander au Parlement pour la défense se soient dépensées de la manière la plus efficace dans ce but. »

Le coût de l'Arrow

Jusqu'à présent, le programme de l'*Arrow* a coûté 400 millions. Mais les frais ne se bornent pas là. En effet, le gouvernement canadien devra indemniser Avro Aircraft Limited et Orenda Engines limited pour l'annulation du contrat. La maison Avro estime que cette indemnité peut atteindre 100 millions. Le budget 1959-60 de la Défense prévoit 50 millions à ce poste.

Les industriels notent que l'annulation de la commande du moteur *Iroquois* signifie la fin d'Orenda Engines Limited, filiale, comme Avro Aircraft, de la maison A.V. Roe (Canada) Limited.

Rétrospective

On peut aujourd'hui affirmer que cette décision du gouvernement Diefenbaker fut une véritable tragédie pour l'aéronautique canadienne. Certes les sommes dépensées paraissaient astronomiques à l'époque, mais au fond, c'était peu pour l'excellence d'une main-d'oeuvre jouissant d'un prestige indiscutable.

D'ailleurs, dès le lendemain de l'annonce de la nouvelle, la société ontarienne se voyait dans l'obligation de congédier 14 000 de ses employés. Quant aux ingénieurs impliqués dans la construction de l'avion, ils ont pour la plupart émigré aux États-Unis, qui ont ainsi hérité de leur talent et de leur compétence en matière d'aéronautique. Ainsi, les « alumni » du *Arrow* sont nombreux à avoir contribué aux succès du programme spatial américain.

S'il semblait coûter cher, l'intercepteur *Arrow* était en revanche deux bonnes décennies en avant de son temps, et ce même si l'avionique telle qu'on la connait aujourd'hui n'en était encore qu'à ses premiers balbutiements. Si le programme du *Arrow* avait été maintenu, et si le Canada avait décidé de doter son aviation de cet avion, les performances exceptionnelles du *Arrow* auraient sans contredit contribué à sa vente.

Le refus des Américains de l'acheter? On est en droit de se demander si ce refus n'était pas en fait un coup de « poker », porté dans l'espoir que le Canada abandonnerait le programme, évitant ainsi aux avionneries américaines un concurrent de loin supérieur sur le marché international.

Et le plus triste de toute l'histoire, ce fut la décision du gouvernement Diefenbaker de faire détruire les prototypes et tous les plans. Sans doute avait-il honte d'avoir pris une telle décision... Est-il besoin de rappeler que cette affaire a largement contribué à la défaite de ce gouvernement dès les élections générales suivantes?

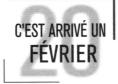

C'EST ARRIVÉ UN 20 FÉVRIER

1984 — Le pape Jean-Paul II béatifie 99 martyrs catholiques de la Révolution française qui furent exécutés en 1793 et 1794 dans la région d'Angers. Il y avait parmi eux 83 femmes dont trois religieuses, et 16 hommes dont 12 prêtres.

1974 — Enlèvement de Reg Murphy, rédacteur en chef du quotidien *Atlanta Constitution* par l'Armée de libération américaine.

1973 — Retour de Marc Cayer du Vietnam, où il avait combattu avec l'armée américaine avant d'être fait prisonnier par le Vietcong.

1965 — L'engin spatial américain Ranger VIII transmet plus de 7000 photos de la surface lunaire avant de s'écraser dans la mer de la Tranquillité.

1964 — Vol d'armes dans un arsenal de Shawinigan.

1962 — John Glen, le premier astronaute américain à se rendre dans l'espace, effectue trois orbites autour de la Terre.

1951 — André Gide, l'un des plus célèbres écrivains de la France contemporaine, prix Nobel de littérature 1947, est décédé hier soir d'une pneumonie, à l'âge de 81 ans.

1947 — La Grande-Bretagne accepte de rendre l'Inde aux Indiens.

1938 — Le chancelier Adolf Hitler exige qu'on accorde le droit à l'autodétermination aux Allemands d'Autriche et de Tchécoslovaquie.

1926 — L'Enfant et les sortilèges, de Maurice Ravel, étonne par l'utilisation de plusieurs instruments inédits : un fouet, une crécelle, un xylophone, une flûte à coulisse, un luthéal et une râpe à muscade.

1915 — Quarante et une nations prennent part à San Francisco à l'Exposition internationale Panama-Pacifique.

Un pendu mécontent se relève pour invectiver les témoins stupéfaits

JÉrusalem —Dost Mohammed Iben-Zemen, bandit qui avait terrorisé la région qui s'étend entre Alep et Deir-es-nor, se tenait flegmatiquement sur l'échafaud, attendant qu'on lui passât le noeud.

Il se tourna vers les foules qui attendaient sur la place publique d'Alep le supplice de leur vieil ennemi. Il leur demanda de réciter un verset du Coran pour le repos de son âme. La mélopée atteignit sa plus grande intensité lorsque la corde lui fut passée au cou. Bientôt il se débattait vigoureusement au bout de la corde qui, brusquement, se rompit.

Mohammed tomba sur ses pieds et se mit à rire dans le silence sépulcral qui suivit. « Coquins, canailles, s'écria-t-il en ricanant, ne pouviez-vous trouver une corde plus solide, vous manque-t-il d'argent pour en acheter? Laissez-moi aller au bazar et je vous en choisirai une meilleure. Et si vous n'avez pas d'argent, venez en prendre dans mes poches! »

On recommença la pendaison et cette fois, la corde se montra d'une solidité à toute épreuve!

Cela se passait le 20 février 1929.

Casson, le seul survivant du Groupe des Sept, meurt à 93 ans

Le peintre A. J. Casson, seul survivant du Groupe des Sept, dont les tableaux immortalisèrent de nombreux paysages ontariens, est mort à l'âge de 93 ans (**le 20 fév. 1992**).

Le célèbre artiste avait entrepris sa carrière en retouchant, à un dollar par semaine, des feuilles flétries sur des photos destinées à des catalogues de semences. Quelques années plus tard, ses toiles devaient lui rapporter 500 000 $ et plus.

Il fut le dernier peintre à se joindre au Groupe des Sept, qui réunissait des artistes connus pour leur style purement canadien. Le groupe, qui incluait A.Y. Jackson, Lawren Harris, J.E.H. Macdonald, Arthur Lismer et F.H. Varley, avait été fondé en 1920 par Franklin Carmichael, qui voulait que la campagne canadienne soit vue à travers les yeux de Canadiens, et non plus dépeinte selon une imitation du style européen.

Le groupe cessa d'exister en 1932, plusieurs de ses membres étant tombés malades tandis que d'autres avaient quitté Toronto, mais sa renommée a subsisté, même si elle ne valut jamais aux peintres des gains financiers substantiels. Seul Casson devait faire exception, et il se plaisait à dire que lorsque Frank Carmichael mourut, en 1945, celui-ci n'avait jamais vendu un dessin pour plus de 35 $. Pourtant, en 1977, les dessins de Carmichael s'arrachaient déjà pour 15 000 $ et plus.

Il y a quelques années, Casson, retrouvant par hasard 100 gouaches oubliées dans son grenier, en avait détruit la plus grande partie, les jugeant trop mauvaises.

Regrettant son geste, il conseilla aux artistes de conserver tout ce qu'ils créaient.

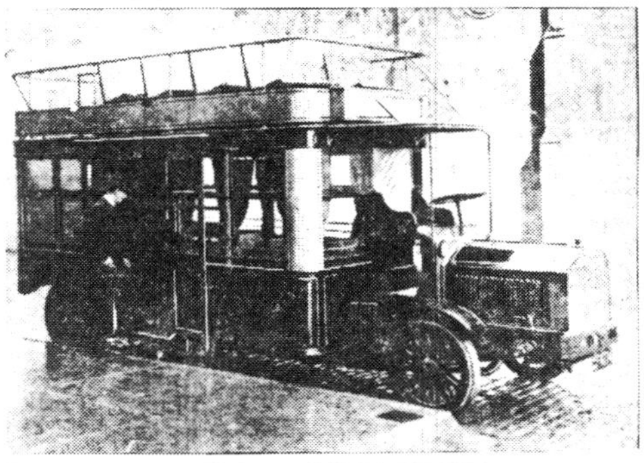
Dans son édition du 20 février 1915, LA PRESSE montrait à ses lecteurs un type d'autobus à impériale qui, disait-on, s'avérait fort populaire aux Etats-Unis. Parmi ses caractéristiques, on peut souligner les suivantes : aucun marchepied à l'extérieur, le nouvel autobus se trouvant au niveau du trottoir; fabrication légère en tôle; éclairage à l'électricité; modèle surbaissé, de sorte que les usagers de l'impériale n'auraient pas à se préoccuper des fils de tramways; moteur à gazoline actionnant une dynamo, laquelle transmettait l'électricité aux roues motrices, et permettait d'éliminer l'arbre de transmission, la boite de vitesse, les vibrations et les pannes.

M. Comtois meurt dans les flammes

QUEBEC — Le lieutenant-gouverneur du Québec, M. Paul Comtois, n'a pu échapper aux flammes qui ont détruit avec une extrême rapidité, la nuit dernière **(21 février 1966)**, la luxueuse résidence de Bois-de-Coulonge, en banlieue de Québec.

Mme Comtois a été sauvée de justesse par le gardien de nuit, M. Adrien Soucy, tandis que deux invités, M. et Mme Mac Stearns, de Sherbrooke, ont été forcés de sauter d'une fenêtre du deuxième étage pour échapper au sinistre.

Selon les premières informations, l'incendie a pris naissance dans le vestibule de l'entrée principale et s'est propagé avec une telle rapidité à la vieille construction de bois que les pompiers de Sillery n'ont eu aucune chance de porter secours à M. Comtois qui s'était retiré dans l'un des petits salons du manoir, résidence officielle du lieutenant-gouverneur de la province.

Le chef des pompiers de Sillery, M. Gérard Tobin, a dit à un journaliste que M. Comtois avait été aperçu sur un balcon du deuxième étage, mais qu'il était par la suite retourné à l'intérieur de l'immeuble. On pense que le lieutenant gouverneur a vainement tenté de porter secours à Mme Comtois, laquelle était déjà en sécurité à ce moment.

La fille de Mme Comtois, Mireille, a dû être hospitalisée, souffrant de brûlures aux mains et au visage. Elle a été blessée en s'échappant du brasier.

Mireille Comtois qui, en effet, ne s'est échappée que difficilement du brasier, a dit à son frère Jean avoir entendu une explosion avant d'apercevoir des flammes au début du sinistre de la nuit dernière.

Son frère Jean a déclaré à un journaliste que Mireille avait même précisé que cette explosion aurait fait voler des vitres en éclats et ouvrir violemment les portes de la luxueuse résidence.

Mireille, qui est âgé de 35 ans, a divulgué ces renseignements à son frère du lit de l'hôpital où elle a été transportée peu de temps après le début de l'incendie.

Selon ce qu'elle a ajouté, elle était en train de lire dans sa chambre lorsque l'explosion secoua le vieil édifice. Elle quitta rapidement sa chambre, mais déjà le hall d'entrée était rempli d'une épaisse fumée.

Au premier étage, au pied de l'escalier principal, elle a dit avoir aperçu un « grand trou » dans le plancher et des flammes qui s'en échappaient.

Le système de chauffage de l'historique demeure était logé au sous-sol, tout juste sous l'escalier du premier... (...)

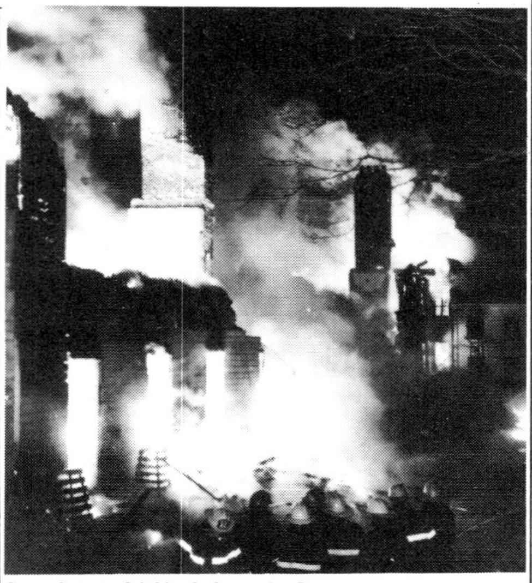

Cette photo traduit bien la fureur des flammes.

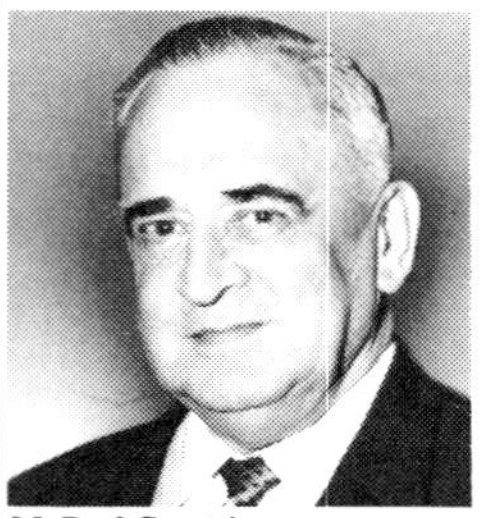

M. Paul Comtois.

Comme une boîte d'allumettes

C'est à 12 h. 05 du matin exactement que le feu éclata. La résidence officielle des lieutenants-gouverneurs, située à un demi-mille environ de toute voie de circulation, ne prit que quinze minutes en tout à se transformer en brasier. Le manoir, construit uniquement de bois, flamba comme une boîte d'allumettes.

La résidence de Bois-de-Coulonge, détruite par un premier incendie en 1860, avait été reconstruite en 1862. Jusqu'en 1865, ce manoir servit aux différents gouverneurs généraux du Canada. Il fut alors cédé à la province de Québec et, quelque temps avant l'incendie de cette nuit, avait été complètement rénové.

M. Comtois, qui était âgé de 70 ans au moment de sa mort, avait été nommé lieutenant-gouverneur du Québec le 6 octobre 1961, après avoir passé quatre ans dans le cabinet Diefenbaker en tant que ministre des Mines et des Relevés techniques. (...) Il avait épousé Mlle Irène Gill, et en avait eu cinq enfants : Pierre, Odette. Yves. Mireille et Jean.

C'EST ARRIVÉ UN 21 FÉVRIER

1980 — La Californie est frappée par une série d'inondations qui font 32 morts et des dégâts dépassant le demi-milliard de dollars.

1977 — Fin de la grève à l'UQAM. Elle aura duré quatre mois et trois jours, la plus longue grève universitaire en Amérique.

1973 — La chasse israélienne abat un avion de ligne lybien au-dessus du Sinaï: 116 morts.

1965 — Assassinat au cours d'une assemblée à New York de Malcolm X, le leader du mouvement nationaliste noir.

1961 — L'ONU préconise le recours à la force pour empêcher la guerre civile d'éclater dans l'ex-Congo belge.

1960 — Décès à l'âge de 55 ans du peintre Paul-Émile Borduas à Paris, où il vivait depuis quatre ans.

1952 — Dick Button gagne un deuxième titre olympique en patinage artistique.

1951 — Félix Leclerc gagne à Paris le Prix du disque avec sa chanson *Moi mes souliers*.

1948 — Début du coup de Prague en Tchécoslovaquie.

1939 — Un incendie détruit l'hôpital de Montréal-Est.

Cinq Québécois médaillés en patin

C'était une soirée d'or et d'argent hier (**le 20 février 1992**) à la Halle de Glace d'Albertville. Médaille d'or pour les Nathalie Lambert, Sylvie Daigle, Angela Cutrone et Annie Perreault dans le relais 3 000 mètres dames.

Et quelques minutes plus tôt, devant une salle remplie à capacité et survoltée par le spectacle de ces courses effrénées sur la patinoire, Frédéric Blackburn de Chicoutimi méritait la médaille d'argent dans la finale des 1 000 mètres.

C'est un exploit puisque l'équipe des Québécoises n'était pas nécessairement la grande favorite. Gaétan Boucher l'avait dit, les Chinoises étaient probablement les plus rapides. Mais la rapidité n'est pas tout en patinage sur courte piste, ça prend des nerfs et de la stratégie.

En fait, une grande partie de la finale s'était jouée... en demi-finale. Les Chinoises détenaient une avance insurmontable d'un demi-tour de piste sur leurs plus proches rivales, quand le numéro 14, sans explication évidente, s'est écroulée sur la glace.

Les Chinoises n'étant pas qualifiées, les Américaines devenaient les plus dangereuses adversaires. Les Québécoises devaient mettre sur pied une stratégie qui fonctionnerait.

Annie Perreault partait la première, suivie par Angela Citrone : « On voulait que les deux plus anciennes soient les deux dernières à partir, question d'assommer l'adversaire en pleine course... La stratégie a marché », expliquait Annie Perreault après la course.

C'est Sylvie Daigle qui a franchi le fil d'arrivée. Avec un soulagement et une joie qui éclairaient son visage. C'était une revanche fabuleuse sur la malchance.

De son côté, les yeux grand ouverts par le bonheur, Frédéric Blackburn savourait son immense joie, assis dans les gradins de la Halle de glace d'Albertville : « Je ne peux pas être plus heureux que ça ! Sans ça, je vais exploser ! »

Dorval hérite de tous les vols internationaux

Après plus de six mois de réflexion sur l'avenir aéroportuaire de la métropole, Aéroports de Montréal (ADM) a finalement rendu hier (**le 20 février 1996**) son verdict. Tous les vols internationaux réguliers seront transférés de Mirabel à Dorval dès avril 1997.

Dorval deviendra ainsi la seule porte d'entrée montréalaise pour toutes les liaisons aériennes régulières. Mirabel se spécialisera pour sa part dans les vols nolisés et dans le tout-cargo.

Les travaux de réorganisation et d'agrandissement de Dorval coûteront 221,4 millions. ADM investira également 190 millions dans un programme de modernisation des équipements de Mirabel et de Dorval.

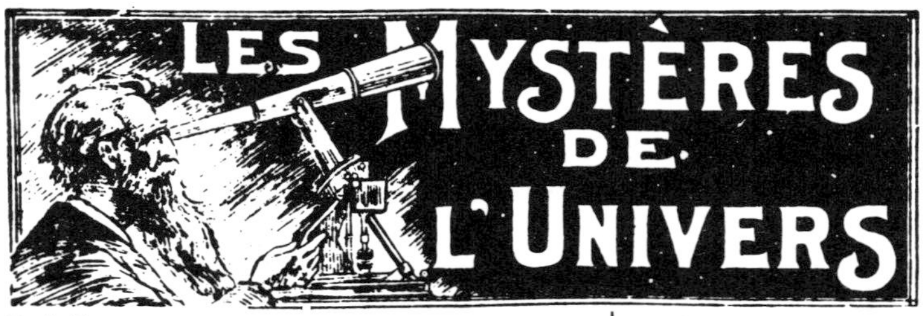

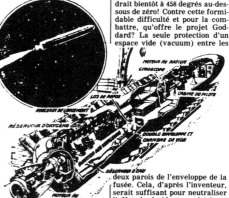

De la Terre à la Lune: est-il possible de faire ce voyage? — Un professeur américain aurait inventé une fusée géante pour atteindre notre satellite.

*Ce texte est démesurément long, compte tenu des critères retenus pour cette page. Mais devant l'intérêt que suscite l'astronautique, et la pertinence d'un texte qu'on jugeait sans doute farfelu au moment de sa parution, le **21 février 1920**, nous avons jugé bon de faire exception à la règle et de vous le présenter en entier.*

UN professeur de physique américain, le Dr Robert H. Goddard, de l'Université de Clark, se propose de construire une fusée qui permettrait de franchir la distance de la Terre à la Lune, soit environ 240,000 milles, en 48 h. 58 minutes, ou à peu près!

Quelle serait cette fusée, quel serait son poids, comment serait-elle mue? Autant de questions qui doivent tout d'abord intéresser. L'illustration fantaisiste que nous publions ci-contre de la fusée projetée répond en quelque sorte à ces premières questions. La fusée à double carapace d'acier aurait à peu près la forme du sous-marin de Jules Verne (forme de cigare); son poids serait d'environ 2,000 livres et sa longueur de 200 pieds; un appareil gyroscopique la maintiendrait en équilibre, c'est-à-dire qu'elle ne pourrait tourner à la façon d'un boulet de canon ou d'une balle de fusil rayé. A l'intérieur, tout un aménagement "ad hoc": chambre du pilote, quartier des voyageurs, lits, tables et chaises comme dans un transatlantique, réservoirs d'oxygène pour entretenir la respiration, dynamos, chauffage et éclairage électriques, vivres concentrés, réservoirs d'eau, etc., lancement sur rouleaux en double série angulaire.

Comment serait mue cette gigantesque machine? Un savant aviateur français, M. Esnault-Pelterie, estime que la force nécessaire pour propulser cet appareil, qu'il suppose d'un poids de 2,000 livres environ, devrait atteindre 4,760,000 chevaux-vapeur. Or, le professeur Goddard propose de propulser sa machine au moyen d'une série de charges à déflagrations successives. M. Esnault-Pelterie fait très justement remarquer qu'aucun explosif connu n'est assez puissant pour produire cette force continue. Le radium peut-être, pourrait accomplir cet exploit, mais où prendre ce radium, dont il faudrait au moins 400 livres, quand dans le monde entier, il y en a à peine quelques onces?

Quoiqu'il en soit, supposons que le propulseur de la fusée puisse être mu par le radium et que la machine parvienne à progresser vers la Lune, la question du voyage serait-elle résolue?...

Rien de nouveau

Disons, d'abord, que la question d'un voyage à la Lune n'est pas nouvelle; elle est même très ancienne.

Lucien de Samosate, un rhéteur et philosophe grec qui vivait vers l'an 150 en Syrie, l'avait déjà imaginé; mais ce n'était qu'un produit de son esprit railleur et de sa verve satirique.

Cyrano de Bergerac, le héros de Rostand, et qui vivait en France en 1640, si il fut bon poète fut aussi un philosophe hardi; il a, dans son "Autre Monde", fait un voyage imaginaire aux régions de la Lune, du Soleil et dans le royaume des Oiseaux.

Enfin, Jules Verne est venu, qui a été le plus notoire parmi les cent écrivains qui contèrent les péripéties d'un voyage imaginaire de la Terre à la Lune.

La Science muette

Mais la Science, elle, qu'a-t-elle fait, qu'a-t-elle dit à ce sujet, depuis des siècles? La Science plus circonspecte, pas du tout railleuse et poursuivant un tout autre but que les romanciers, la Science, toujours, est restée muette. Pourquoi aurait-elle parlé, pourquoi aurait-elle protesté, puisque, jusqu'à maintenant, tous ceux qui ont "voyagé dans la Lune" n'avaient pas voulu se prendre au sérieux, et n'avaient donné libre essor à leur imagination que pour plaisanter, comme Lucien de Samosate, ou pour amuser tout en semant son oeuvre de renseignements scientifiques précieux, comme Jules Verne.

Aujourd'hui, il en est tout autrement, car il semble que le professeur de l'Université de Clark se prenne réellement au sérieux; la Science se décide donc à parler, et tout de suite elle déclare que ce voyage de la Terre à la Lune est impossible, quel que soit le désir qui puisse hanter les habitants de la Terre de visiter la planète mystérieuse qui s'intéresse à nous, puisqu'elle consent à nous éclairer la nuit, en empruntant sa lumière du Soleil.

Parmi les savants qui déclarent impossible le voyage de la Terre à la Lune se trouve M. Camille Flammarion, dont l'imagination a pourtant fort voyagé dans les astres, depuis quelques années, mais qui a souvent envisagé hypothèse de ce voyage aérien réel, toujours en la rejetant finalement. Il est plus que sceptique, quant à la possibilité d'un succès même partiel du moyen offert par le professeur Goddard, et on peut être sûr que si celui-ci s'introduit dans sa fusée, M. Flammarion ne l'accompagnera pas.

Formules mathématiques

Le grand astronome français ne nie pas que dans le domaine théorique, tout soit possible, "Jadis, dit-il, quand je travaillais avec Le Verrier, je me plaisais à réduire toutes les difficultés par des formules mathématiques, et mon maître me disait souvent: "Il n'y a rien de plus sûr, en effet, que les formules mathématiques... Mais c'est comme le moulin à café, tout dépend de ce que l'on met dedans... Si on met des pierres dans le moulin, il ne broiera certainement pas le grain brun et odorant que nous aimons tant..."

De la théorie à la pratique, il y a loin, souvent; ici, dans le sujet qui nous occupe, il y a un abîme, et si nous voulions forcer la figure de rhétorique, nous dirions même plusieurs abîmes, car en réalité, les obstacles sont aussi nombreux qu'insurmontables.

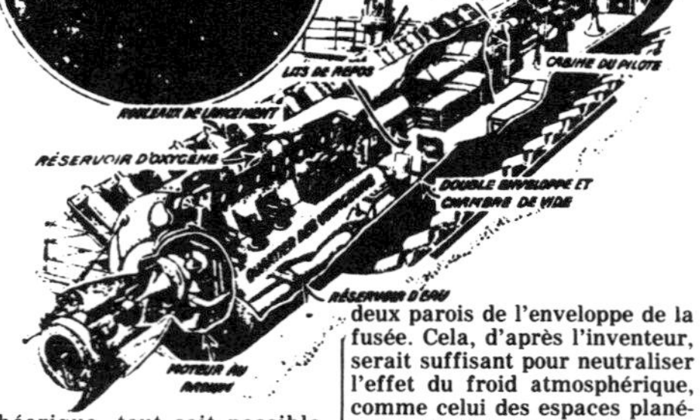

Les obstacles

Il y a d'abord le poids du véhicule et la force formidable qu'il faudrait pour propulser l'appareil; il y a encore l'impuissance des explosifs connus; et en supposant que le radium puisse accomplir cet exploit, il faudrait savoir où trouver ce radium qui n'existe pas en quantité suffisante dans le monde entier, du moins d'après ce que nous en connaissons actuellement. A moins que les esprits de sir Oliver Lodge et de Conan Doyle fassent office de chevaux... vapeur! Mais ne réveillons pas les morts.

Quand Jules Verne imaginait son canon et son boulet véhicule, il savait bien, en admirable savant qu'il était, que ce projet ne pourrait réellement réussir, même pour une bien moins moindre distance que celle qui nous sépare de la Lune. Il déclarait lui-même qu'il ne fallait pas y songer sérieusement,"pour la bonne raison que par force d'inertie, il (le contre-coup) écraserait les voyageurs au départ, aussi douillettement enfermés fussent-ils dans leur boulet!"

Plus tard, peut-être...

Le contre-coup au départ, ne serait peut-être pas aussi violent dans la fusée Goddard, mais bien d'autres difficultés se présentent, en dehors de celles que nous avons indiquées plus haut. Rien ne sert de partir à point; il faut savoir si et comment on arrivera.

— Alors, comment demande-t-on à M. Flammarion, vous ne pensez pas d'aller dans la Lune avant de mourir?

— Ni même après ma mort, répond l'astronome, en souriant.

— Alors, nous n'irons pas dans la Lune?

— Pour le moment n'y songeons-pas...

Mais le grand astronome, tout en restant sceptique vis-à-vis du projet Goddard, ne prétend fixer, de ce côté, aucune limite à la Science:

— "Je ne dis pas que, plus tard, dans plusieurs siècles, dans deux ou trois mille ans, peut-être, on n'enverra pas une fusée qui contournera la Lune et reviendra s'écraser sur la Terre... Je crois même qu'on y arrivera; mais, pourra-t-on introduire un individu dans la fusée, et cet individu parviendra-t-il vivant jusqu'à la Lune? Ceci, c'est une autre question, plus délicate encore que la première, et que je ne me charge pas de résoudre".

Ici, il importe de considérer notre atmosphère comme milieu de progression de la fusée, le grand froid des espaces interplanétaires et le climat de la Lune. Il est évident que la température s'abaisserait à mesure de la progression de plus en plus accélérée de la fusée, et qu'elle descendrait bientôt à 458 degrés au-dessous de zéro! Contre cette formidable difficulté et pour la combattre, qu'offre le projet Goddard? La seule protection d'un espace vide (vacuum) entre les deux parois de l'enveloppe de la fusée. Cela, d'après l'inventeur, serait suffisant pour neutraliser l'effet du froid atmosphérique, comme celui des espaces planétaires. En théorie, c'est très bien imaginé, mais en pratique, il faudrait voir!

Et dans la Lune, si le professeur Goddard ou d'autres y parvenaient, pourraient-il y vivre, même s'ils y arrivaient vivants? La Lune, on le sait, est un astre mort, glacé, depuis longtemps; nul habitant de la Terre n'y pourrait descendre sans être suffoqué instantanément. On a bien essayé, en ces derniers temps, de découvrir sur notre satellite quelque trace de végétation, et des observations tendent à nous faire supposer qu'il y en a en effet; mais nous ignorons absolument qu'il y ait des habitants dans la Lune; nous sommes même certains qu'il n'y a pas, là-haut, d'êtres comme ceux qui habitent la Terre ou qui approchent même de leur nature. Qu'irait donc faire là-bas, le terrien audacieux qui penserait aller visiter "l'homme dans la Lune"?

Vitesse et attraction

Un mot, maintenant, de la vitesse de la fusée et de l'attraction de la Terre et de la Lune. Cette vitesse de la fusée est estimée entre 5000 et 6000 milles à l'heure. Si cette vitesse n'est pas modérée, en arrivant à la Lune, la fusée et tout ce qu'elle contient seront tout simplement volatisés. Mais supposons qu'on arrange tout le mécanisme pour que, dans le voisinage de la Lune, la vitesse de la fusée soit à peu près nulle ou diminuée à l'extrême; serons-nous plus avancés?

Pour échapper à l'attraction terrestre, la fusée devrait conserver sa grande vitesse jusqu'à une distance de 213,000 de la Terre; passé ce point, c'est-à-dire à 27,000 milles de la Lune, c'est l'attraction de celle-ci qui se ferait sentir, force formidable à laquelle il serait impossible d'échapper, même en faisant machine en arrière, et l'on viendrait s'écraser sur l'astre mort, si toutefois on ne devait pas tourner indéfiniment autour de notre satellite, ou encore le contourner simplement, comme le prévoit M. Flammarion, pour revenir s'écraser sur la Terre.

Décidément, nous n'irons pas dans la Lune. Pour le moment, du moins, n'y songeons pas!

Ottawa élague sa fonction publique

Pour ce faire, une loi spéciale abolira pour trois ans la sécurité d'emploi

Incapable de s'entendre avec le principal syndicat de la Fonction publique, Ottawa a décidé de légiférer pour suspendre pendant trois ans les modalités de sécurité d'emploi de ses employés afin de réduire la taille de la bureaucratie fédérale.

Le président de l'Alliance de la Fonction publique du Canada (AFPC), Daryl Bean, a aussitôt promis une réplique sentie au gouverment Chrétien, affirmant que « l'affrontement était maintenant inévitable ». Toutes les pressions seront envisagées, a-t-il dit, y compris la grève.

Selon des indications venant des syndicats, le gouvernement Chrétien entend éliminer sur trois ans quelque 45 000 postes dans la Fonction publique. La réduction de la taille de la Fonction publique sera un des éléments clés du deuxième budget du gouvernement Chrétien qui sera dévoilé le lundi 27 février.

En prenant la décision de suspendre la clause de sécurité d'emploi de ses employés par le dépôt prochainement d'une loi spéciale, le gouvernement a confirmé hier (**le 21 février 1995**) qu'il entend éliminer des dizaines de milliers de postes de fonctionnaires. Les dispositions de cette loi, a précisé le président du Conseil du trésor Art Eggleton, toucheront les employés de sept à dix ministères promis à un plus grand coup de hache budgétaire que les autres. Transports Canada est en tête de liste. Le nombre exact d'emplois en cause sera dévoilé lundi.

L'an dernier, le gouvernement Chrétien avait situé à 32 milliards de dollars le déficit qu'il comptait se permettre en 1995-96 et à 25 milliards sa cible pour l'année suivante.

Pour y arriver, il devra dénicher plus de 12 milliards en compressions budgétaires et en nouveaux impôts, en sus des mesures d'austérité déjà prévues dans le budget de l'an dernier.

Ottawa entend réduire la taille de la Fonction publique en commercialisant ou encore en privatisant certaines opérations. Ce sera notamment le cas au ministère des Transports, qui entend remettre au secteur privé ou communautaire la gestion d'aéroports, de ports et autres infrastructures de transport.

Le président du Conseil du trésor Art Eggleton a tenté de s'entendre avec les syndicats sur un ensemble de mesures qui permettraient de réduire rapidement la taille de la Fonction publique. Il a obtenu l'appui de 15 des 16 syndicats. Seule l'Alliance de la Fonction publique, qui représente environ 170 000 des 220 000 fonctionnaires fédéraux, a refusé les propositions gouvernementales. Les fonctionnaires touchés se verront offrir un programme d'encouragement à la retraite anticipée s'ils ont plus de 50 ans et plus de dix années de service. Les autres auront droit à une indemnité de départ.

Les provinces, qui ont obtenu l'assurance que les sommes qu'elles reçoivent pour la santé et l'éducation post-secondaire seraient maintenues au niveau prévu l'an prochain, pourraient bien hériter l'année suivante du contrôle d'une enveloppe sociale considérablement amputée.

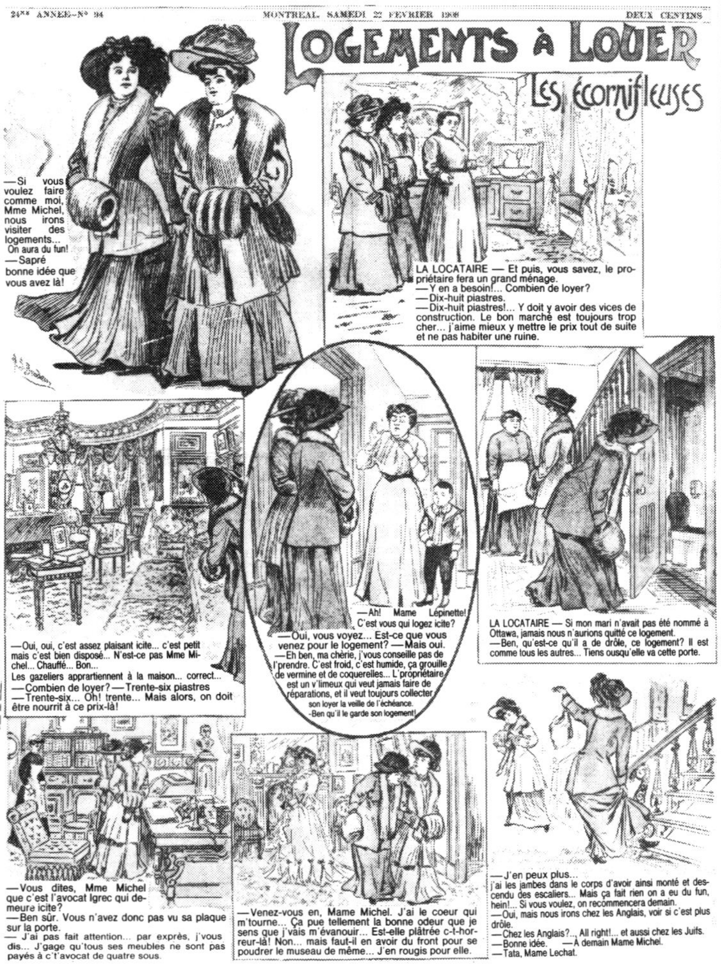

Première page publiée le 22 février 1908.

Deux enfants de 10 ans accusés du meurtre d'un bambin

Deux enfants de 10 ans ont été officiellement accusés hier (**le 21 février 1993**) de l'enlèvement et du meurtre de James Bulger, 2 ans, dont le corps mutilé avait été retrouvé le 14 février dans une banlieue de Liverpool (nord de l'Angleterre). Les deux jeunes ont en outre été accusés d'avoir tenté d'enlever un autre enfant de deux ans.

L'accusation a été officiellement prononcée au bout de trois jours d'un interrogatoire conduit en présence de leur famille, de représentants légaux, de conseillers juridiques ou sociaux.

La police les avait interpellés après avoir examiné des images de l'enlèvement de James, captées par les caméras du centre commercial d'où l'enfant avait disparu le 12 février. Le garçonnet avait été filmé quittant le centre en compagnie de deux enfants, après avoir échappé un court instant à l'attention de sa mère. Grâce à un agrandissement sur ordinateur, la police a pu étudier des gros plans des visages, que toutes les chaînes de télévision ont retransmis en Angleterre.

Son corps avait été retrouvé deux jours plus tard près d'une voie ferrée. Il était mutilé parce qu'il avait été déposé sur la voie et heurté par un train après son décès. Mais il portait aussi la trace de blessures horribles infligées avant la mort.

Ce meurtre a suscité une immense émotion dans tout le pays. Les parents, Denise, 25 ans, et Ralph Burger, 26 ans, ont reçu d'innombrables messages de sympathie tandis que les bouquets de fleurs se sont accumulés près de l'endroit où avait été retrouvé le corps de leur enfant. Des fleurs accompagnées parfois d'ours en peluches et de cartes de condoléances s'entassent à l'entrée du centre commercial.

Des centaines d'habitants de Liverpool, bouleversés par le meurtre, se sont rassemblées à la lumière des cierges pour une prière commune et oecuménique.

Devant l'indignation suscitée par cette affaire, la police a dû appeler la population au calme.

Un enfant de moins de 10 ans, considéré comme irresponsable par la justice, ne peut être poursuivi en Angleterre et au Pays de Galles. Dans le cas d'un enfant de 10 à 14 ans, l'accusation doit encore prouver qu'il était conscient de la gravité de son geste pour que des poursuites soient engagées.

Dans les rues de Bootle, le quartier des docks où James a disparu, des habitants, jeunes et vieux, réclamaient vengeance.

Il semble que ce soit la première fois que des enfants aussi jeunes soient ainsi inculpés de meurtre en Grande-Bretagne.

D'après des chiffres officiels, dix enfants entre 11 et 13 ans ont été condamnés pour meurtre ou homicide involontaire ces dix dernières années en Grande-Bretagne. L'une des plus connues est Mary Bell, 11 ans, condamnée à la perpétuité en 1968 pour le meurtre de deux bébés.

Foule en colère

Malgré des appels au calme lancés par la police et les parents du bambin, une foule en colère de quelque 300 personnes s'était rassemblée devant le tribunal. Certains ont lancé des pierres et des oeufs sur le fourgon emmenant les deux enfants, en hurlant : « Salauds ! ». Cinq personnes ont été interpellées.

L'audience se déroulait naturellement à huis-clos. L'un des deux garçons était accompagné de son père et d'un avocat, l'autre d'un travailleur social et d'un avocat également. Six journalistes avaient eu le droit d'assister à l'audience.

Vêtu d'un pull blanc, d'une chemise rouge et d'un pantalon en velours gris, l'un des accusés s'étirait et bâillait fréquemment. L'autre, en survêtement bleu et rouge, était penché, le menton dans la main, et observait la salle très éclairée.

Jusqu'à présent, la police est restée discrète sur les motifs du meurtre et les résultats de l'autopsie.

Face à l'immense émotion suscitée par ce crime sans précédent depuis 40 ans, conservateurs et travaillistes ont réagi par un discours prônant une répression accrue des jeunes délinquants.

Le premier ministre John Major a donné le ton du débat politique en appelant la population à une « croisade contre le crime ». « La société doit condamner un peu plus et comprendre un peu moins », a-t-il dit.

Dans sa foulée, le ministre de l'Intérieur Kenneth Clarke a affirmé qu'il fallait prendre des mesures urgentes contre les jeunes criminels, qu'il a qualifiés de « sales petites bêtes », responsables selon lui de la majorité des vols commis en Grande-Bretagne (en hausse de 40 % en trois ans selon les chiffres officiels).

Accusant les travailleurs sociaux d'incompétence, M. Clarke s'est dit favorable à une nouvelle loi qui permettrait l'incarcération des enfants âgés de 12 à 15 ans.

Toujours dans le camp des conservateurs, le député Ivan Lawrence, qui préside la Commission parlementaire pour les affaires intérieures, a demandé la réouverture des maisons de correction et le retour des châtiments corporels. Un autre élu tory, Sir Rhodes Boyson, a mis en garde contre la multiplication de milices privées si la répression venait à faire défaut.

L'opposition travailliste a présenté pour sa part à la presse un programme intitulé « Resserrer l'étau sur la délinquance juvénile ». Ce plan, qui constitue un net durcissement de la position du Labour, réclame notamment une augmentation des places disponibles dans les centres d'éducation surveillée.

Le discours « musclé » de la classe politique a été critiqué par la Fondation pour la réforme des prisons, qui a souligné que déjà 21 % des détenus en Angleterre sont âgés de moins de 21 ans, contre 11 % en France et 6 % en Espagne. Selon la Fondation, plus de la moitié des jeunes emprisonnés deviennent des récidivistes.

Seule la presse a tenté réellement de mettre le problème en perspective, en estimant que l'augmentation de la délinquance juvénile devait aussi être analysée comme une « perte des valeurs morales » dans une société en crise qui vient de dépasser le cap des trois millions de chômeurs.

Selon le *Daily Telegraph*, pourtant proche du pouvoir, les conservateurs ne devraient pas oublier à quel point les comportements anti-sociaux sont liés à l'état général de la société.

Les écoles à vocation particulière prises d'assaut

Les écoles à vocation particulière et les écoles alternatives de la CECM sont prises d'assaut par les parents qui sont de plus en plus exigeants et recherchent ce qu'il y a de mieux pour leurs enfants.

Les écoles qui ont une bonne réputation, comme la polyvalente Louis-Riel, font aussi fureur. Longtemps considérée comme la plus privée des écoles publiques, Louis-Riel a un fonctionnement spartiate et un code de vie rigoureux où les casquettes, les jeans bleus et les chandails avec des capuchons ou des inscriptions sont bannis.

Les parents semblent apprécier ce rigorisme, puisque le 8 février lors d'une soirée d'information, l'auditorium, qui a une capacité de 450 places, était plein à craquer. La direction avait d'ailleurs prévu le coup et ouvert aussi la cafétéria où une centaine de parents s'étaient entassés pour entendre le directeur vanter les mérites de sa pédagogie.

Autre exemple: à Sophie-Barat, une école secondaire qui offre un programme défi pour les forts en sciences et qui sélectionne les meilleurs élèves, c'est la bousculade. Cette année, près de 400 élèves se sont présentés à l'école pour passer l'examen d'admission. Une centaine seulement ont été admis.

En fait, les parents boudent les écoles traditionnelles et se précipitent sur celles qui offrent un projet éducatif particulier, que ce soit la musique, les arts, le cinéma, les sciences ou l'enseignement intensif de l'anglais en sixième année. Environ une dizaine d'écoles de la CECM offrent ce programme où l'enfant fait toutes les matières académiques en cinq mois et de l'anglais le reste de l'année.

Pendant que les listes d'attente s'allongent et que les parents font le pied de grue et tentent, parfois désespérément, d'inscrire leur enfant dans une « bonne » école publique, certaines polyvalentes, à la réputation sulfureuse comme Saint-Henri, Pierre-Dupuy, Honoré-Mercier ou Chomedey-de-Maisonneuve, se vident tranquillement de leurs élèves.

(**Texte publié le 22 février 1995**)

Une révolution dans l'industrie du ferrage

Une invention qui pourrait bien révolutionner l'industrie du ferrage des chevaux vient d'être découverte par M. R.W. Beauchemin, un Canadien français, de Calgary. Après des recherches actives et minutieuses, M. Beauchemin est parvenu à trouver un fer à cheval sans clous.

Cette invention paraît être de la plus grande importance puisqu'elle éliminera de grands inconvénients, dans les longs voyages, et aussi en ce qu'elle réduira de beaucoup les dépenses du ferrage. (...)

Ce fer est composé de deux parties distinctes surmontées d'une rainure qui emboîte le pied du cheval, et s'y adapte au moyen d'une vis qui relie les deux parties ensemble.

Cette patente est actuellement exposée au No 97 rue Saint-Jacques, où elle peut être examinée par tous ceux que la chose peut intéresser.

Cela se passait le 22 février 1902.

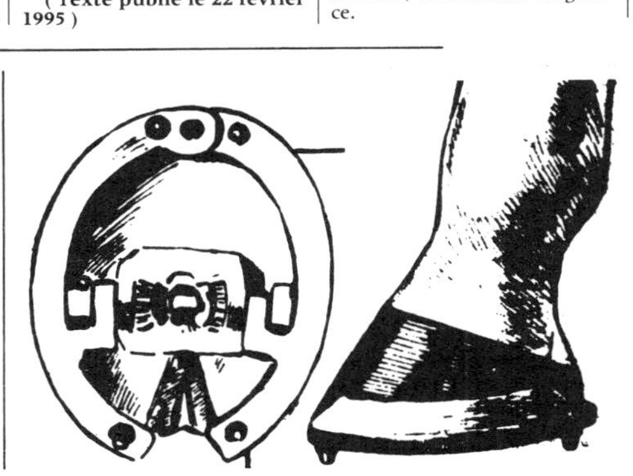

C'EST ARRIVÉ UN 22 FÉVRIER

1977 — Le premier ministre Pierre Elliott Trudeau écrit une autre page d'histoire en devenant le premier Canadien à adresser la parole aux membres du Congrès des États-Unis.

1976 — Joe Clark devance Claude Wagner au 4e tour de scrutin et succède à Robert Stanfield, comme chef du Parti conservateur. — La Canadienne Sylvia Burka est couronnée championne du monde de patinage de vitesse, à Gjoevik, Norvège.

1972 — Une bombe de l'IRA éclate et tue sept militaires britanniques dans un mess d'officiers, à Aldershot.

1974 — Trois ans après la guerre civile, le Pakistan accorde sa reconnaissance politique au Bangladesh (ex-Pakistan oriental).

1973 — Décès de Jean-Jacques Bertrand, premier ministre du Québec de 1968 à 1970.

1946 — À Tchoung-king, quelque 20 000 étudiants protestent contre la présence des Soviétiques en Mandchourie.— La violence éclate à Bombay entre civils indiens et troupes d'occupation britanniques.

1933 — Sir Malcolm Campbell établit un record de vitesse en filant à 272 108 milles à l'heure sur la plage de Daytona.

1928 — L'aviateur anglais Bert Hinkler bat le record des frères Smith en reliant Londres à l'Australie en moins de 15 jours.

1919 — Impressionnantes obsèques nationales en hommage à Sir Wilfrid Laurier.

1913 — L'ex-président Madero et l'ex-vice-président Suarez, du Mexique, tombent sous les balles d'un assassin.

CINQUANTENAIRE DE L'AVIATION CANADIENNE

Le pilote McCurdy était sûr de réussir l'envolée

NDLR — Cet article a été publié en 1959, pour marquer le cinquantième anniversaire de l'événement.

Au début de l'après midi du 23 février 1909, un jeune pilote canadien, John A.D. McCurdy, réussissait un vol sans incident à bord d'un immense cerf-volant doté d'une hélice et d'un moteur, au-dessus de la surface glacée du lac Bras d'Or, à Baddeck, Nouvelle-Ecosse.

L'étrange appareil s'éleva sans difficulté avec l'aide d'un vent léger, après une course au sol de quelque 150 pieds. (...) McCurdy prit 60 pieds d'altitude et redescendit sur le lac après un vol rectiligne d'environ trois quarts de mille. Il revint ensuite à son point de départ par ses propres moyens. A compter de ce jour, le Canada possédait un embryon d'aviation.

J'avais l'intention d'accomplir plusieurs autres vols avant le coucher du soleil, a raconté récemment McCurdy, mais le chef de notre groupe, Alexander Graham Bell, le premier à m'accueillir à mon retour, a souligné que nous venions d'écrire une page d'histoire et qu'il n'y aurait pas d'autres vols ce jour-là. (...)

McCurdy savait qu'il était le premier Canadien à voler dans un avion « motorisé » dans le ciel canadien. Ce n'est que plus tard, toutefois, qu'il apprit son second titre, à savoir : premier sujet britannique ayant piloté un avion dans l'Empire britannique. (...)

Graham Bell ne perdit pas de temps après ce premier atterrissage; 146 hommes, femmes et enfants avaient été témoins du vol historique, et environ 125 d'entre eux signèrent ensuite un document officiel attestant et racontant l'événement. Pour récompense : sandwiches, café et vin domestique. Le manuscrit de Bell porteur de toutes les signatures est aujourd'hui au musée de la National Geographic Society, à Washington.

La première société

Lorsque McCurdy s'envola du lac Bras d'Or, il savait presque exactement ce qui allait se passer. S'il n'entreprit qu'un bref vol d'essai, c'est que son « Silver Dart », déjà essayé à Hammondsport, N.Y., avait été démonté avant d'être transporté par chemin de fer à Baddeck. Il s'agissait simplement de voir s'il avait été bien reconstruit, à son nouveau port d'attache.

Alexander Graham Bell, l'inventeur du téléphone, un Ecossais qui s'était établi à Baddeck au début du siècle actuel, avait entrepris des études aéronautiques vers le même temps.

En 1908, il était déjà suffisamment renseigné pour constituer l'Aerial Experiment Association. Mme Bell accorda un capital initial de $35,000 à son mari et à ses adjoints : Glen Curtiss, un jeune manufacturier de moteurs de motocycles; le lieutenant Tom McBridge, de l'Armée américaine; John McCurdy et Frederick Casey Baldwin, deux étudiants en génie à Toronto, mais résidents habituels de Baddeck. Comme Curtiss ne pouvait quitter Hammondsport, c'est là que furent étudiés et mis au point les quatre premiers avions de l'Aerial Experiment Association, le « Red Wing », le « White Wing », le « June Bug », et le « Silver Dart ».

Curtiss fut le premier à piloter le « Red Wing », à Hammondsport, a-t-on dit, mais Casey Baldwin, qui suivit immédiatement, devenait le septième homme du monde à piloter un cerf-volant motorisé, (...) le 12 mars 1908, à Hammondsport.

Ses études de génie terminées, McCurdy se rendit chez Curtiss en septembre. Il prit rapidement en main le « Silver Dart », que Bell voulait absolument présenter à ses voisins de la Nouvelle-Ecosse. Il fut le premier à le piloter à Hammondsport, le 6 décembre 1908.

L'envolée historique de Baddeck, le 23 février 1909, avait donc été organisée très soigneusement, et Bell, ayant pleine confiance dans les qualités du pilote comme de l'appareil, l'avait envisagée comme une affaire déjà réussie. Il avait notamment fait accorder un congé à tous les écoliers de ce petit village des Maritimes, afin que tous les enfants puissent participer avec leurs parents à la naissance de l'aviation en terre canadienne.

McCurdy accomplit un vol parfait en circuit fermé quelques jours plus tard. (...)

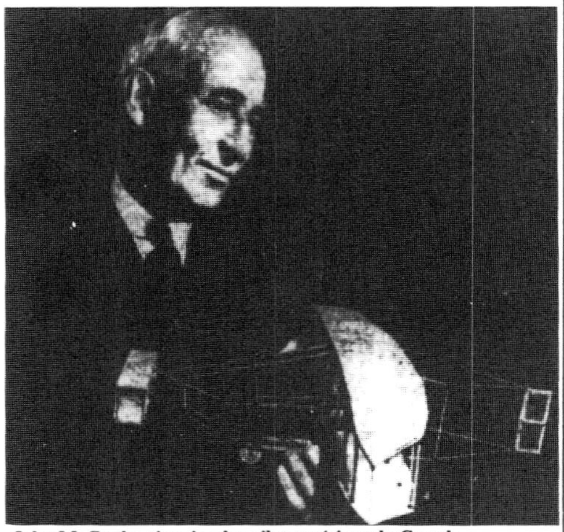

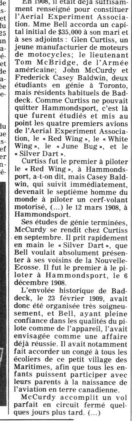

John McCurdy, pionnier des pilotes aériens du Canada.

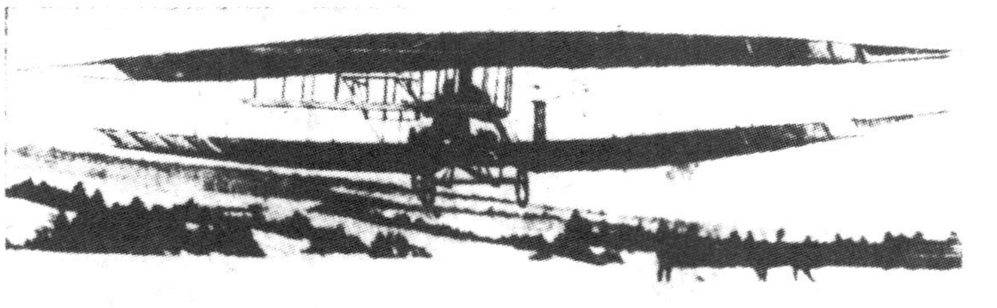

Le biplan *Silver Dart*, construit dans les ateliers du célèbre Alexander Graham Bell, mieux connu pour l'invention du téléphone, et utilisé par McCurdy pour son vol historique.

LES DATES IMPORTANTES

1909 — 23 février — Premier vol d'un avion au Canada.

1910 — 2 juillet — Premier vol au-dessus d'une ville canadienne, en l'occurrence Montréal, par le Français Jacques de Lesseps, sur monoplan Blériot. L'aérodrome se trouve alors à Valois.

1911 — Mi-mars — Première expérience de communications par radio avec un poste au sol, à Palm Beach, Floride, par McCurdy.

1912 — 30 janvier — En tentant la première liaison Floride-Cuba, McCurdy amerrit en catastrophe dans le port de La Havane.

1913 — 31 juillet — Premier vol en solo par une femme, Alys Bryant, de Vancouver.

1914 — Formation du Corps d'aviation militaire canadien.

1914 — La société Curtiss, de Toronto, devient la première à fabriquer des avions en série, en l'occurrence, le JN-4, sous licence américaine. Elle en fabriquera 2 900 pendant la guerre.

1919 — 3 mars — Premier service postal aérien entre le Canada et les États-Unis, de Vancouver à Seattle.

1920 — Établissement de l'examen préliminaire à l'obtention d'un brevet de pilote. J.S. Scott, de Toronto, obtient le premier.

1924 — Formation du Corps d'aviation royal candien.

1924 — Premier avion entièrement canadien, le « Vedette », un hydravion à coque fabriqué par Vickers.

1937 — Fondation de Trans Canada Airlines, alors identifiée par Air-Canada (avec trait d'union) en français.

1938 — Premier service transcontinental de Trans Canada Airlines.

1943 — Premier service transatlantique de Trans Canada Airlines.

État de choc à Saint-Jean : le Collège militaire ferme

C'est un véritable choc qu'a créé l'annonce, hier (**le 22 février 1994**), de la fermeture du Collège militaire de Saint-Jean-sur-Richelieu, une institution de prestige qui a formé bon nombre de hauts gradés militaires.

Pour compenser la disparition de la seule institution francophone de formation des officiers de la Défense nationale du Canada, son pendant anglo-saxon de Kingston, en Ontario, sera transformé en collège bilingue. Le CMR de Saint-Jean sera mis en vente en 1995.

L'économie de Saint-Jean devra par ailleurs encaisser un autre coup dur, puisque l'importante base militaire qui s'y trouve verra ses activités réduites de 75 % et sera fusionnée à la BFC Montréal.

Toujours au Québec, le projet d'aménagement d'un polygone de tir air-sol à Bagotville est abandonné, de même que l'installation d'une division de la Réserve navale à Valleyfield et le projet d'emplacement avancé d'opérations et d'installations en milieu nordique de Kuujjuak. Enfin, le quartier général du 10e Groupe aérien tactique sera muté de Montréal à Trenton, en Ontario, et le dépôt régional de matériel médical de Valcartier sera fermé.

À Saint-Jean, les réactions allaient de l'étonnement à la colère, d'autant plus que cette nouvelle a fait l'effet d'un coup d'assommoir, imparable, puisque personne ne s'y attendait.

Il n'a guère été possible de connaître la réaction des élèves-officiers, qui conservaient un mutisme complet ou refusaient de sortir de leurs quartiers, où il n'était pas question d'aller leur demander leur avis : un commissionnaire en gardait jalousement l'entrée.

Le maire de Saint-Jean-sur-Richelieu, Delbert Deschambault, a accueilli la nouvelle comme « une catastrophe pour la région », aussi bien sociale qu'économique. D'autant que pour la ville, il s'agissait d'une source de revenus en taxes foncières et autres qui atteignait le million. Sans compter les 600 à 800 emplois perdus.

« Nous ne nous attendions vraiment pas à cela, a-t-il commenté. C'était complètement imprévisible. On nous avait laissés avec l'impression qu'on ne toucherait pas au Collège, une institution de prestige pour toute la région. »

Selon M. Gilles Gravel, président de la Chambre de Commerce de Saint-Jean, le Collège militaire et la base des forces canadiennes assuraient des retombées économiques de 120 millions à la région, en plus de créer au moins un millier d'emplois. Il va falloir maintenant développer d'autres projets pour compenser cette perte. Et M. Gravel ne cache pas que ce sera très difficile.

La fermeture du Collège militaire, prévue pour 1995-1996, signifiera la mise à pied de 300 civils, 100 militaires et 600 élèves-officiers. À la base des forces canadiennes, cette diminution de services impliquera le départ de 360 des 670 militaires qui y sont affectés, et d'une centaine de civils.

Le Bloc québécois devient parti

Le Bloc québécois deviendra parti politique en juin. Il compte présenter 75 candidats aux prochaines élections fédérales et en faire élire « au minimum » 60.

Il recrutera des « sympathisants bénévoles », mais pas de membres. La différence : ceux qui adhéreront au BQ devront travailler.

« On n'a pas besoin de 300 000 membres comme les autres partis », a signalé hier Lucien Bouchard, chef de la formation souverainiste qui compte neuf députés à Ottawa. Pour la bonne raison qu'on ne vise pas le pouvoir et qu'on ne compte participer qu'à un seul scrutin général.

Le but ultime de l'opération : être présent à la Chambre des communes quand s'effectuera la transition vers la souveraineté. Et cela ne saurait tarder, a prédit hier M. Bouchard.

En devenant un parti politique reconnu, le Bloc québécois pourra notamment organiser une campagne de financement populaire et émettre des crédits d'impôts, ce qu'il compte entreprendre à l'automne. Cette démarche sera toutefois précédée d'une campagne intense de recrutement dans toutes les régions du Québec.

Les candidats du BQ pourront en outre être identifiés comme tels sur les bulletins de vote, avantage non négligeable au dire de M. Bouchard. Certains de ces candidats seront choisis lors de conventions tandis que d'autres seront désignés par une commission électorale du parti. Le BQ entend être une organisation « souple et légère ».

Et qui sera le chef ? « Cette question pourrait figurer à l'agenda de lancement de juin... », dit Lucien Bouchard. (**Publié le 23 février 1991**).

C'EST ARRIVÉ UN 23 FÉVRIER

1982 — Le ministre Claude Charron quitte le gouvernement après avoir été accusé de vol à l'étalage.

1981 — Le lieutenant-colonel Antonio Tejero Molina et 200 de ses partisans prennent le Congrès espagnol d'assaut.

1975 — Enquête sur de prétendues irrégularités dans les soumissions pour le dragage du Saint-Laurent, près de l'île d'Orléans.

1969 — Au Sud-Vietnam, attaque simultanée du Front national de libération dans pas moins de 100 villes et bases militaires.

1965 — Reconnu coupable d'outrage au tribunal dans l'affaire Coffin, le journaliste Jacques Hébert est condamné à 30 jours de prison et à $3 000 d'amende.

1960 — La princesse Michiko, épouse du prince-héritier Akihito, donne naissance à un fils.

1959 — Le premier ministre Fidel Castro repousse une demande de l'Église catholique en faveur de l'inscription de l'éducation religieuse au programme scolaire de Cuba.

1955 — Décès à Paris du célèbre écrivain Paul Claudel.

1947 — Les Britanniques démasquent un commando clandestin allemand qui s'était donné pour objectif d'anéantir le peuple britannique par une guerre microbiologique.

1946 — Condamné pour crimes de guerre, le général Yamashita, le conquérant de Singapour, est pendu à Manille.

1945 — Les Soviétiques s'emparent de Poznan, important centre ferroviaire de Pologne.

1924 — Le premier ministre Raymond Poincaré, de France, fait adopter son programme de réforme fiscale.

1917 — Mort du poète canadien William Chapman.

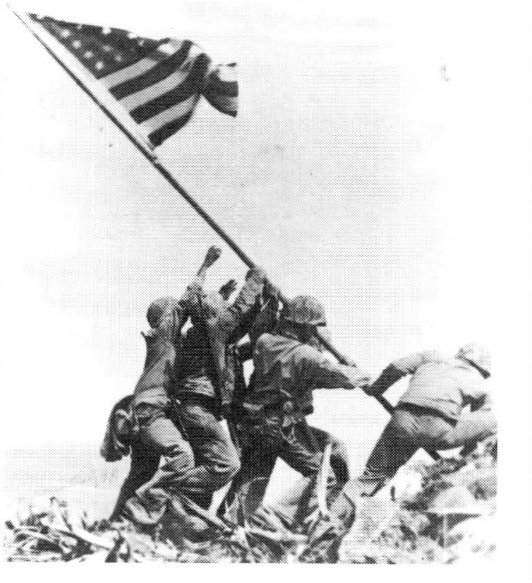

De l'avis des observateurs, la bataille d'Iwo Jiwa, et plus particulièrement la prise stratégique du mont Suribachi, a été l'une des plus sanglantes et des plus cruelles de la guerre du Pacifique. Mais mieux armés, mieux appuyés, les Fusiliers marins américains l'emportèrent et allèrent ficher le drapeau américain au sommet du mont Suibachi, *le 23 février 1945.* L'événement a été immortalisé par une photo dramatique de Joe Rosenthal, probablement la plus célèbre photo de la deuxième guerre mondiale. Parmi les six Fusiliers marins immortalisés par la photo se trouvait un Franco-Américain du nom de René Gagnon.

DERNIERE JOURNEE DE COURSES MARQUEE PAR DE GRAVES INCIDENTS, A DAYTONA BEACH

Daytona Beach — Les champions du monde des courses en automobile ont quitté les sables durs de la plage pour faire place à ceux qui se contentent de faire une vitesse ordinaire.

A la tête de la liste des performances que les efforts des dernières minutes de la journée d'hier **(23 février 1928)** n'ont pas améliorées, se trouve celle du capitaine Malcolm Campbell, venu de Londres pour établir un nouveau record de la vitesse des automobiles de tous genres, record établi à 206,5 milles, dimanche dernier.

Gil Anderson, d'Indianapolis, a mis de la vivacité dans le dernier jour de la 25ième réunion annuelle de courses en faisant 106.5246 milles à l'heure avec un *(sic)* automobile ordinaire.

Wilber Shaw, d'Indianapolis, a ajouté un nouveau chapître aux événements de la semaine en lançant son Whippet dans l'océan afin d'éteindre des flammes incontrôlables qui s'étaient déclarées dans le moteur de son automobile à quatre cylindres. (...)

En sortant victorieux d'une lutte triangulaire avec les monstres de la rapidité, le capitaine Campbell a reçu un défi de Frank Lockhart, le jeune chauffeur d'Indianapolis, qui se remet actuellement des blessures qu'il a reçues lorsque son puissant *Stuts Black Hawk* de 400 chevaux-vapeur se lança à la mer. (...)

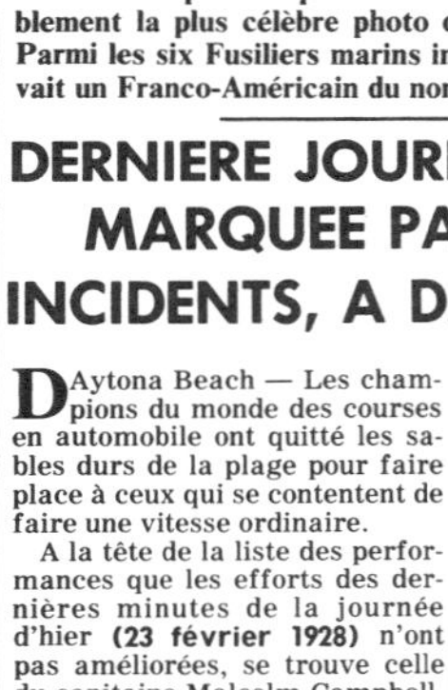

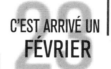

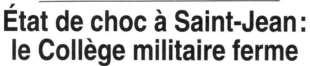

M. Emilion Daoust, président de la librairie Beauchemin et de l'Ecole des hautes études commerciales, dont on signale aujourd'hui *(23 février 1928)* le décès.

Andy Warhol est mort

Andy Warhol l'artiste qui a élevé la soupe aux tomates Campbell au rang d'une oeuvre d'art, est mort à New York d'une crise cardiaque pendant son sommeil. Il avait 57 ans.

Andy Warhol se trouvait à l'hôpital de l'Université de New York, où il a subi une opération de la vésicule biliaire. Son coeur s'est arrêté de battre à 5 h 30 hier (**le 22 février 1987**).

Ottawa atteint l'équilibre budgétaire

Pour la première fois en 28 ans, le gouvernement canadien a annoncé que c'en était fait du déficit budgétaire, non seulement pour cette année mais pour les deux prochaines années. « Nous aurons un budget équilibré l'an prochain, a proclamé le ministre des Finances. Nous aurons encore un budget équilibré l'année suivante. Et nous aurons un budget équilibré dès cette année. »

Le ministre des Finances, Paul Martin, a déposé son budget 1998 en y allant tout de même d'une certaine retenue du côté des baisses d'impôts, mais en présentant aux Canadiens une brochette de nouvelles dépenses destinées principalement aux étudiants.

Rompant ainsi avec la tradition des dernières années des coupes dans les programmes, M. Martin a donné le coup d'envoi officiel à la Fondation canadienne des bourses d'études du millénaire — le projet fétiche du premier ministre, Jean Chrétien —, qui gérera une dotation de 2,5 milliards de dollars pour venir en aide chaque année à quelque 100 000 étudiants du post-secondaire.

Est-ce à dire que les Canadiens en ont fini avec les années de vaches maigres ? Sans donner dans le spectaculaire, le ministre des Finances a ménagé aux Canadiens un budget de transition qui porte encore la trace des années d'austérité.

M. Martin a affirmé hier que deux mesures combinées diminueront les impôts de 14 millions de Canadiens, soit 90 % de tous les contribuables. Mais ces diminutions sont des plus minimes et ne soulagent guère une classe moyenne déjà lourdement taxée.

La grande part des nouvelles dépenses annoncées par Ottawa va aux étudiants. Dans le but de préparer l'économie du XXIe siècle, axée sur les ressources humaines, M. Martin a ainsi annoncé de nouvelles subventions canadiennes pour études destinées aux 25 000 étudiants qui ont des enfants, un allégement fiscal applicable aux intérêts sur les prêts étudiants, une aide supplémentaire pour le remboursement des dettes étudiantes, une exonération sur les prélèvements dans les REER à des fins d'éducation permanente, des crédits d'impôts pour études et une subvention pour l'épargne-étude destinée aux familles qui cotisent à un régime enregistré d'épargne-études.

La dette

Quant à la stratégie du ministre Martin pour réduire la dette publique, elle repose là aussi sur des prédictions conservatrices. Le ministre a en effet inclus dans le plan financier de chaque année une «réserve pour éventualité» de trois milliards de dollars. Cette réserve, si elle n'est pas requise, sera affectée au remboursement de la dette publique. Jusqu'à neuf milliards de dollars pourraient être remboursés au titre de la dette d'ici 2000-01. (**Texte publié le 24 février 1998**)

Création du premier clone de mammifère adulte

Première mondiale. Des chercheurs britanniques ont créé un clone de mammifère adulte, une prouesse scientifique qui devrait faire avancer la recherche sur la génétique.

Il s'agit d'une brebis, prénommée Dolly, née en juillet dernier... à partir d'une cellule unique prélevée sur une autre brebis.

Les scientifiques de l'Institut Roslin, près d'Édimbourg, ont prélevé des cellules mammaires de brebis, contenant la totalité du patrimoine génétique, et les ont ajoutées, en laboratoire, à des ovocytes vidés de leur noyau, en laboratoire. Après ces fusions, ils ont procédé à des inséminations. Sur 277 « fusions« , une seule a abouti à un clone, Dolly.

Cette expérience ouvre la voie au clonage d'autres animaux ; elle devrait aussi faire progresser la recherche sur la génétique et le vieillissement.

Selon des spécialistes, cette technique pourrait être employée pour créer des clones humains, mais une telle expérience irait à l'encontre de toutes les règles éthiques.

« Nous nous opposions au clonage humain lorsqu'il s'agissait d'une théorie, a déclaré Carl Feldbaum, président de l'Organisation de l'industrie de biotechnologie. Maintenant que c'est possible, nous réclamons son interdiction par la loi. »

Ottawa doit agir

Le gouvernement fédéral canadien tente de rendre illégal le clonage d'embryons humains, mais il y a un fort risque que le projet de loi ne soit pas adopté avant les prochaines élections.

Patricia Baird, généticienne et présidente de la Commission royale sur les nouvelles techniques de reproduction, s'est inquiétée que la porte soit encore ouverte au clonage de mammifères de grande taille et a enjoint Ottawa de faire en sorte que le projet de loi soit adopté au plus vite.

Plusieurs spécialistes craignent que la première mondiale réalisée par les chercheurs britanniques n'ouvre la voie au clonage d'êtres humains. « C'est inquiétant parce que c'est un des exemples très frappants qui justifient le besoin de limites et d'un système de gestion responsable dans le domaine des nouvelles techniques de reproduction », a déclaré Mme Baird. « Cela fait partie du nombre grandissant de choses qui vont devenir possibles et nous devons avoir des normes et des lois en place pour utiliser ces nouvelles techniques de façon intelligente et humaine. »

Le clonage d'êtres humains avait été étudié par la commission royale, qui avait recommandé dans son rapport en 1993 qu'on impose des limites très strictes sur les percées scientifiques dans ce domaine. En théorie, un scientifique pourrait cloner un être humain en toute légalité au Canada car il n'y a aucune loi l'interdisant.

Le projet de loi, qui interdirait également le recours à des mères porteuses et la sélection du sexe du bébé à des fins non médicales, est présentement à l'étude devant un comité de la Chambre des communes. Des audiences publiques doivent débuter à la mi-mars. Après les audiences, le projet de loi sera débattu et éventuellement adopté en Chambre et ensuite au Sénat. Si des élections sont déclenchées avant l'adoption par les deux chambres, le projet de loi meurt au feuilleton.

Margaret Sommerville, professeur d'éthique médicale à l'Université McGill à Montréal, fait valoir que le consensus éthique sur le clonage d'êtres humains est essentiel. « À tout le moins, c'est une menace grave envers notre perception de l'identité humaine et notre idée de l'identité individuelle », souligne-t-elle. « Il y a beaucoup de questions qui émergent de ça. Une des questions fondamentales est de savoir si nous devrions interdire aux scientifiques de développer certaines formes de savoir. C'est une question controversée parce que tout le monde a peur. C'est presque comme bannir la liberté de parole scientifique. » (**Texte publié le 24 février 1997**)

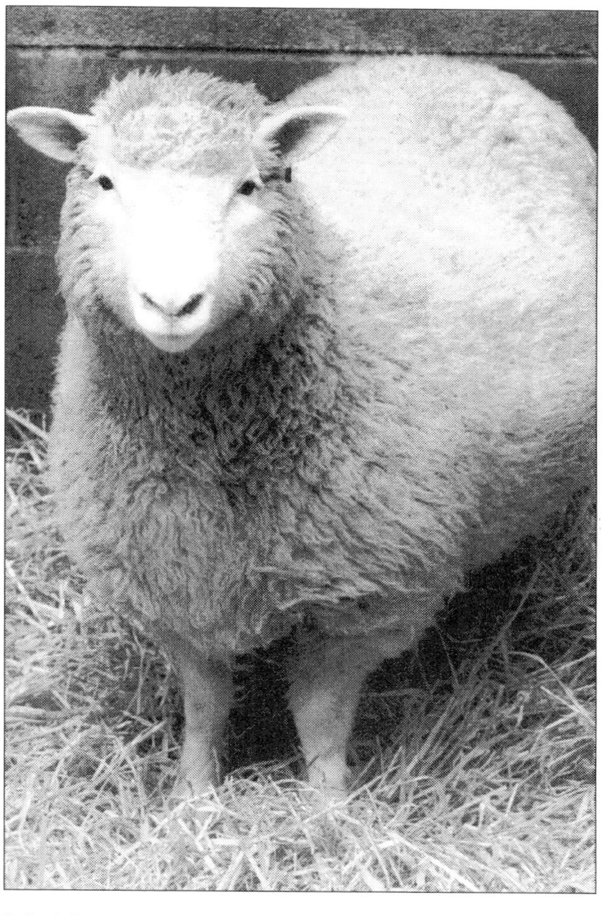

Dolly, la brebis clonée par des scientifiques britanniques à partir d'une cellule unique prélevée sur une autre brebis.

Une deuxième médaille d'or pour Myriam Bédard

Myriam Bédard a écrit une page d'histoire de l'olympisme canadien en arrachant au sprint, hier (**le 23 février 1994**), la médaille d'or du 7,5 kilomètres en biathlon féminin aux Jeux de Lillehammer.

En remportant sa deuxième médaille d'or des Jeux, Myriam Bédard a dit bien haut à la face du monde qu'elle était la plus grande.

Et c'est en effectuant une course exceptionnelle, avec une fin spectaculaire au sprint, qu'elle est entrée dans la légende du biathlon et des Jeux olympiques.

Après avoir raté ses deux dernières cibles au tir debout, l'exceptionnelle athlète de Loretteville se retrouvait à 16 secondes derrière la Biélorusse Svetlana Paramygina. Elle-même n'y croyait plus.

« Quand on m'a dit que j'avais un retard de 16 secondes avec une boucle de 2,5 kilomètres à parcourir, je me disais que c'était fini, que je ne devais plus penser au podium.

« Mais après la longue descente dans la forêt, on m'a dit que mon retard n'était que de cinq secondes. J'ai commencé à y croire à nouveau. Mais je savais que le tout allait se jouer au sprint. Et si vous avez bien vu la fin de la course, vous avez certes constaté que j'ai tout donné. »

Myriam Bédard a finalement complété l'épreuve en 26 :08 : 8 et a devancé Paramygina par 1,1 seconde seulement.

L'Ukrainienne Valentyna Iserbe a touché le bronze avec un mince retard de 1,2 seconde sur Bédard.

Inna Sheshikl, du Kazakstan, a terminé quatrième après s'être effondrée à quelques mètres de la ligne d'arrivée.

Myriam Bédard a fait tomber les cibles à ses huit premiers tirs. Puis soudain, elle a commis deux fautes, qui semblaient irréparables. Mais finalement, ce sont ces deux fautes qui lui ont permis d'arracher le premier rang.

Ce n'est qu'après avoir effectué ces deux boucles de pénalité que Bédard a pu pousser à fond, ce qu'elle n'avait pas fait auparavant.

« J'étais découragée à un certain moment. J'avais tellement froid que je n'étais pas capable de pousser du tout. Je ne me sentais pas complètement engagée dans la course. Quand j'ai pu finalement pousser un peu, je me suis retrouvée avec beaucoup d'énergie. Je n'en avais pas dépensé auparavant. J'ai poussé comme une bombe. »

Pour Myriam Bédard, comme pour tout le Québec, cette deuxième médaille d'or est un cadeau du ciel, un cadeau qu'on n'attendait pas. On croyait tous qu'elle avait tout donné au 15 kilomètres et qu'elle allait être vidée.

HARO SUR LES ZIZIS

Le Musée du Bas-Saint-Laurent refuse des sculptures de Paryse Martin représentant pour la plupart des pénis de diverses formes, de diverses interprétations. On se marre en certains milieux mais, que le musée du Bas-Saint-Laurent se console ! D'autres institutions publiques auraient eu, sans doute, la même réaction que lui devant le Modeste et mignon de Paryse Martin. La censure, en particulier la censure du pénis, n'est certainement pas réservée aux « régionaux » du Québec. En voici d'autres exemples.

C'est en invoquant des raisons esthétiques que, l'an dernier, la Maison de la culture du Plateau Mont-Royal a refusé d'inclure un autoportrait nu dans une exposition du peintre Gilles Desmarais. En réalité, on craignait surtout les réactions des gens âgés du centre d'accueil situé au-dessus de la Maison du Plateau. Encore l'an dernier, la galerie L'Alliance, rue Sherbrooke, rejetait des dessins de corps d'hommes nus de Frank Mulvey après avoir retenu l'artiste comme exposant.

On se souvient aussi de l'affaire de la galerie Fokus, où ce sont des citoyens cette fois, qui en 1987, ont porté plainte contre une petite photographie de Martin Lebovitz montrant une main de femme sur un pénis en érection, exposée dans la vitrine de ce modeste café de la rue Duluth. Les mêmes citoyens ne se sont jamais plaints des affiches du cinéma L'Amour de la rue Saint-Laurent, à deux pas de Fokus, exposant des femmes aux jambes écartées.

L'Escouade de la moralité est également intervenue à la galerie de l'Université Concordia, il y a quelques années, pour saisir une sculpture de Mark Prent représentant un comptoir de boucher où des pénis tenaient lieu de saucisses.

Paryse Martin, qui considère ses phallus-gâteaux comme une sorte d'hommage aux hommes, ne comprend pas que le sexe mâle soit toujours aussi tabou. « Peut-être, dit-elle, qu'un homme nu est plus nu qu'une femme. Il ne peut rien cacher, même pas ses sentiments.» (**Le 24 février 1990**)

24 C'EST ARRIVÉ UN FÉVRIER

1981 — Confirmation des fiançailles du prince Charles avec lady Diana Spencer.

1980 — La RDA gagne les Jeux olympiques de Lake Placid, mais l'Américain Eric Heiden, avec ses cinq médailles d'or en patinage de vitesse, est la vedette incontestée des Jeux.

1979 — Le Québec gagne les Jeux d'hiver du Canada, à Brandon.

1975 — Birendra Bir Bikram Deva, 29 ans, est couronné roi du Népal.

1971 — Le président Boumedienne nationalise à 51 p. cent toutes les propriétés françaises situées sur le territoire algérien.

1967 — La commission Carter recommande d'alléger le poids fiscal du contribuable en imposant plus lourdement les entreprises.

1966 — Des éléments antisocialistes du Ghana profitent du séjour du Dr Kwame N'Krumah à Pékin pour le destituer. Le général Ankrah lui succédera le lendemain.

1964 — Ouverture à Québec des travaux de la commission d'enquête formée pour faire la lumière sur l'affaire Coffin.

1958 — Le gouvernement britannique autorise l'installation sur son territoire de rampes de lancement de fusées américaines.

1949 — L'Égypte signe un armistice général avec Israël, et on dit que les autres États arabes se prépareront à en faire autant.

1918 — Plus de 100 personnes perdent la vie quand le steamer *Florizel* se brise sur les récifs, près du cap Race.

1906 — Les usines de l'Intercolonial brûlent à Moncton. Les dégâts sont évalués à $1 million.

Début de l'offensive au sol en Irak

Huit heures après l'expiration officielle de l'ultimatum américain à l'Irak pour commencer le retrait de ses troupes de l'émirat, le président George Bush, revenu de Camp David, a annoncé hier (**le 24 février 1991**) la phase finale de la libération du Koweit. Le général Norman Schwarzkopf, commandant en chef américain de l'opération « Tempête du Désert », a reçu l'ordre « d'utiliser toutes les forces disponibles, y compris les forces terrestres, pour expulser l'armée irakienne du Koweït », a déclaré le président Bush.

Le président Bush a demandé aux Américains de s'arrêter dans leurs activités pour prier «pour les forces de la coalition» qui, a-t-il dit « risquent leur vie pour leur pays et pour nous tous ». L'heure limite est passée sans aucun signe de retrait irakien, a déclaré le président, qui a affirmé sa « confiance totale dans la capacité des forces de la coalition d'accomplir leur mission rapidement et décisivement ». M. Bush a souligné dans son allocution qu'au lieu du retrait espéré, « ce que nous avons vu est un redoublement des efforts de Saddam Hussein pour détruire complètement le Koweit et son peuple ».

Les porte-parole militaires américains avaient fait état dans la journée d'une multiplication des arrestations et des exécutions au Koweït où l'Irak, ont-ils dit, a par ailleurs mis le feu à quelque 200 puits de pétrole.

Un porte-parole de l'ambassade d'Irak auprès des Nations unies a réagi à l'annonce du lancement d'une offensive terrestre dans le Golfe en déclarant que son pays ne capitulerait jamais. « L'Irak ne capitulera jamais. Beaucoup d'Américains vont aussi mourir », a-t-il déclaré à la chaîne de télévision CNN.

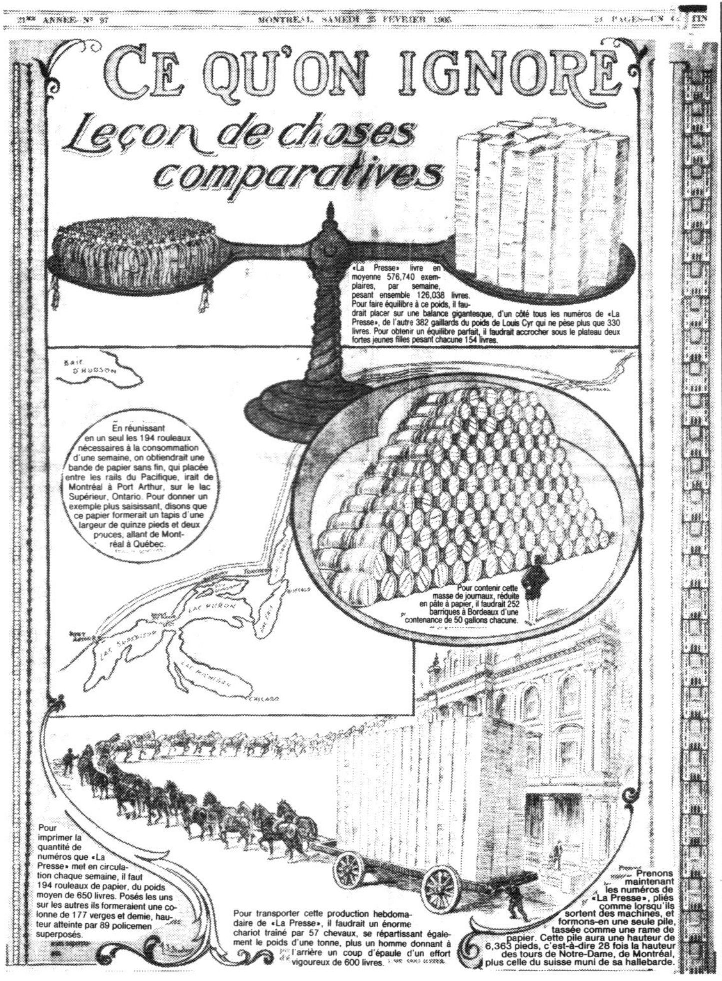

21me ANNÉE—No 97 MONTRÉAL, SAMEDI 25 FÉVRIER 1905

CE QU'ON IGNORE

Leçon de choses comparatives

«La Presse» livre en moyenne 576,740 exemplaires, par semaine, pesant ensemble 126,038 livres. Pour faire équilibre à ce poids, il faudrait placer sur une balance gigantesque, d'un côté tous les numéros de «La Presse», de l'autre 382 gaillards du poids de Louis Cyr qui ne pèse plus que 330 livres. Pour obtenir un équilibre parfait, il faudrait accrocher sous le plateau deux fortes jeunes filles pesant chacune 154 livres.

En réunissant en un seul les 194 rouleaux nécessaires à la consommation d'une semaine, on obtiendrait une bande de papier sans fin, qui placée entre les rails du Pacifique, irait de Montréal à Port Arthur, sur le lac Supérieur, Ontario. Pour donner un exemple plus saisissant, disons que ce papier formerait un tapis d'une largeur de quinze pieds et deux pouces, allant de Montréal à Québec.

Pour contenir cette masse de journaux, réduite en pâte à papier, il faudrait 252 barriques à Bordeaux d'une contenance de 50 gallons chacune.

Pour imprimer la quantité de numéros que «La Presse» met en circulation chaque semaine, il faut 194 rouleaux de papier, du poids moyen de 650 livres. Posés les uns sur les autres ils formeraient une colonne de 177 verges et demie, hauteur atteinte par 89 policemen superposés.

Pour transporter cette production hebdomadaire de «La Presse», il faudrait un énorme chariot traîné par 57 chevaux, se répartissant également le poids d'une tonne, plus un homme donnant à l'arrière un coup d'épaule d'un effort vigoureux de 600 livres.

Prenons maintenant les numéros de «La Presse», pliés comme lorsqu'ils sortent des machines, et formons-en une seule pile, tassée comme une rame de papier. Cette pile aura une hauteur de 6,363 pieds, c'est-à-dire 28 fois la hauteur des tours de Notre-Dame, de Montréal, plus celle du suisse muni de sa hallebarde.

En publiant cette page, le *25 février 1905*, LA PRESSE voulait attirer l'attention de ses lecteurs sur l'importance des matières premières requises pour imprimer le journal à chaque semaine. Mais c'était en 1905, et à l'époque, le tirage hebdomadaire s'établissait à 576 000 exemplaires, comparativement à 1,3 million aujourd'hui, et le nombre de pages était beaucoup moins élevé.

Mulroney démissionne

Après avoir dirigé le Canada pendant huit ans et demi, Brian Mulroney a annoncé qu'il démissionnera de ses fonctions de premier ministre dès que son parti lui aura choisi un successeur, vraisemblablement en juin.

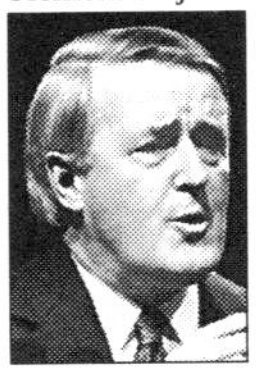

Brian Mulroney

« Le moment est venu pour moi de céder ma place. J'ai servi de mon mieux mon pays et mon parti, et j'anticipe déjà le vent de renouveau et la vague d'enthousiasme que suscite l'avènement d'un nouveau chef », a-t-il déclaré hier (**le 24 février 1993**) en conférence de presse.

Brian Mulroney est le premier chef conservateur à délaisser les rênes du parti alors qu'il occupe encore les fonctions de premier ministre. Militant conservateur de longue date, M. Mulroney a connu la pénible traversée du désert des conservateurs québécois, qui furent pratiquement éliminés de la carte électorale pendant plusieurs années.

Confronté à des sondages défavorables, il n'aura pas voulu conduire son parti à un nouveau déclin après l'avoir porté à son pinacle.

Lui qui se décrivait pas plus tard que la semaine dernière comme « frais comme une rose » et impatient de faire la lutte au chef libéral Jean Chrétien en campagne électorale, il ajoute qu'il n'avait aucun doute qu'il pouvait mener son parti à une troisième victoire consécutive.

Mais son désir de voir à ce que sa propre succession se fasse « au moment propice et de manière constructive » l'aura emporté sur son tempérament de bagarreur et son désir de prouver qu'il pouvait remporter un autre combat électoral.

Certains de ses proches collaborateurs expliquent que le désir du premier ministre d'être plus près de sa jeune famille et son souhait d'entreprendre une nouvelle carrière pendant qu'il est encore jeune (il aura 54 ans le mois prochain) sont aussi des facteurs qui ont influé sur sa décision.

C'EST ARRIVÉ UN 25 FÉVRIER

1983 — Décès du célèbre écrivain américain Tennessee Williams.

1981 — Leopoldo Calvo Sotelo succède à Adolfo Suarez Gonzalez comme premier ministre d'Espagne.

1980 — Une junte militaire prend le pouvoir au Surinam.

1975 — L'épopée du bateau *The Answer* étonne tout le monde, alors que la Garde côtière canadienne le pourchasse en accusant le capitaine Brian Erb d'avoir « volé » le navire.

1964 — Un *DC-8* d'Eastern Airlines s'écrase à la Nouvelle-Orléans avec 56 personnes à bord. On ne retrouve aucun survivant. — Cassius Clay ravit la couronne des championnats du monde des poids lourds à Sonny Liston.

1960 — Un *C-47* de la Société brésilienne de transport aérien vient en collision avec un *DC-6* de la Marine américaine, au-dessus de la baie de Rio de Janeiro. L'accident fait 61 morts.

1954 — Limogeage du général Neguib, chef du gouvernement égyptien, remplacé par le colonel Gamal Abdel Nasser.

1952 — À cause de l'épidémie de fièvre aphteuse qui sévit dans l'Ouest canadien, le gouvernement américain place un embargo sur la viande en provenance du Canada.

1949 — Les Américains révèlent au monde entier qu'ils ont réussi à pousser une fusée à 250 milles de hauteur.

1948 — Le premier ministre Gottwald impose un gouvernement communiste au président Bénès de Tchécoslovaquie.

1945 — Le centre de Tokyo subit de lourds dégâts à la suite d'une attaque effectuée par quelque 1200 bombardiers américains.

1917 — Attaque du *Laconia* par un sous-marin allemand; cet incident amènera éventuellement les États-Unis à déclarer la guerre à l'Allemagne.

1900 — Bénédiction de la nouvelle église paroissiale de Saint-Jérôme par Mgr Paul Bruchési.

Un 747 perd des passagers en vol

Une brèche de trois mètres sur 12 s'est ouverte hier (**le 24 février 1989**) sur le flanc d'un Boeing 747 de la United Airline qui avait quitté quelques minutes plus tôt Honolulu pour la Nouvelle-Zélande et l'Australie avec 354 personnes à bord, précipitant neuf passagers dans le vide à 7 000 mètre audessus du Pacifique.

Le pilote a immédiatement rebroussé chemin, et a réussi à franchir les 150 km le séparant de Honolulu sur deux moteurs, les deux autres étant tombés en panne. Des bateaux et des avions de secours ont été dépêchés sur les lieux où s'était produit l'accident, pour tenter de récupérer des corps et des débris.

La brèche suivait les contours de la porte de la soute à bagages, et s'étendait depuis celle-ci jusqu'au plafond de l'avion.

Le Vieux Port sera complètement transformé

Trois mois se sont écoulés depuis le début des travaux d'aménagement du Vieux Port de Montréal. De l'ouest à l'est de cette zone de 177 hectares en neuf chantiers actifs témoignent des travaux en cours. Des 56 millions de dollars que le gouvernement fédéral compte y dépenser au cours des deux prochaines années, environ 5 millions ont déjà été engagés.

Tous les chantiers actuels devraient être terminés à l'automne, tandis qu'une demidouzaine d'autres projets seront mis en branle au cours des prochaines semaines.

C'est dire que l'été prochain, le programme estival d'animation que l'on connaît depuis environ cinq ans sur les quais sera forcément réduit. De toutes façons, ce programme avait pour but de sensibiliser les Montréalais au projet global d'une fenêtre sur le fleuve, et de ramener vers les quais les foules qui en avaient été écartées depuis plus de cinquante ans. Maintenant, on en est à la phase de la réalisation, le schéma d'aménagement ayant été dévoilé en novembre dernier.

« Déjà, à l'automne, la zone portuaire sera méconnaissable », assure le président de la Société du Vieux Port, M. Paul Gérin-Lajoie. Un vaste silo à grain aura complètement disparu et la vue sur le fleuve, encore obstruée au pied de la Place Jacques-Cartier, sera entièrement dégagée par l'effet de la démolition de trois hangars.

Parmi les travaux qui seront prochainement réalisés, il faut retenir la réfection des quais et jetées qui font encore le charme du Vieux Port. Les appels d'offres ont été lancés et les contrats devraient être octroyés au cours du mois de mars.

La magnifique esplanade qui doit être aménagée dans l'axe de la rue de la Commune, selon les plans préparés par l'architecte Peter Rose, sera mise en chantier dès le début de juin. Toute la bande de terrain au sud de la voie ferrée sera réaménagée au cours de cette première phase. Les plans et devis des quatre squares qui diviseront cette esplanade sont en voie de préparation.

La réalisation de cette esplanade promet de modifier totalement l'aspect du Vieux Port. C'est vraiment lorsque ces derniers travaux seront engagés que les Montréalais prendront conscience de la transformation de la zone portuaire en une promenade qui deviendra l'un des lieux de prédilection des citadins en quête de verdure et d'eau.

(Extraits du texte publié le 25 février 1984)

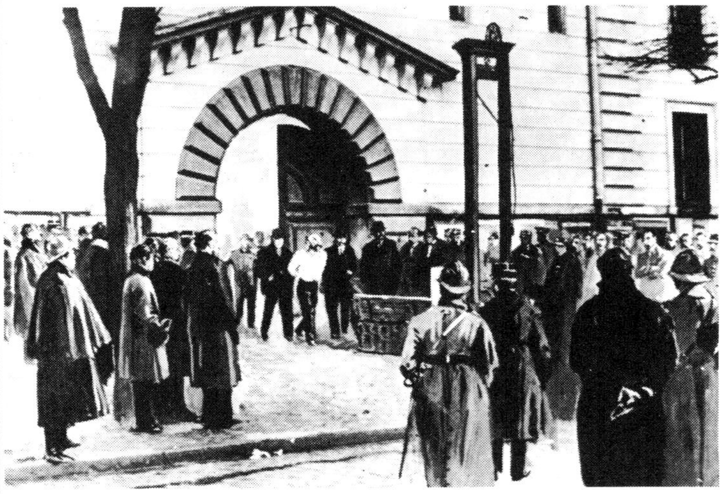

La mort du Barbe-Bleue

HENRI-DESIRE LANDRU A SUBI LE SUPPLICE DE LA GUILLOTINE A VERSAILLES

Versailles — Henri-Désiré Landru, le « Barbe-Bleue », de Gambais, trouvé coupable du meurtre de dix femmes et d'un enfant, a été exécuté ce matin **(25 février 1922)**, en expiation des onze meurtres qu'il avait commis. Le couteau triangulaire de la guillotine est tombé à 6.05, soit 20 minutes après le temps qui avait d'abord été fixé pour l'exécution. Ce délai a porté plusieurs personnes à croire que Landru était à faire une confession. Mystérieux jusqu'à sa mort, Landru s'est trouvé mécontent du fait que l'abbé Loisel le lui demandait s'il avait quelque confession à faire.

« C'est une insulte à un homme comme moi, répondit-il. Aurais-je eu quelque confession à faire, je l'aurais faite depuis longtemps. » Mais il n'a jamais prononcé le mot « innocent », mot qu'il n'a jamais prononcé durant les 34 mois d'emprisonnement et les 20 jours de son procès. Le meurtrier a refusé les derniers sacrements, mais il a conversé quelques instants avec le prêtre. Il lui dit : « Je serai brave, ne craignez rien ».

Quoique les mesures prises pour l'exécution aient été tenues dans le plus grand secret, les foules ont commencé à se réunir autour de la vieille prison de Versailles un peu avant minuit. Le galop des chevaux de la cavalerie, dans la rue Georges-Clémenceau, où eut lieu ensuite l'exécution, était facilement entendu de la cellule de Landru. Quand il s'éveilla, il entendit le bruit des marteaux des ouvriers travaillant à l'érection des bois de la justice, à la lueur vacillante de deux lanternes.

La guillotine avait été montée seulement à quelques pieds de l'entrée centrale de la prison. A six heures, les portes de la prison s'ouvrirent lentement, laissant entrevoir, dans la cour du procureur général, les gardiens de la prison et les deux avocats de Landru, Mes de Moro-Gafferi et Dutreuil.

Puis Landru apparut, vêtu d'un pantalon noir et d'une chemise blanche. Sa barbe, qui avait été l'une de ses caractéristiques les plus frappantes, et qui était devenue familières à des centaines de milles personnes à cause de la fréquente publication de son portrait au cours de son procès, avait été rasée; sa tête également rasée, et il avait le cou et le visage d'une pâleur de mort.

Il fit exactement cinq pas avant que les assistants du bourreau le prissent par la ceinture pour le coucher sur la table fatale, qui fut immédiatement levée; la lame, qu'alourdissait un poids de cent livres tomba dans un scintillement, et, dans l'espace d'à peine vingt secondes, tout était consommé. Landru n'a pas failli un seul moment depuis le temps où il est apparu à la porte; il jeta un coup d'oeil furtif sur la guillotine, haussa les épaules et marcha vers le gibet sans prononcer un seul mot.

PAS DE COLLISION ENTRE LA TERRE ET LA COMETE PERRINE

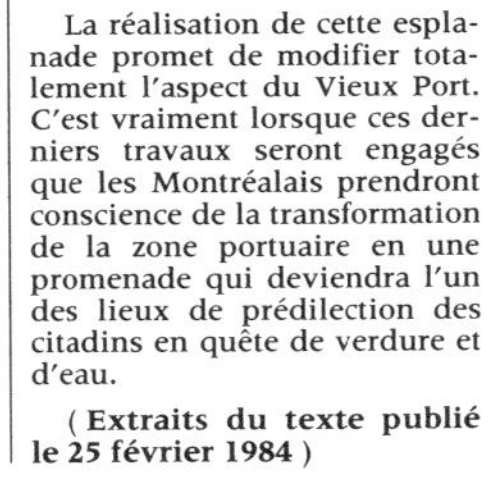

La frayeur causée par l'annonce que la comète Perrine produirait une catastrophe se dissipe et fait place à de meilleurs sentiments. Les astronomes de presque tous les pays ont déclaré qu'il est peu probable que la comète s'entrechoque avec le globe terrestre et qu'il y ait collision; ils disent même qu'il y a 50 millions de chances contre une que cette bousculade n'aura lieu.

Il paraît qu'en 1893, la Terre a été menacée, mais depuis ce temps-là tout va comme sur des roulettes. La comète Perrine est encore à 25,000,000 de lieues de nous, et il est peu probable qu'elle s'approche davantage de la Terre. L'on est plutôt à la veille de la perdre dans l'espace.

M. Flammarion, le célèbre astrologue français, a télégraphié ce qui suit au « Herald » de New York :

« Même si une collision était probable, il n'y aurait pas de raison de craindre un désastre pour la Terre ou ses habitants. Il n'y a jamais eu, que nous sachions, de collision de cette nature depuis que la Terre promène son orbite autour du soleil, et on ne fait que créer du malaise en prédisant un événement aussi incertain que celui dont on parle. Les meilleurs télescopes qui ont été braqués sur la comète Perrine n'ont fait que révéler une pâle nébulosité, avec une condensation centrale très prononcée, brillante comme une étoile de septième grandeur. La queue est délicate, longue de quatre minutes seulement, se bifurquant distinctement, suivant, comme d'ordinaire, une direction opposée au soleil. »

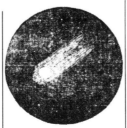

Les Québécois boudent le mariage

Au Québec, on aime moins convoler en justes noces qu'au Canada anglais. De toutes les provinces canadiennes, c'est au Québec qu'on boude le plus systématiquement cette institution perçue traditionnellement comme la base même de la société, le mariage. Et la tendance ne date pas d'hier.

Ainsi, en plus de sa langue, sa culture et son Code civil, la province francophone se distingue de façon marquée du reste du pays par cet élément révélateur de son mode de vie. Les dernières données publiées par Statistique Canada indiquent qu'au cours des trois dernières années, le Québec a enregistré le plus faible « taux de nuptialité » au pays.

En 1991, on a dénombré 187 737 mariages au Canada mais seulement 32 060 au Québec, soit un taux de 4,7 % pour 1 000 habitants. Ce pourcentage est non seulement inférieur à la moyenne nationale de 7,1 % mais il se situe en-deçà de sa part démographique, soit 17 % des mariages canadiens, alors que la province représente 24 % de sa population.

M. Surinder Wadhera, du Centre canadien d'information sur la santé, confirme que cette tendance s'inscrit dans une trame historique, qui remonte au tout début de la cueillette de données dans les années 1920. À l'opposé, l'Ontario se situe en général au-dessus de la moyenne nationale.

« Les données sur le taux de mariage au Québec ont toujours été inférieures de façon notable par rapport au reste du pays. Par exemple, en 1921, le taux québécois correspondait à la moyenne canadienne, soit 7,9 % », a-t-il dit en interview. Puis, graduellement, l'écart s'agrandit systématiquement avec quelques années de rapprochement, avant et après les deux Grandes guerres mondiales, mais jamais le taux québécois n'a dépassé la moyenne canadienne. Même le baby-boom n'a rien changé à la chose.

« Au cours des 70 dernières années, le taux québécois a été de façon consistante inférieur à la moyenne nationale et à celle de l'Ontario. Même pendant la fin des années 1940 et les années 1950, où le pourcentage des naissances a été supérieur au Québec, le taux de nuptialité continuait d'être inférieur », souligne M. Wadhera.

Jusqu'au début des années 1960, 90 %

De toutes les provinces canadiennes, c'est au Québec qu'on boude le plus systématiquement cette institution perçue traditionnellement comme la base même de la société, le mariage. Et la tendance ne date pas d'hier...

des candidats qui choisissaient de « se passer la corde autour du cou » le faisaient pour la première fois. Depuis 30 ans, le nombre de divorcés qui ont voulu tenter leur chance une deuxième fois a quintuplé (de 3,4 % à 19,6 %) tandis que les veufs et les veuves se sont montrés encore moins intéressés à la chose (4,9 % à 2,9 %). En somme, il n'y a rien comme l'expérience quand on estime avoir fait une erreur de jeunesse.

(Texte publié le 26 février 1992)

C'EST ARRIVÉ UN FÉVRIER

1994 — Cinquante-deux Palestiniens sont abattus dans un lieu saint d'Hébron (Cisjordanie) — le Tombeau des Patriarches (mosquée d'Abraham) — par au moins un Israélien, et neuf autres ont été tués lors d'émeutes consécutives à ce massacre sans précédent.

1957 — D'après le *Daily Telegrah*, l'hémorragie cérébrale qui a entraîné la mort de Staline a été causée par un accès de rage du dictateur à la nouvelle de la signature du traité des Balkans, entre la Grèce, la Turquie et la Yougoslavie.

1949 — Une double fusée s'est élevée 250 milles au-dessus de la terre. C'est un record. La double fusée se compose d'une fusée allemande V-2, portant au cône une fusée américaine « WAC Corporal », le tout pesant 15 tonnes.

1943 — La nuit dernière, la RAF a jeté sur Nuremberg, en Bavière, deux fois plus de bombes que l'ennemi n'en avait jamais lancé sur Coventry.

1917 — Le président Wilson s'est présenté, cet après-midi, devant les membres des deux Chambres, pour demander au Congrès de lui donner le pouvoir d'employer les forces des États-Unis dans le but de protéger les droits des Américains sur mer. La déclaration du président suit le torpillage par un sous-marin allemand du paquebot Laconia, un des plus gros vaisseaux de la compagnie Cunard. Le Laconia avait quitté New York le 18 février avec cent passagers.

1914 — Pour la troisième fois en trois mois, et presque à la même heure, un incendie éclate au pénitencier de Saint-Vincent-de-Paul. Mais cette fois-ci le feu cause pour 300 000 $ de dommages.

Le 15 000ᵉ but des Glorieux

Le Canadien a enregistré hier (le 25 février 1986) une septième victoire consécutive en battant les Blues de St-Louis 6-5 en prolongation. Si Russ Courtnall a enfilé le filet vainqueur, Éric Desjardins, lui, a eu l'honneur d'inscrire le 15 000ᵉ but de l'histoire des Glorieux.

Supernova découverte à l'oeil nu par un étudiant canadien

Un jeune astronome de l'Université de Toronto, a découvert ce qui pourrait être l'explosion stellaire la plus spectaculaire depuis la découverte d'une supernova en 1604.

Ian Shelton, âgé de 30 ans, a aperçu la supernova pour la première fois, à l'oeil nu, lundi soir, à l'observatoire universitaire installé dans les Andes, à environ 500 kilomètres de Santiago, au Chili. Il s'est ensuite empressé de confirmer son existence en utilisant un télescope de 60 centimètres de diamètre — un instrument plutôt minuscule dans le monde de l'astronomie.

« Il s'agit de la supernova la plus brillante et la plus rapprochée découverte depuis 1604 », s'est exclamé le professeur Bob Garrison, directeur du département d'astronomie de l'Université de Toronto, qui ne cachait pas son exubérance. « Il s'agit de l'un des développements les plus spectaculaires dans l'univers. »

En 1604, l'astronome allemand Joannes Kepler a découvert une supernova dans la Voie lactée qui a été décrite par son contemporain, Galilée. La supernova de Kepler est demeurée visible pendant 17 mois.

Ian Shelton, qui est originaire de Winnipeg, passera donc à l'histoire grâce à la supernova qui portera désormais son nom. Selon le professeur Garrison, Shelton est à ce point excité depuis sa découverte qu'il en a perdu le sommeil.

Explosion d'une étoile

Une supernova est une étoile de très forte magnitude qui, demeurée jusqu'alors invisible, présente brusquement un éclat très vif dont l'intensité décline ensuite avec des fluctuations irrégulières. Ce phénomène se produit quand l'étoile, ayant consommé toutes ses réserves de gaz, devient instable, s'affaisse puis explose. Les savants croient que les supernova renferment les secrets expliquant l'évolution des étoiles, des galaxies et de l'univers.

La supernova Shelton a été localisée dans le Nuage Magellan qui se trouve à environ 150 000 années-lumière de la Terre. Le nuage en question est l'une des deux petites galaxies qui sont en quelque sorte des banlieues de la Voie lactée.

Selon le professeur Garrison, la supernova Shelton devrait être visible à l'oeil nu pendant au moins une semaine et peut-être même pendant un mois, suivant le type d'étoile dont il s'agit, a expliqué l'astronome torontois.

Quand on a demandé au professeur Garrison pourquoi les grandes stations astronomiques voisines n'ont pas été les premières à détecter la supernova, il a répondu : « Ils se tournaient probablement les pouces et scrutaient d'autres astres. »

(Texte publié le 26 février 1987)

Corazon Aquino : une présence qui lui a permis de devenir en quelques mois un symbole pour des millions de Philippins de toutes conditions, qui lui vouent une admiration sans borne.

Corazon Aquino : « Nous sommes libres »

Peu avant que l'ex-président Ferdinand Marcos ne quitte, hier soir (le 25 février 1986), avec sa famille et ses proches collaborateurs la base américaine de Clark, aux Philippines, pour se rendre dans l'île de Guam, la tension des derniers jours à Manille faisait place à la liesse et la nouvelle présidente, Mme Corazon Aquino, déclarait à la télévision que son pays était « finalement libre ».

Pendant que sa rivale était reconnue presque partout à l'étranger, c'est sur une civière que le vieux leader, apparemment malade, a été transporté à bord d'un appareil C-9 de l'aviation américaine à destination de Guam, territoire américain de l'archipel des Mariannes, dans le Pacifique-Ouest, à quatre heures de vol de Manille.

Marcos et 54 membres de sa famille et proches collaborateurs avaient été transportés à bord d'un hélicoptère américain du palais présidentiel à la base de Clark. Le dictateur déchu doit passer la journée à Guam puis se rendre en soirée à Honolulu, au nord des îles Hawaii. Il devait être transporté dans un hôpital de la Marine américaine à Guam pour y subir des examens médicaux, mais on ne croit pas qu'il soit gravement malade.

Corazon Aquino, 53 ans, la présidente « rebelle » des Philippines face au président Ferdinand Marcos, a bouleversé en quelques mois toutes les données de la politique de son pays.

Un symbole

Petite, frêle, Mme Aquino était restée pendant trente ans dans l'ombre de son mari, Benigno Aquino, l'adversaire politique le plus populaire de Marcos, dont elle a repris la devise « laban » (combat en tagalog).

L'assassinat de Benigno, le 21 août 1983 à l'aéroport de Manille, à son retour d'exil volontaire aux États-Unis, devait propulser Corazon, surnommée Cory, au premier plan de la scène politique.

Elle avait jusqu'alors consacré sa vie à élever ses cinq enfants. Elle s'est d'ailleurs elle-même présentée aux élections comme une « femme au foyer », soulignant du même coup son inexpérience politique et le peu de moyens financiers dont elle disposait.

Mais elle a su compenser ces handicaps par une présence qui lui a permis de devenir en quelques mois un symbole pour des millions de Philippins de toutes conditions, qui lui vouent une admiration sans borne.

Un règne de 20 ans

Ferdinand Marcos, 68 ans, était président des Philippines depuis le 31 décembre 1965. Pendant 20 ans, il a gouverné son pays en despote, n'associant guère au pouvoir que son épouse, Imelda.

Habile orateur, sachant manier l'ironie, mais aussi les anathèmes, Marcos déclarait en 1949 dans sa province natale : « Élisez-moi maintenant et je vous promets un président originaire d'Ilocos dans vingt ans. »

Élu président de la république en 1965, il place son mandat sous le signe de la reconstruction et se vante d'avoir construit plus de ponts et de routes que tous ses prédécesseurs.

Ferdinand Marcos était président des Philippines depuis le 31 décembre 1965. Pendant 20 ans, il a gouverné son pays en despote, n'associant guère au pouvoir que son épouse, Imelda.

La mode d'être frileux est passée

Les frileux, et surtout les frileuses, tendent à disparaître, tout au moins dans les villes canadiennes, et particulièrement à Montréal. Etre frileux, ce n'est ni une qualité, ni un défaut, c'est tout bonnement une mode. Et la mode d'être frileux est passée.

Une élégante qui porterait un casque en fourrure avec des oreillettes comme sa grand'mère, se croirait ridicule. Et les hommes eux-mêmes qui portent le casque fourré deviennent de plus en plus rares. La ceinture fléchée, si élégante dans son originalité, si préservatrice du froid, a complètement disparu des grandes villes, et un citadin qui s'entourerait la taille de cet ornement craindrait de passer pour un habitant.

Sans doute nous protégeons notre corps et nos pieds contre les âpres morsures du froid, mais il semble que nous avons entraîné nos visages et nos crânes à le braver. Il n'y a pas de mal à cela, et toute résistance de la chair contre les rigueurs du climat est une véritable conquête, une sorte de domestication de la température.

Notre page représente les types des principaux sujets que l'on rencontre dans les rues pendant l'hiver, et notre dessinateur a su montrer combien la résistance au froid était plus élégante, et probablement aussi hygiénique.

On prétend que les hivers sont moins rigoureux que dans le passé. C'est possible, mais cet adoucissement de la température n'est que très relatif et ne peut expliquer la vaillance des femmes à braver le froid. C'est donc bien la mode qui les fait héroïques, car les femmes ne reculent jamais devant la souffrance qui doit les rendre belles.

*Voilà ce qu'on écrivait pour accompagner cette page, le **27 février 1909**.*

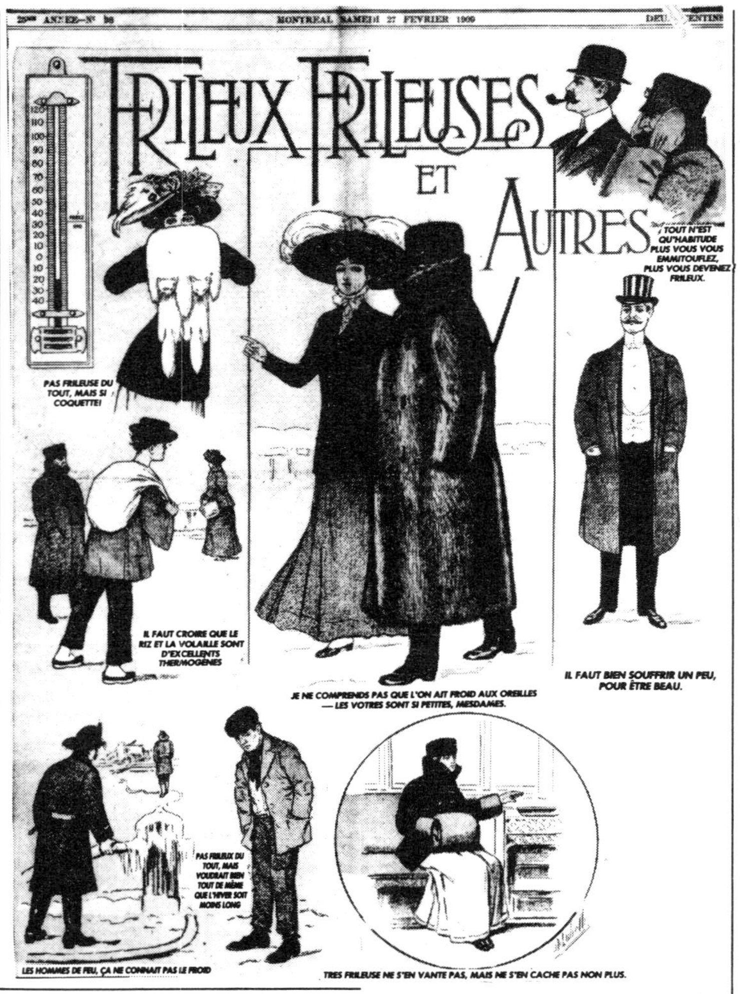

Attentat à New York: 7 morts et 700 blessés

Une déflagration d'une grande puissance s'est produite hier (**le 26 février 1993**) dans le sous-sol des tours jumelles du World Trade Centre, faisant sept morts et 700 blessés. Les autorités ont déclaré qu'il s'agissait d'un attentat à la bombe.

Selon le gouverneur de New York, Mario Cuomo, « la bombe était placée (...) dans les parkings du niveau B-2, non loin des voitures des services secrets et de la limousine utilisée par le président quand il vient à New York (...) La voiture du gouverneur et d'autres véhicules de l'État sont garés quelques mètres plus loin », a-t-il ajouté.

Les mesures de sécurité ont été renforcées. Les aéroports de New York et le Capitole à Washington ont été placés en état d'alerte.

La déflagration, qui a eu lieu à 12 h 15 au second des six niveaux de parkings souterrains du World Trade Centre, a laissé un immense cratère de 30 mètres et déclenché un incendie qui a enfumé ces tours de 110 étages, les deuxièmes plus hautes au monde après la Sears Tower de Chicago.

Citant un haut responsable des pompiers, la chaîne de télévision locale WCBS-TV a déclaré que l'explosion avait été provoquée par un engin contenant 90 kg de plastic C-4.

Les renseignements recueillis jusqu'à maintenant viennent confirmer la confusion qui règne quant aux auteurs véritables de cet audacieux attentat en plein Manhattan.

Dans un appel téléphonique reçu 15 minutes avant l'explosion, un groupe prétendant représenter des militants croates a affirmé qu'une bombe allait exploser, a indiqué une source.

Après l'attentat, les autorités ont reçu au moins neuf appels revendiquant également la responsabilité de l'explosion.

Aggravant la confusion, la police a fait évacuer quelques heures plus tard un autre gratte-ciel de Manhattan, l'Empire State Building, à la suite d'une alerte à la bombe.

À Washington, un porte-parole des services secrets a déclaré qu'environ 100 de ses voitures, garées sous le World Trade Centre, avaient probablement été endommagées. Mais la Maison-Blanche a démenti que la limousine utilisée par le président lors de ses déplacements à New York ait été touchée.

L'explosion a provoqué de gigantesques embouteillages dans Manhattan, la plupart des routes étant fermées pour permettre aux secours de se rendre sur place. Les occupants du complexe ont été évacués quelques heures après la catastrophe. Sur le conseil des pompiers, Con Edison, la compagnie d'électricité de New York, a coupé le courant dans tous les bâtiments du complexe, ce qui en a bloqué les 250 ascenseurs.

Le directeur du World Trade Centre, Charles Maikish, a expliqué que l'explosion avait provoqué des dégâts structurels et a dit ignorer quand le complexe rouvrirait. Il a cependant assuré qu'il n'y avait aucun risque d'effondrement.

Carlos Rivera, responsable des pompiers, a déclaré que deux personnes avaient été tuées dans le parking où s'est produite l'explosion. Quinze des 700 blessés ont été grièvement touchés. La police a précisé que deux blessés avaient été évacués du toit par hélicoptère. La déflagration a fait s'effondrer le plafond de la gare de chemins de fer souterraine où certains blessés sont ensevelis sous des décombres.

L'explosion a perturbé les cotations sur le marché des matières premières, situé dans le complexe, ainsi que les transactions du marché obligataire. L'activité de la Bourse de Wall Street n'a pas été directement affectée, mais les transactions ont ralenti.

L'incendie du Reichstag serait le coup de mort du communisme

Berlin — Le gouvernement Hitler a fait suspendre toute la presse de gauche et ordonné l'arrestation des députés communistes de l'ancien Parlement, aujourd'hui.

Comme les élections au Reichstag auront lieu dans cinq jours, on considère ces deux ordonnances comme des avant-coureurs à une mise hors la loi du parti communiste. Ces mesures ont suivi de près la destruction partielle par le feu du massif immeuble du Reichstag, vieux d'un demi-siècle; l'incendie a été allumé par un prétendu communiste hollandais, hier (**27 février 1933**) soir. Plusieurs croient que l'incendie a été allumé par d'autres afin d'incriminer les communistes. (...)

Une enquête dans le Reichstage qui loge quelques bureaux et d'autres hauts fonctionnaires a démontré que l'incendie avait été allumé en 15 endroits. (...)

Assurant que « le poing du gouvernement s'abattrait lourdement sur les communistes », le chancelier Hitler a dit à un représentant du journal « Volkische Becbachter »: « Vous voyez ce que le communisme tient en réserve pour l'Allemagne et pour l'Europe. Ce forfait a été dicté par l'esprit sinistre des communistes. »

Les pompiers arrosaient encore les ruines fumantes de cet immeuble dont la construction coûta $8,000,000. Un cordon de police tenait les curieux à distance. (...)

Le « Neue Zeitung », un des rares journaux communistes qui paraissent encore, assure aujourd'hui que l'incendie du Reichstag a été l'oeuvre d'agents provocateurs qui espéraient par ce moyen arriver à supprimer le parti communiste.

UN CLOU DE L'EXPOSITION DE 1900

On vient de soumettre au comité de l'exposition universelle de 1900, à Paris, un projet qui ne manque pas d'originalité. L'architecte propose que le pavillon des femmes soit construit sous la forme d'une tête colossale, dont le modèle sera une combinaison des photographies des plus belles femmes du monde moderne. Cette construction promet d'être une merveille d'architecture. L'énorme tête sera construite en bois, et traversée par de puissants jets électriques. L'édifice donnera, pendant la nuit, l'illusion d'un phare, très pittoresque. Ce sera alors le cas de dire que l'architecte a eu là, une idée lumineuse. Les yeux surtout auront un éclat splendide: les pupilles seront représentées par d'énormes globes électriques. La chevelure sera aussi naturelle que possible, et portera une couronne de laurier.

On entrera dans la tête par la base du cou. L'intérieur sera très confortable, et renfermera toutes les commodités possibles. Au premier étage seront les salles de réception, décorées par les plus célèbres artistes. Le second étage contiendra les salles de lectures. Là seront données des conférences par les célébrités féminines, et seront tenues les assemblées des différentes sociétés de femmes. Les bureaux administratifs du pavillon se trouveront aussi sur cet étage. Le troisième étage sera divisé en chambres privées, à l'usage des dames qui visiteront l'exposition. Au quatrième sera installé un restaurant, où l'art des cuisiniers se fera valoir.

M. Joseph Germain, l'architecte de cet étrange édifice, a soumis ses plans à la commission française, établissant d'avance que tous ses caprices devront être respectés.

Du DDT dans nos rivières

Sérieusement contaminées au-delà des normes admissibles par plusieurs métaux et les biphényles polychlorés (BPC), les principales rivières du Québec habité sont aussi polluées par les pesticides organochlorés tels le DDT et ses dérivés.

C'est ce que démontre la dernière étude du ministère de l'Environnement sur la contamination du milieu aquatique du Québec méridional.

(Texte publié le 27 février 1984)

C'EST ARRIVÉ UN 27 FÉVRIER

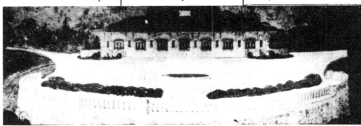

1980 — À Bogota, des terroristes s'emparent de l'ambassade de la République dominicaine, et prennent 60 otages, dont 15 ambassadeurs. — Un *B-707* de la société formosane China Airlines perd un de ses moteurs à l'atterrissage et explose à Manille. On dénombre un mort, 49 blessés et 85 survivants. — Les Noirs rhodésiens vont aux urnes pour la première fois après neuf décennies de suprématie blanche, et le favori, Robert Mugabe, est élu premier ministre du pays.

1975 — Enlèvement de M. Peter Lorenz, président de l'Union chrétienne-démocrate de RFA par la « bande à Baader ».

1973 — Les Amérindiens décident d'occuper le territoire de Wounded Knee.

1972 — Signature à Addis-Abeba d'un accord entre représentants du gouvernements soudanais et des rebelles du Sud. Cet accord mettait fin à la guerre civile, en cours depuis 1955.

1951 — Montréal accueille la grande Mistinguett dans ses murs.

1932 — La police saisit un puissant alambic, rue de Laroche.

1929 — Le droit de vote est de nouveau refusé aux femmes de la province de Québec.

1913 — Fin du procès de la bande à Bonnot, à Paris: dix-huit de ses complices sont reconnus coupables, et quatre sont passibles de la peine capitale.

1911 — La France doit faire face à une nouvelle crise ministérielle, à la suite de la démission du cabinet Aristide Briand.

Thomas Edison: 1 097 inventions qui marquent encore notre vie quotidienne

Qui est cité le plus fréquemment dans le Livre Guinness des inventions?

Archimède? Léonard de Vinci? Einstein? Newton? Non! C'est l'inventeur américain Thomas Alva Edison.

Si Archimède, Newton et compagnie ont mérité la réputation d'être les plus grands savants qu'aura connus l'humanité, il n'y a pas d'homme qui aura autant marqué par ses inventions le 20e siècle que Thomas Edison.

C'est à lui que l'on doit l'ampoule électrique, le premier accumulateur alcalin, le phonographe, la lampe à éclairage à incandescence et le kinétoscope, première caméra sonore. Mais ce ne sont là que quelques-unes de ses inventions. Durant toute sa carrière qui en fit un géant de l'empire industriel américain, Edison fit breveter plus de 1 000 autres inventions qui marquent encore d'une façon ou d'une autre notre vie quotidienne.

Parmi ces autres inventions moins connues, il y eut la première poupée phonographique — elle disait papa et maman — le duplicateur à stencil, le papier ciré, le ruban gommé, la lampe électrique pour les mineurs, un pot de conservation de confiture sous vide, des pièces du téléphone et du télégraphe en plus d'une série d'appareils électriques parmi lesquels figurent un ventilateur, un grille-pain, une bouilloire, une lampe de chevet, un briquet à cigare, etc. En tout, 1 097 inventions.

Journaliste à douze ans

Edison était le fils d'un brocanteur d'ascendance hollandaise. Il naquit dans l'Ohio en 1847. C'est sa mère, une ancienne institutrice, qui lui donne ses premières leçons de littérature et de calcul. Il ne fréquente l'école que durant trois mois.

À l'âge de douze ans, il est engagé comme vendeur de journaux sur le train qui fait la navette entre Port Huron et Detroit. C'est sur ce train, en 1862, qu'il décide de publier et imprimer un journal, le *Weekly Herald*. Il s'agit d'une première. Jamais, un journal n'a été fabriqué à bord d'un train en marche. La même année, il est engagé comme commis au bureau télégraphique de Port Huron. Deux ans plus tard, il y met au point un télégraphe permettant de faire passer sur un même fil deux messages simultanément.

Pendant les années qui suivent, il continue de travailler pour différentes compagnies de télégraphe tout en poursuivant ses recherches en vue d'améliorer ses appareils de communication. Ses travaux lui permettent finalement de faire breveter plusieurs inventions et d'en faire la vente. C'est le début de sa fabuleuse carrière.

En 1876, il déménage de Newark à Orange, dans le New Jersey, où il construit son premier laboratoire industriel. Celui-ci passera ensuite à l'histoire comme le premier laboratoire dans le domaine de la recherche industrielle. C'est là qu'il mettra au point la plupart de ses grandes inventions, dont le phonographe, tout en créant les compagnies qui les mettront sur le marché. En 1883, il y fera une découverte importante, « l'effet Edison » qui sera à l'origine de la lampe d'iode.

En 1901, après avoir mis au point un ciment qui contribuera à l'expansion de son empire industriel, il fait construire une usine à New Village dans l'État du New Jersey, usine qui fabriquera le ciment utilisé pour la construction du New York Stadium et du canal de Panama.

Edison passa la plupart de ses hivers sur sa propriété de Fort Myers où il mourut en 1931. C'est là qu'il consacra une bonne partie de ses recherches à tenter de trouver un nouvel arbre susceptible de donner une matière comparable au caoutchouc.

(**Texte publié le 27 février 1988**)

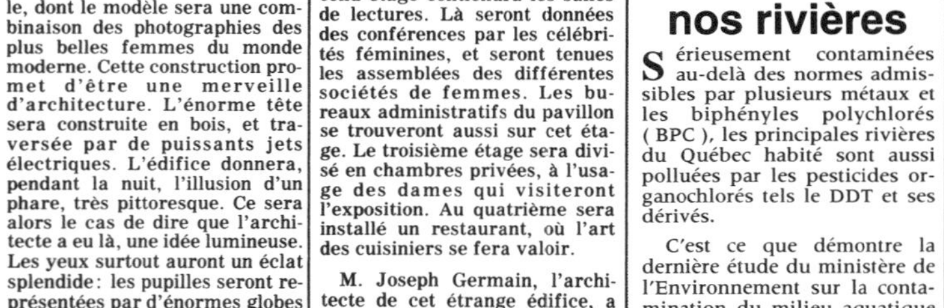

La légende suivante accompagnait cette photo lors de sa publication originelle, le 27 février 1931. Le lecteur qui connait bien le chalet sera en mesure de juger de la justesse du propos: **Un superbe chalet sera construit incessamment sur le Mont-Royal aux environs de l'observatoire actuel. Cette construction sera une oeuvre élaborée et comme nous pouvons en juger par la vignette reproduite ici, le dernier mot en fait d'esthétique. Les invités de la ville pourront être reçus officiellement dans ce restaurant qui accommodera 1,000 personnes. Dans le soubassement, il y aura des cases où les amateurs de sports pourront, moyennant un modique loyer, laisser leurs skis, leurs toboggans, etc. Il y aura en plus 23 douches et 4 bains à l'usage des visiteurs ainsi que des vespasiennes aux deux étages. Le plancher et les murs du rez-de-chaussée seront en marbre. Le haut des murs sera peint de scènes représentant l'arrivée de Cartier à Montréal et l'ascension du Mont-Royal. La voûte sera en charpente apparente. Les murs extérieurs seront en pierre tandis que le toit sera recouvert en tuile. Les dimensions sont de 165 pieds en longueur par 65 pieds de profondeur. Le restaurant actuel qui se trouve immédiatement à côté de l'observatoire sera démoli et des travaux de terrassement seront faits.**

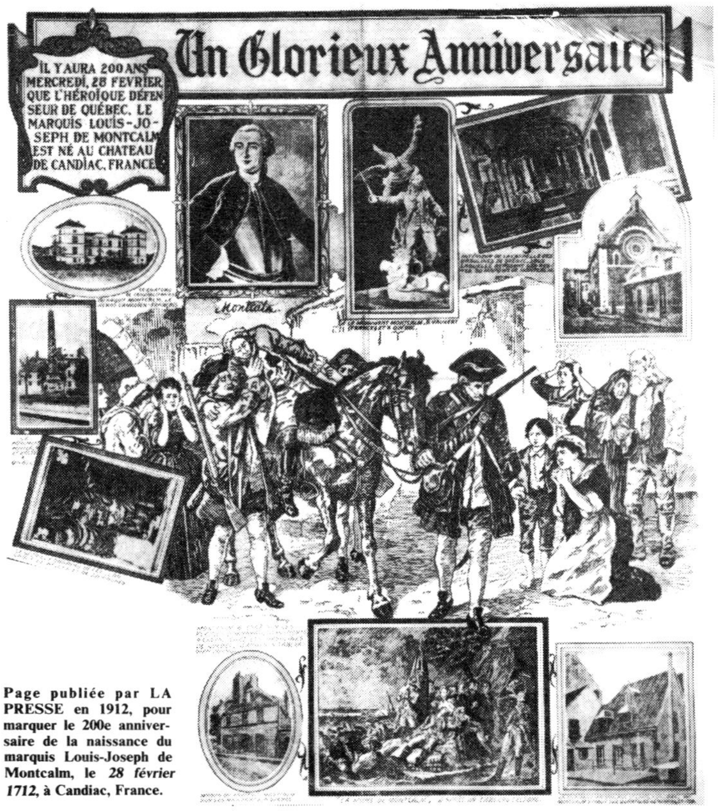

Page publiée par LA PRESSE en 1912, pour marquer le 200e anniversaire de la naissance du marquis Louis-Joseph de Montcalm, le *28 février 1712*, à Candiac, France.

Une récompense de $3,000 est promise

Cette somme sera remise à ceux qui fourniront des renseignements permettant de retracer les coupables. — Attentat contre le Parlement ou contre M. Taschereau?

QUébec — A onze heures ce matin **(28 février 1929)**, M. Charles Lanctôt, assistant procureur général, a convoqué tous les journalistes dans le bureau du secrétaire du premier ministre et leur a fait la déclaration suivante:

« Nous promettons la somme de $3,000 de récompense à celui ou à ceux qui nous fourniront les renseignements qui pourraient nous conduire à l'arrestation de celui ou de ceux qui ont placé, mardi soir, un bâton de dynamite, avec une mèche allumée, dans l'antichambre du bureau du premier ministre. » (...)

L'hon. M. Taschereau nous a déclaré:

« Comme l'attentat a été commis contre le Parlement, les députés ont le droit d'en être informés, car je suis convaincu que cet attentat n'était pas dirigé contre moi personnellement. L'auteur savait sûrement que je n'étais pas à mon bureau, en ce moment, puisqu'il a pu se procurer une clef avec laquelle il a ouvert le bureau de l'antichambre.

« Dans quel but l'attentat a-t-il été commis? Naturellement, je l'ignore complètement. Est-ce l'oeuvre d'un fou? Je l'ignore également. Ce qu'il y a de certain, c'est qu'un bâton de dynamite a été placé dans l'antichambre de mon bureau, avec préméditation et avec l'intention de causer une explosion, puisque le bâton était allumé et qu'il devait éclater, quelques minutes après que je l'eus découvert. »

On se perd en conjectures sur la provenance de ce bâton de dynamite, (...) et la police, naturellement fort réticente, craint qu'on ne puisse jamais percer le mystère.

Les indices font complètement défaut. Aucune empreinte digitale n'a pu être découverte sur le bâton de dynamite.

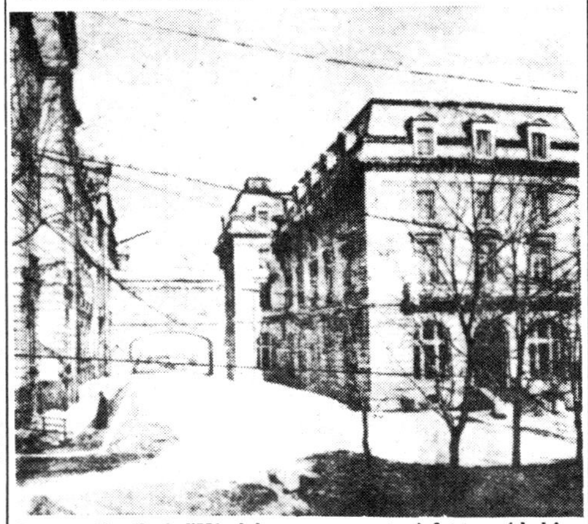

La nouvelle aile de l'Hôtel du gouvernement, où fut trouvé le bâton de dynamite allumé.

L'ACCORD SUR LE RADIO

OTtawa — L'accord entre le Canada et les Etats-Unis au sujet de la répartition des longueurs d'ondes pour le radio dans la bande continentale a été publié aujourd'hui **(28 février 1929)**; et ceux qui, à Ottawa, ont étudié la question se disent satisfaits des résultats obtenus. Il y a 704 longueurs d'ondes dans cette bande. De ce nombre, 411 sont attribuées aux services spéciaux, et les services particuliers tant Canadiens qu'Américains ont le droit de s'en servir. Des 293 qui restent, les Etats-Unis en prennent 146, le Canada et Terre-Neuve 103, Cuba 20 et les autres nations du continent, 24.

LONGUEURS COMMUNES

Les longueurs communes pour les services sont distribuées de la façon suivante: services mobiles maritimes exclusivement (du navire au rivage), 47; services mobiles aériens exclusivement (des appareils volants à la terre), 33; services communs à l'aviation et à la navigation (du navire au rivage et d'un avion au sol), 81; services mobiles (navires, avions, trains et autres postes non immobilisés), 29; amateurs (travail expérimental et communications d'amateurs), 134; émissions visuelles (télévision et transmission de photos), 84; expérimentation (longueurs spéciales pour les travaux d'expérimentation), 3. (...)

SIX MILLE LIVRES DE BOEUF POURRI

LE Dr R. Mayotte, inspecteur des aliments, assisté de MM. H. Masterman et A. Legault, inspecteurs des viandes, a fait ce matin **(28 février 1908)** la saisie de plus de 6,000 livres de boeuf pourri à la « Union Cold Storage », rue Colborne.

C'est le temps où les entrepôts frigorifiques emmagasinent les viandes destinées à la consommation du printemps et le bureau municipal de l'inspection des aliments fait faire une inspection de tous les entrepôts, saisissant tout ce que les inspecteurs trouvent de gâté. Les viandes expédiées du dehors dans la province passent devant les inspecteurs du gouvernement qui les estampillent. A leur arrivée à Montréal, elles sont de nouveau inspectées par les employés de la Ville.

Le boeuf saisi ce matin ne porte pas l'estampille du gouvernement; cependant, le Dr Mayotte est convaincu que les inspecteurs provinciaux ont dû le voir, et il se demande comment il se fait qu'ils aient si peu examiné cet envoi, qu'ils ne se soient pas aperçus de l'état dans lequel il se trouve.

DE LA POURRITURE

Un reporter de la « Presse » assistait, ce matin, à la saisie. Il y avait quatre-vingt-huit quartiers de boeuf, quarante-quatre de devant, et autant de derrière. A voir ces pièces, on n'aurait jamais dit que c'était là de la viande. Ca bien la forme de quartiers de boeuf, mais on aurait dit des mannequins de carton peinturés de couleurs diverses. Racornis par le froid, salis, ils étaient ou noirs, ou verts, ou violets, ou verdâtres, mais rien ne ressemblait au rouge vif des muscles ou au jaune rosâtre des aponévroses et des tendons sains.

On en a chargé deux des grandes voitures que M. O.-H. Lesage emploie pour le transport des animaux morts et le tout a été envoyé à l'incinérateur de M. Lesage où on l'a brûlé. (...)

DES EXPLICATIONS

M. W.D. Aird, gérant de l'« Union Cold Storage », regrette ce qui arrive, mais il ne croit pas que sa compagnie soit à blâmer. Il est dans tous les cas décidé à faciliter par tous les moyens possibles la tâche des inspecteurs de la ville.

« Notre bonne foi a été surprise, dit-il, nous n'avons pas vu à l'arrivée que cette viande fut gâtée et nous n'avions aucune raison de croire alors qu'elle l'était. »

La Guerre du Golfe est terminée!

Les États-Unis et leurs alliés, à la tête de la plus formidable machine de guerre depuis la Seconde Guerre mondiale, ont remporté sur les Irakiens l'une des offensives terrestres les plus courtes de l'Histoire, cent heures après son commencement.

Le rouleau compresseur de la coalition — qui avait été précédé par quarante jours de bombardements intensifs — a littéralement pulvérisé les troupes de Saddam Hussein, dont (selon le Pentagone) seules quelques unités battaient en retraite ou menaient des combats d'arrière-garde désespérés au moment même où le président George Bush annonçait hier (**le 27 février 1991**), depuis le bureau ovale de la Maison Blanche, la suspension des hostilités.

L'opération Tempête du Désert, déclenchée il y a six semaines (le 17 janvier), a eu raison de Saddam Hussein et la « mère de toutes les batailles » prédite par le maître de Bagdad a très vite tourné en une humiliante déroute de ce qui était pourtant présenté comme la quatrième armée du monde. Et sept mois après avoir été envahi par les troupes irakiennes, le Koweït était à nouveau libre.

La « suspension des actions offensives des armées de la coalition » — subordonnée à la cessation des hostilités contre les forces aliées et à la fin des attaques aux missiles Scud contre des pays tiers — a pris effet à partir de minuit, heure de Washington.

MISE EN VIGUEUR DE L'IMPOT DE GUERRE SUR LE REVENU

*NDLR — Le **28 février 1918**, entrait en vigueur la nouvelle législation qui autorisait le gouvernement fédéral à percevoir un « impôt de guerre », impôt qui est évidemment resté en vigueur depuis. Le 18 février, LA PRESSE publiait l'article suivant afin d'informer ses lecteurs.*

OTtawa — La loi de l'impôt de guerre sur le Revenu entrera bientôt en vigueur. C'est en effet le 28 du présent mois que « toute personne sujette à l'impôt en vertu de la présente loi, doit, sans aucun avis ou demande, livrer au ministre (des finances) un rapport de son revenu total durant l'année civile précédente. Un résumé aussi clair et aussi complet que possible de cette loi ne manquera donc pas d'intérêt public pour les lecteurs de la « Presse ».

Remarquons tout d'abord que seules les personnes dont les revenus ou partie des revenus sont imposables, doivent en faire rapport au ministre des finances. La loi ne concerne pas les autres et ils n'ont pas à s'en occuper.

Quels sont donc les revenus imposables? Tous les revenus au-dessus de $1500 retirés par des personnes non mariées ou par des veufs ou veuves sans enfant dépendant; et tous les revenus au-dessus de $3,000 retirés par toute autre personne ou par toute société par action ou par toute corporation de quelque nature qu'elle soit. Il est à remarquer que tous les revenus, sans aucune exception, sont exemptés jusqu'à concurrence de $1,500 ou de $3,000 suivant le cas, ainsi qu'il est expliqué ci-dessus. Par exemple, une personne non mariée qui retirerait $2,000 de revenu ne paierait l'impôt que sur $500. De même encore, une personne mariée ou une société ayant un revenu de $4,000 par exemple, ne paierait l'impôt que sur $1,000.

Sont considérées revenus pour les fins de la loi et sujettes à l'impôt toutes les sommes retirées au cours de l'année et qui ne sont pas du capital. Par exemple, une personne qui aurait touché une police d'assurance au cours de l'année ne paiera pas l'impôt sur le capital de la police, mais sur le revenu que ce capital, placé à intérêt, lui aura rapporté. Sont donc sujets à l'impôt les salaires, gages, honoraires, dividendes, intérêts, loyers, rentes viagères, bénéfices de toute nature, etc.

L'impôt sur le revenu est divisé en deux catégories: l'impôt normal et les surtaxes. L'impôt normal est de 4%; il est payable par les personnes dont les revenus ne dépassent pas $6,000 et par les sociétés ou corporations, quel que soit le chiffre de leur revenu au-dessus de $3,000.

Les surtaxes sont payables par les personnes dont le revenu dépasse $6,000, comme suit: 2% sur le surplus de $6,000 jusqu'à $10,000; 5% sur le surplus de $10,000 jusqu'à $20,000; 8% sur le surplus de $20,000 jusqu'à $50,000; 15% sur le surplus de $50,000 jusqu'à $100,000 et 25% sur toute partie de revenu excédant $100,000. Les sociétés et corporations de toute nature sont exemptées du paiement des surtaxes.

Sont entièrement soustraits à l'impôt, même normal, sur le revenu, les revenus du Gouverneur général, des consuls étrangers, sujets du pays qu'ils représentent et n'exerçant aucune autre fonction lucrative, des compagnies, commissions ou associations dont au moins 90% du capital appartiennent à une province ou une municipalité; des institutions religieuses, charitables, agricoles et d'enseignement; des Chambres de Commerce, des associations ouvrières, des clubs sociaux et d'amusements de toute nature dont les revenus ne procurent aucun bénéfice à quelque membre ou actionnaire, des sociétés de bienfaisance et de secours mutuels; des sociétés de prêts agricoles, sujettes à l'approbation du ministre.

Les revenus provenant d'obligations ou de valeurs du Dominion spécifiquement exemptés d'impôt et des soldes des marins et des soldats ayant fait du service outre-mer sont aussi soustraits à l'opération de la loi.

Toute somme payée par un contribuable au cours de l'année 1917, sous l'empire de la loi spéciale des revenus de guerre, ou de la loi taxant les profits d'affaires pour la guerre, sera déduite de l'impôt sur le revenu que tel contribuable a à payer. Il en est de même pour les contributions au fonds patriotique, à la Croix-Rouge ou autres fonds patriotiques et de guerre approuvés par le gouvernement.

Outre la déclaration personnelle que chaque contribuable sujet à l'impôt est obligé de faire de ses revenus, les patrons sont obligés de faire un rapport additionnel sur le compte de tous ceux de leurs employés dont le salaire est sujet à l'impôt, tandis que les corporations, sociétés par actions ou syndicats doivent également faire un rapport détaillé de tous les dividendes payés à chacun de leurs membres ou actionnaires.

Tous ces rapports doivent être entre les mains du ministre des Finances avant le 28 février. (...) Si le ministre soupçonne un contribuable d'avoir un revenu plus élevé que celui qu'il a déclaré, il peut fixer lui-même le chiffre du revenu que d'après ses renseignements ce contribuable reçoit. (...) Le gouvernement espère retirer de la taxe sur le revenu pas moins de $15,000,000 ou $20,000,000. Le nombre des personnes affectées par la loi n'est pas encore connu.

NOUVELLE LIGUE DE BASEBALL

LA Ligue de l'Est Canadienne asuccédé hier **(28 février 1904)** à la défunte Ligue Provinciale, organisée il y a cinq ou six ans. La composition exacte ne sera pas connue avant le 20 mars prochain, mais il y a toujours apparence que six ou sept clubs, au moins, en feront partie. L'asemblée à laquelle ont été jetées les bases de la Ligue de l'Est Canadienne, a eu lieu hier après-midi, à l'hôtel St. James. Les délégués des différents clubs étaient les suivants: Mascotte — Ménard, Poirier et Innes. National — Kennedy et Brière. Farnham — Joe Page et Tompkins. All-Montréal — Allan et Sweeney. M. Tip O'Neill était également présent. À l'ouverture de l'assemblée, M. D.W. Allan fut nommé président pro-tem. On décida alors que la nouvelle ligue serait dirigée par un président, un vice-président, un secrétaire et un trésorier. On fit ensuite l'élection des officiers. Tip O'Neil, invité spécialement, fut à l'unanimité, élu président.

Sur la scène de l'ACTUALITÉ

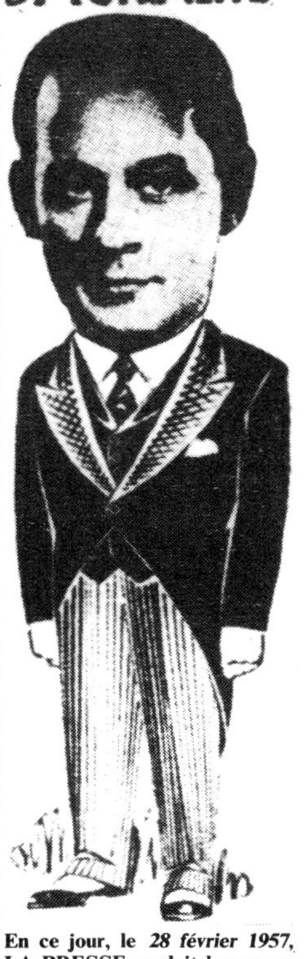

En ce jour, le *28 février 1957*, LA PRESSE rendait hommage à René Lévesque, commentateur de radio et de télévision, qui venait de mériter le Prix de journalisme décerné par Société Saint-Jean-Baptiste.

C'EST ARRIVÉ UN 28 FÉVRIER

1997 — Les services postaux français songent à émettre un timbre pour souligner le 30e anniversaire de la visite effectuée par le général de Gaulle au Québec, en 1967.

1991 — Les affiches plus ou moins aguichantes d'hommes ou de femmes à demi-nus vivent leurs derniers beaux jours à Montréal. Est érotique pour la Ville ce « qui excite ou tend à exciter l'instinct sexuel en montrant tout ou partie du corps humain dans une position telle que l'attention est attirée sur les seins (des femmes), le pubis, les organes génitaux ou les fesses ».

1987 — Les soeurs Micheline et Laurence Lévesque sont libérées après avoir été acquittées des accusations qui pesaient contre elles relativement à une affaire d'héroïne.

1986 — Jacques Plante, l'ex-gardien de but du Canadien, est mort hier à Genève des suites d'un cancer de l'estomac. Il était âgé de 57 ans. Plante a joué pendant 17 saisons dans la Ligue nationale.

1984 — La RIO n'en appellera pas du jugement de la Cour supérieure allouant 2,8 millions additionnels à l'architecte Roger Taillibert, ce qui va porter à 10,2 millions les honoraires lui ayant été versés pour sa participation à la construction des installations sportives les plus coûteuses au monde.

1960 — Fin des Jeux d'hiver de Sqaw Valley. Les États-Unis causent toute une surprise en remportant la médaille d'or au hockey.

1952 — Vincent Massey devient le premier Canadien à occuper le poste de Gouverneur général du Canada.

1943 — Dix-neuf avions ne sont pas revenus des opérations de la nuit dernière contre Berlin et d'autres objectifs en Allemagne alors qu'au moins 380 avions de bombardement y ont pris part.

1940 — Démonstration de télévision à Montréal par la RCA Victor.

Mme et M. Elzéar Pelletier, les vénérables parents du chef d'orchestre du Metropolitan, assistaient à la cérémonie. Outre les parents de M. Pelletier, on peut apercevoir, de gauche à droite, M. Edmond Trudel derrière eux, M. Damien Jasmin, lisant la résolution de la Commission des études de l'Université de Montréal, M. Victor Doré, président de l'exécutif de l'université, M. Pelletier et enfin le recteur de l'université, M. Olivier Maurault, p.s.s.

La musique à l'honneur avec Wilfrid Pelletier

La remise du doctorat honoraire de l'Université au chef d'orchestre du Metropolitan a revêtu un remarquable cachet de grandeur et d'élégance

Rarement avait-on vu à Montréal la musique autant à l'honneur que samedi **(29 février 1936)**, au Cercle universitaire, alors qu'une élite enthousiaste assista à la remise à M. Wilfrid Pelletier du doctorat honoraire de l'Université de Montréal. Cette cérémonie à laquelle M. Olivier Maurault présida avec toutes les élégances fut suivie d'un déjeuner auquel l'hon. Athanase David apporta une note éloquente autant que spirituelle.

Le directeur musical des Concerts Symphoniques de Montréal rappela avec un charme unique ses débuts comme pianiste, à l'âge de 14 ans, et dit à ses admirateurs qui débordaient la salle à manger du Cercle, comment il avait découvert l'orchestre puis l'opéra, en assistant à une présentation du « Faust » par la Montreal Opera Company de brillante mémoire. Le chef d'orchestre du Metropolitan a eu à coeur en plus d'être un musicien possédant une culture générale, et tout ce qu'il dit porte l'accent d'une chaude sincérité.

La remise du doctorat eut lieu dans le salon qui précède la salle à manger, devant les rideaux tirés. Le sous-secrétaire général de l'Université de Montréal, M. Damien Jasmin, lut d'abord la résolution de la Commission des études priant M. le recteur de conférer en séance solennelle le grade de docteur en musique honoris causa à M. Pelletier.

Puis le recteur fit l'éloge du récipiendaire, n'oubliant aucun détail de la vie et de la carrière de M. Wilfrid Pelletier, depuis ses débuts avec l'excellente « Madame Héraly », jusqu'au prix d'Europe, remporté à l'âge de 16 ans.

« Entré au Metropolitan en 1916, a dit M. Maurault, vous y fûtes l'assistant de Pierre Monteux, chef d'orchestre dans le répertoire français. Vous devenez en 1930 secrétaire du directeur de la maison, M. Gatti-Casazza, et assistant du premier chef d'orchestre. Depuis l'accession de M. Edward Johnson à la gérance du « Metropolitan », vous avez été promu de diverses manières; devenu vous-même chef d'orchestre, vous avez assumé la direction des concerts dominicaux; vous voici maintenant chargé de conduire les principales représentations lyriques et l'on vient de vous nommer membre du jury qui examine les candidats au « Metropolitan ».

Puis M. Maurault rappela avec quelle générosité et quelle joie M. Pelletier répondit à l'invite de M. David qui venait de fonder l'Association des Concerts Symphoniques de Montréal. (...)

Puis le recteur déclara M. Pelletier docteur en musique et déposa sur ses épaules la toge que lui tendit M. Antonio Létourneau, assesseur général du Conservatoire de musique. A ce moment, les vénérables parents du chef d'orchestre du Metropolitan, M. et Mme Elzéar Pelletier, qui assistaient à la cérémonie, s'approchèrent spontanément de lui et l'embrassèrent les larmes aux yeux. Ce fut une minute d'émotion générale. (...)

PREMIÈRE SECTION
PAGES 1 à 4,

LA PRESSE

34ᵐᵉ ANNÉE—N° 100

MONTRÉAL, SAMEDI 29 FÉVRIER 1908

DEUX CENTINS

CIRCULATION
TOTAL DE LA SEMAINE
639,999

LES MARIAGES À TRAVERS LE MONDE

À cette époque de l'année, les mariages se précipitent, car les fiancés impatients de s'unir devront, s'ils ne font pas bénir leur union avant les «Cendres», attendre la fin du Carême. Cette page publiée le *29 février 1908* vous montre des scènes de mariage dans différentes régions du monde.

Espage — Les assistants s'agenouillent au hasard. Sous les dalles jonchées de fleurs, des enfants jouent librement.

Russie — La toilette de la mariée. Quelle richesse dans ces toilettes! Les rites de ce mariage sont assez singuliers: quand la jeune fille aura été habillée par sa mère, son fiancé, pour montrer qu'elle doit lui être soumise, lui donnera quelques légers coups de baguette sur les épaules.

Grèce antique — À la porte de la maison, le père embrasse la fille que son époux va amener. A quelques pas, un cortège de danseurs et de musiciens attend les nouveaux mariés.

Géorgie — Les fêtes terminées, les mariés, coiffés de la couronne nuptiale, prennent place sans un « drochki» qui va les conduire à leur demeure.

Annam — Le jeune homme achète sa fiancée à sa famille. Le jour des noces, la jeune fille, recouverte d'un voile, est conduite en pousse-pousse à la maison de son époux. Ce dernier la voit pour la première fois, car c'est son père qui la lui a choisie.

France — Les noces villageoises menant en cortège de longues promenades en cortège, précédées du violoneux endiablé qui soulève la gaieté.

En Espagne.—Le mariage catholique—Une noce au Puig.
D'après un tableau de J. Peyrod Urnes

Médaille de mariage.
Gravée par Bary

Dans la Grèce Antique—Le départ de la fiancée
D'après un tableau de Rochegrosse

En Russie—La toilette de la mariée au XVIIIᵉ siècle.
D'après un tableau de Makowsky

En Extrême-Orient—Fiancée d'un mandarin annamite se rendant à la maison nuptiale.

En France.—Noce villageoise.

En Géorgie.—Le départ des mariés pour la maison nuptiale.

Le 29 février et l'année bissextile

Nous avons retracé trois courts textes traitant de l'année bissextile, que nous vous présentons regroupés. Le premier a été publié le **29 février 1912** *et traite de la particularité que représente cette journée de plus.*

Par une complaisance dont il fait preuve à peu près (*sic*) tous les quatre ans, le mois de février a bien voulu nous accorder une journée de plus, et il a reculé d'autant l'arrivée de son confrère et successeur Mars. Février de 1912 possède 29 jours au lieu de 28, et ceux qui viennent au monde ce jour-là se verront, enfin, dotés d'un anniversaire comme tout le monde, mais seulement à tous les 4 ans. Cette journée supplémentaire retarde de 24 heures la visite du propriétaire et celle des créanciers, mais rien ne prouve qu'elle nous permette de mieux satisfaire ces gens demain.

La vingt-neuvième journée de février étant pour ainsi dire la marque réelle de la «bissextibilité» de l'année 1912, les demandes de mariage partant du côté du sexe sans bretelles seront certainement plus nombreuses qu'en aucun jour de l'année, et l'aurore «aux doigts de rose» qui commencera le premier mars verra, sans doute, bien des réveils heureux.

Demain, 1er mars et premier jour du printemps, nous allons tenter d'oublier l'hiver, si celui-ci veut bien nous le permettre.

Le deuxième texte remonte au **29 février 1916,** *et il est consacré à l'origine du mot bissextile.*

En ce vingt-neuvième jour de février, qui marque la présente année bissextile, il n'est peut-être pas innopportun de rappeler l'origine du mot **bissextile**. L'année qui porte le qualificatif est composée de 366 jours au lieu de 365 et revient tous les quatre ans, ayant pour but de corriger l'erreur d'environ 6 heures que l'on commet en donnant à l'année 365 jours solaires. Ce nom provient de la manière dont les Romains intercalaient le jour supplémentaire: après le sixième jour d'avant les calendes de mars, ils en comptaient un autre qu'ils appelaient **sixième bis** (bissextilis). Ce jour s'ajoute chez nous au mois de février, qui n'a que 28 jours dans les années ordinaires, et 29 dans les années bissextiles. Une légende veut que, pendant l'année bissextile, les filles jouissent du privilège de demander en mariage, chacune le garçon de son choix, mais en cette cruelle année de guerre où tant de beaux gars ont dû quitter leurs «dulcinées» pour s'enrôler sous les drapeaux, celles-ci prient plutôt la Providence de veiller comme une mère sur les défenseurs de la Patrie, et attendent avec confiance le retour glorieux des champs de bataille.

Le dernier enfin, publié le **29 février 1924,** *soulevait une ques-*

tion intriguante, en demandant s'il ne s'agissait pas du «dernier 29 février». On a évidemment l'avantage de connaître la réponse...

Le 29 février 1924 est-il le dernier 29 février que nous aurons? Un comité spécial de la Société des Nations, chargé d'améliorer le calendrier, commence demain à étudier les suggestions de la Société internationale pour le calendrier fixe, qui consisterait à transférer le jour supplémentaire de l'année bissextile au 29 juin, à n'avoir que des mois de quatre semaines, calendrier que ces nations adopteraient le premier janvier 1928, avant d'entrer dans la prochaine année bissextile.

La Société internationale du calendrier fixe veut que le jour supplémentaire soit le 8e jour de la dernière semaine de juin. Ou le 29 juin des années bissextiles. On veut en faire un jour férié international.

Célibataires, en garde, c'est le jour des femmes

Chicago — Les bons partis chez les célibataires auront la précaution de ne pas être trop en évidence demain, rapportait-on hier soir en songeant à la date du 29 février, jour éminemment propice aux jeunes filles et matrones que le sort n'a pas fait entrer en ménage.

La chasse est ouverte aujourd'hui **(29 février 1936)** à Aurora, Ill., où cinquantaine de jolies jeunes filles prendront en main l'administration de la ville comme cela doit d'ailleurs se faire dans plusieurs autres centres à l'occasion de la (journée bissextile).

Non loin de là, à Joliet, Ill., les femmes, reines du foyer, prendront les rênes du gouvernement pour 24 heures. La (chefesse) de police d'Aurora, Helen Thompson, 32 ans, a dressé une liste d'ennemis publics (les célibataires) et ses agentes doivent donner un vaste coup de filet.

Le châtiment proposé sera le mariage immédiat; au besoin, la peine sera commuée en l'achat d'une robe de soie. (...)

LA GUERRE A MONTREAL

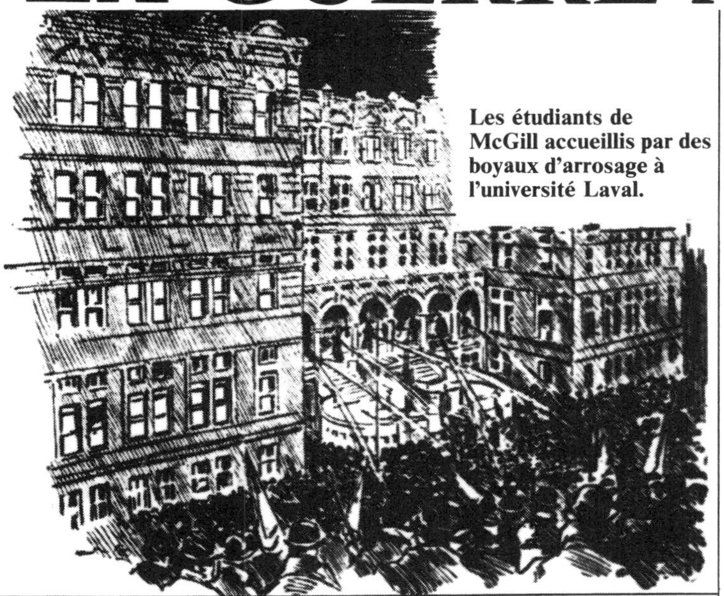

Les étudiants de McGill accueillis par des boyaux d'arrosage à l'université Laval.

L'Université Laval prise d'assaut par les étudiants de l'Université McGill. — Des étudiants du McGill préfèrent se battre au Canada plutôt que d'aller défendre le drapeau britannique en Afrique. —Démonstrations hostiles devant les journaux français.

Ce texte à relents racistes mais conforme à une situation qui prévalait à l'époque a été publiée en manchette le ***1er mars 1900.***

Au lieu d'aller affirmer leur loyauté au drapeau britannique en allant combattre aux côtés de ceux de nos compatriotes qui sont tombés en Afrique, un groupe d'étudiants du McGill, auxquels s'étaient jointe une foule de désoeuvrés, ont bruyamment fêté, ce matin, l'entrée de lord Dundonald et de plusieurs régiments anglais dans Ladysmith *(ce qui allait mettre fin à la guerre des Boërs)*.

Ils ont pris les journaux comme point de mire de leurs délirantes manifestations et, s'improvisant des drapeaux avec des bâtons et des mouchoirs, ils ont d'abord paradé sur l'avenue du collège McGill.

En passant devant les bureaux de nos confrères anglais, ils se sont emparés de bulletins annonçant la délivrance de Ladysmith, puis se sont ensuite dirigés vers le « Journal », sur la rue Saint-Jacques, criant « vive Roberts » et en chantant le « Rule Britannia ». Ils arrachèrent ensuite les bulletins de tous les journaux français, les brisèrent et ont cherché à forcer les propriétaires d'arborer le drapeau anglais sur leurs édifices.

Dans nos bureaux, les manifestants ont eu recours à la violence. Plusieurs d'entre eux ont reçu des horions qu'ils ont rendus avec une rage évidente.

La police, appelée sur ces entrefaites, est arrivée trop tard pour empêcher toute violence, masi grâce aux efforts de notre personnel, le calme s'est fait après de longs pourparlers.

Un peu plus tard, ils se rendirent à l'hôtel de ville, envahirent les couloirs et réclamèrent à grands cris qu'on arborât le drapeau britannique sur le Palais municipal. L'échevin Sadler qui était là s'adressa à la foule en ces termes : « Je comprends que vous désirez que le drapeau soit hissé sur l'hôtel de ville ; je viens, mois aussi, dans ce but. Mais comme le maire est absent, je ne puis prendre sur moi de hisser le drapeau sans sa permission. Le maire, j'en suis convaincu, sera heureux de se rendre à votre désir. »

Le drapeau! Le drapeau! vociférèrent les étudiants en choeur. Et, sans écouter les sages avis de l'échevin Sadler, le flot des étudiants se précipita dans les escaliers, vers la tour de l'édifice, et bientôt le drapeau flotta sur le Palais municipal. Les étudiants se retirèrent en chantant « Rule Britannia! God Save the Queen », et procédèrent au Palais de justice où eut lieu une démonstration semblable.

Plus tard, un détachement d'étudiants envahissait les bureaux du maire, où le premier magistrat de la ville les reçut avec beaucoup de courtoisie, se déclara heureux de la victoire des armes anglaises, et accorda, à cette occasion, un demi-congé aux employés civiques.

Ce fut au cri de « Vive Préfontaine », que les étudiants, en délire, se retirèrent pour se former en colonnes sur la rue Notre-Dame. (...)

Quand les étudiants se furent retirés, l'échevin Sadler se déclara indigné d'une telle manière de procéder, et comme M. Patterson, l'un des évaluateurs, lui faisait des reproches de n'avoir pas lui-même ordonné qu'on hissât le drapeau sur l'hôtel de ville, l'échevin Sadler lui répondit avec colère : « Comment, vous, un simple employé de la Corporation, venez-vous me dicter ma ligne de conduite? Je sais mieux que n'importe qui ce que j'ai à faire. Je n'ai pas voulu hisser le drapeau sans la permission du maire, et en cela j'ai eu raison. Vous pouvez vous taire et ne pas m'importuner. » (...)

De l'hôtel de ville les étudiants se rendirent à l'Université Laval, où ils se bornèrent à crier et vociférer, en escaladant l'escalier, puis ils s'emparèrent de deux tramways et ils les mirent hors d'état de fonctionner momentanément.

On s'attend à de nouveaux troubles.

Épilogue

Dans la même soirée, la manifestation plutôt paisible jusque là tourna à la violence devant l'université Laval (section montréalaise, située rue Saint-Denis, au nord de Sainte-Catherine), où retournèrent les étudiants de McGill. Accueillis par des boyaux d'arrosage, ces derniers décidèrent de passer à la violence, forçant l'intervention des forces policières et du maire Préfontaine. Les blessés ont été nombreux, chez les policiers et les étudiants, dont plusieurs durent comparaître devant le coroner Weir le lendemain matin. Au cours de la manifestation, on assista à l'arrestation du journaliste André Marchand, de **La Patrie,** *mais il faut relâché quelques heures plus tard.*

LES DROITS DE TERRE-NEUVE SUR LE LABRADOR SONT RECONNUS EN SUBSTANCE

LES ARGUMENTS DU CANADA NE SONT PAS ACCEPTES PAR LE CONSEIL PRIVE

LONDRES — Le droit de propriété de Terre-Neuve sur le territoire de la péninsule de Labrador est maintenu, en substance, avec deux réserves. Telle est la décision des membres du comité judiciaire du Conseil privé, à qui il fut demandé de déterminer la frontière entre le Canada et Terre-Neuve, sur la péninsule de Labrador. Le différend entre les deux Dominions fut soumis au Conseil privé par consentement commun des deux parties intéressées.

Terre-Neuve réclamait non seulement la propriété de la ligne costale atlantique du Labrador, qui est reconnue comme appartenant à Terre-Neuve, mais aussi le territoire jusqu'à la hauteur de la péninsule, territoire qui comprend de précieuses forêts d'épinettes. Le Canada prétendait que Terre-Neuve était limitée par la simple lisière de terre, le long de la ligne costale du Labrador, lisière de terre qui a été accordée à Terre-Neuve en 1763, pour faciliter l'industrie de la pêche. Cette lisière de terre avait été remise à Québec en 1774, mais en 1809, elle avait été de nouveau accordée à Terre-Neuve.

DOCUMENT HISTORIQUE

« Dans l'affaire du Labrador, leurs Seigneuries *(du Conseil privé)* ayant à étudier les faits et les arguments nécessaires dans une affaire d'une si grave importance, en sont venues à la conclusion que la réclamation de Terre-Neuve était en substance établie, mais qu'il y avait deux points de détail à mentionner. » *(C'est)* de cette façon *(que)* le vicomte Cave, lord-chancelier du comité judiciaire, a annoncé le jugement de 10 000 mots dans une séance spéciale du comité.

Le vicomte Cave a indiqué les deux points de détails : Il a dit : « Sur plusieurs cartes publiées après 1882 et particulièrement sur les cartes officielles, la frontière méridionale du Labrador est indiquée comme partant non du point où une ligne nord et sud, à partir de Blanc Sablon rencontre le 52ème parallèle, et en droite ligne le long de cette parallèle, mais d'un point où cette ligne nord et sud atteindrait la hauteur des terres au nord du 52ème et le long de cette hauteur, jusqu'à la tête de la rivière Romaine.

« Une frontière ainsi fixée le long de la hauteur des terres serait sans doute plus commode que celle qui suit la ligne arbitraire de la 52ème parallèle et aurait l'avantage de mettre le Canada dans tout le cours des rivières qui tombent dans le golfe Saint-Laurent. Mais leurs Seigneuries ne seraient pas justifiées d'adopter une frontière qui, bien que commode, n'est pas désignée par le statut de 1825. Elles croient que la ligne doit être tirée le long de la parallèle, aussi loin que la supposée rivière de Saint-Jean, spécialement la rivière Romaine.

« D'après le point de vue de la colonie (Terre-Neuve), la ligne serait continuée vers l'ouest, à travers la rivière, jusqu'à ce qu'elle atteigne la hauteur des terres, mais il n'y a pas de stipulation dans le statut de 1825 pour une telle continuation de la ligne, dont l'effet serait de donner à Terre-Neuve, une partie de la province originelle de Québec, telle que constituée en vertu de la proclamation de 1763.

« La ligne devrait suivre la parallèle jusqu'à ce qu'elle rencontre la rivière Romaine, puis devrait alors tourner vers le nord jusqu'à la hauteur des terres. »

LE DEUXIEME POINT

Quant au second point, voici comment il est expliqué : « deuxièmement, une petite île, appelée Woody Island, située en face de la baie de Blanc Sablon, est réclamée par le Canada et par Terre-Neuve. Selon l'opinion de leurs Seigneuries, le transfert au Canada, par l'acte de 1825, de la côte à l'ouest d'une ligne tirée au nord et au sud de la baie du port de Blanc Sablon, avec les îles adjacentes à cette partie de la côte, comprend Woody Island qui, par conséquent, appartient au Canada.

Pour les raisons ci-dessus, leurs seigneuries pensent que, d'après la vraie construction des statuts, ordres en conseil et proclamations, la frontière entre le Canada et Terre-Neuve, dans la péninsule du Labrador, est une ligne au nord de la frontière est de la baie du port de Blanc Sablon, jusqu'au 52ème degré de latitude nord, et de là vers l'est, le long de cette parallèle, jusqu'à ce qu'elle atteigne la rivière Romaine, puis vers le nord le long de la rive gauche ou orientale de cette rivière et de ses eaux supérieures, jusqu'à leur source, et de là, vers l'ouest et le nord, le long de la crète de la hauteur des terres, sur les rivières se jetant dans l'Atlantique, jusqu'à ce qu'elles atteignent le cap Chidley.»

Cette nouvelle a été publiée le 1er mars 1927.

Il y a 50 ans naissait Israël

Le 1er mars 1948, il y a un demi-siècle cette année, le Conseil juif de Palestine, réuni en assemblée générale à Tel-Aviv, adoptait une résolution constituant un cabinet de 30 ministres, présidé par David Ben Gourion, appelé à devenir le noyau du futur État juif qui verrait le jour quelques semaines plus tard.

Le 18 février de l'année précédente, les autorités britanniques, qui occupaient la région depuis 1922, avaient décidé d'en soumettre l'avenir aux Nations unies.

Le 28 avril 1947, l'assemblée générale de l'ONU avait chargé une commission d'enquête spéciale de lui faire des recommandations sur la Palestine.

La commission débarque en Palestine en juillet 1947, en pleine crise médiatique engendrée par l'Exodus. Ce navire transportait 4500 émigrants juifs, rescapés de la Shoah, que la Marine britannique voulait néanmoins empêcher d'atteindre la côte palestinienne.

La commission, dans ses recommandations au secrétaire général de l'ONU, le Norvégien Trygve Lie, préconisait deux États, un arabe et un juif, sur le territoire de ce qui constituait alors la Palestine.

Le 11 octobre suivant, la délégation de l'Agence juive, que présidait David Ben Gourion, remporte sa première victoire significative : les États-Unis, présidés par Harry Truman, décident de soutenir la recommandation. Le surlendemain, autre grand pas en avant : l'URSS fait de même. Mais pour être adoptée, la résolution avait besoin des deux tiers des États alors membres de l'ONU et dans plusieurs, l'antisémitisme était encore fort. Sans compter les États arabes qui faisaient également un fort lobby contre l'adoption de la résolution.

Finalement, le 26 novembre 1947, le débat tant attendu s'ouvre aux Nations unies pendant que le terrorisme, tant juif qu'arabe, s'intensifie en Palestine où on est sur le bord d'une guerre civile.

Ce n'est finalement que le 29 novembre 1947, à minuit, que le président de séance, un Brésilien, décide de tenir le vote. Dans une atmosphère tendue, les 56 pays membres sont appelés à se prononcer, par ordre alphabétique. Le décompte final donne 33 oui, 13 non et 10 abstentions. L'État juif est donc juridiquement créé.

Mais les nations arabes limitrophes rejettent le partage. Devant l'impasse, les Juifs passent à l'action et le 14 mai 1948, l'État d'Israël est officiellement créé avec, à sa tête, Ben Gourion.

Depuis lors, Israël existe mais la question palestinienne n'est toujours pas résolue. (**Texte publié le 1er mars 1998**)

Joe Louis accroche ses gants

Le champion du monde, Joe Louis, a annoncé officiellement (**le 1er mars 1949**) au commissaire Abe J. Greene de la National Boxing Association qu'il abandonne la boxe.

INSTITUT ELECTRO-THERAPIQUE

Montréal possède un sanatorium où se produisent des cures merveilleuses au moyen d'une machine électrique

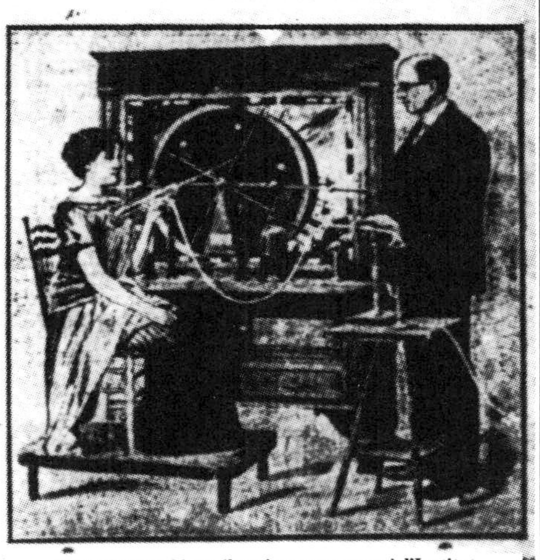

L'une des machines électriques en usage à l'Institut électrothérapique

NOTRE ville de Montréal fait tous les jours de nouvelles acquisitions dans le domaine des conquêtes pratiques de la science médicale. Au No 2141 de la rue Notre-Dame, se trouve l'Institut Electro-Thérapique, fondé pour le traitement de la consomption, de la paralysie, de l'asthme, des bronches et des maladies nerveuses en général, d'après le système Crotte, de Paris. C'est le premier institut de ce genre établi au Canada.

Toutes les classes de la société sont appelées à bénéficier des avantages de cet établissement, car le public y trouvera un dispensaire, le vendredi. D'habiles médecins spécialistes sont attachés à l'institut.

Pour faire l'application de l'électricité statique, on se sert d'une machine très perfectionnée. Cette machine produit une puissante étincelle et elle est mue par une dynamo. On place généralement le patient sur un tabouret isolé, et un pôle de l'appareil est appliqué à n'importe quelle partie soumise au traitement. Dès la première sensation, le patient se croit labouré par une épingle aiguë, et la douleur ressentie augmente avec l'intensité du courant.

Cette nouvelle a été publiée le 1er mars 1902.

1er C'EST ARRIVÉ UN MARS

1995 — Fermeture de la base militaire de Saint-Hubert, qui perd ainsi une « industrie » de 1 640 employés — 995 militaires et 645 civils — qui dépense 419 millions par an, dont le dixième en salaires.

1993 — Le Ouimetoscope, premier cinéma fondé en Amérique du Nord, a fermé ses portes, après 87 ans d'existence. Ancêtre des cinémas de répertoire, le Ouimetoscope était aux prises avec de sérieuses difficultés financières. Depuis quelque temps, il n'ouvrait que quatre jours sur sept.

1974 — Sept hommes parmi les plus proches collaborateurs du président Richard Nixon sont cités à leur procès dans l'affaire du Watergate.

1967 — Soupçonné de s'être approprié des fonds publics, Adam Clayton Powell est expulsé du Congrès américain.

1965 — L'explosion d'une maison d'appartements à LaSalle fait 28 morts.

1961 — Le président Kennedy crée les « Peace Corps », formés de volontaires bénévoles consentants à servir dans le Tiers Monde.

1960 — Cinq à six mille victimes, dont un millier de morts, et 35 000 ou 40 000 sans abri : tel semble être le premier bilan des deux tremblements de terre, accompagnés d'un raz-de-marée et d'incendies, qui se sont produits peu avant et après minuit, dans la ville marocaine d'Agadir. Agadir dans son ensemble a été détruite à 75 %, dont 90 % pour la partie marocaine et 70 % pour la ville nouvelle.

1959 — Le toit d'un aréna s'effondre sous le poids de la neige à Listowell, en Ontario, faisant huit morts.

1957 — Un bombardier Mitchell de l'Armée canadienne explose en plein vol près d'Ottawa, faisant huit morts.

1950 — Klaus Fuchs, savant britannique éminent d'origine allemande, a été condamné à 14 ans d'emprisonnement, après s'être avoué coupable d'avoir trahi sa patrie d'adoption en livrant à la Russie des secrets britanniques et américains à propos de la bombe atomique.

1948 — Formation du premier cabinet du gouvernement provisoire du futur État juif. M. David Ben Gourion en est élu le chef.

1932 — Enlèvement de l'enfant de 20 mois du célèbre aviateur Charles Lindberg.

Le capitaine Lux et le baron de Trenck, ancêtres célèbres de Lucien Rivard

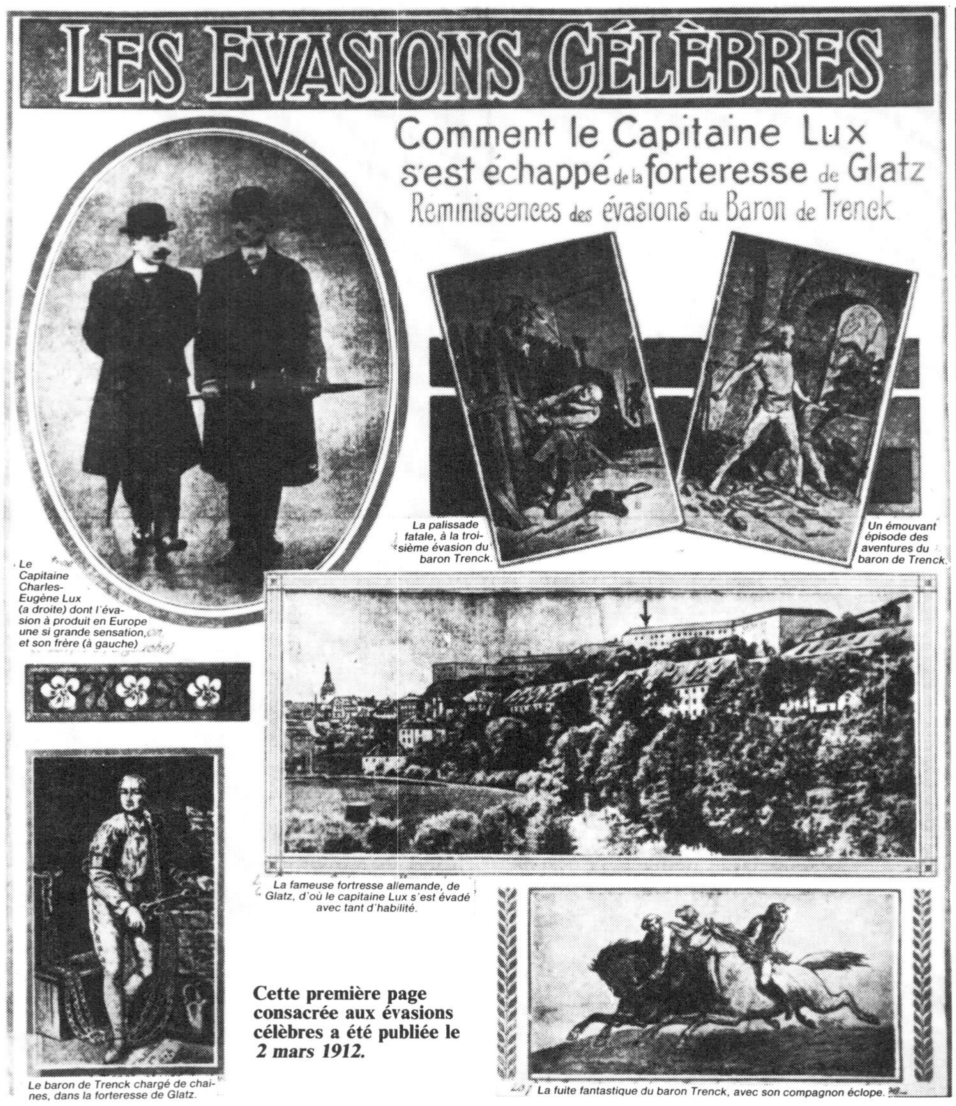

Le Capitaine Charles-Eugène Lux (a droite) dont l'évasion à produit en Europe une si grande sensation, et son frère (à gauche)

La palissade fatale, à la troisième évasion du baron Trenck.

Un émouvant épisode des aventures du baron de Trenck.

La fameuse fortresse allemande, de Glatz, d'où le capitaine Lux s'est évadé avec tant d'habilité.

Le baron de Trenck chargé de chaines, dans la forteresse de Glatz.

La fuite fantastique du baron Trenck, avec son compagnon éclopé.

Cette première page consacrée aux évasions célèbres a été publiée le *2 mars 1912*.

Le **2 mars 1965,** à la suite d'une évasion qu'un confrère, le regretté Teddy Chevalot, avait qualifié de « rocambolesque » dans LA PRESSE, le célèbre Lucien Rivard s'évadait de la prison de Bordeaux en utilisant un subterfuge qui jeta un discrédit sur l'ensemble des gardiens de la même prison.

L'évasion de Rivard ébranlait aussi les deux gouvernements, fédéral et provincial, pour deux raisons. En premier lieu, tandis que les autorités provinciales s'inquiétaient de la possibilité d'une complicité des gardiens, du côté fédéral, il y eut cette déclaration de l'avocat montréalais Pierre Lamontagne, voulant que le chef de cabinet du ministre fédéral de l'Immigration de l'époque lui eut offert un pot-de-vin de $20 000 pour que, en tant que représentant des autorités américaines, il ne s'oppose pas à la libération sous cautionnement de Lucien Rivard. Rivard était alors emprisonné dans l'attente d'un jugement concernant une demande d'extradition des États-Unis, qui le soupçonnaient de diriger un réseau de distribution de stupéfiants.

En deuxième lieu, il y eut l'incroyable subterfuge utilisé. En effet, Rivard et son complice, André Durocher, avaient obtenu de leurs geôliers la permission d'aller arroser la patinoire alors que le mercure indiquait une température de 42° F.! Dès le lendemain, le procureur général du Québec, Me Claude Wagner suspendait le gouverneur-adjoint et six gardiens jusqu'à la fin de l'enquête qui allait étudier les causes de la spectaculaire évasion.

Cinquante-trois ans plus tôt...

Et le hasard a parfois de curieux caprices. Ainsi, 53 ans plus tôt (donc en 1912) jour pour jour, un 2 mars, LA PRESSE avait consacré sa première page aux évasions du capitaine Lux et du baron de Trenck de la fameuse forteresse allemande de Glatz. Voici quelques passages relatifs à l'évasion du premier.

La célèbre évasion du capitaine Charles Eugène Lux, de la forteresse de Glatz, occupe encore l'attention de la presse européenne. (...) Comme on le sait, le capitaine Lux avait été arrêté il y a quinze mois en terre badoise, sur les bords du lac de Constance, par la police militaire allemande, jugé à huis-clos et condamné, bien qu'aucun fait personnel d'espionnage n'ait pu être retenu contre lui, s'est évadé au lendemain de Noël, de la massive forteresse de Glatz, où on l'avait enfermé pour six ans. (...)

En France, la nouvelle de cette extraordinaire évasion, qui, réalisée avec une ingéniosité et une intrépidité toutes françaises, rendait à l'armée un de ses officiers les mieux avertis et les plus énergiques, provoqua une joie unanime. Ce fut le cadeau du jour de l'an de Paris et de toute la France.

Ce fut dans la nuit du 27 au 28 décembre que le capitaine Lux, pour sortir de la forteresse, dut forcer deux portes intérieures, couper un barreau de fer de 3 pouces de diamètre, sauter par-dessus une muraille de quinze pieds de haut, traverser des jardins et franchir des obstacles de toute nature (les obstacles de l'extérieur étant, paraît-il, presque aussi insurmontables que ceux de l'intérieur). Il ne passa point par la fenêtre de sa chambre, indiquée par une flèche sur la pittoresque photographie reproduite ci-contre, car au-dessous, dans une cour fermée, une sentinelle veillait, avec des cartouches chargées à balles. Il lui fallut donc prendre d'abord une direction opposée à l'itinéraire qui eût été plus direct, suivre une sorte de ligne brisée, qui l'obligea à faire un énorme détour pour revenir au pied de la forteresse du côté que présente notre photographie.

Avant de partir, il avait déposé sur sa table un chèque de cent marks pour payer ses menues dettes de pension et autres. Il ne voulait en aucune façon laisser des créanciers à Glatz et cette précaution minutieuse devait aussi enlever tout prétexte d'extradition — pour escroquerie — aux autorités autrichiennes. Tout prévoir est une force.

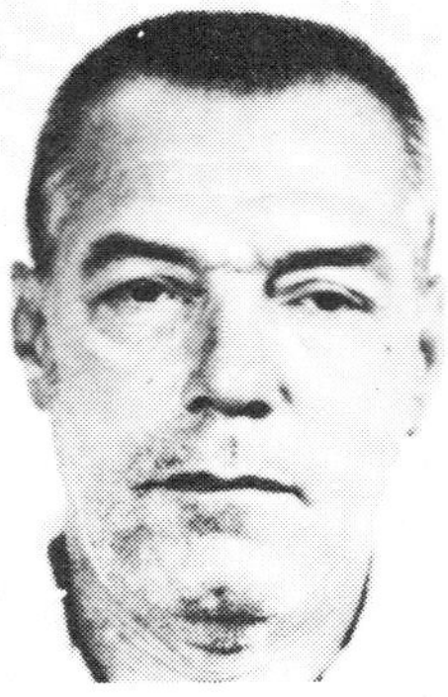

Une fois sortie de sa cellule, il lui fallait maintenant passer le corps de garde pour sortir de la forteresse. Ce qu'il fit en utilisant l'uniforme d'un officier, mais non sans avoir, *soucieux du règlement, inspecté toute la citadelle en compagnie de deux sentinelles!* Une fois l'inspection terminée, *l'officier s'en fut. On ne l'a plus revu depuis, car c'était le capitaine Lux!*

LE BARON DE TRENCK

Mais le capitaine Lux n'était pas le premier à s'évader de la prison réputée. En 1746 en effet, un autre célèbre personnage, le baron de Trenck, avait réussi à s'en évader, après y avoir été emprisonné pour avoir inspiré, raconte-t-on, une trop grande passion à la princesse Amélie de Hohenzollern, soeur de Frédéric le Grand.

Mais comme l'explique LA PRESSE du 2 mars 1912, ce ne fut pas une mince affaire puisqu'il dût s'y prendre de quatre manières différentes.

Une première fois, il complote avec deux des officiers chargés de le surveiller, mais il est trahi par un codétenu. Ce qui lui valut d'être surveillé plus étroitement qu'avant.

Logé dans une tour haute de quinze brasses (environ 24 m), il doit résoudre deux problèmes : scier les barreaux de sa geôle et se rendre au bas de la tour. Il vient à bout des huit barreaux qui l'empêche de fuir, coupe en lanières son porte-manteau de cuir et ses draps, et s'en fait un câble pour atteindre le pied de la tour. *Tout allait pour le mieux,* poursuit le récit, *mais il fallait traverser les fosses qui étaient en somme l'égout canalisant toutes les immondices de la ville. Trenck s'y embourbe, et ne pouvant plus s'en tirer, il est bien forcé d'appeler au secours!...* Et pour le punir, le général Fouquet, commandant de Glatz, l'y laissa pendant plusieurs heures à subir les quolibets des résidents de la ville.

À sa troisième tentative, il opte pour la manière forte. Un jour qu'un de ses geôliers entre dans son cachot, il bondit sur son épée, s'élance vers la porte, force des barrages de gardiens, en blesse plusieurs, et arrive au pied d'une palissade, le dernier mur entre lui et la liberté. Il s'y prend un pied, et est repris immédiatement.

Son quatrième essai sera fructueux, mais tout simplement parce qu'il se sera assuré la complicité de son geôlier, qui fuit d'ailleurs avec lui, à dos de cheval volé à des paysans. Et l'article de LA PRESSE se terminait de la manière suivante : *Le Destin finit par récompenser l'entêtement valeureux de Trenck; il peut gagner la Bohême; il est sauvé! Enfin...*

Yehudi Menuhin au Saint-Denis ce soir à 8 h. 30

Son premier désir, en arrivant à Montréal, a été de jouer dans la neige.

Cet article a été publié le 2 mars 1931 et était accompagné d'une photo de Menuhin avec son violon, légèrement différente de celle qui accompagne ce texte.

OUI! Menuhin est à Montréal, à l'hôtel Place Viger. Mais il y a des chances pour que vous le trouviez dans le parc, jouant dans la neige, plutôt que dans sa chambre.

Car on sait que Yehudi Menuhin n'a que quatorze ans, qu'à cet âge-là plus encore qu'à tout autre, il faut que se combinent harmonieusement l'étude et le jeu, et que le prodigieux violoniste ne se prive ni de l'une ni de l'autre. Les quelques instants que nous avons passés avec lui et avec son père, qui l'accompagne partout, nous ont fait voir un enfant qui n'a rien des désagréables enfants-prodiges dressés pour épater le monde. Yehudi Menuhin a tout le charme spontané de son âge, doublé d'une réserve où l'on reconnaît l'enfant studieux et capable de saisir les moindres nuances des êtres et des choses. Il parle musique sans aucun air de prétention, mais en même temps avec un souci de précision qui dénote chez lui un goût ardent des recherches. C'est ainsi qu'il a tenu à posséder une édition très rare et absolument authentique de la musique de Bach, qui a subi de nombreuses altérations, rarement à son avantage, aux mains des copistes et des éditeurs.

C'est donc un musicien, tout à fait sérieux, naturel et sans le moindre désire de pose, que l'on entendra ce soir, au Saint-Denis.

Yehudi Menuhin, acclamé déjà par toute l'Europe et toutes les grandes villes des Etats-Unis, se fera entendre ici pour la première fois.

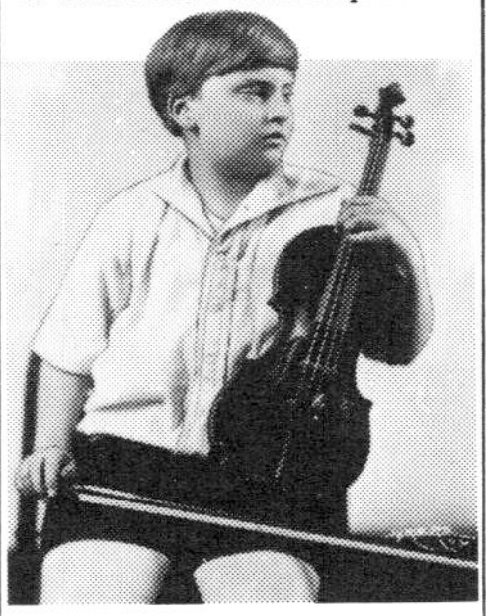

le programme

1. La Folts............Corelli
2. Solo Partita en mi majeur, No3...................Bach
   Prélude.
   Loure.
   Gavotte en Rondeau.
3. Concerto en mi mineur, Opus 64..........Mendelsohn
   Allegro molto appassionato.
   Andante.
   Allegro ma non troppo.
   Allegro molto vivace.
4. Negro Spiritual
   Melody.......Dvorak-Kreisler (de la Symphonie du «Nouveau Monde»)
   Guitare...Mosskowski-Sara sate
   Marche Turque (Les Ruines d'Athè-nes).....Beethoven- Auer
   La Fille aux cheveux de lin..........Debussy-Hartmann
   La Campanella........Paganini

Au piano: Hubert Glosen.

Pit-bulls hors-la-loi à Lachine

La Cour supérieure du Québec a reconnu hier (**le 2 mars 1990**) la pleine légalité d'un règlement adopté par le conseil municipal de Lachine, en 1988, interdisant la possession, la garde ou la vente de tout chien de race bull-terrier ou issu de tout hybride de cette race.

Le juge John R. Hannan a, du même coup, rejeté la requête de deux citoyens de Lachine, Jose Madronero et Anita de Andrade, qui essayaient de faire déclarer ultra vires, nul et illégal, le règlement de la ville.

Dans son jugement, la cour confirme qu'en vertu de certaines dispositions de la loi des cités et villes, les municipalités ont le pouvoir d'adopter des règlements relatifs aux nuisances et aux sources de danger. La cour fait sienne les conclusions d'experts qui soulignent le caractère « sauvage, incontrolable et vicieux » des chiens de race Staffordshire terrier, American bull-terrier ou les hybrides ou races croisées de ceux-ci, plus communément appelés « pit-bull ».

Ainsi, à la suite de ce jugement, Lachine peut non seulement interdire la possession, la garde ou la vente de tels chiens, mais elle possède en outre le pouvoir de « les capturer, les euthanasier ou les tuer et faire tuer ». La police de la Communauté urbaine de Montréal a également le pouvoir de faire respecter le règlement et les agents peuvent pénétrer à l'intérieur des lieux où ils soupçonnent la garde de tels chiens.

Quelques heures seulement après le jugement de la Cour supérieure, plusieurs villes, y compris Montréal, ont demandé une copie du règlement de Lachine. Le maire Guy Descary a déclaré que plusieurs de ces villes, non seulement sur le territoire de la CUM, mais ailleurs en province, veulent maintenant s'inspirer du règlement de Lachine pour adopter leur propre réglementation touchant les chiens de race bull-terrier.

C'EST ARRIVÉ UN 2 MARS

1998 — Le chef de l'opposition officielle, Daniel Johnson, quitte la politique active avec la conviction qu'un nouveau chef pourra conduire le Parti libéral du Québec à la victoire sur les troupes de Lucien Bouchard au prochain rendez-vous électoral.

1993 — Acceptant le témoignage d'experts, selon lesquels les Canadiens sont de plus en plus tolérants devant la nudité, la juge Katie McGowan de Kitchener a acquitté cinq femmes accusées d'indécence pour avoir dénudé leur poitrine en public.

1984 — Une étude révèle qu'un enfant sur 2 000 est victime d'abus sexuel au Québec. De 1978 à 1982, plus de 2 500 cas d'enfants abusés sexuellement ont été acheminés annuellement aux directions de la Protection de la jeunesse. Dans une proportion de 44 %, l'agresseur est le père. Presque toujours, soit à 92 %, l'enfant connaît la personne abusive.

1973 — Le commando de Septembre noir exécute deux Américains et un Belge dans le sillage de la prise d'otages de Khartoum, au Soudan.

1973 — Klaus Barbie, ex-chef de la Gestapo à Lyon, est incarcéré en Bolivie pour sa propre protection, disent les autorités.

1970 — À l'instigation du premier ministre Ian Smith, la Rhodésie proclame unilatéralement son indépendance.

1959 — Sérieux affrontement entre la police et les réalisateurs en grève de Radio-Canada. L'incident est marqué par l'arrestation du journaliste René Lévesque.

1939 — Le cardinal Eugenio Pacelli est élu pape sous le nom de Pie XII.

UN INCENDIE DETRUIT L'HOTEL DE VILLE

C'EST ARRIVÉ UN 3 MARS

1980 — Le premier ministre Pierre Elliott Trudeau, récemment réélu, annonce la composition de son nouveau cabinet. — Rodrigue Biron laisse ses fonctions de chef de l'Union nationale afin de pouvoir se prononcer en faveur du « oui » lors de la campagne référendaire. — Désarmement par la marine américaine du *Nautilus*, premier sous-marin nucléaire lancé 25 ans plus tôt.

1979 — Gilles Villeneuve gagne le Grand Prix d'Afrique du Sud.

1974 — Un *DC-10* des Turkish Airlines s'écrase à Ermenonville, France. Avec 346 morts, c'est la plus grande catastrophe aérienne jusqu'à ce jour.

1972 — Lancement de la sonde américaine *Pioneer X* en direction de Jupiter.

1969 — Lancement d'*Apollo IX* avec trois hommes à bord. La mission a pour but de mettre à l'essai le module lunaire.

1967 — L'aviation américaine annonce qu'elle a tué 105 personnes en bombardant par erreur le village de Lang-Vei, au Sud-Vietnam.

1967 — *L'Événement*, quotidien de Québec, cesse de publier deux mois à peine avant de célébrer le centième anniversaire de sa fondation.

1964 — Les Communes adoptent en 37 minutes un projet de loi par lequel la « Trans Canada Airlines » devient officiellement « Air Canada ».

1948 — Les ambassadeurs tchécoslovaques à Washington et Ottawa démissionnent pour protester contre l'imposition d'un régime communiste dans leur pays.

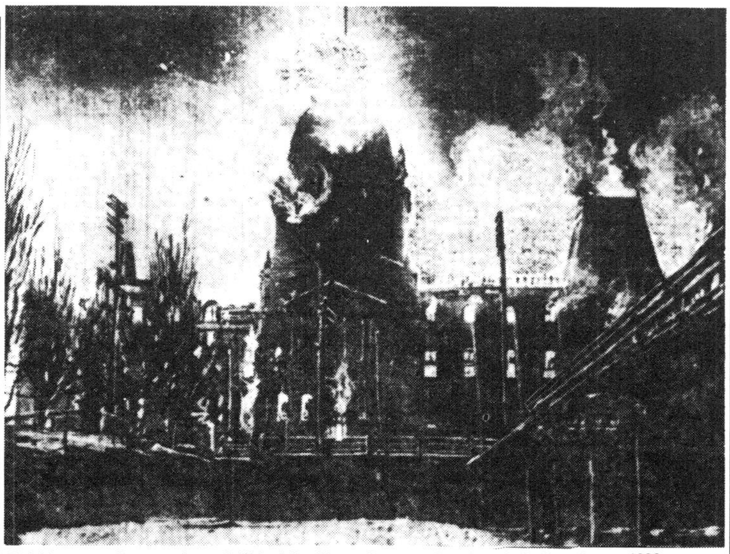

Voici le spectacle que présentait l'hôtel de ville en flammes, dans la nuit du 3 au 4 mars 1922.

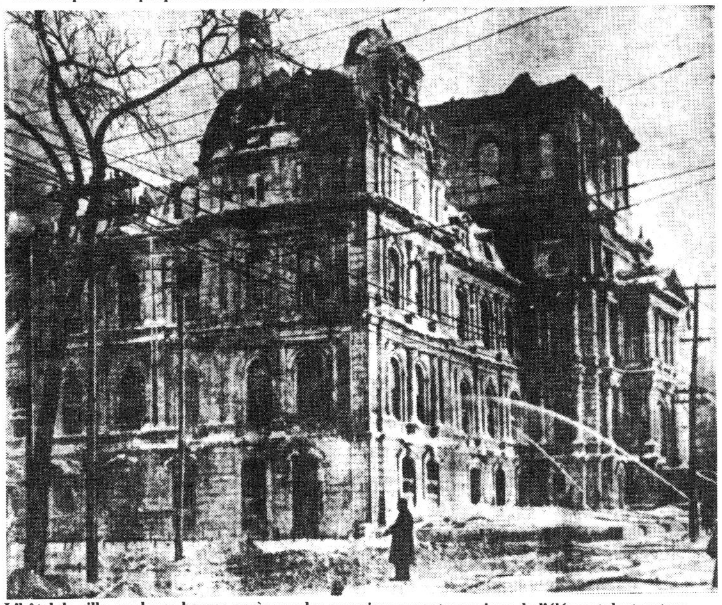

L'hôtel de ville, quelques heures après que les pompiers eurent eu raison de l'élément destructeur.

Les murailles de pierre de notre édifice municipal, qui sont encore debout, ne renferment plus ce matin qu'un amas de ruines fumantes.

LES FLAMMES ONT FAIT RAGE TOUTE LA NUIT.

*Cet article fait état de l'incendie qui fut découvert vers 23 h 45, le **3 mars 1922**. Les lecteurs de cette page se souviennent que le 15 février dernier, on annonçait la reprise des activités à l'hôtel de ville, quatre ans après ce terrible incendie.*

De l'hôtel de ville de Montréal, il ne restait plus ce matin, que des ruines. Les étages supérieurs au-dessus du deuxième avaient disparu, effondrés à l'intérieur. Les deux premiers étages, dont les murs restaient encore debout, étaient remplis de décombres où jaillissaient encore des flammes. Toutes ces ruines ont été produites en quelques heures, la nuit dernière.

C'est un peu avant minuit qu'un des gardiens de l'hôtel de ville, M. Edouard Roussel, découvrit qu'un incendie s'était déclaré dans le sous-sol, au-dessous des bureaux du département des licences. Il sonna aussitôt une alarme à l'avertisseur de l'hôtel de ville. Quand les pompiers arrivèrent, ils jugèrent la situation fort grave, et deux nouvelles alarmes furent successivement sonnées, jusqu'après l'arrivée du chef Chevalier, qui fit sonner une alarme générale, à 1 heure 8 minutes.

UN VASTE BRASIER

L'hôtel de ville n'était plus alors qu'un vaste brasier. Les flammes avaient gagné tous les étages et jaillissaient à une grande hauteur, illuminant le firmament sur une très grande distance.

Dans l'intervalle, des milliers de personnes accourues des différentes parties de la ville avaient envahi les rues Notre-Dame, Gosford et Craig, et se poussaient sur le champ de Mars. Elles pouvaient d'ailleurs contempler un spectacle grandiose. Le crépitement des flammes se mêlait au bruyant fracas des écroulements à l'intérieur du vaste édifice, et des masses de vapeur s'élevaient, produites par l'eau lancée par les pompiers, que les flammes vaporisaient aussitôt.

DES ECROULEMENTS

Bientôt les étages supérieurs s'écroulaient l'un après l'autre et des brandons étaient lancés de toutes parts jusqu'à des grandes distances.

Des pompes à vapeur avaient été installées rue Notre-Dame, place Jacques-Cartier, rue Gosford, tout à l'entour de l'hôtel de ville, et d'innombrables et puissants jets d'eau étaient lancés de toutes parts dans l'ardente fournaise.

Pendant de longues heures, les pompiers durent combattre les flammes sous le commandement du chef Chevalier, du chef-adjoint Saint-Pierre, et des chefs de district Doolan, Marin, Gauthier et Dagenais.

DES POMPIERS BLESSES

Au cours de l'incendie, plusieurs pompiers furent blessés et on les envoya aux hôpitaux pour y être traités. Le capitaine Patrick O'Reilly reçut les plus graves blessures et on craint qu'il ne perde la vie.

Une véritable inondation de tous les environs de l'hôtel de ville fut causée par l'énorme volume d'eau lancé par les hommes de la brigade. Une grande partie de cette eau, sortant de l'édifice en flammes, se répandait sur les rues environnantes. Sur la rue Craig, il se répandit une épaisseur de plusieurs pieds d'eau qui empêchait absolument la circulation, pendant que les rues allant de la rue Notre-Dame vers le sud étaient transformées en véritables cataractes.

Le maire Martin, qui avait été averti aussitôt après la découverte de l'incendie, se rendit promptement sur les lieux, espérant sauver les documents qui se trouvaient dans son bureau, mais il ne put guère sauver que son collier d'office et quelques papiers personnels. (...)

RECIT DU GARDIEN

Edouard Roussel, le gardien qui a découvert le feu, raconte ainsi ce qui s'est passé :

« J'étais assis dans ma petite chambre, située près de la porte qui donne sur le carré entre le palais de justice et l'hôtel de ville, cette même chambre qui pendant plusieurs années servit aux reporters qui font le service des nouvelles à l'hôtel de ville. J'entendis des bruits sourds, comme des roulements; je crus que ce bruit provenait des voitures des vidangeurs qui souvent viennent en arrière de l'édifice, pendant la nuit. Je sortis de ma chambre qui se trouve au rez-de-chaussée et je me rendis au bureau où l'on émet les patentes. Sur le mur qui sépare ce bureau d'avec celui des estimateurs, je vis de la fumée qui montait en serpentant, venant par là où les tuyaux des calorifères entrent dans la pièce.

« Je sortis en courant de la pièce, et prenant l'ascenseur, je me rendis au dernier étage de l'édifice où réside Louis Lajeunesse, le concierge. Je l'éveillai et lui dit de se hâter de sortir. Je cassai alors la vitre de la boîte d'alarme, mais apparemment elle ne fonctionnait pas. J'essayai de descendre par l'ascenseur mais je m'aperçus que lui aussi refusait de fonctionner. Je descendis alors les escaliers en courant, brisant à chaque étage la vitre de la boîte d'alarme privée. En autant que j'ai pu m'en rendre compte, aucune de ces boîtes n'était en bon état. Finalement, je réussis à atteindre la boîte du système d'alarme de la ville; cette boîte était en bonne condition. »

EPILOGUE

Attribué aux fils électriques, l'incendie causa des dommages évalués par le maire Médéric Martin à $10 million à l'édifice terminé en 1878 au coût de $100 000, sans parler de nombreux documents historiques d'une valeur inappréciable.

Malgré ce malheur, les différents services publics étaient réorganisés dès le lendemain matin dans différents édifices de la Ville de Montréal, sous la gouverne de M. J.-A.-A. Brodeur, président du comité exécutif.

UN INCENDIE DESASTREUX RAVAGE LE QUARTIER COMMERCIAL DE SOREL

SOREL — Vers quatre heures, ce matin (**3 mars 1909**), le feu s'est déclaré dans un hangar à l'arrière de l'épicerie de M. A.-C. Trempe, rue du Roi, et s'est communiqué bientôt à l'épicerie, qui fut détruite complètement.

Puis les flammes atteignirent le grand magasin de M. L.-T. Trempe; l'établissement de M. Lizotte; la pharmacie de M. Emile Chevalier; et les dépendances de M. le juge Bruneau, rue Georges.

On croit que l'incendie a été allumé par des fils en mauvais état. Les dommages subis par M. A.-C. Trempe s'élèvent à $13,000 que couvrent partiellement des assurances au montant de $6,000. L'Ecole technique de M. Tétreault a été détruite; elle n'était pas assurée. M. M.-A. Baril a perdu ses meubles. (...)

LES POMPIERS DE MONTREAL

Montréal a envoyé des secours. Vers 10 h. 30, une équipe est partie par convoi spécial de la gare du Grand Tronc. Elle était composée de huit hommes (...) et emmenait avec elle la puissante pompe à vapeur de la caserne No 22 et le fourgon à boyaux de la caserne No 7.

Un message téléphonique était arrivé chez le chef Tremblay à 6 h. du matin, pour lui demander du secours, mais on téléphona un peu après que le feu était maîtrisé. Il n'en était rien car vers 9 h. 30, un nouveau message demandait instamment des secours, et le chef donna les ordres nécessaires.

Esclandre de Denise Bombardier

Cette fois encore, Denise Bombardier n'avait pas la langue dans sa poche pour participer en direct, hier soir (**le 2 mars 1990**), sur Antenne 2, à la célèbre émission littéraire de Bernard Pivot, Apostrophes, consacrée à « la fidélité ».

Invitée pour la troisième fois à l'émission vedette qui s'achèvera d'ailleurs à l'été, Denise Bombardier s'en est violemment prise à l'un des six autres invités, Gabriel Matzneff, qui publie chez Gallimard son journal intime des années 1983 et 84 intitulé « Mes amours décomposées », et qui retrace les aventures nombreuses de l'auteur avec de très jeunes personnes.

Dénonçant le laxisme régnant en France en même temps que le déviationnisme pervers de l'auteur, Denise Bombardier a qualifié Gabriel Matzneff de « pitoyable », jugeant son livre « ennuyeux ».

« J'arrive d'un continent où il y a des choses auxquelles on croit, a déclaré Denise Bombardier, les traits tendus sous son casque de boucles blondes, et je ne comprend pas que dans ce pays la littérature serve d'alibi à ce genre de confidences... À l'heure où on dénonce ici l'apartheid, ailleurs la torture..., je ne comprends pas comment on peut publier ce genre de chose », a déclaré avec violence Denise Bombardier.

UN CHEVAL DANS UNE VITRINE

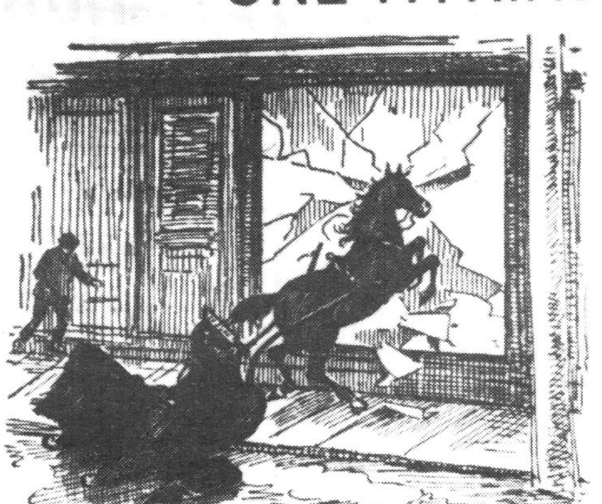

Dans son édition du *3 mars 1903*, LA PRESSE présentait ce croquis d'un cheval qui, ayant pris le mors aux dents, s'était projeté dans la vitrine de la National Clothing Co., au 1379, rue Notre-Dame. L'incident ne fit pas de blessés, et même si le cheval a complètement défoncé la vitrine de la boutique, il s'en est tiré avec des égratignures. L'incident au cheval de MM. Arpin et Vincent était survenu à 1 h 30 du matin.

La guerre du doublage reprend de plus belle avec les Français

« Assez, c'est assez ! » Serge Turgeon met le poing sur la table, ne cherche plus à s'entendre avec les Français sur la question du doublage et demande à Ottawa des mesures de retorsion.

La guerre du doublage, qu'on croyait en voie de résorption, reprend donc de plus belle.

Dans un studio de doublage de la firme Sonolab, où même sa voix de stentor était absorbée par les murs, le président de l'Union des artistes (UdA) a dénoncé hier les « relents d'impérialisme » des Français, leur attitude « honteuse, mesquine et hypocrite ».

Ce qui vient de faire déborder le vase de l'indignation : une chaîne française, Canal Plus, a récemment refusé de diffuser le long métrage canadien Obsessed, doublé au Québec.

Le doublage québécois était-il si mauvais ? À en juger par les extraits qui ont été présentés hier aux journalistes, il s'agissait d'un travail de première qualité, sans accent retraçable, bref ce qu'on peut appeler du français international.

Par la même occasion, et en guise de comparaison, on nous a fait voir et entendre des extraits de doublage français où le francophone moyen y perdait... son latin.

La question de l'accent n'a donc rien à voir là-dedans. Les Français, ont expliqué Serge Turgeon et Micheline Charest, présidente de l'Association des doubleurs, ont tout simplement décidé de se garder le monopole du doublage francophone, au mépris des ententes faites l'automne dernier.

En conséquence, il ne reste plus à leurs yeux qu'à demander au gouvernement fédéral, de qui relève ce dossier, d'imposer un quota, comme, par exemple, d'exiger que 60 % des séries et films étrangers diffusés au Canada soient doublés ici même.

L'industrie du doublage, c'est plus que... du popcorn. En France, environ 1 500 artistes en tirent des revenus de plus de 50 millions de dollars. Ce qui choque particulièrement l'UdA, c'est que sur cette somme, le cinquième, soit 10 millions, est fait de doublages destinés exclusivement au marché québécois. Ces productions doublées ne sont même pas diffusées en France.

(Texte publié le 3 mars 1989)

Le centre étudiant manque de futurs prêtres

Le Centre étudiant du diocèse de Montréal pourrait aisément accueillir une vingtaine d'internes et un nombre encore plus grand d'externes désireux de réfléchir à un éventuel engagement dans la prêtrise. Seulement six jeunes recourent actuellement à ses services.

Depuis son ouverture en 1963, la maison a accueilli plus de 200 jeunes et 28 d'entre eux sont devenus prêtres ; 11 de ses anciens poursuivent leur cheminement vers la prêtrise au Grand Séminaire ; parmi les séminaristes du diocèse de Montréal, ceux ayant fréquenté le Centre étudiant présenteraient un taux de persévérance plus élevé, et un grand nombre de laïcs sont fiers d'avoir appartenu au Centre. **(Texte publié le 3 mars 1988)**

Québec rase la moitié de ses délégations à l'étranger

La vitrine du Québec sur le monde, le réseau des délégations et des bureaux du Québec à l'étranger, sera réduite presque de moitié. Des 22 délégations québécoises à travers le monde, il n'en restera plus que la moitié, une fois traversé l'exercice des crédits gouvernementaux.

Il n'en mourront pas tous, mais tous seront atteints. Les postes prestigieux, Londres, Paris, Bruxelles et New York demeurent, bien sûr, ouverts, mais devront subir des compressions de personnel.

En tout, 320 personnes travaillent pour le Québec dans les délégations et bureaux à l'étranger. Il en resterait environ 200, une fois terminées les compressions, un projet qui dormait depuis trois ans dans les cartons du gouvernement.

Le réseau des délégations représente un budget annuel de 50 millions — presque la moitié du budget total des Affaires internationales, 117 millions. Les compressions à l'étranger doivent livrer des économies de six millions et le ministère à Québec et Montréal — qui emploie 800 personnes — doit livrer un autre six millions.

Parmi les bureaux carrément fermés par mesure d'économie, on retrouvera Los Angeles, Atlanta, Bogota, Caracas, Milan et très probablement Hong Kong.

Québec sortira ses quelques fonctionnaires en poste à Séoul et fermera boutique aussi à Port-au-Prince, ainsi que dans certains postes où il ne maintenait qu'un bureau d'immigration : à Damas, au Caire ou à Vienne. On maintient toutefois Abidjan où le Québec loge à l'ambassade du Canada.

À New York, on retrancherait une dizaine d'employés aux 50 actuels. À Paris, on diminuera d'une quinzaine de personnes l'effectif qui compte 75 employés. À Bruxelles, on sabrera aussi, mais Londres, dont la délégation a eu plus que sa part de compressions l'an dernier, serait épargné. Le personnel du bureau de Boston, une demi-douzaine de personnes, serait réduit de moitié. Chicago, poste économiquement stratégique que dirige le père de Patrick Roy, sera maintenu, tout comme les bureaux de Mexico, Tokyo et Rome. (**Publié le 4 mars 96**).

C'EST ARRIVÉ UN 4 MARS

1994 — Alan Eagleson, fondateur de l'Association des joueurs de la Ligue nationale de hockey et ex-représentant de joueurs aussi célèbres que Bobby Orr, a été inculpé d'escroquerie et d'autres délits par un jury fédéral américain. Âgé de 61 ans, Eagleson a été directeur exécutif de l'AJLNH de 1967 à 1991. En même temps, il a représenté plus de 150 joueurs individuellement et il a organisé cinq tournois de la coupe Canada.

1988 — Symbole du Louvre du XXe siècle, la fameuse pyramide de verre conçue par l'architecte sinoaméricain Ieoh Ming Pei, point de départ de travaux qui doivent faire du palais parisien le plus vaste musée du monde, connaîtra aujourd'hui son baptême officiel.

1966 — Un aérobus DC-8 des Canadian Pacific Air Lines ayant 71 personnes à bord a heurté un mur de soutènement en atterrissant dans un épais brouillard, à l'aéroport international de Tokyo, et s'est désintégré en une masse de débris fumants. Aux dernières nouvelles, il n'y aurait que six survivants sur les 71 personnes à bord. Au moins neuf Canadiens voyageaient à bord de l'appareil, dont sept Montréalais et un couple de Vancouver.

1933 — En raison de la crise financière américaine, un congé bancaire de trois jours vient d'être décrété pour toutes les banques des États de New York et de l'Illinois.

1933 — C'est aujourd'hui que Franklin-Delano Roosevelt devient président des États-Unis. La responsabilité d'aider 130 000 000 d'Américains à sortir de l'ornière profonde où leur marche s'est enlisée va passer des épaules de Herbert Hoover, épuisé par quatre années de luttes incessantes, sur celles d'un homme plein d'enthousiasme dans la force de l'âge et portant un nom célèbre.

La fermeture-éclair a 100 ans

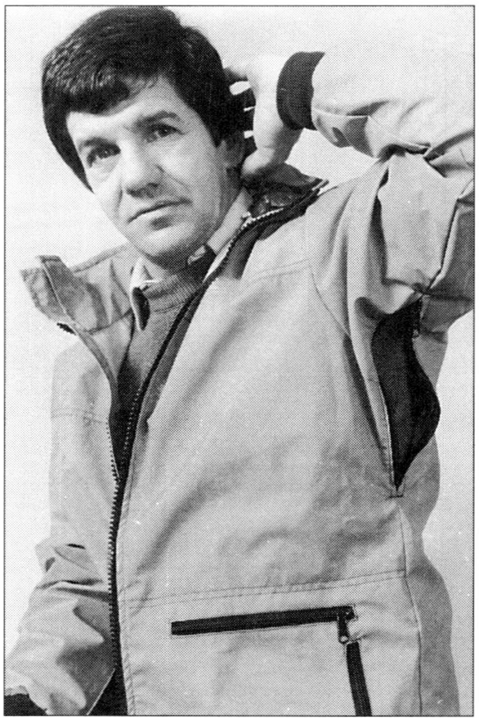

Aussi étonnant que cela puisse paraître aujourd'hui, inventeur et manufacturiers éprouvèrent de nombreux problèmes à convaincre les gens des bienfaits de la glissière.

L'année 1991 marque le 100e anniversaire de l'invention de la glissière. Ce dispositif, devenu essentiel, fut conçu par un ingénieur en mécanique du nom de Whitcomb Judson qui avait mis au point ce « fermoir à agrafes » pour remplacer les lacets de chaussure. À l'époque, sa compagnie, la Universal Fastener, les faisait fabriquer à la main. La production quotidienne était de... deux exemplaires.

Judson, qui cherchait une façon de rendre son invention populaire, persuada une célèbre effeuilleuse de l'époque, Little Egypt, d'avoir recours à son invention pour mettre bas la jupe lors de ses numéros à l'Exposition internationale de Chicago. Le résultat s'avéra moins que probant : à sa première tentative, la danseuse s'écorcha les côtes, tandis qu'à la deuxième, la glissière bloqua.

Aussi incroyable que cela puisse paraître, les ingénieurs de la compagnie ne parvenaient pas à concevoir une machine capable de fabriquer l'accessoire vestimentaire. En 1896, Judson entreprit d'inventer un modèle amélioré.

Après plusieurs tentatives, l'inventeur mit au point une nouvelle version de fermeture à glissière à laquelle il donna le nom de « C-Curity » (ou sécurité prononcée à l'anglaise). La vente, faite à domicile, visait à rejoindre à la fois les femmes (pour les fermetures de jupe) et les hommes (pour les braguettes de pantalon).

La glissière avait malheureusement tendance à... lâcher sans prévenir, au grand dam de ceux qui lui avaient fait confiance. Un autre handicap lui valut une recrudescence de scepticisme populaire : le métal était tellement prompt à rouiller qu'il fallait découdre la glissière avant de laver le vêtement et la recoudre par la suite.

Le public semblait avoir de la difficulté à se familiariser avec son fonctionnement puisqu'elle était vendue avec un... mode d'emploi.

Une première amélioration de taille survint en 1906 lorsqu'un employé de la compagnie, Gideon Sundback, mit au point le Plako, un modèle qui ne bâillait pas à tout moment.

Judson mourut en 1909, convaincu que son invention ne serait jamais pratique, sans voir malheureusement la mise au point en 1913 de la glissière moderne et fiable que nous connaissons aujourd'hui.

B.F. Goodrich adopta la glissière pour ses bottes Mystik en 1923. Le bruit (z-z-zip) qu'elle faisait en se fermant lui valut son nom anglais de « zipper ».

Dix ans plus tard, en 1933, un entrepreneur d'origine canadienne du nom de Hary Houghton offrit à la couturière Elsa Schiapparelli, la somme de 10 000 $ pour utiliser des glissières dans ses collections. Elle succomba à l'offre et sa ligne de vêtements de 1935 en afficha en grand nombre, même ses chapeaux et ses robes de soirée.

Houghton éprouva des problèmes à convaincre les hommes des bienfaits de la glissière jusqu'à ce qu'ils virent une photo du prince de Galles porteur d'un pantalon pourvu d'une fermeture-éclair. Il se paya des pages complètes d'annonce dans les quotidiens pour annoncer au monde que « Le prince a choisi la fermeture-éclair ».

L'invention a fait des pas de géant depuis. Au cours des années 1980, on commença même à voir des médecins l'utiliser sur les patients qui devaient être opérés à plusieurs reprises. Le Dr H. Harlan Stone de l'université du Maryland écrivit à ce sujet : « Le recours à la glissière facilite grandement l'examen de l'abdomen lorsque c'est nécessaire d'y procéder à chaque jour. »

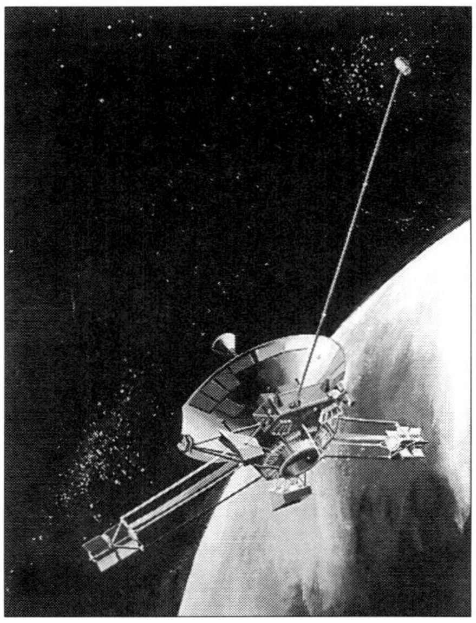

L'étonnante sonde Pioneer 10

Transmettre des données à la Terre à 8 milliards de km de distance, après avoir croisé Jupiter, Neptune, Saturne et quitté depuis neuf ans le système solaire, telle est l'étonnante performance technique de la sonde américaine Pioneer 10, dont la NASA fête cette semaine (**le 2 mars 1992, plus précisément**) le 20e anniversaire de lancement.

La sonde, partie le 2 mars 1972, était au départ destinée à une mission de 21 mois, le temps nécessaire pour s'approcher de la mystérieuse planète Jupiter. En dépit des craintes des scientifiques sur sa résistance, elle a réussi à passer sans dégâts la ceinture des astéroïdes et à supporter sans dommages l'intense radiation de Jupiter, dont elle a pu fournir d'exceptionnelles photos, prises à « seulement » 130 000 km de distance.

Propulsée ensuite par la force de gravitation jovienne vers d'autres destinations, Pioneer 10 (d'un poids de 285 kg) a définitivement quitté le système solaire le 13 juin 1983, pour un long voyage après avoir croisé Neptune. Elle devient ainsi le premier engin fabriqué par l'homme à quitter l'univers du Soleil.

Depuis, la sonde n'a jamais manqué ses rendez-vous quotidiens avec la Terre, transmettant depuis 1972 des millions et des millions de pages de données sur son périple inter-sidéral, effectué à une vitesse moyenne de 46 240 km à l'heure.

« C'est un vrai miracle technique que de pouvoir capter des données intelligibles à 8 milliards de km de distance, en utilisant seulement une radio de 8 watts de puissance. C'est une remarquable réalisation humaine », a déclaré James Van Allen, physicien à l'Université de l'Iowa et principal concepteur d'un des téléscopes de l'engin.

« C'est à devenir fou, c'est impressionnant », a tout simplement commenté un ingénieur en retraite B.J. O'Brien, qui avait travaillé sur le programme Pioneer.

La performance est en effet exceptionnelle. Après vingt années passées dans l'espace, sept des onze instruments scientifiques de la sonde restent opérationnels, y compris le télescope Van Allen. Ils continuent de renseigner la Terre sur le vent solaire, les particules cosmiques et le rayonnement ultraviolet.

Chaque jour, des scientifiques dépouillent minutieusement les données pour suivre l'influence du Soleil au-delà du système solaire, et dans l'espoir de trouver des traces d'une éventuelle 10 ème planète. « La découverte la plus significative depuis le passage de Jupiter, est sans conteste celle sur l'influence du Soleil qui s'étend au-delà des limites imaginées jusqu'à présent », a expliqué M. Van Allen.

Les signaux radio de Pioneer, émis une à deux fois par jour, mettent actuellement sept heures et demi pour atteindre les antennes ultra-sensibles de la NASA, qui dépense environ un million de dollars chaque mois pour Pioneer 10 et cinq autres de ses « soeurs » encore en service (Pioneer 6, 7, 8, 11 et 12).

Dans sa longue odyssée, Pioneer 10 emporte aussi un message de la Terre, sous la forme d'une plaque représentant un homme et une femme nus, debout côte-à-côte, l'homme levant la main droite en signe de salut. Celui des humains aux éventuels habitants du monde extra-terreste.

L'affaire Barings dans toute son horreur

La nouvelle a retenti comme un coup de tonnerre, dans la nuit de dimanche à lundi : Barings, une des banques d'affaires britanniques les plus respectables, était insolvable !

Deux jours plus tôt, la vénérable institution était encore considérée comme une des plus sérieuses et des mieux gérées de Londres. Et voilà qu'à la stupeur générale, on apprend que Barings a spéculé sur les indices boursiers japonais avec une imprudence inouie. Panique sur les marchés financiers ; la livre sterling plonge, les bourses aussi, les gouvernements de Londres, Singapour, Tokyo sont aux abois.

Les événements se sont passés à une vitesse incroyable. En deux semaines, la banque a accumulé des pertes de 1,2 milliard (tous les montants, dans cet article, sont exprimés en dollars américains) ; ses capitaux propres de 800 millions sont nettement insuffisants pour couvrir le trou. C'est la faillite. Au moment où ces lignes sont écrites, des liquidateurs cherchent à brader ce qu'ils peuvent des lambeaux d'une institution qui a déjà fait la fierté de l'Angleterre impériale.

Mais que s'est-il passé au juste ?

Prenons un exemple.

Le dollar canadien vaut présentement 72 cents américains. Que diriez-vous si je vous proposais de vous en vendre dix millions à 69 cents, mais dans trois mois seulement ? Si je vous fais une telle proposition, c'est parce que je pense que le dollar va baisser. Si vous acceptez ma proposition, c'est parce que vous pensez que le dollar va monter ou rester stable.

Bon. À l'échéance de notre contrat, disons que le dollar vaut 65 ¢. J'ai gagné : vous êtes tenu de m'en acheter à 69 cents, quatre cents plus cher que ce que vous pourriez obtenir sur le marché. Ces dollars que je vous vends 69 cents, je les paie évidemment 65 cents de mon côté. Non seulement me suis-je protégé contre une baisse du dollar, mais encore l'opération me permet-elle de réaliser un gain de 400 000 $.

Le dollar canadien n'est qu'un produit parmi des centaines d'autres sur lesquels les marchés dérivés nous offrent la possibilité de miser à la baisse ou à la hausse. On peut ainsi miser sur la plupart des monnaies, les métaux, le pétrole, le coton, les céréales et divers autres produits alimentaires périssables (viandes, beurre, jus d'orange, café, sucre, etc). On peut aussi miser sur les taux d'intérêt et les indices boursiers.

Faisons maintenant connaissance avec William Nicholas Leeson, un jeune Anglais issu de famille modeste qui ne tarde pas à impressionner ses collègues. Le *Financial Times* de Londres rapporte que les traders de Singapour le considéraient comme une sorte d'« homme-miracle ».

Une banque vénérable, des marchés financiers explosifs, un jeune homme intelligent et ambitieux. Tels sont les ingrédients qui serviront de canevas au drame qui va maintenant se dérouler.

Fin janvier, cela fait à peine un mois, le bureau singapourois de Barings se montre particulièrement actif dans l'achat de contrats à terme sur l'indice boursier japonais Nikkei 225. C'est Leeson qui est à l'oeuvre. Visiblement persuadé que l'indice va monter, le jeune trader joue à la hausse.

Et pas à moitié. Le 13 janvier, Barings possède à peine 3 000 contrats à terme sur le Nikkei (chaque contrat vaut environ 200 000 $). Deux semaines plus tard, le 27 janvier, Leeson en a acheté 14 000 de plus.

Les spécialistes de ce marché considèrent qu'un échange de 1 000 contrats, surtout pour une banque de taille intermédiaire, constitue une transaction énorme.

Malheureusement pour Leeson, le Nikkei ne monte pas ; il plonge, et joliment. Pendant les trois premières semaines de février, il perd près de 7 % de sa valeur. Pour Leeson, qui a déjà investi à la limite des capacités de la banque, les pertes sont énormes. Le jeune trader prend alors la décision de jouer le tout pour le tout, et de recouper ses positions.

Lorsque vous achetez une action 10 $, et que celle-ci vaut 5 $ six mois plus tard, vous pouvez en racheter d'autres à ce moment-là, pour un prix moyen de 7,50 $. Si le titre reprend du poil de la bête, disons jusqu'à 8 $, vous sauvez la mise. S'il continue de descendre, vous perdez tout.

C'est, en gros, la stratégie que va tenter Leeson. Entre le 17 et le 23 février, il achète massivement des contrats additionnels sur l'indice japonais. En tout, au moins 20 000, disent certaines sources, peut-être plus. Peine perdue. Le Nikkei continue de planter. C'est la ruine.

Jeudi dernier, le 23 février, Leeson est conscient de la catastrophe qu'il vient de déclencher. Il décide de disparaître du paysage avec son épouse.

Le soir du 23, les dirigeants de la banque, à Londres, se réveillent enfin. En prenant connaissance des chiffres, ils comprennent que c'est la fin : les engagements de la banque dépassent de deux fois ses disponibilités.

majeures.

Il aura fallu un mois pour provoquer la piteuse faillite d'une institution qui orne le paysage depuis 233 ans.

(**Extraits d'un texte du columnist Claude Picher publié en mars 1995**)

Ouverture le dimanche: les commerçants divisés

Deux mois après la véritable entrée en vigueur de la controversée loi 59, la libéralisation des heures d'ouverture des commerces ne fait toujours pas l'unanimité. Autant certains commerçants sont en faveur de l'ouverture des magasins le dimanche, autant d'autres sont farouchement contre.

En région, notamment dans la région de Québec, en Mauricie, au Saguenay-Lac St-Jean et sur la Côte-Nord, la grande majorité des commerçants se sont entendus pour demeurer fermés le Jour du Seigneur. Dans la région de Montréal, la situation est beaucoup moins claire.

Un grand nombre de commerces, situés principalement dans les centres commerciaux, ouvrent leurs portes le dimanche. Mais l'habitude n'est pas ancrée. Plusieurs évaluent la situation hebdomadairement. Ils peuvent accueillir des clients un certain dimanche, mais demeurer fermés la semaine suivante. S'il y a une tempête de neige, alors là, vous pouvez les oublier ! Les heures d'ouverture, par ailleurs, ne sont pas les mêmes partout. Les plus courageux ouvrent leurs portes dès 10 h, le dimanche matin. La plupart, toutefois, ne débutent leur journée qu'à 11 h ou midi. Et si l'achalandage est faible, certains peuvent décider de fermer boutique vers 15 h 30 ou 16 h.

Les magasins Eaton ont noté une augmentation des ventes depuis le début de l'année. Le fait d'être ouvert le dimanche a entraîné des ventes additionnelles, estime Georgine Coutu, directrice des relations publiques et des événements spéciaux au Québec.

« Nous sommes satisfaits, indique-t-elle. L'achalandage est différent, mais il indique qu'il y avait un besoin. Les gens sont plus détendus et prennent le temps de s'informer. »

Par ailleurs, le mécontentement gronde à travers la province, particulièrement à l'extérieur de Montréal. La Fédération canadienne de l'entreprise indépendante, qui représente 17 000 petites et moyennes entreprises au Québec et s'était opposée à l'adoption de la loi 59, encourage les commerçants à s'organiser entre eux et à garder leurs magasins fermés le dimanche.

(Texte publié le 5 mars 1993)

Onze ouvriers noyés à Laval-des-Rapides

Un caisson cède à la pression de la glace, sous l'eau

ONZE ouvriers ont péri, en fin d'après-midi, hier **(5 mars 1958)**, lorsqu'un énorme caisson d'acier construit au milieu de la rivière des Prairies pour permettre l'érection d'un pilier du nouveau pont de l'autoroute du Nord, a cédé sous la pression des glaces accumulées sur le côté ouest des chantiers, à Laval-des-Rapides.

Tôt ce matin, soit plus de huit heures après la catastrophe qui sema la confusion parmi les manoeuvres, les autorités de la compagnie de construction Dufresne établissaient à 11 le nombre des disparus.

Trois des manoeuvres qui travaillaient dans le lit de la rivière, au fond du caisson, ont toutefois eu la vie sauve. Ils ont été identifiés comme étant MM. Laurent Théorêt, 23 ans, de Saint-Eustache, Robert Dodge, de Bordeaux, et A. Fortin, de L'Abord-à-Plouffe.

M. Théorêt a été transporté à l'hôpital du Sacré-Coeur, souffrant de contusions et de choc nerveux. S'étant agrippé à des pièces de bois près du caisson, il a été secouru quelque cinq minutes après l'accident. L'un des deux autres survivants a été projeté sur la jetée tout près, tandis que le troisième a été secouru par des compagnons de travail au moment où il allait être emporté par le courant.

Recherches entreprises ce matin

Quant aux corps des victimes, on n'a aucunement tenté de les retirer de l'eau dans la soirée. Le surintendant du chantier, M. Paul-J. Brais, a déclaré qu'on devait entreprendre des recherches tôt ce matin à cet effet. Hier soir, deux plongeurs se sont rendus sur les lieux, sans toutefois s'aventurer sous l'eau, le risque étant encore trop grand.

On a expliqué que les corps pouvaient être coincés par des palplanches ou des poutres encore en mouvement sous la pression de l'eau. On a toutefois émis l'opinion qu'ils doivent être demeurés emprisonnés dans le caisson.

La tragédie s'est produite entre 5 h. 15 et 5 h. 20 hier après-midi, un peu plus d'une demi-heure avant le départ de ce groupe d'ouvriers à la fin de leur journée de travail. Une poutre d'acier soutenant le caisson aurait cédé, permettant à l'eau de s'infiltrer aussitôt entre certaines palplanches.

Gaétan Boucher, nouveau champion du monde de sprint

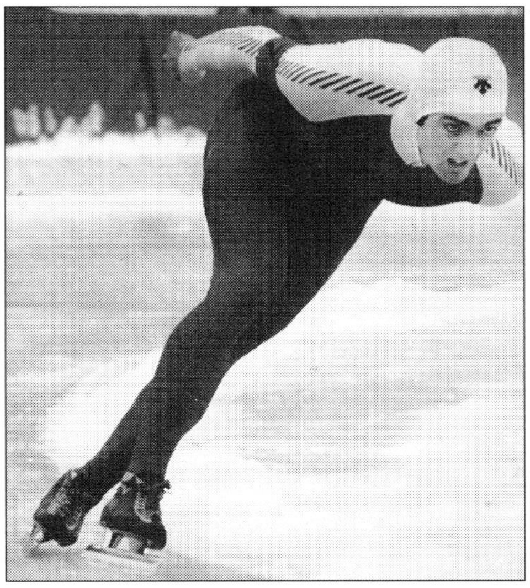

Au milieu de l'anneau de glace de Trondheim, Gaétan Boucher fait un dernier signe de la main à ces Norvégiens qui l'acclament et à cette année miraculeuse qui l'a sacré à la fois double champion olympique et monarque du sprint en patinage de vitesse.

« L'homme le plus rapide au monde sur patins », lance avec une grosse boule dans la gorge Cyrénus Boucher, son père.

Quelques minutes plus tôt, c'était le départ de cette dernière course, de ce 1 000 mètres qui allait décider du sort de deux grands rivaux.

Sur la ligne de départ, les deux hommes sont côte à côte. Cette dernière course, ironie du sort, c'est l'un contre l'autre qu'ils la courront. Deux éternels adversaires, les deux favoris avant même que ne débute la compétition, et maintenant les deux seuls à pouvoir encore coiffer le titre de champion mondial de sprint.

À la fin du sprint, sous les applaudissements de la foule, les haut-parleurs crachent dans un accent norvégien des mots qui annoncent : « Médaillé d'or et champion du monde de sprint en 1984: du Canada, Gaétan Boucher ».

(Texte publié le 5 mars 1984)

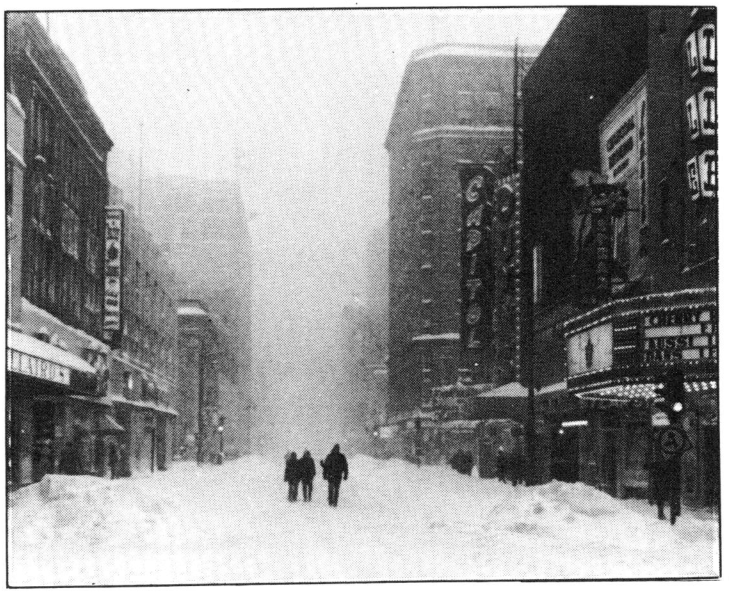

La tempête du siècle

Montréal et tout le Québec étaient paralysés hier (le 4 mars 1971)par la pire tempête du siècle. Vers midi, à Montréal, les écoles, les bureaux et les magasins fermaient ; même la rue Sainte-Catherine (notre photo) était laissée aux rares piétons qui se risquaient dans la tempête, et les autobus avaient cessé de rouler. Seul le métro fonctionnait. Le blizzard a même fait une trentaine de morts, la plupart ayant succombé à des crises cardiaques. Les motoneigistes étaient rois, même dans le rues de Montréal...

C'EST ARRIVÉ UN 5 MARS

1994 — Les quatre hommes accusés d'avoir fomenté l'attentat du 26 février 1993 contre le World Trade Center de New York, le plus haut gratte-ciel de Manhattan (110 étages), ont été reconnus coupables de conspiration par un tribunal de la ville. L'attentat avait fait six morts, un millier de blessés et pour 550 millions de dollars de dégâts.

1977 — Le CRTC accepte d'enquêter sur l'objectivité du réseau français de Radio-Canada, à la demande de ministres et députés fédéraux.

1967 — Le Gouverneur général Georges Vanier meurt dans son sommeil à l'âge de 78 ans.

1955 — L'Union soviétique expulse le père Georges Bissonnette, Assomptionniste de nationalité américaine et aumônier de l'ambassade des États-Unis à Moscou.

1953 — Joseph Staline, de son vrai nom Joseph Vissarionovitch Dougatchvili, meurt à l'âge de 74 ans, après avoir dirigé les destinées de l'Union soviétique pendant 29 ans.

1953 — Un Polonais s'enfuit de son pays aux commandes d'un Mig 15 et atterrit au Danemark. C'est le premier avion de ce type à arriver intact à l'Ouest.

1933 — Le Parti national-socialiste d'Adolf Hitler s'empare d'une majorité absolue au Reichtag en enlevant 288 sièges aux élections générales.

Mesures pour garantir aux produits culturels canadiens leur part du marché

Pour une rare fois dans l'histoire culturelle canadienne, les ministres de la culture des différentes provinces viennent de s'entendre avec leur homologue fédéral pour prendre les mesures qui s'imposent afin de favoriser l'essor des industries du livre et du cinéma.

Dans le secteur spécifique du cinéma, les représentants des provinces et d'Ottawa se sont entendus hier **(le 4 mars 1986)** sur la création d'un comité de concertation intergouvernementale sur le cinéma dont le mandat portera sur trois tâches spécifiques :

— veiller à ce que les initiatives du gouvernement du Canada touchant l'accès au financement et la commercialisation, telles que la création d'un fonds de développement cinématographique, soient complémentaires aux politiques et aux développements provinciaux et sensibles à la dimension régionale ;

— se pencher sur la nature des mécanismes aptes à répondre aux problèmes structurels de l'industrie ;

— étudier les moyens d'améliorer l'accès au financement à partir des sources publiques ou privées.

Le livre canadien

Au terme d'une conférence provinciale-fédérale de deux jours à Montréal, les ministres responsables du livre sont convenus d'accroître l'accès des livres canadiens au marché intérieur et de renforcer la présence canadienne dans la production, la distribution et la mise en marché.

Selon ses coprésidents, le ministre des Communications M. Marcel Masse et la ministre des Affaires culturelles Mme Lise Bacon, la conférence a été un succès, parce que la concertation entreprise depuis quelques mois a permis de proposer des solutions adaptées aux différences et spécificités régionales, ainsi qu'aux politiques des provinces.

Les ministres ont créé un comité de concertation intergouvernemental sur le livre (et autre sur le cinéma), qui devra examiner les questions suivantes :

— la révision du Programme d'aide au développement de l'édition canadienne ;

— l'harmonisation des efforts des gouvernements provinciaux et fédéral, pour améliorer l'accès des éditeurs aux marchés financiers ;

— la pratique des bibliothèques et autres institutions qui s'approvisionnent directement auprès de sources non canadiennes ;

— l'impact des politiques provinciales relatives à l'achat des manuels scolaires, pour encourager une plus grande présence des livres canadiens dans les écoles ;

— et enfin, le rôle des subsides postaux à l'appui des programmes d'aide à l'édition.

UNE INONDATION DANS LA RUE CRAIG

L'éclatement d'une conduite souterraine de 24 pouces couvre la chaussée de 4 pieds d'eau de la rue Chenneville jusqu'au square Victoria.

LE froid excessif et la neige auront causé des dégâts énormes au réseau des conduites souterraines, à Montréal, ainsi qu'à un grand nombre d'immeubles situés près des endroits où se produisent, depuis quelques jours, des ruptures dans les conduites d'eau. A date, on compte trois inondations d'importance à Montréal-Est, à Verdun (réseau souterrain de Montréal) et, ce matin **(5 mars 1934)**, angle des rues Bleury et Craig. De plus, interruption de milliers de services domestiques d'aqueduc, éclatement de quelques hydrants, etc. (...)

La plus considérable de ces trois inondations se produisit ce matin, à 7 h. 35, par suite de l'éclatement d'une conduite centrale de 24 pouces, à l'angle des rues Bleury et Craig. Cette dernière rue ressemblait à une rivière, du carré Victoria à la rue Chenneville, pendant que toute les caves des principaux établissements industriels étaient inondées par huit et même dix pieds d'eau. La circulation des tramways fut interrompu pendant plus de trois heures, retardant ainsi l'ouverture des bureaux dans le quartier de la finance et des affaires. Cet accident, attribué, croit-on, à la gelée dans les conduites souterraines, prit tout le monde par surprise.

A 10 h. 30, après les ouvriers du service de canalisation eurent réussi à fermer les conduites d'eau, la situation était redevenue normale et le premier tramway se rendant au terminus Craig en descendant la rue Bleury put circuler sans aucun danger. (...)

Nombreux incidents

Le reporter de la «Presse» fut témoin de plusieurs incidents. En une circonstance, un jeune employé tenta de pénétrer dans la cave d'un établissement d'affaires et faillit s'y noyer car au moment même un torrent d'eau le renversa. L'eau à cet endroit, après avoir inondé la cave qui a dix pieds de profondeur, monta par-dessus le plancher du rez-de-chaussée et atteignit même les comptoirs. Les employés montèrent sur des chaises et organisèrent une «vente».

En face d'un magasin de la rue Craig, près de la rue Bleury, on vit un homme sortir de l'établissement, prendre une ligne et pêcher «à sa manière». Et un autre enleva ses souliers et traversa la rue nu-pieds, afin de voir un client.

De jeunes hommes en bicyclette faisaient des courses pour leurs patrons et organisaient des secours. Et combien d'autres incidents, dont quelques-uns firent la joie des centaines de spectateurs!

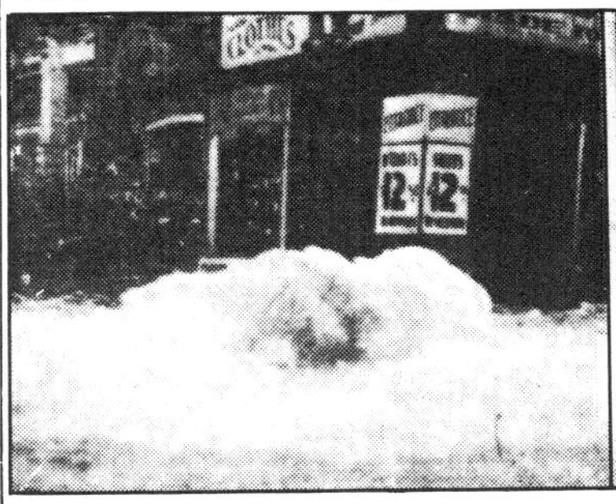

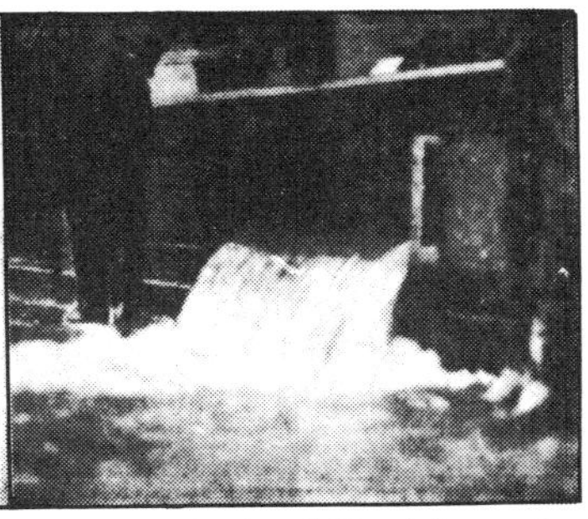

Ces deux photos, prises rue Craig, près de Bleury, démontrent bien l'ampleur de l'inondation causée par une conduite d'eau.

LA PRÉVISION DU TEMPS

Le science météorologique, si elle est très utile, est aussi très difficile.—Pourra-t-on jamais trouver une loi générale qui permette de dire infailliblement le temps qu'il fera en un lieu donné, à un jour et à une date determinés? Prévision lointaine et prévision prochaine du temps.— La station météorologique du Canada.

L'observatoire ou station météorologique de Toronto, d'où le gouvernement fait transmettre par tout le pays les pronostics de la température.

Le sismographe. — Cet instrument d'une sensibilité extrême enregistre les secousses sismiques (tremblement de terre) et autres "frissons" terrestres.

Le télescope de la station météorologique. Au moyen de cet instrument, dont le diamètre du lentille est de six pouces, on observe sans cesse les mouvements des corps célestes.

L'horloge électrique de la station météorologique. Cette horloge indique exactement "le temps moyen" qui est ensuite transmis par tout le pays, chaque jour.

Dans cette chambre de la station météorologique sont préparés les cartes météorologiques et les bulletins des pronostics de la température.

Dans une chambre particulière se trouvent une horloge électrique et une lunette méridienne, deux instruments nécessaires pour l'observation dans un observatoire météorologique.

La chambre du télégraphe. — L'opérateur reçoit chaque jour, les rapports de la température de toutes les parties du Canada.

Dans son édition du 6 mars 1920, LA PRESSE consacrait la première page à la prévision du temps et aux Alcide Ouellette de l'époque.

1994 — De 1981 à 1991, l'espérance de vie des hommes s'est accrue de près de trois ans (74 ans) comparativement à un et demi pour les femmes (81 ans). Cette réduction de l'écart est attribuée au fait que les hommes sont davantage soucieux de leurs habitudes de vie qu'ils ne l'étaient, alors que les femmes, plus nombreuses sur le marché du travail, en subissent les contrecoups.

1980 — La poète, historienne et romancière Marguerite Yourcenar devient la première femme à être élue à l'Académie française.

1964 — Mort du roi Paul de Grèce. Constantin lui succède. À 23 ans, il est le plus jeune roi d'Europe.

1958 — Les étudiants universitaires font la grève afin d'amener les autorités à assurer l'accès à l'université à tous.

1957 — Création du Ghana, ex-Côte d'Or, qui devient le premier État africain à accéder à l'indépendance.

1955 — Le Canada reconquiert la suprématie au hockey quand l'équipe de Penticton défait celle d'URSS 5-0.

1953 — Georgi Malenkov est nommé premier ministre d'URSS, succédant ainsi à Staline.

1946 — Les États-Unis sont désormais capables de fabriquer une bombe atomique mille fois plus puissante que celles qui ont détruit Hiroshima et Nagasaki.

Ben Johnson récidive et est banni du sport

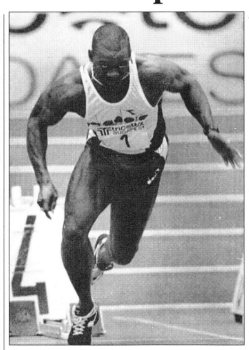

Ben Johnson, le sprinter déchu des Jeux de Séoul, a été banni à vie des compétitions par la Fédération internationale d'athlétisme amateur (**le 6 mars 1993**) après avoir subi un test antidopage qui s'est révélé positif.

Moins de cinq ans donc après avoir quitté Séoul couvert de honte après qu'un test antidopage eut révélé la présence de stéroïdes anabolisants dans son organisme et cela après avoir battu le record du monde du 100 mètres, Johnson a été soumis à un test antidopage qui s'est révélé de nouveau positif, à l'issue d'une rencontre d'athlétisme le 17 janvier dernier à Montréal.

Johnson est revenu à la compétition en 1991 après une suspension de deux ans infligée pour son infraction à Séoul. Il s'est fait retirer sa médaille d'or.

La décision a été annoncée par le secrétaire général de la Fédération internationale d'athlétisme amateur, Istvan Gyulai, à l'issue d'une réunion des cinq membres de la commission antidopage sous la présidence du Suédois Arne Ljungqvist, à Paris.

« À la suite d'une étude approfondie des documents concernant le contrôle antidopage pratiqué à Montréal, la commission a reconnu à l'unanimité que, selon les règles de la Fédération, l'athlète Ben Johnson avait été contrôlé positif en raison de la présence dans ses urines d'une substance interdite, la testostérone. »

« En accord avec les règles de la Fédération, l'athlète est immédiatement suspendu de toute compétition pour s'être rendu coupable de dopage. Selon ces règles, un athlète sera radié à vie en cas de récidive, dans l'attente d'un appel devant sa fédération nationale. »

« La Commission a le regret de faire savoir que cet homme est coupable. Nous avons con-firmé les données et elles sont malheureusement très claires », a ajouté Ljungqvist.

Dans un communiqué, la Commission antidopage de la Fédération internationale a déclaré que le bannissement sera en vigueur en attendant l'audition de l'affaire devant la Fédération canadienne d'athlétisme, mais l'audition est considérée comme une formalité.

M. Paul Dupré, le président de la Fédération canadienne d'athlétisme (AC) a vivement déploré cette nouvelle affaire Johnson. « C'est maintenant à cet ancien athlète, et à lui seul, de supporter le poids de cette nouvelle affaire », a-t-il indiqué en rappelant cependant le droit de Ben Johnson de faire appel.

Le ministre canadien des Sports, M. Pierre Cadieux, actuellement en visite au Mexique, a annoncé dans un communiqué que Ben Johnson se verrait « interdire à vie de bénéficier de toute aide financière fédérale et ne pourra participer à aucun sport sous quelque forme que ce soit ».

Battu par Amundsen dans sa tentative de découvrir le pôle sud, Scott y laisse en plus sa vie

LONDRES — Un journal publie la nouvelle annonçant que le capitaine Robert F. Scott, célèbre explorateur anglais, vient de découvrir le pôle sud. Mme Scott n'a pu confirmer cette rumeur qui n'est probablement pas sans fondement. En effet, des dépêches provenant d'excellentes sources disaient, ces jours derniers, que le capitaine Scott et le capitaine Amundsen, explorateur norvégien, étaient sur le point d'atteindre le but de leur rêve.

S'il est bien vrai que le capitaine Scott a découvert le pôle sud, il a rendu son nom immortel.

Plusieurs expéditions sont parties à peu près en même temps que celle commandée par le capitaine Scott, avec l'espoir de trouver le sommet mystérieux de la terre.

C'est par ces quelques lignes que LA PRESSE, dans son édition du **6 mars 1912**, annonçait à ses lecteurs que le capitaine Scott, dont on était par ailleurs sans nouvelles quant à sa position sur les glaces de l'Antarctique, avait réussi l'exploit de devenir le premier être humain à atteindre le pôle sud. La nouvelle était d'autant plus intéressante que l'explorateur britannique âgé de 44 ans, en était à sa deuxième tentative, ayant échoué lors de sa première expédition entre 1901 et 1904. Lorsqu'il quitta l'Angleterre, en juin 1910, à bord du *Terra Nova*, et encore lorsqu'il entreprit son long voyage en traîneau sur les glaces de l'Antarctique, en novembre 1911, il avait la certitude de réussir. Mais le sort en avait décidé autrement, car il perdit tout. En effet, lorsqu'il atteignit effectivement le pôle sud, le 17 janvier 1912, il découvrit que son principal concurrent, l'explorateur norvégien Roald Amundsen, l'avait devancé d'un peu plus d'un mois, ayant découvert le pôle sud le 14 décembre 1911.

Et la malchance de Scott ne se limita pas à cette triste constatation; en effet, en revenant vers le bateau, l'expédition rencontra du mauvais temps pendant de longues semaines et ses quatre membres y laissèrent leur vie. La tente de Scott et de ses collaborateurs fut retrouvée seulement le 12 novembre suivant, et on nota alors que la dernière inscription de Scott dans son journal personnel remontait au 29 mars, et qu'elle témoignait du fait que la vie de Scott ne tenait déjà plus qu'à un fil.

LA PRESSE CORRIGE SON TIR

Mais alors, demanderez-vous, comment LA PRESSE a-t-elle pu commettre cette erreur? D'abord, il faut savoir qu'en 1912, les moyens de communications n'étaient pas ce qu'ils sont aujourd'hui. Et la chose paraissait assez plausible puisque Scott dirigeait une des cinq expéditions en quête du pôle sud, les autres étant dirigées par Amundsen, l'Allemand Filchner, le Japonais Shirase et l'Australien Douglas Mawson. Et la nouvelle émanant de Hobart, en Tasmanie, publiée dans l'édition du 7 mars, et selon laquelle le capitaine Amundsen aurait reconnu que Scott avait été le premier à atteindre le pôle sud, ne fit que renforcer la rumeur. Sauf que dès son édition du 8, deux jours après le début du débat, à la lumière des nouvelles parvenant notamment de New York, et surtout du démenti formel d'Amundsen à la nouvelle de la veille qu'on lui attribuait, LA PRESSE était en mesure d'affirmer que le pôle sud avait été découvert le 14 décembre 1911 par l'expédition du capitaine Amundsen, un fait que l'Histoire devait consacrer. Dans cette affaire, il est vraisemblable de penser que les journaux de Londres avaient été victimes d'un certain chauvinisme.

Une des rares photos montrant, dans leur costume d'explorateur, les deux êtres humains à atteindre le pôle sud, le Norvégien Roald Amundsen (à droite) et le Britannique Robert Scott.

Le régiment aéroporté canadien n'existe plus

Le régiment aéroporté canadien a été officiellement démantelé hier (**le 5 mars 1995**), deux au jour pour jour après la mort sous la torture d'un jeune Somalien et quelques semaines après la diffusion de bandes vidéo montrant certains de ses membres se livrant à des actes dégradants.

Plusieurs cérémonies ont été organisées au cours du week-end dans la région d'Ottawa pour célébrer la mémoire de ce régiment, naguère considéré comme une unité d'élite des forces armées canadiennes.

Le ministre canadien de la Défense, David Collenette, avait prononcé sa dissolution le 23 janvier après la diffusion par les chaînes de télévision canadiennes de bandes vidéo amateurs, tournées entre 1992 et 1994 et montrant des soldats et des sous-officiers de ce régiment se livrant notamment à des actes dégradants ou racistes.

Créé il y a 27 ans, le régiment avait été impliqué dans pratiquement toutes les missions de maintien de la paix des Nations unies auxquelles le Canada a contribué au cours du dernier quart de siècle.

Officiellement, le régiment aéroporté avait été nettoyé de ses éléments indésirables peu avant le procès de neuf de ses membres, accusés d'avoir torturé à mort le 5 mars 1993 un jeune Somalien dans le camp de Belet Huen, en Somalie.

EFFROYABLE CATASTROPHE

Un violent incendie détruit complètement le superbe bateau de la compagnie du Richelieu, le «Montréal». — Les pertes se chiffrent à plusieurs centaines de mille piastres. — Au cours du sinistre, la charpente d'un hangar de la compagnie Allan s'effondre — Un mort, une centaine de blessés.

VERS neuf heures, samedi soir **(7 mars 1903)**, une immense lueur envahissait le firmament, avertissant la population de la métropole qu'une grande conflagration venait de se déclarer quelque part. La rumeur se répandit d'abord que les bureaux de la compagnie G.N.W., rue St-François-Xavier, étaient la proie des flammes, mais cette rumeur fut bientôt démentie et l'on apprit que le feu dévorait le nouveau steamer « Montréal », de la compagnie de navigation Richelieu et Ontario, auquel des ouvriers étaient à donner le dernier polissage, dans le bassin de la douane. Il se fit alors une immense poussée du côté des quais. Pendant quelques minutes, on vit surgir de tous côtés une foule effarée, courant à perdre haleine vers un même point. Les théâtres se vidèrent, les rues et les magasins furent bientôt déserts, et moins d'un quart d'heure après le commencement de l'incendie, une foule de 50 000 à 75 000 personnes était réunie sur les quais.

CE FUT UNE VRAIE LUTTE,

on se poussait, on se bousculait, on s'écrasait pour conquérir une place d'où il fut possible de voir le spectacle grandiose qu'offrait la conflagration. Le mur de revêtement était couvert de monde sur presque toute sa longueur.

Des milliers de personnes avaient même franchi le mur de revêtement, s'étaient aventurées

SUR LA GLACE

recouvrant les quais, s'étaient juchées sur les carcasses d'entrepôts que les grandes compagnies de navigation Allan, Elder-Dempster, etc., laissent sur les quais l'hiver.

Au plus fort de l'incendie, alors que le bateau n'était plus qu'un brasier ardent, que les flammes s'élevaient dans les airs à une hauteur considérable, que l'attention de tout le monde était captivée par la grandeur imposante du spectacle, alors que toute la foule, haletante, saisie, pétrifiée, suivait avec passion les péripéties du drame,

UN CRAQUEMENT

se fit entendre, un bruit assourdissant de maison qui s'écroule. Il y eut un moment d'angoisse et de stupeur, puis des cris et des lamentations, des appels désespérés et des plaintes de mourants se mêlèrent au crépitement sinistre des flammes voraces dévorant avec rage les bois rares, les sculptures, les tapis, en un mot, toutes les richesses que renfermait le navire neuf.

La carcasse des entrepôts de la Compagnie Allan venait de s'écrouler et des centaines de personnes se débattaient dans

LA PLUS AFFREUSE

des situations. Ceux qui étaient grimpés sur l'entrepôt furent entraînés dans la chute des pièces de fer et de bois dont était faite la construction, et ceux qui se trouvaient en dessous furent écrasés sous les débris.

Le premier moment de panique passé, on se mit en devoir de

PORTER SECOURS AUX BLESSES.

Toutes les voitures d'ambulance et de patrouille furent immédiatement réunies sur les lieux, et alors commença le transport des blessés aux hôpitaux.

Des centaines de personnes n'ont reçu que de légères blessures et ont pu retourner seules chez elles, après avoir été pansées sommairement par les médecins présents. Les autres furent transportées

DANS LES DIVERS HOPITAUX,

où plusieurs sont actuellement en danger de mort.

Le nouveau « Montréal » devait être livré à la Compagnie de navigation Richelieu et Ontario en juin prochain. Il devait être le plus beau vaisseau de son genre, construit sur ce continent. La perte est pour les entrepreneurs, qui ont, sur le navire, $350 000 d'assurances.

Telle est en résumé, l'histoire de la grande catastrophe qui a jeté un crêpe de deuil sur Montréal, samedi soir.

Épilogue

Le terrible incendie et l'écrasement de l'entrepôt auraient pu avoir des conséquences beaucoup plus désastreuses, car si le nombre des blessés a été très élevé, il s'agissait surtout de blessures relativement mineures.

La seule victime de la catastrophe, au lendemain de celle-ci, était un jeune homme de 20 ans employé du Grand Tronc, M. Nicola Florillo, qui subit une fracture du crâne en plus d'avoir la gorge broyé. Il s'agissait d'un immigré italien tout récemment arrivé au pays, et auquel on ne connaissait pas de parenté à Montréal.

Selon M. Frank Kennedy, gardien du « Montréal », l'incendie se serait déclaré dans l'entrepont et aurait été causé par une combustion spontanée de coton pressé imprégné de térébenthine et d'autres matières inflammables avec lesquelles les peintres s'essuyaient les mains après leur travail. Le vaisseau devait être complètement terminé dans deux ou trois semaines.

M. J. Côté, gardien des barges de MM. Allan, est celui qui a sonné l'alarme. Il a remarqué que les flammes s'étaient déclarées à l'avant du navire pour ensuite se propager à une vitesse inouïe.

Deux cheminées calcinées et un tas de feraille, voilà tout ce qui restait du « Montréal » au lendemain de l'incendie.

La police dit oui aux casinos si l'État en garde le contrôle

Les policiers de la Sûreté du Québec spécialisés dans le domaine de la moralité et du crime organisé ne s'opposeraient nullement à l'ouverture de casinos au Québec, à la condition qu'il s'agisse du modèle européen, c'est-à-dire d'entreprises de l'État, administrées par celui-ci, donc sous étroite surveillance, y compris policière.

C'est ce qu'ont indiqué hier (**le 6 mars 1991**) des sources consultées par La Presse, qui ont insisté sur la nécessité de confier à l'État, et non à l'entreprise privée, la direction de ces maisons. C'est d'ailleurs ce que souhaite le ministre du Tourisme, M. André Vallerand, qui paraît de plus en plus gagné à cette cause.

Des policiers spécialistes sont déjà en mesure de traiter largement de cette question avec le cabinet Bourassa, a-t-on appris hier tant de sources gouvernementales que policières. Un porte-parole du ministre a toutefois précisé que le ministère allait s'assurer, au cours des prochaines semaines, qu'il est possible de protéger efficacement ces établissements contre le crime organisé.

Montréal entreprend l'expérience de la collecte sélective des déchets

La ville de Montréal a commencé hier (**le 6 mars 1989**) à distribuer des bacs de récupération des déchets à 25 000 foyers, en prévision d'une collecte sélective qui commencera dans quatre quartiers le 10 avril.

Il s'agit d'un projet-pilote, a indiqué Jacqueline Bordeleau, membre du comité exécutif de la ville et responsable des travaux publicsé. Si l'opération réussit, elle sera étendue à toute la ville de Montréal.

Les premiers foyers visés sont situés dans les quartiers de Pointe-aux-Trembles et de Notre-Dame de Grâce, dans le Domaine Saint-Sulpice et dans les habitations Jeanne-Mance, un complexe d'habitations à loyers modiques du centre-ville. Les bacs sont distribués par des membres de l'organisme communautaire Centre de récupération Jeunesse du Monde / Montréal.

Le groupe a aussi le mandat de distribuer des éléments d'information, de rencontrer individuellement les habitants des secteurs visés et d'organiser des assemblées publiques.

Quatre millions aux soeurs Dionne

Les jumelles Dionne, aujourd'hui âgées de 63 ans, obtiennent finalement des excuses et quatre millions du gouvernement de l'Ontario.

L'entente est intervenue tard en soirée jeudi. Mais hier matin, à la suite d'une décision de dernière minute, assure son porte-parole, le premier ministre Mike Harris a décidé de prendre l'avion gouvernemental pour se rendre lui-même à Montréal afin de rencontrer les trois soeurs Dionne et leur présenter personnellement ses excuses.

La compensation sera versée aujourd'hui (**le 7 mars 1999**) à Annette, Cécile et Yvonne ainsi qu'aux deux filles de Marie, décédée en 1970. Cécile a aussi un fils, Bertrand, à l'origine des demandes d'enquêtes et de compensations des jumelles auprès du gouvernement de l'Ontario. La somme sera donnée en un seul versement, non imposable.

De l'aéroport, le chauffeur de M. Harris a dû se renseigner sur le trajet pour se rendre à Saint-Bruno où les trois soeurs demeurent. La rencontre a été de courte durée, le temps de leur dire notamment qu'il regrette tous les tracas qu'elles ont connus depuis le début de la semaine.

Le gouvernement ontarien a aussi promis qu'une enquête privée serait menée sur le fameux fonds en fiducie de plusieurs millions qui devait mettre les jumelles à l'abri du besoin jusqu'à la fin de leurs jours, mais qui s'est mystérieusement tari.

C'EST ARRIVÉ UN 7 MARS

1996 — En compagnie de son papa Marc, de sa maman Sylvia et de son petit frère Mathieu, qui a 21 mois, Julia Isler a eu droit à une visite spéciale des quatre écosystèmes de l'ancien vélodrome. Parmi cette famille de Westmount se trouvait en effet le quatre millionième visiteur du Biodôme depuis son ouverture en juin 1992.

1987 — Un ferry britannique transportant 460 passagers et 80 hommes d'équipage chavire au large du port belge de Zeebrugge. Le bilan établi par les autorités six heures après la tragédie fait état de plus de 20 morts, environ 300 rescapés dont 97 blessés, et plus de 220 disparus.

1983 — Le chef d'orchestre Igor Markevitch succombe à une crise cardiaque.

1975 — Fin des audiences publiques de la commission Cliche sur l'exercice de la liberté syndicale.

1971 — Les chutes de neige du 7 mars permettent d'atteindre un nouveau record pour un même hiver: 140,8 pouces.

1965 — Pour la première fois, la messe est célébrée en langues vernaculaires dans les églises du Canada.

1961 — Le pilote d'essai américain Robert White atteint la vitesse de 2 650 milles à l'heures à bord de l'avion expérimental X-15.

1936 — Pendant qu'Hitler propose un pacte de non agression de 25 ans à la France et l'Angleterre, ses troupes envahissent la Rhénanie.

Une première: des «gros plans» d'une comète

Rouge sombre, jaune et bleu : les scientifiques rassemblés à l'institut de recherche spatiale de Moscou ont été émerveillés par les photos de la comète de Halley transmises par la sonde soviétique Vega-1.

Ils ont applaudi à tout rompre en voyant apparaître ces clichés sur leurs écrans de télévision. Neuf minutes seulement après avoir « frôlé » la comète à un peu moins de 9 000 kilomètres de distance, la sonde soviétique retransmettait une première photographie représentant un noyau de couleur rouge sombre, entouré de gaz jaunâtres sur une fond bleu.

En réalité, il ne s'agissait pas des couleurs réelles de la comète : elles avaient été choisies conventionnellement en fonction de l'intensité de la lumière reçue par le bloc de détecteurs de la caméra de la sonde. Cette technique est à la base de la télédétection utilisée par les satellites d'observation de la Terre.

« C'est un triomphe, un vrai triomphe », s'est exclamé Fred Whipple, de l'Observatoire d'astrophysique de Cambridge (Massachusetts). « C'est la première fois dans l'histoire que nous avons une telle image prise si près d'une comète ».

(Texte publié le 7 mars 1986)

Cette page de 1907 consacrée au Mercredi des Cendres proposait le texte circonstanciel suivant aux lecteurs de LA PRESSE:

Crachant au monde qu'il effleure
Sa bourdonnante vanité,
L'homme est un moucheron d'une heure
Qui veut pomper l'éternité.
C'est un corps jouisseur qui souffre,
Un esprit ailé qui se tord;
C'est le brin d'herbe au bord du gouffre,
Avant la Mort.

Puis, la main froide et violette,
Il pince et ramène ses draps,
Sans pouvoir dire qu'il halète,
Etreint par d'invisibles bras.
Et dans son coeur qui s'enténèbre,
Il entend siffler le remord
Comme une vipère funèbre,
Pendant la Mort.

Enfin, l'homme se décompose,
S'émiette et se consume tout.
Le vent déterre cette chose
Et l'éparpille on ne sait où.
Et le dérisoire fantôme,
L'oublie vient, s'accroupit et dort
Sur cette mémoire d'atome,
Après la Mort.

Femmes Suffragettes et Furies

Ce que la société attend du sexe faible, les prétentions de celui-ci, ses réclamations, ses excès... L'anarchie en jupon: la femme au foyer.

NDLR - Le 8 mars 1913, donc 71 ans jour pour jour avant la Journée internationale de la femme de 1984, LA PRESSE consacrait sa première page aux suffragettes. Les légendes des illustrations et le texte qui accompagnait cette page avaient une teneur qu'on jugerait éminemment sexiste aujourd'hui. C'est donc à lire avec un certain sens d'humour.

....

LE monde entier s'occupe aujourd'hui des suffragettes. Elles ont assez fait de bruit en Angleterre pour attirer l'attention universelle. On ne rit plus, maintenant, des agissements des « apôtres » du féminisme politique ; elles sont devenues une cause de désordre extraordinai-

res que la police a bien du mal à réprimer, et les gouvernements se demandent quelles mesures il faudra prendre à l'avenir pour faire respecter la loi à ces énergumènes qui font une triste réputation à leur sexe, dans quelques pays. Il convient pourtant de faire une distinction entre les suffragettes anglaises et celles d'Amérique ; autant celles-là sont violentes, autant celles-ci se montrent pacifiques. Cela ne veut pourtant pas dire que les suffragettes américaines man-

quent de fermeté; au contraire, elles poursuivent leur but avec une constance digne d'un meilleur sort. Il faut, pourtant, convenir que dans nul autre pays au monde le féminisme fait plus de progrès qu'aux États-Unis, en ces dernières années. Les économistes les plus éclairés, toutefois, voient en cela un grand danger social. Les moins anti-féministes y trouvent une anomalie sérieuse.

Le titre de notre page fait tout de suite comprendre les trois catégories de femmes qui occupent aujourd'hui l'attention du monde entier. Il y a d'abord la femme, la vraie femme, celle qui, fille, épouse ou mère se consacre uniquement à la mission qui lui a été assignée par la Providence, la femme qui est l'ornement du foyer, et l'adoration de tous ceux qui l'entourent.

Il y a ensuite la suffragette modérée, celle qui, non contente de l'émancipation dont elle jouit dans notre société moderne, réclame, mais sans se livrer à des voies de fait et à des excès répréhensibles, des droits politiques qui ont été jusqu'ici l'apa-

nage exclusif de l'homme. Le bon sens nous dit que ces femmes se trompent et que leur place n'est pas dans les assemblées politiques tumultueuses, dans les bureaux de votation ou dans l'enceinte du Parlement, mais au foyer, qui réclame sa constante présence. Pourtant, il serait difficile de ne pas reconnaître le droit qu'elles ont de présenter leur cause, de la discuter et de tâcher de la faire triompher. Les concessions que l'on est faites aux femmes, dans certains pays, comme aux États-Unis, les autorisent, pour ainsi dire, à continuer la campagne destinée à faire étendre davantage leurs privilèges politiques.

Mais il y a une classe de suffragettes que l'humanité repousse : ce sont celles qui, comme à Londres, se livrent à toutes les violences, au crime même, sous prétexte de réclamer justice. Celles-là, la société ne peut les souffrir; elles cessent d'être femmes pour devenir furies, et l'autorité ne peut que les traiter comme elles le méritent, c'est-à-dire avec toute la rigueur qui doit poursuivre les criminels.

53 % des diplômes aux femmes

LES femmes ont décroché 53 % des diplômes décernés dans l'ensemble du réseau universitaire québécois, l'an dernier. Très majoritaires parmi les diplômés du premier cycle, elles ont réalisé des progrès marqués au niveau de la maîtrise. Mais au troisième cycle (doctorat), elles traînent encore très loin derrière les hommes.

C'est ce qui ressort d'une recherche menée par La Presse auprès des sept institutions du réseau universitaire : Université de Montréal (Hautes Études Commerciales et Polytechnique), Université McGill, Université Laval, Concordia, Université du Québec (incluant

toutes ses constituantes et institutions affiliées), Bishop et Sherbrooke.

Si on exclut ses deux grandes écoles affiliées — H.E.C. et Polytechnique —, l'Université McGill est celle qui présentait en 1987 le plus fort contingent de femmes diplômées, soit 3 535, suivie de près par l'Université McGill avec 3 215. Elle est aussi la seule où les femmes sont en majorité, non seulement parmi les bacheliers, mais aussi au deuxième cycle (maîtrise). Et, un doctorat sur trois décerné l'an dernier à l'Université de Montréal est allé à une femme.

(**Texte publié le 8 mars 1988**)

Les Québécoises d'adoption: 260 000 femmes venant de 85 pays

ELLES sont 260 000, les Québécoises d'adoption, venues de quelque 85 pays différents. « Il est temps de reconnaître la richesse de leur apport culturel et économique », exhorte Francine C. Mackenzie, présidente du Conseil du Statut de la Femme, à l'occasion de la Journée internationale des femmes (le 8 mars 1986).

Son souhait, dans le sillage de la conférence de Nairobi : « Que cette journée soit sous le signe de la solidarité des femmes du Québec, que les femmes immigrantes sachent qu'elles sont pleinement des nôtres, que la population québécoise réalise combien leur apport est capital pour le foisonnement de notre culture et le développement de notre économie. »

LA LOI DU CADENAS EST ULTRA VIRES

Décision des juges de la Cour Suprême à huit contre un

OTTAWA — La Cour Suprême du Canada, à une majorité de huit juges contre un, a déclaré ce matin (**8 mars 1957**) que la loi de la province de Québec intitulée « Loi protégeant la province contre la propagande communiste », mieux connue sous le nom de « loi du cadenas », dépasse dans son ensemble la juridiction du Parlement de la province.

Les juges Kerwin, Rand, Kellock, Locke, Cartwright, Fauteux, Abbott et Nolan sont unanimes à déclarer la loi inconstitutionnelle, tandis que le juge Robert Taschereau exprime l'avis que le cas particulier dont a été saisie la Cour Suprême n'aurait pas dû être entendu par ce tribunal, le sujet du litige étant périmé. En plus d'affirmer que la Cour Suprême n'avait pas à entendre cette cause, M. Taschereau se prononce sur l'aspect constitutionnel de la question et déclare qu'à son avis la loi dite « du cadenas » est de la compétence du Parlement provincial.

(**Me L.-Emery Beaulieu, l'un des représentants du procureur général dans cette affaire, a déclaré qu'il ne savait pas encore si la cause serait portée en appel au Conseil privé, à Londres. «Pour le moment, a-t-il dit, je n'ai aucune instruction. Je communiquerai avec le procureur général. C'est lui qui décidera de la question.»**)

Bien qu'on ne puisse connaître, à Ottawa, les intentions du procureur général de la province de Québec, il n'est pas impossible que la cause soit portée devant le Conseil privé de Londres. Les appels au Conseil privé, en matière civile, n'ont été abolis qu'à l'automne de 1949 et la cause initiale, qui a donné lieu à l'appel décidé aujourd'hui, a été inscrite devant les tribunaux de la province de Québec en janvier 1949. Elle est donc antérieure à l'abolition des appels au Conseil privé et pourrait par conséquent être portée à Londres.

On sait qu'à l'origine, il s'agit d'une affaire de loyer. Le plaignant, John Switzman, de Montréal, était sous-locataire d'un logement dont la propriétaire était Mme Freda Ebbling. Celle-ci avait recours à la « loi du cadenas » pour expulser le sous-locataire, alléguant qu'il utilisait son logement pour faire de la propagande communiste.

Le juge Taschereau soutient que le bail était expiré en 1950 et le plaignant ne réclamant pas de dommages matériels, il n'y a plus de litige et que la cause n'a pas à être entendue.

Les autres juges, cependant, sont d'avis que le plaignant a attaqué la constitutionnalité de la loi et que, comme le procureur général de la province est intervenu dans cette cause pour défendre la validité de la loi, la

Cour Suprême a le devoir de se prononcer sur ce point. Et huit juges sur neuf en viennent à la conclusion que la loi n'est pas de la compétence provinciale, parce qu'elle fait un crime d'un acte qui devrait relever du code pénal, donc de la juridiction fédérale.

M. Taschereau, sur ce point, exprime l'avis que les fins pour lesquelles est utilisé un logement relèvent du droit civil, non du droit pénal, et que par conséquent la loi est constitutionnelle.

Le juge Gérard Fauteux n'est pas d'accord avec son collègue québécois. Il se rallie au point de vue exprimé par le juge en chef et conclut : « Étant d'avis que la matière véritable de la loi incriminée est une matière de droit criminel et, comme telle, de la compétence exclusive du Parlement (fédéral), il n'est pas nécessaire de considérer les autres moyens soulevés par l'appelant pour disposer de cet appel et conclure à l'inconstitutionnalité de la loi ».

C'EST ARRIVÉ UN 8 MARS

1990 — La Galerie nationale du Canada a acheté au coût de 1,8 million de dollars, soit presque les deux tiers de son budget annuel alloué aux acquisitions, une toile géante de l'expressionniste abstrait américain Barnett Newman, toile intitulée Voice of Fire.

1988 — Fête au Fashion Group. Michel Robichaud reçoit l'hommage de ses pairs pour 25 années de création de mode.

1983 — Décès à l'âge de 85 ans de l'historien Robert Rumilly.

1976 — Un accident de construction fait quatre morts au Parc olympique.

1974 — Ouverture de l'aéroport Charles-de-Gaulle, en banlieue de Paris.

1971 — Joe Frazier bat Muhammed Ali aux poings et conserve le championnat du monde des poids lourds.

1963 — Les Baatistes prennent le pouvoir en Syrie à l'occasion d'un coup d'État sanglant.

1958 — Les producteurs de blé du Canada ont un nouveau client : la Chine communiste. En effet, le Canada vient de vendre à ce pays 10 000 tonnes de blé, soit environ 350 000 boisseaux. La vente, en plus d'être la première, est faite au comptant.

1957 — La police découvre une bombe à retardement à la Gare centrale, après avoir abattu André DeBlois, qui s'était lui-même transformé en bombe ambulante.

1957 — L'Égypte rouvre le canal de Suez mais limite à 500 tonnes le tonnage des navires en attendant la fin du dragage des navires coulés pendant la guerre.

1954 — Le général Naguib est réinstallé dans ses fonctions de président d'Égypte.

1954 — Les États-Unis et le Japon signent un accord d'assistance mutuelle.

1948 — On annonce que l'abbé Léonce Boivin, des Éboulements, reçoit une médaille de l'Académie française pour son ouvrage *Combat social*.

1930 — Décès à Washington de William-Howard Taft, le seul homme à avoir été président et juge en chef des États-Unis d'Amérique.

1921 — Le premier ministre d'Espagne, Eduardo Dato, est assassiné en pleine rue.

La Commission des accidents du travail siégeait pour la première fois au grand complet, cet avant-midi (8 mars 1929), à ses bureaux à Montréal, 59, rue Notre-Dame est. Assis, de gauche à droite : MM. O.E. Sharpe, Robert Taschereau, président, et Simon Lapointe; debout, (à gauche) Me Maurice Parent, conseiller légal, et M. Joseph Gauthier, ces deux derniers représentant la commission à Montréal. Les trois commissaires siégeront de nouveau ici cet après-midi et demain avant-midi. Ils sont venus entendre certains intéressés dans plusieurs causes actuellement devant la commission.

Le projet de célébrer le cinquantième anniversaire de la Confédération du Canada par une exposition internationale et universelle, a été déposé officiellement devant la Chambre des Communes, hier, par l'honorable M. Rodolphe Lemieux.

(Du corr. régulier de la PRESSE)

OTTAWA — L'hon. M. Rodolphe Lemieux, ci-devant ministre des postes dans le cabinet fédéral, a soulevé hier **(9 mars 1914)** au parlement une question d'un intérêt capital, qu'il a présentée sous forme de résolution ainsi conçue :

« C'est l'opinion de la Chambre que le gouvernement fédéral devrait encourager l'exposition internationale projetée à l'occasion du cinquantième anniversaire de la Confédération... »

L'hon. M. Lemieux donne des explications fort intéressantes au sujet de sa proposition. Il déclare que celle-ci devrait avoir, et ne manquera pas d'avoir, l'assentiment du peuple canadien tout entier, indépendamment de principes politiques, et sans considération de provinces.

LA CONFEDERATION

C'est, dit l'hon. M. Lemieux, que l'idée seule de la confédération réveille dans le coeur de tous les Canadiens un souvenir qui lui est cher, car elle lui rappelle une époque glorieuse et une des plus remarquables étapes de l'histoire de ce pays. C'est en quelque sorte la consécration de notre constitution canadienne. Le sentiment du souvenir fédératif est profondément imprégné dans le coeur des Canadiens, et l'Angleterre elle-même se réjouit de cet état de choses. » (...)

LE PROJET D'EXPOSITION

Après avoir passé par toutes les phases remarquables de notre histoire politique et constitutionnelle, l'honorable M. Lemieux est arrivé au point qui nous intéresse aujourd'hui, soit celui de célébrer par une exposition internationale, qui aurait lieu à Montréal, en 1917, le cinquantième anniversaire de la Confédération canadienne. Il rappelle que l'idée a été lancée par la «Presse» de Montréal, puis que le projet a été appuyé par le «Star», également de Montréal.

Le projet d'une exposition universelle a en outre reçu l'approbation des villes et des chambres de commerce de tout le Canada. Des centaines de maires canadiens y ont donné leur adhésion et nombre de manufacturiers canadiens se sont aussi déclarés favorables à l'entreprise. Ces manufacturiers ont appuyé leur adhésion de raisons probantes et d'arguments extrêmement sérieux. Ils ont déclaré qu'ils espéraient d'heureux résultats d'une exposition, non seulement pour le Canada, mais aussi pour eux en particulier, car ils ont tout intérêt à faire connaître leurs produits et ils ne craignent pas la concurrence étrangère. (...)

Le projet a été reçu avec faveur de l'autre côté des mers. On en a saisi toute la grandeur, toute l'importance et aussi tous les avantages. Trois cents des principaux manufacturiers de la Grande-Bretagne ont exprimé l'opinion que la tenue de l'exposition serait profitable à tout l'empire et se sont déclarés prêts à y prendre part. (...)

LE TEMPS PRESSE

La proposition devra être soumise au parlement dans un avenir prochain, car il n'y a pas de temps à perdre. *(Le premier ministre R.L.)* Borden est prêt à adopter l'idée d'une exposition universelle, quoiqu'il n'ait encore pris aucune décision, personnellement, sur ce sujet. Il partage les vues de l'honorable M. Lemieux sur l'importance de la célébration projetée, et il croit qu'une semblable exposition devrait être organisée par le gouvernement, avec la sanction du parlement, et avec l'appui des différentes organisations qui ont jusqu'ici donné leur adhésion au projet. (...)

LE CLOU D'UNE EXPOSITION

Figurons-nous le spectacle solennel que pourrait présenter l'ouverture de cette exposition. Sur le sommet du Mont-Royal, qui est la caractéristique de notre cité, un immense monument de plusieurs centaines de pieds de hauteur, s'élance dans le ciel et expose jusqu'aux confins de l'île sa masse majestueuse. Une horloge gigantesque couronne son sommet et donne l'heure jusqu'à plusieurs milles à la ronde.

L'heure de l'ouverture de l'exposition a sonné. Au pied du monument, sur le côté oriental de la montagne, s'étalent à perte de vue les édifices divers qui contiennent les merveilles du monde entier. La nuit est tombée. Des centaines de milliers de spectateurs sont là massés, haletants, attendant le signal qui va faire resplendir des millions de lumières de cette masse sombre qui dort et mettre en mouvement les multiples machineries silencieuses dans les palais.

Dans le même moment, par delà l'Atlantique, à trois mille milles de distance, Sa Majesté le roi d'Angleterre, et le président de la République Française se tiennent au sommet de la tour Eiffel entourés du corps diplomatique et des états-majors. L'heure sonne : alors le roi pousse un levier, aussitôt, au sommet du monument de la Confédération, sur le Mont-Royal, une immense étincelle jaillit au bout des antennes de télégraphie sans fil. Une lueur extraordinaire enflamme le firmament; l'exposition vient de s'illuminer. Une formidable clameur part de toute les poitrines : Vive l'Angleterre! Vive la France!

Le Viagra approuvé

La petite pilule bleue a franchi le dernier obstacle qui la séparait de son arrivée dans les pharmacies canadiennes : homologué par Santé Canada, le Viagra, premier comprimé disponible pour traiter l'impuissance, devrait être disponible sur ordonnance d'ici la fin du mois.

La pilule serait disponible environ trois semaines après l'obtention de l'aval du ministère fédéral. Elle sera fabriquée dans une usine française de Pfizer, mais sera emballée à Arnprior, près d'Ottawa. (**Publié le 9 mars 1999**).

La Banque du Canada est mise en marche

La Banque du Canada commencera ses opérations avec une réserve-or d'environ 107 000 000 $; ce métal lui sera transporté par le gouvernement et par les banques à charte au prix de 20,67 $ l'once. Tout bénéfice découlant de la revalorisation de l'or sera remis au gouvernement fédéral.

La banque centrale peut acheter et vendre de la monnaie d'or, d'argent, de nickel et de bronze ; effectuer des transferts de fonds ; transiger sur les acceptations commerciales, les acceptations de banquiers, les lettres de change ; acheter, vendre ou réescompter des fonds publics canadiens, britanniques, américains et français ; consentir des prêts ou avances aux banques à charte, au gouvernement fédéral et aux gouvernements provinciaux.

(**Cela se passait le 9 mars 1935**)

Cette page publiée le *9 mars 1929*, témoigne de la préoccupation de LA PRESSE envers l'élégance de la femme.

C'EST ARRIVÉ UN 9 MARS

1977 — William O'Bront est comdanné à un an de prison pour son refus de témoigner devant la CECO.

1977 — Une secte musulmane sème la terreur à Washington en prenant 134 personnes en otage. Bilan : un mort et 5 blessés.

1973 — Capture à Paris du dangereux bandit Jacques Mesrine, bien connu au Québec.

1972 — Inculpation sous des accusations de faux de l'écrivain Clifford Irving, auteur d'une pseudo-biographie du milliardaire Howard Hughues.

1970 — Les résidents de l'île des chiens, dans l'estuaire de la Tamise, proclament unilatéralement leur indépendance de Londres et nomment Ted Johns comme premier président de la « république ».

1968 — Le général Charles Ailleret, chef d'état-major des armées françaises, meurt dans un accident d'avion à La Réunion.

1966 — Devant l'impossibilité d'obtenir une réforme satisfaisante de l'OTAN, le gouvernement français annonce son intention de s'en dégager.

1961 — Les Soviétiques annoncent qu'ils ont lancé, puis récupéré, un satellite avec un chien à son bord.

1959 — En grève depuis le 29 décembre, les réalisateurs de Radio-Canada reprennent le travail.

1956 — Déportation de l'archevêque Makarios, chef du mouvement pour l'unification de l'île de Chypre avec la Grèce.

1942 — L'île de Java tombe aux mains des Japonais.

1932 — Eamon de Valera, l'ancien proscrit, est élu président d'Eire.

1911 — L'explosion de 100 tonnes de dynamite détruit complètement le village de Pleasant Prairie, au Wisconsin. On dénombre deux morts et plus de mille blessés.

Une des trois voitures détruites hier par la police.

Une autre page de la Crise d'octobre est tournée

Une autre page a été définitivement tournée, hier (**le 8 mars 1984**), dans l'histoire du Québec. Et particulièrement dans celle du Front de libération du Québec (FLQ) et de la Crise d'octobre.

En effet, trois voitures qui avaient servi aux membres du FLQ en 1970 pour l'enlèvement de Pierre Laporte et de Richard Cross et la conduite des felquistes vers leur exil à Cuba, ont été livrées à la ferraille.

Poussiéreuses, les pneus crevés, le volant arraché, on aurait cru qu'elles arrivaient directement d'un dépotoir. On y retrouvait : la Chevrolet bleu-vert Biscayne 1964, qui avait servi à l'enlèvement — puis comme tombe — du ministre Pierre Laporte, la Chevrolet Chevy II beige, voiture des felquistes Jacques Lanctôt et Francis Simard, ainsi que la Chrysler Saratoga 1962 noire, de Marc Carbonneau, celle-là même qui avait emmené les felquistes à Terre des Hommes.

Escortés d'une voiture de police, les trois voitures, vieilles d'une vingtaine d'années, avaient été transportées par une remorqueuse du centre Parthenais à Sainte-Catherine, sur la Rive-Sud, dans une entreprise de recyclage d'acier, Les Industries associées.

Tout était prêt pour recevoir ces vestiges. Depuis 10 heures, chez Les Industries associées, on attendait de porter le coup fatal à ces véhicules historiques. Il était 11 h 10 lorsque la masse d'acier de dix tonnes, soulevée magnétiquement par une grue sur pont roulant, transformait ces bagnoles en un tas de ferraille indescriptible.

Gardez vos assiettes !

Ne cassez pas les assiettes, l'an 2 000 leur promet de beaux jours ! Mais vous pouvez jeter à la poubelle les idées reçues, selon lesquelles l'alimentation future serait un horrible ragoût de pilules multicolores, de tablettes sans saveur et de concentrés alambiqués. Poissons, fruits de mer, légumes frais du potager, fruits exotiques... à l'aube du XXIe siècle, tout ce que vous pourrez désirer caler sous vos molaires sera à portée de vos assiettes (en déliant les cordons de votre bourse) sous forme de plats surgelés et très sophistiqués.

Industriels de l'agro-alimentaire et chercheurs réunis en colloque à Paris (**le 9 mars 1988**)ont fait le point scientifique des recherches en matière de transformation des produits agricoles et de nutrition.

À ce colloque, où il fut question du développement des capteurs (capteurs à infrarouge pour analyser le lait, capteur optique pour analyser les fruits sans les endommager), et de l'apport de l'électronique et de l'informatique, les équipes de recherche fondamentale se sont sérieusement interrogées sur le procédé qui fait qu'une mayonnaise prend ou ne prend pas!

Du coulis de tomates pour agrémenter le steak-frites, à la poignée d'ail haché jetée sur une poêlée de girolles pour re plaisir à monsieur, en passant par la purée de carottes de l'éternel régime, sans oublier le sorbet à la mangue pour l'exotisme, la ménagère de l'an 2000 peut espérer remplir son panier au premier supermarché de produits surgelés du coin.

Attentat contre un prêtre et un frère

UN halluciné de la pire espèce, qui se dit athée et qui semble souffrir de la folie de la persécution, s'est attaqué hier soir **(9 mars 1947)** à un prêtre.

Une heure plus tard, Marcel Julien *(notre photo)*, 30 ans, 3545, rue Hutchison, était arrêté dans un restaurant de la rue Ontario est et interrogé sur un deuxième attentat à coups de couteau, commis cette fois sur un frère enseignant.

De sang froid, déclare la police, Julien a plongé à quatre reprises son couteau dans le dos de l'abbé Jacques Brossard, 45 ans, vicaire à S.-Louis-de-France, et laissé le même couteau de cuisine sous l'homoplate du Rév. Frère Vincent-Arthur, 25 ans, de la congrégation des frères Maristes et professeur au collège Laval, à S.-Vincent-de-Paul.

Ce matin, dans sa cellule, le détenu, pâle et défait, se déclarait heureux : « J'ai fait ma part, » disait-il. « En enseignant l'existence de Dieu et de l'enfer, la religion rend les gens malheureux. Moi, je ne crois à rien de cela, et je voudrais que tous les gens soient heureux comme moi. »

Les Canadiens ne sont pas prêts à payer plus pour l'environnement

Les Canadiens aimeraient que le gouvernement prenne des mesures sévères pour lutter contre les pollueurs, mais ils ne sont pas prêts à payer des taxes supplémentaires pour assainir l'environnement, dévoile une analyse de l'opinion publique commandée par le ministère fédéral de l'Environnement.

Les conclusions de cette étude, effectuée par Thompson Lighstone and Co., viennent en contradiction avec les résultats de sondages antérieurs indiquant que les Canadiens sont prêts à payer pour pouvoir vivre dans un environnement plus sain.

« Bien que les recherches antécédentes aient indiqué que les Canadiens étaient prêts à payer plus à la pompe pour la constitution d'un fonds servant à l'assainissement de l'environnement, cette attitude s'est amenuisée avec la TPS (taxe sur les produits et services) », souligne l'étude.

Les Canadiens souhaitent l'adoption de lois plus sévères contre la pollution, et l'emprisonnement des dirigeants de compagnies coupables de pollution a été mentionné comme mesure possible. Mais la majorité des citoyens ne veulent pas être obligés d'apporter de grands changements dans leurs petites habitudes.

« Ainsi, à ce stade initial, les gens seraient réticents à se priver du côté pratique associé à l'usage des automobiles », note le rapport de Thompson Lighthouse. « Ça pourrait cependant être acceptable plus tard, avec le temps ».

La perte d'emplois causée par des lois sévères contre la pollution est une crainte que l'on trouve dans les petites communautés, mais non dans les grandes villes, ont pu établir les analystes.

(Texte publié le 10 mars 1990)

Faut-il sortir l'automobile de la ville?

Les villes sont les principales responsables de la pollution de l'environnement. Aussi devront-elles devenir de plus en plus « frugales » et éliminer graduellement l'accès des automobiles aux zones centrales.

Ce message, doublé d'un avertissement, a été donné hier (**le 9 mars 1992**) par M. Guy Peyretti, le directeur-adjoint de l'Institut national de génie urbain de Lyon, la seconde ville française, au Symposium international sur le génie urbain qui se tient au Palais des congrès de Montréal.

La pollution de l'air urbain est l'un des problèmes les plus préoccupants pour la santé des personnes et l'équilibre vital de la nature en général, a dit l'expert. Les citadins du monde - c'est inévitable, croit-il- devront se rendre compte que la présence de l'automobile dans les villes est dangereuse pour l'environnement.

Les villes européennes, précise M. Peyretti, ne sont pas devenues des mégalopoles ingouvernables. Conçues à l'échelle humaine, leur situation environnementale est généralement considérée comme « réversible ». Et c'est dans leurs murs mêmes qu'il y a problème. « En Europe, il semble que la lutte contre la pollution industrielle et celle due au chauffage ait porté des fruits, comme en témoignent les taux décroissants de SO_2. Mais maintenant on peut dire que le problème principal est la pollution due aux transports. »

« On ne peut s'en sortir, lance-t-il, il faudra éliminer l'auto des villes. » Il signale à cet égard que plusieurs villes européennes prennent le taureau par les cornes. Le meilleur exemple est celui de Strasbourg où l'on a déjà restreint l'accès des voitures au centre-ville et où l'on s'apprête à réimplanter une version ultra-moderne du tramway.

Ce spécialiste estime que les progrès qui découlent de réglementations plus sévères ou de l'introduction de carburants plus « propres » « sont contrecarrés par l'augmentation croissante du parc de véhicules et de la congestion urbaine ». Par ailleurs, l'automobile est « la première dévoreuse d'espace et de temps ».

En revanche, le directeur adjoint du Service des travaux publics de Montréal, M. Serge Pourreaux, soutient que la métropole du Québec ne peut envisager de limiter l'accès du centre-ville aux voitures. Il a dit craindre en effet qu'en agissant ainsi, l'administration municipale n'incite les citadins à fuir encore davantage vers la banlieue...

M. Peyretti, pour sa part, a signalé que de grandes villes européennes, Rome au premier abord, ont déjà commencé à limiter l'accès du coeur urbain aux automobiles. Athènes a une politique de restriction limitée, mais elle s'apprête à adopter une réglementation d'interdiction absolue.

L'ingénieur urbain, somme toute, croit M. Peyretti, devra informer la population que, dans un contexte de ressources limitées, la ville doit faire preuve de frugalité.

C'EST ARRIVÉ UN 10 MARS

1969 — James Earl Ray reconnaît avoir assassiné Martin Luther King et est condamné à 99 ans de prison.

Naissance d'octuplets à Mexico. Malheureusement, la mère et tous les enfants meurent.

1966 — Le ministre fédéral de la Justice, M. Lucien Cardin, revient à la charge et affirme que l'« affaire Munsingner » a bel et bien existé.

1964 — La reine Elizabeth II donne naissance à un quatrième enfant, un garçon.

1953 — Deux Mig tchécoslovaques abattent un Thunderjet américain au-dessus du territoire allemand sous contrôle américain.

1952 — Renversé par le général Fulgencio Batista, le président cubain Carlos-Prio Saccaras fuit au Mexique.

1948 — Incapable de supporter l'arrivée des communistes au pouvoir, Jan Masaryk, ex-ministre des Affaires étrangères de Théçoslovaquie, se suicide.

1945 — Une formation record de plus de 300 superforteresses, parties de la plus grande base aérienne américaine du Pacifique, a transformé aujourd'hui en un enfer une vaste région de Tokyo, la troisième plus grande ville du monde. Les bombardiers géants ont déversé pendant une heure et demie des bombes incendiaires sur les quartiers de la ville choisis pour cibles. La charge de bombes, qu'on établit officieusement ici à 1 300 tonnes, est la plus considérable qui ait été lancée jusqu'ici sur Tokyo.

1930 — Un incendie dans un cinéma de Séoul, en Corée, fait 104 morts.

1922 — Arrestation du Mahatmah Gandhi par les soldats britanniques sous une accusation de sédition.

1919 — L'hon. J.-D. Reid, ministre des chemins de fer, a été nommé liquidateur du Grand-Tronc Pacifique. Cette nomination a eu lieu à la suite d'un avis selon lequel la dite compagnie ne pourrait pas faire face à ses obligations, malgré l'augmentation des taux qu'on lui avait accordée. La Compagnie déclare qu'elle ne pourra pas continuer ses opérations après le 10 mars, vu son manque de fonds. Des autorités en matière de chemins de fer prétendent que le gouvernement a l'intention d'acheter le G.T.P. et de l'incorporer dans le « National Railway System ».

Le secret des Stradivarius

Une moisissure qui se développe dans le bois trempé dans l'eau est peut-être l'ingrédient secret qui donne le son inégalé des violons Stradivarius, estime un chercheur d'une université du Texas.

De nouvelles recherches ont permis de déterminer que le bois utilisé par le luthier italien Antonio Stradivari, dit Stradivarius (1664-1737), avait été en contact avec l'eau et n'était pas sec, comme on le croyait jusqu'à présent, explique M. Joseph Nagyvari, professeur de biophysique et de biochimie à l'Université A&M.

Pour les fanatiques, a-t-il dit, il sera difficile d'accepter que l'ingrédient secret du son du Stradivarius n'est pas l'ingéniosité humaine mais une simple moisissure.

Il y a plusieurs années, le professeur avait déjà découvert d'importantes différences entre le bois utilisé au XVIIe siècle par le luthier italien Antonio Guarneri et les luthiers modernes. Le spécialiste a étudié en 10 ans quatre échantillons du bois utilisé dans les Stradivarius et deux dans les violons de Guarneri. Des examens au microscope ont permis de découvrir que des moisissures avaient modifié la forme des cellules du bois. Ces moisissures, qui rendent le bois plus léger et plus sec, ne peuvent apparaître que lors de contacts avec l'eau.

Le Pr Nagyvari s'est rendu en Europe pour examiner des archives concernant la navigation se trouvant dans des villages et des monastères. Il s'est aperçu que le bois des instruments avait été envoyé des Alpes du Tyrol par voie fluviale vers les villes italiennes où les violons étaient manufacturés. Les luthiers d'aujourd'hui démentaient jusqu'à présent que le transport par voie fluviale — et les éventuels contacts avec l'eau — du bois des violons ait eu une importance quelconque.

(Texte publié le 10 mars 1986)

Le vol en « moto de l'air » : « une piqûre, une maladie » ?

« C'est une piqûre, une maladie. J'adore ça », raconte Philippe Quézel. Philippe Quézel est au nombre des mordus d'un sport encore tout neuf, le vol dans des avions qui rappellent ceux des pionniers de l'aviation: des machines ultra-légères (dans les 230 à 250 livres à vide), équipées le plus souvent de moteurs de motoneiges... et qui volent !

À peine sorti de ses langes, le vol en ultra-légers, apparu au Québec il y a deux ans à peine, compte à l'heure actuelle quelques centaines d'adeptes seulement, alors que le nombre d'appareils s'élève ici à environ 150.

« Ce sont ce qu'on appelle, nous, des motos de l'air », explique de son côté Jacques Daigle, président-fondateur du Salon de l'avion léger auquel participe Philippe Quézel à titre de vice-président du Club ultra-léger de Montréal, la première société de pilotes d'ultra-légers à être née au Québec.

L'appareil type : un monoplace, fait de tubulures d'aluminium et de toile Dacron, sans cabine, propulsé par un moteur Rotax de 370 cc fabriqué par Bombardier, en Autriche. Là-dedans, à une altitude 500 à 1 000 pieds, son pilote volera tout doucement, loin de ses soucis quotidiens, à une vitesse de croisière pouvant jouer entre 30 et 50 milles à l'heure (50 à 80 kilomètres).

Mais il y aussi des biplaces, des appareils à cabine fermée, d'autres en bois ou en fibre de verre ou alors équipés de deux moteurs, et jusqu'à une machine plus que bizarre, de conception américaine, le Paraplane, dont la portance est assurée... par un parachute !

Quatorze manufacturiers participent à l'événement, dont le seul fabricant québécois, qui produit, à Repentigny, le Pélican et le Super Pélican, à cabine fermée et plus rapides que la moyenne des ultra-légers.

Aux États-Unis, où sont nés les ultra-légers il y a six ans, on dénombre environ 30 000 de ces appareils à l'heure actuelle, raconte Jacques Daigle.

Assez peu chers (de6 000 à 10 000 $) comparativement aux avions de tourisme ordinaires, ces avions sont vendus en kit et il n'est pas nécessaire d'avoir le brevet de pilotage pour en prendre les commandes. Un permis spécial suffit, qui est délivré par le ministère du Transport et pour lequel il faut suivre des cours, « qui coûtent de 500 à 600 $ contre 3 500 $ à 4 000 $ pour des cours de pilotage habituels », dit Jacques Daigle.

(Texte publié le 10 mars 1984)

Les hommes plus dangereux

Les hommes seraient trois fois plus dangereux que les femmes au volant, selon des chiffres que vient de publier le Bureau d'assurance du Canada. La compilation, qui touche l'ensemble des conducteurs québécois pour 1984, dernière année où l'on dispose de statistiques complètes à cet égard, fait ressortir que les hommes, qui détiennent 58,5 % des permis de conduire, sont impliqués dans 79,6 % des accidents de la route. À l'inverse, les femmes, détenant 41,5 % des permis, ne sont impliquées que dans 20,4 % des accidents.

Toutes proportions gardées, les adolescents de 16 à 19 ans ont trois fois plus d'accidents que les adolescentes ! Ces dernières ont même un taux de fréquence d'accidents inférieur à celui des hommes, peu importe la catégorie d'âge de ces messieurs !.

(Texte publié le 10 mars 1986)

Le Vatican veut arrêter le « massacre des embryons

La fécondation in vitro et l'insémination artificielle condamnées

Plusieurs hauts prélats en poste à Rome ont expliqué, après la publication d'un texte de 40 pages présentant les positions des plus hautes autorités catholiques sur les problèmes de la bioéthique, que le Vatican souhaite arrêter le « massacre des embryons » et protéger le mariage.

Ce document approuvé par le pape et signé par le cardinal Joseph Ratzinger, préfet de la Congrégation pour la doctrine de la foi, est intitulé *Instruction sur le respect de la vie humaine naissante et la dignité de la procréation - Réponses à quelques questions d'actualité*. Il condamne catégoriquement la fécondation in vitro, l'insémination artificielle et toute manipulation ou destruction d'embryons, affirmant que l'Homme ne saurait « se constituer donateur de vie et de mort sur commande ».

Voici les points principaux du document.

— Fécondation in vitro. Elle présuppose la fécondation de plusieurs ovules qui ne sont pas tous transférés dans les organes génitaux de la femme. La destruction des «embryons surnuméraires» - des êtres humains - est contraire à la doctrine sur l'avortement provoqué. Même «purifiée» de toute compromission avec la destruction d'embryons et avec la masturbation, même entre époux, elle demeure une technique moralement illicite parce qu'elle est opposée à la dignité de la procréation et de l'union conjugale.

— Fécondation artificielle hétérologue (à partir du sperme ou de l'ovule prélevés sur un donneur autre que les époux). Elle constitue une violation de l'engagement réciproque des époux, lèse les droits de l'enfant et peut faire obstacle à la maturation de son identité personnelle.

— Fécondation artificielle homologue (entre époux). Elle n'est pas affectée de toute « négativité éthique » de la procréation extra-conjugale, mais l'Église y demeure contraire. Obtenue en dehors du corps des époux, elle rompt le « lien indissoluble » entre les deux significations de l'acte conjugal : union et procréation.

— Insémination artificielle homologue (entre époux). Elle ne peut être admise sauf dans le cas où le moyen technique ne se substitue pas à l'acte conjugal, mais apparaît comme un facilité et une aide pour que celui-ci rejoigne sa fin naturelle. La masturbation, par laquelle on se procure habituellement le sperme, est un signe de la dissociation entre les deux significations de l'acte conjugal (union et procréation).

— Bébés-éprouvettes. Tout enfant qui vient au monde doit être accueilli comme un don vivant de la Bonté divine et être éduqué avec amour.

— Embryon humain. Il doit être respecté « comme une personne » dès le premier instant de son existence, c'est-à-dire dès que l'ovule est fécondé. L'Église s'abstient de se prononcer sur le moment de l'appari-

tion de son âme, mais elle défend son droit inviolable à la vie.

— Les embryons obtenus in vitro sont des êtres humains et des sujets de droit. Il est immoral de produire des embryons humains destinés à être exploités comme un « matériau biologique disponible ».

— Diagnostic prénatal. Il est licite s'il est orienté vers la sauvegarde de l'embryon, mais s'il prévoit, en fonction des résultats, l'éventualité d'un avortement, il est opposé à la loi morale.

— Recherche médicale sur les embryons. Elle n'est licite que lorsqu'il y a certitude morale de ne pas causer de dommage à l'intégrité de l'enfant à naître et que les parents donnent leur consentement libre et informé.

— L'expérimentation non directement thérapeutique sur les embryons — viables ou non — est illicite.

— Manipulations génétiques. Celles qui ne sont pas thérapeutiques mais tendent à la production d'êtres humains sélectionnés selon le sexe ou d'autres qualités préétablies sont contraires à la dignité personnelle de l'être humain, à son intégrité et à son identité.

— Fécondation d'une femme non mariée, célibataire ou veuve. Quel que soit le donneur, elle ne peut être moralement justifiée.

(Texte publié le 11 mars 1987)

Boum du tourisme de motoneige

Au tournant des années 70, la motoneige était moins le fun, mais elle devient de plus en plus « sympa », après le succès du raid de motoneigistes Harricana qui confirme que le Québec est « the » centre mondial du tourisme de motoneige.

Le tourisme de motoneige est en pleine progression, un véritable boom. On ne tourne plus en rond sur un lac ou autour un chalet. Aujourd'hui, la motoneige sert davantage au voyage.

Avec un réseau unique au monde de 24 500 kilomètres de sentiers balisés et interreliés, la motoneige attire aujourd'hui de nombreux voyageurs européens en mal d'aventure, d'immensité, d'hiver et de leur

cabane (à sucre) au Canada.

Le nombre de motoneiges immatriculées au Québec regrimpe, passant de 70 800 en 1983 à plus de 86 000 l'an dernier. On est cependant encore loin du sommet de 210 000 immatriculations de 1979.

Près de 137 000 Québécois avaient pratiqué la motoneige en 1987, générant des revenus touristiques de 62 millions de dollars, tandis que les 8 500 motoneigistes étrangers, américains pour la plupart, avait laissé 15 millions de dollars la même année, selon les derniers chiffres du ministère du Tourisme, mais ce nombre est à réviser à la hausse.

(Texte publié le 11 mars 1990)

C'EST ARRIVÉ UN MARS 11

1999 — Le Dr Camille Laurin meurt à l'âge de 76 ans. À Ottawa, libéraux, bloquistes et réformistes reconnaissent son apport comme père de la loi 101, mais pour des raisons différentes. Le ministre Stéphane Dion voit en lui un homme qui a laissé une marque « positive » sur la société québécoise et canadienne.

1992 — Puisque le Canada, «comme peuple, est devenu une nation plus mûre», la Chambre des communes vient d'adopter une résolution reconnaissant le rôle «unique et historique» de Louis Riel comme fondateur de la province du Manitoba et son entrée subséquente dans la fédération canadienne.

1992 — Deux institutions plus que centenaires uniront leurs destinées aujourd'hui : la Chambre de commerce du Montréal métropolitain et le Bureau de commerce de Montréal, connu familièrement sous le nom de Board of Trade, fusionnent. Le Board of Trade a été fondé en 1822 tandis que la Chambre de commerce est née en 1887.

Le pénis de phoque toujours aussi populaire

L'industrie de la transformation a acheté plus de 10 000 pénis de phoque l'an passé, révèle un sondage effectué par le ministère fédéral des Pêches et Océans.

Les usines de transformation ont ainsi dépensé 90 529 $, à raison de 9,03 $ l'organe, pour mettre la main sur 10 024 pénis de phoque, rapporte cette enquête.

Le document jette un éclairage nouveau sur la chasse au phoque sur la côte est, qui reste toujours controversée.

Les groupes de protection des animaux soutenaient l'an dernier que les entreprises de transformation ne reluquaient les phoques que pour leur sexe, qu'elles vendent sur les marchés asiatiques, et abandonnaient les carcasses.

Les partisans de la chasse aux phoques, dont le gouvernement de Terre-Neuve, se sont dressés contre les critiques et ont indiqué que la chasse ne désirait pas que le sexe des phoques.

(Texte publié le 11 mars 1995)

Le pont-tunnel inauguré

L'inauguration du pont-tunnel Louis-Hippolyte Lafontaine s'est déroulée hier (**le 10 mars 1967**) en présence de quelque mille invités. On avait pour l'occasion remplacé le traditionnel ruban rouge par un jeu de boutons sur lesquels les divers «inaugurateurs» appuyaient : il s'agissait en effet de mettre en service symboliquement non seulement le pont-tunnel, mais encore l'ensemble d'autoroutes dont il fait partie, d'où la tenue de plusieurs cérémonies successives.

Les filles meilleures à l'école

Selon plusieurs études et statistiques, les filles réussissent mieux à l'école que les garçons ! Elles sont très fortes ! Elles étudient plus longtemps, elles décrochent moins souvent et leurs notes sont nettement supérieures à celles des garçons !

Voici quelques chiffres qui précisent ce portrait. À la fin du primaire, les notes des filles sont supérieures de 10 %

à celles des garçons. Deux décrocheurs sur trois sont des garçons. Les cégépiens qui veulent entrer à l'université doivent passer un test de français, que réussissent 61 % des filles contre 47 % des garçons. Ces notes confirment l'ensemble des résultats scolaires. Quand on est bon en français, on est bon à peu près partout ! Les filles sont majoritaires à l'université, dans presque toutes les

facultés ; il y a en tout 57 % de filles et 43 % de garçons. En médecine et en médecine vétérinaire, elles sont 73 % ; en droit, 62 % ; en optométrie, 72 % ; en pharmacie, 65 %... Non seulement sont-elles plus nombreuses, mais elles obtiennent de meilleurs résultats ! Mais elles sont minoritaires à l'École polytechnique : 21 %.

(Texte publié le 11 mars 1994)

Au 18e jour de la grève de la faim du sénateur, M. Jean Chrétien est venu lui rendre visite.

Le sénateur Hébert entreprend une grève de la faim

Le sénateur Jacques Hébert a entrepris hier (**le 10 mars 1986**) dans le hall du Sénat une grève de la faim.

Bien campé dans un fauteuil, entre trois bouteilles d'eau et un sac de couchage, le sénateur de 62 ans, membre de l'Ordre du Canada, a expliqué qu'il refusera de prendre toute nourriture tant que le gouvernement, par son attitude, ne permettra pas d'espérer une action positive « pour changer la condition présente et les perspectives d'avenir de la jeunesse canadienne ».

Cette action positive qu'espère le sénateur serait la décision de rétablir le programme Katimavik.

« Davantage peut-être que tout autre geste, la décision de rétablir ce programme manifesterait de votre part une sensibilité nouvelle aux problèmes de la jeunesse, une

conscience enfin éveillée aux difficultés graves qu'elle connaît présentement », a expliqué M. Hébert dans une lettre au premier ministre Brian Mulroney.

Le sénateur demeurera jour et nuit dans le hall du Sénat, entouré de jeunes partisans, de boîtes de pétitions pour exiger le retour du programme Katimavik et d'une grosse boîte de « Dons pour les Amis de Katimavik », un groupe de pression récemment formé.

En tant que président du Comité sénatorial sur la jeunesse, le sénateur Hébert a rencontré des centaines de jeunes à travers le pays, « à entendre parler de misère et de désoeuvrement ».

« Plus de 600 000 jeunes sont sans espoir, a-t-il rappelé. Si ce n'est pas une tragédie nationale, qu'est-ce que c'est ? »

Bien chaussée

En visite au musée du palais présidentiel de Manille, une touriste étonnée examine une partie de la collection de plus de 3000 paires de souliers abandonnés par Imelda Marcos dans son appartement du palais présidentiel de Malacanang en mars 1986.

LES BANDITS BATTENT EN RETRAITE EN FAISANT FEU SUR LES AGENTS

Cette nouvelle de LA PRESSE fait suite à une incident survenu le 10 mars (donc un dimanche cette année), alors que quatre apaches, surpris en flagrand délit, tirèrent sur les deux policiers perspicaces du poste No 18, tuant l'agent Honoré Bourdon, et blessant grièvement l'agent Auguste Guyon. La nouvelle défraya la manchette pendant plusieurs jours.

La chasse aux bandits qui ont assassiné le constable Bourdon et grièvement blessé le constable Guyon, a pris, depuis hier soir (**12 mars 1914**), une nouvelle phase plus tragique encore.

Nos agents ne sont plus dans la cruelle incertitude où ils se trouvaient depuis qu'on leur avait appris le meurtre et la fuite des apaches. On connait maintenant l'identité des misérables qui ont failli provoquer d'autres vides dans les rangs de notre police.

Une terrible bataille a été livrée, en effet, dans les champs du nord-est de la ville, entre une escouade de détectives et trois des coureurs de route qui ne sont parvenus à s'échapper qu'à cause du manque de lumière et de la présence de hautes broussailles qui leur ont servi d'abri.

Le constable Honoré Bourdon.

Les témoins de la bataille disent qu'au moins cinquante coups de feu ont été échangés. Pendant plusieurs heures, la plus cruelle incertitude a régné par toute la ville. On a rapporté même que l'assistant surintendant Charpentier, l'inspecteur McLaughlin et quelques agents avaient été tués.

Ces rumeurs étaient heureusement fausses. Nos agents, cependant, ne se sont pas ménagés, et ce n'est pas encore leur faute si la plus grande partie de la fameuse bande n'est pas tombée entre leurs mains.

Quoiqu'il en soit, l'homme que l'on recherchait par-dessus tout, le cocher de place Foucault, celui de qui la police attend de précieux renseignements, a été arrêté dans un hôtel du nord de la ville. Comme on le sait, c'est lui qui, le soir fatal, au dire de la police, conduisait les bandits assassins dans sa voiture.

Quelques minutes après cette capture, commençait la terrible bataille au revolver. Les apaches que l'on espérait surprendre dans leur antre avaient sans doute eu connaissance, par leurs éclaireurs, de la venue des agents, car ceux-ci trouvèrent la maison vide.

Dans cette maison vide, sise rue Cartier, les détectives ont trouvé tout un arsenal. Disposés près de chacune des fenêtres se trouvaient des carabines Winchester à seize coups, chargées, pendant qu'auprès il y avait quantités de revolvers, de poignards, et autres armes. Les munitions, non plus, ne faisaient pas défaut. Il y avait aussi dans la place des provisions pour plusieurs jours, preuve que l'intention des bandits avait été d'abord de supporter un siège en règle.

Comme la cage était vide, l'assistant-surintendant Charpentier laissa des agents de garde, puis, instruit par des voisins, de la direction prise par les coureurs des routes, il se lança sur leurs traces. C'est alors que commença la suite des événements dont nos lecteurs liront ici les détails.

NUIT DRAMATIQUE

Jamais, de mémoire d'homme, la sûreté n'a passé une nuit aussi remplie d'événements sensationnels que celle que les agents viennent de finir. Il y eut de tout, recherches patientes, courses à travers champs et à travers bois, bataille à coups de revolvers avec bande d'apaches, guet-apens, balles qui sifflent aux oreilles à travers la nuit, randonnées en automobile, émoi dans tout un quartier de la ville, en un mot, ce fut une nuit mémorable entre toutes, dont tous, acteurs comme spectateurs, gardent un souvenir vivace.

Plus heureux cependant que les constables de la Côte-des-Neiges, les détectives ont échappé aux balles des audacieux bandits, mais, encore une fois, les apaches ont pu leur passer entre les mains et se sont enfuis vers un repaire que toute la police de Montréal s'occupe aujourd'hui de découvrir.

APRES UN LONG TRAVAIL

Dès hier après-midi, l'assistant-surintendant de la Sûreté, M. Jos. Charpentier, après un travail inlassable de trente-six heures, parvenait à apprendre les noms de trois des bandits, qui se trouvaient dans la voiture du cocher Arthur Foucault, le soir du meurtre de l'agent de police Bourdon.

Il se rendait aussitôt au greffe de la cour de police et assermentait un mandat contre les nommés Joseph Beauchamp, Alphonse Foucault, Ismaël Bourret, les prétendus assassins, et contre le cocher Arthur Foucault. Beauchamp a déjà eu maille à partir avec la police. Le chef est parvenu à apprendre l'endroit où il demeurait, dans le nord de la ville, près de la Côte-Saint-Michel, dans la rue Cartier. Il n'est pas de doute que ce devait être là les quartiers-généraux de la bande. Pensant, et avec raison, avoir un siège à faire en cet endroit, Chevalier se fit accompagner de l'inspecteur Cowan et d'une dizaine d'agents.

Lui-même et deux détectives avaient pris place dans l'automobile de M. Rosario Drouin, surintendant des édifices de la ville, qui les conduisit personnellement pendant toute la terrible et dangereuse randonnée. Une sentinelle, que l'on avait envoyée d'avance sur les lieux, apprit au chef que les occupants de la maison avaient fui à peine deux minutes auparavant; en même temps, il indiquait la direction prise par les fugitifs. Il pouvait être alors huit heures et demie du soir. Il faisait un clair de lune superbe.

Épilogue — C'est dans les champs que se déroula quelques heures plus tard la fusillade. Dans les jours suivants, après les émouvantes obsèques d'Honoré Bourdon, le cocher Foucault accusa Bourret d'avoir tiré le coup fatal, Beauchamp fut arrêté le 17 mars, et au moment où nous perdons la trace de ce roman policier dans les pages de LA PRESSE, Bourret et Foucault couraient toujours...

Les bandits, embusqués derrière la voiture indiquée par une flèche, dirigent un feu d'enfer sur les agents Weston et Laberge. Celui-ci, protégé par l'arbre marqué d'une croix, au premier plan, ripostait bravement. La ligne pointillée indique la route probable suivie par les bandits pour opérer leur retraite.

Le Champ-de-Mars servait, le *12 mars 1930*, de scène pour le déploiement des moyens mis à la disposition de la police de Montréal afin qu'elle soit en mesure d'assurer la protection des citoyens. Voyons ce que disait la légende d'époque : *Comme on peut le constater par ces vignettes, Montréal est fort bien protégé. De haut en bas : les agents à cheval. Le nombre en sera augmenté d'ici peu. Ensuite, les voitures-patrouilles ou « paniers à salade ». Puis, les agents motocyclistes au nombre d'une soixantaine et enfin les automobiles de l'état-major de la Sûreté municipale. Il y a à peine deux ans, ce dernier département ne comptait que deux automobiles, maintenant il en compte une quarantaine.*

C'EST ARRIVÉ UN 12 MARS

1999 — Le violoniste Yehudi Menuhin meurt à Berlin d'une crise cardiaque, à l'âge de 82 ans.

1985 — Le numéro un soviétique Constantin Tchernenko est mort dimanche à l'âge de 73 ans et a été remplacé dès hier, en un temps record, par le numéro deux du Parti communiste, Mikhail Gorbatchev, de 20 ans son cadet.

1967 — Les gaullistes conservent de justesse le pouvoir en France.

1966 — Bobby Hull écrit une nouvelle page d'histoire en inscrivant un 51e but au cours d'une même saison, éclipsant ainsi le record de Maurice Richard.

1959 — Hawaii devient le 50e État des États-Unis d'Amérique.

1951 — Le président de la NHL, Clarence Campbell, impose une amende de 500 $ à Maurice Richard pour un accrochage avec l'arbitre Hugh McLean, dans un lobby d'hôtel.

1941 — Le président Roosevelt a aujourd'hui demandé au Congrès de voter immédiatement des crédits de 7 milliards de dollars pour la fabrication « de tous les canons, de tous les avions et de toutes munitions » que les États-Unis peuvent produire.

1938 — L'Autriche a capitulé devant Adolf Hitler. S'inclinant devant la puissance militaire allemande, le gouvernement autrichien a abandonné une lutte de cinq ans contre la domination du Fuhrer allemand.

1906 — Plus de 1 100 mineurs viennent de périr, asphyxiés, brûlés ou écartelés, par suite d'un coup de grisou qui s'est produit en France dans une importante houillère du bassin du Nord, à Courrières, département du Pas-de-Calais.

MORT D'UN AS CANADIEN DE LA GRANDE GUERRE

Un aéroplane qu'essayait le colonel Barker s'écrase au sol à Ottawa

OTTAWA — Le colonel William George Barker, V.C., D.S.O., M.C., qui, au cours de la grande guerre, avait détruit plus de 52 aéroplanes ennemis, le second des as canadiens, a été tué instantanément cet après-midi (**12 mars 1930**), alors qu'un avion qu'il était à essayer s'est écrasé sur le sol.

Le colonel Barker

La tragédie s'est produite devant les yeux terrifiés d'un certain nombre de fonctionnaires du service aérien du ministère de la défense natinale qui s'étaient rendus sur les lieux pour voir l'aéroplane nouveau s'élever pour la première fois dans les airs.

Le colonel Barker n'avait quitté le sol que depuis une dizaine de minutes et son appareil volait à peu de hauteur quand l'on vit l'avion ralentir comme si l'aviateur essayait de lui faire prendre un subit mouvement d'ascension. L'appareil monta, s'arrêta un instant, puis piqua tout à coup vers le sol, où il s'écrasa en une masse de débris.

Nouveau biplan

L'avion était un nouveau biplan Fairchild à deux sièges envoyé pour être inspecté par des représentants du service aérien civil du ministère de la défense nationale. Le colonel Barker était président de la Fairchild Aviation Corporation of Canada. Il était arrivé vers 1 heure à l'aérodrome de la Force aérienne canadienne, au parc Rockliffe, et disait qu'il désirait faire lui-même une envolée. Dix minutes plus tard, on retirait des débris son cadavre mutilé.

As canadien de la grande guerre, Barker s'était classé immédiatement après son camarade, le colonel W.A. Bishop, V.C.

Il était né à Dauphin, Man., et était âgé de 36 ans. Il n'vait que vingt ans lorsqu'il partit pour le front. Il a été deux fois blessé durant la guerre.

L'on comptait officiellement à son compte 52 aéroplanes ennemis abattus, mais il en avait descendu en réalité plus que cela. Il portait de nombreuses décorations étrangères, en plus des décorations britanniques.

Trois fois plus de pauvres à Montréal

À Montréal la pauvreté a un gros coin de la ville, l'est. Dans la partie est de l'île, la majorité des citoyens vivent pauvrement ou modestement. Un certain nombre est moyennement à l'aise, mais les riches sont rares. À l'ouest, c'est l'inverse : les gens sont surtout favorisés, et ne sont qu'exceptionnellement de statut moyen ou défavorisé.

Moins il y a d'argent dans les coffres de l'État et plus il importe de cerner les groupes défavorisés qui doivent être considérés comme prioritaires dans la distribution des services sociaux et de santé. C'est à cet exercice que s'est livré le Centre des services sociaux Montréal-métropolitain avant de présenter une carte de la pauvreté urbaine au Québec.

L'étude a pour titre « La distribution de la pauvreté et de la richesse dans les régions urbaines du Québec ». Elle fait état de la concentration de la pauvreté dans la région de Montréal, et à l'intérieur de celle-ci, dans le secteur est de l'île.

À Montréal, la différence est nette : à l'est, les pauvres ; à l'ouest, les riches. La ligne de démarcation passe par la rue Bleury, puis l'avenue du Parc plus au nord, et longe les limites est d'Outremont et de Mont-Royal.

Pour sa part, l'ouest de l'île regroupe un ensemble de municipalités au statut économique élevé, comme Côte Saint-Luc, Hampstead, Westmount, Pointe-Claire, Beaconsfield, Sainte-Anne-de-Bellevue, etc. L'île Jésus compte surtout des secteurs de statut moyen-haut, et plus marginalement des secteurs des autres niveaux de statut.

Au CSS-MM, on est d'avis que les décisions d'ordre économique doivent de plus en plus être pesées en fonction de leur impact prévisible sur les besoins en matière de services sociaux. Par exemple, les fermetures d'usine dans l'est de Montréal entraîneront certainement un appauvrissement de la population touchée qui vivra, à plus ou moins long terme, des problèmes personnels et familiaux nécessitant une aide psychosociale.

De plus, l'analyse du statut socio-économique de la population de l'île de Montréal et de l'île Jésus démontre que cette zone se distingue des autres par son pourcentage élevé de secteurs défavorisés. En comparaison avec les autres régions urbaines du Québec, on constate en effet que les pauvres sont surreprésentés à Montréal, tandis que les « très pauvres » y sont proportionnellement trois fois plus nombreux qu'ailleurs au Québec.

(Texte publié le 12 mars 1986)

PLUS de DANGER pour les MICROBES

La nouvelle façon de se servir du téléphone, et dont " La Presse " parlait hier, est expliquée par un médecin-physicien de l'Hôtel-Dieu.

A peine l'édition de «La Presse» d'hier était-elle distribuée dans la rue, dans les dépôts, que des appels aux multiples appareils téléphoniques de nos bureaux nous arrivaient en grand nombre. C'était des lecteurs amis qui s'empressaient de faire l'expérience que nous suggérions dans un article intitulé: «Tous ventriloques».

Chacun d'eux voulait s'assurer de la vérité de notre assertion, et ce fut pendant une heure et plus une course continuelle aux appareils téléphoniques. Il y eut des scènes

ABSOLUMENT DROLATIQUES

provoquées par la nouveauté de l'expérience non encore bien comprise dans tous ses détails d'exécution.

Plusieurs fois il est arrivé que les expérimentateurs, non au courant de l'exacte propriété des termes, confondaient le transametteur avec le cornet acoustique, et l'on comprend d'ici que, le cornet acoustique appliqué sur le ventre au lieu du transmetteur, ça n'allait pas du tout.

Explications données, l'expérience recommençait avec un résultat invariable de pleinement réussi.

On nous a demandé une

EXPLICATION SCIENTIFIQUE

du phénomène.

La voici. Elle nous a été fournie par un médecin de l'Hôtel-Dieu qui nous a prié de ne point divulguer son nom. Nous respectons cet excès de modestie:

«Montréal, 12 mars 1907.

«Mon cher monsieur,

«Vous m'honorez beaucoup en me sollicitant de donner aux lecteurs de «La Presse» une explication scientifique et vulgarisée du phénomène décrit dans l'article: «Tous ventriloques.»

«Il faut d'abord s'entendre sur le phénomène de la ventriloquie. — On ne parle pas du «ventre», il n'y a pas de «voix de l'estomac», pas plus qu'il y a une «voix de poitrine» ou une «voix de tête.» Dans tous ces cas, la voix se forme toujours au niveau de la glotte, et elle est le résultat de l'ensemble des sons formés par l'air qui sort des poumons et de la bouche.

«Tout l'art du ventriloque ne consiste qu'à savoir modifier la voix naturelle, afin d'en obtenir des variations dans le ton et dans les inflexions. — La plupart du temps, les soi-disant ventriloques produisent leur voix au moment de l'expiration, et c'est en graduant la sortie de l'air, en donnant à la voix un son étouffé et en conservant une immobilité des lèvres aussi complète que possible qu'ils font allusion.

«Quant au phénomène décrit dans votre journal d'hier, il peut s'expliquer par des

LOIS DOMESTIQUES

très élémentaires: 1o. «Le son se propage dans tous les corps élastiques; 2o. L'intensité du son dépend de la densité de l'air dans le lieu où il se produit.»

«En effet, prenez le transmetteur du téléphone et, au lieu de le tenir devant votre bouche, appliquez-vous le fermement sur le ventre et parlez comme à l'ordinaire. Grâce à l'élasticité des cellules de l'économie le son se propagera et sera perçu par l'interlocuteur.

«Le son sera plus ou moins nettement perçu selon que le ventre sera plus ou moins distendu par des gaz, le sera encore plus ou moins nettement perçu, selon que le percepteur aura été directement appliqué sur la peau ou sur les vêtements, dont la conductibilité est moindre. Mais dans tous les cas la voix sera transmise naturelle et reconnaissable.

«Cette petite expérience ne coûte pas très cher; elle est à la portée de tous, et peut être contrôlée par qui que ce soit.

«Espérant que ces explications vous donneront satisfaction, je demeure, monsieur, votre très dévoué.»

Docteur X.

PLUS DE MICROBES

Pour terminer, nous ajouterons que l'application du transmetteur

sur le ventre de celui qui parle au téléphone a des avantages exceptionnelles sur la manière actuellement en usage de le mettre au devant la bouche.

C'est très hygiénique en ce sens que nous supprimons du coup les mille et un dangers inconnus à cause des microbes de toutes espèces qui doivent pulluler par millions dans l'orifice du transmetteur.

Mais, pour cela, il faut des transmetteurs mobiles non attachés à un mur.

Ce texte a été initialament publié dans l'édition du 12 mars 1907.

BÊTES ET MONSTRES D'AUTREFOIS

À une certaine époque géologique il y a de cela des millions d'années, et bien avant l'apparition de l'homme, la Terre s'est peuplée de reptiles gigantesques rois de la nature nouvelle, qui se disputaient les lagunes, les îlots émergés, les forêts et les marécages. Quelques-uns de ces êtres géants ont-ils survécu à la transformation de notre Globe ? On parle de l'existence actuelle d'un animal préhistorique.

Le «Triceratops», saurien mesurant une quarantaine de pieds de longueur.

Le «Diplodocus», saurien qui atteignait 80 pieds de longueur.

Le «Ceratosaure», terrible carnassier d'une longueur de 20 pieds

Le «Brontosaure» dont le corps atteignait plus de 60 pieds de longueur

Le «Stégosaure», animal mesurant plus de 30 pieds de longueur

«Belemande», restournée, animal analogue a nos poulpes et a l'encornet

Le «Ptecodactyle», qui mesurait, les ailes déployées, 25 pieds d'envergure

Une colonie de «Mosasaures» et de «Loelaps»

Le «Teleosaure», moitié poisson moitié crocodile, mesurait plus de 60 pieds de longueur

Un combat formidable entre un «Plésiosaure» et un «Lablyosaure»

Cette première page a été publiée le 13 mars 1920.

Sésame, ouvre-toi ! Et l'ordinateur s'alluma

Dans un bureau de l'INRS-télécommunications, à l'Île-des-Soeurs, un élève consciencieux écoute sans relâche les mêmes cassettes et écrit les mots qu'il entend. Le prof lui donne sa note : 92 %. Contrairement à bien des étudiants, l'élève est prêt à recommencer son apprentisssage sans se lasser d'écouter la voix de son maître : cet élève est un ordinateur.

La reconnaissance automatique de la parole (RAP) par ordinateur fait l'objet de recherches toujours plus fébriles à mesure que se confirment les immenses progrès accomplis. Le processus de compréhension du langage d'un cerveau humain étant trop compliqué, il faut en effet imaginer une manière pour qu'un programme reconnaisse tous les mots d'un discours.

Montréal est l'un des grands centres mondiaux de la recherche en reconnaissance de la parole. Outre l'INRS-télécommunications, on retrouve des programmes de recherches au Centre de recherche informatique de Montréal (CRIMM) et dans diverses universités, dont McGill et l'École de technologie supérieure (ETS).

Les difficultés qui se présentent aux chercheurs sont nombreuses, souvent reliées entre elles : ainsi, la dimension du vocabulaire utilisable décroîtra avec le nombre d'utilisateurs du système. Si le service interurbain reconnaît les mots « oui » et « non », qu'ils soient prononcés par qui que ce soit, les premiers dictaphones informatiques doivent être entraînés par leur utilisateur.

Un système de RAP « comprenant » un discours continu plutôt que des mots isolés est difficile à concevoir, du fait de l'absence de pause entre chaque mot. De même, la rapidité de la diction cause un problème : lorsqu'on parle plus lentement, on allonge les voyelles et non les consonnes. On ne peut donc pas simplement compresser le signal sonore.

Pour « comprendre » un discours continu en temps réel, le programme de l'ordinateur commence par reconnaître les éléments sonores du langage, les phonèmes. (Ce sont les phonèmes —consonnes, voyelles et semi-voyelles — qui, seuls ou avec d'autres, forment les mots d'une langue).

À cette fin, l'ordinateur prend des lectures de fréquence, d'intensité et d'énergie à toutes les 10 millisecondes. Ces lectures sont combinées pour générer un seul signal à chaque 10 millisecondes. Selon le signal et sa durée de répétition, le programme identifiera un phonème particulier parmi la banque de phonèmes dont il dispose.

Ensuite, l'ordinateur énumère toutes les possibilités de mots à partir des phonèmes recueillis. Il dispose pour cela d'une banque de mots dont il connaît l'écriture phonétique. Il est ainsi en mesure d'associer un groupe de phonèmes à un mot.

On voit donc que la capacité de reconnaissance du programme est limitée par la banque de mots dont il dispose. S'il doit par exemple reconnaître un texte poétique à partir d'une banque de délibérations de la Chambre des Communes, le taux de reconnaissance sera faible. Le CRIMM développe un logiciel de réservations téléphoniques automatisées pour les agences de voyages. (Publié le 13 mars 1995)

Les Bourses font le ménage

La Bourse de Montréal concède à Toronto le marché des actions des grandes sociétés et obtient l'exclusivité de tous les produits dérivés, a appris *La Presse* de plusieurs sources.

Les produits dérivés sont des instruments financiers complexes qui permettent à l'investisseur de se protéger contre les fluctuations financières, ou d'y spéculer.

Dans un accord entre les Bourses canadiennes qui sera rendu public lundi, les Bourses de Vancouver et de Calgary fusionnent et cette nouvelle Bourse de l'Ouest sera la seule à coter les sociétés de petite capitalisation.

Toutes les entreprises québécoises continueront cependant à s'adresser à la Commission des valeurs mobilières du Québec — et seulement à elle — pour l'approbation des émissions d'actions. Qui plus est, la Bourse de Montréal offrira des services d'accompagnement aux entreprises désirant coter leurs actions.

Les Bourses perdraient leur caractère régional pour devenir des institutions spécialisées au sein d'un système pancanadien intégré par l'électronique et accessible de partout.

Montréal n'a plus qu'une part de marché de 9 % des actions canadiennes, contre 21 % en 1992. Sa part des 240 très grandes sociétés cotées au Canada et aux États-Unis n'est plus qu'un maigre 6 %, dont environ 2 % attribuables à la Caisse de dépôt. Bref, la guerre des actions, qui se joue sur la liquidité, était perdue pour Montréal. La Bourse de Montréal obtient en échange l'exclusivité sur tous les produits dérivés : les contrats à terme sur taux d'intérêt, où elle excelle déjà avec une valeur sous-jacente quotidienne dépassant les 25 milliards, mais aussi les options sur actions, qu'elle partage actuellement avec Toronto.

La Ville reine n'a jamais connu de succès avec les produits dérivés. L'accord donne donc à Montréal le droit de lancer des options et des contrats à terme sur n'importe quel indice ou sous-indice des Bourses de Toronto et de l'Ouest, y compris le nouvel indice sur 60 grandes sociétés développé par Standard & Poor's. Toronto garderait cependant les TIPS, qui représentent un panier de titres.

Montréal gagne l'exclusivité d'un secteur relativement sous-développé au Canada, mais appelé à une forte croissance. Les produits dérivés sont à plus haute valeur ajoutée que les actions. (**Texte publié le 13 mars 1999**)

Attentat terroriste arménien à Ottawa

Trois terroristes arméniens ont mis Ottawa sur les dents pendant plus de quatre heures hier (**le 12 mars 1985**) après avoir fait irruption dans l'ambassade de Turquie, tuant le gardien et blessant gravement l'ambassadeur.

M. Claude Brunelle, agent de sécurité de la compagnie Pinkerton, a été tué sur le coup alors qu'il tentait d'empêcher les terroristes de franchir la grille entourant l'ambassade.

Plusieurs Canadiens d'ascendance arménienne ont affirmé qu'ils n'étaient pas surpris de l'attaque dont vient d'être l'objet l'ambassade de Turquie à Ottawa, soulignant que l'accroissement du nombre des attentats commis contre des Turcs à travers le monde était le résultat d'ambitions nationales constamment frustrées.

Khatch Hagopian, président du Comité national arménien établi à Montréal, a précisé que la prise d'otages et le meurtre d'un garde de l'ambassade émanaient de l'accumulation des griefs engendrés par le génocide des Arméniens sous l'empire ottoman.

Les historiens estiment à 600 000 le nombre des Arméniens qui ont subi, en 1915 et 1916, le même sort que les Juifs sous le régime hitlérien.

LA MANIÈRE DE FAIRE LES CHOSES

Ne suspendez pas votre veston a un clou. Posez-le sur le dossier d'une chaise pour éviter les faux-plis

Ne faites pas votre noeud comme ceci

Voici la bonne manière

Notre parapluie mouillé doit rester la pointe en l'air

jamais on ne fait de «cornes» a un livre.

On y met un signet

Ne tenez pas le poignet raide pour boutonner votre gant

Il faut au contraire le fléchir légèrement et il sera moins épais

Ne nettoyez jamais une plaie avec une éponge. Servez-vous d'un peu de charpie ou d'ouate

Vous voulez couper un morceau de bois ? Ne l'appuyez pas sur votre genou

Posez-le sur un billot convexe de manière qu'il porte directement sur celui-ci

Leçon de choses publiée à la « une » de l'édition du 13 mars 1909.

C'EST ARRIVÉ UN 13 MARS

1979 — Sir Eric Gairy, premier ministre de la Grenade depuis l'accession du pays à l'indépendance en 1974, est renversé par Maurice Bishop.

1972 — Le général Lon Nol assume tous les pouvoirs politiques et militaires au Cambodge.

1971 — Paul Rose est reconnu coupable du meurtre non qualifié de l'ex-ministre Pierre Laporte.

1969 — Apollo IX revient sur Terre après avoir fait la preuve que plus rien ne s'oppose à un alunissage.

1961 — Le président John F. Kennedy propose une « Alliance pour le progrès » aux pays d'Amérique latine. Le budget du programme est évalué à environ 600 millions de dollars.

1959 — Onze mille fonctionnaires provinciaux déclenchent une grève de quatre heures en Colombie-Britannique.

1957 — Le gouvernement canadien annonce un excédent budgétaire de 282,5 millions.

1954 — Début de l'offensive décisive du Viet-minh sur la base française de Dien Bien Phu.

1938 — L'Anschluss est proclamé en Autriche : ce pays est incorporé à l'Allemagne nazie et les Habsbourg sont évincés.

1933 — Quarante morts et 70 blessés dans l'incendie d'un cinéma à Guadalaraja, au Mexique.

1928 — Le barrage St. Francis, en Californie, cède et fait 450 morts.

1911 — Un violent incendie cause de lourds dégâts aux abattoirs de l'Ouest, rue Mill.

1901 — Benjamin Harrison, qui fut avocat et soldat avant de devenir président des États-Unis, meurt à l'âge de 69 ans, à Indianapolis.

1900 — Mort, à 60 ans, du père Henri Didon, célèbre prédicateur dominicain.

Comparution du député de Cartier, Fred Rose, accusé sous 5 chefs d'espionnage

Arrêté à Ottawa, ramené à Montréal durant la nuit et traduit ce matin. — La liberté sur parole est déniée; le juge en chef Perreault fixe le cautionnement de Rose à $10 000

Au moment de mettre sous presse, nous avons appris que le Dr Raymond Boyer allait, comme Fred Rose, comparaître en Correctionnelle de Montréal au cours de l'après-midi, sous l'accusation d'avoir conspiré au profit de la Russie avec le député communiste de Cartier, et que celui-ci n'avait pas encore fourni le cautionnement exigé.

ARRÊTÉ hier soir **(14 mars 1946)** à son domicile d'Ottawa, Fred Rose, député du parti ouvrier-progressiste (communiste) pour la division de Cartier, à Montréal, a comparu ce matin à 10 h. 30, devant le juge en chef Gustave Perrault, sous diverses accusations ayant trait à la loi des secrets officiels, statuts de 1939.

La première chambre de la Correctionnelle était bondée de curieux de même que le spacieux couloir des pas perdus du nouveau palais de justice.

On avait pressenti, dès hier midi, qu'il se passait quelque chose d'extraordinaire au Palais, surtout lorsque l'hon. Philippe Brais, C.R., conseiller législatif, a fait une apparition accompagné par des agents de la gendarmerie royale. (...)

Dès ce moment les journalistes furent aux aguets. Ils se rendirent au 3e étage mais y trouvèrent toutes les portes closes. Nous avons appris ce matin que la plainte portant la signature du sergent René-J. Noël, sergent d'état-major de la gendarmerie royale, avait été autorisée par le juge en chef Gustave Perrault qui a aussi lui-même signé le mandat d'arrestation contre Rose.

Rose veut se coiffer

Ce matin, l'hon. M. Brais est revenu devant le juge en chef. Le juge monta sur le banc à 10 heures mais l'accusé se fit attendre. Quelques minutes plus tard, on le vit apparaître dans le box des accusés, flanqué de deux agents de la police provinciale. Aussitôt s'agitèrent les nombreux appareils photographiques braqués depuis longtemps dans la direction du box. Rose sourit, fit un geste élevé des deux mains, essaya de se coiffer de son chapeau. Le gardien lui rabaissa les mains.

M. Roger Hétu, greffier, lut ensuite l'acte d'accusation. Les avocats de l'accusé, Mes Joseph Cohen, C.R., Albert Marcus et Abraham Feiner qui avaient reçu une copie de la plainte des mains de l'hon. M. Brais s'entretinrent quelques instants avec ce dernier.

Me Cohen déclina la juridiction du tribunal en soulignant qu'en ce faisant il désirait protéger les droits de citoyen et les droits de représentant du peuple de son client. Il accepta toutefois que l'enquête préliminaire fût fixée « pour la forme » au 22 du courant.

Rose voulait-il fuir?

Il fut ensuite question d'un cautionnement. Me Cohen déclara que son client était une personnalité bien connue et un mandataire du peuple et qu'en raison de toute la publicité faite autour de l'affaire, il n'a aucun intérêt à se sauver. Il réclama donc un cautionnement personnel, voire même la liberté sur parole.

L'honorable M. Brais ne fut pas du même dire. « Il n'y a aucune publicité de faite par le comité d'enquête. Depuis trois mois la police recherchait Rose qui ne se montrait pas. De plus, après enquête, nous avons appris que le véhicule qui avait conduit l'accusé à Ottawa portait des plaques de l'Etat du Michigan. L'automobile en question fut trouvée en arrière de son domicile hier soir. Un autre accusé à Ottawa a obtenu sa liberté sous un cautionnement de $10 000 et je ne vois pas pour quelle raison on se montrerait moins sévère pour Rose qui est devant les tribunaux sous une accusation très grave. »

A la fin, le juge fixa un cautionnement de $10 000.

Flanqué d'un agent de la Police provinciale, Fred Rose, député du parti ouvrier-progressiste (communiste) pour la division Montréal-Cartier, tel que photographié à sa comparution en Correctionnelle de Montréal.

C'EST ARRIVÉ UN 14 MARS

1996 — Un homme armé de quatre pistolets, Thomas Hamilton, un célibataire de 43 ans, tue 16 enfants âgés de cinq et six ans et une enseignante dans une école primaire de Dunblane, dans le centre de l'Écosse, avant de se donner la mort.

1992 — En fermant ses portes, *La Pravda*, la publication de l'enfant chéri de Lénine, que le père de la Révolution bolchévique avait lui-même créé en 1912, tourne définitivement, trois mois après la dislocation de l'URSS, la page de l'histoire communiste qu'elle avait largement contribué à écrire.

1979 — Le monde entier salue le centenaire de la naissance du célèbre savant Albert Einstein, décédé en 1955 à l'âge de 76 ans.

1976 — Le président Anouar El Sadate, d'Égypte, annule le traité d'amitié et de coopération qui liait son pays et l'URSS.

1970 — «Le progrès humain dans l'harmonie», tel est le thème de l'exposition universelle d'Osaka qui a ouvert ses portes aujourd'hui. Cette exposition qui durera six mois, se veut l'illustration exemplaire de la reconnaissance du Japon en même temps qu'une porte ouverte sur le siècle de demain. 77 pays sont présents à cette exposition qui ne comporte pas moins de 115 pavillons.

1966 — L'opposition accepte e principe d'une enquête dans l'affaire Munsigner. Elle sera présidée par le juge Wishard Spence, de la Cour suprême.

1964 — Jack Ruby, l'assassin de Lee Harvey Oswald (présumé assassin du président John Kennedy) sous les yeux de millions de téléspectateurs, est condamné à mort.

1958 — La princesse Grace de Monaco donne naissance à un fils qui devient l'héritier du trône.

1958 — Incapable d'assurer la succession, la princesse Soraya d'Iran est répudiée par le Shah, qui demande le divorce.

1933 — Sir Henry Thornton, considéré comme un grand ami des chemins de fer nord-américains, et qui fut le premier président du Canadien National, meurt à New York à l'âge de 62 ans.

Le monstre du Loch Ness: un canular vieux de 60 ans

Une photographie prise en 1934 et censée représenter Nessie, le monstre du Loch Ness, est le résultat d'une supercherie, écrit le *Sunday Telegraph*, dans son édition d'hier.

Le journal londonien affirme que le dernier des plaisantins à l'origine du canular, un certain Christian Spurling, a tout avoué avant de mourir en novembre dernier.

À l'époque, la photographie avait été largement diffusée par la presse et les auteurs de la supercherie, effrayés des proportions prises par l'affaire, avaient préféré garder le silence.

Selon la légende, Nessie avait été photographié par un médecin, le colonel Robert Wilson.

Mais le *Telegraph* écrit que le « monstre » a tout simplement été fabriqué par Marmaduke « Duke » Wetherell, un cinéaste qui avait été engagé par le *Daily Mail* pour débusquer l'étrange créature.

Spurling, qui était le beau-fils de Wetherell, a tout avoué avant de mourir à deux chercheurs spécialisés dans le « mystère du Loch Ness », David Martin et Alastair Boyd.

« Wetherell m'a demandé si je pouvais lui fabriquer un monstre. Je l'ai fait, avec en tête l'idée d'un serpent de mer », leur a-t-il raconté.

Spurling a expliqué qu'il avait utilisé un jouet, un sous-marin miniature de 35cm de long, et du bois plastifié pour faire le cou et la tête de la créature.

« Un beau jour, on a mis le monstre à l'eau et le fils de Wetherell, Ian, a pris des photos », a-t-il ajouté.

Le colonel Wilson, recommandé par un ami, n'a ensuite servi que de prête-nom et la supercherie a tenu 60 ans.

Ces révélations n'ont pourtant pas désarmé les partisans de l'existence de Nessie. Adrian Shine, du Loch Ness Project, a affirmé que la chasse au monstre allait se poursuivre.

(**Texte publié le 14 mars 1994**)

LE TRAITÉ DE LA CANALISATION EST DÉFAIT

WASHINGTON Le Sénat des Etats-Unis a rejeté le traité de canalisation. Le vote a été de 46 voix contre 42.

Le président Roosevelt affirmait ce midi **(14 mars 1934)** que la canalisation du Saint-Laurent s'effectuerait, quelle que soit la décision du Sénat. Mais il craint qu'un vote désapprobateur du Sénat ne place la canalisation entièrement entre les mains du gouvernement canadien.

Le président a fait cette déclaration au moment où la Chambre haute achevait son débat sur le traité; le vote doit être pris cet après-midi et les chefs démocrates prédisent une défaite.

M. Roosevelt croit que la canalisation du Saint-Laurent ne peut pas être empêchée, parce qu'elle est une amélioration naturelle et que, par conséquent, si les Etats-Unis refusent d'y participer elle restera à faire par le Canada, qui en retirera tous les avantages.

Un échec ne voudrait pas dire abandon, mais révision du traité

La défaite du projet au Sénat ne signifie pas nécessairement son abandon, mais elle indique que sa ratification est impossible sans une révision substantielle.

Le traité de la canalisation est à l'étude au Sénat depuis le 19 janvier 1933; il fut négocié au cours d'une série de conférences qui se terminèrent par la signature du traité à Washington, le 18 juillet 1932. Le président exprima son opinion sur la question dans un message officiel, le 10 janvier 1934. « Des raisons d'Etat de grande envergure, disait-il dans ce message, me poussent à recommander sans hésitation la ratification du traité. »

Il fut un temps où l'administration n'eut besoin que de cinq votes pour emporter la majorité de deux tiers, mais l'opposition est deveue beaucoup plus forte depuis cette époque.

La plus grande partie des travaux dans le traité s'effectuerait à cette section du fleuve Saint-Laurent qui forme la frontière entre l'Etat de New York et la province d'Ontario.

Le traité est divisé en deux parties, l'une traitant de la navigation, l'autre du harnachement de l'énergie électrique. La part des dépenses attribuée aux Etats-Unis se monte à $272,453,000 environ, y cmpris l'exploitation de 1,100,000 H.P. Sur cette somme, l'Etat de New York est invité à payer $89,726,750 en cotisation pour les avantages qu'il retirera de cette exploitation. Les Etats-Unis n'auront aucune dépense à faire quant aux entreprises qui seront faites en territoire canadien.

Le rapport des ingénieurs qui étudièrent le projet affirme que trente villes américaines situées au bord des grands lacs deviendront des ports de mer lorsque la canalisation sera terminée, les océaniques pouvant alors remonter une distance de 3,576 milles à l'intérieur du continent.

Richard frappe un joueur du Boston et un officiel

L'impétueux et spectaculaire Maurice Richard, atteint à la tête par le bâton de Hal Laycoe, des Bruins de Boston, s'est révolté hier soir (**le 13 mars 1955**) et a soudainement fait explosion pour déclencher une furieuse bataille qui a marqué cette joute que le club avait déjà gagné au moment de l'échange de coups. La figure toute ensanglantée, Richard s'est rué sur son rival pour lui remettre le change et l'atteindre d'une solide droite à la figure, le blessant sous un oeil.

Non satisfait, Richard a voulu poursuivre davantage le combat et alors que le juge de ligne Cliff Thompson a voulu le retenir, le robuste ailier droit du Canadien l'a repoussé le long de la clôture et l'a atteint d'une droite à la figure. Il était facile de constater que Richard avait complètement perdu son sang-froid, qu'il était hors de lui-même. Il est parvenu à atteindre Laycoe avec un bâton et son poing pour le blesser au-dessus de l'oeil.

Alors que Doug Harvey et quelques coéquipiers ont tenté vainement de retenir Richard, Laycoe à son tour a ramassé un bâton pour tenter de frapper son ancien coéquipier mais n'a pu réussir.

Incidents antisémites en hausse

Les incidents de nature antisémite ont doublé l'an dernier au Canada, révèle une étude rendue publique hier (**le 13 mars 1989**).

D'après cette étude, Toronto est la ville où les manifestations d'hostilité à l'endroit des Juifs ont été les plus nombreuses (46 incidents), suivie de Montréal.

Le coordonnateur de l'enquête, Lorne Shipman, a déclaré que ces incidents allaient de la profanation de synagogues et de cimetières aux menaces d'attentats à la bombe et incluaient aussi bien les agressions physiques que le vandalisme.

Au total, il y a eu l'an dernier 112 incidents du genre, contre 55 en 1987, a indiqué M. Shipman, qui a déclaré qu'il s'agissait d'une augmentation extrêmement préoccupante.

Plus de 50 000 Québécois ont payé d'avance leurs funérailles

Plus de 50 000 Québécois payent maintenant d'avance leurs funérailles, ce qui représente des dépôts totalisant plus de 100 millions de dollars.

Des études récentes évaluent par ailleurs à 600 millions le potentiel de ce marché, ce qui a amené le ministre de la Justice Herbert Marx a légiférer afin de protéger les sommes versées par les acheteurs aux 350 entreprises funéraires du Québec.

Le ministre Marx a souligné que c'est un marché en plein développement alors que les entreprises funéraires exploitent maintenant des cimetières privés. On en compte 14 à Montréal sur un total de 37 et ils sont plus répandus encore dans les autres régions du Québec.

Le coût moyen de ces préarrangements funéraires se situe autour de 1 800 $ à 2 000 $ et les fonds confiés aux entreprises le sont pour une durée moyenne de 15 ans.

Le projet de loi proposé par le ministre oblige les vendeurs de services funéraires ou de sépulture à déposer dans un compte en fidéicommis auprès d'une institution financière 90 % du prix des biens et des services qui doivent être fournis au décès de l'acheteur.

Une fois déposées, ces sommes ne pourront être retirées par le vendeur que sur production d'un certificat de décès et d'une preuve que les biens et les services ont été fournis.

En cas de déconfiture du vendeur, ces fonds seront mis à l'abri des créanciers de ce dernier.

(**Texte publié le 14 mars 1987**)

Il y a quatorze ans aujourd'hui, soit le *14 mars 1970*, Loto-Québec procédait au premier tirage de son histoire, soit un premier prix de $125 000 offert à la loterie Inter-Loto, dont le billet se vendait $2. MM. Antoine Scaff et Demitriadis Estratios s'étaient partagé ce premier prix. La photo montre les meneurs de jeu Roger Baulu et Mario Verdon, autour des boules utilisées pour le tirage à l'époque, un système beaucoup moins poussé que celui en usage aujourd'hui. Depuis, Loto-Québec a remis des centaines de millions de dollars en prix et en taxes, et la fièvre a atteint son sommet il y a quelques semaines alors que le gros lot a atteint $14 millions au jeu « 6/49 ». Rappelons que Loto-Québec avait pris la relève de la « taxe volontaire » du maire Jean Drapeau, antérieurement déclarée illégale par les plus hauts tribunaux du pays.

UNE FOULE HORRIFIEE ASSISTE A LA DESTRUCTION DE L'HOPITAL DES INCURABLES

Des scènes pitoyables se déroulent au cours du transport des 400 malades et infirmes par la brigade aidée de citoyens. — Pertes d'un million.

Les ruines fumantes de l'hôpital, au lendemain de l'incendie.

De l'immense immeuble de l'Hôpital des Incurables, hier encore majestueux (**15 mars 1923**) sur le boulevard Décarie, dans la division Notre-Dame de Grâce, il ne reste plus que quatre murs calcinés et chancelants qui, dans leur enceinte, cachent au passant un amas indescriptible de poutres enchevêtrées, tuyaux, débris de meubles, statues brisées, lits tordus et autres. L'incendie a accompli son oeuvre de destruction et, de cette oeuvre de charité grandiose des Dames de la Providence, il ne reste plus que des ruines et un précieux souvenir du bien accompli.

Les vaillantes religieuses, si elles déplorent la perte d'un immeuble et ameublement estimé à près d'un million de piastres, ont, comme l'une d'elles nous le disait hier soir, au plus fort de l'incendie, l'immense consolation d'avoir sauvé tous leurs chers malades et infirmes.

ON DECOUVRE L'INCENDIE

C'est à 5.08 heures que l'incendie a été découvert par une malade, Mlle Ismaël, qui était à prendre son repas du soir, au troisième étage de l'immeuble principal. Elle vit des flammèches tomber dans le puits de l'ascenseur, qui se trouvait au centre de l'immeuble. Ne pouvant marcher, elle appela le chapelain de l'institution, le R.P. Laferrière, O.P., qui passait à ce moment, et lui dit ce qu'elle venait de voir. Celui-ci courut à l'endroit indiqué, constata que les flammes avaient déjà fait certains progrès au sommet du puits, et, après avoir prévenu les gardiens en charge des malades de cette section, il descendit en toute hâte sonner l'alarme à l'avertisseur privé de la maison, lequel se trouvait au rez-de-chaussée. (...)

Au début de l'incendie, l'on ne crut pas d'abord qu'il dût prendre des proportions aussi grandes et finir par un désastre. Le personnel de l'Hôpital des Incurables, religieuses, infirmières et employés divers de l'institution se hâtèrent de transporter les malades du corps principal de l'édifice aux étages inférieurs de l'aile occupée par la communauté des religieuses, aile qui s'étendait en arrière.

DE NOUVEAUX DANGERS

Mais l'élément destructeur faisait des progrès si rapides, que l'on se dit bientôt que tout le vaste immeuble allait peut-être être complètement rasé par les flammes. Il fallut donc se précipiter avec plus de hâte encore pour mettre les malades en sûreté.

A ce moment, il n'y avait encore qu'un petit nombre de citoyens réunis près de l'hôpital. Ils n'hésitèrent pas un instant à prêter leur aide avec le plus grand dévouement pour le sauvetage des malheureux affligés.

SUR LA NEIGE FROIDE

Le temps manquait d'abord pour transporter tous les incurables aux institutions environnantes, et il fallait songer avant tout à les arracher aux flammes. Les sauveteurs durent donc, avec le plus grand regret, déposer des malades qu'ils avaient été chercher à l'intérieur, sur la neige froide qui couvrait le sol. Il se trouva parfois que les malheureux ainsi déposés sur la froide surface étaient pieds nus. On les avait bien enveloppés de couvertures de laine. Mais en dépit des précautions les plus attentives des sauveteurs, ces couvertures se dérangèrent.

DES MALADES AFFOLES

Et ce ne fut pas toujours facile de sauver les malheureux dont la vie était menacée par les flammes. La plupart ne pouvaient faire un pas, et il fallait très souvent, non pas leur aider à marcher, mais les transporter dans les bras. Le plus grand nombre des malades facilitaient autant que possible leur sauvetage, mais il en est d'autres qui étaient absolument affolés et qui résistaient aux efforts de leurs sauveteurs. Il s'ensuivit de pénibles scènes où l'on vit les dévoués sauveteurs lutter contre ceux qu'ils arrachaient aux flammes pour leur conserver la vie. (...)

TRISTE SPECTACLE

Cependant, sur les instances des autorités du monastère, et constatant que les flammes gagnaient continuellement du terrain, en dépit de l'héroïque travail de nos braves pompiers, les religieuses de la Providence firent transporter au monastère du Précieux-Sang une soixantaine de malades, la plupart des femmes, qui furent installés dans les salles, dans les chambres et un peu partout dans le cloître, où nous les avons retrouvés vers 7 heures. C'était un spectacle à la fois triste et touchant que de voir toutes ces religieuses, habituellement si paisibles dans leur cloître et toutes à leur vie monastique, se dévouer au soin des malades, consoler des personnes alarmées et inquiètes du sort d'un parent, d'un protégé. (...)

LES PERTES MATERIELLES

Ce désastreux incendie entraîne des pertes matérielles que l'on évalue à près d'un million de piastres, comprenant l'immeuble et son contenu. (...) Ces pertes énormes ne sont qu'en partie couvertes par des certificats dans différentes compagnies d'assurance.

NOTES HISTORIQUES

L'Hôpital des Incurables (...) est une institution qui date d'un peu plus de 25 années. L'oeuvre proprement dite a été fondée par deux demoiselles charitables, Mlles Généreux, qui établirent une maison rue Saint-Hubert pour recevoir les incurables. Mais bientôt cette maison ne suffisait plus. L'oeuvre avait été connue et on recourait à la charité et au dévouement de ces deux femmes. L'une mourut, et l'autre, ne pouvant continuer seule, remit l'oeuvre entre les mains des Religieuses de la Providence.

Les religieuses décidèrent de donner à cet hôpital une plus grande ampleur afin de recevoir un plus grand nombre de malades. En 1901, elles achetaient l'immeuble qui vient d'être incendié et qui avait été construit en 1896, pour servir de monastère aux religieuses du Précieux-Sang.

C'EST ARRIVÉ UN 15 MARS

1998 — Décès du célèbre pédiatre américain Benjamin Spock, dont les travaux sur l'éducation des enfants ont eu une profonde influence sur la génération du « baby boom ».

1984 — Le roi Juan Carlos et la reine Sofia d'Espagne effectuent une visite d'une journée à Montréal, où le roi avait offert aux membres de la communauté espagnole, à l'hôtel Reine Elizabeth, une réception qui a connu un tel succès que la couple royal, menacé d'être étouffé par l'affection de la foule. a dû quitter l'hôtel à peine 20 minutes après y être arrivé.

1975 — L'armateur milliardaire Aristote Onassis succombe à une pneumonie.

1974 — Une grève du syndicat des marins paralyse la Voie maritime du Saint-Laurent.

1973 — Les députés péquistes quittent le parquet de l'Assemblée nationale quand le lieutenant-gouverneur Hughes Lapointe commence à lire en anglais un passage du discours du Trône.

1971 — Le gouvernement ontarien intente une poursuite de 35 milllions de dollars contre la Dow Chemical of Canada pour pollution au mercure à Sarnia.

1971 — Me Robert Lemieux n'a pas perdu un instant pour faire part de son intention d'en appeler et du verdict et de la sentence prononcés contre Paul Rose, qui a été déclaré coupable du meurtre du ministre Pierre Laporte et condamné à la prison à perpétuité.

1970 — Le consul général du Japon à Sao Paulo est relâché après que le gouvernement brésilien eût permis à cinq prisonniers de quitter le pays.

1964 — Elizabeth Taylor et Richard Burton s'épousent à l'hôtel Ritz Carlton de Montréal.

1961 — Hendrick Verwoerd, premier ministre de l'Afrique du Sud, décide de retirer son pays du Commonwealth britannique.

1956 — Début aux Communes du long débat sur l'oléoduc qui doit transporter le gaz naturel de l'Ouest dans l'Est du pays.

1939 — Avant la fin de la journée, Hitler entrera en conquérant dans le château Hradceny, forteresse historique qui servait de résidence aux présidents de la Tchécoslovaquie et où sont inhumés tous les héros nationaux de la Bohème.

1917 — La défaite de l'autocratie russe est confirmée par l'abdication du tsar Nicholas II.

La course au «bébé de l'an 2000»

Un bébé pour le 1er janvier 2000 ? Si telle est votre intention, il va falloir vous y mettre bientôt. Car on n'est plus qu'à neuf mois et quelques jours de la nouvelle année...

Et à qui le « premier bébé de l'an 2000 » ? La question excite déjà de par le monde pas mal de médias et de couples, mais en France le corps médical dénonce l'absurdité de cette « compétition » qui va s'engager dans quelques jours, souvent à grand renfort d'opérations commerciales et médiatiques.

La date de conception théorique d'un enfant qui naîtrait le 1er janvier se situe entre le 5 et le 8 avril, estiment les différents gynécologues interrogés, qui rappellent que la durée moyenne d'une grossesse est de 40 semaines et demie à partir des dernières règles. Il est impossible de programmer naturellement la date d'une naissance, soulignent les médecins, qui la situent dans une fenêtre de deux à trois semaines. Selon eux, les chances d'une naissance naturelle, le 1er janvier 2000, pour les enfants conçus entre le 5 et le 8 avril, sont de l'ordre de un pour cent.

Pour les couples qui désireraient à tout prix avoir leur enfant le Jour de l'An, reste la solution de provoquer l'accouchement. En dehors des techniques médicales, plusieurs méthodes « naturelles » de déclenchement existent : homéopathie, acupuncture, ou tout simplement un rapport sexuel, reconnaissent les médecins. (**Texte publié le 15 mars 1999**).

Un héros s'éteint

Durant la Seconde Guerre, Guy D'Artois a été un très important artisan de la résistance

Un officier retraité des Forces canadiennes qui avait reçu des mains du général Charles de Gaulle la plus haute distinction militaire française, le major Lionel Guy D'Artois, est décédé (**le 15 mars 1999**) à l'âge de 81 ans, à l'hôpital des Anciens combattants, à Sainte-Anne-de-Bellevue.

Membre du Bataillon du service spécial de l'armée canadienne durant la Seconde Guerre mondiale, M. D'Artois, alors lieutenant, avait été parachuté à Mont-Corvette, en France, le 28 avril 1944, derrière les lignes ennemies. Avant que ne soit libéré son secteur, lors du débarquement des alliés, l'officier a réussi à former 600 membres de la résistance, a mis sur pied le maquis de Sylla, établi un réseau téléphonique sûr de 800 kilomètres, en plus d'attaquer l'ennemi à plusieurs reprises dans le secteur de son maquis.

A la fin de la guerre, le Canada lui a décerné l'Ordre du service distingué et le général de Gaulle lui a remis la médaille de la Croix de guerre avec palme, la plus haute décoration accordée à un soldat.

C'est durant son entraînement en Écosse qu'il rencontre Sonya Butt, une jeune Anglaise qui était elle aussi agent spécial dans l'armée britannique et qui allait devenir sa femme. Leur métier de soldat fera en sorte qu'ils seront séparés durant sept mois, sans pouvoir recevoir de nouvelles l'un de l'autre.

Mme D'Artois a elle aussi été parachutée en France, derrière les lignes allemandes.

Le couple a eu six enfants, trois garçons et trois filles.

Les CANADIENS, 18 fois champions du monde!

Malgré une défaite de 5 à 3 aux mains des Tchécoslovaques au tout dernier match du tournoi, à Prague, le Canada, représenté par les McFarlands de Belleville, remportait le championnat du monde pour une 18e et dernière fois, le *15 mars 1959*. Et Maurice Richard, en visite à Prague (une blessure le tenait alors à l'écart du jeu), en surprenait plusieurs en affirmant, après la victoire des Tchécoslovaques, que le hockey européen n'avait plus rien à envier au hockey canadien. Cette remarque prend aujourd'hui l'allure d'une véritable prophétie. Mais cela dit, le Canada pouvait savourer les succès d'un joueur de centre de 20 ans du nom de Red Berenson, le meilleur marqueur du tournoi, et cette 18e conquête du championnat du monde, que célèbrent ci-dessus les Floyd Crawford, Jean-Paul Lamirande, le joueur-entraîneur Ike Hildebrand et Lou Smrke.

Le feu détruit le Colisée de Québec

QUÉBEC (D.N.C.) - Le Colisée, principal centre d'attractions d'hiver du terrain de l'exposition provinciale, a été détruit de bonne heure, ce matin **(15 mars 1949)**, par un incendie dont on ignore la cause. Trois alarmes ont été sonnées à peu d'intervalle. En un rien de temps, l'édifice qui faisait l'orgueil de notre foire provinciale, a été anéanti par l'élément destructeur. On évalue les pertes à au moins $1 000 000. Ce chiffre comprend, outre la bâtisse, la machinerie, la tuyauterie, des équipements, des accessoires, de même que des équipements de clubs de hockey, etc. A 3 h. 30 le toit s'était effondré, emportant le peu de charpente qui avait résisté aux flammes.

On a craint, un moment, qu'une explosion se produisit par suite de l'emmagasinage d'ammoniaque servant à la fabrication de la glace artificielle.

M. L'Heureux, surintendant de l'édifice, put quitter l'endroit à temps, avec sa famille. Les pompiers ont travaillé ferme pour épargner les édifices avoisinants. Les tisons ardents étaient projetés du brasier pour retomber sur les pompiers ou les spectateurs, qui, malgré l'heure matinale, s'étaient groupés par milliers, sur les terrains de l'exposition.

Haïti fournit le plus d'immigrants au Québec

Haïti est encore en 1987 le plus gros fournisseur d'immigrants pour le Québec, selon les données rendues publiques hier (**le 14 mars 1988**) par le ministère québécois de l'Immigration.

On compte en effet 2 007 immigrants en provenance de ce pays des Antilles, soit 7,5 % des 26 640 immigrants accueillis au Québec en 1987.

L'année précédente, soit en 1986, Haïti avait aussi fourni le plus grand nombre de nouveaux arrivants, soit 1 609.

L'an dernier, les autres principaux pays fournisseurs d'immigrants au Québec ont été dans l'ordre la France (1 677 ou 6,3 %), le Liban (1 604 ou 6 %), le Sri Lanka (1 469 ou 5,5 %) et Hong-Kong (1 227 ou 4,6 %).

Le Québec doit compter sur une plus grande immigration pour compenser pour l'un des taux de natalité les plus bas en Occident.

Bouchard repousse «la prochaine fois»

S'il n'en tient qu'à Lucien Bouchard, le prochain référendum sur la souveraineté n'aura pas lieu avant plusieurs années. Il refuse de se lier les mains avec un moratoire formel, mais on pourrait attendre jusqu'au tournant du siècle avant de consulter le peuple sur son avenir constitutionnel.

La priorité, c'est de relancer l'emploi, redresser les finances publiques et protéger les programmes sociaux, a affirmé hier (**le 14 mars 1996**) le premier ministre. Qui plus est, il n'y aura pas de référendum avant des élections générales.

LES PARABOLES ILLUSTRÉES
Le Levain. - "Le levain qu'une femme mêle dans trois mesures de farine..."
L'Ivraie. - "Comme on arrache l'ivraie et qu'on la brûle..."
Jésus et ses Disciples. - "Car il ne leur parlait point sans paraboles, mais en particulier il expliquait tout à ses disciples." (S. Marc,IV,34.)
Le Bon Samaritain. "Le mettant sur sa monture il le conduisit en une hôtellerie et prit soin de lui..."
Le Mauvais Riche et Lazare. - "Il y avait un mendiant nommé Lazare, couché à la porte du riche..."
L'enfant prodigue. - "Son père accourant tomba sur son cou et le baisa..."
Le Bon Berger. - "Il appelle ses pauvres brebis par leur nom et les fait sortir..."
Le Semeur. - "Et pendant qu'il semait, des grains tombèrent le long du chemin..."
Le filet. - "Lorsqu'il est plein, les pêcheurs le retirent..."

Cette première page est tirée de l'édition du *16 mars 1918*.

Accompagné de son entraîneur, le regretté Dick Irvin, Maurice Richard sort du bureau du président Clarence Campbell où il était allé s'expliquer. Quelques heures plus tard, le verdict du président était rendu : Maurice Richard était banni du hockey pour le reste de la saison.

Richard suspendu pour la balance de la saison par le président Campbell

LE **16 mars 1955**, le président Clarence Campbell, de la Ligue nationale de hockey, causait tout un émoi en annonçant qu'il suspendait pour le reste de la saison, séries éliminatoires comprises, le bouillant et spectaculaire ailier droit Maurice Richard, du Canadien de Montréal, qui avait frappé accidentellement un juge de lignes lors d'une altercation avec le défenseur Hal Laycoe, le dimanche précédent, à Boston.

Éminemment trop sévère, sinon trop injuste aux yeux des amateurs de hockey montréalais, cette suspension allait entraîner la plus importante démonstration de solidarité envers un joueur dans toute l'histoire du hockey, et la manifestation dégénéra malheureusement en une émeute fort coûteuse comme nous le verrons demain.

Du maire Jean Drapeau à d'éminents avocats, en passant par les joueurs et les dirigeants de l'équipe, tous furent abasourdis par l'extrême sévérité du président Campbell, et ils le dirent publiquement. Mais convaincu que ce dernier aurait l'appui des autres gouverneurs de la ligue, le directeur général Frank Selke décidait à contrecoeur de ne pas en appeler de la décision du président, et d'espérer pour le mieux.

Sur le seul plan du hockey, cette suspension eut des conséquences pour deux athlètes et une équipe. Le Canadien devait pour sa part perdre le championnat aux mains des Red Wings de Détroit. Le « Rocket », en ratant les trois derniers matchs de la saison, perdit la seule vraie chance de remporter le seul honneur qui devait lui échapper au cours de sa brillante carrière, soit le championnat des marqueurs. Cet honneur est allé à Bernard Geoffrion, au cours du tout dernier match de la saison ; et même si Geoffrion portait les couleurs du Canadien, les amateurs de hockey de Montréal ne lui ont jamais vraiment pardonné d'avoir arraché cet honneur au « Rocket ».

WALLACE McCRAW EST COUPABLE DE MEURTRE

NDLR — Les fervents lecteurs de cette page se souviendront à quel point la condamnation à mort de Cordélia Viau et de Samuel Parslow avait répondu aux attentes de la population. Voici un exemple d'un jugement qui a produit un effet tout à fait contraire.

(De l'envoyé spécial de LA PRESSE)

TROIS-RIVIÈRES — COUPABLE : tel est le verdict enregistré à 4.12 heures, hier **(16 mars 1906)** après-midi, contre Wallace, accusé d'avoir assassiné Percy Howard Sclater, de Grande-Anse, le 5 mars 1905.

Ce verdict, tombé des lèvres de chacun des jurés après que Mtre Laflamme eut demandé comme suprême faveur que ces messieurs déclarent publiquement leur opinion, souleva un murmure de réprobation dans la salle d'audience, bondée à tel point, que les constables étaient impuissants à maîtriser la foule.

Coupable! À l'annonce du verdict, les dames éclatèrent en sanglots, et dans les couloirs du Palais de justice, se répercuta en murmure d'indignation, l'arrêt de mort ratifié par douze honnêtes personnes du district de Trois-Rivières.

Sur la rue, dans les bars, partout on a commenté durant toute la journée, le verdict de mort prononcé contre Wallace McCraw. Partout on ne parlait que de son innocence, partout on réclamait sa mise en liberté.

Le juré Alfred Lesage, de Saint-Léon, après avoir été quelques heures en désaccord, se rallia aux onze jurés, et ratifia leur verdict. A l'annonce du verdict, Wallace McCraw ne broncha pas d'un cheveu. Il regarda tout d'abord la foule stupéfiée, jeta les regards sur son vieux père que l'arrêt de mort prononcé contre son fils, venait de faire éclater en sanglots, puis baissa la tête. (...)

Quelques minutes avant l'entrée dans la salle des jurés, Marry Ann Skeene *(la femme Sclater)* fut appelée dans la boîte et son avocat, Mtre Robert Greenshields présenta une motion à l'effet de demander un jury mixte, c'est-à-dire moitié de langue anglaise, moitié de langue française. Il demanda en même temps que le cadre actuel des jurés, soit remplacé par une nouvelle liste, ce que l'honorable juge Cannon lui accorda. Aussitôt après, on fixa le procès de la femme Sclater, au 26 mars courant.

McCraw et Mary Ann Sclater étaient accusés d'avoir tué le mari de cette dernière, version 1906 de l'éternel triangle. Mais le doute a toujours persisté dans l'esprit des gens de Trois-Rivières quant à la culpabilité de McCraw, ce qui explique la réaction atterrée des témoins du procès, et dont LA PRESSE se faisait évidemment l'écho, par envoyé spécial interposé.

D'ailleurs, McCraw obtint un nouveau procès et fut acquitté le 7 avril 1908.

C'EST ARRIVÉ UN 16 MARS

1982 — Claus von Bulow est reconnu coupable d'une tentative d'assassinat de sa richissime épouse.

1979 — Décès de Jean-Guy Cardinal. Âgé de 54 ans, ce député péquiste avait été ministre de l'Éducation sous l'Union nationale.

1976 — Démission en Grande-Bretagne du premier ministre Harold Wilson, remplacé par James Callaghan.

1973 — Le coeur du frère André disparaît, à l'Oratoire Saint-Joseph.

1967 — La taxe de vente grimpe «temporairement» à 8% au Québec.

1966 — Deux chiens russes reviennent sur terre après avoir été les premiers êtres vivants à pénétrer les ceintures de Van Allen.

1964 — Arrivée à Chypre des troupes des Nations-Unies pour y maintenir l'ordre.

1935 — L'Allemagne nazie décide de se réarmer.

1914 — Gaston Calmette, directeur du *Figaro*, est assassiné par la femme de Joseph Caillaux, ministre des Finances dans le cabinet Doumergue.

Adieu Fridolin!

Le comédien et dramaturge Gratien Gélinas, qui souffrait depuis plusieurs années de la maladie d'Alzheimer, est décédé à l'âge de 89 ans des suites d'une insuffisance pulmonaire (**le 16 mars 1999**).

Hospitalisé au Centre d'hébergement et de soins de longue durée de Deux-Montagnes, celui que plusieurs considéraient comme le « père » du théâtre québécois, s'est éteint au petit matin, vers 4 h, entouré de sa famille et de ses proches.

En voyage à Paris, le premier ministre du Québec, Lucien Bouchard, a tenu à témoigner de l'admiration que le peuple québécois vouait à Gratien Gélinas. « Il a été un précurseur, a-t-il dit. Il a été un éveilleur de consciences et d'opinions. C'est un des premiers qui ont pris une distance par rapport à ce qui se passait au Québec dans les années 40 et 50. »

Gratien Gélinas naît le 8 décembre 1909 à Saint-Tite. Il fait ses débuts à CKAC, en 1934, dans Le Curé du village de Robert Choquette. Trois ans après, il crée le personnage de Fridolin qu'en 1938, il fait monter sur scène : Fridolinons est la première d'une longue série de revues d'actualité qui se poursuit jusqu'en 1946. « Ce n'était jamais vulgaire même quand ça frappait fort. Et c'était si bien écrit, que les politiciens étaient flattés d'être « frappés » par Fridolin », remarque Gilles Latulippe.

Le Dow Jones atteint 10 000 points

Marque magique pour les boursicoteurs. Chiffre sans grande signification pour les experts. Le célèbre indice Dow Jones de la Bourse de New York a franchi aujourd'hui (**Texte publié le 16 mars 1999**) pour la première fois le seuil des 10 000 points — un exploit historique qui, quoiqu'on en dise, couronne l'une des plus fabuleuses poussées boursières du siècle.

Le « Dow Jones », qui a débuté en 1896 aux environs de 40 points, a touché les 10 000 points vers 9 h 50. Toutefois, les « Golden Boys » de Wall Street n'ont pas eu le temps de sabler le Dom Perignon car, une minute après avoir réussi ce qui était impensable il y a cinq ans, le marché repartait à la baisse.

L'indice Dow Jones a finalement clôturé à 9930,47 points, en baisse de 28,30 par rapport à la veille en raison des ordres de vente des investisseurs qui attendaient cet instant précis pour retirer leurs billes.

L'atteinte des 10 000 points marquera tout de même l'histoire car l'actuelle poussée boursière, ou « bull market » dans le jargon financier, est entrée dans sa huitième année. Une durée exceptionnelle compte tenu que les marchés haussiers durent habituellement cinq à sept ans.

Gaspé aura enfin sa fameuse peinture

Les gens de Gaspé ont de la patience ! Grand bien leur fasse d'ailleurs, puisqu'ils en seront enfin récompensés, après une attente de cinquante années.

L'objet d'une aussi tenace vertu : une peinture représentant l'Arrivée de Jacques Cartier à Gaspé, dont le gouvernement de France avait fait cadeau au Québec. Cette oeuvre était destinée à la population gaspésienne, et devait être installée à demeure dans la cathédrale de Gaspé, en 1934, à l'occasion des fêtes du 400e anniversaire de l'arrivée de l'explorateur malouin.

Le tableau, qui représente Jacques Cartier et ses compagnons plantant une croix au nom du roi et prenant ainsi possession de la Nouvelle-France, est l'oeuvre du peintre français Charles-D. Fouqueray, né à Mans. C'est le gouvernement français qui le lui avait commandé. Il mesure 12 pieds et 3 pouces par 14 pieds et 4 pouces. Mais voilà qu'un incendie qui a ravagé la cathédrale de Gaspé força les autorités à remettre l'oeuvre d'art au Musée du Québec. La même oeuvre fut prêtée en 1949 à la Bibliothèque de l'Assemblée nationale, où on peut encore la voir.

Les Gaspésiens, à l'occasion du 450e anniversaire du premier voyage de Cartier chez eux, ont demandé que l'oeuvre qui leur était destinée leur soit rendue. À la demande de la corporation Gaspé 84 et du conseil de la fabrique de Saint-Albert de Gaspé, le commissariat général aux célébrations 1534-1984 a entrepris les démarches nécessaires auprès de l'Assemblée nationale. La peinture de Fouqueray sera rétrocédée aux gens de Gaspé, pour être exposée dans la cathédrale Christ-Roy, après qu'elle aura été restaurée au Musée du Québec.

(**Texte publié le 16 mars 1984**)

Pechiney : entente signée

Le plus gros investissement industriel de l'histoire du Québec, l'aluminerie de Pechiney à Bécancour, a franchi l'étape officielle lorsque les trois présidents des sociétés partenaires, SGF, Pechiney et Alumax, ont signé hier (**le 15 mars 1984**) l'entente les liant dans ce projet de 1,4 milliard de dollars.

UN INGENIEUX AVERTISSEUR AUTOMATIQUE

OTTAWA — M. W.-J. Lalonde, surintendant du service d'alarmes du département des incendies de la ville d'Ottawa, est l'inventeur d'un très ingénieux avertisseur automatique, en cas d'incendie, lequel semble être destiné à réduire considérablement le chiffre des pertes par le feu, partout où il sera installé. M. Lalonde surveille actuellement l'installation de ces appareils, le premier dans l'édifice « O.A.A.C. » du gouvernement, et le second, au collège Saint-Alexandria, à Ironsides.

L'appareil consiste en un petit cylindre en cuivre d'environ quatre pouces de profondeur par cinq de diamètre. Ce cylindre est attaché au plafond de la chambre. La mince feuille de métal qui recouvre le sommet est flexible ; au-dessus se trouve un chapeau de cuivre à travers lequel passe un raccordement électrique. Une petite soupape permet à l'air accumulé à l'intérieur du cylindre de s'échapper lentement. Toute chaleur soudaine, dans la chambre où il est installé, occasionnera une expansion plus rapide de l'air renfermé dans le cylindre, et la soupape ne suffisant pas à l'expulser, le couvercle se trouve soulevé, établissant le courant électrique qui donne l'alarme. (...)

En plus, M. Lalonde a combiné certains avertisseurs qui sont placés sur un tableau, en un endroit fréquenté de l'édifice ; une ampoule rouge qui s'allume indique immédiatement dans quelle chambre le courant électrique s'est produit, conséquemment, en quel endroit de l'édifice, un incendie vient de se déclarer.

D'après les expériences qui ont été faites devant eux, des experts déclarent que ce système est très simple et destiné à rendre d'immenses services.

Cet article a été publié le 16 mars 1918.

APRÈS AVOIR SUSPENDU RICHARD, CAMPBELL SE PRÉSENTE AU FORUM

C'EST ARRIVÉ UN 17 MARS

1968 — Réunies à Washington, les banques centrales instaurent un double marché de l'or.

1965 — L'ex-roi Farouk, d'Égypte, meurt à Rome à l'âge de 45 ans.

1958 — Mise en orbite du deuxième satellite américain, Vanguard I.

1956 — Décès d'Irène Joliot-Curie, fille de Pierre et Marie Curie, les découvreurs du radium, et elle-même codétentrice avec son mari d'un prix Nobel.

1947 — L'Union soviétique réclame 10 milliards de dollars à l'Allemagne comme réparations de guerre.

Le rapport Parent, 25 ans plus tard

Tel que le souhaitait la commission Parent dans son rapport publié il y a 25 ans, les études secondaires et post-secondaires sont devenues accessibles aux Québécois de toutes origines sociales. Mais le système d'éducation n'a pas relevé avec autant de succès le défi de la qualité que lui lançait le rapport Parent.

Voilà ce qui ressort d'une vaste revue qu'a faite le Conseil supérieur de l'éducation du rapport de la Commission royale d'enquête sur l'enseignement dans la province de Québec publié en 1964 et des transformations qu'a subies le système scolaire québécois sous l'impulsion des travaux de la commission.

L'orientation fondamentale proposée par le rapport Parent était l'accessibilité, c'est-à-dire, explique le Conseil « donner à chacun la meilleure éducation possible et faire en sorte qu'il puisse poursuivre ses études jusqu'au niveau le plus avancé, compte tenu de ses aptitudes et de ses intérêts ». À cet égard, les objectifs fixés par la Commission royale d'enquête ont été atteints, et même dépassés.

En 1956, 57 % des jeunes de 14 ans, étaient à l'école ; trente ans plus tard, 100 %.

Les auteurs du rapport Parent espéraient qu'au début des années 1980, 80 % des jeunes étudieraient au-delà de la troisième secondaire; ils sont aujourd'hui 87 %. Les commissaires rêvaient de voir 20 % des jeunes accéder aux études universitaires : en 1981, 24 % des Québécois de moins de 30 ans fréquentaient l'université à temps plein ou à temps partiel.

(Texte publié le 17 mars 1989)

Le président Campbell vient d'être giflé par un jeune homme retenu par deux placiers du Forum.

CONFLAGRATION A ROUYN, MAIS LE VENT EVITE UN PLUS GRAND DESASTRE

ROUYN — Les marchands et propriétaires évaluent leurs pertes à $2,000,000 dans l'incendie qui a dévasté, ce matin **(17 mars 1949)**, le quartier commercial de ce centre minier du nord-ouest du Québec, rasant neuf établissements commerciaux et délogeant plus de 100 personnes de leurs maisons. (...)

Le plus spectaculaire incendie depuis celui de l'hôtel Albert à l'automne de 1938 s'est déclaré vers 4 heures la nuit dernière et a rasé cinq édifices du centre commercial de la ville de Rouyn. Heureusement, cette fois, il ne semble pas y avoir de pertes de vie ni de blessés. (...) Le feu paraît s'être déclaré soit dans la cave, soit au premier plancher de l'édifice Dubois. Vers 4 h. 15, il se produisit une explosion formidable, peut-être celle d'une fournaise, qui ébranla les édifices avoisinants et que l'on ressentit en face, à l'hôtel National et dans l'édifice Simpson.

Le vent, du bon côté

En quelques minutes, presque tout l'édifice Dubois était en flammes et il était visible que tout ce qui restait à faire aux pompiers, c'était d'essayer de protéger les autres édifices. Ceux de Rouyn, sous la direction du chef Sabin Thibault, et ceux de la ville voisine *(Noranda)*, sous la direction du chef Ted Desrosiers, firent pendant plusieurs heures un travail vraiment héroïque, exposant même leur vie à différentes reprises pour essayer de maîtriser les flammes avec les puissants jets des deux pompes à incendie. Leur travail était rendu difficile par la température assez froide et un vent qui soufflait en direction du lac. Cela avait son avantage car le vent eût-il été en sens contraire, il aurait peut-être été impossible d'empêcher les flammes de se communiquer de l'autre côté de la rue Principale...

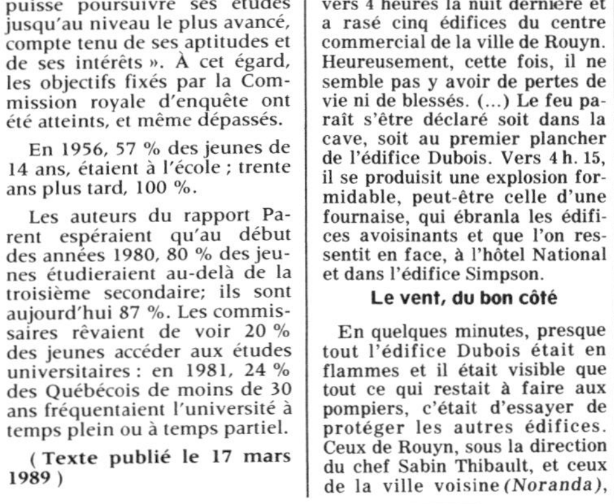

Partie d'une première page consacrée à saint Patrick, et publiée le *17 mars 1906*.

4 morts, 11 blessés à la gare Windsor

La gare Windsor était le théâtre, le *17 mars 1909*, d'un événement qui aurait fait les délices d'un metteur en scène de films de catastrophes par son réalisme. Tout avait commencé à bord de la locomotive du train de nuit du Canadien Pacifique venant de Boston. Un peu après la gare de Montréal-Ouest, une explosion se produisit à bord de la locomotive, enveloppant d'une vapeur insupportable le chauffeur Louis Craig et le mécanicien Mark Cunningham. Les deux hommes sautèrent en bas de la locomotive. Laissé à lui-même, le train prit de la rapidité dans la pente naturelle en direction de la gare Windsor, et ce n'est qu'à la hauteur de la rue Guy que le conducteur s'aperçut de la vitesse anormale du train et appliqua le frein d'urgence. Mais il était déjà trop tard pour l'arrêter complètement sans autre incident. La course folle de la locomotive devait se terminer dans le mur de la salle des pas perdus, sur la voie la plus au sud de la gare, faisant quatre morts, dont trois d'une même famille, et 11 blessés graves, en plus de causer d'énormes dégâts à la gare. Et si le chauffeur Craig s'est tiré indemne de sa chute, Cunningham s'infligea une fracture du crâne à laquelle il devait succomber quelques heures plus tard. La photo montre l'étendue des dégâts sur la rue Donnacona, tandis que le croquis du dessinateur de LA PRESSE permet de voir dans quelle position s'était retrouvée la locomotive.

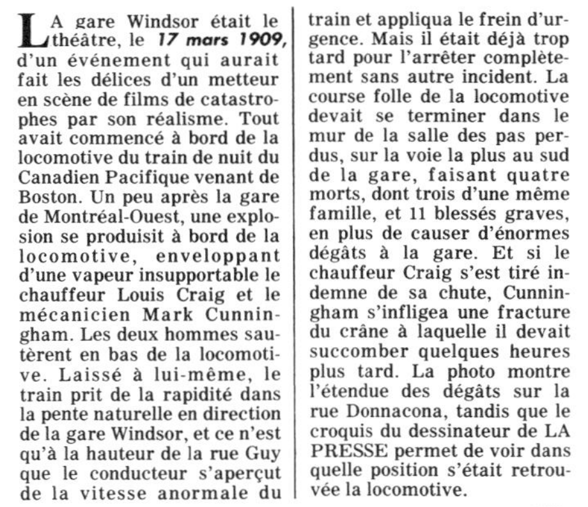

Une provocation pour les partisans du Canadien

NDLR — Il est de ces journées, dans la préparation de cette page, où l'on souhaiterait qu'elle soit double à cause de l'importance des nouvelles à traiter. Et c'est le cas aujourd'hui, alors qu'on dénombre pas moins de quatre éléments majeurs, du calibre de ceux auxquels on réserve habituellement la place d'honneur dans cette page. Il nous faudra donc nous contenter du strict essentiel.

SON honneur le maire Jean Drapeau a déploré les manifestations de violence qui se sont produites hier soir **(17 mars 1955)**, à la suite de la décision rendue par le président Clarence Campbell dans l'affaire Richard.

Le premier magistrat de la métropole a exprimé l'avis toutefois, que, tout inexcusable qu'il est, le fracas a été provoqué par la présence de M. Campbell au Forum. M. Campbell, a dit le maire, aurait agi sagement, en s'abstenant d'assister à la joute Canadien-Détroit, tout au moins en n'annonçant point sa visite à l'avance comme il l'a fait. « Sa présence, en effet, pouvait être interprétée comme un véritable défi ». (...)

M. Drapeau a profité de l'occasion pour prier M. Campbell d'éviter de se montrer à la prochaine joute de demain soir au Forum. Il a, d'autre part, prié des avocats de voir aux mesures à prendre pour remédier d'une façon générale à la situation, et supprimer les causes qui l'ont amenée.

Plusieurs habitués du Forum ont tenu à souligner, par ailleurs, que les actes de violence d'hier ne sont sûrement pas imputables aux amateurs réguliers. Ils ont plutôt été causés, croient-ils, par des gens qui s'y sont rendus dans le seul but de donner libre cours à la colère qu'avait suscitée chez eux la suspension de Maurice Richard par le président de la Ligue de hockey nationale.

C'est en ces termes que commençait, dans l'édition du 18 mars, le principal d'un groupe d'articles étalés sur plusieurs pages de LA PRESSE, et consacrés aux événements de la veille, qu'il nous faut résumer de la manière la plus succincte, en établissant une certaine chronologie des événements.

L'affaire avait commencé le dimanche 13, au cours d'un match à Boston. Le défenseur Hal Laycoe, qui avait d'ailleurs commencé sa carrière avec le Canadien, et Maurice Richard étaient à se chamailler quand un juge de lignes a tenté d'intervenir, se trouvant directement dans la trajectoire d'un coup de poing que le « Rocket » destinait à Laycoe. Le mercredi 16, après avoir entendu Richard et les dirigeants du Canadien, le président Campbell décidait de la suspendre pour le reste de la saison, soit trois matches réguliers, plus les séries éliminatoires.

Dès ce moment, la fureur des partisans du Canadien et de cette idole qu'était (et qu'est toujours d'ailleurs, le récent sondage de LA PRESSE l'a prouvé hors de tout doute) Maurice Richard, allait en augmentant au fil des heures. Les partisans la trouvaient non seulement exagérée, mais aussi injuste, puisque tous les faits démontraient que le coup ne visait pas Thompson, mais plutôt Laycoe. Et dès le moment où le président Campbell annonça publiquement, d'une manière irréfléchie, son intention d'assister au match du 17, il devint évident qu'il fallait s'attendre au pire.

Et le pire est arrivé. Tout d'abord, à l'intérieur du Forum, c'est sous les huées que le président Campbell et sa secrétaire Phyllis King ont fait leur apparition, après 11 minutes de jeu. Une pluie d'objets hétéroclites fut dirigée en direction de Campbell, puis soudainement, un jeune homme, après avoir fait mine de lui serrer la main, lui appliqua une solide gifle, tandis que l'éclatement d'une bombe lacrymogène venait décourager les plus tenaces, le président Campbell compris.

Sur la glace, la situation n'était guère plus rose. Privé du « Rocket » et de son jeu inspiré, le Canadien tirait déjà de l'arrière par 4 à 1 face aux Red Wings de Détroit, après à peine 20 minutes de jeu.

Comme il était inutile de poursuivre un match qui ne pouvait se terminer que par une défaite, et comme on pouvait craindre le pire pour les spectateurs, la décision fut prise de faire évacuer le Forum et de concéder la victoire aux Red Wings.

En sortant du Forum, la foule de vrais amateurs de hockey se gonfla de centaines d'individus, dont certains se mirent à semer le désordre, rue Sainte-Catherine et au square Cabot, renversant les voitures de police, brisant les vitres de tramways, brûlant les kiosques à journaux, etc.

L'intervention de la police pour disperser la foule eut pour effet de la repousser vers l'est, rue Sainte-Catherine. C'est alors que des voyous, mêlés à des partisans du Canadien, entreprirent de briser les vitrines d'une cinquantaine de magasins, dont certaines furent littéralement vidées de leur contenu, entraînant des pertes de dizaines de milliers de dollars aux commerçants.

Le lendemain, presque plus rien n'y paraissait, les commerçants ayant fait remplacer rapidement leurs vitrines brisées, comme s'ils voulaient oublier le plus rapidement possible cette triste soirée. Et pendant ce temps, en Cour municipale, comparaissaient les quelque 75 individus arrêtés la veille par la police.

Le mystère Earhart éclairci ?

La célèbre aviatrice américaine Amelia Earhart, disparue en mer il y a 55 ans, a de toute évidence effectué un atterrissage d'urgence sur un atoll du Pacifique où elle a trouvé la mort, a affirmé hier **(le 16 mars 1992)** à Washington, Richard Gillespie, directeur exécutif du TIGHAR, un groupe international de recherche d'avions historiques.

Gillespie a produit un morceau de fuselage, une antenne radio et la semelle d'une chaussure à la pointure de l'aviatrice, retrouvés sur le minuscule atoll de Nikumaroro, à l'ouest des îles Phénix, à mi-chemin entre Hawaï et la Nouvelle-Guinée.

Amelia Earhart et son navigateur, Fred Noowan, avaient été portés disparus le 2 juillet 1937, alors qu'ils tentaient d'effectuer le premier tour du monde aérien à bord d'un bimoteur Lockheed 10-E Electra. Parti de Nouvelle-Guinée, l'équipage n'était jamais arrivé à l'île de Howland, qui devait constituer une escale dans sa tentative de rejoindre Honolulu, puis Oakland (Californie).

La disparition d'Amelia Earhart avait causé une émotion considérable dans le monde et déclenché des recherches à grande échelle, qui ne donnèrent jamais de résultats.

Selon la théorie de Gillespie, Amelia Erhart, sachant que ses réserves de carburant ne lui permettraient pas de rejoindre l'île de Howland, s'était orientée directement vers le soleil levant, ce qui l'aurait amenée au-dessus de l'atoll de Nikumaroro.

Elle aurait facilement atterri sur un récif de corail sans aspérités, et son coéquipier et elle trouvèrent une abondance de poissons, de crabes et d'autres aliments, mais l'île ne possédait pas d'eau fraîche et, avec une température diurne atteignant souvent près de 50 degrés, les deux aviateurs ne pouvaient survivre qu'une semaine au maximum.

ROGER LEMELIN

UN HOMME EXCEPTIONNEL

ROGER D. LANDRY
Président et éditeur de La Presse

Roger Lemelin est décédé le 16 mars 1992 à l'Hôtel-Dieu de Québec. Il aurait eu 73 ans le mois suivant. L'auteur des «Plouffe» s'est éteint à la suite d'une longue maladie. Atteint d'un cancer du poumon, son état avait nécessité son hospitalisation au cours des derniers jours.

Lorsque j'entrai à *La Presse* en décembre 1980, dans la perspective de devoir assumer à brève échéance la direction administrative et éditoriale de cette institution, j'y rencontrai un homme exceptionnel.

Grand, bien fait, soigneux de sa personne, cultivé, poli et ouvert, il m'accueillit non pas comme un remplaçant, mais comme un héritier auquel il allait céder une succession à la fois lourde et honorable.

Cet homme, c'était Roger Lemelin. Et pour en avoir lui-même pris la charge près de dix ans auparavant, il connaissait, de cette succession, toute l'ivresse du prestige qui auréole, mais aussi toutes les responsabilités qui en sont l'inévitable attribut, qui y sont chevillées comme l'âme l'est au corps et sans lesquelles le titre de Président et éditeur du « plus grand quotidien français d'Amérique » se vide de son sens comme de sa valeur, de sa signification.

De tout cela nous nous sommes souvent et longuement entretenus, dans ces rencontres qui venaient ponctuer, comme autant d'oasis de repos, les heures laborieuses que je consacrais à me familiariser avec les rouages de l'entreprise et à apprendre à connaître ceux qui faisaient mouvoir ces rouages.

Roger Lemelin me fut à cet égard un mentor de premier ordre. Au-delà de ce caractère primesautier qu'il tenait de son état de romancier, il entretenait un sens de l'humain d'une grande finesse, une connaissance profonde des individus et de leurs motivations et une sagesse, je dirais innée, à l'égard des adversités comme des erreurs commises de bonne foi. « C'est humain », disait-il à ce dernier sujet, avec ce sourire qui excusait tout, sauf la malveillance et la lâcheté.

(Texte publié le 18 mars 1992)

Un grave accident en aura fait un écrivain

Adolescent, Roger Lemelin, qui restera comme l'un de nos grands romanciers populaires, s'était d'abord destiné à une carrière d'athlète.

Pour un garçon sans éducation, issu d'un milieu modeste — le faubourg ouvrier de Saint-Sauveur, à Québec, où il naquit en avril 1919 — fils aîné d'une famille de 10 enfants, le sport était une façon idéale de se distinguer. Mais au moment des essais olympiques, un grave accident de saut à ski broie la cheville du jeune homme alors âgé de 18 ans et anéantit ses espoirs.

D'abord confiné au fauteuil roulant, puis obligé de se déplacer à l'aide de béquilles pendant six ans, parce que sa famille n'a pas les moyens de lui payer une intervention chirurgicale, Roger Lemelin, qui a découvert les joies de la lecture à huit ans, se met alors à écrire, sans toutefois penser à faire une oeuvre.

Mais son premier livre publié, en 1944, *Au pied de la pente douce*, connaît immédiatement un très vif succès, est traduit en plusieurs langues et marque le paysage littéraire québécois. L'accueil fait à ce livre incite Lemelin, prolifique, à poursuivre son oeuvre. *Les Plouffe* paraît en 1948, suivi, en 1949, d'un recueil de nouvelles peu connu, *Fantaisies sur les péchés capitaux*, et de *Pierre le Magnifique* en 1952.

Les obligations familiales déjà présentes — Roger Lemelin aura cinq enfants — le travail à la télévision, la carrière d'hommes d'affaires et ensuite de président et éditeur de *La Presse* feront que le romancier se taira ensuite pendant plus de deux décennies.

Mais d'abord, de 1948 à 1952, Roger Lemelin, comme son personnage Denis Boucher, devient journaliste, pour les prestigieuses publications américaines *Time*, *Life* et *Fortune*.

Au cinéma, en 1952, il scénarise *L'Homme aux oiseaux*, court métrage comique réalisé par Bernard Devlin et qui contribuera à l'affirmation des cinéastes francophones.

Nombreux honneurs

Les honneurs, particulièrement nombreux, se succèdent rapidement au début, mais vont s'échelonner sur toute la carrière de l'écrivain. Juste avant la parution des *Plouffe*, il est boursier des fondations Guggenheim et Rockefeller, et il reçoit l'important prix David en 1946. Il sera aussi, à 30 ans, le plus jeune membre élu de la Société royale du Canada. Son oeuvre est couronnée par l'Académie française et a aussi reçu le grand prix de Paris. En 1965, il sera tout étonné, parce qu'il ne publie pas à ce moment, de recevoir la médaille de la langue française de l'Académie française.

Avec fougue, Roger Lemelin se portera d'ailleurs souvent à la défense de la langue française, fustigeant en maintes occasions le « joual », notamment lorsqu'il sera admis à l'Académie Goncourt en 1974 à titre de membre étranger.

Cet autodidacte qui a dû quitter l'école en huitième année a reçu deux doctorats ès lettres honorifiques ; le premier de l'Université de Sudbury en 1976, et le second de l'Université Laval le 20 juin 1992. L'année suivante, il est élu au Temple de la renommée de la presse qui reconnaît les mérites exceptionnels dans le domaine des communications.

En 1980, il reçoit le titre de Compagnon de l'Ordre du Canada, la plus haute distinction civile du pays pour son importante contribution à la littérature canadienne et l'année suivante, l'Association des écrivains canadiens lui remet un parchemin pour honorer sa contribution à la littérature canadienne.

En 1989, pour son apport exceptionnel au développement de la société québécoise, on lui décerne l'Ordre national du Québec. Finalement, en 1990, il est fait Chevalier de la Légion d'honneur, en hommage à sa contribution à la culture française.

Les Plouffe

En s'inspirant de ses deux premiers romans, les plus connus, Roger Lemelin écrira l'équivalent de 100 pièces de théâtre en trois actes pour l'immensément populaire série télévisée *Les Plouffe* qui tiendra l'antenne à la fois en français et en anglais à travers tout le Canada pendant six ans, un exploit, après avoir été d'abord présentée à la radio pendant trois ans.

Dans les années 50, plus de 4,4 millions de téléspectateurs suivront chaque semaine les péripéties de la vie quotidienne d'une famille québécoise typique de la classe ouvrière.

Un autre téléroman au début des années 1960, gardant plusieurs personnages des *Plouffe*, s'intitule justement *En remontant la pente douce*. Sous le titre *Viva Valdez*, *Les Plouffe* est adaptée aux États-Unis en 1975 et met en scène une famille mexicaine.

En 1973, la destruction des enregistrements des *Plouffe* sera rendue publique et fera grand bruit. Roger Lemelin était déjà au courant depuis quelques années, mais il déplore : « C'est un peu comme détruire des vieux films de Chaplin, parce que ces émissions appartenaient aux archives de l'histoire de la télévision canadienne. »

Au début des années 1980, le tournage du film de Denis Héroux et du réalisateur Gilles Carle, qui collabore avec Roger Lemelin pour le scénario, relance l'intérêt pour les *Plouffe*. Le film, très ambitieux, au budget de plus de 5 millions, alors le plus important de l'histoire cinématographique du Québec, remporte beaucoup de succès.

Ce retour de la célèbre famille incitera d'ailleurs Roger Lemelin à écrire, en s'inspirant d'un fait divers, la suite de son roman, 35 ans après la parution des *Plouffe* et 20 ans après son plus récent roman. Ce sera, en 1982, *Le crime d'Ovide Plouffe*, dont l'action commence en 1948. Dans une série de 14 émissions, à Radio-Québec en 1984, Roger Lemelin commentait, pour un auditoire d'étudiants, ce dernier roman qui a lui aussi été l'objet d'une adaptation cinématographique et également l'objet d'un miniscandale. Homme d'affaires averti, Roger Lemelin frappe en effet un grand coup en offrant à rabais son nouveau livre dans les supermarchés Provigo, au grand déplaisir des libraires. Mais le livre se vend à plus de 50 000 exemplaires.

En 1980, il y aura aussi eu un livre de souvenirs épars, *La culotte en or*, et un recueil de textes divers, billets, articles, éditoriaux et conférences, *Les voies de l'Espérance*, composés depuis juin 1972, c'est-à-dire depuis le moment où M. Lemelin devenait président et éditeur de *La Presse*, poste qu'il devait occuper jusqu'en 1981, en créant entre autres un prix littéraire important décerné pendant quelques années.

REAGAN À QUÉBEC

Rencontre familiale à saveur irlandaise

Il était écrit dans le ciel que ce sommet allait être aussi cordial que possible. On devinait que les échanges à saveur politique allaient baigner dans une ambiance de réunion de famille — la grande famille irlandaise et une certaine parenté idéologique — avec juste ce qu'il faut de familiarité à l'américaine pour mettre à l'aise un homme puissant qui aime néanmoins afficher ses côtés bon papa.

En descendant d'avion, Ronald Reagan annonçait ses couleurs, dans le sens littéral du terme : son complet s'ouvrait sur une cravate d'un vert... disons, inoubliable.

Après que le premier ministre du Canada, Brian Mulroney, eut évoqué l'ascendance celtique des deux chefs d'État, le président des États-Unis dérogeait du texte préparé pour la circonstance et ajoutait : « Ma véritable contribution (à la célébration de la Saint-Patrick), je vais la faire ce soir, au dîner. Je vais penser à la majorité parlementaire du premier ministre, et je vais devenir vert d'envie ! »

Brian Mulroney jubilait. Le ton de la visite était donné.

Le soir, au Grand Théâtre, il y a bien quelques numéros qui sont tombés un peu à plat. Il n'est pas certain que Ronald Reagan sache exactement pourquoi le maire Jean Drapeau est si exquisement drôle, ou puisse être conquis par l'art un peu hermétique de Michel Lemieux. Mais le pub irlandais a tout racheté, le président a marché dans le punch final dont la teneur n'était plus, depuis longtemps, qu'un secret de polichinelle. Et il a chanté, avec le premier ministre, « When Irish Eyes are Smiling »...

Après quelques poignées de main distribuées dans le lobby du Grand Théâtre, le président des États-Unis se retirait dans sa suite du Château Frontenac, au coeur d'un quartier bouché par les forces de sécurité, dans la vieille ville encore plus calme qu'à l'ordinaire.

En somme, tout sera allé très vite et très bien.

À commencer par cet accord sur la nomination de mandataires chargés d'approfondir le problème des pluies acides, que MM. Reagan et Mulroney ont annoncé 45 minutes après s'être retirés pour bavarder dans un salon du Château Frontenac.

Pendant la cérémonie d'accueil à l'aéroport de Sainte-Foy, on devinait aussi la mécanique bien huilée mise au point par les professionnels de ces rencontres aux plus hauts échelons, les gens de la sécurité, du protocole, de la logistique, des communications, des bureaux politiques.

De loin, de l'autre côté d'une clôture métallique et d'un rang de policiers, quelques citoyens du secteur consentaient à geler dur pour apercevoir pendant un instant l'appareil Air Force One s'immobiliser près du hangar du gouvernement du Québec : puis, pour contempler un instant le président et Nancy Reagan, pilotés par le couple Mulroney, arpenter un interminable tapis rouge pour s'engouffrer dans l'édifice où attendaient la fanfare, la garde d'honneur et la chèvre du 22ième Régiment.

Ronald Reagan et son épouse ont instantanément charmé un public, il est vrai, conquis à l'avance, un public où abondaient les militants conservateurs. Autant le président est droit et sévère lorsque résonne l'hymne national, autant il paraît détendu lorsqu'il murmure quelques mots à l'oreille de son épouse, à la faveur du brouhaha de la mise en place.

Quelques minutes de protocole et de discours, un léger flottement lorsque tout le monde est monté à bord des limousines, des véhicules de sécurité, des minibus. Et le cortège s'ébranlait, rapide, interminable (plus d'une trentaine de véhicules), roulant sur des voies fermées à la circulation, devant quelques curieux ni exagérément enthousiastes, ni hostiles, simplement fascinés par le spectacle.

Rien n'aura gâché la première journée de Ronald Reagan à Québec, pas même les bannières des militants du Front du peuple et du Parti communiste du Canada (marxiste-léniniste) inévitablement postés devant le Château Frontenac. Le président n'en a rien vu, puisque sa limousine a pénétré dans la cour intérieure de l'htel par une autre voie, et il n'est pas certain qu'il ait entendu les slogans hostiles, pourtant lancés haut et fort par la troupe de protestataires.

Ce matin, la meute de journalistes et de techniciens des médias — il y en a près d'un millier — va abandonner pour quelques minutes les deux chefs d'État à leurs préoccupations, pour s'intéresser aux pérégrinations de Nancy Reagan et Mila Mulroney dans le Vieux-Québec. À l'ombre des vieux murs « qui nous rappellent que Canadiens et Américains ont depuis longtemps mis de côté leurs différences pour devenir des amis », disait le président en touchant le sol de Québec.

(Texte publié le 18 mars 1985)

Battre sa femme : un crime grave

Dorénavant, la violence conjugale sera traitée comme un crime et non comme une simple chicane familiale ou un trouble de voisinage.

Policiers, avocats et juges devront prendre des mesures énergiques pour contrer ce fléau qui touche surtout les femmes : enquête approfondie sur les faits, arrestation du conjoint, augmentation des poursuites judiciaires et emprisonnement s'il y a lieu. Le temps est venu d'exercer une réprobation sociale ; la violence familiale a été trop longtemps tolérée.

En dévoilant sa nouvelle politique d'intervention judiciaire, le ministre de la Justice, Herbert Marx, n'y est pas allé avec le dos de la cuiller, hier (**le 17 mars 1986**). S'adressant aux agresseurs, époux et amants violents, il a lancé ce message vigoureux : « Battre sa femme au Québec est un crime grave et nous allons vous poursuivre. Une société civilisée ne peut tolérer un tel phénomène. C'est une question de dignité sociale. »

Les études démontrent en effet que la majorité des agresseurs récidivent après une première scène de brutalité. Ils répètent les mêmes gestes de violence sur différents partenaires. On compterait plus de 200 000 femmes battues au Québec.

700 enfants sous les décombres

L'école de New London au Texas a été entièrement démolie, enterrant 700 écoliers, filles et garçons. Il semble que l'explosion ait été causée par une accumulation de gaz dans la cave. La tragédie est survenue en moins d'une minute, ne laissant aucune chance aux enfants d'être évacués.

Une enquête militaire aura lieu pour déterminer la cause de l'explosion qui a détruit l'école de New London. Bien que l'hypothèse d'une accumulation de gaz dans la cave soit généralement acceptée, on veut approfondir une rumeur voulant que l'explosion ait été causée par de la dynamite.

Huit heures après l'explosion qui détruisit l'école, un garçonnet et une fillette furent retrouvés vivants dans les ruines, alors que plus d'un millier de volontaires travaillaient au déblaiement des débris. Les deux enfants furent trouvés dans les bras l'un de l'autre et pleurant à chaudes larmes, sous un amas de matériaux qui formaient une arche protectrice au-dessus d'eux.

Une institutrice a été retrouvée vivante mais blessée, après avoir passé six heures sous un amas de débris. Il reste encore des tonnes de débris à enlever avant d'arriver au sous-sol de l'école. Les volontaires travaillent avec un zèle infatigable ; plusieurs d'entre eux se sont affaissés, épuisés, et ont dû être remplacés par d'autres.

(Texte publié le 18 mars 1937)

Tornade meurtrière aux USA

La tempête la plus désastreuse qui se soit produite depuis près d'un demi-siècle a passé ce soir (**le 18 mars 1925**) sur des sections de six États de l'ouest moyen. Près de quatre mille personnes ont perdu la vie ou ont été blessées et les dommages sont de plusieurs millions.

Vingt-six cités et villages, dans cinq États, ont été atteint par la tornade. Les incendies ont détruit de grandes parties de plusieurs villes.

ARRESTATION DE 120 AMATEURS DE BATAILLES DE COQS, DANS L'EST

Le sous-chef Lamouche, aidé des capitaines de police Lafleur et Brophy, et d'une vingtaine de constables, a saisi hier matin **(19 mars 1906)** 72 coqs et arrêté 120 amateurs de combats de coqs dans la boutique de menuiserie de M. D. Donnelly, sise près des élévateurs de la Dominion Coal Co., rue Notre-Dame. Ces arrestations en bloc ont causé une véritable panique dans le camp des sports, et une excitation facile à comprendre dans les alentours. Pas un seul des témoins n'a échappé aux filets du sous-chef Lamouche; tous ont été surpris comme des renards dans un poulailler.

La police avait eu vent, depuis quelques jours, qu'il devait se livrer un terrible combat de coqs dans Hochelaga, mais elle ne pouvait parvenir à connaître exactement l'endroit. Pendant toute la nuit de samedi à dimanche matin, la police fut sur pied, prête à la première alerte, mais rien ne vint.

Plus tard, le sous-chef Lamouche fut avisé — par une femme, dit-on — que le combat devait avoir lieu dans la boutique de M. Donnelly. Le fait devenait de plus en plus évident lorsque des groupes de cinq et dix personnes avec sacs au dos entrèrent dans la boutique hier matin. A dix heures, le sous-chef Lamouche commanda au capitaine Brophy et à huit constables en uniforme de se poster à l'issue de la boutique donnant sur le pont de la rue Sainte-Catherine, tandis que lui-même avec le capitaine Bellefleur se posta à l'autre issue de la cour, rue Notre-Dame.

Le combat battait déjà son plein lorsque dix minutes plus tard Lamouche faisait irruption dans le poulailler en disant que tous ceux qui étaient présents étaient arrêtés et que personne ne devait tenter de s'évader. Seuls les coqs continuèrent le carnage pour le moment. Mais réalisant ensuite leur position, les assistants voulurent prendre la fuite et il s'ensuivit une panique. De tous côtés les fuyards tombaient entre les mains de la police qui les guettaient à bras ouverts. Ils furent forcés d'entrer de nouveau dans la cour où Lamouche fit leur dénombrement. Ils étaient 120 personnes bien comptées.

Quatre voitures de patrouille furent demandées et tous les prisonniers qui n'ont pu fournir de cautionnement sur-le-champ, ont été transportés à la station de police No 3. Ce cautionnement était de $50. (...)

Les 72 coqs ont été confisqués au profit des institutions de charité. Ils sont évalués chacun de $15 à $60. Le sous-chef Lamouche considère de son devoir de mettre fin à ces combats féroces prohibés par la loi. (...)

EN COUR DU RECORDER

Ce matin, la cour du recorder offrait le spectacle le plus singulier qu'il soit possible de voir. Des centaines de curieux se pressaient les uns sur les autres dans la salle des séances, et les corridors de l'hôtel de ville étaient littéralement bondés de monde; les uns riaient, les autres criaient et plusieurs chantaient le coq; chant cruel! souvenir néfaste! le coq sera-t-il destiné à faire pleurer?

On s'attendait à ce que les procès durassent fort longtemps car 120 accusés est un record pour la liste d'un seul jour. Cependant, en moins d'une heure et demie le recorder Poirier avait entendu, jugé et condamné les 120 « sportsmen ». (...)

Le propriétaire de la grange qui a servi d'arène, David Donnelly, maître charretier, a été condamné au maximum de l'amende, c'est-à-dire à $50 d'amende ou 3 mois de prison. Tous les assistants devront payer chacun une amende de $5.00 ou passer 15 jours en prison, à l'exception de MM. Letourneau et Sauvé qui se sont permis de sourire durant l'audition de leur procès.

« Si vous trouvez ça drôle, leur dit le juge, vous paierez une amende de $10. Avis à ceux qui riront. »

Voici une lettre adressée aux journaux par le chef de police et qui s'adapte bien à la fin de cet incident.

« Vous seriez bien aimable de porter aujourd'hui dans votre journal à la connaissance du public le fait que les coqs qui ont été saisis dimanche dernier, seront vendus par encan au poste de police No 2 demain à 2 heures p.m. »

« Sportsmen », donc ne désespérez pas. Il reviendra le temps des batailles de coqs, puisque vous aurez encore les coqs!

Première page consacrée à la verrerie et publiée le *19 mars 1904*.

Maître à bord après Dieu

Lorsqu'on songe aux responsabilités et aux fonctions du commandant de bord d'un avion, on imagine aisément un pilote dans la cabine de pilotage, s'affairant devant une multitude de cadrans, de boutons et de leviers de commande, occupé à piloter adroitement. Pourtant les pouvoirs du commandant s'étendent bien au-delà du périmètre de la cabine de pilotage. Il est maître à bord après Dieu et exerce un droit de surveillance et de contrôle sur l'équipage, l'appareil, les passagers et leurs bagages. Il a même l'autorité d'expulser, en certains cas, un passager!

En droit aérien, il existe un régime international public de navigation aérienne qui précise les droits et obligations du commandant de bord d'avion. La dévolution de ses pouvoirs s'est largement inspirée du droit maritime et des pouvoirs traditionnellement attribués au commandant de navire.

Dès le début de sa mission, avant même le décollage, le commandant de bord est chargé de contrôler les conditions préalables à l'envolée. C'est à lui d'évaluer, par exemple, s'il y a suffisamment de carburant, si les diverses normes de sécurité sont respectées au niveau de l'appareil et de l'équipage, etc.

Lorsqu'il n'est pas satisfait, il peut refuser de voler, sans crainte de représailles de la part de son employeur pour non-respect de son obligation de transport. En effet, son devoir de veiller à la sauvegarde des vies humaines ou des marchandises a priorité sur ses obligations envers son employeur.

Le commandant peut également refuser de décoller s'il juge les conditions météorologiques impropres au transport aérien prévu.

Pendant le vol, il détient l'autorité finale et dirige les opérations à caractère technique et économique. Compte-tenu de son évaluation de la situation, il peut notamment modifier le parcours ou l'altitude de vol projeté. Lors d'une escale, il agit à titre de mandataire de l'exploitant de l'avion, et il peut faire effectuer une réparation exceptionnelle et jugée nécessaire.

Le commandant de bord est responsable du comportement et de la sécurité de l'équipage. Il exerce sur les membres d'équipage un contrôle absolu, et ceux-ci sont tenus à un devoir d'assistance envers le pilote.

Le commandant est par ailleurs investi d'un droit de surveillance sur les passagers réguliers et leur confort. Ces derniers ne sont pas obligés de l'assister en cas de besoin, mais ils peuvent le faire.

Quant aux passagers clandestins, ils sont sans droit et le pilote en charge peut s'assurer que des mesures administratives et coercitives seront prises contre eux une fois l'avion arrivé à destination ou encore à la prochaine escale.

En cas de naissance ou de décès en vol, le pilote agit comme témoin principal.

Quant aux marchandises sur l'avion, le commandant peut décider de les jeter pardessus bord, si cela s'avère nécessaire, soit à cause de problèmes techniques de l'appareil ou encore pour des causes inhérentes à la marchandise. En pareil cas, l'appareil et ses passagers ont priorité. Heureusement, de telles situations sont plutôt rares!

(Texte publié le 19 mars 1994)

Il y a 100 ans, le cinéma

Le 19 mars 1895 vers midi, l'ancien chemin Saint-Victor à Lyon s'anime un peu plus qu'à l'accoutumée devant l'usine des frères Lumière : Louis Lumière donne le premier tour de manivelle d'un appareil de cinématographe. Dans un plan de 50 secondes, les pas saccadés des ouvriers en casquette et des ouvrières aux jupes empesées deviennent le premier film de l'histoire du 7e art : « La sortie des usines Lumière ».

Bel exploit pour Louis et Auguste, ces deux frères autodidactes qui avaient arrêté leurs études vers l'âge de 17 ans avant de s'intéresser à la chimie, la photographie et la médecine. Selon les témoignages de leurs descendants, la mise au point du mécanisme de projection ne prit qu'une nuit à Louis, et le brevet du « cinématographe Lumière » fut déposé le 13 février 1895. À peine un mois plus tard, « La sortie des usines Lumière » était tourné.

En cette année marquée par la naissance de John Ford, Buster Keaton et Marcel Pagnol, ce premier tour de manivelle a donc marqué la naissance du cinéma en tant que tel, avec prise de vues et possibilité de diffusion (ce qui sera fait le 22 mars suivant), alors que les historiens attribuent la paternité de la technique cinématographique à d'autres.

« Je considère Thomas Edison comme l'inventeur du film. Les Lumière ont été les inventeurs de la projection », résume ainsi l'historien Vincent Pinel.

Depuis ces balbutiements, le cinématographe a raccourci son nom et a quitté les foires-expositions pour devenir une industrie générant des milliards de dollars.

(Texte publié le 19 mars 1995)

C'EST ARRIVÉ UN 19 MARS

1984 — Près de trois Canadiens sur dix (20 %) ont gagné quelque chose à la loterie, l'an dernier. Pour la plupart, ce n'était toutefois qu'un carnet de billets ou une somme de 10 $ ou moins.

1984 — La Régie américaine de l'aéronautique civile se réunit aujourd'hui pour décider si elle interdira l'usage de la cigarette à bord des avions affectés aux vols court courrier, interdiction à laquelle s'opposent l'industrie du tabac et les sociétés aériennes des États-Unis.

1969 — Des parachutistes et des policiers britanniques débarquent à Anguilla pour y rétablir l'ordre.

1967 — Plus 25 000 tonnes de pétrole ont coulé dans la mer à la suite du naufrage du pétrolier *Torry Canyon*, un des plus gros du monde jaugeant 61 263 tonneaux, qui transportait 120 000 tonnes de pétrole quand il s'est éventré sur des récifs au large des Îles Sorlingues.

1964 — Sanction par le lieutenant-gouverneur de la loi 60 créant le ministère de l'Éducation du Québec.

1956 — La golfeuse canadienne Marlene Stewart gagne le championnat amateur des États-Unis.

1949 — Le premier ministre, l'hon. Maurice Duplessis, a annoncé la mise en vigueur de la loi provinciale bannissant la vente et la fabrication de la margarine dans la province de Québec.

La réussite de Manic 5 a fait entrer les Franco-Québécois dans la modernité.

HYDRO-QUÉBEC A 50 ANS

Un grand colloque à l'Université du Québec à Montréal s'est tenu pour marquer le cinquantième anniversaire d'Hydro-Québec. S'agit-il de la naissance de la multinationale de l'électricité ou d'un symbole de l'identité québécoise?

La confusion des deux chapeaux d'Hydro-Québec n'est pas nouvelle, ni ne remonte à l'historique nationalisation de 1962, orchestrée par René Lévesque sur un air de « Maître chez nous ! ».

Électrification rurale de Duplessis — Électeur, électrice, électricité, aimait-il lancer à ses auditoires — nationalisation de Lévesque, mort de Daniel Johnson père sur les lieux du chantier de Manic 5, projet du siècle de Bourassa... c'est toute l'histoire politique contemporaire du Québec qui s'est écrite sur les pylônes d'Hydro-Québec.

Claude Bellavance, historien de Trois-Rivières, fait même remonter l'affaire au tout début de notre siècle. « Hydro-Québec, dit-il, est associée à un mouvement de réappropriation progressive d'un important pan du patrimoine collectif. On oublie trop facilement que la nationalisation de 62 fut précédée de celle de 44, alors que le Québec expropriait la Montreal Light and Power et autres compagnies privées de la région métropolitaine. Le tout à la faveur d'un mouvement nationaliste économique remontant aux années 20, avec Mainville et Montpetit, les ténors des Hautes Études Commerciales. »

« Tout au long du processus, la volonté des élites locales d'occuper le champ économique est inscrite au coeur même de l'aventure électrique du Québec. Ce statut de symbole national devait connaître son âge d'or dans les années 70, quand on chantait La Manic avec Georges Dor. Hydro-Québec sera-t-elle encore longtemps le symbole de l'identité collective ? Tout dépend de ce qu'on en fera mais aussi des contraintes extérieures, surtout du chambardement radical de la situation économique mondiale. Force motrice à l'heure de l'industrialisation, l'électricité peut-elle jouer un rôle aussi primordial dans une société post-industrielle ? » se demande M. Bellavance, en précisant que l'historien redevient ici simple citoyen.

Le sociologue Jean-Jacques Simard, participant aussi au supercolloque de l'UQAM, invite à distinguer entre image et symbole.

« L'image c'est la perception que les autres ont de nous. On peut améliorer ou corriger son image, comme l'a fait Hydro-Québec, bien mieux que aujourd'hui qu'à l'heure de l'épidémie de pannes des années 80.

« Si l'image dépend de la conjoncture, le symbole est plus profond, inscrit dans la structure même de son identité, individuelle ou collective. De par sa nature, le symbole rend visible ce qui ne l'est pas, compréhensible ce qui ne l'était pas. Ce n'est pas Hydro-Québec qui a choisi de devenir un symbole, mais les Québécois qui lui ont conféré ce statut.

« Deux raisons ont amené les Québécois à faire d'Hydro-Québec un symbole national. Tout d'abord, la nature même de l'électricité, qui relevait de la magie et du mystère. En plus d'être mystérieuse et magique, l'électricité était aux mains des Anglais, plus particulièrement de compagnies dénommées Powers, symbole donc de l'aliénation et de l'exploitation des francophones.

« En maîtrisant l'électricité, surtout à partir de la Manic, conçue et réalisée par les leurs, des ouvriers aux ingénieurs, les Québécois entraient dans la modernité et devenaient même les Américains du Canada lorsqu'ils construisaient la centrale de Churchill Falls pour le compte des Terre-Neuviens.

L'avenir

C'est le 14 avril 1944 qu'était sanctionnée la loi expropriant les compagnies privées de Montréal et les remplaçant par la Commission hydroélectrique de Québec, en abrégé Hydro-Québec.

Hydro a démontré qu'elle savait faire et distribuer l'électricité. Faut-il produire plus ou consommer moins, favoriser le méga ou le négawatt ? La création d'emplois et les secteurs de pointe se sont-ils déplacés de la production à la conservation de l'énergie ?

Comment s'approprier les ressources du Nord sans heurter les premiers habitants de ce territoire ? Comment éviter de laver notre linge sale chez les étrangers comme Québécois et autochtones le font depuis une décennie ?

Comment produire et distribuer de l'électricité au meilleur coût, tel que stipulé dans le mandat d'Hydro-Québec, quand le gouvernement du Québec siphonne, directement ou par le biais de taxes perverses, sa compagnie d'électricité ? Le compte à rebours de la privatisation a-t-il sonné ?

Posée ou pas posée, cette question nous hantera jusqu'à la fin du siècle électrique ! Un destin inscrit dans l'insigne arboré par Hydro-Québec depuis 50 ans : d'un cercle évoquant le soleil jaillit un éclair d'énergie électrique, le tout formant la lettre Q du peuple québécois.

(Texte publié le 19 mars 1994)

COLLISION DE 2 TRAINS A DROCOURT, EN ONTARIO

Dix-neuf personnes au moins perdent la vie dans ce terrible accident— Scènes indescriptibles— Horreurs du désastre

PARRY Sound, Ontario — La Commission fédérale des chemins de fer et le Canadien National devaient, pensait-on, ce matin, commencer aujourd'hui des enquêtes pour déterminer les responsabilités concernant la collision d'hier **(20 mars 1929)** entre deux trains du Canadien National, à Drocourt, Ontario.

Dix-neuf personnes ont perdu la vie, dans cette collision, neuf ont été blessées, et plusieurs autres manquent encore à l'appel. Il faut aussi compter une autre enquête, celle du coroner.

Il s'agit du plus grand désastre ferroviaire du Canada, depuis 1910, et des scènes d'horreur indescriptibles sont signalées par des témoins oculaires.

Une fausse interprétation des ordres serait la cause du désastre. Quand la collision s'est produite, les wagons des bagages des deux trains ont été télescopés et un wagon de colons prit feu. Ce furent les occupants de ce wagon qui subirent les plus grandes pertes et plusieurs voyageurs furent brûlés vifs. Les cadavres calcinés des morts ont été transportés dans un établissement de pompes funèbres. Les mécaniciens des deux trains ont échappé à la mort. Paul Gauvreau, du train allant vers Toronto, a eu les deux jambes cassées, et M.V. Alexander, mécanicien du train filant vers l'ouest, souffre seulement de blessures légères.

Dans l'édition du 22 mars, LA PRESSE devait réduire de 19 à 17 le nombre des morts, car on avait pu retrouver deux personnes qui, pensait-on, avaient péri dans l'accident. Et le même jour, on faisait écho au drame

déchirant vécu par un jeune Américain de Washington, comme en font foi les quelques lignes suivantes:

L'horreur de la collision entre deux trains du Canadien National, à Drocourt, Ont., a été décrite par un jeune Américain, Harold Nelson, qui a vu de très près le wagon démoli des colons servir de bûcher à son jeune frère. Celui-ci s'était endormi. Après un essai infructueux pour pénétrer dans le wagon, il se tint à côté et surveillait le progrès des flammes. Il souhaitait que son frère fût mort avant d'être horriblement brûlé. Ces deux jeunes gens, fils de M. John M. Nelson, membre du Congrès des Etats-Unis pour Wisconsin, se rendaient de Washington en Alberta pour travailler sur le ranch de leur père à Spring Coolie.

Ces photos permettent de juger l'importance de la collision ferroviaire de 1929. Au sujet de ces photos, LA PRESSE précisait que « ces photographies mises à bord d'un avion de la Canadian Airways à 8 heures 43, ce matin, à Toronto, arrivaient à 10 h. 35 à l'aérodrome Saint-Hubert, où un représentant de la « Presse » les attendait. Un peu avant 2 heures, elles paraissaient dans la « Presse ». » Notons que Parry Sound se trouve à 627 milles de Montréal.

Adieu Diane et Roger

Les Diane et les Roger sont menacés de disparition au Québec, selon les dernières listes des prénoms donnés aux enfants, colligées par la Régie des rentes du Québec.

Petite consolation pour eux et elles : ils ne sont pas les seuls à s'effacer tranquillement des registres de l'état civil. D'autres prénoms sont en voie d'extinction, notamment les Jocelyne et les Louise, ainsi que les Gérard et les Fernand.

Les Carole, Colette, Suzanne, Gaétan, Gaston, Arthur et Jean-Jacques devraient eux aussi se dépêcher de se reproduire s'ils ne veulent pas connaître le triste sort des tourtes, ces oiseaux qui ont fini par disparaître après avoir peuplé les cieux québécois.

La Régie des rentes a recensé les 330 prénoms des petits garçons et les 447 prénoms des petites filles nés en 1993, qui revenaient plus de dix fois.

On y chercherait en vain les Diane et les Roger, mais, en revanche, on y trouve, chez les garçons, 39 Loïc, 15 Axel et 15 Pier-Alexandre et, chez les filles, 31 Trycia ou Tricia, ainsi que 13 Caitlin et 75 Chanel ou Chanelle.

Les 50 prénoms les plus fréquents chez les filles

étaient, par ordre de décroissance : Catherine, Alexandra, Stéphanie, Jessica, Audrey, Roxanne, Valérie, Melissa, Sabrina, Émilie, Vanessa, Laurence, Sarah, Marie-Pier, Caroline, Gabrielle, Camille, Maude, Amélie, Marie-Ève, Joanie, Julie, Kim, Chloé, Myriam, Cynthia, Geneviève, Mélanie, Sophie, Karine, Isabelle, Véronique, Vicky, Frédérique, Andréanne, Laurie, Marianne, Jade, Noémie, Katherine, Patricia, Ariane, Jennifer, Virginie, Samantha, Élizabeth, Claudia, Cindy, Sara et Justine.

Les 50 prénoms les plus fréquents chez les garçons étaient, par ordre de décroissance : Alexandre, Maxime, Francis, Mathieu, Samuel, Gabriel, Jonathan, Kevin, Vincent, Simon, David, Nicolas, Michael, Olivier, Philippe, Guillaume, Sébastien, Alex, Anthony, Marc-André, Frédérik, Julien, Félix, Marc-Antoine, Charles, Antoine, Patrick, William, Étienne, François, Jean-Philippe, Steven, Keven, Raphael, Christopher, Benjamin, Érick, Jérémie, Jimmy, Jeremy, Tommy, Yannick, Dominic, Jordan, Jean-François, Martin, Pierre-Luc, Cédric, Daniel et Dave.

(Texte publié le 20 mars 1995)

Les Français rêvent toujours d'une «cabane au Canada»

Les Français rêvent toujours de posséder «une cabane au Canada». L'Express, le premier hebdomadaire français, publie dans sa dernière livraison une longue enquête-sondage sur les fantasmes des Français. Le sujet fait d'ailleurs la une du magazine, avec en couverture le buste avantageux d'une blonde pulpeuse portant des boucles d'oreilles en diamant.

Pourtant, le dessin de première page est un peu trompeur, car le sondage, réalisé par l'Institut Louis Harris, révèle que le premier fantasme des Français, que l'on dit volontiers casaniers, est en fait de partir, voyager le plus loin possible, quitter sa vie quotidienne, bref, « mettre les bouts ».

Et c'est bien ce qui apparaît quand on demande aux Français « Quelle est la maison de vos fantasmes ? »

Pour 25 % d'entre eux, c'est « la cabane au Canada » dont l'image, popularisée par la célèbre chanson de Line Renaud,

à la fin des années 50, reste encore très vivace, qui symbolise le mieux leur désir d'évasion que devant un bungalow aux Seychelles, préféré par 24 % des personnes interrogées.

Les Français ne sont que 17 % à choisir un château dans le Périgord et 13 %, une villa hollywodienne à Saint-Tropez.

C'est le désir manifeste d'abandonner la civilisation, car l'hôtel particulier à Paris ne recueille, lui, que 8 %, et le loft à New York, 3 % seulement.

Dans le même magazine, la division du tourisme de l'ambassade du Canada et Air Canada, qui font une publicité sur le pays des grands lacs, le royaume de la nature, ne se trompent pas et répondent à coup sûr aux désirs des Français. Avec la photo d'un pêcheur solitaire, au bord d'un lac, sur fond de forêt profonde, les publicistes tapent assurément dans le mille.

(Texte publié le 20 mars 1989)

La plus grande femme du monde est canadienne

Les regards curieux, les plaisanteries faciles et les remarques désobligeantes débutèrent alors qu'elle n'avait encore que 10 ans : elle mesurait déjà six pieds et trois pouces.

Sandy Allen, qui mesure aujourd'hui sept pieds et sept pouces et pèse 410 livres, se-

rait la plus grande femme vivante au monde. Le gigantisme de sa taille l'a rendue célèbre, la forçant toutefois à vivre une existence très souvent mortifiante du fait de la curiosité qu'elle suscite.

(Texte publié le 20 mars 1984)

C'EST ARRIVÉ UN MARS

1983 — Mise en eau du réservoir du barrage LG-4, à la Baie James.

1980 — Adoption par l'Assemblée nationale du texte de la question référendaire.

1977 — Grande victoire de l'union de la gauche aux élections municipales de France.

1976 — Patricia Hearst est reconnue coupable de vol de banque.

1974 — La princesse Anne et le capitaine Mark Phillips, son mari, échappent à un attentat à Londres.

1958 — Sept militaires meurent dans l'explosion d'un dépôt de munitions à Angus, en Ontario.

1956 — Le gouvernement canadien autorise la vente d'or aux particuliers.

1948 — Inauguration officielle de l'hôtel Laurentien par le maire Camillien Houde.

1944 — Le *Morgentidningen* publie une dépêche de Zurich disant que 8 000 personnes ont été tuées dans le raid de la RAF sur Francfort et que cette place est maintenant la ville la plus bombardée d'Allemagne, ayant reçu plus de deux tonnes de bombes par minute.

1941 — Le très hon. W.-L. Mackenzie King a annoncé officiellement à la Chambre des communes que la signature d'un accord entre le Canada et les États-Unis pour la canalisation du Saint-Laurent. L'accord porte sur la production de l'énergie électrique dans tout le bassin des Grands Lacs et du fleuve Saint-Laurent et pourvoit à une canalisation profonde à partir du port de Montréal jusqu'à la tête des Grands Lacs.

1929 — Décès du maréchal Ferdinand Foch, à l'âge de 77 ans.

1905 — L'incendie d'une manufacture de chaussures fait plus de 100 morts à Brockville, Mass.

EDDIE SHORE

Cette photo a été publiée en *1928*.

Double drame

Un policier et un pompier volontaire ont trouvé la mort et une douzaine de personnes, dont deux enfants, ont été blessées, hier (**le 19 mars 1990**), dans l'incendie d'un ancien hôtel du centre-ville de Shawinigan, en Mauricie.

Les deux victimes, deux hommes dans la vingtaine, ont été vraisemblablement tuées, en combattant les flammes, par l'effondrement d'une partie de l'immeuble causé par l'explosion d'une conduite de gaz, vers 11 h 45.

Les corps des deux hommes n'avaient toujours pas été retrouvés dans les décombres du vieil immeuble, à 22 h hier.

L'explosion de la conduite, survenue une dizaine de minutes après le début de l'incendie, a également provoqué l'affaissement d'un mur dans une ruelle à l'arrière de l'immeuble, où se trouvaient deux écoliers du Shawinigan High School, âgés de 12 et 14 ans.

Ces derniers reposaient toujours, hier soir, dans un état jugé critique à l'hôpital Sainte-Marie de Trois-Rivières.

Explosion

Toujours hier, une violente explosion à bord d'un navire en cours de chargement a fait deux morts et un blessé grave parmi l'équipage aux installations portuaires de l'Alcan à La Baie, au Saguenay.

Le *Pollux*, battant pavillon norvégien, était amarré au quai Powell du port de La Baie quand s'est produite la déflagration qui a fait voler en éclats la partie avant du pont du navire.

L'explosion dans la cale numéro 1 a été si violente qu'un remorqueur qui passait à proximité du *Pollux* a été endommagé, tandis qu'une pluie de bois et de métal s'abattait sur les quais.

Les vitrines d'un bâtiment administratif adjacent au port ont été soufflées et six employés de l'Alcan ont été atteints par des éclats de verre. Un travailleur de l'usine de papier Stone-Consol, sise de l'autre côté du quai Powell, a aussi été blessé dans l'affaissement partiel d'un mur de briques.

Le *20 mars 1948* et au cours des journées qui suivirent, de nombreuses inondations ont eu lieu dans le bassin du Saint-Laurent et de ses affluents qui débordaient de leur lit, à la rupture printanière des glaces. Cette photo des glaces aux abords du pont Victoria illustre bien la situation.

Le ***21 mars 1948****, le joueur de centre Elmer Lach, du Canadien, remportait le championnat des marqueurs de la Ligue nationale de hockey, et le lendemain, LA PRESSE lui rendait hommage de cette manière.*

Béatification de Dina Bélanger

« Par notre autorité apostolique, nous considérons que la vénérable servante de Dieu, Dina Bélanger, d'ores et déjà soit appelée bienheureuse, et que puisse être célébrée sa fête, dans les lieux et selon les règles établies par le droit, au jour de sa naissance au ciel le quatre septembre. »

C'est par cette formule de béatification, prononcée hier (**le 21 mars 1993**) par le pape Jean-Paul II devant une foule de près de 7 000 fidèles réunis dans la basilique de Saint-Pierre de Rome, que Soeur Marie-Sainte-Cécile-de-Rome, la première fille du Québec a être béatifiée, a fait son entrée dans le calendrier des bienheureux.

Au moment ultime de cette cérémonie qui aura duré deux heures, deux immenses tableaux représentant Dina Bélanger ont été dévoilés, un à l'intérieur de la basilique, l'autre sur sa façade à l'extérieur.

L'événement que les 455 pèlerins du Québec, dont près de 125 religieuses québécoises de la Congrégation de Jésus-Marie, attendaient fébrilement depuis le 11 décembre dernier, alors que la date retenue pour cette consécration a été connue, a suscité les applaudissements et les soupirs de satisfaction et de joie à l'intérieur de la basilique.

C'est l'archevêque de Québec, Mgr Maurice Couture, qui a procédé à la demande officielle de la béatification au pape.

« Très Saint Père, a-t-il dit, l'archevêque de Québec demande à votre Sainteté de béatifier la vénérable Dina Bélanger. »

Toute la journée d'hier s'est déroulée dans l'euphorie pour les soeurs de Jésus-Marie qui ont convergé vers Rome depuis une semaine, en provenance de tous les coins du globe, puisque cette communauté a des maisons d'enseignement dans 25 pays.

En avant-midi, les délégations composées de pèlerins et d'élèves se sont rendus à l'auditorium Paul VI, pour fêter la béatification de Dina Bélanger et la canonisation de la fondatrice, Mère Claudine Thévenet, qui sera célébrée aujourd'hui.

C'est la supérieure générale, Mère Maria Lourdes Rosell, qui a ouvert les festivités : « C'est Claudine et Dina qui ont convoqué la grande famille de Jésus-Marie », a-t-elle lancé.

Une tapisserie illlustrant le travail de soeur Dina Bélanger, a été déployée à l'intérieur de la cathédrale Saint-Pierre de Rome.

Le cardinal Édouard Gagnon, un Québécois qu'on dit très influent au Vatican à piloter les deux causes de la congrégation Jésus-Marie, a rappelé l'importance que le Vatican accorde à son Église québécoise.

Encore une fois, a-t-il dit, on est en mesure de noter l'attention que porte Jean-Paul II au Québec.

P.E. Trudeau : si le Québec se sépare, ça ne sera pas un drame

Pierre Eliott Trudeau invite les Québécois à se brancher en matière constitutionnelle. Et s'ils optent pour l'indépendance, ce ne sera pas un drame, estime l'ancien premier ministre, qui n'aurait aucunement l'intention de quitter un Québec souverain.

« Si le Québec se sépare, il se sépare. Tout ce que je demande, c'est qu'il se décide, d'expliquer M. Trudeau. Moi, je n'irai pas me pendre au grenier si le Québec se sépare. Je continuerai de vivre dans ma maison de l'avenue des Pins. Et puis, j'irai à la campagne aussi. Mes fils continueront de parler français et d'étudier l'anglais. »

Bien que fédéraliste convaincu, l'ancien leader libéral se dit d'accord avec les gens d'affaires qui, en nombre croissant, dédramatisent les conséquences économiques de la souveraineté du Québec. « Je suis de leur avis, je ne trouve pas ça dramatique », a convenu M. Trudeau, selon qui la séparation ne représente toutefois pas la bonne option.

(**Texte publié le 21 mars 1990**)

Piccard et Jones réalisent leur rêve et bouclent le tour du monde en ballon

À l'aube de l'an 2000, le dernier défi aéronautique est tombé. Le Suisse Bertrand Piccard et le Britannique Brian Jones sont entrés dans l'histoire, en bouclant le tour du monde en ballon sans escale en 20 jours. Les aérostiers se poseront ce matin à l'aube (**le 21 mars 1999**) au sud de l'Égypte.

Leur ballon, Breitling Orbiter 3, se trouvait en début de soirée hier au-dessus de l'Algérie et avait parcouru 44 000 kilomètres, battant ainsi tous les records de durée et de distance.

« C'est un merveilleux rêve. Nous avons encore beaucoup de peine à réaliser ce qui nous arrive. » Tels ont été les premiers mots de Bertrand Piccard, après avoir franchi le degré de longitude 9,27 ouest à 9 h 54 GMT hier au-dessus de la Mauritanie. Avec un humour tout britannique, Brian Jones a dit de son côté qu'il allait célébrer l'événement avec une tasse de thé.

Les deux pilotes ont franchi la ligne d'arrivée en ayant parcouru 42 810 kilomètres. Partis le 1er mars dernier de Château-d'Oex, en Suisse, ils ont ainsi été les premiers à faire le tour de la planète en 19 jours, une heure et 49 minutes.

C'EST ARRIVÉ UN 21 MARS

1983 — Les sinistrés du « week-end rouge » ont gain de cause contre les pompiers de Montréal, en Cour d'appel. — Le capitaine Henri Marchessault, responsable de l'escouade des stupéfiants, est arrêté pour trafic de drogue.

1977 — Un ex-mercenaire du nom de Bob McLogan prend 15 personnes en otage, à Toronto, mais les relâche quelques heures plus tard.

1974 — La violence éclate à cause d'un conflit de travail à la baie James, et le chantier de LG-2 est saccagé.

1968 — Démission du président tchécoslovaque Antonin Novotny.

1960 — Début de sanglantes émeutes contre l'*apartheid* à Sharpeville, Afrique du Sud.

1955 — Le régime sud-vietnamien de Ngô Dinh Diêm fait face à de sanglantes émeutes encouragées par les sectes religieuses.

1953 — Le premier ministre Antonin Zapotocky succède à Klement Gottwald comme président de la Tchécoslovaquie.

1952 — Une tornade fait 233 morts en Arkansas.

1916 — Quatre morts dans un tamponnement ferroviaire, à Val-Brillant, près de Québec.

1913 — Constantin, le nouveau roi de Grèce, est acclamé à Athènes.

1910 — Un accident ferroviaire cause la mort de 45 personnes, dans l'Iowa.

1907 — On annonce que des émissaires russes incitent la population de la Moldavie à faire la chasse aux juifs.

1905 — La démission de M. N.-S. Parent, premier ministre de la province de Québec, est annoncée par le lieutenant-gouverneur.

1902 — Stanislas Lacroix expie, à Hull, le meurtre d'une pauvre femme et d'un infortuné vieillard.

Cet hommage au printemps publié le ***21 mars 1908*** *comportait le très beau texte suivant.*

Le printemps est la saison du renouveau. C'est la renaissance de la nature et tous les êtres se ressentent de la bienfaisance de cette époque désirée. Mais quoique le printemps commence, astronomiquement, le 21 mars, il s'en faut que la douceur de la température tienne partout, à cette date, ce que promet ce temps poétique. Chez nous, par exemple, ce n'est qu'un espoir, et le jour de la venue du printemps ne se signale guère que par de la boue et de l'humidité ; mais la perspective d'arriver bientôt à la fin de notre si long hiver, l'attente du départ des glaces qui bloquent notre beau fleuve, et l'ouverture prochaine de la navigation, tout cela nous met l'âme en joie et nous aide à oublier nos misères.

C'est dire que le printemps, au Canada, n'est pas exact au rendez-vous que lui donne le calendrier. Mais est-il préférable de jouir d'une chose ou de vivre dans l'espoir de son arrivée.

Ah! l'attente de nos jours heureux vaut mieux, certes, que la jouissance de ces jours. Lorsque le printemps s'épanouit, il est bien près de sa fin, et l'éminence de son départ nous attriste et gâte la beauté des jours qu'il nous accorde.

Aussi nous ne parlons aujourd'hui du printemps que comme d'une promesse, et surtout pour nous conformer à l'actualité qui nous commande de saluer ici le premier jour de cette saison poétique, bien qu'elle nous refuse encore ses faveurs tant que le rigoureux et obstiné hiver ne nous aura pas délivré de son manteau glacé. Mais le temps de la délivrance est proche, et nous passerons alors, presque sans transition, de la langueur hivernale à l'allégresse printanière.

Alors tout sourira le matin, tout chantera le soir. L'air sera plein de bruissements d'ailes ; les prés, de fleurs prêtes à ouvrir ; de nouvelles senteurs monteront de la terre ; ce sera une ivresse générale, une harmonie, un chant d'amour doux et joyeux, et tout être se croira rajeuni. (...)

Dix-neuf Frères des écoles chrétiennes comparaissent

Dix-neuf membres des Frères des écoles chrétiennes de l'ancienne école St-Joseph, d'Alfred en Ontario, qui doivent répondre de 149 accusations criminelles relativement à des événements survenues entre 1941 et 1971, ont comparu devant le tribunal, hier (**le 20 mars 1991**), dans la petite municipalité de L'Orignal.

Les accusations font suite à une enquête menée à la suite à une démarche d'un journaliste d'un quotidien torontois qui avait mis la main sur un rapport interne du ministère des Institutions de réforme, de l'époque, qui concluait à des sévices physiques et des agressions sexuels, mais auquel le gouvernement de l'époque n'avait pas donné suite.

Des 149 accusations, 69 portent sur des lésions corporelles infligées aux pensionnaires de l'institution, 59 font état d'agressions indécentes, cinq de grossière indécence, 14 de sodomie et, finalement, deux d'attentats à la pudeur.

Les flammes rasent 35 immeubles à Nicolet

300 personnes demeurent sans foyer

NICOLET — Le pire incendie de l'histoire de cette ville de 5 000 âmes, située à près de 100 milles de Montréal, a détruit, la nuit dernière (21 mars 1955), presque tout le centre commercial, causant des dommages évalués à près d'un million de dollars, jetant 75 familles sur le pavé et faisant disparaître quelque 35 magasins, banques, bureaux, restaurants, quincailleries et autres établissements commerciaux.

Aucune perte de vie ou accident grave n'a été enregistré.

L'incendie, qui s'est propagé avec la rapidité de l'éclair, a débuté vers minuit dans le restaurant « Central » appartenant à M. Harry Mathieu et il a fallu, pour le combattre, outre les pompiers de Nicolet, dirigés par le chef Gérard Beaulac, l'aide des sapeurs de Pierreville, Drummondville, S.-Grégoire et S.-Léonard, soit plus d'une centaine d'hommes, qui ont travaillé avec acharnement durant toute la nuit pour combattre l'élément destructeur, celui-ci n'étant maîtrisé que vers 6 h. ce matin.

Le chef Beaulac attribue la cause de l'incendie à un poêle surchauffé. D'autres personnes prétendent que le feu a pris son origine dans la salle de toilette du même restaurant.

Un vent violent a activé la marche des flammes et rendu extrêmement difficile le travail des pompiers ; un grand nombre des immeubles incendiés étaient de bois.

À 11 h. ce matin, une fumée dense s'élevait encore des décombres.

Le maire de Nicolet, M. J.-Ubald Caron, et le curé de la paroisse cathédrale, l'abbé Alphonse Allard, se sont portés durant toute la nuit à l'aide des familles éprouvées. Plusieurs des personnes dont les logis ont été incendiés ont été tirées de leur sommeil par des voisins et ont dû quitter les lieux en vêtements de nuit.

On estime que les pertes sont à moitié couvertes par les assurances. Presque tous les ameublements des foyers ravagés ont été détruits par les flammes.

Le maire Caron, élu en février dernier, et dont la maison, située rue Notre-Dame, a failli être la proie des flammes, a révélé aux journalistes de la « Presse » qu'il avait adressé ce matin des messages au très hon. Louis S.-Laurent, premier ministre du Canada, et à l'hon. Maurice Duplessis, premier ministre de la province, pour demander l'aide de leurs gouvernements respectifs en faveur de ceux qui ont été le plus éprouvés par le sinistre.

750,000 contribuables soustraits à l'impôt sur le revenu; 900,000 autres ne paieront pas plus de 15%

LE NOUVEAU PALAIS DE JUSTICE DE MONTRÉAL, QUI S'ÉLEVERA RUE NOTRE-DAME-EST

La façade monumentale du nouveau *(il s'agit du deuxième de trois)* Palais de justice qui coûtera $1,943,560. Les architectes sont MM. L.A. Ames, Charles-E. Saxe et Ernest Cormier. Les constructeurs sont M. Alphonse Gratton et la compagnie de construction Atlas. MM. M. Meresca et A. Sydney Dawes ont signé pour cette dernière. L'hon. Antonin Galipeau, ministre des Travaux publics, a signé hier *(22 mars 1923)* le contrat de l'entreprise préparé par le notaire Emile Massicotte. Une clause décrète que la construction ne devra pas prendre plus de 18 mois et l'on devra commencer incessamment. Le ministre a exigé que toute la pierre fut prise à Montréal et qu'aussi elle fut taillée ici. Il a exigé en plus que les constructeurs ne prissent pour ouvriers que des Canadiens; pas un étranger ne sera engagé. Le ministre, dans sa prévoyance, a fait stipuler que les entrepreneurs devront assurer la vie de leurs employés et qu'ils aient, pour garantir l'exécution du contrat, à déposer une somme de $100 000.

De nombreuses taxes à la consommation sont abolies, d'autres baisseront beaucoup. — Les salariés entièrement exemptés se verront rembourser les sommes retenues pour l'impôt depuis le 1er janvier.

OTTAWA — Améliorer le sort des particuliers et des petites industries, de préférence à celui des grandes entreprises dont les bénéfices restent élevés, réduire pour cela l'impôt sur le revenu personnel et les taxes sur les denrées de consommation, tel est le but que se propose le budget qu'a soumis hier **(22 mars 1949)** soir, à la Chambre des communes, l'hon. Douglas C. Abbott, ministre des Finances et député de S.-Antoine-Westmount.

Les grandes lignes de cette partie du budget se ramènent aux suivantes :

Une diminution globale d'impôts de $323,000,000 pour l'exercice financier 1949-50, diminution qui sera de $369,000,000, lorsque les réductions annoncées hier soir auront été en vigueur une année entière.

Quelque 750,000 salariés totalement exemptés de l'impôt sur le revenu.

Remboursement aux salariés exemptés de la retenue effectuée sur les salaires depuis le 1er janvier.

Exemptions plus élevées pour ceux qui restent soumis à l'impôt sur le revenu.

Réduction du taux de cet impôt pour les trois quarts de ces contribuables.

Suppression immédiate et totale de la taxe spéciale sur les boissons gazeuses, les bonbons, tablettes de chocolat, gomme à mâcher, billets de chemin de fer et d'autres moyens de transport, appels téléphoniques interurbains et sur quelques autres denrées de services.

Réduction immédiate de 15 à 20 p. cent de la taxe sur la bijouterie, les cosmétiques, les articles de toilette, les sacs de voyage, les sacs à main, les portemonnaies, les stylographes et crayons, les garnitures de bureaux, les articles de fumeurs, les briquets, les allumettes.

C'est, et de beaucoup, le dégrèvement le plus considérable accordé aux contribuables canadiens depuis la fin de la guerre. Mais c'est aussi le cinquième dégrèvement depuis le mois d'octobre 1945, ce qui porte à $1,300 millions les abattements d'impôts dont ont bénéficié les Canadiens depuis la fin des hostilités.

Il porte de $750 à $1,000 l'exemption d'impôt des célibataires, et de $1,500 à $2,000 celle des chefs de famille. Il porte en outre de $100 à $150 l'exemption pour les enfants de moins de 16 ans (recevant les allocations familiales), et de $300 à $400 l'exemption pour les enfants de 16 à 21 ans et pour les autres personnes à la charge du père de famille.

Ces exemptions remettent, à ce point de vue, l'impôt sur le revenu au niveau d'avant la guerre.

Cela dispensera environ 750,000 contribuables de payer l'impôt sur le revenu.

Une équipe de Québec dans la Ligue nationale de hockey

CHICAGO — Deux semaines jour pour jour après avoir dit non, la ligue Nationale de hockey a fait une volte-face hier à Chicago et a invité quatre équipes de l'Association mondiale à joindre ses rangs à temps pour la saison prochaine, soit 1979-80.

Réunis en assemblée extraordinaire, les gouverneurs des 17 équipes ont voté par une forte majorité de 14 à 3 en faveur de l'expansion du circuit Ziegler à vingt-et-une équipes. Le Canadien de Montréal et les Canucks de Vancouver qui s'étaient opposés au projet ont changé leur fusil d'épaule et ont joint les rangs des majoritaires. Seuls les Maple Leafs de Toronto, les Kings de Los Angeles et les Bruins de Boston ont continué de s'opposer à cette fusion tant attendue.

Tout indique, selon certaines informations recueillies, que le projet sur lequel ont voté les gouverneurs était sensiblement le même que celui refusé il y a deux semaines à Key Largo.

Ce qui donne à accréditer la théorie selon laquelle le Canadien aurait subordonné ses propres intérêts à ceux de la brasserie Molson, son propriétaire qui était victime d'une véritable campagne de boycottage dans l'Ouest canadien en particulier.

Immédiatement après le meeting des gouverneurs, un comité spécial a été formé pour discuter avec l'AMH. (...) Selon l'entente intervenue chez les gouverneurs, les équipes de Québec, Edmonton, Winnipeg et Nouvelle-Angleterre pourront accéder à la LNH la saison prochaine. Elles auront réussi ce tour de force après seulement sept ans d'opération, alors qu'il en aura fallu dix ans aux deux ligues de basketball. Mais pour disputer leur premier match, elles devront franchir d'autres étapes qui sont loin d'être faciles.

Il y a d'abord les conditions d'admission qui sont sévères et ensuite — la condition ultime — l'acceptation du projet par l'association des joueurs.

«Nous leur avons soumis une proposition que je juge raisonnable et acceptable, a souligné le président Ziegler. Quant à savoir si elle donne une ouverture à la négociation... je ne puis le faire sans vous révéler l'étendue de mon mandat.»

En fait, tout indique que Ziegler peut manoeuvrer quelque peu dans ses pourparlers avec l'AMH. Mais bien peu. Toute modification d'envergure devrait être soumise à nouveau aux gouverneurs qui n'ont pas mis fin à leur assemblée, mais l'ont tout simplement ajournée de façon à ce qu'ils puissent être reconvoqués en deçà d'une période de 48 heures. (...)

L'arrivée de deux de ces quatre équipes a profondément marqué la Ligue nationale. Car si les Jets de Winnipeg et les Whalers de la Nouvelle-Angleterre n'ont rien fait qui vaille, les Oilers d'Edmonton ont permis aux amateurs de hockey de voir à l'oeuvre le grand Wayne Gretsky et une équipe explosive à souhait, tandis que les Nordiques de Québec permettaient de créer une rivalité sans nulle autre pareille entre Montréal et Québec, et de découvrir un des dirigeants d'équipes les plus avant-gardistes du hockey en la personne de Me Marcel Aubut.

(Cela se passait le 22 mars 1979)

OTS : 5 morts à Saint-Casimir

Une entente de suicide collectif pourrait expliquer le drame qui s'est produit dans le petit village de Saint-Casimir-de-Portneuf (**le 22 mars 1997**), où cinq adultes sont morts dans l'incendie d'une résidence appartenant à deux membres de l'Ordre du Temple solaire. Trois adolescents en ont heureusement réchappé.

L'identification de trois des cinq corps a été faite par Tom Quèze, âgé de 13 ans, un des deux fils des propriétaires de la maison, tous deux décédés, soit son père Didier Quèze, 39 ans, d'origine suisse, et sa mère Chantal Goupillot, 41 ans, d'origine française. Il a aussi identifié le corps de sa grand-mère, Suzanne Druau, âgée de 63 ans, de nationalité française, qui demeurait à Saint-Marc-des-Carrières, à quelque dix kilomètres de Saint-Casimir.

Le corps de Pauline Rioux, une Québécoise de 54 ans qui habitait à Saint-Donat-Val David, a été identifié par son frère. Le cinquième cadavre a été identifié comme étant celui de Bruno Klaus, un homme de 49 ans, de nationalité suisse, qui demeurait à Saint-Augustin-de-Desmaures, près de Québec.

Des papiers, notamment des lettres, ont en effet été trouvés par les policiers dans un garage jouxtant la maison. Dans cette documentation, on fait état d'un vague « départ » mais sans préciser de date. M. Quirion a parlé de la possibilité d'une « entente tacite », entre les cinq victimes, en vue d'en finir avec la vie sur Terre.

Ce nouveau drame de l'OTS porte à 74 le nombre de personnes mortes dans une tragédie orchestrée par des membres de cette secte millénariste.

Aurore, l'enfant martyre

UNE ACCUSATION D'HOMICIDE CONTRE TELESPHORE GAGNON

NDLR — L'équipe de cette page vous propose aujourd'hui le premier volet d'un deuxième feuilleton, consacré à Aurore Gagnon, mieux connue sous le nom de « Aurore, l'enfant martyr ». Le début est bien modeste, mais ce sera une histoire à suivre...

(Du correspondant de la PRESSE)

QUÉBEC — Télesphore Gagnon, de Sainte-Philomène de Fortierville, comté de Lotbinière, subira son procès pour homicide à la prochaine session des assises criminelles de Québec. Il est le père de la petite Aurore Gagnon, qui est morte il y a quelques semaines dans les circonstances étranges que nous avons relatées. Il est accusé d'avoir contribué à la mort de son enfant par des lésions corporelles qu'il lui a lui-même infligées et par défaut des soins médicaux nécessaires à son existence.

On sait que Marie-Anne Houde, femme de Télesphore Gagnon, a été condamnée à subir son procès aux mêmes assises pour une offense plus grave encore, c'est-à-dire pour meurtre.

La prochaine session des assises criminelles s'ouvrira le 6 avril prochain, à Québec. Elle sera présidée soit par le juge L.-P. Pelletier, soit par le juge J.-J. Désy.

(Cela se passait le 22 mars 1920)

Petit problème en vue pour l'an 2000...

Vous aimeriez recevoir un compte pour de l'électricité consommée durant les 80 dernières années ? Irréaliste ?

Eh bien, non ! Malgré l'évolution très rapide de l'informatique, plusieurs systèmes informatiques pourraient tomber en panne à compter de minuit une, le 1er janvier 2000, et même avant. La cause ne sera pas un virus, mais la date : l'horloge interne de ces systèmes ne sera pas prête à passer au prochain millénaire et retournera à 00, « l'âge de pierre ».

Il y a quelques décennies, il a été décidé que les programmes informatiques indiqueraient la date avec deux chiffres au lieu de quatre. Par exemple, 96 au lieu de 1996. Comment va réagir l'ordinateur devant les dates suivantes : 12 / 31 / 99 et 01 / 01 / 00 ? Devant la deuxième date, après 0 h 01, des PC encore récents afficheront 01 / 01 / 80. À vous de déterminer de quelle décennie il s'agit ! L'ordinateur, lui, ne le saura pas.

Cela aura des conséquences pour les consommateurs : des chèques de pension ou d'assurance-chômage erronés, des factures exorbitantes, des calculs d'assurance-vie ou de REER faussés... En fait, tout ce qui dépend d'une puce pour son fonctionnement sera touché.

Il existe des solutions, mais les entreprises doivent y voir rapidement. Les coûts de conversion sont très importants et plus l'échéance approche, plus les coûts prendront de l'ampleur.

Le coût pour une entreprise pourrait représenter l'équivalent de son budget informatique annuel. Il faut prévoir environ 1 $ ou plus par ligne de codes. Pour une entreprise américaine moyenne, le coût serait de 12 millions de dollars.

(Texte publié le 22 mars 1996)

C'EST ARRIVÉ UN 22 MARS

1982 — Départ de la troisième mission de la navette spatiale Columbia.

1979 — Adoption par les deux parlements du traité de paix israélo-arabe.

1977 — Décès à l'âge de 58 ans de Mme Betty Anick, la plus ancienne des greffés du coeur. Elle avait vécu avec un nouveau coeur pendant huit ans et demi.

1971 — Coup d'État en Argentine : l'armée dépose le président Roberto Levingston.

1970 — Camil Samson est élu chef québécois des créditistes. Réal Caouette a échoué dans sa tentative de faire élire Yvon Dupuis.

1965 — Les Américains admettent avoir utilisé des gaz au Vietnam, en précisant qu'ils n'étaient toutefois pas mortels.

1964 — Appel de Nehru au Pakistan pour qu'on mette fin aux émeutes entre Hindous et Musulmans qui ont fait plus de 200 morts depuis une semaine.

1961 — Condamnation à des peines de 15 à 25 ans de prison de cinq Britanniques reconnus coupables d'espionnage en faveur de l'URSS.

1957 — Le pire tremblement de terre depuis 1906 secoue San Francisco.

1955 — Un avion de la Marine américaine s'écrase sur une montagne à Hawaii et ses 66 occupants trouvent la mort.

1946 — Igor Gouzenko, l'ancien commis au chiffre de l'ambassade soviétique à Ottawa, identifie le député communiste Fred Rose et Sam Carr, l'organisateur national du Parti ouvrier progressiste (communiste) comme étant deux des principaux membres du réseau d'espions soviétiques en territoire canadien.

1945 — Le général Patton traverse le Rhin avec ses troupes.

1917 — On apprend qu'une femme, Helen Avington, vient d'être nommée shérif de la ville de Windsor, Ontario.

1909 — Le gouvernement libéral de l'hon. M. Rutherford conserve le pouvoir à l'occasion des élections générales d'Alberta.

En 1947, Dior a révolutionné la mode

En 1947, Christian Dior, âgé de 42 ans s'écrie : « Mais qu'est-ce que j'ai fait ? »

À New York, certains voulaient le brûler en effigie, tellement le choc était grand.

Avec sa première collection baptisée *New Look* par Carmel Snow, rédactrice en chef du *Harper's Bazaar*, Christian Dior venait tout simplement de créer une révolution, une nouvelle guerre, celle des ourlets. Il allongeait les jupes et il leur donnait jusqu'à 45 cm d'ampleur. Après des années de vaches maigres et d'économie, des années de guerre et de misère, cette orgie de tissu semblait scandaleuse.

Mais on se remit du choc. Les Américains se plièrent aux diktats de ce génie. Les Français, évidemment, étaient contents de reprendre la tête de peloton dans le domaine de la mode. Et les robes Dior furent portées par les femmes du monde entier, y compris Édith Piaf, dont la fameuse petite robe noire est une création Dior. Le *New Look*, c'est le nec plus ultra. On ne s'habille plus autrement : épaules arrondies, buste souligné, taille bien marquée, jupe large jusqu'à mi-mollet.

La célébrité vient très vite à cet homme qui n'a malheureusement que peu de temps pour en profiter, quinze ans à peine. Une crise cardiaque le terrasse le 24 octobre 1957.

(Publié le 22 mars 1987)

BPC : Mark Lévy condamné à 17 millions

L'homme d'affaires Mark Lévy, propriétaire du tristement célèbre entrepôt de BPC de Saint-Basile-le-Grand incendié en 1988, vient d'être condamné par la Cour supérieure à payer 17 millions de dollars au gouvernement du Québec pour avoir été négligent dans l'entreposage de ces déchets toxiques.

En exil dans le sud des États-Unis, Lévy, qui n'a jamais été revu au Québec depuis la tragique nuit du 23 au 24 août 1988, où un violent incendie avait détruit un bâtiment dans lequel étaient entreposés des centaines de barils de biphényles polychlorés (BPC), forçant l'évacuation temporaire d'une partie de la population de Saint-Basile, était poursuivi par le ministère de l'Environnement, qui l'a toujours désigné comme le principal responsable de cette catastrophe écologique.

(Texte publié le 22 mars 1994)

UNE FOULE ENORME POUR L'OUVERTURE DU SALON DES MOTEURS

L'exposition de canots-automobiles et de moteurs suscite un enthousiasme extraordinaire. — L'élite de la société montréalaise visite les exhibits.

La foule était si nombreuse samedi soir, **(23 mars 1912)** à l'ouverture de l'exposition de canots automobiles et de moteurs, que l'Arena *(c'était le nom propre du bâtiment)* transformé, pouvait à peine la contenir, et qu'il était difficile de circuler entre les pavillons des exposants. Cependant, à cause du délai produit par les mauvais chemins, plusieurs des exhibits n'étaient pas encore arrivés et jusqu'à onze heures du soir, ce fut un défilé de lourdes voitures apportant des canots, des yachts, des moteurs, puis encore des canots et des yachts. Il est probable que tout sera installé ce soir, et même dans le cours de cet après-midi, M. R.M. Jaffray, qui s'occupe de tout mettre en place, nous assure que les derniers exhibits seront placés aujourd'hui, sans faute.

L'élite de la société montréalaise s'était donné rendez-vous à cette première et les exposants ont été assaillis de questions par cette foule curieuse et vivement intéressée à tous les yachts et canots ainsi qu'aux moteurs de toutes les marques qui encombrent les deux côtés des allées.

Tout le monde a voulu visiter le croiseur *(sans doute une traduction de «cruiser»)* exposé par la maison Fairbanks. C'est un superbe yacht de 40 pieds qui ne tire cependant que 28 pouces d'eau malgré sa largeur de 5 pieds 6 pouces. Il contient une cabine qui abrite 6 personnes 6 autres trouvent aisément place dans le poste d'arrière d'où un seul peut à la fois diriger le moteur et gouverner le yacht. Fini en un blanc éblouissant avec une menuiserie tout d'acajou, ce bateau est vraiment magnifique. A la fermeture de l'Arena, beaucoup attendaient encore leur tour pour le visiter.

La foule s'est aussi pressée autour du petit moteur «Evinrude» qu'on pourrait appeler un moteur «de poche». Toute la machine ne pèse que 50 livres et peut s'ajuster instantanément à une chaloupe, un canot ou un bateau plat. Elle permet une vitesse de six à sept milles à l'heure pendant 30 milles sur sa seule provision d'essence, et un enfant de dix ans peut le monter et le démonter parfaitement. L'hélice minuscule sert en même temps de gouvernail et le moteur est le plus simplifié qui existe au monde. Une fois démonté, on peut le placer dans un sac ordinaire et le porter comme une valise à main.

L'hydroplane «Elco» attire beaucoup l'attention du public. Cette petite chaloupe avec son moteur développant la force énorme de 90 H.P. est toujours entourée.

L'exposition de la compagnie du Grand Tronc attire beaucoup l'attention de même que celle de la compagnie Walker et celle de la compagnie Shea Sales. (...) Nous en viendrons à parler des grands autos nouveau modèle qu'on voit dans l'annexe ainsi que des divers bateaux manufacturés par des particuliers et qui attendent l'ouverture de la navigation pour commencer la série de leurs prouesses sur le lac Saint-Louis. (...)

Le yacht de la «Presse», construit par M. A. Meloche, n'était pas encore en place au moment de l'ouverture; mais il sera logé à côté d'exhibits fort intéressants, comme les camions automobiles d'artillerie de la maison Berliet.

BRILLANTE OUVERTURE DU SALON DES MOTEURS

Ce croquis du dessinateur de LA PRESSE permet de voir une partie de la foule de l'ouverture officielle. On peut apercevoir à droite le yacht de la compagnie Fairbanks, dont il est question dans l'article.

C'EST ARRIVÉ UN 23 MARS

1983 — Décès de Barney Clark, l'homme qui aura vécu pendant 112 jours avec un coeur de plastique.

1980 — Le shah d'Iran en exil fuit le Panama pour l'Égypte, devançant de quelques heures une demande d'extradition.

1973 — La nouvelle chaîne de télévision française de Toronto diffuse ses premières émissions.

1971 — Une manifestation de 100 000 agriculteurs dégénère en émeute, à Bruxelles.

1966 — Rencontre historique du pape Paul VI et de l'archevêque de Cantorbery dans la chapelle Sixtine.

1965 — Pour la première fois, les Américains placent deux hommes en orbite, Virgil Grisom et John Young, dans une capsule *Gemini*.

1964 — Edwin Reischauer, ambassadeur des États-Unis au Japon, est poignardé en quittant son bureau, à Tokyo, mais s'en tire.

1956 — Le Pakistan devient la première république islamique.

1953 — Vingt-neuf personnes arraisonnent un *C-47* tchécoslovaque à Prague et atterrissent à Francfort.

1905 — Le premier ministre Lomer Gouin forme un nouveau cabinet pour gouverner la province de Québec.

Deux nouvelles stations de télévision

Le Bureau des gouverneurs de la radio et de la télévision (devenu plus tard le CRTC) a annoncé sa décision de recommander au cabinet fédéral l'octroi d'un permis pour un deuxième poste français de télévision à Montréal au groupe formé par M. Paul L'Anglais et ses associés.

Le BGR a recommandé en même temps d'octroyer à la Cie Canadian Marconi, qui dirige le poste de radiodiffusion le plus ancien du Canada — CFCF — le permis pour le poste privé anglais qui fera également concurrence à Radio-Canada à Montréal, dans le domaine de la télévision. Cela se passait le **22 mars 1960**.

LES BUREAUX DE LA "PRESSE" A LONDRES

Une installation qui rendra de grands services aux Canadiens qui visiteront la grande capitale anglaise.— Un pied-à-terre où chacun sera chez soi et pourra obtenir toutes les informations désirées.

DANS son édition du **23 mars 1912**, LA PRESSE proposait à ses lecteurs une photo de l'édifice logeant ses bureaux récemment inaugurés à Londres. Sis sur Sicilian Avenue, une courte allée reliant Southampton Row à Bloomsbury Square, l'édifice était situé à proximité des grands hôtels, de la gare Easton, où descendaient de train les voyageurs en provenance d'outre-Atlantique, du British Museum, et de l'agence de Québec (aujourd'hui, on dit plutôt « délégation générale »). En plus évidemment de servir la cause de LA PRESSE, le bureau de Londres était mis à la disposition de tous les Canadiens qui se sentaient perdus en arrivant dans la capitale britannique.

La maison Forrester avant l'incendie.

LE FEU DETRUIT UN EDIFICE HISTORIQUE, LA MAISON FORRESTER

UN des plus vieux édifices historiques de Montréal, la maison Forrester, sis à l'angle des rues Saint-Pierre et Notre-Dame, a été, hier soir**(23 mars 1906)**, détruit par un incendie. Le rez-de-chaussée et les caves sont encore assez bien conservés, mais du premier étage et des combles, il ne reste plus que les murailles de pierre et le toit.

L'alarme a été sonnée vers 6 h. 30. (...) Il fallut près de deux heures de travail ardu pour que les pompiers puissent se rendre maîtres de l'incendie.

La partie de l'édifice qui occupe l'angle était occcupée par le restaurant Oak Hall, tenu par M. Henri Girard, puis viennent MM. Hirschson et Cie, importateurs de merceries qui occupent le rez-de-chaussée, et M. N. Prévost, fabricant de corsages en soie, au premier. La maison d'à côté, occupée par MM. E. Jobin et Cie, modes en gros, a aussi souffert de l'incendie. (...)

Sur la rue Saint-Pierre, en arrière de la maison Forrester, se trouve l'usine de la Central Light, Heat and Power Co., et l'on eut un instant peur que cette bâtisse ne devint aussi la proie des flammes. Les pompiers fermèrent le courant électrique pour travailler sans danger et sauvèrent l'usine où cependant il est entré beaucoup de fumée.

L'intérieur de la maison Forrester était cloisonné en bois mince, ce qui explique la rapidité avec laquelle l'incendie gagnait de proche en proche. (...)

La maison Forrester porte une plaque commémorant le séjour qu'y fit Montgomery et les officiers de l'armée américaine d'invasion en 1775. (...)

La «2CV» achève son règne...

Il était une fois... une voiture ! Avec ses formes particulières, sa capote enroulable en toile, son capot en tôle ondulée, elle faisait partie intégrante du « paysage automobile français ». Dans tout l'hexagone de la ville à la campagne, des frimas du nord aux plages du Midi, elle promenait son allure indémodable. Son nom : « 2CV », la « deux-chevaux ».

Ses partisans, très nombreux, et ses détracteurs, tout aussi nombreux, avaient affublé ce véhicule mythique de chez Citroën, aujourd'hui retraité de notre industrie automobile — comme la « Coccinelle » le fut jadis outre-Rhin — de plusieurs surnoms comme la « Deuche », la « Deudeuche », ou encore, plus familièrement la « Deux-Pattes ».

Citadine, elle a emmené en vacances ou en week-end des générations de Français, conduit des ouvriers à l'usine et des employés au bureau, baladé des étudiants en bordée et transporté, à son allure légendaire d'escargot, des couples de retraités.

Rurale, elle a carriolé cahincaha le médecin de campagne, l'agriculteur, ses pommes de terre, ses animaux de la ferme et ses... enfants pour aller à l'école !

En 40 ans d'existence, cette noble dame aura connu une vie pleine et mouvementée. Conçue pour « transporter deux personnes et cinquante kilos de patates à 60 km / h, en ne consommant que 3 litres aux cent », la 2CV a véhiculé des millions de personnes. **(Publié le 23 mars 1988)**

La pub reprend

Après avoir durement sabré leurs budgets de publicité en 1982 et 1983, les annonceurs canadiens se sont remis l'an dernier, à recourir de plus belle aux quotidiens, catalogues, panneaux-réclame, télévision, radio, et autres médias. À tel point que les revenus publicitaires des médias ont progressé de 11,8 % pour atteindre 5,6 milliards de dollars.

Il s'agit là d'une véritable poussée. En 1983, la progression n'avait été que de 8,4 % ; l'année précédente, 7 %. Si l'on tient compte du taux élevé d'inflation à cette époque, il s'agissait, en termes réels, de reculs plutôt que de progressions véritables. En 1984, par contre, la reprise est manifeste. **(Texte publié le 23 mars 1985)**

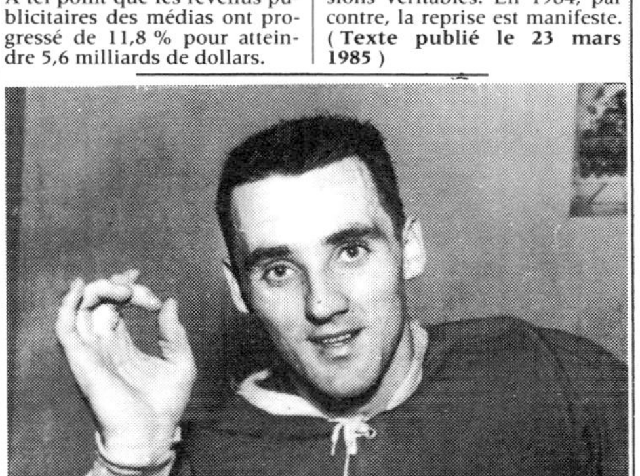

Plante enlève le trophée Vézina

En blanchissant les Black Hawks de Chicago, le 23 mars 1957, le gardien Jacques Plante, du Canadien, parvenait à réduire sa moyenne de buts alloués par match à 2,21, pour gagner le trophée Vézina, un centième de point devant Glenn Hall, des Red Wings de Détroit. Plante recevait ce trophée pour la deuxième année consécutive.

Il y a 50 ans, mourait Anne Frank

Il y a 50 ans, en mars 1945, mourait au camp de déportation de Bergen-Belsen (nord de l'Allemagne) Anne Frank, une jeune juive néerlandaise dont le récit de la vie clandestine à Amsterdam dans un journal intime a ému des millions de lecteurs dans le monde.

La maison Anne Frank à Amsterdam, où la famille Frank et leurs amis s'étaient réfugiés dans un recoin secret pendant deux ans avant d'être arrêtés par les nazis, commémore la mort de la jeune fille dans la discrétion.

« Propager le message d'Anne Frank, c'est notre quotidien. Pas besoin de proposer à tout bout de champ des activités spéciales, explique Maarten Bijl », porte-parole de la Fondation Anne Frank.

La maison, qui a reçu la visite de 10 millions de personnes depuis son ouverture au public en 1945, est actuellement en réfection. Ces travaux ne constituent que la première phase d'un ambitieux projet de développement sur 3 ans pour lequel la municipalité d'Amsterdam a débloqué 7,5 millions de florins (environ 4,8 millions de dollars).

Ce n'est pas la première fois que la municipalité offre son aide. En 1993, elle avait déjà déboursé 350 000 florins pour sauver un marronnier qui avait été immortalisé par la petite juive dans son journal.

Haut de 30 mètres et vieux de 150 ans, ce marronnier poussant à l'arrière de la maison dépérissait en raison d'une pollution du sol. Celui-ci a donc été assaini. De la fenêtre presque occultée de sa cachette, Anne Frank n'avait jamais pu voir entièrement l'arbre qui incarnait pour elle l'espoir et la liberté. Elle écrivit le 13 mai 1944 : « Notre marronnier est maintenant en pleine floraison, du haut en bas, ses branches lourdement chargées de feuillages. Il est bien plus beau que l'année dernière ».

Déportée à Bergen-Belsen, Anne Frank y mourut du typhus en mars 1945 (la date exacte de son décès est inconnue). Son journal a été édité à plus de 20 millions d'exemplaires et traduit dans 55 langues depuis sa première publication en 1947.

(Texte publié le 23 mars 1995)

Prendre sa retraite et... travailler!

Si les travailleurs âgés ont été invités en grand nombre à prendre une retraite précoce au cours des dix dernières années, plusieurs sont maintenant sollicités à rebours par des entreprises en manque de personnel expérimenté.

Véritable instrument de gestion des entreprises en mal de rationalisation, la retraite anticipée a servi à réduire le personnel et aussi à le rajeunir. Ainsi, un peu plus de la moitié des hommes de 55 à 64 ans occupent un emploi actuellement au Québec, comparativement aux trois quarts il y a dix ans.

Les retraites anticipées ont cependant provoqué des effets négatifs chez les employeurs. De nombreuses entreprises se rendent compte aujourd'hui qu'elles manquent de compétences. Elles rappellent donc, la plupart du temps sur une base temporaire ou contractuelle, les anciens employés à la retraite.

Beaucoup se livrent au travail au noir

Au Québec, des études suggèrent que le tiers des retraités retournent d'une façon ou d'une autre, souvent au « noir », sur le marché du travail, souvent pour obtenir un revenu d'appoint à des rentes de pension jugées insuffisantes (moins de la moitié des travailleurs québécois participent à un régime privé de retraite).

(Texte publié le 23 mars 1992)

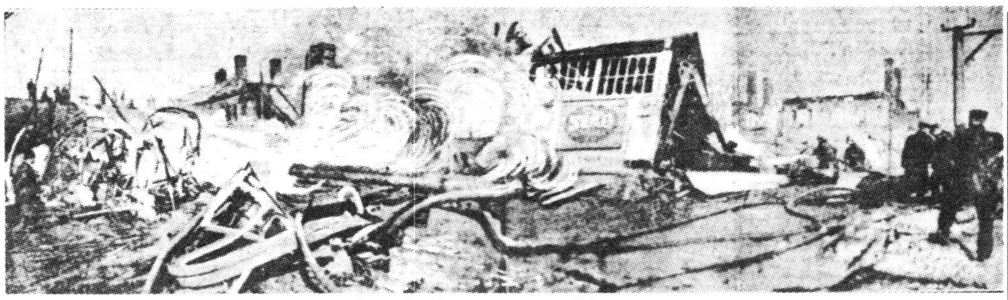

Cette photo illustre l'ampleur des dégâts causés par les flammes, au parc Sohmer.

LES INSTALLATIONS DU PARC SOHMER RAVAGEES PAR LE FEU

LE Parc Sohmer, angle sud-est des rues Panet et Notre-Dame-Est, le plus ancien lieu d'amusement que la métropole possédait, comme nous l'avons annoncé hier, a été complètement détruit par un incendie d'une violence extraordinaire; de cette immense arène, où tant de luttes et parties de boxe, conventions et assemblées politiques mémorables ont eu lieu depuis une trentaine d'années, il ne reste plus qu'un enchevètrement indescriptible de pièces de fer tordues, de poutres et de ruines encore fumantes. Les pertes se chiffrent à $75,000 ou $100,000 d'après la version de M. D. Larose, secrétaire-trésorier et gérant de la compagnie qui exploitait ce lieu d'amusement si populaire. Il ne reste plus rien de l'édifice principal à l'exception de trois des murs de la vieille maison, au coin sud-ouest, laquelle servait de restaurant.

L'incendie a été découvert à 1.50 hre **(dans l'après-midi du 24 mars 1919)**, et l'alarme, pour une cause qu'il a été impossible de découvrir, a été sonnée à l'avertisseur installé à l'angle des rues Panet et Sainte-Catherine, soit à cinq minutes de marche, tandis qu'un autre avertisseur se trouvait juste à la porte du parc, et qu'une caserne importante du service des incendies se trouvait à quelques pas de là, angle des rues Beaudry et Notre-Dame. (...)

LA CAUSE INCONNUE

Malgré toutes les recherches qui ont été faites, tant par les pompiers que par les employés du parc, il a été impossible de découvrir la cause de cet incendie. Cependant, le gardien de l'édifice a déclaré que les flammes ont été découvertes dans une chambre située à gauche de la scène, soit du côté opposé aux interrupteurs contrôlant le couplage électrique. Il peut se faire, toutefois, que des fils mal isolés, soient la cause de tous les dégâts. Un cigare mal éteint, jeté imprudemment dans cette chambre où se trouvaient plusieurs toiles servant aux décorations, peut aussi avoir causé l'indendie.

Quand on s'aperçut qu'un incendie s'était déclaré, toute la scène était en flammes et, quand les pompiers arrivèrent, l'immense amphithéâtre était une fournaise ardente. Les flammes s'élançaient par plusieurs ouvertures pratiquées dans le toit et, dès ce moment, il était évident que l'on ne pourrait sauver quoi que ce soit dans cette partie du parc. (...)

LE TOIT S'ECROULE

Une vingtaine de minutes après la première alarme, le toit de bois s'écroulait avec un bruit sourd, lançant des milliers d'étincelles dans les airs. Les lourdes poutres d'acier, minées par la chaleur intense, tombaient, quelques instants après, avec un fracas terrible. Malgré tous les efforts, les flammes se communiquèrent alors au vieil hôtel situé près de la promenade. Une nouvelle lutte s'engagea contre l'élément destructeur, mais, tout fut inutile et, vers 5 heures, tout l'ancien parc n'était plus qu'un monceau de ruines.

NOTES HISTORIQUES

Le Parc Sohmer fut ouvert le 31 mai 1889, sous le nom de «Parc Zoologique de Montréal». Le capital de la compagnie était alors de $120,000 et MM. Ernest Lavigne et Lajoie en étaient les fondateurs et propriétaires. (...) A cette époque, le jardin zoologique avait une certaine importance mais, depuis quelques années, on avait, pour ainsi dire, abandonné cette attraction et il n'y restait plus qu'une couple de singes, un perroquet et quelques pigeons. L'amphithéâtre pouvait contenir 4,400 personnes assises et la galerie, 1,400. C'était le plus considérable dans la province de Québec.

Pendant l'été, la compagnie du parc employait environ 200 hommes mais, en hiver, ce nombre était considérablement réduit. Comme il n'y avait pas de représentation, hier, aucun employé ne se trouvait sur les lieux lorsque l'incendie s'est déclaré.

M. H. Bertrand, assistant du gérant, a déclaré que, depuis quelques jours, les directeurs de la compagnie se préparaient pour l'ouverture officielle de la saison d'été qui a généralement lieu vers la fin de mai.

De son côté, M. Larose a déclaré que l'on commencerait immédiatement à déblayer le terrain et que, si, au mois de mai, on n'a pas complètement terminé la construction, des représentations, comme dans l'ancien temps, seront données en plein air. Il croit que la reconstruction coûtera, pour le moins, $10,000. (...)

L'OTAN bombarde la Yougoslavie

Les forces de l'OTAN ont poursuivi dans la nuit de mercredi à jeudi des raids aériens massifs longuement annoncés contre des cibles militaires serbes en Yougoslavie.

Les raids ont fait plusieurs morts et blessés parmi les civils, selon Belgrade, qui a décrété l'état de guerre en Yougoslavie et demandé à l'ONU de faire cesser « immédiatement l'agression de l'OTAN ».

Huit pays de l'OTAN — États-Unis, Grande-Bretagne, Canada, France, Allemagne, Italie, Pays-Bas et Espagne — sont impliqués dans ces frappes, sans précédent pour l'Alliance, destinées à obliger le président yougoslave Slobodan Milosevic à signer un accord d'autonomie sur la province albanophone du Kosovo.

De multiples explosions ont retenti dans plusieurs villes ou régions du pays, dont Belgrade, Pristina (chef-lieu du Kosovo), Novi Sad, et le Monténégro.

Le Pentagone a indiqué que des combats aériens avaient eu lieu mais que les forces de l'OTAN n'avaient subi aucune perte. Radio-Belgrade (officielle) a assuré qu'un appareil de l'Alliance avait été abattu dans le nord du Kosovo. Des avions yougoslaves ont été abattus, a indiqué de son côté le ministre allemand de la Défense Rudolf Scharping.

Annoncés à Bruxelles par le secrétaire général de l'OTAN Javier Solana, les raids aériens ont été justifiés par le président américain Bill Clinton et le premier ministre britannique Tony Blair, mais vigoureusement condamnés par deux autres membres du Conseil de sécurité de l'ONU, la Russie et la Chine.

Le président russe Boris Eltsine a qualifié l'action militaire d'« agression ouverte » et de « violation de toutes les normes du droit international ». Moscou a gelé sa coopération avec l'OTAN. En cas d'extension du conflit, il s'est réservé le droit de prendre « des mesures adéquates, y compris de caractère militaire, pour assurer sa sécurité et celle de l'Europe », a ajouté le président russe.

Le président chinois Jiang Zemin a aussi appelé l'OTAN à stopper immédiatement les raids. Le ministre des Affaires étrangères Tang Jiaxuan a mis en garde contre leurs « conséquences sérieuses ». (**Texte publié le 24 mars 1999**)

Cette première page de l'édition du 24 mars 1906 se passe de commentaires...

Mgr Paul-Emile Léger nommé archevêque de Montréal

OTTAWA —Son Excellence Mgr Ildebrando Antoniutti, délégué apostolique au Canada, a annoncé hier **(24 mars 1950)** soir la nomination par le pape Pie XII de Mgr Paul-Emile Léger comme archevêque de Montréal.

Mgr Léger succède à Son Exc. Mgr Joseph Charbonneau dont le Vatican a annoncé la démission le 11 février dernier.

Depuis le 13 février, Son Exc. Mgr Conrad Chaumont, évêque auxiliaire, est l'administrateur apostolique de l'archidiocèse.

Son Exc. Mgr Paul-Emile Léger est né à Valleyfield, le 25 avril 1904. Son père, Ernest Léger, et sa mère, Alda Beauvais, vivent encore et demeurent à Montréal, chez les Soeurs Grises, rue St-Mathieu. Mgr Léger compte aussi un frère, M. Jules Léger, secrétaire du très hon. Louis Saint-Laurent, premier ministre du Canada.

Mgr Léger fit ses études primaires à Saint-Anicet, comté de Huntingdon, et ses études classiques au séminaire de Sainte-Thérèse. Il entra ensuite au grand séminaire de Montréal pour y faire ses études de théologie. Il fut ordonné prêtre à Montréal, des mains de Son Exc. Mgr Georges Gauthier, archevêque, le 25 mai 1929.

L'automne suivant, on le trouve à la Solitude de Paris, à Issy-les-Moulineaux, où il devient Sulpicien en 1930. Il poursuit ensuite des études à l'Institut catholique de Paris. Pendant deux ans, il enseigne, soit les années 1931 à 1933, au séminaire d'Issy.

En 1933, ses supérieurs l'envoient au Japon fonder un grand séminaire à Fukuoka, où il passe six années. A son retour à Montréal en 1939, il est nommé professeur au séminaire de philosophie des Sulpiciens et il donne en même temps des cours à l'Institut Pie XI.

En 1940, il quitte temporairement la compagnie de S.-Sulpice pour passer au diocèse de Valleyfield. (...) En 1947, Mgr Léger redevient sulpicien et accepte le poste de recteur du Collège Canadien, à Rome, poste qu'il aura occupé jusqu'à sa nomination comme archevêque de Montréal.

C'EST ARRIVÉ UN 24 MARS

1980 — Assassinat de Mgr Oscar Romero, de San Salvador, pendant la messe, par un commando d'extrême-droite. — Denis «Poker» Racine s'évade du Palais de justice, arme à la main, et disparaît dans le métro.

1977 — Guy Lafleur éclipse un record de Bronco Horvath en obtenant au moins un point dans un 23e match consécutif.

1976 — Les militaires argentins déposent la présidente du pays, Isabel Martinez de Peron, au pouvoir depuis moins de deux ans. — Décès à l'âge de 88 ans du feld-maréchal Montgomery, héros de la Deuxième guerre mondiale.

1975 — Un tribunal américain condamne Frank Cotroni à 15 ans de prison et à $20 000 d'amendes.

1972 — Les Conservateurs de Frank Moores s'emparent du pouvoir lors des élections générales, à Terre-Neuve. C'est la première fois que la plus jeune des provinces canadiennes ne sera pas dirigée par les Libéraux depuis son entrée dans la Confédération, en 1949.

1961 — La loi créant la Régie des alcools est adoptée par l'Assemblée législative.

1959 — Joseph Gour, député libéral de Russell, meurt à son bureau du parlement, à Ottawa.

1958 — Dickie Moore, du Canadien, remporte le championnat des marqueurs de la Ligue nationale de hockey.

1955 — Les gouvernements fédéral et ontarien se partageront les frais de construction de la première centrale atomique, qui sera construite à Chalk River.

1927 — Des attaques sont la cause de la mort d'Américains et de Britanniques à Nankin, alors que la guerre éclate aux quatre coins du pays.

1924 — Le poète bien connu Albert Lozeau meurt à Montréal, à l'âge relativement jeune de 45 ans.

1920 — Dix pompiers sont blessés au cours d'un incendie, à la brasserie Molson.

1900 — Un incendie détruit les laminoirs de la Montreal Rolling Mills.

JULES VERNE EST MORT

PARIS — Jules Verne, le puissant, fécond et original romancier, le vulgarisateur scientifique, le prophète des grandes découvertes de notre époque, vient de mourir à Amiens, à 3 hrs. 10 du matin **(24 mars 1905)**.

Tous, nous avons lu dans notre enfance, ces romans passionnants, «Cinq semaines en ballon», «Vingt mille lieues sous les mers», «De la terre à la lune», «Le pays des fourrures», «Voyages au centre de la terre», «Les Indes noires», «Michel Strogoff», etc.

Tous ces ouvrages, d'agréables fictions, ont charmé notre enfance, et nous sommes encore fort aise de les relire aux heures de rares loisirs que nous laisse le souci des affaires.

Jules Verne

Le caractère des ouvrages de Jule Verne est une grande probité morale, un souci constant de pouvoir être lu par les personnes les plus pures, grandes personnes ou enfants. C'est le roman scientifique, où, sous une forme en apparence très simple et très assimilable, il met en oeuvre les éléments divers fournis par la science moderne; l'intérêt de ces romans consiste surtout dans la recherche de la solution des problèmes non encore résolus.

Ce genre a fait naître des imitateurs, mais, malgré toute leur générosité, aucun n'a pu égaler le maître.

La seule nomenclature des ouvrages de Jules Verne absorberait un trop long espace pour que nous en dressions ici le catalogue. Disons seulement que ses ouvrages ont été traduits dans toutes les langues et qu'un certain nombre a fourni matière à des drames à grands spectacles qui ont toujours eu un immense retentissement et un éclatant succès.

Jules Verne est né à Nantes, le 8 février 1828. Il était donc âgé de 77 ans. Il avait fait son droit à Paris, mais il abandonna cette carrière en 1850 pour se livrer exclusivement à la littérature.

Depuis plusieurs années, il vivait retiré à Amiens, et sa vue s'était tellement affaiblie qu'on a dit souvent qu'il était aveugle.

La mort de cet homme de bien causera d'universels regrets.

Par un vote de 61 contre 14, la loi de pension de vieillesse est adoptée par la Chambre haute

OTTAWA — La loi de pension de vieillesse a été adoptée hier **(24 mars 1927)**, par un vote de 61 à 14, et l'amendement tendant à renvoyer le projet au comité a été défait, par un vote de 58 à 17.

Sir George Foster a déclaré que l'an dernier il avait voté contre cette mesure, mais cette année il votait en faveur, parce qu'elle a été approuvée par l'électorat et adoptée, une seconde fois, par les Communes. «C'est le devoir du sénat d'étudier les lois et de les reviser, quand elles ne sont pas pratiques. C'est ce que le Sénat a fait, l'an dernier, quand il a fourni à la Chambre une occasion d'amender la loi, mais les Communes ont refusé de changer cette loi.»

LA PENSION: UNE CHARITE

Sir Allan Aylesworth est absolument opposé aux pensions de vieillesse et n'approuve que les secours de l'Etat aux soldats et aux familles de soldats. Une pension est une charité. Pour cette raison, on ne devrait pas voter de pension aux ministres de la couronne.

Le sénateur Dandurand est convaincu que cette mesure est nécessaire. Les grosses compagnies comprennent cette nécessité, en votant des pensions pour leurs vieux employés. Les provinces ne sont pas forcées d'accepter cette loi. Il ne croit pas non plus que cette pension rendra les gens insouciants. En terminant, il ajoute qu'il espère que la conférence inter-provinciale rendra cette mesure adoptable pour tous les intéressés.

Quand le projet fut étudié en comité, le sénateur Béique proposa l'amendement suivant:

1.—Inviter les premiers ministres de chaque province à donner son avis ou celui de son gouvernement, en faisant les recommandations qu'il jugera opportun. 2.—Obtenir du govervement ou des départements intéressés et des experts un état indiquant approximativement le montant qu'il sera nécessaire de dépenser, chaque année, pour la mise en vigeur de cette loi.

3.—Faire préparer par des experts des projets de loi de pension de vieillesse, tels qu'ils existent en Angleterre, en France, en Allemagne et en Belgique, avec les amendements nécessaires, pour s'adapter aux conditions particulières au Canada. 4.—Etudier le projet et le modifier suivant les constatations que fera le comité, après avoir étudié les lois en vigueur dans les autres pays. Cet amendement fut rejeté par un vote de 58 à 17.

D'après la Garde côtière américaine, le navire, qui transportait 200 millions de litres de pétrole, en laisse échapper près de 76 000 chaque heure dans l'océan Pacifique.

Marée noire en Alaska

Un pétrolier américain s'est échoué hier (**le 24 mars 1989**) dans le détroit de Prince-William, à environ 40 km de Valdez, en Alaska.

Situé à 200 km à l'est d'Anchorage, Valdez est le port américain le plus au nord qui soit libre de glaces.

D'après la Garde côtière américaine, le navire, qui transportait 200 millions de litres de pétrole, en laisse échapper près de 76 000 chaque heure dans l'océan Pacifique. Il s'agit de la plus grave marée noire jamais survenue dans la région.

La compagnie pétrolière Exxon, propriétaire du pétrolier, a immédiatement dépêché sur place par avion des équipes de sauvetage du monde entier, tandis que les responsables du département de la pêche et du gibier d'Alaska seront réunis d'urgence pour discuter des possibles conséquences sur les mammifères marins et les oiseaux du détroit.

Selon le commandant Stephen McCall, gérant du port de Valdez, le navire Exxon Valdez quittait le terminal Alyeska, à l'extrémité sud du pipeline de l'Alaska, quand il s'est échoué sur le récif de Bligh.

Le commandant du pétrolier a dû effectuer des manoeuvres pour éviter un iceberg du glacier Columbia, a expliqué un garde-côte.

L'accident n'a pas fait de victimes.

La nappe longue d'au moins huit kilomètres se dirige vers le sud dans le secteur le plus important du détroit, a indiqué le commandant McCall. Les eaux calmes du détroit du Prince-William, au sud de l'Alaska, ont mis en échec les premières tentatives de disperser la nappe de pétrole brut créée par l'échouage de l'Exxon Valdez qui menace de provoquer la plus grave marée noire de l'histoire des États-Unis.

Un porte-parole des garde-côtes, Ed Wieliczkiewicz, a précisé que les produits utilisés pour disperser et faire couler au fond la nappe de pétrole avaient été inefficaces, car ils sont conçus pour des eaux agitées. Le bombardement aérien n'a pas réussi non plus à disperser la nappe de pétrole.

En outre, la garde côtière américaine a fait savoir que le capitaine et deux seconds du pétrolier ont été soumis à des tests pour déterminer s'ils n'étaient pas sous l'influence de drogue ou d'alcool au moment de l'accident.

Plus de 36 heures après l'échouage peu de nettoyage avait été effectué, soulevant une grande inquiétude chez les biologistes et la colère chez les autorités de l'Alaska et les pêcheurs. Toutefois, selon le commandant du garde-côte, la nappe devrait demeurer dans le détroit du Prince-William.

Quelque 270 000 barils de brut, soit 43 millions de litres, se sont échappés des flancs éventrés du navire jusqu'à maintenant. C'est le premier accident de ce type depuis l'ouverture de l'oléoduc trans-Alaska, il y a 10 ans.

Jusqu'à hier matin, les vents et les courants dominants avaient paru emporter lentement la nappe vers le large, mais la tache noire s'est tout de même étendue sur une distance de 10 kilomètres dans le détroit, et déjà certains points de la côte ont été touchés, puisque selon la chaîne de télévision par câble CNN, la nappe de pétrole est si épaisse que le pied d'un glacier voisin est devenu noir.

Alexandre Lesiège

Petit phénomène deviendra-t-il grand maître?

Un jour, quand il avait sept ans, sa mère lui montra à jouer aux échecs. Ce fut immédiatement un succès foudroyant : pour la première fois de sa vie, elle avait trouvé un adversaire qu'elle pouvait battre presque à tout coup.

Lui trouvait ça moins drôle. En fait, puisque vous connaissez le punch de la fin, on peut bien vous le dire tout net : ça l'embêtait prodigieusement. Aussi, il troqua son échiquier pour un kimono et s'inscrivit à un cours de judo.

Malin, il avait compris qu'au judo, sa mère ne serait pas de taille. Il démontra en plus un talent certain pour cet art martial : à neuf ans, il en était à sa troisième ceinture, ce qui, pour un seul pantalon, est considérable, dit-on.

Malgré cette réussite, allez donc savoir pourquoi, il tassa son matelas dans un coin. « Un jour, raconte sa mère, il est revenu de l'école tout excité : il voulait jouer aux échecs ».

C'est à cette époque qu'il battit sa mère pour la première fois. Il avait neuf ans.

Comme il semblait passionné pour ce jeu bizarre et qu'il ne trouvait plus un seul adversaire de taille sur la rive Sud, elle l'accompagna au Spécialiste des échecs, le club le mieux connu de Montréal, qui a pignon sur rue, rue Sainte-Catherine.

On lui conseilla les services de Jean Hébert, maître international et numéro trois au Canada. Hébert voulait bien faire sa part pour le développement de la relève au Québec, mais il n'avait pas de temps à perdre avec un gamin de dix ans.

Le maître ne tarda toutefois pas à voir que le gamin en question avait un talent pas ordinaire. Il commença à lui enseigner.

Alexandre Lesiège n'était rien d'autre qu'un p'tit gars qui venait traîner au Spécialiste le vendredi soir. Il faut le dire, il n'impressionnait immédiatement pas grand monde à part sa mère. Ce fut donc une véritable commotion quand ce petit gars de rien et de Longueuil se mit à battre des joueurs moyens, forts de leurs 1 500, 1 600 quelques points.

À l'été 1987, à 11 ans, il termine 25e au tournoi cadet (moins de 16 ans) mondial, ce qui est assez remarquable quand on sait que l'élite mondiale (les Soviétiques particulièrement) s'y retrouvait et que les meilleurs n'ont pas 11 ou 12 ans, mais 14 ou 15, une différence énorme dans ces âges-là.

La même année, à l'automne, Alexandre réalise l'impossible. Il vainc son maître, Jean Hébert lui-même... Un peu plus tard, il réussit une nulle contre le maître international Igor Ivanov, numéro deux canadien, et contre Sylvain Barbeau, numéro quatre au Québec.

« Avant longtemps, il va tous nous planter », prédit Barbeau, avec un sourire, en parlant du petit sacripant.

L'été dernier, Lesiège est retourné au championnat mondial cadet. Cette fois, il a terminé au dixième rang. Au même âge, l'actuel champion du monde, Garri Kasparov, terminait au troisième rang...

Dernier exploit de la liste, Alexandre a terminé en dixième place dans un prestigieux tournoi californien, en novembre. Dixième parmi des grands maîtres et des maîtres, avec une « performance » de 2 560 points, ce qui est le niveau de jeu d'un fort maître...

Pour l'instant, Alexandre Lesiège veut devenir champion du monde. On dit qu'il en a le talent. On dirait bien qu'il s'y prend de la bonne façon pour s'améliorer. Et disons qu'il n'est pas mal parti du tout !

(Texte publié le 25 mars 1989)

Le pape croit que le monde est menacé d'auto-destruction

Jean-Paul II a lancé hier (**le 24 mars 1985**) un appel à tous les chrétiens pour qu'ils s'engagent à sauver le monde menacé aujourd'hui d'auto-destruction comme jamais dans le passé.

Le pape visitait Telespazio, à 150 km à l'est de Rome, l'un des centres les plus importants du monde pour l'utilisation pacifique de l'espace, selon ses dirigeants.

L'humanité est en train de vivre un moment dramatique, a déclaré le chef de l'Église catholique dans un paysage de guerre des étoiles, entouré de barrières et de grilles, au pied de 25 gigantesques antennes paraboliques de 30 mètres de diamètre, tandis que des soldats armés de mitraillettes montaient la garde dans leurs tourelles, et que les chiens-loups surveillaient les abords de l'enceinte.

Le souverain pontife a invité les fidèles à invoquer l'assistance de la Vierge dans la lutte contre le mal et en faveur de la paix dans le monde.

Il a condamné la destruction de produits agricoles pour sauver le commerce : c'est en défendant les fruits de la terre, qu'on aide les jeunes à revenir à l'agriculture. À la suite de l'appel du pape, les coopératives du Fucino ont décidé d'envoyer au Liban 50 000 quintaux de pommes de terre, excédents destinés à être détruits.

Histoire de chats

Si une gentille voisine nous offre un mignon chaton, tout paraît simple et beau. « Ça ne coûtera rien » pensons-nous. Mais il faut, si nous sommes un maître responsable, l'emmener chez le vétérinaire pour son premier vaccin, lui acheter un collier au cas où nous le perdrions.

Maintenant, si nous savons qu'un chat et une chatte peuvent avoir 3 portées de 12 chatons en un an, chacun des bébés peut, à son tour, avoir des bébés à la 2e année. Nous avons donc une possiblité de 144 chats.

Si chacun des 144 chats a des bébés, nous pouvons avoir 1 728 chats la troisième année.

Supposons que chacun des 1728 chats ait, la quatrième année, 3 portées de 12 chatons, nous avons maintenant 20 736 chats.

La SPCA reçoit 50 000 chiens et 70 000 chats en une année. Elle doit en tuer 5 sur 7. Le message est clair : pour éviter de faire naître des chats et d'être obligés de les faire tuer faisons-les opérer. Tout cela coûte environ 80 $.

Par contre, à la Société protectrice des animaux, nous pouvons obtenir tous ces services pour 46 $.

(Texte publié le 25 mars 1987)

La première Boston produite en serre

Une laitue présentée comme un bouquet vient d'arriver sur le marché. Une laitue verte comme le printemps, aux feuilles tendres comme l'été. Une laitue d'hiver. Une Boston pommée vendue avec sa racine.

C'est la première fois, au Québec, qu'un producteur de légumes en serre opte pour la culture d'une salade. Et c'est la première fois qu'une salade est vendue avec sa racine. Ce qui peut paraître une fantaisie n'en est pas une. Vendue entière cette laitue reste fraîche beaucoup plus longtemps qu'une autre. Elle demeure, en quelque sorte, vivante. Il suffit de la placer dans un verre d'eau pour la maintenir dans un état satisfaisant pendant plusieurs jours. De son côté, le producteur garantit au détaillant une durée de tablette de deux semaines. Chaque laitue est vendue préemballée, le pied maintenu dans de l'eau.

Le mode de culture sous abri, sans poussière, sans terre, dans un milieu contrôlé sans besoin d'avoir recours à des produits chimiques, fongicides ou insecticides, permet de mettre sur le marché une laitue si propre qu'elle n'a pas besoin d'être lavée. D'autant moins qu'elle est enveloppée, sur les lieux de production, dans un sac de plastique.

M. Jacques Lagacé, propriétaire de la pépinière Au Bois joli à Victoriaville, pratique la culture en serres depuis six ans. Il a opté, en 1985, pour la

C'est la première fois, au Québec, qu'un producteur de légumes en serre, M. Jacques Lagacé, opte pour la culture d'une salade. Et c'est la première fois qu'une salade est vendue avec sa racine.

production sans sol, la culture hydroponique. Ses dix-sept serres étaient occupées par des plants de tomates. Cent cinquante tonnes de fruits en sont sorties l'an dernier. Une serre, en ce moment, est occupée par la Boston. Et il est fort probable que d'autres suivront. À peine mises sur le marché, les laitues de cette première récolte disparaissent. Les prévisons annuelles sont, pour l'instant, de 40 000 à 50 000 laitues.

(Texte publié le 25 mars 1987)

L'art difficile de dépenser intelligemment

Faut-il dépenser des millions pour favoriser le dépistage du cholestérol et du cancer du sein à la grandeur de la province et même du pays ?

Est-il raisonnable de défrayer le fonctionnement d'un appareil à oxygène, de 1 000 à 2 000 $ par an, pour permettre à un malade atteint d'insuffisance respiratoire chronique d'effectuer son traitement à domicile ?

Dans un but d'économie, est-il acceptable de recycler et de réutiliser les simulateurs cardiaques et les filtres de dyalise sans mettre en danger la vie des patients ?

Peut-on dépenser jusqu'à 300 000 $ par année pour le fonctionnement d'un coeur-poumon artificiel qui permettrait de sauver la vie de 5 à 10 nouveaux-nés ?

Parce qu'il provoque moins de réactions secondaires chez le patient, les hôpitaux doivent-ils utiliser un nouveau produit opacifiant très coûteux pour effectuer les examens du rein et du système cardio-vasculaire ?

Les radiographies pulmonaires sont-elles trop nombreuses ? En 1988, il y a eu 1,6 million d'examens dans nos établissements de santé. À cela, il faut ajouter des milliers d'autres en cliniques privées.

Les questions qui précèdent comptent parmi les plus épineuses qui ont été soumises au Conseil d'évaluation des technologies de la santé du Québec, organisme formé d'experts indépendants, dont le mandat est de fournir des avis scientifiques sur l'efficacité, la sécurité, ainsi que les conséquences sociales et économiques de certains traitements, équipements et programmes.

L'argent étant de plus en plus rare dans le domaine de la santé, on doit le dépenser le plus efficacement possible. Le ministre, Marc-Yvan Côté, a souvent insisté sur la nécessité de faire des choix plus judicieux.

« Est-il normal que dans une région deux hôpitaux se chamaillent pour obtenir chacun son scanner, alors que les besoins sont pour un et demi ? Est-il normal que sur l'île de Montréal, deux fois plus d'hôpitaux qu'à Toronto offrent des services tertiaires en cardiologie ? » déclarait-il devant l'Association des hôpitaux.

Le Conseil des technologies a justement été créé pour guider le ministre et les établissements dans leurs décisions. Bien connu dans le milieu scientifique, l'organisme n'a cependant pas fait beaucoup de tapage dans la population depuis sa création en 1988. Son président, le docteur Maurice McGregor, ex-doyen de la faculté de médecine de l'Université McGill, a volontairement choisi la prudence et la discrétion.

Un dilemme

On a beau dire que la vie n'a pas de prix, cet aphorisme est moins évident dans un contexte de pénurie de ressources.

Ainsi, le Conseil des technologies a eu à se pencher en 1990 sur la nécessité d'implanter ou non un programme très oréreux de soins intensifs pour sauver la vie de nouveaux-nés.

Le coeur-poumon artificiel semblable à celui utilisé pour la chirurgie à coeur ouvert permettrait, selon le Conseil, de sauver la vie de 5 à 10 nouveaux-nés par année, à un coût additionnel de 300 000 $ pour le système de santé québécois.

Ce montant n'est toutefois pas excessif si on le compare à certaines autres interventions thérapeutiques, comme la dialyse rénale chronique qui est fort coûteuse. « La comparaison du coût par année de vie sauvée d'un nouveau-né à celui d'un adulte en laissera plus d'un sceptiques », note le Conseil.

M. Arthur Schafer, directeur du centre d'éthique pour les professionnels de la santé, de l'Université du Manitoba, déclare en substance: « Cela semble tragique qu'une nouvelle thérapie dont les avantages sont bénéfiques ne puisse être accessible à chaque patient et que certains meurent ou souffrent davantage. C'est tragique. Mais dans un monde où les ressources sont limitées, est-ce qu'il existe un autre moyen d'échapper au fait que donner à une personne, c'est en priver une autre ? »

(Texte publié le 25 mars 1991)

Les Québécois préfèrent toujours le néo-fédéralisme

Ces quatre dernières années, le mouvement indépendantiste québécois a fait une résurgence dramatique, mais malgré l'apparente stabilité de cette option, tout indique que les Québécois préfèrent toujours un fédéralisme renouvelé.

C'est la conclusion qui se détache d'une étude intitulée « Le mouvement indépendantiste du Québec : une résurgence dramatique », faite par le professeur Maurice Pinard, du département de sociologie de l'Université McGill, pour publication dans le périodique américain *Journal of International Affairs*.

L'option indépendantiste a connu trois phases depuis sa renaissance à la fin des années 50, selon M. Pinard.

La première, relativement longue, celle de la croissance lente, a duré jusqu'en 1980. Entre 1962 et l'année du référendum, elle a progressé de 16 %.

La seconde phase, plus rapide, celle de la démobilisation, a duré de 1980 à 1988.

La troisième phase, celle de sa remontée spectaculaire, a démarré lentement à la fin de 1988, mais au milieu de 1989 elle ressuscitait littéralement pour progresser de 30 points par rapport à 1985 et se stabiliser à 45 %.

Pour ce qui est de la souveraineté-association, parce qu'elle est plus « molle », elle est généralement plus populaire que l'option indépendantiste.

Maurice Pinard constate qu'avec les années, l'écart entre les deux options s'est rétréci. Ce qui le fait déduire que certains citoyens disant choisir l'indépendance préfèrent en fait un Québec indépendant associé économiquement avec le reste du Canada. Autrement dit, ils favorisent la souveraineté-association.

Quel enseignement pour l'avenir peut-on tirer de cette analyse ?

Il n'est pas plus facile de prédire l'avenir, dit le professeur Pinard, que ce le fut de prévoir la tournure actuelle des événements.

Pour M. Pinard, à court terme les souverainistes n'ont qu'un seul espoir : que le reste du Canada ne parvienne pas à satisfaire les attentes de Québec. Ce qui est possible mais non assuré. Dans une telle éventualité, le gouvernement devrait tenir le référendum auquel il s'est engagé sur une forme de souveraineté, et pourrait le gagner.

Mais les souverainistes ont plus de raison d'être optimistes à long terme, advenant leur retour au pouvoir. Élu sur un programme stipulant qu'ils vont proclamer la pleine souveraineté du Québec et faire toutes les démarches y conduisant, le gouvernement péquiste serait en mesure de plonger le pays dans une crise qui le placerait dans une position idéale pour atteindre son objectif à la faveur d'un référendum.

(Texte publié le 26 mars 1992)

Après une carrière prolongée où il a pu se livrer impunément à toutes les rigueurs et à tous les excès que sa destinée lui impose, le vieil Hiver est à l'agonie. Depuis décembre, son souffle glacé a gelé la moelle du pauvre et plongé la nature dans une torpeur mortelle.

Dans les champs et à la ville, il a semé et accumulé sa froide neige, qui, ouate d'abord, s'est durcie et est devenue une épaisse couche de glace. Les rivières, les cascades, les torrents se sont figés, et partout, une immobilité sépulcrale a succédé aux vibrations émues de la nature.

Sous la pesée du rude hiver, tout s'est refermé. Tout, même le coeur humain. Aux souffles éoliens du zéphir a succédé le sifflement rauque du vent noir; la brise s'est faite bise, et les morsures impitoyables de Borée ont remplacé les caresses parfumées que la nature en travail faisait passer sur les chevelures des couples amoureux.

Les pauvres gens, bleus de froid, ont gémi dans leurs galetas, rassemblant leurs pauvres nippes pour protéger les petits contre la froidure, après avoir épuisé leur dernier sou pour obtenir une étincelle. Ah! pauvres gens! vous en avez vu de cruelles sous le règne si long de cet impitoyable Hiver! Mais vous êtes vengées aujourd'hui. La fée Printemps a surgi à l'Orient; de sa baguette magique elle a touché le vieux malfaisant, et vous le voyez couché sur son lit de glace, agonisant, en butte aux malédictions de tous ceux qui ont souffert par lui. (...)

Cette page a été publiée le 26 mars 1904.

Vive le vélo

Le magazine *Vélo-Québec* compare dans son dernier numéro les coûts d'utilisation de l'auto et de la bicyclette.

« Notre cycliste-type utilise sa bécane durant huit mois, de mars à octobre, à raison de 15 km par jour pour aller travailler ou étudier ; de 100 km par mois pour fins de cyclotourisme ; et de 500 km par saison pour un voyage de deux semaines ; soit un total de 3 500 km par année. Durant les quatre mois d'hiver, nous avons ajouté le coût d'achat d'une carte mensuelle d'autobus. »

L'enquêteur François Marcil a tenté d'évaluer le coût des vêtements de plein-air utilisés par un cycliste ; il a amorti les frais sur trois ans, calculant 300 $ pour l'achat du vélo. Cela donne 334 $ comme moyenne annuelle.

Les frais de l'automobiliste ont été établis par le Club automobile du Québec, à partir d'un modèle sous-compact parcourant 15 000 km par année. Les dépenses annuelles de 4 097 $ comprennent, pour plus de la moitié du total, la dépréciation (1 743 $) et le financement (409 $).

(Texte publié le 26 mars 1986)

LA MORT DE SARAH BERNHARDT PLONGE DANS LA DOULEUR LA FRANCE ENTIERE

L'illustre tragédienne rend le dernier soupir dans les bras de son fils Maurice, après avoir donné l'exemple d'un splendide courage. — Une perte irréparable pour la scène.

PARIS — La France pleure aujourd'hui, sa grande actrice, Sarah Bernhardt. Paris croit à peine que celle qui lui semblait presque immortelle soit trépassée. On n'exagère point en disant que, depuis la mort de Victor Hugo, la France n'a pas été plus profondément émue qu'elle l'est aujourd'hui.

Comme l'académicien de Flers le fait remarquer dans le «Figaro», Sarah Bernhardt partage probablement avec Hugo et Pasteur la distinction d'être la personne la plus illustre du dernier siècle de l'histoire de France. La «divine Sarah», comme on l'appelait, fut sans doute l'une des plus grandes propagandistes de l'art et de la littérature françaises.

Il était tout naturel que le public qui en faisait son idole et qui l'aimait tant, en retour, se soit rendu en foule, dans la soirée d'hier **(26 mars 1923)**, auprès de la maison du boulevard Pereire, où la tragédienne vécut 38 ans. Après minuit, à la fermeture des théâtres, les artistes de la scène vinrent rendre hommage à leur célèbre camarade. Parmi les visiteurs, on remarquait Sacha Guitry, Cécile Sorel, Rachel Boyer et plusieurs autres étoiles.

BELLE DANS LA MORT

Le registre des visiteurs, à la maison de Sarah Bernhardt, contient déjà trois cents noms, y compris ceux de personnages officiels, de particuliers, d'hommes d'affaires et d'acteurs.

Mme Bernhardt repose sur son lit couvert de fleurs de sa prédilection. De grosses chandelles brûlent à ses côtés et à ses pieds, et sur la petite table, on voit un crucifix et un bénitier. La chambre mortuaire est déjà remplie de fleurs qu'y ont apportées des centaines de ses amis.

Sa petite fille fut la première à déposer près de la morte un bouquet de lilas. L'abbé Loutil, ami intime de la célèbre actrice depuis nombre d'années, a fait remarquer que la mort lui a redonné la beauté de sa jeunesse et que son visage réfléchit une impression de paix.

DERNIERES VOLONTES

A midi aujourd'hui, on n'était pas encore fixé quant aux funérailles, vu que le gouvernement peut décider d'en faire des obsèques d'État. De plus, il faut tenir compte des désirs de Mme Bernhardt. Elle les a consignés dans son testament.

La défunte a maintes fois déclaré qu'elle voudrait être ensevelie près de sa maison, à Belle-Isle, endroit pittoresque sur les falaises qui donnent sur l'Atlantique. Cependant, on ne sait pas encore si ses restes seront inhumés à l'endroit précité ou dans le caveau de la famille, au cimetière du Père Lachaise, à Paris.

A tout événement, il se déroulera une cérémonie impressionnante à Paris, jeudi ou vendredi, et l'opinion populaire est fortement en faveur de faire des funérailles aux frais de la nation. (...)

L'article précise plus loin que

Mme Bernhardt est morte paisiblement à 19 h 59, le 26 mars, dans les bras de son fils. Elle a succombé à une attaque d'urémie.

PAS DE VACHES FOLLES AU CANADA

Ne lancez pas à la poubelle votre viande hachée ou vos tournedos : la maladie de la vache folle, qui angoisse l'Angleterre, n'a que peu de chances de faire des ravages ici.

Le Canada a été déclaré exempt de la maladie en 1994 par l'Organisation internationale des épizooties, sorte de pendant vétérinaire de l'Organisation mondiale de la santé, à laquelle adhèrent plus d'une centaine de pays.

« Ce soir, j'ai mangé du boeuf pour souper, sans aucun remord de conscience », précisait le docteur Claude Lavigne, directeur-adjoint de la Division de la santé des animaux à Agriculture Canada. Le président de l'Union des producteurs agricoles du Québec, Laurent Pellerin, se fait lui aussi rassurant, notamment parce que le système d'inspection canadien est reconnu comme un des meilleurs au monde.

« Mais en cette époque de restrictions budgétaires, l'exemple anglais nous rappelle qu'il faut garder en place le système du Canada », plaide au passage le président de l'UPA.

L'importation au Canada de bovins anglais a été interdite en 1990, mais des éleveurs albertains ont eu des frissons en décembre 1993, quand une vache importée d'Angleterre en 1987 a été affectée de l'encéphalopathie spongiforme bovine (ESB), aussi appelée maladie de la vache folle.

Agriculture Canada a alors détruit tout le troupeau de la vache affectée ainsi que ses descendants, soit environ 400 bêtes. Mais ce cas a forcé Ottawa à étendre l'interdiction aux quelque 180 animaux importés depuis le premier janvier 1982. Il en restait moins d'une centaine en vie, selon M. Lavigne, et Agriculture Canada a ordonné leur exécution.

Le Canada n'importe pas non plus de viande transformée d'Angleterre, ajoute-t-il. «Nous n'avons jamais reconnu le système d'inspection des viandes des Anglais. Il n'est pas compatible avec le nôtre.»

Au Québec, la moitié du boeuf de l'extérieur vient de l'Ouest canadien. Le reste est produit aux États-Unis, en Australie, en Nouvelle-Zélande, en Amérique du Sud et ici. Le Québec compte près de 20 000 producteurs bovins.

(Texte publié le 26 mars 1996)

Dans son édition du *26 mars 1958*, LA PRESSE annonçait à ses lecteurs l'adjudication par Webb and Knapp du contrat de construction de la place Ville-Marie à la société Foundation Company of Canada Limited, au coût de $60 millions. Et l'article était accompagné de la photo ci-dessus.

C'EST ARRIVÉ UN 26 MARS

1998 — Le chef conservateur, Jean Charest, annonce qu'il quitte le Parti conservateur pour faire la lutte à Lucien Bouchard sur la scène québécoise.

1983 — Anthony Blunt, l'espion qui avait vécu pendant plusieurs années dans l'entourage de la reine Elizabeth à titre de conseiller artistique, meurt à l'âge de 75 ans.

1979 — L'Égypte et Israël signent le traité de paix mettant fin à un état de guerre qui durait depuis plus de 30. Le président Anouar El Sadate et le premier ministre Menachem Begin rendent hommage au président américain Jimmy Carter, instigateur des négociations.

1971 — Le Bengale (ou Pakistan oriental) proclame son indépendance. L'armée pakistanaise intervient avec violence.

1967 — Nancy Greene gagne la Coupe du monde de ski à la surprise de tous en remportant la victoire lors de la toute dernière épreuve de la saison.

1958 — Après la Marine, c'est au tour de l'Armée américaine de lancer son satellite, *Explorer III*.

1957 — M. Edouard Herriot, qui fut trois fois premier ministre de France, meurt à l'âge de 84 ans.

1953 — On découvre que les Mau Mau ont assassiné 200 indigènes.

1929 — La France toute entière rend un suprême adieu au défunt maréchal Ferdinand Foch. Sa dépouille mortelle est ensevelie dans une crypte aux Invalides.

1927 — Centenaire de la mort du célèbre compositeur Ludwig Van Beethoven.

1902 — Cecil Rhodes meurt à 55 ans.

Rationnement de la viande supprimé

OTTAWA (D.N.C.) — Le rationnement de la viande est supprimé. L'hon. D.C. Abbott, ministre des Finances, a annoncé la nouvelle aux Communes cet après-midi **(26 mars 1947)**.

Voici le texte de la déclaration de l'hon. D.C. Abbott:

«Je désire annoncer qu'à compter de demain, le rationnement de la viande par coupon sera discontinué.

«Le rationnement d'une denrée au stade du consommateur est une opération difficile et coûteuse. Elle l'est tant du point de vue de son administration par le gouvernement, et du fardeau que l'on doit nécessairement imposer au commerce de détail et au consommateur qui doivent manipuler les coupons, qu'aux autres besoins courant du système.

«Les difficultés ont augmenté au cours des récents mois, parce que la commission des prix et du commerce en temps de guerre n'a pas été en mesure de conserver le personnel expérimenté qui se recrutait originairement sous le stimulant de l'urgence de neige.

«Dans les circonstances, le gouvernement a décidé de modifier le contrôle dans ce domaine. Cette modification, croyons-nous, permettra d'abandonner le mode de rationnement par coupons (...), mais apportera une nouvelle méthode qui ne devrait pas réduire les exportations de viande du Canada, particulièrement au Royaume-Uni où il y encore des disettes aiguës de vivres. (...)»

En résumé, les principaux points sont les suivants:

1 — Le rationnement de la viande aux consommateurs cesse.

2 — Les mardis et vendredis sans viande dans tous les restaurants demeurent.

3 — La réglementation des prix de toutes les viandes subsiste telle qu'elle est aujourd'hui.

4 — Les règlements concernant les permis et les quantités d'abattage se continuent. (...)

LE PALAIS du PARLEMENT à QUÉBEC

Vue du parlement façade principale

Salle des bills privés

L'Assemblée nationale et LA PRESSE, deux institutions « nationales » centenaires

Assemblée Législative

Bibliothèque

Conseil législatif

TOUT comme LA PRESSE, l'Assemblée nationale célèbre cette année un important centenaire. C'est en effet le 27 mars 1884 que l'Assemblée législative (comme on l'a appelée jusqu'à ce que le gouvernement Johnson substitut le qualificatif « nationale » au qualificatif « législative ») a tenu sa première séance dans l'Hôtel du Parlement de Québec, ou « Palais du Parlement » comme on disait autrefois pour identifier l'édifice bien connu de tous les Québécois.

Cet événement est survenu quelque sept mois avant la naissance de LA PRESSE, de sorte que la page ci-dessus n'a pu être publiée le 27 mars 1884, mais plutôt en avril 1907. Les illustrations permettent donc d'apprécier ce à quoi pouvaient ressembler à l'époque la salle des bills privés, l'Assemblée législative (devenue le « Salon vert », puis le « Salon bleu », où siègent les députés), le Conseil législatif (devenu le « Salon rouge » et la bibliothèque.

Au cours de ces cent années,

l'Assemblée législative ou nationale a connu de grands moments, que rappelait M. Raymond Laberge dans un récent document. Comme la formation du ministère Mercier, chef du Parti national, qui prône le 29 janvier 1887 une union de toute la province pour appuyer Louis Riel. Comme la crise de la conscription, commencée en décembre 1917, et qui devait se terminer dans le sang en avril 1918. Comme la prise du pouvoir de l'Union nationale, le 17 août 1936. À l'exception des années 1939 à

1944, le parti dirigé par Maurice Duplessis allait gouverner le Québec pendant 19 ans. Comme l'adoption du drapeau fleurdelisé comme emblème provincial, le 21 janvier 1948. Comme le début de la « Révolution tranquille » grâce à l'accession au pouvoir des Libéraux de Jean Lesage. Comme, enfin, la nationalisation de l'électricité en 1962. Ce sont ces grands moments que l'Assemblée nationale célèbre aujourd'hui avec une fierté bien légitime.

MORT DU DOYEN DES JOURNALISTES CANADIENS-FRANÇAIS

M. Arthur Dansereau, ancien directeur politique de LA PRESSE et doyen des journalistes canadiens-français, est mort ce matin **(27 mars 1918)** à 2 h 45, en son domicile, 49, rue Saint-Marc. C'est une figure très connue et très estimée dans le monde du journalisme canadien et de la politique qui disparaît, et, malgré qu'il fût d'un âge avancé et qu'il eût à son actif une carrière bien remplie, rien, jusqu'à ces derniers jours, ne faisait prévoir la fin de ce vétéran des lettres canadiennes.

M. Dansereau a reçu avant de mourir, la visite de Sa Grandeur Monseigneur Bruchési. Il a rendu le dernier soupir entouré des membres de sa famille, à l'exception de deux de ses fils: le lieut.-col. Adolphe Dansereau, et le lieut. M.-E. Dansereau, actuellement en Europe.

Chez ses amis et parmi tous ceux qui l'avaient connu, aussi bien qu'à LA PRESSE, sa mort laisse les plus vifs regrets. (...)

M. Arthur Dansereau, décédé à l'âge de 74 ans.

Ceux qui ont vu l'ours

Ils sont rentrés avec des caisses de vidéo-cassettes et de films, mais surtout avec le sentiment d'avoir vécu l'expérience de leur vie, d'avoir approché, comme nul autre humain, Sa Majesté l'ours polaire.

L'ours s'est même reposé devant la caméra, qui continuait de le filmer, après avoir examiné et senti ce joujou insolite.

« Extraordinaire ! Extraordinaire ! Un pays grandiose ! Que puis-je dire de plus ? » répétait Marc Blais, les traces de légères engelures traversant la barbe de l'explorateur, qui avait finalement vu le monstre sacré des glaces dans son univers naturel.

C'est avec quatre Inuit, trois chasseurs et un interprète, que la petite équipe cinématographique a vécu, cette semaine, une fabuleuse expérience, sur l'île Howse, une des 15 composantes de l'archipel Les îles Ottawa, à quelque 200 kilomètres de Povungnituk, dans la baie d'Hudson. Le gîte dans l'igloo et le menu de circonstance (le caribou cru, le phoque et le pain sans levure appelé banik...) rendaient total le dépaysement.

Les guides ont repéré l'ours, un adulte de cinq ou six ans pesant environ 800 livres, sur la banquise. La bête s'est ensuite réfugiée dans la coulé d'une falaise de l'île Howse Couverte par les chasseurs inuit, l'équipe de tournage s'est approchée à 200 mètres

on a installé la caméra sur une butte, aux premières loges pour admirer l'objet de convoitise.

« Il n'avait pas l'air affamé, il se reposait tranquillement. Puis il a descendu la falaise, s'approchant à une trentaine de mètres de nous. Il semblait se diriger vers une autre falaise, quand tout à coup il nous a regardé et foncé vers la caméra », raconte Reynald Bellemarre, le caméraman qui a alors tout abandonné et fui en bas de la butte de tournage.

Le photographe Pierre Dunnigan, posté à une centaine de mètres plus loin, pensait que la bête allait dévorer l'équipement. La terrible vedette s'est heureusement contentée d'examiner et de sentir micro et caméra, avant de se coucher devant l'appareil, qui continuait de la filmer, et de reprendre sa route vers la coulée où il se destinait tout d'abord.

Pendant quatre ou cinq secondes, l'équipe de tournage a eu la frousse. « Il ne faut pas oublier que l'ours blanc est le seul qui attaque sans provocation », rappelle Marc Blais, qui n'oubliera pas de sitôt sa rencontre avec le roi des glaces. « J'avais vu ses traces et l'avait senti partout, mais maintenant je sais pourquoi les Inuit lui vouent un respect quasi-religieux », ajoute l'explorateur, qui en était à sa septième excursion dans le Grand-Nord.

(Texte publié le 27 mars 1993)

Plus de femmes patronnes

En 1990, 20 % des chefs d'entreprises et des entrepreneurs au Québec, seront des femmes, a déclaré ier (le **26 mars 1986**) Dina Lavoie, professeur agrégé à l'Écoles des Hautes Études Commerciales, dans le cadre du colloque L'entrepreneurship féminin, une formule gagnante. « Le

taux de croissance des femmes entrepreneurs est près de cinq fois plus élevé que celui des hommes entrepreneurs », a-t-elle ajouté.

Aux HEC, les femmes comptent pour la moitié des élèves au bac, 60 % à la maîtrise en science de gestion et 60 % au doctorat en administration.

C'EST ARRIVÉ UN 27 MARS

1980 — Les Caisses d'entraide de économies projettent d'investir $100 millions dans le développement du Mont-Tremblant.

1974 — La crise politique est évitée; les deux paliers de gouvernement s'entendent sur un prix de $6,50 le baril pour le pétrole canadien brut.

1972 — Début du procès de la militante de gauche Angela Davis, à San Jose. Elle est accusée d'enlèvement.

1968 — Youri Gagarine, le premier astronaute de l'histoire, meurt dans un accident d'avion.

1964 — Un tremblement de terre fait 114 morts et cause des dommages évalués à $250 millions, en Alaska.

1958 — À son poste de premier secrétaire du Parti communiste, Nikita Khrouchtchev ajoute les responsabilités de premier ministre que lui cède Nikolaï Boulganine.

1954 — Décès d'Édouard Montpetit, économiste de réputation internationale, à Montréal, à l'âge de 72 ans.

1948 — Le verglas cause le bris de plus de 800 poteaux entre Montréal et Québec.

1931 — Le célèbre comédien Charlie Chaplin reçoit la décoration de chevalier de la Légion d'honneur.

1927 — De passage à Montréal, le célèbre compositeur Sergeï Rachmaninoff donne un concert au théâtre Princess. — Victime d'un mystérieux attentat, le constructeur automobile américain Henry Ford se retrouve à l'hôpital, à Détroit.

1907 — Le feu détruit de fond en comble l'église paroissiale de Marieville.

1906 — Un feu endommage sérieusement la Montreal Biscuit Co. — Fondation à Nominingue de la Coopération des colons du Nord.

Mike Tyson écope six ans

L'ancien champion du monde de boxe Mike Tyson a été condamné hier (le **26 mars 1992**) à six ans de prison ferme pour le viol d'une jeune femme de 19 ans, candidate à un concours de reine de beauté, viol dont il avait été reconnu coupable en février par un jury d'Indianapolis.

Le juge Patricia Gifford a condamné l'ancien champion à dix ans de prison pour chacun des trois chefs d'accusation dont il avait été reconnu coupable — un chef de viol et deux de déviance criminelle. Mais en même temps, Mme Gifford lui a accordé un sursis de quatre ans pour chacune des peines qui, de plus, seront purgées concurremment.

Le magistrat a refusé au boxeur le droit de demeurer en liberté sous caution en attendant sa comparution devant la juridiction d'appel. L'enfant terrible de la boxe américaine devra de ce fait commencer immédiatement à servir sa peine.

Son procès pénal terminé, le boxeur va devoir se préoccuper de l'ancien champion des six actions intentées devant des juridictions civiles, dont trois par des femmes qui l'accusent de violence sexuelle.

PANAM

Lieu de l'impact

Chemin de Panam

Chemin de KLM

Voie d'accès

KLM

La pire tragédie de l'histoire de l'aviation

CETTE photo permet d'illustrer le pire drame de l'histoire de l'aviation, survenu à Santa Cruz de Tenerife, le **27 mars 1977.** Les deux B-747 se dirigeaient vers Las Palmas lorsqu'une bombe éclata dans une boutique de l'aérogare, forçant les autorités à les détourner temporairement sur Santa Cruz. Une fois la situation éclaircie à

Las Palmas, les deux avions entreprirent les manoeuvres pour décoller afin de rejoindre le port d'attache prévu. La brume enveloppait le petit aéroport de Santa Cruz. Le B-747 de la société KLM fut le premier à prendre sa place en bout de piste, pour décoller, avec 249 personnes à bord. Poussant les moteurs au bout, le pilote entreprit de décoller alors

que le B-747 de la société Panam roulait sur la seule piste de l'aéroport, avec 394 personnes à bord. Le choc fut terrible, et des deux géants de l'air, il ne resta plus que deux tas de ferraille inutilisable. Sur 643 personnes à bord des deux avions, seulement 68 survécurent, et elles se trouvaient toutes à bord de l'avion de la Panam.

L'Expo 67 : sur le fleuve

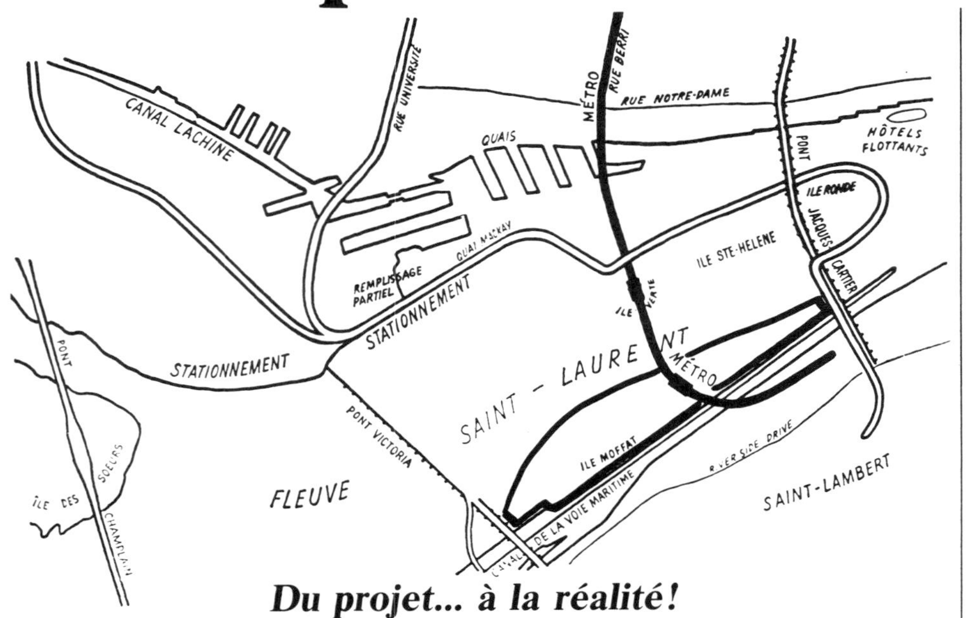

Du projet... à la réalité!

Ce croquis publié par LA PRESSE en 1963 permet de constater d'importantes différences entre le projet et la réalité. En premier lieu, la station de métro a été placée dans l'île Sainte-Hélène et non dans l'île Notre-Dame, et la ligne 4 aboutit à l'est plutôt qu'à l'ouest du pont Jacques-Cartier. Du monorail prévu, nulle trace. Quant au réseau routier, il ne ressemble en rien aujourd'hui à ce qui était prévu à l'époque.

C'EN est fait. L'ère des rumeurs n'est plus.

■ L'exposition universelle canadienne qui sera ouverte en avril 1967 se tiendra sur une partie de l'île Ste-Hélène agrandie ainsi que sur une île créée par des travaux de remblaiement et de remplissage hydraulique, estimés à $8,400,000, en bordure de la Voie maritime du St-Laurent, et qui englobera l'île Moffat et des îlots actuellement entourés d'eaux peu profondes, tout juste en aval du pont Victoria.

■ Reliée au réseau initial composé de deux lignes — «est-ouest» et «nord-sud» — déjà en construction sur l'île même de Montréal, une autre ligne de métro, longue de trois milles, sera aménagée, au coût approximatif de $13,000,000, sous le fleuve St-Laurent jusqu'à la rive sud du fleuve. (...)

C'est là, en bref, ce qui resort des précisions révélées hier **(28 mars 1963)**, par M. Lucien Saulnier, président du comité exécutif de la ville de Montréal, du parquet de la salle du conseil, à l'hôtel de ville, en présence de MM. Léon Balcer, ministre des Transports du Canada, représentant de M. John Diefenbaker, ministre tuteur de l'expo, Gérard Lévesque, ministre provincial de l'Industrie et du Commerce, Paul Bienvenu, commissaire général de l'expo, C.F. Carsley, sous-commissaire général, de la plupart des conseillers municipaux, de quelques autres invités, dont M. Guy Beaudet, gérant du port de Montréal, auxquels le maire Jean Drapeau, un homme ravi comme l'était M. Saulnier, a souhaité la bienvenue. (...)

Approbation d'Ottawa

Quelques heures plus tôt, MM. Drapeau et Saulnier avaient enfin appris d'Ottawa que le gouvernement Diefenbaker, celui qui, de par la loi, devait dire le dernier mot, venait, à la suite de M. Jean Lesage, d'approuver officiellement le «choix de l'administration municipale» (dixit M. Drapeau, hier après-midi).

L'expo sur la rive sud? Aucunement, selon M. Saulnier, qui insiste: ce sera à Montréal, sur le Saint-Laurent», sur des îles «en face de la métropole», des îles qui font ou feront bientôt partie du territoire de la Cité de Montréal.

L'île Ste-Hélène, déjà propriété de la Ville, sera agrandie à même l'île Verte (en amont) et l'île Ronde (en aval). Sa superficie sera portée de 135 à 310 acres.

Aucun bâtiment de l'expo — permanent ou temporaire — ne sera construit sur la partie actuelle de l'île Ste-Hélène, territoire qui demeurera à la disposition des Montréalais d'ici le printemps de 1967, d'après ce qu'a déclaré M. Saulnier.

On en édifiera des «temporaires» sur la partie «agrandie» de l'île. De sorte que, l'expo terminée, l'île Ste-Hélène agrandie de 175 acres sera toute accessible comme «île de verdure» et comme «parc public». (...)

«Partie» de Montréal

Quant à l'île Moffat et aux îlots qui l'avoisinent, au nord de la Voie maritime du Saint-Laurent, un territoire que M. Saulnier qualifie de «no man's land», un territoire bientôt baptisé «île Notre-Dame», où les bâtiments permanents seront édifiés, des démarches seront entamées sans délai auprès des autorités gouvernementales afin que le tout soit déclaré «partie» de la Ville de Montréal.

Aussi, aux dires de M. Saulnier, la nouvelle île Notre-Dame aura une superficie de 310 acres (même superficie qu'à l'île Ste-Hélène «agrandie») qui ne font actuellement partie d'aucune ville, sauf 50 acres, soit 15 dans Jacques-Cartier, et 35 dans Longueuil. On compte pouvoir livrer l'île Notre-Dame aux responsables de l'exposition d'ici le premier juillet 1964.

Les voies d'accès? Il y aura d'abord le pont Victoria et le pont Jacques-Cartier. Outre la ligne projetée de métro, il y aura peut-être un monorail installé au-dessus des voies de chemin de fer du pont Victoria. Un pont temporaire relierait le secteur de Pointe-St-Charles, via le quai McKay, à l'île Notre-Dame. (...)

Les parcs de stationnement, il y en aura de vastes. Pour l'instant on précise qu'il y en aura trois dans le voisinage de Pointe-St-Charles, d'autres sur la rive sud, puis «aux stations de raccordement du métro avec l'emplacement de l'expo ainsi qu'aux points de relai stratégiques».

Sauf dans le cas des parcs de stationnement, journée fertile en précisions que celle du 28 mars 1963. Enfin!

NDLR — À la lumière de ce qu'il sait aujourd'hui, vingt-et-un plus tard, le lecteur sera en mesure d'apprécier l'exactitude des propos tenus par les politiciens ce jour-là...

Deux forçats armés brisent leurs chaînes

Louis Eumène, voleur de calices, et Jos.A. Filiatrault, cambrioleur, s'évadent du pénitencier Saint-Vincent-de-Paul— Le gardien Paul Blondin assommé par les deux fugitifs au moyen d'une pelle

SAINT-Vincent-de-Paul — C'est la ferme du gouvernement, située sur les confins du rang Saint-François, que les forçats Filiatrault et Eumène ont choisie pour le théâtre du coup d'audace qui a eu pour eux un résultat jusqu'à présent heureux.

Louis Eumène

C'est là qu'on envoie travailler les forçats dont la conduite est bonne. C'est là que, pour dédommager ces malheureux des jours passés au fond des sombres cachots, on leur permet d'aller, sous la surveillance de leurs gardes, travailler aux travaux rustiques de la ferme et en même temps d'aller respirer le grand air des champs. C'est une faveur que l'on n'accorde qu'aux prisonniers dont le terme d'emprisonnement est sur le point d'expirer.

Hier **(28 mars 1904)** après midi, une trentaine de forçats étaient sur la ferme du gouvernement, travaillant aux bâtiments de la ferme. Ils étaient divisés en groupes de cinq ou six prisonniers, et chaque groupe était sous la surveillance d'un garde armé d'une carabine et d'un revolver. Le groupe dans lequel se trouvaient les forçats Filiatrault et Eumène était composé de sept forçats et était sous la surveillance du garde Paul Blondin. Ce groupe se trouvait hier être le plus éloigné du pénitencier. Il en était éloigné d'environ un mille. (...)

Les pauvres forçats, bien que pouvant sans entrave voir autour d'eux l'horizon, n'en voyaient pas moins, à un mille de là, le sombre édifice qui leur avait caché si longtemps cet horizon et où, fatalement, ils devaient retourner. De combien de pensées leurs têtes ne s'emplirent-elles pas durant cette journée ensoleillée de printemps? Combien la liberté dût leur apparaître belle et désirable! (...)

A cinq heures, on donna le signal du départ. Groupe par groupe, les forçats revinrent au pénitencier dans des gros traîneaux de service.

Le groupe du garde Paul Blondin fut le dernier à se mettre en route. Un à un, cinq des forçats montèrent dans la voiture sans mot dire. Vint le tour des forçats Eumène et Filiatrault. C'est là que le drame commença. Ce fut là le moment choisi par les deux forçats pour recouvrer leur liberté.

Avant qu'on eût eu le temps de voir d'où partait le coup, le garde de Paul Blondin tombait assommé sur le sol, il avait reçu sur la tête un coup de pelle fermement appliqué. Les autres prisonniers qui étaient restés dans la voiture, témoins de cet assaut meurtrier, furent frappés de terreur. Les deux forcenés se ruèrent sur le pauvre garde et le désarmèrent. L'un prit la carabine, et l'autre son revolver. Eumène et Filiatrault étaient, dès lors, maîtres de la situation.

Pris de compassion, les cinq autres forçats s'empressèrent auprès de Blondin qui baignait dans son sang et lui prodiguèrent leurs soins.

Eumène et Filiatrault ne perdirent pas de temps. Ils montèrent seuls dans la voiture «et marche la grise! En route pour la liberté!» Ils prirent la direction de Terrebonne. (...)

Au coeur de Paris, la Maison du Québec

QUEBEC **(J.M.)** — Le Conseil des ministres a approuvé hier **(28 mars 1961)** l'achat d'un vaste immeuble de quatre étages au coeur de Paris: on y installera la «Maison du Québec» qui sera, à la fois, un centre commercial et culturel.

Il s'agit d'un édifice situé en bordure de la rue Barbet de Jouy en face de l'archevêché, dans le 7ème arrondissement.

La construction, dont les fondations furent jetées il y a une soixantaine d'années, coûte $280,000 payables au comptant. L'impôt foncier annuel, que l'administration provinciale devra verser au fisc pour le bâtiment, sera de $300 seulement.

La «Maison du Québec» comprendra vingt pièces, dont une grande salle qui pourra être utilisée pour des expositions.

La transaction a été conclue par M. René Lévesque, l'ancien ministre des Travaux publics; mais c'est M. René Saint-Pierre, le nouveau ministre, qui a rendu publique la nouvelle au cours de l'après-midi. L'acquisition a été décidée pour éviter d'avoir à payer un loyer élevé.

L'immeuble, qui a servi d'hôtel particulier autrefois et qui a été habité par la famille des Murat, à laquelle Napoléon donna ses titres de noblesse, est en bon état de l'avis des ingénieurs.

Le premier prince Murat, qui demeura à l'emplacement de l'édifice actuel, fut roi de Naples et fut tué en tentant de reconquérir son royame après Waterloo.

C'est dans la «Maison du Québec» que M. Charles Lussier, nommé représentant de notre province en France, s'installera avec son personnel.

New York résilie le contrat de 17 milliards signé avec Hydro-Québec

La récession, le bas prix du gaz naturel, les protestations des environnementalistes et l'habile campagne de propagande des Cris sont venus à bout du plus important contrat d'exportation signé par Hydro-Québec, portant sur 1 000 mégawatts et évalué à 17 milliards.

Le gouverneur de l'État de New York, Mario Cuomo, a annoncé hier après-midi (**le 27 mars 1992**) qu'il recommandait l'annulation du contrat d'électricité signé en avril 1989 par la New York Power Authority (NYPA) et Hydro-Québec pour trois raisons : l'effondrement de la demande newyorkaise ne justifiait plus l'importation de 1 000 mégawatts à compter de 1996 ; les prix exigés par Hydro-Québec ne pourront être compétitifs avant cinq à dix ans.

Enfin, précise-t-il, « même si le contrat entre NYPA et Hydro n'est pas directement lié à un projet précis, je comprends les préoccupations de ceux qui soutiennent qu'il faciliterait la réalisation de projets comme Grande-Baleine lequel pourrait avoir des conséquences considérables sur l'environnement de la région et pour les peuples autochtones.»

Quelques minutes plus tard, le président de la NYPA, Richard Flynn, annonçait qu'il se prévalait de la clause de résiliation du contrat. Il précisait que les trois distributeurs privés new-yorkais d'électricité à qui l'énergie du Nord était surtout destinée appuyaient sa décision. Il a précisé qu'il y a trois ans, au moment de la signature du contrat, NYPA pensait économiser trois milliards US grâce à l'hydroélectricité québécoise pour la durée du contrat de 21 ans et qui devait commencer en 1995. « Mais la conjoncture a changé », note-t-il, stoïque.

New York semble assurée de pouvoir répondre à sa demande d'électricité en misant sur les économies d'énergie et sur l'installation de centrales à cycle combiné qui utilisent du gaz naturel, dont le prix a rarement été aussi avantageux.

L'annulation du contrat aura des conséquences sur la politique d'emprunt d'Hydro-Québec. Jusqu'à maintenant, la société d'État empruntait largement en dollars américains et pouvait compter rembourser sa dette grâce aux recettes en dollars US de ses ventes aux États-Unis.

28 — C'EST ARRIVÉ UN 28 MARS

1988 — Une « Royale » construite par Ettore Bugatti entre 1927 et 1933 a été vendue 9,8 millions de dollars à Londres.

1982 — Les Salvadoriens défient la consigne des guérilleros et votent en masse aux élections générales, au El Salvador.

1980 — Nomination du juge Antonio Lamer à la Cour Suprême du Canada.

1970 — Un séisme fait plus de 1700 morts en Turquie.

1969 — Mort du général Dwight D. Eisenhower, ex-président des États-Unis. Il était âgé de 78 ans. — Malgré la situation tendue, la manifestion «McGill français» se déroule sans effusion de violence.

1968 — De violents incidents raciaux éclatent à Memphis au cours d'une manifestation organisée par le Dr Martin Luther King.

1965 — Un violent tremblement de terre provoque l'écroulement d'un barrage au Chili. On dénombre plus de 400 morts.

1957 — La commission Fowler recommande au gouvernement d'encourager la création de postes privés de télévision.

1956 — Le Parlement de l'Islande demande le retrait des troupes de l'OTAN stationnées sur son territoire.

1950 — M. Lawrence Steinhardt, ambassadeur des États-Unis au Canada, meurt dans un accident d'avion louche près d'Ottawa.

1939 — Les nationalistes du général Franco entrent dans Madrid.

1929 — Sir Lomer Gouin, lieutenant-gouverneur de la province de Québec, meurt à son poste.

1927 — Les États-Unis placent un embargo sur l'importation de produits laitiers en provenance du Canada.

1910 — Le prince de Monaco met fin à la monarchie absolue en accordant aux Monégasques un gouvernement constitutionnel.

Entre nous Mesdames

*NDLR — Il s'agit en l'occurrence d'extraits du premier « Courrier de Colette », publié le **28 mars 1903**, et signé tout simplement, COLETTE.*

PETITE CORRESPONDANCE

NOTE — Mme Gaétane de Montreuil ayant abandonné la direction de cette page, on m'a chargée de répondre, à l'avenir, en sa place, à la petite correspondance. C'est une tâche dont je m'acquitterai avec plaisir et au mieux de mes très faibles lumières.

Les correspondants voudront bien désormais adresser leurs communications à COLETTE, au bureau de «La Presse».

FLECCA — Est-ce bien votre pseudo? Je ne suis pas sûre d'avoir parfaitement compris. 1. L'une ou l'autre des jeunes filles peut indifféremment faire les premières avances. 2. Vous pouvez discrètement lui laisser savoir que ses visites vous sont agréables. Vous avez aimé ces représentations tellement que, sur votre foi, je regrette de n'avoir pas eu l'occasion d'y assister.

SANS SOUTIEN — C'est un conseil très grave que vous demandez là, ma chère petite, et vous promettez de le suivre quel qu'il soit. Ce n'est pas à moi que vous vous adressez, mais je suis sûre que celle-là vous dirait exactement ce que je vais vous dire. N'embrassez pas cette carrière, vous n'y rencontreriez que déceptions, contretemps et malheurs. Croyez-moi, malgré ses dehors plutôt brillants ce métier est un des plus pénibles qui se puisse exercer. Puis songez qu'au point de vue moral, il est superlativement dangereux, et vous avez charge de deux âmes: la vôtre et celle de votre soeurette. Vous êtes l'aînée, n'est-ce pas? Ne vous exposez donc pas aux périls de tous genres que comporte cette situation. Ne connaissez-vous pas quelqu'un de sage et d'expérimenté, vous connaissant mieux que moi et qui put vous conseiller, vous enseigner le moyen d'améliorer votre situation actuelle sans compromettre votre avenir d'honnêtes jeunes filles.

ANXIEUSE — Je n'ai pas la moindre idée de ce que peut signifier «une bague portée au petit doigt de la main droite ou gauche d'un jeune homme». Si quelqu'un parmi nos correspondants se trouvait être mieux renseigné que moi sous ce rapport, nul doute qu'il s'empresserait de vous tirer d'inquiétude, surtout quand il saurait s'acquérir ainsi votre «reconnaissance éternelle».

J.E.D. St-Ant. — J'espère que vous avez reçu l'article demandé: C'est ce que j'ai pu trouver de mieux dans le genre et le prix se trouve être juste ce que vous aviez présumé. Je vous serais obligée de bien vouloir accuser réception sans délai. J'ai hâte de savoir si la poste a fait son devoir.

MIGNONNE — 1. Toutes les nuances sont portées cette saison. Les bleus, les verts et les gris sont bien seyants et toujours de mode. 2. On dit que l'eau de pluie employée comme ablution fait disparaître les taches de rousseurs; quant à ces petits points noirs, il suffit de les presser fortement entre le pouce et l'index pour les faire disparaître.

M.A. PURICIMA — Pour votre première question, vous feriez mieux de consulter un homme de loi, je ne saurais vous renseigner avec certitude. 2. Il n'est pas nécessaire de remercier. 3. Le blanc est toujours porté; quant à la chaussure, pour la rue, la noire est préférable avec n'importe quelle toilette. 4. Prenez avec les doigts et servez-vous de la fourchette pour ces gâteaux et pâtisseries. Il n'est absolument pas nécessaire qu'il y ait des témoins aux fiançailles. Les membres de la famille seulement. Il n'y a pas de règle pour la bague; le fiancé la choisit en rapport avec ses moyens de fortune; pour ce qui est de la forme ou du genre de pierres, il demande le goût de la jeune fille. Cette bague se porte dans l'annulaire de la main gauche, comme l'alliance.

ORPHENA — J'ai lu l'article qui ne m'était pas adressé et je l'ai tout de même bien aimé. Je le garde, et à l'occasion, je le ferai parvenir à qui de droit.

COLETTE

QUEBEC A VECU DES HEURES TRAGIQUES

C'EST ARRIVÉ UN 29 MARS

1979 — Un F-27 de Quebecair s'écrase à l'Ancienne-Lorette. L'accident fait 17 morts.

1974 — De graves inondations auraient déjà fait plus de 1 500 morts, au Brésil.

1971 — Le jury condamne Charles Manson et ses trois complices à mourir dans la chambre à gaz pour les sept meurtres aux demeures des Tate et des LaBianca, en 1969.

1970 — Le gardien Tony Esposito, des Black Hawks de Chicago, enregistre son 15e blanchissage de la saison.

1967 — Lancement du *Redoutable*, premier sous-marin nucléaire français.

1966 — Le premier budget du ministre des Finances Mitchell Sharp comporte des augmentations de taxes pour 60 p. cent des citoyens. — Cassius Clay conserve sa couronne de champion du monde des poids lourds, à la boxe, en battant le Canadien George Chuvalo, à Toronto.

1965 — Adoption par les Communes d'un projet de loi créant un fonds de pension au Canada.

1961 — L'Île-du-Prince-Édouard proclame l'état d'urgence; certains villages sont isolés par des bancs de neige atteignant jusqu'à 20 pieds de hauteur.

1946 — Un incendie dans les cordes de bois d'une fabrique d'allumettes sème l'émoi à Hull et à Ottawa.

1945 — Les troupes soviétiques entrent en Autriche.

1911 — Le Capitole de l'État de New York, à Albany, est détruit par un incendie.

1901 — Décès à Québec du sénateur Arthur Paquet, à l'âge de 57 ans.

MODESTIE DES VETEMENTS

NORTH Adams, Mass. — Les femmes mariées et les jeunes filles portant des jupes courtes, des corsages décolletés ou des vêtements faits de tissus transparents ne pourront pas entrer dans l'église Notre-Dame. Un avis contenant cette interdiction et portant la signature de M. le curé C.-Pl. Jannotte a été placé dans le vestibule de l'église.

Par ailleurs, à Londres, le ministère de l'Hygiène a proposé un règlement qui obligerait les baigneurs et les baigneuses, dans les places de villégiatures, de porter un costume commençant au cou et atteignant la jambe à 4 pouces, au-dessous des genoux.

Cela se passait le 29 mars 1921...

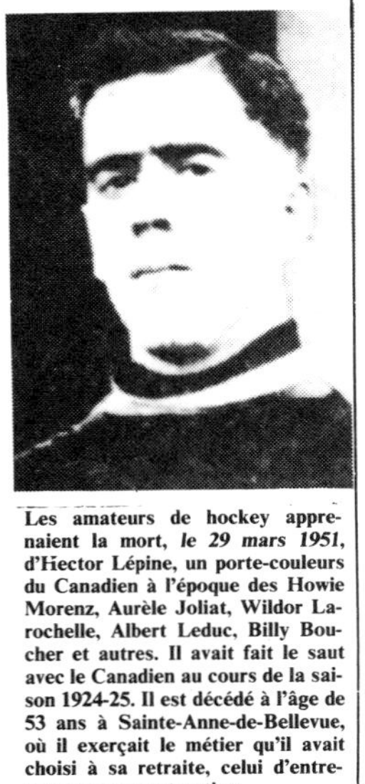

Les amateurs de hockey apprenaient la mort, *le 29 mars 1951*, d'Hector Lépine, un porte-couleurs du Canadien à l'époque des Howie Morenz, Aurèle Joliat, Wildor Larochelle, Albert Leduc, Billy Boucher et autres. Il avait fait le saut avec le Canadien au cours de la saison 1924-25. Il est décédé à l'âge de 53 ans à Sainte-Anne-de-Bellevue, où il exerçait le métier qu'il avait choisi à sa retraite, celui d'entrepreneur en construction.

À deux ans d'intervalle...

Deux années, jour pour jour, séparent ces deux photos illustrant des événements qui ont profondément marqué le peuple américain. Sur celle du haut, on peut apercevoir le lieutenant William Calley, après que la Cour martiale l'eut reconnu, *le 29 mars 1971*, coupable de la mort d'une centaine de civils à My Lai, en 1968. La photo du bas, prise *le 29 mars 1973*, montre un sergent américain, sa femme vietnamienne et ses deux enfants, attendant le moment de quitter le Vietnam avec le tout dernier contingent américain à rentrer au pays, après neuf ans d'une guerre futile.

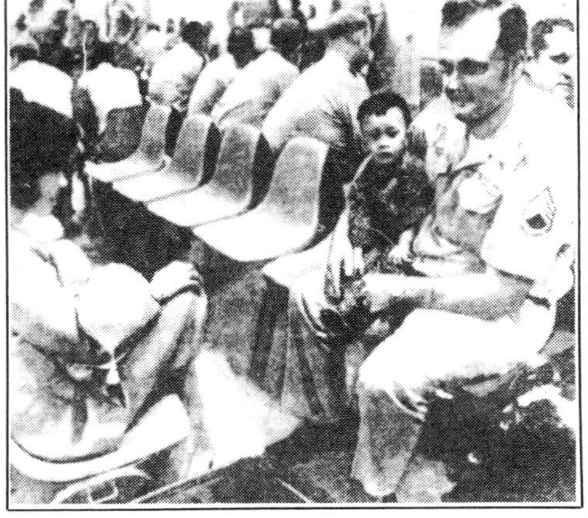

Tests de français pour les chauffeurs de taxi

Depuis le 1er janvier (1988), l'Office de la langue française fait subir un examen aux candidats unilingues anglais désireux d'obtenir un permis de chauffeur de taxi sur le territoire de la CUM. Ceux qui échouent à cet examen ne peuvent obtenir leur permis.

C'est le Bureau de taxi de la CUM qui dirige les candidats vers l'Office de la langue française lorsqu'on juge, à la suite d'une première entrevue, que la personne en question ne possède pas une connaissance suffisante du français.

Jusqu'à maintenant, sur les 28 candidats invités à subir l'examen, 11 ont réussi l'examen, 11 ont refusé de se présenter, jugeant qu'elles ne possédaient pas une connaissance suffisante de la langue française pour réussir l'examen, et six autres ont subi un échec. Il s'agit, dans la majeure partie des cas, de Néo-Canadiens récemment arrivés au Québec ou ayant toujours demeuré dans des secteurs anglophones de l'île de Montréal.

Maria von Trapp n'est plus

Maria von Trapp, 82 ans, la maman Trapp de la célèbre famille de petits chanteurs, est morte hier (**le 28 mars 1987**) dans un petit hôpital du Vermont, à quelques kilomètres du domaine de plus de 800 acres que la famille possédait à Stowe.

Immortalisée grâce à la comédie musicale *The Sound of Music*, l'histoire de fraulein Maria, de son baron et de leurs dix petits chanteurs qui, sous l'occupation nazie, ont fui l'Autriche, a charmé le monde entier.

Au début des années 40, la famille débarquait à New York avec 4 $ en poche. Elle allait faire fortune et connaître la célébrité en Amérique en organisant des tournées musicales.

Une émeute éclate hier soir au cours de laquelle la foule tente d'incendier l'édifice "Auditorium" et saccage les bureaux du régistraire de la loi du service militaire ainsi que les ateliers de deux journaux.

QUÉBEC — Il y a des troubles assez sérieux à Québec depuis jeudi soir commencés ce soir-là par des démonstrations hostiles contre les agents de la police fédérale qui faisaient la chasse aux conscrits insoumis, ils se sont continués hier soir (**29 mars 1918**) par le sac des deux journaux conservateurs de la ville et des bureaux du régistraire de la loi du service militaire, dans l'édifice de l'Auditorium, auxquels on a mis le feu.

Il était environ neuf heures hier soir lorsque des jeunes gens, qui s'étaient groupés à Saint-Roch, montèrent à la Haute-Ville et se dirigèrent vers l'édifice du «Chronicle», rue Buade. Ils en voulaient à ce journal pour la façon dont il avait rapporté les troubles de la veille. Ce journal avait en effet mis, dans le titre de la nouvelle, que c'était «une foule sauvage» qui avait saccagé le poste de police No 3, la veille. Les émeutiers ne se contentèrent pas de briser les vitres des fenêtres comme la chose avait été faite l'été dernier, à la suite des assemblées anticonscriptionnistes. Ils pénétrèrent à l'intérieur de l'édifice et brisèrent tout ce qui leur tomba sous la main.

TOUT EST SACCAGE

Quand ils en eurent fini avec le «Chronicle», les émeutiers se rendirent aux bureaux de «L'Evénement», rue de la Fabrique, où ils firent de même. Il ne reste pas une vitre dans aucune des fenêtres de ces bureaux et tout l'intérieur a été saccagé.

Après ces exploits, dont le nombre allait toujours grandissant, ils se rendirent en face des bureaux du régistraire de la loi du service militaire, installés récemment dans l'ancien café de l'Auditorium, rue Saint-Jean, près des murs, et commencèrent le siège de l'édifice.

La chose avait été prévue et un détachement de la police municipale était rendu sur les lieux; pendant une heure la police réussit à contenir la foule des émeutiers qui essayaient de pénétrer dans les bureaux. Durant ce temps, des pierres et des glaçons étaient lancés dans les vitres du bureau du régistraire. (...)

DES POLICIERS BATTUS

Le sous-chef Burke de la police municipale, vieillard de 70 ans, reçut sur la tête un glaçon qui l'assomma et il dut être transporté chez lui. Le détective Thomas Walsh, chef de la sûreté, qui essayait d'empêcher les émeutiers d'entrer, fut aussi assommé à coups de bâtons et de planches. Il y eut aussi des coups de feu tirés, mais sans résultat.

La police assistait impuissante à cette scène. Il était inutile de songer à faire des arrestations car la foule était trop compacte et les policiers n'étaient pas en nombre suffisant.

A neuf heures et quarante-cinq, une ruée de la foule des émeutiers eut raison de la résistance de la police et réussit à enfoncer la porte de l'escalier conduisant aux bureaux du régistraire se servant pour cela des enseignes de la maison Gauvin et Courchesne qu'ils décrochèrent. Une minute après les bureaux du régistraire furent envahis et l'on saccageait tout. Les fenêtres furent brisées et l'on vit voler par milliers des feuilles et des documents de toutes sortes. (...)

LE FEU A L'EDIFICE

A dix heures, on vit sortir de la fumée des fenêtres. Les émeutiers avaient mis le feu. L'alarme fut donnée et les pompiers de toute la brigade arrivèrent en toute hâte sur le lieux. (...)

Peu de temps après, l'on vit arriver des troupes armées qui formèrent un cordon autour du théâtre de l'incendie. Ce fut la fin de l'émeute et les pompiers purent travailler en paix pour combattre les flammes. A onze heures et demie l'incendie était contrôlé, il ne s'était pas propagé plus loin que le bureau du régistraire. Quant au magasin de musique Gauvin et Courchesne, qui se trouve au-dessous, il a souffert beaucoup de dommages par l'eau.

Le maire Lavigueur et le chef de police Trudel sont allés sur les lieux vers les neuf heures pour essayer de calmer la foule mais sans succès. Ce n'est que lorsque le feu eut été mis que le maire décida de faire venir les troupes. Ce fut le régiment «Composite qui vint». Les soldats avaient le fusil à l'épaule, **mais ils ne reçurent pas ordre de tirer.**

Le maire Lavigueur, qui a décidé de faire appel à l'armée.

Le détective Tom Walsh, un des policiers blessés.

Les bureaux de *L'Evénement*, mis à sac par les émeutiers.

Les bureaux et les ateliers du Chronicle n'ont pas échappé au saccage.

***Épilogue** — Ces tristes événements devaient connaître leur dénouement trois jours plus tard, le 1er avril, alors que les soldats, assaillis à coups de pierre, de brique, ou de glaçon, et répliquant à un coup de feu parti du camp des civils en colère, entreprirent de mettre fin aux événements en tirant dans la foule. Cinq personnes devaient ainsi connaître une mort brutale.*

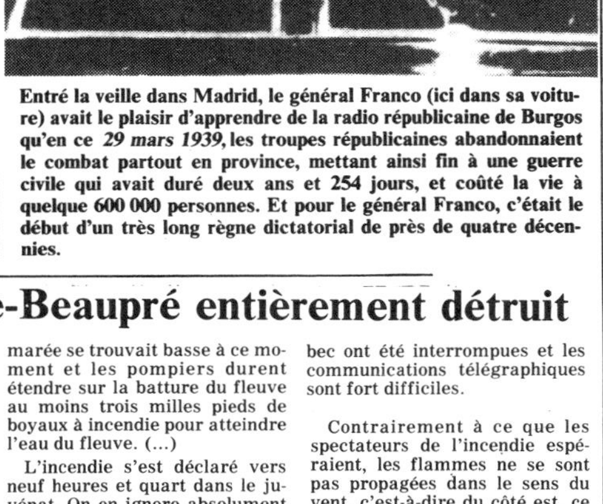

Entré la veille dans Madrid, le général Franco (ici dans sa voiture) avait le plaisir d'apprendre de la radio républicaine de Burgos qu'en ce *29 mars 1939*, les troupes républicaines abandonnaient le combat partout en province, mettant ainsi fin à une guerre civile qui avait duré deux ans et 254 jours, et coûté la vie à quelque 600 000 personnes. Et pour le général Franco, c'était le début d'un très long règne dictatorial de près de quatre décennies.

Le sanctuaire de Ste-Anne-de-Beaupré entièrement détruit

(De l'envoyé spécial de la «Presse»)

SAINTE-Anne-de-Beaupré —La basilique de Sainte-Anne-de-Beaupré est en ruines. Les pompiers de Québec n'ont pu rien faire pour la sauver.

A midi (**29 mars 1922**), les deux clochers du fameux temple se sont écroulés sous les yeux impuissants de la population et des pompiers. Le vent, qui avait soufflé jusqu'ici avec violence vers l'est vient de tourner et souffle maintenant du côté du fleuve, ce qui fait croire que le danger de voir brûler tout le village, comme on l'avait craint, est maintenant passé.

Les pertes s'élèvent à plus d'un million de piastres. On a pu sauver les Saintes Espèces ainsi que les peintures et les autres objets artistiques de grande valeur qui se trouvaient dans la basilique, et surtout la statue miraculeuse de Sainte-Anne.

Les pompiers de Québec sont arrivés à onze heures et trente-cinq, avec une pompe à vapeur et divers accessoires pour combattre le feu, sous la direction du sous-chef Bélanger. Déjà toute la sacristie et le monastère étaient presque complètement détruits et la basilique était toute en flammes.

Pour comble de malheur, la marée se trouvait basse à ce moment et les pompiers durent étendre sur la batture du fleuve au moins trois milles pieds de boyaux à incendie pour atteindre l'eau du fleuve. (...)

L'incendie s'est déclaré vers neuf heures et quart dans le jubé. On en ignore absolument la cause. Cet édifice et la sacristie, qui est voisine, étant en bois, les flammes n'ont pas tardé à se propager avec une rapidité extrême. Les révérends Pères Rédemptoristes n'ont même pas eu le temps de sauver leurs meubles. (...)

Les communications téléphoniques entre Sainte-Anne et Québec ont été interrompues et les communications télégraphiques sont fort difficiles.

Contrairement à ce que les spectateurs de l'incendie espéraient, les flammes ne se sont pas propagées dans le sens du vent, c'est-à-dire du côté est, ce qui aurait peut-être préservé l'église. (...) Les flammes s'élèvent à plusieurs centaines de pieds de hauteur. (...) Il était exactement midi lorsque les deux clochers hauts de plus de 160 pieds s'effondrèrent avec un fracas qui retentit dans le coeur des paroissiens. *Le feu aurait été causé par un court-circuit.*

Un fantôme à l'opéra

Un fantôme noir, qui manifeste une nette prédilection pour la musique de Mahler, hante les coulisses du Ohio Theater de Columbus, qui voudrait bien s'en débarasser.

La mystérieuse créature, qui a élu domicile depuis quelque temps dans les cintres, a pris en effet la mauvaise habitude de miauler aux plus mauvais moments.

Le chat, puisqu'il s'agit bien d'un chat, s'est manifesté au cours du weekend en poussant un cri plaintif pendant que le très officiel Orchestre symphonique de Columbus exécutait la 4e symphonie en sol de Mahler. Il a récidivé depuis et, pour le chef du service de publicité de l'établissement, il est évident qu'il est « frusté de ne pas être soprano et pour chanter Mahler ». La meilleure preuve : il ne s'est pas manifesté pendant les deux soirées réservées à Mozart.

Tous les efforts entrepris jusqu'ici pour le capturer sont restés vains. Le fantôme est demeuré insensible aux « petit, petit » des employés. La directrice de la SPA locale a conseillé de tenter de l'attirer par des tasses de lait et des écuelles de thon. Mais si ces méthodes restent sans effet, il faudra bien recourir à celle plus expéditive du piège : les représentations de « Rigoletto » commencent jeudi et on ne sait pas si le chat aime Verdi.

(Cela se passait le 30 mars 1984)

Le président Reagan échappe à la mort

Le président des États-Unis, Ronald Reagan, atteint d'une balle au poumon gauche, a survécu hier après-midi **(le 30 mars 1981)** à un attentat, alors qu'il s'apprêtait à quitter un hôtel du centre-ville de Washington.

Jim Brady, le secrétaire de presse du président, a pour sa part été grièvement atteint à la tête par l'une des six balles tirées par l'assassin présumé, John Warnock (Jack) Hinckley, un jeune homme de 25 ans originaire du Colorado. Un agent secret, Timothy McCarthy, ainsi qu'un agent de police de Washington, Thomas K. Delahanty, ont eux aussi été atteints grièvement. Leur état est toujours considéré comme étant extrêmement grave.

L'assassin posté dans l'embrasure de la porte réservée aux dignitaires de l'hôtel Hilton ne se trouvait qu'à une quinzaine de pieds du président des États-Unis lorsqu'il a ouvert le feu. Debout, le long du mur, entouré de journalistes et de passants, Hinckley, les cheveux blonds, en habit très correct, fils d'un riche industriel de Dallas au Texas, avait l'air tout à fait inoffensif. Nul ne savait que six mois auparavant le même homme avait été appréhendé à Nashville au moment de s'embarquer dans un avion avec dans sa valise trois révolvers et plusieurs balles. Le président Carter était alors à Nashville, c'était le 9 octobre.

Ici, nul ne se doutait que Hinckley détenait une arme et que quelques heures plus tard on l'accuserait d'avoir attenté à la vie du président et grièvement blessé deux policiers et un civil.

L'attentat

Deux agents secrets émergent de l'hôtel suivis du président en habit sombre. Celui-ci, tout souriant, salue la foule de l'autre côté de la rue. Il pleut. Quelqu'un, une femme, hurle « Mr. President » à plein poumon. Son cri attire l'attention de M. Reagan. Il lève la tête, agite le bras droit, puis le gauche. Autour de lui les agents secrets, l'air inquiet comme à l'accoutumée, pressent le chef de l'État, l'invitent à grimper au plus tôt dans sa voiture. Mais M. Reagan s'attarde quelques secondes de plus. Son bras gauche redescend lentement. Et c'est alors que son visage s'assombrit. Un bruit, le son d'un claquement sec, vient de secouer l'atmosphère. Des têtes se retournent. L'agent McCarthy, le visage tendu de rage, vient d'être atteint dans le dos. Tous bousculent le président dans sa voiture tandis que d'autres hurlent : « Partez, partez, enlevez-le d'ici ». Jim Brady, le secrétaire de presse qui se dirigeait vers sa voiture stationnée derrière la limousine présidentielle, a alors le réflexe de se pencher. Trop tard. Il s'effondre tête première sur le pavé. Il a été atteint au front.

Le long du mur, c'est un fouillis de bras et de jambes, des hommes armés en imperméable, des policiers en vareuse noire, clouant au sol l'assaillant présumé. Derrière le corps de Brady, il y a celui de l'agent McCarthy étendu de tout son long. Une balle l'a frappé dans le dos, lui a traversé le poumon pour se loger ensuite dans le dôme supérieur du foie. Il est à demi-inconscient. L'agent Delahanty quant à lui a été atteint au cou. Il est tombé sur le corps du secrétaire de presse.

Opération

Il ne faut que quelques minutes pour se rendre du Hilton jusqu'à l'hôpital George Washington. Dans la voiture, le président réalise qu'il a été atteint juste sous l'aisselle gauche. M. Reagan descend de sa voiture lui-même et d'un pas normal il entre dans la salle d'urgence. Une heure plus tard il sera en salle d'opération après qu'une équipe de médecins dirigée par le Dr Benjamin Aaron lui ait introduit un tube dans le poumon gauche afin de drainer le sang qui s'y accumule et lui permettre de se regonfler. La balle de l'assassin a évité le coeur du président de quelques pouces seulement.

La femme du président, Mme Nancy Reagan, apprend la nouvelle de l'attentat de l'un de ses gardes du corps au moment où elle revient à la Maison-Blanche. Sans savoir l'état exact de son époux, elle se précipite à l'hôpital non loin de la Maison-Blanche. Lorsqu'elle se retrouve au chevet de son mari, celui-ci sourit : « Honey, dit-il, je me suis penché trop tard ». Le sénateur Paul Laxait est là : « Paul je m'en tirerai », lui déclare le président. Lexait est l'un de ses plus vieux supporteurs...

L'édifice de Québec dans lequel était brassée la bière Dow.

La brasserie Dow retire du marché sa bière de Québec

Même si l'enquête n'a encore rien prouvé, la brasserie interrompt sa production

NDLR — Cette nouvelle illustre bien le tort énorme que la rumeur publique peut causer à un produit de consommation. Au moment où la brasserie Dow prit la décision de retirer du marché sa bière de marque « Dow », rien ne permettait de relier ce produit à certains accidents survenus au cours des semaines précédentes dans la région de la vieille capitale. Mais la rumeur publique avait fait son oeuvre, et la brasserie Dow n'avait véritablement plus le choix...

QUEBEC — Si le mystère continue d'exister au sujet de la mort étrange de 16 personnes, une étape importante a tout de même été franchie hier (30 mars 1966). D'une part, le ministre de la Santé, M. Eric Kierans, a annoncé officiellement qu'on avait mobilisé une équipe de scientifique pour trouver la véritable cause de la myocardose constatée chez toutes les victimes.

D'autre part, la Brasserie Dow Limitée a décidé de fermer son usine de Québec et de retirer du marché (...) toute la bière qui s'y trouve déjà.

Rien de neuf

La déclaration de M. Kierans était attendue avec impatience; toutefois elle ne révèle rien de neuf. Elle rappelle les éléments essentiels du phénomène, tels qu'ils furent d'ailleurs annoncés dans LA PRESSE, édition du 26 mars.

Le ministre de la Santé a confirmé que le 19 mars un médecin de Québec a émis la possibilité d'une relation de cause à effet entre une consommation excessive de bière et une forme particulière de myocardose (la myocardose est définie comme une cardiopathie dégénérative affectant les fibres musculaires cardiaques de façon subaiguë ou chronique).

En plus des 16 cas mortels, on a dénombré 24 autres victimes, qui sont malades. Tous consommaient de grandes quantités de bière, et ceci depuis plusieurs années. En dépit des recherches, qui ont été faites depuis l'ouverture de l'enquête, on demeure encore incapable d'établir la cause de cette condition. (...)

La brasserie Dow Limitée

Alors que M. Kierans faisait savoir que la brasserie Dow avait volontairement cessé toute production dans son usine de Québec et que la bière entre les mains des distributeurs et des licenciés serait retirée du marché, la Compagnie elle-même diffusait un communiqué.

Ce document confirme l'affirmation du ministre. La décision de cesser pour l'instant toute production à Québec a été prise mardi soir, dans l'intention de rassurer la population et de collaborer avec les enquêteurs gouvernementaux.

On sait que sur les 40 victimes, 39 étaient des consommateurs assidus de la bière Dow.

La brasserie de Québec fournissait, en plus de la région de Québec, les acheteurs du Bas Saint-Laurent et du Saguenay-Lac Saint-Jean. A ce jour, on n'a rapporté aucun cas de myocardose dans ces régions. (...)

C'EST ARRIVÉ UN 30 MARS

1980 — Décès à l'âge de 74 ans d'Annunzio Paolo Mantovani, premier musicien qui est parvenu à vendre plus d'un million de disques stéréophoniques aux États-Unis.

1979 — Une bulle d'hydrogène hors de contrôle à la centrale nucléaire de Three Mile Island, en Pennsylvanie, oblige les autorités à envisager l'évacuation de 165 000 résidents. — Le député britannique Airy Neave est assassiné dans une cour du Parlement britannique; l'attentat est revendiqué par l'IRA.

1976 — Des bandits effectuent un vol de $2,8 millions contre un fourgon de la Brink's en utilisant une mitrailleuse lourde.

1968 — Le général Svoboda est élu à la présidence de l'État tchécoslovaque, par vote secret.

1965 — Une bombe éclate à l'ambassade des États-Unis à Saïgon et fait 12 morts et 145 blessés.

1960 — Le gouvernement sud-africain décrète l'état d'urgence tandis que 30 000 personnes descendent sur Le Cap pour protester contre l'obligation pour les Noirs de se munir d'une carte d'identité.

1950 — Décès de Léon Blum, qui fut trois fois premier ministre de France. Il était âgé de 77 ans.

1928 — Les aviateurs Eddie Stinson et George Haldeman établissent un record d'endurance en volant pendant plus de 53 heures.

L'expropriation à Sainte-Scholastique, un « problème juridique fantastique »

La façon dont Ottawa a exproprié quelque 70 milles carrés de terrains dans les comtés de Terrebonne, Argenteuil et Deux-Montagnes en vue de l'aménagement de l'aéroport de Sainte-Scholastique pose un « problème juridique fantastique » et obligera peut-être le gouvernement québécois à faire déclarer ultra vires par les tribunaux cette procédure.

Pendant ce temps, les urbanistes de la métropole et de Laval ont commencé à étudier les implications que pose pour eux l'implantation du nouvel aéroport et se réuniront en journée d'étude à la fin d'avril.

A Sainte-Scholastique, hier, c'était presque la panique. En effet, lors d'une rencontre avec les autorités du ministère fédéral des Transports, dimanche **(30 mars 1969)** soir, les habitants de tout ce vaste territoire, le maire Paul-Emile Lacombe en tête, ont appris que tout le terrain avait été exproprié sensément pour éviter la spéculation foncière, et que, partant, les habitants ne sont plus titulaires que d'un titre de possession.

Le problème est donc de savoir si Sainte-Scholastique, récipiendaire de l'aéroport, existe encore légalement.

N'étant plus propriétaires de leurs terrains, les édiles de Sainte-Scholastique et des environs ont-ils encore droit de siéger au conseil municipal? En fait, comme il n'y a qu'un seul propriétaire, le ministère fédéral des Transports, et que la nouvelle loi du suffrage universel municipal n'est pas encore entrée en vigueur, qui, à part les représentants du ministère des Transports, peut au point de vue municipal parler au nom des gens?

Le problème est si sérieux que personne, pas même le ministre Robert Lussier, qui a accordé hier une entrevue à LA PRESSE, ne sait si le conseil de Sainte-Scholastique a le droit de siéger lors de sa séance statutaire du mois d'avril et il en est de même pour les conseils de tous les territoires touchés par la vaste expropriation.

Le ministre Lussier fait présentement étudier par ses fonctionnaires toute la situation.

UNE ENVOLEE HISTORIQUE VERS PARIS, CE MATIN

Pour la première fois, un service canadien relie Montréal à la capitale française

UNE envolée historique a débuté, ce matin (30 mars 1951), à l'aéroport de Dorval, alors qu'une quarantaine de Canadiens, dont plusieurs représentants officiels de nos gouvernements et de nombreux journalistes, sont montés à bord d'un puissant quadrimoteur « North Star » d'Air-Canada, à destination de Paris. L'avion a décollé à 8 h. 20. Cette envolée marque, en effet, le début d'un service aérien direct entre la métropole canadienne et la capitale française. C'est la première fois qu'une liaison directe entre les deux plus grandes villes françaises du monde est ainsi assurée par une compagnie aérienne canadienne.

Air-Canada a tenu à marquer cet événement de façon bien particulière. A tous les passagers de cette envolée, qui constituent ses hôtes, il a voulu profiter de l'occasion pour offrir une splendide visite de la France et de ses principales villes. La compagnie aérienne a mis à point un programme exceptionnel. Pendant une semaine complète, ses hôtes de voyage pourront se familiariser avec la vie parisienne et française avec laquelle ils viendront en contact dès dimanche, alors que le « North Star » se posera à Paris.

(...)

Les Torontois assistaient, le *30 mars 1954*, donc 12 ans et demi avant les Montréalais, à l'entrée en service de leur métro, une première au Canada. La première ligne ouverte ce jour-là, sous la rue Yonge, dans l'axe nord-sud, avait une longueur de 4,57 milles et comportait 12 stations, et déjà on se préparait à construire une ligne est-ouest. Ce réseau initial avait coûté $58,5 millions, incluant le coût d'achat de 100 voitures.

L'institut Pasteur publie en anglais

Trois semaines après la communication interne signée par son directeur, M. Maxime Schwartz, l'Institut Pasteur confirme la décision prise au début du mois de donner à ses annales des titres anglais tout en maintenant éventuellement la publication de textes en français **(le 30 mars 1989)**

Après les premiers articles parus dans la presse parisienne sur la décision de l'Institut Pasteur d'éditer ses annales exclusivement en langue anglaise, la direction du célèbre laboratoire de recherche médicale a transmis sa réponse aux critiques qui lui ont été adressées.

Contrairement à ce que certains ont pu croire, affirme la direction de l'Institut, les revues de l'Institut Pasteur continueront à accepter des articles en français, pourvu que leur qualité scientifique le justifie. Par ailleurs, les auteurs publiant en anglais, qui constituent la très grande majorité, continueront d'être incités à accompagner leurs articles d'un résumé en français.

Il reste cependant exact que pour améliorer leur diffusion l'Institut Pasteur a été conduit à changer le titre de ses revues et à modifier la composition de son comité de lecture.

Un jour historique pour l'île de Terre-Neuve

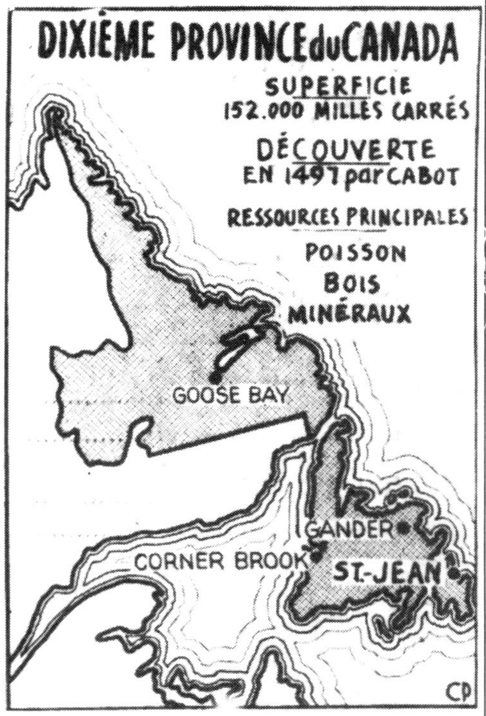

Croquis de la nouvelle province canadienne, publié dans LA PRESSE du *31 mars 1949.*

L'opinion est divisée, mais la majorité accepte l'annexion

SAINT-Jean, Terre-Neuve, — A onze heures et cinquante-neuf minutes **(31 mars 1949)**, 325 000 Terre-Neuviens deviendront Canadiens. La plupart s'en félicitent. Mais d'autres, surtout dans la presqu'île d'Avalon, où est située la capitale, Saint-Jean, et qui est aussi la région la plus riche de l'île, déplorent la Confédération.

Au plébiscite de juin dernier, les Terre-Neuviens se sont prononcés pour la Confédération à une faible majorité. Ils ont demandé la fin de la Commission administrative qui a gouverné l'île depuis 1934. Mais la question de la Confédération n'est pas encore définitivement réglée et elle ne le sera probablement pas avant longtemps. Les Terre-Neuviens ont le caractère très indépendant; beaucoup sont très mécontents qu'on les annexe au géant canadien.

Opposition tenace

Tous les observateurs s'accordent à dire que cette antipathie se manifestera par une lutte politique ouverte, éventuellement, mais sans provoquer de violences ce soir. L'entrée de l'île dans la Confédération sera probablement observée d'une manière assez tranquille ici; dans les ports dispersés sur 6,000 milles de côtes, il y aura des assemblées, mais sans caractère officiel, tandis que dans presque tout le Canada, demain, il y aura des cérémonies, des congés, pour fêter la nouvelle province. Ici se dérouleront les cérémonies officielles, demain, par exemple la prestation du serment du lieutenant-gouverneur, sir Albert Walsh.

Certaines rumeurs d'ailleurs non confirmées, veulent que Saint-Jean témoigne son opposition demain en portant le deuil, en montant un simulacre de «funérailles» pour l'indépendance. Les Terre-Neuviens se sont toujours passionnés pour l'économie, la politique et la religion.

Lorsque la première Assemblée s'ouvrit à Saint-Jean, en mai 1851, il y eut une émeute; 3 citoyens furent tués, plusieurs autres, dont un prêtre, blessés, à la suite d'un différend sur le résultat de l'élection. Le chômage de 1933-34 donna aussi lieu à des troubles; selon nombre de conservateurs, «les gens pensaient alors au meurtre». Ces troubles furent suivis d'une enquête royale, qui recommanda l'institution d'une commission administrative. Cette dernière s'est réunie aujourd'hui pour la dernière fois; elle approuvera ses procès-verbaux, et mettra fin à son régime.

Le gouverneur-général, sir Gordon Macdonald, est retourné en Angleterre il y a quelques semaines. Le juge sir Edward Emerson l'a remplacé dans l'intervalle.

Sir Albert Walsh a accepté d'être lieutenant-gouverneur, mais à titre provisoire seulement. Il prêtera serment à 1 h. 15 demain après-midi, heure locale. L'hon. Colin Gibson, secrétaire d'Etat du Canada, lui présentera un certificat de nationalité symbolique, que sir Albert Walsh acceptera au nom des Terre-Neuviens. La prestation du serment sera la seule cérémonie officielle à Terre-Neuve.

C'EST ARRIVÉ UN 31 MARS

1983 — Le séisme de Popayan, Colombie, cause la mort de 400 personnes.

1980 — L'athlète noir américain Jesse Owens, vedette incontestée des Jeux de Berlin en 1936 au grand désespoir d'Adolf Hitler, meurt à l'âge de 66 ans.

1974 — Un incendie suspect dans un dortoir de la SEBJ, à Matagami, cause la mort de quatre travailleurs. — Election de Maurice Bellemarre comme chef intérimaire de l'Union nationale.

1973 — Muhamed Ali, champion du monde des poids lourds, perd par décision contre un boxeur peu connu du nom de Ken Norton.

1970 — Des étudiants japonais détournent un avion de la All Nippon Airlines vers la Corée du Nord, pour ensuite découvrir qu'ils avaient plutôt, grâce à un habile subterfuge, atterri à Séoul, en Corée du Sud.

1968 — Le président américain Lyndon Baines Johnson annonce qu'il ne sollicitera pas de renouvellement de mandat. — Arrêt des raids américains en territoire nord-vietnamien.

1963 — La grève des journaux newyorkais prend fin après 114 jours.

1958 — Balayage sans précédent des Conservateurs lors des élections générales; ils enlèvent 209 sièges (dont 50 sur 75 au Québec), comparativement à 47 pour les Libéraux.

1946 — Le *Warrior*, nouveau porte-avions canadien, arrive à Halifax.

1928 — La ville de Smyrne, en Italie, est dévastée par un violent séisme, détruisant près de 2 000 bâtiments et causant la mort de 200 personnes.

1902 — Décès à Montréal du sénateur A.W. Ogilvie. Il a succombé à une pneumonie, à l'âge de 72 ans.

Gérard Moisan, un restaurateur de voitures anciennes, a démonté partiellement la de Dion-Bouton 1898 pour qu'elle puisse entrer dans le Musée du Château Ramezay.

L'ANCÊTRE RENTRE AU MUSÉE

La toute première voiture immatriculée au Québec et une des premières à avoir circulé dans les rues de Montréal, une de Dion-Bouton 1898, revient au Musée du Château Ramezay après avoir passé une vingtaine d'années dans un entrepôt où la Ville remise ses vieux camions, sous le pont Jacques-Cartier.

Cette voiture française est une pièce de collection d'une valeur inestimable.

Elle a été exposée brièvement pendant les célébrations du 350e anniversaire de Montréal, en 1992, pour être ensuite retournée dans son entrepôt. Ailleurs dans le monde, un objet aussi précieux serait exposé en permanence dans un musée où on en prendrait le plus grand soin.

Le directeur intérimaire du Musée, André Delisle, est parfaitement conscient du problème et est particulièrement soulagé de voir le véhicule historique revenir à l'endroit où il a été exposé jusqu'en 1976. Il a rappelé que cette année-là, on avait vidé le Château Ramezay pour le rénover.

Le Musée du Château Ramezay, le plus vieux musée privé d'histoire au Québec, célèbre cette année son centenaire.

Cette voiture a été achetée par Ucal-Hysopompe Dandurand (surnommé U.-H., pour des raisons évidentes), un courtier en immeubles, considéré comme le pionnier de l'automobile à Montréal. Il l'avait achetée en 1903 d'un commis-voyageur français du nom de Wolfe, de passage à Montréal.

La Ville de Montréal lui ayant refusé un permis parce que sa voiture n'entrait pas dans la catégorie des voitures à traction animale, il s'était adressé au gouvernement du Québec. Après avoir étudié sa demande, on lui avait remis une petite plaque portant la lettre « Q » et le chiffre « 1 ». La plaque est toujours fixée à l'arrière de la voiture. Le coût : un dollar.

Peut-on imaginer une page d'histoire plus vivante ?

Monsieur Dandurand l'a conduite jusqu'en 1910. À sa mort, elle a été donnée au Château Ramezay.

La vieille voiture a été restaurée en 1956 par un industriel du nom de Joseph Gest, lui-même collectionneur. Un de ses principaux problèmes : trouver des pneumatiques originaux. Après avoir écrit un peu partout dans le monde, il en avait trouvé chez un antiquaire d'Angleterre. Ses recherches lui avaient également permis de reconstituer la couleur originale et d'obtenir les données techniques manquantes.

Le moteur ne compte qu'un seul cylindre, refroidi à l'eau. Le volant est une simple poignée montée sur un arbre vertical. Les commandes de la transmission, de l'accélérateur et de l'allumage sont fixées au même arbre. Les deux banquettes de cette voiture à quatre places se font face.

Un tel véhicule pouvait atteindre la vitesse impressionnante de 40 kilomètres à l'heure.

Le comte de Dion et Georges Bouton sont reconnus comme les créateurs du premier véritable moteur à haute vitesse, développant beaucoup de puissance proportionnellement à son volume. Ils ont fabriqué des voitures jusqu'en 1932.

La de Dion-Bouton n'était pas la première voiture de monsieur Dandurand, mais la cinquième. Elle fut sans aucun doute la plus importante.

(Texte publié le 31 mars 1995)

Un inconnu achète par téléphone un Van Gogh 47 millions

Les Tournesols de Vincent Van Gogh est devenu hier **(le 30 mars 1987)** le tableau le plus cher du monde aux enchères de Christie's à Londres, où il a été vendu en moins de cinq minutes pour la somme record de 22,5 millions de livres (47,4 millions de dollars, auxquels doivent s'ajouter les frais de vente, portant la somme totale à 52 millions).

Il s'agit d'un record absolu sur le marché de l'art pour une vente aux enchères, puisqu'il a largement dépassé le prix atteint par *L'adoration des mages* d'Andrea Mantegna, vendu 16 millions de dollars en 1985. Le précédent record pour un peintre impressionniste avait été atteint par *La Rue Mosnier aux paveurs* d'Edouard Manet, qui s'est vendu 14,4 millions en décembre dernier à Londres.

« Un prix aussi élevé signifie que beaucoup de gens désirent ce tableau » a estimé le porte-parole de Christie's, à la fin de la vente, qui a duré moins de cinq minutes, devant une salle comble rassemblant des collectionneurs et des représentants de galeries et de musées du monde entier.

Les enchères, qui avaient été ouvertes à cinq millions de livres (10,5 millions de dollars), ont en quelques secondes atteint le double. L'acheteur, un étranger qui a voulu rester anonyme, a fait ses enchères par téléphone.

Le flamboyant bouquet de tournesols provenait de la collection privée de Sir Chester Beatty, et rejoindra probablement une autre collection privée quelque part dans le monde. Aucun des grands musées européens n'aurait pu payer un tel montant.

Les maires Jean Drapeau et Marcel Robidas, des villes de Montréal et de Longueuil respectivement, procédaient, le *31 mars 1967*, à l'inauguration officielle de la ligne 4 du métro de Montréal, reliant le centre-ville à Longueuil, sur la rive sud, en passant sous les îles de l'Exposition internationale. Cette photo a été prise dans la salle des pas perdus de la station de métro Longueuil.

Premier championnat pour les Citadelles de Québec

TROIS-Rivières (spécial à la «Presse») — Les Citadelles de Québec sont les nouveaux champions de la Ligue Junior de hockey du Québec. Les porte-couleurs de Frank Byrne ont en effet décroché leur premier championnat ici samedi **(31 mars 1951)** soir en temps supplémentaire.

Les Citadelles ont remporté une victoire de 2 à 1 pour décrocher les honneurs de la série finale en quatre gains consécutifs sur les Reds de Trois-Rivières de l'instructeur Jack Toupin.

Bruce Cline, Bernard Guay et Jean Béliveau ont été l'objet d'une chaude réception par leurs coéquipiers après la joute.

Les ailiers Cline et Guay ont réussi les buts des vainqueurs et le dernier a compté le but décisif après seulement 1.38 minute de jeu dans la période supplémentaire pour assurer les Citadelles du championnat.

Guay a compté après avoir reçu une passe parfaite de Jean Béliveau près des buts du cerbère Bob Perrault pour permettre au Québec de triompher.

Pierre Brillant a enregistré le seul but des Reds à la période finale de jeu régulier pour forcer les deux clubs à jouer en supplémentaire.

Vers la fin de cette 3e période, Brillant a réussi à déjouer la défense du Québec, et après une série de passes en compagnie de Claude Germain et de S.-Jean, a déjoué le cerbère Marcel Paillé pour l'unique but du Trois-Rivières.

Trudeau craint pour les libertés civiles

L'ex-premier ministre Pierre Elliott Trudeau « tremble » quand il pense à ce qu'il pourrait advenir des libertés au Québec, à cause de la notion de société distincte contenu dans l'Accord du lac Meech.

Témoignant hier (**le 30 mars 1988**) pendant près de cinq heures devant le comité plénier du Sénat sur l'Accord du lac Meech, M. Trudeau a tracé un parallèle entre un gouvernement dont le mandat est de diriger en fonction d'une communauté linguistique et ce qui se passe dans d'autres pays où la race ou la religion est la principale préoccupation du gouvernement.

M. Trudeau dit éprouver des craintes pour les libertés civiles quand il constate que la communauté québécoise aura des droits parce qu'elle constitue une société distincte.

Selon lui, la communauté en elle-même ne détient pas de droits, mais elle les reçoit des individus.

M. Trudeau a fait une longue présentation en anglais seulement, ce qui a provoqué un incident très remarqué. Un reporter du *Devoir*, Michel Vastel, s'étant en effet écrié : « En français s'il-vous-plait, M. Trudeau », il a immédiatement été expulsé de la salle.

L'ancien premier ministre a alors expliqué qu'il avait choisi de ne s'exprimer qu'en anglais parce que la presse québécoise ne s'était pas beaucoup intéressée à ce qu'il avait dit lorsqu'il avait témoigné sur le même sujet devant le comité mixte du Sénat et des Communes, l'été dernier. M. Trudeau a exprimé à ce propos l'opinion que le caractère distinctif du Québec avait souvent été mieux servi par des organismes canadiens tels Radio-Canada que par les milieux culturels québécois.

Johnson abandonne le Vietnam et la présidence

Le président Lyndon Johnson a lâché une bombe dans l'arène politique américaine en annonçant hier (**le 31 mars 1968**) qu'il ne serait pas candidat au renouvellement de son mandat à la Maison-Blanche.

M. Johnson a véritablement stupéfié, bouleversé et confondu 200 millions d'Américains en leur annonçant qu'il se retirait de la course à la présidence, alors que la bataille électorale vient seulement de s'engager.

Rien ne laissait prévoir cette décision dont le président avait soigneusement gardé le secret pour n'en faire part à la nation américaine qu'à la fin d'un discours radio-télévisé consacré en grande partie au Vietnam. La scène électorale américaine s'est, en quelques minutes, trouvée bouleversée par la déclaration de M. Johnson faite, a-t-il affirmé, dans l'intérêt de l'unité nationale.

Le porte-parole de la Maison-Blanche, M. George Christian, visiblement bouleversé, informait alors les journalistes présents à l'enregistrement du discours du président qu'il travaillait lui-même depuis le mois d'octobre dernier à la rédaction du discours « d'adieu ». Il a ajouté que le président Johnson envisageait depuis plus d'un an de ne pas se présenter aux prochaines élections, avait consulté le général William Westmoreland à ce sujet il y a plusieurs mois et était même sur le point d'annoncer sa décision dans son message sur l'état de l'Union le 18 janvier.

Dans ce même discours, le président Johnson a décrété l'arrêt des bombardements aériens et navals sur 90 % du territoire nord-vietnamien et il a choisi le discours le plus important d'une carrière politique vieille de 36 ans pour lancer à Ho Chi-minn un appel à la paix.

En annonçant sa décision de prendre une première mesure de désescalade du conflit, M. Johnson a précisé que cette pause s'appliquait à tout le Nord-Vietnam, à l'exception d'une région au nord de la zone démilitarisée où les forces ennemies et les infiltrations d'hommes et de matériel menacent directement les positions avancées des forces alliées des États-Unis. Mais il a ajouté que l'arrêt des bombardements pourrait être total si Hanoï fait preuve d'un geste de bonne volonté identique.

Audacieux hold-up

Un vol à main armée d'une audace inouïe a été conmmis par des bandits, à 2 h cet après-midi (**le 1er avril 1924**), rue Ontario-Est, près du tunnel. Les bandits ont attaqué l'auto dans lequel était transporté l'argent de la succursale d'une banque.

Le chauffeur de l'automobile de la banque a été tué d'une balle, pendant que les employés de la succursale échangeaient un feu nourri de coups de revolver avec les assaillants. Ces derniers réussirent à se sauver, emportant une partie de l'argent. Le combat fut excessivement palpitant.

Appelés en toute hâte, les agents de la police donnèrent la chasse aux bandits, qui étaient au nombre d'environ huit. Le constable Israël Pelletier, de l'escouade des motocyclettes, aurait tué un peu plus tard l'un des bandits d'un coup de feu, dans le nord de la rue Christophe-Colomb.

Le chauffeur qui a été assassiné est M. Henri Cléroux, à l'emploi de la banque d'Hochelaga. Il est mort en arrivant à l'hôpital Notre-Dame, où on l'avait transporté en toute hâte.

La Banque Hochelaga offre une récompense de 5 000 $, pour la capture des bandits.

Le montant du vol se chiffre à 200 000 $ selon les informations que donnent les autorités de la banque. Les bandits étaient armés de carabines et de revolvers. Ils occupaient deux automobiles. Ils filèrent à une allure vertigineuse, dès que leur attentat fut perpétré.

Il y avait encore une somme de 500 000 $ dans la voiture, mais les bandits n'ont pas eu l'occasion de s'en emparer, dans leur hâte de fuir.

La population du Cimetière Notre-Dame des Neiges, le plus grand au Canada et l'un des plus grands au monde, atteint maintenant un million.

Un million de morts, vingt nouveaux «clients» par jour... et de la place pour des siècles

Le Cimetière de Notre-Dame des Neiges, situé sur le versant ouest du Mont-Royal, compte presque autant de morts que Montréal compte de mortels.

La population de ce cimetière, le plus grand au Canada et l'un des plus grands au monde, atteint maintenant un million. Et les corbillards continuent d'en franchir les portes au rythme de 20 par jour.

Mais ne vous dépêchez pas de mourir ! Il y a de la place pour tout le monde. Et pour des siècles et des siècles.

C'est ce qu'affirme M. Raymond Duvernois, directeur de ce très beau cimetière informatisé qui attire des visiteurs dès les premiers beaux dimanches du printemps. « En plus de l'espace développé d'environ un mille carré, explique-il, nous possédons une partie non développée sur le côté d'Outremont. Alors, au rythme actuel des nécrologies, on en a pour plusieurs siècles. »

On vient au Cimetière de Notre-Dame des Neiges depuis 131 ans. Pour se recueillir sur une tombe mais aussi pour respirer l'air, admirer le paysage ou observer de nombreuses espèces d'oiseaux, peut-être un faisan, ou encore un lapin à queue blanche. **(Texte publié le 1er avril 1986)**

Pas le coeur à la fête

Il y a quarante ans aujourd'hui (**le 1er avril 1989**), Terre-Neuve entrait dans la fédération canadienne. Aucune manifestation n'est toutefois prévue pour marquer cet anniversaire. Les habitants du Rocher n'ont sans doute pas le goût de fêter.

« Le ténor de la campagne pour l'union avec le Canada, Joey Smallwood, promettait le développement économique et l'État-providence. Or, il semble que nous ayons surtout obtenu la deuxième moitié de son engagement », lance Valerie Summers, professeur de science politique à l'Université Memorial de Saint-John's.

D'après Mme Summers, ces promesses de développement économique ont été grandement exagérées pendant la campagne référendaire sur l'avenir de Terre-Neuve. La plupart de celles-ci ne se sont d'ailleurs pas réalisées et la province est, encore aujourd'hui, affligée d'un taux de chômage deux fois plus élevé que celui du Québec.

Le Nunavut, jour 1

Les résidants de la portion orientale des Territoires du Nord-Ouest ont commencé à célébrer la naissance de leur propre territoire, le Nunavut, qui devient réalité à compter d'aujourd'hui (**1er avril 1999**).

« Que le reste du monde sache que nous avons notre propre culture, et ils vont apprendre à nous connaître », a lancé Sila Kelly, radieuse, alors que la fête commençait.

À Iqaluit, capitale du Nunavut, qui ne compte normalement que 4500 habitants, mais est actuellement envahie par quelque 1200 visiteurs, 150 personnes ont fait fi d'un vent mordant ayant fait chuter le mercure à moins 42 degrés Celsius, se rassemblant à l'extérieur afin de se prêter à divers jeux nordiques traditionnels, notamment le lancer du harpon et le nusuuraut, sorte de jeu de traction à la corde.

Le Nunavut est né d'une entente paraphée en 1992, en vertu de laquelle les Inuits acceptaient de renoncer à toute éventuelle revendication territoriale en échange du droit à gouverner leur propre territoire. La partie occidentale de l'ancien territoire continuera d'être connue sous le nom de Territoires-du-Nord-Ouest.

Le Nunavut s'étend sur plus de deux millions de kilomètres carrés de toundra et de glace, à l'extrême nord du pays. Il compte 25 000 personnes, dont 85 pour cent d'Inuits.

Plus de 90 pour cent de son budget de 620 millions proviendra d'Ottawa.

Le Parlement du Nunavut comptera 19 membres — parmi lesquels le premier ministre Paul Okalik — qui ne seront apparentés à aucune formation politique.

C'EST ARRIVÉ UN 1er AVRIL

1986 — Après 21 jours, le sénateur Jacques Hébert, 62 ans, a mis un terme au jeûne qu'il avait entrepris afin de sensibiliser le gouvernement et la population canadienne aux problèmes des jeunes. On lui a promis de créer un comité de citoyens canadiens qui s'attachera à faire revivre le propgramme Katimavik.

1985 — La majorité des Québécois francophones (56 %) estiment que les enseignes des commerces et des entreprises devraient être uniquement en français, révèle un sondage CROP. Il démontre que les Québécois francophones adoptent une attitude plus dure que par le passé envers la protection de la langue française.

1981 — John Hinckley, le présumé auteur de l'attentat contre le président Reagan, aurait agi par amour pour une jeune actrice, Jodie Foster, qui jouait le rôle d'une prostituée dans le film *Taxi Driver*. Dans une lettre découverte par le FBI dans la chambre d'hôtel de Hinckley, adressée à Jodie Foster, 18 ans, le suspect écrit : « Je prouverai mon amour pour vous par une geste historique. Je mourrai probablement dans cette action. Je me moque de ce qui peut m'arriver. »

1976 — L'ancien ministre libéral Claude Castonguay a déclaré que l'administration montréalaise avait commis une grave erreur en imposant aux payeurs de taxes des dépenses aussi élevées à l'occasion des Jeux olympiques, allant même jusqu'à qualifier la situation de « scandaleuse ».

raux et 8 pour le CCF.

1939 — «Le Canada ne pourrait demeurer neutre dans une guerre où la Grande-Bretagne serait engagée», déclare à la Chambre des communes Ernest Lapointe, ministre de la Justice, en ajoutant que les Canadiens-français ne reconnaîtraient jamais à un gouvernement le droit de leur imposer la conscription pour un conflit en dehors du territoire canadien.

1936 — Les Italiens paraissent avoir définitivement mis le Négus hors de combat. Une colonne italienne motorisée a atteint, aujourd'hui, les rives du lac Tanna, en plein intérieur de la sphère d'influence de la Grande-Bretagne. Des rapports non confirmés disent que l'empereur Haïlé Sélassié demande la paix.

1931 — Soixante-huit hommes et trois femmes ont comparu devant les tribunaux d'Osaka à la suite d'un grand raid national contre les communistes. D'après la loi revisée de 1928, les intrigues communistes sont une offense criminelle punissable de mort.

1924 — Le général Erich Ludendorff, ancien feld-maréchal qui était accusé de trahison pour avoir participé à la révolte de novembre dernier, révolte dont le succès a été éphémère, a été acquitté. Adolphe Hitler, chef des nationaliste bavarois, et l'ancien chef de police Poehner ont été reconnus coupables et condamnés, chacun, à cinq ans de forteresse et à une amende de 200 marks-or.

ATTENTION AU POISSON D'AVRIL!

*(Ce premier article a été publié le **31 mars 1914**).*

.....

OUI, c'est demain qu'un grand nombre, selon une coutume antique autant que solennelle, tâcheront de se mystifier et de rompre un peu la monotonie de cette vie. (...)

Les anthologistes nous disent que la coutume du «poisson d'avril» remonte au XVIième siècle alors que le roi de France changea par un édit la date du commencement de l'année qui était alors au premier avril. La date des étrennes changea en même temps, et ceux qui préféraient encore le 1er avril au premier janvier se virent l'objet des facéties des esprits «ultra-modernes» d'alors qui leur envoyaient des cadeaux dérisoires ou leur tendaient des pièges inoffensifs. C'est aussi en avril que se termine le passage zodiacal des poissons.

Ces explications sont sans doute satisfaisantes, mais il appert que ces messieurs les anthologistes ne se sont pas donné la peine de consulter tous les vieux parchemins, autrement ils auraient appris que l'origine du poisson d'avril remonte au Paradis terrestre, ce qui n'est pas d'hier. (...)

Les chiromanciens disent que les femmes qui sont nées le 1er avril ont le mutisme des poissons quand il s'agit de garder un secret et que leur esprit a toute la grâce et la vitesse d'évolution de ces petits poissons rouges ou d'or que l'on conserve chez soi dans des aquariums. Si la chose n'est pas toujours d'une rigoureuse exactitude, on avouera que comme compliment, ça n'est pas mal trouvé.

En attendant, gare à la journée de demain! Poisson d'avril!

.....

*L'année précédente, soit le **31 mars 1913**, LA PRESSE proposait l'article suivant. Il n'y a qu'un an d'intervalle entre les deux textes mais on croirait qu'il s'agit d'un siècle...*

....

DEMAIN commence le mois d'avril et le premier jour de ce mois va ramener son fatal cortège de farces plus ou moins spirituelles et d'attrapes que tout le monde goûte, sauf celui qui en est la victime.

L'origine de cette coutume se perd dans la nuit des temps et les historiens s'accordent peu sur sa source. Il est certain que le poisson fut un symbole dès les premières années de l'ère chrétienne. Comment ce qui fut d'abord un symbole devint l'objet de farces et de plaisanteries, voilà justement ce que personne n'a su encore expliquer.

Donc, les naïfs et les crédules devront se tenir leurs gardes, demain, s'ils ne veulent pas risquer d'aller chercher la corde à virer le vent, la clef du Champ de Mars, une vrille à percer des trous carrés ou autres fantaisies rajeunies constamment. Sur les navires anglais, le mousse est envoyé chercher la «clef de la quille du bateau» et il le fait avec courage jusqu'au moment où il tombe sur un officiel de mauvaise humeur qui lui colle une punition pour lui éclairer l'intellect.

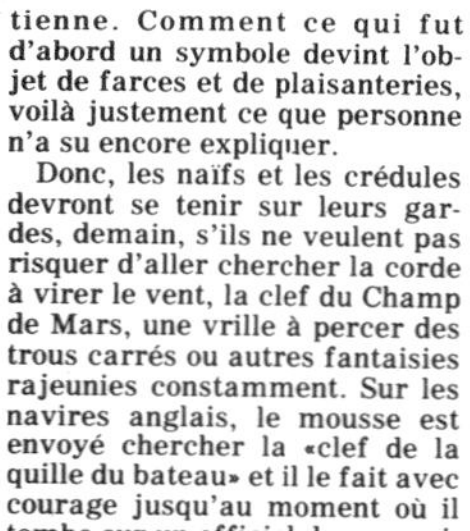

Il est d'usage dans beaucoup de familles d'offrir aux amis des petits poissons en sucreries ou en chocolat. D'autres, d'un naturel cruellement farceur, se contentent d'envoyer un vrai poisson dont l'odeur suffit pour déceler l'antique origine. Quand un naïf se laisse prendre, les spectateurs et surtout les auteurs de la farce, rient comme des bossus, quitte à devenir eux-mêmes victimes d'une autre plaisanterie mieux agencée que la leur.

Les jeunes filles à marier devront se souvenir de ces deux vers de Jacquelin qui, parlant des sentiments tendres, dit:

Serment de tendresse éternelle,
Est bien un vrai poisson d'avril!

MONTREAL S'EST CHOISI UN NOUVEAU MAIRE

M. Camillien Houde est élu par plus de 20,000 voix de majorité sur l'honorable Médéric Martin. — Le nouveau maire de Montréal obtient plus de 58,000 voix.

LES citoyens de Montréal, par un vote décisif, se sont donné **(le 2 avril 1928)** un nouveau maire et ont renvoyé à son foyer celui qui avait été leur premier magistrat pendant douze ans et qui leur demandait une dernière et finale réélection avant qu'il ne se retirât de la vie publique municipale.

M. Camillien Houde a obtenu plus de 20,000 voix de majorité sur l'hon. Médéric Martin. M. Houde a de bonnes majorités dans 20 quartiers de la ville, sur 35, et le maire Martin n'a eu de faibles majorités que dans les six quartiers suivants: Papineau, Sainte-Marie, Sainte-Cunégonde, Hochelaga, Saint-Henri et Saint-Jean-Baptiste. Dans tous les quartiers de la ville, M. Martin a vu diminuer le nombre de ses partisans, particulièrement dans Bourget, Saint-Louis, Hochelaga et Saint-Jean-Baptiste, où ses pertes ont été les plus considérables. (...) Les quartiers à majorité anglaise ont voté plus fortement que jamais contre M. Martin.

Le peuple montréalais s'est de même très clairement prononcé sur le principe de l'avance de l'heure. Vingt-cinq quartiers de la ville se sont prononcés en faveur de la mesure, et les seuls qui enregistrèrent un vote contre sont: Papineau, Saint-Eusèbe, Sainte-Cunégonde, Sainte-Marie, Préfontaine, Hochelaga, Maisonneuve, Saint-Henri, Montcalm et Villeray. La majorité totale enregistrée en faveur de l'avance de l'heure est de 14,227. Cinq des six quartiers qui ont donné une majorité à l'hon. M. Martin en ont donné une contre l'avance de l'heure.

COMMENTAIRES DU MAIRE

«L'on dit que c'est une ère nouvelle qui se lève avec un homme nouveau, pour notre administration municipale. Je souhaite à mon successeur tout le succès possible et j'espère qu'il travaillera pour le plus grand bien des contribuables de la métropole.»

C'est ce que nous déclarait en son bureau de l'hôtel de ville l'honorable Médéric Martin.

Frais et dispos, quoiqu'ayant la voix un peu enrouée, vêtu de gris, portant à la boutonnière de son veston la traditionnelle fleur rouge, notre premier magistrat prend sa défaite gaiement.

Alors que les journalistes l'entouraient, il fit mander M. J.-Etienne Gauthier, greffier de la ville, afin d'avoir un rapport complet du scrutin donné dans tous les quartiers de Montréal, à la mairie, à l'échevinage et sur l'avance de l'heure.

«Je trouve quelque peu étrange, ajouta-t-il, le nombre de votes qui se sont donnés et la majorité qu'a obtenue sur moi M. Houde. Les chiffres me paraissent un peu gros.»

Immédiatement, un journaliste lui demande s'il a l'intention de demander un recomptage. M. Martin se met à rire mais ne répond pas à la question qui lui a été posée.

— Vous verrait-on dans la lutte, dans deux ans?

— Jamais vous ne me verrez dans la vie publique. On m'offrirait $100 000, on m'apporterait sur un plateau d'argent mon élection par acclamation, que je refuserais. Il y a trente-cinq ans que je me dévoue pour mes concitoyens, à qui je crois avoir rendu quelques services. J'ai presque délaissé ma famille. Je n'ai pas connu durant cette période les joies de cette vie de famille. Enfin, je vais pouvoir me reposer et jouir de la vie. Il y a assez longtemps que je peine et que je travaille. Il me semble que j'ai gagné de me reposer.

Camillien Houde, nouveau maire de Montréal.

Arrosage Nettoyage des Rues
L'ancienne balayeuse mécanique à Montréal.
Tombereau ouvert dans lequel on transporte les déchets, à l'incinérateur, à Montréal.
Le rateau mécanique pour nettoyer les rues, à Montréal.
Tombereau hygiénique que l'on emploie à Berlin, Allemagne, pour transporter les résidus ménagers.
La balayeuse mécanique que l'on emploie actuellement à Montréal.
La voiture-arrosoir, ancien modèle.
La voiture-arrosoir, nouveau modèle.
La voiture arrosoir électrique que l'on devrait avoir à Montréal.

Page publiée le 2 avril 1910.

C'EST ARRIVÉ UN 2 AVRIL

1982 — A la suite de l'occupation des îles Falklands, par l'Argentine, la Grande-Bretagne rompt ses relations avec ce pays.

1979 — En visite officielle en Égypte, Menachem Begin, premier ministre d'Israël, est accueilli avec une froideur glaciale.

1974 — L'affaire Paragon, qui causera de nombreux ennuis au premier ministre Robert Bourassa, défraie la manchette de LA PRESSE. — Georges Pompidou, président de la France, meurt à l'âge de 62 ans. Il avait été élu en 1969. — Les libéraux sortent victorieux des élections provinciales, en Nouvelle-Écosse, en enlevant 31 des 46 sièges.

1973 — Une commission d'enquête sénatoriale américaine juge inacceptable l'intervention de la société ITT au Chili.

1954 — Le Vietminh envahit le Cambodge.

1948 — Le Congrès américain approuve le projet de loi (le « plan Marshall ») qui prévoit une dépense de $6 milliards pour venir en aide aux pays ravagés par la guerre. — Le feu détruit la magnifique église de Sainte-Anne-de-la-Pocatière.

1945 — On révèle que le deuxième conflit mondial a entraîné la mort de près de 91 000 soldats canadiens.

1941 — Plutôt que d'ordonner à ses soldats de se joindre aux nazis pour attaquer la Yougoslavie, le comte Paul Téléki, premier ministre de Hongrie, préfère se donner la mort.

Dix ans de prison pour Maurice Papon

Après six mois de débats, puis des délibérations ininterrompues de 19 heures, le procès pour « complicité de crime contre l'humanité » de Maurice Papon s'est terminé à Bordeaux par un verdict de compromis plutôt prévisible.

Âgé de 87 ans, l'ancien numéro deux de la préfecture de Bordeaux pendant l'Occupation a été condamné à dix ans de prison.

(Texte publié le 2 avril 1998)

Décès, à 85 ans, de Mlle Colette Lesage

*Le **2 avril 1961**, mourait à l'âge de 85 ans Mademoiselle Colette Lesage qui, pendant plus de 50 ans, avait signé le fort populaire «Courrier de Colette» dans LA PRESSE, courrier qu'elle a signé jusqu'en 1953. Deux jours plus tard, le regretté Roger Champoux lui rendait hommage en page éditoriale de la manière suivante, sous le titre «COLETTE, conseillère exemplaire».*

DANS la vie, il y a beaucoup de gens qui sont quelque chose; très peu sont quelqu'un.

Colette Lesage, c'était quelqu'un! Cette femme si frêle était une force; cette personne si modeste, si effacée, était une puissance. Doyenne, à tous les titres, du journalisme féminin canadien-français, Colette a tenu la plume durant plus de cinquante années (de 1898 à 1953). Dans la troisième année du vingtième siècle, elle fondait la page féminine de **La Presse** et Mlle Edouardina Lesage n'allait pas tarder à rendre célèbre un prénom, Colette, qui devint son nom de plume et son nom pour de bon.

Colette Lesage aura été la créatrice du «courrier du coeur», formule aujourd'hui répandue. Mais est-ce faire injure à quiconque d'oser écrire que, dans cette discipline littéraire, Colette aura toujours été au pinacle de la perfection? Superbement intelligente, cultivée, près des humbles parce qu'elle était humble elle-même, philosophe parce que son volumineux courrier (on a déjà compté 400 lettres en un seul jour) lui révélait autant les beautés que les noirceurs de l'existence, cette femme rédigeait les réponses à son courrier avec un soin extrême. Tant pour le fond que pour la forme.

On a pu écrire que le coeur des femmes est un abîme dont personne ne connaît le fond. Cette

Edouardina Lesage, mieux connue sous le nom de Colette.

réflexion faisait sourire Colette qui pouvait se vanter de connaître ses soeurs mieux qu'elles-mêmes. Elles sont légions celles qui ont trouvé en Colette, non seulement une confidence, mais une conseillère. Délicate, fine, perspicace, sachant être catégorique quand le problème exigeait une solution tranchée, Colette possédait l'art, combien difficile! d'associer la bonté à la rigueur.

Au départ, le «Courrier de Colette» fut un succès sans précédent; la popularité de la rubrique n'a jamais fléchi parce que l'éminente femme de lettres, semblant deviner les angoisses des générations nouvelles, traitait des problèmes du temps présent avec une autorité fondée sur la longue et féconde expérience du passé. L'amour, l'inquiétude et le chagrin cheminent toujours ensemble.

Colette évitait de pleurnicher avec les adolescentes. Elle détestait la sottise et la friponnerie chez les femmes noircissant toujours le mari pour mieux masquer leurs propres fautes. (...) Celles qui cherchaient des doléances étaient déçues; celles qui désiraient une leçon d'optimisme et de confiance ne lui ont jamais écrit en vain.

Surtout de la dignité chez Colette. Combien de lettres de ton scrabreux sont parvenues sur sa table de travail auxquelles elle a su répondre avec vigueur et vérité, certes, sans jamais que l'écrivain ait senti le besoin de se livrer à une bassesse d'écriture.

Sachant combien redoutable était son poste, comprenant l'immense répercussion de ses directives, Colette n'a jamais donné un conseil qui n'ait été longuement mûri. Cette femme avait charge d'âmes en quelque sorte; elle fut toujours impeccablement à la hauteur de cette exaltante mais difficile mission. Et lorsque le cardinal Léger lui remit la médaille «Bene Merenti», accordée par sa Sainteté le pape Pie XII, jamais pareil hommage ne fut aussi bien mérité.

Colette Lesage, qui avait fait valoir ses droits à la retraite en 1956, s'est éteinte à 85 ans, en ce dimanche de Pâques. Coïncidence, évidemment. Mais les lis de Pâques qui fleurissent sa tombe sont l'offrande qui convient à celle dont la vie et les écrits furent toujours si purs.

Un billet de loterie égaré fait six millionnaires

«Il y a encore du monde honnête et je n'en reviens pas », disait hier (**le 1er avril 1986**), en dodelinant de la tête, Jean-Guy Lavigueur, un assisté social de Montréal devenu millionnaire en fin de semaine, grâce à la combinaison gagnante du 6/49, qui a rapporté le plus gros lot jamais gagné au Québec : 7 650 267 $

Et millionnaire, M. Lavigueur ne le serait certes pas aujourd'hui, sans l'honnêteté inébranlable d'un chambreur du bas Westmount, William Murphy, 28 ans, assisté social lui aussi.

Lavigueur, qui avait participé au tirage de la Loto avec trois de ses enfants et un beau-frère, n'aurait pu mettre la main sur la moindre pièce de monnaie de ce gros lot, même avec la combinaison gagnante... parce qu'il avait perdu son billet.

Et c'est Murphy, qui a trouvé le portefeuille perdu par Lavigueur, qui lui a rapporté son billet gagnant. Il lui a même fallu s'y prendre à deux fois. Ne pouvant se faire comprendre en français, langue qui lui est étrangère, il avait été mal accueilli et renvoyé à sa première tentative.

Cette histoire est incroyable. Lors de la conférence de presse de Loto-Québec, on se regardait, se demandant si on ne rêvait pas, si on n'était pas en train de se faire monter le plus machiavélique des poissons d'avril.

Mais non. Cette histoire, si abracadabrante soit-elle, est bien réelle. Elle montre même que l'honnêteté paye puisque les gagnants ont décidé de récompenser l'honnête homme en en faisant aussi un millionnaire. Ils ont en effet ajouté le nom du chambreur de 28 ans au formulaire de réclamation du gros lot. Ils en ont ainsi fait un millionnaire. Comme eux.

La LNH paralysée

Par une majorité écrasante de 560 votes contre 4, les joueurs de la Ligue nationale de hockey ont rejeté hier (**le 1 er avril 1992**) la dernière offre des propriétaires et déclenché la première grève de l'histoire du circuit.

Bob Goodenow, le directeur exécutif de l'Association des joueurs, a annoncé les résultats du scrutin secret lors d'une méga-conférence de presse tenue dans un hôtel de Toronto, une demi-heure avant l'heure prévue du déclenchement de la grève.

« Nous avons tout fait en notre pouvoir pour éviter cet arrêt de travail, a-t-il dit. La contre-proposition que nous avons soumise aux propriétaires dans la nuit de samedi à dimanche répondait à plusieurs de leurs inquiétudes économiques. Personne n'est heureux de la tournure des événements, mais nous devions faire ce geste. »

Le caractère décisif du vote illustre la puissante solidarité qui unit les membres de l'Association. « Je sais que nous ne jouirons pas de l'appui du public, a déclaré Mike Gartner, des Rangers de New York. Les gens ne pleureront pas sur le sort de joueurs payés en moyenne 350 000 $ par an. Mais je ne crois pas qu'ils éprouvent davantage de sympathie pour des propriétaires qui empochent des millions. »

Une sculpture fait scandale à Ottawa

L'exposition, par le Musée des beaux-arts, d'une sculpture faite de 23 kilos de viande de boeuf a suscité l'ire de nombreuses personnalités, tandis que sa créatrice, l'artiste montréalaise Jana Sterback, affirme que son oeuvre cherche simplement à illustrer la vanité humaine et le caractère éphémère de la vie.

Pour le conseiller municipal Mark Maloney, ces quartiers de viande disposés sur un mannequin de manière à suggérer une robe de femme sont aussi dégoûtants que peu hygiéniques. Il a chargé les inspecteurs de la santé d'examiner la sculpture, qui fait partie d'une exposition de 24 oeuvres de Sterbak, pour savoir si elle n'enfreignait pas les normes de la santé publique.

Mme Sterbak prétend quant à elle que sa création pourrait, au pis, être considérée comme une illustration humoristique, et même quelque peu grotesque, de la tendance sexiste consistant à traiter les femmes comme des morceaux de viande.

Mais, souligne-t-elle, son intention était plus subtile : le titre de la sculpture, *Vanitas : Robe de chair pour une albinos anorexique*, veut rappeler que tout n'est que vanité et que la vie ne dure qu'un instant. « Ce que j'ai voulu souligner, c'est que la chair se dessèche et que bientôt, il ne reste plus que des rides sans attrait », dit-elle.

(Texte publié le 2 avril 1991)

46e ANNEE—No 143—36 PAGES —1e SECTION— EDITION QUOTIDIENNE—MONTREAL, JEUDI 3 AVRIL 1930 PRIX: DEUX CENTINS

Albani est morte aujourd'hui à Londres

Parti de son pays d'origine à cause de la calomnie et de l'ignominie du milieu artistique, Charlie Chaplin y rentrait la tête haute le *3 avril 1972* après un exil de 20 ans en Europe. Partout il fut accueilli avec chaleur pendant les quelques jours qu'il devait passer aux États-Unis avant de retourner en Suisse où il vivait depuis quelques années. Il fut notamment l'objet d'un « Salut à Charlot » au Lincoln Center de New York, en plus d'être salué par ses pairs lors de la soirée des Oscars, à Los Angeles.

L'illustre cantatrice canadienne-française était âgée de soixante-dix-sept ans. — Elle se trouvait depuis quelque temps dans un état de santé précaire.

LONDRES — Madame Albani, la célèbre cantatrice canadienne-française, est morte aujourd'hui **(3 avril 1930)** à Londres. Elle était âgée de 77 ans et était, depuis quelque temps, dans un état de santé précaire.

Mme Albani, née Lajeunesse (Emma), était la plus grande cantatrice que le Canada a produite. L'on se rappelle les succès retentissants qu'elle avait obtenus en Europe et aux Etats-Unis, et avec quel enthousiasme débordant elle était reçue par notre population chaque fois qu'elle revenait faire une visite au Canada, le pays de sa naissance.

Il y a cinq ans, en avril 1925, la «Presse», sur la demande de l'honorable W.L. Mackenzie King, premier ministre du Canada, organisait une souscription nationale en sa faveur.

NOTES BIOGRAPHIQUES

Albani (Marie-Louise-Cecilia-Emma Lajeunesse) naquit à Chambly, le 1er novembre 1852, et reçut son éducation au Couvent du Sacré-Coeur de Montréal. Elle alla ensuite parfaire ses études musicales à Paris et à Milan. Elle fit son début à l'opéra à Messine, Sicile, en 1870, dans «La Somnambula» de Bellini, et chanta subséquemment à Florence et à Malte. C'est en mai 1872 qu'elle fit sa première apparition sur la scène de Covent Garden et conquit en une soirée l'admiration enthousiaste de Londres. Depuis, elle a chanté dans tous les pays du monde et est devenue l'idole de toutes les scènes lyriques. Elle fut la seule amie intime de la reine Victoria qui la combla d'honneurs et de faveurs, et son génie fut officiellement reconnu par tous les pays, qui la décorèrent et en firent membre de toutes les chevaleries. Après l'avoir entendue dans «Lohengrin» à Berlin, l'empereur Guillaume Premier, d'Allemagne, la créa première cantatrice de sa maison royale.

Albani abandonna le concert en 1912, à l'âge de 60 ans, dans toute la gloire qu'on puisse rêver. Plus de 10,000 auditeurs, parmi lesquels étaient Patti, sir Charles Stanley et autres éminents artistes, l'entendirent chanter pour la dernière fois le «Goodbye» de Tosti. Depuis, Albani s'est activement occupée de ses nombreuses oeuvres philanthropiques et de l'éducation des jeunes artistes de talent.

«Madame Albani, dit un journal anglais, restera célèbre non seulement comme cantatrice, mais comme une femme qui a conquis et gardé pendant toute sa longue carrière l'affection et l'estime des multitudes d'amis et d'admirateurs dans le monde entier. Elle restera l'une des plus brillantes figures musicales du vingtième siècle.»

Elle fit honneur aux siens, à sa race, à sa patrie, elle fut compatissante pour les misères des autres, elle encouragea de son influence et de ses deniers les jeunes talents musicaux, elle nous fit partager les honneurs qui rejaillirent sur elle, elle ajouta un glorieux joyau à la couronne artistique canadienne.

Albani, de son vrai nom Emma Lajeunesse, est décédée à Londres à l'âge de 77 ans.

Elvis à Ottawa

Tempête déchaînée dans une jungle en furie, au Colisée de la capitale

OTTAWA — J'ai vu, hier **(3 avril 1957)** soir, Elvis Presley se gratter la cuisse gauche: une hystérie collective s'est aussitôt emparée d'une foule de 8,500 personnes (dont près de 1,000 venues de Montréal) et une vague de cris perçants, de hurlements, a «noyé» la voix du... «chanteur» bien-aimé.

Elvis, ruisselant d'or et de pommade, les jambes en délire, l'oeil hagard, s'est secoué la tête: l'«immersion» fut totale et on ne l'entendit plus du reste de la soirée.

Quand il s'empara, d'un geste... dramatique de sa guitare, les murs du Colisée d'Ottawa résonnèrent d'échos rauques, spasmodiques, tandis que des adolescentes s'arrachaient les cheveux, pleuraient, riaient, tendaient des bras tordus par l'émotion...

L'obscurité était presque totale: seuls, deux projecteurs braqués sur le jeune Adonis en transes, caressant avec amour son microphone, se déhanchant avec une souplesse qu'envieraient les «vamps »hollywoodiennes. Mais il y avait au moins 500 des jeunes admirateurs de l'électricien de Memphis à la flotte de Cadillacs roses et rouges qui étaient armés de cameras dont les éclairs de magnésium déchiraient l'obscurité: une tempête dans une jungle en furie!

Titubant, se jetant à genoux, tournant les pouces, embrassant... du regard quelques-uns de ses «fans» qui en trépignaient aussitôt de joie, les cheveux en vadrouille avec favoris extralongs, Elvis n'avait pas prononcé un mot, fait un geste, que de 8,500 poitrines jaillissait une clameur stridente, continue.

Le Rock 'n Roll et son rajah, «snubbés» par Montréal, ont pris une torride vengeance dans la capitale canadienne, où toute la force policière locale avait été mobilisée pour prévenir des actes de violence qui ne se produisirent heureusement pas.

Spectacle abrutissant, stupide, parfois dégradant.

— J'aime Elvis parce qu'il est le type du mâle préhistorique, nous a candidement confié une **fillette de 16 ans pour laquelle** l'amour n'a sûrement pas encore franchi les pages du dictionnaire.

Personnellement, nous avons trouvé ce beau grand garçon d'une insignifiance consommée, mais fort payante. Cependant, il appert qu'il produit chez les adolescentes «le même effet que Marilyn Monroe chez les hommes». (...)

En proie au... rock n' roll

Elvis en concert à Ottawa.

C'EST ARRIVÉ UN 3 AVRIL

1974 — Le président Richard Nixon annonce son intention de payer $400 000 en arrérages d'impôts. Nixon n'avait pas payé suffisamment d'impôts au cours de ses quatre premières années à la Maison blanche. — La pire tornade en 50 ans sème la désolation au Canada et aux États-Unis, causant plus de 300 morts et des dégâts évalués à au moins $1 milliard.

1964 — Rétablissement des relations diplomatiques entre Panama et les États-Unis.

1963 — Les charbonniers de France retournent au travail après une grève d'un mois.

1955 — Un incendie dans un cinéma de Sclessin, en Belgique, fait 39 morts.

1940 — Le comte d'Athlone, jadis connu sous le nom de prince Alexandre de Teck, est nommé gouverneur général du Canada, succédant à lord Tweedsmuir.

1936 — Bruno Hauptmann, le ravisseur du bébé Lindberg, est exécuté sur la chaise électrique pour expier son crime.

1930 — Le Canadien gagne la coupe Stanley en battant les Bruins de Boston en finale.

1916 — Le maire Médéric Martin conserve le pouvoir à Montréal à l'occasion des élections municipales.

1912 — Le poète et peintre bien connu Charles Gill est élu président de l'Ecole littéraire de Montréal.

1911 — Le bureau provincial de placement (le précurseur du « centre de la main-d'oeuvre ») ouvre ses portes à Montréal.

1902 — Une conflagration détruit une douzaine des plus beaux hôtels en bordure de mer, à Atlantic City.

MGR L'ARCHEVEQUE ET LE THEATRE DES NOUVEAUTES

Les directeurs du Théâtre cessent la représentation de «La Rafale» pour se rendre au désir de Sa Grandeur qui suggère un comité de censure qui est accepté par les intéressés

Montréal, 3 avril 1907

A Sa Grandeur Monseigneur
Paul Bruchési,
Archevêque de Montréal,

Monseigneur,

J'ai l'honneur d'accuser réception de votre honorée lettre en réponse à la nôtre du 2 courant.

Nous vous remercions profondément de vouloir bien lever l'interdit prononcé contre le Théâtre des Nouveautés et regrettons vivement que «La Rafale» ait été jouée à ce théâtre lundi dernier.

Quant à la nomination d'un comité de censure destiné à viser les pièces devant être représentées, je crois fermement que ce serait un excellent moyen de donner à tous satisfaction pleine et entière et tous les Directeurs de théâtres seront certainement de cet avis.

Daignez croire, Monseigneur, à l'expression de mes sentiments très respectueusement dévoués,

R. RAVAUX,
Administrateur du Théâtre
des Nouveautés.

Voilà comment se terminait un épisode qui illustre bien le genre de pression exercée par l'archevêché de Montréal, bien avant que «les fées aient soif», *et la crainte qu'inspirait dans le milieu Mgr Paul Bruchési.*

Le tout avait commencé par la décision de l'administration du Théâtre des Nouveautés de présenter une pièce, « La Rafale », laquelle, comme elle le rappelait dans sa lettre du 2, n'avait soulevé aucun problème la saison précédente.

Mais tel n'était pas l'avis de Mgr Bruchési et, dans une lettre pastorale *datée du 31 mars et lue en chaire des églises, Mgr Bruchési frappait le théâtre d'un interdit.*

C'est à ce moment-là que les administrateurs du théâtre ont décidé de retirer la pièce de l'affiche, et d'accepter de soumettre les prochaines pièces à un comité de censure, comme l'exigeait Mgr Bruchési.

Pourquoi Mgr Bruchési avait-il décidé de frapper « La Rafale » d'un anathème. L'article ne traite pas, hélas, du contenu de la pièce...

Céline à la conquête du monde

Ses fans venus par milliers, la compagnie CBS qui l'a endisquée et la machine Chrysler dont elle s'est faite la porte-parole avaient uni leurs forces derrière Céline Dion, pour le lancement de « Unisson ».

Ce premier disque en langue anglaise, enregistré à Los Angeles, New-York et Londres au coût de 300 000 $, doit ouvrir à la chanteuse la porte des marchés internationaux.

Après ce premier lancement réussi hier (**le 2 avril 1990**) à Montréal, Céline Dion répète l'opération à Québec et à Toronto. Elle visitera ensuite cinq autres grandes villes canadiennes, avant de se lancer à la conquête du monde.

Patriotes réhabilités

Cent cinquante ans après les Troubles de 1837-38, l'épiscopat québécois a décidé de lever une « hypothèque douloureuse » qui pesait sur l'Église du Québec, en réhabilitant les patriotes morts les armes à la main.

Les évêques ont insisté sur le fait que les patriotes n'ont été ni excommuniés, ni condamnés par les autorités ecclésiastiques.

Des patriotes morts au combat ont été privés d'une sépulture religieuse tandis que d'autres se sont retrouvés dans des parties du cimetière subitement déconsacrées. (**Texte publié le 2 avril 1987**)

La violence envers les femmes plus fréquente chez les amateurs de porno

Il n'est plus permis d'en douter ; il existe un lien direct entre la consommation de pornographie et la violence faite aux femmes. La consommation de films et de revues porno rend également les gens plus tolérants à l'égard des batteurs et violeurs de femmes.

Plus de quinze ans après que la Commission présidentielle américaine, ait conclu au caractère « inoffensif » de la pornographie, un groupe de Québécoises ont réalisé au cours de la dernière année une nouvelle et impressionnante étude sur le sujet. L'étude comporte une revue des recherches sur la pornographie, des échanges avec des femmes victimes de violence sexuelle ou physique, et une enquête auprès de trois groupes masculins distincts.

Marrainée par le groupe Par et Pour Elle de Cowansville et subventionnée par le Secrétariat d'État à Ottawa, l'étude du collectif de recherche sur la violence et la pornographie, dont le rapport de 243 pages était rendu public hier (**le 2 avril 1986**), à Montréal, a abouti à plusieurs constats, dont voici les principaux :

C'est le groupe-cible (condamnés pour agression physique ou sexuelle contre une femme) qui consommait le plus de pornographie, soit 54,5 %, contre 47,8 % dans le groupe des autres détenus et 32,9 % dans la population générale. C'est aussi surtout les hommes du premier groupe qui ont grandi dans une famille où l'on consommait beaucoup de porno (72,6 %, contre 55,4 % et 37,5 %).

Parmi le groupe-cible, ce sont très majoritairement les gros consommateurs de pornographie (entre 75 % et 100 %) qui ont été violents envers leur conjointe : plus la consommation augmente, plus l'adhésion aux clichés sur la sexualité s'accroît. Ainsi, 50 % des collectionneurs ou « vrais mordus » de pornographie dans la population générale pensent qu'une femme peut jouir à l'occasion d'un viol, contre 25 % chez les non collectionneurs...

C'est dans le groupe-cible qu'on retrouve la plus grande proportion de ceux qui croient qu'une femme peut « tout le temps » ou « la plupart du temps » empêcher un viol. Par contre, c'est parmi les deux autres groupes qu'on croit surtout que la femme provoque « toujours » ou « souvent » le viol.

Ces constats, et plusieurs autres, n'étonnent pas les sept femmes qui ont mené l'enquête. « Ils confirment ce que nous savions déjà d'instinct, mais que personne n'avait encore réussi à établir clairement devant les autorités », dit la coordonnatrice, Nicole Côté.

Martin Luther King meurt, atteint d'une balle en plein visage, martyr de son apostolat

MEMPHIS — Le pasteur Martin Luther King, prix Nobel de la Paix et apôtre de la non-violence, est mort hier **(4 avril 1968)** soir à l'hôpital St-Joseph de Memphis, après avoir été atteint d'une balle à la tête pendant qu'il parlait à des amis du balcon de la chambre qu'il occupait dans le motel «Lorraine».

Apparemment, les seuls témoins de l'attentat étaient deux autres pasteurs qui devaient dîner avec lui et l'attendaient en dehors de l'hôtel. Le révérend Jesse Jackson a déclaré: «King était au balcon du premier étage du motel. Il venait de se baisser pour nous parler. S'il était resté debout, il n'aurait pas été touché au visage».

Le pasteur Martin Luther King

Le pasteur King venait de dire au pasteur Ben Branch, de Chicago: «Mon vieux, n'oublie pas de chanter ce soir «Que le Seigneur soit loué!» et chante-le bien». «On entendit un coup de feu, a poursuivi le pasteur Jackson. Quand je me suis retourné, j'ai vu des policiers arriver de partout. Ils demandèrent d'où venait le coup et j'ai dit: «De la colline, de l'autre côté de la rue». Le pasteur Branch a rapporté:

«Lorsque j'ai levé les yeux, la police et les shérifs adjoints couraient tout autour. La balle l'avait atteint en plein visage. Nous n'avons pas eu besoin d'appeler les policiers, il y en avait partout».

L'attentat a été commis vers 6 h. 05 (heure locale). «Il n'a pas dit un mot, il n'a pas fait un geste», a déclaré le révérend An-

drew Young, vice-président de la Conférence des chrétiens du Sud. Le pasteur King a été transporté d'urgence à l'hôpital où il est mort moins d'une heure plus tard.

C'est à l'aéroport d'Atlanta où elle s'était précipitée pour prendre l'avion pour Memphis en apprenant que le Dr King avait été blessé, que Mme Coretta King apprit qu'il était mort de sa blessure. Sanglotante, la veuve du leader intégrationniste a été accompagnée chez elle par le maire d'Atlanta lui-même. Sa demeure était gardée par la police. Tout autour, des dizaines de Noirs immobiles, silencieux, tenaient une veillée funèbre. Mme King, qui se rendait ce matin à Memphis pour y chercher le corps de son mari, a simplement déclaré, entre deux sanglots, quand elle apprit la nouvelle: «C'est la volonté de Dieux»...

Cette nouvelle allait déclencher une explosion de colère généralisée dans la majorité des grandes villes américaines à forte densité de population noire. Presque partout, la colère tourna vite à la violence et au saccage.

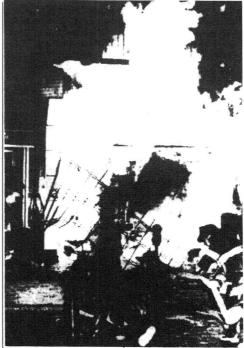

Les pompiers de New York combattent ici un incendie allumé dans un magasin de Harlem. La boutique avait auparavant été pillée.

C'EST ARRIVÉ UN 4 AVRIL

1983 — Des voleurs s'emparent d'une somme de $9 millions à la « Security Express » de Londres.

1979 — Zulfikar Ali Bhutto, premier ministre du Pakistan de 1971 à 1977, est pendu, après avoir été reconnu coupable d'avoir comploté l'assassinat d'un de ses adversaires politiques.

1977 — Un *DC-9* de la Southern Airways s'écrase à Marietta, Georgie. L'accident fait 72 morts et 26 blessés.

1975 — Un *Galaxy C5-A* de l'Armée de l'air américaine transportant douze membres d'équipage et 243 orphelins en route pour les États-Unis s'écrase peu après le décollage, à Saïgon.

1969 — À Houston, pour la première fois de l'histoire, un coeur artificiel en plastique est implanté dans le thorax d'un homme, M. Haskell Karp.

1967 — Nomination de M. Roland Michener au poste de gouverneur général du Canada. Pierre Elliott Trudeau et Jean Chrétien accèdent au cabinet fédéral.

1966 — Radio-Canada choisit l'Est montréalais pour y construire sa « Cité des ondes ». — Trois hommes-grenouilles révèlent qu'ils ont fait la découverte de $700 000 en lingots d'or dans l'épave du *Chameau*, un navire coulé au large de la Nouvelle-Écosse en 1775.

1957 — Mort tragique d'Herbert Norman, ambassadeur canadien au Caire. Il se jette dans le vide du 7e étage d'un édifice de la capitale égyptienne.

1953 — Le gouvernement soviétique annonce la libération des neuf médecins accusés d'avoir comploté contre la vie des dirigeants de l'État.

1949 — Douze pays participent à la signature à Washington, du pacte créant l'Alliance de l'Atlantique (OTAN).

1932 — L'hon. Fernand Rinfret, ex-secrétaire d'État dans le cabinet King, succède à Camillien Houde comme maire de Montréal.

1900 — Le prince de Galles, prétendant au trône d'Angleterre, échappe à un attentat, à Bruxelles. — Le feu détruit le couvent des Soeurs de Sainte-Anne, à Saint-Jacques-de-l'Achigan.

L'école est-elle un fourre-tout?

De nombreux délégués aux États généraux se sont plaints que l'école soit devenu un fourre-tout où on enseigne la sécurité routière, la sexualité, la catéchèse, l'hygiène et « 56 autres choses », au détriment des matières de base.

« Au primaire, il faudrait éliminer ou condenser les cours secondaires et mettre l'accent sur une bonne acquisition des mathématiques, du français et de l'anglais », a dit un délégué.

« L'enseignement des matières qui font référence à des choix personnels (sexualité, religion) devraient être laissé

aux parents », a noté un autre délégué.

Plusieurs ateliers ont déploré les faiblesses « évidentes » dans l'enseignement du français langue maternelle.

La réforme entreprise par le rapport Parent il y a 25 ans visait à hausser le niveau culurel des Québécois, mais, selon un commissaire d'école, « on se retrouve maintenant avec un nouveau genre d'illettrés ». (**Texte publié le 4 avril 1986**)

« Que l'on cesse donc de pelleter des nuages pour en revenir à quelque chose de plus terre à terre, de façon à ce que l'étudiant qui finisse son cours ait une formation professionnelle qui lui permette de gagner son pain », peut-on lire parmi les nombreux commentaires du même genre et remis aux organisateurs.

Les princes du grand séminaire

Les quatre cardinaux de l'Église catholique issus du Grand Séminaire de Montréal ont retrouvé avec autant de joie que d'émotion leur vieille « alma mater ».

Cette rencontre, à laquelle ont participé plusieurs évêques, quelques centaines de prêtres et les séminaristes actuels de la vénérable institution de la rue Sherbrooke, a eu lieu hier (**le 3 avril 1990**)

dans le cadre des festivités du 150e anniversaire de fondation du Grand Séminaire de Montréal.

Interrogés au nom de toutes les personnes présentes par l'abbé Marcel Brisebois, qui s'est présenté lui-même comme « un produit du Grand Séminaire », les cardinaux Paul-Émile Léger, G. Emmett Carter, Paul Grégoire et Édouard Gagnon ont exprimé leur profond attachement pour la mai-

son sulpicienne et montréalaise à laquelle ils doivent leur formation presbytérale.

Le cardinal Carter, archevêque de Toronto, a fait allusion au lourd climat politique actuel au Canada pour dire comment il a toujours été bien accueilli à Montréal : « En remettant les pieds ici aujourd'hui, je me sens reçu exactement comme je l'ai été il y a plus de 50 ans : comme un frère, un ami, un de vous. »

Comme dans tout le reste, les Américains avaient vu grand en dépensant pas moins de $5,4 millions (une somme énorme à l'époque) pour construire ce super-dirigeable. L'«Akron» mesurait 765 pieds de longueur, 123 pieds de diamètre et 105 pieds de hauteur. Il contenait 6,5 millions de pi³ de gaz, et il pouvait atteindre une vitesse maximale de 85 milles à l'heure.

73 morts sur l'«Akron»

La foudre abat le plus gros aéronef de tout l'univers

NEW YORK — Le dirigeable géant des Etats-Unis, l'«Akron», le roi des dirigeables du monde, est tombé en mer au large de la côte du Jersey, un peu après 1 h. 30 ce matin, alors qu'un violent orage soulevait d'énormes vagues sur l'océan. Le firmament ne cessait d'être sillonné d'éclairs livides, pendant que roulaient les fracas de la foudre.

À bord du dirigeable, alors qu'il s'affaissa sur l'Atlantique, se trouvaient 77 hommes, y compris l'amiral William A. Moffett, chef du bureau naval de l'aéronautique.

On a rapporté que quatre hommes avaient été rescapés, mais qu'un d'eux était mort plus tard. Il est possible que d'autres sauvetages aient été opérés.

Sur les lieux du désastre

Tous les moyens dont on peut disposer sont utilisés pour aller à

l'aide de l'équipage de l'«Akron». Des hydravions, des avions ordinaires, des garde-côtes, toutes sortes de bateaux ont été envoyés vers le théâtre du désastre, à environ 20 milles au large du bateau-feu le «Barnegat», et à environ 45 milles du port de New York.

Le navire-citerne «Phoebus», portant le drapeau de l'État libre de Dantzig, en route de New York vers Tampico, n'était qu'à quelques milles de l'«Akron» quand le sans-fil de celui-ci lança des appels, des «S-O-S», vers 1 h. 30. L'atmosphère, chargée d'électricité, ne transmettait que difficilement les appels par le sans-fil. Après 1 h. 30, l'on ne reçut plus un seul mot du dirigeable.

Tombé à la mer

L'«Akron» était tombé rapidement dans la mer, ou bien, désemparé, il avait été forcé de descendre.

Le capitaine Dalldorf, commandant du «Phoebus», lança aussitôt la nouvelle par le sans-fil vers la terre et dirigea son navire vers l'endroit où l'«Akron» devait être tombé. Mais l'orage continuait dans toute son horreur. Les flots soulevés étaient éclairés par les éclairs qui déchiraient les nuages.

C'est le capitaine Dalldorf et ses marins du «Phoebus» qui sauvèrent les quatre hommes mentionnés plus tôt. L'un de ces hommes est le lieutenant-commandant H.V. Willey, commandant en second de l'«Akron». Les autres sont de simples membres de l'équipage: Moody E. Erwin et Richard E. Deal, ainsi que Robert W. Copeland, celui-ci du service de radio à bord. Copeland mourut peu après avoir été rescapé.

(Cela se passait le 4 avril 1933)

PREMIÈRE SECTION
PAGES 1 à II

LA PRESSE

CIRCULATION 641,15?

34ᵉ ANNÉE—N° 139 — MONTRÉAL, SAMEDI 4 AVRIL 1908 — DEUX CENTS

Le triomphe de l'automobilisme

Automobile à vapeur. — 1860

A la fête des fleurs

Échelles d'incendie automobile

Un corbillard automobile

Le patin automobile

Automobiles de course.

Page publiée le *4 avril 1908* et consacrée au troisième Salon de l'auto, présenté à Montréal.

LE CHAMPIONNAT DE LA BOXE DE NOUVEAU DETENU PAR UN BLANC

Compte rendu du grand combat de La Havane, qui s'est terminé par la victoire du cowboy Jess Willard sur Jack Johnson, le noir réputé invincible

UN blanc est de nouveau champion du monde à la boxe. Jess Willard, cowboy américain, a triomphé hier **(5 avril 1915)** du nègre Jack Johnson, qui avait conquis le titre en 1908 en battant Tommy Burns en 14 rondes en Australie.

La phénoménale endurance de Willard et son courage indomptable l'ont conduit à la victoire et en font le digne successeur des John L. Sullivan, des Corbett, des Fitzsommons et des Jeffries, qui ont laissé un nom si glorieux dans les annales du sport.

Certes, il était désirable que le titre de champion passât en d'autres mains. Après avoir été employé aux besognes les plus basses, Johnson, après avoir conquis le titre de champion, affecta le plus grand luxe et mena une vie de dissipation et de désordres qui lui attirèrent une lourde condamnation aux Etats-Unis, condamnation qu'il évita en fuyant à l'étranger. Hier encore, la justice le guettait, prête à mettre la main sur lui. Il était grandement temps que pareil champion disparût pour faire place à un homme qui saurait faire honneur au sport.

Pendant des années, la race blanche semblait incapable de produire un homme de force à vaincre le colosse noir. Tour à tour, Johnson battit Stanley Ketchel, Jim Jeffries, en 15 rondes, à Reno, en 1910; Jim Flynn et Frank Moran. Tous succombèrent devant le nègre. Il appartenait à Jess Willard, cowboy du Kansas, de reconquérir le titre de champion du monde, ce qu'il a fait hier en battant Johnson en 26 rondes à La Havane.

UN COWBOY CHAMPION

Jack Johnson, exilé de son pays, a maintenant perdu son titre de champion du monde. Jess Willard (...), le plus solide athlète qui soit jamais entré dans l'arène, a vaincu le noir et lui a enlevé son titre. Johnson, sa femme et un petit groupe d'amis partiront demain pour la Martinique, d'où ils s'embarqueront pour la France. L'ancien champion se propose de mener là une vie tranquille, celle du fermier. Il élèvera des porcs, des poulets. Il n'y aucun doute qu'il en a fini avec la boxe.

A LA CONQUETE DE LA FORTUNE

Willard, le nouveau champion, va retourner aux Etats-Unis pour gagner la fortune qu'il n'a pu obtenir hier, alors que Johnson a pris la grosse part du gâteau, recevant $30,000 avant même d'avoir mis les gants pour la première ronde. Willard n'a reçu qu'une maigre part des recettes. Le montant exact? Nous l'ignorons.

Le combat d'hier est certainement unique dans l'histoire de la boxe. Pendant vingt rondes, Johnson a frappé Willard. Il a bûché sur lui sans relâche pendant une heure, mais ses coups perdaient de leur force à mesure que le combat avançait. Les choses traînèrent ainsi jusqu'au point où Johnson se trouva impuissant à continuer ou ne voulut plus continuer.

Johnson a cessé d'attaquer pendant trois ou quatre rondes, le combat entre les deux colosses fut une série de poses plastiques de deux gladiateurs, l'un blanc, l'autre noir.

Le combat traîna ainsi jusqu'à la 25ème ronde, alors que Willard porta ses furieux moulinets de la droite dans la région du coeur de Johnson. Ce fut là le commencement de la fin.

A la fin de cette ronde, Johnson fit dire à sa femme qu'il était complètement épuisé, et lui dit de s'en aller chez elle. Elle sortait justement et passait à côté de l'arène à la 26e ronde lorsqu'un formidable coup de la gauche au corps et un terrible coup de la droite à la mâchoire, couchèrent Johnson sur le carreau, à moitié en dehors des câbles. Le referee compta alors les dix secondes fatales, puis éleva la main de Willard en l'air, indiquant par là qu'il était le vainqueur et le nouveau champion du monde.

Vue de la foule assemblée devant l'édifice de LA PRESSE, rue Saint-Jacques, pour obtenir les derniers résultats relatifs au combat Williard-Johnson.

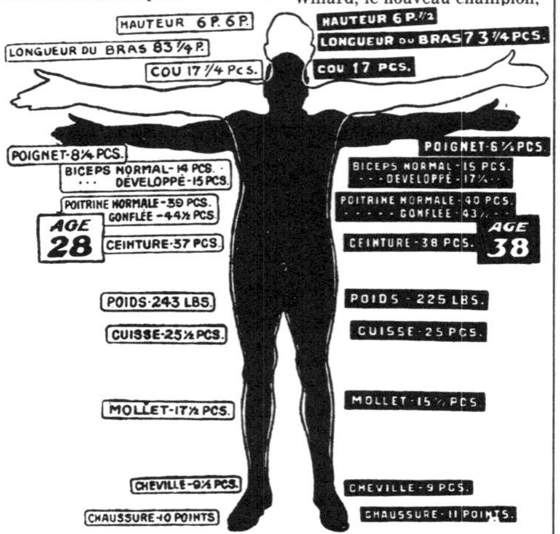
HAUTEUR 6 P. 6 P.
LONGUEUR DU BRAS 83 1/4 P.
COU 17 1/4 PCS.
POIGNET-8 1/4 PCS.
BICEPS NORMAL-14 PCS. ... DÉVELOPPÉ-15 PCS.
POITRINE NORMALE-39 PCS. GONFLÉE-44 1/2 PCS.
AGE 28
CEINTURE-37 PCS.
POIDS-243 LBS.
CUISSE-25 1/2 PCS.
MOLLET-17 1/2 PCS.
CHEVILLE-9 1/2 PCS.
CHAUSSURE-10 POINTS
HAUTEUR 6 P. 1/2
LONGUEUR DU BRAS 73 1/4 PCS.
COU 17 PCS.
POIGNET-6 1/4 PCS.
BICEPS NORMAL-15 PCS. ---DÉVELOPPÉ-17 1/4
POITRINE NORMALE-40 PCS. -----GONFLÉE-43 1/2
AGE 38
CEINTURE-38 PCS.
POIDS-225 LBS.
CUISSE-25 PCS.
MOLLET-15 1/2 PCS.
CHEVILLE-9 PCS.
CHAUSSURE-11 POINTS.

Statistiques vitales des deux hommes : celles de Willard sont en blanc, et celles de Johnson sont en noir.

LES CHAMPIONS

James L. Sullivan	1882 à 1892
Jim Corbett	1892 à 1897
Fitzsimmons	1897 à 1899
Jeffries	1899 à 1906
Tommy Burns	1906 à 1908
Jack Johnson	1908 à 1915
Jess Willard	1915 à ----

Jess Willard.

Le champion détrôné, Jack Johnson.

Russell Means, à gauche, chef du Mouvement des Indiens américains, et Kent Frizzell, assistant du procureur général des États-Unis, paraphent l'entente conclue entre les deux parties.

Les Sioux ont finalement enterré la hache de guerre à Wounded Knee

WOUNDED Knee, Dakota du Sud - L'occupation de Wounded Knee (Dakota du Sud) commencée il y a 37 jours par des Indiens insurgés prendra fin samedi a annoncé hier **(5 avril 1973)** soir un porte-parole des troupes fédérales qui encerclent le petit village.

Un accord conclu dans l'après-midi et signé dans la soirée stipule en effet que les rebelles se rendront samedi au moment où M. Russell Means, l'un des dirigeants du mouvement indien américain, commencera des entretiens à Washington avec des représentants de la Maison Blanche.

Les deux parties ont convenu que les Indiens devraient remettre leurs armes aux troupes fédérales et que leurs noms seraient relevés, mais le gouvernement n'effectuera pas d'arrestations massives.

Quatre autres points sont précisés dans l'accord:

■ Une enquête fédérale sur les affaires indiennes dans la réserve de Pine Ridge, où se trouve Wounded Knee, sera effectuée.

■ Le département de la Justice sera chargé de surveiller le respect des droits des Indiens de la tribu des Sioux Oglalas, dont sont issus les insurgés, par le gouvernement tribal et les autorités fédérales.

■ Une commission présidentielle sera remise en place pour ré-examiner le traité signé en 1868 entre le gouvernement et la nation Sioux.

■ Les leaders indiens auront des entretiens avec des représentants de la Maison Blanche au mois de mai à Washington sur les questions indiennes.

L'accord a été signé près du village, sous le teepee où se sont déroulées toutes les négociations. Du côté des Indiens, trois dirigeants du Mouvement indien américain, MM. Russell Means, Clyde Bellecourt et Carter Camp, ainsi que M. Pedron Bissonnette, vice-président de la tribu des Sioux Oglalas et M. Tom Bad Cobb, un chef traditionnel Sioux, ont opposé leur paraphe. Le gouvernement était représenté par M. Kent Frizzel.

La cardiologie québécoise est en deuil

Le fondateur de l'Institut de cardiologie de Montréal et ex-sénateur Paul David est mort ce matin (**le 5 avril 1999**), à l'âge de 79 ans, des suites d'une hémorragie cérébrale subie mardi dernier.

Considéré comme le père de la cardiologie au Québec, le Dr David s'est éteint entouré de son épouse et de ses six enfants, dans l'institut qu'il avait mis sur pied avec les Soeurs grises, en 1954, et dont il a été l'âme pendant 30 ans. « Il avait la capacité de pousser les gens à aller plus loin et à être les meilleurs sur le plan international, que ce soit en recherche ou dans tout autre domaine, a déclaré le directeur général de l'ICM, le Dr Raymond Carignan. Si nos cardiologues et nos chirurgiens sont exigeants et veulent être les meilleurs, c'est grâce au Dr David. »

Inauguration cette nuit du téléphone automatique

C'est au milieu de la nuit prochaine **(5 avril 1925)** à minuit que le système nouveau de téléphone automatique sera, pour la première fois, mis en opération à Montréal, dans le circuit Lancaster, nous a déclaré aujourd'hui, M. F. G. Webby, gérant à Montréal pour la compagnie de téléphone Bell.

Il a ajouté: «Tout est absolument complet, tous les changements sont faits. C'est à minuit exactement que tout l'échange Lancaster fonctionnera suivant le nouveau système automatique. Je tiens à dire que l'efficacité du système dépendra considérablement de l'habileté des abonnés à se servir du disque mobile recouvrant le cadran des lettres et des numéros. Nous avons envoyé des lettres et des brochures explicatives à tous les abonnés du circuit Lancaster. Nos agents se sont rendus chez tous les abonnés pour démonstrations publiques dans diverses églises, et chez diverses organisations de la ville.

«Si nos abonnés ne sont pas encore familiers avec le nouveau système, nous sommes prêts à leur donner des démonstrations en tout temps soit à nos bureaux généraux, 118, rue Notre-Dame ouest, soit à notre immeuble Lancaster, rue Ontario ouest, coin Saint-Urbain. Des arrangements ont été faits dans tous les échanges afin qu'il n'y ait aucune difficulté à faire des appels téléphoniques en partant du système ordinaire pour passer par le système automatique ou vice versa. (...)

«Je désire enfin insister auprès des abonnés pour obtenir leur pleine coopération, et j'insiste spécialement sur la nécessité pour eux de consulter notre index téléphonique avant de faire des appels, afin de s'assurer qu'ils demandent les bons numéros.»

M. Webber termine en disant: «L'installation du système automatique est le plus grand changement qui se soit fait dans le service du téléphone à Montréal.»

Bhopal : Union Carbide devra verser 192 millions

La Haute Cour de l'État indien du Madhya Pradesh a ordonné au groupe chimique américain Union Carbide Corp. de verser 192 millions US de dommages et intérêts aux victimes de la catastrophe de Bhopal et à leurs familles.

La multinationale dispose de deux mois pour verser cette somme au gouvernement indien.

La société avait été reconnue responsable de la catastrophe, provoquée en décembre 1984 par une fuite de gaz toxique de son usine de Bhopal.

Cet accident industriel, le plus grave du monde, avait fait 2 850 morts et des milliers de blessés. Selon le gouvernement indien, environ 300 000 personnes avaient été exposées aux émanations de gaz toxique, mais 520 000 personnes ont réclamé des dommages et intérêts. (**Texte publié le 5 avril 1988**)

C'EST ARRIVÉ UN 5 AVRIL

1999 — Le transfert vers les Pays-Bas des deux suspects libyens dans l'attentat de Lockerbie a mis fin à un long bras de fer entre la Libye et la communauté internationale. Les sanctions de l'ONU contre la Libye ont été suspendues.

1976 — Mort à l'âge de 70 ans de l'excentrique millionnaire américain Howard Hughes. Il vivait en reclus à Acapulco.

1975 — Décès à Taipeh, capitale de Taiwan, de Tchang Kai-Chek, président de la République de Chine. Il était âgé de 87 ans.

1974 — Décès du dernier survivant du « Groupe des sept », le peintre canadien A.Y. Jackson, à l'âge de 81 ans.

1966 — Par 143 voix contre 112, le Parlement canadien maintient la peine de mort.

1955 — Sir Winston Churchill démissionne comme premier ministre d'Angleterre. Sir Anthony Eden lui succède.

1951 — Les époux Rosenberg sont condamnés à mort pour espionnage au profit de l'Union soviétique.

1948 — Alfred Krupp von Bohlen und Halbach et 11 autres dirigeants du cartel Krupp sont acquittés par un tribunal militaire américain d'accusations de crimes de guerre.

1946 — Le docteur Marcel Petiot, surnommé le Barbe-Bleue de Paris et accusé d'avoir exploité une « usine de meurtres » dans sa villa de rue LeSueur, à Paris, a été condamné à mort après un procès de trois semaines.

Scarlet a ému le monde entier

Le courage de Scarlet, une chatte de gouttières à l'instinct maternel plus fort que la peur, a ému le monde entier.

Plus de 6 000 personnes ont déjà téléphoné, pour demander de ses nouvelles, au refuge de l'Association de défense des animaux de Long Island, où Scarlet est soignée après avoir sauvé, un par un, ses cinq chatons menacés par les flammes d'un incendie dans un immeuble.

« Elle a bouleversé tellement de coeurs », explique Marge Stein, directrice du refuge. « Je pense que c'est parce qu'elle représente l'instinct maternel poussé à l'extrême. »

Les appels viennent des États-Unis, mais aussi d'autres pays du monde entier (Japon, Pays-Bas, Afrique du Sud). Beaucoup veulent adopter la chatte et ses chatons, âgés de quatre semaines, les autres veulent simplement avoir des nouvelles.

Scarlet a été légèrement brûlée en sauvant ses chatons, lors de l'incendie qui s'était déclaré dans un immeuble vide de Brooklyn, à New York. Elle les avait, un par un, conduits en sécurité de l'autre côté de la rue. Ce sont les pompiers qui ont découvert la chatte et ses chatons et les ont confiés au refuge pour animaux.

La chatte de gouttières n'avait pas de nom et fut vite surnommée Scarlet, en référence à Scarlet O'Hara, l'héroïne d'*Autant en emporte le vent* qui survit à l'incendie de son domaine à Atlanta pendant la guerre de Sécession.

Son état de santé s'améliore. Ses yeux, fermés depuis l'incendie, commencent à se rouvrir, et les vétérinaires pensent qu'elle retrouvera la vue. Quant aux chatons, ils vont très bien et s'alimentent correctement. (**Texte publié le 5 avril 1996**)

Les jeux, le baseball et le football

Un stade de 70 000 sièges

M. Claude Phaneuf (à gauche), alors ingénieur au Service des travaux publics de la Ville de Montréal, et l'architecte Roger Taillibert avaient été identifiés par le maire Jean Drapeau comme étant les grands responsables du dossier de la construction des équipements olympiques.

UN stade olympique de $55 millions, d'une capacité de 50,000 sièges pour le baseball et le football, portée à 70,000 sièges pour la durée des Jeux olympiques, utilisable 12 mois par année grâce à une membrane en plastique suspendue à un mât aux lignes futuristes. C'est ce qu'a révélé hier (6 avril 1972) le maire Jean Drapeau au cours d'une présentation audio-visuelle devant la presse mondiale au centre Maisonneuve.

Ceux qui connaissent le maire Drapeau savaient que le stade olympique de 1976 sortirait de l'ordinaire. Ils ne se sont pas trompés. L'ingéniosité de l'architecte français Roger Taillibert, mariée aux recherches du Service des travaux publics de la ville de Montréal et aux connaissances pratiques d'un jeune ingénieur, M. Claude Phaneuf, a doté la métropole d'un stade vraiment unique en son genre.

De par la conception de l'ensemble sportif, il est impossible de dissocier le stade des deux édifices adjacents, la piscine et le vélodrome. Il était donc difficile d'en évaluer le coût (question brûlante d'actualité) d'autant plus que le maire a savamment évité toutes les questions relatives au coût des équipements olympiques. (...)

Le stade sera couvert d'une membrane en plastique qu'on pourra déployer en 20 minutes tout au plus.

L'utilisation du béton précontraint et du béton à voile mince, explique, selon M. Phaneuf, pourquoi on parviendra à construire le stade à un prix abordable, malgré ses lignes architecturales des plus spectaculaires.

Pour la durée des Jeux olympiques, le stade aura une capacité de 70,000 personnes, grâce à des estrades temporaires de 20,000 sièges. Installées à l'extrémité est de l'ellipse, donc sous le mât, ces estrades et les sièges temporaires de la piscine adjacente céderont leur place après les Jeux à une piste d'athlétisme de 250 mètres, entre le stade et la piscine.

L'utilisation à longue échéance

Le problème majeur était évidemment son utilisation à longue échéance. Il fallait que le stade serve, après les Jeux, pour autre chose que l'athlétisme, autrement dit qu'il devienne le domicile des Expos de la ligue Nationale de baseball, et des Alouettes ou d'une équipe de la ligue Nationale de football.

M. Phaneuf et ses acolytes s'en sont merveilleusement bien tirés. Grâce au jeu d'estrades mobiles de 5,000 sièges, qui se déplaceront sur un coussin d'air, on pourra facilement jouer au baseball un jour et au football le lendemain. (...)

La membrane qui sert de toit et le mât qui la suspend demeure évidemment la pièce la plus spectaculaire du complexe sportif. (...)

Le mât ne sera pas qu'une masse informe d'une hauteur de 500 pieds. Comme l'a expliqué son concepteur, le Français Taillibert, il contiendra pas moins de 100,000 pieds carrés de superficie de plancher, répartis sur 16 niveaux qui deviendront autant de gymnases d'entraînement pour différentes disciplines sportives.

Le long de la face externe du mât, des ascenseurs transporteront les visiteurs jusqu'à la terrasse et au restaurant panoramiques situés à 500 pieds du sol. En d'autres mots, ce mât et la membrane qu'il dissimulera, combinent en un seul et même élément deux des atouts des équipements sportifs de Munich, soit l'aiguille et la toile d'araignée géante qui recouvre le stade, le gymnase et la piscine.

LES ETATS-UNIS SONT EN GUERRE

Nos voisins ont porté les premiers coups en saisissant 91 navires boches

WASHINGTON Le gouvernement et le peuple des Etats-Unis sont entrés en guerre contre l'Allemagne à 1.18 heure, hier **(6 avril 1917)** après-midi. A ce moment précis, le président Wilson signait la résolution du congrès déclarant que l'état de guerre existe. Quelques minutes plus tard, la nouvelle était transmise à tous les vaisseaux de guerre américains et toutes les stations navales, dans tous les forts du pays et à toutes les possessions américaines. (...)

Trois heures après, des ordres de mobilisation étaient envoyés à la marine. Cela signifie que, non seulement la marine régulière, mais aussi tous les vaisseaux de guerre et tous les hommes de la marine et de la milice, les vaisseaux engagés dans d'autres départements ou faisant la garde des côtes, sont aussi amenés en service actif, sous le contrôle du secrétaire de la marine.

Tous les vaisseaux de guerre et autres réfugiés dans les ports américains ont été immédiatement saisis. D'autres mesures de guerre ont aussi été prises dans le cours de la journée.

SOUS-MARINS BOCHES A L'AFFUT

La rumeur persistante mais jusqu'ici non confirmée que des sous-marins allemands attendent dans le golfe du Mexique, la déclaration de guerre par les Etats-Unis, a été de nouveau supportée hier, par certains avis reçus d'Europe. La nature des renseignements reçus par le gouvernement n'a pas été dévoilée, mais on prétend que ces renseignements ont été transmis aux Etats-Unis par l'un des pays neutres qui jusqu'ici, ont servi de débouché pour les nouvelles venant d'Allemagne. Il semble n'y avoir aucun doute que si ces sous-marins sont réellement dans le golfe du Mexique, ils reçoivent l'approvisionnement des ports mexicains.

La «pieuvre» plus prospère que jamais!

La plus puissante organisation criminelle au monde, la pègre italienne, est composée au Canada de trois grands groupes : la mafia sicilienne, la Ndrangheta et la Cosa Nostra. Ces groupes sont surtout actifs en Colombie-Britannique, en Ontario et bien sûr au Québec, où les mafiosi sont considérés comme les chefs de file du crime organisé du pays.

Ces criminels sont aussi présents dans d'autres provinces, mais de façon beaucoup moins envahissante. Terre-Neuve et la Nouvelle-Écosse, par exemple, servent de débouchés et de tremplins pour leurs activités illicites.

Selon les experts de la police, les mafiosi ont choisi de s'établir au Canada pour les raisons suivantes :

— il n'y a pas de loi contre le crime organisé ;

— l'immensité du territoire et la proximité des États-Unis, où la surveillance des frontières est peu étanche;

— la faiblesse des lois fiscales canadiennes qui permettent de blanchir les énormes profits de leurs divers trafics;

— les peines de prison moins sévères, assorties d'un système de libération conditionnelle plutôt accommodant;

— et des services de police pour le moins « désorganisés ».

Résultat : le crime organisé est plus prospère que jamais. Le trafic de drogue et la contrebande d'alcool sont florissants, et les entreprises de lessivage d'argent n'ont jamais lavé si gros et si... blanc. De plus en plus, les mafiosi se donnent un air respectable et acquièrent du pouvoir dans les milieux financier et politique. **(Texte publié le 6 avril 1996)**

L'EPURATION DE LA VILLE SE POURSUIT

Le chef Campeau ordonne la fermeture de trois fumeries d'opium, affreux cachots, devenus des repaires de bandits et de vicieux. — La passion de l'opium a ses adeptes à Montréal.

NDLR — Ce texte d'époque comporte certaines remarques à caractère raciste.

ON demandait un jour à l'inspecteur de police Leggett s'il y avait réellement à Montréal, dans le quartier chinois, des repaires du vice où l'on fumait l'opium selon toutes les règles introduites dans les bouges des grandes villes américaines. Avec un sourire qui signifiait beaucoup, l'inspecteur dit: «Vous verrez cela ces jours-ci».

Et il a tenu parole.

Avec le capitaine Millette et une vingtaine d'hommes des districts Nos 4 et 5, il a fait une razzia dans

TROIS ETABLISSEMENTS

de ce genre, la nuit dernière **(6 avril 1905)**, trois infects bouges où les tristes habitués du vice oriental gisaient, à demi asphyxiés, dans la fumée opiacée. Les espions chinois n'avaient pas eu le temps de donner l'alerte et la police entra au moment opportun. Quarante prisonniers, en conséquence, comparaissaient ce matin devant le recorder. De ce nombre, vingt-cinq jeunes gens habillés avec recherche ont été

TROUVES COUCHES

sur les divans moëlleux des bouges, somnolant sous l'effet du narcotique, en attendant que le rôtisseur de la pilule opiacée vint leur apporter le vif poison intoxicant. L'un d'eux était complètement épuisé, abâti, ivre-mort, et plus propre à être conduit à l'hôpital qu'à voyager dans les voitures de patrouille. Un nègre, un vrai «dandy» s'enorgueillissait de son habileté à toucher la pipe.

Les pipes, les cellules, les lampes à rôtissage, tout fut confisqué au milieu d'une

CACOPHONIE EPOUVANTABLE

de cris gutturaux ou miauleux des Mongols et des protestations des blancs, Anglais, Américains, Européens, etc.

Les propriétaires de ces établissements sont Lee Chong, le Candy Man, rue Lagauchetière, 572, où furent arrêtés treize hommes dont trois Chinois; Wah Kee, rue Saint-Charles-Borromée, 52, où sept blancs et six jaunes furent appréhendés, et, enfin, One Wing, rue Saint-Urbain, 69, où furent trouvés cinq Mongols et huit Canadiens de toutes origines. (...)

Il est impossible de se faire une idée de ces

TROUS IMMONDES

où des blancs peuvent, sans mourir d'asphyxie, passer des heures. Chez Kee, le repaire se trouve dans la cave d'un vieux bâtiment qui s'écroule à demi. La plus repoussante malpropreté s'y constate et la seule lumière qui éclaire cet horrible repaire est le pâle reflet des lampes à rôtissage. Quelque chose de lugubre, qui rappelle les contes fantastiques de Hoffman, pénètre le coeur de dégoût.

Intérieur d'une fumerie d'opium, rue Lagauchetière.

C'est ici que l'on a trouvé un

RALANT DE LA FOLIE

opiacée. Chez Wing, la chambre est d'une exguïté malsaine, où les fumeurs s'entassent comme dans un entrepont. Comme les fenêtres et les portes sont fermées, l'odieux y est à ce point insupportable que des policiers durent sortir. Chez Chung, les tables en rotin étaient toutes copées. Trois

PICKPOCKETS BIEN CONNUS

s'y trouvaient en compagnie d'un négrillon aux vêtements multicolores. Ce qu'il y a de plus malheureux à constater, c'est que les prisonniers, du moins les blancs, appartiennent à d'excellentes familles dont les noms sont honorablement connus dans le commerce et la finance.

Un témoin oculaire de la scène raconte comme suit la pénible impression que lui a faite la

VUE DE CES AFFREUX REPAIRES.

«On ne nous a pas admis immédiatement, mais mon guide avait un «Sésame, ouvre toi» irrésistible. (...)

«Nous n'aurions pas été plus surpris de la transition si un magicien nous avait enlevés. Cinq minutes avant, nous étions dans un tramway bien éclairé et maintenant nous nous trouvions dans une cave où, défiant la loi et l'opinion publique comme si les murs épais de Shanghai les protégeaient encore, un groupe de Mongols et de Blancs aspiraient l'abrutissement dans leurs pipes d'opium. Les plafonds bas, la lumière diffuse, les portes fermées rendant impossible toute ventilation, tout cela suffisait pour assommer l'homme le plus solide. Pourtant, des jeunes gens efféminés étaient là, sur les lits accrochés aux murs, couvant leurs rêves morbides sous l'influence pernicieuse de la pipe. A côté des lits, une tablette supportait un plateau de laiton où le rôtisseur avait placé le poison pour le fumeur, et la petite lampe à rôtissage. Notre arrivée causa une commotion.

«L'un d'eux, qui semblait être le chef de la chambrée s'éveilla en sursaut pendant qu'un autre râlait comme s'il avait perdu la clef de son paradis des rêves orientaux. Le premier prit un couteau sur une étagère. Je croyais que notre intrusion allait nous coûter quelque taillade, mais notre Chinois se contenta de couper une orange en morceaux qu'il engouffra pelures et tout dans sa bouche jaunie, à moitié paralysée.» (...)

C'EST ARRIVÉ UN 6 AVRIL

1977 — Les agents de la Sûreté du Québec déclenchent la grève.

1968 — Élection de Pierre Elliott Trudeau au poste de chef du Parti libéral du Canada. Il accède par le fait même au poste de premier ministre, succédant à Lester B. Pearson.

1962 — La grève des pilotes du Saint-Laurent paralyse la circulation fluviale.

1945 — Décès à l'âge de 66 ans d'Idola St-Jean, qui fut jadis l'âme du mouvement féministe au Québec.

1941 — Hitler ordonne l'invasion de la Yougoslavie et de la Grèce, qui lui tiennent tête, puis accuse la Grande-Bretagne de lui avoir forcé la main.

1932 — En déposant son budget, le ministre des Finances, l'hon. E.N. Rhodes, apprend aux Canadiens que la dette nationale a augmenté de $119 millions.

1925 — À la demande du très hon. William Lyon Mackenzie King, premier ministre du Canada, LA PRESSE lance une souscription pour venir en aide à la cantatrice Albani, qui vivait dans le dénuement, à Londres.

Clark se tue en pleine gloire

Jim Clark

HOCKENHEIM, RFA —Il était timide. Il était nerveux au point de s'en ronger les ongles. Il était le plus fameux Ecossais depuis Robert Burns. Jim Clark n'a jamais mésestimé le danger, avec lequel il flirtait régulièrement, à titre d'homme le plus rapide au monde sur roues.

Mais les roues, et non l'homme aux réflexes d'une libellule, sont apparemment responsables de sa mort, survenue hier **(7 avril 1968)** sur une piste détrempée, dans un bolide qui filait alors à 175 milles à l'heure.

Il s'est tué alors qu'il filait seul, sur une section droite, et non dans une de ces courbes traitresses, ou encore dans une de ces empilades d'autos impliquées dans un accident spectaculaire.

C'est une façon ironique de mourir pour l'homme tranquille au casque bleu qui a déjà dit: «Lorsque je prends une courbe, je ne conduis vraiment pas une auto. C'est moi-même qui prends cette courbe. L'auto me transporte et c'est moi qui la conduis, mais je suis une partie d'elle-même comme elle est une partie de moi-même.»

Surnommé *L'Ecossais volant*, Clark, qui était âgé de 32 ans, a gagné le championnat mondial des pilotes d'auto en deux occasions.

Dans le court laps de sept ans, il a gagné 25 «grands prix». Un exploit incroyable si on le compare au bilan de 14 victoires en huit ans pour le Britannique Stirling Moss, et à celui de 24 en plus d'une décennie, pour le légendaire Juan Fangio, d'Argentine.

Hier, il participait à une épreuve pour formules 2 comptant pour le championnat européen. Après la première tranche, il occupait le 7e rang.

Seul sur la piste, sa Lotus-Ford rouge et or a soudainement quitté la piste pour aller donner violemment contre un arbre dans la forêt qui borde la piste. Et c'est là qu'un policier de faction l'a trouvé. «Le pauvre homme était assis, ses courroies toujours bien en place», a-t-il dit.

«Les parties avant et arrière ont volé dans des directions différentes. Seule la principale section est demeurée près de l'arbre.»

Des médecins ont déclaré que Clark est mort sur le coup, victime d'une fracture du cou et de plusieurs fractures du crâne.

Des dirigeants de la piste ont dit que l'auto de Clark a été tellement démolie qu'on ne saura peut-être jamais ce qui est vraiment survenu. Mais une enquête auprès des autres conducteurs permet de croire qu'il faut chercher une erreur mécanique plutôt qu'une erreur humaine. (...)

Le bolide de Jim Clark était complètement démoli à la suite de l'accident.

29,4 millions de Canadiens

La population canadienne totale atteignait 29,4 millions le 1er janvier 1995.

Les récentes données de Statistique Canada révèlent que la Colombie-Britannique a vu sa population augmenter sensiblement (2,5 %) en 1994, alors que celle de Terre-Neuve a diminué (0,7 %), fait unique au pays.

Au Québec, la population a augmenté de 0,4 %, alors que la Canada a connu une croissance démographique de 1,1 %.

Québec a arraché une part de 22 % de toute l'immigration canadienne en 1994, comparativement à 18 % l'année précédente. La Colombie-Britannique a aussi enregistré un surplus migratoire de 38 500 personnes avec les autres provinces. **(Publié le 7 avril 1995)**.

Règlements désuets

Le conseil municipal de Montréal a abrogé les règlements qui interdisent de consommer de l'opium, sous peine d'une amende de 40 $, de cracher dans les tramways et d'utiliser des « charognes pour la fabrication de substances comestibles ».

Pour la première fois depuis 1865, la Ville de Montréal a procédé à une refonte et fait le ménage dans les 9 600 règlements, comptant plus de 45 000 articles, qu'elle a adoptés depuis cette date.

Plusieurs milliers de règlements ont été abrogés au fil des décennies mais plusieurs textes désuets demeuraient, dont certains, adoptés au siècle dernier, étaient rédigés en anglais et à la main.

Les règlements concernant le maire, les enterrements, la poudre, les honoraires du crieur public, la protection des oiseaux insectivores, les concours de pugilat, la fabrication de fulmicoton et ceux qui interdisent aux établissements de photographie, boutiques de barbier, théâtres et cirques d'ouvrir le dimanche figurent parmi les 103 qui sont passés à la petite histoire locale. **(Texte publié le 7 avril 1994)**

Plus on voit de vedettes québécoises à Paris, moins on s'intéresse au Québec

En arrondissant un peu les comptes, on constate que « la » grande percée culturelle québécoise date à peu près de vingt ans. En 1971, Gilles Vigneault n'était pas loin du sommet du succès, Charlebois était à la veille de faire l'Olympia en vedette. *Les mâles* de Gilles Carle constituait le premier triomphe critique d'un film québécois et le film allait faire une impressionnante carrière publique à Paris.

Ce qui se préparait, c'était la rentrée de l'automne 72, où pas mal de gens pensèrent que le Québec était devenu vraiment à la mode sur les bords de la Seine.

Si l'on dresse un bilan — provisoire — vingt ans après, on se rend compte de l'immensité du chemin parcouru. Comme si on avait changé de siècle. Une révolution qui n'est pas sans intérêt, car ce sont à 90 % les « culturels » — surtout les chanteurs, mais aussi les autres — qui ont d'abord fait connaître aux Français l'existence du Québec, puis continué de forger l'image qu'il a dans le public.

Une vingtaine d'années après les grands débuts, l'« exportation » culturelle québécoise à Paris se porte mieux que jamais... et on a pratiquement cessé de parler du Québec. En comparaison de l'ignorance abyssale d'antan, un nombre impressionnant de Français situent sans hésitation cette contrée lointaine en Amérique du Nord et parviennent à faire de subtiles distinctions entre Québec, Montréal et le Canada. Cependant, en ce qui concerne la politique, le « sujet-Québec » n'intéresse rigoureusement personne dans les grands médias. Philippe Meyer, auteur d'un excellent *Québec* dans la collection Petite Planète au Seuil, avait proposé il y a plusieurs semaines un article de fond sur la crise constitutionnelle au Canada à un magazine auquel il collabore. On lui a répondu : « Mouais... on va y penser. » On y pense toujours.

Entre le début et la fin des années 70, le Québec n'a certainement jamais été un grand sujet de préoccupation très « grand public », mais les médias, croyant peut-être que ce serait « vendeur », y accordaient beaucoup d'importance. Comme à un sujet nouveau, étonnant, exotique ou folklorique.

Les artistes qu'on mettait sur le devant de la scène étaient présentés comme de véritables ambassadeurs et porte-parole. Vigneault pourrait être le parfait symbole de cette époque : on répéta cinq cents fois qu'il « chantait le Québec ».

Jamais on n'aura vu autant de très grands succès que ces toutes dernières années. À commencer par Roch Voisine, qui vient tranquillement tenir la vedette pendant 90 minutes un vendredi soir à l'émission la plus commerciale et populaire de la télé (12 millions de téléspectateurs). Dans les milieux du show-business français, on considère Voisine comme le succès le plus phénoménal des deux dernières années, toutes nationalités confondues.

Mais justement : Roch Voisine peut pratiquement passer une heure et demie en direct sans qu'on aborde le sujet Québec. Roch Voisine vient du Québec comme Jean-Luc Godard vient de Suisse : on le sait, mais ça n'a aucune importance.

Si l'on prend la liste des meilleurs « coups » réalisés ces derniers temps, ils ont en commun de n'avoir rien de vraiment québécois. Ils n'ont pas été « vendus » avec le drapeau fleur-de-lys, ils n'ont pas non plus été achetés par le public sous cette étiquette.

En somme : plus on voit de Québécois tenir la vedette à Paris, et moins on s'intéresse au Québec. Ou alors : plus le Québec se « banalise » dans l'esprit du public, et plus les « culturels » engrangent de bons succès. Pour ce qu'ils sont, pas pour le drapeau. C'est peut-être mieux comme ça. **(Texte publié le 7 avril 1991)**

Timbre pour les réfugiés

Un événement unique dans l'histoire de la poste marque aujourd'hui **(Texte publié le 7 avril 1960)** l'Année mondiale du réfugié ; l'émission simultanée par 70 gouvernements, de timbres-poste illustrant ce problème crucial.

Depuis la 2e guerre mondiale, 40 millions de personnes ont été ainsi arrachées à leur pays, à leur vie familiale. Vingt ans se sont écoulés et 15 millions de réfugiés n'ont pas encore vu luire l'aube d'une existence nouvelle.

Des permis qui valent de l'or

L'annonce du plan de rachat des 2 000 permis de taxis en trop à Montréal a entraîné un fort mouvement spéculatif dans l'industrie du taxi. En conséquence, si le plan est adopté par les membres de la Ligue de taxis de Montréal, on s'attend à ce que les détenteurs exigent entre 13 000 $ et 14 000 $ par permis, soit le double de la valeur réelle.

Les « spéculateurs » ont de grandes chances de pouvoir réaliser leur souhait, car selon les résultats des sondages effectués par les deux mandataires auprès des propriétaires d'entreprises de taxis et des propriétaires-artisans, il ressort que le plan de rachat ne fonctionnera qu'à la condition d'offrir aux intéressés la somme exigée. **(Texte publié le 7 avril 1984)**

C'EST ARRIVÉ UN 7 AVRIL

1977 — À cause de poursuites judiciaires dont il est la cible, le premier ministre Yitzak Rabin, d'Israël, démissionne. — Les Blue Jays de Toronto disputent leur premier match dans le baseball majeur en battant les White Sox de Chicago, 9 à 5.

1972 — Le mafioso Joe Gallo est tué d'un coup de pistolet dans un restaurant de la *Petite Italie*, à New York.

1971 — M. Jean-Paul L'Allier, ministre des Communications du Québec, revendique la compétence du Québec en matière de télévision par câble.

1970 — L'explosion d'un moteur fait 98 morts et une centaine de blessés, à Osaka.

1966 — On retrouve enfin la bombe hydrogène américaine perdue dans la Méditerranée depuis 89 jours.

1965 — Lancement du satellite de télécommunications *Early Bird*, le premier satellite commercial au monde.

1956 — Signature à Madrid par l'Espagne et le Maroc du document qui accorde l'indépendance au Maroc espagnol, placé sous la souveraineté du sultan Ben Youssef.

1947 — Henry Ford, considéré comme étant le plus grand industriel du monde, est terrassé par une hémorragie cérébrale, à l'âge de 83 ans.

1933 — Levée dans 19 États américains ainsi que dans le district fédéral de l'interdit qui frappait la vente de la « vraie » bière.

1930 — Réélection du maire Camillien Houde, avec une majorité de 41 634 voix, la plus importante jusque là.

1926 — Le premier ministre d'Italie, Benito Mussolini, échappe de justesse à la mort lors d'un attentat.

1924 — M. Charles Duquette est élu maire de Montréal, succédant à Médéric Martin.

1905 — Décès, à l'âge de 69 ans, du patriote J.-X. Perreault, président de l'Association Saint-Jean-Baptiste.

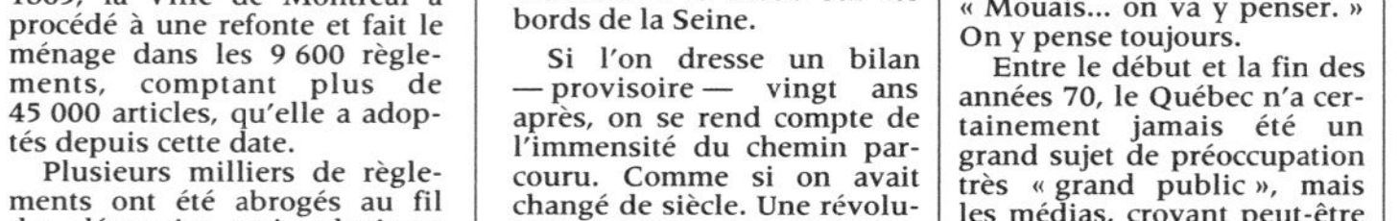

Le plus vieil édifice au Canada

Dans son édition du *7 avril 1900*, LA PRESSE, après avoir constaté certains oublis regrettables des guides touristiques *officiels*, attirait *l'attention de ses lecteurs sur le vieux manoir de Sillery (connu sous le nom de «Kilmarnock» sous le régime anglais)*, en les invitant, lors d'un éventuel séjour à Québec, à ne pas rater une visite de ce qui était alors le plus vieil édifice au Canada. Le manoir de Sillery avait été construit en 1639.

Ouverture record de la navigation

Le «Mont Alta» remporte les honnneurs de la course. — L'équipage du navire est en grève.

DANS des circonstances exceptionnelles, la navigation jusqu'à Montréal a été ouverte, hier **(7 avril 1949)** soir, à 8 h., par l'arrivée d'un cargo de 10,000 tonneaux de la compagnie Montreal Shipping, le «Mont Alta»; son commandant, le cap. Alexander Stuart Baxter, 33 ans, de Montréal, l'un des plus jeunes capitaines de la marine marchande canadienne, gagne donc la fameuse canne à pommeau d'or.

Plusieurs facteurs rendent cette année l'ouverture de la navigation exceptionnelle. D'abord, le «Mont Alta» bat tous les records d'ouverture hâtive en arrivant à Montréal un 7 avril. S'il est possible de se fier aux dossiers imprécis du milieu du siècle dernier, la chose s'était déjà produite en 1840. Les autres records remarquables établis dans le passé ont été les suivants: en 1945, le «Gatineau Park» était arrivé le 9 avril; en 1910, l'«Iona» avait amarré le 11 avril; en 1927, le «Laval County» était arrivé le 12 avril, même date que le «Fort Spokane» en 1946.

Une autre circonstance peu ordinaire de l'arrivée du «Mount Alta» a voulu que le syndicat des marins canadiens, dont font partie tous les membres de l'équipage du cargo, sont en ce moment en grève. Les matelots du «Mont Alta» ont cependant décidé de ne se joindre aux grévistes qu'aujourd'hui, après qu'ils auront reçu leur solde. (...)

Dans environ 2 semaines, le cap. Baxter recevra donc le trophée tant convoité de tous les commandants d'océaniques. La tradition veut qu'il aille lui-même choisir sa canne, qui sera par la suite décorée d'une inscription marquant l'événement. Le «Mont Alta» est un bateau canadien et son capitaine habite Montréal depuis plusieurs années, étant venu très jeune d'Ecosse s'établir avec sa famille au Canada. C'est un autre fait exceptionnel qu'il faut souligner au chapitre de la course annuelle pour la canne à pommeau d'or.

Il n'aura fallu que quelques heures pour que les flammes rasent le collège Saint-Maurice : le brasier était si intense que les pompiers ne pouvaient le combattre que de loin.

116 ANS D'HISTOIRE S'ENVOLENT EN FUMÉE

En quelques heures, ce sont 116 ans du patrimoine historique maskoutain qui se sont envolés en fumée. L'événement a créé une véritable commotion dans toute la population accourue pour assister à cette agonie.

Le collège Saint-Maurice, joyau historique datant de 1876, a été rasé hier (**le 7 avril 1992**) par les flammes, ainsi que la maison-mère des soeurs de la Présentation de Marie. Des dommages évalués à plusieurs millions de dollars. Seuls le gymnase, construit au coût de deux millions en 1987, les archives et la bibliothèque ont pu être épargnés.

Heureusement, personne n'a été blessé. Les 90 pompiers des neuf municipalités environnantes, unissant leurs efforts pour combattre l'incendie, avaient privilégié le sauvetage des 77 soeurs pensionnaires, dont 17 étaient alitées à l'infirmerie. Il s'agit du premier incendie majeur à se produire dans cette municipalité depuis 1981 ; une partie du centre-ville avait alors été rasée par les flammes. En 1963, une partie du séminaire était passée par les mêmes affres.

Rappelons que le collège Saint-Maurice est une institution d'enseignement privé, qui accueillait 750 jeunes filles du secondaire, dont une soixantaine de pensionnaires.

Un autocar détourné sur le parlement

Après huit heures de grande tension, les passagers d'un autocar de la société Greyhound, pris en otages lors d'une détournement qui les a conduits de Montréal à Ottawa, ont été libérés hier soir (**le 7 avril 1989**) vers 20 h devant le parlement.

L'auteur du détournement, un certain Charles Yacoub, 36 ans de Montréal, et apparemment d'origine arabe, a déclaré qu'il représentait le Front de libération chrétien libanais. Ce groupe est inconnu de la police, a déclaré M. Gilles Favreau, commissaire adjoint de la GRC.

Lors de son arrestation, Yacoub a affirmé qu'il habitait à Montréal depuis 1976 et qu'il voulait, par son geste, attirer l'attention sur la situation au Liban. Dans ses échanges avec la police, il a posé des conditions « impossibles à satisfaire » pour le Canada, a dit M. Favreau.

Les six négociateurs de la GRC sont parvenus « à convaincre le suspect de déposer son arme et de se rendre en discutant longuement avec lui au moyen d'un talkie-walkie. Yacoub a fini par reconnaître qu'il n'« aboutissait à rien » pour ensuite renoncer à poursuivre sa prise d'otages.

Quelques minutes avant le dénouement du drame, on a pu voir le chauffeur de l'autocar, M. Roger Bednarchuk, 54 ans, de Verdun, sortir du véhicule l'air soulagé. Puis quelques instants plus tard, cinq individus sont sortis : quatre se sont placés immédiatement le long de l'autocar et le cinquième, considéré comme l'auteur du coup, s'est mis à genoux sur la pelouse, mains en l'air. Les policiers de la GRC sont immédiatement intervenus.

Le drame a commencé lorsque le chauffeur a été forcé sous la menace d'une revolver, de s'arrêter sur le pont Champlain, qui enjambe la Voie maritime, vers 12 h 30 alors qu'il quittait Montréal avec onze personnes pour se rendre à New York. Après avoir laissé descendre un passager, l'autocar a pris la route d'Ottawa.

D'après le député Mac Harb, l'individu réclamait la libération de prisonniers détenus au Liban par la Syrie et le retrait de l'armée syrienne du Liban, les mêmes requêtes formulées plus tôt cette semaine par quelque 1 500 Libanais lors d'une bruyante manifestation.

Tué par deux chiens

La police se prépare à porter des accusations contre le propriétaire de deux bull-terriers qui ont tué hier (**le 8 avril 1987**) un chirurgien à sa retraite, lors d'une sauvage attaque survenue sous les yeux horrifiés de voisins à Dayton, en Ohio.

Une dizaine de personnes auraient tenté désespérément, à l'aide de bâtons, de barres de fer et de balais, de maîtriser les deux bêtes tandis qu'ils déchiraient le Dr William Eckman, âgé de 67 ans, qui venait de quitter sa demeure pour monter dans sa voiture.

Joetta Darmstadter, 32 ans, co-propriétaire des deux chiens, a déclaré que ceux-ci l'avaient d'abord attaquée elle-même, puis qu'ils s'étaient retournés contre le chirurgien lorsqu'il avait tenté de se porter à son secours. Mme Darmstadter a subi des blessures suffisamment sérieuses pour nécessiter son hospitalisation.

L'autre propriétaire, Wilbur Rutledge, réussit enfin à mettre fin à l'attaque en se saisissant des deux chiens l'un après l'autre et en les jetant par-dessus la clôture de son jardin.

M. Rutledge a été cité à comparaître pour avoir négligé de se procurer un permis pour ses deux chiens, mais la police souligne qu'une accusation d'homicide pourrait également être portée contre lui.

C'EST ARRIVÉ UN 8 AVRIL

1986 — La romancière française Marguerite Duras, qui avait remporté il y a deux ans le prix Goncourt, a obtenu le prix international de littérature Ritz Paris Hemingway, pour son roman *L'amant*.

1981 — La ville de Québec a réservé un accueil particulièrement chaleureux à la première mondiale des Plouffe. Pendant toute la journée, des cérémonies spéciales ont souligné l'événement. En soirée, un fouillis indescriptible régnait à l'entrée du cinéma Capitole, où des curieux s'étaient massés pour voir défiler les nombreux invités.

1960 — La police a arrêté plus de 1 500 hommes et femmes noirs à Nyanga, au cours de ce que l'on peut considérer comme la plus imposante rafle jamais effectuée dans toute l'histoire de l'Afrique du Sud.

1939 — L'Allemagne avertit les démocraties de l'Ouest qu'elle appuie l'invasion italienne de l'Albanie, laissant entendre qu'elle interviendra si l'on tente de nuire à sa partenaire de l'axe Rome-Berlin. Cet avertissement, répété plusieurs fois à la radio, semblait presque un défi.

1938 — Le bureau fédéral de la statistique annonce que la population du Canada est de 11 196 441 ; les naissances, depuis le 1er jour de l'année, sont au nombre de 278 992, les décès de 140 177 ; les immigrants de 23 049 et les émigrants de 38 257.

1935 — Jamais depuis la Grande Guerre, l'Europe, l'Asie et les deux Amériques n'ont été aussi encombrées d'espions que maintenant. Les autorités nationales en ont capturé des centaines, fusillé ou exécuté des douzaines, emprisonné des vingtaines d'hommes et de femmes. Tous les jours, les journaux rapportent quelque affaire d'espionnage. Mais à part cela, il y a les milliers de cas qui n'existent que dans les dossiers secrets de la police, selon une première étude sur les syndicats d'espionnage à travers le monde.

1933 — Le cabinet a approuvé une nouvelle loi 'Gleich schaltung' conférant au chancelier Adolf Hitler des pouvoirs encore plus grands et portant pratiquement le coup de mort au Reich tel que conçu par Bismarck, le «chancelier de fer». Hitler ou ses aides contrôleront tous les États de la Fédération allemande et le chancelier sera omnipotent.

1932 — Six garçons et filles aux traits étitréés par la fatigue, qui participaient à un marathon de danse depuis le 10 mars dernier, ont pu prendre aujourd'hui un repos bien mérité. Le marathon n'était cependant pas terminé, mais la police de l'État d'Albany y a mis fin et a arrêté deux des promoteurs de ce concours sous l'accusation d'avoir violé un article de la loi qui défend d'exhiber un être humain pendant plus de 12 heures chaque jour. Un prix de 1 000 $. devait être donné au gagnant de ce marathon.

1927 — La Dominion Bridge Co. ltd., qui exécute les travaux de la superstructure métallique du nouveau pont de Montréal, entend terminer cette année la mise en place des travées reliant la Rive-Sud à l'île Sainte-Hélène. La charpente du chalet récréatif que la commission du port administera sur l'île, sera ausi entreprise au cours de la saison et, du côté de Montréal, au pied de l'avenue Delorimier, on complètera une moitié de l'arche cantilever, au-dessus des voies ferrées, sur les quais.

Diane Hébert prend son premier bain de foule à Montréal

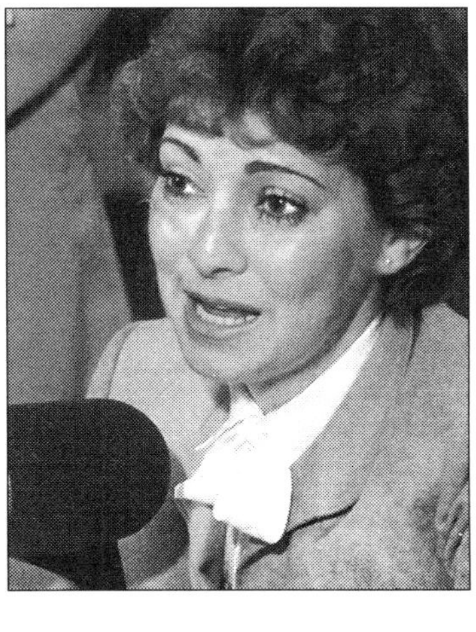

« Elle est belle ». Tout le monde chuchotait la même remarque au Complexe Desjardins, alors que Diane Hébert, qui est rentrée au Québec au cours du week-end dernier, prenait hier (**le 7 avril 1986**) son premier bain de foule.

Il est vrai, la Lavalloise de 28 ans (29 d'ici à la fin du mois) était rayonnante. Le visage bien rond, les yeux pétillants, l'air taquin, Diane Hébert n'a plus rien à voir avec la frêle jeune femme dont la vie ne tenait qu'à un fil il y a à peine six mois.

Elle dansera même. Quand Diane a quitté Montréal, il a deux ans et demi, pour la Californie où elle a attendu en vain pendant 23 mois une greffe coeur-poumons qui, finalement, a eu lieu à Toronto, elle avait promis aux Québécois qui la supportaient de revenir vivante, et, un jour, de danser pour eux.

Elle se libérera donc aujourd'hui de sa promesse, lors d'une partie de sucres organisée par le Fonds des greffés de l'Hôpital Royal Victoria.

« Quand on veut, on peut. » C'est la devise de ce tout petit bout de femme, qui aux yeux de ses médecins, est un miracle sur deux pattes !

Le prêtre de l'an 2000 : chaste, pauvre et obéissant

Le prêtre de l'an 2000 sera masculin, chaste, obéissant et pauvre, selon l'« exhortation apostolique post-synode » rendue publique hier (**le 7 avril 1992**) par le Vatican, sous le titre « Pastores dabo vobis » (« Je vous donnerai des pasteurs »).

Dans ce texte de 221 pages dédié à la formation des prêtres, le pape tire les conclusions du synode qui a eu lieu sur ce thème l'an dernier. Dans un monde dominé par l'« indifférence religieuse » et par « le primat de l'avoir sur l'être », qui a produit « la crise d'identité du sacerdoce », le prêtre devra être « capable du courage de l'autocritique » et doté de « l'esprit missionnaire ». À sa formation pourront collaborer également des femmes, « de façon prudente », mentionne le texte, qui souligne la nécessité de l'équilibre affectif des prêtres.

Même si le monde d'aujourd'hui, marqué par « la défense exacerbée par chacun de sa propre subjectivité », l'« athéisme pratique », la « désagrégation de la famille » et « le travestissement du vrai sens de la sexualité » ne favorise pas les vocations, le pape souligne que « le temps est venu de parler » du sacerdoce comme d'« une forme splendide et privilégiée de vie chrétienne ». « L'Église sait qu'elle peut affronter les difficultés et les défis de cette période de l'histoire », souligne le texte.

Le prêtre devra « surtout, note le texte, être crédible par sa vie », parce que « la plus ou moins grande sainteté du prêtre influe réellement ». Cette crédibilité dépend d'une démonstration de foi, d'humilité devant Dieu, de miséricorde, et en premier lieu de l'observance des « vertus évangéliques » que sont l'obéissance, la pauvreté et la chasteté. »

Plus de femmes trop maigres que de femmes trop grosses

Il y a plus de femmes québécoises qui sont trop maigres qu'il y en a qui sont trop grosses.

Selon l'enquête de Statistique Canada sur la santé des Canadiens réalisée en 1991, 18 % des femmes québécoises âgées de 20 à 64 ans ont un poids insuffisant, au point de risquer de nuire à leur santé.

En comparaison, 17 % des Québécoises du même groupe d'âge souffrent d'un excès de poids pouvant mettre leur santé à risque.

Quant aux hommes québécois, ils sont 4 % à avoir un poids sous la normale mais 28 % à souffrir d'embonpoint.

Même en combinant les chiffres pour les hommes et les femmes, le Québec demeure la province avec le plus haut taux de personnes au poids insuffisant (11 %). En revanche, elle est, avec l'Ontario, la province avec un des plus faibles taux d'obésité.

Fait à noter, plus les hommes ont des revenus élevés, plus ils ont tendance à avoir un problème de poids excessif alors que c'est tout à fait le contraire chez les femmes.

Autre élément intéressant, même si la majorité des femmes ont un poids normal, un grande nombre d'entre elles ont tendance à se voir plus grosse qu'elles ne le sont. Les hommes ont une attitude inverse. Dans l'ensemble du pays, 21 % de ceux qui avaient un excès de poids considéraient leur poids « à peu près normal ».

(Texte publié le 8 avril 1994)

La fierté nationale est née à Vimy

Le gouverneur général du Canada, Roméo LeBlanc, et le secrétaire d'État aux Anciens combattants, Lawrence Macaulay, commémorent aujourd'hui (**le 9 avril 1997**), en France, le 80e anniversaire de la bataille de la crête de Vimy, qui eut lieu du 9 au 12 avril 1917.

Ce fut sans doute la plus importante bataille à laquelle ait participé l'armée canadienne durant la Première Guerre mondiale, celle qui a donné pour la première fois à ce nouveau pays, qui célébrait alors son 50e anniversaire de naissance comme confédération, une « fierté nationale ».

Il peut sembler curieux d'affirmer que la conscience nationale canadienne émane des champs de bataille, mais, c'est l'avis des historiens Brereton Greenhous et Stephen J. Harris, auteurs de *Le Canada et la bataille de Vimy* (Art Global). Les survivants de Vimy et de la Première Guerre mondiale, expliquent-ils, ont « ramené un nouveau concept de nationalité fondé sur ce qu'ils ont vécu à la guerre. Consciemment ou non, ils ont commencé à le répandre dans tout le pays. »

La bataille de Vimy constitue l'une des plus belles victoires canadiennes de la Première Guerre. En effet, sur les 170 000 hommes qui prirent part à cette bataille de quatre jours du côté allié, on comptait exactement 97 184 Canadiens, tous volontaires.

Pour la première fois, toutes les unités de l'armée canadienne combattaient côte à côte. Or, la majorité des Canadiens de l'époque se connaissaient peu. Non seulement le Canadien moyen des Prairies, des Maritimes, de l'Ontario ou du Québec n'avait-il jamais mis le pied en Europe avant la guerre, mais bien souvent, il n'avait jamais quitté ni sa province, ni son patelin. À l'époque où il n'y avait ni télévision ni radio ni transport par avion, la plupart n'avaient de leurs concitoyens des autres régions qu'une connaissance folklorique. Non seulement ces hommes ont-ils contribué à la victoire alliée de 1918, mais, nonobstant les querelles constitutionnelles qui ont pu surgir par la suite, ils ont forgé sur les champs de bataille une espèce de cohésion et de fierté nationale que le Canada a peu connu par la suite, sauf peut-être au cours de la Deuxième Guerre mondiale.

Pour honorer la mémoire des combattants canadiens, on trouve à Vimy un immense monument sur un terrain cédé au Canada par la France, sur le socle duquel sont gravés les noms des régiments qui ont combattu pour la crête de Vimy et des 11 285 soldats canadiens portés « disparus, présumés morts » en France durant le conflit de 1914-18. À ce nombre, on doit ajouter les milliers qui ont disparu dans les Flandres, dans la boue infestée de microbes et qui figurent sur le monument commémoratif d'Ypres en Belgique.

La coupe Stanley aux Maroons

Ce montage fait voir les dirigeants et les joueurs de l'édition 1934-35 des Maroons de Montréal. 1. Le génial gérant Tommy Gorman. 2. Alex Connell. 3. Baldy Northcott. 4. Cy Wentworth. 5. Jimmy Ward. 6. Dave Trottier. 7. Reginald « Hooley » Smith. 8. Russell Blinco. 9. Stew Evans. 10. Earl Robinson. 11. Lionel Conacher. 12. Gus Marker. 13. Allan Shields. 14. Erbie Cain. 15. Gus Miller. 16. Bob Gracie. 17. Dutch Gaynor. 18. Sammy McManus. 19. Toe Blake.

Carnivores

Les Américains sont (**en 1994**) les premiers carnivores du monde, puisqu'ils consomment 74,2 kg de viande par an et par habitant.

Les Italiens sont deuxièmes avec une consommation annuelle de 61,7 kg, devant les Espagnols (55,2 kg), les Français (50,1), les Allemands (45,6), les Britanniques (37,2) et les Japonais (18,7).

C'EST ARRIVÉ UN 9 AVRIL

1979 — À la remise des Oscars, ce sont deux films consacrés à la guerre du Vietnam, *The Deer Hunter* et *Coming Home*, qui connaissent le plus de succès.

1974 — La FTQ annonce qu'elle a décidé de placer le local 791 sous tutelle, à la suite des révélations faites devant la commission Cliche.

1969 — Le *Bras d'or*, premier hydroglisseur de la Marine canadienne, passe l'épreuve des premiers essais.

1968 — Obsèques du Dr Martin Luther King, devant 150 000 personnes, à Atlanta.

1960 — David Pratt, un fermier sud-africain, tire deux coups de revolver en direction du premier ministre Hendrik Verwoerd.

1952 — Soulèvement du Parti national bolivien contre la junte militaire du général Hugo Ballivian. Les troubles de trois jours feront mille morts.

1948 — La révolution éclate à Bogota; conservateurs et libéraux colombiens s'entredéchirent.

1942 — Les Japonais attaquent Bataan et font 3 600 morts parmi les troupes britanniques.

1940 — Les Allemands entrent au Danemark et attaque Oslo, forçant ainsi la Norvège à déclarer la guerre à l'Allemagne.

1934 — Camillien Houde gagne les élections municipales de Montréal avec une écrasante majorité de plus de 53 000 voix.

1907 — Une violente tempête de neige s'abat sur la province de Québec. Certains villages du nord-ouest sont sans ravitaillement depuis huit jours.

1902 — Le mouvement d'agitation anti-catholique prend de l'ampleur et inquiète de plus en plus, à Bruxelles.

Récompense offerte à ceux qui trouveront les trophées volés

TORONTO — Le président Clarence Campbell, de la LNH, a suggéré hier (**9 avril 1969**) une récompense pour le retour des trois trophées volés au Temple de la Renommée du hockey à Toronto.

Les trophées Connie Smythe, Calder et Hart original sont disparus de leur niche dans le hall du Panthéon.

Au sujet de la récompense, Campbell a déclaré:

«Il est impossible de coopérer en cas de demande de rançon pour le retour des trophées. Nous serions prêts à payer une récompense raisonnable, mais seulement par l'entremise de la police. Nous ne pouvons détourner la loi en complétant un marché directement avec les voleurs.»

Surpris au sujet de ce vol de trophées, qui n'ont pratiquement pas de valeur marchande à tous les points de vue, Campbell a ajouté:

«Si quelqu'un les désire au point de les voler, nous serons heureux de lui fournir des répliques miniatures.»

Au cas où les deux premiers trophées ne seront pas récupérés à temps, les gagnants en recevront une réplique cette année.

Le curateur du Temple a constaté la disparition des trois trophées hier matin.

Le ou les voleurs avaient réussi à s'introduire dans le hall en enlevant la serrure de la porte principale et ont tenté de voler le trophée Lou Marsh, remis annuellement au meilleur athlète canadien, mais n'ont pas pu réussir le coup.

Le curateur Lefty Reid a évalué les trois trophées à environ $10,000, «mais il est bien difficile d'évaluer de telles choses».

Incidemment, les voleurs ont préféré l'orginal du trophée Hart au lieu de la nouvelle coupe. (...)

Il est plus payant de divorcer!

La Commission des droits de la personne a déclaré « recevable » la plainte d'un père de quatre enfants qui prétend devoir chaque année au fisc 5 000 $ de plus que s'il était divorcé.

M. Jacques Foucher, un notaire de Saint-Jérôme, au nord de Montréal, qui dit gagner environ 50 000 $ par an, affirme qu'un divorce lui ferait épargner 5 000 $ d'impôts. « Le problème, signale-t-il, c'est que j'aime ma femme et mes enfants... » Ce membre fondateur de l'Alliance pour la justice fiscale avait déposé sa plainte en avril 1986. La commission a rendu sa décision en novembre, mais le principal intéressé n'en a été informé que quelques mois plus tard.

Il a profité de l'occasion pour dénoncer une autre situation aberrante à ses yeux : un homme (qu'il n'a pas identifié) doit verser une pension alimentaire à la mère de ses deux enfants, mais ne peut en déduire le montant de son revenu imposable parce que le couple n'était pas marié.

« Votre charge fiscale varie selon la façon dont vous vous présentez devant le gouvernement, a-t-il lancé. Nous, à l'Alliance, croyons que c'est injuste ! À charge égale devrait correspondre un traitement égal. »

Mme Viviane Moore, membre de l'Alliance, avait d'autres exemples. Ainsi, au gouvernement provincial, un couple ayant quatre enfants, vivant en union libre et ne disposant que d'un seul revenu de plus de 12 000 $ doit payer des impôts. Avec deux domiciles et deux revenus, un couple dans la même situation peut gagner jusqu'à 22 000 $ sans payer d'impôts à Québec. (**Texte publié le 9 avril 1987.**)

UN FEU FAIT POUR $350,000 DE PERTES A JOLIETTE

Les scieries Copping, deux glacières, huit maisons, 40 hangars et un auto détruits.

(De l'envoyé spécial de la «Presse»)

JOLIETTE — L'incendie qui a éclaté dans la scierie de la compagnie W. Copping, jeudi **(9 avril 1925)** matin (...) a eu des conséquences plus sérieuses qu'on l'aurait cru au premier abord. Les flammes n'ont pu être maîtrisées que vers 8 heures, dans la soirée. (...) Des jets d'eau, depuis deux jours, ont été continuellement dirigés en divers endroits d'où, à tout instant, des flammes jaillissent.

Une grande partie du quartier sis à l'est de la rivière L'Assomption connu sous le nom de village Flamand, a été détruite ou sérieusement endommagée. Les scieries et approximativement 2,000,000 de pieds de bois de service, qui se trouvaient empilés dans les cours, ont été complètement détruits en même temps que deux immenses glacières, huit maisons et leurs dépendances, ainsi qu'un très grand nombre de hangars, écuries et autres dépendances de maisons voisines. On calcule que les pertes sont de $341,750. C'est à peine si un quart de ces pertes sont couvertes par les assurances.

Ces pertes sont d'autant plus pénibles pour la ville de Joliette, qu'elles affectent particulièrement la classe ouvrière. En plus du fait que les maisons détruites ou sérieusement endommagées étaient la propriété d'ouvriers, la destruction complète de la scierie Copping et des glacières Malo prive de 275 à 300 travailleurs de leur gagne-pain, au moins pour quelques mois.

Vue générale du quartier Flamand après l'incendie.

PROGRES RAPIDES

L'incendie, comme on le sait, s'est déclaré dans la scierie principale de la compagnie Copping, sise sur le bord de la rivière L'Assomption, à 10 h. 35, jeudi matin. Les moulins étaient en opération depuis quelques heures, déjà, lorsque des ouvriers découvrirent les flammes, près de l'énorme arbre de couche qui commande pratiquement toutes les pièces de machinerie. Immédiatement, quelqu'un courut sonner l'alarme à l'angle des rues Scallon et Saint-Thomas, pendant que les autres employés tentaient d'arrêter les progrès de l'élément destructeur. Mais, évidemment, l'on comptait sans la force du vent sud qui soufflait à une vélocité de 35 à 40 milles à l'heure, poussant les flammes vers les autres constructions et vers les cours dans lesquelles d'énormes quantités de madriers, planches et autres étaient empilés. Bientôt, la position n'était plus tenable et l'on dut céder peu à peu, devant l'intensité des flammes.

CAUSE PROBABLE

D'après les personnes qui se trouvaient dans la scierie, à ce moment, une bille de l'un des coussinets du gros arbre de commande aurait été la cause de cet incendie qui jette une partie de la population sur le pavé. Cette bille, pour une raison inconnue, aurait chauffé au point d'allumer l'incendie dans des copeaux ou de la sciure de bois. (...)

Sur le côté sud de la rivière, tout semblait devoir être rasé par le feu. Le vent ne diminuait pas d'intensité et le crépitement sinistre des flammes faisait fuir les occupants de maisons situées à plusieurs centaines de pieds de l'endroit où les flammes avaient été découvertes. Que de scènes pénibles se sont déroulées pendant ces heures d'attente! Pendant que les hommes déménageaient les meubles, les femmes, à la jupe desquelles de jeunes enfants s'accrochaient en pleurant, sauvaient les menus objets les plus précieux du ménage. Partout, dans les champs voisins, on voyait des amas de meubles, lits et divers articles. (...)

AUTRE INCENDIE

Pendant le plus fort de l'incendie à la scierie Copping, un autre incendie s'est déclaré à un demi-mille de là, dans le toit d'une maisonnette sise sur le rang des Prairies. Heureusement, les flammes furent vite maîtrisées par les voisins, qui affirment que ce second incendie a été allumé par un morceau de bois enflammé transporté à cette distance par le vent. (...)

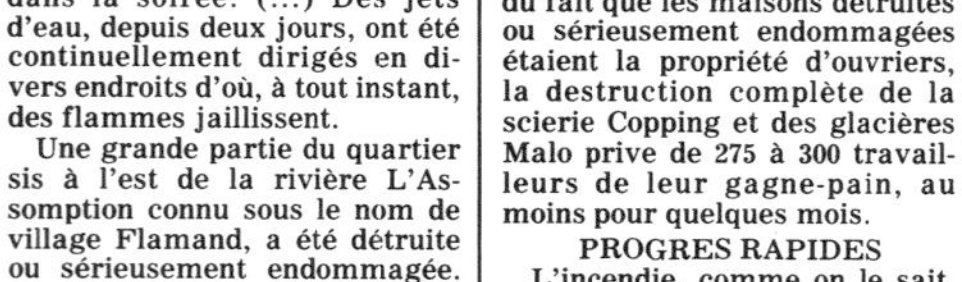

Une cheminée, voilà tout ce qui restait de la scierie Copping. À l'arrière-plan, on peut apercevoir le séminaire de Joliette, situé de l'autre côté de la rivière.

KURT COBAIN SE SUICIDE À 27 ANS

La « génération grunge » a perdu hier (**le 8 avril 1994**) le symbole de sa musique. Kurt Cobain, leader de Nirvana, s'est suicidé à son domicile à 27 ans.

Cobain était un musicien qui, auprès des 15/25 ans, aura eu la même valeur sentimentale qu'un Brian Jones, un Jim Morrison ou un Jimi Hendrix pour la génération de leurs parents il y a un quart de siècle.

Fondateur en 1988 du trio Nirvana, que complétait le batteur Dave Grohl, 24 ans, et le bassiste d'origine croate Chris Novoselic, 29 ans, Kurt Cobain était l'auteur de la plupart des chansons du groupe, qui incarnait le « grunge sound ».

En mourant à 27 ans, en pleine gloire, comme un James Dean ou une Janis Joplin, Cobain est pratiquement certain de se garantir une légende et, surtout, de ne pas finir comme des idoles qu'il admira jadis, mais qu'il avait fini par mépriser, les Mick Jagger, Pete Townshend et autres McCartney devenus les gestionnaires avisés d'une gloire passée. Kurt Cobain aura appliqué à la lettre le souhait formulé — mais jamais rempli — par Pete Townshend des Who, lorsqu'il chantait en 1965 dans *My generation* : « Hope I'll die before I get old » (« J'espère mourir avant d'être vieux »).

L'un des groupes rock les plus populaires du monde, Nirvana était aussi le retour à un certain esprit du rock, un côté romantique, une réponse cinglante aux Bon Jovi, Madonna, Phil Collins, Mariah Carey dominant le hit-parade des années 90.

Montre de 3,45 millions

La montre de poche la plus complexe du monde a désormais un nom. Elle s'appelle Kuma, du nom de la déesse japonaise de l'agriculture. Elle a été adjugée cette semaine (avril 1989) lors d'une vente aux enchères, à Genève, pour 3,45 millions de dollars à un Sud-Américain qui désire garder l'anonymat. Les enchères ont débuté à 1,8 million.

Oeuvre de la manufacture genévoise Patek Philippe, elle a nécessité neuf ans d'efforts et tout le savoir-faire des artisans de cette prestigieuse maison.

Prodige de mécanique, cette montre indique non seulement l'heure mais aussi les dates de Pâques, la rotation de la Voie Lactée et une foule d'autres indications chronométriques. Fleuron des quelque 300 montres mises aux enchères dimanche, elle avait attiré dans la cité de Calvin le gratin des collectionneurs du monde entier.

La dette nationale est de 450 milliards

Responsable des déficits annuels continus du fédéral, la dette du Canada dépasse les 450 milliards et rien ne pourra l'effacer de sitôt, indiquent des documents du ministère des Finances.

Les meilleurs augures prédisent que l'équilibre budgétaire sera atteint en 1997. Mais la dette, elle, sera toujours là, comme un boulet.

« En partant, affirme un haut fonctionnaire du ministère des Finances qui tient à demeurer anonyme, on doit trouver plus de 30 milliards de revenus additionnels ou de réduction des dépenses pour payer les intérêts sur la dette ».

La dette publique n'est pas imputable au seul gouvernement fédéral. Tous les gouvernements provinciaux sont confrontés à ce problème.

(Texte publié le 10 avril 1993)

LE «TITANIC», LE PLUS GROS PAQUEBOT DU MONDE

(Dépêche spéciale à la «Presse»)

SOUTHAMPTON, Angleterre — Le plus gros paquebot du monde, le «Titanic», qui appartient à la compagnie White Star, a quitté Southampton aujourd'hui (10 avril 1912), pour entreprendre son premier voyage à New York. Voici les dimensions de ce navire: longueur: 880 pieds et 8 pouces; largeur: 92 pieds et 6 pouces.

Le «Titanic» déplace 68,000 tonnes. Il peut transporter 3,000 passagers. L'équipage se compose de 860 personnes.

Charles Queshish.

L'assurance-hospitalisation et le bill sur les offices agricoles sont approuvés

OTTAWA — La Chambre des communes a finalement adopté à l'unanimité **(le 10 avril 1957)** le plan national d'assurance-hospitalisation en vertu duquel le gouvernement fédéral partagera avec les provinces les frais d'hospitalisation et de diagnostic dans les hôpitaux généraux.

La majorité libérale a cependant fait échec à deux tentatives oppositionnistes visant à modifier le plan afin qu'il soit mis en application sans tarder.

Après avoir discuté presque toute la journée le projet d'assurance-hospitalisation, les députés ont ensuite étudié rapidement les amendements à la loi relative à la mise en marché des produits agricoles, qui autorisera désormais les offices provinciaux de mise en marché à percevoir des droits ou taxes indirectes sur leurs produits dans le but d'égaliser les revenus des producteurs.

La mesure a été rédigée par le gouvernement à la suite d'une décision de la Cour Suprême du Canada qui affaiblissait l'autorité des offices à cet égard. (...)

L'argument du CCF

Au sujet de l'assurance-hospitalisation, le parti CCF avait proposé un amendement visant à supprimer la condition selon laquelle six provinces représentant au moins (50 p. 100 de la) population canadienne doivent accepter l'offre avant que le plan soit mis en application.

Le CCF soutenait que la participation fédérale devrait commencer immédiatement après l'adoption de la loi puisque cinq provinces (la Colombie-Britannique, l'Alberta, la Saskatchewan, l'Ontario et Terre-Neuve) ont déjà accepté le plan et que ces provinces représentent 56,3 p. 100 de la population.

Le gouvernement s'en est cependant tenu à sa formule, soutenant que la participation de six provinces est nécessaire pour donner au plan un caractère aussi national que possible.

La majorité ministérielle a rejeté la proposition CCF par un vote de 125 contre 56. Tous les groupes de l'opposition ont voté contre le gouvernement.

L'amendement conservateur

Les conservateurs proposèrent alors que le projet de loi soit modifié de façon à comprendre les malades hospitalisés dans les sanatoriums et les salles d'aliénés. Mais le gouvernement s'en est tenu à son offre applicable aux tuberculeux et aux malades mentaux traités dans les hôpitaux généraux.

Tous les oppositionnistes ont appuyé la proposition conservatrice, qui fut rejetée par 111 voix contre 54.

Finalement, la mesure ministérielle fut adoptée par un vote de 165 contre 0.

L'asile municipal pour les malheureux

Le refuge Meurling accomplit dans notre ville une oeuvre admirable de charité. Des milliers d'indigents y trouvent asile durant la dure saison. Une institution parfaitement organisée.

M. ALBERT CHEVALIER, DIRECTEUR DE L'ASSISTANCE MUNICIPALE

M. J.A. BEAULIEU, SURINTENDANT DU REFUGE MEURLING

CONCORDIA SALUS

LE REFUGE MEURLING — BUREAU GÉNÉRAL.

LE REFUGE MEURLING — FAÇADE DE L'ÉDIFICE, 335, RUE DU CHAMP-DE-MARS.

LE REFUGE MEURLING — LA CHAMBRE DE FUMIGATION.

LE REFUGE MEURLING — LE RÉFECTOIRE.

LE REFUGE MEURLING — L'INSCRIPTION DES SANS-ASILE.

LE REFUGE MEURLING — LES CUISINES.

LE REFUGE MEURLING — LE DORTOIR.

Dans son édition du 10 avril 1915, LA PRESSE consacrait la première page au refuge municipal Meurling, qui avait ouvert ses portes un an plus tôt. Au cours de sa première année, le refuge avait enregistré pas moins de 123 000 nuitées. Le refuge avait coûté $180 000, et la succession Gustave Meurling avait contribué une somme de $72 400.

Un Algonquin a sauté les Rapides de Lachine en canot

UN indien de la tribu algonquine, dans l'Abitibi et un marchand demeurant à Parent, Abitibi, ont accompli, hier (10 avril 1929) après-midi, un exploit peu banal, alors que dans un canot de promenade, d'une longueur de 15 pieds, ils ont sauté les rapides de Lachine.

L'indien, qui se nomme Charles Queshish, est un solide gaillard âgé de 30 ans, pesant 193 livres et mesurant 6 pieds 2 pouces. C'est à l'hôtel Alberta, rue Windsor, qu'un représentant de la «Presse» l'a rencontré et a pu causer quelques minutes avec lui. Il parle un peu le français et le comprend assez bien.

STUPEFACTION

Son domicile est à Manouane, dans l'Abitibi, et jusqu'à mercredi dernier, il n'était jamais sorti de sa retraite. Quand il mit le pied sur le sol montréalais, il fut stupéfié de voir toute cette agitation. Les tramways, les automobiles l'effrayèrent, car

c'était la première fois qu'il prenait connaissance de ces véhicules modernes.

Ce fut toute une affaire, lorsqu'il monta dans un tram de la rue Ste-Catherine, se dirigeant vers l'est. Il fallut que son compagnon insistât et lui représentât qu'il n'y avait aucun danger, pour le décider à y prendre place.

Il n'était certes pas à son aise. «J'avais peur un petit brin, nous confiait-il. J'aime mieux le canot que ces inventions modernes. J'y suis plus chez nous. — Et l'automobile, lui demandons-nous? — Ça va très vite, trop vite pour mon goût.» (...)

LES RAPIDES DE LACHINE

Il est venu à Montréal spécialement pour sauter les rapides de Lachine. Il avait entendu parler souvent des exploits de Big John Canadien, qui dans un large bac, avait accompli cette ran-

donnée périlleuse et audacieuse. Il s'était promis de la tenter, mais jusqu'ici des empêchements l'avaient forcé à ajourner son expérience.

Le marchand dont nous parlions tout à l'heure et qui se nomme William Milidge consentit à l'accompagner à Montréal et à lui procurer l'occasion de mettre son projet à exécution. (...)

A Lachine, il ne prit pas grand temps à se mettre au courant de la nature et de la force des rapides que tout à l'heure, il aurait à traverser. (...)

Il se saisit du canot et le transporta à la rivière non loin du garage Lecavalier. Après l'avoir examiné, il prit sa place au centre, pendant que son compagnon M. Milidge se plaçait à l'arrière. Ils étaient bien à tous et en route pour l'imprévu et les rapides! (...)

Ce fut un dur voyage. Sur tout le parcours, ils rencontrèrent

des glaces, qu'ils évitèrent souvent non sans danger. A la pointe des rapides, les vagues et les remous ne semblaient guère accueillants. Les deux hommes avaient peine à voir devant eux tant les vagues étaient élevées. Elles déferlaient par-dessus l'embarcation, mais les deux voyageurs n'en paraissaient nullement émus, ni étonnés. (...)

Le canot filait à une allure endiablée. Il fallait être prudent. Chaque coup d'aviron avait son contre-coup. La moindre défaillance, la moindre inattention et c'était le naufrage, peut-être la mort.

Le trajet s'effectua dans 25 minutes. Ils atterrirent à la Côte Sainte-Catherine, non loin de La Prairie. Ils n'étaient pas trop mouillés. Si le projet avait été réalisable, nous croyons que notre Algonquin et son compagnon étaient de force à remonter les rapides. (...)

LA PRESSE, MONTRÉAL, 10 AVRIL / 101

1979 — Début du tournoi d'échecs de Terre des hommes, avec la participation de la très grande majorité des maîtres.

1977 — À la demande de Rabat et de Kinshasa, la France décide d'intervenir au Zaïre.

1975 — Le président Giscard d'Estaing débarque en Algérie. C'est la première visite d'un président français depuis l'indépendance.

1974 — Madame Golda Meir, premier ministre d'Israël, annonce sa démission.

1973 — Trois dirigeants palestiniens sont assassinés en plein coeur de Beyrouth par des commandos israéliens.

1972 — Un tremblement de terre fait des milliers de morts dans le sud de l'Iran.

1972 — Les guerilleros argentins assassinent le général Sanchez, commandant de la deuxième région militaire, et Orberdan Sallustro, directeur argentin de la société Fiat.

1971 — Début de la *diplomatie du ping-pong*: l'équipe de tennis de table de la République populaire de Chine invite une équipe américaine à visiter la Chine.

1969 — Le général de Gaulle menace de quitter la présidence s'il ne reçoit l'appui attendu lors du référendum du 27 avril.

1963 — Le sous-marin atomique américain *Tresher* disparaît dans l'Atlantique avec 129 personnes à bord.

1961 — En visite au Canada, l'ingénieur polonais Thomas Biernacki est arrêté par la Gendarmerie royale. Il est soupçonné d'espionnage.

1956 — Le Canadien gagne la coupe Stanley. C'est la première d'une série de cinq conquêtes consécutives.

1956 — Un groupe de blancs américains attaque le chanteur noir Nat King Cole, à Birmingham, Alabama.

1954 — Décès du physicien Auguste Lumière, l'un des inventeurs du cinéma avec son frère Louis. Il était âgé de 92 ans.

1953 — Le Suédois Dag Hammarskjöld succède à Trygve Lie comme secrétaire général des Nations Unies.

1948 — Le tribunal de Nuremberg condamne 14 bourreaux nazis à mourir sur la potence.

1946 — Premières élections vraiment démocratiques au Japon. Même les femmes ont le droit de vote pour les 466 sièges de la Diète.

1932 — Le feld-maréchal Paul von Hindenberg est élu président de la république d'Allemagne, au détriment d'Adolf Hitler.

1928 — Wilfrid Pelletier accède au poste de chef d'orchestre du Metropolitan Opera de New York.

1911 — Le steamer *Iroquois* sombre au large de Sydney, Colombie-Britannique. L'incident fait 20 morts.

1907 — Quinze personnes sont brûlées vives dans un accident ferroviaire, près de Chapleau, en Ontario.

1905 — L'hon. Lomer Gouin, premier ministre de la province, l'emporte lors d'une élection complémentaire, dans la circonscription de Saint-Jacques.

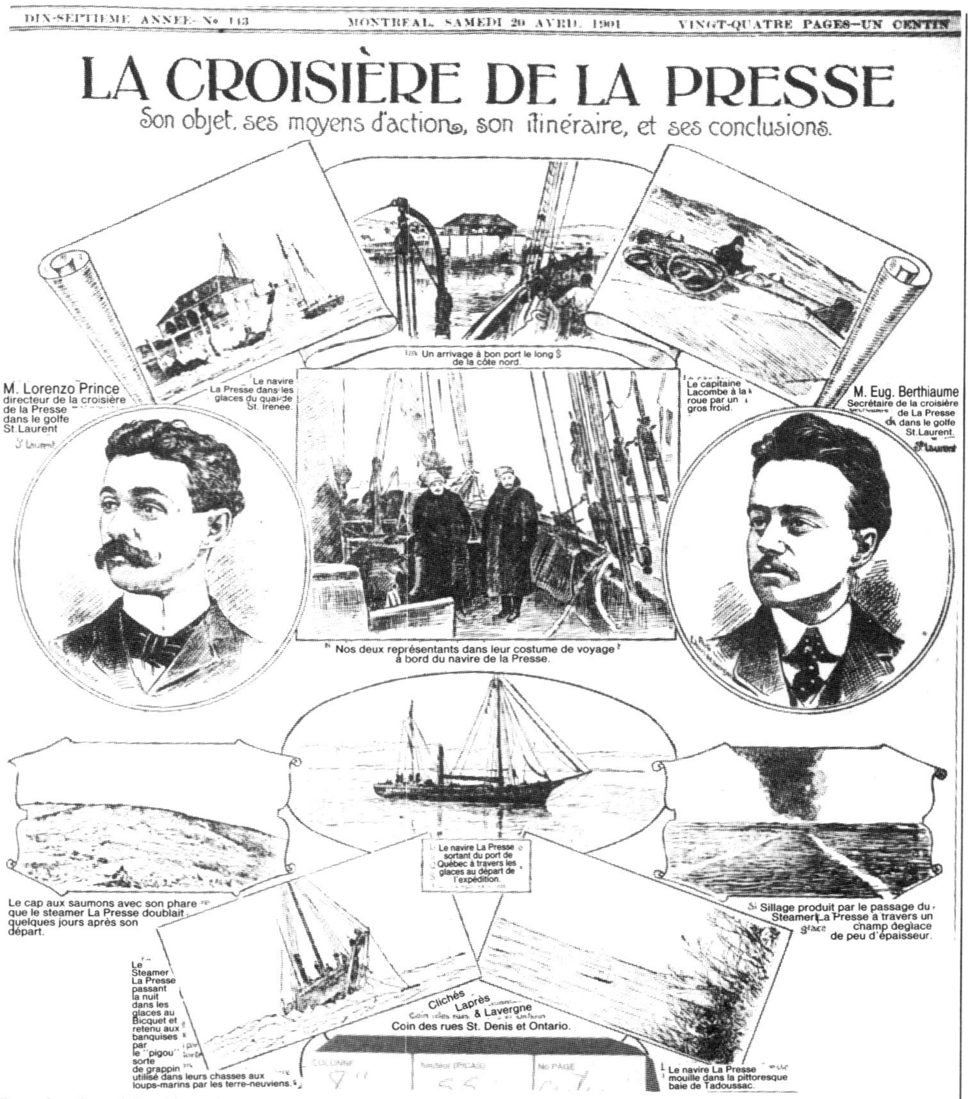
DIX-SEPTIEME ANNEE—No 143
MONTREAL, SAMEDI 20 AVRIL 1901
VINGT-QUATRE PAGES—UN CENTIN
LA CROISIÈRE DE LA PRESSE
Son objet, ses moyens d'actions, son itinéraire, et ses conclusions.
Un arrivage à bon port le long de la côte nord.
M. Lorenzo Prince directeur de la croisière de la Presse dans le golfe St.Laurent
Le navire La Presse dans les glaces du quai de St. Irenee.
Le capitaine Lacombe à la roue par un gros froid.
M. Eug. Berthiaume Secrétaire de la croisière de La Presse dans le golfe St.Laurent.
Nos deux représentants dans leur costume de voyage à bord du navire de la Presse.
Le navire La Presse sortant du port de Québec à travers les glaces au départ de l'expédition.
Le cap aux saumons avec son phare que le steamer La Presse doublait quelques jours après son départ.
Sillage produit par le passage du Steamer La Presse à travers un champ deglace de peu d'épaisseur.
Le Steamer La Presse passant la nuit dans les glaces au Bicquet et retenu aux banquises par le "pigou" sorte de grappin utilisé dans leurs chasses aux loups-marins par les terre-neuviens.
Clichés Laprès & Lavergne
Coin des rues St. Denis et Ontario.
Le navire La Presse mouille dans la pittoresque baie de Tadoussac.

Pour clore la croisière hivernale du steamer «La Presse» sur le Saint-Laurent, et grandement satisfaite des résultats obtenus, LA PRESSE consacrait la page une de son édition du 20 avril 1901 à l'événement.

RETOUR A QUEBEC

Le navire de la «Presse» jette l'ancre au quai de la Commission du Havre. — La population de la cité de Champlain lui fait un accueil chaleureux.

NDLR — Ce texte relate la dernière étape de l'expédition commanditée par LA PRESSE pour faire la preuve qu'il était possible, l'hiver, de remonter le Saint-Laurent jusqu'à Québec malgré les glaces.

(Dépêche spéciale de notre correspondant à bord)

QUÉBEC, **11 avril 1901** — Nous sommes arrivés sains et saufs à Québec, à 10.30, cette avant-midi.

C'est par une brise nord, assez forte, que nous sommes partis de la Rivière du Loup, d'où je vous ai télégraphié hier, à 10.30 a.m. Nous avons pris le chenal sud pour y faire des observations que nous n'avons pu faire auparavant, étant descendus par le chenal nord.

A 5 heures, nous mouillions au bloc de la traverse Saint-Roch, qui est une construction considérable, afin d'en prendre des photographies inédites.

Vers sept heures du soir, nous étions vis-à-vis L'Islet, et nous entendîmes alors sonner l'Angelus au clocher du village.

A 8.30 heures, nous jetions l'ancre à la Pointe aux Pins, en haut du phare de Montmagny. Jusqu'ici nous n'avions rencontré que des glaces éparses çà et là, qui ne gênaient nullement la marche du navire.

A deux heures, ce matin, par un vent de tempête, l'homme de quart signalait la descente de champs de glaces d'une épaisseur de six à huit pieds. Le capitaine Bégin en conclut qu'une partie du pont du Sault de la Chaudière avait cédé sous les pluies continuelles de la dernière quinzaine.

A 2.30 heures, ordre était donné à l'ingénieur de pousser sa machine, et le steamer «La Presse» dut commencer une course de louvoyage accidentée, à travers les banquises de glaces, poussées avec rapidité par le vent et le courant. Les encombrements qui surgissaient sur notre route devenaient aussi considérables que ceux que nous avons rencontrés au départ, et plus dangereux, parce qu'il s'agissait maintenant de banquises isolées, offrant plus de résistance qu'une couche unie de glace. Cependant, nous réussîmes, malgré les ténèbres, à traverser cette impasse sans accident.

Avec le jour, ce fut un jeu facile pour le capitaine Lacombe de faire la pointe ouest de l'île d'Orléans. Les drapeaux flottaient sur le steamer; le canon de bord était prêt à tonner pour annoncer notre arrivée à la population de Québec, lorsque tout à coup, un bruit sourd se fit entendre en dessous du gaillard d'arrière, et l'ingénieur stoppait sa machine pour cause d'accident.

Quelques secondes plus tard, nous apprenions que la machinerie qui conduit le pouvoir des pistons à l'arbre de couche était presque toute cassée. La misaine fut immédiatement hissée, de même que le foc d'avant et il nous fallut regagner le bassin Louise sous voile et accoster à la jetée de la commission du havre au moyen d'une grue à vapeur.

Il est fort heureux que cet accident soit arrivé alors que nous étions à quelques encablures de Québec, à cause des grosses glaces que le fleuve charroie. Les dommages se chiffrent dans les cinq à six cents dollars.

Une foule assez nombreuse nous accueillit au débarcadère. Inutile de vous dire que nous faisions piètre figure encore sous le coup de l'accident qui venait de nous arriver.

Le feu a rasé le plus vieux pavillon de l'île S.-Hélène

LES constables de la Commission du Port de Montréal ont aperçu, vers 9 h. 45 ce matin **(11 avril 1930)**, du feu sur l'île Sainte-Hélène, et se rendirent bientôt compte, à mesure que les flammes grandissaient, que c'était le plus vieux pavillon de l'île qui brûlait; une construction de bois à un étage. Aussitôt, les pompiers de Montréal furent demandés et le chef Raoul Gauthier dépêcha une équipe du poste No 11 sur les lieux, avec une pompe-automobile.

Pour se rendre sur l'île, les pompiers, commandés par le capitaine U. Gauthier, passèrent à 10 h. 15 sur le nouveau pont. C'est la première fois qu'une telle chose se produit.

C'est un feu d'herbe qui a allumé l'incendie, et les flammes avaient trop gagné de terrain pour que les extincteurs chimiques des pompiers de Montréal eussent beaucoup d'effet sur la maison en feu.

UNE MACHINE MARCHANTE

L'INVENTEUR de cette «walking-machine», M. Wright, résidait au Transvaal quand éclata la guerre, dont il suivit en observateur les principales opérations. Un fait attira en particulier son attention: les artilleurs ne réussissaient qu'au prix d'efforts inouïs à mettre leurs gros canons en batterie, dès qu'ils avaient à les hisser au sommet des «kopjes». Il chercha alors à combiner un engin susceptible de circuler avec un poids lourd sur ces terrains difficiles et, à force de perfectionnements successifs, il finit par produire la machine que nous allons examiner brièvement.

Son principal objet est donc de traîner des pièces de gros calibres à une vitesse relativement considérable, et cela à travers les terrains les plus accidentés. Voici, d'après un témoin qui assista aux essais définitifs, à Long Valley, aux abords du camp d'Aldershot, quels seraient les principaux exploits accomplis par la machine: 1° Elle aurait atteint le sommet d'une colline dont la pente était trop rapide pour les autres systèmes de locomobiles, et cela en traînant des fourgons pesamment chargés; 2° Elle aurait suivi à grande vitesse la crête d'une colline où toute autre machine aurait versé; 3° Elle aurait traversé un fossé large de six pieds, et, dans un autre fossé à peine plus large qu'elle n'est longue, elle aurait reviré sans difficulté; 4° Malgré son énorme poids, elle pourrait tourner brusquement sur elle-même, en se servant d'une de ses roues comme pivot.

Réellement, la machine en marche, et surtout à distance, a tout l'air d'une gigantesque chenille; elle semble ramper. Cet effet est dû aux détails de construction que notre photographie expose nettement.

Ses huit roues sont comme enveloppées dans deux bandes sans fin qui sont munies sur leur surface externe de 32 pieds. Quand on aperçoit la machine de loin, on ne distingue pas les roues; et, positivement, elle semble portée en avant par les bandes rampantes, par les bandes chenilles, selon l'expression des soldats. La force motrice est fournie par une machine à combustion interne qui développe l'équivalent de 400 chevaux-vapeur. (...) L'engin pèse trente tonnes.

Cela se passait le 11 avril 1908.

L'«automobile marchante», inventée par M. Wright, au cours des essais réalisés aux abords du camp d'Aldershot.

Des Québécois participent à l'effervescence de la Tchécoslovaquie

Debout près d'un écran cathodique, l'air aussi sérieux qu'un diplômé d'Harvard, un jeune homme de 22 ans tend la main. C'est Stéphane Gariépy, un Québécois de Boucherville. Le 12 mars dernier, dans un local utilisé jusque là comme centre culturel, il ouvrait une discothèque capable d'accueillir plus de 1 200 personnes, la plus grande discothèque de Tchécoslovaquie. Après moins d'un mois d'activité, il parle maintenant d'expansion dans d'autres pays de l'Est.

À sa façon, ce jeune homme sans expérience mais visiblement déterminé incarne bien le dynamisme d'un groupe de Québécois qui ont décidé de se tailler un fief dans la nouvelle Tchécoslovaquie du président Vaclav Havel.

Le changement se voit partout : dans les journaux qui naissent au rythme des jours, dans les panneaux-réclame de Pepsi, Malboro, Samsung, Sony, Price Waterhouse, qui poussent comme des champignons et dans les rues qui bourdonnent d'une activité étonnante.

C'est grâce à son ancien patron, Julius Kudelka, l'un des copropriétaires du Métropolis de Montréal, que le jeune Gariépy a pu se lancer en affaires à Prague. Il y a environ six mois, Gariépy avait accompagné Kudelka dans la capitale tchécoslovaque pour y faire un travail pour la société Light and Sound, une société spécialisée dans l'installation de systèmes de son et d'éclairage.

Six mois plus tard, avec l'appui financier de son père, d'une banque locale et l'aide de Kudelka, Stéphane Gariépy signait une entente lui permettant d'utiliser le centre culturel de la rue Slavie comme discothèque et salle de spectacles. Sa discothèque est considérée maintenant comme la plus sophistiquée de Prague à cause de son système de son et d'éclairage tout informatisé. Elle emploie 35 personnes et accueille environ 450 personnes, quatre soirs par semaine.

L'aventure du jeune Gariépy évoque l'enthousiasme que manifestent Kudelka et d'autres Québécois qui ont décidé il y a environ deux ans de se lancer en affaires en Tchécoslovaquie. Par exemple, Pierre Chartier qui vient d'obtenir le contrat des machines distributrices du métro, et André Brais qui s'occupe de l'installation du système informatique au ministère du Travail.

Au moment où le gouvernement tchécoslovaque s'apprête à annoncer son deuxième programme de privatisation des biens et des entreprises, une seule phrase revient dans la bouche de tous ces Québécois qui brassent des affaires en Tchécoslovaquie : « C'est le moment ou jamais de venir ici. »

« Ce qu'il y a de malheureux, renchérit Julius Kudelka, c'est que ce sont les Allemands qui profitent le plus de la situation. Pourtant à chances égales, les Tchèques sont portés à favoriser les Québécois. »

Avis aux intéressés...

(Texte publié le 11 avril 1992)

Mission accomplie pour le «camion de l'espace»

Lançant dans leurs communicateurs un vibrant «nous l'avons», les astronautes de la navette Challenger ont réussi hier **(Texte publié le 11 avril 1984)** à récupérer le satellite Solar Max et à le placer dans la soute de leur navette spatiale, donnant pour la première fois une démonstration spectaculaire des nombreuses possibilités qu'offre le « camion de l'espace ».

Le travail des astronautes américains ne sera toutefois complété qu'aujourd'hui. Deux d'entre eux s'aventureront dans la soute de Challenger afin d'y procéder à une remise au point du coûteux satellite qui avait été mis en orbite en 1980 pour étudier les phénomènes solaires.

Challenger se trouvait à 500 kilomètres au-dessus de l'Océan Indien lorsque le spécialiste de mission Terry Hart, manipulant le bras canadien long de 15 mètres, a réussi à boucler une alvéole dans le flanc du satellite, malgré la légère rotation de ce dernier.

C'EST ARRIVÉ UN 11 AVRIL

1979 — Des exilés ougandais aidés de soldats tanzaniens chassent l'ineffable maréchal-président Idi Amin Dada du pouvoir. Ce dernier s'enfuit on ne sait vers quel pays.

1975 — La disparition des ondes de la populaire émission «Appelez-moi Lise» est confirmée par Radio-Canada.

1972 — Les quelque 210 000 employés des secteurs public et parapublic du Québec se mettent en grève pour la deuxième fois en deux semaines.

1967 — Sir Donald Sangster, premier ministre de la Jamaïque, succombe à une hémorragie cérébrale à l'Institut neurologique de Montréal, où il avait été transporté d'urgence.

1963 — Dans son encyclique *Pacem in Terris*, le pape Jean XXIII souhaite l'instauration d'une paix établie sur la vérité, la justice, la charité et la liberté.

1961 — Début du procès du bourreau nazi Adolf Eichmann, à Jérusalem.

1958 — Le premier ministre Maurice Duplessis admet que le Québec pourrait accepter le programme d'assurance-santé mis de l'avant par le fédéral.

1953 — A Pan Mun Jom, les Nations Unies et les Nord-Coréens signent la convention qui réglementera l'échange de quelque 6 300 prisonniers de guerre.

1951 — Le président Harry Truman relève le général Douglas MacArthur de toutes ses responsabilités. Le général Ridgway prend la relève à titre de commandant en chef, en Extrême-Orient.

1908 — On procède à l'inauguration officielle du nouvel édifice de l'École polytechnique de l'Université de Montréal.

141 ovnis aperçus au Canada en 1989

Des lumières clignotantes inexpliquées et des cercles bizarres au sol sont observés au Québec, une soucoupe volante passe en trombe au-dessus des maisons à Terre-Neuve et un objet en forme de prisme monte en chandelle dans le ciel du Manitoba.

Partout au pays, les gens ont aperçu au moins 141 objets volants non identifiés l'année dernière, d'après ce qu'il a été convenu d'appeler le premier relevé national d'observation d'ovnis.

« Cela nous apprend que les ovnis n'ont pas disparu, que des ovnis sont aperçus d'un bout à l'autre du Canada », souligne M. Chris Rutkowski, un chercheur de Winnipeg qui en a effectué la compilation. **(Texte publié le 12 avril 1990)**

Un Russe ramené vivant d'un voyage cosmique

Yuri Gagarine passe 108 minutes en orbite autour de la terre

MOSCOU–L'URSS a placé aujourd'hui **(12 avril 1961)** pour la première fois dans l'histoire du monde, un homme en orbite autour de la terre et l'a ramené sain et sauf après un séjour d'une durée de 108 minutes dans l'espace.

Le cosmonaute soviétique, le major Yuri Alekseyevich Gagarine, âgé de 27 ans et père de deux enfants, a accompli un peu plus d'un tour de la terre, dans un vaisseau spatial de cinq tonnes, avant d'être ramené à un endroit prédéterminé en Union soviétique. Le premier tour du globe opéré par un homme a été réalisé en 89.1 minutes. L'orbite décrite par le vaisseau cosmique atteignait 110 milles à son point le plus éloigné. Le vaisseau spatial est désigné sous le nom de «Spoutnik Orient» par les savants soviétiques. Ces derniers ont pu surveiller sur des écrans de télévision le déroulement de l'opération. Ils maintenaient en même temps le contact avec Gagarine sur deux fréquences radiophoniques de 9,019 et 20,006 mégacycles.

Aux dernières nouvelles, Gagarine, proclamé héros national, se dirigeait vers Moscou dans un avion à réaction.

Tout va bien à bord

Au moment où il survolait l'Amérique du Sud, Gagarine a envoyé un message disant: «Tout va bien à bord». Il a atterri à 10.55 heures de la matinée, heure de Moscou (3.55 heures, heure de l'Est), et a déclaré qu'il se sentait très bien et qu'il ne souffrait d'aucune blessure ni contusion. Il a demandé qu'on annonce à Khrouchtchev le succès de son atterrissage.

A 9 heures, Radio-Moscou avait interrompu ses émissions pour proclamer la nouvelle. Le principal commentateur de nouvelles a lu le communiqué à trois reprises. «Le pilote du premier navire spatial habité par un homme est un citoyen de l'URSS, le major d'aviation Yuri Alekseyevich Gagarine.» Le lancement de la fusée spatiale à plusieurs étages a réussi et après avoir atteint sa première 'vitesse d'évasion, après la séparation du dernier étage de sa fusée porteuse, le vaisseau spatial est entré en vol libre en orbite autour de la terre. (...)

Un spécialiste soviétique en astronautique, Nikolaï Varvarov, a déclaré ce matin que le vaisseau «Orient» était activé par un système complètement automatique, ce système prenant soin de l'astronaute lui-même. Le savant a expliqué qu'il était impossible que l'astronaute dirige lui-même le vaisseau. Cela demanderait une force extraordinaire et de toute façon les mouvements de l'homme ne seraient pas assez rapides. (...)

Yuri Gagarine, le premier cosmonaute du monde.

Le défi de Jessica tourne à la tragédie

Une fillette de sept ans qui tentait de battre le record du plus jeune pilote à traverser les États-Unis, et ses deux passagers adultes, ont été tués hier **(le 12 avril 1996)** lorsque leur monomoteur s'est écrasé au décollage à Cheyenne, au Wyoming.

L'avion était piloté par Jessica Dubroff. Les deux autres victimes étaient le père de la fillette, Lloyd Dubroff, et son instructeur, Joe Reid, qui l'accompagnaient dans son périple.

Le Cessna, un quatre places, s'est écrasé dans la rue d'une zone résidentielle, près d'une maison, mais personne n'a été blessé au sol.

L'enfant pilotait depuis quatre mois sous la surveillance de son instructeur qui demeurait seul responsable à bord et qui, assis aux côtés du pilote dans le cockpit du Cessna, disposait de doubles commandes.

Jessica, 1,25 mètre et 25 kilos, utilisait un gros coussin rouge pour se rehausser dans son siège de pilote et disposait de rallonges pour atteindre les pédales de contrôle.

Deux maisons volent en éclats

A la suite d'explosions causées par le gaz

DEUX terribles explosions, ont fait voler en éclats des maisons complètes à peine à six heures d'intervalle et dans des quartiers bien différents, au cours de la journée de samedi **(12 avril 1930)**. (...)

Dans chacun des cas, c'est le gaz d'éclairage s'échappant de conduits défectueux qui a causé l'explosion. Chaque explosion a été d'une force terrible. Les toits ont été projetés en l'air tandis que les murs ont volé en éclats et en moins de temps qu'il n'en faut pour le dire la maison n'était plus qu'un monceau de débris informes. Dans les deux cas l'incendie s'est déclaré dans les débris mais a été vite mis sous contrôle.

Les personnes qui se trouvaient dans les maisons ont été ensevelies sous les débris d'où il a fallu les retirer avec peine et misère et ceux qui se trouvaient aux alentours des maisons ont été projetées à des distances considérables ou meurtris par les projectiles provenant de la maison.

Les deux maisons qui ont fait explosion étaient des maisons neuves.

Première explosion

La première explosion est survenue un peu avant 1 heure, samedi après-midi, à la maison portant le numéro 1327, boulevard Saint-Joseph est. Il s'agissait d'une maison à appartements de trois étages dont la construction n'était pas encore terminée. Heureusement, il n'y avait qu'une personne dans la maison au moment de l'accident, les autres ouvriers étant tous occupés dans la maison voisine. L'homme qui était dans la maison est M. Henri Lamy, 3870, rue S.-Hubert, et comme il se trouvait près d'une fenêtre, il a été projeté dehors et s'est relevé une vingtaine de pieds plus loin dans la rue; quand il a été relevé il souffrait de légères contusions générales et après avoir été pansé, il a pu retourner chez lui. (...) Les dommages sont évalués aux environs de $50,000. (...)

Seconde explosion

La seconde explosion, pour avoir causé des dommages matériels moins grands, puisqu'ils sont évalués à $12,000 environ, a été beaucoup plus grave à cause des blessures qui ont été infligées à ceux qui occupaient la maison. Ici les victimes sont au nombre de onze et quelques-uns sont dans un état grave. C'est la maison située aux numéros 5325 à 5331, 9e avenue, Rosemont, qui a été le théâtre de l'accident qui est survenu environ sept heures après la première explosion, c'est-à-dire un peu avant 8 heures samedi soir.

Il est cependant des plus étonnants qu'aucune mort n'ait été enregistrée, puisqu'il y avait plusieurs personnes dans la maison au moment de l'explosion et qu'elles ont été ensevelies dans les débris d'où les pompiers et des voisins sont parvenus à les tirer, presque au milieu des flammes, et parfois seulement après avoir soulevé des poutres entières ou des meubles tombés pêle-mêle. Un pompier a aussi été asphyxié en s'efforçant d'atteindre le conduit de gaz d'où le fluide dangereux s'échappait constamment et pouvait causer une nouvelle explosion d'une minute à l'autre.

Cette photo de ce qui reste de la maison du boulevard Saint-Joseph illustre fort bien la puissance de l'explosion.

C'EST ARRIVÉ UN 12 AVRIL

1991 — Cent quarante personnes ont péri asphyxiées ou carbonisées à la suite d'un abordage survenu entre un traversier et un pétrolier dans la nuit à la sortie du port de Livourne, en Italie. Un seul membre d'équipage a survécu. Il s'agit de la plus grave catastrophe maritime de l'Italie d'après-guerre.

1981 — Joe Louis, ex-champion du monde des poids lourds à la boxe, meurt à 66 ans.

1979 — Le premier ministre du Québec, René Lévesque, épouse Corinne Côté, son ancienne secrétaire, dans la plus stricte intimité.

1955 — On reconnaît officiellement l'afficacité du vaccin Salk contre la poliomyélite.

1949 — La violence éclate dans les ports du Canada paralysés par une grève des débardeurs.

1945 — Le président des États-Unis Franklin Delano Roosevelt succombe à une hémorragie cérébrale à l'âge de 65 ans. Il avait occupé ses fonctions pendant 12 ans. Il est immédiatement remplacé par le vice-président Harry Truman.

LE SERVICE DES AUTOMOBILES A CINQ SOUS EST PRESENTE AUX CITOYENS DE MONTREAL

A onze heure, cet avant-midi **(12 avril 1915)**, on a inauguré à Montréal, le nouveau service d'automobiles dit «Jitney». Bon nombre de citoyens distingués et quelques journalistes ont parcouru dans les voitures de la nouvelle association, la route qui sera régulièrement suivie par ce service. Une quinzaine de voitures ont pris part à cette parade et l'inauguration a été très réussie. (...)

Le mot «Jitney», qui n'est ni français ni anglais, est une expression qui nous vient de l'ouest des États-Unis. On lui prête la signification de «passage à cinq sous.» C'est dans les États-Unis, à San Francisco, que le premier service d'automobiles «Jitney» fut inauguré. (...) A Winnipeg et à Toronto, ces services qui ont été inaugurés depuis quelques mois, donnent aussi d'excellents résultats. A Montréal, on s'attend à ce que ce service aide considérablement à faire diminuer la congestion du tramway, particulièrement aux heures des repas.

Le nouveau service régulier des autos dits «Jitney» commencera le matin à sept heures, la première voiture quittant l'angle des rues Laurier et du Parc, et passant par les rues Mont-Royal, Saint-Urbain, avenue des Pins, avenue du Parc, Saint-Alexandre, Craig, Place d'Armes, Saint-Jacques, Saint-Pierre, Craig, Saint-Alexandre et retournant à l'angle de la rue Laurier et de l'avenue du Parc. La dernière voiture du service de jour quittera la Place d'Armes à sept heures du soir.

SENSATIONNEL ATTENTAT A VILLE LASALLE

Des bandits barrent la rue avec un câble et tirent sur des automobilistes

M. Arthur Laniel et Mme Laniel, ainsi que leur fils Roméo, leur gendre, M. Albert Pilon, la femme de celui-ci et leurs quatre enfants revenaient, hier **(12 avril 1925)** soir, vers la ville, à 10 heures, lorsqu'ils ont été les victimes d'un des plus audacieux attentats dont fassent mention nos annales criminelles.

Des bandits à l'affût, après avoir fermé la rue à l'aide de câbles, tirèrent plusieurs coups de feu dans la direction des automobilistes, heureusement sans les atteindre. La machine lancée à toute vitesse par M. Roméo Laniel, qui était au volant, rompit les câbles et put continuer sa route, sans encombre. Ce furent des moments d'indicible angoisse pour tous les occupants de l'auto, mais heureusement, tout s'est terminé à leur avantage. Les seuls dommages éprouvés furent le bris de quelques vitres de la voiture.

M. Laniel et les siens ont dû passer entre le feu croisé de deux bandes. Des apaches se tenaient de chaque côté de la route et tirèrent un peu avant et en même temps que le véhicule brisait les câbles.

M. Laniel est domicilié au No 1106, rue Verdun, à Verdun. La scène de l'attentat est située dans un endroit solitaire de la rue Saint-Patrick, sur la berge du canal, vis-à-vis l'usine de la «Montreal Light, Heat & Power Consolidated Company».

Les neuf occupants de l'auto, comme l'a constaté plus tard le sergent Champagne, du poste de police de la Côte Saint-Paul, qui reçut la plainte des victimes, ont failli être tués ou, tout au moins, blessés. Des vitres ont été brisées de chaque côté de la voiture et deux balles ont été trouvées à l'intérieur du véhicule.

M. Laniel n'est revenu que ces jours derniers d'un voyage en auto en Floride et il a pu faire le trajet de milliers de milles sans la moindre attaque de la part des bandits. Il est le propriétaire de la Compagnie de liqueurs Corona, située dans l'avenue Verdun. Il avait passé la veillée à Sainte-Geneviève et avait décidé de ramener son gendre et la famille de celui-ci, pour la nuit.

La voiture qui fut la cible de l'attentat dont fut victime M. Laniel et les siens.

UNE CONFLAGRATION DETRUIT LA BANLIEUE BOSTONNAISE DE CHELSEA

UNE terrible conflagration éclatait, vers 10 h 40, au matin du **12 avril 1908**, et semait la mort et la désolation sur son passage dans la banlieue bostonnaise de Chelsea, où vivaient alors quelque 35 000 personnes.

Les flammes avaient pris naissance dans un amoncellement de chiffons derrière l'usine de la société Boston Blacking Company, et favorisées par un vent violent, elles s'étaient répandues au point d'atteindre une distance d'un mille et demi de leur foyer d'origine, lorsque les pompiers de Boston et de six villes voisines parvinrent à stopper leur progression.

L'incendie fit une cinquantaine de morts et de blessés, tandis que plus de 10 000 personnes se retrouvèrent sans abri.

Sur le plan matériel, la conflagration causa des dommages supérieurs à $10 millions. En effet, les flammes détruisirent 13 églises, deux hôpitaux, la bibliothèque publique, l'hôtel de ville, cinq écoles et près de 400 maisons. Compte tenu de l'étendue des dégâts et du type de bâtisses détruites par les flammes, il est surprenant que le nombre de morts et de blessés n'ait pas été plus élevé.

Aurore, l'enfant martyre

LA FEMME GAGNON, ACCUSEE D'AVOIR MARTYRISE SA BELLE-FILLE, APPARAIT VOILEE EN COURS D'ASSISES

(Du correspondant de la PRESSE)

QUÉBEC — Il y a longtemps que l'on n'avait vu, aux Assises de Québec, un procès pour attirer la curiosité du public comme celui des auteurs présumés du martyre de la petite Aurore Gagnon, belle-fille de la prévenue, Marie-Anne Houde, femme de Télesphore Gagnon, père de la défunte.

Bien que les époux Gagnon soient accusés tous deux du même crime, c'est le seul procès de Marie-Anne Houde, femme de Télesphore Gagnon, que l'on instruit maintenant. Celui du mari aura lieu ensuite.

La salle d'audience est comble. Il y régnait une atmosphère telle, hier **(13 avril 1920)** après-midi, que le juge L.-P. Pelletier dut suspendre la séance durant dix minutes pour la faire ventiler. (...)

Il y eut plusieurs causes d'émotion hier après-midi, d'abord un messager vint apporter sur la table du greffier les instruments de supplice qui sont censés avoir servi au martyre de la petite Aurore Gagnon: un tisonnier, un fouet, un manche de hache, une hart *(il s'agit d'un lien d'osier utilisé pour attacher les fagots de bois)*, une corde tressée, un fer à friser, un manche de fourche. La foule manifestait aussi beaucoup d'émotion durant la description que le Dr Marois fit des nombreuses *(il en compta 54)* blessures et plaies de la fillette.

Le public ne put juger de l'effet produit par ces choses sur l'accusée, car cette dernière avait toute la figure recouverte d'un voile noir excessivement épais qui cachait ses traits. (...)

L'accusée est défendue par l'hon J.-N. Francoeur qui a comme conseil Me Marc-Aurèle Lemieux.

LE DOCTEUR MAROIS

Le témoignage du Dr Marois fut le premier entendu. (...) Le Dr Marois est le médecin autopsiste de la Couronne.

Le 13 février dernier, assisté du Dr Lafond, de Parisville, il a fait l'autopsie du cadavre de la fillette Aurore Gagnon, à Sainte-Philomène de Fortierville. Il a trouvé le cadavre très émacié, très amaigri. Le corps était pratiquement couvert de plaies.

Au-dessus du sourcil droit, il y avait une large entaille par où l'on voyait les os du crâne. Il y avait du sang et du pus sur presque tout le cuir chevelu et les os du crâne étaient en partie rongé par ce pus.

Le Dr Marois a décrit avec une minutie extrême toutes les blessures et les plaies qu'il a constatées. (...) Il y en a qui avaient un diamètre de quatre pouces. Il y en avait sur les pieds, sur les jambes, sur les cuisses, sur les bras, dans le dos, par tout le corps. Dans la plupart des cas, il y avait décollement de la chair. (...)

La situation symétrique des blessures sur les bras et les jambes l'engage à croire que la fillette a dû être attachée pour recevoir ainsi les coups qui ont causé ses blessures. La cuisse gauche était tuméfiée et plus grosse que l'autre. Quelques-unes des plaies étaient cicatrisées ou en voie de cicatrisation. A l'endroit des blessures sur les poignets et sur les doigts, la peau était enlevée jusqu'à l'os. (...)

L'examen interne du cadavre n'a révélé aucune lésion. Tout ce qu'il a remarqué d'anormal, c'est du côté de l'estomac, dont la muqueuse avait une couleur rougeâtre qui semblait indiquer le passage d'une substance irritante. Il soupçonna qu'il y avait eu du poison et c'est pourquoi il recueillit les viscères qu'il fit analyser par le Dr Derome, à Montréal. Mais cette analyse n'a révélé aucune trace de poison. Le témoin ajoute que cela ne prouve pas qu'il n'y ait eu quelque substance anormale administrée à la fillette, mais l'analyse ne l'a pas établi. (...)

La cause de la mort, selon le témoin, est l'épuisement survenu à la suite de nombreuses blessures qui ont entraîné de l'infection et une débilité générale. L'apparence des blessures indiquait que l'enfant n'avait reçu aucun soin. La cause des blessures, ce sont des coups. Il ne saurait y avoir question de maladie de la peau ou de quelque autre maladie infectieuse. (...)

Les jumelles Dionne réclament 10 millions du gouvernement ontarien

Les trois survivantes des quintuplées Dionne accentuent leurs pressions sur le gouvernement ontarien pour qu'il leur accorde une compensation pour les avoir exploitées durant la crise des années 30. Elles demandent environ 10 millions, a indiqué M. Bertrand Dionne, le fils de Cécile Dionne, qui est aussi son agent et celui des soeurs de sa mère, Annette et Yvonne, toutes âgées de 60 ans.

« C'est négociable. Nous demandons 10 millions et nous verrons ce qui va se passer. C'est moins d'un dollar par habitant en Ontario. »

Les soeurs sont maintenant à la retraite et mènent une existence paisible sur la Rive-Sud de Montréal. Émilie est morte en 1954 à l'âge de 20 ans, au cours d'une crise d'épilepsie. Marie est morte à l'âge de 36 ans, d'une cause qui n'a jamais pu être déterminée. Elle était divorcée et avait plusieurs enfants.

Nées le 28 mai 1934 sur une ferme près de North Bay, les quintuplées identiques d'Oliva et Elzire Dionne avaient rapidement suscité l'intérêt du monde entier : elles étaient en effet les premières quintuplées de l'histoire connue à avoir survécu plus de quelques jours.

À un certain moment, leur célébrité était telle que pas moins de 6 000 personnes par jour venaient observer les petites au travers d'une vitre teintée, dans un hôpital baptisé « Quintland » (Pays des quintuplées). La province a récolté une somme évaluée à 500 millions grâce à l'afflux de touristes et à ses retombées.

En fouillant pour étayer la demande de compensation, Bertrand Dionne a constaté que la famille avait payé des dépenses qu'elle n'avait pas à assumer, comme l'installation de toilettes publiques pour répondre à l'afflux de touristes.

Même la grande maison bâtie spécialement pour les cinq fillettes a été payée à même les revenus des commandites commerciales des Dionne. Près de 100 000 $ ont été retirés du compte des Dionne pour payer cette maison, a constaté Bertrand Dionne. **(Texte publié le 13 avril 1995.)**

Anette, Yvonne et Cécile Dionne, les trois survivantes des quintuplées Dionne, demandent 10 millions au gouvernement de l'Ontario.

Apollo XIII a réussi à s'en tirer

A 21 h 11, en fin de soirée, le *13 avril 1970*, les Américains apprenaient avec stupeur qu'une grave panne d'électricité dans le module de commande compromettait irrémédiablement la mission du satellite Apollo XIII en route vers la Lune, et rendait périlleux le retour sur terre des trois astronautes, James Lovell, John Swigert et Fred Haise. Mais à force d'imagination et de créativité face au danger imminent, les scientifiques de la NASA parvinrent à rapatrier l'équipage en lui demandant de demeurer dans le LEM le plus longtemps possible, et de ne le larguer qu'au tout dernier instant afin de profiter au maximum de sa réserve d'électricité. Tant et si bien que les trois astronautes revinrent sains et saufs sur terre.

8 MORTS AU RETOUR D'UNE EXCURSION

HUIT morts, une quinzaine de blessés! Voilà le bilan de la plus effroyable catastrophe de chemin de fer enregistrée aux environs de Montréal depuis des années.

D'innombrables scènes d'horreur, comme il arrive toujours, accompagnèrent ce désastre. L'accident arriva, hier **(13 avril 1913)** soir, dans la paroisse de Saint-Lambert, sur la voie du Vermont Central faisant partie du réseau du Grand Tronc.

Entre 500 à 600 excursionnistes étaient partis, vers 1 heure de l'après-midi, sur un train nolisé par M. C.C. Cottrell, l'agent d'immeubles bien connu, pour aller visiter «Sunlight Park», terrains subdivisés en lots à 5 milles de Saint-Lambert.

C'est au retour que la catastrophe se produisit. La locomotive trainait cette longue suite de wagons en faisant machine arrière; elle allait à une vitesse de 25 à 30 milles à l'heure lorsque le tender, qui la précédait, sauta hors de la voie, par la faute d'un rail défectueux. La locomotive suivit, de même que trois wagons, qui entrèrent les uns dans les autres.

Faute d'espace, il nous faut arrêter ici la description de l'accident survenu quelques centaines de pieds avant le raccordement de la voie de New York et contournant ce qui est aujourd'hui Brossard, avec la voie principale en provenance des Maritimes. Comme nous l'avons dit au début, l'accident fit cinq morts: Martin White, Joseph Lacoste, Walter Strange, Oscar Rochon et Margaret Dear, une fillette âgée de 12 ans seulement.

Quelques instants après l'accident, la locomotive s'est disloquée sous le choc. La photo montre la chaudière éventrée.

NOS SOLDATS LANCENT DES GRENADES SUR LES BOCHES, AVEC LA CROSSE NATIONALE

NOS soldats canadiens se sont déjà noblement distingués sur les sanglants champs de bataille de Belgique et du Nord de la France. Leur éloge a été d'ailleurs prononcé par les bouches les plus autorisées d'Angleterre et de France. Et aussi les bulletins officiels disent assez combien ils savent soutenir l'honneur de leur pays et la cause de leur civilisation.

Leur héroïsme ne manque pas non plus d'originalité, et quand l'occasion s'en présente, ils savent mettre au profit de la noble cause qu'ils défendent leurs aptitudes particulières, leur intelligence primesautière, jusque même dans l'application de leurs jeux.

Qui aurait dit par exemple, que le jeu national du Canada, la crosse, aurait servi d'engin de guerre contre les Boches barbares? C'est pourtant ce qui arrive. On n'a qu'à lire la dépêche suivante pour se rendre compte que nos braves Canadiens n'ont pas été lents à utiliser les qualités ballistiques de la crosse.

Londres, 13 (Câblogramme spécial au «Mail and Empire» de Toronto) — Les soldats canadiens, qui sont au front, ont trouvé une nouvelle façon d'utiliser leurs crosses. Ils s'en servent pour lancer des grenades dans les tranchées allemandes. Lancées de cette façon, les grenades à main portent plus loin et avec plus de précision. De plus, celui qui les lance s'expose moins au danger des balles.

Les autorités militaires ont acheté plus de cinq cents crosses qui serviront au lancement des grenades, et l'on espère que le résultat sera des plus satisfaisants.

Cela se passait le 13 avril 1915.

Huenefeld, Koehl et Fitzmaurice ont réussi

Les aviateurs du «Bremen» sont sains et saufs à Greenely Island, dans le détroit de Belle-Isle. — Le monoplan est quelque peu endommagé. — L'envolée transatlantique de l'est à l'ouest est effectuée pour la 1ère fois.

OTTAWA — A 8 heures 55, hier **(13 avril 1928)** soir, il a été annoncé par W.A. Rush, surintendant du département du radio du ministère de la marine et des pêcheries, qu'un sans-fil avait été reçu du poste du détroit de Belle-Isle, sans fil disant qu'un message du poste de Pointe Amour se lisait ainsi: «L'aéroplane allemand est descendu à Greenely Island, vent du sud-est avec neige».

Les fonctionnaires du département de la marine et des pêcheries de Terre-Neuve ont dit hier soir que si le «Bremen» est descendu à Greenely Island et ne peut pas faire une nouvelle ascension, il sera nécessaire d'envoyer un steamer de Saint-Jean pour transporter les aviateurs. Greenely Island est à l'embouchure de la baie de Blanc Sablon, à l'entrée occidentale du détroit de Belle-Isle, à la frontière qui sépare le Canada des sections terre-neuviennes du Labrador. Il faudrait des semaines aux aviateurs pour atteindre Québec en suivant la côte.

Un sans-fil adressé au «Times» de Londres et que l'on croit avoir été envoyé par un des aviateurs du «Bremen», sans-fil annonçant l'heureuse descente à Greenely Island, a été copié hier soir par un télégraphiste du chemin de fer Reading. Il disait: «Descente à Belle-Isle à 6 heures 6 (heure de l'Atlantique). Tous bien. Sans aide».

Des applaudissements ont éclaté à la Chambre des communes, hier soir, lorsque l'on a appris que les aviateurs allemands avaient atterri en terre canadienne. (...) Le premier ministre, le très hon. Mackenzie King, demande la permission d'interrompre la séance afin que l'hon. J.L. Ralston, ministre de la défense nationale, pût communiquer l'importante nouvelle.

Le colonel Ralston se leva aussitôt et dit: «Tant de rapports ont été reçus que l'on pouvait hésiter à annoncer une nouvelle touchant les intrépides aviateurs, le baron Gunther von Huenefeld, le capitaine Herman Koehl ainsi que le colonel James Fitzmaurice.»

Le colonel Ralston déclara qu'il avait reçu un rapport provenant d'une source certaine disant que le monoplan «Bremen» avait été forcé d'atterrir au milieu d'une tempête de neige sur l'île Greenely. Le rapport venait de Pointe-Amour, de la station de radio située sur la côte du Labrador. Le gardien du phare à l'île Greenely, ajoutait-on, prenait soin des aviateurs.

(On remarquera que les trois aviateurs à bord du monoplan «Bremen» avaient quitté la banlieue de Dublin à 12 h 38, la veille au midi. Cet exploit était le pendant, d'est en ouest, de l'historique traversée en direction contraire de Charles Lindberg, à bord du «Spirit of St. Louis», un an plus tôt.)

Le «Bremen», photographié avant son départ, dans un champ de la banlieue de Dublin.

C'EST ARRIVÉ UN 13 AVRIL

1999 — Le « docteur suicide », Jack Kevorkian, 70 ans, militant controversé de l'euthanasie, a finalement perdu dans le bras de fer qui l'oppose depuis des années à la justice américaine, étant condamné à de 10 à 25 ans de prison pour avoir tué, à sa demande, un malade incurable.

1983 — Le président Ronald Corey, du Canadien, congédie le directeur Irving Grundman et le directeur du personnel Ronald Caron.

1981 — Contre toute attente, le Parti québécois conserve le pouvoir en gagnant 80 sièges sur 122.

1976 — Les employés du Front commun du Québec défient pour la première fois la Loi 23 interdisant qu'on perturbe le déroulement d'une année scolaire.

1975 — De sérieux accrochages entre Phalangistes et Palestiniens, à Beyrouth, marquent le début d'une autre guerre civile, au Liban.

1962 — L'ex-général français Edmond Jouhaud est condamné à mort par un tribunal militaire, pour son rôle au sein de l'OAS.

1959 — La mise sur orbite du *Discoverer II* permet aux États-Unis d'envisager pour un proche avenir le lancement d'un homme à bord d'un satellite artificiel.

1954 — Décès à l'âge de 64 ans du premier ministre Angus Macdonald, de la Nouvelle-Écosse.

1945 — Les troupes soviétiques s'emparent de Vienne, Autriche.

1927 — Ottawa gagne la coupe Stanley en battant Boston, 3 à 1.

1909 — La mutinerie de la garnison de Constantinople se termine dans le sang, et le gouvernement du grand vizir Hilmi Pacha doit démissionner.

UN DRAME EN PLEINE MER

LE "TITANIC" EST SUR UN ABIME

NDLR — Le fait que les communications étaient plutôt difficiles et que l'accident soit survenu si tard en soirée, joint à l'ampleur évidente du drame, explique le caractère désordonné de la présentation de cette nouvelle dans LA PRESSE.

ON peut s'imaginer l'angoisse profonde qui s'est emparée du monde maritime, la nuit dernière, lorsqu'on apprit que le «Titanic», le gigantesque paquebot dernier modèle de la ligne White Star, sorti ce printemps des chantiers de Belfast, et parti de Southampton le 11 avril *(il s'agissait en fait du 10)* était signalé de Cap Race, Terre-Neuve, dans la plus grande détresse, à 10 heures et 25 minutes **(le 14 avril 1912)**.

On sauta de l'angoisse à l'horreur, lorsqu'un nouveau message, une demi-heure après, signalait que le «Titanic» roulait de l'avant et qu'en toute hâte on embarquait les femmes dans des chaloupes de sauvetage.

Une seule chose venait mettre quelqu'espoir dans les coeurs: c'est que le temps était clair et calme. On escomptait aussi le secours qu'apportait à toute vitesse le «Virginian» de la ligne Allan, qui se trouvait à 150 milles du théâtre du sinistre.

Quel instant épouvantable que celui où on annonçait, à minuit et 27 minutes, que le télégraphiste avait envoyé au «Virginian» son dernier marconigramme conçu ainsi: «La proue s'enfonce» et que l'appareil avait cessé de fonctionner.

Ce fut une nuit terrible pour tous, surtout pour les victimes du sinistre, et pour tous ceux qui s'intéressaient le plus directement à leur sort: les parents et les amis.

Un immense soupir de soulagement accueillit la courte dépêche suivante, venue de New York, ce matin:

(Spécial à la PRESSE)

New York — Une dépêche reçue ici d'Halifax, N.-E., ce matin, annonce que tous les passagers ont quitté le «Titanic» à 3 heures 30, ce matin.

C'était un rayon de soleil dans le ciel sombre, et cette consolante nouvelle était confirmée par la dépêche suivante de Londres:

(Spécial à la PRESSE)

Londres — Tous les passagers du «Titanic» ont été sauvés du paquebot à 3 heures 30 ce matin d'après un marconigramme d'Halifax N.-E., adressé à une agence d'ici. Tout est donc à l'espoir!

DEPECHES DE LA PREMIERE HEURE

(Dépêche spéciale à la PRESSE)

Cap Race, 15 — A 10.25 heures, hier soir, le paquebot «Titanic» annonça qu'il avait frappé un iceberg et qu'il avait besoin d'être secouru immédiatement.

L'appel était le suivant: «C.Q.D.», c'est-à-dire: «Come Quick, Danger» ou «Venez vite, nous sommes en péril».

Le « Titanic ».

Le théâtre du sinistre.

Une demi-heure plus tard, un autre message annonça que l'avant du «Titanic» s'enfonçait et que les femmes étaient placées dans les chaloupes de sauvetage. Le télégraphiste du «Titanic» disait que le temps était calme et clair, et que la position du navire était celle-ci: 41,46 latitude-nord et 54,14 longitude-ouest.

Le télégraphiste de la station de marconigraphie de Cap Race apprit la sinistre nouvelle au paquebot «Virginian» de la ligne Allan. Le capitaine du «Virginia» répondit qu'il se dirigeait tout de suite vers la scène de la catastrophe. A minuit, le «Virginian» était à 150 milles du «Titanic» qu'il devait atteindre pendant la matinée, aujourd'hui vers 10 heures.

L'«Olympic», ce matin, était dans la position suivante: latitude-nord, 40,32, longitude-ouest, 61,18. Il était en communication avec le «Titanic» vers lequel il se dirigeait à toute vitesse.

Le steamer «Baltic» était, ce matin, à 200 milles à l'est du «Titanic», qu'il essayait d'atteindre le plus tôt possible. Vers minuit et demi, le «Titanic» se signala au «Virginian». Le télégraphiste du «Virginian» dit alors que le message du «Titanic» était défiguré et qu'il se terminait sans exprimer de sens. (...)

Le «Titanic», qui a quitté Southampton le 10 avril, pour entreprendre son premier voyage à New York, appartient à la compagnie White Star. Il a 1,300 passagers, dont 350 de première.

LE «TITANIC»

LIGNE — «White Star».
LONGUEUR — 882 pieds.
LARGEUR — 92½ pieds.
TONNAGE — 45,000 tonnes.
DEPLACEMENT — 66,000 tonnes.
FORCE MOTRICE — 45,000 chevaux-vapeur.
VITESSE — 21 noeuds.
LANCEMENT — A Belfast, Irlande, le 31 mai 1911.
PREMIER VOYAGE — De Southampton, Angleterre, pour New York, le 10 avril.
EN MER — En détresse, à 10 hrs 25 du soir, le 14 avril, au large de Terreneuve, latitude nord 41,46; longitude, 50,14 ouest.
PASSAGERS A BORD — 1,300 dont 350 de première classe.
COMPARAISON — Si on mesurait en longueur le «Titanic» avec la hauteur des tours de Notre-Dame, celles-ci seraient dépassées de 658 pieds.

CHAMBRES DE COMMERCE REUNIES EN CONVENTION

LA convention des chambres de commerce a commencé ses travaux hier **(14 avril 1909)**. Plus de douze institutions soeurs avaient envoyé des délégués. Sur proposition de M. J.-N. Cabana, de St-Hyacinthe, M. Isaïe Préfontaine garde le fauteuil de la présidence.

C'est ainsi que commence un long texte consacré à la fondation de la Chambre de commerce du Québec, alors connue sous le nom de Fédération des Chambres de commerce, au local de l'association du district de Montréal.

Le vice-président exécutif de la Chambre de commerce de la province de Québec, M. Jean-Paul Létourneau, est celui qui attira notre attention sur le fait que l'organisme célèbre donc cette année son 75e anniversaire de fondation. Cependant, la Chambre de commerce devra vraisemblablement revoir ses archives, car si on s'en tient aux reportages de LA PRESSE, c'est le 14 avril, et non le 15 que la fédération a été fondée.

De toute manière, l'événement méritait certes d'être souligné.

La fondation John Simon Guggenheim, de New York, annonçait, le *14 avril 1947*, sa huitième promotion de boursiers canadiens. Parmi les cinq boursiers, se trouvaient deux Québécois, soit M. Ernest Rouleau, curateur de l'herbier Marie-Victorin à l'Université de Montréal, et un jeune écrivain du nom de Roger Lemelin (voir la photo) qui, fort du succès de *Au pied de la pente douce*, allait écrire d'autres romans (dont le plus célèbre, *Les Plouffe*, devint une série télévisée extrêmement populaire), et allait ensuite devenir un homme d'affaires averti avant d'accéder à la présidence de LA PRESSE en 1972.

Sa réputation entachée, une scientifique choisit le pacte de suicide avec son mari

Désespérée par les ennuis qu'elle connaissait depuis près de deux ans en marge de ses recherches, craignant pour sa réputation et pour ses travaux, une scientifique de renommée internationale attachée à l'Institut neurologique de Montréal s'est donnée la mort, le week-end dernier, entraînant avec elle son mari.

Les corps du professeur Justine Saade-Sergent, 44 ans, et de Yves Sergent, un psychologue de 46 ans, ont été découverts mardi dans une voiture, dans le garage de leur résidence du 7343 Chambord, à Montréal. Le couple avait vraisemblablement été intoxiqué au monoxyde de carbone.

Au moins cinq lettres, dont une trouvée sur les lieux, ne laissent aucun doute quant au suicide, qui se serait produit au cours de la nuit de dimanche à lundi.

Justine Sergent avait récemment été visée dans une lettre anonyme envoyée entre autres à des organismes qui subventionnaient ses recherches sur le cerveau. La lettre datée du 3 avril était également adressée à six dirigeants de l'Université McGill, dont relève l'institut, de même qu'à une importante revue scientifique américaine et au quotidien *The Gazette*. L'université a déclenché une enquête interne afin de trouver l'auteur de cette lettre.

Le texte de près de trois pages, dont l'auteur se disait un « membre de la communauté académique montréalaise », comparait les agissements du docteur Sergent à ceux de l'oncologue Roger Poisson, trouvé coupable d'inconduite scientifique par un organisme américain.

Mais selon le doyen de la faculté de médecine de l'Université McGill, Richard Cruess, rien n'indique que le docteur Sergent ait commis une fraude scientifique. (**Texte publié le 14 avril 1994.**)

L'URSS reconnaît avoir commis les massacres de Katyn

L'Union soviétique a reconnu officiellement hier (**le 13 avril 1990**) que sa police secrète avait commis les massacres de milliers d'officiers polonais à Katyn en 1940, pendant la Deuxième Guerre mondiale.

Ainsi, les Polonais ont attendu un demi-siècle la reconnaissance officielle soviétique de la vérité sur le massacre par le NKVD, la police politique de Staline, de 15 000 officiers polonais capturés par l'Armée rouge au début de la Deuxième Guerre mondiale.

Pour faire ce geste tant souhaité en Pologne, le Kremlin a choisi le 50e anniversaire de ce crime, perpétré au printemps 1940. La reconnaissance est intervenue pendant une visite à Moscou du président polonais Wojciech Jaruzelski, qui s'est entretenu hier au Kremlin avec Mikhaïl Gorbatchev.

Les corps de quelque 4 500 officiers, assassinés d'une balle dans la tête, ont été retrouvés par les troupes nazies en 1943, dans la forêt de Katyn, près de Smolensk. Le sort des 10 000 autres était demeuré jusqu'ici inconnu. Jusqu'à présent, l'Union soviétique avait toujours rejeté la responsabilité de leur mort sur l'Allemagne de Hitler.

C'EST ARRIVÉ UN 14 AVRIL

1999 — Le jour où il risquait d'être forcé de témoigner publiquement pour la première fois, Robert Flahiff a jeté l'éponge. Le juge de 51 ans, condamné cet hiver à trois ans de pénitencier pour blanchiment de 1,7 million de narcodollars, a remis sa démission au ministre fédéral de la Justice, Anne McLellan.

1981 — Retour sur la terre de la navette spatiale *Columbia*, le premier véhicule spatial réutilisable, à l'issue de son vol inaugural — La Chambre des communes adopte le projet de transformer le ministère des Postes en société de la Couronne.

1971 — Début d'une violente émeute à la prison de Kingston.

1962 — Arrivée à Miami de 60 prisonniers cubains malades ou blessés, en retour d'une rançon de $2,5 millions.

1956 — Un an après l'affaire Richard, et forts de leur conquête de la coupe Stanley, les joueurs du Canadien sont accueillis en triomphe dans les rues de Montréal.

1955 — L'accord des quatre Grands prévoit la neutralisation de l'Autriche, qui reconquiert ainsi sa complète indépendance.

1949 — Les procès de Nuremberg se terminent par la condamnation à des peines de prison allant jusqu'à 25 ans à 19 bourreaux nazis.

1944 — Adoption par l'Assemblée législative de la Loi 17 créant la Commission hydro-électrique du Québec.

1931 — Le roi Alfonso, d'Espagne, démissionne. On proclame la république et Alcala Zamora en devient le premier président.

1928 — Les aviateurs Dieudonné Costes et Joseph Lebrix complètent à Paris leur tour de la terre en avion.

1920 — À la suite de l'adoption de la loi sur le divorce, ce dernier est désormais légal partout au Canada, sauf au Québec.

1911 — Sir Henri Elzéar Taschereau, ex-juge en chef de la Cour Suprême, meurt à Ottawa, à l'âge de 74 ans.

1903 — Visite à Montréal du « barde breton », Théodore Botrel, accompagné de son épouse.

1900 — L'Exposition internationale de Paris ouvre ses portes.

La date du *14 avril 1969* restera gravée longtemps dans la mémoire des amateurs de baseball de Montréal. C'est en effet ce jour-là que les Expos disputèrent leur premier match à domicile, au parc Jarry. Comble de joie, les Montréalais devaient l'emporter, 8 à 7, aux dépens des Cardinals de St. Louis, et Mack Jones (9), accueilli au marbre par Bob Bailey (3), Don Bosch (19) et Rusty Staub (10), eût l'honneur de frapper le premier circuit de l'histoire au parc Jarry.

Un deuxième Oscar pour Frédérick Back

Le cinéaste Frédérick Back est revenu hier (**le 13 avril 1988**) à Montréal, visiblement ému, portant sa précieuse statuette comme on porte un enfant, au creux de ses bras. Son deuxième Oscar en cinq ans.

« C'est enfin fini, a-t-il dit d'une voix que la timidité et l'émotion rendaient un peu tremblotante. Votre accueil me fait tellement de bien que j'ai peine à imaginer ce qui serait arrivé si j'étais revenu les mains vides. »

Une trentaine de personnes étaient rassemblées pour recevoir ce maître québécois du film d'animation qui, lundi soir, a reçu à Hollywood l'Oscar du meilleur court métrage d'animation pour son dernier film, *L'homme qui plantait des arbres*, d'après un récit de l'écrivain français Jean Giono. Il s'agissait d'une deuxième consécration de l'Académie hollywoodienne pour le cinéaste qui a reçu, en 1982, la même consécration pour son film *Crac!*.

Le dépérissement accéléré des érables inquiète les scientifiques

Les érables du Québec connaissent un taux anormalement élevé de dépérissement depuis 10 ans, une situation que les scientifiques jugent « inquiétante ».

Voyons d'abord les chiffres. Une enquête postale menée par le ministère de l'Agriculture depuis 1979 auprès des propriétaires d'érablières permet de constater que le taux de mortalité d'érables sains s'est accru constamment entre 1980 et 1983.

Le phénomène s'est manifesté dans toutes les régions, mais a été particulièrement aigu dans la Beauce où 9 % des arbres sont morts, dans l'Estrie (8 %) et dans la région de Nicolet (7 %).

Plusieurs causes peuvent être responsables de ces maladies désastreuses pour les arbres, croit-on au ministère de l'Agriculture : le vieillissement naturel, des infestations d'insectes, le cli-

mat particulier des hivers entre 1979 et 1981, une pollution plus élevée de l'air et les pluies acides.

« Le cumul du stress sur les arbres paraît pouvoir expliquer ces problèmes, croit l'agronome Allard. Les arbres sont soumis à des pressions très fortes qui peut faire périr les moins résistants. »

« Mais il est encore trop tôt pour accuser uniquement les pluies acides d'être responsables du problème. Il s'agit d'une hypothèse qui n'a pas encore été vérifiée. »

Une étude sur l'influence des pluies acides est actuellement en cours au Conseil des productions végétales.

Une chose est sûre, selon l'agronomel du sol », c'est-à-dire la capacité du sol de nourrir les plantes, a diminué largement dans plusieurs endroits du Québec. « Pas un scientifique sérieux n'a cependant fait le pas pour attribuer

cette diminution aux pluies acides », croit M. Allard.

Cet accroissement subit du dépérissement des érables inquiète au plus haut point les producteurs de sirop d'érable.

La société coopérative de Plessisville, qui regroupe 3 500 d'entre eux, vient de rendre publics les résultats d'une enquête établissant un taux anormal de dépérissemnt constaté dans les 300 000 érables possédés par ses membres.

Les producteurs exigent que les gouvernements intensifient leurs recherches pour trouver la cause de ce dépérissement, avant que la production n'en ressente les contrecoups économiques.

L'enquête de la coopérative a permis de dégager certaines hypothèses pour expliquer les maladies de l'érable. Ce sont les pluies acides, la pollution industrielle, la pollution par les automobiles, l'appauvrissement des sols et le

verglas fréquent au cours des récentes années.

L'Institut international des produits de l'érable, un organisme canado-américain voué à la promotion des produits de l'érable, se dit également tracassé par le problème.

Des scientifiques de l'Institut poursuivent toujours des recherches afin de déterminer les causes des maladies des arbres et de la lenteur de la repousse des jeunes érables.

Un ingénieur forestier du gouvernement du Québec, Lise Robitaille, signalait récemment l'augmentation du taux d'acidité des sols où poussent les feuillus.

Ce sont les causes de ce degré élevé d'acidité qui devront être mises à jour si on veut que nos arrière-petits-enfants puissent un jour goûter eux aussi au sirop d'érable. (**Texte publié le 15 avril 1985.**)

Les ménages de plus en plus endettés

Les Canadiens consacrent actuellement 28 % de leurs revenus disponibles à payer leurs dettes (versements en intérêt et capital).

Ces dernières ont atteint le niveau record de 180 milliards, soit 40 % des 365 milliards de revenus annuels des particuliers, après impôts, de toutes provenances (salaires, placements, prestations sociales etc.).

Pour Raymond Théoret, économiste à la Banque Nationale, il y a là une « escalade inquiétante de l'endettement des ménages » ; l'on s'approche ainsi de la cote d'alerte puisque les institutions bancaires ne prêtent plus quand ce niveau atteint 30 % du revenu net.

Le précédent record d'endettement a été enregistré en 1979 quand l'ensemble des dettes des particuliers couvrait 48 % de leurs revenus disponibles.

Dans leur ensemble, les particuliers encourent trois types de dettes : l'hypothèque sur leur maison, le prêt personnel pour leur voiture ou autres biens durables (meubles, gros appareils électroménagers) et les cartes de crédit.

L'économiste de la Banque nationale relève que la prudence commence à se faire sentir depuis le début de l'année, les ventes au détail, en janvier, ayant fléchi et les marchands déclarant moins d'entrées de fonds.

Il faut donc s'attendre au cours des prochains mois, selon cet expert, à un repli de la croissance des emprunts des ménages.

Le record d'endettement atteint en 1979 avait fait place à une montée exceptionnelle du niveau d'épargne des ménages pendant la récession et le chômage de 1981-1982, épargne qui avait mobilisé, à son sommet, 18 % du revenu disponible : il se situe actuellement à 9,2 %. (**Texte publié le 15 avril 1988**).

Le Québec a perdu 19 809 fermes depuis 1971 et plus de 30 % des agriculteurs ont 55 ans et plus.

19 809 FERMES DE MOINS QU'EN 1971

Le Québec a perdu 19 809 fermes depuis 1971 et plus de 30 % des producteurs agricoles ont 55 ans et plus.

« Un agriculteur, qui décide de cesser sa production, a avantage à démanteler sa terre en vendant séparément le troupeau, la machinerie, les quotas. Il touche ainsi généralement le double d'argent qu'en vendant à un jeune, même son fils. Le problème de l'établissement des jeunes en agriculture est le problème de la retraite puisqu'à ce moment, les producteurs doivent transformer leur équité en liquidité », selon Gilles Leduc, producteur de céréales à Saint-Alexandre et président de la Fédération de la relève agricole du Québec.

Concrètement, de 800 à 1 000 jeunes par année, âgés en moyenne de 29 ans, investissent 330 000 $ dans l'entreprise qui leur permet, toujours selon M. Leduc, « d'exercer le métier le plus valorisant, humainement, parce qu'une

journée tu te fais vétérinaire alors que l'autre tu es menuisier. C'est une vocation pratiquée par des gens de talents et de connaissances ».

« On est après tout en train de vider le Québec. Sainte-Julie, explique son maire, Maurice Savaria, tour à tour producteur agricole, spéculateur puis, entrepreneur, est une ville qui prend de l'expansion avec des gens de l'extérieur puisque la population est passée de 1 800 personnes, en 1969, à 18 000 aujourd'hui. C'est clair que les gens qui sont venus s'installer chez nous ont déplacé l'agriculture. Il reste une quarantaine de producteurs agricoles à Sainte-Julie contre une quarantaine il y a 20 ans. Par contre, on a pu se donner des services qui améliorent notre qualité de vie. »

Globalement et malheureusement, poursuit M. Savaria, le développement s'est fait et se fait sur la plaine du Saint-Laurent, autour de Montréal, et donc on habite sur les meilleurs sols

québécois. Il n'y a aucune législation qui réellement nous empêche, comme municipalité, de faire du développement. C'est sûr qu'on est réglementé partout, mais on peut toujours développer. La Commission de protection du territoire agricole a demandé aux municipalités de planifier leur développement, pas de le restreindre. J'ai trouvé décevant que la Commission nous donne du terrain pour 20 ans sans que nous soyons obligés, aux cinq ans, de rendre des comptes. Le sol au Québec est une denrée rare et limitée. Mais est-ce qu'on peut freiner l'envie des gens d'aller vivre en banlieue ? Et comme Montréal n'a pas su améliorer les conditions de vie pour garder sa population. Tout ce dont les gens ont besoin pour élever une famille, ils viennent le prendre en banlieue, au rythme de 600 permis de construction en 1987 et de 425 en 1988. Et on aurait pu doubler !. » (**Texte publié le 15 avril 1989**).

Le soldat canadien-français enfin réhabilité

Contrairement à ce que l'on a longtemps cru, ce n'est pas tant pour se sortir du chômage que par sens du devoir, par patriotisme et par goût de l'aventure que des milliers de Canadiens français se sont enrôlés dans l'armée canadienne durant la Deuxième Guerre mondiale.

C'est ce que la découvert un étudiant en histoire de l'Université du Québec à Montréal en dépouillant les dossiers personnels des 380 soldats et officiers du Royal 22e Régiment qui ont perdu la vie pendant la guerre de 1939-1945.

Dans son mémoire de maîtrise, Jean-François Pouliotte souligne que parmi eux — tous des volontaires — seulement 13 % étaient en chômage au moment de leur enrôlement.

Les autres, il est vrai, occupaient des emplois modestes — ouvriers, journaliers, bûcherons, cultivateurs — et rêvaient souvent de mieux. Mais le métier de soldat, rappelle Pouliotte, n'était pas particulièrement attirant. « L'armée n'offrait pas un emploi spectaculaire, écrit-il. Le salaire était minime (1,20 $ par jour), les risques étaient élevés pour les fantassins au combat et les conditions de vie difficiles. »

Le soldat typique du Royal 22e Régiment pendant la Deuxième Guerre s'était enrôlé à 22 ans (plusieurs se sont enrôlés aussi tôt que 18 ou 19 ans). Il était célibataire et sans

En 1943, des soldats du Royal 22e Régiment attendent dans un trou d'obus pendant la campagne d'Italie. La plupart s'étaient enrôlés par sens du devoir, par patriotisme ou par goût de l'aventure.

enfant. Il mesurait seulement 5 pieds 5 pouces, pesait 138 livres et avait les yeux et les cheveux bruns. Il avait six frères et soeurs et ses parents vivaient toujours. Son père était cultivateur.

Le mémoire de Jean-François Pouliotte, écrit sous la supervision des historiens Robert Comeau de l'UQAM et Serge Bernier du Service historique de la Défense nationale, est d'autant plus intéressant que l'étudiant était quasiment oeuvre de pionnier dans ce domai-

ne. En effet, très peu d'historiens francophones se sont intéressés à la participation des Canadiens français à la Deuxième Guerre mondiale.

« Nous avons ignoré notre passé militaire, a souligné M. Pouliotte en entrevue. L'accent a été mis sur ce qui a une connotation négative : les gars qui sont allés se cacher dans les bois. Et parce qu'il y en a deux ou trois qui ont fait ça, on a oublié que nous avions participé en grand nombre à la guerre. » (**Texte publié le 15 avril 1996.**)

Des 2,180 passagers et hommes d'équipage du "Titanic", 868 ont pu être sauvés par le "Carpathia" qui se dirige vers New York, avec les rescapés.---Tout indique que le capitaine Smith a péri avec son navire.---Le "Titanic" a coulé à pic, sous 2,000 pieds d'eau, à 3 heures, hier matin, lundi, au large [500 milles] de l'Ile aux Sables, le tombeau des navires naufragés.

LES TRANSATLANTIQUES ARRIVENT AU SECOURS LONGTEMPS APRES QUE LE "TITANIC" EUT SOMBRE

M. Charles M. Hays, président du Grand Tronc, est parmi ceux qui ont heureusement échappé à la mort.--L'anxiété est grande autour du sort de plusieurs Canadiens et Montréalais.--Scènes poignantes aux bureaux de la compagnie White Star.--On sauve les femmes en grand nombre.

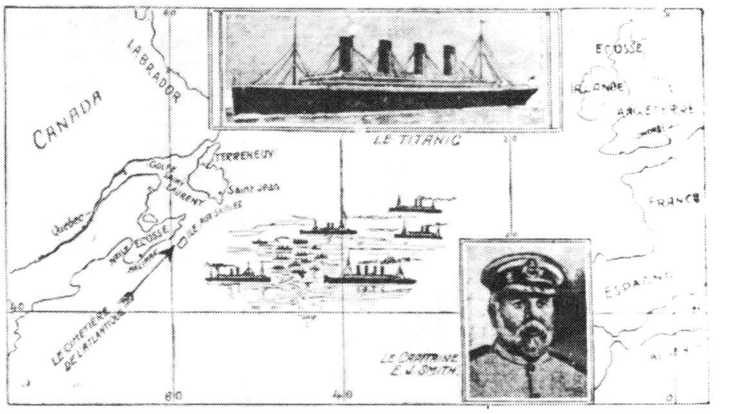

LE naufrage du *Titanic* tard dans la nuit du 14 avril 1912, a défrayé la manchette de LA PRESSE pendant presque une semaine complète. Chaque jour amenait ses interminables colonnes occupant deux ou trois pages du journal, et écrites sous le signe de la plus profonde inquiétude, devant l'incertitude exaspérante qui régnait quant au sort de chacun des passagers. Évidemment, le fait que le naufrage se soit déroulé en plein océan, le fait que les communications ne soient pas faciles et souvent contradictoires, le fait aussi qu'il a fallu attendre plusieurs jours avant que les navires sauveteurs arrivent à leur port pour connaître les noms des survivants, tout contribuait à prolonger l'angoisse et l'anxiété des parents et des amis des passagers du *Titanic*. La situation, à ce chapitre, sera bien différente lorsque l'*Empress of Ireland* sombrera dans le Saint-Laurent, le 20 mai 1914.

Mais revenons au *Titanic*. Le **16 avril 1912,** c'est par cette image de désolation que débutait l'importante couverture que LA PRESSE accordait à l'événement. On y annonçait, entre autres, que M. Charles Hayes, président du Grand Tronc (aujourd'hui le Canadien National), avait pu être sauvé. Hélas, à l'arrivée du bateau sauveteur, le *Carpathia*, à New York, on devait apprendre que M. Hayes se trouvait parmi les 1 601 défunts. Nous y reviendrons au cours des prochains jours...

Parmi les autres Montréalais dont LA PRESSE signalait la présence à bord, dans son édition du 16, on peut mentionner le «capitaliste» (c'est ainsi qu'on l'appelait) Markland Molson, M. Thornton Davidson (fils du juge Davidson) et son épouse (fille de M. Hayes), Mme Hayes, le financier H.J. Allison et son épouse, Mme James Baxter et O. Baxter. Le sculpteur français Paul Chevré se trouvait également à bord. Déjà auteur du monument érigé en l'honneur de Champlain, il se rendait à Montréal pour terminer le monument en l'honneur de Mercier.

Quand le cinéma s'appelait Charlot

Charles Chaplin aurait eu 100 ans aujourd'hui

Luc Perreault, cinéphile enthousiaste, avait sept ou huit ans. Ses souvenirs ne sont pas très précis. Le cinéma ne se rendait pas à cette époque dans nos campagnes reculées. Un peu après Noël, ses parents les avaient emmenés, sa soeur et lui, chez des voisins de son âge. Ces chanceux avaient reçu pour étrennes un projecteur et quelques bandes de films. Dans l'obscurité complice, grâce à un drap tendu sur un mur de l'étage, des images s'étaient mises à bouger.

Il ne se souvient plus de ces courts métrages ni même des scènes qui y figuraient. Il ne se souvient que de celui qui y gesticulait avec une mimique drôle. Il a appris ce jour-là qu'il s'appelait Charlot.

Il était là , fasciné, devant ce feu roulant de gags servis sur le rythme saccadé d'un film muet projeté à la mauvaise vitesse. Les bandes remontaient probablement à la période Keystone. Les images sautillaient. Aucun son n'en sortait. Mais ces films, les premiers qu'il ait été donné de voir, étaient doués d'une éloquence rare. En même temps que Charlot, le cinéma était entré dans sa vie.

Hormis la présence de ce petit bonhomme mû par une pantomime bizarre, il a tout oublié de ces images. Ce qu'il n'oubliera jamais, par contre, ce sont les fous rires et la joie que ces films provoquaient chez lui.

Jamais il ne se serait douté que derrière ce personnage se cachait un homme, Charles Chaplin. Tout ce qu'il voyait, c'était ce vagabond qui bougeait avec des gestes rapides, qui entrait dans un restaurant sans un sou et qui repartait sans payer après avoir mangé à sa faim, qui déjouait les policiers et se payait la tête des imbéciles. C'était un comique, un rusé, un coeur tendre, un magicien, un filou, un asocial, un marginal, un tramp, mais combien sympathique...

Les films de Chaplin n'ont jamais cessé depuis de jalonner sa mémoire de cinéphile. Après ce premier contact qui remonte à la fin des années 40, il se souvient de ces séances de collège, certains samedis après-midi. Dans la salle académique du Séminaire de Joliette, le chahut accompagnait parfois ces images. Combien de baisers sonores et autres bruits inspirés à la salle par les gestes muets de Charlot n'ont-ils pas ponctué ces séances ?

Il a encore à la mémoire la relative déception qu'avait produite en son temps — en 1967 — la sortie de *La Comtesse de Hong Kong*. La réédition des grands films de Chaplin remonte à quelques années plus tard, 1970 pour être précis. Le vieux cinéaste avait alors accepté de relancer la quasitotalité de son oeuvre, y compris *La ruée vers l'or, Les temps modernes* et *Le Cirque*. Au Festival de Venise en 1973, tout l'oeuvre de Chaplin figurait au programme. *City Lights* l'avait ému aux larmes.

Il suffit pratiquement aujourd'hui de se pencher pour avoir droit à Chaplin. Une série télévisée géniale de Kevin Brownlow, *The Unknown Chaplin,* a révélé il y a quelques années le travail maniaque du petit homme. La vidéo le met également à la portée de tous.

Une question qu'on se pose aujourd'hui est de savoir si Chaplin est encore actuel. Pour s'en rendre compte, il suffit de revoir n'importe lequel de ses films, y compris *L'opinion publique* qu'il s'est contenté de réaliser mais dans lequel il ne figure pas. Force est alors de constater que son langage était résolument moderne, libéré des influences du théâtre.

Charles Chaplin aurait eu 100 ans aujourd'hui. Sa naissance a précédé d'une journée celle d'Adolf Hitler. Sans doute cette antériorité lui conférait-il un droit d'aînesse sur celui-ci. Il s'en est prévalu en tournant *Le Dictateur* dans lequel un petit barbier juif donnait une leçon à un autocrate. Le critique André Bazin prétendait que Chaplin n'avait jamais pardonné à Hitler de lui avoir volé sa célèbre moustache.

Une étude a démontré le parallélisme frappant entre l'évolution des films de Chaplin et la société américaine, une société fondée sur le sexe (thème traité dans 79 % de ses films) et le travail (57 %). Les Américains lui ont lourdement fait payer ses attaques dirigées contre le puritanisme et l'hypocrisie sociale. Ils ne lui ont jamais pardonné non plus le fait qu'il n'ait jamais demandé la citoyenneté américaine, préférant plutôt s'établir en Suisse en 1952 avec sa femme Oona et ses enfants.

Bien sûr, ses quatre mariages successifs toujours avec des femmes beaucoup plus jeunes que lui n'ont pas plaidé en sa faveur. Mais l'isolement dans lequel on l'acculait à la veille du maccarthysme reposait bien plus encore sur son anticonformisme et son franc-parler à l'égard de questions brûlantes comme le fascisme, le socialisme, le communisme et le capitalisme. Tout comme Charlot était devenu la mauvaise conscience de la société bourgeoise, Chaplin était devenu la mauvaise conscience d'Hollywood où il s'était enrichi sans s'intégrer.

Il a répondu un jour à Cocteau qui lui demandait pourquoi il était triste : « C'est que je suis devenu riche en jouant un pauvre ». En un sens, Chaplin a exploité à son profit la misère de Charlot. C'était sa façon de se venger de cette pauvreté qu'il avait subie comme une humiliation durant son enfance. Il avait été éprouvé très jeune avec une mère folle, un père absent et une enfance vécue dans des taudis. En dépit de ces épreuves (ou grâce à elles), Chaplin a trouvé le génie de transmuter en or sa propre enfance. **(Texte publié le 16 avril 1989.)**

Cette photo a été publiée dans l'édition du *16 avril 1931* avec la légende suivante : *L'échevin Max Seigler a enlevé ce matin la première pelletée de terre sur le site où sera construite une vespasienne, au parc Western, en face du Forum. Ce geste marquait l'inauguration du programme de construction d'une série de ces édicules. Notre photo montre M. Seigler enfonçant la pelle dans le sol; le deuxième personnage à droite de l'échevin est M. Norman Holland; et le troisième, M. J.-Elie Blanchard, directeur des travaux publics.*

C'EST ARRIVÉ UN 16 AVRIL

1998 — Après avoir vécu les dernières années de sa longue vie en Ontario, celle qui fut pour un temps la doyenne de l'humanité, Marie-Louise Meilleur, connaîtra son dernier repos au Québec. Décédée dans son sommeil jeudi après-midi à l'âge de 117 ans, Mme Meilleur sera inhumée lundi aux Rapides-de-Joachim, une petite municipalité située sur les rives de l'Outaouais.

1957 — Le Canadien mérite la coupe Stanley pour la deuxième année consécutive, après avoir affiché une tenue désappointante en saison régulière. — Le projet national d'assurance-hospitalisation devient une réalité avec l'adhésion de la 6e province requise par la loi, en l'occurrence l'Île-du-Prince-Édouard.

1949 — Les Maple Leafs de Toronto deviennent la première équipe de l'histoire de la Ligue nationale de hockey à remporter la coupe Stanley trois années consécutives.

1947 — Un bateau français, le *Grandcamp*, explose dans le port de Texas City. On dénombre près de 600 morts.

1942 — Quelque 8 000 soldats japonais débarquent à Panay, dernier centre de résistance américaine aux Philippines.

1931 — Le mafioso Giuseppe Masseria, mieux connu sous le nom de « Joe the Boss », est abattu de cinq balles à Coney Island.

1928 — Décès à Montréal, à l'âge de 87 ans, d'Henry Birks, fondateur de la maison du même nom.

1918 — Amendement à la loi militaire; désormais tous les célibataires et les veufs sans enfants âgés de 20 à 23 ans seront appelés sous les drapeaux.

1907 — Un nouveau malheur s'abat sur l'université McGill; la faculté de médecine est détruite par un incendie.

Le petit Peugeot relâché

Le petit Éric Peugeot, âgé de 4 1/2 ans, a été remis en liberté par ses ravisseurs dans une rue de Paris, peu après minuit, et est rentré chez lui sain et sauf 56 heures plus tard.

Son père, M. Roland Peugeot, 34 ans, l'un des magnats de l'industrie automobile française, a dû verser aux ravisseurs une somme que l'on estime à 100 000 $. **(Cela se passait le 16 avril 1960).**

LA PROVINCE NE RECEVRA PLUS DE FILMS AMERICAINS

A partir du 1er août prochain, aucun film des grandes compagnies américaines de cinéma ne sera montré dans la province de Québec, et nos théâtres seront privés des plus belles productions qui soient tournées aujourd'hui dans le monde entier.

Telle est la décision que nous a value la sévérité du Bureau de Censure de la province de Québec. En effet, tous les gérants de théâtres de Montréal ont été avisés hier **(16 avril 1926)** par un télégramme, que les compagnies américaines refuseront désormais de leur vendre leurs pellicules et ignoreront complètement le marché québécois. Cette dépêche se rédige ainsi: « Pour le présent, et jusqu'à nouvel ordre, ne sollicitez ou n'acceptez aucun contrat pour nos productions qui seront mises sur le marché durant la saisosn 1926-1927 ». Elle est signée par le représentant officiel des compagnies suivantes: Pathé Pictures Inc., Famous Players-Lasky Corp., Universal Pictures Corp., United Artists Corp., Fox Films Corp., Metro-Goldwyn-Meyer Corp., Educational Films Corp., Producers Distributing Corp, et Film Booking Office. Comme la saison régulière commence le 1er août, il ne nous reste donc plus que quelques mois à jouir du plaisir de voir les grands chefs-d'oeuvre du cinéma, à moins que le Bureau de Censure de la province de Québec, contre lequel des centaines de plaintes ont été soulevées, ne change sa façon d'apprécier les films.

26ᵐᵉ ANNÉE—Nº 139   MONTRÉAL LUNDI 18 AVRIL 1910   16 PAGES—UN CENTIN

LES FLAMMES RAVAGENT LE VILLAGE DE SAINT-EUSTACHE

Une terrible conflagration détruit une partie de ce village et jette sur le pavé plusieurs familles — Le conseil municipal et les victimes de ce désastre

NDLR — Étant donné qu'il n'y eut pas de pertes de vie, on peut s'étonner de l'importance — toute la page une, avec suite à la page 2 — accordée à cet incendie, objet d'une véritable «mise en scène», comme en font foi les illustrations et les deux «sommaires».

(De l'envoyé spécial de la «Presse»)

SAINT-Eustache — Saint-Eustache, ce joli village his-

Un aperçu des flammes au pire de la conflagration.

PRECIS DE LA CONFLAGRATION

L'incendie éclate, hier avant-midi, après la grand'messe.

Cause: une cigarette allumée, jetée sur du papier.

Appareils pour combattre l'incendie: deux pompes à bras et quelques pieds de boyaux.

Trois heures et demie: arrivée des pompiers de Montréal.

A MONTRÉAL
Quatre heures: L'incendie est sous contrôle.

Minuit: les pompiers de Montréal quittent Saint-Eustache.

Bilan: seize maisons, magasins et un temple protestant détruits.

Pertes: de $45,000 à $50,000.

Assurances: $9,000 environ.

torique, qui fut le théâtre des exploits de Chénier, qui y trouva une mort glorieuse en combattant à la tête des patriotes de 37, a été ravagé hier (**17 avril 1910**), par une terrible conflagration. Peu s'en est fallu qu'il ne fut entièrement détruit. Les flammes, activées par un vent violent, ont réduit en cendres un certain nombre de maisons et de magasins ainsi qu'un temple protestant. Toute la partie ouest est en ruines. Les dommages s'élèvent à $50,000 environ et les assurances à $9,000.

L'incendie éclata au centre du village et malgré les efforts des citoyens, prit bientôt de telles proportions qu'on craignit que tout le village y passât. On demanda alors du secours

A MONTRÉAL

Le chef Tremblay partit aussitôt sur un train spécial du Pacifique avec un détachement d'hommes, une pompe à vapeur et un dévidoir. Dès leur arrivée, les pompiers de la métropole commencèrent la lutte contre l'élément destructeur, et à quatre heures, l'incendie était sous contrôle. Les dommages sont cependant très considérables.

LA CAUSE

L'incendie se déclara dans une petite cabane, attenant à l'écurie de M. Magloire Légaré. On croit que le feu a été mis par un fu-

meur imprudent, qui aurait jeté par mégarde une cigarette allumée sur un tas de papier. L'incendie éclata quelques instants plus tard. Les flammes se communiquèrent à l'écurie, qui fut bientôt réduite en cendres. Un cheval, une vache et 4 cochons, appartenant à M. Légaré, furent brûlés vifs. Elles envahirent en-

LES VICTIMES

MAGLOIRE LEGARE: clos de bois et l'écurie détruits: il perd aussi plusieurs animaux. Pertes, $4,000. pas d'assurance.

ROBERT MILLER: maison privée détruite.

EMILE CHAMPAGNE: magasin et entrepôt détruits.

FELIX BRUNELLE: manufacture de voitures, détruite: pertes, $12,000, pas d'assurance.

V.Z. LEDUC, forge détruite.

LA CONGREGATION PROTESTANTE: église détruite.

EMILE BELISLE: demeure détruite.

DAVID BELISLE: demeure détruite.

VICTOR LABROSSE: magasin détruit.

ARTHUR BENARD: demeure détruite.

BASILE LEBUIS du LAVERGNE: demeure détruite.

DELPHIS RENAUD, maire de Saint-Eustache: maison privée détruite.

ALPHONSE ROCHON: grange détruite.

JOS LEFEBVRE: maison privée détruite.

BABYLAS CHARTRAND: demeure détruite.

LEOPOLD DELISLE: demeure détruite.

HORMIDAS RICHER: demeure détruite.

suite le clos de bois de ce dernier, qui offrait un aliment facile à l'élément destructeur.

L'ALARME

fut sonnée vers 11 heures 45, et la brigade de pompiers volontaires, comprenant une trentaine d'hommes, fut bientôt rendue sur les lieux. Pour tout moyen de protection contre l'incendie, Saint-Eustache ne possède que deux pompes à bras et quelques pieds de boyaux. Les pompiers se mirent résolument à l'oeuvre, et les citoyens organisèrent plusieurs chaînes entre la rivière du Chêne et les maisons menacées. Malgré tous les efforts, l'incendie continuait sa marche dévastatrice. Après avoir détruit le clos Légaré, le feu s'attaqua à la maison de M. Miller, puis traversant la rue, au magasin Champagne, à la maison du maire Renaud, au temple protestant, et bientôt presque toutes les maisons érigées de chaque côté de la rue Saint-Eustache, étaient en flammes. (...)

La marche des flammes fut des plus

CAPRICIEUSES.

Le feu en effet, après avoir détruit le clos de M. Légaré, et quelques maisons environnantes, se communiqua à la grange de M. Rochon, située à quatre arpents plus loin, et ravagea ensuite toutes les maisons érigées

des deux côtés de la rue Saint-Eustache. De plus, la maison de M. Lavergne, située près de la grange de M. Rochon, fut détruite avant celle de M. Légaré, située en face du manoir Globensky, à quelques pas de l'endroit où a commencé la conflagration.

C'est la partie Nord-Ouest du village qui a été ravagée; les lignes de téléphone ont été détruites à cet endroit et il n'y a aucune communication téléphonique entre Saint-Eustache, Oka et Saint-Joseph. Quelques personnes ont pu sauver une partie de leur mobilier.

Aujourd'hui, il pleut, à la grande joie de la population qui craignait que le feu ne couvât encore sous la cendre et qu'une nouvelle conflagration ne dévastât le reste du village.

C'EST ARRIVÉ UN 17 AVRIL

Sans point ni coup sûr

Le 17 avril 1969, quelques jours à peine après le début de la toute première saison des Expos dans les majeures, le jeune lanceur Bill Stoneman concrétisait le rêve de tout artilleur, soit de réussir une partie sans point ni coup sûr, accomplissant l'exploit contre les Phillies de Philadelphie, vaincus 7 à 0. Mieux encore, Stoneman (à droite, félicité par son gérant Gene Mauch), devenait le premier lanceur d'une équipe d'expansion à réussir l'exploit dès la première saison de l'équipe.

Série d'explosions à Texas City: 714 morts et 3500 blessés

Le général Jonathan Wainwright, héros de Bataan, qualifie de bien plus terrible que la guerre ce désastre qui a commencé il y a 24 heures quand le cargo français *Grandcamp* chargé de nitrates, a pris feu et explosé à son quai de Texas City.

Au moins huit grands incendies dans des réservoirs de pétrole faisaient encore rage plus de 24 heures après la première explosion.

Trois nouvelles explosions ont secoué le quartier maritime dévasté de la ville industrielle de la côte du Texas aujourd'hui (le 17 avril 1947).

Deux des explosions d'aujourd'hui se sont produites à bord du cargo *High Flyer* portant des milliers de tonnes de nitrates et soufre ; la deuxième a désintégré le navire lançant des pièces de métal à des milles de distance, tuant et blessant de nombreuses personnes qui avaient échappé aux premières explosions.

On rapporte que 99 % des maisons de Texas City ont été endommagées et que la moitié de la population a fui la ville. Les dommages sont évalués à 125 000 000 $ ou plus.

Docteure, doctrice ou doctoresse?

Une femme médecin est-elle une docteur, une docteure, une docteuse, une doctrice ou une doctoresse ?

Et comment désignera-t-on désormais Mme Jeanne Sauvé qui succédera au gouverneur-général Ed Schreyer ? Sera-t-elle gouverneur, gouverneure, gouverneuse ou gouvernante ? (Mme Sauvé a choisi son titre - Gouverneur général du Canada)

Voilà autant de questions que l'Office de la langue française du Québec analyse actuellement dans un essai intitulé *La féminisation des titres*.

L'essai, préparé par un comité d'étude dirigé par Mme Henriette Dupuis, examine des règles qui pourraient éventuellement servir à déterminer quelle forme doivent prendre les titres et professions lorsqu'ils s'appliquent à une femme.

Il s'agit d'un sujet d'une grande actualité face à l'ampleur du mouvement sociologique qui pousse un grand nombre de femmes non seulement à occuper des postes jusqu'ici réservés à des hommes, mais à exiger que leur état de femme soit reconnu et respecté dans le titre même des fonctions qu'elles remplissent. (**Texte publié le 17 avril 1984**).

TUÉE PAR UNE PIERRE LANCÉE D'UN VIADUC

Ce n'est pas une, mais bien deux pierres qui ont été lancées du haut du viaduc surplombant l'autoroute Ville-Marie.

La personne qui s'est adon-

née à ce sinistre jeu n'a toutefois eu besoin de faire mouche qu'une fois pour tuer Cynthia Crichlow, 24 ans, frappée de plein fouet par une des deux pierres de quatre kilos.

La jeune femme venait à peine de quitter son travail quand la lourde pierre a fracassé le pare-brise de la voiture où elle se trouvait. (**Texte publié le 17 avril 1997**).

L'humilité du plus grand

Au milieu du vol qui ramenait les Rangers à New York après leur match de jeudi soir à Ottawa, Wayne Gretzky s'est levé de son siège pour demander à chacun de ses coéquipiers d'autographier le chandail de hockey qu'il venait de porter pour la dernière fois sur une patinoire canadienne.

Quelques heures plus tôt, Gretzky, la personnalité de la semaine de *La Presse*, avait annoncé à ses coéquipiers sa décision de se retirer du hockey professionnel après une carrière extraordinaire de 21 ans. Et voici qu'il se promenait dans l'avion de l'équipe avec un crayon feutre et un chandail, allant d'un joueur à l'autre, remerciant tout chacun de lui avoir fait la faveur d'une signature. Lui, The Great One, qui aura la planète hockey à ses pieds cet après-midi (**le 17 avril 1999**) lorsqu'il disputera son dernier match.

La scène illustre la personnalité très particulière de Gretzky. Né il y a 38 ans à Brantford, en Ontario, le plus grand hockeyeur de tous les temps est devenu un phénomène national à l'âge de 12 ans. Il a entrepris sa carrière professionnelle à l'âge de 17 ans. Il a fracassé 61 records de la LNH. Il a marqué 92 buts en 1981-1982, sa saison la plus productive à l'attaque. Il a remporté quatre championnats de la Coupe Stanley avec les Oilers d'Edmonton, en 1984, 1985, 1987 et 1988. Il a été adulé. Il est devenu richissime. Et malgré tout, il est resté d'une humilité désarmante, refusant de jouer à la légende vivante.

« Je ne me suis jamais comme ça », a déclaré Gretzky, vendredi, lors de la conférence de presse au cours de laquelle il a annoncé sa retraite.

D'autres que lui auraient pu mal tourner, s'enfler la tête,

faire suer les journalistes sportifs qui le sollicitent partout où il passe. Mais Gretzky est une perle rare dans le sport professionnel: une star dont les deux pieds sont encore solidement ancrés au sol.

Vendredi, au cours de la conférence de presse, Gretzky a longuement épilogué sur cet amour lorsqu'un journaliste lui a demandé un conseil pour les jeunes qui rêvent de suivre ses traces dans la LNH.

« Faites-le parce que vous aimez ça, a-t-il répondu. Ne le faites pas parce que vous voulez faire beaucoup d'argent. Si vous le faites par amour du jeu et parce que vous rêvez de jouer dans la Ligue nationale de hockey, le reste suivra. »

Gretzky dit avoir l'esprit en paix à la suite de sa décision de prendre sa retraite. Il n'a pas de projet pour la prochaine année, si ce n'est de se reposer et jouir de la vie.

Sa place dans l'histoire du hockey est déjà réservée.

SAN FRANCISCO ET VINGT VILLES SONT DETRUITES

Un désastre sans précédent sur les côtes de l'Océan Pacifique. — On compte au delà de 1000 morts et près de 2000 blessés. — Les dommages se chiffreront dans les milliards.

SAN Francisco — Il est encore impossible d'assurer l'étendue du désastre causé par les tremblements de terre d'hier **(à 5 h 20, le 18 avril 1906)**. La ville continue de brûler. Tout le quartier commercial est détruit et les flammes ne sont pas encore circonscrites.

Des milliers de personnes sont réfugiées dans les parcs et un grand nombre sont sans vêtements.

Des détachements de cavalerie et d'infanterie circulent dans les rues de la basse ville. Les banques sont gardées militairement.

Une fumée suffocante enveloppe la ville. Les communications avec l'extérieur sont presque complètement détruites. On apprend cependant de Palo Alto que tous les pavillons, moins un, de l'université Stanford, ont été détruits. L'église Memorial, un des plus beaux monuments d'Amérique, n'est plus qu'une masse de décombres fumants.

Les quais se sont enfoncés dans la mer. Des fissures se sont produites dans les rues avoisinant les quais.

L'Hôtel de ville, qui a coûté sept millions de piastres, est à peu près complètement démoli. Le dôme, cependant, ne s'est pas écroulé. Il demeure sur ses piliers, au milieu des décombres de l'édifice. L'Hôtel des Postes, sans contredit le plus beau des Etats-Unis, est à peu près complètement démoli.

Le Valentia Hotel s'est englouti dans la terre; le toit de l'hôtel est maintenant à la hauteur d'un rez-de-chaussée. L'hôtel était en bois; un grand nombre de voyageurs étaient couchés au moment de la catastrophe. On les considère comme ayant tous péri. Le tremblement de terre était à peine fini que les flammes surgissaient de partout à la fois. Les pompiers tentèrent de répondre à tous les appels, mais ils constatèrent dans les premières minutes que la chose était impossible.

Les flammes furent aussitôt poussées par une assez forte brise et commencèrent leur oeuvre sinistre parmi les décombres pour s'attaquer bientôt aux immeubles restés debout.

TROIS FORTES SECOUSSES

Le seul fil télégraphique reliant San Francisco au reste du monde, transmet d'heure en heure des nouvelles plus effrayantes les unes que les autres. A midi, une dépêche parvenait au bureau-chef de la «Postal Telegraph Co.» que de nouvelles secousses de tremblement de terre se produisaient à chaque instant, achevant peu à peu de démolir les maisons restées debout. La dépêche ajoutait qu'il y a eu trois secousses de tremblement de terre: les deux premières étant relativement légères, la troisième, laquelle dura trois minutes, fit écrouler presque tous les immeubles de la ville. (...)

Le Mechanic's Pavillon a été transformé en morgue provisoire. On y a déjà déposé plus de trois cents cadavres. Les corps arrivent de minute en minute; la place commence à manquer, on dépose les cadavres les uns sur les autres. Ils s'élèvent en piles jusqu'au plafond des vastes salles du pavillon. On croit que plus de mille personnes ont été englouties sous les décombres dans les quartiers populeux.

Des files de voitures, de véhicules de toutes sortes encombrent les rues, transportant des blessés, pour la plupart des femmes et des enfants. (...)

La loi martiale a été proclamée: les soldats gardent la ville. Le maire Schmitz a demandé des secours à toutes les villes de la Californie et a donné ordre aux pompiers de réquisitionner tous les approvisionnements de dynamite, afin de faire sauter les maisons pour isoler les foyers d'incendie. (...)

LE RAPPORT METEOROLOGIQUE

A Washington, le bureau météorologique a publié le rapport suivant (...): La terrible secousse sismique qui a presque totalement détruit la ville de San Francisco a été enregistrée par notre sismographe à huit heures et dix-neuf minutes du matin. Les vibrations des instruments indiquent des secousses très fortes, bien que cependant elles n'aient pas été ressenties par les particuliers.

La plus forte secousse a été enregistrée à huit heures, vingt-cinq minutes, cinq minutes environ après la première secousse, à peine perceptible. Une autre secousse a été enregistrée de huit heures et trente-deux à huit heures et trente-trois. La plume a été emportée à côté de la feuille d'enregistrement des vibrations. Les secousses se sont reproduites à de fréquents intervalles mais en diminuant. La dernière a été enregistrée à midi et trente-cinq minutes. Les vibrations ont été très lentes, chaque oscillation complète ne s'effectuant qu'aux 15 ou 20 secondes.

Dans le centre-ville de San Francisco, les flammes complètent le travail commencé par les secousses sismiques.

Vingt ans après la mort de Marcel Pagnol, ses personnages n'ont toujours pas quitté la vie

«Mourir, ça m'est égal, c'est quitter la vie que me fait de la peine», lance Panisse, personnage de la célèbre trilogie de Marcel Pagnol, mort à Paris il y a vingt ans aujourd'hui (**le 18 avril 1994**), à l'âge de 79 ans.

L'oeuvre de l'académicien d'origine provençale, qui a fait une triple carrière d'auteur dramatique, de cinéaste et de mémorialiste, reste toujours vivante. César, Fanny, Marius, Manon et Jean de Florette n'ont pas quitté la vie et Pagnol n'a jamais paru aussi en vogue que ces dernières années.

Topaze, son premier triomphe théâtral en 1928, reprend avec succès l'affiche à Paris ces jours-ci, dans une mise en scène de Francis Perrin. En 1985, c'est Jérôme Savary qui signait la reprise de *La Femme du boulanger*.

Au cinéma, les adaptations de ses romans *Jean de Florette* et *Manon des Sources* par Claude Berry en 1986, puis de ses souvenirs d'enfance, *La Gloire de mon père* et *Le Château de ma mère* par Yves Robert en 1990, ont été quatre des plus grands succès cinématographiques de ces dernières années.

Au-delà du ton spontané et malicieux de son théâtre, ou des parfums nostalgiques d'une époque révolue que dégage son oeuvre, c'est sans doute parce que Pagnol traite des mythes éternels, qu'existe un certain consensus sur son génie. « *La Femme du boulanger*, c'était pour moi le mythe du pain. *La Manon des sources*, ce sera le mythe de l'eau », disait-il en commençant le scénario de ce qui allait être son dernier grand film.

« Avec *Manon des Sources*, Pagnol donne à la Provence son épopée universelle », a résumé le critique André Bazin.

Fils d'instituteur, Marcel Pagnol est né à Aubagne (sud-est) le 28 février 1895, le jour où Louis Lumière immortalisait « l'entrée du train en gare de La Ciotat », premier film du cinématographe. Celui qui sera le premier cinéaste à entrer à l'Académie française en 1947, est d'abord étudiant en Lettres et fondateur à Marseille de la revue littéraire *Fortunio*, qui deviendra après la guerre *Les Cahiers du Sud*.

Professeur d'anglais en Provence, puis à Paris en 1923, il entame très vite une carrière théâtrale avec sa première pièce *Les Marchands de gloire*, jouée en 1925, puis se consacre complètement au théâtre après le succès de *Topaze*.

Marius, créé en 1929 avec Pierre Fresnay, Orane Demazis et Raimu, est un triomphe, suivi de *Fanny* en 1931 et *César* en 1936.

La trilogie est aussitôt portée à l'écran: *Marius* par Alexandre Korda (1931), *Fanny* par Marc Allégret (1932) et *César* (1936) par Pagnol lui-même qui débute dans le cinéma en 1934 avec *Angèle*, tirée d'un roman de Giono et qui révèle Fernandel. Peu satisfait de l'adaptation de *Topaze* (1932) par Louis Gasnier, Pagnol en réalisera deux autres en 1936 et 1950.

Marcel Pagnol, bricoleur, mécanicien, inventeur, amoureux des mathématiques, fonde en 1933 sa propre maison de production. Il aura au total réalisé une vingtaine de films dont *Le Schpountz* (1938), *La Fille du puisatier* (1940) et *Manon des sources* (1952), interprétée par Jacqueline Bouvier, qui deviendra sa deuxième femme.

Après *Les Lettres de mon Moulin* (1954), Pagnol revient à la scène en 1955-56 avec *Judas et Fabien*, puis se consacre à la rédaction de ses souvenirs d'enfance dont le dernier tome, *Le Temps des amours*, parait trois ans après sa mort. (**Texte publié le 18 avril 1994**).

UNE CHEMINÉE CORIACE...

La promesse d'un spectacle grandiose n'a été tenue qu'à moitié, hier (**le 17 avril 1988**), dans le quartier Saint-Michel à Montréal : une des deux cheminées de l'ancienne cimenterie Miron a refusé de tomber.

Le dynamitage, commencé à 16 h sous les yeux attentifs d'une foule de plus de 50 000 personnes, a été interrompu à 18 h 25, après deux tentatives manquées, sur ordre de la Commission de la santé et sécurité du travail (CSST).

L'opération doit reprendre dans les prochains jours, après que la compagnie Adanac aura présenté de nouveaux plans de démolition à la Ville et à la CSST.

La cheminée, haute de 367 pieds, a fait un bond de quelques pieds dans les airs avant de retomber sur son socle. Plus d'une heure après l'écroulement de la première cheminée, à 17 h 20, elle était toujours debout, mais loin d'être aussi solide qu'avant l'opération. Quelque 150 livres de dynamite et de plastic avaient ébranlé sa base.

Les spécialistes de la firme Dynafor, vêtus d'une combinaison orange, sont retournés sur les lieux pour appliquer une couche de plastic. Croyant que la quantité suffirait à la faire tomber, comme un arbre dont on a entaillé la base, ils ont compté : trois, deux, un... Boum !

Mais une fois le nuage de fumée dissipé, la cheminée est réapparue. Aussi grande et droite qu'avant.

Il y a dix ans, le Canada se donnait une nouvelle constitution

Il y a dix ans ce mois-ci, le Canada se dotait d'une nouvelle constitution. Une constitution imparfaite, par l'absence du Québec à sa naissance.

L'Acte constitutionnel de 1982 — proclamé par la reine Elizabeth — dotait également le pays d'une nouvelle Charte des droits et établissait une méthode en vertu de laquelle ses citoyens pourraient éventuellement apporter de nouveaux amendements à la loi qui régit le pays.

La Charte accordait une protection constitutionnelle aux droits linguistiques, démocratiques, légaux et humains, conférant aux tribunaux des pouvoirs plus étendus pour modeler la nouvelle société canadienne. Les juges ont interprété la Charte de telle façon qu'ils ont dénoncé les lois sur l'avortement et modifié celles sur la folie criminelle, ont donné le droit de vote aux détenus et ont obligé le système judiciaire à faire preuve de beaucoup plus de prudence.

La formule d'amendement a donné au pays le contrôle de sa destinée constitutionnelle pour la première fois depuis la naissance de la Confédération et a rendu caduques les pouvoirs du Parlement britannique d'amender notre constitution.

Par ailleurs, la constitution de 1982 est imparfaite en ce qu'elle a été adoptée malgré les objections servies par l'Assemblée nationale du Québec.

Alors que la Charte des droits fut bien accueillie et demeure populaire, beaucoup estiment qu'en n'obtenant pas le consentement du Québec sur le rapatriement de la constitution, les politiques de l'époque ont contribué aux problèmes constitutionnels d'aujourd'hui. (**Texte publié le 18 avril 1992**)

Cheyenne Brando, en 92.

La fille de Brando se pend à Tahiti

Cheyenne Brando, la fille de l'acteur de cinéma Marlon Brando, s'est pendue dans sa chambre dimanche après-midi à Punaauia, sur la côte ouest de Tahiti, a annoncé sa famille à Tahiti. Elle avait fêté ses 25 ans en février dernier. Elle laisse un enfant de cinq ans. (**Texte publié le 18 avril 1995**).

C'EST ARRIVÉ UN 18 AVRIL

1983 — Un attentat à l'ambassade des États-Unis à Beyrouth dévaste l'édifice moderne de sept étages, fait 39 morts, dont 6 Américains, et 120 blessés. L'attentat a été revendiqué par l'Organisation du djihad islamique dans sa « campagne de la révolution iranienne contre les cibles impérialistes à travers le monde ».

1966 — Fin d'une grève de cinq jours des ouvriers du bâtiment affiliés à la CSN.

1959 — Le Canadien devient la première équipe à mériter quatre fois la coupe Stanley en autant d'années consécutives.

1955 — Mort à l'âge de 76 ans, dans un hôpital de Princeton, d'Albert Einstein, physicien rendu célèbre par la découverte de la théorie de la relativité.

1949 — Proclamation de l'Eire ou République d'Irlande. Les Irlandais recouvrent leur liberté, perdue depuis huit siècles.

1930 — Le comte de la Vaux, président de la Fédération aéronautique internationale, est tué dans un accident d'avion, le premier de la société Colonial Airways, à Jersey City.

1923 — Babe Ruth célèbre l'ouverture officielle du Yankee Stadium en claquant un circuit.

1909 — Le pape Pie X procède à la béatification de Jeanne d'Arc.

1907 — Une explosion de benzine, suivie d'un violent incendie, détruit la buanderie DeChaux, rue Sainte-Catherine est, à Montréal. On dénombre trois morts et 12 blessés.

22me ANNEE—No 125
MONTREAL SAMEDI 31 MARS 1906
UN CENTIN
ARRIVÉE DE JACQUES CARTIER
AU CANADA
PRISE DE POSSESSION

En hommage à Jacques Cartier qui, il y aura 450 ans demain, 20 avril, quittait le port de Saint-Malo avec deux navires et 61 hommes d'équipage pour explorer les territoires inconnus à l'ouest de l'Europe pour le compte du roi François Ier, LA PRESSE vous offre aujourd'hui cette page consacrée au découvreur du Canada et publiée le 31 mars 1906.

On connaît sans doute l'histoire. Vingt jours après son départ, soit le 10 mai, Cartier prenait contact avec la terre à Terre-Neuve. Par la suite, Cartier se rendit au Labrador, aux îles de la Madeleine, dans la baie des Chaleurs, puis sur la rive de la baie de Gaspé où il prit officiellement possession du Canada au nom de la France. Il était de retour à Saint-Malo le 5 septembre 1534.

Les résultats de Cartier en 1534 incitèrent le roi de France à poursuivre l'exploration de la Nouvelle-France. En 1535, Cartier repartait donc, avec trois navires cette fois, la *Grande-Hermine*, la *Petite-Hermine* et l'*Émerillon*. C'est lors de cette deuxième expédition qu'il remonta le Saint-Laurent, sans se douter que c'était un des plus grands fleuves d'Amérique du Nord. Il atteint ainsi le village indien d'Hochelaga et donne le nom de Mont-Royal à la montagne tout près.

L'assurance-chômage est devenue un mode de vie pour trop de Canadiens

L'assurance-chômage est devenue un mode de vie pour un trop grand nombre de Canadiens, et ce système a besoin de changements radicaux, soutient un groupe d'experts indépendants.

De plus en plus de gens s'accordent à dire que l'actuel régime d'assurance-chômage est hors de contrôle, ou à tout le moins manipulé par plusieurs participants — employeurs autant qu'employés, écrit l'un des membres du groupe, l'universitaire Christopher Green, dans le rapport publié hier (**le 18 avril 1994**) par l'Institut C.D. Howe.

S'il n'en tenait qu'à M. Green, les chômeurs vivant dans des régions à fort taux de chômage n'auraient pas droit à des prestations prolongées, ne pourraient pas retirer plus de 80 semaines d'assurance-chômage à l'intérieur d'une période de cinq ans et recevraient des remboursements d'impôts plus élevés s'ils gagnaient un revenu faible.

Ensemble, ces changements pourraient épargner deux milliards par an en moyenne, assure le professeur d'économie de l'université McGill qui s'est déjà penché sur les changements à l'assurance-chômage dans les années 70.

M. Green reconnaît que si ses propositions étaient appliquées, plusieurs personnes perdraient leurs prestations, surtout les habitants de régions à taux de chômage élevé qui touchent souvent des chèques d'assurance-chômage.

Ces changements pourraient les inciter à se trouver des emplois à long terme ou à déménager dans d'autres régions du pays, soutient M. Green.

LE JEUNE IQBAL MASIH ABATTU EN PLEINE RUE

Iqbal Masih, un jeune garçon de 12 ans qui avait été universellement acclamé pour avoir décrié les horreurs du travail forcé des enfants au Pakistan, a été abattu alors qu'il se promenait à bicyclette avec deux amis dans son village natal de Muritke, près de Lahore.

Selon Ehsan Ullah Khan, président du Front de libération du travail forcé, il ne fait aucun doute que la mort de l'enfant est reliée à la croisade que celui-ci avait entreprise.

« Nous savons que sa mort est le résultat d'une conspiration de la mafia du tapis », a-t-il précisé en faisant allusion aux usines de tissage des tapis, qui emploient un grand nombre d'enfants au Pakistan.

Le jeune garçon, qui avait lui-même travaillé comme tisseur de tapis, dans des conditions épouvantables, depuis qu'il avait quatre ans et jusqu'à l'âge de 10 ans, avait attiré l'attention du monde entier ces derniers mois.

À l'occasion d'une conférence internationale sur le travail tenue en Suède en novembre dernier, il avait décrit les conditions dans lesquelles les enfants vivaient dans les usines pakistanaises. En décembre, il s'était rendu à Boston pour y recevoir le Reebok Youth in Action Award.

Iqbal avait été vendu par ses parents à l'âge de quatre ans et passa la plus grande partie des six années suivantes enchaîné à un métier à tisser. Lorsqu'il fut enfin libéré, il devait encore à ses patrons 13 000 roupies. Il était payé une roupie par jour.

Lors d'une entrevue qui s'était déroulée peu avant la remise de son prix, Iqbal avait déclaré qu'il n'avait plus peur de ses patrons. « Maintenant, avait-il dit, ce sont eux qui ont peur de moi. » (**Texte publié le 19 avril 1995**)

38

Après avoir terminé deuxième lors de l'édition de 1914, le coureur Édouard Fabre, du club Richmond de Montréal, s'est repris de brillante façon en gagnant l'édition de 1915 du célèbre marathon de Boston, le *19 avril 1915*, avec un chronométrage de deux heures, 31 minutes et 41 secondes. Fabre a donc couru le marathon en 10 minutes et 23 secondes de plus que le record établi en 1912 par J. Ryan. Clifton J. Horne, qu'il a dépassé deux milles avant le fil d'arrivée, a terminé deuxième devant Sidney H. Hatch. Quant à Hugh Heenohan, qui avait mené la course (parfois avec une avance de dix minutes) jusqu'à cinq milles de la fin, il a dû se contenter du 4e rang. Quelque 70 marathoniens avaient pris le départ.

UNE IMMENSE CONFLAGRATION A TORONTO

(De l'envoyé spécial de LA PRESSE)

TORONTO — L'incendie le plus terrible dans les annales de Toronto, sinon dans l'histoire de tout le pays, s'est abattu sur la ville, hier **(19 avril 1904)** soir, et à 2 heures, la nuit dernière, alors que les flammes faisaient encore rage sur un immense rayon, les pertes étaient déjà évaluées à dix millions de dollars au moins.

Le feu se déclara à l'établissement de MM. E. et S. Currie, fabricants de cols, faux-cols, cravates, etc., 58 et 60 rue Wellington Ouest, vers 7 heures 45 hier soir. De là le feu se communiqua chez Ansley et Cie, et traversa chez Brown Bros, et de là, enfin, très loin vers le Sud et l'Est, jusqu'à la rue Bay, alors que là seulement il fut possible d'enrayer les ravages des flammes.

Le maire Urquhart s'empara du télégraphe et demanda immédiatement du secours aux autres villes. Vers minuit, il avait obtenu de la ville de Buffalo, l'envoi de deux sections et de deux pompes à vapeur, qui arrivèrent à Toronto vers 3 heures 30, ce matin, par train spécial. Entre temps, vers minuit et demi, toute la brigade d'Hamilton arrivait, ainsi que neuf pompiers et une pompe à vapeur de London. Pendant ce temps-là, le maire Urquhart concluait un arrangement avec Peterboro et Brockville pour l'envoi de contingents de pompiers.

L'ORIGINE DU FEU

C'est dans une cage d'ascenseur, à l'arrière de l'édifice Currie, que le feu commença. Les pompiers de la caserne de la rue Bay furent promptement rendus sur les lieux, mais les jets d'eau qu'ils lancèrent sur les premiers étages de l'édifice enflammé, furent absolument insuffisants. Poussé et activé par un vent violent, l'élément dévastateur faisait de rapides progrès, et il fut bientôt en dehors de tout contrôle possible de la brigade entière de Toronto. (...)

C'EST ARRIVÉ UN 19 AVRIL

1982 — L'ex-ministre des Affaires extérieures d'Iran, Sadegh Ghotbzadeh, admet à la télévision avoir comploté pour assassiner l'ayatollah Khomeiny.

1971 — À l'occasion de la visite à Paris du premier ministre Robert Bourassa, le gouvernement français incite les industriels à venir investir au Québec. — Importantes découvertes archéologiques à Longueuil; il s'agirait de vestiges du fort de Longueuil construit au 17e siècle. — Paris suspend la vente de ses *Mirages* à la Libye.

1968 — Premières assises du Mouvement Souveraineté-Association; 4 000 personnes acclament le chef, René Lévesque.

1966 — Sur ordre du gouvernement, la Cour Suprême devra procéder à une révision du cas de Steven Truscott, trouvé coupable de meurtre en 1959.

1956 — Le prince Rainier, de Monaco, épouse une vedette du cinéma américain, Grace Patricia Kelly.

1954 — Gamal Abdel Nasser triomphe en Égypte; il devient premier ministre et gouverneur militaire du pays.

1946 — L'Assemblée nationale française adopte la constitution de la Quatrième république.

1945 — Les Américains occupent Leipzig et Nuremberg.

1943 — Soulèvement des Juifs prisonniers du ghetto de Varsovie contre l'occupant nazi. Plus de 13 000 juifs trouvent la mort.

1942 — Formation du cabinet Pierre Laval, à Vichy, sous la gouverne du chef de l'État, le maréchal Pétain.

1940 — Un accident ferroviaire fait 30 morts près de Little Falls, New York.

1928 — Maurice Ravel, le célèbre compositeur français, donne un récital au théâtre Saint-Denis.

Radio-Québec régie par trois membres

QUÉBEC (D.N.C.) — La loi Duplessis créant Radio-Québec a été adoptée, hier **(19 avril 1945)** après-midi par le Conseil législatif avec un amendement de l'hon. Gordon Hyde accepté par un vote de 10 contre 6. (...)

Voici le texte de cet amendement:

«L'article un est remplacé par les suivants:

«1 — Un organisme administratif formé de trois personnes nommées par le lieutenant-gouverneur en conseil est institué par la présente loi sous le nom de l'Office de la Radio de Québec.

Une véritable corporation

«Cette office constitue une corporation et possède les droits et les pouvoirs appartenant aux corporations en général.

«2 — Le lieutenant-gouverneur en conseil nomme un gérant choisi parmi les membres de l'office et qui en sera le président.

«3 — Le lieutenant-gouverneur en conseil peut aussi nommer un gérant suppléant parmi les membres de l'office et qui en sera le vice-président.»

Un autre vote fut pris sur un second amendement de l'hon. M. Hyde à l'article 2 du bill et cet amendement se lit comme suit:

«L'office n'est pas dissous par le décès d'aucun de ses membres, mais le lieutenant-gouverneur en conseil peut lui donner un remplaçant; il peut également lui nommer un suppléant au cas d'absence, de maladie ou d'incapacité d'agir.» Un vote fut pris sur ce second amendement qui fut adopté par un vote de 10 à 6.

Fixation des traitements

On prit également un troisième vote sur un autre amendement de M. Hyde se lisant comme suit:

«Les traitements des membres de l'Office, du gérant et de son suppléant sont fixés par le lieutenant-gouverneur en conseil; ils ne doivent pas dépasser annuellement $9,000 quant au gérant et $7,500 quant au suppléant.»

Cet amendement fut adopté par un vote de 10 à 6.

Greffe de peau pour Michael Jackson

Le chanteur pop Michael Jackson a subi hier (**le 18 avril 1984**) « avec succès » une opération de chirurgie esthétique à la suite des graves brûlures du cuir chevelu dont il avait été victime en janvier dernier lors du tournage d'un spot publicitaire.

Musée des beaux-arts: six donateurs souscrivent 15 millions

En lançant officiellement hier (**le 18 avril 1988**) sa campagne de financement, le Musée des beaux-arts de Montréal annonçait devant un public réunissant l'élite du milieu des affaires et un nombre imposant d'hommes et de femmes politiques des trois ordres de gouvernement, qu'il avait déjà recueilli 15 millions de dollars auprès de six donateurs exceptionnels du secteur privé, sur un objectif de 25 millions.

Prêchant par l'exemple, M. Paul Desmarais, président d'honneur de la campagne et président de Power Corporation, a révélé que sa famille avait décidé de faire un don important au Musée dont il n'a pas dévoilé le montant, mais qui s'élèverait, selon certaines sources, à plusieurs millions de dollars.

D'autre part, le Musée espère créer avec les onze autres millions un fonds d'acquisition qui lui permettrait de compléter ses collections les plus importantes et de répondre rapidement aux offres qui lui sont faites. Le Musée ne dispose actuellement que d'un fonds de 300 000 $ pour ses acquisitions.

Cauchemar à Oklahoma City

Au moins 78 personnes, dont 17, ont péri dans l'explosion qui a dévasté hier (**le 19 avril 1995**) un immeuble fédéral à Oklahoma City, dans le centre des États-Unis.

Des centaines de personnes ont par ailleurs été blessées dans l'explosion de cet immeuble de neuf étages, qui abritait divers services administratifs fédéraux. Selon la police, 58 d'entre elles ont été hospitalisées dans un état critique.

À l'origine de l'explosion serait un camion contenant de 450 à 550 kg d'explosifs qui ont sauté peu après 9 h, heure locale. Après la déflagration, de nombreuses alertes ont provoqué l'évacuation d'immeubles fédéraux dans tout le pays.

Cette explosion survient deux ans jour pour jour après l'assaut lancé le 19 avril 1993 contre les locaux de la secte des Davidiens à Waco (**Voir autre texte dans cette page**), au Texas, lors duquel 71 personnes avaient péri.

Le FBI est à la recherche de trois suspects. Les trois hommes auraient été vus peu avant l'explosion à bord d'une Chevrolet aux vitres fumées.

Le ministre de la Justice des États-Unis, Janet Reno, a déclaré qu'il pourrait y avoir de 100 à 250 disparus. Les autorités ont été informées de ce que 550 personnes étaient en fonction dans l'immeuble au moment de l'explosion et que 250 seulement avaient été recensées ultérieurement. Mais il est difficile de se faire une idée du nombre réel des victimes, car certaines personnes, présentes dans l'immeuble au moment de l'explosion, ont pu quitter les lieux par elles-mêmes. (**NDLR: l'explosion aura fait au total 168 morts**).

D'autre part, de nombreuses victimes sont toujours prisonnières des décombres de l'immeuble fédéral, qui menace de s'effondrer.

« Nous sommes en mesure de passer le bras à travers les crevasses et de tenir la main des victimes, mais cela prendra très, très longtemps avant qu'on puisse les atteindre », a déclaré le pompier, en estimant que c'était une question d'au moins deux ou trois jours.

Les secouristes poursuivent leur fouille des décombres aidés de chiens spécialement dressés, ainsi que d'appareils hydrauliques et de dispositifs capables de détecter les sons.

Le président Bill Clinton a décrit l'attentat à la bombe comme « une attaque contre des enfants innocents et des citoyens sans défense », un acte « lâche et diabolique » que les États-Unis ne tolèreraient pas.

La façade de l'immeuble fédéral d'Oklahoma City a été totalement déchiquetée par l'explosion de ce que la police pense être un véhicule bourré d'explosifs.

Tuerie dans une école du Colorado

Deux adolescents armés jusqu'aux dents et vêtus d'imperméables noirs ont ouvert le feu dans une école secondaire d'une banlieue de Denver, faisant une vingtaine de morts et autant de blessés avant de s'enlever la vie (**le 20 avril 1999**).

Il s'agit là de la pire tragédie du genre à survenir dans une école, et de l'un des plus effroyables massacres qu'aient connus les États-Unis.

« J'ai entendu parler de vingt-cinq morts », a déclaré le shérif du comté, John Stone, mais les autorités soulignaient que ce chiffre n'était pas confirmé.

Selon la police, les deux agresseurs, appartenant à un groupe se faisant appeler la Trench Coat Mafia (la Mafia en imperméable), se sont suicidés et leurs corps ont été retrouvés dans la bibliothèque de la Columbine High School de Littleton. Ils portaient sur eux des engins explosifs.

« Il semble qu'il s'agissait d'une mission suicide », a déclaré le shérif, qui a dit ignorer si les victimes étaient « des élèves, des professeurs ou les deux ». Au moins 23 autres élèves, dont onze dans un état critique, étaient soignés dans les hôpitaux locaux.

Des engins explosifs ont été retrouvés tant à l'intérieur qu'à l'extérieur de l'établissement scolaire. Le porte-parole du shérif a indiqué que les engins étaient disposés de telle sorte qu'il semblait que les assaillants aient « cherché à piéger tout le bâtiment ».

L'assaut de Waco donne lieu à un suicide collectif des Davidiens

Le siège de la secte des Davidiens, qui avait commencé par un assaut sanglant de la police le 28 février, a pris fin hier (**le 19 avril 1993**), cinquante-et-un jours plus tard, dans un « brasier infernal », avec un bilan vraisemblable de 86 morts.

Devant l'offensive de la police, qui avait décidé d'utiliser des gaz lacrymogènes dans l'espoir de mettre un terme à l'impasse sans provoquer de pertes de vies, les Davidiens ont, selon les autorités, mis le feu à leur ferme-forteresse, se livrant à un suicide collectif dont leur chef, David Koresh, avait souvent brandi la menace.

Quatre-vingt quinze personnes, dont 17 enfants âgés de moins de 10 ans, étaient retranchées dans la place-forte, selon le propre décompte du chef des Davidiens. Dans une lettre adressée la semaine dernière au FBI, David Koresh avait averti que les agents fédéraux seraient « dévorés par les flammes » s'ils tentaient de lui nuire.

Le porte-parole du FBI, Bob Ricks, a fait savoir que neuf personnes avaient pu quitter les bâtiments qui, en moins d'une heure, ont été réduits en cendres. « Nous ne pouvons que présumer que les pertes en vies humaines ont été massives. C'était véritablement un brasier infernal », a-t-il dit.

L'homme qui se décrivait comme le nouveau Messie, David Koresh, 33 ans, ne figurait pas parmi les neuf rescapés.

Le président Clinton a exprimé hier sa tristesse devant les pertes en vies humaines, notamment la mort apparente d'enfants.

De son côté, au cours d'une conférence de presse tenue à Washington, la secrétaire à la Justice Janet Reno, visiblement émue, a assumé l'entière responsabilité de l'opération déclenchée à l'aube par la police. « J'ai approuvé ce plan, a-t-elle dit. J'en ai avisé le président, mais je ne l'ai pas informé de tous les détails. De toute évidence, si j'avais pensé qu'il existait un risque de suicide collectif, je ne l'aurais jamais approuvé. »

Quant à l'origine de l'incendie, la secrétaire à la Justice a déclaré qu'elle n'avait absolument aucun doute sur le fait qu'il avait été allumé par les membres de la secte. Le porte-parole du FBI a indiqué pour sa part que, selon un survivant, de l'essence avait été répandue à travers les bâtiments en bois de la ferme.

Peu après le début du siège, les journalistes avaient été maintenus à plusieurs kilomètres du quartier général de la secte. Les images prises à distance et les commentaires officiels des autorités américaines étaient les seules sources d'information sur des événements qui prenaient tout le monde au dépourvu.

Le siège de Waco avait débuté le 28 février lorsqu'une centaine de policiers avaient lancé un assaut contre les bâtiments où vivaient les Davidiens, membres d'une obscure secte issue d'une scission au sein de l'Église adventiste du septième jour. Les forces de l'ordre avaient un mandat d'arrêt contre Koresh pour possession illégale d'armes.

Les policiers avaient été accueillis par un tir nourri lors duquel quatre agents avaient été tués. Six membres de la secte auraient également péri. Commençait alors un long siège, ponctué de déclarations de David Koresh affirmant qu'il attendait un message de Dieu ou expliquant qu'il rédigeait un livre sur la fin du monde et qu'il ne sortirait qu'après l'avoir terminé.

Au fil des jours, trente-sept personnes, dont de nombreux enfants, quittaient la place-forte. Parmi ceux qui y sont demeurés jusqu'au bout figuraient sept Australiens et vingt-sept Britanniques. Un Australien et deux Britanniques se trouvaient hier parmi les survivants.

(De plus récentes informations permettent de douter de la version officielle du suicide, l'hypothèse retenue étant l'ignition accidentelle des gaz projetés à l'intérieur du complexe par les agents du FBI et de l'armée. Des vidéos incriminant les forces de l'ordre ont servi à un film (1997) intitulé 'WACO' qui impute à celles-ci la perte de ces vies humaines.)

Les bâtiments de la ferme-forteresse de la secte ont été réduits en cendres en moins d'une heure.

1996 — Les ventes mondiales de disques (compact et vinyle) et de cassettes préenregistrés ont progressé de 9,9 % en 1995 pour représenter un total de 39,7 milliards de dollars, selon les chiffres de la Fédération internationale des industries phonographiques. Depuis 1991, les ventes de musique enregistrée ont progressé de 50 %.

1996 — Les Russes reconnaissent l'ampleur de leurs problèmes de sûreté nucléaire, révélant même le chiffre phénoménal de 600 millions de mètres cubes de déchets radioactifs, mais ils comptent sur l'aide internationale pour en venir à bout.

1995 — Le corps d'Adolf Hitler découvert à Berlin par les Soviétiques, en mai 1945, puis enseveli secrètement en Allemagne de l'Est pendant 25 ans, a été incinéré en 1970 et les cendres dispersées dans l'Elbe, révèle un rapport inédit du KGB qui met fin à 50 ans de mystère entourant les restes du « Führer ».

1994 — Le gouvernement du Québec, la Communauté Urbaine de Montréal et le secteur privé pourraient injecter jusqu'à huit millions cette année dans l'Office des congrès et du tourisme du grand Montréal, ce qui porterait son budget de 1994 à 14 millions.

1990 — Le tiers des Canadiens adultes (34 %) affirment qu'il existe des endroits situés à moins d'un kilomètre de chez eux où ils auraient peur de se promener le soir.

1989 — La Commission des écoles catholiques de Montréal doit reconnaître qu'il y a un problème de violence dans les écoles et cesser de protéger son image, ont déclaré une trentaine d'étudiants à l'assemblée du conseil des commissaires.

1989 — L'écrivain Daphné du Maurier, l'une des trois grandes romancières populaires britanniques du XXe siècle avec Agatha Christie et Barbara Cartland, est décédée à l'âge de 81 ans.

1989 — Marc Favreau, créateur du personnage de Sol, a reçu du Conseil de la langue française l'Ordre des francophones d'Amérique.

1986 - On n'aurait pas pu loger une tête d'épingle dans la grande salle du Conservatoire Tckaïkowski de Moscou, pour le premier concert de retour au pays natal du pianiste Vladimir Horowitz, qui avait fui l'URSS en 1925 en promettant de n'y jamais remettre les pieds et qui est citoyen américain depuis 1944.

1985 — L'effort financier demandé aux contribuables des villes de Québec et de Montréal demeure parmi les plus élevés au Québec, selon une étude du ministère des Affaires municipales couvrant l'année 1985.

1985 — Déjà 20 000 entreprises canadiennes ont présenté une demande aux centres d'emploi du Canada pour embaucher des étudiants pendant la saison estivale.

1984 — Lorsqu'elle est arrivée à l'aéroport de Québec le 24 juillet dernier après sept ans en Asie dont six en prison, Marie-Andrée Leclerc, atteinte d'un cancer aux ovaires, déclarait à quelque 1 000 personnes venues l'accueillir : « Voyez-vous, dans un an, je serai peut-être dans ma tombe ». Sa prédiction s'est réalisée, à l'Hôtel-Dieu de Lévis. Elle avait 38 ans. Reconnue coupable de complicité dans le meurtre d'un touriste israélien commis en 1976 par son compagnon Charles Sobhraj, la jeune Lévisienne s'était longtemps battue pour venir finir sa vie parmi les siens.

Aurore, l'enfant martyre

CONDAMNATION A MORT POUR LA MARATRE DE SAINTE-PHILOMENE

L'honorable juge Pelletier, en sanglotant, condamne la femme Gagnon à être pendue le vendredi 1er octobre prochain. — Epilogue d'une affaire lamentable

(Du correspondant de la PRESSE)

QUÉBEC — La marâtre Marie-Anne Houde, femme de Télesphore Gagnon, de Sainte-Philomène de Fortierville, accusée du meurtre de sa belle-fille Aurore Gagnon, la petite martyre, 10 ans, a été trouvée coupable par le jury, aux assises de Québec, et elle a été condamnée par l'honorable juge J.-P. Pelletier à être pendue à Québec vendredi, le 1er octobre prochain.

Tel est le résultat du procès qui a duré huit jours et qui a passionné l'opinion publique comme jamais cela n'est arrivé depuis de nombreuses années.

Bien que le juge ait décrété le huis clos au début du procès, la salle était remplie hier (**21 avril 1920**) après-midi autant qu'elle peut l'être. On avait commencé à admettre les avocats, puis les médecins, puis les étudiants. Le résultat est que finalement tous ceux qui ont voulu assister au procès ont pu pénétrer dans la salle.

La scène qui s'est déroulée lorsque le jury a déclaré la marâtre coupable de meurtre et lorsqu'elle a été condamnée à mort fut la plus dramatique à laquelle il nous ait été donné d'assister.

Depuis le juge jusqu'au plus endurci des spectateurs, tout le monde était ému jusqu'au plus profond de son être. Bien des yeux étaient mouillés de larmes.

Après sa condamnation, la femme Gagnon, qui avait fait preuve jusqu'alors d'un stoïcisme extraordinaire, a éclaté en sanglots bruyants.

Le verdict du jury n'a surpris personne, surtout après la charge formidable prononcée par le juge Pelletier contre l'accusée.

SPECTACLE POIGNANT

Le juge a prononcé cette charge avec le talent et la maîtrise d'un jurisconsulte consommé. Mais quand il lui fallut prononcer la sentence de mort, il fut sur le point de faillir à cette tâche ingrate. Et c'est en hachant ses paroles par des sanglots qu'il condamna la malheureuse. Un huissier dut lui aider à marcher pour sortir de la cour. Nous nous sommes laissé dire que c'est le dernier procès pour meurtre que le juge Pelletier préside. (...)

Dans son intervention au jury, le juge rappela les grandes lignes des principaux témoignages, écartant d'emblée l'ultime tentative de la défense pour faire passer l'accusée pour folle. (...)

Puis l'article de l'époque se poursuit de la façon suivante:

Le fait que cette femme est enceinte ne saurait influencer la décision du jury. Si une femme dans un état intéressant peut commettre tous les crimes impunément, cela va devenir dangereux. Une femme dans un état intéressant pourrait aller voler chez vous et répondre à celui qui l'arrêtera: «Ne me touchez pas, je suis en voie de maternité, je suis irresponsable».

Quant à l'enfant qui doit naître de cette femme, il n'y a pas à craindre pour lui. La loi y pourvoit: une femme ne peut pas être pendue durant qu'elle est en voie de devenir mère. J'y verrai moi-même. Je m'y engage. Nous ne sommes pas un peuple de barbares. (...)

Le juge a terminé sa charge à 4 h. 15. Il parlait depuis 2 h., sans interruption. Avant le dîner, il avait parlé durant une demi-heure. Sa charge a donc duré en tout deux heures et trois quarts.

COUPABLE

Immédiatement après la charge du juge, le jury s'est retiré pour délibérer. A peine un quart d'heure plus tard, à 4 h. 30, le juge revient dans la salle et annonce que le jury est prêt à rendre son verdict. Il supplie l'auditoire de ne faire aucune manifestation lorsque le verdict sera prononcé.

Puis les jurés reviennent dans la salle, répondant chacun à son nom. C'est le juré Théophile Huot qui est leur porte-parole. En réponse à la question solennelle de M. Charles Gendron, greffier, à savoir si l'accusée est coupable de crime de meurtre dont elle est accusée, le porte-parole du jury répond «coupable».

L'assistance accueille ce verdict dans un silence de mort.

— «Etes-vous unanimes?» demande le greffier.

— «Oui», répondirent les jurés.

— «Vous pouvez vous retirer maintenant, dit le juge, vous êtes libres de rester ou de vous en aller. Je vous remercie. Vous avez fait votre devoir». (...) Le juge suspend ensuite l'audience pour quinze minutes.

LA MARATRE PLEURE

Durant la suspension de l'audience, la femme Gagnon sanglote sous son épais voile noir. Le juge se fait longtemps attendre. Les gens dans la salle trouvent le temps bien long. La prisonnière aussi doit trouver le temps bien long.

A 4 hrs 55, le juge revient à son siège. M. Fitzpatrick *(un des avocats de la Couronne)* demande que sentence de mort soit prononcée contre la prisonnière.

L'huissier audiencier, sur l'ordre du juge, crie: «Marie-Anne Houde, levez-vous!». La prisonnière se lève péniblement.

M. Alphonse Pouliot, premier greffier de la Cour, demande à la prisonnière: «Avez-vous quelque chose à dire pour que sentence de mort ne soit pas prononcée contre vous?».

La prisonnière resta muette quelques secondes. On l'entend murmurer quelques mots incompréhensibles. M. Francoeur se lève et dit: «Au nom de ma cliente, je déclare qu'elle n'a rien à dire».

Le juge se coiffe alors de son tricorne noir. Il est visiblement ému, terriblement ému. Il se prend la tête à deux mains. Avec un effort extrême, le juge prononce:

«Vous avez été trouvée coupable de meurtre. Je concours dans le verdict du jury. Vous avez compris mes remarques. Je n'ai rien à ajouter.

«La sentence de la Cour est que vous soyez conduite dans la prison commune du district de Québec et que vous y soyez détenue jusqu'au premier octobre prochain, à huit heures du matin, alors que vous serez pendue par le cou jusqu'à ce que mort s'ensuive.

«Que Dieu vous pardonne et qu'il vous soit en aide!»

Le juge s'en retourne à sa chambre en sanglotant.

La prisonnière, qui n'avait jusqu'alors que pleuré en silence, éclate en sanglots bruyants. Elle crie, elle crie en s'affaissant. C'est navrant. Les gardes de la prison la supportent comme elle sort du banc des accusés.

Voilà l'épilogue de cette triste affaire!

L'OKA A 100 ANS

Faire remonter la fabrication d'un fromage à une centaine d'années, c'est peu quand on pense aux grands de ce monde... mais c'est relatif. L'Oka a cent ans cette année. D'autres seraient plus vieux, peut-être, s'ils étaient encore vivants ! Ce fromage est le plus vieux des fromages canadiens parce que sa fabrication n'a jamais été interrompue depuis 1893, à Oka.

L'histoire de l'Oka est une belle histoire. C'est un fromage importé, copié, ou reproduit. Son histoire est cependant différente de celles des camembert, brie, emmental, gouda, etc, que l'on fabrique ici. C'est un fromage que l'on a eu la bonne idée de rebaptiser pour le laisser vivre sa vie. C'est un vrai fromage d'ici, né en France, sous le nom de Port-Salut.

Tout a commencé lorsque les trappistes de l'Abbaye de Bellefontaine, en France, vinrent installer une Trappe au Lac-des-deux-Montagnes. En 1893, pour les aider à faire du fromage avec le lait de leurs vaches, ils firent venir le Frère Alphonse Juin, responsable de la fabrication du Port-Salut que fabriquaient les trappistes de Notre-Dame de Port-du-Salut, à Entrammes. Le fromage d'Oka fut reconnu dès sa naissance. En 1896, il gagnait le premier prix à l'Exposition provinciale de Montréal.

En 1974, les Pères vendent la fromagerie. En 1981, Agropur devient propriétaire. Depuis longtemps, le fromage d'Oka a dépassé les limites de son aire de production. Il est distribué largement dans toutes les provinces canadiennes et aux États-Unis.

L'Oka a trente-cinq jours lorsqu'il sort de la fromagerie. Il peut être consommé tout de suite. Mais il n'est pas au maximum de son affinage. On peut donc le faire vieillir plus longtemps. La croûte jaune paille prendra des tons plus orangés, elle s'épaissira un peu et, pendant ce temps, la pâte s'assouplira, deviendra plus tendre, plus moelleuse. L'affinage de l'Oka est mené dans un milieu frais et humide (la croûte est lavée régulièrement, à l'éponge), il faut donc observer ces conditions quand on veut poursuivre, chez soi, l'affinage de ce fromage : ne jamais l'envelopper dans une pellicule plastique qui l'empêcherait de respirer, mais l'envelopper dans une feuille d'aluminium et le placer, par exemple, dans le bac à légumes du réfrigérateur. On peut, aussi, le conserver dans son papier d'emballage. On ne devrait servir l'Oka qu'après l'avoir laissé reposer, à la température de la pièce, pendant deux heures. (**Texte publié le 21 avril 1993.**)

Les derniers dollars de papier

THE PASSING OF THE BUCK

Une employée de la Canadian Bank Note Company à Ottawa examine les dernières feuilles de billets de un dollar à sortir des presses. Nous devrons bientôt apprendre à nous servir de la pièce hendécagonale, c'est-à-dire à onze côtés. (Photo publiée le 21 avril 1989).

Les Québécois souhaitent une femme premier ministre

Quatre-vingt-huit pour cent des femmes et 73 % des hommes souhaitent qu'une femme devienne premier ministre du Québec, mais seulement 64 % cent d'entre eux, hommes et femmes confondus, croient cela probable d'ici dix ans.

C'est ce que révèle un sondage CROP-La Presse, réalisé dans le cadre du 50e anniversaire du droit de vote des Québécoises.

Quatre-vingt quatorze pour cent des répondants pensent qu'une femme ferait un aussi bon premier ministre qu'un homme. (**Texte publié le 21 avril 1990.**)

Après avoir passé 98 heures dans les eaux glaciales du Saint-Laurent à franchir à la nage les 160 milles qui séparent l'île Sainte-Hélène de Québec, le plongeur d'origine française Louis Lourmais complétait son exploit en arrivant à Québec vers 23 h, le *21 avril 1959*. Le visage défait par le froid et la fatigue, Lourmais est photographié en compagnie de son épouse, Liliane, qui s'est jointe à lui pour les 12 derniers milles.

Le chef des rebelles reconnaît l'échec de l'invasion de Cuba

Le Conseil révolutionnaire anti-castriste a reconnu avoir essuyé « un grave revers » et précise que les débarquements dans la baie de Los Cochinos (la Baie des Cochons) de plusieurs centaines d'hommes n'a pas atteint tous les objectifs visés. Le chef du Conseil, José Miro Cardona, a pour sa part déclaré que l'expédition contre Cuba avait été montée sans « aucune aide militaire des États-Unis ». Il a affirmé que la lutte se poursuivra.

Fidel Castro dirige les opérations de nettoyage contre les forces anti-gouvernementales, rapporte aujourd'hui (**le 21 avril 1961**) la radio cubaine dans un premier rapport sur les opérations militaires qui ont eu lieu cette semaine. Le rapport fait également mention de la capture de 400 rebelles, et prétend que 10 avions ennemis ont été descendus, « la plupart pilotés par des Américains ». La radio ne parle pas des victimes des combats qui se compteraient par milliers.

L'ouverture du canal Welland

On procédait, le *21 avril 1930*, à l'ouverture officielle du canal Welland, construit au coût de $120 millions. C'est le « Georgian » qui eut l'honneur d'être le premier navire à entrer dans les écluses.

C'EST ARRIVÉ UN 21 AVRIL

1980 — Jacqueline Gareau termine deuxième chez les concurrentes féminines au marathon de Boston, mais un voile de soupçons plane au-dessus de la gagnante, Rosie Ruiz, de New York.

1974 — Alfonso Lopez Michelsen est élu président de Colombie, à l'issue des premières élections libres tenues dans ce pays en 20 ans.

1971 — Mort du président à vie François Duvalier, de la République d'Haïti. Son fils Jean-Claude, âgé de 20 ans, lui succède.

1967 — Svetlana Allelouieva Staline, fille de Joseph, arrive aux États-Unis et renie le communisme. — Coup d'État des colonels en Grèce, dirigé par les colonels Papadopoulos et Patakos. M. Constantin Kolias est nommé président.

1962 — Le président John F. Kennedy procède à l'inauguration officielle de l'Exposition internationale de Seattle en appuyant sur un manipulateur en or installé à Palm Beach, Floride. L'exposition se déroule sous le thème «L'homme du XXIe siècle.

1958 — Un *DC-7* de la United Airlines heurte un réacté militaire au-dessus du désert du Névada, et l'accident fait 49 morts.

1942 — Le gouvernement canadien annonce sa décision de stopper momentanément la fabrication de réfrigérateurs métalliques, à cause d'une pénurie de feuilles d'acier.

1935 — Un séisme ébranle l'île de Formose (Taïwan) et fait 3 000 morts et 12 000 blessés.

1906 — Ouverture à l'Arena de Montréal de la toute première Exposition d'automobiles (autrement dit le Salon de l'auto) organisée à Montréal.

Le Québec compterait 100 000 agoraphobes

On évalue à 100 000 le nombre de Québécois victimes de l'agoraphobie, cette maladie des excuses et des mensonges. Pour eux, les lieux publics sont un véritable enfer.

Ils n'osent s'y aventurer qu'en compagnie d'un ami fiable et préfèrent jeter un billet de spectacle à la poubelle plutôt que d'endurer deux heures d'angoisse aiguë.

Statistique intéressante, trois fois plus de femmes que d'hommes sont touchées. Les chercheurs n'en connaissent pas encore la raison, mais certains croient que les hommes ont plus tendance à noyer leur crise d'angoisse dans l'alcool qu'à se rendre chez le médecin.

Les chercheurs sont par ailleurs convaincus que cette maladie a des causes biologiques, selon le Dr Jean-Pierre Fournier, psychiatre au Centre hospitalier de l'université Laval (CHUL). Si deux pour cent de la population générale est atteinte d'agoraphobie (du grec « agora », place publique, et « phobos », crainte) d'intensité variable, les probabilités grimpent subitement à 25 % chez les autres membres de la famille d'un agoraphobe.

« Il semble qu'il y a un héritage biologique d'une certaine fragilité et quand des situations stressantes ou de grands chocs surviennent, cela peut causer les crises de panique, les angoisses. On remarque aussi qu'il y a davantage de dépression chez les agoraphobes que dans la population en général, surtout quand la maladie n'est pas traitée. Les malades perdent beaucoup l'estime d'eux-mêmes, deviennent désespérés », explique le spécialiste.

Malgré tout, l'espoir de guérison existe. « Le traitement a trois volets, dit le Dr Fournier. Premièrement, il faut une thérapie de désensibilisation systématique pour que la personne soit graduellement capable d'affronter ce qu'elle craint, en partant des obstacles les plus faciles jusqu'aux plus difficiles.

« Deuxièmement, on peut y combiner des médicaments. Dans les cas légers traités au début, on n'en a pas toujours besoin. Pour les cas avancés et lourds, on utilise des médicaments anti-panique, ça facilite souvent la chose. En troisième lieu, on peut essayer de comprendre ce que symbolisent ces crises de panique. »

Les maladies mentales résultent toujours de plusieurs causes combinées. « C'est assez rare qu'il y ait des paniques sans stresseurs comme la séparation, un décès, la maladie de proches, des conditions socio-économiques difficiles. Souvent, on peut retracer de petites attaques survenues pendant l'enfance, comme la phobie lors de la première journée d'école. » (**Texte publié le 22 avril 1990.**)

---

2 $ PAR JOUR NE SUFFISENT PLUS...

Le coût de la vie augmente ! Tout le monde a entendu cette courte phrase répétée et redite sur tous les tons par tous ceux qui sont obligés de vivre sur un petit salaire d'employés ou sur des gages d'ouvriers. On constate un fait qui n'est que trop vrai et on en trouve rien pour remédier à ce mal social. Plus nous allons, plus les prix des nécessités de la vie augmentent et rien ne fait prévoir que nous puissions jamais arrêter ce courant désastreux.

Si nous faisons de comparaisons entre les prix actuels (**le 22 avril 1913**) des denrées et produits alimentaires et les prix de 1903, nous constatons que l'augmentation varie de 15 à 50 %, et parfois plus. Les loyers ont augmenté dans les mêmes proportions, ce qui fait qu'un ouvrier gagnant 2 $ par jour ne peut se rejoindre les deux bouts sans se soumettre aux plus grandes privations.

Examinons quelques-uns des prix actuels en les comparant à ceux de 1903 et nous verrons ce qui en est :

Articles	1903	1913
Beurre (la lb)	22 à 30 ¢	38 à 45 ¢
Oeufs (la douz.)	18 à 30¢	30 à 60¢
Fromage (la lb)	15 à 18¢	18 à 22¢
Lait (pinte)	8¢	10 à 12¢
Boeuf (la lb)	5 à 6¢	11 à 14¢
Boeuf (steak, la lb)	10½ à 14¢	16 à 35¢
Boeuf (rôti, la lb)	12¢	18 à 22¢
Veau (la lb)	5 à 8¢	11 à 15¢
Porc frais (la lb)	12 à 15¢	19 à 24¢
Mouton (la lb)	10 à 14¢	18 à 25¢
Graisse (la lb)	15¢	18 à 20¢
Légumes en cons. (boite)	9 à 12¢	15 à 29¢
Sucre (la lb)	4 à 5¢	5 à 6¢
Pâtes alimentaires (la lb)	8 à 10¢	10 à 12¢
Pain ordinaire	5¢	7 à 8¢
Pois et fèves (la pinte)	5 à 6¢	7 à 10¢

Nous n'avons pris ci-dessus que les denrées qui entrent dans les ménages moyens, petits bourgeois, employés et ouvriers.

C'EST ARRIVÉ UN 22 AVRIL

1989 — Entre les flons-flons des fêtes foraines et les cérémonies officielles, le Grand-Duché de Luxembourg, l'un des plus petits pays du monde, fête les 150 ans de son indépendance.

1966 — La guerre à la pollution de l'air est lancée non seulement à l'échelle de Montréal, mais dans toutes les villes qui entourent la métropole.

1964 — C'est aujourd'hui que s'ouvre la grande Foire mondiale de New York. Elle est divisée en cinq secteurs : industrie, pays étrangers, gouvernements fédéral et locaux des États-Unis, divertissements et transports. C'est dans ce dernier secteur que se trouve l'unique exposant canadien, le Canadien Pacifique. L'ouverture coïncide avec la célébration du 300e anniversaire de la fondation de New York.

1960 — Le tout-Montréal, par la voix de ses plus éminents représentants, a salué avec enthousiasme, le général de Gaulle, qui lui faisait l'honneur d'une visite de six heures dans le cadre de son voyage au Canada et aux États-Unis.

1943 — Un appel de détresse lancé par un poste radiophonique clandestin semble indiquer que les nazis exécutent les derniers Juifs à Varsovie.

1918 — Le baron von Richthofen, fameux aviateur allemand surnommé « le baron rouge », a été abattu dans la vallée de la Somme et sera enterré aujourd'hui avec les honneurs militaires. Il était le plus célèbre des hommes-oiseaux d'Allemagne, ayant remporté 78 victoires aériennes.

La Auburn Boattail 1929 : Richard Grenon a mis 3 000 heures à la refaire.

CINQUANTE REMBRANDT... AUTOMOBILES

« Le Musée des beaux-arts, c'est une étape très importante pour moi », déclare Richard Grenon, restaurateur de voitures classiques et anciennes dont la réputation est internationale.

Deux de ses oeuvres sont au nombre des 50 voitures de l'exposition « Beauté mobile : un siècle de chefs-d'oeuvre automobiles ». Il s'agit d'une Bentley Mark VI 1949, fabriquée à un seul exemplaire, et d'une Auburn Bottail Speedster 1929, dont la production a été limitée à 95.

Des 50 voitures exposées, seulement trois appartiennent à des Canadiens, ce qui rend la contribution de Grenon encore plus significative.

La Bentley est la propriété de Phil Chartrand, un homme d'affaires montréalais. Après une restauration complète, Grenon l'a remise à son propriétaire le 5 janvier 1992. Dès sa première sortie, elle a remporté le premier prix toutes catégories d'un prestigieux concours de Rolls-Royce, tenu à Ottawa.

Les gens de Rolls-Royce ont été tellement impressionnés que la Bentley s'est retrouvée à la première page du magazine de la compagnie, le *Flying Lady*.

Grenon estime son Auburn supérieure parce qu'il a appris énormément en refaisant sa première. Ce véritable chef-d'oeuvre lui a demandé 3 000 heures de travail. De couleur tangerine et noire, elle sera une des voitures les plus flamboyantes de l'exposition.

Cette voiture de course, utilisée également sur route, peut filer à plus de 100 milles à l'heure (160 km / h).

Grenon, dont l'entreprise porte le nom de Au-Temps-Tic, à Sainte-Anne-de-Bellevue, travaille depuis 15 ans à la restauration de voitures anciennes et classiques. Son histoire d'amour avec l'automobile dure cependant depuis un quart de siècle. (**Texte publié le 22 avril 1995**).

Les Oscars de nos lecteurs

À la suite d'une invitation lancée par La Presse, 269 lecteurs et lectrices ont fait parvenir leur liste des dix longs métrages élus « films de leur vie ». 99 femmes, 149 hommes, deux enfants et 19 personnes de sexe non précisé. Un total de 898 titres différents. (**Texte publié le 22 avril 1989**)

Voici donc les 12 films primés, dans l'ordre, les chiffres entre parenthèses indiquant le nombre de votes reçus.

1. Vol au-dessus d'un nid de coucou, de Milos Forman (51)
2. Jean de Florette et Manon des sources, de Claude Berri (36)
3. Amadeus, de Milos Forman (34)
4. Les Uns et les autres, de Claude Lelouch (33)
5. Citizen Kane, d'Orson Welles (29)
5. E.T. l'extra-terrestre, de Steven Spielberg (29)
6. Bagdad Café, de Percy Adlon (27)
7. Autant en emporte le vent, de Victor Fleming (27)
8. Voyage au bout de l'enfer, (Deer Hunter), de M. Cimino (26)
9. Le Déclin de l'empire américain, de Denys Arcand (25)
9. 2001 Odyssée de l'espace, de Stanley Kubrick (25)
10. Les Temps modernes, de Charlie Chaplin (24)

(Notez qu'il y a deux cinquièmes et deux neuvièmes).

Voici maintenant la liste des films ayant reçu plus de 10 nominations :

—Le Parrain, de Francis F. Coppola (23)
—Paris Texas, de Wim Wenders (23)
—Apocalypse Now, de F.F. Coppola (22)
—Harold et Maud, de Hal Ashby (22)
—Un Zoo la nuit, de Jean-Claude Lauzon (22)
—The Sound of Music, de Robert Wise (21)
—Les Aventuriers de l'arche perdue, de S. Spielberg (19)
—Birdy, de Allan Parker (19)
—37,2 le matin, de Jean-Jacques Beineix (18)
—Ghandi, de Robert Attenborough (18)
—Un homme, une femme, de Claude Lelouch (18)
—Alien et Aliens, de Robert Scott et James Cameron (18)
—Diva, de J.J. Beineix (17)
—Docteur Jivago, de David Lean (17)
—Les enfants du Paradis, de Marcel Carné (17)
—Il était une fois dans l'Ouest, de Sergio Leone (16)
— Les Ailes du désir, de Wim Wenders (16)
—Il était une fois en Amérique, de S. Leone (16)
—Midnight Express, de A. Parker (16)
—Mon oncle Antoine, de Claude Jutra (15)
—Jules et Jim, de François Truffaut (15)

Une épinette pour le Jour de la Terre

Amanda ne sait pas encore comment elle appellera la petite épinette bleue prête-à-planter qu'elle a reçue en cadeau pour marquer le Jour de la Terre.

Elle la mettra en terre à son chalet, à Rawdon, à côté de celle de sa soeur Sherry, 15 ans, et de celle de son père, Dave Osborne. Du haut de ses dix ans, elle peut sûrement compter la voir grandir doucement jusqu'à pleine maturité. À moins que la santé de la planète ne se désintègre trop vite et trop gravement et que son petit arbre n'arrive plus à respirer. (**Texte publié le 22 avril 1990**).

Toronto devient une mégacité

Plus de trois Torontois sur quatre étaient contre, mais le gouvernement conservateur de Mike Harris a tout de même réussi, hier (**le 21 avril 1997**) à faire adopter une loi qui va fusionner six municipalités de la métropole canadienne en une seule mégacité du nom de Toronto.

Ce projet de loi vise à réduire le nombre de conseils scolaires de 129 à 66, le nombre de conseillers de 1 900 à 700 et à plafonner leur salaire à 5 000 $ par année.

Les opposants craignent que cette mesure ne crée de trop gros conseils scolaires. Le conseil scolaire de Toronto, par exemple, comptera 350 000 écoliers, soit davantage que dans chacune des provinces maritimes, la Saskatchewan ou le Manitoba.

Un nouveau Coke

Coca-Cola, le premier producteur de boissons non alcoolisées des États-Unis annonce aujourd'hui (**Texte publié le 23 avril 1985**) le changement le plus significatif de son histoire. Il s'agit d'une modification de la célèbre formule dont le secret reste bien gardé depuis sa création, il y a 99 ans.

Coca-Cola a, au cours de ces derniers mois, conduit une étude de marché et testé la nouvelle boisson sur plus de 190 000 consommateurs. Cinquante-cinq pour cent des personnes consultées lui ont accordé leur préférence contre 43 % restées fidèles au bon vieux Coca-Cola.

Selon un représentant de Coca-Cola qui a confirmé cette recherche, le nouveau produit permettrait à la firme d'augmenter sa part du marché de 1 à 2 points cette année puis de 2 à 3 points d'ici la fin de la décennie.

Le lancement avec succès des Coca-Cola sans sucre et des boissons sans caféine a été, selon les spécialistes, à l'origine d'une forte progression de la société.

Le ministre fédéral de Santé, Jake Epp, brise une cigarette en deux pour annoncer qu'il sera progressivement interdit de fumer dans tous les édifices du gouvernement canadien et de ses agences. (Texte publié le 23 avril 1987.)

GÉNIE DU MAL

Alexandre-Serge Stavisky n'était pas, comme nombre de ses associés, un produit de la pègre française. Au contraire, il pénétra dans cette pègre en possession d'un héritage de respectabilité et attira le monde de la pègre dans ses organisations. Il était né génie du mal. Du jour où comme élève au lycée il se fit bookmaker auprès de ses compagnons de classe jusqu'à la nuit du 8 janvier 1934 où il se tira une balle dans la tête, sa vie ne fut qu'une longue suite d'affaires dangereuses exécutées avec des personnages louches. Sa carrière ne fut qu'une succession de parties de cartes, d'intrigues, de contrefaçons, de traite des blanches, de tromperies. Ses associés étaient des apaches, des meurtriers, des voleurs, des joueurs de cartes et des politiciens et au cours des 30 années de sa vie active il semblait étrangement immunisé contre toute punition, intouchable, pour ainsi dire.

Serge Stavisky était né près de Kiev, Russie, en 1886. Son père, un respectable dentiste s'établit à Paris en 1900. À l'école, Serge rencontra des jeunes garçons dont les noms devaient figurer plus tard dans les annales françaises comme journalistes, avocats, artistes et hommes d'État. Il se faisait rapidement des amis. Bel homme, avec des yeux plus profonds et toujours élégamment vêtu, il avait cette personnalité qui attire l'amitié chez les hommes et l'adoration chez les femmes. (**Texte publié le 23 avril 1934**)

Les curieux regardent, horrifiés, les voitures enfoncées dans les décombres résultant des terribles explosions qui ont ravagé hier plusieurs quartiers de Guadalajara, faisant au moins 200 morts et des centaines de blessés.

Guadalajara explose

Une série d'explosions a fait sauter hier (**Texte publié le 22 avril 1992**) le système d'égouts d'un vaste quartier de Guadalajara, deuxième ville du Mexique, faisant au moins 200 morts et entre 300 et 600 blessés et rasant ou endommageant fortement un millier d'édifices, dont de nombreux bureaux et résidences.

La catastrophe, survenue au cours de la matinée, a ravagé le centre-est de cette ville de trois millions d'habitants, capitale de l'État de Jalisco, située à quelque 500 kilomètres au nord-ouest de Mexico.

« C'est une catastrophe, s'est écrié Juan Guzman Flores, porte-parole du gouvernement de Jalisco. C'est comme si la ville avait été ravagée par un tremblement de terre d'intensité 6 ou 7 sur l'échelle de Richter. Les rues éventrées présentent des fosses béantes allant jusqu'à 15 mètres de largeur, des voitures ont été projetées sur les toits de maisons ou sont suspendues au sommet des arbres. »

Les autorités locales ont affirmé que le gaz qui avait provoqué la catastrophe était de l'hexane, un solvant très volatile composé de carbone et d'hydrogène (C_6H_{14}) utilisé notamment dans la fabrication des huiles alimentaires, qui se serait échappé d'une raffinerie d'huile proche du quartier de la Reforma, où sont survenues les explosions, et aurait pénétré dans le système d'égouts.

La catastrophe de Guadalajara est probablement la pire à survenir au Mexique depuis le tremblement de terre qui avait ravagé Mexico en 1985. De plus, l'État de Jalisco semble devoir porter une énorme part de responsabilité dans ce désastre, car en dépit des plaintes de résidants qui disaient avoir senti une odeur de gaz la veille, les autorités avaient décidé de ne pas faire évacuer le quartier.

Alors que la nuit tombait sur Guadalajara, quelque mille sauveteurs continuaient de fouiller sans relâche les décombres, à l'écoute du moindre signal, du moindre cri.

Un superbe monument

L'enveloppe de verre qui recouvre le Musée des beaux-arts du Canada, une oeuvre spectaculaire de l'architecte Moshe Safdie. À l'occasion de son inauguration, le 21 mai 1988, le Musée présentera la plus gigantesque exposition d'art canadien à ce jour. (Photo publiée le 23 avril 1987.)

PLACE AU «MARCHÉ GRIS»

Durant les années 80, les fabricants et les commerçants n'avaient de « z'yeux » que pour les yuppies, ces nouveaux riches, citadins, amateurs de sushi et de BMW. Cependant, la découverte des années 90 pourrait bien être les « 55 ans et plus ».

Toujours à la recherche de bonnes occasions, les spécialistes du marketing ont donc commencé à se tourner vers ceux qu'on regroupe sous le nom de « marché gris ».

La raison est simple : la population des personnes retraitées est le segment de la population qui augmente le plus vite au Canada.

Les personnes âgées de 65 ans et plus représentaient 8,2 % de la population en 1971 et 10,7 % en 1986. Alimenté par la génération du baby-boom qui approche l'heure de la retraite, ce groupe représentera d'ici l'an 2002 près de 14 % des Canadiens, prévoit Statistique Canada.

« Si vous prenez les 55 ans et plus, ceux-ci représentent actuellement un peu plus du quart de la population. Or, ce même groupe dispose d'environ 70 % de l'actif financier au pays et de plus de la moitié des revenus discrétionnaires », affirme M. Larry Sperling, 62 ans, ex-président de Distribution aux Consommateurs qui s'est recyclé en consultant en marketing spécialisé dans le « grey market ».

Au Canada, la moitié des voitures de luxe (Cadillac, Mercedez, BMW, etc.) sont achetées par des consommateurs de 55 ans et plus, précise M. Sperling.

En outre, le marché gris dépense 33 % de plus que la moyenne nationale pour les voyages.

Et les aînés, grands-mères ou grands-pères, sont aussi les plus gros acheteurs de jouets. Le royaume des retraités de l'Amérique — la plaque d'automobiles décoratives (placées souvent à l'avant de l'auto) portant l'inscription « Nous dépensons l'héritage de nos enfants » est non seulement très populaire auprès des 55 ans et plus, elle est aussi la plus vendue dans cet État.

Vieillir a aussi ses privilèges dans les années 90.

Plus que jamais les entreprises multiplient les rabais et les avantages aux personnes âgées.

Que ce soit au comptoir des compagnies aériennes, à la banque ou dans les grands magasins, on peut y trouver des escomptes allant de 10 à 20 % en présentant sa carte de l'âge d'or.

L'Orchestre symphonique de Montréal, par exemple, offre une réduction de 50 % aux personnes âgées de 60 ans et plus.

Elles peuvent aussi faire leurs transactions sans frais dans la plupart des grandes institutions financières.

Et l'intérêt pour les gens âgés ne s'arrête pas au secteur privé, précise M. Sperling.

Les autorités politiques reconnaissent encore plus que jamais l'importance des « voteurs gris » qu'on regroupe sous le nom de « Pouvoir gris ». (**Texte publié le 23 avril 1992.**)

Faveur populaire

Les loteries de Loto-Québec recueillent de toute évidence la faveur populaire, puisque 92 % des Québécois adultes ont acheté au moins un billet de loterie durant leur vie.

Ce sont les personnes de 50 à 64 ans qui s'adonnent le plus activement à la loterie, suivies, par ordre décroissant, des catégories de 25 à 34 ans, 35 à 49 ans, 18 à 24 ans, et enfin des personnes de 65 ans et plus.

Quant au facteur de l'instruction, c'est dans la tranche des personnes ayant de 8 à 11 années de scolarité qu'on trouve le plus de joueurs, les catégories à scolarité élevée ayant un taux de participation légèrement inférieur. (**Texte publié le 23 avril 1985.**)

Une fenêtre de 300000$ pour le maire Doré

Malgré les compressions budgétaires, des ouvriers installent dans la mansarde de l'hôtel de ville une fenêtre coûtant plus de 300 000 $ pour les nouveaux bureaux du maire de Montréal.

L'adjectif n'est pas trop fort : la fenêtre, qui comprend trois ouvertures vitrées, sera entourée d'un cadre de maçonnerie d'une longueur de 35 pieds à la base, comportant 127 pièces de pierre taillée et sculptée et pesant 70 tonnes.

Dominant le Champ-de-Mars, qui sera bientôt réaménagé en parc au coût de 3,75 millions, les nouveaux bureaux du maire, au quatrième étage du bâtiment, auront une superficie de près de 600 pieds carrés et comprendront une salle d'eau avec toilette et douche.

On affirme que la facture de ces travaux, ainsi que le réaménagement du 3e étage, qui logera les bureaux du secrétaire général de la Ville, est comprise dans l'enveloppe budgétaire de 21,47 millions prévue pour la rénovation de l'hôtel

de ville. Les prévisions s'établissaient à 8 millions à la fin de 1987.

Sous les fenêtres du maire, le Champ-de-Mars, qui est à l'heure actuelle un parc de stationnement, deviendra un espace public où seront mis en valeur les vestiges archéologiques rappelant la période des fortifications de la Ville (1718-1812).

Les travaux comprennent également la construction d'une esplanade, symbole de la période contemporaine, et d'un champ de parade, rappel du champ de parade militaire qui occupait le lieu de 1812 à 1920. (Texte publié le 24 avril 1991.)

Une cage de contreplaqué cachait encore hier le chantier de construction de la fenêtre de 70 tonnes des nouveaux bureaux du maire et des lucarnes pour les bureaux de ses adjoints, sur les côtés.

Mario Deslauriers recevant son trophée des mains du prince Philip, président de la Fédération équestre internationale.

DESLAURIERS REMPORTE LA COUPE DU MONDE

Mario Deslauriers, de Bromont, montant Aramis, a remporté pour le Canada la 6e Coupe du Monde du saut d'obstacles, devançant au classement final le Brésilien Nelson Pessoa, ex-aequo en deuxième place avec l'Américain Norman Dello Joio, vainqueur de cette compétition l'an dernier.

Le jeune Québécois de 19 ans se devait de faire un second parcours parfait, après une faute commise dans le premier : une erreur l'aurait fait tomber en septième place.

Quand à Aramis, un Hanovrien de 7 ans importé au Québec en 1980 et vendu 75 000 $ à un groupe d'hommes d'affaires, il est actuellement considéré comme l'un des meilleurs sauteurs au monde et est évalué à plus d'un demi-million de dollars. (Texte publié le 24 avril 1984.)

LE «JUSTICIER DU MÉTRO» ÉCOPE

Le « justicier du métro » new-yorkais, qui avait tiré il y a onze ans sur quatre jeunes Noirs lui demandant cinq dollars et qui n'avait écopé que d'une légère peine de prison, a été condamné à verser 43 millions de dollars à l'une de ses victimes qu'il a rendue paraplégique.

Bernhard Goetz, un Blanc. aujourd'hui âgé de 48 ans, était poursuivi au civil pour un montant de 50 millions de dollars par Darrell Cabey, 30 ans, paralysé et handicapé mental depuis que l'accusé avait tiré sur lui et ses trois camarades, le 2 décembre 1984, dans le métro de New York. Le 16 juin

Bernhard Goetz

1987, Goetz avait été déclaré non coupable. (Texte publié le 24 avril 1996.)

Record d'un cycliste volant

Le coureur cycliste grec Kanellos Kanellopoulos a battu hier (le 23 avril 1988) le record du monde de distance sur une bicyclette volante, en parcourant 120 km au-dessus de la mer Égée sous un vent de deux à trois noeuds.

Son engin, le Dédale 88, est un appareil expérimental ultra-léger, pesant 32 kg. Mis au point avec l'aide des chercheurs du Massachussetts Institute of Technology, il avait déjà volé en janvier 1987 sur 58.9 km au-dessus du désert de Californie.

M. Drapeau étreignant sa femme avant de s'embarquer pour Paris.

Drapeau part pour Paris le coeur brisé

Le nouvel ambassadeur du Canada auprès de l'Unesco à Paris, M. Jean Drapeau, a quitté Montréal, hier soir (le 23 avril 1987), le coeur brisé et les larmes aux yeux.

Entouré de ses vieux amis du Parti civique et de ses petits-enfants, l'ex-maire de Montréal pendant plus d'un quart de siècle a fait un au revoir déchirant à ceux qui s'étaient rendus à l'aéroport de Mirabel lui souhaiter bonne chance dans ses nouvelles fonctions dans la capitale française.

Trop ému pour prononcer la moindre allocution, et contenant difficilement ses émotions, M. Drapeau a répété à plusieurs reprises : « Je ne m'exile pas. Je vais servir mon pays en France ». À ceux qui lui demandaient s'il allait s'ennuyer de Montréal, M. Drapeau a répondu : « Vous le savez aussi bien que moi...». Et il a ajouté, juste avant de franchir le couloir conduisant à l'avion : « Partir, ça vous fait toujours un pincement au coeur »...

L'Expo 67 : le coup de masse

EN toute dernière heure, une communication (exclusive) reçue de Paris nous informe que l'Union soviétique a fait admettre sept nouveaux pays qui auront droit de vote lors de la prochaine réunion du Bureau internationale des foires.

Sept pays situés derrière le Rideau de fer, comme bien l'on pense.

La position soviétique est donc singulièrement renforcée et dans les milieux spécialisés, d'aucuns affirment que la Russie, utilisant le «coup de masse» du facteur numérique décrocherait rapidement le vote majoritaire qui lui vaudra la tenue de l'Exposition universelle, sur son territoire, en 1967.

La position canadienne, c'est-à-dire le choix de Montréal, est

d'ores et déjà en péril. L'Autriche, qui prônait sa capitale, Vienne, ne semble pas en mesure de faire échec à la force massive des votes de la Russie et des sept pays qu'elle a su rallier quelques jours avant les délais définitifs.

Enfin, il est indiqué (sous toutes réserves) qu'Israël voterait pour la proposition russe.

Les délégués des pays membres du Bureau international des Foires sont convoqués à Paris le 5 mai. On imagine aisément dans quelle atmosphère de tension se déroulera la réunion de ces délégués dont la décision doit être finale. Sans appel, par surcroit!

Cela se passait le 24 avril 1960. Et, vous demanderez-vous

sans doute, comment est-il possible que l'Expo 67 ait quand même eu lieu à Montréal? On peut répondre à cette question en vous rappelant deux faits. Tout d'abord, comme le craignait LA PRESSE, Moscou l'avait emporté devant Montréal, par 16 voix contre 14 lors du scrutin du 5 mai suivant, l'URSS ayant réussi à faire accepter sept pays dont deux états fantoches faisant partie de l'Union soviétique, l'Ukraine et la Byélo-Russie. Mais heureusement pour Montréal, Moscou se retirait de la lutte trois ans plus tard, et laissait sa place à Montréal. Et par un concours de circonstances, le maire Jean Drapeau a réussi là où son prédécesseur, Sarto Fournier avait échoué de justesse.

Les fascistes de Montréal fêtent Rome

NDLR — Ce texte démontre que l'influence du duce Benito Mussolini se faisait bien au-delà des frontières de la patrie italienne...

UNE grande manifestation patriotique a marqué hier (25 avril 1927) la célébration du 2681e anniversaire de la fondation de Rome par la colonie italienne de Montréal, sous les auspices de la loge Vittorie Veneto et de l'Ordre des Fils d'Italie et des fascistes de Montréal (Il Fascio «G. Luporini»). Cette fête, commencée samedi soir par une

séance à la salle Auditorium, s'est terminée hier après-midi, par une parade militaire des Fascistes en chemise noire précédée par la fanfare des Fascistes sous les ordres du maître Tomaso De Cristofero, et par une assemblée tenue à l'école Sainte-Julienne Falconieri, sous la présidence de M. Guido Casini.

Celui-ci, dans un discours vibrant de patriotisme, (...) a esquissé les gloires de la Rome antique et moderne. Il dit que cette date a une grande signification pour tous les Italiens, puisqu'elle rappelle la puissance de la gran-

de civilisation latine. Rome immortelle prend une nouvelle vigueur sous la direction de Mussolini et du fascisme.

Le docteur Ernest Poulin, maire suppléant, a fait un discours en italien qui lui a valu les plus chaleureuses félicitations. Il a dit combien il était fier personnellement et comme le craignait LA PRESSE représentant de la métropole du Canada d'exprimer son admiration pour la Ville Eternelle, le berceau de la civilisation latine, le siège de l'Eglise catholique et la cité admirée par le monde entier. (...)

C'EST ARRIVÉ UN AVRIL

1996 — Les libéraux ont fait une erreur en promettant pendant la dernière campagne électorale d'abolir la TPS, mais ce fut une erreur de bonne foi, déclare le ministre fédéral des Finances, Paul Martin.

1975 — Une loi spéciale met fin à la grève dans les ports de Montréal, Québec et Trois-Rivières.

1971 — David Lewis devient chef du Nouveau Parti Démocratique.

1970 — Mutinerie des équipages de trois patrouilleurs haïtiens. Après avoir tiré au canon sur le palais présidentiel, à Port-au-Prince, ils se réfugieront à la base américaine de Guantanamo.

1970 — Le fils du président Tchang Kaï-chek, de la République de Chine (Taïwan), se tire indemne d'un attentat à l'hôtel Pierre de New York.

1969 — Démission surprise de Paul Hellyer, ministre des Transports à Ottawa.

1964 — Le gouvernement Lesage étend à l'ensemble du territoire québécois la taxe de vente de 6 p. cent.

1960 — La ville d'Herash, en Iran, est secouée par un séisme qui fait plus de 3 000 morts.

1958 — M. Georges-Émile Lapalme démissionne comme chef du Parti libéral du Québec.

1951 — Un train prend feu à Yokohama : on dénombre 98 morts.

1950 — Le jugeant inacceptable, Québec refuse de signer l'accord pour la construction de la route Transcanadienne, accepté par six des dix provinces.

1947 — Condamnation à mort prononcée contre les six nazis responsables du massacre de Lidice.

1947 — Un incendie dans une mine d'or de Malartic fait un mort et huit disparus.

1945 — Le maréchal Pétain consent à se livrer aux représentants du gouvernement provisoire de France, pour répondre à des accusations de trahison.

1945 — On annonce que le drapeau soviétique flotte sur le Reichstag, à Berlin.

1916 — De violents désordres éclatent à Dublin, la capitale d'Irlande. La révolte est matée par les troupes britanniques.

Le cosmonaute soviétique Vladimir Komarov est mort le *24 avril 1967* quand le parachute devant ralentir la chute de sa capsule spatiale a refusé de s'ouvrir lors de sa rentrée dans l'atmosphère, après que le vaisseau spatial *Soyouz I* eut effectué 18 orbites autour de la Terre. Âgé de 44 ans, Komarov est devenu la première victime connue du programme spatial soviétique.

La femme a maintenant droit de vote et d'éligibilité

Cette photo montre un groupe de Montréalaises qui s'étaient rendues à Québec afin d'assister au débat sur le projet de loi qui allait accorder le droit de vote aux femmes. La légende de la photo n'indentifiait hélas pas toutes les femmes et ne les situait pas non plus sur la photo. Tout ce qu'on peut dire, c'est qu'on remarquait parmi elles Mme Pierre-F. Casgrain, présidente de la Ligue des droits de la femme; Mlle Idola Saint-Jean, présidente de l'Alliance canadienne pour le vote des femmes; Mme Maurice Cormier, présidente du Club libéral central des femmes de Montréal; Mme Charles Rinfret, Mme Jacques Forget, Mme Gérard Parizeau, Mme G. Papineau-Couture, Mme J. Mabon, Mme L.-H.-D. Sutherland, Mme J.-Leslie Hodge, Mme M.-G. Catelani, Mme R. Reusing, Mme Allan Smith, Mlle Virginia Cameron, Mlle Margaret Wherry, Mme Turner Bone, Mme Stead.

Le Conseil législatif, par un vote de 13 à 5, approuve le projet de loi ministériel et le lieutenant-gouverneur sanctionne. Il s'agit d'une séance historique

(Du correspondant de la «Presse»)

QUÉBEC — Par un vote de treize voix contre cinq, le Conseil législatif a voté hier **(25 avril 1940)** soir, après un débat calme et dénué de tout incident, la deuxième lecture du bill accordant aux femmes de la province le droit de vote et d'éligibilité. Le bill subit ensuite sa troisième lecture sur un même vote, après qu'un amendement demandant la tenue d'un référendum aux prochaines élections provinciales par l'hon. Médéric Martin eut été battu. Une demi-heure après, le bill fut sanctionné par le lieutenant-gouverneur, et la législation du suffrage féminin, réclamée avec insistance depuis 1922, entrait dans les statuts de la province.

Le seul incident du débat de cette séance, qu'on pourrait qualifier d'historique, fut la tentative de l'hon. Médéric Martin d'introduire à la 3e lecture du bill, un amendement décrétant la tenue d'un référendum aux prochaines élections générales provinciales. On a noté aussi certaines questions de l'hon. L.-A. Giroux, au moment où on allait voter la 3e lecture du bill.

«La loi que nous votons,» a demandé l'hon. M. Giroux, va-t-elle provoquer de nouvelles législations, comme l'admission des femmes dans les commissions scolaires, etc.?

L'hon. M. Brais a répondu: «La législation suivra son cours comme toute législation». Et l'incident fut clos.

Les orateurs qui ont pris part à ce débat sont l'hon. Philippe Brais, leader du gouvernement au Conseil; sir Thomas Chapais, leader de la gauche; les hon. Jacob Nicol, Frank Carroll, J.-L. Baribeau et L.-A. Giroux. (...)

Nombreuse délégation féminine

Une nombreuse délégation féminine avait envahi la salle du Conseil législatif. La séance commença à trois heures sous la présidence de l'hon. Hector Laferté.

A 3 heures 15, le greffier indiqua sur l'ordre du jour le bill du suffrage féminin, en deuxième lecture. C'est l'hon. Philippe Brais, leader du gouvernement au conseil, qui expliqua l'objet de la nouvelle législation.

«J'ai l'insigne honneur, dit-il, de proposer en deuxième lecture le bill no 18, qui a pour objet d'accorder le vote aux femmes et l'éligibilité. Ceci revient à dire que si ce bill est adopté, non seulement les femmes auront à l'avenir le droit de vote, mais qu'elles pourront également occuper, dans cette province, à peu près tous les postes et emplois comportant des responsabilités.»

Ici l'hon. Brais rappelle que dans le discours du trône, on avait promis le droit de suffrage aux femmes de cette province. «Le droit de vote de même que l'éligibilité ne peuvent plus être refusés.

«Le premier ministre lui-ême, a évolué sur ce point. Il nous l'a dit avec sa belle franchise. L'immense majorité de l'Assemblée législative l'a appuyé dans cette voie.

«Le bill que j'ai le privilège de soumettre à cette Chambre, au nom du gouvernement, est la conséquence logique et immédiate d'un louable changement d'opinion chez un grand nombre d'hommes publics. Pour ma part, je suis heureux de pouvoir déclarer que je n'ai pas eu à changer d'avis et que j'ai toujours été favorable au suffrage féminin.

«Je dois même ajouter que je suis un de ceux qui ont le plus contribué à faire soumettre une résolution à cet effet au grand congrès du parti libéral tenu à Québec en juin 1938.» (...).

Et le ministre poursuivait de la sorte son discours, entièrement reproduit par LA PRESSE, et dans lequel il insistait sur l'importance grandissante de la femme dans la société. Et c'est par un vote de 13 contre 5 que la Chambre endossait le projet de loi, immédiatement ratifié par le lieutenant-gouverneur.

C'EST ARRIVÉ UN 25 AVRIL

1996 — Le gouvernement québécois lève un décret vieux de 37 ans en permettant aux boulangeries montréalaises de faire la livraison de pain frais le dimanche et le lundi.

1980 — La tentative de libération par la force des otages de l'ambassade américaine de Téhéran se termine par un échec dans le désert iranien. L'opération fait huit morts à l'occasion d'une collision entre un avion C-130 et un hélicoptère.

1976 — Les Portuguais participent à leurs premières élections législatives depuis 50 ans et se donnent un gouvernement minoritaire d'allégeance socialiste et dirigé par Mario Soares.

1974 — À la faveur de ce qu'on qualifiera de « guerre des oeillets », les militaires enlèvent le pouvoir au gouvernement Caetano, au Portugal, après 40 ans de régime dictatorial.

1968 — Le président algérien Houari Boumedienne est blessé dans un attentat, à Alger.

1967 — L'autoroute Décarie est ouverte à la circulation automobile à 6 h, soit quelques heures à peine avant l'ouverture de l'Expo.

1961 — Le gouvernement Lesage annonce la composition de la Commission royale d'enquête sur l'Éducation au Québec. Elle sera présidée par Mgr Alphonse-Antoine Parent, et formée de sept membres.

1945 — Les troupes américaines et soviétiques effectuent un premier contact à Torgau, sur l'Elbe. — Ouverture de la conférence des Nations Unies, à San Franciscc.

1928 — L'aviateur explorateur Floyd Bennett, un des conquérants du pôle nord avec le commandant Richard Byrd, succombe à une pneumonie dans un hôpital de Québec.

1906 — La Chambre de commerce de Montréal inaugure ses nouveaux bureaux, au 76, rue Saint-Gabriel.

Débat sur l'authenticité des journaux d'Hitler

La publication, à Londres, de premiers extraits du journal personnel d'Hitler, apparemment découvert par l'hebdomadaire ouest-allemand *Stern*, a soulevé un débat entre historiens convaincus de l'authenticité des documents et d'autres historiens et anciens adjoints du führer pour lesquels il s'agit d'une des fraudes historiques les mieux montées du siècle.

Le *Sunday Times* de Londres, qui a acquis les droits de publication pour la Grande-Bretagne, a publié des extraits de la soixantaine de documents dans lesquels le dictateur nazi se plaint entre autre de l'attitude de son chef de la propagande, Joseph Goebbels, du commandant des SS, Heinrich Himmler, et déclare que les Juifs devraient tous être placés sur des bateaux et coulés en mer.

Deux anciens proches collaborateurs d'Hitler ont exprimé leurs doutes quant à l'authenticité du journal intime du führer. Un ancien adjudant de la Luftwaffe, Nicolaus Von Below, déclare : « La découverte de ce qui est présenté comme les carnets d'Hitler n'est qu'une nouvelle histoire à dormir debout à laquelle nous sommes habitués depuis la fin de la guerre. Hitler n'allait se coucher que passé trois ou quatre heures du matin et jusque là, nous étions tous assis dans la même pièce. C'est pourquoi il n'a pas eu le temps d'écrire une seule ligne. »

On a également retrouvé l'ancien pilote du führer, un certain Hans Baur, aujourd'hui âgé de 86 ans, qui assure que l'avion censé transporter en Autriche les archives personnelles d'Hitler avait été abattu dans les derniers jours de la bataille de Berlin.

Par ailleurs, un expert britannique de renom, spécialiste de la vie d'Hitler, Lord Dacre, professeur à Cambridge, mais aussi membre du conseil d'administration du groupe Times Newspapers Ltd. estime que les journaux sont authentiques. Lord Dacre, lorsqu'il était encore Hugh Trevor Roper, avait été envoyé par les autorités britanniques à Berlin, en 1945, pour enquêter sur les circonstances de la mort d'Hitler. Trois graphologues se sont également déclarés convaincus que l'écriture est bien celle du dictateur. En revanche, le professeur Werner Maser, administrateur officiel du patrimoine de Hitler, affirme que « les prétendues notes du führer retrouvées dans l'avion écrasé près de Dresde ne sont en fait que des extraits de ses discours qui ont été publiés depuis de nombreuses années ».

Le journal d'Hitler a été officiellement déclaré faux lorsque des experts ont démontré que le papier utilisé contenait des substances qui n'avaient pas été inventées avant la mort du führer. (**Texte publié le 25 avril 1983.**)

ATTENTAT DIABOLIQUE, RUE DES ERABLES

UN drame de famille des plus tristes s'est dénoué ce matin **(25 avril 1918)** de façon tragique.

C'est avenue des Erables, au No 1017, que le drame s'est déroulé vers les huit heures et demie ce matin. A cette heure, le facteur se présenta chez Mme Damase Boivin et lui remit un paquet assez volumineux. Intriguée, Mme Boivin se demanda avec raison quel pouvait bien être le contenu de ce colis. Puis se mettant à plaisanter, elle dit à sa fille: «Pourvu que ça ne soit pas de la dynamite». S'approchant du poêle, elle y déposa le colis et essaya de l'ouvrir. Comme il était bien empaqueté et qu'elle avait quelque difficulté à enlever la corde qui le ficelait, sa fille, Mlle Mélina Boivin, demanda à sa mère de le lui laisser ouvrir.

Mais à peine avait-elle fait une légère ouverture dans le colis, qu'une formidable explosion se fit entendre. Au même instant les flammes se répandirent par toute la cuisine, mettant le feu aux vêtements de ceux qui s'y trouvaient. Véritable torche vivante, Mlle Boivin se précipita dehors, cependant que sa mère entraîna son garçon, Auguste, et son petit pensionnaire, Camille Dame, dehors sur la galerie.

Aux cris lancés par les victimes, les voisins, le facteur et quelques vidangeurs qui se trouvaient dans les environs, accourent sur les lieux. Après avoir éteint les flammes qui dévoraient Mlle Boivin, on pénétra dans la maison, où l'on porta secours à la mère et aux enfants. Au même instant, les pompiers accouraient sur les lieux. Mais c'était peine perdue, car les voisins avaient déjà éteint le commencement d'incendie qui s'était déclarée dans la cuisine. (...)

La machine infernale qui a failli tuer les quatre victimes, ainsi que cinq autres bambins, des pensionnaires qui se trouvaient dans la maison au moment de l'explosion, a la forme d'une boîte à cigares, de huit pouces par quatre. A l'intérieur, divisée en deux compartiments, se trouvait un revolver de calibre 38, ainsi que de la poudre et des guenilles imbibées d'essence. Au couvercle, qui glissait entre deux grouves, était attachée une corde reliée à la gâchette du revolver.

En tirant le couvercle, on faisait ainsi partir la balle qu traversait la poudre et les guenilles imbibées de gazoline, mettait le feu à la boîte, et provoquait une seconde explosion. (...).

Les soupçons, quant à l'auteur de ce terrible attentat, se porte sur M. Damase Boivin, le mari de la victime. Boivin ne vivait pas avec sa femme depuis quelques années. S'il faut en croire Mme Boivin, c'est son mari qui aurait fait le coup. (...)

Le choc de l'explosion a réduit en miettes toutes les vitres de la cuisine, ainsi que celles du salon, de la porte d'entrée et d'une chambre. Les dommages causés par l'incendie sont des plus légers. L'état de Mlle Boivin est le plus inquiétant. On craint aussi que le jeune Auguste ne perde la vue. Détail touchant, Auguste venait de faire sa première communion le matin même et se préparait à être confirmé à dix heures.

La VOIE MARITIME est ouverte!

LA voie maritime du St-Laurent, l'une des plus grandes artères maritimes du monde, est ouverte à la circulation depuis samedi matin **(25 avril 1959)**. Dans les premières 24 heures qui ont suivi son inauguration, pas moins de 26 navires, 5 vers l'est et 21 vers l'ouest, ont franchi les sept écluses qui séparent les Grands Lacs de la mer.

Le Simcoe, premier navire à s'engager dans la voie à la suite des brise-glace Montcalm et D'Iberville, a mis vingt heures à parcourir les 121 milles que compte la nouvelle voie d'eau. Le vieux canalier se rendait allège à Kingston, Ont., pour y prendre une cargaison de céréales.

Venant de l'ouest vers Montréal, le canalier Humberdoc a apporté une cargaison semblable d'Iroquois, Ont. à Montréal en 16 heures seulement, soit deux fois plus rapidement que s'il avait emprunté l'ancien canal.

Lorsque le brise-glace D'Iberville a inauguré la voie samedi, avec à son bord le ministre des Transports, l'hon. George Hees, et de nombreux dignitaires, près d'une centaine de canaliers et d'océaniques ont levé l'ancre à leur tour pour emprunter les écluses. Tous les navires étaient pavoisés.

Le premier ministre du Canada n'a pas assisté à l'inauguration. Retenu à son bureau où il a préparé le programme parlementaire de la semaine prochaine, il a préféré décliner l'invitation qui lui avait été faite.

Une foule nombreuse, estimée à plusieurs milliers, s'était rendue à bonne heure tout le long de la digue qui se prolonge du pont Jacques-Cartier au pont Victoria. Les préposés aux écluses n'ont eu aucun incident à signaler. Longue de plus de 700 pieds, celle de Saint-Lambert peut accommoder deux navires à la fois. On prévoit que 25 millions de tonnes de marchandises passeront par la nouvelle voie. Ce chiffre sera doublé en 1965, prévoit-on.

Le péage exigé des navires dans la nouvelle voie est de six cents du tonneau du navire, plus 95 cents la tonne de cargaison générale et 42 cents la tonne de cargaison brute. Ce péage autorise aussi la circulation dans le canal Welland, aménagé il y a 27 ans afin de permettre aux navires de contourner les chutes Niagara entre les lacs Ontario et Érié. Des tarifs fragmentaires seront perçus pour des voyages partiaux.

Le nouveau canal peut accommoder des navires de 730 pieds de longueur. Pour l'instant, le tirant d'eau est limité à 22 pieds, 6 pouces, mais une fois terminés les travaux de dragage, le tirant d'eau sera porté à 25 pieds, 6 pouces. Les écluses ont 27 pieds de profondeur.

Le *D'Iberville* entrant dans l'écluse de Saint-Lambert, lors de l'ouverture de la Voie maritime du Saint-Laurent à la circulation maritime.

UN OCEAN DE FLAMMES

Immense conflagration à Hull — Une calamité qui rappelle les horreurs de Moscou et de Chicago — Plus de 4,000 maisons détruites, plus de 20,000 personnes sont sans asile — $10 millions de propriétés sont la proie des flammes

*Le **26 avril 1900**, la ville de Hull était presque entièrement détruite par l'une des pires conflagrations de l'histoire du Canada, une conflagration si violente que les flammes poussées par un vent violent traversèrent la rivière des Outaouais pour aller dévorer un quartier d'Ottawa sur l'autre rive. Heureusement, seulement quatre personnes ont perdu la vie au cours de cet incendie qui aurait pu avoir des conséquences beaucoup plus néfastes.*

Les sous-titres qui précèdent donnent une bonne idée de l'ampleur du désastre. Inutile d'insister sur le fait que LA PRESSE a couvert l'événement avec beaucoup d'ampleur pendant pas moins de cinq jours. Vu les circonstances, il serait vain d'essayer de résumer l'ensemble du dossier. Nous nous contenterons des deux textes suivants.

Le premier a été publié le 26, quelques moments après le début de l'incendie, découvert à 11 h du matin.

Des amas de ruines, voilà tout ce qui restait de Hull au lendemain de la terrible conflagration du 26 avril 1900.

OTTAWA, 26 — À 11 heures, le feu s'est déclaré dans la rue Chaudière *(dans la maison de M. Antoine Kirouac plus précisément)*, et s'est propagé par les rues Philomène, Albert, Wright, Wellington et Main, dans les quartiers Nos 2 et 3 de la ville de Hull.

Le feu s'est propagé jusque de l'autre côté du lac Minnow, et par les rues Bridge et Church jusqu'aux cours des grandes scieries d'Eddy. Le vent soufflant avec violence de l'est, propage l'incendie avec une rapidité telle, que les efforts des brigades de feu d'Ottawa, d'Eddy et de Hull sont impuissantes à le maîtriser.

Les scieries d'Eddy sont en grand danger, car elles se trouvent sur la marche de l'incendie.

Pas de pertes de vies encore connues.

Le feu a traversé la rivière Ottawa et dévore actuellement les chantiers de Bronson.

Le vent souffle avec une rapidité de 12 milles à l'heure.

1 heure. — Les manufactures de carbure de calcium, les usines fournissant la force motrice à la Cie des tramways et l'éclairage de la ville sont en danger. Le feu se propage avec une rapidité effrayante dans tout le quartier Victoria d'Ottawa.

1.20 p.m. — Le couvent des Soeurs Grises et la station de pompes de Hull en flammes. Les communications téléphoniques, entre Hull et Ottawa, coupées. Plus de 200 maisons consumées à Hull *(comme l'indique un des sous-titres, le feu aura détruit 4 000 bâtiments avant d'être maîtrisé)* et le feu fait rage encore. Le vent souffle du nord-ouest et ramène le feu vers la partie sud-est de Hull. Le palais de justice, en danger.

1.30 p.m. — Feu actuellement dans les vastes cours de bois des moulins de Eddy et de la Hull Lumber Co. Le palais de justice entourée de flammes. Toutes les manufactures de l'île Victoria, dans Ottawa, en feu. Le pont des Chaudières commence à brûler.

Ce fut ainsi pendant des heures. Et le correspondant de LA PRESSE, resté anonyme comme de coutume, visiblement bouleversé par l'immensité des dégâts se laissa aller à une prose beaucoup plus émotive que factuelle, du genre :

La magnifique industrie des scieries érigée sur les bords de la Chaudière disparaissait, et au moment où Hull allait célébrer le centenaire du premier voyage de bois parti de ses rives, sous l'oeil prévoyant de Wright, fondateur de la Dynastie de ses beaux chevaliers vrais, du travail réel, qu'on a appelé les rois de la Gatineau. A la veille, dis-je, de ce grand jour, toute cette belle et industrieuse cité est rayée de l'existence, effacée des cartes du pays.

Hull n'est plus, Hull n'est qu'un amas de cendres, un monceau de ruines, une plaine de douleurs et une vallée de larmes. Il faut avoir vu comme j'ai pu le voir, l'effrayant spectacle de cette calamité, le triomphe insolent de la destruction bête, idiote, impie, de cette place, de ce chancre rongeur, diabolique et envahissant, pour sentir toute l'étendue du désastre dont le spectacle me hante au moment où j'écris, en face des lueurs rouges qui, dans l'obscure clarté de cette nuit d'été, s'élèvent et colorent l'espace. (...)

Le désastre qui vient d'affliger Hull et Ottawa prendra place, à côté des grandes calamités historiques qui s'appellent incendie de Moscou et incendie de Chicago.

Plus de 4,000 maisons, avec tout leur contenu, sont détruites. Plus de vingt mille personnes sont sans abri. Près de dix millions de dollars de propriétés ont été la proie des flammes. Une industrie complète est rayée de l'existence. Une ville de moins. Voilà le bilan de la journée d'hier. (...)

26 — C'EST ARRIVÉ UN AVRIL

1982 — La défaite du gouvernement néo-démocrate d'Alan Blakeney, lors des élections générales de la Saskatchewan, est accueillie avec surprise à Ottawa.

1974 — Fin de la grève des postiers canadiens, qui durait depuis deux semaines.

1973 — Les employés des transports et des communications du Japon déclenchent une grève de 72 heures, le pire conflit de travail de ce pays depuis la guerre.

1967 — Le roi Constantin de Grèce décide d'appuyer le geste des colonels, qui ont pris le pouvoir à la faveur d'un coup d'État.

1961 — La révolte algérienne s'effondre. Les généraux Challe, Salan, Zeller, Jouhaud et Gardy sont arrêtés ou en fuite.

1959 — Montréal reçoit la visite du nouveau premier ministre de Cuba, Fidel Castro.

1952 — Quelque 175 personnes trouvent la mort dans une collsion entre le porte-avions *Wasp* et le destroyer *Hobson*, en pleine mer.

1950 — Sacre du nouvel archevêque de Montréal, Mgr Paul-Émile Léger, à Rome. Le sacre a lieu le jour de l'anniversaire de Mgr Léger.

1927 — Le juge Louis Boyer préside l'enquête relative à l'incendie du Laurier Palace qui a lieu quelques mois plus tôt.

1908 — Un éboulement de terrain cause plus de 30 morts à Notre-Dame-de-la-Salette, dans la circonscription de Labelle.

Le juge Lebeuf déclare sans valeur légale l'affichage unilingue

A l'ouverture de la Cour de circuit, ce matin **(26 avril 1920)**, l'honorable juge en chef Lebeuf a rendu un très important jugement dans une cause de Trunisch contre Child's Limited.

Ce jugement a une double portée en ce qu'il établit la responsabilité des restaurateurs, coiffeurs, etc., chez qui le client dépose une partie quelconque de ses vêtements, et en ce qu'il déclare nuls et sans valeur, les avis et placards qui ne sont pas bilingues.

C'est une jurisprudence nouvelle et les intéressés feraient bien d'en prendre note.

Ce jugement est sans appel. Dans son action, le demandeur réclamait de la compagnie défenderesse la somme de $65, prix et valeur d'une paletot et d'une paire de gants qu'on lui subtilisa alors qu'il était à déjeuner dans l'établissement de cette dernière. (...)

Le demandeur, citoyen de langue anglaise, et son procureur, aussi de langue anglaise, rétorquèrent que ces avis ne pouvaient être pris en considération parce que rédigés dans la seule langue anglaise, et ajoutèrent qu'en cette province, un avis pour être légal, devait être affiché dans les deux langues officielles du pays.

Le tribunal a pleinement maintenu cette prétention en se basant sur les circonstances qui entourent généralement ces cas. (...)

Montréal est déçu, Banff dégoûté

Les Jeux olympiques se tiendront en Allemagne et au Japon

ROME — Les deux villes canadiennes, Montréal et Banff, ont échoué hier **(26 avril 1966)** dans leur tentative d'obtenir les Jeux d'été et d'hiver. Le scrutin a en effet favorisé Munich, en Allemagne de l'Ouest, pour les Jeux d'été, et Sapporo, au Japon, pour ceux d'hiver.

«Il est évident que l'on désirait voir revenir les Jeux olympiques en Europe,» a dit le maire Drapeau déçu de l'échec de Montréal *(qui devait se reprendre avec plus de succès quatre ans plus tard, à Amsterdam)*. Faisant cependant contre mauvaise fortune bon coeur, M. Drapeau s'est montré autant peiné de l'échec de Banff. «Je suis encore plus peiné pour vous que pour nous», a-t-il dit à Ed Davis, du groupe de Calgary *(qui après maints essais obtiendra les Jeux d'hiver de 1988)*, qui tentait pour la troisième fois d'obtenir les Jeux d'hiver: selon toute vraisemblance cette troisième est la dernière!

Assaillie par des bombardiers de fabrication allemande portant les couleurs des troupes nationalistes du général Francisco Franco, qui larguèrent pas moins de mille projectiles au cours d'une attaque effectuée en fin d'après-midi, Guernica, capitale du pays basque, n'était plus qu'un amas de ruines, parmi lesquelles on retrouva des centaines de cadavres d'hommes, de femmes et d'enfants. L'assaut aérien du *26 avril 1937* dura trois heures et demie.

Le maire a ajouté qu'il avait senti, au cours de ses différents voyages entrepris dans l'espoir d'amener les Jeux d'été dans la métropole, que Montréal ne jouit sûrement pas de la réputation d'une ville où fleurissent les sports amateurs. Souvent on mettait en doute la capacité de Montréal de s'affirmer comme l'une des capitales du sport amateur. Selon M. Drapeau, Montréal et le Canada sont surtout connus pour leurs sports professionnels et leurs sports d'hiver, qui ont bien sûr leur raison d'être, ajoute-t-il.

M. Drapeau ne cache pas, cependant, que l'on se montrait surpris un peu partout que Montréal s'intéresse aux sports d'été; on parle de nous quand il s'agit de sports d'hiver.

Déçu, fatigué, le maire — semble-t-il — cachait toute l'amertume qu'il ressentait devant tant de promesses oubliées. Il était pourtant moins abattu que les représentants de Banff qui, eux, était tout simplement dégoûtés. «Je préfère me taire», a affirmé le président du groupe Ed Davis.

Firebird et Camaro à Boisbriand

Après avoir finalement obtenu le mandat mondial de l'assemblage des Firebird et Camaro, l'usine GM Boisbriand, de Ste-Thérèse, se met dès aujourd'hui (**le 26 avril 1990**) à l'oeuvre afin de pouvoir roder sa nouvelle production, au début de 92.

Le président de GM Canada George Peapples, a confirmé l'octroi du contrat tant attendu par les employés de Boisbriand.

ON DECRETE L'ANNEXION DE NOTRE-DAME-DE-GRACES

(Du correspondant régulier de la PRESSE)

QUÉBEC — Le comité des bills privés de la législature, sous la présidence de M. Tessier, député de Trois-Rivières, commençait ce matin **(26 avril 1910)** l'étude du bill de Montréal. La délégation envoyée par le conseil était au complet, et les contrôleurs étaient venus, conduits par le maire Guérin.

Les municipalités environnantes de Notre-Dame-de-Grâces, Maisonneuve, Longue-Pointe, Rosemont, Westmount, etc., étaient aussi représentées, soit par leurs maires, soit par des échevins ou des avocats.

Après l'adoption du préambule du bill, vient la question d'annexer Notre-Dame-de-Grâces.

M. O. MARCIL, MAIRE, et M. J.O. Sullivan, avocat, s'opposent au projet, se disant en cela soutenus par la majorité du conseil et des contribuables.

Notre-Dame-de-Grâces, disent-ils, se gouverne mieux que Montréal, dont elle est, du reste, séparée par Westmount. Elle n'est pas opposée à l'agrandissement de Montréal, mais aux conditions proposées, lesquelles ne visent qu'à favoriser cinq ou six grands propriétaires de terrains, qu'ils veulent exempter de taxes, sous prétexte de culture, en attendant qu'ils les divisent en lots à bâtir, qu'ils vendront bon prix.

M. Dougall McDonald, échevin de Notre-Dame-de-Grâces, se lance dans une longue digression sur les Sauvages de Caughnawaga. Tout cela pour s'opposer à l'annexion. (...)

M. le curé Bibaud, de Notre-Dame-de-Grâces, appelé à donner son avis sur la question devant le comité, se prononce pour les propriétaires agriculteurs contre les propriétaires spéculateurs, lesquels s'opposent au bill. Il termine en disant que la majorité des habitants est pour l'annexion à Montréal, où les intérêts des catholiques ne sont pas toujours respectés. (...)

L'HON. M. JEREMIE DECARY fait savoir que la majorité des contribuables lui a demandé de favoriser l'annexion. Son hon. le maire Guérin, de Montréal, entrant dans le débat, déclare qu'en somme les deux côtés sont en faveur de l'annexion, mais que les uns veulent attendre que Notre-Dame-de-Grâces soit plus endettée. C'est Montréal qui y perd dans cette annexion puisque Montréal, dont le pouvoir d'emprunt ne dépasse pas quinze pour cent, annexe une ville dont la dette est de $1,100,000 sur une évaluation foncière de $5,000.000. Le plus tôt se font les annexions, conclut le maire, le mieux c'est. (...)

MM. Cousineau, député, et L.-A. Lapointe, terminent la discussion, après quoi on prend le vote, et la proposition de recourir à un référendum est battue par 26 à 7.

Le comité des bills privés a donc décrété l'annexion de Notre-Dame-de-Grâces aux conditions proposées par Montréal.

Commémoration à Tchernobyl

De nombreuses manifestations, dont une nuit de veille en signe de deuil, sont organisées cette semaine en Ukraine pour commémorer le dixième anniversaire de l'explosion du quatrième réacteur de la centrale de Tchernobyl, le 26 avril 1986.

À 1 h 23 ce matin (**le 26 avril 1996**), les habitants de la ville devraient sortir de leurs maisons et allumer des bougies, à l'heure exacte où le réacteur avait explosé.

Le lendemain, à midi, les cérémonies se poursuivront à la centrale même : réunion commémorative à midi sur la place de la centrale, près du monument à Lénine et dépôt de gerbe sur « l'allée de la mémoire », où sont plantés des arbres en souvenir des « liquidateurs » mobilisés pour maîtriser le sinistre.

La foule envahit l'Expo 67

Le premier ministre Lester B. Pearson, à gauche, vient d'allumer le flambeau : l'Expo est ouverte. À droite le gouverneur général, Roland Michener, en compagnie de son sergent d'arme.

La Terre des Hommes doit devenir une cité internationale permanente — Drapeau

COURONNEMENT de trois ans de dur labeur et de cinq années d'inquiétude, le gouverneur général du Canada a inauguré officiellement hier **(27 avril 1967)** l'Exposition universelle et internationale de 1967.

Au même moment où M. Roland Michener annonçait: «Je déclare officiellement l'Expo ouverte», le carillon de l'Expo, les cloches des églises de Montréal, les sirènes des bateaux dans le port de Montréal ont fait entendre autant de notes joyeuses; simultanément, l'eau a jailli de toutes les fontaines aménagées dans les îles, et des bateaux-pompes du port dans le ciel radieux ont resplendi les mille étincelles d'un feu d'artifice tandis que les appareils du groupe acrobatique de l'ARC, les palladins du centenaire, ont décrit des courbes gracieuses pour saluer la réunion des soixante-trois nations sur la Terre des Hommes.

Place des Nations, hier, plus de 6,000 personnes étaient au rendez-vous pour l'inauguration.

L'arrivée du vice-roi a donné le signal du début de la cérémonie. Il a été salué par une salve de vingt et un coups de canon tirés par le deuxième régiment de l'Artillerie canadienne. Puis, au son des accords de la fanfare du régiment des Highlanders, il a passé en revue la garde d'honneur formée par le 3e bataillon du 22e régiment royal.

Un peu auparavant, les premiers ministres des autres provinces du Canada, le haut commissaire des Territoires du nord-ouest, le président du bureau des commissaires généraux des expositions, M. Albert Goris, le commissaire général adjoint, M. Robert Shaw, et de nombreux dignitaires et personnalités avaient pris place sur les estrades d'honneur.

Puis le maître de cérémonie annonça l'arrivée du maire Jean Drapeau, du premier ministre Daniel Johnson et du chef du gouvernement canadien, M. Lester B. Pearson.

M. Michener est apparu en compagnie du commissaire général Pierre Dupuy dont la fierté, en ce grand jour, était bien compréhensible.

M. Dupuy a été le premier à s'adresser à la foule des invités, pour ne pas dire au monde, puisque la cérémonie était télédiffusée en direct sur plusieurs continents. Il a été suivi de MM. Drapeau, Goris, Johnson, Pearson et Michener.

Le diplomate a souligné le message de l'Exposition: «Un acte de foi dans le génie créateur de l'homme, mais aussi dans la compréhension du plus grand nombre».

M. Jean Drapeau, le «père de l'Expo», comme plusieurs aiment, avec raison, à le répéter, a provoqué des applaudissements nourris. Le maire de Montréal a promis solennellement à ses concitoyens de travailler «avec une ferveur égale à celle qui m'a toujours animé», pour préserver de la destruction «des bâtiments et des éléments qui devraient demeurer pour rappeler d'une façon permanente en terre d'Amérique, la réalité d'une civilisation universelle reconstituée, quant au passé, par des choses qui ont résisté à l'usure du temps, qui ont triomphé des haines et des guerres et, quant à l'avenir, exprimée par des formes architecturales ou graphiques nouvelles, renouvelées, par les progrès de la science et de l'art et surtout par des indications claires et précises du recul des frontières de la misère et de la faim, de l'ignorance et de la pauvreté.»

M. Drapeau s'est écrié ensuite: «Au nom de mes collègues du conseil municipal, je donne à tous l'assurance que, quant à nous, nous étudierons avec les autorités de chacun des pavillons, tous les moyens à prendre pour assurer à ces îles, que les Montréalais ont édifiées à leurs frais, la plénitude de leur destin de cité internationale où, de partout, toujours, les pèlerins de la Terre des Hommes pourront venir se rencontrer et constater la volonté de l'humanité d'enrichir la civilisation d'aujourd'hui au bénéfice de l'humanité de demain.»

Quant à M. Goris, il a loué les efforts du commissaire général de l'Expo, M. Pierre Dupuy, qui, par son «obstination et sa subtile diplomatie», a réussi à convaincre 63 pays de participer à l'Exposition universelle de Montréal. (...)

LE PAYS A VOTÉ 63% OUI
La province de Québec 71% NON

L'institution de la conscription pour le service outre-mer tombe maintenant dans le domaine militaire, et se trouve dégagée des conséquences électorales qu'a comportées la question depuis plus de 20 ans dans 2 guerres. Du moins, la majorité des électeurs civils du Canada a consenti au plébiscite d'hier **(27 avril 1942)** à relever le ministère de tous les engagements restreignant la liberté et celle du Parlement quant aux méthodes de recrutement tant pour l'étranger que pour le territoire national.

Il est possible que l'on arrive à un total record, lorsque tous les votes auront été comptés. La majorité des électeurs de 8 provinces, une minorité considérable des électeurs de la province de Québec, ont répondu «oui».

Rappelons le texte de la question posée par le gouvernement fédéral: «Consentez-vous à libérer le gouvernement de toute obligation résultant d'engagements antérieurs restreignant les méthodes de mobilisation pour le service militaire?»

La conscription pour le service militaire au Canada est déjà en vigueur. La majorité vient de relever le très hon. M. King, premier ministre du Canada, de tout engagement contraire à la conscription pour le service outre-mer.

63% de «Oui»

La statistique de 29,025 bureaux de scrutin sur 31,208 donne 2,612,206 «oui» contre 1,486,771 «non». (...)

Au début de la campagne du plébiscite, le 7 avril, M. King a exposé que la question de la conscription pour le service outre-mer est une question militaire, à régler par le ministère. (...)

M. King a conclu des résultats donnés hier soir que le peuple comprend le tour qu'ont pris les événements et accepte de lever les restrictions. Il a déjà dit que le volontariat n'a pas empêché notre armée d'outre-mer de remplir ses effectifs.

9 des 65 circonscriptions du Québec ont répondu «oui». Elles sont toutes dans la région de Montréal; ce sont: Outremont, Jacques-Cartier, Laurier, S.-Laurent-S.-Georges, Verdun, Mont-Royal, S.-Antoine-Westmount, Cartier, S.-Anne. (...)

On peut ajouter en terminant qu'à l'extérieur du Québec, seulement sept circonscriptions avaient voté majoritairement pour le «non», soit trois au Nouveau-Brunswick, deux en Ontario, une au Manitoba, et une en Alberta.

Waterloo sera débarrassée de ses milliers d'obus

Waterloo, jolie petite ville des Cantons de l'Est, renommée pour ses champignons, est le théâtre d'une opération militaire qui durera jusqu'au 31 mai.

Cette opération à laquelle participeront quelque 70 membres des Forces armées a pour but d'extraire, d'un vaste terrain de 300 mètres sur 700 mètres, un nombre indéterminé, mais qui peut atteindre plusieurs milliers, d'obus fumigènes et de fusées éclairantes qui y sont enfouis depuis la fin de la Deuxième Guerre mondiale.

Ces minuscules obus (environ six pouces de long et deux pouces de diamètre), tirés par mortiers, n'avaient d'autres fonctions que de créer un écran de fumée ou d'éclairer le secteur occupé par l'ennemi.

Deux compagnies, MacDonald Chemicals et International Flares, les fabriquaient pour l'armée canadienne. Mais une clause de leurs contrats stipulait qu'avant d'effectuer leurs livraisons, elles devaient en « tester » un certain nombre.

Et c'est sur ce vaste terrain, en bordure de la rue Allen, à Waterloo, que les techniciens des fabricants effectuaient leurs essais. (**Texte publié le 27 avril 1984.**)

Aide de 24 milliards à la Russie

Les ministres des Finances et les gouverneurs de banque centrale du Groupe des Sept pays les plus industrialisés (G7 — Allemagne, Canada, États-Unis, France, Grande-Bretagne, Italie et Japon) ont approuvé hier (**le 26 avril 1992**) à Washington le principe de l'octroi à la Russie d'une aide économique de 24 milliards de dollars, dont le président Bush avait dévoilé les grandes lignes au début de ce mois.

Au total et plus généralement, cette première aide devrait ouvrir la voie à un très important plan d'assistance aux républiques de l'ex-URSS, dont le montant irait jusqu'à 150 milliards de dollars sur quatre ans et qui serait coordonné par le Fonds monétaire international (FMI) et la Banque mondiale.

L'essentiel de ces 150 milliards devraient être apportés sous forme d'aide humanitaire, de crédits bancaires et de rééchelonnement de dettes.

Les grands argentiers du G7 devraient donner aujourd'hui leur accord à l'entrée de ces républiques au sein du FMI et de la Banque mondiale.

Marciano se retire de la boxe

NEW YORK — Le champion du monde Rocky Marciano a annoncé aujourd'hui **(27 avril 1956)** qu'il se retirait de la boxe «parce que je veux commencer à vivre pour ma famille».

«Je suis en sécurité au point de vue financier et je ne crains pas pour l'avenir», déclara le champion qui devenait le 4e homme à quitter la boxe sans avoir subi une seule défaite.

Marciano, qui a gagné tous ses 49 combats professionnels et a défendu son titre avec succès à six reprises, a dit qu'il avait finalement succombé aux prières de sa famille.

«Lorsque j'ai débuté, j'étais garçon», dit-il. «Mais maintenant ma mère et ma femme désirent que je me retire et je leur ai promis hier que je ferais ce qu'elles désiraient.»

A Vancouver, C.-B., Archie Moore a déclaré que si Marciano était sérieux au sujet de sa retraite, «je réclamerai le titre».

En annonçant sa retraite, Marciano a dit:

«Je ne me crois pas amoindri physiquement comme boxeur, et je crois que Jersey Joe Walcott m'a livré le plus rude combat. Le champion mi-lourd Archie Moore a une bonne chance, aussi bien que n'importe qui, de me succéder comme champion poids lourd.

«Je vous dirai aussi que personne ne sait ce qui peut arriver dans l'avenir, mais à moins d'une situation très difficile, vous ne verrez jamais Marciano faire un retour.

«J'ai étudié la boxe et ses erreurs», dit-il. «J'étais très peiné de voir Joe Louis, un des plus grands boxeurs encore vivants, faire un retour désastreux. Alors, à moins d'un effondrement complet de ma fortune, l'arène m'a vu pour la dernière fois.»

Dans toute sa carrière de boxeur, qui s'étale sur neuf ans, Marciano n'est allé au tapis que deux fois. Une fois dans son premier combat avec Walcott, et une fois dans son dernier combat avec Archie Moore.

La population ne réalise pas l'ampleur de la crise financière

La population ne réalise pas l'ampleur de la crise financière que vivent les gouvernements du Canada et des provinces. Selon M. Gilles Paquet, professeur d'économie à l'Université d'Ottawa, il faudrait un discours à la Churchill pour convaincre les citoyens d'accepter les grands sacrifices qui s'imposent.

En supposant un gel total des dépenses (les hausses des dépenses indexées étant compensées par des baisses ailleurs) le déficit des gouvernement fédéral et provinciaux, qui atteint 60 milliards, ne baisserait qu'à 30 milliards au bout de trois ans. C'est beaucoup, mais encore trop peu.

Pour éliminer le déficit, il faudrait imposer des coupes dramatiques de 25 à 30 % des dépenses. Pour rembourser la dette en dix ans, il faudrait sabrer les dépenses de l'État de moitié ! Imaginez, renvoyer la moitié des fonctionnaires ! M. Paquet ne recommande pas une politique aussi aveugle, mais utilise l'exemple pour montrer l'ampleur de la tâche.

À force d'entendre crier au loup, les Québécois finissent par ne plus y croire, même si la bête est maintenant à la porte de la bergerie, affirme M. Paquet. (**Texte publié le 26 avril 1993.**)

Le plan directeur de notre future cité universitaire

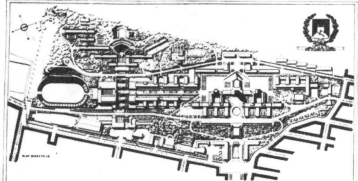

Le recteur de l'Université de Montréal, Mgr Olivier Maurault, a rendu public, hier *(27 avril 1951)* après-midi, le plan directeur de la future cité universitaire, et annoncé la construction prochaine de plusieurs bâtisses, pour les étudiants et l'hôpital universitaire. Le plan ci-dessus par M. Ludger Venne, architecte, donne une vue à vol d'oiseau du centre universitaire, tel qu'il apparaîtra aux générations futures.

C'EST ARRIVÉ UN 27 AVRIL

1992 — Marlon Brando, qui a déjà refusé un Oscar pour protester contre le sort fait aux Amérindiens, désavoue aujourd'hui un film sur Christophe Colomb, affirmant que le film ne le représente pas sous les traits du « véritable scélérat qu'il était ».

1989 — La Fondation Émile-Nelligan, par la voix de son président, le poète Gaston Miron, annonce la création du prix Gilles-Corbeil, doté d'une bourse de 100 000 $.

1972 — Le vaisseau spatial américain *Apollo XVI* rentre sans encombre de son voyage sur la Lune. — Alfred Rouleau est élu président du mouvement Desjardins au premier tour de scrutin.

1969 — Devant le refus de la France d'appuyer ses politiques lors du référendum, le général Charles de Gaulle annonce qu'il quitte ses fonctions. — Un accident d'hélicoptère cause la mort du général René Barrientos Ortuno, président de la Bolivie.

1966 — Le pape Paul VI accorde une audience privée à Andreï Gromyko, le premier accordée à un membre du gouvernement soviétique.

1960 — Le premier ministre Antonio Barrette dissout les chambres et convoque les Québécois aux urnes pour le 22 juin.

1959 — Liu Shao Chi accède à la présidence de la République populaire de Chine.

1945 — Entrée en vigueur au Québec d'une nouvelle taxe provinciale de 6 p. cent, dite « de luxe ». — Le maréchal Pétain est rentré à Paris pour y subir son procès. — Les Américains entrent en Autriche.

1941 — Les Allemands entrent dans Athènes.

1937 — Des centaines de civils ont été tués à Guernica, ancienne capitale du pays basque, qui n'est plus aujourd'hui qu'un amas de ruines fumantes à la suite d'un assaut aérien de trois heures et demie. (Ce drame a été l'inspiration d'une célèbre peinture par le peintre Pablo Picasso sur les horreurs de la guerre.)

Croquis d'une scène de violence, dans le port de Montréal.

LOI MARTIALE EN VIGUEUR DANS LE PORT DE MONTREAL

La loi martiale est en vigueur sur les quais. Depuis hier **(28 avril 1903)** soir, les militaires occupent le port et en gardent tous les accès. Pas d'admission sans affaires est le mot d'ordre.

L'intention des autorités est de maintenir l'ordre à tout prix, de protéger la propriété et la liberté du travail coûte que coûte.

Ce matin, protégés par des piquets de cavalerie et d'infanterie, les hommes du Bureau Indépendant du Travail recommencèrent le déchargement des vaisseaux qu'ils pourront faire sans être molestés.

C'est hier soir, à sept heures, que la police a pris possession du port; ceci a coïncidé avec l'arrivée du «Lake Champlain», venant de Halifax sur lest, portant 50 débardeurs de Halifax. Sans la milice, il est probable que ces hommes n'auraient pas eu à se flatter de la réception qu'on leur aurait faite.

Mais repassons rapidement les événements de l'après-midi d'hier, à partir de 1 heure où nous mettions sous presse.

Tout l'après-midi, le port a été en proie à l'émeute, tous les vaisseaux ont eu à subir les assauts de la foule en délire.

Après avoir enlevé les passerelles des vaisseaux en face de la ville, avoir rossé quelques travailleurs et en avoir embauché un bon nombre, les grévistes se sont rendus à Hochelaga, où se trouve le «Carrigan Head». C'est là que leur conduite a été le plus répréhensible.

Depuis une heure de l'après-midi, le déchargement des rails était fait par une quinzaine d'hommes avec le concours de l'équipage. Au nombre de cinq ou six cents, les manifestants armés de bâtons et de pierres s'élancent sur les travailleurs qui, ne s'attendant pas à une attaque aussi subite, n'ont pas eu le temps de se réfugier à bord du vaisseau.

Trois hommes sont saisis, roulés dans la boue et battus; ils n'ont cependant pas été traités aussi cruellement qu'on pourrait le croire, un seul a été blessés sérieusement. (...)

En dépit d'une grêle de pierres, le capitaine Orr était sur le pont faisant face à la foule. «Maintenant, montez à bord si vous l'osez», disait-il en sortant un revolver.

Personne ne monta. Deux minutes après, les grévistes avaient reculé à plus de cent verges et l'équipage recommençait son travail.

En les voyant de nouveau à l'ouvrage, les grévistes sentirent leur ardeur belliqueuse se réveiller et se précipitèrent sur les travailleurs. (...) Afin de ne pas provoquer davantage la colère de gens aussi incommodants, le capitaine du «Carrigan Head» fit cesser le travail des «scabs», qu'un remorqueur transporta à bord du «Monterey».

Le gouvernement français décidait, le *28 avril 1950*, de démettre M. Frédéric Joliot-Curie, un scientifique de renom qui mérita le prix Nobel de chimie en 1935, de ses fonctions de président de la Commission de l'énergie atomique et de membre du Conseil national de la recherche scientifique. Le motif? Frédéric Joliot-Curie était communiste...

Ministres, journaux, foules d'Italie se réjouissent de l'exécution de Mussolini

Les Milanais assouvissent leur rage sur le cadavre en place publique

MILAN — Les cadavres de Benito Mussolini et de Clara Petacci ont été décrochés du poste d'essence où les avait pendus une foule furieuse et emmenés à la morgue de Milan, avec ceux de leurs 16 compagnons de supplice. Le visage de Mussolini a été affreusement mutilé; celui de son amie est resté beau.

M. Mario Berlinguer, haut-commissaire au châtiment des fascistes, et les journaux de Rome approuvent l'exécution sommaire **(le 28 avril 1945)** de Benito Mussolini et de 17 autres fascistes par les patriotes de Lombardie. Ils jugent que Mussolini avait mérité son sort. M. Berlinguer rappelle que le gouvernement italien a donné tout pouvoir au Comité de la Libération nationale du nord d'arrêter et d'exécuter les fascistes. La presse romaine considère que l'exécution prépare le rétablissement de la véritable démocratie. Ainsi, le **Risorgimento Liberale**, organe de parti, proclame: «Avec la mort de Mussolini disparaît l'incarnation la plus évidente du mal du siècle. La fin de Mussolini, la fin prochaine d'Hitler constituent de formidables avertissements à ceux qui aspirent à de nouvelles dictatures de droite ou de gauche. (...)

Fureur des Milanais

La foule milanaise a assouvi sa haine sur le cadavre de Benito Mussolini. Les patriotes italiens ont exécuté celui-ci, ainsi que son amie, Clara Petacci, et 16 chefs fascistes, à Giullano di Mezzergere, près de Côme. Le maréchal Rodolfo Graziani, ministre de la Guerre de Mussolini a été fait prisonnier. Il a déclaré qu'il voulait se livrer, Mussolini et les autres fuyaient vers la Suisse. Il n'y a pas eu de procès à vrai dire; après les exécutions à 4 h. 10 de l'après-midi, les cadavres ont été entassés dans un camion et amenés à Milan pour être exposés.

Le cadavre du dictateur a été pendu par les talons sur la place des Quinze-Martyrs *(ex-piazza Loreto)* à Milan, à côté du cadavre de son amie, la poitrine tachée de sang. De chaque côté pendaient les cadavres de 5 chefs fascistes. Des Milanais irrités ont repoussé les sentinelles patriotes, craché sur les cadavres; un individu a vidé le chargeur d'un revolver automatique sur celui de Mussolini; un autre lui a asséné un coup de poing sur la mâchoire.

Vendredi, Mussolini et ses compagnons se dirigeaient vers la frontière suisse dans un convoi d'automobiles *(30 précise-t-on ailleurs)*. Le dictateur, vêtu d'un habit d'officier allemand, conduisait lui-même une voiture, lorsqu'un sergent l'a reconnu et fait arrêter. (...)

La place où sont exposés les cadavres est celle où des patriotes ont été exécutés il y a un an. (...)

Le peuple italien a appris avec satisfaction la mort de Mussolini. D'autre part, on apprend d'informateurs autorisés que le Saint-Siège regrette que Mussolini n'ait pas été jugé dans les formes, que la foule ait insulté jusqu'à son cadavre. Son Exc. Mgr Walter Carroll, prélat américain, doit aller à Milan aujourd'hui pour mener une enquête. Mais en général, les Italiens ne se soucient pas de ces scrupules. (...)

Le cadavre meurtri et sali d'ordures de Mussolini gît parmi d'autres sur la place (...) où il y a 26 ans était né le mouvement fasciste. Près de lui, on aperçoit le corps de la jolie Clara Petacci, dont la chemise blanche ornée de dentelle est tachée de sang; cependant la foule lui a épargné les outrages auxquels elle s'est livré sur le cadavre du dictateur.

Edouardo, chef du peloton de 10 hommes qui a exécuté Mussolini, dit: «Il n'a pas su bien mourir». L'exécution s'est déroulée à 4 h. 30 samedi après-midi, près de Dongo, sur le lac de Côme. Les dernières paroles de Mussolini furent: «Non, non». Il est mort à la villa où il était détenu depuis vendredi soir avec son amie, fille d'un médecin de Rome, qui voulait devenir actrice de cinéma.

Le lutteur montréalais, Eugène Tremblay, remportait, le *28 avril 1905*, un tournoi international de lutte disputé au parc Sohmer, pour le championnat du monde. Mais tout n'avait pas été facile, puisque Tremblay subit une défaite contre l'Américain Willey.

Un millier de sidéens

Les cas de SIDA au Canada ont atteint le nombre de 1 100. De prime abord on se dit que les responsables de la santé devraient s'inquiéter devant un tel nombre, mais en fait c'est peu lorsqu'on s'arrête au nombre des victimes que font les maladies les plus meurtrières au pays.

Le premier cas connu de sida au pays a été enregistré en 1979, mais c'est au cours des cinq dernières années que l'on en a diagnostiqué la majorité. Or, durant ces cinq années, près de 400 000 Canadiens ont été emportés par des maladies cardiaques et près de 250 000 par un cancer.

Malgré tout, les autorités doivent faire tout en leur pouvoir pour empêcher le SIDA de se répandre car, selon toute vraisemblance, il y a quelque 75 000 Canadiens qui ont déjà été exposés au virus du SIDA et qui peuvent donc avoir contracté la maladie et être porteurs du virus. **(Texte publié le 28 avril 1987.)**

Les micro-brasseries réclament des avantages

L'Association des micro-brasseries du Québec a réclamé hier **(le 27 avril 1994)** les mêmes avantages, sur le plan des taxes, que ceux dont bénéficient les micro-brasseries d'autres pays (États-Unis, Allemagne, Belgique), mais aussi de provinces canadiennes telles la Colombie-Britannique.

Les États-Unis ont réduit de 18 à 7 $ US par unité de mesure (le baril) la taxe fédérale frappant la bière, pour les entreprises brassant annuellement moins de 60 000 barils, soit 70 000 hectolitres.

APRES LE "BIG APPLE", LE "DOING THE DOPEY"

La fantaisie cinématographique de Walt Disney, « Blanche Neige et les sept nains », a inspiré de multiples originalités, mais la plus baroque constatée à date est celle qu'illustrent les six photos ci-dessus. C'est un nouveau pas de danse baptisé du nom approprié de « Doing the Dopey ». Lancée à Détroit par Cecil Berdun pour supplanter le « fad » précédent, le « Big Apple », la nouvelle danse est ici exécutée par deux jeunes Américains. *Cela se passait le 28 avril 1938.*

Aurore, l'enfant martyre

LE MARI DE LA MEGERE COUPABLE D'HOMICIDE

QUÉBEC — Télesphore Gagnon (...) a été trouvé coupable d'homicide. On accusait ce père brutal du meurtre de sa propre fillette, Aurore, 10 ans, l'enfant martyre de Sainte-Philomène, meurtre pour lequel la deuxième épouse du prévenu, la marâtre Marie-Anne Houde, a été condamné à mourir sur l'échafaud le vendredi 1er octobre prochain. **(1920)**

Gagnon ne partagera donc point le sort de sa triste compagne, l'accusation de meurtre ayant été écartée par le jury, lequel est entré en délibérations, hier après-midi, dès que l'hon. juge Désy eut terminé son long, formidable et éloquent réquisitoire. (...)

L'homicide Télesphore Gagnon n'a pas reçu sa sentence ce matin, comme on s'y attendait. L'hon. juge Désy ne prononcera le châtiment que dans une dizaine de jours, lorsqu'il partira pour Trois-Rivières.

L'assaillant de Campbell condamné à $35 d'amende

L'émeute du Forum, au cours de laquelle M. Clarence Campbell, président de la Ligue nationale de hockey, avait été quelque peu malmené par un admirateur enthousiaste de Maurice Richard, a eu son épilogue ce matin **(29 avril 1955)**, en Cour municipale.

André Robinson, 21 ans, 1481, rue S.-André, aurait, le soir du 17 mars dernier, écrasé une tomate sur la personne de M. Campbell.

En fait, ce matin, il a reconnu sa culpabilité sous deux chefs d'accusation: voies de fait sur la personne de M. Campbell et avoir troublé la paix. Dans le premier cas, le juge Pascal Lachapelle l'a condamné à $10 d'amende et aux frais, ou à 15 jours de prison et, dans le deuxième cas, à une amende de $25 plus les frais, ou à un mois de prison.

M. Campbell, flanqué de son avocat, Me Jacques Courtois *(qui allait devenir président du Canadien quelques années plus tard)*, s'était rendu en Cour municipale, ce matin, mais il ne s'est pas montré dans la salle d'audience. Pendant plusieurs minutes avant l'audition de la cause, il s'était entretenu avec son procureur, dans un corridor attenant à la salle d'attente.

En cour, l'affaire, remise à plusieurs reprises depuis la comparution de Robinson, au lendemain de l'émeute, a été menée rondement. Robinson, par l'entremise de son avocat, Me François Morel, a immédiatement plaidé coupable. Me René Leblanc, C.R., avocat de la ville, n'a pas requis d'amende spéciale contre l'accusé.

Le juge Lachapelle a tout de suite condamné le prévenu à l'amende, et l'affaire était définitivement close. Robinson s'est alors dirigé vers la caisse.

André Robinson

C'EST ARRIVÉ UN 28 AVRIL

1977 — Un accord sur les droits de pêche témoigne d'un certain dégel des relations entre Cuba et les États-Unis.

1973 — Jacques Maritain, philosophe de réputation internationale, meurt à Toulouse, à l'âge de 91 ans.

1971 — Dépôt d'un projet de loi par lequel les femmes pourront désormais être appelées comme jurés au Québec.

1968 — À Paris, les docteurs Christian Cabrol et Gérard Guiraudon réussissent la première greffe du coeur réalisée en Europe, sur la personne de M. Clovis Roblain.

1966 — Les Celtics de Boston méritent un 8e championnat consécutif de la National Basketball Association.

1965 — Débarquement près de Saint-Domingue de 500 fusiliers marins américains avec mission d'assurer l'évacuation des ressortissants américains.

1952 — Le général Clark devient commandant des forces alliées en Corée, en remplacement du général Matthew Ridgway, nommé à l'OTAN.

1952 — Le Japon redevient une nation souveraine, avec la fin de l'état de guerre entre ce pays et 48 pays alliés.

1936 — Mort du roi Fouad d'Égypte, à l'âge de 68 ans. Son fils Farouk lui succède.

1902 — Mort de Mgr Cyprien Tanguay, à Ottawa, à l'âge de 83 ans. Il était l'auteur du *Dictionnaire généalogique des familles canadiennes*.

UN CASINO À MONTRÉAL DÈS 1993?

Le gouvernement du Québec devrait aller de l'avant avec son propre réseau de machines vidéo-poker et la création d'un casino à Montréal et ce, dès janvier 1993. Telles sont les recommandations faites par le ministre des Finances, Gérard D. Levesque.

Le document de cinq pages recommande la création d'un réseau étatisé de loteries vidéo, administrées par Loto-Québec, qui pourraient se trouver dans les bars, les brasseries et certains dépanneurs, « à condition que les appareils soient regroupés dans une aire strictement réservée aux adultes ».

Le président de Loto-Québec, Michel Crête, est resté beaucoup plus vague. La mise en place d'un casino prendrait entre huit mois et deux ans, selon l'ampleur de l'établissement. Les retombées économiques d'un établissement de classe internationale pourraient atteindre 140 millions, a-t-il dit, en ajoutant que, à Montréal, un casino pourrait compter sur un bassin de population de 29 millions d'habitants dans un rayon de 500 km. Par comparaison, le casino de Winnipeg n'a que deux millions de clients potentiels dans le même rayon. La surveillance policière d'un tel établissement coûterait environ 1,6 million de plus par année à l'État, et des mesures d'autodiscipline pourraient être proposées aux « joueurs compulsifs », une formule appliquée avec succès en Hollande, a-t-il fait valoir.

La maladie du jeu se développe surtout chez les jeunes qui y sont exposés trop tôt, a reconnu M. Crête, en soulignant que la question de l'accès des mineurs aux machines constituait le principal problème du dossier des vidéo-pokers.

Du côté des casinos, le ministre Levesque recommande au gouvernement d'autoriser Loto-Québec à enclencher le processus en vue de l'implantation en janvier 1993 d'un premier casino à Montréal, suivi d'un deuxième dans Charlevoix au cours de 1993.

La forme de casino proposée amènerait des recettes de 44 millions par an en revenus et dividendes au gouvernement, auxquelles il faut ajouter 14 millions de recettes fiscales et para-fiscales. Ces casinos créeraient 1 500 emplois à Montréal et 300 dans Charlevoix. Les retombées touristiques seraient de 44 millions à Montréal et 10,6 millions à Charlevoix, et permettraient de récupérer une partie des 135 millions que les Québécois perdent chaque année dans les casinos étrangers. (L'Assemblée nationale s'opposa à la clause vidéo-poker qui fut remise sine die). **(Texte publié le 29 avril 1992.)**

La France nuance les affirmations de Jacques Parizeau

Ni indifférence ni interférence. La France s'en tiendra à cette attitude diplomatique éprouvée tout au long du débat constitutionnel au Canada, a déclaré l'ambassadeur de France à Ottawa, M. François Bujon de l'Estang.

Le diplomate français a déclaré que son pays observait les problèmes du Canada « avec grand intérêt et sympathie, » mais a souligné que ce n'est pas à Paris d'offrir des conseils à quelque pays que ce soit.

« Il revient aux Canadiens de décider de l'avenir du Canada » a-t-il dit dans une entrevue récente accordée à l'ambassade de France dans la capitale fédérale. « C'est aux Québécois de décider de l'avenir du Québec. »

La France est liée par une amitié solide au Canada qui s'est manifestée « souvent et d'un grand nombre de façons », a dit M. Bujon de l'Estang.

« Et la France éprouve un sentiment naturel de fraternité pour le Québec qui se fonde sur l'histoire, la langue et la culture. Nous avons beaucoup d'admiration pour ce que les Québécois ont fait pour sauvegarder leur patrimoine culturel et leur langue. Mais il ne nous appartient pas de prendre parti dans une querelle interne du Canada. Nous souhaitons au Canada toute la chance possible dans la définition de son avenir et nous espérons que la crise actuelle sera surmontée rapidement. »

Durant une visite à Paris la semaine dernière, le chef du Parti Québécois, M. Jacques Parizeau a déclaré que le Québec bénéficiera de la « sympathie active » de tout gouvernement français qui sera au pouvoir une fois que le Québec aura choisi l'indépendance.

M. Bujon de l'Estang s'est montré plus prudent.

Le Québec et la France entretiennent des relations étroites fondées sur un grand nombre d'accords très divers, a-t-il fait observer.

« Les relations franco-québécoises sont très intenses et le demeureront quel que soit l'avenir que choisira le Québec », a-t-il dit prudemment. **(Texte publié le 29 avril 1991.)**

Première victoire de Jacques Villeneuve, hier, en Formule 1: une course «l'fun» qui lui a procuré une «grande sensation».

Du panache et des nerfs d'acier

Villeneuve remporte sa première victoire en Formule 1

Quand Jacques Villeneuve, le poing dans les airs, a franchi le fil d'arrivée, une voix a retenti dans son écouteur. C'était celle de Patrick Head, le directeur technique de l'écurie Williams-Renault et l'un des hommes les plus respectés du sport automobile : « Un travail fantastique, Jacques ! Cette victoire sera suivie de plusieurs autres. »

Ce drapeau à damiers, son premier en Formule 1, Villeneuve l'a arraché à la dure, hier (**le 28 avril 1996**), au Grand Prix d'Europe, sur le circuit du Nürburgring. Durant les 30 derniers tours, il a repoussé les assauts du double champion du monde, Michael Schumacher, qui lui collait au derrière comme un vautour guettant sa proie.

Villeneuve n'a pas commis d'erreurs durant la chasse. « Michael est un des pilotes les plus agressifs du circuit. L'an dernier, il le doublait assez facilement. Je savais que s'il pouvait me surprendre, il n'hésiterait pas à foncer. Je me suis assuré de garder une petite marge, afin d'être premier à l'entrée des virages. Je ne voulais pas qu'il me passe à l'intérieur. »

Brique par brique, Lego s'est bâti un empire mondial

En ouvrant un deuxième parc Legoland ce printemps à Windsor en Grande-Bretagne, Lego ajoute une pierre à l'édifice qu'il construit brique par brique depuis le début du siècle. Après plus de cinquante ans d'existence, cette forteresse détenue par un groupe familial danois qui reste très discret sur ses comptes réalise environ 2,5 milliards CAN de chiffre d'affaires dans 135 pays, ce qui le situe dans les cinq premiers groupes mondiaux de jouets traditionnels (hors jeux vidéos)... avec un seul produit !

Un produit inventé tout à fait par hasard. Subissant de plein fouet la récession de 1929, Ole Kirk Christiansen, un menuisier-charpentier du Jutland, province pauvre du Danemark, est contraint de se reconvertir dans des jouets en bois. Son fils âgé de douze ans l'assiste dans cette tâche, jusqu'au jour où, en 1947, Christiansen a l'idée de se mettre au plastique. La société Lego, contraction de « Leg godt » (joue bien en danois) est née, sans savoir que ce nom signifie également en latin « j'étudie, j'assemble ».

Deux ans plus tard, la brique fait son apparition, avant de devenir le vaisseau-amiral de la société dans les années 60. La petite brique s'exporte et des sociétés commerciales sont créées un peu partout en Europe.

La petite briquette aux huit tenons est devenue tellement universelle que 300 millions d'adultes et d'enfants à travers le monde jouent ou en ont joué. **(Texte publié le 29 avril 1996.)**

Plusieurs de nos médecins prennent le chemin des USA

Ceux qui l'embauchent s'occupent de lui obtenir un permis de travail et une licence pour pratiquer en Caroline du Sud. Ses enfants sont enthousiasmés à l'idée de vivre dans un pays au climat plus chaud. Quant à lui, il travaillera moins pour toucher beaucoup plus d'argent.

Malgré ces bénéfices, le jeune médecin ne fait aucunement preuve d'enthousiasme lorsqu'il rappelle qu'il a décidé d'abandonner sa pratique dans la région d'Ottawa pour aller travailler aux États-Unis.

« Je suis désappointé d'avoir à partir », de dire ce médecin, qui a réclamé l'anonymat parce que beaucoup de ses patients ne savent pas encore qu'il les quittera en août prochain. Ici, je ne me sens pas désiré. Je travaille dur, j'ai un bon job et j'aide beaucoup de gens. Mais cela ne veut rien dire. »

Ce jeune généraliste de 33 ans n'est qu'un des nombreux médecins canadiens qui émigrent en grand nombre vers les États-Unis. On n'en a jamais vu autant quitter le Canada depuis les années 70.

Une rémunération plus élevée, une fiscalité moins vorace, de meilleures chances d'avancement et même le climat plus clément sont autant de facteurs qui attirent nos praticiens vers le Sud.

Alors que beaucoup de ces médecins reviennent au Canada après leur internat aux États-Unis, il faut admettre qu'il y a plus d'entre eux qui partent comparativement à ceux qui reviennent. Le Dr Byron Lemmex, président de l'Académie de médecine d'Ottawa, affirme qu'il n'est pas difficile de comprendre pourquoi.

« Si vous aviez le choix entre deux domiciles, l'un où les gens vous lancent des pierres, vous insultent, vous traitent de tous les noms et un autre où on vous prie de vous installer, où on vous dit qu'on vous aime et où vous gagnerez plus d'argent, le choix n'est pas difficile à faire. » **(Texte publié le 29 avril 1995.)**

C'EST ARRIVÉ UN 29 AVRIL

1998 — Le gouvernement québécois a décidé de classer monument historique, afin de la protéger du pillage, l'épave du paquebot britannique « Empress of Ireland ». Ce naufrage, à la suite d'un abordage avec un navire norvégien, au large de Rimouski le 29 mai 1914, fit plus de 1000 morts.

1994 — La Régie de l'assurance-maladie du Québec qui a imposé en 1993 la « carte soleil » avec photo obligatoire, constate que près de 200 000 cartes, sur une possibilité de 2 millions, ne sont pas renouvelées par des détenteurs maintenant jugés illégaux.

1993 — La langue française est toujours vivace en Louisiane, où elle est parlée par plus de 260 000 personnes. En dix ans, le français, apporté à la Nouvelle-Orléans par les nobles français et dans les bayous par les immigrants acadiens, n'a perdu que 1 500 adeptes.

1993 — Pour la première fois de son histoire, l'Ordre des chimistes du Québec, une corporation qui regroupe 2 800 professionnels de la chimie, sera présidé par une femme, Eveline de Médicis, professeure à l'Université de Sherbrooke.

1930 — Le gouvernement des États-Unis dispose de plus de 100 000 000 de dollars pour fournir du travail dans tout le pays. L'administration américaine considère que l'augmentation des appropriations pour les routes, les édifices et les travaux publics est une méthode constructive pour remédier à la dépression des affaires.

Le bonheur? Pêcher en parlant de hockey!

C'est le printemps. Séries finales, pêche à la ligne et soleil radieux, tout y était (le 29 avril 1993), dans le Vieux-Port, pour une journée de pêche réussie. Ils étaient trois joyeux lurons, dont Roger Bergevin, installés au Quai de l'Horloge, cannes à pêche en main. Pas des pêcheurs pour rire. Des vrais retraités, avec des vrais ménés au bout de la ligne, et un coup de poignet pour ferrer le doré qui ne s'apprendra jamais dans aucune université.

Fin de la bande à Bonnot

Deux fameux bandits, les chefs d'une bande qui se servait d'automobiles pour accomplir ses exploits, Bonnot et Dubois, ont été tués à Choisy-le-Roi, à six milles de Paris, mais ils se sont défendus jusqu'à la mort et il a fallu que la force armée leur livre une véritable bataille rangée.

Durant des heures, ils n'ont cessé de faire pleuvoir des balles sur les officiers de la paix, les constables et les militaires qui les assiégeaient.

Pour venir à bout des deux misérables, il a fallu faire sauter le garage avec de la dynamite. **(Texte publié le 29 avril 1912.)**

Les archives de Churchill vendues 27,5 millions

La curieuse saga de la vente des archives de Winston Chuchill, le grand homme d'État dont l'obstination et la pugnacité ont mené les Britanniques à la victoire sur les forces du Reich, n'a pas fini de choquer en Grande-Bretagne, car elle pose des questions d'ordre moral.

Winston Churchill junior, qui est le fils de Pamela Harriman, ambassadeur des États-Unis à Paris, fait valoir qu'il a vendu ces archives personnelles à l'État pour 12,5 millions de livres (27,5 millions de dollars canadiens).

Aux termes de l'acquisition, le copyright sur tout le matériel vendu à l'État demeure propriété de la famille Churchill pour les 20 prochaines années. Ce qui signifie que chaque fois qu'un historien, un média, ou un fabricant de CD-Rom voudra utiliser un document, il devra payer des royalties à la famille Churchill. (Texte publié le 29 avril 1995.)

Le «taxage» chez les jeunes: un vrai fléau

Le phénomène n'est pas exactement nouveau. L'expression figure même dans le *Petit Robert* (fam. voler, prendre), qui donne l'exemple suivant : « Je me suis fait taxer mon blouson ».

« Une véritable plaie », commente Me Laurent-Claude Laliberté, procureur à la Chambre de la jeunesse de la Cour du Québec. Affirmation corroborée par le policier Jacques Chales, du poste 45, à Montréal-Nord : « C'est un phénomène très important, très répandu, il y a beaucoup de jeunes victimes ».

Combien de victimes ? Personne ne semble le savoir.

« Ce que je peux vous dire, affirme Me Laliberté, c'est que la grande majorité des victimes se taisent. Les policiers me disent que pour chaque cas qui se rend jusqu'ici (au tribunal), il y en a sept ou huit pour lesquels aucune plainte n'est portée. »

À tort, croit le procureur Laliberté : « En trois ans, je n'ai pas eu connaissance de victimes ayant subi des représailles après avoir témoigné ».

Autrefois, il y a cinq, huit, dix ans, on taxait dans les cours d'école. Les plus grands taxaient les plus petits. Les directions d'écoles y ont vu, certaines se dotant même de gardes de sécurité et de caméras, si bien qu'aujourd'hui, c'est devenu un phénomène de rue. Et des abords des stations de métro, des abribus...

« Ce n'est pas un phénomène scolaire, confirme le policier Chales. Ça se produit surtout lors des déplacements, souvent sur le chemin du retour de l'école, c'est la maternelle des gangs de rue. » (**Texte publié le 29 avril 1995.**)

L'exposition de New York est ouverte

Cette photo montre ce que l'on peut créer en deux ans avec la somme de $157,000,000. L'exposition de New York, qui s'intitule ausi «Le Monde de Demain», a été officiellement ouverte hier *(30 avril 1939)* par le président Roosevelt. M. Grover Whalen, l'animateur de cette gigantesque entreprise, comptait sur un million de visiteurs le premier jour. Il en a eu 700,000, le froid ayant retenu maintes gens à la maison. Comme c'est le cas dans toutes les expositions mondiales, quelques pavillons ne sont pas encore terminés, y compris le pavillon du Canada. Des difficultés douanières pour l'entrée des matériaux est la cause invoquée pour ce retard. Au premier plan de cette photo d'ensemble, on voit le Federal Hall d'où le président adressa la parole. De chaque côté de ce palais sont disposés les pavillons des nations étrangères. Au centre, le lac artificiel, puis les pavillons des grandes firmes commerciales, qui aboutissent au trylon et à la périsphère, le thème architectural de l'exposition. Au fond, le Constitution Hall.

LE 30 AVRIL 1945, ADOLF HITLER SE SUICIDAIT

Il y a cinquante ans, le 30 avril 1945 (**ce texte a été publié en avril 1995**), Adolf Hitler, le plus grand criminel de l'histoire de l'humanité, se suicidait et laissait derrière lui 55 millions de morts de la Deuxième Guerre mondiale et un pays en ruines relégué au ban des nations.

Hitler était né 56 ans plus tôt le 20 avril 1889 à Braunau-sur-l'Inn (Autriche) d'un père paysan devenu à la force du poignet contrôleur des douanes.

En ce printemps 45, pris au piège entre les alliés anglo-américains à l'ouest et soviétiques à l'est, Hitler se résoud à la mi-janvier 1945 à se terrer dans son bunker de Berlin, sous les jardins de la chancellerie, où il vécut une lente descente aux enfers jusqu'à son suicide, le 30 avril 1945.

Commencée en 1943, la construction du bunker était encore inachevée. Les murs de béton suintaient et le sol, revêtu de tapis rouges, était jonché d'entrelacs de câbles et de tuyaux. Mais l'ensemble, protégé par de lourdes portes métalliques, deux mètres de terre et une chape de béton de 3,5 mètres d'épaisseur, constituait un bouclier à toute épreuve contre les bombardements.

Hitler lui-même y disposait d'un appartement de quatre pièces d'environ 4 mètres sur 3 chacune : chambre à coucher, salle de séjour, bureau et salon. Son appartement communiquait avec la chambre d'Eva Braun, sa compagne. Une pièce était réservée à ses chiens. L'autre moitié du bunker était occupée par les gardes et aussi par une infirmerie, un central téléphonique et une salle des machines.

La ventilation et un générateur électrique de 60 000 watts produisaient un ronronnement incessant. Une pompe puisait l'eau en profondeur et un micro dissimulé à la surface retransmettait les bruits de l'extérieur.

Le Führer et sa compagne Eva Braun se marièrent deux jours avant de s'enlever la vie.

Depuis cette souricière, le Führer n'est plus en mesure de conduire la guerre. Il lance des ordres à des armées fantômes, décimées ou encerclées, tandis qu'à son insu, des dignitaires nazis tentent de négocier avec les Alliés. Le dos voûté, les cheveux et sa fameuse moustache devenus grisonnants, les membres agités d'un tremblement irrépressible, Hitler est diminué. Il est partagé entre le découragement et le fol espoir d'une arme secrète, d'une alliance de dernière minute avec Staline ou d'un affrontement entre les alliés anglo-américains et soviétiques pour la conquête de l'Allemagne.

Mais les quelque 100 000 soldats et civils allemands mobilisés pour assurer la défense de Berlin et une centaine de blindés ne peuvent rien contre les deux millions d'hommes de l'armée rouge appuyés par 6 250 chars, lancés à l'assaut de la capitale du Reich.

Les tirs audibles

Terré dans son bunker, Hitler confond le jour et la nuit, se couchant à l'aube pour se réveiller en fin de matinée. Les Russes sont déjà si près, constate-t-il le 21 avril alors que les tirs d'artillerie deviennent audibles. Le lendemain, il fait brûler ses archives secrètes et tente sans succès de persuader Eva Braun et ses secrétaires de gagner le sud de l'Allemagne. Le 23, il s'aventure une dernière fois hors de son bunker pour ne plus en ressortir vivant.

À l'intérieur, l'atmosphère devient irrespirable. La poussière des décombres de la ville se mêle à une odeur de chlore, de transpiration, de canalisations bouchées, de cendres et de décomposition.

Le 28, Hitler dicte ses testaments politiques et personnels, puis épouse Eva Braun. « Ma femme et moi-même décidons de mourir pour échapper à la honte d'une capture ou d'une capitulation », écrit-il. Le lendemain, le Führer remet à ses collaborateurs une ampoule de cyanure et en teste l'efficacité sur son chien, avec succès.

Le 30 avril, l'Armée rouge n'est plus qu'à une centaine de mètres du bunker.

À midi, Hitler prend un dernier déjeuner, des spaghettis avec de la sauce tomate, puis fait ses adieux à ses collaborateurs.

À 15 h 30, Adolf et Eva Hitler se retirent dans leur salon. Ils absorbent une ampoule de cyanure puis Hitler se tire une balle dans la tête, dix jours après son 56e anniversaire. Les deux cadavres sont ensuite brûlés, conformément à leur volonté.

(*Comme mentionné précédemment, ce texte fut publié en avril 1995. Toutefois, comme tous les autres journaux de l'époque, La Presse avait publié plusieurs textes, souvent confus, sur l'annonce de la mort du Führer, dans ses éditions du 2 au 4 mai 1945.*)

Huit enfants et leur mère périssent dans les flammes

MONT-Louis

Une femme et 8 de ses 11 enfants ont péri hier **(30 avril 1956)** dans l'incendie de leur domicile à Mont-Louis, village du comté de Gaspé-Nord.

Le feu a éclaté à 7 heures du matin et a détruit rapidement la maison en bois de deux étages, emprisonnant Mme Arthur Laflamme et huit enfants âgés de deux à 15 ans.

Les victimes sont, outre Mme Laflamme, Julienne, 15 ans, Pierrette, 14 ans, Paul-Aimé, 13 ans, Marie-Paule, 11 ans, Cécile, 10 ans, Charles-Aimé, 9 ans, Murielle, 7 ans, et Jean-Marie, 2 ans.

Le grand-père, qui demeurait chez les Laflamme, a été éveillé par l'un des enfants et a réussi à sauter par une fenêtre, en dépit d'une jambe paralysée. L'enfant est retourné dans le brasier et a été brûlé vif.

Les autorités de l'endroit ont dit que le feu a éclaté après que l'un des enfants eut tenté d'allumer un poêle avec du naphte. Une explosion s'ensuivit et la maison devint un enfer de flammes en l'espace de quelques minutes, traquant tous ses occupants.

M. Laflamme a appris la tragédie alors que le feu était presque éteint. Il revenait de l'église paroissiale où il avait assisté à la messe après avoir étendu ses filets à harengs, a dit l'abbé Gérard Richard, curé.

Les pompiers volontaires de Mont-Louis, possédant un piètre équipement, ont eu peu de chance de combattre les flammes. La plupart des victimes étaient encore au lit lorsque le feu éclata.

Trois autres filles de la famille Laflamme, Noella, 19 ans, Yolande, 18 ans, et Olivette, 16 ans, n'étaient pas à la maison. Elles travaillent comme domestiques dans d'autres maisons de l'endroit. (...)

Des voisins rapportent qu'ils ont vu apparaître deux enfants, à un certain moment, à une fenêtre du deuxième étage. Ils leur ont crié de briser la vitre et de sauter, mais apparemment les enfants affolés n'ont pas compris. (...)

Mme Laflamme a été victime de son dévouement. Elle avait été, comme son père, éveillée par l'explosion et s'était précipitée dans l'escalier pour aller sauver les enfants endormis.

C'EST ARRIVÉ UN 30 AVRIL

1997 — Le Groupe transport de Bombardier décroche un contrat de 1,3 milliard pour la fabrication de 680 voitures de métro pour la Metropolitan Transportation Authority de New York.

1994 — Une « prise d'étouffement trop vigoureuse » serait la cause de l'état neuro-végétatif du chauffeur de taxi Richard Barnabé, arrêté à Laval et malmené dans une cellule du poste 44 de la CUM, dans la nuit du 14 décembre 1993.

1989 — Le père du « western spaghetti », le cinéaste Sergio Leone, est décédé à Rome, à l'âge de 60 ans. Il s'est révélé à l'Amérique en 1968 par son film à grand déploiement *Il était une fois dans l'Ouest*.

1987 — Le concertiste italien Luigi Alberto Bianchi a acquis pour la somme record de 440 000 livres (environ 700 000 $) un Stradivarius de 1716, le Colossus, chez Christie's à Londres. Le violon date de la « période d'or » de Stradivarius.

1987 — M. Paul Desmarais, président du conseil et chef de la direction de Power Corporation du Canada et président du conseil d'administration de *La Presse*, s'est vu attribuer par le gouverneur général Jeanne Sauvé, la médaille et le titre de compagnon de l'Ordre du Canada.

1986 — De sources soviétiques aussi bien qu'américaines, on dément la valeur des rapports faisant état de nombreuses victimes (de 2 à 2 000 morts ?) à la suite de l'accident survenu en fin de semaine dernière dans la centrale nucléaire de Tchernobyl, en Ukraine.

1985 — Quatre hommes armés et masqués volent environ 8 millions de dollars dans un entrepôt new-yorkais de la compagnie Wells Fargo, ce qui constitue l'un des plus gros cambriolages jamais effectués aux États-Unis.

1984 — L'amiante, que le gouvernement américain croit responsable du cancer et de problèmes respiratoires sérieux, a été utilisé comme isolant dans des milliers d'immeubles après la Deuxième Guerre mondiale. On en a également utilisé des millions de tonnes comme isolant dans les navires neufs ou rénovés, si bien qu'un grand nombre d'ouvriers travaillant dans les chantiers maritimes ont été affectés par ce produit.

1975 — Le Vietcong entre à Saïgon, alors que les hélicoptères américains achèvent d'évacuer quelque 1 000 Américains et 5 500 Vietnamiens.

1973 — À la suite de la démission de ses conseillers Halderman, Ehrlichman et Dean, le président Nixon accepte le blâme pour l'affaire du Watergate tout en réaffirmant qu'il n'en savait rien.

1952 — Un tribunal annule la décision du président des États-Unis de «saisir» les aciéries américaines, en la déclarant illégale. La grève générale suit immédiatement.

1948 — Signature de la Charte de Bogota, créant l'Organisation des États américains.

1941 — La Grande-Bretagne parvient à évacuer 45 000 des 60 000 soldats envoyés en Grèce.

1933 — La comtesse de Noailles, célèbre poétesse française, meurt à son domicile de Paris à l'âge de 66 ans.

1917 — La nomination du général Philippe Pétain au poste de chef de l'état-major est bien accueillie.

1912 — Le streamer Mackay-Bennett arrive à Halifax avec les cadavres de 50 passagers du Titanic.

1911 — Une conflagration détruit près du tiers de la ville de Bangor, dans le Maine. Les dégâts sont évalués à 6 millions.

1904 — Ouverture de l'Exposition universelle de St. Louis, servant de cadre aux Jeux olympiques.

Lorraine Pagé coupable

Lorraine Pagé, la présidente de la Centrale des enseignants du Québec (CEQ), a été reconnue coupable de vol à l'étalage et condamnée à une amende de 235 $ (**le 30 avril 1999**).

Le juge Denis Boisvert, qui présidait le procès en cour municipale, a rejeté la demande que formulait l'avocat de la défense, Jean-Claude Hébert, pour que sa cliente puisse bénéficier d'une absolution inconditionnelle, comme le Code criminel le permet en certaines circonstances.

Si Mme Pagé avait pu bénéficier de cette disposition, elle aurait évité d'avoir un casier judiciaire, avec tous les inconvénients que cela comporte.

Dans sa décision verbale, le juge Boisvert a rappelé brièvement les faits reprochés à Mme Pagé, lesquels remontent au 10 décembre dernier.

Mme Pagé avait alors été interceptée par un agent de sécurité, au moment où elle quittait le magasin La Baie en possession d'une paire de gants en cuir, d'une valeur de 50 $, sans l'avoir payée.

Un avion s'écrase en plein spectacle aérien à Saint-Hubert

«J'ai vu l'avion jaune monter à quelque 200 pieds d'altitude puis, soudainement, je n'ai plus entendu son moteur, seulement un putt, putt... et le biplace a piqué du nez pour s'écraser dans un bruit sourd. »

Le jeune Ian Michaud, 14 ans, a été témoin, tout comme des milliers d'autres spectateurs, de l'écrasement d'un petit appareil de type Hyper-B, que la victime avait elle-même fabriqué, sur la pelouse qui sépare deux pistes de l'aéroport militaire de Saint-Hubert, sur la Rive-Sud.

D'après des témoins, il était tellement évident que l'avion allait s'écraser que l'annonceur du spectable aérien a dit au micro : « Il va s'écraser, il va s'écraser ! ».

Quelque 20 000 personnes assistaient à ce spectacle aérien qui se déroulait dans le cadre du Salon de l'Aéronautique organisé par les étudiants du collège Edouard-Montpetit de Longueuil.

Le pilote de l'avion de cascades, dont le spectacle de voltige consistait à faire grimper son appareil pour ensuite le laisser descendre en chute libre et le redresser au dernier moment, aurait tenté d'éviter la catastrophe, mais l'appareil était déjà trop bas », d'ajouter le jeune témoin de la tragédie. **(Texte publié le 30 avril 1984.)**

LE PREMIER DE CENT AUTOBUS

DANS la matinée d'hier **(30 avril 1915)**, les autorités municipales étaient averties que le premier autobus venait de faire son apparition à Montréal. Dans l'après-midi, c'était le peuple qui à son tour recevait un avis grâce à une randonnée accomplie par cet autobus dans les rues de la cité.

Après un arrêt devant les bureaux de la «Presse», l'autobus se rendit à l'hôtel de ville, où l'échevin L.A. Lapointe et quelques autres invités en descendirent.

Cette voiture, déclara l'échevin Lapointe, répond à tout ce que nous pouvons demander: **confort, grandeur, sécurité. Donnons-lui «fair-play».** Il parait que dans plusieurs grandes villes, on enlève même les voies des tramways à mesure que se multiplient les lignes d'autobus.

Cet autobus est le premier d'une centaine qui vont arriver incessamment à Montréal. Il peut contenir 42 personnes assises, tant à l'intérieur que sur l'impériale. De l'impériale, la vue est magnifique. Le nouvel autobus a ceci de particulier qu'on y accède sans marchepied, au niveau du trottoir.

«La ville de Montréal, continue l'échevin L.-A. Lapointe, a tout intérêt à ce que la Compagnie canadienne des Autobus réussisse, puisqu'elle est actionnaire pour $600,000 dans la compagnie, d'après le nombre des actions qui lui ont été octroyées quand cette compagnie obtint sa charte. Des directeurs choisis dans le Bureau de contrôle et le Conseil municipal ont même été nommés.»

Actuellement, un procès a été intenté afin de faire déclarer illégal le règlement passé par la Ville et donnant l'hospitalité aux autobus. Mais la Ville a gagné devant tous les tribunaux jusqu'en Cour d'Appel.

Los Angeles en plein enfer

Le pillage et les incendies se sont multipliés hier (**le 30 avril 1992**) à Los Angeles, dont des quartiers entiers étaient désertés et livrés aux émeutiers, qui y faisaient régner le chaos.

Sur Western Street, en bordure du quartier où ont commencé les émeutes il y a deux jours, un centre commercial est complètement saccagé. Toutes les vitrines sont brisées et les murs noircis par un début d'incendie. Mais il y a foule. Les gens, venus en voiture, remplissent les coffres de tout ce qu'ils peuvent emporter : téléviseurs, magnétoscopes, petits meubles...

Après les premières manifestations qui ont suivi l'annonce de l'acquittement de quatre policiers blancs filmés en train de rouer de coups un automobiliste noir, la colère s'est transformée en opérations de pillage et de vandalisme systématiques qui ont débordé hier du quartier noir.

L'Institut d'information sur les assurances estime que le pillage et les incendies ont fait depuis le début pour quelque cent millions de dollars de dégâts.

Entre 14 et 17 personnes ont été tuées et quelque 450 autres blessées au cours des émeutes qui ont éclaté dans la nuit de mercredi à jeudi dans un quartier du centre-sud de Los Angeles. Les forces de l'ordre ont par ailleurs procédé à l'arrestation de 300 personnes.

Le couvre-feu a été instauré sur toute la ville après que le maire, Tom Bradley, eut décrété l'état d'urgence et fait intervenir la garde nationale.

Lors d'une réunion électorale tenue à Columbus (Ohio), le président des États-Unis, George Bush, a lancé un appel à tous les Américains « pour qu'ils montrent de la retenue et respectent les droits civiques et la propriété privée. »

L'ancien premier ministre Bérégovoy se suicide

L'ancien premier ministre français, Pierre Bérégovoy, est décédé aujourd'hui (**le 1er 1993**) lors de son transfert en hélicoptère entre Nevers (ville dont il était maire) et l'hôpital militaire du Val-de-Grâce à Paris. L'ancien premier ministre français, se servant de l'arme de service de son officier de sécurité, s'était tiré une balle dans la tête en fin d'après-midi, lors d'une promenade solitaire dans la campagne.

Apôtre de la probité, défenseur des Français modestes, il avait été très affecté par les révélations, au début de l'année, concernant un prêt de un million de FF (environ 250 000 $) sans intérêt que lui avait accordé l'homme d'affaires Roger-Patrice Pelat pour l'achat d'un appartement à Paris.

Pierre Bérégovoy n'a cessé de répéter qu'il n'avait rien à se reprocher, qu'il avait agi dans la stricte légalité. Mais en privé, il n'a pas caché une certaine amertume. « C'est dur », confiait-il à quelques journalistes qui l'accompagnaient pendant une tournée électorale en mars dernier.

L'EXPLOIT SANS PRECEDENT DE RAY ROBINSON STUPEFIE LE MONDE SPORTIF

Pour la première fois de l'histoire, un boxeur reprend le championnat mondial à quatre reprises

CHICAGO — Sugar Ray Robinson a stupéfié l'Amérique hier (**1er mai 1957**) soir.

En 13 minutes et 27 secondes, il a terrassé d'un violent crochet à la mâchoire celui que l'on croyait invincible, le fougueux Fullmer, à qui les observateurs prédisaient une victoire facile, devant 14,753 personnes qui ont versé $158,643 pour assister au match.

A 36 ans, ou 37, — qu'importe, puisqu'il paraissait en avoir 20 — Sugar Ray a détrôné le champion et reconquis le titre mondial des poids moyens. Dans toute l'histoire de la catégorie, c'est la première fois qu'un boxeur décroche quatre fois la couronne.

Les historiens retiendront surtout que Fullmer, favori à trois et demi contre un, n'a pas 26 ans et qu'il a dû ployer sous deux puissantes droites au corps avant d'aller s'écraser au tapis, foudroyé par une gauche dont le nouveau champion devait dire, à l'issue du combat:

«Je ne sais pas jusqu'où s'est rendu le crochet de gauche, mais j'ai certainement réussi à transmettre le message.»

Courageusement, Fullmer a tenté de se relever. Trop tard. Les jeux étaient faits. L'homme retomba et l'arbitre Frank Sikora avait déjà dénombré les dix secondes fatidiques.

Fatidiques en effet puisqu'elles marquaient la première défaite par knockout dans la carrière de Fullmer qui en était à son 44e combat.

Pour Robinson, cette minute suffisait largement à assouvir une vengeance qui redore le blason de son glorieux passé. Il n'avait pas oublié, tous le savaient, la défaite par décision unanime, qu'il avait essuyée le 2 janvier dernier, au Madison Square Garden de New York. Défaite que lui avait administrée le même «bully-boy» de West Jordan, dans l'Utah, le même Gene Fullmer. (...)

Dévoilement de la statue de Maurice Duplessis

A l'instigation du ministre de la Justice, Me Jérôme Choquette, on procédait le ***1er mai 1973*** au dévoilement de la statue de l'ex-premier ministre Maurice Duplessis. D'un poids supérieur à 800 livres et haute de 12 pieds, cette oeuvre avait été commandée au sculpteur Émile Brunet, en 1959, et livrée au gouvernement deux ans plus tard. Payée $33 270, la statue était restée 12 ans dans une cave, et elle dut attendre encore une décennie avant d'occuper sa place actuelle, devant l'Hôtel du Parlement, à Québec.

LA MANIFESTATION SOCIALISTE

Dix mille personnes, partisans et adversaires du socialisme, assistent à la démonstration au Champ-de-Mars

DIX milles personnes de notre bonne population se sont franchement amusées, hier (**1er mai 1907**) soir, en prenant part à la démonstration des socialistes.

Toutes les mesures avaient été prises pour maintenir le bon ordre par nos autorités municipales et le bon ordre a été maintenu.

Dès six heures et demie les socialistes commencèrent à envahir leurs quartiers généraux — pour la circonstance la salle Saint-Joseph — coin des rues Sainte-Elisabeth et Sainte-Catherine.

Ils portaient tous à la boutonnière un petit ruban rouge, et sur la poitrine de quelques-uns, des pins fervents s'étalaient, en forme d'étoile de mer, de larges boucles de ruban.

Une demi-heure plus tard, la salle était remplie de deux ou trois cents personnes, socialistes ou prétendus socialistes, le plus grand nombre de nationalité juive, russe, italienne et syrienne.

En même temps, rue Sainte-Catherine, s'assemblaient un grand nombre de curieux, hommes, femmes et enfants. La circulation devint impossible.

Il avait été bien entendu qu'il n'y aurait

PAS DE PARADE

par les rues et la police étant en nombre pour qu'il n'y eut pas contravention aux ordres donnés.

A sept heures et demie avec beaucoup de difficultés s'alignèrent une vingtaine de voitures de place. Il avait été arrêté par les socialistes qu'eux-mêmes et leurs invités se rendraient individuellement au Champ-de-Mars, en voiture ou autrement, par des routes différentes.

Les premiers qui descendirent de la salle portaient des drapeaux rouges, des flambeaux, des transparents et des chandelles romaines. Il y eut un instant d'hésitation puis

LA FOULE SE RUA

sur le premier groupe des socialistes en même temps que la police intervenait. En un instant les drapeaux furent arrachés des mains de ceux qui les portaient et déchirés, les flambeaux et les transparents détruits.

Quatre socialistes, deux hommes et deux femmes, au milieu du brouhaha général, réussirent à atteindre une voiture et déployèrent leurs couleurs à travers les portières.

La voiture fut entourée immédiatement d'un groupe de policiers qui donnèrent ordre aux occupants de

RENTRER LEURS COULEURS.

Il y eut probablement refus, car la minute d'après les drapeaux disparaissaient en lambeaux aux mains des policiers.

La foule devenant tumultueuse, les policiers ordonnèrent aux cochers de laisser la place sans plus attendre, et demandèrent du renfort.

A huit heures moins quart débouchèrent par le haut de la rue Sainte-Elisabeth les hommes de la police à cheval, suivis cinq minutes plus tard d'une escouade de cinquante hommes sous les ordres du sous-chef Leggett.

Le chef de police Campeau était sur place. Il donna des ordres promptement obéis, et les abords de la salle Saint-Joseph furent dégagés de la foule des spectateurs qui se dispersèrent de tous côtés, et se mirent à circuler. (...)

A huit heures, l'escouade de police prenait la rue Sainte-Elisabeth pour se rendre au Champ-de-Mars, l'ordre ayant été complètement rétabli rue Sainte-Catherine.

Au Champ-de-Mars, où les socialistes avaient organisé une assemblée afin de célébrer «le seul jour de fête du Travail, le seul que les ouvriers prennent sans l'autorisation du Capital», comme devait l'affirmer un certain Ratch, président de la réunion, la situation fut moins facile à contrôler à cause du nombre, et la bagarre éclata entre socialistes et adversaires, forçant la police à intervenir, plus particulièrement pour protéger l'estrade d'honneur où avaient pris place les personnalités socialistes. En définitive, il n'y eut pas de blessures graves, et toutes les personnes arrêtées, une dizaine, furent relâchées.

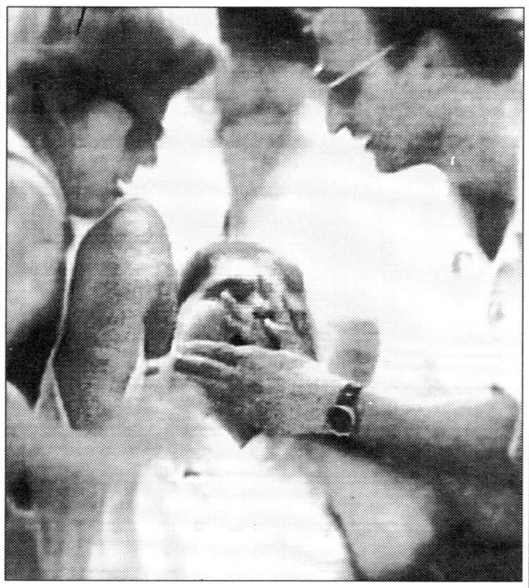

Agression contre Monica Seles

La joueuse de tennis numéro un mondial, la jeune Monica Seles (19 ans), a été blessée hier (le 30 avril 1993)d'un coup de couteau par un spectateur au cours du tournoi de Hambourg. L'homme qui a porté le coup est un Allemand âgé de 38 ans. La joueuse devra arrêter la compétition entre un et trois mois, et la défense de son titre des Internationaux de France, à partir du 24 mai, apparaît d'ores et déjà exclue.

LA VILLE PREND POSSESSION DU TEMPLE DES LIVRES QU'ELLE A FAIT CONSTRUIRE

C'EST aujourd'hui (**1er mai 1917**) que la ville prend officiellement possession de la bibliothèque qu'elle a fait construire, rue Sherbrooke, en face du parc Lafontaine, et le transport des 23,000 volumes qui forment le noyau de notre bibliothèque, doit commencer incessamment, sous la direction du bibliothécaire en chef, M. Hector Garneau. Pour quiconque a suivi les diverses phases de la lutte qui s'est faite autour de cette bibliothèque, depuis plus de seize ans, cette date du premier mai 1917 devra certainement compter dans l'histoire de Montréal, et l'on se rappellera que c'est grâce aux efforts du commissaire des travaux publics, M. Thomas Côté, si la métropole possède aujourd'hui un monument situé dans un site idéal, qui lui fait certainement honneur.

La construction de la bibliothèque de la ville de Montréal, selon les plans acceptés de M. Eugène Payette, architecte, commença au printemps de 1915. Le coût total de cet édifice de style renaissance italienne, est de $550,000. La hauteur de la façade est de 60 pieds, et la hauteur de l'arrière, de 75 pieds. La profondeur est de 210 pieds et la largeur de 125 pieds. Les murs sont en pierre calcaire de Queenstown, et les grandes colonnes monolithes de façade sont en granit poli de Stanstead. Les colonnes intérieures sont en marbre de Missisquoi et les planchers sont en dalles de liège comprimées.

Comme nous l'avons dit, on a pensé à l'avenir en construisant cette bibliothèque, et il y a de la place pour 250,000 volumes. A l'arrière, il y a cinq étages de rayons en métal pour dépôts de livres, et tout l'édifice est du reste, entièrement à l'épreuve du feu. L'entrée principale éclairée d'en haut par un vitrail très artistique, donne tout de suite une impression de beauté et de grandeur.

La salle principale de lecture mesure 110 pieds par 36, et c'est là qu'on trouvera des tableaux, des statues et des allégories, dont sept représenteront les principales provinces de France. (...)

1er C'EST ARRIVÉ UN MAI

1994 — Le Brésilien Ayrton Senna a perdu la vie pendant le Grand Prix de San Marino quand sa Williams-Renault est allée heurter un muret de béton de plein fouet à plus de 300 km/h.

1989 — Il y avait foule à l'Office national du film, sur la Côte de Liesse, où, dans le cadre de son cinquantième anniversaire, la société avait décidé d'ouvrir ses portes au public.

1983 — Affrontements violents et nombreux en Pologne à l'occasion des manifestations du 1er mai.

1969 — Le major James Chichester-Clark devient premier ministre d'Irlande du Nord.

1967 — Elvis Presley, 32 ans, et Priscilla Beaulieu, 21 ans, fille d'un colonel (d'origine canadienne-française sans doute) que les informateurs décrivent comme « his longtime sweetheart », se sont mariés à Las Vegas.

1965 — Le Canadien remporte sa première coupe Stanley en cinq ans. — Des bombes causent de lourds dommages au consulat des États-Unis à Montréal.

1962 — La fête du 1er mai est marquée par de violentes manifestations contre le gouvernement Salazar, à Lisbonne et à Porto.

1960 — Un avion espion *U-2* américain est abattu au-dessus du territoire soviétique. Son pilote, Francis Gary Powers, est fait prisonnier.

1959 — Ralph Backstrom, du Canadien, est proclamé la recrue de l'année dans la Ligue nationale de hockey. — On annonce que les Américains empêchent des camions transportant des marchandises chinoises d'une province canadienne à l'autre de transiter par des États américains.

1956 — E.J. «Buzzie» Bavasi est nommé président des Royaux de Montréal, de la Ligue internationale de baseball.

1950 — Le débordement de la rivière Rouge force des milliers de résidents riverains à se réfugier dans Winnipeg.

1946 — Le Dr Alan Nunn May est condamné à 10 ans de prison pour avoir livré des secrets atomiques à des « personnes inconnues ».

1919 — Les fêtes du 1er mai sont célébrées dans le sang à Paris, où une femme est tuée et 80 policiers sont blessés. — Ouverture de la première séance du Congrès de Versailles.

1900 — Une série d'explosions sème l'émoi, rue Saint-Laurent.

Une mortalité infantile dramatique

Comme un malheur n'arrive jamais seul, une autre infortune s'ajoute aux maux qui affligent Montréal, déjà aux prises avec l'exode de sa population et l'appauvrissement de ses quartiers.

Cette fois, c'est la survie des enfants qui est en jeu, la métropole connaissant une mortalité infantile anormalement élevée.

Dans certains quartiers montréalais, la mortalité des enfants de moins d'un an atteint des niveaux inconnus au Québec depuis 20 ans et proches de ceux de certains pays en voie de développement, selon une étude du démographe Jacques Buy de la Ville de Montréal.

Dans le centre-ville (arrondissement Ville-Marie), le taux de mortalité infantile atteindrait 22 pour 1000 naissances, un taux semblable à celui de la Roumanie, de l'Arménie, du Sri Lanka, de la Serbie, de la Russie, de la Corée du Nord ou du Venezuela. S'il est encore loin des taux africains qui dépassent souvent 100 décès pour 1000 naissances, le taux du centre-ville de Montréal est tout de même quatre fois plus élevé que celui prévalant dans l'ensemble du Québec (5,4 en 1995) ou du Canada (6,3). **(Texte publié le 2 mai 1997)**

Page consacrée à la gymnastique dans nos écoles et publiée le 2 mai 1914.

Vancouver reçoit le monde à son tour

Des milliers de personnes ont envahi le site de l'Expo 86, à Vancouver, qui a officiellement ouvert ses portes aujourd'hui, par un temps pluvieux et exceptionnellement froid pour la saison.

Pendant ce temps, une douzaine de « vétérans » de l'Expo 67, réunis au Club de la presse de Montréal, se remémoraient les jours où, il y a maintenant 19 ans, tous les projecteurs étaient braqués sur la métropole.

Après une nuit de préparatifs de dernière heure, l'expo de Vancouver a accueilli ses premiers visiteurs et ses deux invités d'honneur, le prince Charles et Lady Diana. **(Texte publié le 2 mai 1986)**

Les Québécois mangent mieux

Les Québécois mangent dans l'ensemble mieux ou moins mal qu'il y a 20 ans, consomment moins de matière grasse qu'en 1971 (même s'ils en mangent encore trop) et leur consommation de cholestérol a chuté de 26 % et celle de sucre de 65 %.

La Corporation professionnelle des diététistes du Québec a préparé une volumineuse étude sur la nutrition des Québécois, la première de cette envergure depuis 20 ans, menée par Santé Québec, auprès de 2 118 personnes de 18 à 74 ans.

L'étude nous apprend donc que les Québécois ont été dans l'ensemble sensibilisés dans le cours des 20 dernières années à la nécessité de s'alimenter mieux mais qu'il reste beaucoup à faire auprès de certains groupes d'âge et notamment chez les hommes de 18 à 34 ans qui se nourrissent toujours fort mal.

On décèle par exemple une insuffisance de calcium chez les hommes de 50 ans et plus et chez les femmes de 35 ans et plus ainsi qu'une insuffisance en vitamine D chez les gens de 50 ans et plus. Or, dans le cours des 20 dernières années la consommation de lait, source importante de calcium et de vitamine D, a diminué alors que la consommation de fromage, plus riche en matière grasse que le lait, a augmenté.

Les messages auraient été, ces dernières années, dirigés surtout vers les enfants, les personnes âgées et les femmes, les femmes qui font encore majoritairement le marché de nos jours semble-t-il. Les femmes font toujours beaucoup plus de cuisine que les hommes, qu'elles vivent en couple ou non, et les hommes de 18 à 34 ans auraient tendance à négliger leur alimentation et à consommer davantage de repas dans les fast-foods que les autres groupes. La solution suggérée : les inciter notamment à faire plus de cuisine à la maison. (Texte publié le 2 mai 1993.)

39 millions contre le SIDA

Environ 39 millions de dollars seront affectés par le gouvernement canadien à la recherche et à la prévention du SIDA au cours des cinq prochaines années.

Jusqu'ici, environ $4 millions ont été consacrés par le gouvernement fédéral au Syndrome d'immunodéficience acquise (SIDA). (Texte publié le 2 mai 1986.)

C'EST ARRIVÉ UN **2** MAI

1982 — À la guerre des Falklands, les Britanniques coulent le croiseur argentin *General Belgrado*.

1979 — Le gouvernement Lévesque annonce son intention de nationaliser la société Asbestos.

1975 — Chargée d'enquêter sur l'industrie de la construction au Québec, la commission Cliche dépose son rapport au gouvernement.

1973 — Jacques Plante signe un contrat de 10 ans à titre de directeur gérant et entraîneur des Nordiques de Québec, de l'Association mondiale de hockey. — De graves incidents entre militaires et fedayin font des centaines de morts, au Liban.

1965 — Le président des États-Unis, Lyndon B. Johnson, annonce l'envoi de nouvelles troupes américaines à Saint-Domingue.

1962 En Algérie, les hommes de l'OAS tuent 104 musulmans.

1960 — Caryl Chessman est exécuté; il crie son innocence jusqu'à toute dernière minute. — À l'ONU, la France accuse la Tunisie d'autoriser les rebelles algériens de lancer des opérations terroristes à partir de bases situées en territoire tunisien.

1957 — Le sénateur américain Joseph McCarthy succombe à une maladie du foie à l'âge de 47 ans. Il s'était surtout fait remarquer pour sa lutte effrénée contre le communisme.

1955 — L'entraîneur du Canadien, Dick Irvin, est nommé au même poste chez les Black Hawks de Chicago.

1954 — Stan Musial frappe cinq circuits au cours d'un programme double.

1953 — Un *Comet* de la société britannique BOAC s'écrase après le décollage de Calcutta. L'accident fait 43 morts.

1951 — Le shah d'Iran signe le décret de nationalisation de l'industrie iranienne de pétrole.

1945 — Berlin se rend aux armées soviétiques.

1939 — La série de parties consécutives des Yankees au cours desquelles Lou Gehrig a joué s'arrête à 2 130.

1932 — Une conflagration détruit une partie du village de Saint-Félicien, au Lac-Saint-Jean.

1914 — Décès à Toronto de l'homme d'affaires montréalais Duncan McMartin. Ce propriétaire de mines était âgé de 45 ans.

L'avance de l'heure

LE DECRET MUNICIPAL VA ENTRER EN VIGUEUR LA NUIT PROCHAINE

C'est demain **(2 mai 1920)** qu'entre en vigueur le décret de la Commission administrative au sujet de l'avance de l'heure. Toutes les horloges municipales seront avancées d'une heure, à deux heures et demie, la nuit prochaine. Les municipalités voisines, ainsi que d'autres villes canadiennes, appliquent aussi cette mesure. L'an dernier, le gouvernement fédéral refusait d'adopter l'avance de l'heure, mais, comme les chemins de fer continuèrent de prendre avantage de la loi d'économie de la lumière du jour, l'effet de ce refus de la part du gouvernement ne se fit pas beaucoup sentir. Les chemins de fer de l'Etat avaient de même suivi l'exemple des compagnies de chemins de fer, attendu que les compagnies américaines avaient adopté l'avance de l'heure.

Cette année, les Etats-Unis ont décidé de ne pas adopter l'avance de l'heure, de sorte que les chemins de fer américains ont dû faire de même. Nos chemins de fer, à cause des points de correspondance, se trouvent dans l'obligation de ne pas avancer l'heure sur les grandes lignes. (…)

Dans la capitale, il est probable que le parlement suivra l'avance de l'heure, attendu que les grandes villes du Canada l'ont adoptée.

L'hon. L.-A. Taschereau, qui agit comme premier ministre en l'absence de sir Lomer Gouin, et procureur général, fit adopter une loi provinciale à ce sujet, à la dernière session. Cette loi donne le pouvoir à la province d'adopter l'avance de l'heure. (…)

L'hon. Maurice Duplessis condamné à payer $8,153 à M. Frank Roncarelli

CONSIDÉRANT qu'on ne peut découvrir dans nos lois aucun pouvoir permettant au premier ministre de la province ou au procureur général d'intervenir dans l'administration de la loi des liqueurs alcooliques et d'annuler un permis, l'hon. juge Gordon Mackinnon, de la Cour supérieure, a condamné, ce matin **(2 mai 1951)**, l'hon. Maurice Duplessis à verser personnellement à M. Frank Roncarelli une somme de $8,123.53, à titre de dommages, résultant de l'annulation d'un permis de vente de liqueurs, à son restaurant de la rue Crescent.

Le président du tribunal affirme, en rendant cette décision, que, si le défendeur, en l'occurrence le premier ministre de la province, en agissant en marge des statuts qui définissent la nature de ses fonctions, a commis une faute ainsi qu'un acte illégal, causant des dommages, il doit en être tenu responsable.

Le tribunal considère que le premier ministre n'a pu soumettre aucun texte de loi lui donnant autorité d'intervenir dans l'administration des liqueurs de Québec et de résilier un permis.

«Le seul but, dit le juge, d'avoir créé une commission en dehors des services gouvernementaux était d'enlever à la politique l'octroi des permis et de le placer en des mains indépendantes. Permettre une intervention dans ce domaine, donnerait lieu à toutes sortes d'abus.»

Le juge Mackinnon déclare que le droit pour le défendeur de réclamer des dommages à la suite de l'annulation de son permis est bien fondé, et que la commission des liqueurs n'avaient aucun droit de retirer un permis de vente au demandeur pour les raisons qu'on a alléguées, n'ayant pu démontrer l'existence d'aucune loi leur accordant ce pouvoir.

Le Prix de la Banque Royale à Hugh MacLennan

Hugh MacLennan, écrivain montréalais, auteur de *Two Solitudes* (*Les deux solitudes*), a reçu le Prix 1984 de la Banque Royale, de 100 000 $.

Membre du Département des études anglaises de l'Université McGill, M. MacLennan a commencé à enseigner en 1935. Il est âgé de 77 ans. (Cela se passait le 2 mai 1984.)

38me ANNEE—No 153 EDITION QUOTIDIENNE—MONTREAL, MERCREDI 3 MAI 1922 24 PAGES : DEUX CENTINS

TOUJOURS AU PREMIER RANG DANS LE PROGRES

LA "PRESSE" FAIT INSTALLER SUR LE TOIT DE SON IMMEUBLE LE PLUS PUISSANT POSTE DE RADIOTELEPHONIE D'AMERIQUE

NDLR — Ce texte contenait de nombreux passages en caractère gras, que nous respectons dans la reproduction.

LA «Presse» annonce aujourd'hui **(3 mai 1922)** à ses milliers de lecteurs, une nouvelle considérable: **c'est qu'elle fait installer sur le toit de son immeuble, rue Saint-Jacques, un poste de téléphonie sans fil à longue distance** («Broadcasting Station»).

Le contrat a été signé hier, avec M. A.-H. Morse, directeur-gérant de la Compagnie Marconi, le permis d'installation et d'opération nous a été octroyé, depuis quelques jours déjà, par le gouvernement fédéral, avec notre signal d'appel **C K A C.**

Les travaux préliminaires sont en cours d'exécution, et bien que l'installation d'un poste aussi important exige généralement un assez long temps, des dispositions ont été prises pour qu'elle soit, à la «Presse», plus expéditive. Dans quelques jours, nous pourrons même recevoir pour publication, et par radio-téléphonie, des nouvelles du monde entier.

Bientôt, donc, l'édifice de la «Presse» sera surmonté de pylônes élevés et d'antennes puissantes, et des appareils coûteux et des modèles les plus perfectionnés y seront reliés, qui feront de ce poste de radiotéléphonie, **le plus important**, — quant à l'étendue de la propagation des ondes électriques, — **qui soit en Amérique, aujourd'hui.**

Le poste de LA PRESSE sera en même temps un poste de transmission, ou expéditeur, et un poste de réception, ou récepteur; l'installation sera complète et ne laissera rien à désirer, sous tous les rapports, en utilisant tous les perfectionnements qui ont été accomplis jusqu'ici.

Nous n'entrerons pas, pour le moment, dans les détails de l'installation, mais nous pouvons dire, dès maintenant, que le poste de radiotéléphonie de la «Presse» permettra d'être **en communication constante avec les parties les plus reculées des Etats-Unis, et avec d'autres parties du monde, jusqu'aux antipodes.** Dans des conditions favorables, des signaux pourront, même, être transmis de ce poste, qui pourront faire **le tour entier du globe**, dont la circonférence est de 10,000 lieues, et cela en un septième de seconde!

Dans ces conditions, il n'est donc pas étonnant d'assurer que du poste de radiotéléphonie de la «Presse», nous pourrons facilement communiquer avec les parties les plus éloignées de la province de Québec, du Canada et des Etats-Unis, et l'on voit déjà les avantages que l'on pourra tirer de ce nouveau et merveilleux service.

La «Presse» devait à ellemême, à ses abonnés et lecteurs, à ses patrons et annonceurs, **l'initiative, dans notre province, d'un progrès qui est destiné à révolutionner le monde économique.** D'ailleurs, elle n'est jamais restée indifférente devant le progrès, quel qu'il fut, et à ses premières phases. Et à ce sujet, il n'est pas sans intérêt de rappeler ici, que le regretté fondateur de la «Presse», l'hon. Trefflé Berthiaume *(il s'agit hélas d'une affirmation historiquement erronée, puisque LA PRESSE a été fondée par William Blumhardt)*, assistait, vers 1901, **aux premières expériences de télégraphie sans fil faites à Paris par le célèbre docteur Branly,** le véritable inventeur du sans-fil. Peu de temps après, soit en 1904, M. Berthiaume faisait installer à la «Presse» un appareil de télégraphie sans fil, et une station de radiotélégraphie à Joliette; cette initiative eut à l'époque, **un retentissement considérable,** et fut particulièrement appréciée par la pléiade des hommes qui s'intéressaient alors le plus activement, à la nouvelle invention, réunis à la grande exposition de Saint-Louis.

La «Presse» reste donc fidèle à son programme en prenant l'initiative de l'installation, dans notre province, d'une puissante station de **Radiotéléphonie,** la plus merveilleuse, peut-être, de toutes les merveilleuses inventions du siècle. (...)

APPAREIL DE TRANSMISSION MARCONI

Appareil de transmission de la compagnie Marconi, installé à Glace Bay, en Nouvelle-Écosse, et similaire à celui qui fut installé à LA PRESSE en 1922.

Voici M. Henri Claudel, de Bourges, France, inventeur de l'appareil qu'il nomme le « rayon de la mort ». M. Claudel prétend qu'avec cet appareil, il peut tuer tout être vivant à une distance de 10 kilomètres (près de six milles et demi). Les récentes expériences du professeur ont prouvé ses avances hors de tout doute. *Cela se passait le 3 mai 1935.*

Création de l'office de l'autoroute des Laurentides

QUÉBEC — Le premier ministre Duplessis a annoncé, hier **(3 mai 1957)**, à sa conférence de presse, la constitution de l'Office de l'autoroute Montréal-Laurentides.

Le président en sera M. Ernest Gohier, Ing. P., ingénieur en chef du ministère de la Voirie. Il démissionnera de ce dernier poste, le 15 mai, alors que le nouvel office entrera en fonction.

M. Gohier aura pour l'assister le colonel Maurice Forget, C.R., courtier, et M. Edmond Caron, C.A., tous deux de Montréal.

La loi votée à la dernière session en vue d'autoriser la construction d'une voie rapide entre Montréal et S.-Jérôme prévoyait que l'Office serait constitué de quatre membres. «Nous avons cru que trois membres suffiraient pour le moment», a dit M. Duplessis.

Entreprise de $40,000,000

L'Office de l'autoroute est l'organisme qui aura la tâche de réaliser l'autoroute. C'est lui qui verra aux emprunts, à la fixation des taux qui seront exigés des automobilistes sur la route. C'est également lui qui sera responsable des aspects techniques et financiers de l'entreprise. Celle-ci coûtera environ $40,000,000.

Les membres de l'office doivent administrer l'entreprise de façon qu'elle se paie d'ellemême en trente ans. L'autoroute des Laurentides sera la première du genre au pays. M. Duplessis a annoncé que les travaux débuteront au début de l'été.

Le premier ministre a aussi fait savoir que les procédures d'expropriation ont commencé, il y a déjà quelque temps, et que la province est devenue, en vertu de la loi, propriétaire des terrains nécessaires à la construction de la nouvelle route. Tous les expropriés recevront une indemnité. Celle-ci sera fixée par entente ou par la Régie des services publics.

M. Duplessis a averti les propriétaires qu'il ne serait pas sage d'ensemencer les terrains réservés pour la construction de la nouvelle route, car les travaux devront débuter même si la compensation pour les terrains expropriés n'est pas encore établie.

Une fois de plus, le premier ministre a profité de la circonstance pour souligner l'importance extrême de la nouvelle route du Nord. Celle-ci, a-t-il répété, contribuera puissamment à dégager la circulation à l'entrée nord de la métropole. La chose est d'autant plus impérieuse, a-t-il ajouté, qu'Ottawa est en train de paralyser encore davantage la circulation aux entrées sud de Montréal avec ses travaux de canalisation.

L'Hydro désigne sept Canadiens français à la présidence des compagnies étatisées

SEPT Canadiens français — le plus jeune est âgé de 36 ans — ont été nommés par l'Hydro-Québec à la présidence des compagnies d'électricité nationalisées du Québec.

L'un d'eux, M. Léo Roy, succède à M. J.A. Fuller à la présidence de la Shawinigan Water and Power, la plus importante des entreprises nouvellement acquises par la Commission hydro-électrique. Le hasard veut que M. Roy débuta avec cette compagnie en 1930, alors qu'ayant obtenu son diplôme d'ingénieur civil, il s'engagea à la Shawinigan comme apprenti. Les autres présidences ont été attribuées à MM. Alex Beauvais (Compagnie Quebec Power), Marcel L. Lapierre (Compagnie d'électricité du Saguenay), Jean-J. Villeneuve (Compagnie d'électricité Gatineau), Gabriel Gagnon (Compagnie de Pouvoir du Bas Saint-Laurent), Pierre Godin (Southern Canada Power) et Rolland Lalande (Northern Quebec Power). Tous sont ingénieurs professionnels.

C'est M. Jean-Claude Lessard, président de la Commission hydroélectrique du Québec, qui a annoncé les nominations hier **(3 mai 1963)** après-midi au siège social de l'Hydro. M. Lessard a rappelé que, «depuis le 1er mai, l'Hydro-Québec est à toute fin légale l'unique propriétaires de toutes les plus importantes entreprises de distribution d'électricité de la province».

Pour la 1ère fois depuis 1788, le «Times» de Londres aura des nouvelles à la UNE

LONDRES — Le 56,621e numéro du «Times» publie aujourd'hui **(3 mai 1966)** pour la première fois depuis sa création, le 1er janvier 1788, des nouvelles en première page. Jusqu'à présent, cette vaste première page présentait uniquement sept colonnes d'annonces serrées, l'actualité quotidienne étant réservée aux pages centrales.

Comme presque toutes les transformations qui s'opèrent actuellement dans la vie anglaise, cette nouvelle étape du «Times», qui est d'ailleurs préparée depuis plus d'un an, est essentiellement due à des raisons économiques. Le tirage du grand journal indépendant est en effet tombé à 254,337 exemplaires, nombre jugé insuffisant par la plupart des annonceurs pour justifier ses tarifs publicitaires.

L'adresse du journal, «Printing House Square», est la même depuis sa création par John Walker, dans une vieille imprimerie achetée à la Couronne, et il n'a été doté d'une façade que depuis un an.

Parmi les premiers «scoops» dont peut s'enorgueillir le «Times» au cours de ses 178 ans d'existence, figurent la mort de Louis XVI, annoncée dans un numéro dont les quatre pages étaient encadrées de noir, le 23 janvier 1793, et celle de l'amiral Nelson qui figurait, exceptionnellement, en première page, le 7 novembre 1805, comme ce fut à nouveau le cas, 160 ans plus tard, pour celle de Winston Churchill.

En mai 1968, les étudiants faisaient trembler la France

«Soyez réalistes, demandez l'impossible» : au matin du **3 mai 1968**, les Parisiens s'étaient éveillés, un vendredi comme les autres, sans se douter une seconde que l'impossible arriverait le soir même : police contre étudiants, couvercles de poubelles blindés contre pavés.

Une partie des Parisiens, puis des Français ont rechigné, peu préparés qu'ils étaient à affronter la « chienlit », les manifestations, les grèves, la queue devant les pompes à essence, le regard d'un Dany-le-Rouge défiant un CRS.

Les autres jouissaient sans entraves, faisaient trembler la 5e République, ébranlaient le gouvernement de Charles de Gaulle ; l'affolement et la paralysie gagnaient certains membres du gouvernement, le général partait en catimini à Baden-Baden, QG des forces françaises en Allemagne, au cas où...

Charles de Gaulle choisissait de quitter l'année suivante ses fonctions de président de la République. Quand la fumée des gaz lacrymogènes se dissipa enfin, et qu'on releva plusieurs milliers de blessés, on commença à parler de sexe à table, on contestait avec hargne, la fête libertaire était dans l'air du temps.

Les chanceux peuvent dormir tranquilles

Quatre personnes ont été arrêtées au cours des deux derniers jours par les enquêteurs du SPCUM, qui croient avoir démantelé un réseau de voleurs qui s'attaquaient aux clients chanceux du Casino de Montréal. Ceux-ci se séparaient en deux groupes, dont l'un pénétrait dans le Casino pour repérer un joueur gagnant. Quand le chanceux se dirigeait vers sa voiture, ils transmettaient son signalement à leurs trois collègues qui attendaient dehors. Après une filature, ils soulageaient la victime de ses gains. Les malfrats arrivaient au Casino vers 2 h 30 pour ne pas attendre trop longtemps le départ des clients, l'établissement fermant ses portes à trois heures. (**Texte publié le 3 mai 1996.**)

C'EST ARRIVÉ UN 3 MAI

1991 — Le bilan des victimes du typhon au Bangladesh a atteint les 100 000 morts. Ce cyclone est ainsi l'un des plus meurtriers du siècle et seul celui de 1970 avait été plus terrible avec un demi-million de morts.

1989 — Soulagé et serein, John Turner annonce qu'il quittera la direction du Parti libéral du Canada, évitant ainsi l'humiliation d'être répudié. Il se retirera, a-t-il précisé, « au moment opportun ».

1984 — La Cour suprême a tranché en faveur du Québec et de la société Hydro-Québec dans le conflit qui les oppose depuis dix ans à Terre-Neuve sur l'électricité du Labrador. Le plus haut tribunal du pays a jugé que le gouvernement de Terre-Neuve n'avait pas le pouvoir d'exproprier les installations des chutes Churchill dans le seul but de se défaire de son contrat de vente d'électricité à Hydro-Québec.

1979 — Les Conservateurs de Margaret Thatcher prennent le pouvoir en Angleterre. Mme Thatcher devient ainsi la première femme à accéder au poste de chef de gouvernement en Europe.

1971 — Walter Ulbricht quitte ses fonctions de secrétaire du Parti communiste est-allemand et est remplacé par Erich Honecker.

1965 — Une violente secousse sismique ébranle la capitale du Salvador, causant la mort de plus de 40 personnes.

1963 — Une bombe de fabrication artisanale explose à l'extérieur de l'édifice de la Légion canadienne, à Saint-Jean. Le FLQ revendique l'attentat.

1959 — Béatification à Rome de mère Marguerite d'Youville, fondatrice des Soeurs Grises.

1946 — L'arrivée de quelque 100 000 Juifs en Palestine sert de détonateur pour une grève générale d'un million d'Arabes.

1916 — Exécution à Londres de tous les leaders de la « République d'Irlande » proclamée illégalement, après leur condamnation par une cour martiale britannique.

1900 — Ouverture du « Horse Show » de Montréal, qu'on croit être le premier de l'histoire.

MORTE ET ENTERREE

«Marie Scapulaire», une figure que tout Montréal a connue.

UNE des figures les plus typiques de Montréal vient de disparaître dans la personne de Marie-Henriette Laurier, mieux connue, nous pourrions ajouter connue uniquement, sous le nom de «Marie-Scapulaire».

Elle est morte samedi dernier **(3 mai 1919)** chez les Petites Soeurs des Pauvres où elle avait été transportée, il y a plusieurs semaines.

C'était une marchande ambulante de scapulaires et c'est de son négoce qu'elle tirait son nom que claironnaient les enfants aussitôt qu'elle se montrait dans la rue.

Marie-Scapulaire avait établi ses quartiers généraux dans la rue Bonsecours, non loin de l'église de ce nom; mais quand le commerce n'allait pas, elle savait dénicher le client dans les bureaux, dans les restaurants, etc. Son arrivée soulevait constamment une tempête, mais tout se terminait par des recettes qui faisaient jubiler les marchands.

Les visiteurs de la campagne, quand ils retournaient chez eux, ne manquaient jamais de dire, en narrant leur voyage, qu'ils avaient rencontré Marie-Scapulaire; même les citadins accoutumés à la voir si souvent, faisaient une semblable remarque, le soir, à leur foyer, en récapitulant les événements du jour.

Née à Saint-Jean, P.Q., Marie-Scapulaire s'est éteinte à l'âge de 71 ans; elle était d'une robustesse peu commune, car jusqu'à ces derniers temps, elle a arpenté nos rues aussi allègrement que aux jours de sa prime jeunesse.

Elle n'est plus. Que la terre lui soit légère!

Feu Marie-Henriette Laurier, dite Marie-Scapulaire.

Cataclysme au Saguenay

- ■ **Entre 25 et 30 victimes**
- ■ **35 maisons sont emportées**
- ■ **Un trou de 150 pieds sur ½ mille**

Plus d'une trentaine de maisons ont été englouties avec leurs occupants dans le gouffre de la mort.

KENOGAMI — Un cataclysme aussi soudain que meurtrier a plongé le paisible village de Saint-Jean-Vianney de Shipshaw dans la stupeur, hier **(4 mai 1971)** soir, alors que quelque 35 maisons (sur un total de 70) ont été englouties dans une mer de boue. Bien que les fouilles soient à peine commencées, on craint que le nombre de victimes dépasse 25 ou 30 *(en fait, l'événement devait causer 31 pertes de vie).*

C'est vers 11 heures, hier soir, que le sol s'est ouvert soudainement, entraînant dans un immense cratère de près d'un mille de long par 150 pieds de profondeur et 100 de large, environ 35 maisons, la plupart récemment construites.

Un certain nombre de maisons sont demeurées juchées sur les bords de la falaise, dans un équilibre précaire.

Un porte-parole de la police de Kénogami, l'agent Paul Rousseau, a informé LA PRESSE cette nuit que de 50 à 75 familles ont dû sortir en toute hâte de leur foyer menacé par le glissement de terrain.

La première alerte a été donnée par des voisins qui ont réclamé l'aide de la Sûreté du Québec, détachements de Saint-Ambroise et de Chicoutimi.

Dépêchés immédiatement sur les lieux, les agents se sont mis en communication avec la base militaire de Bagotville qui a envoyé deux hélicoptères en reconnaissance.

Les premiers sauveteurs arrivés sur les lieux, ainsi que les résidants indemnes du secteur sinistré, ont déclaré avoir entendu des cris d'angoisse, de détresse et d'appels au secours, provenant des maisons qui s'engouffraient dans cette mer de boue.

Sur un pied d'alerte

En un temps record, tous les services de police des municipalités avoisinantes (notamment Chicoutimi, Jonquière, Kénogami et Arvida), ainsi que la Protection civile et la Croix-Rouge étaient sur un pied d'alerte, prêts à organiser les mesures de secours pour les victimes.

A 7 heures ce matin, un porte-parole de la police de Kénogami rapportait qu'on dénombrait 23 personnes manquant à l'appel. D'autres rapports estiment que le nombre de victimes pourrait atteindre la cinquantaine.

On ne sait pas si des automobilistes circulaient dans le secteur sinistré au moment du désastre. On craint toutefois que quelques voitures aient été sur les lieux, étant donné que les employés de l'équipe de nuit de l'ALCAN se rendent à leur travail à cette heure-là.

Un groupe d'employés de l'ALCAN l'a échappé belle: l'autobus qui les transportait a dégringolé dans le cratère. Les nombreux occupants ont tout juste eu le temps de sortir du véhicule et de se rendre en lieu sûr.

On se perd en conjectures sur l'origine du cataclysme. L'hypothèse la plus fréquemment invoquée, cette nuit, voudrait que l'effondrement serait dû à la formation d'un lac artificiel, en profondeur, sous l'emplacement de ce nouveau secteur résidentiel.

Ce phénomène serait dû au gonflement des eaux de la rivière Shipshaw qui coule à l'ouest du secteur sinistré. Saint-Jean-Vianney, qui compte une population de 2,600 personnes, est située à 12 milles au nord-ouest de Chicoutimi et non loin, également, de Kénogami et d'Arvida.

Soirée paisible

«Les gens étaient bien à l'aise devant leur télévision et regardaient la partie de hockey (Canadien-Chicago)», a rapporté l'agent Rousseau, «quand tout à coup la grande noirceur s'est faite...et la panique a pris!»

Selon le policier, «c'est comme si l'enfer s'était ouvert... les flammes en moins.»

Tous les sans-foyer ont trouvé refuge chez ma tant, qui chez des parents, qui chez des voisins, qui, enfin, dans la salle municipale de Kénogami, transformée en centre de premiers soins.

Les blessures corporelles, au dire de la police, ne sont pas nombreuses, mais les chocs nerveux ne se comptent pas.

De plus, il a été impossible durant la nuit, malgré les puissants faisceaux lumineux que l'on a amenés sur place, de sonder les maisons complètement englouties, dans l'espoir de plus en plus lointain qu'il s'y trouverait encore quelque vie.

On se sent aussi impuissant, sur le coup, que devant le coulage d'un sous-marin.

Le désastre a entraîné une panne d'électricité, l'effondrement de la route qui conduit à Chicoutimi, et la disparition du pont des Terres Rompues qui relie les parties est et ouest de la route, à proximité de la petite rivière aux Vases.

A la pointe du jour, les secours affluaient sur les lieux du sinistre.

C'EST ARRIVÉ UN 4 MAI

1982 — Les Britanniques perdent le destroyer *Sheffield*, coulé par un missile français lancé d'une distance de plus de 30 km, au cours de la guerre des Falklands.

1980 — Décès à l'âge de 87 ans du maréchal Tito, de son vrai nom Josip Broz. Il avait dirigé la Yougoslavie pendant 35 ans.

1975 — Bob Watson, des Astros de Houston, a l'insigne honneur de croiser le marbre avec le millionnième point enregistré dans l'histoire du baseball majeur.

1969 — Le Canadien sable le champagne après avoir remporté la coupe Stanley pour la 16e fois de son histoire.

1968 — Début d'une violente offensive du Vietcong à Saïgon et au Sud-Vietnam. — La Sorbonne doit fermer ses portes à la suite de violentes émeutes au Quartier latin.

1967 — La Cour Suprême du Canada rejette l'appel de Steven Truscott, condamné pour le meurtre de Lynne Harper, en 1959.

1966 — Willie Mays, des Giants de San Francisco, établit un record de la Ligue nationale de baseball avec son 512e circuit. — La société italienne Fiat signe un accord selon lequel elle construira quelque 600 000 autos par année en URSS.

1964 — Début à Genève des négociations connues sous le nom de *Kennedy Round*, et dont l'objectif consiste à obtenir une réduction des droits de douane entre les pays industrialisés.

1957 — Montréal fête le tricentenaire de l'arrivée des Sulpiciens au Canada.

1949 — L'avion transportant les 14 joueurs de l'équipe nationale de football d'Italie et 14 autres passagers s'écrase dans les Alpes. — Les Soviétiques acceptent de lever à court terme le blocus de Berlin à la suite d'un accord quadripartite négocié à Paris.

1945 — Reddition des armées allemandes de la Hollande, du Danemark et de l'Allemagne de l'ouest.

1930 — Une conflagration détruit plus de 225 bâtisses, à Nashua, dans le New Hampshire, et près de 700 personnes se retrouvent sans abri. Les dégâts sont évalués à $5 millions.

1910 — Un tremblement de terre détruit une partie de la ville de Carthagène, au Costa Rica, faisant plus de 500 morts.

Bre-X: une fraude sans précédent

Le gisement d'or découvert dans la jungle indonésienne que Bre-X Minerals avait présenté comme le plus important mis au jour au XXe siècle n'est pas viable économiquement et ne serait en vérité qu'une fraude monumentale « sans précédent dans l'histoire de l'exploration minière dans le monde », indique le rapport intérimaire de la firme Strathcona Mineral Services Limited, mandatée par la minière de Calgary pour faire la lumière sur cette affaire qui a ruiné des milliers de petits actionnaires.

La Bourse de Toronto et la Bourse de Montréal ont annoncé aussitôt qu'elles suspendaient les transactions sur le titre de Bre-X, dès son ouverture ce matin (**4 mai 1997**) «en raison du rapport extrêmement négatif de Strathcona.»

On prévoit que l'ahurissante révélation va sans nul doute provoquer d'autres ondes de choc dans l'ensemble du secteur minier au Canada. « Nous regrettons amèrement d'avoir à exprimer la ferme opinion qu'il n'existe pas de gisement d'or à Busang », écrit Graham Farquharson, de la Strathcona Minerals Services Limites, la firme qui a effectué une expertise sur la concession de Bre-X en Indonésie.

Une enquête intensive doit être entreprise immédiatement. La société Bre-X a engagé des experts pour déterminer la raison pour laquelle ses analyses ont donné des résultats aussi mirobolants.

Dans son rapport, Strathcona précise:

— Seulement des traces infimes d'or ont été trouvées dans les échantillons qu'elle a analysés et il n'y avait aucun échantillon ayant une teneur en or représentant un intérêt économique;

— l'or trouvé dans les échantillons soumis par Bre-X venait d'une source autre que celle de la zone sud-est de la propriété, qui avait été considérée comme étant la section la plus riche. Des milliers d'échantillons ont été l'objet de falsification;

— le travail du laboratoire indonésien indépendant qui a analysé les échantillons de Bre-X était d'une bonne qualité et les résultats prouvaient avec exactitude la teneur en or ou des échantillons qui lui avaient été donnés à examiner.

On apprenait le *4 mai 1907* que l'Université d'Oxford, en Angleterre, venait de conférer au professeur Alexander Graham Bell, un degré de docteur ès sciences. Bell avait reçu cet honneur « en reconnaissance de ses travaux pour l'instruction des sourds-muets et comme récompense pour son invention du téléphone ».

LA MUSIQUE SERAIT FATALE A LA MORALE

PARIS, — Le maire de Noeux-les-Mines prétend que la musique constitue un danger pour la morale. Il a pris les décisions les plus énergiques pour combattre la musique. Il a interdit l'usage des instruments de musique dans tous les établissements publics. Seuls, les églises, les oiseaux et les messagers qui sifflent dans les rues échappent à ses foudres.

Cela se passait le 4 mai 1921.

« Le chez-nous des artistes »

Les artistes rêvaient depuis 35 ans d'une maison de retraite bien à eux, d'un lieu où ils pourraient écouler leurs derniers jours. Cette résidence, Le chez-nous des artistes, sera édifiée dans le cours des prochains mois rue Beaubien, à proximité de la rue Lacordaire, dans le Nouveau-Rosemont. La levée de la première pelletée de terre aura lieu en août et, si tout va bien, l'édifice sera terminé au début de 1985. Le complexe immobilier abritera 78 logements à prix modique et des salles communes permettant aux occupants de se regrouper pour des activités communautaires. (Cela se passait le 4 mai 1984.)

Contre la guerre du Vietnam

Cette photo d'une étudiante agenouillée devant un camarade abattu par la Garde nationale, le *4 mai 1970*, a probablement fait plus que tous les discours pour inciter les Américains à réclamer le désengagement de leurs forces au Sud-Vietnam, puisque cet étudiant abattu participait à une manifestation à l'université Kent contre la participation des États-Unis à la guerre du Vietnam. Au total, quatre étudiants furent tués par la Garde nationale ce jour-là.

LE CLUB MONTREAL DE LA LIGUE INTERNATIONALE FAIT UN BEAU DEBUT DANS LA METROPOLE DU CANADA

VINGT-deux mille cinq cents personnes venant de tous les points de Montréal et des localités environnantes se sont rendus samedi **(5 mai 1928)** au nouveau parc de baseball, angle des rues Ontario et Delorimier, et vingt-deux mille cinq cents personnes sont ensuite retournées chez elles à la fin de l'après-midi, contentes, satisfaites, enthousiasmé, car elles avaient vu le club Montréal battre le Reading par 7 à 4.

Trois puissantes attractions: l'inauguration du Stade, l'ouverture de la saison de baseball et une belle température d'été avaient attiré les foules dans la partie Est. Il y avait douze ans, c'est-à-dire depuis 1916, que la métropole du Canada n'avait pas de club faisant partie d'une grande ligue, et la population était affamée de baseball. Peu après le dîner, les fervents de sport commencèrent à se diriger vers le nouveau Stade. Ils arrivaient là à pied, en tramways, en automobiles, ils arrivaient de tous côtés. C'était une foule énorme, qui s'engouffrait constamment dans le colossal édifice, passant par ses douzaines de tourniquets. C'était un flot incessant, continuel qui se déversait dans les innombrables rangées de gradins en béton. Vers les trois heures, les immenses estrades étaient absolument remplies du haut en bas. Il y avait 22,500 personnes, la foule la plus nombreuse jamais vue à un spectacle payant à Montréal.

Pendant que le public arrivait, les joueurs du Montréal dans leur coquet costume blanc, avec casquettes et bas bleu marine et rouge, pratiquaient sur le terrain, de même que leurs adversaires de Reading. Le Union Jack et des drapeaux portant les noms des huit clubs de la Ligue Internationale flottaient au vent pendant que les airs enlevants de la musique des Grenadiers Guards jetaient la joie et l'entrain parmi les spectateurs.

Avant de commencer la joute, les deux clubs précédés des musiciens dans leur éclatant uniforme rouge, firent une parade autour du terrain et se rendirent au grand mat où le drapeau anglais fut hissé.

Le maire de Montréal, M. Camillien Houde, presque tout le conseil municipal et une foule de personnages distingués qui étaient les invités du club, occupaient des sièges dans les loges. L'on pouvait voir autour du losange tout ce que la métropole du Canada compte de fervents de sport.

A 3 h. 30, M. John Conway Toole, président de la Ligue Internationale qui occupait un siège dans la loge de M. Athanase David, président du club, lança la première balle. Bob Shawkey, vétéran des Yankees de New York qui porte maintenant les couleurs du Montréal, entra dans la boite pour le club local, et la joute commença pendant que des douzaines et des douzaines de photographes prenaient des vues des joueurs et de la foule.

On peut dire que le 5 mai 1928 restera une date mémorable dans les annales du sport à Montréal. Ce sera la date de l'inauguration du plus vaste et plus moderne stade de la métropole et celle du début du club de baseball Montréal chez lui, après une absence de douze ans.

La popularité du baseball a été démontrée d'éclatante façon alors que les 22,500 personnes sont accourues de tous les points de la ville pour voir les deux équipes rivales à l'oeuvre. La victoire du club local a soulevé un enthousiasme de bon aloi et qui laisse prévoir que le grand sport américain sera aussi populaire ici l'été que le hockey l'est l'hiver.

La foule a pu constater que le gérant Stallings a réussi à former une bonne équipe. Le lanceur Shawkey a été invincible samedi. Il n'a accordé que huit hits et a reçu un support de toute beauté. A la deuxième manche, alors qu'il est allé au bâton pour la première fois, on lui a présenté un énorme bouquet d'American Beauties. Gaudette, le joueur franco-américain qui joue au centre du champ s'est révélé une étoile de première grandeur. Il a retiré six des frappeurs adversaires, en saisissant la balle au vol, parfois après une longue course. Il a été très effectif et fort brillant. Il est devenu très populaire. Ajoutons qu'il a fait un hit et un point.

Le Stade, dont on a fait l'inauguration samedi, possède d'immenses estrades, solides et confortables, qui peuvent contenir des multitudes. L'extérieur n'est pas encore terminé, mais les travaux à l'intérieur sont complétés. Ce Stade est ce qu'il y a de plus moderne.

Le terrain n'est pas encore parfait, mais il convient de dire qu'il est en bien meilleur état qu'on aurait pu le soupçonner après les pluies et les averses que nous avons eues dans ces derniers temps.

QUELQUES SCENES QUI ONT MARQUE L'OUVERTURE DE LA SAISON DE BASEBALL A L'IMMENSE STADE DU CLUB MONTREAL

La photo de gauche montre une partie de la foule, celle du centre les deux arbitres Fyfe et Solader, et celle de droite montre la présentation d'un bouquet de roses, en forme de fer à cheval, au lanceur Shawkey par l'entraîneur Bill O'Brien, à la deuxième manche.

Le maire Camillien Houde assistant au match d'ouverture, en compagnie de son épouse.

L'AUTOBUS LE PLUS MODERNE

Le *5 mai 1927*, la Compagnie des Tramways de Montréal accueillait le premier exemplaire d'un nouveau modèle d'autobus, à huit roues et quatre essieux. Ce véhicule tout aluminium et partant plus léger, qu'on comparait à l'époque «à un tramway sans trolley», était fabriqué par la Versare Corporation, d'Albany, New York, et il mesurait 39 pieds de longueur, soit «seulement deux pieds de moins que les tramways à un seul homme de la rue Amherst». Il est à noter que Montréal devenait la première ville au Canada, et la deuxième en Amérique du Nord (après Cleveland) à faire l'essai de ce véhicule dont la capacité était de 72 passagers, dont 35 assis.

Aurore, l'enfant martyre

GAGNON CONDAMNÉ AU BAGNE POUR LA VIE

QUÉBEC — L'heure du châtiment a sonné, cet avant-midi **(5 mai 1920)** pour les nommés Télesphore Gagnon, 37 ans, et Roméo Rémillard, 21 ans *(il avait été impliqué dans une autre cause)*, trouvés coupables au cours des récents procès qu'ils viennent de subir aux Assises présidées par l'honorable juge Désy.

Gagnon, on le sait, est le père brutal de l'enfant martyre de Sainte-Philomène de Fortierville. Il était accusé de meurtre, mais le jury l'a simplement déclaré coupable d'homicide. Le prisonnier est le mari de l'odieuse mégère, Marie-Anne Houde, bourreau de sa belle-fille Aurore Gagnon, 10 ans, laquelle mégère a été condamnée à mourir sur le gibet le vendredi 1er octobre prochain, après avoir subi son procès devant l'hon. juge L.-P. Pelletier.

Quand l'hon. juge monta sur le banc, ce matin, la salle d'audience était remplie autant que durant les procès qui ont donné lieu à ces sentences. L'hon. juge Désy, s'adressant aux deux prisonniers qui attendaient leur sentence, dit: «Dans l'accomplissement de leurs devoirs, devoirs dont ils ont été chargés par l'autorité compétente, douze de vos pairs ont prononcé, sur les faits révélés par la preuve, dans la cause de Sa Majesté le roi contre vous, sur accusation de meurtre, et ils vous ont trouvés coupable «d'homicide involontaire.» C'est à moi qu'il incombe maintenant de vous imposer la condamnation que vous méritez, en vertu de la preuve et de la loi. Assurément, il est dur d'appliquer strictement la loi, mais il y a là pour moi un devoir à remplir et il ne peut m'être permis de feindre l'évanouissement quand le châtiment s'impose, quand la vie de la société est en danger. Dieu me garde de cette sensiblerie qui a tant fait, dans certains pays d'Europe, pour encourager le mépris de la loi. (...) Puissiez-vous accepter et subir avec un esprit vraiment chrétien la juste condamnation que vous avez méritée.»

AU BAGNE POUR LA VIE

Puis le juge lit l'acte d'accusation porté contre Télesphore Gagnon, rappelle le verdict du jury et dit: «La sentence du tribunal est que vous soyez conduit au pénitencier de Saint-Vincent-de-Paul» et que vous y soyez détenu durant le reste de votre vie». (...) Avant de recevoir leur sentence, les deux prisonniers, en réponse à la question réglementaire du greffier ont déclaré qu'ils n'avaient rien à dire. En entendant cette terrible sentence, ils se sont contentés de baisser la tête.

Le bill de la margarine enterré pour cette année

OTTAWA — Les consommateurs ont perdu, cette année encore, la bataille de la margarine. Il pourra bien y avoir une ou deux autres escarmouches aux Communes d'ici la fin de la session, mais l'engagement décisif a été livré et perdu mercredi **(5 mai 1948)** au Sénat, après une guerre de position qui a duré plus de deux mois.

En rejetant par 35 voix contre 21, le projet de loi du sénateur Euler, la chambre haute a en effet disposé, du même coup, du bill identique soumis à la chambre basse par le député libéral de Vancouver-nord, M. James Sinclair. Car même si ce bill était approuvé par les Communes, ce qui est fort improbable, il ne pourrait être mis en discussion au sénat. Il tomberait par conséquent aux oubliettes en passant d'une chambre à l'autre.

Si le public n'a pas de margarine à mettre sur sa table, il en a entendu parler à satiété depuis trois ans que l'hon. W.D. Euler, ancien ministre du Commerce et sénateur de Kitchener (Ont.) soulève à chaque session un débat sur cette question et trouve, chaque fois, moyen de renouveler le sujet.

La première fois, le rationnement durait encore et le parrain de cette proposition de loi voulait faire servir la margarine à suppléer à l'insuffisance du beurre et à détourner ce produit du marché noir. La seconde session, c'était pour obvier à la rareté du beurre. Cette année, c'était à cause du prix, devenu trop élevé par suite d'une pénurie saisonnière plus grande encore. (...)

Fin du péage sur le pont Champlain

La traversée du pont Champlain est maintenant gratuite.

Ouvert à la circulation en 1962, ce pont était le seul dans toute la région de Montréal où il fallait encore déposer un 25 cents où un jeton au poste de péage pour payer les frais de passage, une mesure qui rapportait environ 8 millions de dollars par année.

On estime que la perte financière résultant de l'abolition du péage sera compensée avantageusement en faisant épargner du temps aux automobilistes qui doivent passer régulièrement sur le pont.

D'autre part, d'importants travaux de réfection du tablier du pont commenceront au début du mois d'août pour se poursuivre jusqu'à la fin de l'année. Ces travaux coûteront 32 millions. (**Cela se passait le 5 mai 1990.**)

SOUVENIR

Un seul tintement émis par la cloche d'un bateau suivi de l'appel des noms des 24 navires de guerre canadiens et des 11 bâtiments de la marine marchande qui ont coulé durant la Deuxième Guerre mondiale ont brisé le silence lors d'une cérémonie en souvenir de la Bataille de l'Atlantique.

Cette année, la cérémonie avait un caractère spécial en raison du fait qu'il s'agit du 75e anniversaire de la marine canadienne. (**Texte publié le 5 mai 1985**)

Un camelot de *La Presse* et son copain honorés

Saint-Jérôme compte dans ses rangs deux jeunes pompiers honoraires à vie, nommés par le directeur de la police et des incendies de cette municipalité. Ces deux jeunes, un camelot de *La Presse* et son copain, ont sauvé des flammes, peu après 5 heures du matin mardi de la semaine dernière, six personnes, dont quatre enfants, qui dormaient paisiblement dans une maison située au 138, rue Brière.

Le mardi en question, Steeve Léonard, 12 ans, voulait profiter pleinement d'une journée de congé à l'école et il avait demandé à Stéphane Lacasse, 13 ans, de l'aider à passer « sa Presse » tôt le matin afin d'être libre plus rapidement pour aller jouer au baseball avec d'autres jeunes. Dans le groupe d'amis, il y avait Sébastien dont le sort a voulu qu'il soit parmi les personnes sauvées d'une mort certaine.

Alors que les deux amis arrivaient rue Brière, Steeve aperçut de la « boucane ».

« J'ai alors dit à mon ami : regarde, il y a le feu. Il ne m'a pas cru sur le coup. Puis nous nous sommes dirigés vers l'endroit. Nous sommes entrés dans la maison, la porte n'était pas verrouillée, tout le monde dormait. Lorsque que je suis arrivé près du lit de Sébastien, il s'est levé immédiatement et il a lancé : - Salut les gars ! « J'ai répondu : Il y a le feu, nous ne venons pas te chercher pour jouer ! Il y avait de la fumée dans la salle de bain. Puis, je me suis rendu au deuxième. Une femme s'y trouvait, Mme Olive Narbonne, sa grand-mère. Lorsque je suis arrivé en haut, elle dormait encore. Je l'ai poussée, je voyais les flammes près de moi. Je commençais à avoir peur. Puis finalement, elle s'est réveillée et elle a quitté sa maison...»

Les garçonnets ont reçu du maire Bernard Parent un odomètre pour leur bicyclette, et un casque de pompier. Jean-Claude Rondou, directeur de la police et des pompiers les a nommés pompiers honoraires de la municipalité de Saint-Jérôme. (**Texte publié le 5 mai 1984.**)

Sébastien Narbonne-Poirier entoure de ses bras ses deux sauveteurs : Stéphane Lacasse, à gauche, et Steeve Léonard, à droite.

5 C'EST ARRIVÉ UN MAI

1981 — En Irlande du Nord, un membre de l'IRA, Robert Sands, meurt en prison au 66e jour de sa grève de la faim, entreprise afin de forcer le gouvernement britannique à reconnaître aux membres de l'IRA le statut de prisonnier politique.

1980 — Eric Kierans quitte le Conseil d'administration de la Caisse de dépôt et de placement en accusant le ministre Parizeau de « siphonner » la caisse pour financer ses déficits.

1979 — Fin après 15 mois d'auditions du procès des contrats de dragage du Saint-Laurent. Cinq dirigeants sont trouvés coupables de conspiration pour une fraude de l'ordre de $4 millions.

1972 — Un *DC-8* d'Alitalia s'écrase en Sicile; l'accident fait 115 victimes.

1967 — Le *World Journal Tribune* de New York cesse de paraître.

1966 — Un but d'Henri Richard en surtemps, à Détroit, permet au Canadien de conserver la coupe Stanley. — L'explosion d'une bombe à l'usine La Grenade, rue Rachel, fait un mort et six blessés.

1961 — Le pape Jean XXIII reçoit la reine Elizabeth II et le prince Philip en audience privée.

1961 — Premier voyage dans l'espace (d'une durée de 15 minutes) d'un astronaute américain, Allan B. Shepard.

1960 — Le *Federal Express* coule dans le port de Montréal, 45 minutes après qu'il a été éventré par le *Polaris*.

1958 — Le plus important cambriolage de l'histoire du Canada est perpétré à Brockville alors qu'un bandit s'empare d'une somme de $2,2 millions, mais il est ensuite appréhendé à Montréal.

1955 — L'Allemagne de l'ouest devient un état souverain sous le nom de République fédérale d'Allemagne.

1946 — Les Français rejettent par une forte majorité le projet de constitution de la gauche qui préconisait un parlement à une seule chambre.

1936 — Une foule nombreuse assiste aux obsèques du philanthrope et mécène canadien-français Oscar Dufresne.

1919 — On apprend que de sanglantes émeutes viennent d'éclater à Sofia, capitale de Bulgarie, entre partisans de la Russie soviétique et ceux de l'ex-roi Ferdinand.

C'EST ARRIVÉ UN 6 MAI

1994 — La Rolls-Royce de la reine d'Angleterre sera la première voiture à officiellement emprunter le tunnel sous la Manche. Y seront assis la reine Elizabeth II et le président François Mitterand. Suivront, dans la SM Citroën-Maseratti présidentielle, le prince Philip d'Édimbourg et Mme Danielle Mitterrand.

1990 — Une collection unique d'un des vins les plus prestigieux et les plus chers du monde, le château Yquem, a été vendue aux enchères à Monaco 1 070 000 FF (près de 190 000 dollars) à un acquéreur anonyme. Cette collection comprend cent bouteilles de ce prince des vins blancs : la plus ancienne date de 1858, et la collection est complète de 1886 à 1985 inclus.

1989 — Depuis 1968, année de la légalisation du divorce au Québec, plus d'un million de Québécois de deux sexes ont été impliqués en tant que parents ou enfants dans un divorce ou une séparation légale.

1985 — Alors que le président Ronald Reagan se déclarait convaincu à Bonn que la réunion de l'Allemagne de l'Ouest et de l'Est à l'Europe pourraient un jour être réalisée, Mikhail Gorbatchev et Erich Honecker expriment leur attachement à l'unité communiste et ont rejeté toute idée de réunification allemande.

1960 — Grand jour, aujourd'hui, pour la Grande-Bretagne. Au milieu d'un apparat royal qui rappelait celui du couronnement, s'est déroulé ce matin à l'abbaye de Westminster le mariage de la princesse Margaret avec l'ex-photographe Anthony Armstrong-Jones, mariage d'une princesse royale avec un roturier.

1935 — Des millions de personnes ont clamé leur enthousiasme dans les rues de Londres, aujourd'hui, alors que Leurs Majestés le roi George V et la reine Marie se rendaient du palais Buckingham à la cathédrale Saint-Paul pour y rendre grâce à Dieu de leurs 25 années de règne heureux et prospère.

1910 — Le roi est mort. Sa majesté Edouard VII, par la grâce de dieu, roi du royaume uni de la Grande-Bretagne et d'Irlande, défenseur de la foi, et empereur des Indes, est mort. L'empire britannique est sous le choc, ayant appris presque en même temps la maladie et la mort de son illustre souverain.

Si l'aspect extérieur austère du CCA ne fait pas immédiatement l'unanimité, l'intérieur, lui, est une réussite incontestable. Sobre, élégant, classique, le CCA reprend, dans son organisation intérieure, la symétrie et le rythme de la Maison Shaughnessy qu'il a décidé de sauver de la destruction. À gauche Mme Lambert devant la Maison Shaughnessy.

SOMPTUEUX CADEAU DE PHYLLIS LAMBERT

Les Montréalais viennent d'hériter d'un centre de haut-savoir d'une qualité exceptionnelle. Un lieu fin prêt, livré avec son équipement de pointe et son personnel (comptant une centaine d'employés permanents dont un bon nombre de diplômés de l'université). Tout le contraire d'une « coquille vide » donc.

Le CCA (le Centre canadien de l'architecture) est un cadeau providentiel d'une centaine de millions de dollars, répartis à peu près également entre le bâtiment et les collections de livres rares, photos, dessins, gravures et autres documents reliés à l'architecture, des collections parmi les plus importantes au monde. Et on ne compte pas ici les salaires passés et futurs, les budgets de fonctionnement, etc.

Ce cadeau, on le doit à une femme, Phyllis Lambert, née Bronfman, elle-même architecte et fondatrice d'Héritage-Montréal. C'est peut-être le don le plus important jamais fait par un riche Canadien à sa communauté. C'est certainement le grand-oeuvre de Mme Lambert.

De ce coût de 100 millions de dollars, huit seulement viennent d'Ottawa et de Québec. Le Centre, dont l'idée remonte à 1979, jouit déjà d'une réputation internationale et fait l'envie de bien des grandes villes, où il aurait pu d'ailleurs être construit. Mme Lambert a vécu dans quelques capitales européennes et américaines avant de revenir s'établir à Montréal.

Il se peut que les Montréalais ne prennent pas conscience tout de suite de l'importance de cette nouvelle institution. D'une part, le long bâtiment rectangulaire de pierre grise qui entoure de deux ailes protectrices la vieille maison Shaughnessy, boulevard René-Lévesque, n'a pas l'éclat ni la flamboyance des deux nouveaux musées d'Ottawa et de Hull par exemple, le Musée-cathédrale des beaux-arts du Canada et le Musée des civilisations aux formes sinueuses et morphologiques.

Le CCA n'est pas là pour rendre gloire au gouvernement canadien et n'est pas l'expression de l'égo d'un créateur.

Si l'aspect extérieur austère du CCA ne fait pas immédiatement l'unanimité, l'intérieur, lui, est une réussite incontestable. Sobre, élégant, classique, le CCA reprend, dans son organisation intérieure, la symétrie et le rythme de la Maison Shaughnessy qu'il a décidé de sauver de la destruction, un immeuble comportant en réalité deux maisons divisées par un mur mitoyen, construit en 1875. La récupération de cette belle demeure du XIXe siècle, et du terrain pris entre deux bretelles d'autoroute, est déjà en soi un énoncé de principe pour le CCA.

Le CCA, né du rêve visionnaire de Phyllis Lambert, pourra-t-il donner une conscience à Montréal ? Il a tout ce qu'il faut, en tout cas, pour susciter des vocations, animer nos universités et faire de Montréal la Mecque de l'architecture. (**Texte publié le 6 mai 1989.**)

Marlène Dietrich n'est plus

« Je suis pleine d'amour de la tête aux pieds » : cette petite phrase pleine de promesses lancée d'une voix rauque suffit à rendre mondialement célèbres dans les années 30 le film *L'Ange Bleu* et la jeune actrice allemande qui l'incarnait. Celle-ci, Marlène Dietrich, entrait vivante dans la mythologie hollywoodienne sous les traits de la femme fatale. Elle vient de mourir à Paris à l'âge de 90 ans.

L'image de celle en qui Jean Cocteau saluait « la beauté qui s'impose et qui illumine par l'intérieur » restera à jamais associée à la chanteuse de cabaret du film de Josef von Sternberg, dont les bas noirs soulignaient le galbe de jambes devenues universellement célèbres.

Allemande de naissance, mais naturalisée Américaine après son refus du régime nazi dans les années 1930, c'est à Paris que Marlène Dietrich avait choisi de finir ses jours, déclarant qu'elle voulait être enterrée dans un village de France.

De la « gretchen » timide aux bonnes joues rondes et aux habitudes gauches qu'il rencontre en 1929, Von Sternberg fera en six ans et sept films une des reines d'Hollywood, avec une stature comparable à celle de Greta Garbo, autre figure mythique du septième art.

Marlène Dietrich devient la représentante d'un érotisme haut de gamme, qui démontre la supériorité du voile sur la chair, du suggéré sur ce qui est révélé. Derrière un masque fascinant de beauté, elle est la créature de rêve, recomposée par son génial Pygmalion.

Quand s'arrête sa carrière cinématographique après la guerre, Dietrich conquiert un nouveau public en se faisant vedette de la chanson, courant le monde de tournée en tournée. Elle se constitue un répertoire qui, de *L'Ange bleu* à *La Vie en rose* aboutit à *Lili Marlene*.

Cette chanson magique qui, après avoir fait rêver les soldats de la Wehrmarcht, franchit l'Atlantique dans sa version anglaise, puis revient de clocher en clocher jusqu'aux tours de Notre-Dame à la libération de Paris. (**Texte publié le 6 mai 1992.**)

Jim Delligatti, l'inventeur du Big Mac.

Le Big Mac a 25 ans !

Le Big Mac, ce hamburger composé d'un pavé de boeuf assorti de salade, de fromage, d'oignons et de condiments divers serrés entre deux tranches de pain rond, a fêté ses 25 ans de symbole gastronomique de la chaine de restaurants McDonald's.

Pour l'occasion, Jim Delligatti, inventeur une nuit d'été 1968 du Big Mac, a soufflé les 25 bougies plantées au sommet d'un hamburger de 90 kg dans le centre de Pittsburgh. « J'avais seulement l'impression que ce dont nous avions besoin était un bon gros sandwich et je crois que j'ai inventé un bon gros sandwich », a déclaré Delligatti.

Mais un Big Mac ce n'est pas simplement de la viande et du pain. Son secret réside en fait dans la sauce qui l'accomode. Mais, comme tout bon inventeur, Delligatti a préféré ne pas livrer la recette de son succès.

La chaine McDonald's, établie dans 66 pays, compte aujourd'hui 13 000 points de vente à travers le monde, dont environ 80 % appartiennent à leur exploitant. (**Texte publié le 6 mai 1993.**)

Il y a 45 ans un incendie ravageait Rimouski

Il y a 45 ans aujourd'hui (**le 6 mai 1995**), jour pour jour, le Bas-Saint-Laurent connaissait la plus grande catastrophe de son histoire.

Vers 18h, le 6 mai 1950, un feu se déclarait dans la cour à bois de la scierie Price Brother's, à la suite du bris d'un fil électrique. Un vent, d'une vélocité de 125 km/h faisait rage et alimenta rapidement le brasier.

Des tisons ardents semèrent rapidement le feu jusque de l'autre côté de la rivière Rimouski, et allumèrent ça et là d'autres foyers d'incendie. Pendant la soirée et toute la nuit, que les Rimouskois baptisèrent « la grande nuit rouge », le feu ravagea tout le quartier sud-ouest de la ville.

Au total, 359 maisons étaient rasées et 2000 personnes se retrouvaient sans abri. Le lendemain, c'est la ville de Cabano qui subissait le même sort ; 159 maisons étaient rasées par les flammes et 1000 personnes se retrouvaient sans logis.

« Je me souviens » ...mais de quoi ?

Apparue pour la première fois en 1883 dans les plans de la façade du parlement de Québec, dessinés par Eugène-Étienne Taché, avant de figurer en 1978 sur les plaques d'immatriculation de nos voitures, la devise du Québec a beau être plus que centenaire, elle intrigue toujours quant à son sens véritable.

« Je me souviens »... Mais de quoi au juste ?

À la bibliothèque de l'Assemblée nationale, on est régulièrement sollicité à ce propos et, en dépit des explications les plus simples qu'on peut donner, la devise du Québec est constamment dénaturée, au point qu'on se demande si la croyance qui tend à s'accréditer dans les médias anglophones n'est pas en train d'être rapatriée par le Canada anglais, comme cela s'est produit pour l'hymne national et « nos fleurons glorieux ».

Jadis, quand l'histoire s'enseignait à la petite école, on apprenait aux enfants la signification de cette devise. Probablement plus par déduction qu'autrement, l'explication reconnue voulait qu'on se souvienne de nos origines françaises, de notre histoire. Mais on n'a jamais trouvé le moindre document établissant hors de tout doute le sens de « Je me souviens », soutient le directeur de la recherche à la bibliothèque de l'Assemblée nationale, l'historien Gaston Deschênes.

On s'est demandé, très généralement du côté anglophone, par exemple dans le *Montreal Star* du 4 février 1978, et à quelques reprises dans le *Globe and Mail* de Toronto, en 1991 et plus récemment encore, ce que voulait dire cette devise.

Invariablement, on arrivait à la conclusion qu'elle était mystérieuse parce qu'on ne la rendait jamais de façon complète. En réalité, expliquait-on, la devise officielle du Québec devrait se lire ainsi : « Je me souviens que, né sous le lys, je crois sous la rose. » Traduction, puisque les symboles du lys et de la rose ont leur sens : « Je n'oublie pas que né sous l'autorité du roi de France, je grandis sous la protection du roi d'Angleterre. »

Cette explication est même accréditée en 1978 par Hélène Pâquet, petite fille de l'auteur de la devise Étienne-Eugène Taché, qui écrit au *Montreal Star* que « *Je me souviens* » n'est que la première ligne de la devise et elle ajoute la suite précitée.

L'histoire rapporte que l'architecte Eugène Taché, sous-ministre au département des Terres et Forêts, a réalisé le dessein de cette médaille. Mais nulle part, dans ses explications, ne trouve-t-on de rapprochement avec la devise « Je me souviens », connue depuis 1883.

« Ce qu'on peut affirmer sans l'ombre d'un doute, c'est que les armes du Québec datent du 26 mai 1868 et que le 22 janvier 1883 un arrêté du lieutenant-gouverneur en conseil approuvait la signature du contrat du Palais législatif (parlement) », souligne Gaston Deschênes.

L'historien cite ensuite un collègue de Taché, Ernest Gagnon, qui fut secrétaire du ministère des Travaux publics de 1876 à 1905 et qu'il considère comme la meilleure source. « M. Eugène Taché avait dressé le projet de la façade du Palais législatif de Québec et y avait introduit les armes de la province avec cette devise : 'Je me souviens' dont il est l'auteur et qui était alors inconnue (...) On peut donc dire que c'est à partir du 9 février 1883 (...) que cette devise 'Je me souviens' a revêtu un caractère officiel. » (**Texte publié le 6 mai 1994.**)

61e ANNÉE — MONTRÉAL, LUNDI 7 MAI 1945 — PRIX: TROIS CENTS

APRÈS 5 ANS, 8 MOIS ET 6 JOURS

FIN DE LA GUERRE

La civilisation qui triomphe

Les généraux qui ont signé

11 HEURES 35 A. M.

New-York,(P.A.)—Le Réseau Columbia rapporta à 11h. 35 a. m., heure avancée de l'est, que le poste officiel de radio américain en Europe a déclaré que:

"L'Allemagne s'est rendue sans conditions. La guerre est officiellement terminée en Europe."

Les chefs des puissances triomphantes

La proclamation demain

La reddition se fit hier soir

Les premières réjouissances

Au bout du fil

La proclamation canadienne

Congé public demain jour de prière dimanche

La "Presse" demain

Après 63 mois d'une guerre épouvantable déclenchée par un homme, Adolf Hitler, qui, une semaine, plus tôt, avait choisi de mettre fin à ses jours plutôt que de comparaître devant le Tribunal de l'Humanité, les hostilités prenaient fin sur le front européen à 11h35, le *7 mai 1945*, par la reddition sans condition de l'Allemagne, reddition annoncée à cette heure-là et officiellement proclamée le lendemain. La nouvelle a réjoui la population, et c'est de cette manière que dans son édition du jour, LA PRESSE la communiquait à ses lecteurs.

LES CONDITIONS DE PAIX IMPOSEES AUX ALLEMANDS

PARIS — Le traité de paix entre les vingt-sept puissances alliées et associés d'un côté, et l'Allemagne de l'autre, a été remis aujourd'hui **(7 mai 1919)** aux plénipotenciaires allemands à Versailles. Le texte en est plus long que celui de tous les traités qui l'ont précédé. Il comprend environ 80,000 mots et est composé de quinze sections principales et rapports, et est l'oeuvre de plus d'un millier d'experts qui ont travaillé sans relâche dans une série de commissions pendant trois mois et demi depuis le 18 janvier. Le traité est imprimé sur des colonnes parallèles en anglais et en français, chaque texte étant reconnu d'égale force. Il ne touche pas aux questions se rapportant à l'Autriche, à la Bulgarie et à la Turquie, si ce n'est en obligeant l'Allemagne à accepter tout arrangement fait avec ses anciens alliés.

A la suite du préambule et de la liste des puissances, vient la constitution de la Ligue des nations, qui compose la première section du traité. Les frontières de l'Allemagne en Europe sont définies dans la seconde section. La classification politique européenne est exposée dans la troisième section, et la classification pour en dehors de l'Europe, dans la quatrième. Suivent les conditions militaires, aériennes et navales, dans la cinquième section, puis la sixième traite des prisonniers de guerre et des tombes des soldats, et la septième a pour sujet les responsabilités. Les questions des réparations, des conditions financières et économiques sont comprises dans les sections huit à dix. Viennent ensuite la section de l'aéronautique, celles des ports, des voies d'eau et des chemins de fer, la section du travail, la section sur les garanties et les classes finales.

Le magazine *Stern* reconnaît que les «carnets d'Hitler» sont des faux

Deux semaines jour pour jour après l'annonce, à grand renfort de publicité, que *Der Stern* allait publier 60 cahiers du journal intime d'Adolf Hitler, le directeur du grand hebdomadaire de Hambourg, Henri-Nannen, a reconnu avoir été trompé par un ou plusieurs faussaires.

Quelques heures après que l'Office criminel fédéral et les Archives fédérales eurent annoncé, au cours d'une conférence de presse, que les documents du *Stern* étaient faux, l'hebdomadaire faisait savoir qu'il cessait la publication du prétendu journal du Führer.

Déjà, le *Sunday Times* (Grande-Bretagne), *Paris-Match* (France) et *Panomara* (Italie) avaient pris une décision similaire au cours de la journée. Et dans la soirée, l'hebdomadaire espagnol *Tiempo*, qui avait acheté l'exclusivité du journal intime pour l'Espagne pour la somme de 21 millions de pesetas (environ 160 000 $), annonçait qu'il en faisait autant. **(Texte publié le 7 mai 1983.)**

L'informatique fait son entrée dans les autos-patrouille de la police de la CUM

La police de la CUM prépare l'arrivée de l'informatique dans ses autos-patrouille : trois autos de police sont actuellement équipées d'écrans vidéo de communications et de leurs claviers... pas branchés.

Les trois autos-patrouille en question auront été utilisées, depuis lundi jusqu'à samedi, par un total de 36 policiers du poste 42, dans le nord de la ville, qui pourront ainsi faire savoir à leurs supérieurs si les écrans ne prennent pas trop de place et s'ils sont faciles d'accès.

D'ici à la fin de 1988, toutes les communications de routine du service de police passeront par le SITI (Système intégré de télécommunications informatisées), qui fera notamment appel à 300 de ces micro-ordinateurs installés dans autant d'autos-patrouille, a expliqué le directeur de service Michel Beaudin.

Informations

« L'utilisation des micro-ordinateurs permettra aux policiers d'obtenir plus rapidement certaines informations relatives à leurs interventions. De plus, ce système mettra nos communications à l'abri du piratage », a noté le directeur Beaudin.

Le policier tapera sur son clavier une question ou une réponse à l'intention du central, obtiendra des renseignements sur un véhicule ou un individu en s'adressant directement aux ordinateurs des services compétents... pendant que son supérieur saura exactement, grâce à l'électronique, combien de temps est consacré à chaque appel. **(Texte publié le 7 mai 1987)**

Tournée d'adieux contestée

Tournée d'adieux aux frais des contribuables pour satisfaire l'égo d'un homme toujours en quête de prestige, ou visites officielles essentielles aux relations diplomatiques canadiennes ?

La visite de neuf jours des grandes capitales européennes — Moscou, Bonn, Londres, Paris — amorcée hier (**le 6 mai 1993**) par le premier ministre Mulroney a été décriée par l'opposition et boudée largement par les médias.

Une tournée qui s'accompagne d'une facture salée, alors que son gouvernement prêche les vertus de la discipline fiscale, ajoutent les cyniques.

Le premier ministre n'a pas jugé bon de répondre à ses critiques au cours des deux dernières semaines, préférant esquiver les questions sur sa tournée d'adieux. Avant son départ d'Ottawa, il s'est contenté d'une timide réplique, rappelant la tournée que Pierre Trudeau avait effectuée en Europe de l'Est et de l'Ouest avant de quitter le pouvoir.

C'EST ARRIVÉ UN 7 MAI

1995 — À 62 ans, le maire de Paris, Jacques Chirac, qui a déjà été premier ministre à deux reprises depuis 1974 et deux fois candidat malheureux a l'Élysée, a été élu président de la République, avec un mandat de sept ans et des pouvoirs exceptionnellement étendus pour un chef d'État ou de gouvernement occidental.

1988 — Le taux de chômage, au Québec, a atteint en avril, le double de celui de l'Ontario : 9,5 au lieu de 4,8 %. La comparaison est encore plus troublante si l'on se concentre sur Montréal, où la proportion de sans-emploi n'est pas double de celle de Toronto, mais triple : 9,5 au lieu de 3,2 %.

1984 — Devant une foute estimée à 800 000 personnes, le pape Jean-Paul II a canonisé 103 martyrs — 93 Coréens et 10 Français tués en Corée lors des persécutions du siècle dernier — au cours d'une cérémonie en plein air qui a été un temps fort de sa visite en Corée.

1979 — Décès à 77 ans du populaire comédien Paul Guèvremont.

1977 — Sommet de Londres des chefs d'État et de gouvernement de sept pays occidentaux, dont le Canada.

1964 — Le premier ministre du Canada, Lester B. Pearson, réitère son avis que l'ONU devrait se doter d'une armée indépendante.

1960 — Washington reconnaît que l'avion U-2 abattu au-dessus du territoire soviétique faisait de l'espionnage.

1954 — Les Français retranchés dans le camp de Diên Biên Phû doivent déposer les armes devant le Vietminh. On est sans nouvelle du général de Castries et de ses hommes.

1954 — Roger Bannister a mis fin aux tentatives du monde athlétique de courir le mille en quatre minutes par un exploit exceptionnel alors qu'il a parcouru la distance officielle en un temps de 3,59,4 minutes.

1949 — Les Sénateurs d'Ottawa gagnent la coupe Allan, emblème de la suprématie du hockey sénior canadien, aux dépens des Caps de Régina.

1948 — À LaHaye, Winston Churchill, premier ministre d'Angleterre, propose la création d'un parlement européen.

1936 — Henri Gérin-Lajoie, exbâtonnier général de la province et ex-président de la Banque Provinciale, succombe aux blessures subies dans un accident de la circulation quelques jours plus tôt.

1932 — M. Paul Doumer, président de la république française, est mort ce matin. Il a succombé aux blessures que lui infligea un Russe fanatique qui tira sur lui alors qu'il venait d'ouvrir une exposition de charité des anciens combattants, hier après-midi. Le président est mort à 4 h 40, une douzaine d'heures après l'attentat.

1920 — Le président Carranza, du Mexique, fuit Mexico quelques heures avant que la ville ne soit investie par les rebelles.

1916 — Un incendie détruit une usine de machineries et de chars à Montmagny.

1908 — Le *Montcalm*, un navire du gouvernement du Canada, est sérieusement avarié lors d'une collision avec le vapeur *Milwaukee*, à Québec.

Le *Lusitania* coulé par les Allemands; ce navire de 790 pieds et de 45000 tonnes avait coûté $7 millions.

LE LUSITANIA TORPILLE; PRES DE 1,500 MORTS

Le «Lusitania», de la ligne Cunard, sur le sort duquel on n'était guère fixé hier, a bel et bien été coulé sur les côtes d'Irlande par les Teutons.

NDLR — Cet article ne ménage pas ses mots à l'endroit des Allemands de l'époque, et tient autant de l'éditorial que de la nouvelle. Il faut donc le lire en se plaçant dans le contexte de l'indignation profonde qu'avait provoquée l'événement.

C'est en vain qu'on se berçait hier (7 mai 1915) d'espoir; le «Lusitania» a péri, et avec lui près de 1500 passagers sur les deux mille qui étaient partis de New York il y a quelques jours. Parmi les morts, on compte un grand nombre de Canadiens dont plusieurs Montréalais, pas moins de deux cents Américains.

Le monde entier frémit de colère contre les bandits teutons. Les deux mille passagers du «Lusitania» n'avaient commis aucun acte d'hostilité. Au contraire, c'est avec confiance qu'ils s'étaient embarqués, en dépit des nombreux avis que plusieurs d'entre eux avaient reçus, du barbare projet qui avait été préparé par les odieux pirates qui couvrent de honte l'humanité.

Comme les plus ignobles bandits, les pirates du Kaiser attendaient à un endroit choisi d'avance, le paquebot pour le couler. Les preuves sont nombreuses du dessein bien arrêté des marins allemands, préparé avec l'effroyable sang-froid de l'Amirauté teutone. Le «Lusitania» a été coulé sans avis préalable.

L'oeuvre abominable est accomplie; il reste maintenant à venger ceux qui ont subi l'outrage suprême. Quand l'Allemagne devra rendre ses comptes à la civilisation, le crime qu'elle vient de commettre en torpillant le «Lusitania» pèsera lourd dans la balance; et la punition devra être aussi terrible que la barbarie a été froidement exercée.

Avec l'humanité toute entière, nous déplorons le drame affreux où plusieurs des nôtres ont péri. Nos sympathies vont aussi au peuple américain que viennent d'éprouver si lamentablement les bandits teutons.

Nos vaillants soldats sur le champ de bataille feront expier aux misérables Prussiens les actes de banditisme qu'ils commettent aussi bien sur mer que sur terre. L'âme de la Nation américaine se révolte, elle aussi, à chaque outrage que reçoit l'Amérique.

Le Kaiser et ses états-majors jouent un rôle terriblement dangereux.

Controverse sur les 100 ans de l'auto

S'il faut en croire les historiens français, c'est à Edouard Delamare-Débouttevillle que revient la paternité de la première voiture automobile à moteur à explosion.

Selon eux, le brevet qu'il déposa en France le 12 février 1884 constitue l'acte de naissance officiel de l'automobile et l'année 1984 marque le centenaire de cette invention. Cette date est cependant contestée par les Allemands qui attendront à 1986 avant de fêter les 100 ans de l'automobile. Selon eux, Gottlieb Daimter et Karl Benz ouvrirent la voie qui devait conduire à l'automobile moderne. **(Texte publié le 7 mai 1984.)**

CONGÉDIEMENT DE Me PACIFIQUE PLANTE

Le comité exécutif donne raison au chef de police Langlois

ME Pacifique Plante n'est plus directeur adjoint du service de la police en charge de l'escouade de la moralité. Il a été officiellement démis de ses fonctions, à 10 h. 15 hier soir **(7 mai 1948)**, lorsque le comité exécutif, réuni en séance spéciale sous la présidence de M. J.-O. Asselin, a approuvé un rapport du directeur Albert Langlois, en date du 15 mars, recommandant son renvoi. Le commissaire Paul Dozois, représentant de la Chambre de commerce à l'hôtel de ville, a enregistré sa dissidence qu'il a motivée par une déclaration dont copie a été remise aux journalistes.

L'incident Langlois-Plante, qui défraie la chronique quotidienne depuis la suspension de Me Plante «pour insubordination et négligence dans l'exercice de ses fonctions», en date du 11 mars, a eu son dénouement après une longue étude que les chefs de l'administration municipale disent avoir faite de toutes les circonstances entourant cette affaire et de tous les faits portés à leur attention par le directeur Langlois ou consignés dans un volumineux rapport de Me Plante, que celui-ci a présenté en réponse aux accusations logées contre lui.

L'inspecteur en chef Ernest Pleau, nommé hier soir directeur adjoint du service de la police, remplacera Me Plante à la direction de l'escouade de la moralité.

DIX-HUITIEME ANNEE—No 158 MONTREAL, SAMEDI 10 MAI 1902 VINGT-QUATRE PAGES—UN C...

SOUS UNE NAPPE DE FEU

L'ensevelissement de Pompéi et d'Herculanum était moins terrible que l'épouvantable cataclysme de la Martinique. Quarante mille personnes ont péri sous le déluge de laves brulantes, de cendres et de pierres vomies par la montagne Pelée.

SCENES QUI DONNENT UNE IDEE DES HORREURS DE L'ENFER

LA catastrophe de la Martinique est sans doute la plus terrible et la plus épouvantable dont jamais notre génération ne fut témoin.

Elle n'offre d'exemple que celle de l'an 79 de notre ère, alors que le plus terrible des volcans, le Vésuve, situé près de Naples, en Italie, fit irruption et détruisit complètement deux villes superbes, Herculanum et Pompéi.

C'est ainsi que LA PRESSE *commençait l'article de cette première page consacrée à la destruction complète de la ville de Saint-Pierre, en Martinique, le* **8 mai 1902.**

L'affaire se préparait depuis quelques jours. Le 3 mai, un dimanche, les résidents de Saint-Pierre découvrirent, en sortant de leur maison, que la ville était entièrement couverte de cendres volcaniques provenant de la Montagne Pelée atteignant un quart-de-pouce d'épaisseur, et qu'un épais brouillard enveloppait la ville. Le 6 mai apparurent les premières coulées de lave, accompagnées, le lendemain, d'inquiétantes secousses sismiques. L'ultime catastrophe n'était donc que la suite logique des signes avant-coureurs.

La terrible nouvelle avait été confirmée par le court communiqué suivant:

Paris, 9 — Le commandant du croiseur français «Suchet» a envoyé à M. Lanessa, ministre de la Marine, le message suivant, daté de Fort-de-France, île de la Martinique, jeudi, le 8 mai, à 10 hrs p.m.:

«Je reviens justement de Saint-Pierre, qui a été complètement détruite par une immense masse de feu qui s'est abattu sur la ville vers 8 heures du matin.

«On croit que toute la population, composée de 25,000 âmes, a péri. J'ai ramené ici quelques survivants, 30 en tout. Tous les vaisseaux qui étaient dans le port ont été détruits par le feu. L'éruption continue.»

Il aura suffi de la colère d'une montagne pour qu'une ville soit complètement rayée de la carte avec ses 25 000 habitants...

Le lecteur voudra bien excuser la mauvaise qualité de la reproduction des photos, imputable au manque de fidélité du microfilm.

Le massacre de l'Assemblée nationale: dix ans déjà

Par une belle matinée ensoleillée, le 8 mai 1984, il y a dix ans, l'Assemblée nationale du Québec était la cible du plus sanglant attentat de son histoire: un militaire lourdement armé forçait l'entrée et se précipitait au Salon bleu, semant la mort et la désolation.

Lorsque la police s'empara du meurtrier, quatre heures plus tard, on comptait trois morts et 13 blessés, toutes victimes des balles du caporal Denis Lortie, des Forces armées canadiennes.

En cette belle journée de printemps hâtif, la sécurité était pratiquement inexistante à chacune des six portes de l'édifice parlementaire. En dépit de manifestations nombreuses qui avaient régulièrement cours sur la colline parlementaire, on n'avait jamais déploré d'incidents sérieux au parlement de Québec.

La veille, le lundi 7 mai, le caporal Denis Lortie s'était joint à un groupe de touristes pour effectuer une visite guidée de l'Assemblée nationale, afin de se familiariser avec les lieux.

Puis, dès neuf heures le lendemain matin, Lortie revêt une tenue militaire et se présente dans une station locale de radio pour y déposer une enveloppe contenant une cassette pré-enregistrée expliquant le geste qu'il se prépare à poser.

Lortie se dirige ensuite vers la Citadelle de Québec où il tire une rafale. Puis à 9 h 40, il se présente, mitraillette sous le bras, à la porte sud du parlement. En le voyant, la préposée à l'accueil, Jacinthe Richard, se précipite sur le téléphone d'urgence mis à sa disposition, mais elle a à peine le temps de lancer l'alerte: une balle lui transperce le thorax.

Mme Richard survivra à cette terrible épreuve.

Après avoir atteint Mme Richard, Lortie longe le corridor en aspergeant de rafales les portes des bureaux.

Le sergent d'armes René Jalbert mate le caporal Lortie par son calme et le convainc de se rendre, après quatre heures de négociation.

L'une des balles tue un des messagers de l'Assemblée nationale, Camille Lepage.

Le militaire se précipite vers le Salon bleu où il entre en poursuivant son mitraillage. Deux autres messagers, Georges Boyer et Roger Lefrançois, sont tués tandis que 13 autres personnes sont blessées à divers degrés. Il est 9 h 50.

Lortie croyait arriver à temps pour abattre les membres du gouvernement. Certains d'entre eux devaient y siéger en comité plénier, à compter de dix heures. Il était arrivé dix minutes trop tôt.

Hagard, les yeux vides, Lortie s'assied alors sur le trône du président de l'Assemblée nationale. Terrorisés, la vingtaine d'employés affectés à préparer la salle avant la session parlementaire se dissimulent tant bien que mal entre les pupitres.

Constatant qu'il était filmé par une caméra télécommandée qui sert habituellement à enregistrer les débats de la Chambre, Lortie tente de démolir cet appareil par de multiples rafales de mitraillette.

À dix heures, le sergent d'armes, René Jalbert, se présente sur les lieux. Avec un sang-froid remarquable, il convainc Lortie de l'accompagner dans son bureau situé à proximité, ce qui permettra aux services d'urgence d'évacuer les blessés du Salon bleu.

Après quatre heures de négociations, le sergent d'armes Jalbert, qui a impressionné Lortie parce qu'il est lui-même un ancien militaire, amène le tireur à se rendre.

Lortie accepte, en autant qu'il puisse le faire entre les mains de policiers militaires.

À 14 h 22, le suspect se rend.

Lors d'un premier procès tenu devant le juge Ivan Migneault, Lortie a été condamné à la prison à vie pour le triple meurtre.

Mais la Cour d'appel a annulé ce procès, en septembre 1986, à cause des recommandations que le juge Migneault avait formulées à l'endroit du jury lors du premier procès.

Lors du second procès tenu en 1987, Lortie sera condamné à la prison à vie mais avec possibilité de libération conditionnelle au bout de dix ans. (**Texte publié le 7 mai 1994.**)

ASBESTOS: LA LOI DE L'ÉMEUTE EST LEVÉE

ASBESTOS — La loi de l'émeute proclamée à Asbestos vendredi matin a été levée à 12 h. 45, hier midi (8 mai 1949). C'est le chef de la police locale, M. Albert Bell, qui s'est vu remettre par la Sûreté provinciale une note officielle décrétant la fin de l'application de la loi de l'émeute. Cette mesure extraordinaire a été en vigueur dans le centre minier d'Asbestos durant près de 60 heures.

Durant tout ce temps et maintenant encore tout est calme, aucun rassemblement d'aucune nature, sauf pour la messe dominicale, hier matin. Mais même pour la messe, plusieurs grévistes se sont abstenus de sortir, de peur d'être arrêtés par les gendarmes qui ont patrouillé et qui patrouillent encore toutes les rues de la ville et toutes les routes qui y conduisent, dans un rayon d'environ 20 milles.

Maintenant que la loi de l'émeute est levée, on annonce la tenue d'une réunion générale des grévistes, ce soir, au sous-sol de l'église paroissiale. M. Jean Marchand, secrétaire-général de la C.T.C.C., qui vient d'arriver à Asbestos, sera le principal orateur.

Les secours financiers affluent

A la porte de toutes les églises de plusieurs diocèses, entre autres ceux de Trois-Rivières, de Québec, de Montréal, de S.-Hyacinthe, Chicoutimi, on a tendu la main à l'intention des grévistes et de leurs familles. Ces secours financiers sont envoyés à Asbestos et à Thetford, par l'entremise de l'évêque de chacun des diocèses concernés. (...)

La grève se continue et les chefs des grévistes sont d'avis que les ouvriers sont toujours aussi solidaires sinon plus qu'ils ne l'ont été depuis 3 mois.

Dans une lettre qu'il a adressée hier au procureur général de la province, l'hon. Maurice Duplessis, Me Jean Drapeau, procureur des grévistes d'Asbestos détenus à Montréal, a déclaré qu'il tient à «protester énergiquement contre le déni de justice auquel la Sûreté provinciale se livre, en refusant au procureur des 60 grévistes d'Asbestos détenus au palais de justice de Montréal, de communiquer avec ceux-ci.»

Dans sa lettre, Me Drapeau relate comment il a tenté, à plusieurs reprises, de rencontrer ses clients et comment il en a été chaque fois empêché par les policiers provinciaux.

Me Drapeau dit qu'on lui a affirmé que tous les détenus allaient comparaître sous une accusation ou sous une autre. «Et alors que l'on doit faire comparaître tout détenu dans les 24 heures qui suivent son arrestation, tous mes clients n'ont pas encore comparu après plus de 48 heures», écrit-il. (...)

C'est avec beaucoup d'émotion et d'inquiétude, puis d'angoisse mêlée d'horreur, que les fervents amateurs de course automobile du Québec apprirent d'abord l'accident puis la mort du spectaculaire et populaire coureur automobile, Gilles Villeneuve, le *8 mai 1982.* Villeneuve préparait sa Ferrari pour le Grand prix de Belgique, sur le circuit de Zolder, quand il fut impliqué dans un accident qui allait lui coûter la vie. Deux ans plus tard, on peut affirmer que Gilles Villeneuve n'a toujours pas été remplacé.

Claude Morin causait, la GRC payait

L'ancien ministre et stratège constitutionnel du gouvernement Lévesque, Claude Morin, a avoué hier (**le 7 mai 1994**) avoir eu plusieurs rencontres avec des agents des services secrets de la GRC entre 1974 et 1977, rencontres en échange desquelles la police fédérale lui a versé des sommes d'argent.

Dans un texte qu'il a fait parvenir aux médias hier, M. Morin admet qu'il a touché de 500 $ à 800 $ par rencontre au cours de cette période, mais il soutient qu'il n'a jamais fourni de renseignements sur le Parti québécois. D'autres sources ont cependant indiqué que M. Morin a touché jusqu'à 6 000 $ par mois pendant toutes ces années.

C'est lors d'une entrevue à Radio-Canada plus tôt cette semaine que l'ex-ministre des Affaires intergouvernementales du gouvernement Lévesque a admis avoir entretenu des liens avec le Service de sécurité de la GRC. Son communiqué visait à donner sa version des faits avant la diffusion du reportage du journaliste Normand Lester à la télévision d'État hier soir.

Selon M. Morin, les discussions avec les agents secrets de la GRC portaient exclusivement sur les risques d'infiltration d'un éventuel gouvernement souverainiste ou du PQ par des puissances étrangères. Elles se sont poursuivies même après que Morin eut accédé au conseil des ministres en 1976.

M. Morin affirme qu'il avait déjà prévenu le chef du Parti québécois René Lévesque en 1975 et qu'il lui en a reparlé brièvement en 1979 et 1981.

Cette version a cependant été contredite par deux anciens collaborateurs de l'ex-premier ministre lors d'entrevues avec *La Presse* hier. Selon ses sources, M. Lévesque n'a été mis au courant des liens secrets de son ministre qu'en octobre 1981.

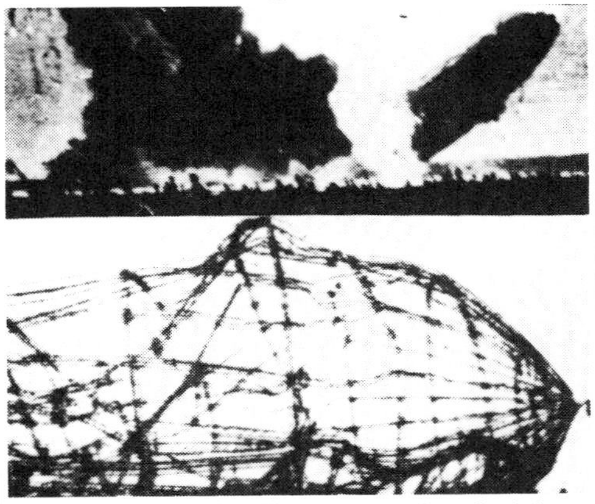

Le *8 mai 1937*, LA PRESSE publiait des photos additionnelles du drame survenu deux jours plus tôt, à Lakehurst, aux États-Unis, qui se solda par la mort de 36 personnes. C'est en effet le 6 mai que le *Hindenberg*, le plus grand dirigeable construit par Ferdinand von Zeppelin, s'est écrasé en flammes. Il mesurait 246 m de longueur et contenait 200 000 m³ d'hydrogène.

C'EST ARRIVÉ UN 8 MAI

1997 — Le père Ambroise Lafortune meurt à Montréal à l'âge de 79 ans.

1996 — Le docteur Gustave Gingras, pionnier de la réadaptation au Canada, réputé mondialement, est décédé à l'âge de 78 ans tôt ce matin à son domicile de l'Île-du-Prince-Édouard.

1978 — Le passe-muraille Jacques Mesrine, aussi célèbre au Québec qu'en France, s'évade de la prison de la Santé, à Paris, où il purgeait une peine de 20 ans.

1975 — Décès d'Avery Brundage à l'âge de 88 ans. Il avait présidé le Comité international olympique de 1952 à 1972.

1972 — Les présidents Marcel Pepin, Louis Laberge et Yvon Charbonneau, des trois centrales syndicales du Québec, sont condamnés à un an de prison pour outrage au tribunal.

1958 — À Lima, au Pérou, des manifestants accueillent le vice-président Richard Nixon avec des pierres.

1957 — Les Bombers de Flin Flon gagnent la coupe Memorial, en éliminant le Canadien jr de Montréal. C'est la première victoire d'une équipe de l'Ouest en neuf ans.

1945 — Signature à Berlin de l'acte de capitulation de l'Allemagne.

Un aviateur américain réussit à survoler le pôle nord et cet exploit est sans précédent

Le commandant Byrd passe au-dessus du sommet arctique de la terre. — Une envolée de 15 heures et 30 minutes.

NEW YORK — Un aéroplane a survolé le pôle nord pour la première fois. Le commandant Richard Evelyn Byrd a passé au-dessus du pôle hier (**9 mai 1926**). C'est la première des neuf expéditions arctiques de cette année qui a atteint son objectif. Byrd partage maintenant avec l'amiral Robert E. Peary, un autre Américain, l'honneur d'avoir conduit une expédition à cette extrémité de la terre.

Seulement huit hommes ont vu le pôle nord. Quatre étaient esquimaux, avec l'amiral Peary, un était Matt Henson, compagnon noir de l'amiral Peary, et un autre était le sous-officier Floyd Bennett, mécanicien du commandant Byrd.

Le commandant Richard Byrd

Des dépêches ont annoncé hier au «Times» de New York, et au «Post Despatch» de Saint-Louis, que l'expédition Byrd avait fait, en 15 heures et 20 minutes, un voyage que l'amiral Peary avait fait en huit mois par bateau et par traineaux tirés par des chiens.

L'objectif a été atteint trente-trois jours après que l'expédition eut quitté New York pour la baie du Roi, au Spitzberg.

Le commandant Byrd a terminé sa randonnée polaire six jours plus tôt qu'il se le proposait. Il devait chercher un endroit pour descendre sur la Terre de Peary et y établir une base, mais à la dernière minute il a tout risqué et il a fait sans interruption la randonnée.

L'explorateur Vilhjanmur Stefansson avait dit qu'il était sûr que Byrd annoncerait qu'une randonnée aérienne arctique était beaucoup plus dangereuse que toute autre. Roald Amundsen n'avait pas encouragé Byrd. A cause de son échec de l'an dernier, M. Stefansson a dit: «J'ai toujours été opposé aux atterrissements dans les explorations arctiques. Le commandant Byrd avait deux objectifs. Il en a atteint un. Cela prépare sa plus importante course au nord-ouest de la Terre de Peary à la recherche d'une terre inconnue, et j'espère qu'il réussira également.» (...)

L'avion du commandant Byrd, sur les glaces de la baie du Roi, près du vapeur « Chantier ». Cette photo est tirée d'un numéro de « L'Illustration ».

TOUJOURS CHANCEUX

Le frère du commandant Byrd, le gouverneur Harry-Flood Byrd, de la Virginie, a dit: «Dick a été si chanceux, toute sa vie, qu'il croit toujours qu'il triomphera même quand il n'a qu'une chance sur cent. Je suis fier de lui.»

Une dépêche de Rome dit que, dans les milieux de l'aéronautique, on ne dissimule pas le chagrin causé par le fait que le dirigeable «Norge», dirigeable construit en Italie, n'a pu le premier passer au-dessus du pôle. On dit que le «Norge» ne pouvait pas lutter en vitesse avec le Fokker de Byrd. (...)

Le monoplan «Miss Josephine Ford», dans lequel le commandant Byrd a survolé le pôle nord, fut transporté au «Spitzberg» par le vapeur «Chantier», après plusieurs départs peu fructueux dans le port de New York. Le Fokker à trois moteurs, baptisé d'après la fille de M. Edsel Ford, faillit être écrasé par une poutre alors qu'on était à charger le «Chantier» aux chantiers maritimes de Brooklyn. (...) *On notera au passage qu'outre le Fokker de Byrd, l'expédition comprenait un avion accompagnateur, un Curtis Oriole, et deux trimoteurs Fokker en réserve à bord du «Chantier».*

Huit autres expéditions étaient en route ou en voie de préparation pour le pôle nord au même moment: celles de George H. Wilkins, basée à Point Barrow; celle d'Amundsen et de Lincoln Ellsworth, à bord du «Norge» ancré à la baie du Roi; celle des universitaires avec Leigh Wade; celle du Norvégien Flaissen, qui tentait d'atteindre le pôle à bord d'un hydravion; une expédition française sous les auspices du ministère de la Marine; une expédition de l'Université du Michigan dirigée par le professeur William Hobbs; une expédition à bord du dirigeable «Los Angeles» sous la responsabilité du Dr Hugo Eckenera, administrateur des usines Zeppelin, et enfin une expédition russe.

Le *9 mai 1955*, l'inoubliable Edith Piaf et sa Revue continentale commençaient une série de spectacles au théâtre Her Majesty's de Montréal où elle arrivait après avoir triomphé à Los Angeles, San Francisco, Chicago et New York. Au programme, on retrouvait entre autres les chansons suivantes : « Heureuse », « Hambourg », « Sous le ciel de Paris », « Je t'ai dans la peau », « Bravo pour le clown », « Miséricorde », « Enfin le printemps » et « If You Love Me ». Sur la photo, elle est flanquée de son mari, Jacques Pills (à droite), et du journaliste Claude Lapointe, de CKAC.

C'EST ARRIVÉ UN 9 MAI

1987 — Mgr Louis-Zéphirin Moreau, un évêque québécois mort au tournant du siècle, a été élevé à l'honneur des autels par le pape Jean-Paul II.

1979 — Les États-Unis et l'Union soviétique en viennent à un accord de principe sur le deuxième traité de limitation des armements nucléaires (SALT).

1978 — Le corps transpercé de balles de l'ex-premier ministre Aldo Moro, d'Italie, est retrouvé à Rome, dans le coffre d'une voiture, 54 jours après son enlèvement par les Brigades rouges.

1975 — La FTQ résiste à la tutelle imposée par le gouvernement dans le sillage du rapport de la commission Cliche.

1974 — Pour la deuxième fois de l'histoire, le Congrès américain commence des audiences afin d'évaluer l'opportunité de porter des accusations (« impeachment ») contre le président du pays, richard Mulhous Nixon.

1973 — LA PRESSE révèle que le parc Viau sera utilisé pour la construction du village olympique.

1966 — La Chine communiste fait éclater sa troisième bombe nucléaire.

1961 — L'Union nationale veut faire jeter René Lévesque en prison pour outrage à la commission Salvas, à cause de propos tenus par le ministre.

1957 — Connie Smythe cède la direction des Maple Leafs de Toronto à un comité présidé par son fils Stafford. — Les As de Québec gagnent le trophée Edimbourg.

1947 — Manifestation monstre à Hambourg pour exiger la distribution des réserves de vivres aux affamés.

1946 — Le gouvernement américain nationalise les chemins de fer pour prévenir le pire, devant la gravité de la grève du charbon.

1942 — Les alliés gagnent la bataille de la mer de Corail.

1936 — L'Italie annexe l'Ethiopie.

La fête des Mères n'a pas toujours été une fête commerciale

La fête des Mères, soulignée avec plus ou moins d'éclat le deuxième dimanche de mai, n'a pas toujours fait partie de nos moeurs. Elle a été célébrée officiellement pour la première fois en 1914, aux États-Unis, et d'autres pays, dont le Canada, ont peu après emboîté le pas.

Le besoin de rendre hommage à nos mères existe toutefois depuis toujours. Les Romains et les Grecs, par exemple, exprimaient leur reconnaissance en organisant des festivals au printemps.

En Angleterre, au 17e siècle, tous ceux qui travaillaient loin de leur ville natale (les serviteurs, notamment) avaient droit à un congé pour aller voir leur mère et leur apporter un gâteau « des mères ».

Malgré ces traditions, l'institution d'une journée spéciale pour les mères n'a pas été chose facile.

Le siècle dernier, pendant la guerre civile américaine, l'auteur du livre *Battle Hymn of the Republic*, Julia Ward Howe, a essayé de persuader le gouvernement de transformer la fête du 4 juillet en une fête des Mères et une journée pour la paix. Sans succès.

Peu de temps après, en 1868, Anna Jarvis a organisé une journée des mères à Grafton, en Virginie-Occidentale, pour réunir les familles divisées par la guerre. Mais son projet n'est pas allé plus loin.

Le 10 mai 1908, par contre, trois ans après son décès, sa fille, Anna M. Jarvis, a aidé à mettre sur pied à Grafton la première célébration de la fête des Mères, dans le cadre d'une cérémonie religieuse.

En 1914, le Congrès américain a reconnu officiellement la fête, qui a été fixée au deuxième dimanche de mai. Le Canada a adopté l'idée peu après. (**Texte publié le 9 mai 1988.**)

Le village de Cabano ravagé par un incendie

*NDLR — Cette nouvelle vous est proposée exactement de la même façon qu'elle l'avait été aux lecteurs de LA PRESSE, le jour de la conflagration, le **9 mai 1950**. On remarquera qu'on ajoutait d'heure en heure, en style presque télégraphique, des éléments de plus en plus inquiétants. Et il faudra attendre au lendemain pour avoir un texte de synthèse mieux construit. C'était évidemment avant l'avènement de la télévision...*

LES hon. Antoine Rivard, solliciteur général, et J.D. Bégin, ministre provincial de la colonisation, prennent toutes les mesures de secours pour Cabano. L'hon. Brooke Claxton, ministre de la défense nationale, a annoncé à la Chambre des communes que l'armée sera envoyée au secours du village incendié.

Rivière-du-Loup, 9 (D.N.C.) — La situation de Cabano s'aggrave d'heure en heure. Les Chemins de fer nationaux y ont envoyé des trains spéciaux de la Rivière-du-Loup et d'Edmunston. Des pompiers de ces deux villes, ainsi que de la Rivière-Bleue, sont allés au secours.

Rivière-du-Loup, 9 (P.C.) — L'incendie de Cabano gagne sans cesse du terrain. Il s'est déclaré vers 10 h. ce matin. A 2 h. 45 cet après-midi, il avait détruit 150 habitations ou bâtisses plus considérables, parmi lesquels 3 hôtels, et s'attaquait au couvent du village. L'incendie aurait été allumé par une étincelle de l'incinérateur de la scierie Pelletier, 100 pompiers de diverses municipalités de Québec, Nouveau-Brunswick et Maine sont venus se joindre aux villageois et aux volontaires des paroisses voisines pour combattre l'incendie.

Rivière-du-Loup, 9 (P.C.) — M. Emilien Morin, maire du village de Cabano, à 50 milles au sud de Rimouski, a aujourd'hui ordonné à toute la population de ce village de quitter les lieux, devant l'incendie qui fait rage. M. Morin demande aussi l'aide de l'armée canadienne et de la Croix-Rouge.

MM. Luc Simard et René Viel, du poste de radio CJFP de la Rivière-du-Loup, se sont rendus à Cabano. Ils sont munis de postes émetteurs.

Le village compte environ 3,000 habitants (d'après le «Canada ecclésiastique», la paroisse de Cabano en compte 3,212). Il est situé près de la frontière du Nouveau-Brunswick. Rivière-du-Loup, Notre-Dame du Lac, Madawaska, Squatteck, Edmonston, tous des endroits près de la voie ferrée du Témiscouata, ont envoyé des hommes combattre l'incendie.

Selon les témoins, les rues Saint-Georges et Saint-Philippe sont détruites, ainsi que la moitié de la rue Désy, la moitié de la rue Principale, sur la grande route de la Rivière-du-Loup à Edmonston. La voie ferrée est restée intacte.

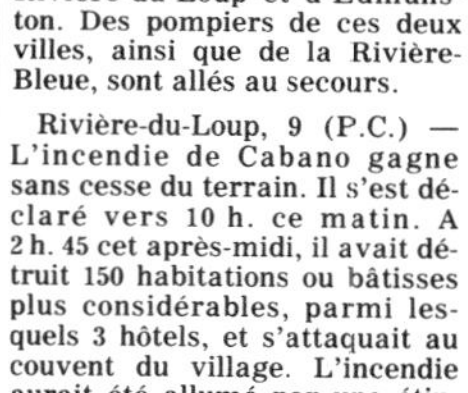

Les rapports de l'élection de Dundee donnent le résultat suivant: Baxter, unioniste, 4,370 voix; Churchill, libéral, 7,079; Stuart, parti du travail, 4,014; Scrimgeour, prohibitionniste, 655. Le très honorable Winston Churchill *(il était président du Board of Trade au sein du cabinet britannique, selon la dépêche)* est donc élu par une majorité de 2,709 voix sur le candidat unioniste. *Cela se passait le 9 mai 1908.*

Moscou boycotte les jeux de Los Angeles

L'Union soviétique ne participera pas aux 23e Jeux olympiques d'été, qui doivent s'ouvrir le 28 juillet à Los Angeles.

Cette décision, annoncée par l'agence Tass, fait suite, a-t-on précisé, à une réunion plénière du Comité national olympique de l'URSS, lors de laquelle la non-participation a été votée à l'unanimité des membres du CNO et des dirigeants des 29 fédérations soviétiques des sports olympiques.

Agir différemment, souligne le communiqué, eut été approuver les agissements anti-olympiques des autorités américaines et des organisateurs des Jeux.

Le Comité soviétique met notamment en cause l'attitude « cavalière » de Washington à l'endroit de la Charte olympique, et son « grossier mépris » des idéaux et des traditions du mouvement olympique.

Depuis quatre ans, le mouvement olympique craignait une telle réaction des dirigeants soviétiques, en guise de représailles pour le boycottage des JO de Moscou décrété par le président Carter, en 1980, pour protester contre l'invasion de l'Afghanistan par l'URSS.

Cette attitude des autorités soviétiques, si elle ressemble singulièrement à une réplique du boycottage américain de 1980, présente toutefois avec lui des différences importantes : Jimmy Carter avait utilisé cette arme pour protester contre l'ingérence de Moscou en Afghanistan, mais les Soviétiques demeurent cette fois beaucoup plus flous, et même si tous les observateurs pourront voir dans cette décision une conséquence des mauvaises relations entretenues par les deux pays depuis le déploiement des missiles américains en Europe, on ne prononce pas à Moscou le mot boycottage, mais seulement celui de non-participation. (**Texte publié le 9 mai 1984.**)

Des jeunes tentent de voler un avion de ligne

Une catastrophe aérienne aurait pu se produire quand deux jeunes délinquants de 15 et 16 ans sont montés à bord de deux gros porteurs garés sur des pistes de l'aéroport de Mirabel, avec l'intention bien arrêtée de partir avec l'un ou l'autre des avions.

Profitant de l'obscurité, les deux adolescents, évadés d'un centre de détention de Rawdon, ont déjoué la sécurité et ont escaladé une haute clôture de broche pour atteindre les pistes d'atterrissage.

Vers 1 h, les intrus sont montés à bord d'un Boeing de Royal Air Maroc et ont pénétré dans la cabine de pilotage. Durant de longues minutes, ils ont joué avec les boutons du poste de commande dans le but de faire démarrer les moteurs.

Incapables d'arriver à leurs fins, ils sont descendus de l'appareil et, après avoir fait quelques pas sur la piste, ils sont montés, vers 3 h 45, dans un Lockeed 1011 d'Air Transat.

Ils ont encore pris place dans la cabine de pilotage et ils se sont amusés avec les commandes, toujours dans le but de faire démarrer l'avion.

Finalement, la Gendarmerie royale du Canada a été avisée par des employés qui avaient vu les jeunes. Ils ont été trouvés cachés dans une toilette de l'appareil.

La police municipale de Mirabel a été mandée à l'aéroport et elle s'est vu remettre les deux délinquants qui avaient commis pour 10 000 $ d'actes de vandalisme dans les deux avions.

Aux policiers, l'un des jeunes a mentionné qu'il voulait réellement s'envoler avec l'un de ces appareils et qu'il avait bien pris soin de lire un manuel de pilotage avant de commencer à activer les boutons de mise en marche. (**Texte publié le 9 mai 1995.**)

«Je viens sauver l'humanité», déclare Rudolf Hess en atterrissant en Écosse

Première défection dans les rangs du parti nazi depuis l'arrivée d'Hitler au pouvoir. — Son avion mitraillé. — L'évasion peut changer tout le cours de la guerre.

Cet article a trait à l'atterrissage en parachute de Rudolf Hess, en terre écossaise, le 10 mai 1941.

LONDRES — En atterrissant en parachute sur une ferme écossaise, Rudolf Hess s'est écrié: «Je viens sauver l'humanité», mandent des milieux britanniques bien renseignés en expliquant qu'en toute probabilité le nazi numéro 3 s'est brouillé avec Hitler parce qu'il croyait que le fuehrer est à la veille de jeter l'Allemagne dans les bras de la Russie communiste.

Rudolf Hess

Certains milieux sont d'avis que la haine de Hess à l'endroit du régime communiste et sa croyance qu'Hitler a lancé l'Allemagne dans la voie d'une collaboration plus étroite avec la Russie peuvent peut-être expliquer la fuite sensationnelle de Hess vers la Grande-Bretagne.

Le premier ministre, qui semble avoir pris l'affaire en mains, s'est rendu au palais Buckingham pour y être reçu en audience par le roi, probablement au sujet de Hess.

On révèle que Hess donne tous les indices d'un homme qui a été assujetti à une forte tension nerveuse depuis des mois, tension qui résulterait du fait qu'Hitler viole ouvertement le crédo nazi en frayant avec le communisme, religion que les nazis se sont donné pour mission de détruire.

Événement qui peut changer le cours de la guerre

LONDRES — Rudolf Hess, sans doute porteur de secrets nazis, a déserté les rangs de la hiérarchie hitlérienne pour précipiter un développement qui pourrait modifier tout le cours de la guerre, ont déclaré les fonctionnaires britanniques.

Ecartant, pour le moment du moins, toutes les rumeurs greffées à ce chapitre sensationnel du gigantesque conflit, ils ont surtout insisté sur le fait que Hess est venu en Grande-Bretagne en pleine possession de ses facultés mentales.

Il ont déclaré qu'il était venu sans mission spéciale et que la Grande-Bretagne héritait de grandes possibilités.

Pour un homme qui, aux dires des Allemands, était obsédé par toutes sortes de visions hallucinatoires, Hess a certainement réussi un exploit digne d'éloge en parvenant à atterrir en Grande-Bretagne.

Le ministre des Renseignements, Alfred Duff Cooper, a déclaré à un déjeuner que l'arrivée de Hess en Angleterre confirme le premier grave désaccord survenu dans le parti nazi depuis qu'Hitler a assassiné un grand nombre de ses partisans le 10 juin 1934.

Dans cette purge, Hess avait exécuté fidèlement les ordres d'Hitler. Il devint par la suite le représentant personnel d'Hitler dans l'administration du parti, et ministre sans portefeuille dans le conseil suprême du fuehrer.

Le ministre de l'Information a déclaré que Hess est ostensiblement en possession de ses facultés puisqu'il a préféré quitter son malheureux et misérable pays pour s'envoler au prix de grands risques vers ce qui est encore la terre de la liberté.

L'Allemagne court à un désastre

Londres — Rudolf Hess n'était pas porteur de propositions de paix formulées par des Nazis réfractaires mais s'est enfui de l'Allemagne pour assurer sa propre sûreté, fait-on savoir dans les milieux autorisés de Londres.

Dans un milieu particulièrement bien renseigné on a affirmé que les déclarations de Hess indiquaient que ce dernier avait subi un sursaut de conscience, s'était convaincu du fait que l'Allemagne s'achemine vers le désastre et qu'il était désireux de se désassocier de la présente politique allemande dans le but d'échapper aux responsabilités qu'elle comporte.

«Il croit qu'il a été induit en erreur et parle comme un homme à la conscience coupable, a-t-on dit. Si cette fuite signifie quelque chose, c'est sûrement que le coeur de l'Allemagne est pourri.»

On a clairement indiqué que le lieu de séjour du prisonnier serait tenu secret et que seuls les chefs du gouvernement pourraient communiquer avec lui.

Exécution du sinistre assassin John Gacy

John Wayne Gacy, 52 ans, condamné en 1980 à la peine capitale pour le meurtre de 33 jeunes hommes, a attendu pendant quatorze ans son exécution. Il a reçu ce matin (le 10 mai 1994) à 00 h 01 locale une injection mortelle à la prison de Joliet, à une centaine de kilomètres de Chicago.

L'annonce de son exécution a suscité la passion des médias américains et soulevé un débat sur la déontologie médicale.

Les corps de 27 des 33 victimes attribuées à Gacy avaient été découverts dans sa cave, certains portant les marques de sévices sexuels. Gacy a toujours prétendu être innocent de ces assassinats perpétrés entre 1972 et 1978.

À la fois fascinée et révulsée par Gacy, la presse américaine a multiplié les reportages et les interviews des jurés ayant prononcé la condamnation à mort.

Le procureur qui l'a requise a déclaré à la chaîne CNN «que voir mourir Gacy constituera un privilège». Des parents de victimes ont également exigé d'assister au supplice.

LA CHASSE À LA BALEINE RAPPORTE.....

Comment les Norvégiens perfectionnèrent cette industrie et comment ils parvinrent à la monopoliser. — Les débuts, les développements et les progrès de cette chasse. — Comment se répartissent les captures dans les différents pays européens. — La chair et l'huile de ces cétacés. — Autour d'un grand congrès. — Vastes usines flottantes.

Cette page consacrée à la chasse à la baleine originalement publiée dans l'édition du 10 mai 1930, était accompagnée de la légende suivante : No 1 — La vigie d'un baleinier installée dans un «nid de corbeau», au sommet du mat. No 2 — Jeunes baleines échouées. No 3 — A cheval sur des baleines. No 4 — Multitude d'oiseaux autour d'une baleine morte. No 5 — Oiseaux de mer s'abattant sur une baleine capturée. No 6 — Le harpon prêt à être lancé. No 7 — Des baleines qui viennent d'être capturées sont remorquées à l'usine. No 8 — Préparation du lance-harpon. No 9 — Un fanion rouge est planté sur la baleine à l'intention du bateau qui viendra la prendre en remorque. No 10 — Le treuil à vapeur halant la baleine harponnée. No 11 — Le harpon tordu par la force de la baleine. No 12 — En promenade sur une baleine. No 13 — Un cachalot capturé. No 14 — On découpe la nageoire d'une baleine. No 15 — La tête d'une baleine dépecée.

C'EST ARRIVÉ UN 10 MAI

1999 — Reconnue coupable de vol à l'étalage — un verdict assorti d'une amende de 235 $ — Lorraine Pagé, la première femme à la tête d'une centrale syndicale au Québec, quitte la présidence de la Centrale de l'enseignement du Québec.

1994 — Nelson Mandela, premier Noir à être investi à la présidence dans une Afrique du Sud désormais dotée d'une constitution non raciale, a prêté serment aujourd'hui à 12 h 17 locales à Pretoria, face aux représentants de 160 pays, à des dizaines de milliers de Sud-Africains en délire et aux caméras du monde entier.

1981 — Le socialiste François Mitterrand remporte les élections présidentielles aux dépens du président sortant, Valéry Giscard d'Estaing, en France.

1977 — L'explosion d'un obus fait deux morts et 11 blessés parmi les militaires de la base de Valcartier, près de Québec. — Décès à 69 ans de l'actrice américaine Joan Crawford.

1973 — Le Canadien mérite la coupe Stanley pour la 18e fois de son histoire.

1961 — Un avion d'Air France s'écrase dans le Sahara. On dénombre 78 morts, dont des ministres du Tchad et de la République centrafricaine.

1952 — La 8e armée américaine annonce la libération du général Francis Dodd, tenu en otage depuis trois jours par les prisonniers de guerre communistes emprisonnés dans l'île de Kojé, Corée du Sud.

1950 — La grève de quelque 18 000 chauffeurs de locomotives paralyse le transport ferroviaire aux États-Unis.

1948 — Le président Truman saisit les chemins de fer américains et ordonne aux cheminots de ne pas déclencher la grève.

1940 — Les Nazis envahissent la Belgique, la Hollande et le Luxembourg. — Démission du premier ministre Neville Chamberlain de Grande-Bretagne. Winston Churchill lui succède.

1903 — Tout juste trois ans après la terrible conflagration qui détruisit Hull et une partie d'Ottawa, le 30 avril 1900, Ottawa est le théâtre d'un autre incendie majeur qui jette 600 familles sur le pavé.

La construction d'ascenseurs au Mont-Royal

Un projet qui est des plus pratiques

DEPUIS la disparition du funiculaire, on ne peut atteindre le sommet de la montagne qu'en faisant le trajet à pied ou bien en voiture. Il faut noter, de plus, que les automobiles sont exclues du parc; seules des voitures tirées par des chevaux y ont accès. Le piéton peut gravir le Mont-Royal en suivant les routes abruptes ou encore, il peut l'escalader en montant les longues séries d'escaliers, moyen fort pénible d'arriver en haut de la montagne. Pour nos familles ouvrières, qui ne peuvent se payer le luxe d'une voiture, ce parc, l'un des plus beaux de la région, est devenu inaccessible.

Il est donc du devoir de nos administrateurs municipaux d'adopter des mesures qui permettront à notre population d'avoir un accès plus facile au parc Mont-Royal.

Le funiculaire a dû être démoli parce qu'il n'offrait pas toute la sécurité voulue. L'ancienne commission administrative a fait disparaître le chemin de fer incliné de la montagne, il y a déjà plusieurs années. Depuis ce temps, le parc Mont-Royal, qui était fréquenté par des foules considérables, devient de plus en plus un lieu désert. Le public,

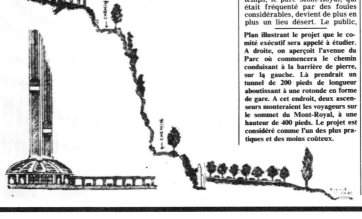

Plan illustrant le projet que le comité exécutif sera appelé à étudier. A droite, on aperçoit l'avenue du Parc où commencera le chemin conduisant à la barrière de pierre, sur la gauche. Là prendrait un tunnel de 200 pieds de longueur aboutissant à une rotonde en forme de gare. A cet endroit, deux ascenseurs monteraient les voyageurs sur le sommet du Mont-Royal à une hauteur de 400 pieds. Le projet est considéré comme l'un des plus pratiques et des moins coûteux.

par suite du manque de moyens faciles de transport, se voit privé d'un endroit où il pouvait, pendant les beaux jours de l'été, puiser l'air pur du parc.

Un projet a été adopté par les présents administrateurs municipaux, pour améliorer la situation. En effet, il a été décidé de construire une ligne de tramway sur le chemin Shakespeare, qui desservira particulièrement l'ouest de la métropole, la nouvelle voie devant être établie sur le versant nord-ouest du Mont-Royal. Cette amélioration est jugée cependant insuffisante, et nos échevins ont le devoir d'aller plus loin, et de faire l'étude d'un autre moyen de transport pour desservir la partie est de la ville.

Des ingénieurs compétents ont soumis à la construction d'ascenseurs à l'endroit où se trouvait l'ancien funiculaire, formerait un projet des plus pratiques et des moins coûteux. Deux ascenseurs monteraient les citoyens sur la cime du Mont-Royal, soit à quatre cents pieds. Le projet comporte le creusage d'un tunnel de deux cents pieds de longueur, dont l'entrée serait du côté de l'avenue du Parc, et aboutirait à une rotonde en forme de gare, c'est-à-dire au pied du puits d'ascenseur. (...)

Cela se passait le 10 mai 1922.

LE CLOU DE L'EXPOSITION DE 1900 A PARIS

LE POLE NORD
AMUSEMENTS DE TOUS LES PAYS
FUMOIRS DE TOUTES LES NATIONS
RESTAURANT INTERNATIONAL
RÉGION DES MINES
LE FOND DE L'OCEAN
SOURCES THERMALES
RESTAURANT DE L'EQUATEUR AVEC LES FRUITS DES TROPIQUES

CONSTRUCTION D'UN PUITS D'UN MILLE DE PROFONDEUR

LE clou de l'Exposition de 1900 à Paris, — si tant est qu'on puisse donner ce nom à une excavation — sera le puits dont M. Paschal Grousset a fait accepter le plan par le comité exécutif.

De même qu'il y a fagot et fagot, il y a puits et puits. Celui dont il est question ici n'a pas pour objet de fournir de l'eau, mais bien de permettre aux curieux de descendre sous la croûte terrestre, à des profondeurs qui n'ont jamais été atteintes jusqu'à ce jour.

Il suffit d'un coup d'oeil sur la vignette ci-dessus pour goûter par anticipation l'attrait qu'offriront les excursions de Grousset. Mais cet attrait grandira encore aux yeux du lecteur quand il saura que des millions vont être dépensés dans cette excavation, à simple fin de donner au visiteur des leçons de choses qui le charmeront et l'instruiront à la fois.

Comme on le sait peut-être, les mines les plus profondes n'ont pas pas trois quarts de mille, alors que le puits de Grousset aura plus d'un mille de profondeur. Pour qui sait que dans les excavations, à partir de 60 pieds la chaleur augmente à mesure qu'on descend au taux d'un degré par 75 pieds, il est facile de calculer la température qu'il fera au fond du puits et non moins facile de comprendre ce qu'une pareille chaleur facilitera l'ornementation des galeries souterraines au moyen de plantes qu'on ne voit fleurir en pleine terre que sous le soleil des tropiques. (...)

Ajoutons qu'outre son attrait momentané pour le visiteur, le puits de Grousset offrira aux savants le moyen de résoudre, à l'aide de sondages poussés à des milliers de pieds plus bas, le problème du feu central.

NAVIRE MARCHAND TORPILLE DANS LE SAINT-LAURENT

Le sous-marin a coulé le navire à quelques milles seulement des rives du bas du fleuve. — Deux torpilles ont été tirées. — Le cargo a répliqué.

D'UN port du Saint-Laurent —P.C. — On a rapporté à la Presse Canadienne que près de la moitié de plus de quelque 80 survivants d'un navire torpillé, il y a deux jours dans le Saint-Laurent proviennent d'un autre vaisseau que celui coulé par le premier sous-marin ennemi qui ait jamais envahi les eaux du fleuve.

Des rapports de diverses sources ont indiqué que 87 ou 88 survivants du navire dont le ministre de la Marine, l'hon. Angus Macdonald, a annoncé à Ottawa le torpillage, ont atteint le rivage. Quarante et un des survivants auraient fait partie de l'équipage du cargo dont le torpillage dans le Saint-Laurent a été annoncé par le ministre de la Marine. Les autres se trouvaient à bord du même navire, mais provenaient d'un autre vaisseau.

Il a été impossible d'obtenir des renseignements sur ce qui est arrivé au deuxième navire. D'une source digne de foi, en un endroit le long du Saint-Laurent, tout ce qu'on a pu dire c'est que «certains des survivants venaient d'un autre navire que celui dont on a annoncé hier le coulage». On croit possible que ces survivants aient été recueillis ailleurs que dans le Saint-Laurent.

Disparition de deux hommes

Un correspondant de la Presse Canadienne, posté en un endroit le long du Saint-Laurent, a rapporté avoir appris de l'un des survivants que deux marins manquent à l'appel à la suite du torpillage annoncé par le ministre de la Marine.

Cet homme aurait déclaré que les deux hommes dormaient dans leurs quartiers près de l'avant du navire. On croit qu'ils ont été blessés par la première de deux torpilles, qui ont atteint le vaisseau. La première torpille a touché l'avant, et la seconde, lancée par le sous-marin en surface, est venue frapper le navire en plein centre.

Lorsqu'il remonta en surface, le sous-marin aurait dirigé son projecteur en direction du navire déjà touché. C'est alors qu'il lui décocha une seconde torpille.

On a entendu la canonnade

Les habitants de la côte ont entendu de la canonnade, ce qui indiquerait que le sous-marin a tiré des obus sur le navire ou que ce dernier a canonné son agresseur. On n'a pas pu obtenir immédiatement de rapports sur le nombre d'obus lancés, s'il y a réellement eu canonnade.

Antérieurement, une censure rigide des nouvelles d'un village de pêche des environs, où certains des survivants se reposent, a empêché la confirmation de rapports relatifs à certaines pertes de vie.

(Du correspondant de la PRESSE)

D'un port sur le fleuve, 13 — Les rescapés d'un cargo torpillé dans le fleuve Saint-Laurent sont en ce moment hébergés dans différentes localités du bas du fleuve, et se remettent des heures tragiques qu'ils viennent de vivre. Quelques-uns d'entre eux ont été blessés, mais non grièvement. La plupart ont regagné la côte dans des chaloupes de sauvetage et en vêtements de nuit. Ils ont vogué à la dérive sur une mer calme jusqu'au matin avant d'atteindre la côte.

Du témoignage d'un des officiers de bord, il était 11 h. 50, lundi soir **(11 mai 1942)**, quand le cargo, qui naviguait à quelques mille de la côte, fut frappé à l'avant par une torpille. Quelques minutes plus tard, un immense sous-marin émergeait à quelques arpents du cargo et l'éclairait d'un puissant projecteur. Presque aussitôt le sous-marin lançait une seconde torpille qui frappa le cargo en plein centre et l'équipage eut juste le temps de sauter dans deux chaloupes de sauvetage avant que le navire coulât.

Le torpillage du cargo a réveillé les gens de la côte sur une distance de deux milles. La terre a tremblé légèrement et plusieurs habitants de la côte sont sortis de leur demeure. Ils virent disparaître les lumières d'un navire dans l'eau. Au matin, les chaloupes de sauvetage atteignirent la rive et les rescapés trouvèrent refuge dans des familles de la côte. La plupart étaient à demi-vêtus. Toutes les chaloupes de sauvetage n'ont pas atterri au même endroit et on rapporte même que l'une d'elle n'était occupée que par une femme et un bébé.

La censure de guerre alors en vigueur empêchait les journalistes de publier les noms des témoins, les villes et villages où les rescapés vivaient, voire le nom du navire, ce qui explique le peu de renseignements contenus dans cette nouvelle, d'ailleurs publiée avec 24 heures de retard. Le 15 mai, donc quatre jours après le torpillage, le ministre Macdonald confirmait qu'en fait deux navires avaient été coulés sensiblement au même endroit et au même moment (ce qui expliquerait la présence de rescapés à bord du navire dont il est fait état dans cette nouvelle), et qu'à l'avenir, il garderait un silence complet sur tout incident du genre de manière à ne pas informer l'ennemi. Quant à la présence d'un sous-marin dans les eaux du Saint-Laurent, on l'expliqua par la possibilité de bases allemandes à proximité du fleuve. Or, on sait qu'il y a quelques années à peine, on faisait la découverte d'une base allemande désaffectée sur les rives du Labrador...

Cette photo montre un groupe de rescapés du navire coulé. Autour du commandant en second dont le nom n'a pas été révélé, on pouvait apercevoir de gauche à droite les marins H.A.A. Overzier, O. Nuzink, M. Kak et le lieutenant A. Ammerung.

Anne des pignons verts traduit en 36 langues

Il y a 117 ans, naquit à Clifton Corner, dans une maisonnette de bois à deux étages dominant le port de New London, une petite fille. Tous les parents font de beaux rêves pour leurs enfants, mais les parents de cette fillette n'avaient sans doute pas imaginé la renommée littéraire mondiale que connaîtrait Lucy Maud Montgomery.

Le roman écrit par Mme Montgomery, *Anne of Green Gables* (*Anne des pignons verts*), premier d'une série de récits racontant la vie d'une jeune orpheline à cheveux roux, a été traduit en 36 langues et s'est vendu à plusieurs millions d'exemplaires. L'histoire commence à l'endroit où est née l'auteur, à environ 40 kilomètres au nord-ouest de Charlottetown. Mme Montgomery écrivit dans son journal, le 22 janvier 1911 : « La maison dans laquelle Anne est née est inspirée de la petite habitation de Clifton où je vis moi-même le jour. » (**Texte publié le 11 mai 1991.**)

LE BLOCUS DE BERLIN N'EXISTE PLUS

Avance de 15 heures. — Berlin en fête. — Des trains, des camions, des autos, des charettes attendent le coup de minuit.

BERLIN — Le blocus de Berlin s'est effrité aujourd'hui **(11 mai 1949)** et les Russes ont autorisé un groupe d'administrateurs ferroviaires allemands à passer en Allemagne occidentale, 15 heures avant le moment fixé pour mettre fin à la suprême et inefficace manoeuvre soviétique dans la guerre froide.

Un wagon automoteur, c'est-à-dire une locomotive Diesel avec section pour voyageurs, a traversé la frontière de l'est et de l'ouest à Helmdstedt, transportant 30 fonctionnaires allemands en zone britannique, tandis que des trains alliés, des camions, des autos, des charettes attendaient alignés le coup de minuit pour s'élancer vers Berlin.

Le premier train venant de l'autre direction, de l'ouest en est, arriva quelques minutes plus tard à Helmstedt. Chargé de représentants de la presse et de la radio ainsi que de photographes appartenant à neuf nations, ce convoi fut conduit à une voie d'évitement car il ne doit entrer en zone russe qu'à 2 h. demain matin, soit deux heures après la levée formelle du blocus.

Seize trains de charbon et de provisions sont prêts à partir dès la levée du blocus, une minute après minuit ce soir (6 h. cet après-midi, heure avancée de l'est). Dix convois de charbon attendent à Brunswick et six de vivres stationnent à Hanovre; ils soulageront de son fardeau le gigantesque ravitaillement aérien anglo-américain qui a sustenté 2,500,000 Berlinois depuis 327 jours.

Berlin, pour sa part, se prépare à l'une des plus grandes célébrations de son histoire pour marquer la fin du blocus. Les Allemands appellent ce jour «celui de leur «V.E.» (Victoire en Europe). Ils ont fermé les écoles et les magasins, ouvert les tavernes et hissé le grand pavois.

Moscou dessine des colombes de paix

Les Russes, opérant un brusque revirement depuis le temps où la guerre froide menaçait de tourner en conflit armé, ont peinturé des colombes de la paix sur les premières locomotives qui tireront des trains de marchandises de l'est vers l'ouest. (...)

Il est évident que le général Lucius D. Clay a l'intention de continuer le ravitaillement aérien, tant que les trains d'approvisionnements n'auront pas afflué dans l'ancienne capitale allemande. Il est question de constituer une réserve de 200,000 tonnes de vivres et combustible. Hier, le «pont aérien» a annoncé sa deuxième meilleure journée avec un transport de 9,157 tonnes en 1,019 envolées durant les 24 heures terminées à midi. (...)

Téléglobe va tisser une toile de 7,3 milliards

Pour rester un des maîtres d'un univers où de plus en plus d'informations doivent voyager de plus en plus vite, Téléglobe se dotera du nec plus ultra des réseaux de télécommunications au coût de 7,3 milliards.

Baptisé GlobeSystem, ce système reliera directement 160 métropoles sur cinq continents. Montréal, Toronto et Vancouver en font partie.

Téléglobe raccorde déjà 240 pays et territoires avec ses 110 câbles sous-marins et ses satellites, ce qui en fait la troisième toile la plus étendue après celles des sociétés américaines AT&T et MCI/WorldCom.

Cette entreprise de Montréal ne répond toutefois plus à la demande, qui explose avec l'Internet. C'est particulièrement vrai du côté de l'Atlantique, où le trafic entre l'Europe et l'Amérique provoque des engorgements et limite la croissance.

Le nouveau réseau sera donc plus étendu. Et surtout 180 fois plus puissant que le réseau actuel de Téléglobe, qui sert la moitié des 1000 compagnies de téléphone de la planète, des fournisseurs d'accès Internet, des multinationales et des télédiffuseurs comme Radio-Canada et CNN.

GlobeSystem promet d'intégrer en un seul réseau tous les types de trafic: voix, images et données. (**Texte publié le 11 mai 1999**)

C'EST ARRIVÉ UN 11 MAI

1981 — Le nouveau président François Mitterand confie à Pierre Mauroy la responsabilité de former un gouvernement socialiste.

1973 — Dans l'affaire des document du Pentagone, le juge Byrne fustige le gouvernement, puis libère les accusés Ellsberg et Russo. La Maison Blanche décide de mettre fin aux poursuites.

1970 — Une tornade fait 26 morts et 302 blessés au Texas.

1967 — Le satellite américain *Lunar Orbiter IV* transmet sa première photo de la surface de la Lune.

1966 — Lors d'un discours prononcé à New York, le premier ministre Lester B. Pearson propose qu'on mette fin à l'isolement de la Chine communiste.

1963 — Après deux jours d'entretiens avec le président John F. Kennedy, le premier ministre Pearson s'engage à acquérir des ogives nucléaires américaines, précédemment refusées par son prédécesseur, John Diefenbaker.

1960 — Le luxueux paquebot français de 55 000 tonneaux, le *France* a été lancé dans l'estuaire de la Loire, à St-Nazaire, en France. Le navire de la Compagnie générale transatlantique, construit au coût de 72 000 000 $, mesure 1 034 pieds et a une vitesse maximale de 31 noeuds.

1960 — Le sous-marin atomique américain *Triton* complète un tour du monde en 84 jours, après avoir suivi sensiblement la route de Magellan. Au cours du voyage, le *Triton* n'a fait surface que deux fois.

1955 — La collision d'un cargo avec un traversier fait 76 morts et 75 disparus, au Japon.

1951 — Six chefs communistes philippins sont condamnés à la peine capitale.

1949 — L'État d'Israël obtient un siège aux Nations-Unies par un vote de 37 à 12.

1939 — Une explosion dans un élévateur à grain de Chicago fait huit morts.

1921 — Arrivée à New York de Mme Marie Curie, qui participa à la découverte du radium.

1905 — Un désastreux cyclone fait 400 morts et détruit une bonne partie de la ville d'Oklahoma City.

1903 — La grève est réglée dans le port de Montréal; les débardeurs reprennent le travail.

Pour Montréal et le maire Drapeau, la victoire de l'idéal olympique!

AMSTERDAM — La victoire de l'idéal olympique! La réponse à l'appel pour que les Jeux olympiques s'éloignent du gigantesque pour revenir à des dimensions plus modestes! L'espoir à toutes ces villes qui espéraient organiser les Jeux, mais qui n'osaient pas en faire la demande, parce que l'impression s'était répandue qu'ils étaient l'exclusivité des super-grandes capitales! L'encouragement à tous ces pays qui, Jeux après Jeux, n'ont cessé d'y envoyer des équipes, de persévérer dans leurs efforts, car un jour viendra alors qu'ils seront diffusés sur notre territoire. La preuve que la politique et la finance ne sont pas, comme trop de gens le concluaient, les seuls facteurs déterminants dans le choix des villes pour les Jeux.

Le triomphe de Montréal, hier **(12 mai 1970)**, à Amsterdam, c'est tout cela. C'est aussi le succès personnel du maire Jean Drapeau, ses efforts inlassables depuis sa première demande à Rome, en 1966, pour les Jeux de 1972, son plaidoyer qualifié d'émotionnel, d'humain, d'idéal, par quelques-uns de ceux qui l'ont entendu devant les membres du Comité international olympique, dimanche dernier; sa personnalité, son dynamisme, sa confiance communicative, pour répéter ici des expressions entendues mille et une fois, depuis notre arrivée à Amsterdam.

Le résultat de ce vote, c'est aussi la suite logique du succès d'Expo 67, cet événement extraordinaire qui a tant fait pour donner à Montréal la réputation d'une ville accueillante, amie de tous. (...)

La décision *(celle du CIO)* d'hier va être considérée comme une surprise incroyable dans la plupart des milieux européens, si les multiples confrères du continent rencontrés depuis quelque temps, reflétaient l'opinion générale. Car presque tous estimaient que le CIO allait voter en faveur de Moscou, pour raison politique, alors que les quelques autres disaient que la finance allait dicter la sélection de Los Angeles. Si l'une ou l'autre avait été choisie, c'est ce qui aurait sans doute été répété, malgré le fait qu'il faut reconnaître que les deux candidatures étaient parfaitement très valable. Du reste, c'est ce que le vétéran président, Avery Brundage, a tenu à souligner avant d'annoncer le choix de Montréal. (...)

Des heures après le résultat du vote, les gens se rappelaient certains détails qui, avouaient-ils, auraient pu laisser augurer la bonne nouvelle à venir. Avant la cérémonie officielle d'ouverture, l'orchestre avait commencé à un certain moment «Alouette», puis avait joué l'hymne national du Canada, qui avait amené un petit groupe de spectateurs à se lever en reconnaissant leur chant national. Puis au cours d'un film silencieux alors que l'on montrait un avion KLM dans les airs, quelques mots, les seuls de toute la production, pour laisser savoir qu'ils venaient de Montréal. (...)

La nouvelle du résultat du vote par Brundage a déclenché tout d'abord une vague d'acclamation de la part des Canadiens dans cette salle de théâtre, puis une course précipitée vers le maire Drapeau, qui occupait un siège du côté droit de la salle. Mais celui-ci a réussi à faire comprendre qu'il désirait monter sur la scène pour adresser la parole. Il a dit se réjouir de cette victoire pour sa ville, sa province, son pays. Il a rappelé que le Canada avait toujours servi loyalement la cause de l'Olympisme depuis les deuxièmes Jeux. Toujours, il avait vu à envoyer des athlètes, des équipes, et qu'aujourd'hui, il a la joie d'apprendre que les Jeux auront enfin lieu sur son territoire, en 1976. (...)

Ces extraits du texte dithyrambique de notre distingué confrère d'alors traduisent bien l'euphorie qui régnait chez les dizaines de Montréalais présents au moment du choix des villes de Montréal et de Denver pour les Jeux d'été et d'hiver de 1976.

Cette euphorie, si bien traduite par Marcel Desjardins, s'était également emparée de LA PRESSE, qui n'hésita pas un instant à se proclamer «le journal des Jeux», titre qu'elle devait mériter amplement au cours des années suivantes, car aucun journal à Montréal n'a accordé autant d'importance et consacré autant d'espace aux Jeux de 1976. À partir du jour 1 d'ailleurs, puisque en sus de la manchette, d'une photo et d'une caricature à la une, LA PRESSE n'offrait pas moins de six pages de textes et de photos qi traitaient du choix d'Amsterdam jusque dans les moindres détails grâce à l'influence incontestable de Marcel Desjardins, et qui rapportaient les réactions de tous les milieux impliqués.

Une seule note sombre au tableau. Le jour même où Montréal obtenait l'honneur d'organiser les Jeux de 1976, s'éteignait dans un hôpital montréalais Gérard Champagne, qui succombait après avoir livré un long et courageux combat contre le cancer. Alors éditorialiste sportif après avoir été directeur des pages de sports de LA PRESSE, Gérard Champagne devait accompagner le groupe de Montréalais qui s'était rendu à Amsterdam. Malheureusement, son état de santé l'avait forcé à demeurer à Montréal. Et la Providence a voulu qu'il n'apprit jamais la nouvelle de la victoire de Montréal...

À l'occasion du dîner offert par la ville de Montréal à la suite de sa victoire, le maire Jean Drapeau s'est fait un plaisir de remplir la coupe de vin de M. Avery Brundage, président du CIO. À la gauche, on peut apercevoir Mme Drapeau, et à la droite, Mme William McNicholl, épouse du maire de Denver, ville choisie pour présenter les Jeux d'hiver de 1976, et qui céda finalement son mandat à la ville d'Innsbruck en 1973.

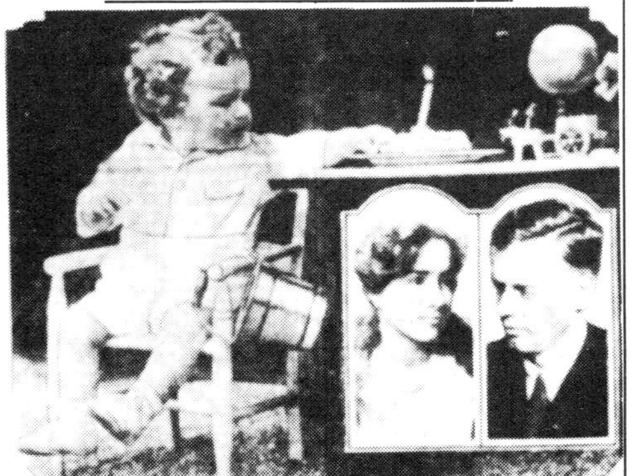

On retrouvait le *12 mai 1932* le corps décomposé du petit Charles-Auguste Lindbergh, à peu de distance de chez lui, assassiné quelque temps plus tôt par ses ravisseurs, qui voulaient profiter de la renommée du célèbre pilote d'avion américain Charles Lindbergh. Ann, l'épouse de Lindbergh et la fille de l'ex-sénateur Morrow, apprit la chose avec une douleur indicible, même si elle se doutait bien depuis quelque temps qu'elle ne reverrait pas son fils vivant.

C'EST ARRIVÉ UN 12 MAI

1976 — La société ITT reconnaît avoir versé $350 000 aux adversaires du président Salvator Allende, du Chili.

1975 — Un groupe de grévistes de la United Aircraft décide d'occuper l'usine de l'entreprise à Longueuil.

1974 — Le droit au divorce est maintenu par une majorité de 60 p. cent lors d'un référendum, en Italie.

1970 — Les soldats israéliens envahissent le Liban pour mettre fin aux attaques de fedayin.

1968 — Arrivée à Washington des premiers contingents de la « Marche des pauvres »; ils décident de camper près du Capitole.

1963 — Kennedy envoie des troupes fédérales d'urgence en Alabama pour mettre fin aux troubles raciaux qui y sévissent.

1960 — Le pilote américain Francis Gary Powers, qui était aux commandes du *U-2* abattu au-dessus du territoire soviétique, est formellement accusé d'espionnage. — Le prince Aly Khan, représentant du Pakistan auprès des Nations-Unies, perd la vie dans un accident d'auto à Paris. Il était âgé de 48 ans.

1953 — Une troupe de Montréal, la Jeune Scène, triomphe au Festinal national d'art dramatique en présentant *Zone*, pièce d'un jeune auteur du nom de Marcel Dubé.

1951 — Les Braves de Valleyfield, dirigés par Toe Blake, gagnent le trophée Alexander, remis pour la première fois.

1947 — L'écrivain Gabrielle Roy, auteur de *Bonheur d'occasion*, devient la première femme à être invitée à siéger au sein de la Société royale du Canada.

1924 — Le grand tournoi de lutte présenté sous les auspices de LA PRESSE se termine par la victoire de Wladek Zbysko.

1908 — Une inondation cause de lourds dégâts dans certaines municipalités riveraines du lac Saint-Louis.

1906 — Arrivée à Québec de l'*Empress of Britain*, ce merveilleux transatlantique du Canadien Pacifique.

1902 — Plus de 140 000 mineurs des charbonnages de Pennsylvanie se retrouvent en grève.

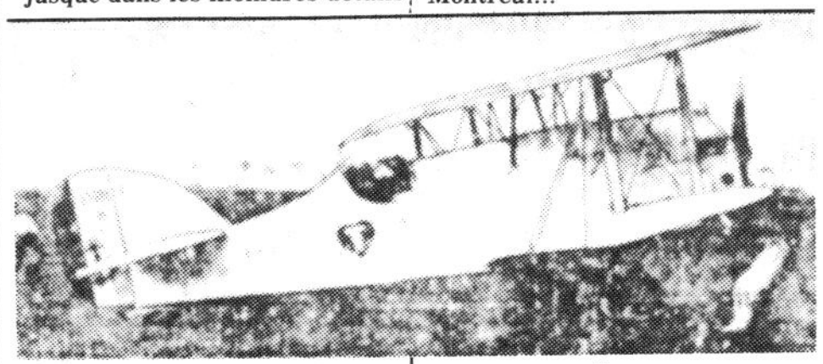

À la tombée du jour du *12 mai 1927*, on était toujours sans nouvelle de l'équipe Nungesser-Coli, partie quatre jours plus tôt de Paris avec la ferme intention d'être la première à traverser l'Atlantique en avion. On craignait de plus en plus que le biplan « Oiseau Blanc » utilisé pour la traversée se soit abîmé dans l'Atlantique quelque part entre Terre-Neuve et la côte américaine. Le pilote de l'avion, le capitaine Charles Nungesser est un héros de la première Grande Guerre, et il était accompagné de François Coli en qualité de navigateur.

La profanation de cimetières juifs soulève l'indignation

Alors que se multiplient en France et dans le monde les réactions d'indignation et de colère contre la profanation du cimetière juif de Carpentras, dans le sud de la France — où 34 tombes ont été dévastées et le cadavre d'un octogénaire, enterré 15 jours auparavant, empalé sur une hampe de parasol — l'annonce de la découverte de vingt tombes profanées dans le carré juif du cimetière de Wissembourg, en Alsace, a encore ravivé l'émotion. La ville de Carpentras, berceau du judaïsme en France, observera aujourd'hui cinq minutes de silence pour exprimer sa douleur après la profanation de son cimetière juif. Le choix de Carpentras, surnommée la « capitale des Juifs du pape », a renforcé la conviction de la police sur le geste délibéré d'un « commando » visant un symbole marquant de la communauté juive. (**Texte publié le 12 mai 1990.**)

Signature du traité commercial France-Canada

Le traité commercial franco-canadien à été signé à Ottawa aujourd'hui (**le 12 mai 1933**).

Les produits canadiens compris dans le traité seront taxés au minimum. Le Canada de son côté accorde le traitement de la nation la plus favorisée aux produits français tandis que le plus bas tarif est appliqué à une catégorie de produits de seconde importance tels que la soie, l'huile d'olive, le fromage, les livres, les médicaments brevetés et la machinerie légère.

La maison de ville qui s'adapte à vos besoins

L'architecte et concepteur Jocelyn Duff a une ambition : réussir le tour de force d'éliminer tous les terrains vagues de 25 pieds de façade ou moins situés dans l'île de Montréal. Ces inesthétiques plaies béantes dans la trame bâtie sont souvent le fait d'incendies ou autres séismes dévastateurs qui ont réduit en cendres les édifices d'antan. « Ce n'est pas très esthétique, tous ces espaces vides, fait remarquer M. Duff, et il est de notre responsabilité de rebâtir dans un style qui s'adaptera au quartier existant. »

Il a donc conçu des maisons de ville adaptables et jumelées qui s'inséreront dans ces espaces laissés vacants sur des rues résidentielles de la métropole et dont chacune mesure 12 pieds 6 pouces de façade et 38 pieds de profondeur. Elles s'élèvent généralement sur deux ou trois étages, offrent une superficie habitable de 1200 pieds carrés et sont insérées entre deux édifices existants.

À qui sont destinées ces maisons ? « La beauté du concept est que la maison de ville adaptable peut être aménagée de multiples façons et est donc accessible à une multitude de gens », explique le concepteur. Avec l'aide de son associé Terrence Dawe, M. Duff cherche depuis plusieurs années à utiliser le plus astucieusement possible les espaces restreints en milieux urbains. « La maison peut abriter un couple sans enfant ou une personne vivant seule, favoriser la cohabitation de personnes sans lien de parenté et même servir à un studio d'artiste. »

Polycrete, l'entreprise qui produit des coffrages en polystyrène dans lesquels on coule du béton, a construit la structure de la maison adaptable. Paul-Émile Lizée, président de l'entreprise, affirme que le système de construction utilisé répond admirablement bien aux exigences de ce type d'habitat. Le système joint les propriétés du polystyrène aux avantages du béton armé convenant à la construction d'une multitude de types de bâtiments : il ne se déforme pas et ne se dégrade pas. Par ailleurs, dans le cas de maisons jumelées, ces caractéristiques permettent une grande intimité en raison du haut facteur d'insonorisation. De plus, le béton armé assure un niveau de sécurité élevé puisqu'il résiste au feu pendant plus de trois heures. « Les risques d'incendie étant très élevé dans le secteur de ce premier projet, rue Saint-Denis, la Ville a particulièrement apprécié cette caractéristique. » (**Texte publié le 12 mai 1995**).

Le *12 mai 1937*, avait lieu le couronnement du roi George VI d'Angleterre, à l'abbaye de Westminster, et LA PRESSE se félicitait de la qualité de la photo reçue, «cette photo d'une netteté extraordinaire, l'une des meilleures transmises jusqu'ici par radio», comme elle l'affirmait dans la légende. Entre le roi et la reine, on reconnaissait les princesses Elizabeth et Margaret Rose. Des gentilshommes et des dames de la Cour accompagnaient les souverains au balcon.

Nationair en faillite

L e transporteur aérien, fondé en 1984, a été déclaré en faillite à midi (**le 13 mai 1993**) par ses propres créanciers, sous la recommandation du syndic Yves Vincent, de la firme Richter & Associés. M. Vincent a exprimé l'avis que la compagnie Nolisair International était incapable de trouver de nouvelles sources de revenus et que la faillite était dans l'intérêt des créanciers.

Le syndic doit maintenant voir à la liquidation des éléments d'actif afin de récupérer une partie des 75 millions de dollars dus aux quelque mille créanciers. La faillite est rétroactive au 19 mars, date à laquelle était déposée en Cour supérieure la première requête en faillite contre Nationair.

Le président-fondateur, Robert Obadia, pourrait y laisser une partie de sa fortune personnelle. Il a toutefois rappelé aux créanciers que Nationair aurait eu neuf ans en décembre. Partie de rien, l'entreprise était devenue « une force dans l'industrie ».

M. Obadia soutient que sa compagnie avait été « assassinée par l'establishment ».

LA CULTURE D'UN MYTHE

A ucune marque au monde ne possède le charisme de Ferrari. Demandez à n'importe qui de vous nommer une voiture sport exotique et on vous répondra Ferrari à coup sûr. Parlez de Formule Un et Ferrari y est associée automatiquement.

Avec seulement quelques milliers de voitures vendues chaque année et des résultats moyens en Formule Un depuis plusieurs années, la firme de Maranello réussit à éclipser toutes ses rivales en raison de sa mystique et de son mythe.

À un journaliste américain qui demandait au Dottore Antonio Ghini, directeur des communications, si Ferrari possédait beaucoup de voitures de presse pour les journalistes, celui-ci a répondu : « Même Monsieur Ferrari achetait ses voitures. Pour rouler en Ferrari, il faut en acheter une. »

Tout automobiliste qui roule sur la via Abetone à Maranello a de fortes chances de passer devant l'usine sans la remarquer tant les installations sont discrètes. En fait, le restaurant Cavalino Rampante, situé en face, est plus facile à repérer. Une petite cour extérieure, où sont stationnées les Fiat de service, est dominée par une entrée donnant sur une cour intérieure et les différents buildings de l'usine. C'est tout. Enlevez l'enseigne du cheval cabré à la porte et ce complexe ressemble à des centaines d'autres de cette région fortement industrialisée. Mais on assemble dans ces murs des voitures d'un panache presque sans égal.

Contrairement à d'autres manufacturiers de voitures exotiques, Ferrari fabrique ses moteurs, ses transmissions et la plupart des autres éléments mécaniques. D'ailleurs, l'usine comprend également une fonderie, l'élément le plus spectaculaire de tous les ateliers. Et comme on est en droit de s'y attendre, la propreté des lieux est remarquable.

Les nouvelles F456 GT et 355 sont parmi les meilleures voitures jamais fabriquées à Maranello. Ceux qui croyaient que la firme allait s'effondrer après le départ du commendatore se sont royalement trompés. La compagnie est probablement mieux gérée et plus efficace que jamais. Mais la mémoire du fondateur Enzo Ferrari est omniprésente. On a d'ailleurs conservé son bureau à la piste de Fiorano. (**Texte publié le 13 mai 1996.**)

Attentat contre le pape Jean-Paul II

Atteint par une volée de balles, gravement blessé, Jean-Paul II survivra tout probablement à l'attentat perpétré sur la Place Saint-Pierre qui a semé (**le 13 mai 1981**) la consternation dans le monde entier. Le chef de l'antenne médicale qui l'a opéré affirmait que « sa robuste constitution était sa meilleure garantie de survie ». Alors que des messages du monde entier, déplorant et condamnant l'attentat, continuaient à parvenir à Rome, en soirée, les autorités interrogeaient le présumé agresseur, Mehmet Ali Agca, âgé de 23 ans, un intégriste musulman condamné à mort par contumace en Turquie, où les policiers avaient reçu l'ordre de « l'abattre sans sommation ». Dans cette photo, le pape alors qu'il venait de s'écrouler.

Funérailles grandioses pour une légende

Le premier ministre du Canada, M. Pierre Trudeau, accompagnait la veuve du pilote, Joan Villeneuve et ses deux enfants, Jacques et Mélanie, aux funérailles de Gilles Villeneuve, hier (**le 12 mai 1982**) à Berthierville. Plus de 5 000 personnes sont venues rendre un dernier hommage au pilote de Formule UN décédé samedi dernier (**le 8 mai 1982**) en Belgique.

Le travail à domicile en pleine croissance

Q ue ce soit à temps partiel ou à temps plein, en tant que salariés ou travailleurs autonomes, de plus en plus de Canadiens font le saut et établissent un bureau chez eux.

« Il y a plus de femmes sur le marché du travail et elles essaient d'équilibrer leur vie familiale et leur vie professionnelle, explique Wendy Priesnitz, fondatrice du Réseau d'entreprises à domicile. Il y a également un grand nombre de personnes plus âgées qui sont forcées de prendre une pré-retraite et qui décident de devenir consultants. »

Selon Craig Hustadt, directeur général du marketing chez Sharp Électronique du Canada, le travail à domicile est en pleine croissance.

« Un grand nombre de personnes qui doivent prendre une pré-retraite ou qui sont congédiées ont beaucoup d'expérience et sont compétentes, dit-il. Ils installent donc un bureau chez eux et deviennent consultants ou partent une nouvelle petite entreprise. »

Le travail à domicile, toutefois, n'est pas près de se généraliser, croit-il.

« Les grosses entreprises aiment avoir un certain contrôle sur leurs employés salariés et savoir ce qu'ils font, explique-t-il. C'est différent, par contre, lorsque les employés sont rémunérés en vertu d'un contrat ou une fois leur travail exécuté, ou encore, lorsqu'ils agissent à titre de consultants. »

Yves Valiquette, directeur de l'information au Québec, secteur commercial, chez IBM Canada, croit, de son côté, que de plus en plus, la maison devient l'extension du bureau. (**Texte publié le 13 mai 1992.**)

« L'ennemi de la francophonie, c'est le racisme »

P our Léopold Sédar Senghor, ancien président du Sénégal (1963-1980) et seul membre de race noire à l'Académie française depuis 1969, l'ennemi public no 1 de la francophonie n'est ni l'impérialisme anglosaxon ni une certaine lassitude de la France vis-à-vis de ses anciennes colonies. « Ce n'est même pas le marxisme-léninisme, précise-t-il, c'est le racisme. »

« Le racisme biologique mais surtout culturel. Le premier n'est pas très grave. Quand deux peuples se rencontrent, ils se

combattent souvent, ils se métissent toujours. Nous n'avons pas à favoriser le métissage biologique. Il se fait tout seul. Justement, le plus important n'est pas le métissage biologique mais le métissage culturel. Pour la réalisation de la civilisation universelle. »

C'est ainsi que, depuis sa démission comme président de la république du Sénégal en 1980, M. Senghor, aujourd'hui octogénaire — le poète de la « négritude » est né en 1906 —, consacre toutes ses heu-

res à promouvoir le métissage culturel dans le cadre de la francophonie (et au-delà), se battant, comme il aime le rappeler, « pour les humanités grécolatines et la polyculture ».

Car, pour M. Senghor, hors de tout doute : « Le salut de l'humanité passe obligatoirement par la culture. Et il y a d'abord francophonie qui est la préfiguration et la première étape vers la civilisation universelle. » Un moyen de contrer le racisme culturel. (**Texte publié le 13 mai 1989.**)

C'EST ARRIVÉ UN MAI

1995 — Répondant aux critiques du Vérificateur général, le ministre de l'Environnement, Sheila Copps, a promis que le fédéral éliminera d'ici à la fin de 1995 ou au début de 1996 au plus tard les 5 206 tonnes de déchets contenant des BPC dont il est responsable.

1991 — Les enquêteurs de l'Institut Gallup ont posé à un échantillon représentatif de Canadiens la question suivante : « Qu'est-ce que vous préférez : qu'on accorde au Québec les pouvoirs qu'il réclame pour le garder dans le Canada, ou que le gouvernement fédéral refuse ses demandes quitte à risquer qu'il se sépare ? » Seulement 30 % des personnes interrogées trouvent qu'il est préférable d'accéder aux demandes du Québec.

1989 — Une oeuvre de l'artiste Jean-Paul Riopelle a atteint le seuil record pour un artiste canadien de 1,4 million $US (environ 1,7 $CAN). « Les zéros se multiplient », de constater le peintre avec philosophie. À l'époque, la toile avait été vendue moins de mille dollars, ce qui, pour un tel format, se souvient-il, payait à peine les matériaux ! »

1967 — Les personnes qui n'avaient pas les moyens de se payer un repas dans un des luxueux restaurants de l'Expo, pourront bientôt s'offrir des menus à portée de leur porte-feuille. Des restaurants serviront des repas complets à partir de deux dollars dans la Ronde et dans les îles Sainte-Hélène et Notre-Dame.

1964 — Paul Gérin-Lajoie, l'avocat montréalais de 44 ans qui a lutté sans relâche, presque seul à un moment donné, pour établir des structures entièrement neuves qui donnent aux élus du peuple le dernier mot en matière d'éducation, est nommé ministre de l'Éducation du Québec.

1946 — Le tribunal militaire général des États-Unis a aujourd'hui condamné à la pendaison 58 bourreaux du célèbre camp d'extermination de Mauthaussen ; il en a condamné 3 autres à la prison à perpétuité. Tous sont jugés coupables de l'assassinat de milliers de prisonniers.

1943 — Les armées triomphantes des Alliés, sous le commandement du général Alexander, ont terminé aujourd'hui la conquête de la base tunisienne d'invasion du sud européen, en capturant 13 généraux allemands et italiens, 150 000 hommes et un immense butin comprenant plus de 1 000 canons et 200 tanks.

1935 — Barbara Hutton, héritière des millions des magasins 5-10-15 cents, attendra seulement trois heures après avoir divorcé d'avec le prince Alexis Mdivani pour épouser le comte Kurt Haugwitz Reventlow.

1930 — L'aviateur français Jean Mermoz réalise la première liaison postale aérienne de la France en Amérique du sud.

1902 — Cinquante mille infortunés, après avoir échappé à la destruction de la ville de Saint-Pierre, en Martinique, par l'éruption du 8 mai de la montagne Pelée, sont menacés d'un autre fléau : la famine. Les miasmes putrides qu'exalent les milliers de cadavres entassés dans la ville détruite infectent l'air à plusieurs lieues à la ronde et font craindre une épidémie.

WASHINGTON RECONNAIT L'ETAT JUIF PROCLAME PAR DAVID BEN GOURION

WASHINGTON — A la surprise générale, le président Truman a reconnu l'Etat d'Israël quelques minutes après sa proclamation hier **(14 mai 1948).**

C'est à Sarona, banlieue de Tel-Aviv, que le chef juif David Ben Gourion a proclamé hier la nouvelle république d'Israël.

Cette décision de Ben Gourion survenait quelques moments à peine après qu'eut pris fin le mandat que la Grande-Bretagne avait exercé pendant 30 ans, sans trop de succès d'ailleurs. Et le 29 novembre 1947 l'ONU avait décidé de partager la Palestine en deux états indépendants arabe et juif, ce qui avait eu pour effet d'engendrer encore plus la violence.

Les sionistes ont été fort heureux (de la décision américaine), les arabes atterrés; l'ONU en a été fort agitée. En effet, M. Truman appuie maintenant du prestige américain le rétablissement d'un Etat juif en Palestine.

Voici le texte du communiqué de M. Truman:

«Le gouvernement américain est informé qu'un Etat juif a été proclamé en Palestine. Le gouvernement provisoire dudit Etat a demandé d'être reconnu. Les Etats-Unis reconnaissent le gouvernement provisoire comme autorité de fait du nouvel Etat d'Israël.»

L'expression «de fait» signifie que les Etats-Unis reconnaissent que c'est le gouvernement provisoire qui exerce le pouvoir, dans le territoire d'Israël. La reconnaissance «de droit» signifierait que les Etats-Unis considèrent le gouvernement comme une autorité légalement constituée.

Grand émoi à l'ONU

L'Assemblée générale de l'ONU a appris la nouvelle au moment où elle rejetait un projet américain de tutelle pour Jérusalem. Elle en a été fort émue. Le délégué britannique, sir Alexander Cadogan, n'a rien dit.

A Washington, M. Walter George, démocrate de Georgie, ancien président de la Commission sénatoriale des affaires étrangères, a déclaré à un journaliste: «Je suppose que la mesure est opportune. Je ne conçois aucune raison pour que le président ne reconnaisse pas la Nation juive comme Etat de fait».

Au moment du communiqué présidentiel, quelques centaines de personnes assistaient au déploiement du drapeau d'Israël sur l'édifice de pierre que l'Agence sioniste occupe depuis longtemps dans le quartier des ambassades.

Le communiqué pose la question de savoir si les Etats-Unis lèveront l'embargo sur les armes destinées au Moyen-Orient. Les diplomates disent que la reconnaissance de fait de l'Etat d'Israël ne comporte pas en soi la levée de l'embargo.

M. Truman a répété que les Etats-Unis poursuivront leurs efforts pour obtenir la trève entre Juifs et Arabes. Il souhaite que le gouvernement juif tende au même but.

Les questions de droit qui se posent

Ni le département d'Etat ni les autres administrations américaines n'avaient prévenu les agences d'information du communiqué Truman. Ce dernier pose de nombreuses questions. Quel et le statut de la partie de Palestine que l'ONU n'a pas dévolu à l'Etat juif, dans son partage? Sur quel droit se fondent les Etats-Unis pour reconnaître l'Etat d'Israël?

Le communiqué qu'a publié M. Charles G. Ross, secrétaire de presse du président, après le communiqué principal, dit: «La proclamation de l'Etat juif ne diminue en rien le désir qu'ont les Etats-Unis d'obtenir la trève en Palestine. Nous souhaitons que le nouvel Etat juif s'unisse à la commission de trève du Conseil de sécurité et redouble d'efforts pour mettre fin au combat, comme ça été le grand but du gouvernement américain pendant que l'ONU a étudié le cas de la Palestine.»

UN BICHON

Cette page consacrée au chien et publiée le **14 mai 1904** comportait notamment le texte rimé suivant de Chatillez:

LA LEVRETTE EN PALETOT

Y a t'y rien qui vous agace
Comme une levrette en pal'tot,
Quand y a tant d'monde sur la place
Qu'a rien à s'mett' su l'dos.

J'les aim' pas, moi, ces p'tit's bêtes,
Avec leu museaux pointus,
J'aim' pas ceux qui font leu têtes,
Parc' qu'y-z-ont un pardessus!

Ça vous a un p'tit air rogue,
Ça vous r'garde avec mépris!!!
Parlez-moi d'un chien boul'dogue:
En v'la un qu'a ben son prix!

Pas lui qu'on encapitonne:
Il a froid comm' moi partout;
Y sait s'battr' quand on l'ordonne,
L'aut... c'est bon à rien du tout.

Ça m'enrag' quand j'ai l'onglée,
D'voir des chiens qu'a des habits,
Tandis qu'par les temps d'gelée,
Moi j'ai rien...pas même un lit!

Ah! Oui, j'en crev'rai ben une,
Ça m'f'rait plaisir, mais j'os' pas.
Leu maitr's ayant d'la fortune,
Y mettraient dans l'embarras.

Ça doit s'manger ça, la l'vrette!
Si j'en pince une à huis clos
J'la f'rai cuire à ma guinguette...
J't'en f...icherai moi, des pal'tots!

Première sortie à trois dans l'espace

Pour la première fois dans l'histoire de la conquête spatiale, trois astronautes sont sortis en même temps dans l'espace, et se sont saisis d'un satellite errant afin de le renvoyer sur son orbite originale.

« Houston, je crois que nous avons capturé un satellite », a transmis joyeusement le commandant de la navette Endeavour, Dan Brandenstein, après que les astronautes Pierre Thuot, Rick Hieb et Tom Akers se furent saisis du satellite de communication Intelsat-6 et eurent immobilisé de leurs mains gantées cette masse de 4 000 kilogrammes.

Les astronautes devront fixer au satellite une fusée qui le propulsera sur son orbite originale. (Texte publié le 14 mai 1992.)

PERE DE 41 ENFANTS

Il s'était marié ... fois et des jumeaux naissaient fréquemment

RESIDENCE DE LEVI BRESSON

LEVI BRESSON PERE DE 41 ENFANTS

Levi Bresson, un Franco-Américain de North Foster, Rhode Island, devenait l'heureux papa, le *14 mai 1900,* de son 41e enfant, un garçon de dix livres, le quatorzième enfant que lui donna sa troisième épouse. Bresson a eu 15 enfants de sa première épouse, et 12 de sa deuxième. Ces enfants sont plutôt robustes, puisque 32 d'entre eux vivaient toujours!

C'EST ARRIVÉ UN 14 MAI

1991 — Winnie Mandela, épouse du dirigeant nationaliste noir sud-africain Nelson Mandela, a été reconnue coupable par la Cour Suprême de Johannesburg, de l'enlèvement de quatre jeunes du ghetto noir de Soweto, près de Johannesburg, le 29 décembre 1988.

1989 — Les huit membres de l'expédition internationale Icewalk, qui poursuivaient depuis 56 jours leur difficile progression à skis vers le Pôle nord, luttant contre un froid intense et de mauvaises conditions atmosphériques, ont atteint leur but.

1984 — Un règne de charme et de distinction débute aujourd'hui à Rideau Hall avec l'assermentation de Mme Jeanne Sauvé, la première femme (en 116 ans) à accéder au poste de Gouverneur général du Canada.

1977 — Le Canadien remporte la coupe Stanley une 8e fois en 13 ans.

1973 — Lancement et mise sur orbite de *Skylab,* premier laboratoire spatial américain.

1956 — L'URSS prétend avoir démobilisé 63 divisions, soit 1 200 000 soldats.

1955 — Signature du pacte de Varsovie par l'Union soviétique et les sept pays socialistes d'Europe de l'Est.

1945 — Plus de 500 bombardiers *B-29* participent à un raid sur Nagoya et lâchent quelque 3 500 tonnes de bombes. — L'Autriche proclame son indépendance.

1940 — Les alliés aménagent leur position de résistance sur la Meuse, dont s'approchent les Allemands.

L'amiante: 600 décès en 15 ans. La cigarette: 400 000 par année!

Le gouvernement du Québec veut la survie de l'industrie de l'amiante, source de quelque 3 000 emplois au Québec, et qualifie de « politiques et non-fondées » les attaques de l'Agence de protection de l'environnement des États-Unis qui veut bannir progressivement l'usage commercial de cette fibre.

M. Raymond Savoie, ministre délégué aux Mines et aux Affaires autochtones, a fait le tour des études existantes sur l'amiante, reconnu comme un cancérigène, et affirme que rien ne prouve que l'usage contrôlé de l'amiante est dangereux.

M. Savoie prenait hier (le 13 mai 1986) la parole au colloque sur l'amiante dans le cadre du congrès annuel de l'Association canadienne française pour l'avancement des sciences.

Il a souligné que la silicose (maladie reliée à la poussière de silice) cause quatre fois plus de décès que l'amiante. « Or, personne n'est intervenu pour bannir le silice ».

Selon le ministre, sur une période 15 ans, l'amiante causerait environ 600 décès. Or, la cigarette cause 400 000 décès par année.

Les premiers à payer péage sur le nouveau pont

LE *14 mai 1930,* LA PRESSE annonçait à la première page l'ouverture à la circulation du nouveau pont, alors connu sous le vocable de « Pont du Havre », puis sous celui de « pont Jacques-Cartier », de la façon suivante:

Le pont est ouvert à la circulation! L'inauguration semi-officielle s'est faite ce matin à six heures 53, par le passage du premier automobile payant le taux de péage. Les boites de perception furent installées quelques minutes avant, et M. William Paul, le nouveau surintendant du pont, assigna leur poste aux percepteurs. Immédiatement après le passage de l'auto, se présentèrent deux piétons et deux cyclistes. Le premier piéton de la rive sud à Montréal était un écolier qui se rendait à l'école Saint-Pierre à Montréal. Quelques instants après l'ouverture, on voyait déjà un grand nombre d'automobiles s'engageant sur le pont aux 2 extrémités. Les photographies suivantes nous font voir (1) les deux premiers piétons: MM. O. Saint-Denis, 1181, Ropery, et R.-O. Quinn, 450, Iberville, payant le taux de péa-ge de cinq centins au percepteur T.S. Young, leurs billets portant les numéros 2001 et 2002; (2) la première bicyclette et les deux conducteurs, de Nouvelle-Ecosse, devant la station de péage remettant au percepteur A. Lafrance, le prix du passage de cinq centins (...); (3) le premier automobile, conducteur, M. Henri Campeau, 1855, rue Champlain, achetant une série de billets de deux dollars, numéros 10001; (4) M. William Paul, le nouveau surintendant du pont; (5) le premier automobile se dirigeant de la rive sud à Montréal dont les occupants MM. J.-N. et A. Feiner achetèrent un carnet de billets de $5 numéro 203. On remarque près de la machine le percepteur G.-A. Lacroix et les constables John Tirry et J.-A. Marchand de la commission du port; (6) le premier piéton, un écolier, Eugène Lacasse, de Longueuil, se rendant de la rive sud à l'école Saint-Pierre de Montréal. Les photographies suivantes nous font voir (1) le premier piéton du matin 3001; (7) les constables J. Fogarty et Léopold Brault, de la commission du port, en fonctions à l'ouverture du pont.

UN AVION EN FEU S'ÉCRASE SUR UN COUVENT, PRÈS D'OTTAWA: 15 MORTS

OTTAWA — L'un des coins les plus paisibles de la vallée de la rivière Outaouais, à une dizaine de milles à l'est d'Ottawa, est devenu, hier soir **(15 mai 1956)**, le lieu d'une affreuse tragédie lorsqu'un chasseur à réaction s'est abattu sur un couvent, tuant 15 personnes, soit un prêtre, 11 religieuses, deux aviateurs et une aide-cuisinière.

Vingt-deux autres religieuses de la communauté des Soeurs Grises de la Croix, ont pu quitter l'immeuble, la villa S.-Louis, une maison de repos et de convalescence de la communauté, construite il y a moins de deux ans. Deux d'entre elles ont toutefois dû être hospitalisées, souffrant de graves brûlures. Une troisième a subi une fracture à un pied.

Les corps de seulement quatre des victimes, dont trois religieuses, ont été retrouvés et transportés à la morgue.

L'AVION ÉTAIT PARTI D'UPLANDS

L'avion, qui était parti de la base d'Uplands, près de la capitale fédérale, a fait explosion en heurtant l'immeuble, construit sur la rive ontarienne de la rivière Outaouais.

Véritable scène de désolation et de mort. Voilà l'aspect lugubre que présentait la charpente entièrement détruite et calcinée de la villa S.-Louis des Soeurs Grises de la Croix, à Orléans.

Le CARC a immédiatement ouvert une enquête sur les circonstances de la tragédie, dont on ne connaît actuellement pas la cause.

Le chasseur, un «CF-100» de l'escadrille 445, s'est écrasé sur le couvent après que ses deux membres d'équipage eurent vérifié l'identité d'un autre appareil que le dispositif de dépistage aérien du CARC avec classé comme «inconnu». Les deux aviateurs tués avaient établi qu'il s'agissait d'un appareil de transport canadien et ils revenaient à leur base lorsque la tragédie s'est produite, peu après 10 h. hier soir.

En l'espace de quelques minutes, la villa S.-Louis, vaste immeuble de trois étages, construit en briques et comprenant une chapelle et une centaine de chambres à coucher, a été transformé en un gigantesque brasier, dont la lugubre lueur était visible à des milles de distance.

Au moment de la tragédie, il se trouvait à peu près 35 personnes dans la maison de repos. Outre le prêtre, l'abbé Richard Ward, aumônier de la marine canadienne et de la communauté des Soeurs Grises de la Croix, de l'aide-cuisinière et de quelques religieuses formant le personnel régulier du couvent, les soeurs qui se trouvaient sur les lieux étaient toutes des religieuses âgées ou en convalescence; un certain nombre d'entre elles, a-t-il été dit, avaient subi des interventions chirurgicales récemment.

Les témoignages sur les circonstances de l'affreuse tragédie étaient divergents en de nombreux points. Il a notamment été affirmé par certaines personnes que l'appareil était en flammes lorsqu'il a heurté le couvent, tandis que d'autres soutenaient qu'on ne vit de flammes qu'à la suite de l'explosion de l'avion.

Le chasseur, une masse de plus de 30,000 livres arrivant sur le couvent à une vitesse vertigineuse, a heurté l'immeuble en plein centre, à l'arrière de la chapelle, au premier étage, aux dires des témoins. L'appareil portait une forte quantité d'essence et l'explosion a ouvert l'immeuble comme si on avait placé une bombe à l'intérieur. Des pièces de l'appareil ont été retrouvés dans le champ entourant le couvent, à quelque 500 pieds de la rivière Outaouais. (...)

Situation explosive chez les jeunes de la rue
Le virus de l'hépatite se répand comme une traînée de poudre

Fugues, drogues, échanges de seringues, prostitution, infections : la plus vaste enquête jamais menée auprès des jeunes de la rue de Montréal trace un portrait aussi saisissant qu'inquiétant de leur mode de vie et de leur état de santé.

Selon les données préliminaires présentées hier (**le 14 mai 1996**) par le docteur Élise Roy, de la Direction de la santé publique de Montréal, 16 % de ces jeunes seraient porteurs du virus de l'hépatite C, et 7 % du virus de l'hépatite B. Des proportions que le docteur Roy qualifie d'« alarmantes », d'autant plus qu'elles présagent de l'évolution de l'infection au VIH.

« Nous sommes en face d'une situation explosive à Montréal, a soutenu Mme Roy au cours de sa présentation dans le cadre du congrès de l'Association canadienne-française pour l'avancement des sciences (ACFAS), à l'université McGill. Si on regarde la situation pour ces virus qui se transmettent de la même façon et sont plus faciles à attraper, ce n'est qu'une question de temps pour le VIH. »

L'enquête dirigée par le docteur Roy a porté sur 919 jeunes âgés de 18 à 25 ans qui ont été « actifs dans la rue » au cours des six mois précédents, c'est-à-dire qui ont été en contact avec un organisme d'aide (roulottes, refuge, etc.), ont fugué, ont été jetés dehors de leur foyer ou ont été sans adresse fixe pendant au moins trois jours. Un échantillon impressionnant quand on sait que la population totale des jeunes de la rue est estimée, à Montréal, à un maximum de 4 000 personnes.

Frank Sinatra meurt à 82 ans

L'hommage de New York à Frank Sinatra, mort d'une crise cardiaque à l'âge de 82 ans (le **15 mai 1998**), reflète une émotion réelle. Même si le chanteur a vécu la majeure partie de sa vie en Californie, il occupait une place unique dans le coeur de la ville, dont il a contribué à entretenir la mythologie grâce à son dernier grand succès, New York, New York.

Il débuta vraiment le 30 décembre 1942. Ce soir-là, au théâtre Paramount de New York, il chantait pour la première fois à titre de vedette. Il venait de quitter l'orchestre de Tommy Dorsey. Il avait 27 ans. Il était maigre comme un clou. Mais son arrivée sur scène déclencha l'hystérie parmi les jeunes femmes de l'auditoire.

C'était la mélancolie profonde de sa voix qui touchait le plus. Sa musique était synonyme de sophistication, de femmes, de noeuds papillons, de bonne vie, de bonne boisson, mais sa voix mélancolique était celle des hommes malchanceux qui se retrouvent, tard le soir, avec seulement dix dollars dans les poches, cherchant une façon de s'en sortir. »

NOTRE PROVINCE AGRANDIE
L'adjonction de l'Ungava fait plus que doubler la superficie de la Province de Québec — Un Territoire riche en mines.

Le **15 mai 1912**, le Parlement canadien accordait par loi à la province de Québec la juridiction sur le territoire de l'Ungava. LA PRESSE soulignait l'événement un peu à l'avance en lui consacrant la première page de l'édition du 23 mai.

Un groupe d'alpinistes dirigé par Fips Broda escaladait le mont Slesse, dans les Rocheuses, lorsqu'il fit la découverte, le **15 mai 1957**, des débris du «North Star» de la société Trans-Canada Airlines à 7 600 pieds d'altitude. Ces débris servaient de tombe à 62 passagers de l'avion depuis 6 décembre dernier, car il était impensable qu'un seul passager eût pu survivre à la catastrophe.

HUIT PERSONNES MISES EN ACCUSATION POUR LE MEURTRE DE CLÉROUX ET STONE

HUIT des suspects arrêtés jusqu'ici en rapport avec l'attentat de la rue Ontario est et les meurtres d'Henri Cléroux et du bandit Stone, ont été formellement mis en accusation devant la Cour du banc du roi, hier après-midi (**15 mai 1924**), et tous ont plaidé non coupables.

La femme Serafini, née Marguerite White, de Hustings, Angleterre, l'ex-détective Louis Morel, Tony Frank, Frank Gambino, Mike Valentino, Leo Davis et Carlo Niegro Nieri (on avait oublié Giuseppe Serafini dans la nomenclature) sont tous accusés d'avoir tué et assassiné Henri Cléroux et Harry Stone, alias Peter Ward, alias Brandon.

De plus, tous ces accusés, sauf l'ex-détective Morel et Leo Davis, auront à répondre à des accusations de recel d'argent volé: Serafini, pour $13,000; Valentino, pour $18,000; Nieri, pour $13,000; la femme Serafini, pour $3,000; Tony Frank et Frank Gambino, pour $49,000.

Me R.L. Calder, procureur de la Couronne, voulait d'abord instruire le procès sur le meurtre de Cléroux, mais à la demande de Me Alban Germain, l'un des avocats de la défense, on décida que l'on ferait en même temps les procès pour le meurtre de Cléroux et pour le meurtre du bandit Stone.

Les accusés ne seront pas tous jugés ensemble. Giuseppe Serafini aura son procès de meurtre et de recel le 26 mai; la femme Serafini aura le sien le 30 mai; puis, le 4 juin, on fera conjointement le procès de Nieri, Valentino, Frank et Gambino pour les deux meurtres et le recel, en même temps que celui de Morel et Davis pour le meurtre. (...)

1998 — En vertu du nouveau projet de loi sur le tabac, la cigarette sera bientôt bannie de tous les endroits publics, de l'ensemble des lieux de travail, les pharmacies n'auront plus le droit de vendre du tabac et la publicité des produits du tabac sera interdite à peu près partout au Québec.

1990 — La population mondiale, qui a atteint aujourd'hui 5,3 milliards de personnes, s'accroît de trois personnes chaque seconde et « l'avenir de la terre se jouera peut-être pendant cette décennie », indique un rapport du Fonds des Nations Unies pour la population (FNUAP).

1987 — L'actrice Rita Hayworth, dont la crinière rousse a émoustillé toute une génération de cinéphiles dans les années 40, est morte dans la solitude après avoir lutté pendant plusieurs années contre la maladie d'Alzheimer qui a fini par lui ôter tout souvenir de sa gloire holywoodienne.

1974 — Seize jeunes israélites meurent quand l'armée décide de mettre fin à une prise d'otages dans une école d'un kibboutz.

1972 — Le gouverneur de l'Alabama, George Wallace est grièvement blessé lors d'un attentat, en pleine campagne électorale.

1967 — Fin des négociations connues sous le nom de *Kennedy Round* par la signature d'un accord tarifaire accepté par 53 pays, et qui touche les quatre cinquièmes du commerce mondial.

1963 — Mise en orbite de la capsule spatiale américaine *Faith VII*, transportant l'astronaute Gordon Cooper.

1961 — Une épidémie de rougeole fait 20 victimes dans une institution privée pour déficients mentaux, à Austin, près de Magog. Les victimes ont succombé à une complication, soit une encéphalite.

1960 — Les Soviétiques placent sur orbite *Spoutnik IV*, un satellite transportant un mannequin d'homme vêtu d'une combinaison spatiale.

1958 — Mise sur orbite du satellite soviétique *Spoutnik III*.

1955 — La Grande-Bretagne, la France et les États-Unis signent à Vienne, le traité de paix autrichien qui reconnaît à l'Autriche sa complète neutralité, en plus de proposer un système de sécurité qui comporterait un désarmement graduel.

1950 — Les autorités manitobaines estiment que la crue des eaux de la rivière Rouge a atteint son point culminant à Winnipeg.

1949 — Le feu détruit la chapelle du patronage Saint-Vincent-de-Paul, à Québec, causant des dommages de $500 000.

1948 — Les armées des pays arabes envahissent la Palestine. La ville de Tel-Aviv est bombardée et presque cernée.

1946 — Hydro-Québec présente son offre pour l'éventuelle expropriation de trois compagnies d'hydro-électricité: $54,87 millions à la Montreal Light, Heat & Power; $72,26 millions à la Beauharnois Light and Power; et $7,94 millions à la Montreal Island Power.

1912 — Les libéraux de sir Lomer Gouin remportent une éclatante victoire lors des élections générales de la province de Québec.

Page consacrée à la Première communion, publiée le 16 mai 1908.

WALL STREET A 200 ANS

Le 17 mai 1792, une douzaine de marchands et d'investisseurs munis de plumes d'oie et de registres se réunissaient sous un platane dans le sud de Manhattan.

Le moment était important. On allait enfin s'entendre sur des règles de conduite pour régir les transactions privées qu'on avait l'habitude de conclure, au grand air, sur les quais situés aux extrémités d'une petite artère en terre battue, Wall Street. Mais nul ne se doutait alors qu'on jetait les bases d'une institution qui allait révolutionner le monde de la finance : la Bourse de New York.

Aujourd'hui, la communauté financière américaine, connue comme Wall Street, fête le bicentenaire de la grande place boursière. En 200 ans d'histoire, la grande dame de la finance en a vu de toutes les couleurs.

Il y a eu des moments d'opulence comme les folles années 20. Plus récemment, de 1981 à 1987, Wall Street vivait une période de croissance sans précédent qui allait faire la richesse des golden boys, comme Donald Trump et Michael Milken, et des corporate raiders tels que Carl Ichan.

Mais chaque fois, ces moments d'euphorie ont été interrompus brutalement par des chutes vertigineuses des titres... et des spéculateurs. On pense au krach de 1929 et à celui de 1987 qui précéda la déconfiture du financier Robert Campeau.

Sans doute, les moments les plus marquants dans l'histoire de la Bourse de New York ont été les deux krachs.

Le 29 octobre 1929, jour connu comme le Black Tuesday ou mardi noir, alors que l'activité boursière avait été fébrile et presque sans surveillance pendant des mois, l'indice Dow Jones piquait du nez de 12,8 %. En plus de causer une panique sans précédent (les journaux de l'époque parlent d'un certain nombre de suicides), l'événement signalait le début de la Grande Dépression des années 30 qui balaya tout l'Amérique.

« Plus de 1,5 million de Canadiens bénéficient alors de l'aide publique alors que la moitié des 10 millions d'habitants au pays sont sans emploi (...) les queues devant les soupes populaires sont devenues une scène courante dans toutes les grandes villes », décrivait un journaliste de la Presse canadienne en 1931.

Ce n'est que beaucoup plus tard, soit en 1874, que la Bourse de Montréal a été fondée officiellement. Au début du XIXe siècle, les gens d'affaires avaient choisi les conditions pittoresques du vieil Exchange Coffee House pour vendre et acheter des titres.

En 1849, on fonde la première association de courtiers à Montréal. Mais c'est finalement en 1874, sous l'égide de Lorne MacDougall, un Écossais de 63 ans, que la Bourse de Montréal est constituée. En 1904, elle déménageait ses quartiers sur la rue Saint-François-Xavier, dans l'édifice actuellement occupé par le Théâtre Centaur. On demeurera à cet endroit jusqu'en 1965, avant qu'on emménage le parquet dans les locaux de la Tour de Bourse, Square Victoria. (**Texte publié le 16 mai 1992.**)

La ville construira le Centre sportif

LE comité exécutif a décidé à l'unanimité de construire le Centre sportif, dans le quadrilatère réservé à cette fin, entre les rues Sherbrooke, Boyce, le boulevard Pie IX et la rue Viau.

Le président du comité exécutif, M. Pierre DesMarais, l'a annoncé cet après-midi **(16 mai 1957)** à l'hôtel de ville, conjointement avec le commissaire Edmond Hamelin.

L'exécutif a donné instructions aux différents services municipaux de préparer les plans d'exécution requis pour la construction:

1 — D'un aréna de 10,000 sièges où sera aménagée une patinoire de glace artificielle pour l'hiver, et où s'organiseront, l'été, des jeux d'intérieur, des démonstrations de gymnastique, et des manifestations diverses.

2 — Une grande piscine à ciel ouvert avec gradins autour.

3 — Un terrain de jeux pour enfants, plus grand que celui qui était prévu dans les plans originaux, parce que l'exécutif a décidé de ne pas construire de théâtre en plein air dans le Centre sportif.

4 — Un terrain de baseball local avec estrade de 5,000 sièges.

5 — Un grand parc de stationnement. A ce sujet, M. DesMarais a expliqué que la ville est actuellement en instance d'expropriation en prévision de terrains de stationnement additionnels au sud de la rue Boyce.

Le comité exécutif a, en outre, approuvé le principe de la construction d'un stade dans le cen-

Des estrades avec sièges existent déjà sur le site du futur Centre sportif de l'est; elles remontent aux travaux de chômage de 1936. (...) Elles s'appuient sur la pente naturelle de la colline qui se trouve à cet endroit.

tre sportif, à l'extrémité ouest du quadrilatère, c'est-à-dire à l'angle du boulevard Pie IX et des rues Sherbrooke et Boyce.

L'exécutif a toutefois réservé sa décision quant au nombre de sièges que comprendra le stade.

«Il est entendu, de souligner le président DesMarais, que cette réserve ne retardera en rien l'exécution des travaux concernant les autres secteurs du Centre sportif, et nous avons avisé les directeurs de service en ce sens. (...)

Le président DesMarais a rappelé qu'une partie du Centre sportif a déjà fait l'objet de décision du conseil. L'exécutif attend pour bientôt les plans d'exécu-

tion de l'Ecole de la police qui sera construite dans l'extrémité est du quadrilatère; cette école, qui fait partie du plan général du Centre sportif, comportera un gymnase et une piscine qui seront ouverts au public.

M. Desmarais a rappelé que l'exécutif avait pris des décisions aujourd'hui sur toute la partie du Centre sportif qui sera plus particulièrement consacré au bénéfice des citoyens de l'est de la ville. Lorsqu'il prendra une décision définitive sur le stade, cette dernière sera éclairée par l'intérêt que ce stade pourra avoir pour toute la population de Montréal et même de la région.

Le président de l'exécutif a souligné que les plans d'exécution seront préparés par des architectes et des ingénieurs des travaux publics ou de l'extérieur, mais par des Canadiens. (...)

Selon M. Desmarais, le développement complet du Centre sportif de l'est coûtera enre $25,000,000 et $30,000,000. Il faudra quatre ou cinq ans avant qu'il soit terminé.

Le lecteur aura sans doute compris qu'on fait allusion dans ce texte à l'arena Maurice-Richard dont il est

question n'a jamais été construite. Quant au bâtiment de l'Ecole de la police, il a successivement porté le nom de centre Maisonneuve, puis celui de centre Pierre-Charbonneau.

Embouteillage d'éléphants, rue Craig

Les automobilistes ont été chassés de la rue Craig hier matin **(16 mai 1967)** pour une raison qui n'a rien d'habituel: une centaine d'éléphants, poneys, ours, zèbres, chameaux, lions et lionnes se rendaient, eux aussi, à l'Exposition universelle de Montréal. Le cirque Ringling Brothers, Barnum and Bailey, «The Greatest Show on Earth», présente à l'Autostade d'Expo 67 une série de 26 représentations. Quelques milliers de parents courageux ont bravé une température plutôt froide pour amener les plus jeunes en bordure des rues Craig, McGill et la Commune. Mais précisons tout de même que plusieurs employés des bureaux du centre-ville n'ont pas manqué l'occasion de faire une petite marche... vers les fenêtres.

CELIBATAIRES IMPITOYABLES

WORCESTER — «Les femmes sont le fléau de l'existence et nous les détestons», déclara M. Ralph Colebrook, président du nouveau Club des célibataires du South High School.

«Notre société, dit M. Colebrook, comprend 21 membres des classes supérieures, presque tous fils de bonnes familles, qui ont fait le voeu solennel de se tenir à l'écart de ce que nous con-

sidérons comme le «sexe contraire». D'après les membres du club, il est interdit de sourire aux femmes ou de sortir avec elles. Ils doivent consacrer tous leur temps à leurs études et aux sports».

Cette dépêche à caractère foncièrement sexiste a été publiée le 16 mai 1925 et traduit vraisemblablement un certain état d'esprit qui pouvait prévaloir à l'époque.

Gilles Perron acquitté du meurtre de sa femme

L'ex-réalisateur Gilles Perron est maintenant un homme libre.

Accusé du meurtre de sa femme Michèle, poignardée à mort le 15 décembre 1987 à l'intérieur de son auto stationnée derrière la polyclinique Concorde de Laval où elle travaillait, Perron a reçu un verdict d'acquittement de la part du jury, composé de six hommes et six femmes.

Cet homme de 51 ans, accompagné de sa fille Isabelle et, peu après le verdict, de son fils Sylvain, a fondu en larmes devant le juge Réjean Paul, de la cour Supérieure du Québec.

« Enfin, c'est fini pour ma famille et pour moi », a-t-il été capable de dire, la voix étouffée par des sanglots, tout en s'empressant de quitter le Palais de justice de Montréal.

Perron aura été incarcéré durant 27 mois avant de recouvrer sa liberté, en décembre 1991, dans l'attente de son

au terme de son premier procès, à la fin de 1989, Perron en était à son deuxième procès, ordonné par la Cour d'appel et entamé le 27 avril dernier, en présence d'un nouveau procureur de la Couronne, Me André Vincent, et des deux avocats de l'accusé, Mes Daniel Rock et Jean Dury.

Condamné à la prison à perpétuité,

deuxième procès. Il a d'ailleurs déjà indiqué son intention de poursuivre le ministère public pour les dommages subis depuis la tenue de son premier procès.

Il a quitté la Société Radio-Canada, son employeur depuis le début des années 70, en obtenant une prime de séparation de 100 000 $, il y a quelques semaines à peine. (**Texte publié le 16 mai 1992.**)

12 bombes à Westmount

DOUZE bombes de fabrication domestique placées dans autant de boites aux lettres ont tenu en alerte la population de Westmount, hier, en plus de causer des blessures graves à un ingénieur de l'Armée canadienne.

Tôt ce matin, le sergent-major Walter Rolland Leja était encore entre la vie et la mort à l'hôpital St-Mary's après que les médecins eurent travaillé durant plusieurs heures pour lui amputer le bras gauche et lui faire subir une trachéotomie des voix respiratoires, en plus de traiter ses nombreuses blessures à la poitrine et au visage.

C'est à 2 h. 58 hier matin qu'une première explosion dans une boite aux lettres marqua le début d'une série d'événements tragiques qui devaient faire du vendredi **17 mai 1963** la journée la plus mouvementée de l'histoire de Westmount.

Des douze bombes, cinq ont explosé tôt vendredi matin, entre 2 h. 58 et 3 h. 30, deux ont été désamorcées par le sergent-major Leja, une autre lui a explosé dans les mains, le sergent-détective Léo Plouffe a désamorcé la neuvième aux limites de Montréal, et les ingénieurs de l'armée ont fait «sauter» les trois dernières dont on soupçonnait la présence dans autant de boites aux lettres.

Les cinq premières explosions survenues vendredi matin ont suffi pour jeter la consternation chez les paisibles habitants de cette ville ordinairement calme et pour mettre la police sur un pied d'alerte.

A la suite de ces actes de terrorisme, la police westmountaise, de concert avec les autorités du ministère des Postes, ont entrepris la fouille des quelque 85 boites aux lettres dispersées dans la ville. (...)

Les deux premières interventions du sergent-major Leja ont connu le succès. Toutefois, à l'intersection des avenues Westmount et Lansdowne, l'expert de l'Armée devait être victime de son courage.

L'explosion de la bombe que tenait dans ses mains à ce moment le sergent Leja équivalait, selon un témoin, à la détonation d'un obus de 20 livres.

Dans la déflagration, le sous-officier technicien a eu la main gauche arrachée, la figure meurtrie et la poitrine dangereusement mutilée. Son compagnon, le lieutenant Douglas Simpson, a échappé miraculeusement à l'explosion, bien qu'il ne se trouvât qu'à environ dix pieds de la victime au moment précis de la détonation.

Le feu qui a éclaté dans le plus gros dépotoir de vieux pneus de la province était hier soir hors de contrôle.

Tout le dépotoir de pneus de Saint-Amable brûle

L'épée de Damoclès qui pendait depuis des années au-dessus de la population de cette petite ville, à 20 kilomètres à l'est de Montréal, est tombée hier (**le 17 mai 1990**) : le feu a éclaté dans le plus gros dépotoir de vieux pneus de la province.

Éric Delisle, 19 ans, un employé qui travaillait au dépotoir, a dit qu'il a le premier donné l'alerte, vers 15h10. Il a déclaré que les flammes faisaient déjà rage quand il les a aperçues, à peu près au milieu du dépotoir.

Les camions de pompiers sont rapidement arrivés sur les lieux, suivis par des bulldozers et des pelles mécaniques. Les premières équipes ont creusé des tranchées autour du brasier, mais les flammes les ont franchies.

Des avions-citerne CL-215 des Forces armées canadiennes ont été appelés en renfort, mais les pompiers ont décidé de ne pas y avoir recours. Les tonnes d'eau, larguées sur le terrain, auraient pu contaminer la nappe phréatique. Des pompiers se sont dit déçus que l'arrivée des avions aient interrompu leurs propres efforts.

A 20 h 30, M. Doyon et les fonctionnaires des ministères de l'Environnement du Québec et du Canada ont dressé un constat d'échec. « Nous essayons maintenant d'éviter que les flammes rejoignent le bois de Varennes, a dit le maire. C'est à peu près tout ce que nous pouvons faire. »

Les autorités n'avaient toujours pas évacué la population, hier soir. Un porte-parole d'Environnement Canada, Vincent Martin, a expliqué que les analyses préliminaires de la fumée retombant au sol indiquaient qu'il n'y avait aucun danger immédiat.

« Toutes les mesures montrent que les concentrations de produits dangereux sont sous le seuil de détection, a-t-il dit. Pour l'instant, il n'y a pas de problèmes pour la santé et la sécurité des citoyens. »

Le pire a été évité grâce à la direction et à la force des vents, qui soufflaient d'est en ouest, de 30 à 40 kilomètres à l'heure. L'immense panache de fumée noire, visible de Montréal, s'élevait à une altitude d'environ 600 mètres.

Plutôt que de retomber sur Saint-Amable, un ville semi-rurale de 5 000 habitants, la fumée survolait Varennes — où on a demandé aux gens de fermer les fenêtres de leur maison —, puis l'est de Montréal. Elle se dissipait ensuite à l'est de Laval et rejoignait des communautés aussi éloignées que Saint-Eustache, au nord-ouest de Montréal.

Des études montrent que les pneus dégagent des gaz nocifs en brûlant, notamment des dioxines, des furannes et des HAP. Les feux de pneus laissent aussi un résidu huileux sur le sol, qui peut contaminer les eaux de surface et les eaux souterraines.

Le propriétaire des lieux, Jean-Paul Mirault, a cependant affirmé qu'il était convaincu que l'incendie était d'origine criminelle. « Le feu est parti bien trop raide pour que ce soit une bagatelle », a-t-il dit.

La population de la Rive-Sud a connu un autre incendie majeur, en août 1988, lorsqu'un entrepôt de barils de BPC a brûlé, à Saint-Basile-le-Grand. Cet incendie avait entraîné l'évacuation de 3 500 personnes pendant deux semaines.

C'EST ARRIVÉ UN 17 MAI

1999 — Virage majeur en Israël : le travailliste Ehud Barak bat haut la main le premier ministre sortant, le conservateur Benjamin Netanyahu. Et comme pour narguer celui qui avait gelé le processus de paix, M. Barak a immédiatement promis qu'il mettrait fin dans les douze mois au conflit avec le Liban.

1996 — Fébrilement attendu depuis le début du Festival de Cannes, le film canadien *Crash*, de David Crionenberg, aura été, de tous les films en compétition présentés jusqu'ici, le seul à recevoir des huées de la critique.

1995 — Trois scientifiques, dont deux Montréalais, ont été récompensés par le prix Izaak-Walton-Killam décerné par le Conseil des Arts du Canada. Michel Chrétien, médecin chercheur à l'Institut de recherches cliniques de Montréal, George Zames, professeur en génie électrique à l'université McGill et Myer Bloom, physicien à l'université de Colombie-britannique, ont reçu chacun une bourse de 50 000 $.

1993 — Le chef du Bloc québécois, Lucien Bouchard, croit que l'interdiction de l'anglais dans l'affichage commercial « coûte cher au Québec en termes de réputation internationale. Être ainsi la cible de l'ONU, il faut le faire. On ne peut pas y rester indifférent », a observé M. Bouchard au sujet de la critique, aux Nations unies, de cette partie de la loi 101.

1988 — Le nombre de femmes médecins croît rapidement au Québec. Actuellement, elles représentent même une majorité des nouvelles admissions dans les facultés de médecine.

1988 — En affirmant que la nicotine crée une accoutumance à la manière de l'héroïne et de la cocaïne, le chef du service fédéral américain de la Santé publique, Everett Koop, fournit de nouvelles munitions aux groupes anti-tabac.

1986 — Plus de 100 000 personnes devront subir des examens réguliers pour le reste de leur vie afin de contrôler les effets sur leur santé de la fuite de radioactivité causée par l'accident nucléaire de Tchernobyl.

1983 — Les Islanders de New York méritent la coupe Stanley pour la 4e année consécutive en menottant complètement Wayne Gretzky.

1982 — Les résidents de Pointe-aux-Trembles votent majoritairement en faveur de l'annexion à Montréal.

1977 — Le Likoud de Menahem Begin remporte les élections en Israël, mettant fin à 29 ans de régime travailliste.

1973 — Début de l'enquête du Watergate aux États-Unis sous l'oeil vigilant de la télévision.

1971 — Arrivée du premier ministre Pierre Elliott Trudeau en URSS, pour un voyage officiel de 11 jours.

1957 — Grève des 6 000 employés de l'aluminerie d'Arvida.

1954 — Par neuf voix contre zéro, la Cour Suprême des États-Unis interdit la ségrégation raciale à l'école.

1950 — Intronisation de Mgr Paul-Émile Léger au poste d'archevêque de Montréal.

1940 — Les Allemands percent les lignes françaises sur un front de 62 milles et prennent Bruxelles, Louvain, Malines et Namur.

1916 — Les rues Gilford et de Laroche, dans le nord de Montréal, sont inondées à la suite du débordement des égouts.

1903 — Un pont de chemin de fer inachevé s'écroule sous le poids d'un train de marchandises, à Grand' Mère.

Fous comme à Rio!

Jamais Montréal n'aura connu pareille nuit ! Pareille journée ! Pareil anniversaire !

Au moment où le défilé de nuit dépassait la rue Rachel, hier soir (**le 16 mai 1992**) un peu après 22 h, une mer de monde presque sans trous déroulait ses vagues jusqu'au Vieux-Port, trois kilomètres plus bas, où dès six heures hier matin, les premiers braves faisaient la queue pour être parmi les premiers à obtenir l'un des laissez-passer qu'on allait y distribuer à compter de 9 h 30, pour des festivités qui ont duré toute la journée d'hier et jusqu'à tard dans la nuit, après les dernières bombes du grandiose feu d'artifice qui allait couronner le rendez-vous de tous les Montréalais à l'occasion du 350e anniversaire de leur ville.

Plus tôt sur le boulevard Saint-Joseph, pendant que les participants commençaient à endosser leurs costumes vers 18 h 30, et à mettre en place les maquettes géantes, les rampes de lumières et les étendards qu'ils porteraient à bout de bras tout au long du défilé qui allait bientôt transformer le boulevard Saint-Laurent en carnaval de Rio, des couples isolés, des enfants, des familles, commençaient à prendre sagement place le long des trottoirs.

Une heure et demie plus tard, c'était trop tard: le premier rang affichait complet. Du haut de la pente qui descend depuis l'avenue du Mont-Royal, on pouvait déjà apercevoir une foule de plus en plus compacte jusqu'à Sherbrooke.

Le ton était donné. Musique. Symboles géants. Mouvement. Et lumières.

Le long du boulevard Saint-Laurent, les lampadaires avaient été éteints.

La fin du « vilain petit canard »

Fin d'un mythe : la célèbre 2 CV Citroën, qui brinqueballait depuis plus de 40 ans sur les routes du monde entier, va cesser d'être produite par la firme française, qui, depuis deux ans, ne la montait plus que dans son usine de Mangualde, au Portugal.

Ainsi prend fin l'existence officielle de celle qui, dans les voitures populaires, était la grande rivale de la « Coccinelle » ouest-allemande. Mais il n'est pas douteux qu'une seconde vie l'attende au Paradis des chevaux-vapeurs : chez les collectionneurs. Car la 2 CV a soulevé autant d'enthousiasme chez les jeunes que, chez d'autres automobilistes plus fortunés, la Jaguar MK II ou la Porsche 356. (**Texte publié le 17 mai 1990.**)

Li Chung-Yun âgé de 252 ans explique les raisons de sa grande vieillesse

*NDLR — Cet article incroyable a été publié le **17 mai 1930**.*

KAISAN province du Schechwan, Chine, — Li Chung-Yun est âgé de 252 ans!! Cet âge qui peut surprendre pour un être humain est catégoriquement prouvé par des précisions irréfutables. Il y a quelques semaines à peine, à la demande de Wu Chung-Chieh, doyen du service éducationnel de l'Université de Chung-Tu, Li Chung-Yu a accepté de donner toute une série de conférences sur lui-même et expliquer le secret de sa longévité. (...)

C'est un homme d'une instruction, d'une érudition considérable et d'une activité cérébrale extraordinaire. Ses souvenirs permettent de retracer les faits importants de la vie de dix monarques et les événements de 18 ans du régime républicain. (...)

On eut 23 séances en tout. Or, bien des jeunes professeurs après un tel travail auraient été fatigués, harassés, mais, chose remarquable, le vieux Li terminait chacune de ses conférences avec toujours une fraîcheur physique et intellectuelle. (...)

UNE ENQUETE

Une enquête minutieuse fut faite et il fut indiscutablement constaté que nous étions bien en présence d'un homme de 252 ans. On découvrit même dans les papiers de Li un message officiel du gouvernement chinois le félicitant d'avoir atteint son 150e anniversaire de naissance. Le professeur Chung-Chieh déclare qu'une seconde fois, en 1877, le gouvernement félicita Li de son 200e anniversaire; de plus on découvrit des papiers prouvant que Li était né en 1677.

AVENTURIER

Li n'a jamais vécu une vie sédentaire. C'est un homme qui a toujours aimé les aventures et bien qu'âgé, il manifeste l'enthousiasme d'un jeune homme de 18 ans. Il s'est marié 23 fois et il a enterré toutes ses épouses. Présentement, la 24e, bien qu'âgée de 60 ans seulement, se sent vieille et se plaint souvent qu'il n'est pas commode pour une personne de son âge de vivre avec un homme aussi jeune; elle se sent incapable de suivre son mari qui a un goût trop vif pour les aventures. (...)

Bombe au Parlement d'Ottawa

Un aliéné est déchiqueté par l'engin qu'il destinait au parquet de la Chambre

OTTAWA — Paul-Joseph Chartier, un aliéné domicilié à Toronto, est l'homme qui a connu une mort affreuse, à quelques pieds de la Chambre des communes, hier après-midi **(18 mai 1966)**.

La bombe de sa fabrication qu'il avait dissimulée sous son pardessus, a explosé prématurément, au moment où il l'amorçait dans une salle de toilette adjacente aux bureaux du premier ministre et du ministre des Affaires étrangères.

D'après les renseignements recueillis jusqu'ici par la Gendarmerie, l'individu âgé de 45 ans se préparait à la lancer sur le parquet de la Chambre.

Mais la bombe qu'il avait préparée dans son appartement de Toronto devait être amorcée manuellement, probablement à l'aide d'une allumette.

Après avoir demandé son chemin à un garde, l'individu est entré dans la salle de toilette, numérotée 327S, dans le bloc central du Parlement; il ne devait pas en ressortir vivant.

Le solliciteur général Larry Pennell a révélé ces faits aux journalistes, tard hier soir, tout en leur apprenant que la Gendarmerie avait retrouvé dans l'appartement de Chartier plusieurs bâtons de dynamite et deux autres bombes de sa fabrication.

Sur son corps affreusement mutilé, on a retrouvé deux cartes d'identification, portant des noms différents, ainsi qu'une autre carte indiquant qu'il était sous traitements dans un hôpital psychiatrique de la Ville-Reine.

De plus, la Gendarmerie a retrouvé dans son appartement des écrits de sa main qui ne laissent planer aucun doute; Paul Chartier était malade, mentalement.

Tout porte à croire qu'il s'agit d'un célibataire qui vivait seul. On pense qu'il a passé la nuit dernière au YMCA de la capitale fédérale.

On est porté à croire, a dit le solliciteur général, qu'il n'en voulait pas particulièrement à un individu, mais bien à des institutions comme le Parlement.

La GRC a également établi que Paul Chartier a eu plusieurs emplois au cours des dernières années. (...)

L'étendard royal se promène pour la première fois dans la Métropole

Un moment ralenti du long cortège de vingt-trois milles qui a permis au roi George VI et à la reine Elizabeth, souverains du Canada, d'entrer en contact, hier après-midi (*18 mai 1939*), avec leur métropole canadienne. Le cortège revient du Chalet de la montagne. L'automobile marron, au pare-brise duquel flotte l'étendard royal sort du fashionable chemin Shakespeare pour s'engager dans la Côte des Neiges. Il est 5 h. 30 environ. Le soleil commence à tomber, la brise se fait plus fraîche et les ombres s'allongent. L'escorte modère son allure car, dans une couple de minutes, les motocyclettes de la 8e Duke of Connaught's Royal Canadian Hussars seront remplacées par les 32 chevaux superbement stylés de la 17e Duke of of Connaught's Hussars. La foule est déjà moins dense que tout à l'heure. Elle est restée en place longtemps pour voir revenir par le chemin Shakespeare le cortège royal qui était passé une heure auparavant. Elle acclame de nouveau.

Désastre aérien à Moscou

Un aérobate trop hardi a fait choir un énorme avion. — Le gigantesque «Maxim Gorki» se brise sous l'impact d'un avion acrobatique.

MOSCOU — Une bataille désespérée dans un avion cinématographique accompagnant le «Maxim Gorki» au temps du désastre de samedi **(18 mai 1935)** a failli causer une autre tragédie.

Le pilote de ce petit avion, V. Rybushkin, dit qu'après qu'un aéroplane acrobatique eut frappé le Gorki, un opérateur de cinéma perdit la tête, se jeta sur lui, essayant de l'étrangler et de lui enlever les contrôles.

«Je perdis la direction de mon appareil, dit ce pilote, et nous descendimes en spirale. Et je fus obligé de frapper mon compagnon à la figure.»

On n'a pu savoir si cet opérateur a tourné la tragédie aérienne avant son accès de folie. 49 personnes ont perdu la vie dans cet accident, soit 48 à bord du Gorki et le pilote de l'avion qui faisait de l'acrobatie.

Blagin averti d'être prudent

Rybushkin dit qu'il avait entendu Ivan Mikhseff, un des pilotes du Gorki, avertir Blagin, pilote de l'appareil qui causa le désastre, de ne pas faire d'acrobatie avant que les avions eussent pris leur vol. «Ne fais pas de boucles, aurait dit Mikhseff, tu arriverais dans mon appareil. Blagin, offensé, aurait répliqué: «Je ne suis pas un enfant, je suis aviateur depuis 15 ans».

«Blagin, continua Rybushkin, volait à droite du Gorki et moi à 60 mètres à gauche. Blagin avait l'ordre d'accompagner le Gorki pour que nous puissions montrer dans le film le contraste entre les deux appareils. Le Gorki avait fait une courte envolée et nous retournions à l'aérodrome quand Blagin se mit à «faire le baril» puis à boucler la boucle. A la deuxième boucle, il perdit de la vitesse et s'écrasa sur l'aile droite du Gorki près du point où elle joignait le fuselage. Je m'étais éloigné et j'étais monté au-dessus des deux aéroplanes.

«Les pilotes du Gorki ont probablement fermé leurs moteurs immédiatement mais l'appareil avança pendant 10 ou 15 secondes.

Puis le petit avion tomba en pièces. L'aile droite du Gorki se détacha, puis la queue s'affaissa et se détacha. Le reste de l'avion se retourna sur le dos, avança un moment puis plongea vers la terre, frappant des arbres avant d'arriver au sol.»

Photo du « Maxim Gorki », capable de transporter 75 personnes à une vitesse de 150 milles à l'heure.

C'EST ARRIVÉ UN 18 MAI

1987 — Présentant ses « profonds regrets », le président irakien Saddam Hussein a reconnu que des avions irakiens ont attaqué par erreur la frégate lance-missiles américaine Stark, dans le centre du Golfe, causant la mort d'au moins 28 marins américains.

1984 — Le gouvernement du Québec a décidé d'instituer à son tour une distinction spéciale visant les personnes qui, par leur mérite exceptionnel, inspirent de la fierté au peuple québécois. Il s'agit de l'Ordre national du Québec.

1982 — La société Bombardier obtient un important contrat de $1 milliard des gestionnaires du métro de New York.

1980 — Le gouvernement sud-coréen décrète l'état d'urgence sur l'ensemble du territoire pour mettre fin à l'agitation étudiante en cours depuis deux mois.

1969 — Départ du vaisseau spatial *Apollo X*, qui servira de répétition générale en vue de l'alunissage de juillet. — Début des expropriations à Sainte-Scholastique en vue de la construction du nouvel aéroport international de Montréal.

1968 — En France, la grève générale gagne le secteur public.

1967 — Le gouvernement égyptien invite les forces des Nations-Unies en Égypte sur son territoire à vider les lieux.

1965 — La reine Elizabeth II entreprend une visite historique en Allemagne de l'Ouest. C'est la première fois qu'un souverain britannique foule le sol allemand depuis 1909.

1956 — Fin de la grève des marins des Grands Lacs, qui durait depuis dix jours.

1954 — Un ballon d'une hauteur comparable à un édifice de 13 étages s'élève jusqu'à l'altitude incroyable de 23 milles, aux États-Unis.

1951 — L'ONU décrète un embargo sur les armes et les matières stratégiques destinées à la Chine communiste.

1946 — Le gouvernement américain se voit dans l'obligation de réquisitionner les chemins de fer pour empêcher les cheminots de déclencher la grève.

1939 — Le gouvernement libéral de T.A. Campbell est maintenu au pouvoir lors des élections générales de l'Île-du-Prince-Édouard.

Eaton bat de l'aile

Il n'y a pas encore de pancarte à vendre dans la vitrine de l'auguste magasin Eaton de la rue Sainte-Catherine, mais c'est tout comme.

La direction de la Compagnie T. Eaton, de Toronto, a fait savoir par communiqué qu'elle « évaluait un certain nombre de scénarios pour maximiser la valeur de l'avoir des actionnaires ».

Traduction : après avoir frôlé la faillite à l'hiver de 1997, après avoir fermé 23 magasins et après avoir récolté des capitaux frais en Bourse en juin 1998, le détaillant torontois, qui vit sa 130e année d'existence, a échoué à se renouveler et à refaire des profits. Encore une fois, donc, Eaton se trouve à la croisée des chemins.

C'est la vente, en tout ou en pièces détachées, de la chaîne de 64 magasins, dont neuf se trouvent au Québec, qui retient l'attention de l'industrie depuis des mois. D'autant plus qu'Eaton a publiquement reconnu qu'elle a reçu « des manifestations d'intérêt de la part d'un nombre de joueurs dans le but d'une transaction potentielle ».

Quatre candidats sont cités le plus souvent, dont deux associés au pays de l'Oncle Sam : Federated, un géant américain du détail qui chapeaute les chaînes Macy's et Bloomingdale's ; et Sears Canada, une entreprise de Toronto, mais dont l'actionnaire majoritaire (55 %) est Sears Roebuck, de Chicago.

Du Canada, il y a Holt Renfrew et sa chaîne de 11 magasins haut de gamme, propriété du holding privé de Galen Weston, le président du conseil du Groupe George Weston (Loblaw, Provigo, etc.). Et Les Boutiques San Francisco, un détaillant aussi connu par ses Ailes de la Mode, dirigé par Paul Delage Roberge. Celui-ci ne fait aucun secret de son rêve d'acquérir le Eaton de la rue Sainte-Catherine. Federated, Sears et Holt Renfrew ont les reins financiers assez solides pour acheter toute la chaîne bien que sa lourde dette soit repoussante.

En dépit de ses efforts de redressement, Eaton a perdu 72 millions sur des revenus de 1,6 milliard l'an dernier. (**Texte publié le 18 mai 1999**)

Une autre première pour Marc Garneau

En octobre 1984, à son retour d'une mission de huit jours à bord de la navette spatiale Challenger, Marc Garneau avait aussi exprimé un désir : repartir dans l'espace, et y passer un peu plus de temps.

Ce souhait est sur le point de se réaliser. Demain matin (**le 19 mai 1996**), la navette spatiale devrait s'élancer avec, à bord, quatre Américains, un Australien et l'astronaute québécois, pour une mission de neuf jours.

M. Garneau, un natif de Québec, était passé à l'histoire en 1984 en devenant le premier Canadien à aller se promener en orbite. Le vol de demain, lui permettra d'enregistrer une autre première : il s'agira du premier Canadien à s'envoler pour une deuxième fois dans l'espace.

Le St. Helens fait éruption

La montagne était si belle qu'on l'avait surnommée le Fuji des États-Unis.

Mais, (**le 18 mai 1980**), le mont St. Helens s'est transformé en un des plus terrifiants spectacles naturels qui soient.

« Les volcans qui n'entrent pas souvent en éruption peuvent être les plus dangereux », commente Daniel Dzurisin, le scientifique responsable du U.S. Geological Survey Cascades Volcano Observatory à Vancouver, dans l'État de Washington. « Ils ne font pas éruption souvent, mais quand il le font, c'est extrêmement violent. »

Le plus jeune et le plus actif des volcans de la chaîne des Cascades, massif montagneux du nord-ouest des États-Unis sur la côte Pacifique, est entré en éruption, faisant 57 morts, dévastant un territoire de 600 kilomètres carrés et recouvrant des zones situées à plus de 500 kilomètres de distance d'une épaisse couche de cendres volcaniques.

Le mont St. Helens était silencieux depuis 123 ans quand, le 27 mars 1980, une colonne de vapeur s'en est échappée à la suite d'une série de petites secousses sismiques qui avaient ouvert un nouveau cratère, près de son sommet.

Au cours des sept semaines qui ont suivi, plus de 10 000 secousses ont été enregistrées à la montagne. Tout ce temps, son flanc nord se gonflait sous l'effet de l'accumulation de magma — de la roche en fusion.

À 8 h 32, le 18 mai, ébranlé par un tremblement de terre de magnitude 5,1, la partie supérieure du flanc nord s'est effondré, entraînant l'explosion du magma chargé de gaz. De la roche, de la boue, de la glace, de la neige et de l'eau ont été projetées vers le nord, provoquant le plus important glissement de terrain connu des humains de toute l'histoire.

À une vitesse atteignant jusqu'à 1 000 km/h, la poussée latérale de la déflagration a rasé 60 000 hectares de forêt. Trente kilomètres plus loin, des sapins vieux de 150 ans étaient rompus, et la fumée et les gaz dégagés par l'éruption atteignaient les 300 degrés C.

Un nuage noir de cendres et de fumée a été entraîné jusqu'au sud et au centre de la Saskatchewan, et des résidants de Colombie-Britannique et d'Alberta ont raconté avoir senti une odeur de moisi, semblable au soufre.

Et au lieu de ce qui était auparavant un sommet symétrique, on peut désormais apercevoir un cratère béant en forme de fer à cheval bordé de murs en dents de scie.

On estime que 5 000 chevreuils, 1 500 orignaux et 200 ours sont morts, de même que des millions de poissons, d'oiseaux et d'autres bêtes. (**Ce texte fut publié le 20 mai 1995.**)

MONTREAL ACCLAME LES HEROS DU 22e ET LEUR SOUHAITE UNE RECONNAISSANTE BIENVENUE

Le coup d'oeil qu'offraient les abords de la gare Viger où des milliers et des milliers de personnes se pressaient, cet avant-midi (*19 mai 1919*) pour acclamer nos héroïques soldats. Cette photographie fut prise au moment où les gars du 22ème, applaudis avec chaleur, prenaient leur rang pour la grande parade à travers les principales rues.

LE RETOUR TRIOMPHAL DE NOS HEROS

ILS sont arrivés comme des soldats d'épopée: glorieux, fiers et gais.

L'histoire du courage, de l'honneur et de la vaillance pouvait se lire sur toutes les poitrines avec pour caractères: des croix, des médailles, des plaques, des rubans et des étoiles.

Jamais la population de Montréal n'a éprouvé un tel frisson qui aussi rapidement l'a conduite au vertige d'un enthousiasme sans précédent.

Le tiers de la population avait déserté le foyer pour se distribuer à la gare Viger, sur le parcours, à la Ferme Fletcher et aux casernes.

Il y avait comme un peu de soleil d'Austerlitz qui rutilait sur les baïonnettes des vainqueurs de Courcelettes, descendants de ceux qui avaient combattu sous Napoléon.

Le spectacle est une chose inoubliable. Plus de deux cent mille personnes formaient la haie qui attendaient le 22ième au passage.

Le cadre était admirable. Le pont, rue Notre-Dame, était, sur toute sa longueur, chargé d'une masse multicolore qui chantait et applaudissait. Le long des rampes, même foule. En levant les yeux, sur tous les toits, aux fenêtres: foule, foule.

LES HEURES D'ATTENTES

Pour distraire les milliers de gens qui attendaient, peu à peu arrivèrent les troupes des vétérans, les cadets, les rapatriés des différentes unités.

Plus de 18 bataillons étaient représentés. Puis, ce furent les Cadets du Mont Saint-Louis, unités écossaises, sociétés des vétérans, Sacs-en-dos, associations de secours, «Boy-Scouts».

Les fanfares nombreuses jouaient des airs martiaux.

Les groupes officiels arrivaient à leur tour. (...)

Le consul de France, M. Henri Ponsot, accompagné de tout son personnel et d'un grand nombre de membres de la colonie française, se trouvant là, séparés de l'autre groupe, profitèrent heureusement des circonstances pour saluer les soldats qui descendaient. L'autre train fut rapidement en gare et les soldats descendaient peu après. Vers 11 heures moins un quart, tout était fini, et l'on attendait le départ.

LA RECEPTION OFFICIELLE

Dans le second train arriva le général Tremblay, D.S.O., officier de la Légion d'honneur, souriant, fort efficace. Après lui venaient le lieut.-col. A.H. Dubuc, D.S.O; le lieut.-col. H. Desrosiers, le major H. DeSerres, le major J.-P. U. Archambault, le major Henri Chassé et le capitaine Ernest Cinq-Mars.

Dès que le général Tremblay parut, on lui offrit une gerbe de roses. Les officiers de l'état-major local et les officiers du 22ième échangèrent des saluts, et le maire Martin souhaita la bienvenue au nom de la ville. Le colonel Gaudet et le général Tremblay ouvrirent la marche, suivis par tout le brillant état-major des officiers présents et les citoyens distingués des comités de réception des différentes organisations.

Sur les deux quais de la gare, 758 officiers et soldats attendaient la formation en parade pour filer au plus tôt.

Les soldat! Oh! les braves gars! Tous avaient quelque chose sur la manche ou sur la poitrine: galons, étoiles, rubains, croix, médailles. Nous avons vu des manches avec 5 barres d'or, ce qui signifie 5 blessures. Tous ces braves, rablés, joyeux, blagueurs, se moquaient des civils, et, sans forfanterie criant leur joie du retour après avoir fait leur bonne, très bonne part de la grande besogne.

LE DEPART DE LA PARADE

Puis le signal du départ fut donné. Les deux mille hommes de troupe que formaient les vétérans et les cadets se mirent en marche, aux accents des fanfares de chaque groupe, drapeaux déployés.

Jusqu'à ce moment, la foule n'avait pas encore vu les héros qu'elle attendait et qu'elle était si anxieuse de voir. Les unités rapatriés défilèrent, puis ce fut les vétérans français, dont l'uniforme bleu tranchait avec ceux de leurs camarades; puis la garde d'honneur du 65ième, la garde d'honneur formée par le 4ième bataillon de la garnison locale.

Soudain, un commandement bref est donné par le lieut.-col. H. Desrosiers, et les baïonnettes sont fixées aux canons des fusils, et le défilé glorieux commence, alors qu'éclate l'ovation d'une foule comme jamais on n'en a vue précédement. Le défilé héroïque s'achemine par la rue Saint-Hubert, et disparaît dans la longue théorie des arcs de triomphe, pour se rendre au parc Mance.

Ce fut un spectacle inoubliable que celui de la remise des décorations des braves, qui n'avaient pu les recevoir qu'après la signature de l'armistice. La cérémonie eut lieu sur le parc Mance. (...)

Cela se passait le 19 mai 1919.

C'EST ARRIVÉ UN 19 MAI

1987 — Au rythme de 150 naissances par minute, la Terre comptera cinq milliards d'habitants dans les semaines qui viennent et la population mondiale ne se stabilisera à 10 milliards que d'ici à un siècle, affirme un rapport publié par le Fonds des Nations-Unies pour les activités en matière de population.

1976 — Le gouvernement canadien décide d'interdire toute livraison de matériel nucléaire à l'Inde.

1974 — Les Flyers de Philadelphie deviennent la première équipe de l'expansion de 1967 de la Ligue nationale de hockey à mériter la coupe Stanley, en battant les Bruins de Boston par quatre victoires à trois en finale. — Valéry Giscard d'Estaing est élu président de la France, ayant défait le socialiste François Mitterand, représentant de la gauche. Il devient ainsi le 3e président de la Ve République, après le général Charles de Gaulle et Georges Pompidou.

1967 — Le secrétaire général U Thant, des Nations-Unies, décide d'obtempérer à la demande de l'Égypte et ordonne l'évacuation du territoire égyptien par les forces de l'ONU.

1958 — Le général Charles de Gaulle annonce qu'il est prêt à reprendre le pouvoir en France, à la condition qu'on lui accorde pleine autorité.

1948 — La Grande-Bretagne annonce son intention de continuer d'armer les Arabes dans la guerre contre les Juifs, tant que son intervention ne sera pas déclarée illégale par l'ONU.

1941 — Le duc d'Aoste et 7 000 soldats italiens se rendent aux Britanniques après le siège d'Amba Alagi, en Éthiopie.

1940 — Le général Weygand devient le commandant en chef des troupes alliés, en remplacement du général Gamelin.

1926 — Un incendie détruit l'usine de la Colonial Piano, à Sainte-Thérèse.

CARUSO A L'ARENA

Voici comment le Claude Gingras du temps avait analysé le concert d'Enrico Caruso présenté le ***19 mai 1908*** *à l'Arena de Montréal.*

DEVANT une salle comble, — et, à l'Aréna, cela veut dire quatre milles personnes, au bas mot, — Caruso, Rhadamès, Canio, Faust, incomparable, a été acclamé avec frénésie, rappelé avec délire, et, en bon prince, il est revenu, mais pas aussi souvent qu'on l'eut voulu, donner l'éblouissement magique de sa voix. C'est cette voix seule qu'on est allé entendre. La musique n'était plus que le véhicule par lequel cette voix pure et forte, souple et tragique, répandait dans l'immense hangar de fer de l'Arena ses accents prestigieux. Qu'importait le lyrisme convenu de l'air d'Aïda», la froideur aristocratique de la Cavatine de Faust, puisque ce n'était là ce qu'on venait entendre. Et cependant il y aurait beaucoup à dire, et à redire, à ce sujet. Le plus grand triomphe de la soirée fut pour l'Air de «Paillasse» (de Léon Cavallo), de la musique vraie, empoignante, intense, dramatique. Caruso ne l'a pas chantée, il l'a pleurée!

Le régistre du chanteur est merveilleux. Il n'y a pas une paille dans son étendue. Le timbre est homogène, d'une qualité toujours constante. Sans que l'articulation soit jamais martelée, on saisit les moindres syllabes, que ce soit en français ou en italien. Jamais le chanteur n'a cédé à la trop facile tentation d'épater l'auditoire par des tenues inartistiques de notes élevées et cela coule sans effort apparent, sans que la cage thoracique semble devenir un soufflet de forge. (...)

La colonie italienne a présenté à Caruso une adresse et des palmes nouées d'un ruban aux couleurs de la maison de Savoie.

Assistaient au concert, Son Excellence le gouverneur-général, ses filles, lady Evelyn et Sybil Grey et sa maison militaire. L'élite de la société anglaise et française occupait des baignoires et des fauteuils.

Enrico Caruso

Jackie n'est plus

L'annonce de sa mort suscite un émoi aussi profond qu'unanime

Le décès de Jackie Kennedy Onassis (**le 19 mai 1994**) a semé la désolation dans tous les milieux et les Américains pleurent l'ex-première dame de la Maison-Blanche qui a succombé à un cancer du système lymphatique à l'âge de 64 ans. Du citoyen anonyme aux différents présidents qui se sont succédés à la Maison-Blanche, chacun a rendu hommage à Jackie Kennedy.

Jacqueline Kennedy Onassis sera inhumée au cimetière national d'Arlington aux côtés du président John Kennedy. C'est en ce lieu qu'est enterré également leur fils Patrick, mort trois jours après sa naissance en août 1963, et une enfant mort-née en 1956.

La maladie n'a, à aucun moment, émoussé un courage qui impressionna une première fois l'Amérique en ce jour tragique de novembre 1963 à Dallas. Personne n'a oublié les images de cette femme au tailleur rose taché du sang de son mari assassiné, qu'elle avait épousé dix ans plus tôt, ou de la veuve digne tenant la main de ses deux jeunes enfants le jour des funérailles de John Fitzgerald Kennedy. L'année 1963 avait été marquée par un autre drame, la mort en août de son troisième enfant, Patrick, trois jours après sa naissance.

Sa cote d'amour avait un peu baissé après son remariage en 1968 avec le riche armateur grec Aristote Onassis. Mais les Américains avaient toujours conservé une place dans leur coeur pour celle que beaucoup considéraient comme un exemple.

Le fameux colonel Lawrence est mort

WOOL, Dornetshire, Angleterre — «Lawrence d'Arabie», roi non-couronné des Arabes, l'un des personnages les plus romanesques et les plus énigmatiques de notre temps, est mort hier (**19 mai 1935**) vers 8 heures du matin (3 heures a.m. H.N.E.), à l'âge de 45 ans, des suites d'un accident de motocyclette, au petit hôpital militaire où il gisait sans connaissance depuis 142 heures. Pendant plus d'une heure les médecins essayèrent de le ranimer en se servant d'oxygène. Ils avaient attendu incessamment l'occasion de l'opérer mais Lawrence est mort sans avoir repris connaissance.

Un examen post-mortem a révélé que le cerveau de Lawrence était si affecté qu'il n'aurait eu qu'un usage partiel de la parole et de la vue s'il avait survécu. Son frère A.W. Lawrence dit que son cerveau avait subi des blessures irréparables et que c'eût été une tragédie s'il avait survécu.

Conformément aux voeux du soldat-écrivain et de sa famille, de très simples obsèques lui seront faites demain à Moreton. N'y assisteront que quelques intimes.

Son corps enveloppé de l'Union Jack a été transporté dans une petite chapelle mortuaire à 100 verges de l'hôpital.

Son frère dément catégoriquement la rumeur que le colonel ait été mortellement blessé par ses ennemis parce qu'il détenait d'importants secrets d'Etat. Il dit que le colonel avait quitté complètement le service du gouvernement.

Winston Churchill, ami intime du fameux colonel, a déclaré: «Nous avons perdu dans le colonel Lawrence un des plus grands hommes de notre temps. J'avais espéré qu'il sortirait de sa retraite pour jouer un rôle de premier plan dans la lutte contre les dangers qui menacent notre pays. Il y a bien des années que l'empire n'a subi un pareil coup. Le chagrin personnel de tous ceux qui l'ont connu est accru par la conscience de l'énormité de notre perte.» (...)

La mère du colonel T.E. Lawrence qui est mort hier (...) n'apprit le décès de son fils qu'en arrivant de Chunking à Ichang. Elle était accompagné de son fils aîné, le Dr M.R. Lawrence.

Son voyage sur le Yang Tsé Kiang a été plutôt excitant: des pirates sont montés à bord et ont pris un butin considérable mais sans molester les passagers.(...)

Le colonel T.E. Lawrence, immortalisé sous le vocable «Lawrence d'Arabie».

La fécondation artificielle condamnée

Les naissances ne peuvent résulter d'une intervention étrangère à l'action naturelle des époux, déclare le Souverain Pontife.

CITÉ du Vatican

Le Pape a rejeté, comme «immorale et absolument illicite» les tentatives de fécondation artificielle «in vitro», dans un discours qu'il a prononcé en recevant les membres du deuxième congrès international de la fertilité et de la stérilité.

Le Saint-Père a rappelé à cet égard ce qu'il déclara, le 29 septembre 1949, en s'adressant à des médecins, à savoir qu'en écartant l'insémination artificielle, «on ne proscrit pas nécessairement l'emploi de certains moyens artificiels destinés uniquement soit à faciliter l'acte naturels, soit à faire atteindre sa fin à l'acte naturel normalement accompli».

Ayant ensuite rappelé aussi que dès 1929 le Saint-Office avait décrété qu'une masturbation directe «procurata ut obtineratur sperma» n'est pas licite à quelque fin que ce soit, dit qu'il se devait ajouter à ce sujet ce qui suit:

Limites du droit matrimonial dépassées

La fécondation artificielle dépasse les limites du droit que les époux ont acquis par le contrat matrimonial, à savoir, celui d'exercer pleinement leur capacité sexuelle naturelle dans l'accomplissement naturel de l'acte matrimonial. Le contrat en question ne leur confère pas de droit à la fécondation artificielle, car un tel droit n'est d'aucune façon exprimé dans le droit à l'acte conjugal naturel et ne saurait en être déduit. Encore moins peut-on le faire dériver du droit à l'«enfant», «fin» première du mariage. Le contrat matrimonial ne donne pas ce droit, parce qu'il a pour objet non pas l'«enfant» mais les «actes naturels» qui sont capables d'engendrer une nouvelle vie et destinés à cela. Aussi doit-on dire de la fécondité artificielle qu'elle viole la loi naturelle et qu'elle est contraire au droit et à la morale.

Cela se passait le 19 mai 1956.

SANS FIL

Des expériences intéressantes seront tentées ce soir par la Société Royale du Canada, après la conférence qui sera donnée au Château Laurier par le Dr. A.-S. Eve, sur quelques inventions de la grande guerre. Les membres de la Société monteront sur la tour du Château Laurier et essaieront de communiquer par téléphone sans fil avec Montréal, Kingston et autres villes.

À l'aide du « Magnavox », ils espèrent pouvoir entendre une cantatrice qui chante ce soir, au Conservatoire national de musique de Montréal. La compagnie des tramways d'Ottawa arrêtera son service pendant 2 minutes pour permettre cette expérience.

C'est la première fois que de telles expériences sont tentées au Canada sur un distance de plus de 100 milles. (**Texte publié le 20 mai 1920.**)

Service aérien outre-mer

Pan American Airways a annoncé que le service aérien transatlantique attendu depuis 10 ans, sera inauguré aujourd'hui (**le 20 mai 1939**) avec le départ du *Yankee Clipper*. Le courrier seulement sera transporté au cours des cinq premiers voyages tant à l'aller qu'au retour ; le service des voyageurs n'étant inauguré que le premier juillet prochain.

L'avion géant de 41 tonnes et demie arrive, ce matin, à New York venant de Baltimore. Il doit partir à 1 h de l'après-midi sous la direction d'un pilote qui n'a pas encore été choisi, à destination des Açores, son premier point d'arrêt dans son voyage vers Southampton. L'équipage sera composé de 14 personnes.

Par la route communément appelée du « sud », en passant par les Açores, Lisbonne et Marseille, la durée du voyage sera de 40 heures environ, tandis que par la route du nord en passant par Botwood, Terre-Neuve, et Foynes, Irlande, l'envolée ne prendra que 24 heures.

Les taux du voyage n'ont pas encore été fixés mais les officiers de la firme ont déclaré qu'ils seront entre 350 $ et 400 $. Tous les avions employés pour ce service seront des navires aériens de 41 tonnes et demie avec de la place pour 74 voyageurs pour de courts trajets. Au cours d'une envolée au dessus de l'Atlantique, le nombre des voyageurs sera réduit à 35 au maximum. Tout dépend naturellement de la route qui sera suivie et des conditions atmosphériques qui prévaudront à l'époque des voyages.

Un « direct de l'espace »

Pour montrer aux Terriens la Terre telle qu'ils la verraient s'ils pouvaient prendre leurs distances, les trois astronautes d'Apollo 10, s'ils n'ont pas avec eux de palette de peintre, disposent d'une nouvelle caméra de télévision qui a, une fois de plus, fait ses preuves au cours de la quatrième émission en couleurs parvenue de l'engin spatial, alors que celui-ci se trouvait déjà engagé dans la deuxième moitié de son trajet aller en direction de la Lune.

C'est un « direct de l'espace » qui a occupé les petits écrans, retransmis par toutes les grandes chaînes de télévision américaines, pendant près d'une demi-heure. Le spectacle le plus extraordinaire, et peut-être aussi le plus coûteux, que les États-Unis, spécialistes du grand spectacle en technicolor à plein renfort de musique, ont offert, d'un atlas universel richement illustré, colorié fidèlement par la réalité. (**Texte publié le 20 mai 1969.**)

Quatre militaires canadiens accusés de meurtre et de torture

Après deux mois d'enquête, quatre militaires canadiens ont finalement été formellement accusés d'avoir torturé et assassiné le civil Somalien Shidane Abukar Arone, âgé de 16 ans, en mars dernier, à la base de Belet Huen en Somalie.

Deux d'entre eux, le caporal-chef Clayton Matchee et le soldat Elvin Brown, sont accusés de meurtre au second degré et de torture.

Le soldat David Brocklebank et le sergent Mark Boland font face quant à eux à des accusations de torture et de « négligence dans l'exécution de leur tâche ».

Selon le brigadier général Pierre Boutet, c'est la première fois que des militaires canadiens doivent faire face à des accusations d'une telle gravité pour des gestes faits alors qu'ils participaient à une opération des Nations unies.

Arone a été battu à mort alors qu'il était détenu à la base militaire canadienne de Belet Huen, en Somalie, le 16 mars dernier. L'armée l'avait arrêté et mis en détention — essentiellement dans un trou dans le sol entouré de sacs de sable — parce qu'il avait tenté de s'infiltrer illégalement sur la base canadienne.

Les quatre militaires accusés sont tous membres du régiment aéroporté basé à Petawawa, non loin d'Ottawa. Ils ont tous été rapatriés depuis le début de cette affaire.

L'un d'entre eux, le caporal Matchee, est à l'hôpital militaire d'Ottawa depuis près de deux mois maintenant. Son état est grave et le caporal est incapable de communiquer. Il a été ramené dans le coma de Somalie où on l'avait retrouvé, pendu dans sa cellule à la base de Belet Huen, le 19 mars dernier. (**Texte publié le 20 mai 1993.**)

Le 10 mai 1927, au départ de San Diego vers New York. Charles Lindbergh est le plus grand des quatre hommes sous l'aile du *Spirit of St.Louis*.

Lindbergh traverse l'Atlantique

Le 20 mai 1927, au petit matin, Charles Lindbergh un jeune Américain de 25 ans que l'aviation avait passionné très tôt, décollait de New York à bord d'un monomoteur Ryan, le Spirit of St.Louis.

L'avion, dont la construction avait été financée par neuf hommes d'affaires de St.Louis (Missouri) — d'où son nom — emportait 1 620 litres d'essence et un radeau pneumatique, mais ni radio, ni parachute. Le *Spirit of St.Louis*, qui avait déjà battu, le 10 mai, un record de vitesse entre St. Louis et San Diego (Californie), pesait 975 kg à vide, avec un poids maximum de 2 380 kg. Il pouvait atteindre une vitesse maximum de 220 km / h. Son plafond était de 5 000 mètres.

Le 21 mai, après avoir parcouru une distance de 5 800 km en 33 heures et demie de vol — les bateaux mettaient alors quatre à cinq jours pour relier l'Europe à l'Amérique — Lindbergh se posait à 22 h 21 sur l'aéroport du Bourget, près de Paris, accueilli par une foule enthousiaste qui avait envahi le terrain.

Il était le premier à traverser l'Atlantique, entre New York et Paris, d'un seul coup d'aile, et enlevait le prix Orteig (25 000 $), offert au premier aviateur qui réaliserait l'exploit dans un sens ou dans l'autre. (**Texte publié le 20 mai 1987.**)

Les Québécois préfèrent la pub d'ici

Selon un sondage Léger & Léger, les dix pubs les plus populaires auprès des Québébois ont toutes été conçues au Québec. De plus, 90 % des Québécois préféreraient les messages interprétés par des Québécois à ceux qui sont traduits. « En utilisant le talent créatif des gens d'ici pour communiquer avec les Québécois, ces annonceurs permettent en effet de maintenir des milliers d'emplois dans plusieurs domaines du monde des communications tout en augmentant leur chiffre d'affaires », a déclaré M. Richard Leclerc, président du Publicité-Club de Montréal. Une étude réalisée par le Publicité-Club, en collaboration avec le ministère des Communications et de la Culture du Québec, révèle que 64,4 % des messages publicitaires présentées à la télévision francophone sont produits au Québec. Elle peut sembler encourageante, surtout si on la compare aux résultats de 1975 qui révélaient que seulement 27 % des annonces étaient crées par des publicitaires québécois, mais M. Leclerc déclare : « La partie est loin d'être gagnée. » (**Texte publié le 20 mai 1994.**)

C'EST ARRIVÉ UN 20 MAI

1998 — Le président Suharto de l'Indonésie, visiblement ému, a annoncé en direct à la télévision qu'il démissionnait après 32 ans au pouvoir. Le vice-président Bacharuddin Yusuf Habibie le remplace.

1990 — Le peintre naïf Arthur Villeneuve est décédé subitement à la résidence de sa fille Micheline, à Montréal. Arthur Villeneuve était âgé de 80 ans. Il était barbier lorsqu'il a entrepris, en 1957, de peindre des fresques sur tous les murs de sa maison de Chicoutimi. Les oeuvres de cet autodidacte de génie ont suscité un vif intérêt au Canada et à l'étranger.

1990 — Dix ans après l'une des pires tragédies minières de l'histoire du Québec, un règlement est enfin intervenu entre la compagnie Belmoral Mines Limitée et les familles de huit mineurs qui avaient péri dans l'effondrement d'une mine de Val d'Or, le 20 mai 1980. Les familles des victimes de la catastrophe de Belmoral ont obtenu une somme de 200 000 $, soit 25 000 $ par famille.

1988 — Un responsable soviétique a reconnu officiellement que de 12 000 à 15 000 soldats de l'Armée rouge avaient perdu la vie en Afghanistan depuis le début de l'intervention soviétique en 1979.

1987 — 1986, avec 81 catastrophes naturelles survenues dans le monde, présente le bilan le plus lourd des 17 dernières années. Selon le Centre de documentation et d'information de l'assurance (CDIA), le précédent « record » remonte à 1982, avec 54 catastrophes. Cyclones, tornades, inondations, tempêtes sont responsables de plus de 6 000 morts pour la seule année 1986.

1982 — Sa flotte d'intervention en formation de combat et prête à entrer immédiatement en action, la Grande-Bretagne, sur la foi d'informations sérieuses, aurait décidé de rejeter les dernières propositions argentines. Selon le *London Daily Express*, Mme Thatcher aurait informé la reine Elizabeth qu'elle a donné l'ordre d'envahir l'archipel des Malouines.

1970 — Plus d'un million de jeunes pourront se prévaloir du droit de vote à 18 ans. On sait que l'âge minimum requis actuellement est de 21 ans.

1965 — Yvonne Dionne, l'une des quatre survivantes des quintuplées Dionne, a décidé d'abandonner la vie religieuse à laquelle elle s'était consacrée il y a près de deux ans et demi.

1960 — Le premier ministre soviétique Nikita Khrouchtchev, parlant devant le gouvernement, le comité central du parti communiste et la Chambre du Peuple d'Allemagne de l'Est, a demandé : « Où allons-nous maintenant ? Je crois que nous allons vers la paix. Malgré toutes les tentatives d'obstruction, a-t-il ajouté, la pensée de la co-existence pacifique triomphera. »

1950 — Six cents tonnes de munitions explosent à South Amboy, N.-J, à bord de chalands, tuant 29 personnes, en blessant plusieurs centaines d'autres et détruisant en partie cette petite ville maritime.

1941 — Des soldats allemands lancés en parachutes et en aéroglisseurs montent à l'assaut de l'île de Crète. Londres et Berlin annoncent simultanément une attaque de grand style contre l'île grecque occupée et fortifiée par les Anglais.

1931 — Des échevins demandent à la compagnie des tramways de baisser le prix des billets à cinq billets contre 25 cents, entre 5 et 8 heures du matin et entre 5 et 7 heures du soir.

1929 — Par l'élection par acclamation de sept députés, le parti nationaliste irlandais sera représenté pour la première fois aux Communes anglaises depuis l'établissement de l'État Libre d'Irlande.

1908 — Carillon et Pointe Fortune, deux florissants villages, sont menacés d'un désastre, par suite de la rupture d'une partie du barrage qui endigue les eaux de la rivière Ottawa, à cet endroit.

1903 — Une immense conflagration s'est déclarée à 12 h 15 aujourd'hui à Saint-Hyacinthe. Un grand nombre de maisons et d'établissemnts industriels ont été rasés jusqu'à présent. Les pertes s'élèveront à plusieurs milliers de dollars. Le vent est violent, l'eau manque et l'incendie menace toute la partie inférieure de la ville.

Pour une meilleure utilisation des retraités

Pierre Vellas, directeur de l'université du Troisième âge à Toulouse en France, est formel : le vieillissement des populations se généralise à travers le monde et, à quelques exceptions près, la plupart des gouvernements n'ont pas encore de programmes cohérents pour utiliser « les ressources formidables que représentent ces centaines de millions de retraités. »

Pour Pierre Vellas, qui s'adressait à un fort groupe de participants au 3e Salon international des aînés qui se tient cette semaine au Palais des congrès de Montréal, « il s'agit là d'une situation ruineuse et piégée autant pour les individus que pour les collectivités. »

« Toutes les recherches faites jusqu'ici aux États-Unis, au Japon et dans certains pays d'Europe, a-t-il expliqué, prouvent que les gens âgés se portent mieux physiquement et mentalement depuis une vingtaine d'années. Et c'est particulièrement vrai des femmes qui vieillissent mieux que les hommes. Or, ces femmes représentent des ressources humaines considérables. »

« Il faut comprendre, conclu Pierre Vellas, que la mise au rancart systématique des gens âgés n'est pas une opération rentable. Et pas seulement sur le plan économique ! Considérés comme inutilisables, des millions de gens âgés en arrivent à se considérer comme inutiles et développent des comportements maladifs qui nécessitent des soins dont les coûts sont réels et énormes. » (**Texte publié le 20 mai 1987.**)

U.S. English veut contrer l'espagnol

« Si le gouvernement américain accorde une trop grande place à l'espagnol, les communautés hispanophones américaines pourraient finir par s'accaparer de régions entières et, suivant l'exemple du Québec, chercher à se séparer. » C'est la crainte qu'a exprimée M. Mauro Mujica, le président d'une organisation qui veut faire de l'anglais la langue officielle des États-Unis, U.S. English.

Le parrain du projet de loi, le représentant républicain du Missouri, Bill Emerson, et M. Mujica ont affirmé que les tensions linguistiques qui régnaient au Canada démontraient à quel point une telle législation était nécessaire. Il a soutenu qu'une langue commune était un facteur d'unité.

M. Mujica a déclaré que la situation linguistique aux États-Unis était présentement différente de celle du Canada, mais que cela pourrait changer si la population hispanophone continuait à augmenter.

« D'ici 50 ans, nous pourrions avoir des territoires majoritairement hispaniques, et qui sait, peut-être un jour voudront-ils se séparer, a-t-il déclaré. C'est ce que nous essayons d'éviter. » (**Texte publié le 20 mai 1995.**)

TROP BIEN PAYÉS ?

Le ministre de l'Industrie, John Manley, estime que les dirigeants d'entreprises au Canada reçoivent des émoluments beaucoup trop élevés. Cela pourrait nuire à la compétitivité du pays parce que les simples employés voudront eux aussi des salaires exorbitants, a-t-il déclaré hier (**le 19 mai 1995.**).

Le fait que des dirigeants empochent 13 millions de dollars — comme le président de Methanex, Brian Hannan, l'an dernier — ou 1 million quand la compagnie qu'ils dirigent encaissent des pertes — comme Marvin Marshall, de Bramalea — provoquera une demande générale pour de meilleurs salaires, a ajouté M. Manley, qui a reconnu que les « salaires n'ont pas augmenté depuis fort longtemps ».

C'EST ARRIVÉ UN 21 MAI

1991 — Les Soviétiques seront, pour la première fois, libres de voyager hors de leur pays en janvier 1993, au terme d'une loi « sur l'entrée et la sortie d'URSS » adoptée par le Soviet suprême (parlement) soviétique.

1989 — L'armée chinoise, dont des unités ont été envoyées hier à Pékin pour « restaurer l'ordre », est numériquement la plus forte du monde avec plus de trois millions d'hommes (dont 1,3 millions d'appelés), pour une population de plus d'un milliard d'habitants.

1965 — À partir du 1er janvier 1966, tous les travailleurs du Québec seront tenus de participer au régime des rentes du Québec dès l'âge de 18 ans, s'ils retirent un revenu supérieur au minimum prévu. Cette obligation cessera automatiquement lorsque le travailleur atteindra 70 ans. Elle cessera également à compter de 65 ans pour le travailleur qui décidera de se retirer de l'emploi régulier.

1956 — La première bombe à hydrogène lancée du haut des airs par les Américains l'a été à l'aube, ce matin, au-dessus de l'atoll de Bikini, dans l'océan Pacifique. Sa force est équivalente à dix millions de tonnes de TNT. L'événement a amené les modélistes à donner le nom de bikini à des maillots de bain féminins.

1955 — Les États-Unis paieront tous les frais, estimés à 250 millions de dollars, de construction et de fonctionnement du réseau d'alerte à grande distance (Distant Early Warning) en construction dans le cercle polaire canadien.

1923 — La Terre est habitée par 1 804 187 631 personnes, dont 7 % seulement vivent dans les villes comptant 100 000 âmes ou plus. Ces chiffres sont tirés des statistiques qui viennent d'être établies. Ces statistiques sont fondées sur les rapports relatifs aux recensements de 1922.

Lucien Bouchard démissionne

Le départ du ministre fédéral de l'Environnement fait suite à une tempête soulevée par un télégramme envoyé à Jacques Parizeau

Au risque de déclencher une crise majeure au sein du gouvernement, le ministre de l'Environnement, Lucien Bouchard, a démissionné du cabinet après un entretien d'une heure avec le premier ministre Brian Mulroney, à la résidence personnelle de ce dernier.

Le premier ministre a accepté la démission de son collègue et ami personnel. Le départ du ministre fait suite à la tempête politique soulevée au Canada anglais après que M. Bouchard eut envoyé un télégramme à Jacques Parizeau à l'occasion du dixième anniversaire du référendum.

Le tollé soulevé à la suite du télégramme et l'échec très probable de l'accord du lac Meech ont convaincu le ministre âgé de 52 ans que sa carrière à Ottawa était finie.

Voici un passage du télégramme expédié de Paris samedi à Jacques Parizeau, lors de l'anniversaire du référendum :

« Sa commémoration (du référendum) est une occasion de rappeler bien haut la franchise, la fierté et la générosité du OUI que nous avons alors défendu, autour de René Lévesque et de son équipe. La mémoire de René Lévesque nous unira tous en fin de semaine, car il a fait découvrir aux Québécois le droit inaliénable de décider eux-mêmes de leur destin. »

L'opposition officielle se préparait d'ailleurs dès aujourd'hui à exiger le départ du responsable de l'Environnement, puisqu'elle considère son télégramme comme un appui aux thèses souverainistes du Parti québécois. (**Texte publié le 21 mai 1990.**)

Rajiv Gandhi aura finalement subi le même sort que sa mère, assassinée en 1984.

Une des plus récentes photos de Rajiv Gandhi, prise deux jours avant son assassinat.

Rajiv Gandhi assassiné

L'ancien premier ministre de l'Inde Rajiv Gandhi, 46 ans, a été tué aujourd'hui (**le 21 mai 1991**) dans le sud du pays par l'explosion d'une bombe dissimulée dans un bouquet de fleurs, alors que son parti était donné favori des élections législatives qui se déroulent cette semaine en Inde.

Personne n'a encore revendiqué l'attentat, mais beaucoup soupçonnent des indépendantistes tamouls.

Les dirigeants du parti du Congrès de Rajiv Gandhi, bouleversés par l'assassinat de leur leader, ont appelé la nation indienne à « rester calme et digne ». Ils qualifient l'assassinat de Rajiv Gandhi de « conspiration préméditée visant à déstabiliser le pays au moment où le peuple s'apprêtait à donner le pouvoir au parti du Congrès ».

Rajiv Gandhi a été tué sur le coup à 22 h 10 locales dans la ville de Sriperumpudur, à une cinquantaine de kilomètres de Madras, capitale de l'État du Tamil Nadu. Il venait de sortir de sa voiture et se dirigeait vers un podium pour prendre la parole au cours d'un meeting électoral. Juste avant, il avait couvert de fleurs une statue de sa mère Indira Gandhi, assassinée le 31 octobre 1984 par des extrémistes sikhs.

La bombe était dissimulée dans un bouquet de fleurs qui lui a été remis alors qu'il s'apprêtait à participer au meeting électoral. On ne sait pas si l'assassin était au nombre des victimes de l'explosion qui a fait 16 morts.

« J'étais derrière M. Gandhi au moment de l'explosion, a raconté une journaliste. Ça a été la confusion partout, les gens ont commencé à courir dans tous les sens. Personne ne semblait comprendre ce qui se passait. Puis, quelqu'un a crié en tamoul (la langue locale) : "Ils ont tué Rajiv Gandhi, ils ont tué Rajiv Gandhi" ». M. Gandhi, ont rapporté d'autres témoins, a été décapité par la force de l'explosion.

Quelque 10 000 supporters de son parti du Congrès étaient rassemblés pour écouter M. Gandhi, lançant des fleurs et des écharpes de soie vers l'ancien premier ministre qui terminait sa campagne électorale au Tamil Nadu, un État du Sud de l'Inde où les élections devaient avoir lieu dimanche, dernier jour du scrutin.

L'Inde a commencé à voter pour élire son dixième Parlement. Les élections ont déjà eu lieu dans 204 circonscriptions. La campagne et le début du vote avaient été entourés de multiples violences qui ont fait plus de 200 morts.

Selon les sondages, le Congrès devait remporter le plus grande nombre de sièges et M. Gandhi, qui avait perdu le pouvoir lors des élections de novembre 1989, semblait proche de reprendre la tête du gouvernement, éventuellement avec le soutien d'autres formations.

Les quatre NON de Jean-Paul II

Jean-Paul II a opposé quatre non retentissants aux injustices sociales et aux totalitarismes dans le monde et il a lancé un projet de société, bâti sur la solidarité, la justice et la participation.

De l'église de Notre-Dame de Laeken à Bruxelles, devant la tombe du cardinal Joseph Cardijn, pionnier du syndicalisme chrétien, le souverain pontife s'est fait l'interprète des travailleurs chrétiens en déclarant avec force :

— NON au scandale du chômage qui prive les travailleurs de leur droit majeur : le droit pour tous de gagner leur pain quotidien par le travail, car cette situation les atteint dans leurs revenus et surtout dans leur dignité humaine.

— NON au racisme et à la xénophobie, y compris sous leurs formes insidieuses qui empêchent la reconnaissance des spécificités culturelles et religieuses des travailleurs immigrés et des réfugiés politiques.

— NON à tous les totalitarismes, qu'il soient ceux des États, des puissances d'argent ou des idéologies.

— NON aux solutions de la crise qui feraient croître les inégalités entre les peuples.

Le pape a revendiqué pour l'Église catholique la capacité de guider sûrement le monde des travailleurs. Lui-même ancien ouvrier pendant la Deuxième Guerre mondiale, il a mis en garde la classe ouvrière contre les idéologies matérialistes et athées.

À propos de justice sociale, le chef de l'Église catholique a fait une allusion remarquée aux impôts en déclarant : il est normal de revoir la répartition des revenus, de contrôler les revenus spéculatifs qui ne naissent pas du travail. Jean-Paul II a exhorté les ouvriers catholiques à combattre les mécanismes de domination qui écrasent les hommes, en souhaitant une solidarité sans fermeture au dialogue ni à la collaboration avec d'autres groupes sociaux non chrétiens.

Le souverain pontife a indiqué les risques d'une société dont la moitié des membres seraient des assistés, d'un manque de solidarité mondiale devant l'aggravation de la misère et de la faim et d'une course folle et suicidaire aux armements. (**Texte publié le 21 mai 1985.**)

Les Anglais en ont plus qu'assez des pit bulls

Le ministre britannique de l'Intérieur, Kenneth Baker, a promis aujourd'hui (**le 21 mai 1991**) de légiférer contre les chiens dangereux au lendemain d'une attaque horrible contre une fillette, la dixième depuis le début de l'année, alors que l'opinion publique réclame l'interdiction pure et simple des « terreurs à quatre pattes ».

Rucksana Khan, 6 ans, a été attaquée dimanche par un pit bull terrier, un bâtard d'origine américaine dressé pour le combat, au moment où elle jouait dans un champ près de chez elle, à Bradford (nord de l'Angleterre). Le chien avait échappé à son maître.

Pendant un quart d'heure, le chien l'a secouée comme une « poupée de chiffon ». La fillette a été hospitalisée avec 25 morsures sur tout le corps, plusieurs côtes brisées, un poumon perforé, deux dents en moins et un nez cassé. « Elle a de la chance d'être vivante », a commenté un chirurgien de l'hôpital.

Au moment même où le ministre parlait à la radio, un bébé de 13 mois était mordu au visage par le chien de la famille.

Les Rottweilers et autres pit bulls terriers sont de plus en plus populaires en Grande-Bretagne. Selon la RSPCA, le pays héberge actuellement 10 000 pit bulls terriers, un chiffre en augmentation constante.

« Les pit bulls sont les seuls chiens dans ce pays purement élevés pour tuer d'autres animaux. Pour eux, il y a très peu de différence entre un animal et un jeune enfant », a déclaré un policier.

Ces 18 derniers mois, les chiens assassins ont attaqué 189 fois.

La vol historique du 17 décembre 1903.

L'avion des frères Wright se refait une beauté

Une équipe du musée américain Smithsonian a remis en état l'avion des Frères Wright qui, en 1903, avait effectué le premier vol motorisé de l'histoire.

Les artisans ont découvert ce faisant un des secrets de cet antique avion : ses fabricants se sont servis d'arceaux de bois utilisés dans les toits de calèche pour fabriquer les bouts d'ailes.

L'avion des frères Orville et Wilbur Wright est actuellement au Musée national de l'Air et de l'Espace à Washington, mais le fait qu'il ait survécu jusqu'à nos jours a de quoi étonner.

En effet, après avoir fait quatre envolées, le 17 décembre 1903, l'avion de bois, de métal et de toile, n'a jamais plus volé.

Après le quatrième vol, il fut endommagé par un coup de vent. Puis, pendant des années, le biplan fut garé derrière l'usine des frères Wright à Dayton, en Ohio.

En 1913, l'avion fut englouti dans une inondation pendant quatre jours.

Au début de la Deuxième Guerre mondiale, l'avion se retrouve à Londres, où il est prêté comme exhibit au British Science Museum. Pour protéger l'avion des bombardements allemands, les autorités britanniques l'enduisent d'huile de lin et l'entreposent dans un des tunnels du métro.

Revenu aux États-Unis après la guerre, il aboutit finalement au Musée de l'Air et de l'Espace où on le suspend au plafond.

En février dernier, l'avion est décroché du plafond et trois spécialistes du musée Smithsonian se mettent à l'oeuvre pour le réparer.

L'avion est démonté suture par suture, vis par vis, clou par clou. Les parties métalliques sont ensuite traitées chimiquement et le bois est lavé au savon et à l'eau, avant d'être recouvert d'une épaisse couche de cire.

Des toiles de coton neuves sont ensuite utilisées pour remplacer celles qui ont jauni, et sont cousues en place avec des machines à coudre identiques à celles qui existaient au tournant du siècle.

Selon les autorités du musée, hormis ces nouveaux morceaux de toile et des clous à tapis neufs, l'avion est entièrement original. Notons que le moteur de l'engin est depuis longtemps perdu. (**Texte publié le 21 mai 1985.**)

UNE SURDOUÉE DE 17 ANS VA ENSEIGNER À HARVARD

Une jeune Britannique de 17 ans, exceptionnellement douée pour les mathématiques, va donner des cours pendant un an à Harvard, devenant ainsi la plus jeune enseignante de la prestigieuse université américaine.

Ruth Lawrence n'a jamais été à l'école dans son enfance. Son père, conseiller en informatique, fut son seul enseignant et leur maison de Huddersfield en Angleterre sa seule école, jusqu'à l'âge de 11 ans, après quoi elle entra à l'université d'Oxford en 1983.

Elle y obtenait son diplôme deux ans plus tard (13 ans) et devait y recevoir cette année son doctorat de mathématiques.

« Elle est très agréable, très équilibrée, aime à parler de sujets très variés et n'est ni particulièrement agressive, ni particulièrement timide », affirme Vaughan Jones, professeur de mathématiques à l'Université de Berkeley (Californie). (**Texte publié le 21 mai 1989.**)

Le «rêve fou» se réalise

Qualifiée sans raison de « rêve fou », la production commerciale de vins fabriqués exclusivement à partir de raisins québécois est en train de devenir réalité.

Il existe déjà douze entreprises vinicoles qui élaborent ici des produits à partir de raisins ou de moûts européens et par la suite, avec des vins importés par pinardier. Mais peu de gens savent qu'on recense déjà une soixantaine de vignobles au Québec, dont quatorze de type commercial. « Cela représente quelque 100 000 pieds de vigne actuellement en culture au Québec », explique Gilles Rondeau, président de l'Association des viticulteurs du Québec (AVQ), un organisme qui compte plus de 200 membres.

Plusieurs expériences viticoles ont été menées sur quelque 400 sortes de raisins. Elles sont toutes rustiques, résistantes au froid, précoces et propices à la viticulture commerciale. (**Texte publié le 21 mai 1985.**)

CONFLAGRATION A LA POINTE CLAIRE

L'élément dévastateur anéantit une partie de ce charmant petit village. Plus de 200 personnes sans abri. — L'oeuvre d'un incendiaire, dit-on.

ENCORE une désolante conflagration à enregistrer.

Cette fois, le terrible élément s'est attaqué au pittoresque et verdoyant village de la Pointe-Claire, situé sur les bords du lac Saint-Louis et au milieu de la nuit noire a causé des dégâts considérables.

Le feu s'est déclaré, nous apprend un premier message téléphonique très laconique, chez M. Paquette, magasin actuellement inhabité.

Les flammes ne tardèrent pas à se propager et bientôt, malgré les efforts des citoyens, plusieurs résidences flambaient.

C'est vers deux heures du matin **(le 22 mai 1900)** que l'incendie s'est déclaré, et, avertis du danger, les citoyens n'ont pas tardé à prendre les mesures les plus rapides pour combattre les flammes.

Leurs efforts tout d'abord furent vains et du secours fut mandé de Montréal.

Les flammes illuminaient l'horizon à plusieurs lieues à la ronde et à chaque minute le danger d'une conflagration générale se dressait menaçant.

Les craintes de la population n'étaient pas futiles, car tout à coup, l'on voit les flammes, activées par le vent, se communiquer aux maisons environnantes, et force fut aux pompiers et aux citoyens de reculer devant le brasier qui agrandissait toujours son foyer de dévastation. Et au milieu de la consternation la plus profonde, de la désolation la plus pénible, on vit toute une série de résidences, de «homes» confortables, d'édifices s'écrouler dans des nuages de fumée et de feu.

Le bureau de poste et l'hôtel de ville sont aussi détruits.

C'est sur la rue de l'église que les dégâts ont été les plus considérables.

Les nombreux curieux attirés, ce matin, à la Pointe-Claire, par la nouvelle conflagration qui venait de jeter sur la route une couple de cents personnes, ne virent en entrant dans le village aussi coquet et aussi pittoresque auparavant, que des scènes de ruines et de désolation. Dans les champs et au milieu des rues, des meubles, des paillassons, des couvertures, des oreillers sauvés à grande peine gisent tristement. Çà et là, des familles, tout en larmes, pleuraient sur leurs ruines quasi irréparables.

Il y a une trentaine de maisons complètement détruites. Les murs seules demeurent debout tout calcinés, au milieu des décombres fumants. (...)

Quelles sont les origines de la conflagration? Le bruit circulait dans le village, ce matin, qu'une main incendiaire était la cause de ce désastre irréparable. Des gens jurent avoir vu de leurs propres yeux, en même temps que les premières flammes de l'incendie apparaissaient dans la nuit, un homme fuir à toute vitesse en voiture légère. De plus, des personnes de Lakeside, village voisin, ont vu le même attelage fuir à toute rapidité vers Montréal.

D'un autre côté, la police locale a été avertie cette avant-midi, de surveiller les agissements d'un certain individu qui a pris le train, ce matin, à destination de Montréal.

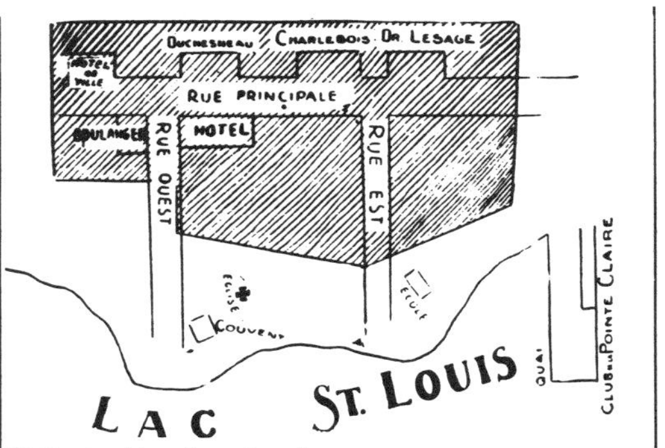

Secteur touché par la conflagration.

Dessin de la conflagration à la Pointe-Claire, vue de la rue Principale.

Apparition du premier char d'assaut fabriqué dans les ateliers Angus

LE premier char d'assaut fabriqué au Canada fait son apparition à Montréal. Il est sorti des usines Angus du Pacifique Canadien, vers 10 heures, hier matin **(22 mai 1941)**, aux applaudissements d'une assistance nombreuse au milieu de laquelle se trouvaient deux membres du cabinet fédéral, l'hon. C.-D. Howe, ministre des munitions et des approvisionnements, et l'hon. J.-L. Ralston, ministre de la défense nationale.

Photo du premier tank lourd d'infanterie fabriqué aux usines Angus.

«Nous assistons à une grande victoire pour le Canada», a fait remarquer l'hon. M. Howe, «car maintenant que nous avons pu produire ce premier char d'assaut, nous savons que nous pouvons en fabriquer un grand nombre d'autres.»

«Cet événement rend moins sombres les jours que nous traversons», a déclaré l'hon. M. Ralston, en remerciant le ministère des munitions et des approvisionnements, ainsi que les directeurs et les ouvriers du Pacifique Canadien. «C'est de tout coeur que vous vous êtes donnés à ce travail, a-t-il ajouté, mais vous nous avez donné une arme des plus nécessaires. L'armée canadienne est prête à en recevoir autant que vous pourrez en produire, et le plus vite vous pourrez les produire, le mieux ce sera.» (...)

«Il s'agit là du premier tank d'infanterie de catégorie lourde fabriqué au Canada», a déclaré l'hon. M. Howe, «et nous l'avons tous constaté, il fonctionne très bien. La fabrication de ce premier char d'assaut présentait de nombreuses difficultés, mais elles ont toutes été surmontées. Et je puis vous assurer que ce tank ne laisse à désirer en rien et peut se comparer avantageusement à n'importe quel autre». (...)

Aucun incident

Toute la démonstration s'est déroulée sans le moindre incident. Deux membres du Royal Tank Regiment, les caporaux Stirton et Chisholm, sortirent le tank des ateliers et le promenèrent dans la vaste artère qui sépare les usines Angus. Ils le firent d'abord fonctionner lentement, puis ils s'éloignèrent de la foule et revinrent à une vitesse vraiment surprenante. (...) Le tank d'infanterie, a-t-on expliqué aux visiteurs, est destiné spécialement à appuyer l'infanterie à l'assaut des positions ennemies et à abattre les barricades de fil de fer barbelé, les nids à mitrailleuse ou autres défenses d'avant-poste. Il est de catégorie lourde, et à cause de son rôle particulier, il est moins rapide que le tank cruiser. (...)

Le tank lourd d'infanterie (...) représente un progrès immense sur le premier tank conçu en 1914 par un petit groupe d'Anglais convaincus de la possibilité de réduire de beaucoup les pertes de vie dans l'infanterie, sur le champ de bataille, et de rendre plus efficace l'action de celle-ci avec le concours d'engins appropriés. Le chef de groupe était M. Winston Churchill. (...)

Le mot «tank» (qui en anglais signifie «réservoir») ne fut d'abord employé que pour donner le change aux espions de l'ennemi, alors que les «lanships» furent utilisés pour la première fois par les Anglais à la Somme, au mois d'août 1916. (...)

Le pape chante... Faux, dit le Vatican

Le pape Jean-Paul II se métamorphose-t-il en chanteur d'opéra à ses heures, avec de grandes orgues et des enregistrements diffusés à travers le monde ? Non, a affirmé une source informée au Vatican, après que des touristes québécois eurent apporté à Rome une cassette présumée contenir deux oeuvres chantées par le souverain pontife.

Le Vatican n'a pas l'habitude d'apporter de tels démentis, mais dans ce cas-ci il semble qu'on ait voulu mettre fin à la circulation de ce qu'on qualifie de « faux », distribués depuis un certain temps au Québec où le pape est attendu en septembre.

Cette cassette s'intitule simplement « Jean-Paul II chante ». On y trouve l'Ave Maria, de Charles Gounod, chanté en latin, et le Notre-Père en anglais. Les deux chants sont exécutés par un chanteur d'opéra professionnel accompagné d'un orchestre et non pas par le pape lui-même, affirme-t-on au Vatican. **(Texte publié le 22 mai 1984.)**

UN QUADRUPLE SALUT A L'UNION MILITAIRE ITALO-ALLEMANDE

Du balcon de la chancellerie allemande, hier *(22 mai 1939)*, ces chefs allemands et italien ont fait le salut nazi et fasciste à la foule après avoir signé un accord établissant une étroite coopération entre Rome et Berlin, en paix comme en guerre. On voit de gauche à droite le ministre des affaires étrangères du Reich, le colonel von Ribbentrop; le ministre des affaires étrangères d'Italie, le comte Ciano; le chancelier Hitler et le feld-maréchal Goering.

C'EST ARRIVÉ UN 22 MAI

1980 — Huit mineurs sont ensevelis dans une mine de Val-D'Or.

1979 — Les conservateurs de Joe Clark remportent la victoire, mais formeront un gouvernement minoritaire. Clark devient ainsi le 16e premier ministre du Canada.

1973 — Nouveau scandale sexuel au Parlement de Londres : lord Lambton, sous-secrétaire à la Défense, et le comte Jellicoe, lord du Sceau privé, sont compromis dans une affaire de « call-girls » et doivent démissionner.

1972 — Le président Richard Nixon, des États-Unis, arrive en URSS pour une visite officielle de huit jours.

1968 — Une bagarre entre étudiants et policiers fait 68 blessés à l'université Columbia de New York.

1950 — Un coup de grisou fait plus de 70 morts dans une mine de Dahlbusch, en Allemagne.

1940 — Le gouvernement britannique adopte la Loi des pouvoirs d'urgence de défense, qui conscrit tout citoyen britannique dans le Royaume-Uni.

1937 — Le millionnaire américain John D. Rockefeller succombe à une crise cardiaque, à l'âge de 97 ans.

1928 — Les héros du *Bremen*, le premier avion à traverser l'Atlantique d'est en ouest, débarquent à Montréal pour une visite et ils sont accueillis en triomphe.

Imax au secours de l'unité canadienne?

Le brise-glace Sir John-Franklin file tout droit vers la caméra, déviant heureusement légèrement à la dernière minute vers la gauche de l'écran. La perte prématurée d'une vaillante équipe de l'ONF vient d'être évitée de justesse. Il n'en reste pas moins qu'après le passage du mastodonte, l'image vibre. Tout comme la salle Imax, dont le système de son « surround » est d'un réalisme saisissant. C'est que la glace oscille sous l'effet du navire comme si un tremblement de terre faisait danser le sol.

N'importe quelle caméra et n'importe quel cameraman assez intrépide auraient pu capter de telles images. Mais la caméra Imax qui a servi à cette expérience était d'un modèle nouveau : à haute définition. Elle tourne à 48 images par seconde, le double de la vitesse normale d'un film. Notez que le procédé américain rival d'Imax, Showscan, tourne quant à lui à 60 images / seconde mais la pellicule qu'il utilise, au contraire de celle d'Imax, reste d'une taille conventionnelle. C'est ce qui donne à Imax, théoriquement, une longueur d'avance.

Momentum — c'est le titre de ce film — n'a pas été tourné par n'importe quelle caméra. Celle-là pèse 43 kg et son moteur fait un bruit de 88 décibels. Un rouleau de 1 000 pieds de pellicule y défile en seulement 90 secondes, soit à la vitesse de trois mètres et demi à la seconde. De tels handicaps paraissent négligeables lorsqu'il s'agit de filmer un brise-glace. Il n'en est pas de même lorsqu'un colibri se retrouve devant l'objectif de la caméra. Mais nos astucieux caméramen avaient prévu le coup : trois jours avant le tournage, ils avaient entrepris de leur faire entendre l'enregistrement sur cassette du bruit de la caméra. Les délicats oiseaux-mouches n'y ont vu, paraît-il, que du feu, encore qu'il ait fallu les enfermer dans une sorte de cage de verre, histoire de limiter leurs mouvements à l'intérieur du champ de la caméra.

D'une durée de 18 minutes, *Momentum* fut lancé l'été dernier à Séville lors de l'Exposition universelle. Il a soulevé là-bas, paraît-il, bien des « oh ! » et des « ah ! » Son but avoué était de faire admirer au reste du monde les beautés des paysages canadiens et la diversité de ses habitants. Une course de chiens à Saint-Michel-des-Saints, le trot des chevaux sauvages de Lethbridge (Alberta), l'imprenable coup d'oeil sur nos Rocheuses et le bruit infernal des fous de Bassan de l'île Bonaventure ont pu réussir à épater la galerie... **(Texte publié le 22 mai 1993.)**

La Chine tonne

La Chine a procédé à une explosion nucléaire souterraine de très forte puissance — 1 000 kilotonnes, 50 fois la bombe d'Hiroshima — a annoncé l'agence suédoise de recherches sur la défense (FOA).

L'explosion s'est produite à 5 h dans la province du Xinjiang, dans le nord-ouest de la Chine, où ont déjà eu lieu plusieurs essais nucléaires, selon la FOA. Les États-Unis et l'ex-URSS, pour leur part, sont convenus de limiter leurs essais nucléaires à 150 kilotonnes.

La Chine n'a pas signé cet accord mais l'explosion d'une bombe de 1 000 kilotonnes est « inhabituelle, même avec leurs propres normes », remarque-t-on au FAO.

L'explosion a provoqué une secousse tellurique d'une magnitude de 7,3 sur l'échelle ouverte de Richter, selon le laboratoire de sismologie de l'université d'Uppsala (Suède), qui a lui aussi estimé la puissance de la charge à 1 000 kilotonnes.

Le laboratoire précise qu'un essai nucléaire d'un telle puissance n'avait pas été enregistré en Chine depuis 1976. **(Texte publié le 22 mai 1992.)**

GABRIEL DUMONT, LE LIEUTENANT DE LOUIS RIEL, MEURT SUBITEMENT

UNE dépêche de Rosthern, Saskatchewan, nous apprend que Gabriel Dumont, le fameux lieutenant de Louis Riel, l'organisateur de la trop fameuse Rébellion du Nord-Ouest est mort près de Batoche, soudainement à l'âge de 75 ans. Malgré son âge avancé, Dumont était encore robuste et rien ne laissait prévoir qu'il serait si vite foudroyé. (...)

Gabriel Dumont, encore jeune, a souvent été choisi pour aller conclure des traités; il possédait plusieurs dialectes sauvages. Son caractère était conciliant, son esprit vif, son jugement sain et sa mémoire exceptionnellement heureuse.

Gabriel Dumont n'avait que 25 ans lorsqu'il fut choisi comme chef. Il traita alors avec la Compagnie de la Baie d'Hudson, tout en continuant son métier de trappeur. Il prit part à la résistance armée en 1870, contre le projet de M. McDougall. (...)

Après les troubles de 1870 apaisés par Mgr Taché, il visita les nations sauvages. Après que le Canada se fut emparé du Nord-Ouest, il traita avec les sauvages.

En 1884, il s'allia à Louis Riel pour organiser la Révolte qui a bouleversé depuis notre organisation politique, et dont il est inutile de rappeler les phases. Gabriel Dumont, qui était le principal lieutenant de Riel, s'enfuit ensuite dans le Montana, pendant que Riel était capturé et pendu à Régina.

Plus tard, Dumont jouit de l'amnistie et retourna à Batoche où il se fit colon.

L'endroit où il s'établit fut appelé «Gabriel's Crossing», à l'Est de Rosthern, sur la rivière Saskatchewan-Nord. Il vécut là tranquille, les Indiens et les Métis étant pleins de respect pour lui.

Cela se passait le 22 mai 1906.

Depuis 1910 qu'on en parlait...

Les travaux du métro ont débuté ce matin

À 8 h, au petit matin du 23 mai 1962, commençaient les travaux de construction du premier tronçon du futur métro de Montréal. Cette photo prise rue Berri, tout juste au sud de la rue Jarry, rappelle le tout premier geste de ceux qu'on devait appeler les « taupes du métro ».

LA construction d'un métro, projet qui défraie la chronique depuis au moins 1910, est bel et bien en cours.

A Montréal même. Un vrai métro. Non pas un métro-jouet. Des ouvriers, de vrais de vrais, sont à l'oeuvre pour de bon.

De fait, les travaux ont été entrepris à 8 h., ce matin même **(23 mai 1962).**

La première section de la ligne «nord-sud», section qui reliera, sous la rue Berri, dans le roc, la rue Legendre (au nord du boul. Crémazie) à un point situé au nord de la rue Jean-Talon. — une distance d'un mille et un cinquième — est en construction et doit être chose faite en 700 jours de calendrier, soit avant mai 1964.

Les deux autres sections des deux lignes pour lesquelles des emprunts sont autorisés seront d'ici là en construction ou seront sur le point de l'être. Il en sera de même quant à l'aménagement de la ligne qui débouchera de la montagne du Mont-Royal. De sorte que le métro, qui transportera annuellement 175 millions de voyageurs, sera disponible en 1965, dit-on encore, à l'hôtel de ville.

Les travaux, entrepris officiellement ce matin, rue Berri, au sud de la rue Jarry, sont exécutés conjointement par Charles Duranceau Ltée et The Foundation Co. of Canada Ltd. qui, classés le plus bas soumissionnaire (on en comprenait 11) se sont vu adjuger, le 25 avril dernier, le contrat au prix de $1,834,000.

Il s'agit là de travaux de creusage et de bétonnage du tunnel, sans toutefois comprendre la construction des gares «Crémazie», «Jarry» et «Jeant-Talon», ni la construction des puits de ventilation.

Les travaux seront exécutés en souterrain, de 7 h. du matin à 11 h. du soir, par deux équipes. D'une hauteur libre de 16.3 pieds, une fois terminé, le tunnel aura une largeur de 25 pieds.

Le maire, Me Jean Drapeau, et le président du comité exécutif municipal, M. Lucien Saulnier, étaient là, ce matin, le sourire sur les lèvres, cela va de soi.

A la suite d'une allocution de la part du maire Drapeau, le président Saulnier a agité une première fois la sirène qui a convié les ouvriers à la besogne.

Il y eut aussi la bénédiction des travaux, présidée par Mgr Siméon Charron, curé de la paroisse Notre-Dame-du-Rosaire, assisté du chanoine Marcel Beaudry, curé de la paroisse Saint-Vincent-Ferrier, deux paroisses que traversera la première section sur le point d'être faite.

M. Lucien Saulnier, président du comité exécutif, a confiance que la Cité demandera d'ici au plus tard le début de la semaine prochaine, des soumissions publiques en vue de la construction de la deuxième section de la ligne «nord-sud» du métro, soit la section qui s'étendra d'un point situé au nord de la rue Jean-Talon jusqu'au boul. Rosemont.

Au dire de M. Saulnier, il se peut que cette autre demande de soumissions ait lieu aujourd'hui même, si le comité exécutif reçoit le cahier des charges et les spécifications nécessaires pour ce faire.

C'EST ARRIVÉ UN 23 MAI

1998 — L'accord de paix en Ulster, qui promet un partage du pouvoir sans précédent entre protestants et catholiques, est approuvé par référendum. Les Nord-Irlandais ont dit « oui » à 71,12 % et les Irlandais du Sud l'ont approuvé dans une proportion de 94,4 %.

1991 — Le gouvernement du Québec s'apprête à fermer des portes laissées ouvertes dans la loi 101 en resserrant sa réglementation sur l'admission à l'école anglaise pour les Néo-Québécois. Les personnes en attente d'un statut de réfugié seront explicitement tenues d'inscrire leurs enfants au secteur francophone, les empêchant d'inscrire leurs enfants au secteur anglophone en prétextant qu'ils ne s'établissent que temporairement au Québec.

1982 — En présence d'une foule nombreuse de Canadiens, le pape Jean-Paul II procède à Rome à la béatification du frère André, de mère Marie-Rose et de mère Marie Rivier.

1977 — Des terroristes des îles Moluques du Sud sont responsables de deux prises d'otages aux Pays-Bas, investissant un train à Zuidlaren et une école à Smilde.

1971 — Six jours après son enlèvement, Ephraïm Elrom, consul général d'Israël à Istanboul, est retrouvé assassiné.

1967 — L'Égypte défie Israël et mine le golfe d'Aqaba.

1963 — La force nucléaire de l'Otan comprendra 200 bombardiers canadiens.

1962 — Reconnu coupable de trahison par un tribunal militaire français, le général Raoul Salan, ex-chef de l'Organisation de l'armée secrète en Algérie, est condamné à la prison à vie.

1961 — Arrestation à Montréal d'un immigré polonais, l'ingénieur Thomasz Biernacki, sous une inculpation d'espionnage.

1960 — Israël annonce la capture en Argentine d'Adolf Eichmann, le responsable du programme nazi pour l'extermination des Juifs.

1945 — L'arrestation de l'amiral Dönitz signifie de par le fait même la fin de toute forme légale de gouvernement en Allemagne.

1939 — Le sous-marin *Squalus* des États-Unis s'abîme au large du New Hampshire avec 26 personnes à bord.

1927 — La France décore Lindbergh. Le jeune aviateur américain qui a accompli le raid New-York-Paris en 33 heures et demie a été créé ce matin chevalier de la Légion d'honneur par le président Doumergue.

1915 — L'Italie abandonne sa neutralité et déclare la guerre à l'Autriche-Hongrie.

1903 — Les employés des tramways de Montréal déclenchent la grève.

Une AUTOROUTE nord-sud en plein centre de la métropole coûterait $108 millions

NDLR — Cet énoncé de projet a été publié le ***23 mai 1959.***

UNE autoroute nord-sud, en plein centre de Montréal, entre le fleuve et la rivière, via le boulevard St-Laurent, et les voies du Pacifique Canadien. Un distance dea 7.8 milles. Au coût de $108,000,000, soit environ $14,000,000 du mille.

Voilà la proposition transmise au comité exécutif de la métropole par la firme Surveyor, Nenniger et Chênevert, ingénieurs conseils dont l'administration avait retenu les services pour préparer les plans préliminaires d'une autoroute nord-sud, à proximité du boul. St-Laurent.

Trois projets importants ont été étudiés par la firme qui a opté pour le suivant.

Le tracé

Le tracé adopté par les ingénieurs est le suivant: L'autoroute débute à la rue des Commissaires, l'autoroute montera entre le boul. St-Laurent et la rue St-Dominique, où les expropriations seront moins coûteuses.

L'autoroute passera ensuite sous la rue Notre-Dame, continuera en voie élevée jusqu'à la rue Sherbrooke (St-Norbert). Chemin faisant, elle passe au-dessus des rues Craig, Dorchester, Ste-Catherine et Ontario.

Elle devient en dépression sous la rue Sherbrooke et le demeure jusqu'à la rue Maguire (au nord de la rue Fairmount).

A partir de la rue Maguire, l'autoroute redevient en voie élevée, oblique légèrement vers l'est et longe les voies ferrées pour rejoindre un point éventuel sur la Rivière des Prairies.

Des rampes d'accès ont été prévues, le long du trajet de l'autoroute aux endroits suivants: 1) avec l'autoroute est-ouest le long du fleuve; 2) aux rues Dorchester; 3) Sherbrooke; 4) Duluth; 5) Rachel; 6) au boul. St-Joseph; 7) aux rues Laurier; 8) Bernard; 9) Beaubien-Van Horne; 10) au boul. de l'Acadie; *(11 manque)*; 12) à la rue Beaumont; 13) aux rues Jean-Talon; 14) Jarry; 15) aux boul. Métropolitain; 16) Henri-Bourassa; et 17) à la rue Salaberry. (...)

Qui paierait pour l'exécution d'un tel projet?

Un projet évalué à $108,000,000!

Nous avons posé la question au président du comité exécutif, M. J.-M. Savignac, lorsqu'il a rendu public le rapport des ingénieurs. (...)

«Nous croyons de plus en plus que la responsabilité de cette autoroute relève de la Corporation de Montréal métropolitain. Nous avons engagé, à Montréal, les ingénieurs pour étudier les projets d'autoroute dès notre entrée en fonction, et voici qu'un premier rapport nous est soumis.»

«Quand cette autoroute sera-t-elle construite?» se demande-t-on maintenant à l'hôtel de ville et dans les cercles municipaux.

Espérons que ce sera le plus tôt possible pour l'allègement du fardeau d'une circulation lente et coûteuse aux Montréalais, qu'ils demeurent à Montréal, ou à Outremont, Westmount ou dans toute autre ville de la périphérie.

La section en dépression, entre les rues Sherbrooke et Maguire.

La mort du King intrigue toujours

Les responsables du comté de Shelby, au Tennessee, ont demandé à la justice la réouverture de l'enquête sur la mort du chanteur de rock Elvis Presley, officiellement décédé d'une attaque cardiaque, le 16 août 1977, à 42 ans.

Dans leur requête, les responsables se fondent sur un livre paru en 1991 et intitulé *La Mort d'Elvis Presley: ce qui s'est vraiment passé,* citant des médecins pour qui le chanteur avait été victime d'une surdose de drogue. Ils demandent notamment que soit rendus publics les résultats de l'autopsie du chanteur.

L'inspecteur responsable des services médicaux du Tennessee, le Dr Charles Harlan, a déclaré qu'il n'y avait pas matière à une nouvelle enquête.

Mais les responsables du comté de Shelby mettent en doute l'objectivité du docteur Harlan qui avait fait partie des médecins légistes chargés de déterminer les causes de la mort du « King ». (**Texte publié le 23 mai 1993.**)

D'abord, c'est la stupéfaction, puis le sourire qui se voient successivement sur la figure des clients de Mlle EVE LAWS, première femme employée comme chauffeur de taxi par une importante association de Montréal. On voit, ci-dessus, un client qui hésite avant de monter dans la voiture, mais le sourire et la compétence de Mlle Laws auront tôt fait de dissiper ses craintes et son étonnement. ***Voilà ce que disait la légende de cette photo publiée le 23 mai 1951.***

Le «Yankee Clipper» rendu à destination

SOUTHAMPTON, G.-B. — Le «Yankee Clipper», l'hydravion géant des Pan American Airways, inaugurant le service commercial aérien transatlantique, est arrivé à Southampton, à 7 h. 42 ce matin **(23 mai 1939),** heure avancée de l'Est. Il avait quitté Marseille à 2 h. 50 ce matin.

Marseille, 23 (P.A.) — Le premier courrier transporté dans une envolée régulière transatlantique a été distribué en Europe, hier soir, après l'arrivée de New York du «Yankee Clipper», qui avait mis deux jours à couvrir l'Atlantique. La plupart des 112,574 lettres que transportait l'appareil géant étaient destinées à des collections de philatélistes.

Les sacs postaux destinés à la Grande-Bretagne ont été transportés en quelques heures à leur destination.

Le «Yankee Clipper» reviendra aux Etats-Unis en fin de semaine probablement.

Un emblème floral pour Montréal

Le pommetier décoratif ou *malus,* ce petit arbre rustique dont on peut admirer la floraison spectaculaire en mai est désormais à Montréal ce que les tulipes sont à Amsterdam, les cerisiers à Kyoto ou les magnolias à Shangaï.

Le pommetier d'ornement est reconnu pour sa vigueur, son adaptation parfaite à notre climat et son origine nord-américaine. Pour sa floraison spectaculaire aussi, qui dure une dizaine de jours à partir de la mi-mai et qui va du blanc au rouge écarlate en passant par le mauve ou le rose pâle.

Et puis il y a ses petits fruits, qui attirent les oiseaux l'hiver. (**Texte publié le 23 mai 1995.**)

Le péage aboli d'ici la fin de 1985

Le péage sur les autoroutes du Québec sera bel et bien aboli... mais de façon graduelle d'ici la fin de 1985. Cette mesure entraînera un manque à gagner que le gouvernement du Québec a évalué à 8 millions en 1984, à 52 millions en 1985-86 et à 68 millions en 1986-87.

Il y a présentement quatre autoroutes à péage au Québec : l'autoroute des Laurentides, l'autoroute des Cantons de l'Est, l'autoroute Chomedey (la 13) et l'autoroute de la Rive-Nord (jusqu'à Berthier). (**Texte publié le 23 mai 1984.**)

Le colosse d'acier comparé aux gratte-ciel de la ville

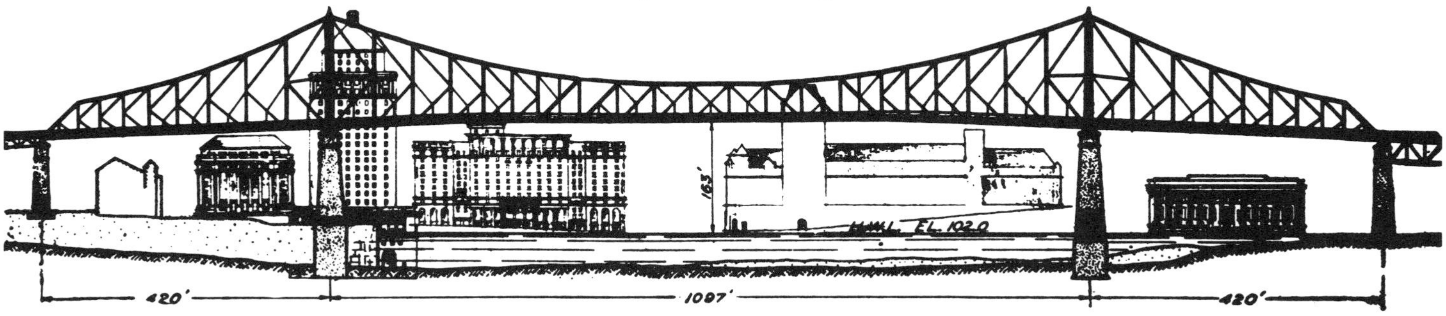

Le colosse d'acier aux pieds de ciment enjambe d'un seul pas le rapide courant du chenal, franchissant, à une hauteur de 163 pieds au-dessus du niveau de l'eau, la distance de 1097 pieds qui sépare la rive nord de l'île Sainte-Hélène. Ses deux bras s'étendent chacun à 420 pieds, donnant une envergure de 1937 pieds à cette partie du monstre. On aura une idée plus juste des proportions titanesques du colosse en regardant les projections des principaux gratte-ciel montréalais qui se dessinent à l'arrière-plan, à l'échelle du pont. On reconnait, de gauche à droite, les édifices de la Banque de Montréal, de la Banque Royale, de l'hôtel Mont-Royal, de la gare Windsor et du nouveau Palais de justice.

LE PONT DU HAVRE DE MONTREAL

Cette merveille du génie civil a été achevée 18 mois avant la date prévue par les contrats et ce travail formidable s'est accompli au milieu d'un courant fort rapide et sans interrompre la navigation ni la circulation.

L'inauguration du pont du «Havre de Montréal», pont reliant Montréal à la rive sud, a lieu ce matin **(24 mai 1930)**, à onze heures, marquée par un déploiement unique en son genre. La cérémonie se déroulera au son des sirènes de tous les navires et les personnages officiels et éminents qui rehausseront de leur présence l'éclat de la fête ajouteront un cachet à l'importance d'un aussi grand événement.

La construction de ce pont, merveille du génie civil aura pris quatre ans, temps relativement court pour une entreprise de cette envergure. Le contrat devait expirer en 1931. Les travaux furent poursuivis avec une telle activité que les entrepreneurs, à la grande joie des commissaires, purent le livrer près de quatorze mois plus tôt. C'est dire que l'outillage moderne a été pour beaucoup dans l'avancement des travaux.

Il est intéressant de retracer en cette occasion l'origine de ce projet, qui remonte à plusieurs années dans le siècle précédent, et de suivre dans le détail le développement de cette entreprise canadienne qui n'est rien moins que gigantesque.

Lorsque l'hon. John Young émit l'opinion qu'il y avait une demande pour un pont accommodant le trafic ferroviaire et véhiculaire, une série de plans fut préparée par Charles Legge, qui fut l'un des ingénieurs en second du pont tubulaire Victoria. L'approche proposée sur la rive nord était très voisine de celle qui a été réellement choisie par les commissaires du port, sous la direction desquels la construction du pont a été entreprise dans le voisinage de ce qui est aujourd'hui l'avenue Delorimier.

Le tracé identique

Le premier projet fut abandonné à cause du manque de support gouvernemental. Lorsque le pont ferroviaire du Pacifique Canadien fut construit à Lachine, en 1886, le besoin de communications ferroviaires additionnelles avec l'île de Montréal diminua pour un temps. Et ce ne fut qu'en 1897 que la question fut remise de l'avant. On fit alors des études très complètes, et l'on institua un concours pour les plans du pont. Le site spécifié était: Delorimier-île Sainte-Hélène-Montréal-Sud, et c'était pratiquement le tracé de celui qui fut adopté. Ce concours attira des suggestions d'Europe et d'Amérique, mais le projet échoua encore par défaut de support gouvernemental.

Vers ce temps-là, le pont Victoria fut reconstruit, et le problème ferroviaire se retrouva de nouveau éliminé. Depuis ce moment, le projet du pont fut considéré surtout au point de vue de la route carrossable. Des plans furent soumis, de temps en temps, mais ce ne fut qu'à l'avènement de l'automobile, vers 1909, qu'on reconsidéra sérieusement le projet. Les commissaires du port commencèrent alors à étudier les possibilités du pont en vue de développer leurs propres facilités de port sur la rive sud, et plusieurs projets furent soumis entre 1909 et le début de la Grande Guerre, lequel le fit abandonner cette entreprise comme tant d'autres.

Le pont Victoria insuffisant

En 1921, la question d'un autre pont et de meilleures facilités de communications avec la rive sud fut de nouveau mise en discussion, car le pont Victoria était devenu insuffisant pour la circulation automobile toujours croissante. (...)

Une loi fut adoptée en 1924 par laquelle les commissaires du port obtenaient le droit de financer, construire et exploiter un pont de voitures d'un point à Montréal à travers le port à un point sur la rive sud. Le colonel C.-N. Monsarrat et M. P.-L. Pratley, ingénieurs conseils de Montréal, et M. J.-B. Strauss, de Chicago, comme associé, furent nommés en 1924, pour choisir l'emplacement, préparer les plans et établir les spécifications et estimés.

Premiers travaux

Les travaux furent commencés en mai 1925. (...) Les commissaires décidèrent alors de choisir l'emplacement de la rue Delorimier. (...) Le genre de structure fut arrêté et les plans et spécifications furent approuvés et adoptés pour permettre aux soumissionnaires de faire leurs offres pour la partie de la substructure de l'île Sainte-Hélène à la rive sud. Cette section du pont, mesurant 3,755 pieds, comportait neuf travées de 250 pieds chacune.

Un contrat fut accordé le 22 mai à la compagnie Quinlan, Robertson et Janin et les travaux devaient être terminés le 15 novembre 1926. Cependant le bureau consultatif eut à considérer les problèmes de cette partie du pont s'avançant au-dessus du chenal de l'île Sainte-Hélène. Ce n'est qu'en août qu'on en vint à une décision.

Il restait encore la partie nord. Cinq firmes soumissionnèrent, et la plus basse, celle de la Dufresne Construction, fut acceptée. Le contrat de la superstructure fut accordé à la Dominion Bridge.

Les pourparlers entamés au cours de 1924 furent poursuivis avec activité avec le gouvernement provincial et les autorités municipales de la ville de Montréal pour le paiement par chaque corps du tiers de l'intérêt annuel. Les commissaires apprirent que le gouvernement provincial, par un arrêté-en-conseil, et le conseil municipal de Montréal, avaient accepté les termes de l'entente avec la commission du port.

LE COUT DU PONT

Le coût matériel du pont tout entier est estimé à $10,500,000, auquel il faut ajouter les frais d'expropriation, la somme totale s'élevant à $12,000,000. Le gouvernement fédéral a garanti le coût entier du pont, et des arrangements ont été faits pour faire combler tout déficit possible par le gouvernement fédéral, le gouvernement provincial et la cité de Montréal, à parties égales.

En 1924, le Parlement d'Ottawa a autorisé la perception de droits de passage et l'on prévoit que le revenu de cette source défraiera en quelques années les dépenses d'entretien et les intérêts.

Taux de péage et règlements sur le nouveau pont du Havre

Piétons passage simple: 5 centins.

Automobile de promenade, passage simple, conducteur inclus: 25 centins. Séries de billets: 10 passages, bon pour un mois, $2; 20 passages, bon pour un mois, $3; 50 passages, bon pour un mois, $5.

Passagers dans un *(toujours au masculin à l'époque)* automobile, autre que le chauffeur ou conducteur: même prix que les piétons, soit 5 centins.

Enfants âgés de moins de 5 ans, à pied, en auto, en voiture, en carosse ou en traîneau: passage gratuit pour l'enfant, et le carosse et le traîneau.

Motocyclette, passage simple, conducteur inclus: 15 centins.

Les billets «aller et retour» ne sont bons que durant la journée de leur émission.

Vitesse permise à tout véhicule: 25 milles à l'heure.

Il est défendu de dépasser un autre véhicule allant dans la même direction.

Le monument Strathcona inauguré le jour de la fête de la Reine

Une cérémonie d'une splendeur qui a peu d'égale dans les fastes de l'histoire de Montréal, s'est déroulée hier matin *(24 mai 1909)*, au square Dominion: le dévoilement du monument élevé à la mémoire des soldats morts en Afrique, pendant la guerre contre les Boers et à celle de l'éminent homme qu'est lord Strathcona et Mont-Royal.

24 C'EST ARRIVÉ UN MAI

1981 — Le président Jaime Roldos Aguilera, d'Équateur, meurt dans un accident d'avion, avec sa femme et sept autres personnes.

1977 — Ouverture du premier sommet économique du Québec, au manoir Richelieu. — Nikolaï Podgorny, chef de l'État soviétique, est écarté du pouvoir.

1976 — Décès de la comédienne Denise Pelletier, qui succombe à une intervention chirurgicale à coeur ouvert.

1974 — Vive opposition des anglophones du Québec au projet de loi 22.

1969 — Le vaisseau spatial *Apollo X* entreprend son voyage de retour après avoir répété les manoeuvres qu'effectuera *Apollo XI* au cours de l'été.

1965 — Une bombe déposée par des séparatistes éclate devant l'édifice de la Prudentielle d'Angleterre, boulevard Dorchester.

1964 — Une joute de football tourne à l'émeute au Pérou. Le gouvernement procède à une enquête rigoureuse sur les incidents tragiques qui se sont produits cet après-midi au stade national et qui, selon des informations officieuses, ont fait 315 morts et plus de 800 blessés.

1960 — L'aviation américaine lance le satellite *Midas II*, destiné à repérer les fusées-projectiles ennemies. — Découverte d'un réseau d'immigration chinoise illégale au Canada.

1959 — Décès à l'âge de 71 ans de John Foster Dulles, ex-secrétaire d'État des États-Unis d'Amérique.

1957 — L'acquittement d'un soldat américain par une cour martiale provoque la colère des Taïwanais qui saccagent l'ambassade américaine en Chine nationaliste, à Taïpeh.

1946 — Un incendie ravage une grande partie du village de Rivière-du-Moulin, près de Chicoutimi. — L'ampleur de la grève du chemin de fer force le gouvernement américain à décréter l'état d'urgence.

1945 — Découvert par les Britanniques, Heinrich Himmler, un des lieutenants d'Hitler et ex-chef de la Gestapo, se donne la mort. — Tokyo est bombardé par plus de 550 *Superforteresses* des États-Unis.

1937 — Le président Albert Lebrun a formellement inauguré l'Exposition internationale de Paris 1937. Le discours de M. Lebrun et un salut de 101 coups de canon signalèrent l'inauguration de cette exposition universelle, tandis que des ouvriers s'évertuaient à mettre la dernière main à certain nombre de pavillons.

1926 — Le volcan Tokachi crache le feu et sème la mort dans l'île d'Hokkaïdo, au Japon.,

1910 — Le naufrage du steamer *Goodyear* dans les eaux du lac Huron cause la mort de 18 personnes.

Tragédie à Bruxelles

Y a-t-il eu sabotage dans la tragédie dont le bilan atteindrait plus de 300 morts ?

Quand l'incendie a éclaté, environ un millier de clients avaient envahi l'établissement à l'occasion d'une semaine consacrée aux produits américains.

Une commission d'enquête a été constituée sous la présidence du procureur du roi pour tenter d'établir les causes de l'incendie qui a détruit le grand magasin bruxellois, Innovation, et notamment rechercher si l'origine n'en serait pas criminelle.

D'autre part, il n'apparaît pas exclu que le feu ait pris en même temps en trois endroits différents, ce qui donnerait quelque force à cette thèse.

Le recensement qui a été effectué laisse prévoir un nombre de victimes beaucoup plus considérable qu'on ne le supposait jusqu'ici. Des cadavres ont été repérés à tous les étages de ce qui reste de l'immeuble dans lequel la chaleur, au bout de 24 heures, demeurait intense et empêchait de pénétrer partout. En quelques endroits, les niveaux se sont effondrés les uns sur les autres dans un enchevêtrement de pierres et d'acier tel qu'il faudra opérer au marteau-piqueur. (**Texte publié le 24 mai 1967.**)

LIVERPOOL DOIT MISER SUR LES BEATLES

La crise aidant, Liverpool met son orgueil dans sa poche et n'a plus d'autre recours que de miser sur la légende des Beatles. Les quatre jeunes gens les plus célèbres de la ville sont redécouverts. La mise en valeur de leur souvenir semble être la seule industrie en croissance.

Des monuments à la mémoire des Beatles surgissent un peu partout. On a édifié un sous-marin jaune et une statue des quatre chanteurs la guitare à la main. Le célèbre dancing The Cavern a aussi été reconstitué. Le conseil municipal a même accepté de baptiser des rues en souvenir de John Lennon, Paul McCartney, George Harrison et Ringo Starr.

Les nombreux fans qui devaient chercher tout seuls Penny Lane ou l'ancienne école de John Lennon peuvent tout voir en autobus pour le prix de 15 $.

Autrefois, la prospérité de Liverpool était fondée sur des activités autrement plus importantes que l'entretien du souvenir d'un groupe pop défunt dont les trois survivants se sont retirés depuis longtemps.

Mais entre 1971 et 1983 la ville a perdu 107 000 habitants et n'en compte plus que 503 000. Le chômage touche 19 % de la population active et la moitié des jeunes. (**Texte publié le 24 mai 1984.**)

Pornographie: un grand ménage se prépare aux USA

Il y a 16 ans, une commission d'enquête présidentielle sur la pornographie rendait un rapport controversé. Nous n'avons trouvé, disait-elle, « aucune preuve que le visionnement ou l'utilisation de matériel sexuel explicite joue un rôle significatif dans la cause de problèmes sociaux ou individuels tels que le crime, la délinquance, la déviance sexuelle ou des troubles émotifs sérieux. »

Cette année, une commission d'enquête du ministère américain de la Justice sur le même sujet conclut que « l'exposition importante à du matériel pornographique présente une certaine relation de cause à effet sur le niveau de violence et d'agression sexuelle. »

L'établissement d'une relation de cause à effet entre la pornographie et la violence sexuelle est essentielle à l'imposition de nouvelles restrictions et de mesures de censure. La pornographie, écrite ou visuelle, est en effet une « forme d'expression », protégée par la liberté constitutionnelle du même nom. Si on prouvait que son emploi provoque un tort certain — comme l'appel à la violence raciale ou la diffamation — les législateurs et les tribunaux pourraient sévir. Depuis six ans, l'administration Reagan a truffé l'appareil judiciaire de juges choisis en fonction de leur adhésion aux thèmes conservateurs comme l'opposition à l'avortement et l'approbation de la prière à l'école.

Ils pourront maintenant se prévaloir du rapport pseudo-scientifique de la commission sur la pornographie pour faire disparaître films ou magazines de leur territoire. Du moins jusqu'à ce que la Cour suprême, roc d'indépendance, intervienne... (**Texte publié le 24 mai 1986.**)

10 heures de guérilla

Paris se relève d'un autre cauchemar

PARIS — Paris se relève ce matin **(25 mai 1968)** de la pire émeute qu'elle a vécue depuis la révolte de l'université il y a trois semaines. Pour la deuxième nuit consécutive, la police et les étudiants se sont heurtés avec une extrême violence, mais cette fois, le Quartier Latin n'est pas le seul à présenter un visage de désolation.

Les accrochages se sont déroulés dans divers quartiers de la capitale, notamment autour de la gare de Lyon, de la Bourse, des Halles, de l'Hôtel de ville, même sur les grands boulevards, et il était impossible à l'aube de faire le bilan de cette «guérilla» qui a duré 10 heures.

On compterait quelques centaines de blessés, dont plusieurs grièvement. Un grand nombre semblait avoir été évacué sur la Sorbonne, où l'on réclamait tôt ce matin des antibiotiques et des couvertures. À 6 heures, les policiers poursuivaient encore des groupes de manifestants dans les rues autour du Quartier Latin, où les dégâts sont considérables.

Arbres abattus, rues dépavées, voitures incendiées, vitrines brisées, grilles arrachées, ordures ménagères amoncelées: tel est le décor horrible que l'on voit partout dans les zones où le sang a coulé.

Organisée par l'Union Nationale des Étudiants (UNEF), le Syndicat National de l'Enseignement Supérieur (SNE-SUP) et le Mouvement du 23 Mars, pour protester contre l'interdiction de séjour qui frappe Daniel Cohn-Bendit, la manifestation avait pourtant commencé dans le calme.

À 3 heures, gare de Lyon, quelque 25,000 étudiants et sympathisants s'étaient rassemblés, venus en cortèges séparés de différents coins de Paris. (...)

La dure réalité au lendemain d'une nuit d'émeutes, dans le Quartier Latin de Paris.

LE «BERTHIER» EST LA PROIE DES FLAMMES ET COULE DANS LE PORT

Comme le traversier arrivait de Sorel,le feu se déclare à bord et sort en tourbillons en arrière de la cheminée.

LE steamer «Berthier» de la compagnie Richelieu a été la proie des flammes, la nuit dernière **(25 mai 1914)**. Les ravages ont été tels que le navire s'est enfoncé jusqu'au pont supérieur et flotte maintenant penché sur le flanc gauche, dans le bassin de la compagnie Richelieu, près de la rue Bonsecours.

Il était quelques minutes après dix heures, hier soir, quand l'incendie se déclarait à bord.

Le «Berthier» venait d'arriver de Sorel au quai Victoria avec cent trente-cinq passagers. Les amarres et les passerelles avaient été mises en place et les passagers commençaient à descendre quand tout à coup le gardien de nuit Levac vit s'élever une flamme sur le pont en arrière de la cheminée. Il avertit les officiers du bord, puis cria au constable DeBellefeuille qui était de faction sur le quai de sonner une alarme.

PAS DE PANIQUE

Les passagers ne furent nullement effrayés, mais se hâtant un peu finirent de descendre en bon ordre, sans qu'il se produisit le moindre commencement de panique.

Sur les entrefaites arrivaient les pompiers de la division Est, dirigés par le chef de district Giroux. Celui-ci jugea d'un coup d'oeil que la situation était grave. Un peu en arrière du «Berthier» était amarré le «Trois-Rivières», et de nombreux vaisseaux étaient échelonnés le long du quai qui entoure le bassin. Il y avait danger que les flammes, déjà ardentes sur le «Berthier», se propageassent aux autres navires. Il sonna aussitôt une deuxième alarme et bientÔt accouraient les chefs adjoints Saint-Pierre et Mann et les chefs de district Lussier et Favreau, avec une bonne partie de la brigade. Mais le travail n'était pas facile. Il fallait prendre l'eau aux bornes-fontaines de la rue des Commissaires. Sept pompes à vapeur furent échelonnées sur cette rue.

UN SAUVETAGE

Les flammes s'élevaient déjà à une grande hauteur et se dirigeaient vers la poupe, quand tout à coup des cris retentirent dans la foule: «Des hommes sont à bord !» En effet, on put distinguer sur le pont, à l'arrière, des hommes enveloppés de fumée et qui appelaient au secours. Le chef adjoint Saint-Pierre et le chef de district Giroux organisèrent aussitôt le sauvetage. Avec l'aide de quelques pompiers, ils purent appuyer deux passerelles sur le quai et les soutenir au-dessus de l'eau. Deux des hommes en danger, MM. Achille Mercier, commissaire du bord, et un autre employé nommé Roy, purent se sauver. Mais l'amarre en arrière du vaisseau s'était rompue, et le «Berthier» s'éloignait du quai. Déjà un pompier du nom de Beaulieu se préparait à se jeter à la nage pour aller porter secours au dernier homme à bord, quand le vent fit revenir le navire et bientôt celui-ci était sauvé comme ses compagnons.

Cependant Roy eut encore le courage de retourner par l'avant sur le «Berthier» pour sauver la boite à argent.

Afin de protéger le «Trois-Rivières», les officiers firent larguer les amarres et le navire fut entraîné à quelque distance.

BientÔt arrivaient les remorqueurs «Saint-Pierre» et «John Pratt». De puissants jets d'eau furent lancés de ces deux remorqueurs et aidèrent puissamment au travail des pompiers. Mais le feu s'était à la fois propagé dans la cale et sur les ponts du «Berthier». Le vaisseau se mit lentement à enfoncer en s'inclinant sur la gauche. Les flammes jaillissaient de partout. Enfin au bout d'une heure, il flottait enseveli jusqu'au premier pont. Il semble que le navire est cassé en deux, mais c'est seulement l'arrière qui a été soulevé par la pression de l'eau.

Dès lors l'incendie s'éteignit peu à peu. (...)

Le «Berthier», après l'incendie funeste survenu à bord.

C'EST ARRIVÉ UN 25 MAI

1985 — Un raz-de-marée soulevé par un cyclone fait près de 1 500 morts au Bangladesh, jetant même à la mer toute la population d'une petite île. Selon la presse bangalaise, plus de 5 000 personnes auraient été tuées par le passage du cyclone.

1979 — Après 12 ans d'occupation israélienne, le Sinaï est replacé sous contrôle égyptien.

1978 — Le Canadien remporte la coupe Stanley pour la troisième année consécutive, et pour une 21e fois au cours de son histoire.

1973 — Trois astronautes américains rejoignent la station spatiale *Skylab* endommagée lors de son lancement, afin de la réparer.

— Les Alouettes de Montréal annoncent l'engagement de Johnny Rodgers, considéré comme étant le meilleur joueur des universités américaines.

1971 — L'ex-ministre libéral Paul Hellyer annonce la fondation d'un nouveau mouvement politique, *Action Canada.*

1966 — La Guyane accède à l'indépendance après 152 ans de régime britannique.

1965 — À Montréal, les célébrations de la fête de la reine Victoria sont marquées par le vandalisme et 200 arrestations.

1963 — À Addis Abeba, le sommet de 29 chefs d'État africains jette les bases de l'Organisation de l'unité africaine.

1950 — Trente-trois personnes meurent dans la collision d'un tramway avec un camion d'essence, à Chicago.

1946 — Le Dr Marcel Petiot, condamné pour l'assassinat de 26 personnes, a été guillotiné ce matin à la prison de La Santé. C'était la première exécution à la guillotine, en France, depuis 1943.

1903 — Inauguration du pont de Richmond, qui permet aux citoyens de cette ville de franchir la rivière Saint-François.

Un homme sur la Lune avant 1970

Le président John Kennedy demande des sacrifices au peuple

WASHINGTON

Le président John Kennedy a lancé aujourd'hui **(25 mai 1961)** un dramatique appel à la nation américaine pour qu'elle consente à de nouveaux sacrifices qu'imposent la situation internationale et la survie du pays face au péril communiste. Renforcer la puissance militaire, accroître l'aide à l'étranger, s'attaquer au chômage et affecter d'ici cinq ans de $7 à $8 milliards de crédits pour devancer Moscou dans la course à la Lune, tels sont les principaux points du message spécial qu'il a lu devant les deux Chambres réunies.

«Ce ne sera pas un seul homme, mais une nation toute entière qui ira dans la lune», a affirmé M. Kennedy, qui a exhorté tous les Américains à travailler à la réalisation de cet objectif. Il a souligné que les États-Unis devront entreprendre un vigoureux effort pour rattraper et, si possible, surpasser l'URSS dans le domaine spatial. Il s'attend que les Soviétiques «exploitent leur avance pendant quelque temps en aboutissant à des succès encore plus impressionnants que les précédents».

Le président a fixé pour avant 1970 la possibilité de l'envoi d'un homme dans la Lune et de son retour sur la Terre. Il a affirmé que la «survivance de l'homme qui le premier effectuera ce voyage audacieux» est un objectif que les États-Unis ne négligeront pas.

M. Kennedy a demandé au Congrès des crédits supplémentaires de $531 millions, notamment pour l'accélération de la mise au point d'une «capsule lunaire appropriée». Il a exprimé sa décision de développer des propulseurs beaucoup plus puissants que ceux qui sont actuellement en existence. Il s'agira de fusées à carburant liquide. Le président a signalé qu'il demandera «des sommes encore plus fortes à l'avenir». Il a reproché à son prédécesseur de ne pas avoir attaché l'urgence voulue aux programmes spatiaux à long terme.

Autres objectifs

Voici les autres points principaux de son message:

Défense des États-Unis: Réorganisation de la structure de l'armée et de sa capacité de feu conventionnelle pour augmenter sa mobilité tactique ainsi que pour stationner en Europe des divisions mécaniques modernes et des brigades aéroportées. (...)

La réorganisation de l'armée et de ses réserves générales vise à pouvoir déployer d'urgence 10 divisions dans un délai de huit semaines.

Défense de l'Occident: Porter les fonds d'aide militaire à l'étranger de $1,500,000,000 à $1,885,000,000 afin de parer au péril communiste en Asie, en Amérique latine et en Afrique. (...)

Aide à l'étranger: Demande de $250,000,000 supplémentaires qui seraient mis à la disposition du gouvernement américain qui la distribuerait à sa discrétion à un pays quelconque en cas d'urgence. Les pactes militaires ne sont pas suffisants pour résoudre les problèmes des pays où l'injustice sociale et le chaos économique encouragent la subversion.

Gilles Grégoire, un exemple?

«Si je peux servir d'exemple aux ex-détenus, leur montrer qu'on peut redevenir ce qu'on était sans être obligé de récidiver, si je peux leur montrer qu'ils peuvent passer au travers de cette difficulté en y passant moi-même, j'aurai réussi quelque chose », lance comme un cri du coeur Gilles Grégoire, le député de Frontenac qui a commencé à occuper son bureau du Parlement.

Et d'ajouter celui qui a purgé une peine de neuf mois, après avoir été trouvé coupable d'avoir incité sept jeunes filles d'âge mineur à commettre des actes d'immoralité sexuelles, « l'un des principaux facteurs de récidive, c'est l'accueil que la société fait aux anciens détenus ».

M. Grégoire souligne qu'il y a 40 000 ex-détenus au Québec. « Cela représente plus d'électeurs qu'un comté normal. C'est pourquoi si cela peut servir d'exemple, même si cela suppose beaucoup de courage... » **(Texte publié le 25 mai 1984.)**

Dans son édition du *25 mai 1949*, LA PRESSE proposait cette photo de deux vedettes montantes de la chansonnette française, Pierre Roche et Charles Aznavour.

Les 276 occupants d'un trimoteur DC-10 de la société American Airlines ont trouvé la mort, le *25 mai 1979*, dans l'écrasement de l'avion quelques instants après le décollage de l'aéroport O'Hare, à Chicago. L'appareil s'est écrasé sur un camp de caravanes, ratant de peu un quartier résidentiel de Chicago et un énorme réservoir d'essence.

«Montréal restera toujours gravé dans ma mémoire»,

Rachel Robinson

Pour les minorités, les véritables racines du baseball remontent à Montréal, en 1946.

Cette saison-là, Jackie Robinson faisait ses débuts avec les Royaux, de la Ligue internationale.

« De cette année mémorable, je me souviens surtout de la première et de la dernière journées », raconte Rachel Robinson, 73 ans, la veuve de Jackie Robinson.

« Après un printemps pénible dans le sud des États-Unis, nous sommes finalement arrivés à Montréal.

« Je me souviens de la première journée alors qu'on a emménagé sur la rue De Gaspé. L'accueil des gens avait jeté un baume au lendemain des jours difficiles vécus dans le Sud.

« Puis, je me souviens de la dernière journée, alors que les Royaux ont gagné la petite Série mondiale. Ça mettait un terme à la plus belle saison de baseball », rappelait Mme Robinson.

Cinquante ans plus tard, la direction des Expos a décidé d'honorer la mémoire de Jackie Robinson, celui qui a brisé la barrière du racisme dans le baseball.

« Montréal restera pour toujours gravé dans ma mémoire. Je ne suis pas assez naïve pour croire que tout est parfait au Canada et que tout est mauvais aux États-Unis.

« La lutte contre le racisme a fait des progrès immenses, mais il reste encore un bout de chemin à faire. J'ai 73 ans et je n'ai pas perdu confiance en la race humaine. Je suis convaincu qu'on finira par atteindre le but ultime », a-t-elle noté en montrant du doigt celui qui représente son avenir, son petit-fils Jesse Simms.

Le gérant Felipe Alou, considéré comme le Jackie Robinson de la République dominicaine, est bien placé pour parler de Robinson. « J'ai discuté avec Rachel Robinson. C'est une grande dame. C'est normal. Jackie avait besoin d'une personne forte pour l'appuyer dans cette rude épreuve.

« Elle m'a parlé de son séjour sur la rue De Gaspé. Les gens l'ont alors traitée avec la courtoisie que je vis depuis mon arrivée dans le quartier Saint-François, à Laval.

« Jackie Robinson a ouvert la porte aux minorités. Existe-t-il encore du racisme dans le baseball ? Je ne pourrais pas l'affirmer. Du moins, les signes visibles comme c'était le cas à mes débuts sont disparus. Les minorités ne vivent plus dans des hôtels différents, elles ne sont plus exclues des restaurants et elles n'ont plus à prendre place sur les derniers bancs des autobus. »

Le baseball a donc fait beaucoup de progrès. Il y a encore du chemin à parcourir, surtout au niveau des bureaux de direction des équipes du baseball majeur. Mais le président de la Ligue nationale. Leonard Coleman, a promis d'accélérer le processus. (**Texte publié le 26 mai 1996**).

UNE SOEUR OPEN AU PEN

Soeur Fernande De Grâce.

«Ah bien, pour moi, après la soeur, c'est la fin du monde ! Ça fait que...»

Denis Pelletier n'a pas le temps de terminer sa dernière phrase. La cacophonie vient de reprendre et menace d'atteindre un nouveau sommet.

Pendant ce temps, « Fern » encaisse tous les éloges et sourit doucement. Elle sait que ses gars sont heureux lorsqu'ils laissent ainsi parler leur coeur.

Fern, c'est la soeur aumônier du centre de détention de La Macaza, dans les Hautes-Laurentides. Hors les murs, il ne doit pas y avoir beaucoup de monde qui nomme ainsi soeur Fernande De Grâce. Mais en-dedans, c'est bien connu, rien n'est pareil...

Dans le groupe des 11 détenus réunis par la soeur aumônier pour cette rencontre avec un photographe et un journaliste de *La Presse*, plusieurs ont d'ailleurs répété sur tous les tons, mais avec une boule dans la gorge, que la vie en prison, ce n'est « pas bien drôle ».

« Une chance qu'il y a la soeur ! », dit un jeune détenu. Un autre lance aussitôt : « On n'est pas en prison quand on est avec elle ! »

L'Établissement La Macaza, avec ses hautes clôtures de treillis métallique et de fil barbelé, ses miradors, ses lourdes portes de fer et ses bâtiments étroitement surveillés, est pourtant bel et bien une prison. On compte dans ce centre de détention à sécurité « médium faible » environ 240 détenus dont certains achèvent de purger des sentences dépassant les 15 et même les 20 ans. Quelques-uns sont des *lifers* (condamnés à vie).

Le cas de soeur Fernande est unique : elle est la seule femme, dans tout le Canada, à assumer l'entière responsabilité de l'aumônerie d'un centre de détention. Deux autres religieuses, il est vrai, remplissent des fonctions semblables dans des établissements de la région de Montréal, mais elles le font à titre d'assistantes d'un aumônier permanent. (**Cela se passait en mai 1987.**)

Retard angoissant du dirigeable «Italia»

Le fameux aéronef dans lequel le général Nobile a atteint le pôle Nord n'est pas encore retourné à sa base de la Baie du Roi, au Spitzberg. - Silence alarmant des explorateurs arctiques.

BAIE du Roi, Spitzer, — A minuit, (le 26 mai 1928), c'est-à-dire 47 heures après qu'il eut quitté le pôle nord, le dirigeable «ITALIA» n'était pas encore arrivé à sa base de la baie du Roi. Les vigies du steamer «Citta-di-Milano» pensaient que peut-être l'«ITALIA» s'était dirigé vers Nova Zembya, sur la côte sibérienne où il y a un poste de radio. Si aucune nouvelle n'arrive avant midi, le «Citta-di-Milano» partira pour faire des recherches si le temps le permet.

Un vent de vingt milles qui soufflait sur tout l'archipel de Svalbord semblait s'apaiser, hier soir, dit une dépêche d'Oslo, Norvège.

RETARD ALARMANT

Baie du Roi, Spitzberg, 26 — A 8 heures 30, hier soir, les personnes qui surveillaient l'espace n'avaient encore aucune trace du dirigeable «Italia» dans lequel, le général Umberto Nobile et un équipage composé de quinze hommes reviennent du pôle nord. Il y avait alors 65 heures que le dirigeable avait quitté la baie du Roi pour le pôle et près de 45 hrs qu'il était parti du sommet arctique de la terre.

VIVRES POUR UN MOIS

Baie du Roi, 26 — L'«Italia» est bien approvisionné pour faire face aux éventualités. Il avait, quand il a quitté la baie du Roi 8,200 kilogrammes de gazoline et assez de vivres pour un mois. Les seize hommes que porte le dirigeable sont les mêmes qui ont pris part à l'expédition antérieure, à *quelques exceptions près*. (...)

Paris reçoit une sculpture de Daudelin

Les travaux souterrains nécessaires à l'installation de la sculpture-fontaine de l'artiste québécois Charles Daudelin sont en cours depuis quelques semaines. L'espace a été ceinturé d'une petite clôture afin que les habitants du quartier puissent se familiariser avec sa nouvelle configuration et une affiche annonce : « Construction d'une fontaine. Le motif central de la fontaine est une sculpture offerte par la province de Québec à la ville de Paris ».

C'est un des quartiers les plus fréquentés de Paris. Un des plus célèbres aussi, notamment pour avoir « abrité » les existentialistes après la guerre. Les Deux Magots, le Café de Flore (que fréquentaient assidûment Jean-Paul Sartre et Simone de Beauvoir) et la Brasserie Lipp sont à deux pas de la Place du Québec.

La sculpture, *L'embâcle*, fait environ 8 mètres sur 6 et ne dépasse jamais 1,90m en hauteur. Elle consiste en une série de dalles de bronze pré-patiné de 60cm de côté qui s'élèvent vers un point central, le tout formant une espèce de pyramide aux pentes très douces.

« Les dalles semblent soulevées et retenues dans l'espace par le bouillonnement souterrain de l'eau. On aura l'impression, explique Daudelin, que si l'eau cessait de jaillir, les dalles retomberaient chacune à leur place sur un sol qui redeviendrait uni. » (**Texte publié le 26 mai 1984.**)

Au tour des Nordiques...

QUÉBEC — Il fallait voir la scène de «réconciliation» entre Marc Boileau et Jean-Claude Tremblay pour saisir l'ampleur des festivités qui ont marqué la conquête de la Coupe Avco par les Nordiques de Québec hier soir (26 mai 1977). Une dernière victoire facile de 8-2 qui mettait fin à une série aussi longue que farfelue.

«Je pense qu'il fallait un peu s'engueuler pour réussir tout ça», a dit Jean-Claude à Boileau.

«C'est tout oublié mon vieux, l'important c'est d'en être arrivé là», a répliqué l'instructeur des champions.

Les deux hommes se sont étreints longuement parmi une foule d'admirateurs et d'amis qui avaient réussi à franchir un cordon de policiers submergés pour pénétrer dans le vestiaire des vainqueurs.

«J'ai travaillé fort pendant cinq ans tout en espérant que cette soirée-là arrive, disait encore Jean-Claude Tremblay, auteur du but qui a donné le coup de grâce aux Jets. J'ignore ce qui va m'arriver l'an prochain, mais j'espère connaître une autre saison comme celle-là. Tous les gars ont travaillé fort, tout le monde l'a gagné cette coupe-là.»

Serge Bernier, choisi le meilleur joueur des séries, assistait aux manifestations de ses coéquipiers sans avoir l'air de trop y croire. «S'il avait fallu qu'ils annoncent ma nomination plus tôt dans le match, je pense que j'aurais été incapable de terminer la rencontre, disait-il. Jamais je n'ai été aussi ému. Je ne croyais pas que c'était bon comme ça, gagner un championnat.»

Marc Tardif, qui a eu peine à se frayer un chemin de la patinoire au vestiaire expliquait calmement cette série folichonne: «Quand tu joues par ces chaleurs-là, c'est extrêmement difficile de revenir de l'arrière. Le premier but prend alors une importance capitale. Evidemment, quand tu réussis à scorer les trois ou quatre premiers, la victoire est dans le sac. C'est un peu ce qui explique les derniers pointages. L'équipe qui connaît le meilleur départ l'emporte. En gagnant ce soir, on a prouvé qu'on avait plus de caractère que les Jets, c'est tout. Mais il était temps que ça finisse.» (...)

...de disparaître!

Aubut confirme la fin de l'équipe de Québec: «C'est signé, scellé et livré»

La conférence de presse annonçant la vente des Nordiques de Québec au groupe Comsat Video, pour la somme de 75 millions US, est terminée depuis une quinzaine de minutes. À une extrémité de la salle, Claude Blanchet, PDG du Fonds de solidarité de la FTQ, un des principaux actionnaires de l'équipe, s'apprête à rentrer à Montréal.

« Le marché de Québec n'est pas suffisant pour opérer un club de la Ligue nationale, lance-t-il. La démonstration économique est pétante. La région n'est pas assez populeuse et les revenus pas assez importants. Les prévisions les plus réalistes laissaient entrevoir des pertes de 26 millions par an au cours des dix prochaines années. Un trou sans fin, des pertes incommensurables ! Les actionnaires étaient-ils prêts à les combler pour garder l'équipe dans la capitale ? Collectivement, nous avons répondu non. »

Voilà, net et sec, comment les propriétaires des Nordiques ont justifié le transfert de la concession à Denver, au Colorado.

Manifestement sur la défensive, soucieux de démontrer qu'ils avaient tout tenté dans l'espoir d'assurer la survie des Bleus dans la capitale, les représentants du Fonds de solidarité, de la Mutuelle des fonctionnaires, de la papetière Daishowa, de l'épicier Métro-Richelieu, accompagnés de Marcel Dutil, de Canam-Manac, et de Marcel Aubut, président des Nordiques, ont évoqué la hausse incontrôlable des salaires des joueurs pour expliquer la vente de l'équipe à des intérêts américains.

À ceux qui reprochent aux propriétaires des Nordiques de ne pas avoir attendu une autre saison avant de vendre l'équipe, M. Aubut a rétorqué : « Si, pour tous les intervenants au dossier, il s'agissait d'une décision d'affaires, comment peut-il en être autrement pour les propriétaires qui, eux, ont tout à perdre ? Devant cette situation, et même si chacun des propriétaires avait le droit d'empêcher la transaction, le temps était venu de conclure. »

Le président des Nordiques, devenu aujourd'hui un des très rares multi-millionnaires de la région de Québec, a tracé un portrait désastreux des revenus de l'équipe par rapport à ceux de ses compétiteurs.

« Les assistances nous permettent d'encaisser en moyenne 350 000 $ par match. À Chicago, c'est plus de 700 000 $ US. Quant à la publicité sur les bandes, un forfait à New York coûte 800 000 $ US par an, alors qu'il ne peut excéder 250 000 $ CAN à Québec. Malgré notre succès sur le plan de la gestion et de la mise en marché, la situation financière du club était devenue très alarmante. »

M. Aubut a indiqué que la nouvelle convention collective des joueurs, signée en janvier dernier, a fait très mal aux Nordiques.

« Privés d'un plafond salarial pour les six prochaines années, et sans consensus au sein de la Ligue nationale pour établir un partage des profits entre les grands et les petits marchés, la construction d'un nouvel amphithéâtre était un préalable pour permettre la survie à long terme des Nordiques à Québec », a-t-il soutenu.

Le chroniqueur sportif de *La Presse* Réjean Tremblay résume la situation en rappelant quelques phrases prémonitoires de cet événement et conclut, en guise d'épitaphe : « Salut les Nordiques ! À Montréal, on aimait tellement vous haïr...» (**Texte publié le 26 mai 1995.**)

C'EST ARRIVÉ UN 26 MAI

1989 — Après l'avoir soumis à un débat houleux sur sa candidature à la présidence de l'URSS, le Congrès des députés a élu M. Mikhaïl Gorbatchev président du Soviet suprême, chef de l'État soviétique, par 2 133 voix pour et 87 voix contre.

1978 — Ouverture du premier casino à Atlantic City, au New Jersey. — Obsèques de M. Sam Steinberg, un des plus importants financiers de l'histoire du Québec, et le fondateur de la chaîne d'alimentation qui porte son nom.

1976 — Mort à 87 ans de Martin Heidegger, l'un des pères de l'existentialisme.

1973 — Un garde-côte islandais ouvre le feu sur un chalutier britannique : c'est le début de la « guerre de la morue ».

1972 — Démission du père du programme spatial américain, Wernher von Braun, de la NASA (National Aeronautic and Space Administration).

1965 — Le Sénat américain adopte une loi favorisant le vote des Noirs.

1957 — Daniel Fignole, professeur de mathématiques âgé de 43 ans, accède à la présidence temporaire de Haïti.

1954 — Une série d'explosions fait plus de 100 morts à bord du porte-avions *Bennington*.

1943 — Le rationnement de la viande entre en vigueur à minuit ce soir. Le rationnement du vêtement serait chose possible dans un avenir assez rapproché.

1939 — Le premier ministre Maurice Duplessis annonce la nomination de sept administrateurs à l'Université de Montréal.

1923 — Au tour de Sainte-Agathe d'être la victime d'une conflagration.

1914 — Après quarante années de lutte, les nationalistes obtiennent le « Home Rule », en Irlande.

L'hon. M. Gouin se rend à la demande de L'Ecole Polytechnique

L'HON. M. Gouin vient de prouver une fois de plus qu'il est tout entier dévoué à la grande oeuvre de l'éducation dans notre province. En effet, de bonne grâce, généreusement, le premier ministre s'est rendu et cela presque sans délai, à la prière des directeurs de l'Ecole Polytechnique qui demandaient en faveur de cette institution une augmentation dans la subvention déjà octroyée par le gouvernement.

L'Ecole Polytechnique est sans contredit, l'une des institutions les plus intéressantes du pays. Ceux qui la dirigent sont des hommes de talent, de progrès et de dévouement. Mais en dépit de tout le zèle qu'ils avaient déployé jusqu'ici, ces généreux directeurs n'avaient pu réussir à doter l'Ecole de quatre laboratoires qui étaient devenus nécessaires au perfectionnement pratique de son enseignement. Les octrois du gouvernement, les dons de feu le sénateur Villeneuve et plusieurs autres citoyens de Montréal n'avaient pas suffi à la réalisation de ce rêve depuis longtemps caressé.

Confiant dans la générosité du gouvernement et dans l'esprit public du Premier Ministre de la Province de Québec, l'Ecole Polytechnique par l'entremise de M. le chanoine Dauth, vice-recteur de l'Université Laval, de MM. Ernest Marceau et Emile Balète, principal et directeur de l'Ecole Polytechnique, et de M. Honoré Gervais, M. P. et professeur de l'Université Laval, s'était adressée à l'Hon. M. Gouin.

La Chambre de Commerce, sur proposition de M. Geo. Gouthier, s'était portée au secours de l'Ecole et avait appuyé sa demande, tant dans son propre intérêt que dans celui de l'enseignement des hautes études commerciales: car en retour de la subvention accordée pour les laboratoires, l'Ecole Polytechnique s'engageait à fournir au gouvernement le local et les professeurs pour l'enseignement des hautes études commerciales.

Le premier ministre Lomer Gouin.

La réponse de l'Hon. M. Gouin ne se fit pas attendre; il est prêt à soumettre à la Législature un octroi additionnel de $3,000 par année en faveur de L'Ecole Polytechnique.

C'est la nouvelle qui fut communiquée à celle-ci, jeudi matin (26 mai 1906), par le premier ministre lui-même.

Forts de ces nouveaux secours, les directeurs feront construire les nouveaux laboratoires et les livreront à l'enseignement dès l'ouverture de l'année scolaire 1906-1907.

D'ailleurs les plans préparés par un professeur de l'Ecole sont déjà prêts; les soumissions ont été demandées et on a déjà signé les traites pour la construction.

Quant à l'école des Hautes Etudes Commerciales, le gouvernement veillera à son organisation, sans délai, sous la direction de l'Université Laval à Montréal.

Il est fort probable qu'un des professeurs les plus en renom de Paris, un économiste distingué, un auteur fort lu, de l'école des Hautes Etudes Commerciales de Paris, sera appelé à diriger la nouvelle institution, dont le personnel comprendra également, cela va sans dire, les hommes de la province de Québec les plus versés dans les sciences politiques.

L'inscription au cours de la nouvelle école ne serait permise qu'à ceux qui auraient fait des études classiques complètes.

C'EST ARRIVÉ UN 27 MAI

1999 — L'astronaute québécoise Julie Payette s'envole à bord de la navette Discovery vers la Station spatiale internationale.

1994 — Une montre-bracelet pour homme de Cartier, « Tank à Guichets », datant de 1929, a atteint le prix de 292 000 $, un record mondial, lors d'une vente aux enchères conduite par le commissaire-priseur parisien Francis Briest.

1989 — « Infernal » silence de 30 secondes... Environ 8 000 stations de radio commerciales américaines se sont données le mot pour faire en même temps 30 secondes de silence complet sur les ondes. Le but de l'opération était de faire prendre conscience aux auditeurs combien serait dure une vie sans radio.

1987 — Conrad M. Black, propriétaire du géant Hollinger, de Toronto, a lancé une bombe dans le monde des communications du Québec en annonçant qu'il fait l'acquisition d'Unimédia, un des trois groupes importants de presse du Québec, qui compte les quotidiens *Le Soleil* (Québec), *Le Droit* (Ottawa), *Le Quotidien* (Chicoutimi), de même que plusieurs hebdomadaires et des imprimeries, dont le propriétaire actuel est M. Jacques Francoeur. On estime que le prix d'achat est de l'ordre de 50 millions de dollars.

1985 — L'absentéisme au travail est devenu une plaie, constate un document du ministère du Travail. Il représente, à lui seul, près de vingt fois le nombre de jours / personnes perdus dans des grèves et des lock-out. Et les Québécois s'absentent plus et plus longtemps que les Ontariens et les autres Canadiens : 23,5 millions de jours perdus au Québec ; 80,25 millions pour l'ensemble du Canada.

1964 — Le premier ministre de l'Inde, M. Jawaharlal Nehru, est mort ce matin après être resté six heures dans le coma. Il était âgé de 74 ans, et présidait aux destinées de l'Inde depuis 1947.

1941 — Les obus de la flotte anglaise et les torpilles de ses avions ont coulé le cuirassé allemand *Bismarck* à 11 h ce matin. Les communiqués allemands situent l'action à 400 milles du détroit de Danemark, entre l'Islande et le Groenland, où se déroula récemment le combat entre le *Bismarck* et le cuirassé britannique *Hood*. Ce dernier fut coulé lorsque les obus du *Bismarck* frappèrent directement sa soute de munitions.

1940 — Le général Maxime Weygand, commandant en chef des armées alliées, a déclaré dans un message radiodiffusé à Paris que la situation militaire des Alliés s'améliorait « plus vite et mieux qu'on aurait pu le croire au début de la semaine dernière. Dans un mois, dit Weygand, la France sera en marche vers la victoire ».

1915 — Une des flottilles aériennes alliées, comprenant dix-huit aéroplanes dont chacun portait cent dix livres de projectiles, a jeté des bombes, ce matin, sur la fabrique de produits chimiques, à Ludwigahafen (sur le Rhin). C'est l'une des plus importantes manufactures d'explosifs d'Allemagne. Les résultats qui ont été signalés démontrent l'efficacité du raid. Plusieurs bâtiments ont été atteints par nos projectiles et des incendies ont été allumés. Les aviateurs sont restés dans l'espace pendant six heures et ont couvert une distance de plus de 240 milles.

En plus de l'armée, Trudeau a utilisé la GRC pour contrer les séparatistes

Pour contrer le mouvement indépendantiste québécois, le premier ministre Trudeau a proposé le recours accru au Service de contre-espionnage des Forces canadiennes et discuté de l'emploi de moyens « clandestins » par la GRC.

C'est ce que révèle un procès-verbal « Top Secret » d'une réunion du comité du cabinet sur la sécurité et le renseignement, tenue le 19 décembre 1969. La réunion avait été convoquée dans le but d'analyser un mémoire rédigé par M. Trudeau sur les « Menaces à l'ordre et à la sécurité - Le séparatisme au Québec ».

Au cours des années suivantes, la GRC s'est livrée à tout une gamme d'activités illégales contre les indépendantistes québécois et a étendu son réseau d'informateurs politiques jusqu'aux plus haut niveau du PQ. Traînés devant les commissions d'enquête et les tribunaux par la suite, les dirigeants de cette force policière ont soutenu qu'ils répondaient aux attentes de leurs « maîtres politiques ». Ainsi, en présentant son mémoire à ses collègues pour lancer la discussion, M. Trudeau rappelle que le cabinet a déjà décidé que la question de l'unité nationale doit faire l'objet d'une action concertée de la part des ministères.

Ce problème prioritaire est relié à un autre, celui de la loi et l'ordre, particulièrement face au séparatisme au Québec, dit-il.

« Aucun État moderne ne tolérerait une menace d'une telle ampleur à son unité et à son intégrité sans y opposer une défense cohérente et coordonnée », note M. Trudeau dans son texte.

Outre M. Trudeau, six ministres et 13 hauts fonctionnaires participaient à cette réunion stratégique. Parmi ce groupe se trouvaient les ministres des Affaires extérieures, Mitchell Sharp, de la Défense, Léo Cadieux, de la Justice, John Turner, ainsi que le secrétaire d'État, Gérard Pelletier, le président du Conseil du Trésor, Bud Drury, et le Solliciteur général, George McIlraith. Au nombre des hauts fonctionnaires se trouvaient le greffier du Conseil privé Gordon Robertson, le secrétaire principal du premier ministre Marc Lalonde, le commissaire de la GRC Len Higgitt, le nouveau directeur du Service de sécurité John Starnes, le sous-ministre de la Défense E. Armstrong, le major-général Mike Dare et plusieurs sous-ministres. (**Texte publié le 27 mai 1992.**)

Entourée de sa fille Nicole, d'Arthur de Breyne et de Jim Kelly, Mme Jeanne Sérant se retrouve entre amis, à Montréal.

«ON N'EST PAS UNE HÉROÏNE QUAND ON N'A PAS PEUR»

Trente-huit ans plus tard, Madame Jeanne Sérant, maintenant âgée de 75 ans, retrouve à Montréal ses réfugiés canadiens, plus particulièrement les rescapés du crash aérien du 12 juin 1944, survenu pendant une expédition nocturne et qui fit une seule victime parmi les sept membres de l'équipage du bombardier Lancaster de la RCAF baptisé « A for Able ».

De ces rescapés, deux furent faits prisonniers et libérés à la fin de la guerre. Le capitaine de l'avion, Arthur de Breyne, un Canadien belge d'origine fut, avec un autre copain, recueilli par des paysans de la région ; Jim Kelly, de Montréal et Bob Bodie de Vancouver se retrouvèrent chez Madame Sérant, entre le grenier et un placard, du printemps 1944 jusqu'en septembre de la même année dans sa demeure de Senlis, non loin de Paris.

« Je n'ai jamais fait partie véritablement de la Résistance, raconte Madame Sérant, mais mon mari en était et il était mort en essayant de s'enfuir d'une prison. Lorsque j'appris, par Odette, une jeune institutrice membre de la Résistance, qu'on cherchait un abri pour deux aviateurs, mon coeur de mère n'a pas pu résister. Je les ai recueillis. » (**Texte publié le 27 mai 1982.**)

IKE AVAIT UN FAIBLE POUR... SON CHAUFFEUR

« Il est rare de voir un général embrasser son chauffeur », explique Jack Thompson, correspondant de guerre du *Chicago Tribune*.

Une photographie oubliée a fait ressurgir une romance passée, celle qui unit le général Dwight Eisenhower à Kay Summersby, son chauffeur particulier durant la guerre.

Sur cette photographie, prise à Reims en mai 1945, le général Eisenhower forme le « V » de la victoire en brandissant les deux stylos avec lesquels les officiers nazis viennent de signer la capitulation allemande. Cinquante ans plus tard, le photographe personnel d'« Ike », le sergent Al Meserlin, a exhumé le tirage original de ce cliché sur lequel figure au second plan, derrière le général, Kay Summersby.

La jeune femme avait disparu de cette photographie officielle, soigneusement retouchée par le laboratoire photographique des armées.

Le général Eisehhower n'avait mentionné qu'une seule fois Kay Summersby dans son journal, dans une liste du personnel militaire. Mais avant de mourir, malade et solitaire, en 1974, Kay Summersby devait raconter, dans une autobiographie amère (*Un oubli du passé : ma liaison avec Dwight D. Eisenhower*), une histoire d'amour, passionnée mais platonique, qui ne devait durer que le temps de la guerre.

Une histoire romantique, émaillée de baisers volés, de promenades à cheval, de parties de bridge et de soirées passées ensemble à écouter des disques en sirotant des cocktails.

Durant la guerre, Kay Summersby, irlandaise divorcée, ancien mannequin de la maison de couture Worth à Paris, s'était engagée comme volontaire dans les transports britanniques. Elle conduisait une ambulance sous les bombardements dans le quartier d'East End, transportant morts et blessés.

Dwight Eisenhower

Elle était âgée de 33 ans lorsqu'elle fut désignée comme chauffeur personnel du général Eisenhower, de 20 ans son aîné. Kay écrit avoir succombé « immédiatement à ce large sourire qui allait devenir célèbre ». Le général s'attacha à cette pétillante jeune femme qui portait du rouge à lèvres sous son masque à gaz.

Sous l'influence de Kay Summersby, le général Eisenhower devint un amateur de thé, habitude tournée en dérision par les officiers américains : « Eisenhower est le meilleur des généraux britanniques ».

Bientôt, le chauffeur fut promue secrétaire personnelle. De Downing Street aux champs de bataille, où elle partagea la ration des GI's et sabla le champagne avec les généraux Bradley et Patton, des réunions secrètes aux dîners officiels où elle tenait le rôle d'hôtesse, la jeune femme devint « l'ombre d'Ike », d'après le commandant Bradley, ancien camarade d'Eisenhower à West Point.

« Nous n'avons rien à cacher à Kate », avait confié le général à Winston Churchill, charmé par cette jeune femme assise à ses côtés lors d'un dîner. Il devait lui décerner la médaille de l'Empire britannique.

Cette amitié amoureuse ne devait pas manquer de susciter sous-entendus, railleries et plaisanteries grivoises dans les rangs des soldats, ainsi que la jalousie de l'épouse du général.

Lorsque le général quitta l'Europe pour retrouver le Pentagone, quelques mois après la victoire alliée, Kay Summersby fut oubliée sur la liste du personnel qui devait le suivre aux États-Unis. Elle s'installa par la suite aux États-Unis et obtint la nationalité américaine.

Son existence se déroula entre déboires sentimentaux et difficultés financières. Reçue une fois à la Maison Blanche, elle fut priée de ne plus chercher à revoir le président. Le général Eisenhower avait alors écrit : « J'ai appris aujourd'hui que ma chère secrétaire se trouve actuellement dans une situation désespérée. Je suis certain qu'elle se reprendra en main ; elle est irlandaise et tragique. » (**Texte publié le 27 mai 1995.**)

20 000 écoliers ont faim

Le ministre de l'Éducation Michel Pagé qualifie de « majeur » le problème de la pauvreté, et même de la faim, vécu par près de 20 000 écoliers de la région de Montréal. C'est pourquoi il s'engage à verser plus de 10 millions pour que les enfants de 112 écoles profitent d'un petit déjeuner et d'une « collation consistante » en après-midi.

Au Québec, les enfants qui redoublent leur année scolaire, souvent parce qu'ils ont faim, coûtent un demi-milliard annuellement, déplore le ministre de l'Éducation.

« Après le 15 de chaque mois », plusieurs enfants provenant de 30 zones montréalaises bien identifiées « ne mangent plus qu'une tranche de pain avec du beurre d'arachides par jour ». Le ministre faisait allusion aux difficultés financières vécues par les familles vivant des prestations de bien-être social. Un écolier sur trois fréquentant les écoles de l'île de Montréal se présente sans avoir déjeuné, déplore le ministre.

Le ministre Pagé soutient que cette intervention est nécessaire « pour permettre à tous les enfants de profiter de chances égales. Les enfants qui n'ont pas mangé ne peuvent apprendre. Or, il en coûte 505 millions au Québec pour les enfants forcés de reprendre une année scolaire, selon les données fournies par le ministère de l'Éducation ».

En 1992, le programme devrait être étendu pour rejoindre près de 40 000 écoliers à travers le Québec, tous aux prises avec des problèmes graves de pauvreté.

Dès septembre, 2 000 écoliers de la région de Québec devraient également profiter du programme. Actuellement, 37 écoles de la région de Montréal profitent d'un programme d'assistance qui prévoit la distribution de petits déjeuners. Cette expérience, dirigée par les commissions scolaires, coûte déjà 6 millions, explique le ministre.

M. Pagé entend présenter son projet pour approbation finale au conseil des ministres au cours des prochaines semaines. (**Texte publié le 27 mai 1991.**)

L'accord du Lac Meech rendra le Canada impotent, avertit Trudeau

L'entente constitutionnelle du Lac Meech rendra le Canada impotent, avertit l'ancien premier ministre fédéral Pierre Elliott Trudeau. Une entente qu'il qualifie de « gâchis total », et dans laquelle il voit un encouragement direct à la souveraineté-association.

Le 30 avril, date de l'accord du Lac Meech, (accord qui reste à être entériné par toutes les provinces) est un « jour sombre pour le Canada », écrit M. Trudeau dans une déclaration exclusive publiée aujourd'hui (**le 27 mai 1987**) dans *La Presse*. Et il va plus loin. Nos chefs politiques actuels manquent de nerf, soutient l'ancien leader libéral. Pis, le gouvernement canadien est tombé entre les mains d'un pleutre (lâche, poltron) en la personne de Brian Mulroney.

« Le très honorable Brian Multroney, C.P., M.P., grâce à la complicité de dix premiers ministres de province, est déjà entré dans l'Histoire comme l'auteur d'un document constitutionnel qui — s'il est accepté par le peuple et ses législateurs — rendra l'État canadien tout à fait impotent, lance M. Trudeau. Dans la dynamique du pouvoir cela voudrait dire qu'il sera éventuellement gouverné par des eunuques ».

Essentiellement, l'ancien premier ministre reproche à son successeur d'avoir mis le Canada sur la voie rapide de la souveraineté-association, en cédant aux provinces des prérogatives nationales et internationales autrefois dévolues à Ottawa. Ainsi, à ses yeux, le gouvernement central abandonne aux provinces d'importants éléments de sa juridiction, comme le pouvoir de dépenser et l'immigration.

La Charte des droits s'en trouvera affaiblie, craint-il, tandis que les provinces accroissent leurs pouvoirs législatifs (Sénat) et judiciaire (Cour suprême). Le tout sans possibilité pour Ottawa de les récupérer, puisque chaque province disposera d'un droit de veto constitutionnel.

Pierre Elliott Trudeau

Point n'est besoin d'être grand clerc, dit M. Trudeau, pour prédire que « la dynamique politique attirera désormais les meilleurs esprits vers les capitales provinciales, là où résidera le véritable pouvoir, et que la capitale fédérale sera le dévolu des laissés-pour-compte de la politique et de la bureaucratie ».

Depuis son retrait de la politique active, en 1984, M. Trudeau ne s'était jamais prononcé aussi vigoureusement sur des questions de politique canadienne. À peine, à la mi-mai à Toronto, émettait-il des commentaires très prudents sur l'accord survenu quinze jours plus tôt au Lac Meech, laissant deviner son insatisfaction.

LE CONCERT AU PROFIT D'ALBANI A OBTENU UN IMMENSE SUCCES

LE concert organisé par la «Presse» et donné hier soir **(28 mai 1925)** au théâtre Saint-Denis «en hommage national à Albani» a été ce que devait inspirer la belle oeuvre entreprise au profit d'une artiste qui a inscrit le nom canadien dans les annales de l'art universel. Ce fut une soirée triomphale pour Albani, pour les excellents artistes au programme et pour les 2,400 auditeurs massés dans le vaste amphithéâtre.

Le Très Honorable William Lyon Mackenzie King, premier ministre du Canada, présida cette soirée inoubliable. Ayant été l'auteur de la suggestion qui fit organiser par la «Presse» une souscription nationale pour venir en aide à Albani, le premier ministre avait tenu, malgré les occupations que lui vaut la session d'Ottawa, à assister à une manifestation qui couronne dignement l'oeuvre qu'il a tant à coeur.

A Londres, grâce à un appareil téléradiophonique installé par les soins du poste C.K.A.C. de la «Presse», Albani a dû entendre les artistes mettre leur talent au service de sa cause et faire monter vers elle l'hommage de sa race. Deux appareils de transmission lui ont apporté aussi l'écho des applaudissements qui accueillirent libéralement chacun des artistes. On imagine l'émotion qui a dû étreindre la grande artiste lorsque le Canada lui parvint, répété par la voix d'une jeune compatriote, l'air qui lui valut de si grands triomphes: «Souvenirs du jeune âge sont gravés dans mon coeur...» Et les applaudissements évoquèrent chez la grande diva bien des souvenirs de triomphes passés...

Sous le patronage de Lord Byng de Vimy, gouverneur général du Canada et de Lady Byng, ce concert fut honoré par la présence de toutes les personnalités en vue de la métropole. (...)

LES ARTISTES

Ce fut une occasion exceptionnelle pour les artistes canadiens que de se faire entendre par un auditoire à la fois nombreux et compréhensif. Tous réputés déjà à juste titre, ils ont suscité hier soir des éloges sans réserve. Leur directeur artistique, le distingué et dévoué imprésario Louis-H. Bourdon, fut aussi chaleureusement félicité. (...)

Les artistes furent présentés dans des conditions extrêmement favorables à l'exécution des oeuvres au programme. Un éclairage bien réglé, sur la scène et dans la salle, mit bien en valeur le recueillement musical d'un Renaud, l'entrain bien rythmé d'une Letourneux, l'interprétation détaillée d'un Brault et l'expression nuancée d'une Manny. (...)

Le concert commença à huit heures et demie précises, quelques instants à peine après l'arrivée du premier ministre du Canada. Sans qu'il y ait eu aucun intermède, il se termina exactement à 10 heures 55.

Un auditoire invisible, dont il est impossible d'estimer le nombre, a écouté au radio tout le concert Albani. Ce fut une surprise pour les amateurs de radio, cette transmission n'ayant pas été annoncée. (...)

LES TRAMWAYS A LONGUEUIL

LONGUEUIL — Notre ville est maintenant reliée à Montréal par une ligne de tramways et l'inauguration de ce service, qui a eu lieu samedi après-midi **(28 mai 1910)**, a pris la tournure d'une fête publique générale. Toute la ville était en liesse, partout on voyait des décorations. (...)

Les tramways spéciaux stationnaient à 2 h. 30 au coin des rues McGill et Youville, à Montréal, attendant les invités de la compagnie qui devaient faire ce voyage d'essai de la ligne comme hôtes des directeurs. Le trajet s'accomplit, sans incident remarquable jusqu'à Montréal-Sud, où l'on dût faire halte afin d'entendre la lecture d'une adresse par M. Napoléon Labonté, maire de la municipalité. (...)

Le coeur artistique de Florence cible du terrorisme

Florence a été frappée au coeur hier (**le 27 mai 1993**) par un attentat à la voiture piégée qui a fait au moins cinq morts et vingt-six blessés (dont quatre sont dans un état grave) et endommagé la galerie des Offices, le plus célèbre musée de la cité toscane, où les dégâts se chiffrent par des milliards de lires.

Au musée des Offices, qui abrite l'une des plus importantes collections d'art italien au monde, y compris des oeuvres de Michel-Ange, Léonard de Vinci et Botticelli, des pompiers en sueur poussaient devant eux des brouettes pleines de débris. Après avoir retrouvé les corps de deux enfants, de leurs parents et de deux autres adultes, les équipes de secours fouillaient les décombres à la recherche d'autres victimes éventuelles.

Deux tableaux de Bartolomeo Manfredi (XVIIème siècle), un disciple du Caravage, « Scène de la vie » et « La bonne aventure », ont été détruits de même qu'une peinture de Gherardo delle Notti, un peintre flamand, la « Nativité du Christ ».

Une trentaine d'autres peintures ont été plus ou moins endommagées.

Le MAC est ouvert!

Marcel Brisebois a laissé éclater sa joie à l'inauguration du nouveau Musée d'art comporain, dont il est le directeur.

L'événement a eu lieu en présence notamment du ministre des Affaires culturelles du Québec, Mme Liza Frulla-Hébert. L'histoire du musée, fondé en 1964, l'a conduit de la Place Ville-Marie à la Cité du Havre et maintenant sur l'emplacement de la Place des Arts.

Le nouveau musée, qui dispose de surfaces d'exposition trois fois plus grandes, offre au public les «classiques» des 60 dernières années en même temps qu'un éventail de la production des deux dernières, choisi parmi la crème. (Cela se passait le 28 mai 1992)

La mise en service de LG4: la fin d'une grande époque

LG4, c'est d'abord la fin de la phase I de la Baie James, construite au coût de 10 milliards, mais aussi la fin d'une époque pour Hydro-Québec, qui aura été un grand bâtisseur pendant plus de 20 ans. La société hydroélectrique dispose maintenant d'importants surplus, de sorte qu'elle a reporté de plusieurs années toute nouvelle construction.

L'époque des grandes réalisations hydrauliques a commencé par la modernisation et l'agrandissement de la centrale de Beauharnois à la fin des années 1950. Ont suivi les centrales Bersimis 1 et 2, sur la Côte-Nord, et Carillon, sur l'Outaouais.

Le complexe Manic-Outardes, d'une puissance de 5 500 mégawatts, a nécessité la construction de sept centrales. Les travaux ont duré presque 20 ans pour se terminer, en 1978, par la mise en service d'Outardes 2.

C'est la Baie James, qualifiée de « projet du siècle », qui est l'ouvrage le plus ambitieux mené à terme par Hydro et sa filiale, la Société d'énergie de la Baie James (SEBJ). Les travaux ont été terminés en avance par rapport à l'échéancier et pour 500 millions de dollars de moins que prévu. (Texte publié le 28 mai 1984)

15 000 Italo-Québécois redeviennent Italiens

Quelque 15 000 immigrants italiens vivant au Québec et ayant pris la citoyenneté canadienne ont demandé au gouvernement de leur pays d'origine le droit de recouvrer leur citoyenneté italienne en vertu d'une loi de reconnaissance de la nationalité promulguée par Rome il y a deux ans et arrivant à échéance en août prochain.

Ontre l'éventuel droit de vote, les détenteurs de la double nationalité peuvent obtenir un passeport italien, qui est en même temps un passeport de l'Union européenne facilitant l'accès aux douze pays membres (bientôt seize). (Texte publié le 28 mai 1994)

Le tire-bouchon est l'invention d'une jeune fille

LE tire-bouchon a été inventé en 1512, par une jeune fille de dix-sept ans, dont le père était maréchal-ferrant dans le village de Ternant.

Cette dépêche qui nous laisse sur nos appétits a été publiée le **28 mai 1927.**

CIRCULATION 80,915 **LA PRESSE** **527,6--**

VINGTIÈME ANNÉE N° 171 — MONTRÉAL SAMEDI 28 MAI 1904 — VINGT-QUATRE PAGES—UN ...

CES BONS GOGOS

GRAND CIRQUE DE LA BÊTISE HUMAINE

TOUT POUR RIEN
1000 pour 1
GOGO, JE NE PENSE QU'A TOI!
UN TROUPEAU DE BOEUFS POUR UN OEUF
PLUS D'EFFORTS PLUS DE TRAVAIL
TOUT LE MONDE RICHE
EN VEUX-TU GOGO? EN VOILA!
DONNE TON ARGENT GOGO, ET LAISSE-MOI FAIRE
DE L'OR! DE L'OR! DE L'OR!
il n'y a qu'à se baisser pour en prendre

CES bons gogos!... comme ils s'en donnent, comme ils n'ont pas dégénéré!... comme ils sont toujours dignes de leur ancêtre, M. Gogo, type populaire, qui est apparu pour la première fois au théâtre, dans un vaudeville en un acte, vers 1830. (...)

Ainsi commençait l'article qui accompagnait cette première page consacrée à la bêtise humaine et publiée le **28 mai 1904**. Mais la page était tellement explicite que le texte devenait presque superflu...

GUERRE AUX PETARDS!

Il faut, à tout prix, empêcher les commerçants sans scrupule de vendre des pièces pyrotechniques aux enfants et aux adolescents qui ne peuvent les utiliser sans danger pour eux ou leurs voisins.

MALGRÉ l'existence du règlement municipal No 260, la vente et l'usage des pétards n'en a pas moins continué, cette année, surtout la semaine dernière. C'est fatal, le 24 de mai ne peut se passer de pyrotechnies plus ou moins amusantes. Le voisinage de la république yankee, où l'on célèbre la fête nationale (4 juillet), en tuant des centaines de gens avec des pétards-canons, des bombes ou des balles de revolver, a fait naître ici, il y a bien longtemps déjà, une si folle effervescence, surtout chez les jeunes, qu'il ne se passe pas de 24 mai sans qu'on ait à déplorer de malheureux accidents, toujours imputables à l'usage de pièces pyrotechniques.

Depuis un mois au moins, on a commencé à mettre des pétards A L'ETALAGE des magasinets. De toutes dimensions et de toutes natures, ces explosifs attirent l'attention des enfants et leur inspire un désir irrésistible de manifester bruyamment leur enthousiasme. Peu importent les moyens de se procurer les éternels pétards, on se les accapare à tout prix, souvent même par un vol, et la fête commence.

Une fois que les pétards tant désirés ont été achetés,
GARE AU PUBLIC!
Dans les foules, dans la rue, aux portes des magasins, à l'entrée des théâtres, sur le marchepied des tramways, sous les roues de ces véhicules, l'explosion se produit, et, malheureusement trop souvent, il s'ensuit des accidents. Les jupes s'enflamment, les crises se produisent, la foule hurle et le coupable... disparaît.

Le paragraphe «c» de l'article 112 du règlement 260 dit:

«PERSONNE NE DEVRA TENIR, VENDRE OU TIRER DES PETARDS DANS LA CITE, et personne ne devra fabriquer ou tenir en vente des feux d'artifices avant d'avoir obtenu un permis à cet effet de l'inspecteur des édifices.»

La loi, comme on le voit, est assez précise. (...)

CE QUE DIT
LE CHEF CAMPEAU
Interrogé, le chef Campeau

déclare qu'il existe en effet un règlement défendant l'usage de ces explosifs ailleurs qu'à soixante verges des maisons ou de la rue.

Tous les printemps, cependant, et en été, au cours des manifestations patriotiques, on est obligé d'user de tolérance, d'autant plus que la police ne peut être partout pour empêcher les délits de ce genre.

Cependant, le public est d'avis que l'on devrait réprimer les abus et empêcher l'usage des explosifs dans les rues. Le règlement est formel.

Cet article fut publié le **28 mai 1907.**

EPOUVANTABLE CATASTROPHE

L'«Empress of Ireland», filant vers l'Angleterre, est frappé par le charbonnier norvégien «Storstad» à 20 milles en bas de Rimouski et coule en quelque dix minutes

LE 14 avril 1912 marquait une épouvantable époque dans l'histoire de la navigation transatlantique: le «Titanic» s'enfonçait dans les profondeurs insondables de l'océan, avec près de 1,500 de ses passager et membres d'équipage. Le monde maritime tout entier prit le deuil; le désastre eut un retentissement universel. On frémit encore d'horreur au souvenir des scènes dramatiques qui se sont passées sur le pont et dans les flans du monstre marin, et dans les embarcations perdues en plein océan, lamentablement dirigées par les occupants éperdus, paralysés par l'épouvante.

Le capitaine G.H. Kendall, de l'«Empress of Ireland».

Puis survint la catastrophe plus récente du «Volturno», avant que le télégraphe nous apporte l'épouvantable nouvelle de la perte de l'«Empress of Ireland», l'un des plus beaux vaisseaux de la Compagnie du Pacifique Canadien.

La catastrophe survint en pleine nuit, à 2 heures et demie ce matin **(29 mai 1914)**; le vaisseau sombra dans l'abîme, dix minutes après avoir été frappé par un charbonnier, à quelques arpents seulement des côtes en bas de la Pointe-au-Père. L'«Empress» fut, rapporte-t-on, entraîné dans l'abîme avec presque tous ceux qu'il portait, et cela avant même qu'on put mettre une seule chaloupe à la mer. Ce fut une plongée foudroyante dans plus de 100 pieds d'eau.

L'effroyable bilan se résume ainsi: passagers, 990; membres de l'équipage, 432; sauvés, à peine 420; morts probablement, plus de 1,000.

La plupart des victimes ont dû être noyées, asphyxiées en plein sommeil. Le commandant du vaisseau a pu être sauvé; on l'a recueilli quelque temps après le désastre, sur un radeau qu'entraînait le courant de la marée.

La première nouvelle du désastre a été communiquée au public par M. John McWilliams, de la station de télégraphie sans fil de la Pointe-au-Père; elle se répandit à Montréal comme une traînée de poudre. Elle fut d'autant plus douloureuse que plusieurs citoyens de notre ville avaient pris passage à bord de l'«Empress». Sont-ils parmi les rescapés? Espérons-le.

Les deux vaisseaux préposés au service des courriers européens et des pilotes, à Rimouski et à la Pointe-aux-Père, ont, à toute vapeur, couru au secours des naufragés, sur l'ordre que leur en ont donné les autorités fédérales. Hélas! l'épouvantable drame était accompli quand ils arrivèrent sur le lieu du désastre. Du moins ont-ils pu ramener à bon port ceux qui n'avaient pas été entraînés dans l'abîme après la collision.

Rimouski, 29 — Un marconigramme annonçait, ce matin, que mille passagers et hommes d'équipage de l'«Empress of Ireland» avaient perdu la vie.

Trois cent cinquante passagers ont été débarqués à Rimouski.

Le télégraphiste de la compagnie Marconi, à Rimouski, a donné un compte rendu du naufrage. (...) Voici son rapport (...)

«L'«Empress of Ireland» a été frappé, ce matin, à une heure et quarante-cinq minutes, par le *(charbonnier)* «Storstad», à vingt milles de la Pointe-au-Père. Le paquebot a coulé dans dix minutes. Le signal de détresse S.O.S. (Save our ship) a été reçu à la Pointe-au-Père et les steamers du gouvernement, l'«Eureka» et le «Lady Evelyn» ont été envoyés immédiatement au secours du paquebot en détresse. L'«Empress of Ireland» penchait, et il fut impossible de mettre à l'eau la plupart de ses chaloupes.

Le capitaine H.G. Kendall, commandant de l'«Empress of Ireland», a été recueilli sur une épave une demi-heure après que son navire eût coulé. (...)

L'«Empress of Ireland», du Pacifique Canadien.

Le charbonnier «Storstad», de la ligne Black Diamond, qui aurait recueilli 360 naufragés..

C'EST ARRIVÉ UN 29 MAI

1985 — La finale de football de la coupe d'Europe des clubs champions, entre Liverpool et la Juventus de Turin, disputée à Bruxelles, a été ensanglantée par une terrible émeute qui a fait au moins 41 morts et 260 blessés, dont deux personnes tuées par balles et plusieurs autres à coups de couteau.

1977 — Les manifestations empêchent l'ouverture de l'aéroport international Narita, près de Tokyo.

1976 — Signature par Gerald Ford, à Washington, et Leonid Brejnev, à Moscou, d'un traité qui limite la puissance des explosions nucléaires souterraines à des fins pacifiques.

1970 — Un commando péroniste procède à l'enlèvement de l'ex-président Pedro Aramburu.

1954 — Canonisation solennelle de Sa Sainteté le pape Pie X.

1953 — La reine Elizabeth II est proclamée « reine du Canada », en présence du premier ministre Louis Saint-Laurent. — Un *Comet* de l'Armée de l'air du Canada devient le premier avion à réaction à traverser l'Atlantique. Il a franchi la distance Londres-Ottawa en 10 heures et 20 minutes.

1946 — Le transfuge soviétique Igor Gouzenko témoigne au procès de Fred Rose, accusé d'espionnage pour le compte de l'URSS.

1940 — Les Alliés abandonnent les Flandres et préparent le rembarquement à Dunkerque. Lille est occupée par les Allemands.

1939 — Le « Baby Clipper » piloté par Thomas Smith parvient à atteindre l'Irlande après avoir traversé l'Atlantique.

1916 — Mort du constructeur ferroviaire James J. Hill, à l'âge de 77 ans.

Une plaque sur l'épave du paquebot

Après une messe spéciale chantée aujourd'hui **(le 29 mai 1994)**, le plongeur torontois Terry German nagera jusqu'à 30 mètres sous la surface du golfe Saint-Laurent pour apposer une plaque sur l'épave de l'Empress of Ireland.

Lorsque le paquebot a sombré, il y a 80 ans, 1 012 personnes à son bord périrent, ce qui en fit le pire désastre maritime de l'histoire canadienne. Parmi ces victimes, 140 des leaders de l'Armée du Salut du Canada en route pour un congrès en Angleterre. La plaque sera apposée à leur mémoire.

Des douzaines de corps avaient été rejetés sur la rive et furent inhumés à un endroit où le Canadien Pacifique a érigé un mémorial, dans le village de Pointe-au-Père, dans la péninsule gaspésienne. Beaucoup d'autres victimes ont été inhumées au cimetière Mount Pleasant de Toronto, où une cérémonie est organisée annuellement à leur mémoire.

L'épave est toutefois demeurée le dernier tombeau de quelque 700 des victimes.

M. German, un plongeur et cinéaste professionnel qui explore l'épave de l'Empress of Ireland depuis cinq ans, en collaboration avec les responsables du Musée de la Mer, a révélé qu'il fixera la plaque au-dessus du sabord de coupée, où elle sera visible pour tous les plongeurs.

Le paquebot repose sur son flanc tribord sur un fond boueux, à 50 mètres de la surface.

Les plongeurs s'y rendent régulièrement depuis de nombreuses années.

« L'épave est immense », confie German, ajoutant qu'il est toutefois difficile de plonger en ces lieux.

« La visibilité est très mauvaise. Il y a beaucoup de sédiments et de plancton en suspension dans l'eau. L'eau est très froide et les courants incertains. »

Moins d'un mois après le naufrage, des plongeurs du Canadien Pacifique percèrent un trou dans la coque à l'aide d'explosifs et pénétrèrent dans la chambre forte du navire pour récupérer un million de dollars en lingots d'argent et un autre million en valeurs non précisées.

Ils récupérèrent également de nombreux sacs de courrier. Les lettres furent séchées et expédiées à leur destinataire. Ces enveloppes, aujourd'hui, sont considérées comme de précieuses pièces de collection.

Conquête de l'Everest par des Britanniques

Un Néo-Zélandais et un guide sherpa atteignent le sommet de l'Himalaya. — Exploit en l'honneur de la reine Elizabeth.

LONDRES — Une expédition britannique a atteint le sommet du mont Everest, jamais foulé jusqu'ici par l'homme, et planté l'Union Jack sur le pic en guise de «cadeau» à la reine Elizabeth à l'occasion de son couronnement.

La nouvelle a été reçue, hier soir, au palais de Buckingham, où on l'a communiquée à la reine au moment où l'on effectuait les derniers préparatifs du couronnement.

Le groupe d'alpinistes, qui a réussi là où 10 autres expéditions avaient échoué, était dirigé par le colonel John Hunt. Selon des rapports de Hunt à Londres, deux hommes de son groupe, le Néo-Zélandais E.P. Hillary et un fameux guide de la tribu sherpa, Tensing Bhutia, ont atteint le sommet, le **29 mai (1953)**, à plus de 29,000 pieds d'altitude. Dans son message, Hunt faisait savoir que «tout allait bien».

L'Everest est le point le plus élevé de l'Himalaya, à la frontière du Népal et du Thibet.

On avait appris, plus tôt hier, de sources dignes de foi mais sans confirmation, que l'équipe britannique avait échoué dans deux tentatives en mai pour atteindre le sommet. Ces rapports provenaient de Katmandou, Népal, et avaient été transmis à Londres via la Nouvelle-Delhi, Inde. (...)

Sir Edmund Hillary, lisant l'un des nombreux témoignages reçus, à son retour du sommet de l'Everest.

Un nouveau tissu fait avec du lin

LONDRES — On annonce que les expériences faites dans le Lancashire pour transformer des fétus de lin en une fibre qui puisse être tissée par des machines généralement destinées au coton ont donné des résultats très satisfaisants. Ces expériences faites avec des fétus de lin du Canada, ont été dirigées par Franklin E. Smith, l'inventeur du procédé et originaire de Charlottetown.

M. Smith a de plus découvert que les fétus ou fibres de lin se mêlent non seulement au coton, mais aussi à la laine et à la soie. Il sera impossible toutefois de juger de l'excellence du nouveau procédé dans la fabrication régulière, tant que l'on n'aura pas fait venir une quantité suffisante de fibre de lin. Les filatures de la région sont très intéressées dans l'invention et ont donné de grosses commandes afin de tenter l'expérience à leur tour.

Cela se passait le 29 mai 1935.

Mgr Grégoire cardinal

«J'ai été très surpris. J'ai été abasourdi. J'ai été stupéfait. Ça a été pour moi une immense surprise. »

Mgr Paul Grégoire n'a eu que ces mots pour commenter l'annonce de sa nomination au cardinalat par le pape Jean-Paul II, hier **(le 29 mai 1988)**, à Rome.

L'archevêque de Montréal est un des 25 ecclésiastiques auxquels Jean-Paul II conférera officiellement la pourpre cardinalice le 28 juin, jour de la fête des saints Pierre et Paul.

Les Québécois âgés sont édentés

Au Québec, près des trois quarts des personnes âgées n'en ont plus aucune dent et de ce nombre, 65 % portent des prothèses complètes du haut et du bas, d'ailleurs souvent inadéquates.

Ces données originent de l'Ordre des dentistes du Québec qui se désespère de constater que les Québécois âgés ont, en moyenne, eu recours à leurs services pour la dernière fois en 1972.

Les dentistes jugent que la santé physique et mentale des gens âgés est affectée par leur piètre situation buccale.

Il appert que les «édentés» se nourrissent d'aliments mous, pauvres en fivres alimentaires et ont souvent des difficultés de digestion. Ils sortent moins et ont tendance à limiter les échanges verbaux.

Mais les dentistes sont forcés de constater que les gens âgés ne voient pas le problème qu'ils ont, sont réticents à aller voir le dentiste pour des raisons d'argent et croient généralement que les techniques sont les mêmes qu'il y a 30 ou 40 ans.

Malgré cela, l'Ordre des dentistes a imaginé des solutions pour remédier à cet état de fait et entend les proposer au ministère des Affaires sociales :

— que chaque bénéficiaire âgé vivant en institution ait un examen dentaire à son entrée en institution suivi d'un examen dentaire annuel ;

— que chaque institution ait au moins un dentiste consultant ;

— que soient inclus comme soins couverts par le régime d'Assurance maladie les examens, les prophylaxies et certains autres soins de base.

Puisqu'il faut bien commencer quelque part, l'Ordre des dentistes du Québec compte offrir à compter d'avril 1986 un examen de dépistage gratuit aux personnes âgées vivant en centre d'accueil ou en centre hospitalier dans les villes de Montréal, Hull, Québec, Sherbrooke et Trois-Rivières. **(Texte publié le 29 mai 1985.)**

PAT BURNS S'EN VA À TORONTO

Conscient que sa crédibilité à Montréal était en chute libre depuis l'élimination rapide du Canadien le 9 mai dernier, Pat Burns a démissionné aujourd'hui **(le 29 mai 1992)** de son poste d'entraîneur-chef. Son successeur n'a pas encore été nommé.

Manifestement ému, essuyant discrètement une larme du revers de la main, Burns a lui-même annoncé la nouvelle.

« Des dizaines de flèches ont été lancées en ma direction au cours des derniers jours. Personne n'est plus important que l'organisation qui l'emploie. Pour le bien de l'équipe, il est préférable que je remette ma démission. »

Burns n'a pas tardé à dénicher un nouveau boulot. Il a été nommé entraîneur-chef des Maple Leafs de Toronto, qui lui ont consenti un contrat de quatre ans.

Burns a ajouté : « Ce geste sert mes intérêts et ceux du Canadien. Le travail ne sera sans doute pas plus facile à Toronto, mais au moins, il s'agit d'un nouveau départ. »

La plate-forme Hibernia entre dans l'histoire

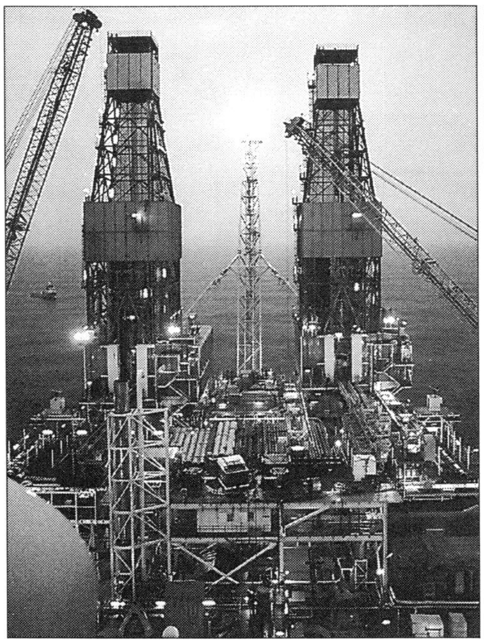

Hibernia aura coûté 16 milliards, dont 5,8 milliards pour la construction et le transport. L'imposante plate-forme est une structure haute comme la moitié de l'Empire State Building.

Après un périple de 500 kilomètres qui aura duré huit jours, l'immense plate-forme pétrolière Hibernia est arrivée tout près de sa destination finale, au large des côtes de Terre-Neuve.

À raison de 3 kilomètres par heure, six remorqueurs ont amené l'immense structure à 315 kilomètres au sud-est de St-John's et écrit une nouvelle page d'histoire.

Cette allure peut sembler lente mais il faut rappeler qu'on déplace sur l'eau une structure haute comme la moitié de l'Empire State Building.

« Nous avons besoin d'une fenêtre de 60 à 70 heures de beau temps pour procéder à l'installation finale », a déclaré à *La Presse*, M. Brian Crawley, porte-parole de la société Hibernia Management and Development company.

Le temps était trop maussade dans cette partie de l'Atlantique-Nord pour permettre l'arrimage final.

« Il est essentiel qu'il fasse beau durant les dix derniers kilomètres, ainsi que pendant l'installation », a ajouté le représentant d'Hibernia.

La plate-forme comprend une superstructure métallique de 37 000 tonnes servant à l'extraction du pétrole et de quartier général aux travailleurs en haute mer.

Celle-ci est reliée à une structure de béton de 555 000 tonnes qui sera coulée dans l'océan. Le tout mesure 224 mètres de haut et sera installé à cinq mètres du fond de l'océan, une opération fort délicate et qui demande une précision inouïe.

Le défi technologique est colossal. Cette structure doit résister à des vagues qui peuvent atteindre 30 mètres et repousser des icebergs du genre de celui qui a fait couler le Titanic au début du siècle.

Au plus fort des travaux de construction de la plate-forme dans la localité terre-neuvienne de Bull Arm, plus de 5000 personnes ont travaillé sur le chantier.

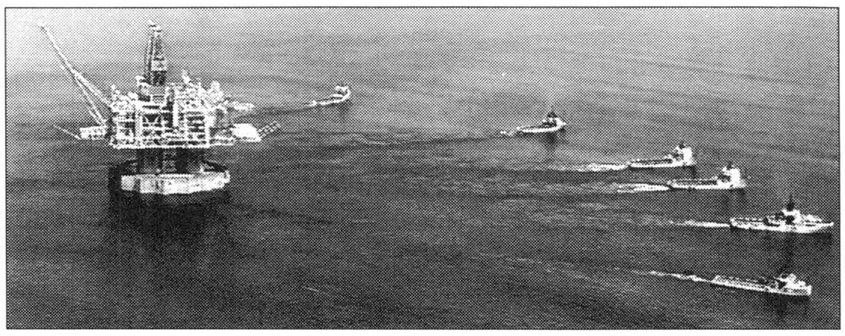

La mise en place de la plate-forme Hibernia exige beaucoup de chevaux-vapeur et un grand doigté.

Le champ pétrolifère Hibernia contient environ 3 milliards de barils de pétrole, dont 615 millions de barils sont récupérables sur une période de 20 ans. Les propriétaires sont confiants toutefois de produire une plus grande quantité que les projections initiales.

Le gisement appartient à Mobil Oil (33,1 %), Chevron (26,9 %), Petro-Canada (20 %), Canada Hibernia Holding Corporation, une société du gouvernement fédéral (8,5 %), Murphy Oil (6,5 %) et Norks Hydro (5 %).

La structure de béton enfouie sous l'eau peut emmagasiner près d'un million de barils de pétrole. Des navires ravitailleurs viendront chercher l'or noir extrait et le transporteront vers les raffineries de l'est du Canada, du nord-est des États-Unis, du golfe du Mexique et de l'Europe.

Les prochaines étapes clés sont les suivantes : le forage du premier puits commencera en août et la première extraction de pétrole en décembre, ce qui est conforme aux projections établies en 1994.

Le coût du projet (construction et infrastructure) est évalué à 8,5 milliards de dollars, comprenant une somme de 5,8 milliards pour construire et transporter la plate-forme, 592 millions pour la construction de deux navires ravitailleurs et 2,1 milliards pour le forage des puits.

Les coûts d'exploitation sur la durée de vie du projet sont de 7,5 milliards, ce qui porte le coût total d'Hibernia à 16 milliards.

Le prix de revient nécessaire du pétrole sur 20 ans est fixé à 13 dollars américains le baril pour que l'investissement soit rentable.

Actuellement, le pétrole de la mer du Nord se transige à 19 $ le baril et celui du West Texas cote à 20 $ le baril. Le pétrole du gisement Hibernia est de qualité inférieure à celui de la mer du Nord ; il se compare à celui qu'on retrouve en Afrique de l'Ouest.

Le projet Hibernia n'aurait pas vu le jour sans une participation abondante de fonds publics, surtout du gouvernement fédéral.

Au seul chapitre des subventions gouvernementales, la somme dépasse un milliard de dollars. Puis, Ottawa a accordé un prêt de 1,8 milliard, dont les intérêts ne seront remboursées qu'après un certain nombre d'années.

Lorsque la production atteindra son maximum, soit vers le milieu de l'an 2000, Hibernia produira 135 000 barils de pétrole par jour. (**Texte publié le 30 mai 1997**).

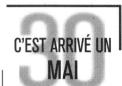

La vente de la margarine devient légale au Québec

QUEBEC — Par 34 voix contre 16, l'Assemblée législative a voté en troisième lecture **(le 30 mai 1961)**, le bill No 74 légalisant mais réglementant la fabrication et la vente des succédanés du beurre.

M. Hercule Riendeau, député U.N. de Napierville-LaPrairie, a tenté de faire renvoyer au comité plénier de la Chambre basse, le projet de loi avec instruction de l'amender pour interdire la confection et le commerce des ersatz tirés d'huiles végétales importées. Le résultat du scrutin a été négatif, la majorité faisant confiance au gouvernement: 36 voix contre; 14 pour.

M. Alcide Courcy, ministre de l'Agriculture, répond qu'en vertu du projet de loi, la margarine ayant la couleur du beurre sera bannie du marché québécois; il ne pourra donc pas y avoir de confusion possible. Sous les gouvernements de l'Union nationale, il se vendait annuellement dans la province, de dix-huit à vingt millions de livres de margarine colorée; et les manufacturiers écrivaient aux marchands pour leur promettre le remboursement des amendes qu'ils pouvaient être appelés à payer. On cherche actuellement à répéter cette manoeuvre; mais nous allons tout faire pour l'empêcher de réussir. Nous protégerons cultivateurs et consommateurs contre ceux qui tentent de les tromper, proclame M. Courcy.

La chance a finalement souri à Mario Andretti

INDIANAPOLIS — La piste d'Indianapolis, pour Mario Andretti, c'était l'image d'un cauchemar long de plusieurs années. Lors de ses présences en piste au cours des épreuves précédentes, dans les 500 milles, le jeune Italo-Américain âgé de 29 ans, n'avait connu que les insuccès. La malchance s'était acharnée sur lui.

Mais hier **(30 mai 1969)**, en l'espace de trois heures et un peu plus, il a tout oublié. Avec raison d'ailleurs. Il venait de piloter son bolide, une STP Special propulsée par un turbo-propulseur Ford à la victoire dans la 53e reprise de l'enlevante épreuve.

Andretti n'a pas volé son triomphe. Car triomphe il y a eu. Andretti a amélioré le record de piste en conservant une moyenne de plus de 156 milles à l'heure. La lutte n'a pas été facile. Devant une foule enthousiaste de plus de 275,000 spectateurs, il lui a fallu lutter constamment pour aller ravir le drapeau carrelé aux as du volant tels que Dan Gurney, A.J. Foyt, Bobby Unser, etc.

Andretti n'a pas tardé à s'emparer du poste de commande. Dès le départ, suivi de Foyt (gagnant de 1967) et de Roger McCluskey, il s'emparait du premier rang, pour voir Foyt le devancer au septième tour.

Durant les 90 tours suivants, Foyt a nettement dominé. Au 98e tour, la Coyotte (de sa propre fabrication) lui a causé des ennuis. Et Foyt a dû visiter son puits, perdant ainsi de précieux instants. (...)

Après 250 milles, à mi-chemin, Andretti avait repris la tête avec Foyt toujours dans les puits de ravitaillement. Il semblait déjà à ce moment que Foyt ne deviendrait le premier coureur à gagner quatre fois cette rude épreuve. (...)

Après 107 tours de pistes, ce fut au tour de Lloyd Ruby d'entrer dans le puits de ravitaillement. La tension était très forte et chaque seconde avait une valeur inestimable. On a procédé à faire simultanément le plein dans chacun des réservoirs latéraux de la voiture de Ruby. Le remplissage du réservoir droit étant terminé, Ruby croyait qu'il pouvait démarrer. Hélas! Le boyau branché au réservoir gauche n'avait pas été retiré de l'orifice. Le choc de l'accident a endommagé le réservoir, et c'en fut fait pour Ruby. Triste histoire imprévue.

C'est alors qu'Andretti a senti que la victoire pouvait (enfin) être sienne. En aucun moment par la suite, Mario n'a été vraiment menacé. Le plus régulier de ses adversaires, Dan Gurney, dans une voiture G-Olsonite, avec châssis de marque Eagle, sa propre fabrication, devait terminer l'épreuve en deuxième position, à plus de 150 secondes du vainqueur. (...)

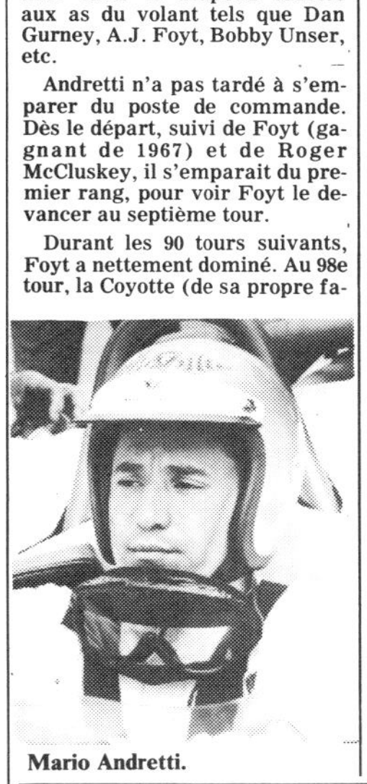

Mario Andretti.

Champlain introuvable

Toujours pas de trace de Samuel de Champlain sous la rue Buade, à Québec. Les fouilles menées au cours des quatre dernières semaines par les archéologues de Québec n'ont pas permis de résoudre l'énigme du fondateur de la ville.

Les chercheurs n'ont cependant pas perdu leur temps puisqu'ils ont mis à jour quelque 45 squelettes enterrés dans l'ancien cimetière Sainte-Famille, qui ceinturait à l'époque la basilique Notre-Dame de Québec.

Le mystère Champlain demeure donc entier et la légende du lieu de son inhumation va continuer à nourrir l'imagination populaire. (**Texte publié le 30 mai 1992.**)

PLUS FORT QUE MILON DE CROTONE

UN Canadien-Américain de la Nouvelle-Angleterre dont nous avons déjà parlé, Georges Levasseur, a réussi à accomplir un tour de force qui le classe au rang des hommes les plus forts du monde. L'antiquité nous montre un Milon de Crotone levant un boeuf sur ses épaules. C'est mieux qu'un boeuf, c'est un éléphant que Levasseur lève sur une plate-forme. Il est le premier et le seul à accomplir cet exploit. Il exécute ce tour de force tous les jours dans un cirque.

Cela se passait le 30 mai 1907.

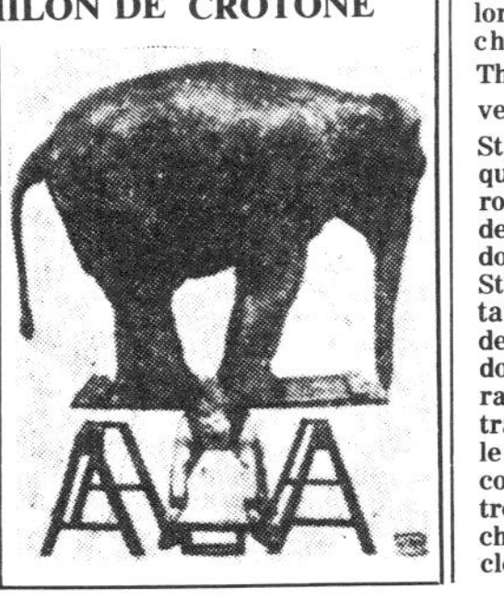

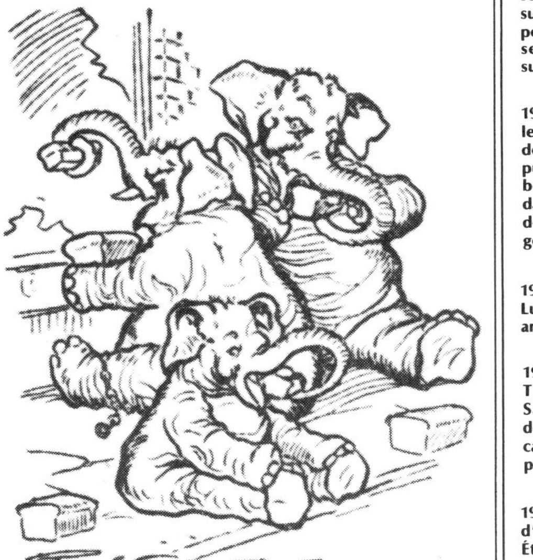

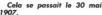

LES ELEPHANTS CAMBRIOLEURS

TROIS éléphants se baladaient, c'est le cas de le dire, lorsqu'hier **(30 mai 1907)** les pachydermes du professeur Thompson ont brisé leurs entraves dans le parc temporaire du Stadium, et sont allés, bien tranquillement, sans barissement féroce, dévaliser une boulangerie de la rue Rivard, dont le four donne sur une ruelle, vis-à-vis le Stadium. Le vent d'ouest apportait aux éléphants enchaînés des effluves douces de pain frais dont tout barisseur respectable raffole. «Le vent qui soufflait à travers la montagne rendit fou» le benjamin de la troupe qui se contenta d'enlever, d'un coup de trompe, le pieu qui retenait la chaine au sol, et il renversa la clôture pour aller déguster la fraîche pâte de l'excellente boulangerie. Les gardiens coururent pour arrêter le voleur, mais deux autres éléphants profitèrent de l'occasion pour suivre la même route, et la boulangerie fut envahie en peu de temps. Trente pains furent entrompés et disparurent dans les gasters éléphantesques avant que les cornacs eussent réussi à faire entendre raison aux goinfres. M. Thompson a payé les dégâts et les éléphants ont été ramenés au parc du Stadium. Ces animaux sont nourris au foin et au pain frais. C'est pourquoi le voisinage de la boulangerie leur a donné tant de désirs gargantuesques. Comme ils n'ont pas eu d'indigestion, ils donneront leurs représentations de bêtes savantes au Stadium comme d'habitude.

C'EST ARRIVÉ UN 30 MAI

1982 — Minée par le chagrin, l'actrice Romy Schneider succombe à une crise cardiaque, à Paris.

1981 — Assassinat du président Ziaur Rahman par des rebelles, au Bangladesh.

1979 — Décès à l'âge de 86 ans de l'actrice américaine d'origine canadienne Mary Pickford, qui a joué dans plus de 200 films.

1978 — Décès du chef d'orchestre Jean Deslauriers. Il succombe à une crise cardiaque à Montréal, à l'âge de 68 ans.

1975 — Trouvé coupable de méfait, le chef syndicaliste Louis Laberge est condamné à trois ans de prison.

1972 — Trois terroristes japonais d'obédience palestinienne assassinent 26 personnes lors d'une attaque sur des passagers à l'aéroport de Lod, en Israël. Un seul des trois terroristes survit.

1968 — Le général de Gaulle se rend à la base militaire de Baden-Baden, en RFA, puis à sa maison de Colombey-les-deux-Églises, pendant que la France attend de connaître son prochain geste.

1966 — Lancement vers la Lune de la sonde spatiale américaine *Surveyor*.

1961 — Le dictateur Rafael Trujillo est assassiné à Saint-Domingue, capitale de la République dominicaine. Il dirigeait le pays depuis 1930.

1947 — Quatre accidents d'avion, dont deux aux États-Unis, font plus de 170 morts dans le monde.

1942 — Plus de 1 250 bombardiers déversent quelque 3 000 tonnes de bombes sur Cologne; c'est le raid aérien le plus impressionnant depuis le début de la guerre.

1940 — La Gendarmerie royale du Canada procède aux premières arrestations de membres de l'Unité nationale.

1936 — Le coureur automobile Louis Meyer gagne les 500 milles d'Indianapolis pour la troisième fois.

1933 — Un cyclone ravage Saint-Lin et cause des dizaines de milliers de dollars de dégâts en quelques secondes.

TOUT UN SECTEUR DE L'EST DE MONTRÉAL EST CONTAMINÉ AU PLOMB

De vastes terrains situés près d'une école primaire et de dizaines de maisons, dans l'est de Montréal, contiennent de trois à six fois plus de plomb que d'autres sols connus hautement contaminés.

Le ministère québécois de l'Environnement connait la gravité de la contamination depuis plusieurs mois, mais n'a averti personne, ni les résidents, ni le directeur de l'école, ni les autorités médicales.

Des experts du ministère soupçonnent que la contamination touche aussi les terrains de l'école Guybourg, au 6120, rue Lafontaine, ainsi que les cours de plusieurs maisons privées. Ces terrains feront l'objet d'un programme d'échantillonnage minutieux.

Le Département de santé communautaire Maisonneuve-Rosemont attend les résultats de ces échantillons pour analyser la teneur en plomb du sang des enfants de l'école et du quartier, a indiqué le docteur Gaétan Carrier, du DSC. Ces tests pourraient se faire à la fin de l'été.

Les terrains ont été contaminés en bonne partie par l'ancienne usine de recyclage de batteries de Métaux Ballast Canada Inc., qui appartenait aux mêmes propriétaires que l'usine Balmet de Saint-Jean, les frères Hyman et David Singerman.

Une autre société qui a contaminé les terrains environnants est la Canada Metal Ltée., qui exploitait une fonderie de plomb sur la rue Notre-Dame jusqu'à la fin des années 70.

À l'extérieur de ces terrains, la zone la plus contaminée est située sur une section de la Garnison Longue-Pointe, que le ministère de la Défense nationale louait dans les années 70 à Métaux Ballast pour la démolition de vieux accumulateurs d'automobile.

La caractérisation des sols de la base militaire, terminée en décembre dernier, montre que les niveaux de contamination de plomb de cette zone varient entre 30 000 et 60 000 parties par million. Par comparaison, le terrain de la Balmet, à Saint-Jean, a une concentration de plomb de 10 000 ppm.

Des échantillons pris sur la base militaire à moins de 100 mètres de l'école et des maisons privées montrent une contamination de 3 500 ppm et de 1 390 ppm. Rien n'interdit de croire que la contamination est aussi forte de l'autre côté de la clôture, dans les jardins potagers privés, ont indiqué des fonctionnaires du ministère de l'Environnement.

La politique de réhabilitation des terrains contaminés du ministère souligne que le sol peut être jugé contaminé et impropre à l'habitation à partir d'une concentration de plomb de 200 ppm. La limite est de 600 ppm pour les terrains industriels.

Le coût de la décontamination du terrain de la Garnison Longue-Pointe, qui a une superficie de 102 hectares, pourrait varier entre sept et 35 millions de dollars, a dit hier Jean-Pierre Normand, chef de l'ingénierie de la base militaire.

La firme Enviroconseil, qui a réalisé l'étude de caractérisation, propose d'enlever tout le sol, jusqu'à une profondeur de 40 cm, pour un total de 50 000 mètres cubes. (**Texte publié le 31 mai 1990.**)

C'EST ARRIVÉ UN 31 MAI

1996 — L'ancien ministre français Bernard Tapie a été condamné aujourd'hui par le tribunal correctionnel de Paris à 18 mois d'emprisonnement, dont six mois ferme, et à 10 ans d'interdiction de gérer et 30 mois de prison avec sursis.

1994 — Le pape Jean-Paul II a fermé sans appel la porte à l'ordination des femmes à la prêtrise, soulignant que sa position était définitive et ne souffrirait aucun débat. La position du pape sur cette question était bien connue, mais elle n'avait probablement jamais encore été exprimée avec autant de force.

1981 — Gilles Villeneuve remporte sa première victoire au volant d'une Ferrari Turbo. — La ville de Halifax est livrée au vandalisme pendant une grève des policiers.

1974 — Signature à Genève de l'accord israélo-syrien sur le dégagement des forces dans le Golan. — La société Bombardier obtient de la CUM le contrat pour la fabrication de 423 wagons de métro, au coût de $117,7 millions.

1970 — Le gouvernement canadien annonce sa décision de laisser flotter la devise du pays. — Un tremblement de terre fait 30 000 morts dans le Nord du Pérou.

1967 — A. J. Foyt gagne les 500 milles d'Indianapolis pour la troisième fois.

1964 — Aberdeen, en Écosse, devient « ville interdite » à cause d'une épidémie de typhoïde.

1945 — Les troupes britanniques entrent en Syrie et au Liban, et le premier ministre Winston Churchill ordonne au général de Gaulle de faire cesser le feu.

1935 — Un tremblement de terre fait plus de 20 000 morts au Baloutchistan, en Inde.

1924 — La Ligue de la sécurité de la province organise une « semaine sans accident ».

1906 — Le mariage du roi Alphonse XIII, d'Espagne, fait l'objet de cérémonies grandioses, à Madrid.

1902 — Fin de la guerre des Boërs, en Afrique du Sud, par la signature d'un traité de paix à Vereeniging.

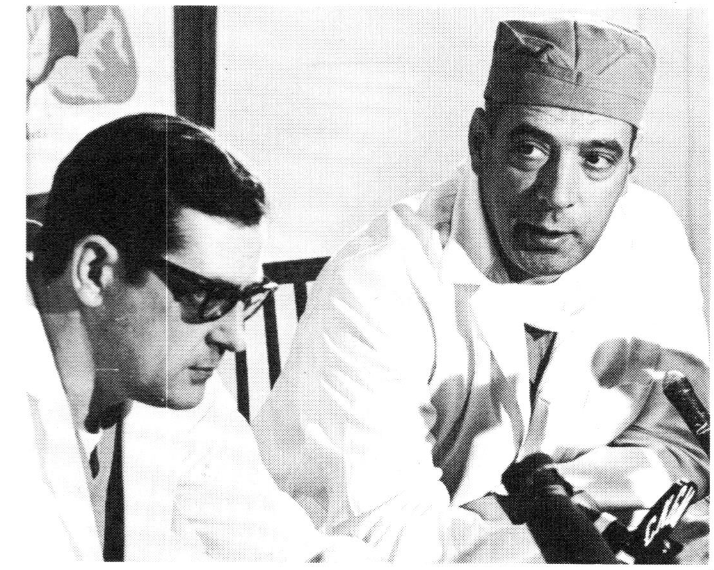

Le Dr Pierre Grondin, flanqué, à sa droite, de son assistant, le Dr Gilles Lepage.

Greffe du coeur à Montréal

L'Institut de cardiologie réussit la transplantation

Il est 4 h. et 5 minutes. La greffe cardiaque est maintenant terminée et l'opération est finie. Le nouveau coeur bat à un rythme convenable et maintient une pression satisfaisante...

C'est par ces paroles du Dr Paul David, directeur de l'Institut de cardiologie de Montréal, que s'est terminée une nuit de suspense et de travail ardu au cours de laquelle a été réalisée la première transplantation d'un coeur humain au Canada (**le 31 mai 1968**).

Il s'agit en fait d'une expérience sans précédent dans l'histoire de la médecine puisque la donneuse a offert non seulement son coeur, mais ses deux reins, lesquels ont été greffés à deux personnes différentes à l'hôpital Royal Victoria.

Le premier Canadien à posséder un «nouveau coeur» est M. Albert Murphy, âgé de 58 ans et résident de Laval. Le bénéficiaire est père de deux enfants.

Quant à la personne sur laquelle le coeur et les reins ont été prélevés, il s'agit de Mme Gérard Rondeau, une mère de quatre enfants, âgée de 38 ans, dont le décès est survenu peu avant minuit hier soir.

La greffe du coeur a été pratiquée par le Dr Pierre Grondin, chirurgien chef de l'institut et par son assistant le Dr Gilles Lepage. Tous deux assistés d'une vingtaine de médecins-spécialistes et d'infirmières.

L'Institut de cardiologie s'est préparée à l'événement de la nuit dernière depuis plus de deux mois. M. Murphy était l'un des trois patients de l'institut ayant autorisé les médecins à pratiquer sur eux une greffe du coeur. Depuis quelques jours l'équipe des médecins n'attendait plus qu'un donneur dont le coeur pouvait être compatible avec l'organisme d'un de leurs trois patients. Au cours de la journée d'hier, les médecins ont eu à choisir entre les coeurs des deux donneurs, l'un n'étant pas compatible. Vers minuit l'équipe médicale de l'institut, après avoir vérifié la compatibilité du coeur de Mme Rondeau, a décidé d'entreprendre l'expérience. (...)

Le pont de la Confédération est ouvert à la circulation

Le nouveau pont menant à l'Île-du-Prince-Édouard est qualifié de merveille du monde moderne, mais si vous voulez savoir combien il a coûté, il faudra vous armer de patience.

Le pont de la Confédération de 13 km est ouvert à la circulation à partir d'aujourd'hui (**31 mai 1997**) et les résidants de l'île s'apprêtent à célébrer avec enthousiasme cet événement historique.

Les contribuables canadiens commenceront à en défrayer les coûts dès lundi. Le gouvernement fédéral a prévu d'acheter le pont à Strait Crossing Development Inc., entreprise de Calgary qui a dessiné et construit le pont dans le cadre d'un partenariat public et privé unique. Les versements seront répartis sur une période de 35 ans.

Les Canadiens paieront l'équivalent d'une hypothèque en versant annuellement environ 42 millions. Au bout de 35 ans, les contribuables auront payé au moins 1 milliard.

Les automobilistes devront payer 35 $ pour traverser le pont, alors que les propriétaires de véhicules récréatifs devront débourser 40 $. Le tarif sera de 200 $ pour les autobus, 14 $ pour les motocyclettes et 50 $ pour les semi-remorques.

Ronald Corey démissionne

C'est à une réunion des employés du Centre Molson que Ronald Corey, les larmes aux yeux, a annoncé sa démission (**le 31 mai 1999**). En quittant l'édifice le 31 juillet prochain, date officielle de son départ, le président de l'équipe saura qu'il n'y remettra plus les pieds en tant que patron.

« Le mois dernier, j'ai rencontré James Arnett, le président des Compagnies Molson, a raconté M. Corey. Et je lui ai mentionné mon désir de céder ma place. Après 17 ans à la tête de l'organisation, j'ai senti que l'heure avait sonné. Je souhaite maintenant mener une vie plus paisible. »

Âgé de 60 ans, M. Corey souffre d'asthme depuis quelques mois. La mort subite de certains de ses amis au cours des deux dernières années l'a aussi secoué. Soucieux de préserver sa santé, il a choisi de tirer sa révérence. Cela dit, il est clair que les insuccès de l'équipe au cours des dernières années et l'ambiance maussade autour de l'organisation l'ont convaincu qu'il était temps pour lui de donner une chance à la relève.

Au sein des employés, on devine de la nervosité. Le successeur de M. Corey procédera évidemment à des changements. Reste à savoir si cette personne marquera autant que son prédécesseur l'histoire du Canadien. Malgré ses défauts, Ronald Corey a réussi des coups exceptionnels, comme la construction du Centre Molson dans un contexte économique difficile au début des années 1990.

M. Corey a profité de cette ultime conférence de presse pour rappeler les profonds changements survenus dans l'industrie du hockey au cours des 17 dernières années. « À mon arrivée, la masse salariale du Canadien était de 4 millions. Aujourd'hui, elle atteint 45 millions ! De plus, à l'époque, à peine cinq équipes ne participaient pas aux séries éliminatoires. Ce sera bientôt 14. On doit expliquer aux amateurs que les temps ont changé, que la compétition est toujours plus difficile. »

Adolf Eichmann est mort à la potence

JERUSALEM — L'Etat d'Israël a pendu le criminel de guerre un peu avant minuit hier (**31 mai 1962**), à la prison (...) de Tel Aviv. La mise à mort est survenue quelques heures à peine après que le président Ben Zvi eut rejeté l'ultime appel du condamné à mort. Un communiqué émanant de la présidence déclarait: «Le président de l'Etat d'Israël a décidé de ne pas exercer sa prérogative de commuer ou de réduire la sentence imposée à Adolf Eichmann par le tribunal israélien.»

Ainsi prenait fin la longue lutte de l'ex-colonel nazi pour échapper à la peine capitale et s'écrivait la dernière ligne du chapitre le plus horrifiant de l'histoire contemporaine.

Capturé en mai 1960 par des agents israéliens qui l'avaient traqué en sol argentin, Eichmann avait été ramené par avion en Israël. Cet enlèvement avait, à l'époque, provoqué de vives protestations et même suscité la rupture des relations diplomatiques entre Tel Aviv et Buenos Aires. La situation devait se stabiliser par la suite.

Le 11 avril 1961, au centre communautaire de Beith Haam, à Jérusalem, commençait le procès le plus sensationnel du siècle, auquel la presse mondiale avait été convoquée. Cet affrontement juridique sans précédent dura plus de quatre mois. Eichmann fut reconnu coupable sous 15 chefs d'accusation dont la plupart le rendaient passible de la peine de mort. Le 15 décembre 1961, le tribunal le condamnait à la potence. (...)

DERNIERES PAROLES

Au moment où le bourreau nouait la corde autour de son cou, Adolf Eichmann, calme et arrogant, déclara: «Vive l'Allemagne, vive l'Argentine, vive l'Autriche! Je n'ai fait que me soumettre aux lois de la guerre et à mon drapeau. Puis se tournant vers les quatre journalistes présents à l'exécution, un sourire à peine perceptible sur ses lèvres, il ajouta: «Nous nous reverrons bientôt, messieurs, car c'est là le destin des hommes. J'ai toute ma vie cru en Dieu, et au moment de mourir, je crois en Dieu!» (...)

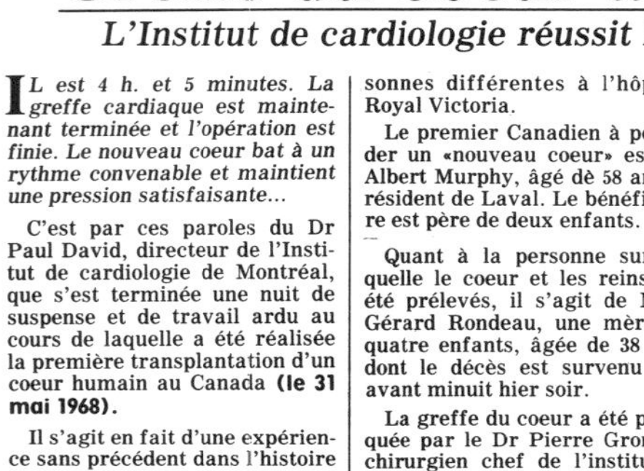

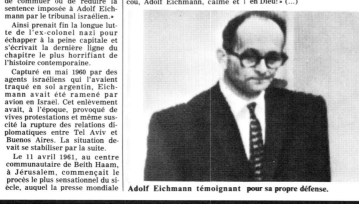

Adolf Eichmann témoignant pour sa propre défense.

MORT DE LOUIS FRÉCHETTE

M. Louis Fréchette, lauréat de l'Académie Française, chevalier de la Légion d'honneur, membre de la Société royale du Canada et chevalier de l'Ordre de St-Michel et St-Georges, est mort hier soir (31 mai 1908) à 10 h. 30.

Notre poète national, qui, depuis un an, habitait à l'Institut des Sourdes-Muettes avec Mme Fréchette, semblait jouir d'une santé encore assez robuste. Dans l'après-midi de samedi même, il fit sa promenade habituelle, mais au cours de la soirée, notre distingué compatriote fut frappé d'une attaque d'apoplexie en revenant d'une agréable soirée chez l'hon. sénateur David. Il fut frappé d'apoplexie au seuil même de sa demeure. La Providence voulut que le chapelain de l'institution fût alors sorti. C'est lui qui le trouva gisant sous une pluie torrentielle. Malgré tous les bons soins dont on l'entoura, il rendit le dernier soupir, dimanche soir, à 10 h. 30, sans avoir repris connaissance. (...)

Sept bombes à Westmount

LES questions qui se sont posées la semaine dernière après l'explosion de trois bombes, à savoir s'il s'agissait de la renaissance du terrorisme au Québec, ont reçu une réponse éclatante très tôt hier matin (**31 mai 1970**)!

Cinq bombes ont explosé dans les plus luxueux quartiers de Westmount engendrant un seul mot sur toutes les lèvres: FLQ. Deux autres bombes composées respectivement de 11 et 30 bâtons de dynamite ont été désamorcées.

Trois personnes dont une fillette de 9 ans ont dû être traitées à l'hôpital.

La police de Westmount et les sections spécialisées de la Gendarmerie royale du Canada, de la Sûreté du Québec et de la police de Montréal mènent une enquête très serrée.

A l'exception de la première bombe qui visait un édifice commercial, tous les engins ont été placés en bordure de luxueuses demeures privées dans les plus chics quartiers de Westmount.

■ A 1 h. 57, la première bombe explose dans l'entrée de garage, sous l'arrière de l'édifice de Financial Collection Agency situé au 4150 ouest, rue Sherbrooke. (...)

■ A 4 h., un autre engin explose au pied de la maison de M. Peter Bronfman, au 5 Lansdowne Ridge. (...)

■ A 4 h. 25, la troisième bombe explose dans un mur qui borde Belvedere Road, à la face de la demeure de M. P.E. Nobbs, au no 38. (...)

■ A 4 h. 38, la quatrième bombe explose à l'arrière d'une énorme maison vide située au 61 Belvedere Road. (...).

■ A 4 h. 59, la dernière bombe explose sous la maison de M. Hugh McCuaig. Une partie du mur de la maison, sise à 165 Edgehill Road, est arraché. (...)

■ A 9 h. 57, Gabriel Macoosh découvre un colis suspect sous son auto, à l'arrière de sa maison située au 788 Upper Lansdowne Avenue. Il appelle la police et s'écarte de sa maison avec son épouse et ses enfants. (...).

■ A 2 h. 47, un garçon de dix ans découvre un autre paquet suspect dans un buisson à proximité du 10 Roxboro Ave. A nouveau le sergent *(Robert)* Côté est appelé de Montréal, les maisons sont évacuées et la bombe qui était composée de 31 bâtons de dynamite est rendue inoffensive.

«Si cette bombe avait éclaté, dit le lieutenant Swalles de la police de Westmount, il n'y aurait plus de maison à cet endroit». La maison en question est une demeure vide. (...)

1er — C'EST ARRIVÉ UN JUIN

1982 — Lisa Wichser, une Américaine, est détenue en République populaire de Chine sous une accusation de vol de secrets d'État.
1979 — La Rhodésie est désormais dirigée par un gouvernement à majorité noire, avec Abel T. Muzorewa comme premier ministre.
1974 — Un autobus transportant des personnes du troisième âge plonge dans un ravin, à Saint-Joseph-de-la-Rive, comté de Charlevoix; on dénombre 13 morts et 24 blessés.
1973 — Abolition de la monarchie, remplacée par la République, en Grèce, à la suite d'un référendum.
1966 — Joaquim Balaguer sort victorieux des élections, en République dominicaine.
1965 — Le président Johnson, des États-Unis, annonce le retrait de 2 000 Marines de la République dominicaine.
1961 — Accord entre le gouvernement provincial et six universités québécoises au sujet des subventions fédérales.
1961 — Début du 10e recensement national.
1958 — Élection de Jean Lesage comme chef du Parti libéral du Québec dès le premier tour de scrutin.
1956 — Dmitri Chepilov, rédacteur en chef de la *Pravda*, succède à Vyacheslav Molotov comme ministre des Affaires étrangères d'URSS.
1954 — Geneviève de Galard-Terraube, l'héroïne du camp retranché de Dien Bien Phû, rentre à Paris. — Inauguration du tunnel de la rue Atwater.
1951 — La commission Massey-Lévesque recommande que le gouvernement fédéral verse une aide financière aux universités.
1946 — Le cheval Assault gagne la Triple couronne (composée du Derby du Kentucky, du Preakness et du prix Belmont).
1942 — Trois vagues de bombardiers allemands attaquent la ville-cathédrale de Canterbury. — Un millier de bombardiers lourds alliés participent à un raid massif sur les usines Krupp, en Allemagne.
1939 — Le sous-marin britannique *Thetis* coule dans la baie de Liverpool; 99 marins manquent à l'appel.
1931 — On procède au 7e recensement de l'histoire du Canada.
1928 — Le Conseil législatif cesse d'exister, en Nouvelle-Écosse. Le Québec devient alors la seule province à conserver le régime à deux chambres.

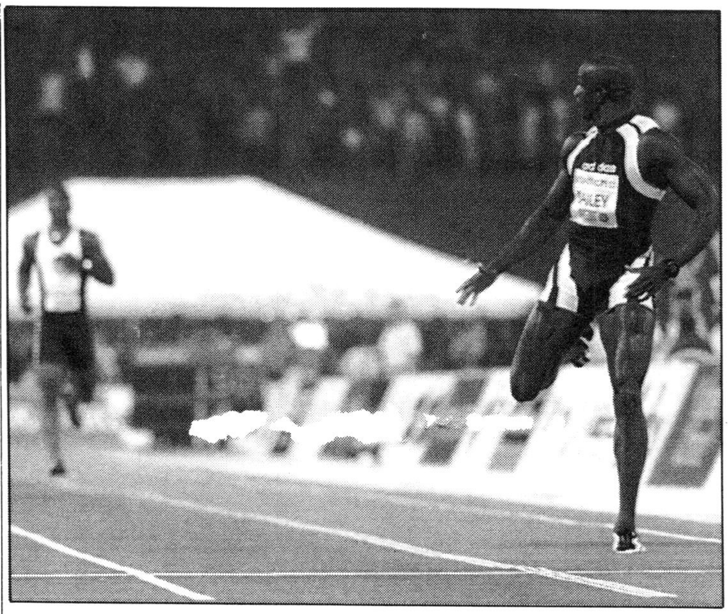

Avec quelques mètres à faire, Donovan Bailey s'est retourné avec le regard du rapace qui venait d'achever sa proie.

Donovan Bailey en 14,99 secondes

Donovan Bailey a laissé un Michael Johnson blessé derrière lui, puis il a jeté du sel sur la plaie encore fraîche.

Le Canadien a remporté le 150 mètres hybride en 14,99 secondes (**le 1er juin 1997**), ce qui inclut le temps qu'il a perdu en se retournant afin de constater que l'Américain avait déjà abandonné.

Le Canadien a connu un excellent départ et il avait déjà les devants après 50 mètres, alors que le virage n'était même pas complété. Il avait une bonne longueur d'avance sur Johnson lorsqu'il est sorti du tournant et environ 80 mètres à négocier en ligne droite.

Bailey s'est retourné avec quelques mètres à faire, avec le regard du rapace qui venait d'achever sa proie, au grand plaisir des quelque 35 000 spectateurs présents au Skydome.

« Il ne s'est rien étiré du tout. Il a peur de perdre, a dit Bailey sur les ondes du réseau CBC après sa victoire. Peut-être qu'on devrait courir encore afin que je lui botte le derrière une autre fois. Dans mon esprit, il n'y a jamais eu aucun doute. Je suis l'homme le plus rapide au monde ! »

Interrogé sur les ondes de CBS, Bailey n'a pas changé de discours pour plaire aux Américains.

« Il ne s'est rien étiré du tout. C'est un lâche. »

« Ce n'est pas un commentaire digne d'un grand champion », a noté le commentateur de CBS, Tim Ryan, qui est né au Canada.

Mais ce fut une nette victoire doublée du plaisir — partagé par de nombreux Canadiens — de voir les Américains perdre le titre de « l'homme le plus rapide du monde ».

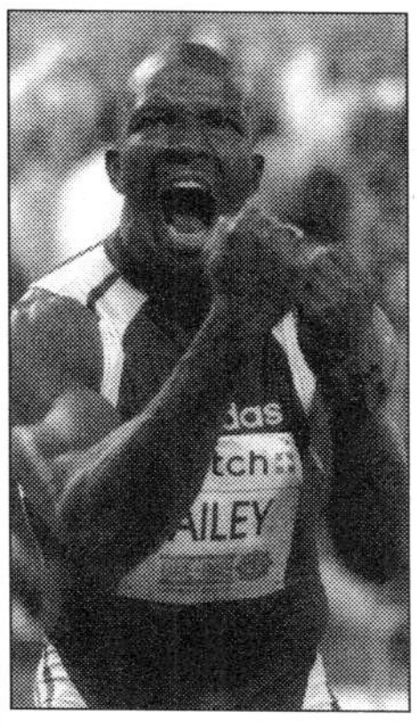

Le Canadien Donovan Bailey célèbre sa victoire sur Michael Johnson, au 150 mètres du SkyDome de Toronto.

Helen Keller, un exemple de courage et de ténacité

EASTON, Conn. —Mlle Helen Keller, connue universellement pour la lutte qu'elle mena contre le terrible handicap qui la frappait dès la tendre enfance, est décédée samedi (**1er juin 1968**) dans sa maison de Easton, au Connecticut. Elle devait célébrer son 88e anniversaire le mois prochain.

A sa naissance, Helen était une enfant normale. Une fièvre mystérieuse lui fit perdre à l'âge de 19 mois, la vue, l'ouïe et la parole. A l'époque, les soins spécialisés en ce domaine étant inexistants, la petite fut condamnée à vivre dans un monde de silence et de solitude. Son père, qui était rédacteur en chef d'un journal, souffrit énormément de cet état de chose. Le fait d'avoir une enfant anormale fut un lourd chagrin et une grande déception.

En désespoir de cause il demanda conseil au plus grand spécialiste à ce moment-là qui était Alexander Graham Bell. Celui-ci lui conseilla de s'adresser à une école du Massachusetts, «The Perkins School of the Blind», à Watertown.

Cette école recommanda une jeune institutrice d'origine irlandaise, Mlle Anne Sullivan. «Son arrivée, raconte la jeune Helen, fut le plus beau jour de ma vie.» La jeune institutrice qui venait de recouvrer la vue après de multiples opérations, prit en mains les destinées de la petite fille. A l'aide d'un abécédaire spécial inventé par des moines espagnols, elle frappait légèrement dans la main de la fillette, mais celle-ci ne parvenait pas à associer les mots avec des objets concrets. Un jour cependant alors que des enfants se baignaient à une fontaine, l'eau jaillit sur les mains d'Helen. L'institutrice alors frappa légèrement dans la main de la jeune aveugle à plusieurs reprises. Celle-ci comprit finalement et ce fut le premier mot qu'elle apprit: eau. (...)

Helen Keller visita plus de 25 pays et donna des conférences dans toutes les grandes villes du monde. Elle se consacra uniquement aux problèmes de ce genre de handicapés, rencontra de multiples personnes à travers le monde, fut consacrée l'une des dix plus grandes femmes du siècle et reçut de nombreux témoignages d'admiration. Femme de lettres, elle écrivit de nombreux ouvrages et raconta ses expériences, ce qui fut pour beaucoup de gens une source d'inspiration et de courage. Mark Twain disait quelque temps avant sa mort: «Les deux personnalités marquantes du 19e siècle sont Napoléon et Helen Keller.»

Un marché de pointe: les immigrants investisseurs

Les immigrants investisseurs constituent un marché de pointe à l'échelle mondiale, et le Canada et le Québec en sont les leaders. Et ce marché est en pleine transformation.

Comme terre d'accueil, le Canada et le Québec devancent l'Australie, la Nouvelle-Zélande et les États-Unis, ses principaux concurrents.

Ces immigrants ne volent pas les emplois de nos 13 % de chômeurs et ne prennent pas des « repas gratuits » aux dépens du bien-être social. Au contraire, ils stimulent l'économie locale et aident de plus en plus nos entreprises à exporter. Une véritable mine d'or de ressources humaines de qualité, de capitaux de risque et de contacts internationaux d'une valeur inestimable pour les exportateurs québécois.

Depuis le début effectif du programme actuel, en 1987, les immigrants investisseurs ont injecté 300 millions de capital de risque au Québec, dans 132 PME avec un actif inférieur à 35 millions, qui créaient ainsi 2 600 emplois et en maintenaient plus de 2 000 autres.

Des chiffres

Au total, 1 029 investisseurs immigrants ont opté pour le Québec, de 1988 à 1992. Ils s'engageaient à injecter 250 000 $ en trois ans, au début, et 350 000 $ en cinq ans depuis le premier janvier 1993. D'où les 300 millions d'investissements.

Par ailleurs, le Québec est devenu le pays d'adoption de 6 129 entrepreneurs immigrants disposant de 200 000 $ qui, en deux ans, ont créé des compagnies avec un capital moyen de 88 000 $; ils ont ainsi créé chacun 2,8 emplois, en moyenne, pour un total de 171 612 jobs au prix de 539,3 millions.

S'ajoutent 1 053 travailleurs autonomes, des artistes, sportifs, cordonniers ou artisans, possédant une expertise spécifique et qui ont créé plus de 1 000 emplois.

Pour un total de 8 211 gens d'affaires immigrants, donnée qu'il faut quadrupler pour tenir compte de leurs familles, qui ont aussi alimenté l'activité économique. De 1987 à 1991, les gens d'affaires avec dépendants qui s'établissaient dans leurs nouvelles résidences au Québec s'élevaient à 29 036. Dans un pays peu peuplé et où on ne fait presque plus d'enfants, ça compte. (**Texte publié le 1er 1993.**)

Spectacles & Concerts

GARBO QUITTE HOLLYWOOD!

Après avoir tourné «As You Desire Me», d'après Pirandello, la plus grande des vedettes d'écran rentre en Suède sans avoir renouvelé son contrat avec la M.G.M.

HOLLYWOOD — Les directeurs du studio Metro-Goldwyn-Mayer, où Greta Garbo a réalisé toutes ses grandes oeuvres cinématographiques, sont d'avis que cette fois la vedette internationale ne reviendra plus sur sa décision. Elle a déclaré: «Je crois que je vais retourner dans mon pays, la Suède». On lui a donc présenté un superbe sac de voyage.

Le contrat de Garbo avec cette firme prend fin officiellement aujourd'hui (**1er juin 1932**). Il y a quelques semaines encore elle jouait les scènes de son dernier film. Il est entendu que la compagnie a essayé de renouveler le contrat de la grande actrice. Celle-ci a refusé, préférant, a-t-elle dit, «la vie des champs, dans son pays, à celle d'Hollywood».

L'agent de Greta Garbo a annoncé dimanche dernier que d'ici dix jours, elle aura quitté Hollywood pour la Suède où elle demeurera un temps indéfini...

Greta Garbo, de l'avis des directeurs de firmes américaines, est la plus grande attraction du cinéma, aujourd'hui.

Pourquoi le contrat n'a-t-il pas été renouvelé? Va-t-elle se marier? A-t-on été dans l'impossibilité d'offrir le salaire que désirait ou qu'exigeait Garbo? Ces questions demeurent sans réponse.

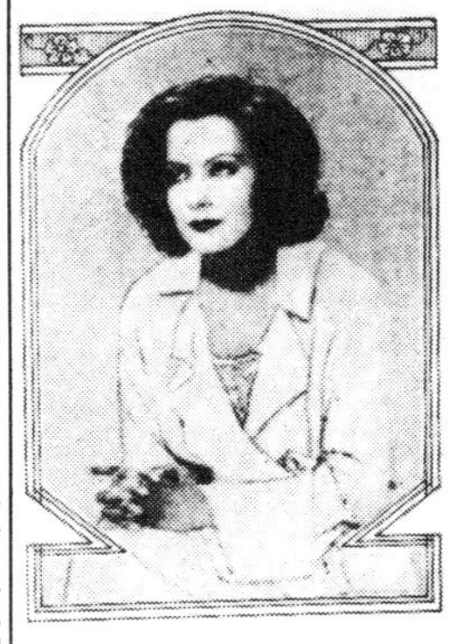

Greta Garbo

Trudeau et Stanfield rendent hommage à André Laurendeau, mort à 56 ans

L'UN des grands noms du journalisme et de la politique au Canada français, André Laurendeau, qui présidait depuis 1963 la Commission d'enquête sur le bilinguisme et le biculturalisme, est mort, samedi soir (**1er juin 1968**), dans un hôpital d'Ottawa où il reposait dans un état critique depuis le 15 mai dernier.

Le rédacteur en chef du «Devoir» s'était affaissé dans son bureau au cours d'une rencontre avec des journalistes. A l'hôpital, les médecins devaient constater que M. Laurendeau avait subi une hémorragie intra-crânienne consécutive à la rupture d'un anévrisme.

Au moment où la mort l'a frappé, à l'âge de 56 ans, André Laurendeau n'avait pas eu le temps de mettre le point final à la tâche colossale qu'il avait entreprise, en 1963, en acceptant la coprésidence de la Commission d'enquête sur le bilinguisme.

«C'est ce travail qui l'a épuisé mais non avant qu'il eût indiqué au Canada la voie de son avenir», a déclaré à Terre-Neuve le premier ministre du Canada, M. Trudeau, en apprenant hier matin la nouvelle tragique.

En acceptant la coprésidence de la commission, a dit encore M. Trudeau, il a relevé l'un des grands défis de l'histoire de la fédération canadienne.

MM. Robert Stanfield, chef du parti conservateur, et Marcel Faribault, leader des conservateurs québécois, ont tous deux tenu à faire l'éloge du disparu. (...)

L'idée d'une commission d'enquête sur le bilinguisme fut celle de M. Laurendeau. Il en demanda l'institution au gouvernement fédéral dans un éditorial du «Devoir», en janvier 1962. Le premier ministre canadien d'alors, M. Diefenbaker, répond: non! L'année suivante, M. Pearson, qui a pris le pouvoir, répond oui et confie la coprésidence de la commission à M. Laurendeau, qui se mettra aussitôt à l'oeuvre en compagnie de M. Davidson Dunton.

Au moment où la Commission allait commencer son travail, M. Laurendeau avait déclaré dans une interview que le premier devoir de la Commission était d'avoir «les oreilles et l'esprit ouverts à tout ce qui lui serait dit.» (...)

Une fille de 13 ans et son père flambent 50 000 $ US au Casino

Une écolière américaine de 13 ans aurait passé tout le week-end dernier au Casino de Montréal — interdit aux moins de 18 ans — où elle dit avoir perdu 21 000 $!

Marie Chenowith avait reçu la somme de sa grand-mère la semaine précédente. Les 15 000 $US devaient servir à payer son inscription dans une école privée huppée de Pennsylvanie.

La jeune fille, originaire de Metairie, en Louisiane, s'est présentée au Casino en compagnie de son père, Charles, 50 ans, propriétaire d'une petite affaire d'import-export.

Le père et la fille avaient quitté la Louisiane quelques jours plus tôt à destination de Plattsburgh (N.Y.). Le but de leur voyage était double : le père voulait acheter une maison pour y déménager sa famille ; la fille devait s'inscrire à l'école privée pour filles St. Mary's, à Emmittsburg, Pennsylvanie.

Le père s'amenait avec ses économies, 35 000 $US, qu'il comptait utiliser comme comptant pour l'achat de sa maison. La fille transportait dans son sac les 15 000 $US donnés par sa grand-mère.

Arrivés à Plattsburgh le mercredi, ils décident d'aller faire un tour à Montréal le lendemain. Mais en milieu de soirée, le père et la fille se retrouvent au Casino. « Nous sommes entrés sans que personne ne nous pose de question », relate le père, qui a d'abord visé une machine à sous avant d'aller flamber 6000 $ au Black-Jack.

En fin de soirée, jeudi, il s'installera devant une machine Blazing-7 et n'en décollera plus avant le lundi midi ! « J'étais complètement accro, je ne voyais plus clair », a-t-il confié à *La Presse*, dans un restaurant de Plattsburgh.

Et Marie ? Durant quatre jours et trois nuits, elle se serait promenée dans le Casino, avalant de temps en temps une bouchée au restaurant, dormant sur la banquette arrière du pick-up de son père, dans le stationnement intérieur du Casino... Et jouant.

À un moment, elle a gagné une somme de 3100 $ à une machine de Blazing-7. Et elle exhibe une photo prise par un employé du Casino la montrant devant la machine gagnante.

Quant à Marie, elle dit avoir honte d'avoir flambé l'argent de ses études. « En classe, j'ai toujours eu des A... Je ne comprends pas ce qui m'est passé par la tête. » (**Texte publié le 1er juin 1998**).

FLQ: huit détentions; saisie d'un arsenal

LE chef de police de Montréal, M. Adrien Robert, a confirmé hier soir **(2 juin 1963)** que huit membres du Front de libération québécois ont été arrêtés au cours des derniers jours.

Le directeur Robert a cependant refusé de communiquer toute autre information, malgré l'insistance des journalistes. La police s'est catégoriquement refusée à parler de l'affaire avant ce matin. Le directeur Robert doit en effet tenir une conférence de presse ce matin, à son bureau, et révéler «ce qui peut être révélé».

Selon des informateurs, le leader du groupe serait Georges Schoeters, étudiant à l'Université de Montréal, en Sciences sociales, département des sciences économiques, qui serait aussi directeur des Amis Québec-URSS. On croit que cet individu, belge, demeure au Canada depuis une quinzaine d'années. Il est âgé de 33 ans. Il aurait reçu une formation de saboteur à Cuba, d'où il serait revenu il y a huit mois. Il aurait prononcé depuis son retour de Cuba des conférences sur la réforme agraire.

Un autre suspect, selon les mêmes informateurs, aurait quitté le parti communiste, section de l'université McGill, à cause de ses idées séparatistes.

La police refusait encore hier soir de confirmer que certains détenus avaient été arrêtés au cours de la semaine dernière, d'autres au cours de la fin de semaine qui vient de se terminer. On croit en effet que cinq des suspects ont été appréhendés mercredi dernier, sur la foi des renseignements communiqués la semaine dernière au procureur général, M. Georges-Emile Lapalme. Les trois autres arrestations auraient été effectuées au cours des jours suivants et en fin de semaine.

M. Lapalme n'a pas voulu, lui non plus, faire des déclarations «pour ne pas nuire au travail de la police».

Au cours de sa conférence de presse d'hier soir, le chef Robert a déclaré que les huit détenus ne comparaîtraient pas ce matin devant les tribunaux. Il a expliqué que la police devait d'abord avoir des entretiens avec les procureurs de la Couronne. Il a signalé enfin qu'il devait d'abord se tenir une enquête du coroner pour éclaircir le meurtre de William O'Neil.

Comme on le sait, ce dernier est mort le 20 avril dernier, alors qu'une bombe attribuée au FLQ avait explosé à l'arrière de l'édifice du Centre de recrutement de l'Armée canadienne, rue Sherbrooke.

M. Robert a affirmé que l'enquête du coroner devait avoir lieu avant toute autre procédure. De son côté, le directeur de la Police provinciale, M. Josaphat Brunet, a confirmé que l'une des personnes appréhendées était d'origine belge. Il a ajouté que certaines des personnes appréhendées par la police de Montréal étaient déjà «sur notre liste».

On croit enfin que l'un des détenus serait un mécanicien à l'emploi d'un grand garage de Montréal. Il serait de plus familier avec l'usage des explosifs. Les policiers auraient trouvé chez lui des bâtons de dynamite, des détonateurs et des mécanismes d'horlogerie.

Surveyor atterrit sur la Lune

L'engin s'est posé en douceur après 63 heures de vol

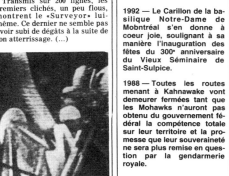

PASADENA — A leur première tentative, les États-Unis ont réussi, la nuit dernière à faire atterrir en douceur sur la Lune la sonde spatiale «Surveyor». *(L'engin s'est posé sur la Lune le **2 juin 1966**, à 2 h 17 du matin).*

Les premières photographies transmises à la Terre par la camera de télévision qui équipe «Surveyor 1» indiquent clairement que le sol lunaire, dans la région de la Mer des tempêtes tout au moins, est assez dur pour permettre à l'homme de s'y poser. Ce spectaculaire succès pave la voie au programme «Apollo» d'exploration lunaire. Le système de freinage dont était équipé le «Surveyor» est le même qui est prévu pour les cabines «Apollo». Ces navires spatiaux doivent, selon les espoirs des Etats-Unis, transporter les premiers lunautes américains d'ici 1969 ou 1970.

Les pieds du «Surveyor» se sont fermement ancrés sur la surface lunaire, indiquent les premières photos, et la région où l'engin s'est posé en douceur est relativement plate. La surface semble criblée toutefois de petits trous causés probablement par des météorites qui se sont abattus sur la Lune.

C'est au milieu d'applaudissements et de cris de joie des employés du «Jet Propulsion Laboratory» de Pasadena, en Californie, que la sonde lunaire est arrivée au but. Responsable du téléguidage de l'engin, le «JPL» peut se vanter d'avoir réussi une expérience qui est un modèle de précision.

Transmis sur 200 lignes, les premiers clichés, un peu flous, montrent le «Surveyor» lui-même. Ce dernier ne semble pas avoir subi de dégâts à la suite de son atterrissage. (...)

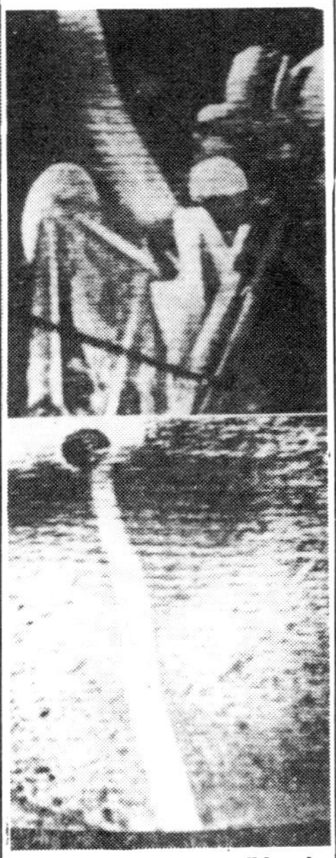

Premières preuves tangibles de l'atterrissage en douceur réussi sur la Lune par l'engin spatial américain «Surveyor», ces deux photos sont rapidement parvenus sur les écrans de télévision du centre de contrôle de Pasadena, en Californie, d'où elles ont été offertes en direct aux téléspectateurs des États-Unis et du Canada. L'image du haut montre un des pieds du «Surveyor», la seconde, une antenne de l'engin sous lequel se distingue le sol lunaire. De nombreuses autres photographies sont attendues par les scientifiques et les techniciens.

LOU GEHRIG, «L'HOMME DE FER» DU BASEBALL, MEURT A L'AGE DE 38 ANS

Le fameux joueur des Yankees succombe à la maladie mystérieuse qui le minait depuis deux ans.

NEW YORK — Lou Gehrig, l'homme de fer du baseball, est mort hier soir **(2 juin 1941)**. Le grand, solide et bel athlète qui pendant quatorze ans fut le symbole de la résistance et de l'endurance au premier but de l'équipe des Yankees, a succombé hier soir à une maladie très rare et incurable qui le minait depuis deux ans. Ce mal causait le durcissement du fluide cérébral et la contraction des muscles. Il est décédé à sa demeure du Bronx.

Sa mort est survenue 17 jours après qu'il eût 38 ans. Elle met fin à une lutte aussi courageuse qu'il fit contre la mort que celle qu'il avait l'habitude de faire sur le losange.

Il combattit jusqu'à la fin. Lorsqu'il perdit connaissance pour tomber dans le coma hier, il ne sut même pas qu'il était battu et voué à la mort. Mais les gens de son entourage savaient qu'il n'avait plus la moindre chance d'en réchapper. Ses intimes et les membres de sa famille étaient à son chevet lorsqu'il rendit le dernier soupir. (...)

La place de Lou Gehrig dans la galerie des Immortels fut assurée il y a un an, un peu après qu'il se fut retiré volontairement de l'équipe des Yankees. le 2 mai 1939 à Détroit, et eut établi un record de 2,130 parties consécutives. Il joua 38 parties de séries mondiales et de nombreuses joutes d'exhibition.

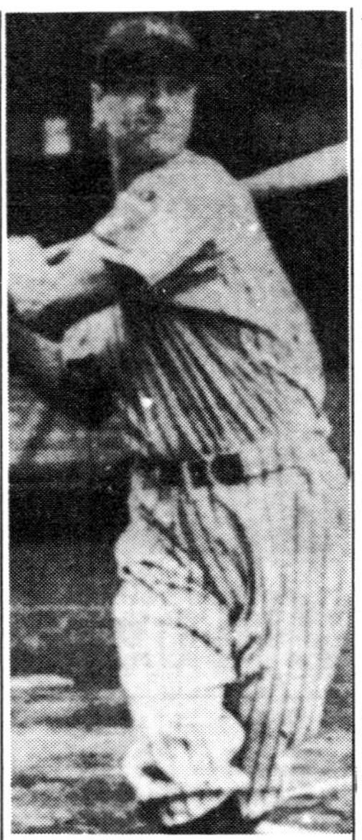

Lou Gehrig

Ses débuts

Il commença à se mettre en vedette le premier juin 1925, alors qu'il fut envoyé au marbre comme frappeur d'occasion. Le lendemain, il remplaçait Wally Pipp au 1er sac et pendant 14 ans, il ne manqua pas une partie. Deux fois, il fut choisi comme le joueur le plus utile de la ligue Américaine.

Il en fut le premier frappeur en 1934 avec une moyenne au bâton de .363. Il avait établi un record des ligues majeures pour avoir fait compter plus de 100 points par année pendant 13 ans consécutifs. Il établit un autre record lorsqu'il fit compter 134 points en 1931. Il frappa 23 fois des home runs au moment où les buts étaient remplis et un jour, il frappa quatre home runs dans la même partie. Ces records n'ont jamais été égalés.

La maladie qui emporta Gehrig était connue sous le nom de sclérose latérale amyothopique. On ne sut jamais comment il avait pu la contracter.

Il se peut toutefois qu'il ait commencé à se ressentir de ce mal vers 1938, alors que sa moyenne tomba en dessus de .300 pour la première fois en 13 ans. Ce n'est qu'un an plus tard lorsqu'il alla à la clinique Mayo qu'il apprit que son état physique était précaire. C'est alors qu'on lui dit qu'il ne pourrait jamais plus jouer au baseball et qu'on devrait lui donner une piqûre tous les jours dans l'épine dorsale.

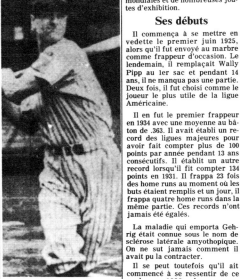

Doré vole la vedette à Rio

Les Montréalais pestent contre lui chaque fois que leur auto s'enfonce dans un nid-de-poule, mais les maires des villes étrangères l'aiment et le louangent : le maire Jean Doré vole la vedette à Rio.

C'est lui qui a présidé la rencontre des villes et associations internationales des villes, hier. Et c'est lui qui présentera le point de vue des villes au Sommet de la Terre, demain, avec le maire de Curituba, située au sud du Brésil.

« Aucune autre ville ne s'est autant rapprochée de Rio que Montréal », a affirmé le maire de Rio de Janeiro, Marcello Alencar, au cours d'une entrevue avec *La Presse*.

« C'est grâce au travail de M. Doré que nous pouvons soulever les problèmes criants des villes au Sommet de la Terre, a ajouté M. Alencar. C'est grâce à son sens des négociations que nous avons pu réunir toutes les associations des villes, autrefois rivales. »

Les Canadiens jouent d'ailleurs un rôle plus important que leur poids démographique au Sommet de Rio. La tenue de cette conférence est en partie attribuable à la ténacité de son secrétaire, le Canadien Maurice Strong. Les fonctionnaires de plusieurs pays qui ont participé aux rencontres préparatoires ne tarissent pas d'éloges sur l'esprit d'équipe de la délégation canadienne. (**Texte publié le 2 juin 1992.**)

Fort sentiment antiroyaliste en Angleterre

La reine Elisabeth II célèbre aujourd'hui (**2 juin 1993**) le 40e anniversaire de son couronnement, mais un nombre croissant de ses fidèles sujets souhaite que ce soit le dernier. Le sentiment antimonarchiste fait en effet des émules et le débat sur l'avenir de la famille royale n'a jamais été aussi intense dans les pubs, la presse et les palais.

Pour la première fois depuis 1936, année du choc provoqué par l'abdication du roi Edward VIII, certains évoquent même le sujet jusqu'alors tabou de l'abolition de cette monarchie vieille de 1100 ans au profit d'un régime présidentiel.

L'institut de sondage Gallup, sentant le vent tourner, a demandé en décembre dernier aux Britanniques s'il restaient favorables à la monarchie. Sur les 1 000 personnes interrogées, 24 % ont répondu oui, 69 % non, et 6 % seulement n'ont pas émis d'opinion.

Autre question largement débattue : le prince Charles montera-t-il un jour sur le trône ?

LE ROI D'ESPAGNE ECHAPPE AUX BOMBES DES ANARCHISTES

PARIS — Le roi d'Espagne Alphonse XIII et le Président de la République française, M. Loubet, ont failli être victimes d'un audacieux attentat la nuit dernière **(2 juin 1905)**.

Ils revenaient d'une soirée de gala à l'Opéra, lorsque, à l'entrée du Carrousel, une bombe éclata tout près de leur carosse. Le projectile, lancé avec trop de vigueur, dépassa le but et passa par-dessus la tête des deux augustes personnages.

L'explosion fut si formidable que les fils électriques furent brûlés. La panique s'empara de la foule qui encombrait l'avenue et qui venait de saluer le roi d'Espagne d'acclamations enthousiastes.

Le roi et le président conservèrent leur sang-froid. Alphonse était un peu pâle, mais pas autrement ému. C'est la quatrième fois qu'il échappe ainsi miraculeusement à la mort. «Je ne crains, dit-il, que la peine que ma mort causerait à ma mère».

Cinq personnes ont été blessées, un cheval tué et six autres blessés. Un enfant a reçu un éclat de la bombe dans l'oeil et il perdra la vue.

M. Mouquin, chef du service secret, dit que l'auteur du crime est connu et que la police est en possession de tous les détails au complet. Il dit avoir une preuve certaine que c'est un des anarchistes qui ont échappé aux arrestations du 26 mai. Ses complices, arrêtés alors, sont encore à la sûreté. Ce sont les nommés Vallina, Navarro et Palacios, anarchistes espagnols bien connus et un nommé Harvey, anarchiste anglais.

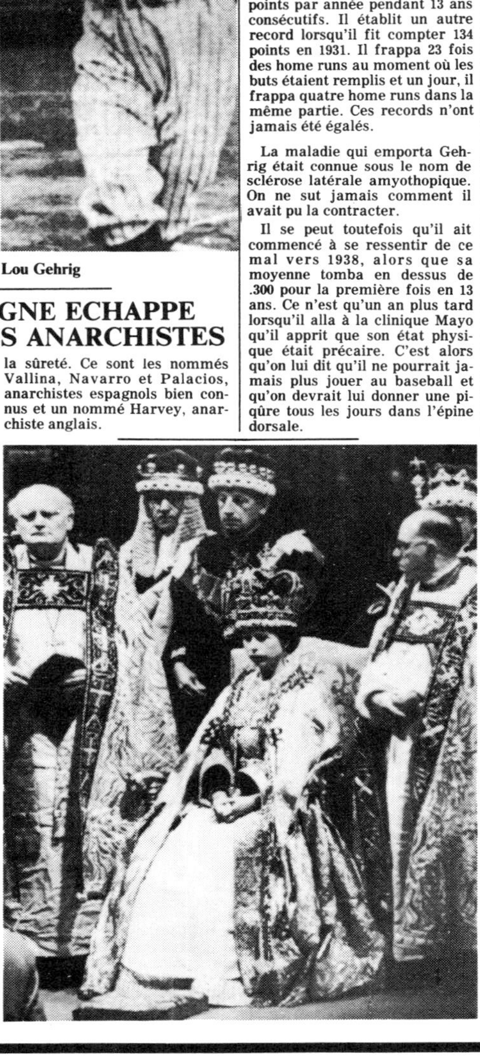

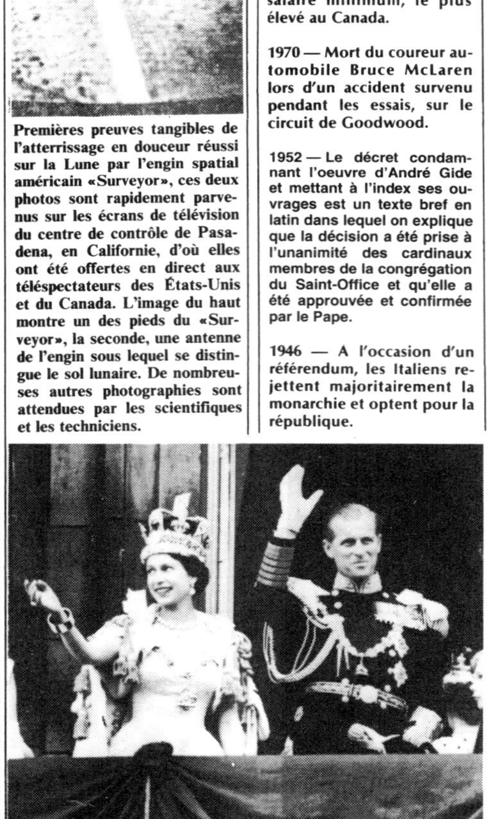

Ces deux photos montrent deux scènes saisissantes du fastueux couronnement de la reine Elizabeth II d'Angleterre, le *2 juin 1953*. Sur la photo de gauche, la reine est assise sur son trône, portant la couronne de Saint-Édouard, lors de la cérémonie tenue à l'abbaye de Westminster. À droite, Sa Majesté salue la foule, flanquée de son mari, le prince Philip.

C'EST ARRIVÉ UN 2 JUIN

1999 — Mike Harris pourra continuer la Révolution du bon sens amorcée en 1995. Le leader conservateur a obtenu un deuxième gouvernement majoritaire. Si son premier mandat avait tourné autour des réductions de taxes et de la taille du gouvernement, le second promet de graviter autour de la loi et l'ordre comme l'indiquent plusieurs propositions du plan d'action dévoilé en début de campagne.

1997 — Les libéraux de Jean Chrétien ont obtenu un second mandat majoritaire, mais c'est de justesse alors qu'aux deux extrémités du pays, les électeurs ont carrément boudé leur message et que la majorité des sièges leur ont échappé dans sept provinces, dont le Québec.

1992 — Le Carillon de la basilique Notre-Dame de Mobntréal s'en donne à coeur joie, soulignant à sa manière l'inauguration des fêtes du 300e anniversaire du Vieux Séminaire de Saint-Sulpice.

1988 — Toutes les routes menant à Kahnawake vont demeurer fermées tant que les Mohawks n'auront pas obtenu du gouvernement fédéral la compétence totale sur leur territoire et la promesse que leur souveraineté ne sera plus remise en question par la gendarmerie royale.

1983 — Un DC-9 d'Air Canada prend feu en vol et atterrit en catastrophe à Cincinnati: on dénombre 23 morts.

1979 — Le pape Jean-Paul II entreprend une visite de neuf jours dans son pays d'origine, la Pologne.

1977 — Le gouvernement québécois porte à 3,15$ le salaire minimum, le plus élevé au Canada.

1970 — Mort du coureur automobile Bruce McLaren lors d'un accident survenu pendant les essais, sur le circuit de Goodwood.

1952 — Le décret condamnant l'oeuvre d'André Gide et mettant à l'index ses ouvrages est un texte bref en latin dans lequel on explique que la décision a été prise à l'unanimité des cardinaux membres de la congrégation du Saint-Office et qu'elle a été approuvée et confirmée par le Pape.

1946 — A l'occasion d'un référendum, les Italiens rejettent majoritairement la monarchie et optent pour la république.

Des milliards dans les sables bitumineux

Le premier ministre Jean Chrétien visite aujourd'hui (**le 3 juin 1996**) la ville de Fort McMurray, dans le nord de l'Alberta, pour annoncer un des plus gros projets d'exploitation des sables bitumineux depuis les années 1970, alors qu'il avait aidé à mettre en marche Syncrude Canada Ltée, à titre de président du Conseil du trésor dans le gouvernement de Pierre Trudeau.

Le premier ministre Chrétien et 18 hauts dirigeants de l'industrie du gaz et du pétrole signeront aujourd'hui une entente pour des investissements de plusieurs milliards de dollars.

Des responsables de l'industrie du gaz et du pétrole indiquent qu'il s'agit de la première étape d'une série d'investissements qui pourraient atteindre 25 milliards au cours des 25 prochaines années et créer environ 44 000 emplois à l'échelle du pays.

Le gouvernement fédéral prévoit que ses revenus et ceux de l'Alberta augmenteront de 97 milliards à la suite de ces nouveaux investissements.

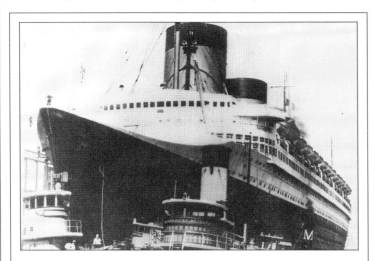

TROIS RECORDS POUR LE *NORMANDIE*

Le paquebot français *Normandie* a parcouru le plus long trajet sur mer en un jour, a abaissé de 2 heures le record de la traversée, a envoyé le plus de messages.

Le gracieux paquebot a établi deux records de vitesse pendant la fin de semaine : pour la distance parcourue en un jour et le nombre de noeuds. Il a parcouru 748 milles de samedi midi à midi hier, ce qui est mieux que son record de 24 heures le jour précédent.

Sa vitesse moyenne sur ce parcours a été de 29,92 noeuds. Depuis qu'il a quitté Southampton de bonne heure jeudi matin, il a maintenu une moyenne de 29,5 noeuds.

Le paquebot doit passer devant le phare Ambrose à 11 h 30 ce matin et aborder au nouveau quai de la rivière Hudson vers 14 h. (**Texte publié le 3 juin 1935.**)

Brigitte Bardot, en mars 1990.

Choquée, B.B. quitte Saint-Tropez

Brigitte Bardot a annoncé son intention de quitter la célèbre station balnéaire de Saint-Tropez où elle demeurait depuis 36 ans, « choquée par la tenue le 4 juin, d'un congrès départemental de chasse dans sa ville d'adoption. »

« Je quitte Saint-Tropez et je n'ai plus l'intention d'y vivre tant que Jean-Michel Couve (le député-maire conservateur RPR) restera maire du village », a indiqué Brigitte Bardot, protestant contre la réunion demain de 400 présidents de sociétés de chasse.

Le maire de Saint-Tropez, Jean-Michel Couve, a dit « ne pas vouloir divorcer d'avec Brigitte Bardot. »

« Elle demande le divorce. Nous ne le lui donnerons pas. Nous aimerions simplement qu'elle ait une réaction moins violente que celle-là », a dit le maire de Saint-Tropez.

Pour le premier magistrat de la ville, « on peut arrêter le défenseur des animaux, comme je le suis, mais être définitivement et radicalement opposé au droit à la chasse.»

Au coeur de l'été 1989, l'ex-sex symbol avait déjà une réaction moins virulente en se disant « indésirable et rejetée ». Dans sa missive au maire d'alors, Alain Spada, elle dénonçait pêle-mêle « l'impudeur, l'exhibitionnisme, le vice, le fric et l'homosexualité » devenus, selon elle, « les symboles tristes et dégradants du village dont vous avez la responsabilité. » (**Texte publié le 3 juin 1994.**)

Vente aux enchères

Le 17 juin 1987, Brigitte Bardot tirait un trait final sur son passé de star et, espérait-elle, laisser son nom à une fondation pour la défense des animaux. Pour la financer, celle dont le général de Gaulle disait « cette jeune actrice est d'une simplicité de bon aloi », avait décidé de vendre ses bijoux et objets personnels aux enchères à Paris, salle Drouot.

En 1977, une image émeut le monde entier : B.B. sur la banquise affrontant les chasseurs goguenards « à trogne de brute ». Elle serre dans ses bras un bébé-phoque aux grands yeux humides.

Aux côtés de celle de l'association Greenpeace, sa campagne aboutit à un succès total, à tel point que la Communauté européenne a interdit les importations de peaux de phoques ; certains accusent Mme Bardot d'avoir provoqué un surpeuplement des phoques qui descendraient en masse vers le sud pour trouver la nourriture qui ne leur suffit plus dans les eaux polaires !

Fascinés par leur séjour obligé chez les juifs

Cinq adolescents âgés de 16 et 17 ans qui, le 26 octobre 1990 avaient agressé des juifs hassidiques à Outremont et volé leur chapeau de fourrure valant 2 000 $ chacun, ont passé la journée à visiter la communauté juive de Montréal.

Les jeunes, tous de la région d'Iberville, étaient venus à Montréal à bord d'une camionnette et s'étaient retrouvés à Outremont en plein sabbat. À la vue des juifs coiffés de leur chapeau, les jeunes sont descendus de la camionnette, les ont bousculés, frappés, puis ont dérobé leurs précieux chapeaux bordés de queues de zibeline.

Le 14 mars dernier, le juge Beauchemin avait ordonné aux jeunes d'apprendre à connaître les juifs et les a condamnés à effectuer 35 heures de travaux communautaires qui ont été faits à Iberville. Dans son jugement, le magistrat avait désigné le Conseil canadien des chrétiens et des juifs (CCCJ) au Québec comme organisateur et animateur d'une journée d'apprentissage sur le judaïsme et de rencontre avec des dirigeants et des personnes appartenant à cette religion.

Les jeunes se sont dits fascinés par tout ce qu'ils ont appris durant la journée et nouvellement imbus de respect pour les différences au sein de la société pluraliste du Québec d'aujourd'hui. (Cela se passait en juin 1991)

Plus de temps à table ...et au lit

Les francophones de Montréal passent plus de temps à table et au lit que les anglophones de Toronto, selon un sondage sur le temps et l'argent mené auprès de 3 000 personnes dans les deux villes par M. Jean-Charles Chébat, titulaire de la Chaire de marketing John-Labatt de l'UQAM.

Si les francophones aiment plus les plaisirs de la bouffe et des draps, les anglophones, en revanche, consacrent plus de temps au boulot, à la lecture, aux moyens de transport et au magasinage.

« Les anglophones se considèrent sous-payés, retient M. Chébat. Ils sont plus pressés par le temps que par l'argent et souhaitent plus de temps de loisirs. Les francophones vivent plus dans le temps présent, trouvent la vie plus courte mais aiment plus leur travail, sont plus optimistes face à leurs revenus et ont moins peur de la mort. » (Texte publié le 3 juin 1989.)

MARIAGE DU DUC DE WINDSOR ET DE MME SIMPSON

Le duc de Windsor, qui fut souverain de l'Empire britannique durant 326 jours sous le nom d'Édouard VIII, a épousé ce midi (**le 3 juin 1937**) au château de Condé Mme Wallis Simpson, l'Américaine pour laquelle il renonça au trône, défia le courroux de l'Église d'Angleterre et s'imposa un exil volontaire.

Les cérémonies civile et religieuse qui ont porté à son dénouement le roman d'amour le plus célèbre du 20e siècle, ont été célébrées l'une par un médecin français, maire de la petite ville de Monts, l'autre par un humble pasteur de l'Église anglicane, venu ici en dépit de l'interdit dont ses supérieurs avaient frappé cette union.

Une cinquantaine de personnes ont assisté au mariage. Après la cérémonie religieuse et un déjeuner, le duc et la duchesse partiront pour leur voyage de noces au château de Wasserleounburg, en Autriche, loin du monde qui a toujours entouré leur idylle d'une publicité insatiable.

Le général Dallaire honoré

Le major-général Roméo Dallaire, commandant canadien du contingent de l'ONU au Rwanda, a reçu la Croix du service méritoire pour son leadership courageux, exercé dans des conditions extrêmement périlleuses, et pour son action auprès des civils menacés de mort. (Cela se passait le 3 juin 1994.)

L'église Notre-Dame, l'immeuble chouchou des Montréalais

Les résultats de notre enquête portant sur l'immeuble préféré des Montréalais révèlent que le public apprécie davantage les constructions au cachet historique que celles affichant une facture trop moderniste n'alliant que verre et acier.

La première place dans la catégorie des immeubles commerciaux est occupée ex aequo par la Maison Alcan et la Maison Les Coopérants, récoltant chacun deux cents voix exprimées.

Le public, qui a choisi deux immeubles de facture très différente en première place, n'a pas pour autant fait preuve de goûts contradictoires puisque les deux constructions évoquent un appel au passé des Québécois. La Maison Alcan, de par l'intégration en façade de vieux immeubles, établit un lien avec le passé, élément que les Montréalais semblent fortement apprécier. La Maison Les Coopérants, malgré son allure plus moderniste, fait elle aussi appel à des valeurs d'antan puisque son style est volontairement inspiré de celui de l'église située côté sud.

Les 50 architectes ayant participé à notre enquête ont eux aussi préféré la Maison Alcan à tout autre immeuble de cette catégorie, mais éloigné la Maison Les Coopérants de leur palmarès, lui ayant préféré la Place-Ville-Marie en deuxième place et les Cours Mont-Royal en troisième.

De tous les édifices publics de la métropole, les Montréalais préfèrent l'hôtel de ville de Montréal à tous les autres. L'immeuble s'est classé en première place avec 264 voix alors que la gare Windsor récolte 189 voix et le pavillon central de l'Université de Montréal, 163. Les architectes préfèrent quant à eux le pavillon central de l'Université inspiré de la gare Windsor et du marché Bonsecours.

Vu l'importance de l'oeuvre d'Ernest Cormier dans l'architecture montréalaise, on ne peut que se réjouir du fait que le public et les architectes aient chacun de leur côté inscrit le pavillon central de l'Université de Montréal à leur palmarès.

Le métro de Montréal comprend des stations de beaux édifices au goûts aussi étonnante. Le public a néanmoins accordé ses préférences

dans cette catégorie à la station Place-des-Arts qui, de l'avis de tous les experts, est une des plus banales du réseau.

La cinquantaine d'architectes, dont le choix ont été colligés pour *La Presse* par l'OAQ, n'ont pas pour leur part exprimé de préférences définies. L'échantillonnage réduit rendait d'ailleurs difficile l'identification d'une station exceptionnelle parmi les dizaines que compte le système.

La basilique Notre-Dame est la préférée des Montréalais dans cette catégorie, récoltant 510 voix, loin devant l'Oratoire Saint-Joseph qui en reçoit 192. En troisième lieu se classe la cathédrale Marie-Reine-du-Monde avec seulement 82 voix exprimées.

Les architectes préfèrent eux aussi la Basilique Notre-Dame à l'Oratoire. Ils ont toutefois choisi en troisième place, le couvent des Soeurs-Grises au lieu de la cathédrale Marie-Reine-du-Monde.

Malgré la prolifération de monuments de verre, de résidences haut de gamme et de condos de luxe qui a transformé le profil de Montréal au cours des 20 dernières années, les résidents de la ville préfèrent la basilique Notre-Dame à tout autre immeuble du territoire alors que le Stade olympique se classe en deuxième place et le Centre canadien d'architecture en troisième.

Les architectes ont, quant à eux, majoritairement opté pour le CCA. (**Texte publié le 2 juin 1990.**)

IMPORTANT CHANGEMENT DANS LES REGLEMENTS DE LA LIGUE NATIONALE

Un joueur puni pourra revenir au jeu si un but est enregistré

NDLR — Cet article concrétise les intentions des adversaires du Canadien de tenter de tout au moins ralentir l'extraordinaire efficacité de l'attaque à cinq du Canadien à l'époque, formée de Maurice Richard, Jean Béliveau, Bert Olmstead, avec Bernard Geoffrion et Doug Harvey à la ligne bleue.

LA ligue Nationale de hockey a adopté hier **(4 juin 1956)**, un règlement à l'effet qu'un joueur purgeant une punition mineure revienne au jeu immédiatement après qu'un adversaire aura compté un but en son absence.

Ce fut le seul radical changement dans les règlements et il prendra effet dès la saison prochaine, dans tous les circuits professionnels de hockey.

Le vote en marge de ce changement a été de 5 contre 1. Seuls les Canadiens de Montréal, les détenteurs de la coupe Stanley et l'équipe qui a compté le plus de buts la saison dernière, se sont opposés à ce changement.

Kenny Reardon, adjoint du gérant général des Canadiens, a déposé le vote d'opposition au nom de son club. Les cinq autres gérants généraux des clubs de la Nationale ont voté en faveur du changement.

Changements mineurs

Le règlement, avant modification, stipulait que tout joueur puni pour deux minutes devait passer tout le temps de sa punition hors du jeu.

Le comité a également adopté un règlement à l'effet qu'une punition mineure soit imposée si les joueurs ou les officiels d'un club lancent un bâton, une serviette ou tout autre objet sur la glace même lorsque le jeu est momentanément arrêté. Jusqu'à date, ces offenses n'entraînaient une punition mineure que lorsque le jeu était en cours. Cette punition est désignée sous le nom de «punition de banc».

A moins que l'arbitre ne décide lui-même de punir le coupable, l'instructeur du club ainsi puni peut faire purger cette punition par un joueur de son choix.

Zone neutre

Un autre changement mineur prévoit qu'une région d'une quinzaine de pieds de chaque côté de la ligne rouge centrale sera considérée comme zone neutre au cours des pratiques tenues avant les joutes. Les joueurs de deux équipes devront éviter de pénétrer dans cette zone neutre centrale au cours des pratiques. Il s'est produit des incidents désagréables dans le passé au cours des pratiques, certains joueurs persistant à occuper le centre de la glace, nuisant ainsi à l'autre club. C'est pour éviter ces incidents que la zone neutre a été établie. (...)

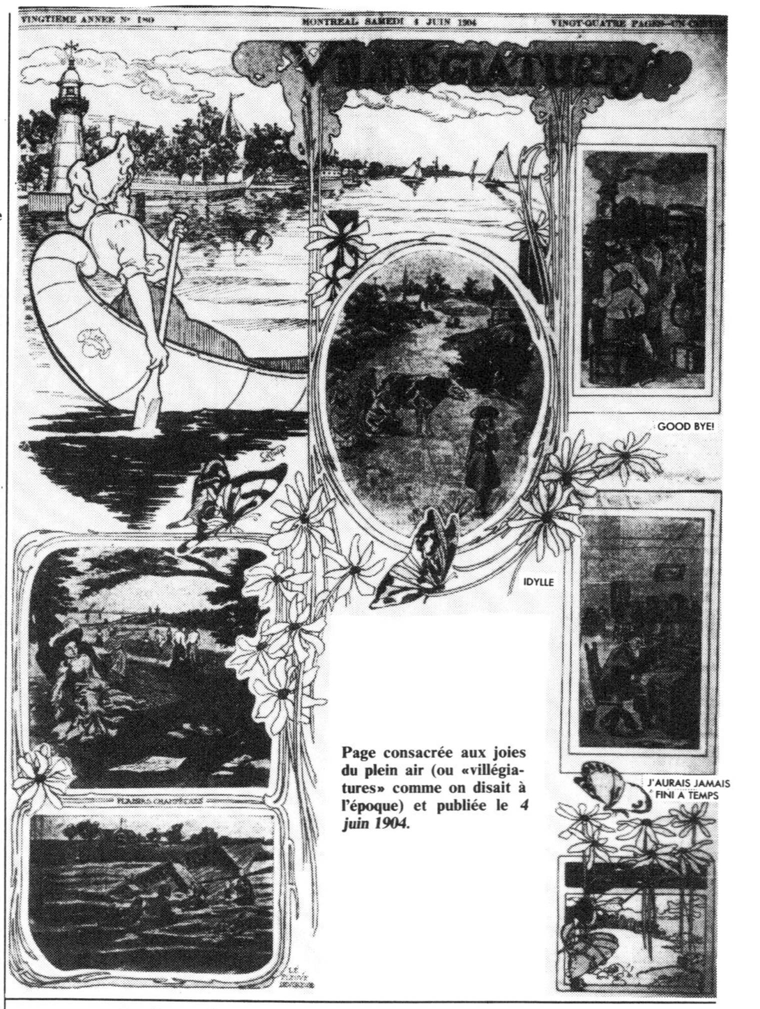

Page consacrée aux joies du plein air (ou «villégiatures» comme on disait à l'époque) et publiée le *4 juin 1904*.

Naufrage du *Marques*

Le trois-mâts carré britannique *Marques* qui participait à la course des grands voiliers Bermudes / Halifax, a fait naufrage aujourd'hui (**le 4 juin 1984**) dans une mer très houleuse à 150 km au nord des Bermudes et 18 des 28 personnes qui se trouvaient à bord sont portées disparues. Neuf personnes ont été secourues et un corps a été repêché.

Le *Marques* était un trois-mâts carré d'une longueur de 36 mètres construit en 1917.

Place Tiananmen, un an plus tard

La nuit infernale a paru durer une éternité. Dans les jours qui ont suivi, le gouvernement a fait état de 270 morts, soldats et civils confondus. Mais les journalistes savaient qu'il y avait près d'un millier de morts.

Depuis deux semaines, des millions d'étudiants et de travailleurs chinois défiaient la Loi martiale instaurée presque immédiatement après la visite du chef du Kremlin, Mikhaïl Gorbatchev. Concentrés au centre de Pékin, sur la Place Tiananmen, ils n'avaient jamais été si nombreux à manifester publiquement leur opposition au gouvernement.

Mais dans **la nuit du 3 au 4 juin 1989**, contrairement aux nuits précédentes, le ciel s'est dangereusement illuminé.

« Les soldats ne nous ont pas dit qu'ils allaient tirer, précise une journaliste chinoise récemment immigrée à Montréal. Ils disaient être là pour rétablir l'ordre et nous ont simplement demandé, comme d'habitude, de retourner chez nous. Mais cette nuit-là, nous avons vu le ciel illuminé par des fusées éclairantes. On se doutait qu'ils allaient faire quelque chose, mais pas ça. Nous n'étions pas armés, nous ne pouvions pas arrêter les tanks et les camions...

Le déraillement d'un train fait 100 morts en Allemagne

L'Allemagne est en état de choc après l'une des pires catastrophes ferroviaires qui soient survenues dans le pays. Un train de voyageurs, à très grande vitesse, a déraillé à 200 km/h sous un pont, à une cinquantaine de kilomètres au nord d'Hanovre, provoquant l'effondrement de l'ouvrage. Il y a au moins 100 morts et 300 blessés, dont 200 graves.

Le train à grande vitesse allemand transportant au moins 380 passagers, a quitté les rails pour une raison encore indéterminée peu avant 11 h alors qu'il approchait de la gare d'Eschede, dans le land de Basse-Saxe, au nord du pays. Alors que la motrice poursuivait sa route sans encombre, les wagons se sont encastrés les uns dans les autres et sont allés percuter le pilier en béton du pont avec une telle violence que l'ouvrage s'est effondré sur le train. Une voiture garée sur le pont est également tombée sur le train. Sous le choc, certains wagons se sont élevés de plusieurs mètres, d'autres ont été coupés en deux.

Les lieux de l'accident offraient une vision d'apocalypse. Il y avait des morts et des blessés partout, a relaté un photographe. Un « véritable champ de ruines », a renchéri un porte-parole de la police.

Plusieurs heures après l'accident, des passagers étaient toujours prisonniers des wagons eux-mêmes bloqués sous les débris du pont. Les autorités craignaient que nombre d'entre eux n'aient péri.

Les 800 secouristes mobilisés tentaient de libérer ces passagers. Au fur et à mesure de leurs efforts, ils empilaient à côté de la carcasse les bagages retrouvés, au milieu des vitres brisées qui jonchaient le sol.

Une grue a été utilisée pour retirer les plus gros débris du pont et permettre ainsi aux sauveteurs d'atteindre les wagons accidentés. Tous les hôpitaux de la région ont été mis en état d'alerte pour accueillir les blessés. La Croix-Rouge a affrété six autocars pour transporter les passagers sortis indemnes de l'accident vers Hambourg.

Dès l'annonce de l'accident, l'armée a dépêché sur place 80 hommes et plusieurs hélicoptères de son unité de garde-frontières pour participer aux secours et au transport des blessés. Des équipes de chirurgiens spécialisés en traumatologie se trouvaient également sur place.

Le conducteur, qui a survécu sans être blessé, a indiqué au cours de son audition par les enquêteurs que le convoi n'avait rencontré aucun obstacle avant de dérailler.

Il a ainsi écarté une première hypothèse selon laquelle le déraillement aurait été provoqué par la chute d'un véhicule sur la voie ferrée depuis un pont routier. (**Texte publié le 4 juin 1998**)

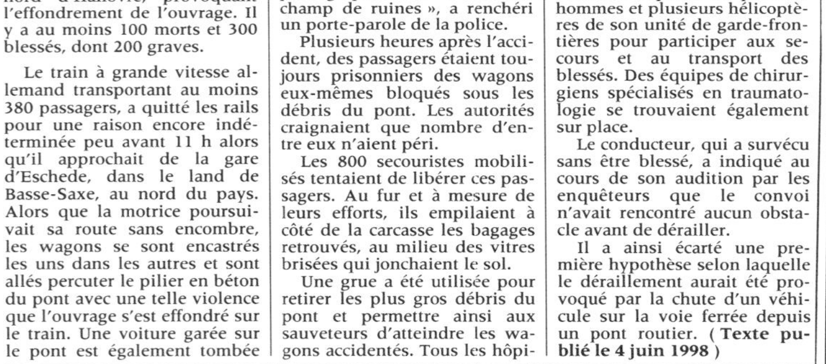

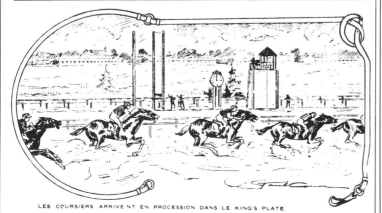

LES COURSIERS ARRIVENT EN PROCESSION DANS LE KING'S PLATE.

Le Montreal Jockey Club procédait, le *4 juin 1907*, à l'ouverture officielle de l'hippodrome Blue Bonnets. Quelque 3 000 personnes ont assisté à ce «meeting» initial. La course principale, le handicap Mont-Royal, fut gagnée par Lotus Eater. Le croquis du dessinateur Paul Caron illustre la fin de la course «King's Plate», troisième course au programme, remportée par Woodbine avec une avance fort confortable.

LE CONSEIL EST EN FAVEUR D'UN SERVICE D'AUTOBUS

La majorité des échevins s'est prononcée pour ce projet.

LE plus important item à l'ordre du jour, pour la séance de cet après-midi **(4 juin 1912)**, au conseil municipal, est le règlement sur l'établissement d'une compagnie d'autobus à Montréal. Ce projet a déjà subi le feu de la première lecture et il semble, d'après les dispositions de la majorité des échevins, qu'il doive passer dès aujourd'hui par la deuxième et troisième lectures, car c'est le désir des édiles que la métropole ait ses autobus dès cet été.

L'échevin L.-A. Lapointe, leader du conseil, s'est fait le champion du projet. Les échevins Giroux, Marchand, Emard, Poissant, McDonald, Robinson, Drummond, Garceau, Prud'homme, Ménard, Létourneau, O'Connell, Tétreau et Mayrand (c'est-à-dire la majorité du conseil), se sont formellement prononcés, ce matin, pour l'accord d'une franchise à une compagnie en état de donner un service effectif.

Les autres détails — tel l'accord d'une franchise exclusive de 10 ans — seront étudiés par le bureau de contrôle. La Compagnie Canadienne d'Autobus, fondée spécialement pour doter Montréal et d'autres villes d'un service d'autobus, s'engage à donner un siège à chaque voyageur. Elle laisse de plus entendre qu'elle construira des usines et des garages de plus d'un million. Elle aura 350 voitures, et pour mettre cela en opération, de même que ses usines, il lui faudra employer 1,600 hommes.

C'EST ARRIVÉ UN 4 JUIN

1985 — Plusieurs guides sont offerts aux touristes qui visitent Paris, mais le plus controversé est probablement le *Guide des filles de Paris* que l'auteur Alain Paucard vient de rééditer. On y découvre, classés par quartier et cotés selon des critères précis, les principaux lieux de prostitution de la capitale française et des conseils pour ceux qui désirent fréquenter ces lieux.

1982 — Israël réplique à l'attentat contre son ambassadeur à Londres en bombardant le Liban.

1979 — Joseph Clark, chef du Parti conservateur, est assermenté comme 16e premier ministre du Canada.

1978 — La vente des boissons alcoolisées par les dépanneurs est autorisée pour la première fois, au Québec.

1976 — Allan MacEachen, ministre des Affaires étrangères du Canada, annonce l'intention de son gouvernement de porter à 200 milles marins la limite territoriale du Canada à partir du 1er janvier 1977.

1973 — Adoption au Québec du système d'assistance judiciaire.

1972 — Acquittement de la militante communiste noire, Angela Davis, à Los Angeles.

1970 — Quelque 200 Amérindiens rejettent la politique indienne préconisée par le gouvernement fédéral, et le premier ministre Trudeau promet de ne pas la leur imposer.

1958 — Le général de Gaulle se rend en Algérie pour permettre au gouvernement local de reprendre le contrôle de la situation.

1951 — Décès à l'âge de 77 ans de Serge Koussevitsky. Il fut chef de l'Orchestre symphonique de Boston pendant 25 ans.

1948 — Plus de 200 personnes se retrouvent sans foyer à la suite d'une conflagration qui a détruit 47 maisons à Saint-Victor de Tring, dans la Beauce.

1944 — La 5e armée américaine libère Rome.

1942 — La mort de Reinhard Heydrich, chef adjoint de la Gestapo, a été annoncée à la radio de Berlin, par l'agence officielle allemande de nouvelles. Il a succombé aux blessures reçues au cours d'un attentat la semaine dernière.

1940 — Fin de la bataille des Flandres entreprise le 15 mai, par le rembarquement des troupes britanniques à Dunkerque.

1932 — La guerre civile éclate au Chili, alors que les contre-révolutionnaires s'en prennent au gouvernement socialiste nouvellement arrivé au pouvoir.

1912 — Un incendie éclate dans les cuisines du château Frontenac, en pleine nuit.

LE CIRQUE RINGLING

NOUS avons eu le plaisir de rencontrer hier soir **(4 juin 1901)**, M. James J. Brady, bien connu dans le monde des journaux et des théâtres, aux Etats-Unis, et qui représente ici les frères Ringling dont le cirque gigantesque arrivera demain.

Parlant de l'organisation qu'il représente, M. Brady a déclaré qu'elle est la plus considérable du genre aux Etats-Unis, depuis la disparition du fameux Barnum.

«On ne peut se faire une idée, dit M. Brady, de la qualité de la toile qui a été employée pour confectionner les tentes où s'abrite cette ville ambulante. La tente principale est immense. A part l'espace pour des milliers de sièges, elle renferme deux grands ronds et un hippodrome, où ont lieu les grandes courses en charriots romains, etc.»

«La tente de la ménagerie est presque aussi grande et renferme une cinquantaine de cages où se trouvent des animaux de tous les climats de la terre.»

La venue de ce cirque est un événement qui fera époque dans les annales de la Métropole du Canada.

SHAKESPEARE EN PLEIN AIR

UNE innovation peu banale et qui promet d'avoir du succès est celle qui a été tentée par la troupe dramatique de Ben Greet, et qui consiste à donner des représentations dramatiques en plein air. Nous avons entendu, hier **(4 juin 1903)**, deux pièces de Shakespeare, «As You Like It» et «Comedy of Errors» sur le terrain de l'université McGill et elles nous ont plu immensément. Dépouillée de tous les artifices de la scène, de ses arbres sur toile et de ses manoirs de carton, la représentation acquiert un grand cachet de simplicité.

Extravagances olympiques

Plusieurs causes mais deux responsables: Drapeau et Taillibert

QUEBEC — Dans le rapport de la Commission d'enquête sur le coût de la 21e Olympiade, déposé hier **(5 juin 1980)** par le premier ministre Lévesque à l'Assemblée nationale, le juge Albert H. Malouf identifie plusieurs causes principales pour expliquer l'augmentation du coût des Jeux, qui ont fait un prodigieux bond de $1.2 milliard entre l'annonce des Jeux modestes en décembre 1969 et la concrétisation du projet en 1976.

Mais le juge Malouf accuse surtout deux personnes d'être responsables du fait que les Jeux ont coûté onze fois plus cher qu'au moment de l'annonce du projet: le maire Jean Drapeau et l'architecte Roger Taillibert.

«Irresponsabilité administrative», «incroyable incurie administrative de la part du maire de Montréal et des autorités de la Ville», «inexcusable négligence administrative». La Commission Malouf va même jusqu'à conclure que «le maire Drapeau et l'ensemble du Conseil et du Comité exécutif ont failli à leurs devoirs et obligations puisqu'ils se devaient, à titre d'administrateurs et de représentants du public», de respecter l'annonce des Jeux modestes préconisés lors de leur obtention, en fixant une limite au coût des installations olympiques et en veillant à ce qu'elle soit respectée. En ce faisant, ils ont agi de façon contraire aux intérêts de la collectivité.»

Blâme sévère

Si la Commission blâme sévèrement le maire Drapeau, «qui s'est institué lui-même maître d'oeuvre et directeur du projet», elle n'en excuse pas moins la conduite de l'ensemble des membres du Conseil et du Comité exécutif de la Ville, «qui, dans les circonstances, ont failli à leurs responsabilités par leur manque de vigilance et leur attitude complaisante».

Dix facteurs ont particulièrement contribué à l'augmentation du coût des Jeux:

■ L'abandon de la notion de Jeux modestes et le choix d'un concept inédit pour les principales installations du Parc olympique (le complexe stade-mât-piscines et le vélodrome), un concept qui ne reposait que sur des considérations d'esthétique et de grandeur, sans qu'aucune étude sérieuse de coûts et de réalisation ne précède le choix du concept Taillibert. «Les faits établissent également que le maire Drapeau a irrévocablement fixé son choix sur le projet Taillibert, à l'exclusion de tout autre, et que sa volonté de le réaliser dans son intégrité s'est maintenue jusqu'à la fin.»

■ Absence d'une véritable direction du projet, le maire gardant la main haute sur tout. «Non seulement il n'avait ni les aptitudes, ni les connaissances nécessaires pour exercer cette fonction mais encore, à titre d'homme politique et de premier magistrat d'une ville, il n'aurait pas dû se placer dans une telle situation.»

■ Acquisition d'installations superflues, inutilement luxueuses et exceptionnelles: «le Bassin olympique, qui a coûté $25 millions et qui constitue aujourd'hui un éléphant blanc, étant très peu utilisé; le centre Etienne-Desmarteau, $11.6 millions, qui a coûté deux fois trop cher par rapport aux besoins de la Ville; le Vélodrome, $75 millions, une oeuvre extravagante, sans aucune mesure avec les exigeances olympiques et les besoins de la Ville après les Jeux; espaces sujets à aménagements dans le mât et sous les gradins du stade qui n'étaient pas nécessaires; viaduc de la rue Sherbrooke, fontaines et dalles-promenade qui furent érigés à grands frais et que la Commission considère comme des extravagances bien représentatives des abus consacrés à l'esthétique et à la grandeur des installations du Parc olympique.»

■ Le choix du concept du Village olympique, sans appel d'offres ni concours, basé uniquement sur la fascination du maire Drapeau pour les installations de la marina Baie des Anges en France.

■ L'adoption, le 28 juin 1974, du projet des pyramides de Les Terrasses Zarolega Inc., comme base du Village olympique, sans que le problème du financement ne soit réglé, le maire négligeant en cette circonstance d'informer le COJO et le public de cette grave lacune.

■ Le retrait de la Ville du dossier du Village en octobre 1974.

■ L'absence d'organisation et de mécanismes de gestion valables en matière de relations de travail.

■ Le retard considérable apporté à la préparation des informations nécessaires au gouvernement du Canada pour l'instauration du programme de financement des Jeux et l'assujettissement à l'approbation de ce programme de l'engagement des professionnels nécessaires à la préparation et à la réalisation des travaux.

■ La non-instauration, dès l'obtention des Jeux, d'un système intégré de contrôle des coûts. «Le concept a d'abord été choisi puis exécuté et les dépenses d'organisation et de construction furent payées, sans égard à la note que les contribuables auraient à défrayer après les Jeux.»

■ Le choix d'un architecte-conseil étranger (qui, dans les faits, fut l'architecte en titre) et le rôle exceptionnel que le maire de Montréal lui a laissé jouer dans la conception et la réalisation du projet. «Le fait qu'il ait dirigé la réalisation de son oeuvre à une distance de plus de 3,000 milles de Montréal, depuis ses bureaux parisiens, a engendré de multiples et sérieux problèmes de coordination et de relations de travail, qui ont contribué à l'augmentation des coûts.» (...)

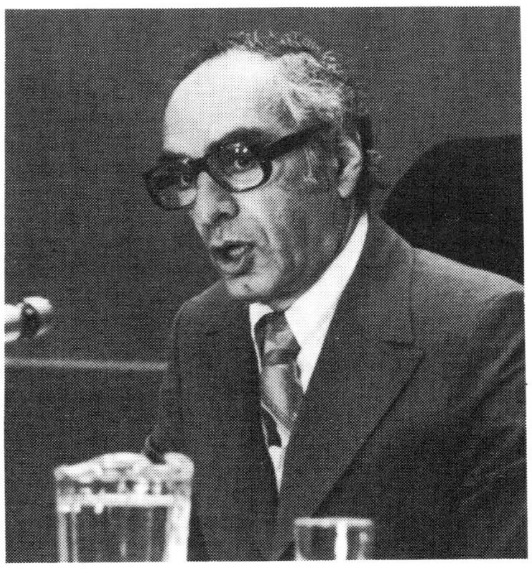

Le juge Albert H. Malouf

Kennedy atteint à la tête

Le frère du président assassiné tombe à son tour sous les balles et repose entre la vie et la mort

LOS ANGELES — Le sénateur Robert Kennedy, frère du président assassiné John F. Kennedy, a été atteint de deux balles dont l'une à la tête, la nuit dernière, **(5 juin 1968)**, quelques minutes après avoir prononcé un discours de remerciement à l'adresse de ses partisans de la Californie qui venaient de lui donner une victoire aux élections primaires de cet Etat. Son état est extrêmement critique.

Trois autres personnes ont été blessées au cours de l'attentat. Le présumé assaillant a été capturé, ainsi qu'un autre homme que l'on croit être son complice. L'un des blessés est M. Paul Schrade, président de la section locale du syndicat des ouvriers de l'automobile; les autres sont une femme et un homme dont l'identité n'est pas encore connue. Seul toutefois M. Robert Kennedy est grièvement atteint.

Transporté d'urgence à l'hôpital du Bon Samaritain, M. Kennedy, inconscient, a reçu l'extrême-onction avant d'être dirigé vers la salle d'opération.

M. Kennedy qui, dans son discours de remerciement, venait de lancer un appel pour «mettre fin à la violence aux Etats-Unis, a reçu deux balles: l'une a traversé le crâne et s'est logé dans le cerveau; la deuxième ne lui a occasionné qu'une blessure superficielle à l'épaule. Six chirurgiens se sont rapidement rendus à l'hôpital pour tenter une opération dans le but de lui extraire la balle du cerveau.

L'homme qui a tiré quatre ou cinq coups de feu en direction du sénateur Kennedy a environ 25 ans; il est petit, de type latino-américain. L'agresseur, contrairement aux premiers rapports, n'aurait pas été blessé. L'entourage de M. Kennedy, dès le premier coup de feu, a crié: «Nous le voulons vivant, nous le voulons vivant».

M. Kennedy venait de sortir de l'«Embassy Room» de l'hôtel Ambassador de Los Angeles, rayonnant et optimiste, quand l'agresseur l'a atteint de coups de feu.

La scène de l'attentat s'est déroulée dans un passage menant, par une porte de service, vers un ascenseur. Il s'en est suivi une incroyable confusion. (...)

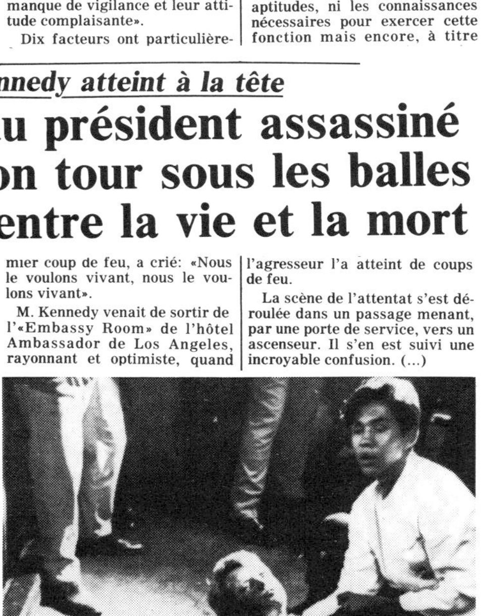

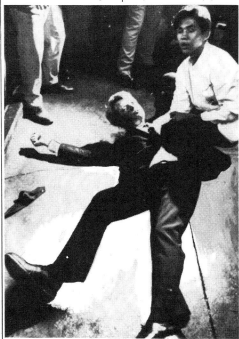

Atteint d'une balle à la tête et d'une autre à l'épaule, le sénateur Robert F. Kennedy git sur le plancher, à l'hôtel Ambassador de Los Angeles.

LE NAVIRE «HAMPSHIRE» PORTANT KITCHENER ET SON ETAT-MAJOR COULE PRES DES ILES ORCADES

LONDRES — L'amiral Jellicoe, commandant de la flotte britannique, a annoncé à l'amirauté que le croiseur anglais «Hampshire», portant lord Kitchener, ministre de la guerre, et son état-major, avait coulé au large des îles Orcades. D'après les premiers rapports, on ne peut dire si le «Hampshire» a été détruit par une mine ou par une torpille. On craint que le vaisseau ne soit perdu corps et biens. Les Orcades, qui forment un groupe de soixante-sept îles, sont situées au nord de l'Ecosse. Elles constituent un comté qui a 32,000 habitants et dont le chef-lieu est Kirkwall. (...)

VERSION OFFICIELLE DU DESASTRE

Londres, — L'amiral Jellicoe a envoyé à l'Amirauté le message suivant: «J'ai le profond chagrin d'annoncer que le croiseur «Hampshire», commandé par le capt. Herbert J. Savill et portant lord Kitchener et son état-major, a été détruit, hier soir **(5 juin 1916)**, vers huit heures, par une mine ou une torpille, à l'ouest des îles Orcades. Quatre chaloupes ont été vues s'éloignant du «Hampshire», mais le vent venant du nord était violent et la mer était rude. Des vaisseaux-patrouilles et des contre-torpilleurs ont été immédiatement envoyés sur le lieu du désastre et le long de la côte; mais il n'a été trouvé qu'une chaloupe chavirée et quelques cadavres. Comme des recherches ont été faites tout le long de la côte, j'entretiens peu l'espoir d'apprendre qu'il y a des survivants. Aucun rapport n'a été reçu de ceux qui font des recherches sur les côtes mêmes. Le «Hampshire» se dirigeait vers la Russie». (...)

Londres, 6 — Le croiseur «Hampshire», qui a été détruit au large des îles Orcades, avait été construit en 1903, et son équipage normal se composait de 655 hommes. Il déplaçait 10,850 pieds. Il était armé de quatre canons de 7.5 pouces et six canons de 6 pouces. Il avait coûté $4,250,000. Le «Hampshire» était affecté au service de reconnaissance et au transport des délégations officielles.

VOYAGE MYSTERIEUX DE KITCHENER

Londres, 6 — Il a été annoncé, ces jours derniers, que lord Kitchener s'était rendu au palais de Westminster pour répondre aux questions de membres de la chambre des communes qui n'étaient pas satisfaits de la conduite de la guerre. On ignorait qu'il se proposât d'entreprendre un voyage. Il est probable que lord Kitchener devait débarquer à Archangel.

Le 2e bill de Montréal: un maire, 99 échevins; plusieurs taxes

(Du correspondant de la PRESSE)

NDLR — Cette nouvelle fait état de la loi adoptée le ***5 juin 1940*** *et impliquant des modifications à la Charte de Montréal.*

QUÉBEC, 5 — Le mode administratif de la Ville de Montréal est chambardé de fond en comble, et plusieurs nouvelles taxes sont proposées, dont une taxe de $2 sur les appareils de radio, une autre de $5 sur les autos, ainsi qu'un impôt spécial sur les appareils de téléphone.

A compter de l'élection de décembre prochain, le Conseil se composera d'un maire et de 99 échevins: 33 échevins élus par les propriétaires exclusivement, 33 autres élus par les corps publics, et le dernier tiers par l'électorat en général. La municipalité n'aura plus 35 quartiers, comme actuellement, mais 11 districts qui grouperont les quartiers actuels.

Il est aussi stipulé que la carte d'identité ne sera plus obligatoire aux élections municipales, ce qui confirme la nouvelle que le sous-service municipal de la Carte d'identité sera, sinon aboli, du moins réduit à sa plus simple expression.

Le conseil municipal actuel restera en fonction jusqu'à la fin de son mandat, qui expire au mois de décembre. Le conseil municipal qui le remplacera ne siègera que quatre fois par année. (...)

Le mètre a 200 ans

Il y avait la ligne, le pouce, le pied, la toise, l'aune et la lieue, pour ne parler que des mesures de longueur et, de plus, elles variaient souvent de région à région.

En mars 1790, Charles Maurice de Talleyrand-Périgord, évêque et député, proposa l'élaboration d'un système unifié de poids et mesures à l'Assemblée Nationale qui approuva le projet et promulgua en mai un décret qui constitue l'acte de naissance du mètre.

Une commission de l'Académie des Sciences choisit pour unité la 10 millionième partie du quart du méridien terrestre. Mais ce n'est qu'en 1840, sous Louis-Philippe, qu'une loi rendit le système métrique obligatoire et exclusif.

En 1872, le mètre français devint étalon international. La définition du mètre est périodiquement affinée. C'est ainsi que, depuis octobre 1983, « le mètre est la longueur du trajet parcouru dans le vide par la lumière pendant 1/29992458ème de seconde ». (Texte publié le 5 juin 1989.)

C'EST ARRIVÉ UN 5 JUIN

1996 — La controverse entourant un projet de réglementation interdisant la fabrication de fromage au lait cru a, paradoxalement, créé au Québec un engouement et une curiosité tels que des grossistes et détaillants ont beaucoup de peine à satisfaire à la demande.

1989 —Après une nuit et un jour de carnage qui ont fait plus de 1 400 morts et 10 000 blessés à Pékin, les soldats ont de nouveau ouvert le feu aujourd'hui sur la foule alors que la capitale chinoise est paralysée.

1983 — Yannick Noah devient le premier Français en 37 ans à gagner les Internationaux de France, au tennis.

1975 — Le canal de Suez est rouvert à la circulation maritime pour la première fois depuis la guerre des Six jours, en 1967. — Les débardeurs retournent à leurs postes dans les ports de Montréal, Québec et Trois-Rivières. — Normand Toupin, ministre de l'Agriculture du Québec, annonce l'instauration de règlements plus stricts concernant l'inspection des viandes.

1973 — W.A.C. Bennett, ex-premier ministre créditiste de la Colombie-Britannique, quitte la politique.

1967 — Début de la « guerre des six jours » entre Israël et les pays arabes.

1966 — Le gouvernement de la « révolution tranquille » de Jean Lesage est battu aux élections générales du Québec par l'Union nationale dirigée par Daniel Johnson.

1963 — Démission de John Profumo, secrétaire d'État de Grande-Bretagne à la guerre, impliqué dans une affaire de moeurs avec Christine Keeler.

1956 — La France accepte le rattachement de la Sarre à la République fédérale d'Allemagne.

1952 — Washington interdit l'exportation de l'acier.

1949 — Décès du Dr Ernest Gendreau, ex-professeur à l'Université de Montréal et directeur fondateur de l'Institut du radium de Montréal.

1946 — Cinquante-sept personnes perdent la vie dans l'incendie de l'hôtel LaSalle de Chicago.

1945 — Etablissement du Conseil de contrôle allié à Berlin, partagé en zones américaine, britannique, française et soviétique.

1943 — Le cheval Count Fleet gagne la Triple couronne des courses au galop.

1940 — Début de la bataille de France.

1937 — Le cheval War Admiral gagne la Triple couronne des courses au galop.

1933 — La France accepte de signer le « pacte des quatre », qui fait de ce pays, de la Grande-Bretagne, de l'Italie et de l'Allemagne, les véritables arbitres de la paix européenne.

1919 — Une centaine de mineurs perdent la vie dans une mine de Wilkesbarre, en Pennsylvanie.

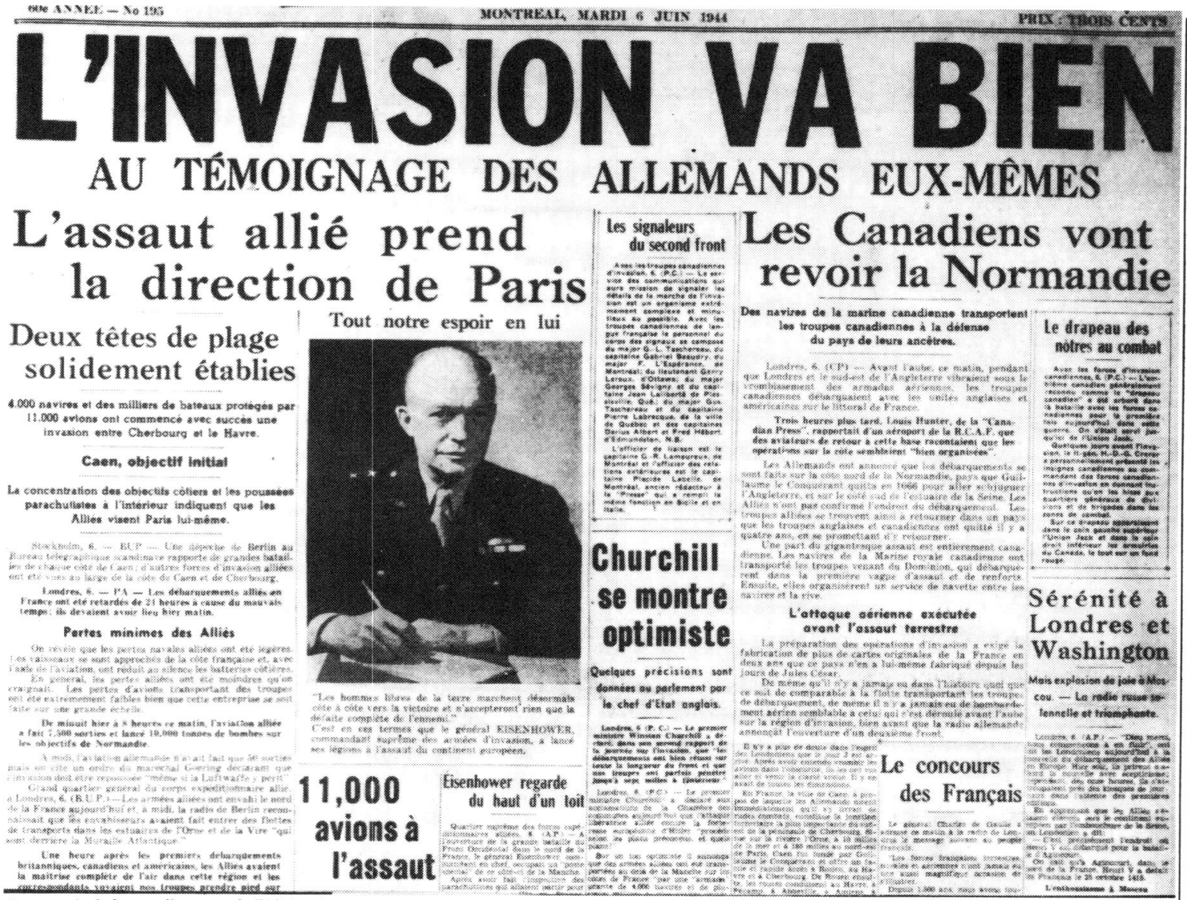

60e ANNEE — No 195 MONTREAL, MARDI 6 JUIN 1944 PRIX : TROIS CENTS

L'INVASION VA BIEN

AU TÉMOIGNAGE DES ALLEMANDS EUX-MÊMES

L'assaut allié prend la direction de Paris

Deux têtes de plage solidement établies

4.000 navires et des milliers de bateaux protégés par 11.000 avions ont commencé avec succès une invasion entre Cherbourg et le Havre.

Caen, objectif initial

La concentration des objectifs côtiers et les poussées parachutistes à l'intérieur indiquent que les Alliés visent Paris lui-même.

Stockholm, 6. — BUP — Une dépêche de Berlin au Bureau télégraphique scandinave rapporte de grandes batailles de chaque côté de Caen; d'autres forces d'invasion alliées ont été vues au large de la côte de Caen et de Cherbourg.

Londres, 6. — PA — Les débarquements alliés en France ont été retardés de 24 heures à cause du mauvais temps; ils devaient avoir lieu hier matin.

Pertes minimes des Alliés

On révèle que les pertes navales alliées ont été légères. Les vaisseaux se sont approchés de la côte française et, avec l'aide de l'aviation, ont réduit au silence les batteries côtières.

En général, les pertes alliées ont été moindres qu'on craignait. Les pertes d'avions transportant des troupes ont été extrêmement faibles bien que cette entreprise se soit faite sur une grande échelle.

De minuit hier à 8 heures ce matin, l'aviation alliée a fait 7,500 sorties et lancé 10,000 tonnes de bombes sur les objectifs de Normandie.

A midi, l'aviation allemande n'avait fait que 50 sorties mais on cite un ordre du maréchal Goering déclarant que l'invasion doit être repoussée "même si la Luftwaffe y périt".

Grand quartier général du corps expéditionnaire allié, à Londres, 6. (B.U.P.) — Les armées alliées ont envahi le nord de la France aujourd'hui et, à midi, la radio de Berlin reconnaissait que les envahisseurs avaient fait entrer des flottes de transports dans les estuaires de l'Orne et de la Vire "qui sont derrière la Muraille Atlantique."

Une heure après les premiers débarquements britanniques, canadiens et américains, les Alliés avaient la maîtrise complète de l'air dans cette région et les correspondants voyaient nos troupes prendre pied sur

Tout notre espoir en lui

"Les hommes libres de la terre marchent désormais côte à côte vers la victoire et n'accepteront rien que la défaite complète de l'ennemi."

C'est en ces termes que le général EISENHOWER, commandant suprême des armées d'invasion, a lancé ses légions à l'assaut du continent européen.

11,000 avions à l'assaut

Eisenhower regarde du haut d'un toit

Les signaleurs du second front

Avec les troupes canadiennes d'invasion, 6. (P.C.) — Le service des communications qui aura mission de signaler les détails de la marche de l'invasion est un organisme extrêmement complexe et minutieux au possible. Avec les troupes canadiennes de langue française le personnel du corps des signaux se compose du major G. L. Taschereau, du capitaine Gabriel Beaudry, du major F. L'Espérance, de Montréal; du lieutenant Gerry Leroux, d'Ottawa; du major Georges Sévigny et du capitaine Jean Laliberté de Plessisville, Qué.; du major Gus. Taschereau et du capitaine Pierre Labrecque, de la ville de Québec et des capitaines Darius Albert et Fred Hébert d'Edmundston, N.B.

L'officier de liaison est le capitaine G.-R. Lamoureux, de Montréal et l'officier des relations extérieures est le capitaine Placide Labelle, de Montréal, ancien rédacteur à la "Presse" qui a rempli la même fonction en Sicile et en Italie.

Churchill se montre optimiste

Quelques précisions sont données au parlement par le chef d'Etat anglais.

Londres, 6 (P.C.) — Le premier ministre Winston Churchill a déclaré, dans son second rapport de la journée sur l'invasion, que "les débarquements ont bien réussi sur toute la longueur du front et que nos troupes ont parfois pénétré jusqu'à sept milles à l'intérieur.

Les Canadiens vont revoir la Normandie

Des navires de la marine canadienne transportent les troupes canadiennes à la défense du pays de leurs ancêtres.

Londres, 6. (CP) — Avant l'aube, ce matin, pendant que Londres et le sud-est de l'Angleterre vibraient sous le vrombissement des armadas aériennes, les troupes canadiennes débarquaient avec les unités anglaises et américaines sur le littoral de France.

Trois heures plus tard, Louis Hunter, de la "Canadian Press", rapportait d'un aéroport de la R.C.A.F. que des aviateurs de retour à cette base racontaient que les opérations sur la côte semblaient "bien organisées".

Les Allemands ont annoncé que les débarquements se sont faits sur la côte nord de la Normandie, pays que Guillaume le Conquérant quitta en 1066 pour aller subjuguer l'Angleterre, et sur le côté sud de l'estuaire de la Seine. Les Alliés n'ont pas confirmé l'endroit du débarquement. Les troupes alliées se trouvent ainsi à retourner dans un pays que les troupes anglaises et canadiennes ont quitté il y a quatre ans, en se promettant d'y retourner.

Une part du gigantesque assaut est entièrement canadienne. Les navires de la Marine royale canadienne ont transporté les troupes venant du Dominion, qui débarquèrent dans la première vague d'assaut et de renforts. Ensuite, elles organisèrent un service de navette entre les navires et la rive.

L'attaque aérienne exécutée avant l'assaut terrestre

La préparation des opérations d'invasion a exigé la fabrication de plus de cartes originales de la France en deux ans que ce pays n'en a lui-même fabriqué depuis les jours de Jules César.

De même qu'il n'y a jamais eu dans l'histoire quoi que ce soit de comparable à la flotte transportant les troupes de débarquement, de même il n'y a jamais eu de bombardement aérien semblable à celui qui s'est déroulé avant l'aube sur la région d'invasion, bien avant que la radio allemande annonçât l'ouverture d'un deuxième front.

Le drapeau des nôtres au combat

Le concours des Français

Sérénité à Londres et Washington

Mais explosion de joie à Moscou. — La radio russe solennelle et triomphante.

L'enthousiasme à Moscou

Cette partie de la première page de l'édition du *6 juin 1944* de LA PRESSE démontre l'importance attachée à l'invasion de la France et l'abondance d'informations, malgré l'omniprésente censure militaire.

Le Pentagone estime que 100000 soldats irakiens ont été tués

La guerre du Golfe a fait 100 000 morts et 300 000 blessés dans les rangs de l'armée irakienne, estime l'Agence américaine de renseignement de la défense (DIA).

L'organe de renseignement du Pentagone, qui reconnaît que ses estimations comportent un risque élevé d'erreur, ajoute que 150 000 soldats irakiens ont déserté au cours des six semaines de conflit.

Selon des responsables irakiens cités lundi par les membres d'une commission d'enquête indépendante française, la guerre du Golfe a fait entre 35 000 et 45 000 tués parmi les civils et 85 000 à 110 000 morts dans les rangs de l'armée.

Le Conseil de sécurité de l'ONU ne manifestera aucune intention d'alléger l'embargo contre l'Irak lors d'une réunion à ce propos prévue aujourd'hui, indiquait-on hier (**le 5 juin 1991**) de sources diplomatiques.

Le Conseil pourrait par ailleurs décider prochainement d'exiger de l'Irak le paiement total ou partiel de toutes les opérations concernant la destruction de ses armes chimiques, biologiques et la neutralisation de toutes ses installations nucléaires, comme le prévoit la résolution 687, selon plusieurs diplomates à l'ONU.

Une équipe médicale de Harvard, qui a séjourné récemment en Irak, estime que des centaines de milliers d'Irakiens sont menacés de mort si les sanctions sont maintenues, dont 170 000 enfants.

À Paris hier, le secrétaire au Foreign Office, Douglas Hurd, a exclu tout « relâchement » de l'embargo contre l'Irak tant que le président Saddam Hussein demeurera à la tête du pays.

C'EST ARRIVÉ UN 6 JUIN

1987 — Un Palestinien de 15 ans a été tué par des soldats israéliens à Naplouse, principale agglomération de la Cisjordanie, lors d'une manifestation marquant le 20e anniversaire de la Guerre des Six jours. Un autre Palestinien, âgé de 10 ans, a été grièvement blessé.

1979 — La démission de Carlos Mota Pinto marque la chute du dixième gouvernement portugais depuis la révolution des oeillets, en 1974.

1972 — Pas moins de 431 mineurs trouvent la mort lors d'une explosion dans une mine de Wankie, en Rhodésie.

1968 — Sirhan Bishara Sirhan est formellement accusé d'assassinat, le sénateur Robert F. Kennedy ayant succombé aux blessures subies lors de l'attentat de la veille.

1966 — Le Congrès des forces armées sud-vietnamiennes confirme les généraux Thieu et Ky dans leurs fonctions de chef de l'État et chef du gouvernement par une imposante majorité.

1955 — Conclusion d'un accord historique entre la société Ford et ses travailleurs : ces derniers sont assurés d'un minimum de 26 semaines de salaire par année.

1947 — Mgr Maurice Roy succède au cardinal Villeneuve comme archevêque de Québec.

1920 — Ouverture à Genève du huitième congrès de l'Alliance internationale des femmes pour le suffrage.

1911 — Une collision de quatre trains cause plusieurs morts près de Fairfield, Connecticut. — Une conflagration détruit 17 maisons du village de Calumet.

1901 — Un comité spécial de la ville de Montréal recommande de donner le nom de « Lafontaine » au parc connu jusque là sous le nom de Logan. — Le steamer *Assyrian* s'échoue près du Cap Race, à Terre-Neuve.

Le cadavre d'Hitler a été trouvé

BERLIN — Le cadavre d'Adolf Hitler a été découvert et identifié de façon assez positive. C'est ce que révèle un personnage en vue de l'armée soviétique aujourd'hui (**6 juin 1945**).

Le cadavre, partiellement carbonisé et noirci de fumée, faisait partie d'un groupe de quatre découverts après la chute de Berlin dans les ruines de la forteresse souterraine érigée dessous la nouvelle chancellerie du Reich.

Ces quatre cadavres, qui répondaient d'assez près à la description du fuehrer, furent déménagés en lieu sûr et soigneusement examinés par des médecins de l'armée russe. Tous avaient été partiellement carbonisés par les lance-flammes avec lesquels les soldats de l'armée soviétique ont enlevé ce poste de commande où Hitler et ses chefs nazis livrèrent leur dernier combat.

Après un examen minutieux des dents et de certains traits caractéristiques, les Russes en sont venus à la conclusion que l'un d'eux était bel et bien celui d'Hitler.

Prié de dire pourquoi, Moscou n'a rien fait connaître à ce sujet; ce personnage a déclaré qu'aucun communiqué ne sera publié aussi longtemps qu'il existera le moindre doute sur l'identité du cadavre. Pour l'instant, rien ne laisse supposer qu'il ne s'agit pas du corps d'Hitler.

Hitler mourut empoisonné

Un examen des viscères a révélé qu'Hitler a succombé à l'empoisonnement. Il est impossible de déterminer si ce poison a été administré par lui-même ou par l'un de ses lieutenants.

Il y a quelque temps les Russes ont toutefois prétendu que le fuehrer était mort à la suite d'une injection administrée par son médecin particulier, le docteur Morel.

Un télégramme adressé par le ministre de la propagande Joseph Goebbels au grand-amiral Karl Doenitz révèle qu'Hitler est décédé à 3 h. 30 de l'après-midi le 1er mai. Un peu après, Goebbels se donna apparemment la mort juste avant la chute de la dernière forteresse du nazisme, à Berlin.

Le cadavre de Goebbels fut découvert par les Russes dans la forteresse souterraine, aux côtés de ceux de sa femme et de ses enfants. Tous avaient succombé à l'empoisonnement. Goebbels avait apparemment administré du poison aux membres de sa famille puis s'était suicidé.

Un éclat d'obus le décapita presque complètement peu après.

Les cadavres de Goebbels et de sa famille étaient en partie carbonisés mais l'identité de chacun fut établie sans grande difficulté.

Les Russes ne disent pas comment ils ont disposé des cadavres d'Hitler, de Goebbels et des autres chefs nazis trouvés à Berlin. Ce sera sans doute un secret qui sera longtemps gardé pour empêcher les nazis fanatisés de s'emparer de ses restes mortels pour des fins quelconques.

Bilinguisme: 16 conservateurs refusent de suivre leur leader

OTTAWA — Le Crédit social a pris tout le monde par surprise, hier (**6 juin 1973**), en s'abstenant de se prononcer sur la résolution Trudeau sur le bilinguisme, qui fut adoptée par 214 voix contre 16.

Cette tactique a fait dire à M. Claude Wagner que les créditistes et les libéraux avaient comploté pour que les conservateurs soient les seuls à montrer une certaine dissidence.

Le député de Saint-Hyacinthe a qualifié cette stratégie de «veulerie» ajoutant que les créditistes avaient adopté une attitude qui le faisait «vomir».

«Ils n'ont pas voulu prendre la défense des intérêts des Québécois. Ils sont restés sur leur derrière», a-t-il dit.

Avant le vote final sur la résolution Trudeau, les créditistes ont vainement tenté de faire adopter un amendement préconisant la création de services et de ministères parallèles dans les deux langues officielles. La proposition fut rejetée par 227 voix contre 11, les créditistes ayant été incapables de recruter un seul appui chez leurs adversaires.

En votant contre la résolution Trudeau, 16 députés conservateurs ont ainsi ignoré une directive de leur chef.

La résolution Trudeau contient les neuf critères qui régiront la mise en oeuvre du bilinguisme dans la fonction publique fédérale. Elle engage le gouvernement à créer des unités de travail de langue française «là où c'est possible» à l'extérieur du Québec, à fignoler les cours de langue et à intensifier le recrutement des francophones bilingues.

M. Robert Stanfield avait suggéré d'incorporer les critères de la résolution Trudeau à la Loi sur les langues officielles et à la Loi sur l'emploi dans la fonction publique, quitte à appuyer la proposition libérale si son amendement était rejeté.

L'amendement Stanfield fut défait par 143 voix contre 96, les conservateurs ayant rallié l'appui de l'indépendant Roch LaSalle (Joliette) et de deux députés néo-démocrates.

Discovery ramène Julie

Après avoir parcouru six millions de kilomètres en 10 jours, la navette spatiale Discovery, portant à son bord cinq astronautes américains, un russe et la Canadienne Julie Payette, est revenue sur Terre à 2 h 03 ce matin (**le 6 juin 1999**), au centre spatial Kennedy, en Floride.

Le commandant Kent Rominger a jonglé avec l'idée d'un bilan de mission six heures plus tard, qui aurait permis un retour hâtif à Houston pour la fête de retour, mais il a fallu que les voyageurs de l'espace se couchent tout de suite après les tests médicaux et une brève visite de notables et de leurs familles proches. Ils s'étaient levés neuf heures avant l'atterrissage.

Ils se reposent donc en Floride, aux quartiers des astronautes dans l'édifice Operations and Controls Building, et demain matin, après avoir énuméré les succès de leur séjour sur la Station spatiale internationale, les sept monteront dans un avion pour terminer leur réadaptation terrestre au Texas; ensuite, interdiction de voyager pour deux semaines.

Les averses que craignaient les météorologues de la NASA se sont évaporées 20 minutes avant que le commandant Rominger ne prenne la décision de freiner en allumant deux des 44 réacteurs, à minuit et demi. Au moment d'entamer sa descente, peu avant une heure, Discovery se trouvait au-dessus de la Thaïlande.

La descente s'est déroulée comme dans le manuel d'instruction : entrée dans l'atmosphère au-dessus de l'Australie, survol de la Floride depuis les marais des Everglades, début du cercle d'approche peu après avoir dépassé la plantation de citrons Indian River, dans l'île Merritt, qui abrite la base militaire. Discovery a même touché la piste 20 secondes avant le moment prévu. Julie Payette, qui avait la tâche d'informer le commandant des capacités du système de vol en cas de pépin, n'a donc pas été sollicitée.

Comme le vent soufflait du sud, la navette a atterri en venant du nord, sur la piste numéro 15, la plus proche de l'océan. Trois minutes et demie avant de se montrer le bout du nez, elle a fait retentir deux « bangs » supersoniques, semblables à un feu d'artifice maison. L'angle initial d'approche est de 20 degrés, puis se réduit à 1,5 degrés 17 secondes avant le contact, au moment où la navette se profile sous les 16 projecteurs au xénon, d'une puissance totale d'un milliard de chandelles.

Le parachute de 12 mètres de diamètre, annoncé par un petit nuage de fumée, s'est déployé 20 secondes après que les trains aient touché le sol à 345km/h, et la navette s'est arrêtée après avoir parcouru trois kilomètres sur la piste en 50 secondes.

Une première à Montréal

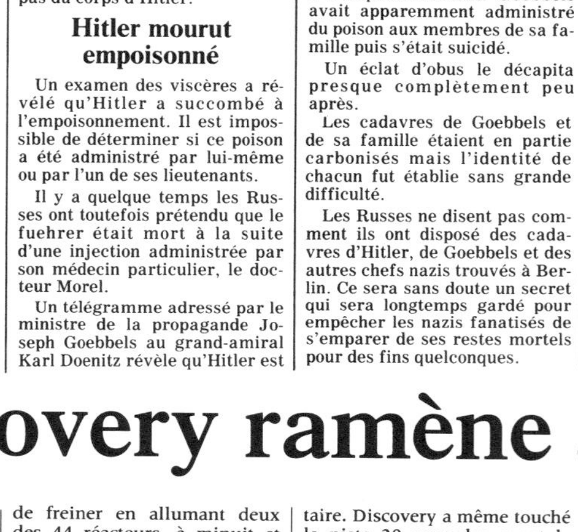

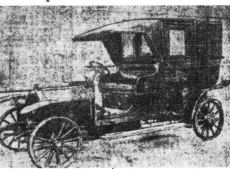

LES premières voitures de place *(car c'est ainsi qu'on appelait les voitures des cochers à l'époque)* sont arrivées hier à Montréal; c'est un signe des temps. Toutes les nouveautés que les vieux pays ont tant hésité à adopter, le Canada les fait siennes avec empressement, allant du premier coup aux derniers perfectionnements.

Avisé hier soir (**6 juin 1910**) très tard, de l'arrivée de ces voitures, notre rédacteur s'est rendu immédiatement sur les quais où, comme le montre notre photographie, une seule voiture était déballée. C'est dans cette voiture, merveilleuse d'élégance et confortable, qu'une heure après il était ramené à la «Presse».

Eboulement catastrophique à Niagara

Pertes évaluées à $100 millions

NIAGARA Falls, N.Y. — Un administrateur de Niagara Mohawk Corporation a calculé que l'éboulement qui a ravagé hier **(7 juin 1956)** une grande centrale de la rivière Niagara a causé des dommages d'environ cent millions de dollars.

Ce porte-parole, M. Charles J. Wick, a ajouté que la section qui reste est «en très mauvaise condition». L'eau d'un canal et d'un tunnel utilisée précédemment pour alimenter les génératrices traverse la section qui reste et atteint une profondeur de 10 pieds au-dessus du parquet. Il se peut que cette partie soit complètement ruinée.

M. Wick a dit que sa compagnie entreprendra immédiatement d'arrêter l'eau qui coule dans le canal hydraulique et le tunnel.

En outre, Niagara Mohawk a demandé à l'Etat de New York d'envoyer des géologues examiner le mur pour déterminer exactement la cause de l'éboulement. (...)

La section restée debout de l'énorme centrale Schoellkopf est exposée à un double danger aujourd'hui. On craint qu'elle ne soit ruinée par un autre glissement de terrain ou qu'elle ne subisse l'effet ultime des chutes de roc qui ont ruiné, hier, les deux tiers de cette usine électrique.

Les autorités craignent que d'autres glissements ne se produisent car un «terminus» situé au sommet de la falaise a été miné par les éboulements d'hier.

M. Wicks a ajouté que les deux sections complètement ravagées ont coûté $36,000,000 lorsqu'elles furent construites il y a plus de trente ans.

On n'a pas évalué l'importance de la chute de roc mais le secteur arraché au mur de la gorge a plus de 500 pieds de largeur et le poids des pierres se chiffrait probablement par plusieurs milliers de tonnes. (...)

Plus d'une quarantaine des employés de la Niagara Mohawk Power Corporation se sont enfuis le long de la grève escarpée au moment où deux ou trois sections de la centrale culbutaient derrière eux dans les rapides vertigineux.

En un clin d'oeil, l'eau a anéanti cet établissement qui pouvait produire 360,000 kilowatts. (...)

L'un des employés, M. Richard A. Draper, un machiniste de 39 ans, de Lewiston, N.Y., a été enseveli sous des tonnes de roc et d'autres débris. Deux compagnons l'ont vu disparaître dans l'écroulement des murs de la centrale.

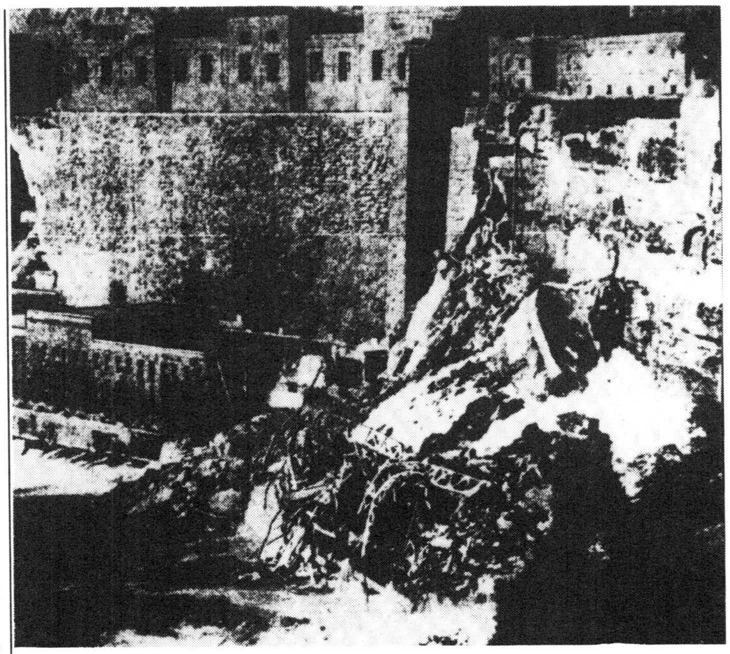

Des tonnes de débris recouvrent la section de la centrale Schoellkopf de Niagara Mohawk Power Corporation que des éboulements ont démolie hier, à Niagara Falls, dans l'État de New York. Cette photo a été prise à l'aide d'un téléobjectif du pont Rainbow. La centrale est située à environ un demi-mille en aval des chutes Niagara. La bâtisse qu'on voit au coin droit supérieur, sur la falaise, est en danger, ayant été minée par l'éboulement d'hier.

C'EST ARRIVÉ UN 7 JUIN

1993 — La plus grande manifestation cycliste en Amérique a attiré 45 000 personnes, qui ont parcouru 66 kilomètres pour faire le neuvième Tour de l'île de Montréal. Les participants étaient âgés de 23 mois à 85 ans.

1988 — Cent millions d'enfants, peut-être le double, travaillent dans le monde, employés dès l'âge de 8 ans, à des tâches pénibles et pour des salaires dérisoires.

1983 — Les sinistrés du « week-end rouge » ont gain de cause devant les tribunaux.

1982 — L'armée israélienne se retrouve aux portes de Beyrouth.

1981 — Les Israéliens détruisent la centrale nucléaire de Tamuz, en Irak.

1978 — Violente bagarre entre policiers et grévistes, à l'usine Commonwealth Plywood, de Sainte-Thérèse.

1973 — Début de la visite historique du chancelier ouest-allemand Willie Brandt en Israël.

1971 — L'Inde est frappée par une épidémie de choléra.

1960 — Les conservateurs de Robert Stanfield conservent le pouvoir en Nouvelle-Écosse.

1954 — La Cour suprême des États-Unis lève le dernier obstacle qui empêchait l'État de New York de coopérer avec l'Ontario pour des aménagements hydrauliques conjoints.

1951 — Sept criminels de guerre allemands ont été pendus la nuit dernière pour la responsabilité qu'ils ont assumée dans l'assassinat de milliers d'innocents. Ces bourreaux nazis, qui ont appliqué les directives d'extermination raciale mises à l'honneur par Hitler, sont morts sur l'échafaud derrière les murailles puissamment gardées de la prison de Landsberg, à l'endroit même où le führer à écrit une bonne partie de son *Mein Kampf*.

1949 — Un avion de transport *C-46* loué transportant 81 personnes, s'abat dans l'Atlantique près de San Juan, Porto Rico, et 53 des passagers perdent la vie.

1946 — Le professeur Raymond Boyer, un chercheur en chimie, admet à la Cour qu'il a transmis des renseignements secrets au député Fred Rose, accusé d'espionnage.

1945 — L'Union soviétique décide d'occuper la moitié de l'Allemagne, malgré les protestations des Alliés. — Quelque 600 bombardiers américains attaquent Osaka.

1939 — Le premier ministre Chamberlain propose un accord de réciprocité absolue avec Moscou.

Le gourou et six membres de la secte Aoum accusés de meurtre

Le gourou Shoko Asahara et six autres membres de la secte Vérité suprême d'Aoum ont été officiellement inculpés pour meurtre et tentative de meurtre par le parquet de Tokyo après l'attentat terroriste au gaz sarin dans le métro de la capitale japonaise le 20 mars dernier.

Plusieurs des lieutenants du gourou sont passés aux aveux, permettant à la police de réunir des preuves sur le rôle clé joué par le gourou dans la préparation de l'attentat du métro et de reconstituer la journée tragique de l'attentat.

Neuf autres responsables de la secte ont été inculpés de préparation de meurtre pour avoir participé à l'installation des laboratoires chimiques, à l'achat des substances nécessaires et à la fabrication du gaz sarin. Ils n'ont cependant pas pris part à l'attentat lui-même. Du gaz sarin avait été répandu le 20 mars dans cinq rames de métro convergeant vers la station de Kasumigaseki desservant le quartier des ministères à Tokyo, tuant 12 personnes et en intoxiquant 5 500 autres. **(Texte publié le 7 juin 1995.)**

L'automobile, la première des sept plaies de... Montréal

La Commission municipale du développement communautaire estime que si elle veut améliorer la qualité de son environnement, la Ville de Montréal doit déclarer la guerre aux automobiles, celles-ci constituant l'un des plus graves problèmes écologiques de la ville.

En dix ans, le nombre de voitures qui traversent chaque jour les ponts donnant accès à l'île de Montréal a augmenté de 33 %, passant de 428 000 à 572 000.

« Si l'on ne règle pas le problème des autos venant chaque jour de la banlieue, souvent avec un seul passager, on ne pourra jamais résoudre les graves problèmes environnementaux », affirme la présidente de la Commission de développement économique, Mme Sharon Leslie.

(Texte publié le 7 juin 1990.)

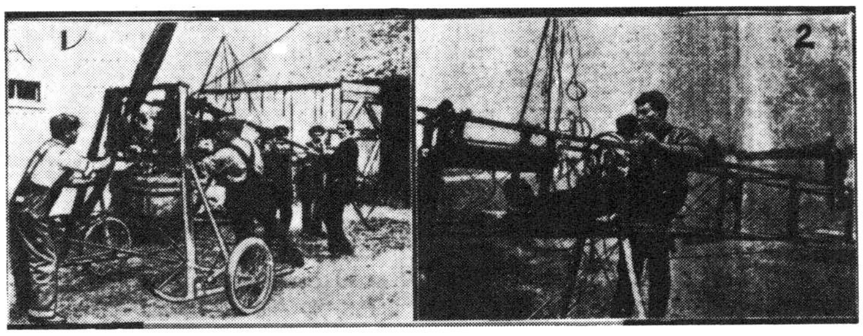

Photo 1 — La mise en marche du moteur: Anctil tourne l'hélice pour la mise en marche, pendant que Percy Reed règle la carburation. Photo 2 — Percy Reed est monté sur sa machine transportée sur le terrain du Club de polo de Cartierville.

DES ESSAIS D'AVIATION REUSSIS AVEC UN AEROPLANE CONSTRUIT A MONTREAL

POUR la première fois à Montréal, un aéroplane construit ici, par un de nos concitoyens, a pu faire des évolutions sur le terrain et quitter légèrement le sol par ses propres moyens. C'est un événement d'une importance sportive assez grande pour que nous y consacrions de l'espace aujourd'hui.

Hier **(7 juin 1911)**, en effet, devant quelques privilégiés seulement, E. Anctil et Percy Reed ont essayé le premier des aéroplanes qu'ils ont construits l'hiver dernier. Les deux jeunes Canadiens ont travaillé pendant de longs mois à la construction de leur machine et ils ont été largement récompensés hier, en voyant que, pour ses débuts, Percy Reed parvenait à rouler et à quitter légèrement le sol.

NOUVEAU MONOPLAN

L'aéroplane construit par les deux jeunes gens est du type des «Blériot» que l'on a tant admiré au meeting de Lakeside, l'année dernière; le moteur est un «Detroit Aero Motor» à 2 cylindres horizontaux et opposés, développant une force de 30 H.P. Muni d'un carburateur Schebler et d'une magnéto C.A.V., il tourne à plus de mille tours à la minute, lorsqu'on met toute l'avance à l'allumage.

Tout l'aéroplane proprement dit a été construit par MM. Anctil et Reed, tous deux mécaniciens de profession.

On se rappelle l'accident survenu au «Blériot» de M. Carruthers, le jour de l'ouverture du meeting de Lakeside, il y a un an. Miltjen, le pilote, avait engagé un assistant pour l'aider dans ses réparations; or, cet assistant était Anctil. En réparant et remontant le «Blériot», il se rendit compte qu'il pouvait construire un appareil semblable, en y apportant même certaines modifications.

C'est ainsi que le châssis d'atterrissage est muni de deux grands patins de bois. Après le départ, qui s'exécute au moyen de roues caoutchoutées, le pilote, par un déclenchement, détache les deux roues, celles-ci ne servant plus à l'atterrissage, qui se fait sur les patins, chose bien préférable pour la stabilité de l'appareil lorsqu'il touche terre.

Après le meeting, Anctil entra à la «Comet Motor Car», et s'étant entendu avec Percy Reed, ils décidèrent de construire deux aéroplanes, chacun sur leurs idées personnelles, mais en s'aidant mutuellement.

Les deux jeunes gens n'étant pas riches, ils durent aller lentement, car il leur fallait continuer leur travail et attendre la paye du samedi pour acheter les matériaux nécessaires à leur construction. Cependant, grâce à l'amabilité de M. Husson, le directeur de la «Franco-Américaine Auto» si dévoué à la cause de l'aviation et de l'aérostation, ils purent se procurer non seulement les matériaux, mais encore ce qui était pour eux la grosse affaire, les moteurs. Percy Reed choisit un moteur américain, un «Detroit Aero Motor», et Anctil un moteur français, un «Viale» 3 cylindres.

C'est le monoplan de Percy Reed, terminé le premier, qui a été essayé, hier après-midi. Malheureusement, la pluie s'étant mise à tomber, les essais durent être interrompus de bonne heure. (...)

LA MORT DU TSAR NICOLAS VENGEE

Le ministre de la Russie soviétique en Pologne est tué par un étudiant. — La victime avait signé la sentence de mort de la famille impériale des Romanov.

LONDRES — L'«Evening News», l'un des journaux de lord Rothermere qui ont fait une vigoureuse campagne contre les rouges, en Grande-Bretagne, reconnaît le ministre russe, M. Wojkoff, assassiné à Varsovie, en Pologne, comme «Pierre Voykoff», lequel, dit le journal, signa le décret de mort du tsar Nicolas et des membres de la famille impériale de Russie. L'«Evening News» fait cette remarque: «Par l'assassinat de Pierre Voykoff tombé sous les coups de feu d'un royaliste, le châtiment est venu pour l'un des plus grands crimes de l'histoire».

L'«Evening News» ajoute que Wojkoff, connu sous le nom de Pierre Lazarevitch Voykoff, en 1919, était président de l'exécutif soviétique provincial, à Ekaterinburg, et qu'en cette qualité, il a signé les sentences de mort des membres de la famille impériale russe. Il affirme que Voykoff a assisté à l'exécution qui fut effectuée, à Ekaterinburg, dans la cave de la maison d'Ipattieff.

L'«Evening News» déclare que Voykoff était le plus haï des bolchevistes et que presque tous les pays avec lesquels l'Union soviétique a des relations ont poussé Voykoff comme envoyé diplomatique avant que la Pologne lui ait finalement permis de paraître sur son territoire.

LE MEURTRE DE WOJKOFF

Varsovie, Pologne, 7 — Le ministre soviétique, en Pologne, M. Wojkoff, a été assassiné aujourd'hui **(7 juin 1927)** à la gare centrale de Varsovie par Boris Kowarda, un jeune étudiant russe.

Le ministre était allé à la gare pour rencontrer A.P. Rosengolz, ancien chargé d'affaires russe à Londres, en route pour Moscou, à cause de la récente rupture des relations diplomatiques entre la Grande-Bretagne et la Russie soviétique. (...)

Quelques minutes avant l'heure fixée pour le départ du train, le jeune Kowarda a fait son apparition, a sorti un revolver de sa poche et a tiré six coups.

Bien que mortellement blessé à la poitrine, M. Wojkoff a eu la force de tirer de sa poche son propre revolver, mais il est tombé avant de pouvoir s'en servir.

Conférence fédérale-provinciale sur le drapeau et l'hymne national

QUEBEC — Le premier ministre John Diefenbaker a invité hier soir **(7 juin 1962)** les Canadiens, par l'entremise de leurs gouvernements fédéral et provinciaux, à se mettre d'accord sur le choix d'un drapeau et d'un hymne national d'ici 1967.

S'adressant à un ralliement politique en vue des élections du 13 juin dans une salle comble et enthousiaste, le premier ministre du pays a annoncé qu'il convoquera une conférence fédérale-provinciale afin que les provinces puissent, en coopération avec le gouvernement d'Ottawa, s'entendre sur un projet de drapeau.

Environ 1,000 personnes avaient pris place dans la salle du centre Durocher, au coeur du milieu ouvrier de la vieille capitale, pour entendre le premier ministre. Plusieurs centaines d'autres l'ont entendu à l'extérieur.

Il a répété d'une autre manière, ce qu'il affirmait à Roberval mercredi: «Le choix d'un drapeau et d'un hymne national doit se faire dans l'accord.»

Le premier ministre a déclaré qu'une conférence fédérale-provinciale était le meilleur moyen de tenter un accord entre les Canadiens sur la question du drapeau et de l'hymne national. Il a expliqué qu'à ce moment des gouvernements de différentes allégeances politiques à travers le pays participeraient aux discussions par le fait même. (...)

Par son geste, le premier ministre, qui dit agir selon l'esprit de la Confédération canadienne, a étendu aux gouvernements provinciaux une question qui jusqu'à maintenant n'avait été considérée, sur le plan législatif, que par le Parlement d'Ottawa.

Le premier ministre a exprimé l'espoir que les Canadiens pourront s'entendre sur le choix d'un drapeau national d'ici le centenaire de la Confédération canadienne en 1967.

Oui au gazoduc des Maritimes

Un investissement total d'un milliard

Un important projet de prolongement du réseau gazier canadien — un investissement totalisant un milliard, dont 220 millions au Québec — a obtenu un appui politique crucial des gouvernements Bouchard et Chrétien.

À l'issue d'une rencontre de plus de deux heures où ils avaient convenu de ne pas aborder la Constitution, les premiers ministres Lucien Bouchard et Jean Chrétien ont indiqué hier (**le 7 juin 1996**) que les deux gouvernements s'entendaient pour « regarder ensemble » une dizaine de projets industriels, dont plusieurs dans la région de Montréal, qui devraient démarrer d'ici un an avec leur appui financier.

Québec et Ottawa s'entendent aussi pour appuyer, aux dépens d'un projet américain, le projet de Gaz Métropolitain proposé aux deux gouvernements. Des travaux de 220 millions seraient entrepris au début de 1998 au Québec, pour une nouvelle conduite de gaz qui reliera le réseau existant — à Bernières près de Québec — jusqu'aux Maritimes, en desservant même Rivière-du-Loup. Mobil et Shell, qui ont obtenu le permis d'exploitation pour les gigantesques gisements découverts au large de la Nouvelle-Écosse, proposaient de leur côté une liaison passant dans le sud du Nouveau-Brunswick en évitant totalement le Québec. Les gisements de l'Île de Sable seront mis en exploitation à la fin du siècle. Les réserves découvertes suffiraient pour répondre à la consommation de gaz du Québec pendant 20 ans.

« Nous souhaitons que ce gaz naturel serve d'abord aux besoins des gens du Nouveau-Brunswick, du Québec, avant de l'acheminer vers les États-Unis », a dit M. Chrétien. « Les deux gouvernements vont faire en sorte que la route du gazoduc desserve la partie du Québec qui n'est pas encore desservie, en passant par Rivière-du-Loup », a renchéri M. Bouchard.

2,5 milliards par an contre le sida?

Un appel de l'Organisation Mondiale de la Santé et de la Banque mondiale à multiplier par 10 l'engagement financier international dans la lutte contre l'épidémie a marqué hier (**le 7 juin 1993**) la première journée de la 9e Conférence sur le sida à Berlin.

« Le traitement de cette maladie est encore inadéquat et irréaliste », a déclaré Michael Merson, le directeur du programme contre le sida de l'OMS, dans son discours d'ouverture. « Tant de vies pourraient être sauvées, tant de souffrances évitées », a-t-il déclaré en réclamant 2,5 milliards$ US par an pour les programmes de prévention du sida.

Le directeur du programme sida de l'OMS a expliqué que son projet — qui entend multiplier par 10 ou 20 les fonds actuellement alloués — permettrait de sauver une dizaine de millions de vies d'ici à l'an 2000 et d'économiser indirectement 90 milliards$ US, le coût de la prise en charge des malades.

L'OMS prévoit que 30 à 40 millions de personnes seront atteintes du virus du sida en l'an 2000, dont 90 % dans les pays en voie de développement.

Quinze mille chercheurs et malades du sida originaires de 166 pays participent à cette conférence.

Environnement: qui paiera?

Les délégués au Sommet de la Terre de Rio se sont attaqués à un des aspects les plus sensibles de la réunion : qui paiera pour nettoyer l'environnement et le protéger ? Le principal organisateur du sommet, Maurice Strong, affirme qu'il faudrait 150 milliards de dollars par année alors que d'autres spécialistes parlent plutôt de 400 milliards

La question transcende presque tous les autres problèmes soulevés à cette conférence et est en partie responsable du refus des États-Unis de signer un traité international sur la protection des espèces animales et végétales, le Traité sur la biodiversité.

Dans le cadre du « Global Forum », manifestation parallèle qui se tient à Rio en même temps que le sommet, Mikhaïl Gorbatchev, ex-président d'URSS, a été élu président de la « Croix Verte Internationale », organisme qui souhaite apporter à la nature le même soutien que la Croix-Rouge aux humains. (**Texte publié le 8 juin 1992.**)

Atteint d'un plomb dans l'utérus de la mère

Un bébé de neuf jours dans un état critique après avoir été atteint d'un plomb à la tête alors qu'il se trouvait dans l'utérus de sa mère, se retrouvera au centre d'une cause juridique inusitée.

La Couronne allègue en effet que Brenda Drummond, une employée des Postes de 28 ans et mère de deux fillettes, a tenté de tuer son fils avec un fusil à plomb, deux jours avant de le mettre au monde.

Mme Drummond a donné naissance au bébé sans aucune assistance, le 30 mai dernier, dans la salle de bains de la résidence familiale, à Carleton Place, à l'ouest d'Ottawa.

L'enfant, un petit garçon, a survécu. (**Texte publié le 8 juin 1996.**)

Toe Blake instructeur du Canadien

HECTOR «Toe» Blake est le nouvel instructeur du Canadien! L'ancien ailier gauche de la fameuse «punch line», qui a électrisé le monde du hockey pendant des années, a été officiellement choisi ce matin (**8 juin 1955**) pour succéder au vétéran Dick Irvin, devenu le dirigeant des Black Hawks de Chicago. L'ancien compagnon de Maurice Richard et d'Elmer Lach sur l'une des lignes d'attaque les plus extraordinaires que le hockey ait connues a accepté aujourd'hui l'offre du Tricolore et a signé un contrat d'un an.

«Nous préférons les contrats d'une seule année pour les instructeurs comme pour les joueurs», a déclaré le gérant général Frank Selke. Une exception avait été faite dans le cas d'Irvin. Ses deux derniers contrats avaient été pour une durée de deux ans chacun.

Le salaire que Blake recevra n'a pas été dévoilé, mais M. Selke a laissé savoir qu'il y avait eu parfait accord à ce sujet.

M. Selke avait ajouté: «Blake est aussi un ancien joueur du Canadien. Il a prouvé sa valeur comme instructeur. Il a une conduite impeccable.» (...)

Les Kiwaniens viennent par centaines visiter les bureaux de la «Presse» et le studio du poste CKAC

C'est par centaines, depuis l'ouverture du congrès international des clubs Kiwanis, que les délégués de toutes les parties de l'Amérique sont venus visiter les bureaux de la «Presse» et le poste CKAC qui, d'après les commentaires que l'on en fait dans tous les groupes, semble être l'un des plus populaires et des plus régulièrement entendus du continent.

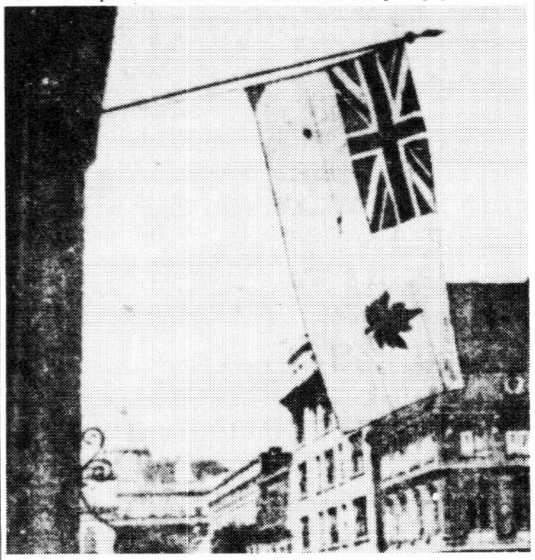

Le nouveau drapeau canadien devant LA PRESSE.

Les visiteurs des autres provinces et de la république voisine ne tarissent pas d'éloges à l'endroit des émissions du poste, concerts d'orchestre, de fanfare, de chant, de musique, de danse, et particulièrement au sujet des soirées canadiennes qui sont uniques dans le répertoire mondial des émissions radiophoniques. Tous rapportent qu'ils captent les ondes du poste de la «Presse» avec facilité, qu'elles leur parviennent claires, nettes et superbement modulées.

LE DRAPEAU CANADIEN

Ces délégués, comme la foule des piétons de la rue Saint-Jacques, n'ont pas été sans remarquer le nouveau drapeau canadien qui, pour la première fois dans l'univers, flotte devant l'édifice de la «Presse». C'est à qui en rapporterait la primeur aux Etats-Unis, et l'on s'enquérait sans cesse de l'endroit où l'on pourrait se procurer des répliques. Malheureusement, l'exemplaire du nouveau drapeau est unique, et la fabrication n'en a pas encore été commencée. Comme tous l'ont constaté, ce nouvel étendard national, très différent d'aucun autre drapeau, est d'un effet magnifique. (...)

Cela se passait le 8 juin 1926.

C'EST ARRIVÉ UN 8 JUIN

1983 — La navette spatiale *Enterprise* survole Montréal fixée à la carlingue d'un *B-747*.

1982 — Yvan Cournoyer est admis au Temple de la renommée du hockey.

1980 — Décès à l'âge de 88 ans du dramaturge américain Henry Miller, dont le tout premier roman, *Tropique du cancer*, fit scandale à sa sortie aux États-Unis, en 1934.

1979 — Le premier ministre Joe Clark décrète un gel de l'embauche dans la fonction publique.

1977 — L'ex-premier ministre de Terre-Neuve, Joey Smallwood, démissionne de son poste de chef de l'Opposition libérale.

1974 — Le gouverneur général Jules Léger est terrassé par une congestion cérébrale et hospitalisé à Sherbrooke.

1971 — Marine Industries annonce la signature d'un contrat de $125 millions pour la construction de 12 navires commandés par deux sociétés françaises.

1968 — Funérailles du sénateur Robert F. Kennedy. — Retour en France de Georges Bidault, qui vivait en exil depuis six ans. — Arrestation en Grande-Bretagne de James Earl Ray, présumé assassin de Martin Luther King.

1967 — L'Égypte et la Syrie acceptent le cessez-le-feu proposé par l'ONU après avoir subi de très lourdes pertes aux mains des Israéliens.

1965 — Le président Johnson annonce que les troupes américaines combattront désormais aux côtés des troupes sud-vietnamiennes.

1963 — Arrestation à Londres du Dr Stephen Ward, âgé de 50 ans, sous l'accusation de proxénitisme, dans *l'affaire Profumo*.

1960 — Pour la cinquième fois de suite, les électeurs de la Saskatchewan se donnent un gouvernement socialiste, dirigé par T.C. Douglas.

1953 — Les pourparlers de Pan Mun Jom débouchent sur un accord relatif à l'échange de prisonniers de guerre.

1951 — Décès à l'âge de 77 ans de sir Eugène Fiset, ex-lieutenant-gouverneur de la province de Québec pendant 11 ans.

1945 — Le gouvernement espagnol accepte de livrer Pierre Laval à la France.

1908 — Élections générales au Québec : les libéraux de Lomer Gouin remportent une victoire éclatante, tandis que le Parti nationaliste fait élire deux députés, son chef Henri Bourassa et Armand Lavergne. Battu dans Montréal-Saint-Jacques par Bourassa, Gouin l'emporte cependant dans Portneuf où il se présentait en même temps que dans la première circonscription.

Sur un bizarre trimoteur

Essais en vol du PT6, le premier turbomoteur entièrement canadien

LE premier turbomoteur de conception entièrement canadienne, le PT6 de Pratt & Whitney, a commencé cette semaine une série de rigoureux essais en vol. Le «banc d'essai» de ce moteur est un curieux trimoteur que l'on peut voir évoluer dans le ciel aux environs de Saint-Jean, Québec.

Le PT6, turbomoteur léger à turbine libre, développant 500 chevaux, a reçu son baptême de l'air au-dessus de Donsview, Ontario, la semaine dernière, sur un Beech 18 de l'Aviation royale du Canada, transformé par de Havilland Aircraft. C'est à Saint-Jean que se déroulent les essais en vol.

Epreuves nombreuses

Les pilotes d'essai, qui ont pris les commandes du Beech modifié, déclarent que l'appareil et le PT6 font preuve d'une excellente tenue aérienne. Le pilote en chef, R.H. Fowler, de la compagnie de Havilland, a éprouvé la manoeuvrabilité de l'appareil une fois modifié avant de le livrer à la Canadian Pratt & Whitney dont le pilote en chef John MacNeil qui a amené l'appareil à Saint-Jean, continue de soumettre l'appareil aux nombreuses preuves prévues.

Le Beech modifié présente un aspect bizarre si on le compare aux avions de type courant. Le carénage allongé, effilé du PT6, monté dans le nez de l'appareil, contraste étrangement avec celui des deux autres moteurs ordinaires en étoile logés dans les ailes, qui est au contraire court et large.

De plus, le Beech émet maintenant une combinaison de sons peu courante: le vrombissement des moteurs à pistons réduisant à un doux murmure le sifflement de la turbine.

Au cours de l'essai initial, le moteur a fourni une puissance supérieure à sa puissance nominale et l'avion a atteint la vitesse de 200 milles à l'heure à 10,000 pieds. La vitesse de croisière normale du Beech 18 est de 150 milles à l'heure.

Cet article a été publié le 8 juin 1961.

La première projection publique de cinéma au pays a eu lieu à Montréal

Saviez-vous que c'est à Montréal qu'eut lieu la première projection publique de cinéma au Canada ?

Cette projection a eu lieu le 28 juin 1896 au 78, de la rue Saint-Laurent. La preuve décisive de cet événement historique vient d'être publiée dans le dernier numéro de la revue *Cinéma Canada*... grâce à la reproduction de la page un de *La Presse* du lundi 29 juin 1896.

Un jeune chercheur québécois, Germain Lacasse, semble avoir mis fin à une polémique qui dure depuis huit ans parmi les historiens du cinéma canadien.

Un professeur de Dawson, Gray Evans, avait d'abord prétendu en 1976 dans les pages de la même revue *Cinéma Canada* que la première projection publique au Canada avait eu lieu à Ottawa en juin 1896.

Son collègue de l'université Queen's en Ontario, Peter Morris, répliquait dans un autre numéro de *Cinéma Canada* que la première projection publique avait effectivement eu lieu à Ottawa, mais le 21 juillet 1896.

Germain Lacasse vient de mettre ces deux chercheurs d'accord en établissant hors de tout doute que la première projection publique eut lieu non pas à Ottawa mais à Montréal, et non pas le 21 juillet 1896 mais le 28 juin de la même année. Montréal aurait d'ailleurs sur ce point, selon lui, damé le pion à la ville de New York d'une journée.

« Les journaux anglophones n'en dirent pas un mot, écrit M. Lacasse, même s'ils furent invités eux aussi au spectacle du 27 juin réservé aux journalistes. » Il ajoute : « Les historiens anglophones de notre pays ignorent toujours d'ailleurs ce fait, continuant à citer les journaux de leur langue pour dire que la première représentation au Canada eut lieu un mois plus tard à Ottawa. Le journal *La Presse* fut le seul à juger que l'événement valait la première page. » (**Texte publié le 8 juin 1984.**)

Un ex-pilote du Vietnam périt dans un écrasement au Québec

APRÈS avoir survécu aux hasards du pilotage d'avions de transport civils au Vietnam, un pilote canadien a péri, hier (**8 juin 1972**), dans l'écrasement d'un ancien chasseur de la guerre 1939-45, alors qu'il procédait à des manoeuvres de vaporisation d'insecticides dans le parc La Vérendrye.

Robert «Bob» Smeed, 45 ans, de Mission, en Colombie-Britannique, volait au centre d'une formation de trois appareils Avenger TBM, lorsqu'il s'est écrasé à environ deux milles au nord de la piste d'atterrissage du lac des Loups, dans la région de Maniwaki.

Un journaliste et un photographe de LA PRESSE prenaient place dans un autre appareil en vol au moment de l'accident.

Un hélicoptère s'est immédiatement rendu sur les lieux, mais à cause de la chaleur dégagée par le brasier, les sauveteurs n'ont pu porter secours au pilote, qui était seul dans son avion.

Rentré du Vietnam il y a trois ans, Smeed était à l'emploi de la société Conair Aviation Ltd, de la Colombie-Britannique. L'Avenger qu'il pilotait a fait sa réputation, au cours de la guerre, comme bombardier lance-torpilles. Transformé en avion citerne, il pouvait contenir environ 625 gallons d'insecticide.

Une quinzaine d'Avenger étaient en poste dans le parc de la Vérendrye afin de vaporiser de l'insecticide pour le compte du ministère québécois des Terres et Forêts. Cette opération vise à combattre la «tordeuse de bourgeons d'épinettes», qui cause d'importants ravages dans ce secteur du Québec.

Une vingtaine de journalistes et des représentants du ministère assistaient à la démonstration tragique, en fin de matinée, hier. Les appareils, qui évoluent toujours en formation de trois, à une centaine de pieds d'altitude, pour des raisons d'efficacité, ont fait un premier passage. Au deuxième, ils n'étaient plus que deux.

La cause de l'accident est inconnue pour le moment.

BABE RUTH EN PRISON

NEW York — «Babe» Ruth, le fameux joueur de baseball des «New York Americans», a été condamné à un jour de prison et à une amende de $100 pour avoir fait de la vitesse, en automobile.

Cela se passait le 8 juin 1921.

Trudeau est prêt: le Canada aura une nouvelle constitution en 1981

NDLR — Le ***9 juin 1978****, LA PRESSE révélait à ses lecteurs et à tous les Canadiens le contenu de la proposition constitutionnelle du premier ministre Pierre Elliott Trudeau. Voici un abrégé de cette primeur.*

LE gouvernement Trudeau a décidé qu'est venu «le temps d'agir» dans le domaine constitutionnel et se propose de doter le Canada d'une nouvelle constitution avant le 1er juillet 1981, date qui marquera le cinquantenaire du Statut de Westminster. Il s'agit là de la deuxième phase d'un vaste programme mis au point par l'équipe Trudeau dont la première phase «portera sur les dispositions constitutionnelles que le Parlement fédéral peut modifier de sa propre autorité» et que «le Gouvernement fédéral a pour objectif de compléter (...) avant le 1er juillet 1979», date de la fin, sur un plan strictement juridique, de l'actuel mandat électoral du gouvernement de M. Pierre Trudeau.

C'est ce qu'affirme notamment un texte de treize pages (...) intitulé «Le Temps d'agir - A Time for Action» et portant la signature du premier ministre du gouvernement central, M. Pierre Elliott Trudeau, et qui contient le «sommaire des propositions du gouvernement fédéral visant le renouvellement de la fédération canadienne».

Ce court texte, visiblement destiné à une large diffusion, affirme en son premier paragraphe les intentions de l'équipe ministérielle de M. Trudeau dans le domaine constitutionnel et à l'égard de l'unité canadienne.

Le renouvellement que poursuit l'équipe Trudeau, selon ce document nécessitera:

- une nouvelle affirmation de l'identité canadienne;
- une nouvelle définition des principes qui sous-tendent la fédération:
- une nouvelle conception des rapports entre nos gouvernements;
- une nouvelle constitution.

Ce document que LA PRESSE a pu se procurer avant qu'il n'en soit fait mention officiellement à Ottawa ou autrement, semble être le résumé d'un document beaucoup plus détaillé et plus complexe dont il a été question depuis quelques semaines dans certains milieux de l'information à Montréal.

Le temps d'agir

Sommaire des propositions du Gouvernement fédéral visant le renouvellement de la fédération canadienne

Le document d'origine, selon certaines sources dignes de foi, aurait plus de 400 pages et aurait fait l'objet de l'examen du Conseil fédéral des ministres. Il serait le fruit des travaux de personnalités de premier plan à Ottawa comme M. Marc Lalonde, ministre chargé des relations fédérales-provinciales, M. Paul Tellier, responsable d'actions plus spécifiques, et d'autres têtes d'affiche qui préparent journellement et à long terme les ripostes du gouvernement Trudeau au gouvernement et au parti de M. René Lévesque.

«Le Temps d'agir» est un texte qui, par son niveau de langage, permet de croire qu'il pourrait s'agir d'un discours de M. Trudeau aux Communes, ou à la télévision ou devant un auditoire, car le «nous» y est constamment employé comme dans le cadre d'un dialogue entre un chef de gouvernement et un auditoire. (...)

C'EST ARRIVÉ UN 9 JUIN

1995 — Délaissant prudence et juste milieu, l'Ontario est résolument montée dans le train de la révolution que lui proposait Mike Harris, le nouveau champion populiste de la droite. L'élection d'un gouvernement conservateur représente un revirement spectaculaire pour l'Ontario, qui avait élu un gouvernement néo-démocrate en 1990 et 98 libéraux sur 99 aux élections fédérales de 93.

1983 — La non-constitutionnalité de la «clause Québec» de la loi 101 est confirmée par la Cour d'appel.

1977 — Les conservateurs de William Davis sont reportés au pouvoir lors des élections générales ontariennes, mais formeront un gouvernement minoritaire.

1975 — Acquitté, le Dr Morgentaler en appelle au législateur pour qu'on facilite l'avortement.

1973 — Le cheval Secretariat gagne la Triple couronne des courses au galop. C'est le premier exploit du genre en 25 ans.

1970 — Le roi Hussein de Jordanie échappe à un attentat préparé par un commando palestinien.

1967 — Une tornade cause de lourds dégâts à Lachute.

1965 — Vive protestation des citoyens de la région du Saguenay, contre les machines à fabriquer la pluie.

1956 — Un soulèvement est maté dans le sang en Argentine; le gouvernement fait exécuter 38 partisans péronistes.

1955 — Le gouvernement conservateur du premier ministre Leslie Frost est reconduit lors des élections générales ontariennes.

1949 — Les libéraux d'Angus Macdonald conservent le pouvoir lors des élections générales, en Nouvelle-Écosse. — Le prix d'Europe est attribué au pianiste et compositeur Clermont Pépin, de Saint-Georges-de-Beauce.

1938 — Le gouvernement libéral de W.J. Patterson est maintenu au pouvoir à l'occasion des élections générales de la Saskatchewan.

1909 — Une mauvaise manoeuvre cause de lourds dégâts à l'écluse de tête du canal du Sault-Sainte-Marie.

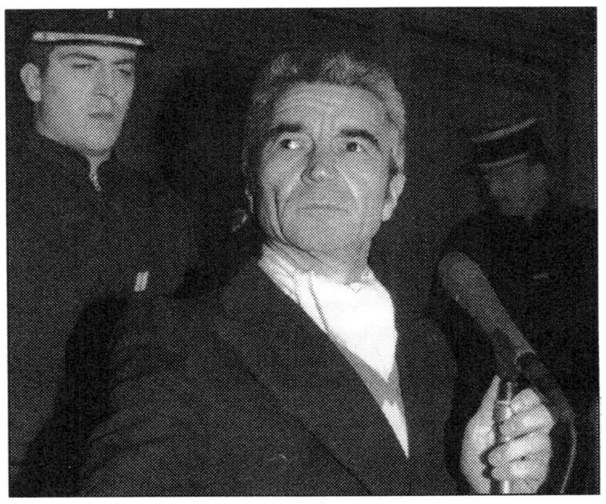

Christian Didier, lors de son procès, en novembre 1995.

Un marginal abat un des chefs de la police de Vichy

René Bousquet, l'ancien secrétaire général à la police sous le régime de Vichy, qui collabora avec l'occupant nazi pendant la Deuxième Guerre mondiale, a été tué par balles hier matin (**le 8 juin 1993**) à son domicile parisien par un marginal au psychisme fragile, Christian Didier, qui a affirmé agir au nom du « bien ».

La réprobation était générale après cet assassinat, y compris dans les milieux de la Résistance et de la déportation, qui soulignent que le procès imminent de René Bousquet, 84 ans, aurait pu avoir un caractère exemplaire.

Christian Didier, 49 ans, un habitué des coups d'éclat médiatiques, auteur sans succès et déjà condamné, a été arrêté peu de temps après avoir donné une conférence de presse en fin de matinée pour revendiquer l'assassinat.

Christian Didier était déjà connu des services judiciaires pour avoir tenté, en 1987, d'assassiner dans sa prison l'ancien responsable de la Gestapo à Lyon, Klaus Barbie. Les psychiatres décelaient alors chez lui une « psychose de caractère narcissique ». Il avait alors été condamné à un an de prison.

René Bousquet, 84 ans, était inculpé de crime contre l'humanité depuis 1992. Il était accusé d'avoir favorisé, voire provoqué l'arrestation et la déportation vers l'Allemagne nazie de quelque 75 000 juifs français et étrangers.

C'est lui notamment qui accepta que la police française participe à la rafle du Vel d'Hiv (Vélodrome d'Hiver), pendant l'été 1942, rafle au cours de laquelle quelque 13 000 juifs furent arrêtés avant d'être déportés vers l'Allemagne. Seuls quelques-uns d'entre eux revinrent des camps d'extermination.

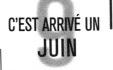

MAMAN BOA VISAIT UN RECORD AU ZOO DE GRANBY

La naissance de 75 boas au zoo de Granby sera fort probablement homologuée dans le livre des records Guiness. « On ne veut pas crier au record mondial sur tous les toits tant qu'on n'aura pas vérifié toutes les statistiques », souligne toutefois Michel Cliche, le directeur général du zoo de Granby.

Dans la maison des reptiles du zoo de Granby, samedi matin, le gardien des petits boas, M. Jean Givry, a procédé au compte officiel de bébés sous les regards de deux témoins, le député de Shefford, Jean Lapierre, et le maire suppléant de Granby, Jean-Rock Gince.

La photo, le nombre de boas et la signature des deux témoins seront transmis au bureau de l'agence Guiness dès ce matin.

M. Cliche est convaincu qu'il s'agit d'un record dans toute l'Amérique du Nord. « Nous avons contacté Frank L. Slavens, le directeur du jardin zoologique à Seattle aux États-Unis et leur dernier record remonte à 1973 avec la naissance de 64 boas », a-t-il indiqué.

Le zoo de Granby a de plus communiqué avec le jardin zoologique de New York. « Eux aussi n'ont jamais eu connaissance d'un tel nombre de boas qui se reproduisent en captivité », ajoute le directeur général. (**Texte publié le 9 juin 1986.**)

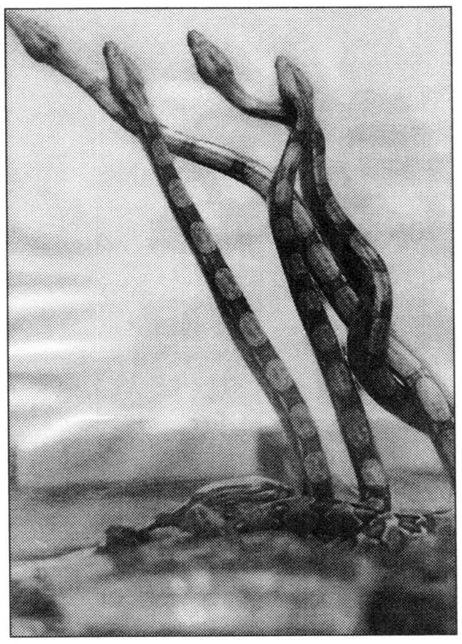

Le Canadien produit 360 kilos de déchets solides par année

La réputation du Canada à titre de pays propre et vert est-elle à jeter à la poubelle

Telle est la question qu'on se pose à la lecture d'un rapport de Statistique Canada. Selon le document, le Canada, au prorata de sa population, fut un des plus grands producteurs de déchets au monde en 1991.

Chaque Canadien, cette année-là, a généré environ 360 kilos de déchets solides, ce qui nous permet de figurer parmi les cinq pays ayant produit le plus de déchets, en 1991, en compagnie de l'Australie, des États-Unis, de la France et de la Nouvelle-Zélande.

Le Canada a produit près de six tonnes de déchets dangereux, en 1991, pour chaque million de dollars en biens et services généré par l'économie. Le Japon a pour sa part généré moins d'un quart de tonne pour un niveau équivalent de biens et services produits.

Le rapport de 300 pages, intitulé « Activité humaine et environnement, 1994 », révèle également que la consommation per capita d'eau potable des Canadiens — 15 mètres cubes par année — est parmi les plus élevées au monde. (**Texte publié le 9 juin 1994.**)

20% des jeunes souffrent de troubles mentaux

Près de 20 % des Québécois de 6 à 14 ans ont des troubles mentaux à divers degrés, allant de simples phobies aux troubles plus graves. Pour la moitié d'entre eux, cela cause un problème d'adaptation.

C'est ce qui ressort d'une enquête sur la santé mentale de 2 400 enfants et adolescents québécois âgés de 6 à 14 ans, menée par Santé Québec et l'Hôpital Rivière-des-Prairies.

Les statistiques révélées par l'enquête québécoise se comparent sensiblement à ce qui existe ailleurs, notamment en Ontario ou en Nouvelle-Zélande. Le Québec ne ressort généralement pas du peloton. (**Texte publié le 9 juin 1993.**)

L'Atlantique en avion à 12 ans

Une Américaine de 12 ans, qui tentait de devenir la plus jeune femme à traverser l'Atlantique aux commandes d'un petit avion de tourisme, a atterri sans encombre à l'aéroport de Reykjavik, en Islande.

Vicky Van Meter devait repartir de Reykjavik pour Glasgow, en Écosse, puis la France qu'elle prévoit atteindre aujourd'hui (**le 8 juin 1994.**).

Explosion à l'Accueil Bonneau

L'Accueil Bonneau, partiellement détruit aujourd'hui (**le 9 juin 1998**) par une puissante explosion causée par une fuite de gaz, a obtenu en soirée l'assurance du gouvernement du Québec qu'il recevra toute l'aide nécessaire pour lui permettre de reprendre dès cette semaine ses activités.

L'explosion s'est produite moins d'une heure après que les centaines d'itinérants fréquentant l'institution eurent terminé leur repas et vidé les lieux.

Les pompiers tentaient toujours en soirée de trouver dans les décombres un employé de l'Accueil Bonneau qui manquait à l'appel.

Les autorités indiquaient alors que deux personnes avaient été tuées, et 15 autres blessées, dont cinq grièvement, dans la catastrophe. Selon Urgences Santé, une dizaine de personnes ont aussi été traitées sur place pour des blessures mineures.

L'une des victimes était une religieuse septuagénaire, Claire Ménard, qui est décédée d'un arrêt cardiaque après avoir été transportée à l'hôpital Saint-Luc.

La mort de l'autre victime, Marie Lavallée, une bénévole, a été constatée sur place.

Dans les premières minutes suivant le drame, tout le secteur était plongé dans le chaos. Plusieurs des victimes sont sorties tant bien que mal des décombres, poussiéreuses, éberluées, tandis que des passants venaient leur prêter main-forte.

Les pompiers ont dû patienter plusieurs heures avant de pouvoir ratisser les débris en attendant que Gaz Métropolitain colmate le conduit d'alimentation en gaz de l'immeuble en creusant dans la rue Saint-Paul. Finalement, vers 15 h 45, la structure de l'immeuble a été stabilisée et les chiens pisteurs, qui ne pouvaient être utilisés jusqu'alors en raison de l'odeur de gaz, ont été mis à profit.

Un employé de la firme Sciage de béton Saint-Léonard, qui tentait de percer un trou dans un mur de l'Accueil Bonneau afin de permettre l'installation d'un nouveau conduit d'aération, aurait causé la fuite en coupant par mégarde un conduit.

Il se serait alors précipité à l'intérieur pour aviser la quarantaine de bénévoles et d'employés qui s'y trouvaient du danger. L'évacuation ne s'est cependant pas faite suffisamment rapidement au dire de Nicole Fournier, directrice de l'Accueil Bonneau, qui est gérée par la congrégation des soeurs grises. Les gestes de générosité se sont multipliés tout au long de la journée, des personnes offrant vêtements, nourriture et argent. Un individu a même offert 10 000 $.

« Nous allons nous en sortir », a conclu Mme Fournier, qui parle d'une « journée de deuil pour la grande famille de l'Accueil Bonneau ».

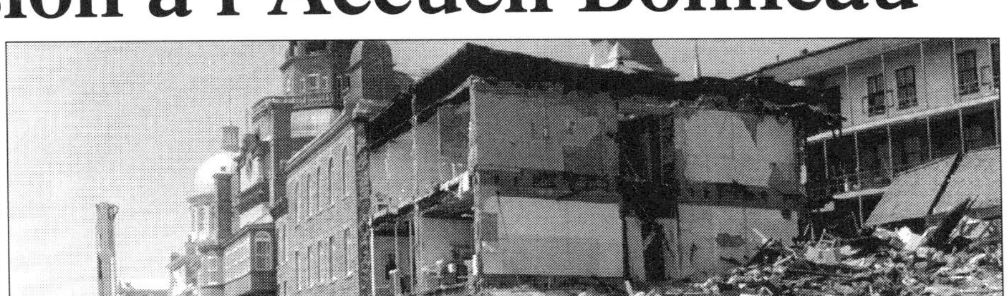

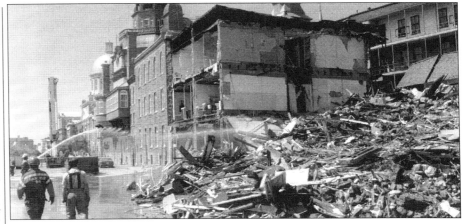

Une puissante explosion causée par une fuite de gaz a partiellement détruit l'Accueil Bonneau. Deux personnes ont perdu la vie et 15 autres ont été blessées dans la catastrophe.

La force de paix entre au Kosovo

Le conflit pour le Kosovo a finalement pris fin aujourd'hui (**le 10 juin 1999**) avec la suspension des bombardements de l'OTAN, décidée après un début de retrait des soldats yougoslaves de la province ravagée et en partie vidée de ses habitants d'origine albanaise.

Le Conseil permanent de l'OTAN (ambassadeurs) a donné l'ordre en soirée aux militaires de l'Alliance de faire entrer la force de paix KFOR au Kosovo, en vertu d'un mandat du Conseil de sécurité de l'ONU voté après l'arrêt des bombardements.

Les premiers hommes — des commandos britanniques et français chargés de préparer l'arrivée des unités constituées — devaient entrer au Kosovo dès ce soir.

Une centaine de soldats canadiens du génie associés aux forces britanniques vont participer à cette première vague, a indiqué le ministre de la Défense, Art Eggleton.

Leur rôle sera d'« ouvrir la voie » à la KFOR en s'assurant que les voies d'accès sont sûres et libres notamment de mines ou d'engins explosifs piégés.

Le Canada a affecté 800 soldats à la KFOR (50 000 hommes au total) et pourrait augmenter ce chiffre, a ajouté le ministre.

La KFOR doit permettre le retour de près d'un million et demi de Kosovars d'origine albanaise, chassés de leurs foyers par les Serbes et par les bombardements, et réfugiés dans les pays voisins ou déplacés à l'intérieur du Kosovo.

Le virage décisif vers le règlement politique du conflit a été pris quand le secrétaire général de l'OTAN, Javier Solana, constatant le début du retrait des troupes yougoslaves du Kosovo, a adressé à l'ONU un message annonçant la suspension de la campagne de bombardements à son 79e jour.

Peu après, le président Slobodan Milosevic s'est adressé à la nation yougoslave pour annoncer la fin de « l'agression » de l'OTAN et le triomphe « de la paix sur la violence ».

« Nous avons conservé le Kosovo, nous avons défendu notre pays, nous avons ramené l'ONU sur la scène mondiale », a-t-il dit, en annonçant la mort de 462 militaires et 114 policiers yougoslaves, mais en saluant « l'héroïsme du peuple ». À New York, les 15 membres du Conseil de sécurité de l'ONU ont donné le feu vert au déploiement de la KFOR en adoptant un plan de paix pour le Kosovo qui donne une « autonomie substantielle » à la province serbe, et qui place l'ensemble de l'opération sous le contrôle du Conseil de sécurité.

La paix avait été saluée à l'avance et avec soulagement par des coups de feu qui ont crépité toute la nuit de mercredi à Belgrade et Pristina.

Lancés le 24 mars, les bombardements aériens ont fait plusieurs milliers de morts, civils et militaires, en Yougoslavie, selon des sources serbes, et détruit une grande partie des infrastructures civiles.

L'OTAN, dont c'était la « première guerre », n'a pas perdu un seul homme au combat. Mais elle a dû mobiliser une armada de 1100 avions de tous types, dont 700 américains, pour 35 000 sorties, et des experts estimaient peu probable que l'Alliance recommence, vu la durée de la campagne contre un pays pourtant peu puissant comme la Yougoslavie.

C'EST ARRIVÉ UN 10 JUIN

1996 — Selon les statistiques officielles du Bureau international du Travail, 41 millions de garçons de 10-14 ans travaillent, contre 32,5 millions de filles. Mais ces chiffres sous-estiment souvent le travail des filles en ne prenant pas en considération les travaux ménagers. On trouve un grand nombre d'enfants esclaves dans l'agriculture, les services domestiques, l'industrie du sexe, les industries du tapis et du textile, les carrières et la fabrication de briques.

1994 — Le salaire minimum sera haussé de 2,5 % et porté de 5,85 $ à 6 $ l'heure à compter du premier octobre prochain.

1993 — Selon le Dr Jean Wilkins, professeur titulaire de pédiatrie à la faculté de médecine de l'Université de Montréal et responsable de la section de médecine de l'adolescence à l'Hôpital Sainte-Justine, la course à l'excellence imposée aux adolescents serait carrément en train de les détruire à petit feu et serait une des causes de la recrudescence de l'usage des drogues, des troubles alimentaires (boulimie, anorexie), des décrochages scolaires.

1991 — Le parlementarisme québécois naissait il y a 200 ans. Le 10 juin 1791, la sanction royale était donnée à l'Acte constitutionnel qui créait le premier Parlement de la colonie et divisait cette colonie en deux parties, le Bas-Canada et le Haut-Canada. La nouvelle Constitution entrait en vigueur le 26 décembre 1791 et le nouveau gouverneur du Bas-Canada, Lord Dorchester, prêtait le serment d'office.

1986 — Les dépenses d'armements dans le monde en 1985 ont progressé de 3,2 % par rapport à l'année précédente, totalisant 663,5 milliards de dollars (taux de 1980) contre 642,5 milliards en 1984, révèle l'Annuaire de l'Institut international de recherches sur la paix de Stockholm (SIPRI).

1986 — Dans un rapport extrêmement critique à l'endroit de la NASA, la commission présidentielle chargée de faire enquête sur l'accident de Challenger affirme que de nouvelles tragédies de ce genre ne seront évitées que si l'on revient à l'attitude prudente qui était de mise à l'époque des vols Apollo.

1985 — Bientôt, partout aux États-Unis, les policiers pourront renifler les automobilistes soupçonnés de conduire en état d'ébriété à l'aide d'une lumière de poche, valant 600 $, et comprenant un détecteur d'haleine d'alcool.

1950 — Sept wagons venant de Buffalo (N.Y.), et trois immenses remorques de Manchester, (N. H.), sont arrivés, remplis de 500 000 $ de marchandises offertes aux sinistrés de Rimouski. Ces deux expéditions étaient les troisième et quatrième venant des États-Unis, Lewiston et Nashua ayant, peu de temps après le sinistre, expédié de pleins wagons de secours.

1948 — Un canoniste autorisé du Saint-Office a déclaré que le mariage de Michel de Roumanie et de la princesse Anne de Bourbon-Parme entraînait automatiquement l'excommunication de celle ci.

1940 — Du haut du Palazzo-Venezia, aux acclamations d'une foule en délire, Mussolini a aujourd'hui déclaré la guerre à la France et à la Grande-Bretagne. « L'heure de la destinée a sonné pour notre patrie. Nous partons en guerre contre les démocraties vermoulues, pour rompre les chaînes qui nous enserrent en Méditerranée. »

1937 — L'ancien premier ministre du Canada de 1911 à 1920, Sir Robert Laird Borden, est mort ce matin. Il aurait eu 83 ans le 26 juin prochain.

Il y a 25 ans, la «pilule»!

En ce jour, il y a 25 ans (**le 10 juin 1960**), Ottawa accordait à la société G.D. Searle and Co. of Canada Ltd. la permission de mettre sur le marché un produit qui a vite acquis le surnom de « la pilule ».

En peu de temps, les contraceptifs oraux devinrent le sujet de conversation privilégié des jeunes adultes canadiens.

Ils sont également devenus le symbole — et un agent — des grands changements sociaux qui allaient bouleverser l'Amérique du Nord au début des années 60.

Bien que ses avantages furent sans conteste exagérés et ses inconvénients ignorés au début de sa mis en marché, la pilule a cependant véritablement aidé les femmes à éviter grossesse par-dessus grossesse, d'une façon qui était facile, peu chère et très fiable.

« Elle leur a certainement donné une arme contre la peur », déclare Mme Kit Holmwood, une dame de Halifax qui fait partie du Comité d'action nationale sur le statut de la femme. « C'est trop demander à un corps de femme que de faire un enfant tous les ans », dit-elle.

En leur enlevant la peur d'avoir des grossesses non désirées, la pilule a aussi probablement rendu la vie sexuelle plus attrayante pour bien des femmes. Elle leur a aussi permis de planifier de front une carrière et une vie familiale et a constitué l'une des étapes menant à l'égalité entre les sexes. (**Texte publié le 10 juin 1985.**)

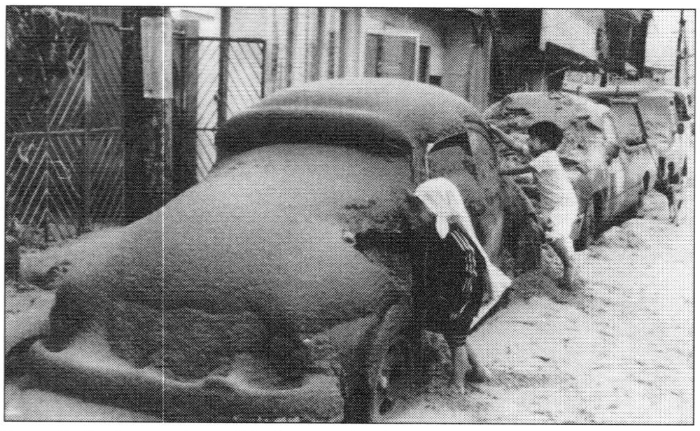

Des enfants s'amusent avec l'épaisse couche de cendre projetée par le Pinatubo.

Le Pinatubo se réveille

Après un sommeil de 611 ans, le volcan Pinatubo, situé à 80km au nord-ouest de Manille, est entré en éruption, hier (**le 9 juin 1991**), pour la première fois depuis l'an 1380, obligeant les autorités à évacuer la quasi-totalité des quelque 12 000 habitants vivant à proximité.

À 30 km des pentes du volcan, l'immense base aérienne américaine de Clark a interrompu les cours dans ses écoles et tout le personnel a été invité à remplir d'essence les réservoirs des véhicules et à se tenir prêt à une évacuation en cas d'aggravation de la situation.

(**NOTE:** le texte qui suit a été publié presque un an plus tard, soit **le 19 mai 1992.**)

L'éruption du volcan Pinatubo dans les Philippines, en juin de l'année dernière, a produit le plus gigantesque nuage de gaz susceptible d'altérer le climat depuis l'explosion du Krakatoa, en Indonésie, en 1883, et depuis lors, la Terre se refroidit. Elle continuera vraisemblablement de se refroidir pendant encore plusieurs années, avant de recommencer à se réchauffer, à moins qu'il se produise d'autres éruptions de même ampleur, a expliqué le chercheur Alan Robock, de l'Université du Maryland. Les aérosols projetés dans la stratosphère par le mont Pinatubo, incluant des acides hydrochloriques et sulfuriques, reflètent la lumière du soleil dans l'espace, réduisant la quantité de chaleur solaire qui parvient à la Terre.

L'impact principal de l'éruption du Pinatubo pourrait donc être de retarder de plusieurs années le moment auquel le réchauffement global de l'atmosphère de la planète prédit par de nombreux scientifiques, qui l'attribuent à « l'effet de serre », deviendra évident, a ajouté le directeur de l'Institut Goddard de la NASA, à New York, James Hansen.

THATCHER TRIOMPHE

Dans un véritable raz-de-marée — il s'agit de la plus importante victoire d'un parti britannique depuis celle du gouvernement travailliste de Clement Attlee en 1945 qui avait 146 sièges d'écart — Mme Margaret Thatcher et le Parti conservateur ont remporté, hier (**Texte publié le 9 juin 1983.**), à une écrasante majorité (près de 400 sièges), les élections britanniques. Le Parti travailliste, en terminant en seconde place, a reculé mais n'est pas en déroute tandis que l'alliance sociale-démocrate et libérale, qui espérait détenir l'équilibre du pouvoir, a raté sa percée, accentuée par la dispersion de son électorat.

Mme Thatcher n'a jamais douté du résultat final. Hier soir, peu après le début du dépouillement, elle déclarait à la presse, en quittant le 10 Downing Street : « Nous pensons que cela sera notre logis pendant les cinq prochaines années. »

Mme Tatcher a déclaré, hier soir, qu'elle « abordait son nouveau mandat avec un très grand sens de responsabilité et d'humilité.»

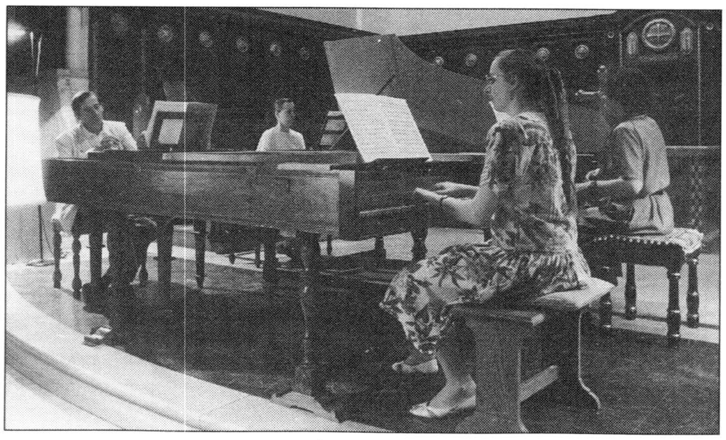

Les Lagacé aux clavecins, 250 ans après les Bach...

C'est peut-être, à ce jour, la plus originale des « Idées heureuses » de Geneviève Soly, née Lagacé, pour la série de ce nom qu'elle présente : une soirée de concertos pour clavecins de Bach réunissant la famille Lagacé, évocation, quelque 250 ans plus tard, des concerts au cours desquels le grand Bach les jouait lui-même avec ses fils.

Les Lagacé — Bernard et sa femme Mireille et leurs filles jumelles Geneviève et Isolde — n'en font pas état, mais c'est certainement l'une des premières fois, depuis l'époque de Bach, que les membres d'une même famille se réunissent pour une exécution publique de ces concertos. (**Texte publié le 10 juin 1989.**)

ÉPOUVANTABLE SINISTRE À CHICAGO

Chicago a été le théâtre d'une terrifiante tragédie qui a rempli d'horreur toute l'Amérique. Un hôpital affecté au traitement des alcooliques a été détruit par un incendie et une partie des patients ont été rôtis, grillés et brûlés à mort. L'établissement était aménagé à la manière d'une prison, toutes les portes fermées à clef, et les fenêtres protégées par des grillages et des barreaux en fer. Enfermés comme dans une cage, et entourés de flammes, les malheureux venus là pour se débarrasser de leur passion pour la boisson ont trouvé une mort atroce, épouvantable.

Une femme et neuf hommes sont morts et trente personnes ont été blessées au cours de la plus fatale catastrophe que l'histoire de Chicago ait enregistrée depuis le grand feu.

Quelques-uns des malades étaient non seulement prisonniers dans des chambres closes, mais ils étaient liés sur leur lit. La mort est venue les délivrer après une agonie sans nom et une angoisse.

Le désespoir des malheureux cloués à un matelas et entendant les cris d'affolement de leurs compagnons et le mugissement des flammes qui s'approchaient jusqu'à eux, léchaient leurs vêtements, peut se représenter à l'imagination, mais est impossible à décrire. Se figure-t-on ces malheureux raidissant leurs muscles et essayant de briser les liens qui les paralysaient, les maintenant captifs.

La foule dans la rue a été témoin de spectacles qui font frémir d'horreur et laissent loin en arrière toutes les catastrophes célèbres. Une vingtaine d'hommes ont réussi après des efforts désespérés à arracher les barreaux en fer qui les retenaient captifs. Leurs mains étaient tout ensanglantées, mais le feu qui, hurlait et faisait rage en arrière d'eux leur donnait une vigueur surhumaine. Plusieurs pensionnaires, plutôt que de périr dans les flammes, se sont jetés dans la rue du quatrième étage.

Cette tragédie va certainement faire ouvrir les yeux aux autorités, qui devront prendre des mesures pour faire disparaître les causes rendant possible une pareille catastrophe. (**Texte publié le 10 juin 1902.**)

FAILLITE DE LA BANQUE DE SAINT-JEAN: ARRESTATION DE L'HONORABLE L.P. ROY

UNE triple arrestation d'hommes éminents vient de créer une commotion terrible à Saint-Jean et dans le district. Pour être moins répandue, la sensation n'en est pas moins forte que lorsqu'il s'agit, il y a quelques années, de la banqueroute de la Banque Ville-Marie.

La fermeture de la Banque de Saint-Jean a donné lieu, dernièrement, à une infinité de commentaires, et la rumeur voulait que tous ces potins de la finance fussent couronnés par une action d'éclat. Cette prévision a été confirmée hier après-midi **(11 juin 1908)** par l'appréhension *(au sens d'«arrestation» du mot)* de l'honorable L.P. Roy, président de la banque défunte, et de Mtre P.L. L'Heureux, gérant général, et Philibert Beaudoin, son assistant. C'est à l'intervention du ministre de la Justice lui-même que cette arrestation est due. La plainte avait été faite au ministre par l'Association des banques par l'entremise de M. Knight.

L'ex-président de l'Assemblée législative et ses deux collègues ont reçu signification des mandats d'arrestation à leur domicile respectif. Malgré le mandat d'amener, ils ne furent pas conduits en prison, mais simplement gardés à vue jusqu'à ce matin, alors qu'ils ont comparu devant le magistrat.

Comme, naturellement, tous ces événements de haute finance font un bruit énorme dans toute la province, on assure que le procès des trois prévenus mettra en lumière des faits jusqu'ici imprévus et inattendus.

L'ACTE D'ACCUSATION comporte que les trois officiers de la banque ont sciemment fourni de faux rapports au gouvernement sur l'état d'affaires de l'institution qu'ils dirigeaient.

La faillite, il y a quelque temps, avait profondément affecté l'honorable M. Roy, qui dut garder la chambre tant l'affaissement nerveux l'avait épuisé à la suite de ces revers. Il savait cependant que l'Association de Banques et le gouvernement avaient fait une enquête minutieuse sur les transactions de l'institution faillie et la signification du mandat ne lui causa pas beaucoup d'étonnement. Il reçut le terrible coup avec froideur, apparemment, comprenant bien que la commission de révision devait nécessairement poursuivre si elle le croyait urgent, après avoir soigneusement examiné les affaires de l'établissement.

On se rappelle que M. Tancrède de Bienvenu, gérant de la Banque Provinciale, avait été nommé liquidateur de la Faillite. Il fit rapport en temps opportun à l'Association des Banquiers et la corporation soumit la question au ministère de la Justice.

Alexandre Kerensky meurt à New York

NEW YORK — Alexandre Kerensky, qui est mort hier **(11 juin 1970)**, à New York, à l'âge de 89 ans, est l'homme qui, dans l'histoire, donna à la Russie son premier gouvernement démocratique.

Il vivait aux États-Unis depuis 30 ans, presque dans l'oubli, écrivant ses mémoires et voyageant pour se rendre quelques fois en Angleterre où vivent ses deux fils, ou en France, pays qui l'avait abrité peu après son départ de Russie.

Avocat, Kerensky, au lendemain de l'abdication du tsar Nicolas II, le 2 mars 1917, forma avec Ivov un gouvernement grâce auquel il espérait donner à son pays un idéal socialiste.

Kerensky renversé

Mais, en août 1917, la tentative du coup d'Etat du général Kornilov contre les révolutionnaires rendaient vains tous les efforts de Kerensky en durcissant l'opposition de l'extrême-gauche. Kerensky est arrêté et ses projets révolutionnaires disparaissent et sont remplacés par ceux de Lénine et Trotsky, qui prennent sa place au pouvoir.

L'ancien homme d'Etat, qui jusqu'à sa mort resta convaincu de la justesse de ses vues pour son pays, déplorait l'attitude des Etats-Unis vis-à-vis de l'expérience qu'il avait tentée en 1917. Il aurait voulu que les Etats-Unis lui donnent l'aide qu'ils n'ont pas refusée à Staline pendant la deuxième guerre mondiale, et il affirmait que, avec une Russie démocratique et forte, l'équilibre des forces n'aurait pas été modifié en Europe et les conditions qui ont permis à Hitler de provoquer la deuxième guerre mondiale ne se seraient jamais présentées.

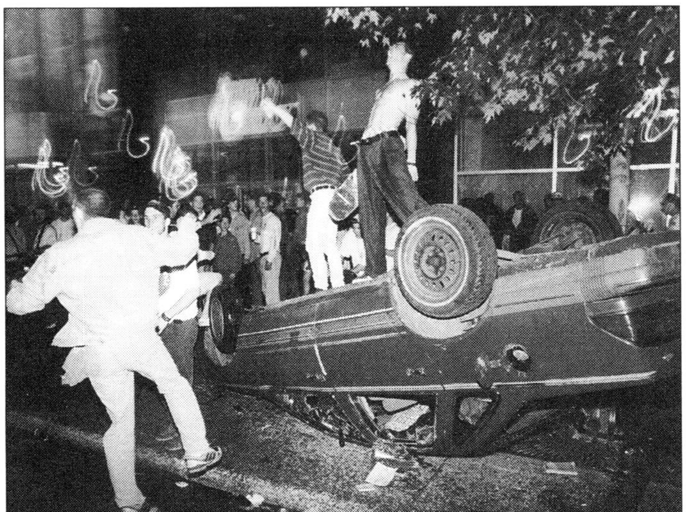

Le plaisir de la victoire ne suffit plus!

C'aurait dû être la fête du Canadien, de ses partisans, des simples amateurs, la fête du hockey. Comme en 1979, la dernière fois que le Canadien a gagné la Coupe Stanley à Montréal.

Fête gâchée par 500 ou 1 000 voyous, exploit terni par des hooligans comme on en connaît en Europe, comme on en a vu à Chicago l'an dernier après la victoire des Bulls de la NBA. Mille voyous qui ont entraîné dans leur folie furieuse et organisée des milliers d'autres jeunes imbibés d'alcool et de dope.

On devrait parler des Glorieux aujourd'hui. De fierté. On parle de saccage, on parle d'émeute, on parle de honte. À la radio et à la télé hier (**le 10 juin 1993**), les animateurs semblaient peinés, fâchés de devoir gâcher un jour de fête et de bonne humeur en parlant de pillage et de vandalisme.

Et ceux qui ont suivi les émissions des réseaux américains de télévision hier matin, ont dû se promener avec un affreux sentiment de gêne toute la journée. C'est ça, l'image de Montréal qu'on a projetée à travers le monde ?

Il était minuit (**dans la nuit du 9 au 10 juin 1993**) quand les échos de la violence ont commencé à pertuber les célébrations dans le Forum. Serge Savard et Ronald Corey étaient vraiment catastrophés en apprenant que la victoire du Canadien avait servi de prétexte à un déferlement d'actes sauvages.

Les joueurs, au lieu d'aller célébrer chez-eux ou chez des amis, se sont regroupés à La Mise au jeu, le restaurant du Forum, et ont attendu jusqu'à 2 h 30 du matin pour quitter l'édifice par la porte arrière, rue Closse.

Le mal était fait, les joueurs étaient déjà privés d'une partie de leur récompense ultime. La joie populaire.

La honte étreint les policiers

(NOTE: voici un autre texte sur le même sujet publié la même journée, (**le 11 juin 1993.**)

« On a honte d'être policier ! »

C'est que disaient tout haut hier plusieurs policiers de la Communauté urbaine de Montréal, qui n'avaient certainement pas le goût de fêter la 24e Coupe Stanley du Canadien. vrai dire, ils en gardent un goût amer, pire qu'en 1986.

Rares sont ceux qui croient que des manifestations de l'envergure de celle qu'a connu Montréal il y a deux jours se règlent avec des gants blancs. « La politique du laisser-faire et les invitations au calme ne sont que des voeux pieux », soutiennent les policiers rencontrés.

Contrairement à leur chef, les policiers pensent que s'ils avaient été plus nombreux et plus agressifs, ils auraient probablement eu plus de succès. Et cela n'aurait pas nécessairement engendré une confrontation avec les manifestants.

Plusieurs remettent aussi en question la stratégie utilisée qui consistait à former des petits îlots de policiers ici et là. Selon eux, il aurait été préférable dès le début que les 850 policiers se regroupent pour former un bouclier humain visible et impressionnant. Au lieu de cela, on a dispersé les forces.

Ils pensent aussi que la majorité des policiers auraient dû se présenter sur les lieux en autobus plutôt que dans des autos-patrouilles qui ont été vite renversées ou saccagées.

Lors de tels événements, estiment-ils, la police doit s'imposer, faire sentir sa présence et montrer qu'elle ne se laissera pas piler sur les pieds.

Plus de 5000 jeunes victimes d'armes à feu

Les armes à feu, dont le président Bill Clinton a une nouvelle fois souligné les dangers pour les enfants, constituent l'une des principales causes de décès chez les mineurs américains, tuant chaque année plus de 5000 jeunes de moins de 20 ans.

Une étude réalisée en 1996 par le Children Defense Fund a établi à 5741 le nombres de jeunes de cette catégorie victimes des armes à feu — 3661 homicides, 1460 suicides et 526 accidents notamment — pendant l'année 1993, un chiffre multiplié par deux par rapport à 1983.

Selon cette association, les armes à feu ont tué cette année un enfant toutes les 92 minutes.

En 1995, le taux des meurtres d'enfants de cette classe d'âge s'est élevé à 2,57 pour 100 000, un chiffre cinq fois supérieur à la moyenne des 25 autres pays les plus industrialisés de la planète (**Texte publié le 11 juin 1997**).

Québec abolit la censure

QUEBEC — Aux termes de ce qui est pratiquement une nouvel version du projet de loi-cadre du cinéma, la censure du cinéma sera complètement abolie au Québec.

Le ministre des Affaires culturelles, M. Denis Hardy, a en effet déposé hier soir (**11 juin 1975**) en commission parlementaire plusieurs dizaines d'amendements de son projet de loi No 1, après que l'Assemblée nationale l'eut adopté en deuxième lecture.

Les amendements, fort nombreux, ne modifient pas l'économie générale du projet de loi-cadre, mais en transforment la portée, à plusieurs égards.

L'innovation la plus inattendue est l'abolition complète de la censure des films.

Le «Service d'information et de classification des films» devra obligatoirement visionner un film avant sa présentation au Québec, mais devra se contenter de lui coller une étiquette: «pour tous», «pour adultes et adolescents», «réservé aux adultes».

Tout au plus, le Service pourra-t-il exiger que le film «soit précédé d'un avertissement aux spectateurs», s'il juge qu'un film réservé aux adultes est «susceptible de choquer des spectateurs».

Le ministre des Affaires culturelles, M. Hardy, a souligné que le projet de loi se conforme ainsi — 13 ans après! — aux recommandations du rapport Régis de 1962, en abandonnant la notion de censure au profit de celle de classement et d'information.

C'EST ARRIVÉ UN 11 JUIN

1988 — Le sommet de Moscou n'a pas débouché sur la signature de nouveaux accords importants, même s'il a permis aux deux parties de surmonter des obstacles et de progresser sur la voie d'un accord destiné à réduire de moitié les arsenaux stratégiques des deux superpuissances. Il n'en a pas moins constitué une borne historique et marqué la fin de la guerre froide qui sévissait depuis 40 ans entre l'Ouest et l'Est, plus particulièrement entre les États-Unis et l'URSS.

1988 — C'est la fin ! Trois autres supermarchés Steinberg de la région métropolitaine ont fermé leurs portes pour de bon aujourd'hui.

1987 — À peu près un million de Canadiennes, soit une sur huit, subissent chaque année des violences physiques, psychologiques, sexuelles ou économiques, révèle un rapport du Conseil consultatif canadien sur la situation de la femme.

1986 — Au moins 20 000 Montréalais sont porteurs du SIDA. De ce nombre, la moitié peuvent effectivement transmettre le syndrome d'immuno-déficience acquise à un partenaire, qui pourrait bien en mourir.

1985 — Le mythe d'Apple, véritable star de la Silicon Valley, à l'origine de l'explosion de la micro-informatique dans le monde, bat de l'aile : la mise à l'écart récente de son fondateur, Steve Jobs, marque la fin d'une époque qui conciliait succès et culte de la marginalité.

1984 — Une famille canadienne de quatre personnes a besoin en moyenne de 328 $ par semaine pour se tirer d'affaire dans son milieu, selon le dernier sondage de Gallup sur le coût de la vie. C'est la première augmentation de l'estimation moyenne du coût de la vie signalée depuis trois ans. Dans les années 1981, 1982 et 1983, l'estimation était de 300 $.

1983 — Brian Mulroney devient le premier Québécois bilingue à diriger le Parti conservateur, succédant à Joe Clark.

1979 — Décès à l'âge de 72 ans du célèbre acteur américain John Wayne. En 48 ans de carrière, il a participé à 200 films.

1977 — La prise d'otages de terroristes des îles Moluques du Sud contre un train de passagers, aux Pays-Bas, se termine dans le sang, par la mort de six terroristes et de deux otages.

1976 — Mme Beryl Plumptre, vice-présidente de la Commission de la lutte contre l'inflation, annonce sa démission.

1975 — Les Américains découvrent que la CIA a espionné et drogué des citoyens américains.

1972 — Le coureur automobile Joachim Bonnier perd la vie au cours de l'épreuve des 24 heures du Mans, gagnée par Graham Hill et Henri Pescarolo.

1969 — Début de la troisième conférence constitutionnelle fédérale-provinciale; pour la première fois, le public et la presse en sont écartés.

1963 — Un moine bouddhiste s'immole à Saïgon pour protester contre la politique de discrimination religieuse du président Ngo Dinh Diem, du Sud-Vietnam.

1962 — Les trois princes laotiens, Souvanna Phouma, neutraliste, Souphanouvong, chef du Pathet Lao, et Boun Oum, leader de la droite, constituent le gouvernement de coalition au Laos.

1957 — Les États-Unis procèdent au lancement d'un projectile intercontinental baptisé *Atlas*.

1955 — Une voiture fonce dans la foule au circuit du Mans, en France, et l'accident fait 79 victimes et plus de 70 blessés le long du circuit.

1954 — La construction du nouvel édifice de l'École polytechnique, sur le campus de l'Université de Montréal, coûtera $7 millions.

1948 — Un navire danois, le *Kjobenhayn*, coule dans le Kattegat après avoir frappé une mine magnétique, causant la mort de 200 de ses 400 passagers.

1948 — Fin d'une trêve de quatre semaines en Palestine.

1945 — Fait plutôt rare dans les annales politiques canadiennes: les libéraux conservent le pouvoir à l'occasion des élections générales, mais le premier ministre Mackenzie King est battu dans sa circonscription.

1940 — Arrivée au Canada de la princesse Juliana, des Pays-Bas.

1936 — À la surprise générale, le premier ministre Louis-Alexandre Taschereau met fin aux sessions du comité des comptes publics, annonce la dissolution des Chambres, remet sa démission comme premier ministre, et recommande la nomination à ce poste de son ministre de l'Agriculture, Adélard Godbout, jusqu'aux prochaines élections.

1926 — Les femmes des îles britanniques prennent part à une grande croisade pour la paix mondiale.

1925 — Louis-Joseph Lemieux est nommé agent général du Québec à Londres. dres.

1918 — Mort à Saint-Jean Deschaillons, à l'âge de 81 ans, de Pamphile Le May, poète et romancier canadien-français.

1903 — Sanglant coup d'État. Le roi Alexandre Ier de Serbie, la reine Draga, le premier ministre Markovitch et plusieurs autres membres du cabinet serbe, le frère et les soeurs de la reine, le commandant de la garde du palais royal et plusieurs aides-de-camp, tombent sous les balles des assassins. Pierre Karageorvitch est proclamé roi de Serbie.

Exploit du coureur canadien Dave Bailey

SAN DIEGO — Dave Bailey, de Toronto, est devenu samedi (**11 juin 1966**) le premier Canadien à franchir le mille en moins de 4:00 minutes. Bailey a été chronométré en 3:59.1, au meeting d'athlétisme de San Diego. C'est Jim Grelle, de Portland, qui a remporté la victoire dans cette épreuve, avec un temps de 3:55.4.

L'Anglais Neill Duggan a fini deuxième, chronométré en 3:56.1 et Bailey a pris la troisième place. Le record canadien du mille appartenait à Ergas Leps, de Toronto également, et il était de 4:01.1. Leps avait réussi son exploit à Kingston, en Jamaïque.

ROUYN, PAYS DE L'OR

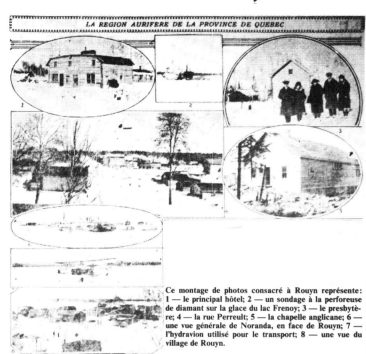

Ce montage de photos consacré à Rouyn représente : 1 — le principal hôtel ; 2 — un sondage à la perforeuse de diamant sur la glace du lac Frenoy ; 3 — le presbytère ; 4 — la rue Perreult ; 5 — la chapelle anglicane ; 6 — une vue générale de Noranda, en face de Rouyn ; 7 — l'hydravion utilisé pour le transport ; 8 — une vue du village de Rouyn.

(Écrit pour la «Presse» par G.-E. MARQUIS, chef du Bureau provincial de la Statistique à Québec)

ROUYN — Votre correspondant fait actuellement un voyage d'étude que peu de vos lecteurs ont eu l'avantage d'accomplir.

Depuis trois jours, je suis l'hôte de Son Honneur le maire du village de Rouyn, centre de ralliement et de ravitaillement des terrains miniers qui s'étendent à cinquante milles à la ronde.

Le patelin de M. Joachim Fortier, maire et ingénieur civil, se compose de quatre édifices : une maison, un magasin, un hangar et une écurie. Ce sont des bâtisses rudimentaires faites de pièces d'épinettes et calfeutrées de mousse végétale. (...)

Le village comprend au-delà de 150 maisons de bois rond, de toutes les dimensions et de toutes les formes, depuis la petite case de 12 pieds x 12 pieds, où couchent une douzaine de Russes, jusqu'à l'hôtel Windsor, qui peut loger quelques douzaines d'aventuriers en quête de fortune.

Les rues sont bien indiquées, sur les places, mais, dans la pratique, on pique au plus court, pour aller d'un endroit à l'autre, à travers les souches calcinées, les racines qui vous accrochent au passage et les marécages où l'on enfonce jusqu'aux genoux.

Quand il pleut, la terre argileuse que les prospecteurs ont répandue un peu partout en faisant leurs fouilles, cette terre collante nous tient cloué au sol et menace de nous déchausser à tout instant.

LA CIVILISATION

La civilisation a commencé à pénétrer dans cette agglomération d'individus hétéroclites depuis environ un an, grâce à l'arrivée d'un prêtre, de quelques religieuses et professionnels.

Aujourd'hui, il y a une école, une chapelle, un presbytère, une église, un club protestant (Church of England), deux théâtres, deux salles de danse, deux salles de billard, trois pharmacies, des cafés, une buanderie, des étaux, des boulangeries, des forges, des ateliers de construction, des magasins, des épiceries, etc. Les professions libérales comptent trois médecins, un notaire, un ingénieur et quelques fonctionnaires publics. (...)

Bientôt, l'on pourra venir ici par deux chemins carrossables, l'un partant d'Angliers au terminus nord du chemin de fer qui traverse le comté de Témiscamingue, et l'autre venant de Macamic, sur le Transcontinental.

Le premier mesurera une cinquantaine de milles et l'autre exactement 40. Un chemin de fer partant d'Obrien, sur le Transcontinental aboutissant à Rouyn se construit actuellement, et l'on espère qu'il pourra être inauguré à la fin d'août prochain. Il mesurera 43 milles exactement.

Actuellement, en été l'on peut venir ici de deux façons : par hydravion ou par eau, en partant, soit d'Angliers soit de Villemontel. En hydravion, le trajet mesure 75 milles et se fait dans une heure. (...)

DES FOUILLES

Les prospecteurs font des fouilles un peu partout et le terrain, sur une étendue de trente à quarante milles, est sous location et piqueté. Des essais et analyses ont établi qu'il y a de grandes richesses dans le sol et que ces richesses se composent d'or, d'argent, de cuivre et parfois de zinc et de plomb. (...)

La «Noranda Mines Limited», qui a fait ériger une partie de son territoire en ville, semble posséder de grandes valeurs. (...) Cette compagnie, puissante de plusieurs millions, va construire une ville modèle. (...)

Rouyn, c'est le pays de l'or, comme jadis la Californie, le Klondyke et Cobalt. Les aventuriers ont été les pionniers de la région et la tourbe ordinaire a afflué ici au début, amenant avec elle ses tares et ses misères, mais cette période a fait son temps et l'ordre commence à régner. (...)

Bientôt, des organisations sérieuses, et en grand nombre, contrôleront les richesses que recèle le sol et l'on verra se développer, dans le Témiscamingue et l'Abitibi, des exploitations qui mettront en circulation des millions de dollars, tout en fournissant un marché avantageux pour les cultivateurs de la même région de l'ouest de la province de Québec.

Cet article a été publié le 12 juin 1926.

1994 — Le « messie » Menachem Schneerson, qui a fait renaître la secte juive Lubavitcher décimée par l'Holocauste, est décédé à l'âge de 92 ans à New York.

1987 — Soixante-treize pour cent des élèves québécois de quatrième, cinquième et sixième année ne reçoivent pas les deux heures de cours d'anglais qui leur permettraient d'atteindre les objectifs définis dans le programme d'études.

1984 — C'est à un dernier rendez-vous de Terre des Hommes dans sa vocation qui est sienne depuis 1968, que les Montréalais sont conviés aux Îles de l'Expo cette année. Cette 17ième et dernière saison de Terre des Hommes sera marquée par une participation internationale accrue (plus de 25 pays au pavillon des expositions).

1982 — Les pacifistes réalisent la plus grande manifestation de l'histoire américaine, alors que de 700 000 à 1 000 000 d'entre eux descendent sur New York, y compris 2 000 Québécois.

1979 — Bryan Allen, un Américain âgé de 26 ans, traverse la Manche en trois heures en « cycliste volant », mû par la seule force de ses muscles.

1978 — Treize jeunes étudiants de Toronto se noient dans le lac Témiscamingue.

— Le frère André (Bessette de son vrai nom) se voit conférer le titre de vénérable par l'Église catholique.

1976 — Juan Maria Bordaberry, président de l'Uruguay, est déposé et remplacé par Aparicio Mendez à la faveur d'un coup d'État.

1971 — Une mère de Sydney, en Australie, donne naissance à NEUF enfants, mais en perd immédiatement cinq.

1963 — La Commission royale d'enquête Glassco soumet la dernière tranche de son rapport, dans laquelle elle considère comme « pressante » la question du bilinguisme dans la fonction publique.

1948 — Le cheval Citation gagne la Triple couronne des courses au galop.

1946 — Cinglant affrontement entre royalistes et républicains à Rome.

1941 — Bombardement sans précédent des usines de la Ruhr par l'aviation britannique.

1939 — Le roi George VI et la reine Elizabeth visitent Sherbrooke.

1924 — Des explosions font 48 morts à bord du *U.S.S. Mississippi.*

1904 — La collision du « steamer » *Canada* avec le charbonnier *Cap Breton* fait cinq morts, en face de Sorel.

Plus rutilante que jamais, la Harley-Davidson a 90 ans

Juchés sur la selle, harnachés de cuir, la poigne ferme sur le guidon, quelque 100 000 fans de la Harley-Davidson convergent depuis une semaine vers Milwaukee pour fêter l'anniversaire de cette « belle américaine », née il y a 90 ans dans cette ville du bord du Lac Michigan.

Aux États-Unis plus qu'ailleurs, ces motos — affectueusement appelées «HOG» d'après l'acronyme de l'association des propriétaires (Harley Owner Group) —ont cessé depuis longtemps d'être de simples moyens de locomotion, pour devenir le symbole d'un « style de vie ». Celui de la jeunesse et de la liberté.

À en juger par le nombre de fidèles attendus ce week-end dans la métropole du Wisconsin, le mythe de la Harley-Davidson, chanté en France par Serge Gainsbourg et Brigitte Bardot, reste bien vivant.

Au fil des années, l'image de « bad boy », qui collait à la peau du propriétaire de la « HD », a changé. Ces gros cubes rutilants de chrome et de couleurs jouent désormais tout à la fois les rôles d'infirmières ou de confidents pour les pères de famille, avocats, médecins, professeurs à la quarantaine fatiguée, nostalgiques des heureux jours de leur adolescence.

Le milliardaire américain, Malcom Forbes, chevauchait régulièrement sa Harley jusqu'à sa mort, alors que le nouveau sénateur du Colorado, Ben Nighthorse Campbell, pose fièrement devant le Capitole au guidon de sa nouvelle HD. Comme le « King » du rock Elvis Presley de son vivant, les stars du show-bizz ou du cinéma, dont Liz Taylor, bichonnent leur engin et s'offrent des pétarades sur les routes.

Cet engouement de la génération des « baby-boomer » a permis un retour en force pour la firme Harley-Davidson, qui se trouvait au bord du dépôt de bilan à la fin des années 1970, devant l'invasion des « petites japonaises ».

Ainsi, 60 % des modèles 94, dont la sortie est prévue à partir d'août, sont déjà vendus, et l'entreprise fête son 90ème anniversaire avec un chiffre d'affaires dépassant pour la première fois le milliard de dollars. (Texte publié le 12 juin 1993.)

Maurice Duplessis, premier ministre de la province de Québec, était élu, le *12 juin 1937*, bâtonnier général du Barreau de la province, succédant à ce poste au sénateur Lucien Moraud.

LA PRESSE PREMIÈRE SECTION PAGES 1 à 6 CIRCULATION 640. 5 L'ÉTÉ

Page consacrée à l'été et publiée (en couleurs) le *12 juin 1909*.

Un pays d'enfants pauvres

Un rapport de l'UNICEF démontre que si le Canada peut se targuer d'avoir le meilleur indice de développement humain à travers le monde, sa performance est « inquiétante » en ce qui a trait à la pauvreté chez les enfants et le taux de suicide chez les jeunes.

L'édition 1996 du « Progrès des nations » indique qu'après les États-Unis, le Canada est le pays où il y a le plus de pauvreté chez les enfants, soit un enfant sur sept. Le pays où la pauvreté est la plus faible est la Finlande.

La situation est encore pire pour les communautés autochtones, a par ailleurs signalé Mme Avard : « Non seulement elles souffrent davantage de pauvreté, mais leur taux de suicide est sept fois plus élevé, leur mortalité infantile est deux fois plus fréquente et la moitié des étudiants décrochent. »

Mais le Canada obtient un meilleur score dans d'autres domaines, comme l'alphabétisation, le niveau d'éducation et l'aide internationale. (Texte publié le 12 juin 1996.)

La reine Elizabeth a reconnu aujourd'hui *(12 juin 1965)* le mérite des Beatles en les faisant membres... de l'Ordre de l'Empire britannique — rien de moins ! Les chanteurs aussi célèbres que chevelus se sont dits fort heureux de cette distinction méritoire, mais ils n'auraient jamais « cru que l'on pouvait obtenir cette reconnaissance royale en jouant simplement de la musique de rock and roll ». Il s'agit des premiers chanteurs populaires à être ainsi honorés, mais quand on sait qu'ils font rentrer énormément de devises au Royaume-Uni, la chose se comprend...

UNE TERRIBLE CATASTROPHE

UNE épouvantable catastrophe vient de jeter un immense voile de deuil sur notre ville.

Entre 10.30 et 11 heures moins quart, ce matin (**13 juin 1910**), un réservoir d'eau, placé sur le faite de l'édifice du «Herald», rue Saint-Jacques, du côté sud du square Victoria, s'écroulait, entraînant dans sa chute le toit et deux planchers de l'édifice, avec tous les êtres vivants qui s'y trouvaient, et tout le matériel qui servait au journal.

Ce fut horrible, et si soudain, que ceux qui passaient près de là, à ce moment, n'entendirent pas un cri, au milieu de l'épouvantable fracas. (...)

Rien ne peut décrire la stupeur générale, lorsque la nouvelle, comme une trainée de poudre, se répandit par toute la ville. Et, d'abord, ce fut comme foudroyant, paralysant; personne ne voulait y croire; on restait cloué sur place, hébété. Mais bientôt, il fallut y croire, et alors ce fut une poussée furieuse vers le théâtre de la catastrophe, de douloureuses exclamations, des sympathies profondes envers notre confrère si profondément atteint dans ses oeuvres et dans son personnel nombreux, et envers les victimes qu'on estimait alors — tant tués que blessés — à près de cinquante.

Un épouvantable accident se produit au square Victoria, dans l'immeuble du journal le Herald. — La cause: l'effondrement d'un réservoir d'eau. — Vingt-sept noms manquent à l'appel.

La police eut toutes les peines du monde à contenir la foule qui se ruait pour voir de plus près les malheureux qu'on devait retirer des ruines, pour interroger les rescapés, ou pour s'informer de l'origine du feu ou de la cause de la catastrophe.

Dès le premier instant, les pompiers se rendirent sur les lieux, et alors commença un sauvetage émouvant, héroïque. Et, d'abord, ce fut au tour des femmes qui se trouvaient en grand nombre dans l'édifice; puis vinrent les hommes. Et ce sauvetage dangereux, hâtif, se faisait par les fenêtres et les croisées, les escaliers de sauvetage, en arrière, les autres issues, à l'intérieur, ayant été, pour la plupart, ou détruits, ou encombrés par les débris.

Ce furent des minutes inoubliables d'émotion, car à chaque instant on croyait que tout l'édifice allait crouler, tant avaient été démantibulés, dans la chute du réservoir, des planchers supérieurs et des lourdes machines, les soliveaux, les traverses et les étançons. Heureusement, rien de tel ne se produisit, et tous ceux qui n'avaient pas été littéralement broyés ou ensevelis ont pu être sauvés à temps. Mais combien ne répondirent pas à l'appel? (...) On reste sous l'impression que pas moins de 40 à 50 personnes, employés de toutes catégories, hommes ou femmes, sont encore sous les débris. Combien sortiront-ils vivants de là? Dieu seul le sait! Mais on peut croire que ceux qui n'ont pas été foudroyés, seront asphyxiés ou brûlés par l'incendie violent, presque spontané, qui s'est déclaré aux trois étages à la fois. (...)

Lorsque s'abattit le réservoir contenant des milliers de gallons d'eau entrainant avec lui le toit de l'édifice, ce fut naturellement l'atelier de la reliure et la clicherie *(au 4e étage)* qui furent les premiers atteints. A ce moment-là, tous les employés, dont un grand nombre de femmes, étaient à l'ouvrage. Tout dégringola, débris, machines, matériel, personnel, à travers le quatrième et le troisième étage, particulièrement, le deuxième et même jusqu'au premier où se trouvaient plusieurs membres de la rédaction. (...)

RECIT DE M. LARIVEE

«Entre 10 heures et demie et onze heures moins quart, dit M. Larivée, je sortais de l'édifice pour aller à mon service extérieur, lorsque j'entendis un craquement épouvantable, accompagné d'un tremblement furieux sous mes pieds. Je revins en toute hâte à la rédaction (1er étage) en criant que l'édifice s'écroulait. A ce moment, des petites presses de l'étage au-dessus (2e) tombait avec fracas tout près de nous, et parmi ceux-ci, les rédacteurs suivants: MM. Brierley, directeur, Walsh, rédacteur en chef, Sandwell, Dixon, Dickenson, Steadman, les 3 télégraphistes du C.P.R., Beckman, Hannah, Ferguson, moi-même et d'autres.

«Tous se sauvèrent en toute hâte par les escaliers, excepté deux reports qui sautèrent par une croisée dans la rue.

«Au moment où je vous parle, je ne sais vraiment pas qui est mort ou vivant, mais j'ai assisté à un émouvant sauvetage de 150 femmes et hommes.»

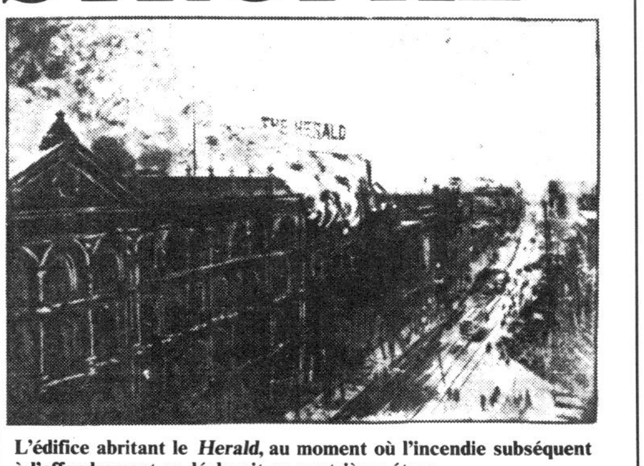

L'édifice abritant le *Herald*, au moment où l'incendie subséquent à l'effondrement se déclarait au quatrième étage.

M. J.C.E. Tardif, l'un des chefs ouvriers les mieux connus de Montréal, et qui était employé en sa qualité d'opérateur dans l'atelier de composition du journal, au troisième étage a entendu un bruit terrible vers 10 heures et 40 minutes; au même moment, le plancher s'écroulait et tout semblait dégringoler. Presque au même instant, le feu se déclarait. «Notre seule chance de salut, dit M. Tardif, c'était les fenêtres; car nous nous rendîmes compte tout de suite que la plupart des escaliers et les échelles de sauvetage, en arrière, avaient été bloqués ou détruits par les débris de toutes sortes. Ceux qui ont été les premiers à être atteints, les premières victimes, et probablement les plus nombreuses, sont ceux qui se trouvaient au-dessus de nous, au 4e étage, c'est-à-dire à l'étage de la reliure et de la clicherie. Tous ont dû dégringoler avec le plancher à leur tour au-dessous d'eux, puis à l'autre étage. Chez nous, au 3e, nous avons tous attendu l'arrivée des pompiers pour nous sauver; ce qui d'ailleurs se fit promptement. (...)

C'EST ARRIVÉ UN 13 JUIN

1987 — Le président Ronald Reagan a lancé un défi spectaculaire au numéro un soviétique Mikhaïl Gorbatchev en lui demandant d'abattre le mur de Berlin s'il voulait vraiment prouver la volonté de paix de l'Union soviétique.

1986 — Le clarinettiste Benny Goodman est mort à New York, à l'âge de 77 ans. Le roi du swing était une des grandes figures du jazz. Il a été le premier grand musicien à faire jouer des jazzmen noirs et blancs ensemble sur la scène.

1984 — Environ 140 000 ménages locataires habitant la région de Montréal vont déménager à la fin de juin et au début de juillet et débourseront environ 40 millions pour ce faire.

1984 — Le Vatican a qualifié de «fantaisies absurdes» les affirmations de l'auteur du roman *Au nom de Dieu*, David Yallop, selon lesquelles le pape Jean-Paul I a été assassiné en 1978 après 33 jours de règne, parce qu'il s'était attaqué à la corruption au Saint-Siège.

1983 — Terre-Neuve annonce son intention de porter l'affaire de l'électricité des chutes Churchill devant la Cour suprême du Canada.

1982 — Un accrochage sur la ligne du départ fait une première victime sur le circuit Gilles-Villeneuve de l'île Notre-Dame, soit l'Italien Bruno Paletti.

1978 — Décès du plus vieux Québécois, Ovide Thériault, âgé de 106 ans.

1953 — Ben Hogan gagne l'Omnium de golf des États-Unis pour la quatrième fois.

1953 — Une conflagration détruit toute une partie du village de Saint-Nérée de Bellechasse, au Québec.

1952 — Une conflagration détruit le village de Saint-Urbain, dans Charlevoix. Quelque 70 familles se retrouvent sans foyer.

1951 — Eamon de Valera reprend le pouvoir en Eire, grâce à l'appui de cinq députés indépendants.

1924 — M. Gaston Doumergue est élu président de la République française.

1905 — Théodore Delyannis, populaire premier ministre de Grèce, est mortellement blessé d'un coup de couteau.

1900 — Soulèvement des Boxers en Chine.

Timothy McVeigh condamné à mort

Timothy McVeigh mérite la mort, ont tranché à l'unanimité les jurés de Denver, lors de la deuxième journée de délibérations sur la sentence à infliger à l'accusé, déjà reconnu coupable la semaine dernière de l'attentat d'Oklahoma City qui avait fait 168 morts et au moins 500 blessés, le 19 avril 1995.

Le jury a délibéré pendant près de 11 heures sur deux jours avant de condamner à la peine capitale par injection cet ancien combattant de la guerre du Golfe de 29 ans, décoré pour ses faits d'armes contre l'armée irakienne.

Il est impossible de dire à ce stade quand l'exécution aura lieu, les différents appels possibles pouvant s'étendre sur trois ans, voire plus.

Les cheveux clairs coupés très courts, McVeigh, ce grand gaillard aux manches de chemise toujours soigneusement roulées n'a jamais montré de remords tout au long de son procès, ni le moindre trouble à l'écoute des témoignages affreux des survivants et des familles des victimes de l'attentat.

Le jeune homme a suivi attentivement son procès, assis au milieu de ses avocats, ses larges mains souvent croisées sous le menton. Il n'a pas pris la parole, gardant entier le mystère de sa terrible dérive, qui sur fond d'échec social, de passion des armes et de haine du gouvernement, a transformé un enfant sage, ancien sergent médaillé de la guerre du Golfe, en assassin à grande échelle.

McVeigh est à l'époque un avide lecteur de revues d'armes et d'ouvrages d'extrême-droite. Parmi ses livres favoris, The Turner Diaries, roman culte des milieux d'extrême-droite, qui met en scène un attentat contre le FBI aux ressemblances frappantes avec celui d'Oklahoma City.

Soldat modèle, il connaît une brève gloire durant la guerre du Golfe, récompensé pour sa bravoure par une étoile de bronze. Il rêve de devenir commando dans les bérets verts mais échoue : cet échec marquera le début de sa dérive. (**Texte publié le 13 juin 1997**)

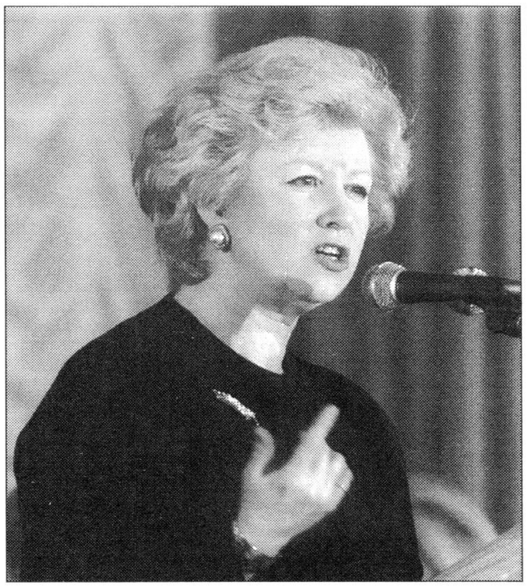

Kim Campbell est devenue la première femme à hériter du poste de premier ministre du Canada.

KIM CAMPBELL MARQUE L'HISTOIRE

Malgré une fin de campagne difficile, Kim Campbell, 46 ans, a marqué l'histoire aujourd'hui (**le 13 juin 1993**). Élue à la tête du Parti progressiste-conservateur, elle devient la première femme à hériter du poste de premier ministre du Canada.

Aussitôt élue, Kim Campbell a promis un « bon » gouvernement à la population du Canada et une victoire électorale dans quelques mois à son parti.

Elle qui était promise à un couronnement facile au départ de la course n'aura toutefois pas remporté une victoire aisée. Il a fallu à Kim Campbell deux tours de scrutin pour gagner la direction de son parti et vaincre Jean Charest, qui en a surpris plus d'un en livrant une chaude lutte et en menant une campagne pratiquement sans faute.

Fait intéressant, le Parti conservateur n'a pas élu à sa tête le candidat le plus populaire auprès de l'électorat. Les délégués ont fait fi des sondages des derniers jours qui donnaient Jean Charest gagnant aux prochaines élections. Kim Campbell devra maintenant remonter la pente pour donner à son parti le troisième mandat promis.

Originaire de la Colombie-Britannique, la première femme à devenir premier ministre du Canada devrait emménager au 24, Sussex, après la passation du pouvoir vers le 23 juin, au moment où son cabinet sera assermenté. Puisque la Chambre des communes ajournera ses travaux cette semaine, les Canadiens ne verront pas Kim Campbell comme première ministre au parlement avant août, s'il est convoqué avant le déclenchement des élections qui devraient avoir lieu entre le 20 septembre et le 25 octobre.

Ben Johnson passe aux aveux

Le suspense n'aura pas été long. Quelques minutes après le début de son témoignage devant la commission d'enquête présidée par le juge Charles Dubin sur l'usage des drogues dans le sport amateur, à Toronto, Ben Johnson a reconnu qu'il avait consommé des stéroïdes.

Après avoir rappelé les grandes étapes de la carrière de l'athlète, le conseiller du juge Dubin, Me Bob Armstrong, lui a demandé :

— Si quelqu'un suggérait qu'à l'automne 1981, vous avez commencé un cycle de dopage avec du Dianabol, aurait-il raison ?

Johnson a répondu :

— Il pourrait bien avoir raison, oui.

En trois heures d'un témoignage confus et parfois contradictoire, le sprinteur a beaucoup avoué, mais il a aussi attaqué ses anciens partenaires.

Le héros déchu des Jeux Olympiques de Séoul a reconnu que Charlie Francis lui avait remis des comprimés de Winstrol, en 1982, avant les Jeux Panaméricains. Il a avoué qu'il savait que ces produits étaient sur la liste des substances interdites par les autorités sportives, et qu'il risquait une suspension si on trouvait leurs traces dans son urine lors d'un test anti-dopage.

Johnson a reconnu qu'il avait reçu des injections d'Estragol à partir de 1985. C'était généralement le Dr Jamie Astaphan qui les lui administrait, mais il a admis que l'opération était aussi effectuée par Angela Issajenko, son mari Rony, Charlie Francis et quelques autres coéquipiers.

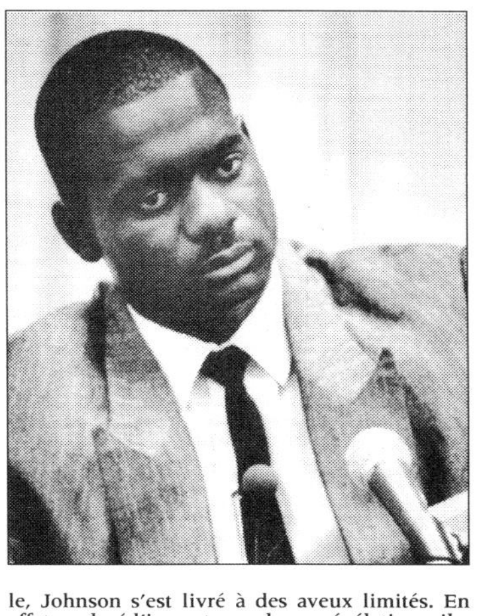

Devant l'ensemble des membres de sa famille, Johnson s'est livré à des aveux limités. En effet, malgré l'importance de ses révélations, il a refusé d'admettre qu'il connaissait bien les stéroïdes, utilisant toujours le mot « drogue » pour désigner les substances interdites qui lui étaient injectées. (**Texte publié le 13 juin 1989.**)

Le Manitoba devra traduire ses lois unilingues

Toutes les lois unilingues adoptées par le Manitoba depuis 1890 sont « invalides et inopérantes », a statué aujourd'hui (**le 13 juin 1985**) la Cour suprême du Canada.

Cependant, pour éviter l'anarchie, elles demeureront en vigueur le « temps minimum requis pour les traduire. »

Dans une décision unanime, les sept juges du plus haut tribunal du pays déclarent que le gouvernement du Manitoba ne pouvait, comme il l'a fait depuis le siècle dernier, se soustraire à son obligation constitutionnelle d'adopter et de publier ses lois et règlements en français et en anglais.

La Cour met ainsi fin à une lutte menée par les Francos-Manitobains pour la reconnaissance de leurs droits. Même si un premier tribunal leur avait donné raison, Winnipeg et Ottawa n'en avaient jamais tenu compte.

La décision de la Cour suprême ne devrait pas avoir trop de conséquences, à condition que la province dispose du temps nécessaire pour traduire ces lois, a déclaré le premier ministre du Manitoba, M. Howard Pawley.

« La décision d'aujourd'hui n'est pas mon premier choix, mais c'est un choix que je suis prêt à accepter », a-t-il déclaré à l'Assemblée législative.

La question de l'heure actuellement au Manitoba est de savoir combien il en coûtera pour traduire les 4 500 lois rédigées uniquement en anglais.

On évoque plusieurs montants, le plus bas étant 5 millions de dollars et le plus élevé 50 millions.

Seconde question : combien de temps le plus haut tribunal du pays accordera-t-il pour traduire cette masse de documents ? La limite de temps, en effet, fixera le nombre de traducteurs qu'il faudra mettre à la tâche.

Dépendant du nombre de traducteurs, le travail peut prendre aussi peu que quelques mois ou aussi longtemps que 10 ou 20 ans.

Le nombre de traducteurs, cependant, peut atteindre rapidement un plafond, car les traducteurs spécialisés dans ce genre de travail sont rares.

Un autre problème posé au premier ministre Howard Pawley est celui des projets de loi actuellement devant l'Assemblée législative. La Cour suprême du Canada oblige qu'ils soient traduits immédiatement, avant leur adoption. Et il en sera de même, à l'avenir, de tous les autres projets de loi.

Cela causera sans aucun doute un prolongement de la session actuelle, afin de permettre la traduction des projets de loi.

LE PREFET DU PENITENCIER EST CONDAMNE A UN AN D'EMPRISONNEMENT

UN fait sans précédent dans nos annales judiciaires s'est produit ce matin (**14 juin 1920**) en la chambre 4 du palais de justice. Assigné à comparaître devant la Cour supérieure, le préfet du pénitencier de Saint-Vincent-de-Paul, Georges-S. Malépart, ayant fait défaut d'obéir à une condamnation royale, a été condamné à un an d'emprisonnement pour mépris de cour par l'honorable juge Duclos.

Une règle nisi a été émanée contre lui et à moins qu'il ne démontre dans les huit jours fait et cause l'excusant de ne pas avoir obéi à l'autorité supérieure, il sera dûment conduit à la prison de Bordeaux pour y purger sa sentence.

Comme nous l'écrivions la semaine dernière l'affaire Labrie est destinée à faire époque dans l'histoire de notre droit. C'est le principe fondamental de la liberté individuelle qui est en jeu

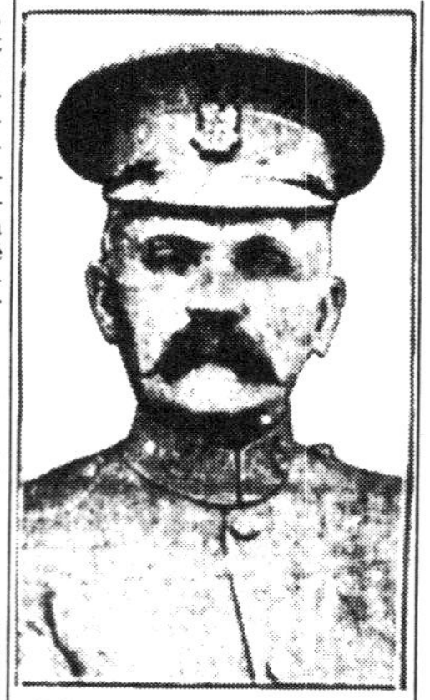

G.S. Malépart, préfet du pénitencier.

dans cette affaire. Me C.-C. Cabana, l'avocat des Labrie, fit émaner samedi dernier deux brefs d'habeas corpus, enjoignant à Georges-S. Malépart, de produire devant la Cour supérieure les deux corps des frères Labrie pour la *(sic)* et alors y faire voir la cause de leur détention et de la justifier à la satisfaction de cette honorable Cour. Les deux brefs était rapportables ce matin en la chambre 4 du palais de justice.

A l'heure ordinaire, l'intimé dûment appelé au milieu du silence général, ne répondit pas à l'appel de son nom. D'une voix brève et énergique, l'honorable juge Duclos fit alors inscrire au verso de chacune des requêtes le jugement suivant qu'il dicta au greffier.

L'intimé appelé fait défaut et ne montrant pas cause pour que le requérant soit détenu, le bref d'habeas corpus est maintenu et le requérant est par les présentes libéré de prison. (...)

Entre temps Me J. Walsh déposait en Cour de pratique présidée par l'honorable juge Coderre, une déclaration ainsi libellée:

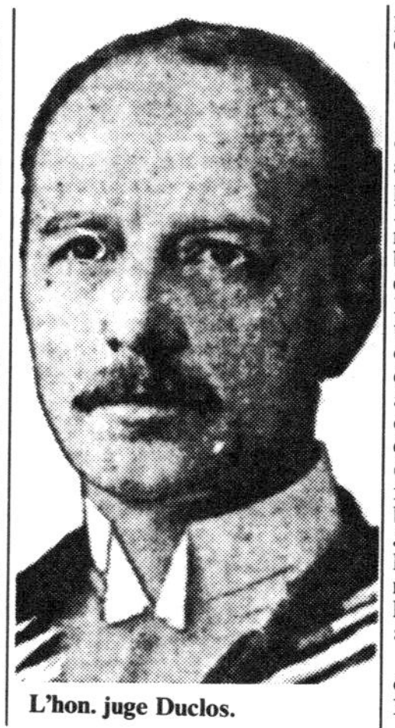

L'hon. juge Duclos.

«En vertu du bref d'habeas corpus à moi signifié, je soussigné, G.-S. Malépart, préfet du pénitencier de Saint-Vincent de Paul, comté de Laval, ai l'honneur de faire rapport à l'honorable juge de la Cour supérieure du district de Montréal, que Joseph Labrie, est détenu dans le pénitencier, à Saint-Vincent de Paul, en vertu du mandat ci-annexé et de plus, que le dit Joseph Labrie a été conduit dans le dit pénitencier en vertu du présent mandat d'emprisonnement et je déclare qu'il m'est impossible de produire la personne du dit Joseph Labrie par ordre du ministre de la Justice me disant qu'un juge de la Cour supérieure n'avait aucune juridiction de s'enquérir sur la validité de la conviction ou sentence sur habeas corpus.»

Une déclaration identique était aussi déposée pour Emile Labrie.

L'Allemagne arrête tous ses paiements à l'étranger

BERLIN — Le gouvernement allemand a déclaré aujourd'hui (**14 juin 1934**) un moratoire sur le paiement des emprunts Young et Dawes, supplémentant un moratoire précédemment déclaré par la Reischbank sur toutes les obligations étrangères à long et moyen terme pour la période allant du 1er juillet au 31 décembre.

Le ministère des finances a avisé la Banque des règlements internationaux sur l'Allemagne qu'il manquait de changes étrangers pour le service des emprunts Young et Dawes «jusqu'à nouvel ordre». (...)

Berlin, 14 (P.A.) — La Reischbank a déclaré aujourd'hui un moratoire de six mois sur ses obligations étrangères y compris celle des emprunts Young et Dawes.

Il n'y aura pas de transfert d'espèces du 1er juillet 1934 au 31 décembre 1934.

Ce moratoire porte sur tous les prêts étrangers à long et moyen terme. De ce chef l'Allemagne économisera environ 800 millions de marks ($120,000,000) en change étranger pour le deuxième semestre de 1934.

Depuis des semaines, les milieux bancaires internationaux suivaient de près la situation financière allemande. La couverture en or et en devises étrangères de la Reischbank était tombé en bas de 3.7 pour cent (les sorties d'or furent attribuées au paiement des importations allemandes).

Le 11 juin, Léon Fraser, président de la Banque des règlements internationaux, était autorisé par les directeurs à protéger les intérêts de la banque et de certains détenteurs d'obligations Young et Dawes si l'Allemagne suspendait le paiement de ses obligations.

Des arrangements suspendus

Le même jour, l'Allemagne suspendait pour 14 jours ses arrangements de fonds de virement avec les principales banques étrangères, c'est-à-dire que les Allemands ne pouvaient faire des paiements sur leurs comptes commerciaux à l'étranger durant cette période. Les autorités allemandes dirent alors que cette action avait été décidée pour démontrer au monde la nécessité pour l'Allemagne d'accroitre ses exportations. Les banques étrangères affectées furent accusées d'avoir abusé des arrangements de virements en faisant des offres extraordinaires de marks. Les pays désignés dans l'ordre de suspension étaient la Suède, la Norvège, la Finlande, la Belgique, l'Espagne, the France, le Portugal, l'Italie, la Suisse et la Hollande.

Les gays remportent une victoire

Le Tribunal canadien des droits de la personne ordonne au gouvernement fédéral et à ses agences d'offrir à leurs employés qui font partie de couples de même sexe toute la gamme des avantages sociaux dont bénéficient les fonctionnaires formant des couples hétérosexuels.

La décision est « exécutoire » immédiatement, c'est-à-dire qu'elle doit entrer en vigueur tout de suite. Elle touche principalement les régimes dentaires, ceux de soins de santé et les bénéfices accordés aux diplomates en poste à l'étranger. De plus, le Tribunal exige que le gouvernement fédéral examine ses lois, règlements et directives afin de faire un inventaire de toutes les dispositions qui pourraient s'avérer discriminatoires à l'endroit des couples de même sexe.

Selon le groupe de pression EGALE, qui défend les droits des gays, le jugement du Tribunal fera jurisprudence, ce qui obligera les entreprises à charte fédérale, entre autres les banques, les compagnies aériennes et de télécommunications, à se conformer à ces conditions, si elles ne l'ont pas déjà fait.

Se basant sur des jugements précédents, en Cour suprême notamment, le Tribunal des droits de la personne est sans équivoque dans sa décision.

« Le droit à cet égard est maintenant parfaitement clair : le refus d'accorder à un partenaire de même sexe les avantages (...) qui autrement seraient accordés à des partenaires de sexe opposé vivant en union de fait est un acte discriminatoire », écrit-on.

Deux cas de discrimination sont à l'origine de cette décision. Le premier met en cause un fonctionnaire du ministère des Affaires étrangères transféré à l'étranger qui s'est vu refuser certains avantages pour son conjoint de même sexe qui l'a accompagné. L'autre touche un employé du ministère de l'Immigration à qui on n'a pas voulu offrir une couverture familiale de soins de santé. (**Texte publié le 14 juin 1996.**)

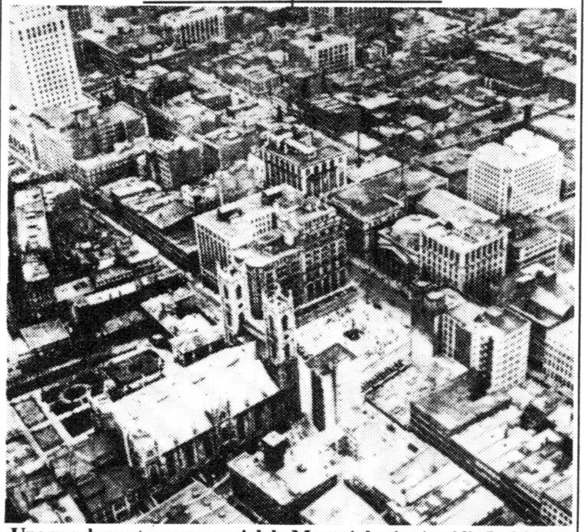

Une vue du centre commercial de Montréal prise à midi *(le 14 juin* 1929) à bord d'un avion de la Cie aérienne franco-canadienne alors qu'une escadrille d'avions a survolé la ville pour commémorer l'insurpassable exploit des pilotes anglais Alcock et Brown qui ont été les premiers à traverser l'Atlantique par voie des airs. On remarquera la place d'Armes face à l'église Notre-Dame. (Cliché Cie aérienne franco-canadienne).

BAER, LE NOUVEAU CHAMPION MONDIAL DES POIDS LOURDS

Envoyé 11 fois au plancher, le colosse italien ne savait plus où il était lorsque l'arbitre Donovan mit fin au combat.

NEW YORK — D'une mêlée sauvage qui a fourni à une foule de 52,000 spectateurs le plus sensationnel combat entre poids lourds qu'on ait vu depuis 11 ans a surgi un nouveau champion mondial, hier soir (**14 juin 1934**). Max Adelbert Baer, sorte d'homme-loup à la tête frisée dont les traits se crispent de rage dans l'ardeur du combat, dont les gestes et l'allure rappellent ses talents d'acteur de théâtre, et qui frappe de la droite avec une force terrible, est le nouveau titulaire.

Affichant un dédain absolu pour tout ce que put faire contre lui son colossal rival, Baer, avec des gestes de théâtre entre les élans où ses poings partaient comme la foudre dans la direction de Primo Carnera, a tellement cogné à coups redoublés sur la puissante charpente de l'Italien que celui-ci épuisé, tombant, se relevant, titubant, ne pouvant plus se tenir sur ses jambes a fini par être déclaré battu sur k.o. technique à la onzième ronde pendant que 52,000 spectateurs debout dans l'immense assiette du Madison Square Garden s'égosillait à hurler leurs félicitations et compliments au nouveau champion.

La joie de l'Amérique voyant revenir en son pays le championnat mondial des poids lourds se manifestait dans un délire qu'on crut ne devoir jamais finir.

Carnera fut envoyé pas moins de 11 fois au plancher avant que l'arbitre Arthur Donovan eut pris sur lui de mettre fin au massacre en arrêtant le combat 44 secondes avant la fin de la 11e ronde. Ce geste couronnait champion un jeune Californien de 25 ans dont les coups de la droite venaient de démolir littéralement un adversaire pesant 263 livres et réputé invincible jusqu'à hier par les experts, à cause de sa taille, de son poids et de son endurance. (...)

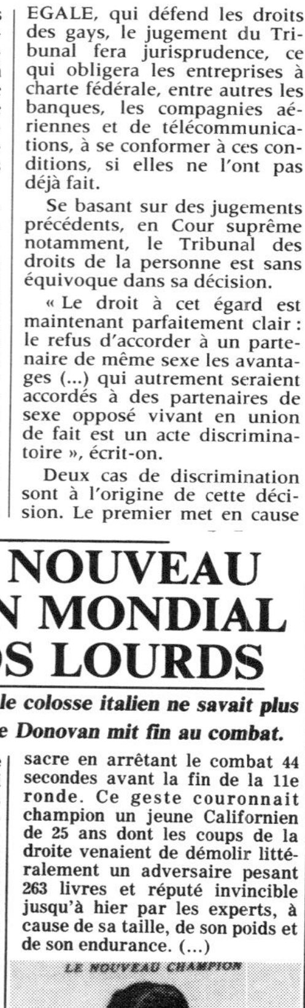

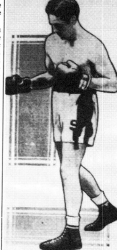

Le mariage en déclin, surtout au Québec et dans les T.N.-O.

Plus de la moitié de la population du Québec et des Territoires du Nord-Ouest ne se mariera jamais, prédit Statistique Canada, qui a publié des statistiques sur le mariage.

Le taux de mariage au Canada ne cesse de décliner. De plus en plus de couples choisissent de vivre en union libre, mais le phénomène est plus prononcé au Québec et dans les Territoires du Nord-Ouest.

Depuis la Révolution tranquille, dans les années 60, le Québec est devenu une société plus permissive par rapport aux autres provinces canadiennes.

Ainsi, en 1993, les mères de près de 50 % des enfants nés au Québec et de 60 % de ceux nés dans les Territoires du Nord-Ouest n'étaient pas mariées. (**Texte publié le 14 juin 1995.**)

Me F. Drouin président général des élections

QUÉBEC (DNC) — Me François Drouin, de Québec, a été nommé lors de la dernière réunion du cabinet provincial, président général des élections.

Me Drouin sera chargé de l'exécution de la nouvelle loi, dont il a été l'un des auteurs, avec Mes Emery Beaulieu et Edouard Asselin. Il entre en fonctions immédiatement.

Cela se passait le 14 juin 1945.

LES ALLEMANDS À PARIS

LONDRES — L'armée française a évacué Paris aujourd'hui (**14 juin 1940**) pour sauver la capitale de la destruction; les Allemands y sont entrés comme en 1871. Alors les habitants de Paris avaient connu les horreurs d'un siège de 3 mois et demi, la faim, le bombardement. Mais si la capitale a été moins éprouvée cette fois, son occupation par les Allemands pour la 4e fois en 140 ans reste un rude coup; le Français qui l'a annoncée aux journalistes à Tours en avait les larmes aux yeux. L'armée française, qui reçoit quelques renforts anglais, continue de lutter contre des forces au moins deux fois plus nombreuses. Le général Weygand reconstitue son front au sud de Paris.

Paris est tombé 9 jours après le commencement de l'offensive allemande, 35 jours après l'invasion de la Hollande et de la Belgique. La capitulation de Léopold III, le 28 mai, suivie de la retraite de Dunkerque, désorganisa la défense alliée.

L'occupation par l'armée espagnole de la zone internationale de Tanger est inquiétante, en dépit des assurances, données à Madrid, qu'il ne s'agit que de conserver la neutralité. Tanger se trouve devant Gibraltar.

LONDRES — Une dépêche de l'agence Reuters mande de Paris, aujourd'hui, que les Français ont fait sauter leurs grosses usines de munitions, dans les faubourgs de la capitale, avant l'arrivée des nazis.

La ville est presque déserte. Il ne s'y promène silencieusement que des gendarmes et des gardes, sans armes. Le peu de population qui n'a pas voulu fuir se tient triste et coi dans les maisons ou dans les boutiques aux volets clos.

Ponts et édifices ont été laissés intacts.

De source militaire autorisée, on laisse entendre que Paris pourrait bien cesser d'être «ville ouverte» s'il faut que les nazis «y massent des troupes». Il faut supposer que les Français eux-mêmes pourraient bien attaquer la ville pour la reprendre, si l'occasion s'en présente.

BERLIN — Pour célébrer l'entrée des Allemands dans Paris, Hitler a ordonné d'arborer des drapeaux à travers toute l'Allemagne, pendant trois jours. Il a fait sonner toutes les cloches des églises pendant un quart d'heure, à partir de 1 h. 30 de l'après-midi. (...)

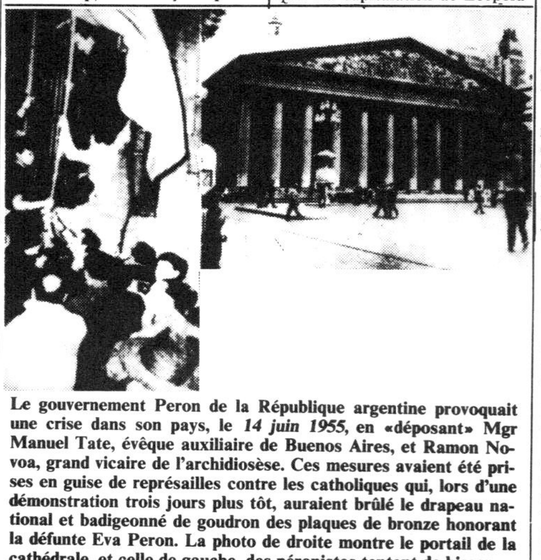

Le gouvernement Peron de la République argentine provoquait une crise dans son pays, le *14 juin 1955*, en «déposant» Mgr Manuel Tate, évêque auxiliaire de Buenos Aires, et Ramon Novoa, grand vicaire de l'archidiosèse. Ces mesures avaient été prises en guise de représailles contre les catholiques qui, lors d'une démonstration trois jours plus tôt, auraient brûlé le drapeau national et badigeonné de goudron des plaques de bronze honorant la défunte Eva Peron. La photo de droite montre le portail de la cathédrale, et celle de gauche, des péronistes tentant de hisser un drapeau devant la grille du palais du primat argentin.

C'EST ARRIVÉ UN 14 JUIN

1986 — Le féminisme a fait tant et si bien que 300 hommes sentent le besoin de se réunir pour s'interroger sur leur condition masculine. Les organisateurs du *Colloque sur l'intervention auprès des hommes* croient que les rôles traditionnels de pourvoyeur et de dominateur finissent par affecter les relations socio-affectives des hommes avec de multiples conséquences sur leur santé.

1973 — Les États-Unis décrètent un gel des prix pour tenter de ralentir l'inflation.

1971 — Début de la conférence fédérale-provinciale sur la constitution, à Victoria. — Michel Viger est condamné à huit ans de prison pour avoir aidé les felquistes Jacques Rose, Paul Rose et Francis Simard, à se cacher.

1966 — Fin d'une grève qui a paralysé les ports de Montréal, Québec et Trois-Rivières pendant 39 jours.

1961 — Démission de James E. Coyne, gouverneur général de la Banque du Canada, à la suite d'une vive controverse qui l'opposait depuis deux jours au cabinet fédéral, au sujet des politiques fiscale et monétaire pratiquées par la banque.

1950 — Un avion d'Air France s'écrase à Bahrein, dans le Golfe persique, avec 52 passagers à bord. C'est le deuxième accident du genre en autant de jours à cet endroit.

1945 — Arrestation par les alliés, à Hambourg, de Joachim von Ribbentrop, dernier chef nazi vivant et toujours en liberté.

1940 — Les Espagnols occupent la zone internationale, à Tanger, et demandent aux Anglais de leur céder Gibraltar.

1934 — La ville de Paris est terrorisée par la découverte de bombes dans des colis postaux.

1907 — Coup d'État en Russie : le premier ministre Stolypine exige l'expulsion de la Douma (le Parlement tsariste) de tous les députés démocrates socialistes.

Un incendie fait 45 morts à l'hospice Ste-Cunégonde

A quelques minutes d'intervalle, un peu avant 2 h. cet après-midi **(15 juin 1951)**, six corps calcinés et méconnaissables étaient trouvés par les pompiers, au 4e étage de l'asile Ste-Cunégonde, que les flammes **ravageaient déjà depuis plus de deux heures.**

Quelques minutes plus tard, la partie centrale du toit de la bâtisse s'effondrait dans un assourdissant vacarme et laissait ainsi pompiers, policiers, secouristes et autorités de l'institution dans la plus complète perplexité quant au nombre de victimes qu'aura fait cet incendie, qui s'avère déjà comme le plus attristant désastre des dernières années, dans la métropole.

Les tonnes de débris qui se sont écroulés sur les divers paliers de l'édifice, en effet, retarderont de plusieurs heures, si ce n'est de plusieurs jours dans certains cas, les fouilles qui fourniront déjà un si tragique bilan, quelques minutes seulement après avoir été commencées.

Pendant ce temps, dans la foule de milliers de curieux massés dans les rues voisines de l'intersection Albert-Atwater, les rumeurs les plus fantastiques prenaient naissance, mais aucun personnage officiel ne voulait se prononcer. Les uns disaient qu'il pouvait y avoir vingt morts, peut-être quarante. A un moment donné, on répéta que si les deux cents enfants qu'abritait l'hospice étaient apparemment tous en lieu sûr, au moins quatre-vingt des vieilles et des vieillards qui se trouvaient aux étages supérieurs n'avaient pu être évacués avant que le feu ne se propageât avec une fulgurante rapidité.

Les religieuses de l'institution, qui, selon tous les résidents du **voisinage, ont toutes risqué leur** vie pour emmener à l'extérieur des dizaines d'enfants pris de panique et nombre de vieillards à demi-impotents, ne voulaient pas se prononcer, elles non plus.

L'une d'elles, à laquelle les représentants de la «Presse» demandaient le nombre possible de morts, répondit simplement.

«Dans la dernière salle où j'ai vainement tenté de pénétrer, au cinquième, il y avait plus de quarante vieilles dames. Nous en avions sauvé plusieurs, plusieurs... » Et sans plus dire, les yeux mouillés, elle se retourna vers les vieux murs de pierre de l'hospice, d'où une fumée noire, absolument opaque, semblait sortir de toutes les issues possibles.

A cause de leur petit nombre, elles n'étaient que 26 pour diriger l'asile, les religieuses ellesmêmes pouvaient plus facilement se dénombrer, même si tout le quartier avoisinant s'était vite transformé en une véritable «mer de monde» où il était particulièrement difficile de se retrouver.

D'autre part, nombre de parents accourus des quatre coins de la métropole, dès que la nouvelle du sinistre se fut répandue, accroissaient la tension générale notée sur les lieux, en interrogeant avec anxiété aussi bien le premier venu que les religieuses ou les pompiers harassés qui luttaient contre les flammes.

Ces scènes désolantes d'un jeune couple cherchant un bambin introuvable ou d'une vieille dame tentant de retracer une soeur malade dans les maisons qui avaient donné l'hospitalité aux premiers évacués, n'avaient toutefois rien de comparable à celles qui s'étaient déroulées au tout début de l'incendie, alors que tout le quartier fut littéralement enveloppé dans un tourbillon de fumée, percé seulement par le cri strident de dizaines de sirènes. (...)

Si un peu avant 4 h. p.m., on **n'était pas encore du tout** fixé sur le nombre de victimes qu'a pu faire l'incendie de la rue Albert (*le bilan des victimes fut établi à 35, y compris la supérieure du couvent, Soeur Rita Gervais et cinq autres Soeurs grises*), certains témoignages donnaient toutefois quelques indications qui ne manquent pas d'ajouter au tragique.

A l'un des reporters de la «Presse», accourus sur les lieux du sinistre, M. Jean-Paul Mitchell, 2036, rue Albert, a déclaré ce qui suit:

«Quelques minutes après que les premiers crépitements du feu eurent alerté les résidents du voisinage, j'ai vu, dans les fenêtres du quatrième étage, partie ouest, une douzaine de vieilles dames qui criaient et agitaient désespérément mouchoirs et serviettes. Sidéré par leur geste affolé, je les ai toutes vues, une à une, s'affaisser derrière les carreaux fermés, toutes asphyxiées, selon les apparences.» (...)

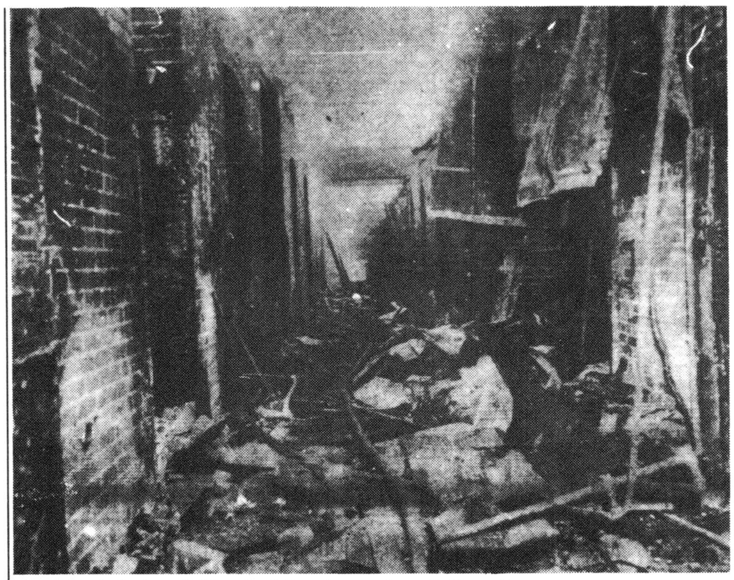

Le couloir du 5e étage de l'hospice Sainte-Cunégonde, après l'incendie.

Désastre à New York

NEW YORK — Ce matin **(15 juin 1904)**, les autorités policières de la ville étaient **informées qu'un bateau d'excursion était en feu sur la rivière de l'Est, au large de la 13ième rue.**

On dit que ce bateau est le «Général Slocum». Cinq ambulances ont été appelées et des détachements de la police du port ont été immédiatement envoyés sur le théâtre du désastre.

Des quais, on pouvait voir les passagers du navire se jeter dans la rivière.

Le «General Slocum» est parti, ce matin, avec une excursion **de l'église** St-Marc. En passant à Hell Gate, le bateau a pris feu. On rapporte que cent personnes ont péri.

Un message téléphonique reçu aux quartiers généraux de la police, annonce que toute la partie supérieure du bateau est en feu et que le premier pont s'est écroulé. Au moins cent personnes ont sauté par-dessus bord.

Le bateau était entouré de remorqueurs qui l'ont toué jusqu'au nord de l'ile Brother, où il a été jeté sur le rivage.

En remontant la rivière, le «General Sclocum» fit entendre son sifflet d'alarme. Ce sont principalement des femmes et des enfants qui ont sauté pardessus bord, et tous ont péri. (...) On rapporte maintenant que cinq cents personnes ont péri dans l'incendie du «General Sclocum». Le Rév. G.E. Ephase, pasteur de l'église St-Marc, est au nombre des victimes, avec tous les membres de sa famille. (...)

Les Québécois racistes?

Un Québécois de nouvelle souche sur trois trouve que les Québécois de vieille souche, anglophones ou francophones, sont racistes, selon un sondage CROP-*La Presse* auprès des nouveaux Québécois (nés à l'étranger ou dont un parent est né à l'étranger).

Trente-cinq pour cent nous trouvent racistes (12 % très racistes et 23 % assez racistes), tandis que 54 % pensent le contraire (23 peu et 31 pas du tout) et que 11 % ne savent pas ou refusent de répondre.

Les résultats varient d'un groupe ethnique à l'autre, les Noirs anglophones étant les plus sévères et les Chinois les moins sévères.

« Curieusement, les individus étant nés au Canada sont plus enclins à dire que les Québécois sont racistes envers leur propre communauté (54 % des cas) alors que cette opinion est partagée dans une moindre mesure chez les invididus étant arrivés au pays avant 1978 (33 %) ou après 1978 (30 %) », affirme CROP. **(Texte publié le 15 juin 1992.)**

Hydro fête ses 40 ans

Il a bien été question de ventes d'électricité aux États-Unis, de discussions possibles avec Terre-Neuve au sujet de Churchill Falls, de la construction d'une sixième ligne de transmission pour assurer la sécurité d'approvisionnement des clients du Sud, de devancer certains échéanciers de mise en chantier, mais l'atmosphère était plus à la fête qu'aux affaires sérieuses, au Château Champlain : Hydro-Québec y fêtait ses quarante ans et avait invité ses principaux partenaires politiques, économiques et sociaux à une réception de grand style.

Le premier ministre René Lévesque était de la fête, et il a tenu à souligner le rôle considérable qu'a joué Hydro dans le développement à partir de la nationalisation, au début des années 60. Aujourd'hui, Hydro-Québec dispose d'un actif de 27 milliards, d'une puissance disponible de 25 000 mégawatts, d'un personnel de 18 500 employés et compte 2,6 millions d'abonnés. **(Texte publié le 15 juin 1984)**

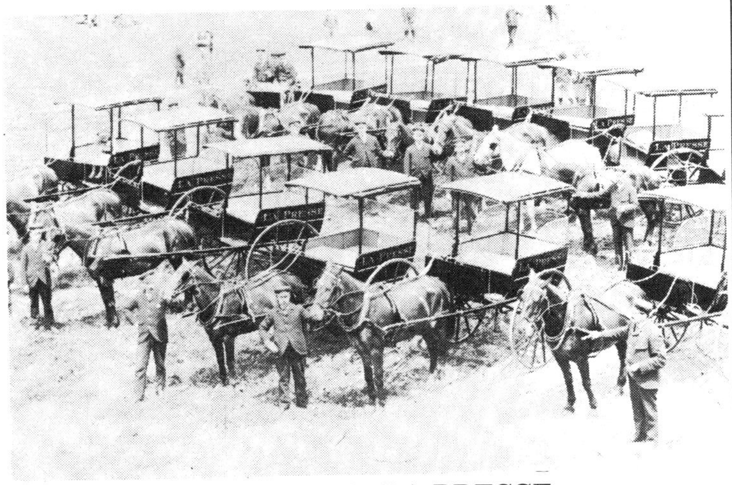

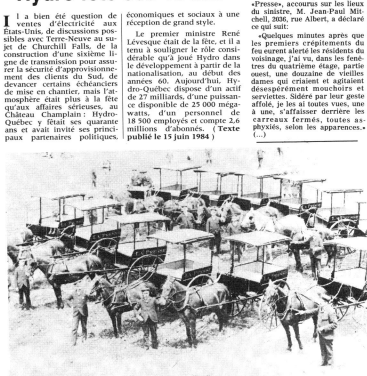

La « flotte » de LA PRESSE

Il fut une époque, avant l'avènement du camion, où LA PRESSE était livrée par des voitures à cheval. Cette photo exceptionnelle, que nous a prêtée Mme *Fleurette Jolivet*, de Rosemont, montre la «flotte» de LA PRESSE au début du siècle. La voiture tirée par un cheval blanc (à la deuxième rangée) était la propriété de son oncle Jean Pitre.

UN SENSATIONNEL EXPLOIT DU LANCEUR VANDER MEER

Johnny Vander Meer lance une deuxième partie sans hit et sans point en 4 jours

JOHNNY Vander Meer vient de faire une seconde incursion dans la galerie des immortels. Samedi dernier, il lançait une partie sans hit et sans point. Il fit hier **(15 juin 1938)** le même exploit pendant que les Reds battaient les Dodgers par 6-0 devant une foule de 38,748 spectateurs qui remplissaient le parc d'Ebbets Field pour assister à l'inauguration du baseball le soir dans la région de New York. C'est la deuxième partie sans hit et sans point de Vander Meer en quatre jours. Dans toute l'histoire seulement dix lanceurs ont réussi à lancer deux parties sans hit ni point dans toute leur carrière. C'est donc la première fois que l'on voit ainsi deux parties parfaites en une même saison. Johnny qui n'a que 23 ans débuta comme lanceur dans une ligue de canton près de chez lui à Midland Park, N.J. Il se trouve donc à avoir lancé deux parties consécutives sans coup sûr ni point. Huit coureurs se rendirent sur les buts, tous sur des buts sur balles. Les compagnons de Vander Meer jouaient parfaitement au champ.

Johnny joua d'ailleurs pour se sortir de toutes les impasses où il se trouva, même à la neuvième alors qu'avec un seul homme retiré, il remplit les sacs avec des buts sur balles à Babe Phelps, Cookie Lavagetto et Dolph Camilli, les plus fameux cogneurs des Dodgers. Dans cette impasse, il força un coureur à se rendre au marbre et ce coureur se fit retirer avant d'atteindre le home. Il fit frapper ensuite Léo Durocher au centre et un lancer deux et deux termina la joute.

Vander Meer a ainsi remporté sa 7e victoire de la saison contre deux défaites. Vander Meer a dit que quelque chose lui faisait pressentir qu'il allait lancer une seconde partie sans hit ni point hier. Son père et sa mère étaient présents à la partie. Le papa voyait sa première partie des majeures, hier.

«Mon bras me paraissait aussi bon à la fin qu'au début de la partie,» dit-il, après avoir accompli son exploit. (...)

C'EST ARRIVÉ UN 15 JUIN

1996 — La chanteuse de jazz Ella Fitzgerald est décédée ce matin à l'âge de 78 ans. Celle que ses admirateurs appelaient tout simplement « Ella » avait enregistré plus de 250 albums.

1989 — Un récent relevé effectué par le service de l'évaluation de la Communauté urbaine de Montréal indique que la valeur moyenne d'une résidence unifamiliale se situe maintenant à 480 500 $ à West-mount. C'est à Montréal-Est que la valeur moyenne des maisons unifamiliales est la plus basse à 74 200 $, et ceci malgré une hausse d'évaluation de 14 % dans ce secteur.

1982 — Reddition officielle de la garnison argentine aux îles Falklands.

1978 — L'affaire Lockheed fait une autre victime, le président Giovanni Leone, d'Italie, qui doit démissionner.

1969 — Élection de Georges Pompidou à la présidence de la République française.

1965 — Cérémonie de la première pelletée de terre sur le chantier du pavillon du Canada, en vue de l'Expo 67.

1960 — De violentes manifestations forcent le président Dwight D. Eisenhower à annuler la visite officielle qu'il devait effectuer au Japon.

1953 — Le sous-marin britannique *Andrew* devient le premier à franchir l'Atlantique en plongée.

1909 — Centième anniversaire de la naissance de François-Xavier Garneau, l'historien national du Canada.

UN DES PLUS GRANDS EXPLOITS ACCOMPLIS PAR L'HOMME

Le capt. John Alcock et le lieut. A.W. Brown, jeunes aviateurs anglais, accomplissent le merveilleux raid Amérique-Europe en seize heures et dix minutes.

LONDRES — En apprenant que le capitaine John Alcock avait réussi **(le 15 juin 1919)** à traverser l'Atlantique en aéroplane, le capitaine Sexton, chef de l'état-major naval des Etats-Unis à Londres, a dit: «C'est un très bel exploit et les marins seront fort heureux d'offrir leurs félicitations.» (...)

Une dépêche de Clifden au «Daily Mail» donne les renseignements suivants: «Quand le biplan Vickers-Vimy, dirigé par le capitaine John Alcock fut signalé au-dessus de la côte d'Irlande, un aéroplane partit de l'aérodrome d'Oranmore pour prêter secours. Cette machine descendit près du Vickers-Vimy, mais malheureusement elle se brisa, le sol était trop mou.

Quand plusieurs personnes se portèrent au secours du capitaine John Alcock et de son compagnon, on s'aperçut que le lieutenant Brown souffrait de légères blessures au nez et à la bouche. Ces blessures ont été subies à la suite du choc subi par la machine, quand elle toucha le sol. (...)

VOYAGE DIFFICILE

Les deux aviateurs ont déclaré que leur voyage avait été très difficile. Le capitaine Alcock a dit que le soleil ne fut visible qu'une fois, alors que le biplan avait atteint une hauteur de 11,000 pieds. La machine a atteint jusqu'à une hauteur de 13,000, et parfois elle a volé très bas. Seulement trois observations astronomiques furent possibles pendant le voyage.

Le capitaine Alcock a dit qu'une fois pendant la nuit il ne savait pas si la machine était à l'envers ou non. A un certain moment, a-t-il ajouté, nous dûmes monter rapidement, car nous avions constaté que nous n'étions qu'à trente pieds de la surface des eaux.

Peu après le départ, la rupture de l'appareil produisant l'électricité pour la télégraphie sans fil empêcha les aviateurs de se tenir en communication avec la côte. Quand ce malheur se produisit, le lieut. Brown ne s'alarma pas. Il n'apprit cette nouvelle à Alcock qu'après la descente à Clifden. (...)

Le voyage s'est accompli sans accident. Il a fallu 16 heures et 12 minutes aux aviateurs pour se rendre de Terre-Neuve à Clifden, en Irlande, soit une distance de plus de 1,900 milles. Les aventuriers ont eu à lutter contre le brouillard. (...)

Il était 9 heures 40 (temps d'été anglais) quand le Vickers-Vimy atterrit. L'aéroplane frappa violemment le sol et son fuselage s'enfonça profondément dans le sable. Les occupants ne furent heureusement pas blessés. Des mécaniciens sont partis de Londres immédiatement afin de réparer la machine. (...)

La France demande un armistice

BERLIN — Le commandement allemand prend acte de la demande d'armistice du maréchal Pétain et annonce que le chancelier Hitler délibérera avec M. Mussolini des conditions à poser.

Madrid, 17 (P.A.) — L'Espagne mande que l'Allemagne l'a invitée à participer aux négociations avec la France.

New York, 17 (B.U.P.) — Voici le texte du message du maréchal Henri Pétain, tel que diffusé par la British Broadcasting Corporation et capté par la Columbia Broadcasting System:

«Français et Françaises:

A la requête du président de la République, j'ai pris la direction du gouvernement de la France. Je songeai à ceux qui combattaient, fidèles à nos traditions militaires, contre un ennemi fortement supérieur en nombre. Je pense aussi aux anciens combattants que je commandais durant la dernière guerre. Je me suis donné à la France pour améliorer sa situation en cette heure sombre. Je songe actuellement aux malheureux réfugiés, aux hommes, aux femmes sur les routes, chassés de leurs foyers par les infortunes de la guerre. Je leur exprime la sympathie, la compassion les plus sincères.

«C'est le coeur gros que je vous dis aujourd'hui qu'il faut cesser le combat. Hier **(16 juin 1940)**, j'ai envoyé un message à l'ennemi pour lui demander s'il me rencontrerait comme entre soldats après la bataille, honorablement, pour chercher le moyen de mettre un terme aux hostilités. Que tous les Français se serrent autour du gouvernement que je préside durant ces tristes jours. Qu'ils fassent leur devoir (un mot non entendu — la précision est dans le texte et on veut probablement dire inaudible)... leur foi au destin de leur patrie.» (...)

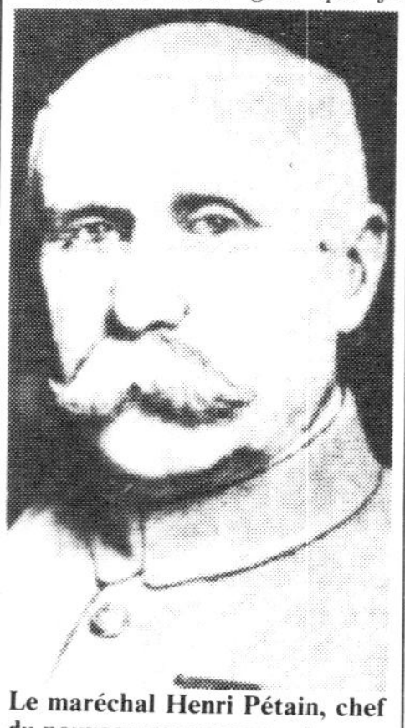

Le maréchal Henri Pétain, chef du nouveau gouvernement.

Berlin, 17 (P.A.) — Radio-Berlin mande que le maréchal «a proclamé la capitulation de la France» et que le chancelier Hitler rencontrera prochainement M. Mussolini pour conférer de la situation. Un communiqué du commandement allemand dit:

Le communiqué allemand

«Le président du conseil des ministres de France (le maréchal Pétain) a annoncé dans une allocution à la radio, adressée à sa nation, que la France devait déposer les armes. Il a mentionné la démarche faite par lui pour informer le gouvernement du Reich de sa décision et pour apprendre les conditions auxquelles l'Allemagne serait disposée à accéder au désir de la France.

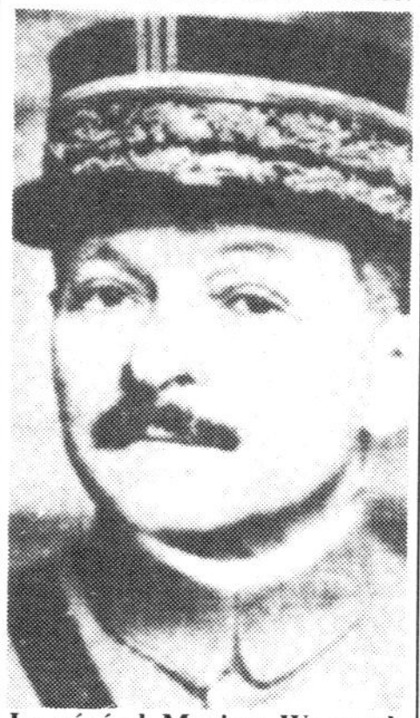

Le général Maxime Weygand, ministre de la Défense nationale et chef du grand état-major.

Le Führer rencontrera le président du Conseil d'Italie, M. Benito Mussolini, afin de débattre la position des deux Etats». (...)

Bordeaux, 17 (P.A.) A 8 h. 30 ce matin, le monde apprenait du maréchal Pétain, qui succédait hier soir à M. Paul Reynaud à la présidence du conseil des ministres de France, que celle-ci avait demandé un armistice à l'adversaire. On mande de Berlin que les dirigeants du nazisme ne sont pas disposés à traiter, et entendent exploiter leur victoire. (...)

Hier, M. Paul Renaud, qui préconisait la résistance à l'envahisseur jusqu'au complet épuisement de toutes les ressources de la métropole et des colonies, a démissionné. Il avait préparé la France à la lutte de son mieux, en restaurant les finances, en rétablissant l'harmonie entre les classes, et en réprimant les éléments défaitistes. Le ministère qui remplace le sien conserve au ministère des Affaires étrangères, M. Paul Baudoin, jeune banquier. Il compte 4 généraux, 1 amiral. Le général Weygand est ministre de la Défense, le général Colson, ministre de la Guerre et l'amiral François Darlan, ministre de la Marine. (...)

Sur la scène de l'Actualité

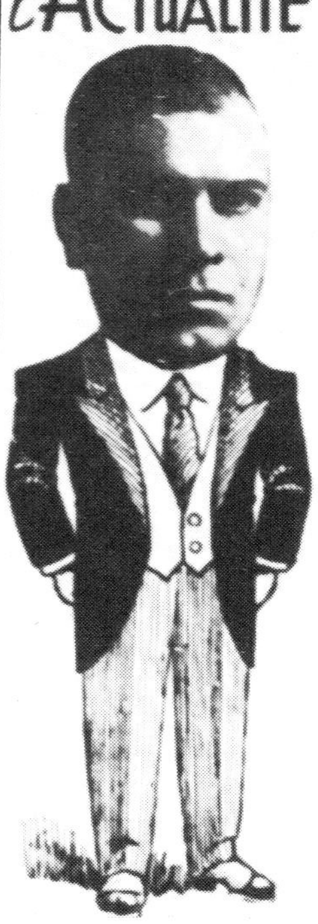

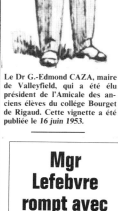

Le Dr G.-Edmond CAZA, maire de Valleyfield, qui a été élu président de l'Amicale des anciens élèves du collège Bourget de Rigaud. Cette vignette a été publiée le *16 juin 1953*.

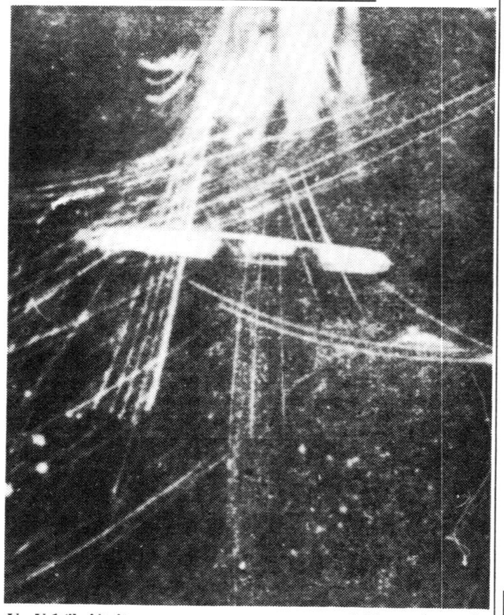

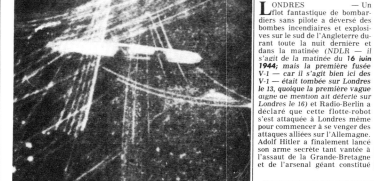

Un *V-1* (il n'était pas encore connu sous ce nom à l'époque) en vol, sous le feu ennemi.

Avion sans pilote ou bombe à fusée

LONDRES — Un flot fantastique de bombardiers sans pilote a déversé des bombes incendiaires et explosives sur le sud de l'Angleterre durant toute la nuit dernière et dans la matinée *(NDLR — il s'agit de la matinée du **16 juin 1944**; mais la première fusée V-1 — car il s'agit bien ici des V-1 — était tombée sur Londres le 13, quoique la première vague digne de mention ait déferlé sur Londres le 16)* et Radio-Berlin a déclaré que cette flotte-robot s'est attaquée à Londres même pour commencer à se venger des attaques alliées sur l'Allemagne. Adolf Hitler a finalement lancé son arme secrète tant vantée à l'assaut de la Grande-Bretagne et de l'arsenal géant constitué sur l'île. Les autorités britanniques ne tentent pas de cacher la gravité de la situation.

Tout le sud de l'Angleterre a été tenu en état d'alerte et le ministre de l'intérieur, M.Herbert Morrison, a confirmé l'existence des raiders robot et promis à la députation que des contre-mesures seront prises sans délai. (...)

Des étoiles filantes

Surgissant dans le ciel comme des comètes en feu, ces mystérieux projectiles sont descendus sur des vingtaines de régions et se sont subitement transformés en de gigantesques boules de feu.

Les récits qui ont été transmis aux autorités varient sensiblement. Tous s'entendent toutefois pour dire qu'il s'agit de bombes-fusées ou d'avions radiodirigés remplis de charges explosives qui sautent quelques secondes après avoir touché le sol. (...)

Quatre faits établis

Les rapports transmis à date s'entendent sur quatre points définis:

1 - Les projectiles voyagent à une vitesse énorme.

2 - Tous sont munis de phares brillants qui s'éteignent dès que l'explosion doit se produire.

3 - Tous laissent par devers eux une suite de feux et d'étincelles, provenant apparemment de l'expulsion de gaz.

4 - Ils suivent généralement une route remarquablement droite.

Mgr Lefebvre rompt avec le Vatican

Mgr Marcel Lefebvre, chef de file des catholiques traditionalistes, a franchi un pas décisif dans sa rupture avec Rome en annonçant à Écne (sud de la Suisse) qu'il consacrera quatre évêques le 30 juin prochain.

Le Vatican a immédiatement réagi à cette annonce en affirmant que la décision de Mgr Lefebvre signifiait un schisme avec Rome. « C'est une annonce douloureuse à faire, car la décision du chef des traditionalistes est lourde de conséquences canoniques graves et rend inévitable une monition envers les personnes concernées », a affirmé le porte-parole du Vatican, M. Joaquin Navarro. (**Texte publié le 16 juin 1988.**)

C'EST ARRIVÉ UN 16 JUIN

1990 — À peine un peu plus d'un adulte sur quatre (27 %) signale s'être rendu à l'église, dans une synagogue ou dans un autre lieu consacré au culte, durant la semaine qui a précédé le sondage effectué par l'Institut Gallup à ce sujet. En 1955, 58 % des sujets interrogés avaient répondu par l'affirmative.

1987 — Une Canadienne qui, de son propre aveu, a réussi à faire pour plus de 2 millions de dollars d'appels interurbains sans jamais payer un seul sou s'est fait pincer et vient d'être condamnée à 90 jours de prison.

1984 — Une étude révèle que la majorité des jeunes Canadiens de quinze ans ignorent que l'alcool altère la faculté de décision du conducteur, que le manque d'exercice est la cause principale d'obésité chez les jeunes et que l'herpès est incurable.

1977 — Décès de Wernher von Braun à l'âge de 65 ans, inventeur de la fusée allemande V-2 au cours de la Deuxième Guerre mondiale, puis l'un des dirigeants du programme spatial américain. — Le gouvernement du Québec crée l'enquête Keable sur la perquisition illégale de l'APLQ en 1972.

1975 — Bataille dans la câblodiffusion dans les régions de Mont-Joli et de Rimouski, entre les gouvernements fédéral et québécois.

1972 — Inauguration de l'usine hydroélectrique de Churchill Falls par les premiers ministres Pierre Elliott Trudeau, Frank Moores et Robert Bourassa.

1947 — La grève de 80 000 marins américains se traduit par le chômage forcé de 200 000 autres travailleurs.

1943 — Le légendaire Babe Ruth est honoré au Stade des Yankees.

1913 — Un terrible ouragan s'abat sur la province et détruit tout sur son passage dans la région de Trois-Rivières.

1902 — Deux trains relient New York et Chicago à la vitesse moyenne de 95 milles à l'heure, qualifiée de vertigineuse.

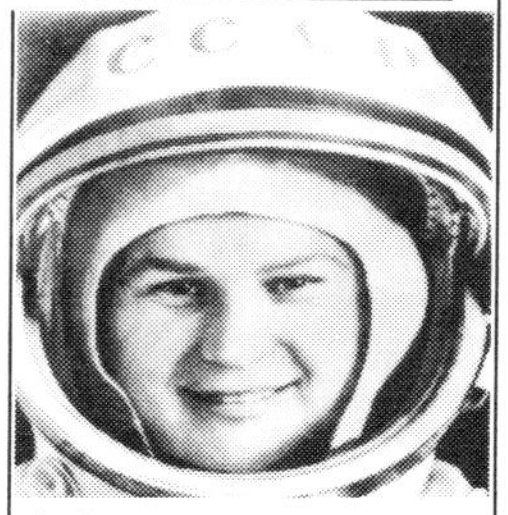

La Soviétique Valentina Tereshkova devenait, le 16 juin 1963, la première femme cosmonaute de l'histoire, lorsqu'elle fut placée sur orbite à bord du vaisseau Vostok VI. Au surplus, son vaisseau spatial était le deuxième vaisseau soviétique à voyager dans l'espace puique Mlle Tereshkova était allée rejoindre Valery Fedorovitch Bykovsky, qui s'y trouvait déjà à bord du Vostok V.

Le réseau du tramway est «municipalisé» aujourd'hui

LA municipalisation du tramway est chose faite!

La deuxième annonce destinée à commmuniquer au public la nouvelle de l'achat d'un nombre suffisant d'actions de la Compagnie des tramways par la Commission de transport de Montréal est publiée aujourd'hui même dans notre journal. Et selon la loi, «la Commission devient propriétaire de tout l'actif de la Compagnie, à compter du jour de la publication du deuxième et dernier avis.» ...

Ce «jour», c'est aujourd'hui, le **16 juin 1951.** Impossible de savoir si l'heure exacte de la prise de possession «légale» de l'actif concerné s'est situé à minuit la nuit dernière, ou se présentera la nuit prochaine, car les autorités intéressées n'ont apparemment aucune opinion formée à ce sujet. Mais le fait n'a aucune importance pratique, car aucun document officiel touchant le réseau ne doit être signé avant lundi.

Lundi, des chèques et autres documents seront signés par la «Commission de transport», qui sera installée dans nos nouveaux bureaux du No 159 ouest, rue Craig, le même jour, dans la matinée.

Entre temps, tous les employés sont à leur poste respectif et s'acquittent de leur devoir respectif. On comprend d'ailleurs que seul M. R.N. Watt, président de la Compagnie des tramways, et seul directeur «à plein temps» de cette entreprise aujourd'hui disparue, possédait rue Craig un bureau qu'il se préparer à quitter. Lundi, M. Arthur Duperron, président de la commission, occupera le bureau de M. Watt, et on trouvera de nouveaux quartiers pour loger les autres membres de la commission, MM. Richard F. Quinn et Léonard Léger, Me C.-A. Sylvestre, et le secrétaire, Me Yvon Clermont. (...)

Radio-Canada émettra en couleurs de ses studios de l'Expo en 1967

OTTAWA — La décision est prise, Radio-Canada émettra, de ses futurs locaux à l'Expo 67, des émissions de télévision en couleurs.

Le gouvernement vient d'autoriser **(le 16 juin 1965)** la Société à convertir tous les émetteurs de son réseau afin que les téléspectateurs canadiens puissent voir en couleurs les émissions originant des studios situés sur la jetée Mackay.

Pour le moment, la Société n'envisage pas la construction immédiate d'autres studios pouvant transmettre des programmes de télévision en couleurs. Il est cependant permis d'espérer que les deux grands centres de télévision, Montréal et Toronto, pourront présenter des émissions en couleurs au cours de l'année qui suivra la tenue de l'Expo.

Donc, en 1967, les seuls studios de télévision en couleurs seront ceux de l'Expo. La Société Radio-Canada devra dépenser quatre millions de dollars de plus qu'elle n'avait prévu pour son organisation à l'Expo. Quatre millions pour l'édifice, dix millions pour les installations.

La Société d'Etat évalue à $11,000,000 la conversion des postes du réseau. A noter que ces postes ne pourront que retransmettre les émissions de l'Expo. (...)

Un débris cosmique, c'est ça!

Les vaches ne font pas que regarder passer les trains à Saint-Robert, un petit village près de Sorel. Elles regardent aussi tomber les météorites. Et c'est grâce à elles qu'on a pu trouver un débris cosmique, pour la première fois depuis 17 ans au Canada.

Comme des milliers de personnes sur la rive sud du fleuve Saint-Laurent, Stéphane Forcier, un étudiant de l'École polytechnique âgé de 21 ans, a entendu comme le bruit continu d'une explosion, vers 20 heures mardi (**le 14 juin 1994.**) Il roulait à bicyclette sur le rang Saint-Thomas, près de la ferme de ses parents.

« Tout d'un coup, j'ai entendu un bruit sourd, a-t-il raconté. J'ai vu quatre ou cinq taures s'enfuir et sauter par dessus le ruisseau, derrière chez nous. Quatre ou cinq autres vaches regardaient par terre, l'air curieux. Je les ai rejointes.

« L'herbe était couchée dans un rayon d'un pied, et il y avait un trou large d'environ six pouces. Je suis allé chercher une pelle, j'ai creusé moins d'un pied et j'ai trouvé le fragment de la météorite. »

Les gens affluaient chez les Forcier, hier, et se passaient la pierre aussi délicatement qu'un bébé, en la soupesant et même en humant son parfum cosmique. Une voisine s'est exclamée, ravie : « Pour une fois qu'il se passe quelque chose dans le rang Saint-Thomas ! » (**Texte publié le 16 juin 1994.**)

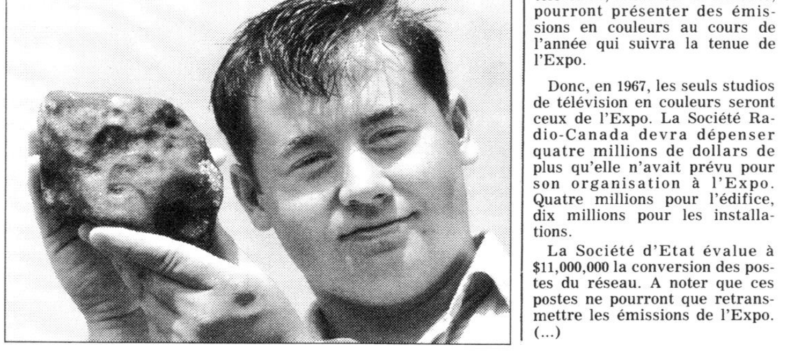

Stéphane Forcier et sa découverte.

Québec a perdu les Jeux de 2002

C'est à Salt Lake City, au premier tour et par une majorité sans précédent, que le Comité International Olympique a accordé l'honneur d'organiser les Jeux d'hiver de 2002.

La candidature de Québec a terminé au quatrième et dernier rang avec sept votes, contre 54 pour les vainqueurs, et 14 chacune pour les deux candidates européennes.

Est-il besoin d'insister sur l'ampleur de la défaite québécoise ? Sept votes sur 89. Le président de Québec 2002, René Paquet, était livide, atterré.

« Les meilleurs ont gagné », a-t-il d'abord commenté.

« Je pense, a-t-il poursuivi, que les jeux étaient faits depuis longtemps. C'est bien sûr une énorme surprise. Nous avons fait tout ce que nous pouvions faire. »

Jean-Paul L'Allier, le maire de Québec, a réagi avec beaucoup de sang-froid malgré ce score sans appel. « Nos gens ont fait de l'excellent travail et je suis très fier de l'image de Québec que nous avons projetée à travers le monde, a-t-il déclaré. Cette décision n'enlève rien à notre capacité d'accueil et à la qualité de notre projet. »

Si on enlève les deux votes canadiens, Québec aura recueilli cinq voix étrangères.

Jacques Parizeau : « C'est un résultat très décevant. Un choc. Le pire scénario possible. Nous en étions à nos premières armes dans ce domaine et nous avons beaucoup appris. Nous leur avons présenté ce que Québec avait de mieux à offrir et ils l'ont refusé. C'est leur droit. »

Sheila Copps, vice-première ministre du Canada, n'a pas perdu son sourire. « C'est une première étape, nous avons le vent dans les voiles », a-t-elle déclaré. Nous avons fait tout ce qu'il fallait, nous leur avons offert ce que nous avions de mieux et ils ont préféré autre chose. C'est leur choix et nous devons nous y soumettre. Il faudra revenir. » (**Texte publié le 17 juin 1995.**)

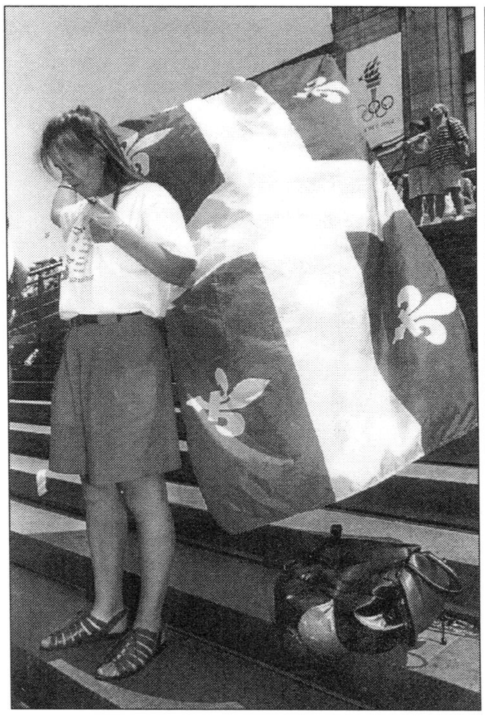

L'image de cette jeune fille traduit bien la déception des Québécois.

C'EST ARRIVÉ UN 17 JUIN

1994 — Le gouvernement fédéral et l'Ontario ont adopté un nouveau plan de réduction de la pollution toxique dans les Grands Lacs. Le plan prévoit consacrer 250 millions, sur une période de six ans, à la dépollution. La contribution d'Ottawa serait de 150 millions et l'Ontario paierait le reste de la facture. La date de la signature officielle de l'entente n'a pas encore été fixée.

1992 — Les présidents américain et russe George Bush et Boris Eltsine ont conclu aujourd'hui le tout premier sommet américano-russe en signant un accord historique de réduction des armements nucléaires et une Charte d'amitié et de partenariat relèguant la guerre froide aux oubliettes. Les deux hommes ont également signé sept accords bilatéraux, base sur laquelle les deux pays ont promis de bâtir ensemble un avenir pacifique.

1989 — Le sosie de Marilyn Monroe, Kay Kent, un mannequin britannique, 24 ans, a été retrouvée morte dans des circonstances qui rappellent la mort de l'actrice américaine il y a 27 ans. On a retrouvé près d'elle des tablettes de somnifères et une bouteille de vodka à moitié vide. Des photos de Marilyn Monroe étaient éparpillées sur le lit. La pièce était également remplie de livres et d'interviews de l'actrice enregistrées sur des cassettes.

1989 — Imre Nagy, chef du gouvernement hongrois lors des événements de 1956 écrasés par les chars soviétiques, et ses compagnons de route, exécutés il y a 31 ans jour pour jour, ont eu des obsèques grandioses en présence de 250 000 personnes, obsèques qui marquent leur réhabilitation publique. Les cinq cercueils ont été remis en terre avec tous les égards au cimetière de Budapest, là-même où ils avaient reposé pendant des décennies dans une fosse commune de la parcelle 301, proscrits comme contre-révolutionnaires et traîtres.

1989 — On doit à John Grierson l'invention du mot documentaire. En 1926, parlant de *Moana*, un film de Flaherty, Grierson estimait en effet que celui-ci avait « une valeur documentaire ». L'Office national du film célèbre en grande pompe ses 50 ans d'existence par une rétrospective monstre : plus de 300 documentaires dont la durée varie entre trois minutes et quatre heures, dûs à l'influence de Grierson qui fut le premier commissaire de l'ONF.

1985 — Une soixante de personnes, la plupart des curieux, se sont réunies sur Union Square, à San Francisco, pour participer à une manifestation contre la nouvelle saveur du Coca-Cola. Certains portaient des pancartes où l'on pouvait lire : « Du nouveau Coke ? Les dieux sont sûrement tombés sur la tête ». La manifestation, organisée par le « Old Cola Drinkers of American », fait suite à une action en justice intenté par ce groupe contre la société Coca-Cola pour l'obliger à redonner à sa boisson gazeuse son goût centenaire.

Les Laurentides auront le plus long parc linéaire au monde

Le gouvernement provincial est officiellement devenu propriétaire de l'emprise de l'ancienne voie ferrée du Canadien Pacifique, reliant Saint-Jérôme à Mont-Laurier. Elle deviendra sous peu un parc linéaire de 200 kilomètres, le plus long au monde, pour la pratique de sports de plein air.

Cette emprise a été achetée au coût de 3,5 millions. Un million sera défrayé par la Corporation de développement des Laurentides (CDL). Une quarantaine de municipalités participeront au financement du projet.

L'idée de transformer cette voie ferrée en parc linéaire est apparue pour la première fois en 1976, au moment où le CP demandait l'autorisation d'abandonner son service passagers entre Montréal et Mont-Laurier.

Cette emprise va servir, en été, pour des randonnées en bicyclette et pédestres. L'hiver, un sentier de ski de randonnée sera aménagé de Saint-Jérôme à Sainte-Agathe. Puis, jusqu'à Mont-Laurier, l'emprise sera réservée à la motoneige.

Les MRC vont s'occuper d'aménager en aires de repos et de rafraîchissement les huit gares (sur 17) encore debout. Ce qui va entraîner des retombées pour l'économie des municipalités où sont situés ces immeubles. (**Texte publié le 17 juin 1994.**)

Prince en orbite

Un prince saoudien, un pilote d'essai français et cinq astronautes de la NASA souhaitaient hier que le beau temps serait de la partie aujourd'hui (**le 17 juin 1985.**) pour le décollage de la navette Discovery qui emportera trois satellites dans sa soute.

Hier, les techniciens s'affairaient aux ultimes préparatifs en vue de la 18e mission d'une navette spatiale américaine, mission dont la durée prévue est de sept jours et qui aura pour effet de faire accéder 22 pays arabes, ainsi que le Mexique, à l'ère des communications par satellite.

En effet, parmi les trois satellites qui seront lancés depuis la soute de Discovery, Arabsat appartient à la Ligue des États arabes et a été qualifié par un journal saoudien de « signe avant-coureur de la renaissance du leadership arabe en matière de sciences et de connaissances. »

Quant au prince saoudien Sultan Salman Bin Abdelaziz, neveu du roi Fahd, d'Arabie saoudite, il est âgé de 28 ans seulement et il deviendra le premier Arabe dans l'espace.. Et le plus jeune astronaute jamais envoyé dans le cosmos par la NASA.

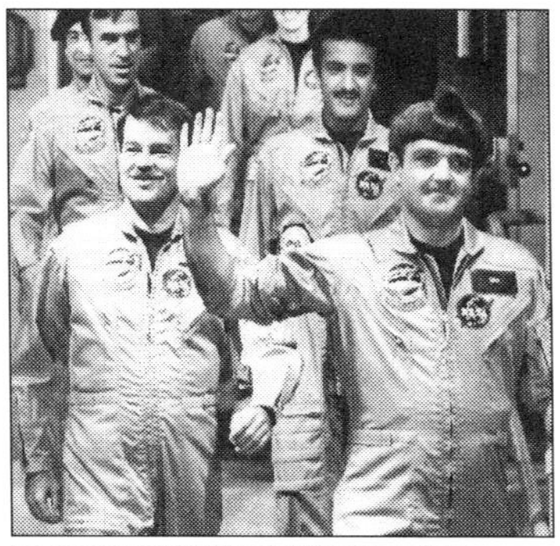

Le commandant Daniel Brandenstein saluant la foule et, tout juste derrière lui, le prince Sultan Salman Al-Saud. À gauche de la photo, John Creighton et Shannon Lucid.

Mort à Meech, disent les autochtones du Manitoba

Mauvaise nouvelle pour Brian Mulroney : les autochtones qui bloquent l'adoption de l'Accord du lac Meech à la législature manitobaine ne lui demandent rien. Ils ne veulent rien négocier, rien savoir.

« Notre stratégie ? C'est de tuer Meech. Nous voulons sa mort », a répondu le plus calmement du monde Phil Fontaine, président de l'Assemblée des chefs du Manitoba, à des journalistes médusés à Winnipeg.

Et d'ajouter sur le même ton : « Et c'est ce que nous sommes en train de faire. »

La raison ? « Meech est un accord fondamentalement mauvais, il n'est pas question de l'appuyer et nous sommes prêts à subir les conséquences de notre action. »

Négocié et ratifié par tous les premiers ministres, en 1987, « retouché » il y a une semaine à Ottawa, l'Accord du lac Meech, qui permet au Québec de réintégrer la Constitution canadienne « dans l'honneur et l'enthousiasme », doit maintenant être adopté par tous les gouvernements du pays avant semedi prochain, 23 juin.

Au Manitoba, où il n'a pas encore été adopté, Elijah Harper, un député autochtone néo-démocrate, suivant les consignes de l'Assemblée des chefs du Manitoba et conseillé par des experts en procédures, bloque tout le processus d'adoption depuis une semaine. On s'attend désormais à ce qu'il continue son obstruction jusqu'à la mort de Meech.

Que veulent les autochtones ? « La parité avec le Québec », a répondu Ovide Mercredi, un des dirigeants de l'Assemblée des Premières Nations. Essentiellement, ils veulent être reconnus comme « société distincte » et participer de plein droit à toutes les conférences constitutionnelles qui les concernent. (**Texte publié le 17 juin 1990.**)

LA PLUS GRANDE CATASTROPHE DU PORT DE MONTRÉAL

Le port de Montréal a été, à la fin de la nuit dernière, le théâtre d'une catastrophe sans précédent dans les annales maritimes de notre ville. On ignore encore exactement le nombre de morts, mais on croit qu'il est d'une trentaine. Des pompiers, dont leur chef, ont péri. De malheureux membres de l'équipage ont trouvé une mort affreuse alors qu'ils reposaient à l'intérieur d'un vaisseau.

Durant la nuit, le feu s'est déclaré à bord du pétrolier *Cymbeline*, en réparation à la cale flottante à Maisonneuve. Des explosions ont suivi.

Des pompiers qui travaillaient à éteindre les flammes ont été lancés dans le brasier sur le bateau et ont péri, pendant que le chef de la brigade des pompiers, M. Raoul Gauthier, était précipité dans une vingtaine de pieds d'eau, d'où l'on ne l'avait pas encore retiré à midi.

On savait d'une manière certaine, à midi, que le chef des pompiers, trois des hommes de la brigade et six ouvriers avaient perdu la vie.

On ignorait quel était le nombre exact des personnes qui se trouvaient à l'intérieur du navire lors du désastre. Les uns comptaient seize marins, mais une haute autorité du port dit qu'il s'y trouvait 23 personnes, comprenant des marins et des ouvriers, qui auraient tous trouvé la mort.

Sur l'un des réservoirs du navire, à l'arrière, on a fait une horrible découverte. On a trouvé une main d'homme dont il ne restait plus que la peau et les ongles. Tout l'intérieur de la main avait été enlevé, c'était une espèce de gant formé par la peau d'une main humaine.

Cela peut faire comprendre dans quel état l'on retrouvera probablement les corps de certaines des victimes et comment l'identification sera alors difficile.

À midi, des pompiers venaient de descendre à l'intérieur du *Cymbeline*, mais ils n'ont pu encore alors faire les recherches des cadavres comme ils l'auraient voulu, vu qu'il y avait encore dans la cale environ 6 pieds d'eau.

Lors de la décoration des tombes des pompiers, morts au champ d'honneur, cérémonie qui s'est déroulée hier après-midi dans les cimetières catholique et protestant, le chef Raoul Gauthier, directeur du service des incendies, une des victimes de la catastrophe de ce matin, prononça ces paroles qui quelques heures plus tard se réalisèrent à la lettre.

« Nous saluons aujourd'hui ceux de nos camarades qui sont morts en accomplissant leur devoir et dans l'exercice de leur terrible métier. Notre tour viendra ; peut-être ce soir, peut-être demain. Nous devons donc toujours être prêts. Notre devoir nous le commande, l'engagement que nous avons pris est formel. »

Douze heures plus tard, le chef Raoul Gauthier était le premier avec trois de ses hommes à donner l'exemple du devoir accompli jusqu'à la fin. (**Texte publié le 17 juin 1932.**)

Il y a 20 ans, le Watergate

Le 17 juin 1972, dans la nuit, cinq cambrioleurs étaient surpris au quartier général du parti démocrate dans l'immeuble du Watergate à Washington : l'Amérique entrait sans le savoir dans l'une des crises les plus graves de son histoire.

Un peu plus de deux ans plus tard, le 8 août 1974, le président Richard Nixon annonçait, sans un mot d'excuse, sa démission pour le lendemain à midi. C'était la première fois qu'un président américain était contraint à abandonner ses fonctions.

Vingt ans après, Richard Nixon est ressorti de l'anonymat où l'avait forcé le scandale. Les Américains ont récupéré du choc qu'ils avaient subi. Et un grand mystère demeure : qui était donc Deep Throat, « Gorge Profonde » — du nom d'un film pornographique à succès —, qui fut le principal informateur de Carl Bernstein et Bob Woodward ?

Ces deux journalistes du *Washington Post* furent en effet les héros d'une enquête menée largement par la presse et qui démontra que ce que le porte-parole de la Maison Blanche

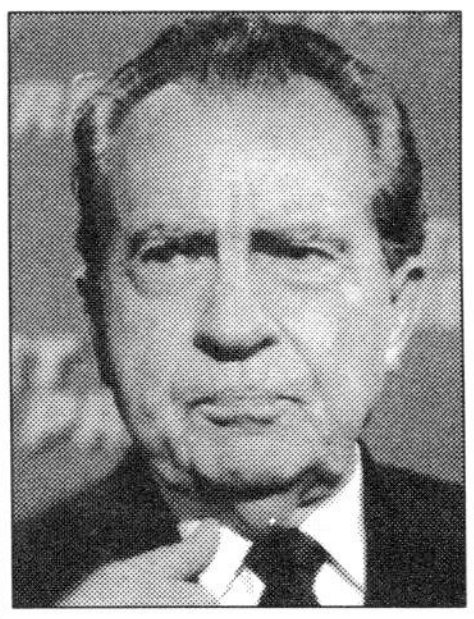

Le président Richard Nixon

avait qualifié de « tentative de cambriolage de troisième ordre » remontait en fait aux niveaux les plus élevés du pouvoir.

Cela prit du temps. En fait, en novembre 1972, soit quatre mois après le cambriolage, Richard Nixon fut triomphalement réélu face à George McGovern, alors que personne encore ne se doutait des dimensions que prendrait l'affaire.

L'opération montée au Watergate, essentiellement une affaire d'écoutes illégales, paraissait tellement absurde alors que le président était assuré de sa réélection face à une opposition démocrate divisée, que nul ne pensait à l'attribuer aux plus proches conseillers de la présidence.

En mai 1973, une Commission sénatoriale présidée par Sam Ervin, un démocrate conservateur du Sud, se saisissait de l'affaire et l'échafaudage républicain commençait à s'écrouler. Deux dépositions marqueront surtout, celle de l'avocat-conseil de la Maison Blanche, John Dean, qui implique le président et son entourage, et celle d'un collaborateur peu connu, Alexander Butterfield, qui révèle que le président enregistrait toutes les conversations tenues dans le bureau ovale de la Maison Blanche, siège du pouvoir.

Ces enregistrements scelleront la chute de Richard Nixon lorsqu'en juillet 1974, la Cour Suprême lui ordonnera de les remettre aux enquêteurs. Mais avant cela, l'entourage du président avait été décimé par une série de démissions forcées, notamment celles de l'Attorney General (ministre de la Justice) John Mitchell et de ceux que l'on appelait la garde prussienne de M. Nixon à la Maison Blanche : H.R. Haldeman et John Ehrlichman. Ils seront inculpés, condamnés et purgeront une partie de leur peine, de même qu'une douzaine d'autres personnes.

Le personnage le plus étonnant dans cette galerie d'obsédés du pouvoir et du coup fourré était peut-être G. Gordon Liddy, l'un des deux chefs des « plombiers » de la Maison Blanche créés par Ehrlichman pour combattre les fuites. Spécialiste du coup tordu, il fut le seul lors des procès à refuser toute coopération avec la Justice, affirmant qu'il était en mission. Il reçut la plus lourde peine et resta 52 mois derrière les barreaux. (**Texte publié en juin 1992.**)

Cette page consacrée à la fin des classes a été publiée le *18 juin 1904*.

OUI À LA CHEF, NON À LA MATELOTE

Y aura-t-il encore beaucoup de comédiens qui oseront monter sur les planches lorsqu'ils apprendront que le souffleur, malade, a été remplacé par une souffleuse ? De sportifs qui résisteront à l'appel de l'exercice physique en voyant leur entraîneur remplacé, à pied levé, par une entraîneuse ?

Voici sans doute deux exemples un peu pompier (pompière) de l'exercice auquel l'Office de la langue française s'est livré récemment, avant d'accoucher (docteur-docteure) d'un recueil de 70 pages intitulé « Titres et fonctions au féminin : essai d'orientation de l'usage ».

Le but de cet ouvrage est pourtant très sérieux : isoler et étudier près de 200 termes encore considérés comme masculins ou qui ne comportent pas de forme féminine reconnue. Et cela non seulement parce que les femmes ont désormais accès à l'ensemble des métiers et professions, mais aussi qu'elles souhaitent de plus en plus qu'on emploie des dénominations féminines pour les désigner.

Il s'agit du troisième document de politique linguistique publié par l'office. Le premier, en 1980 se penchait sur les emprunts linguistiques, et le second sur les québécismes (1985). On se souviendra que, dans un cas comme dans l'autre, les termes suggérés n'étaient pas tous passés (facteur-factrice) comme lettre à la poste.

Si on en juge d'après les explications fournies dans le recueil de l'office, le choix des termes « féminisés » ne s'est pas toujours fait sans difficultés. Dans plusieurs cas, on a par exemple préféré s'en tenir à ce qui existait déjà (marin, médecin, matelot) non sans y avoir longuement réfléchi. Un cas type : pour le féminin de chef, on a d'abord pensé à chève. Puis à cheffe. Et à chèfe. À cheffesse aussi, de même qu'à chéfesse. On a finalement opté pour l'originalité : un chef au féminin, deviendra... Une chef. (Texte publié le 18 juin 1986.)

Les fêtes organisées pour souligner le 60e anniversaire du collège Sainte-Marie se terminaient le *18 juin 1908* par une brillante réception dans les jardins du collège, en présence de 200 anciens. La musique d'atmosphère était jouée par l'orchestre Ratto. Mgr Bruchési et le recteur du collège, le R.P. Joseph Lalande, adressèrent la parole aux convives.

Un milliard pour des autochtones fictifs

L e gouvernement fédéral verse plus d'un milliard de dollars de trop chaque année aux bandes indiennes pour des autochtones qui n'existent tout simplement pas.

Selon les données de Statistique Canada et du Registre des Indiens à Ottawa, il y a au moins 70 000 Indiens « fictifs » inscrits auprès du ministère des Affaires indiennes comme résidants des réserves. C'est 28 % de plus que leur nombre réel.

Les subventions fédérales aux bandes représentent, en 1993-94, 16 510 dollars par personne enregistrée officiellement par le ministère. Les noms de trop sur les listes gouvernementales équivalent à 1,2 milliard de dollars par année, soit près du quart des budgets totaux de 5,4 milliards consacrés par le pouvoir fédéral aux communautés amérindiennes.

Ce sont les conseils de bandes qui fournissent au ministère les chiffres de leur population, souvent surestimée par rapport à la réalité observée par Statistique Canada lors des recensements effectués dans les réserves. « Le ministère n'a pas les moyens de vérifier ces déclarations », a dit un porte-parole du ministère. (Texte publié le 18 juin 1994.)

L'OLF a dit non à la « police de la langue »

L 'Office de la langue française était farouchement opposé au retour de la Commission de protection de la langue française, une concession faite par Québec aux militants péquistes de Montréal, qui jugeaient le « bouquet de mesures » linguistiques bien timides.

« Quand j'en ai entendu parler, c'est vrai que j'ai eu de la difficulté à comprendre le bien-fondé de cette nouvelle créature », d'admettre Mme Nicole René, la présidente de l'Office de la langue. Elle souligne que depuis, à la suite de ses représentations d'ailleurs, le gouvernement a modifié le projet de loi 40 pour le rendre plus acceptable.

Les contribuables devront, en cette période de dures compressions, payer pour la création du nouvel organisme — lors de sa disparition, la CPLF avait un budget de l'ordre de deux millions par année.

À Québec, on indique que la nouvelle commission devrait compter une vingtaine de personnes — la précédente version comptait 33 employés. (Texte publié le 18 juin 1996.)

LE « FRIENDSHIP » DESCEND AU PAYS DE GALLES

Le puissant hydravion descend dans l'estuaire de Burry, faute d'essence, et Mlle Amelia Earhart a l'honneur d'être la première femme à survoler l'Atlantique. — Une randonnée de 20 heures et 49 minutes.

L ONDRES — Le premier survol de l'océan Atlantique par une femme est un fait accompli. L'hydravion «Friendship» portant Mlle Amelia Earhart, le pilote Wilmer Stultz et le mécanicien Louis Gordon, a opéré sa descente, selon une dépêche de l'Association de la presse (on voulait sans doute parler de l'Associated Press), dans l'estuaire de Burry, au large de Burryport, Pays de Galles, à 12 heures 40 de l'après-midi (6 heures 40 du matin, temps normal de l'est), soit exactement 20 heures et 40 minutes après son ascension, à Trepassey, Terre-Neuve.

Vers 11 heures du matin, (...), le gros monoplan à trois moteurs et à pontons avait été signalé à 75 milles au sud-est de Cobh, en Irlande, par le steamer américain «America». (...)

Pendant que toute l'Angleterre et toute l'Irlande attendaient impatiemment, ce matin (18 juin 1928), l'occasion d'accueillir avec enthousiasme les aviateurs du «Friendship», Mlle Amelia Earhart, la première femme à survoler l'Atlantique et ses deux compagnons descendaient, peu après-midi, dans l'estuaire de Burry. C'était une descente inattendue. Burryport est située à 130 milles approximativement de Southampton qui était l'objectif des oiseaux américains. Le capitaine George Fried, commandant de l'«America», avait signalé le «Friendship» à 75 milles au sud-ouest de Queenstown. (...)

AU-DESSUS DE L'«AMERICA»

Le bureau de la «Presse Associée», à Londres, a reçu de l'«America» le message suivant : «A 75 milles au sud-est de Queenstown (Cobh), l'hydravion «Friendship» Ux-4204 a survolé l'«America» et a essayé de lancer à bord du vaisseau, mais sans succès, deux notes. L'aéroplane a pris ensuite la direction du nord. (Signé Fried)».

Ux-2404 est le numéro du gouvernail du «Friendship». Le message de l'«America» n'indiquait pas l'heure du passage de l'aéroplane. (...)

Dublin, 18 — Un gros bateau automobile portant 400 gallons de gazoline est parti du port de Valencia à 10 heures du matin (...) pour aller à la rencontre du «Friendship». Il lui aurait donné de l'essence s'il l'avait rencontré et lui en avait demandé. (...)

Le monoplan «Friendship» est descendu de l'estuaire de Burry, sur la côte du Curmarthenshire, parce qu'il manquait d'essence. Les aviateurs semblaient bien

Amelia Earhart

portants lorsqu'ils ont été transportés sur la rive par un canot automobile. Ils ne paraissaient pas fatigués par leur raid de 2000 milles.

LE «COLUMBIA» ATTEND

Saint-Jean, Terre-Neuve, 18 — La rumeur dit que le projet de vol transatlantique de Mlle Mabel Boll sera abandonné en vue du succès de Mlle Amelia Earhart. Mais la confirmation de cette rumeur ne peut pas être obtenue. (...)

Le monoplan «Columbia» ne bougeait pas aujourd'hui, car les aviateurs n'avaient pas encore pris de décision définitive, alors que les dépêches annonçaient l'arrivée du «Friendship» dans le Pays de Galles.

Le capitaine Olivier LeBoutillier, pilote, et le capitaine Arthur Argles, assistant-pilote, ont appris la nouvelle avant Mlle Mabel Boll, semble-t-il.

Mlle Boll voulait être la première femme à survoler l'Atlantique. (...)

L'astronaute Sally Ride avait l'honneur, le *18 juin 1983*, de devenir la première Américaine à se rendre dans l'espace dans un vaisseau spatial, en l'occurence la navette *Challenger*, en compagnie de quatre collègues masculins, soit le commandant Robert Crippen, Fred Hauck, John Fabian et Norman Thagard. Le hasard veut que certaines «premières» féminines, y compris celle de Sally Ride, aient lieu sensiblement à la même période de l'année. En effet, Sally Ride avait l'honneur, il y a 55 ans, jour pour jour, après celui d'Amelia Earhart qui, en 1928, avait l'honneur d'être la première femme à traverser l'Atlantique en avion. Et Sally Ride rééditait avec 20 ans et deux jours de retard l'exploit de la cosmonaute soviétique Valentina Tereshkova, qui fut la première femme à se rendre dans l'espace à bord du vaisseau spatial *Vostok V*.

Le congrès marial prépare l'annonce de sa proclamation

O TTAWA — Le congrès marial d'Ottawa n'a-t-il pas pour but éloigné de préparer les voies à la proclamation prochaine du dogme de l'assomption glorieuse de la Vierge Marie, mère de Dieu ?

Un bref message de l'allocution de bienvenue à son Em. le cardinal McGuigan, archevêque de Toronto et légat de Sa Sainteté le pape Pie XII, suscite des commentaires en ce sens dans la capitale fédérale, depuis la cérémonie d'hier après-midi (18 juin 1947) à la basilique de l'Immaculée-Conception.

Mgr l'archevêque d'Ottawa a, en effet, déclaré dans son discours sur le ton d'une pressante supplique :

«O Vierge sans tache, fille bien-aimée du Père, mère du Verbe, épouse de l'Esprit-Saint, l'évêque de Rome, l'infaillible gardien des enseignements de votre divin Fils, a formé le dessein de proposer solennellement à la foi du peuple chrétien le dogme de votre Assomption glorieuse. Daignez du haut du ciel inspirer la parole et soutenir la voix. Conservez et utilisez le pasteur des pasteurs, rendez-Le heureux sur la terre, et ne permettez pas qu'il soit livré à la fureur de ses ennemis.»

Dans les milieux ecclésiastiques de la capitale, on tient ce passage pour significatif. On en déduit que le Saint-Père a mis Mgr Vachon au courant de Ses projets et qu'il a d'autant plus volontiers approuvé l'organisation du congrès marial outaouais que celui-ci peut servir à préparer les esprits à l'acceptation du dogme de l'Assomption de Marie. (...)

Jocelyne Bourassa remportait, le *18 juin 1973*, la première édition du tournoi « La Canadienne » disputé sur les verts du Club de golf municipal de Montréal. Jocelyne Bourassa avait remporté au troisième trou supplémentaire, aux dépens de Judy Rankin et Sandra Haynie.

LES ROSENBERG MEURENT SANS PARLER

Aucun incident à la prison de Sing-Sing. Julius Rosenberg a été exécuté le premier.

SING-SING — Julius et Ethel Rosenberg, condamnés à mort pour espionnage atomique, ont été exécutés sur la chaise électrique hier soir **(19 juin 1953)**, à la prison de Sing-Sing.

Julius, monté le premier sur la chaise électrique, a reçu le premier choc à 8 h. 04 du soir, heure d'été de l'est, et a été prononcé mort à 8h. 06. Sa femme Ethel est montée sur la même chaise électrique à 8 h. 11 et les deux médecins présents l'ont déclarée morte à 8 h. 16.

Il a fallu pour électrocuter Julius trois décharges électriques successives, cinq pour Ethel.

Les deux condamnés sont montés sur la chaise électrique impassibles et n'ont pas prononcé une seule parole. Dans la pièce où s'est déroulée l'exécution, se trouvaient quatre bancs réservés généralement aux journalistes, dont le nombre pour cette exécution fédérale avait été fixé à trois.

(BUP) — Les Rosenberg ont été les premiers civils américains exécutés pour crimes d'espionnage. Ils ont été accusés d'avoir envoyé à la Russie un croquis de la bombe atomique.

«Un meurtre voulu et délibéré est réduit presque à l'insignifiance quand on le compare avec le crime que vous avez commis», a déclaré le juge Irving Kaufman en les condamnant à mort le 5 avril 1951.

«Il se peut que des millions de personnes souffrent du fait de votre trahison.» Au cours des dernières heures de la vie des Rosenberg, le président Eisenhower a été la principale cible de leurs partisans. Mais le président comprenait qu'il y avait bien plus en jeu que les vies de ces deux personnes ou les sentiments de leurs défenseurs. Voilà pourquoi il laissa subsister la sentence de mort.

«En augmentant de façon incommensurable les chances de guerre atomique, dit le président, les Rosenberg ont peut-être condamné à mort des dizaines de millions de personnes innocentes à travers le monde.» (...)

Les adieux

Les époux Rosenberg ont passé tout l'après-midi ensemble, de midi à 6 h. 20. Ils ont pu converser dans la prison des femmes à travers une grille. C'est à 6 h. 20 que les gardes les ont emmenés séparément dans leurs cellules pour les derniers préparatifs avant l'exécution.

A 6 h. du soir, deux heures avant le moment de l'exécution, David Rosenberg est venu à Sing-Sing faire une dernière visite d'adieu à son frère Julius.

Peu de temps avant, le rabbin Irving Kislowe avait vu les deux condamnés.

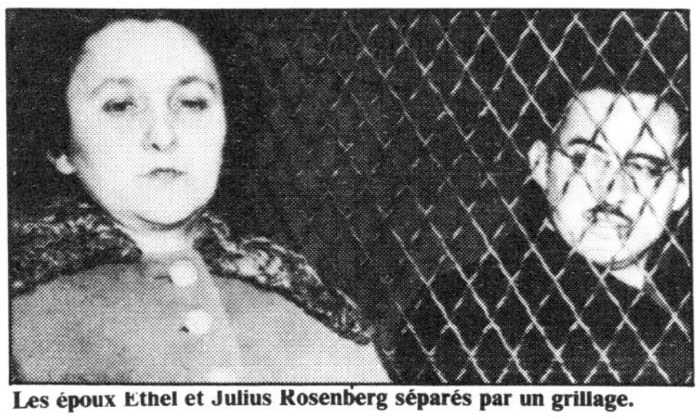

Les époux Ethel et Julius Rosenberg séparés par un grillage.

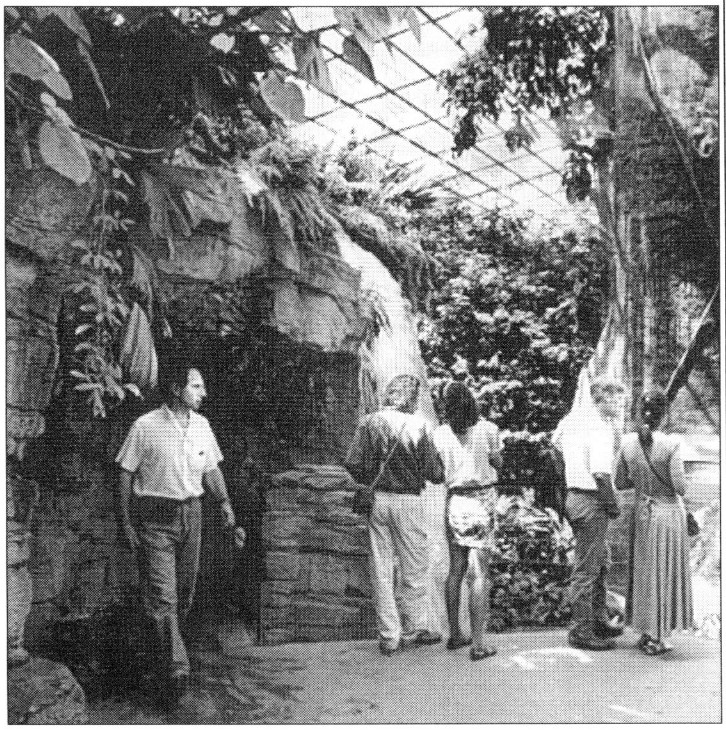

Le Biodôme a ouvert ses portes le 19 juin 1992.

Le Biodôme, un concept unique au monde

Trois ans après avoir été promis par le premier ministre du Québec, le Biodôme de Montréal a été inauguré par Robert Bourassa, devant le gratin montréalais.

Le Biodôme, c'est 4000 animaux, 218 espèces, 350 espèces de plantes, mais, surtout, un dépaysement à peu de frais et une éducation écologique et scientifique.

Selon ses promoteurs, le concept du Biodôme est unique au monde. Il reconstitue quatre écosystèmes : la chaude et humide forêt tropicale ; la forêt laurentienne et ses changements de paysages au fil des saisons ; le Saint-Laurent marin et sa diversité méconnue ; ainsi que le monde polaire.

Le Biodôme représente un défi scientifique et technologique. On y fabrique de la neige aussi bien que de l'eau de mer.

Il a fallu vaporiser des gouttelettes sur le feuillage de la forêt tropicale par des tubes camouflés dans un arbre.

Il fallait même prévoir une possible panne d'électricité — une température précise doit être maintenue dans chaque écosystème.

L'électricité et la chaleur proviennent du stade Olympique, mais une génératrice d'urgence prend la relève, si besoin est.

Le Biodôme aura coûté quelque 58,2 millions $ et est situé dans l'ancien vélodrome olympique, qui a dû être démantelé pour faire place aux nouveaux aménagements.

O.J. Simpson accusé de meurtre

C'est un O.J. Simpson en larmes qui a vécu sa première journée de détention hier, dans une aile à sécurité maximum réservée aux captifs suicidaires, au lendemain de l'incroyable course-poursuite télévisée à laquelle l'ancien footballeur vedette a convié le monde entier bien malgré lui. Il est sous surveillance constante de peur qu'il attente à ses jours. « Nous sommes très préoccupés à l'idée que M. Simpson puisse s'infliger du mal », a dit le commandant David Gascon, porte-parole de la police. Les procureurs du ministère public ont déposé des accusations selon lesquelles O.J. Simpson aurait mortellement poignardé son ex-épouse Nicole Brown et le garçon de table Ronald Goldman.

L'ouverture de la Coupe du monde de football aux États-Unis a été occultée par la longue course-poursuite à Los Angeles, retransmise en direct par toutes les chaînes de télévision, qui s'est déroulée entre la police et l'ancienne vedette de football.

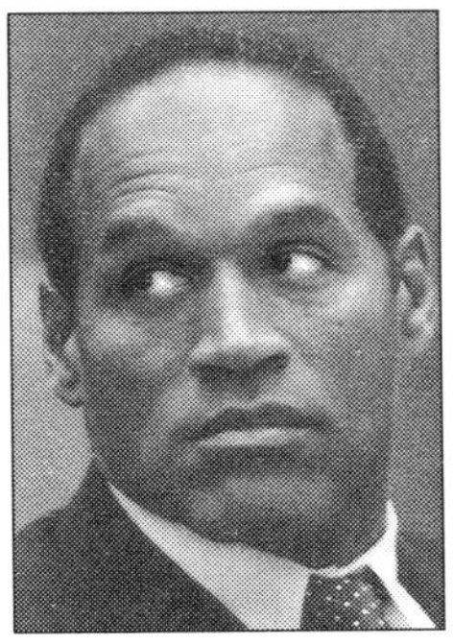

O. J. Simpson

Des millions de personnes ont ainsi pu assister à un drame presque surréaliste par la voie de la télévision. Des milliers de personnes s'étaient massées le long des autoroutes et des rues de la ville et certains ont applaudi au passage de l'ancien champion. Le fugitif s'est finalement rendu à la police vers 9 heures du soir.

« Nous avons assisté à la chute d'un héros américain ». Ces propos du procureur de Los Angeles Gil Garcetti résument bien l'émotion suscitée par cette affaire aux États-Unis où O.J. Simpson reste une idole malgré les deux meurtres dont il est accusé.

(Texte publié le 19 juin 1994.)

C'EST ARRIVÉ UN 19 JUIN

1999 — Le comte de Paris, Henri d'Orléans, est mort à l'âge de 90 ans dans sa maison de Dreux, en Eure-et-Loir. Son fils aîné, Henri de France, lui succède comme héritier au trône de France.

1999 — Le prince Édouard, fils cadet de la reine Élisabeth II, a épousé Sophie Rhys-Jones, au cours d'une cérémonie sobre, célébrée dans la chapelle Saint George de Windsor.

1992 — L'ouverture prochaine d'un restaurant McDonald's dans la ville moderne de Pompei, à quelques centaines de mètres des ruines de la ville romaine, suscite de virulentes polémiques dans les cercles culturels italiens, qui ont annoncé une action contre «la montée de la barbarie sur les plus précieux témoignages historiques du pays».

1972 — La Fédération internationale des pilotes de lignes déclenche une grève de 24 heures pour protester contre l'ineptie des gouvernements face au phénomène de la piraterie aérienne (on avait assisté à 42 détournements d'avions en moins de six mois).

1970 — Dans son rapport provisoire, la commission LeDain émet l'opinion que le cannabis est l'objet d'une loi trop répressive et punitive.

1965 — Ben Bella est écarté du pouvoir en Algérie par le Conseil de la révolution, dirigé par le colonel Houari Boumedienne.

1950 — Un cargo bourré d'explosifs, l'*Indian Enterprise*, coule après une explosion, au sud du canal de Suez, et on ne compte qu'un seul rescapé parmi les 74 membres d'équipage.

1941 — L'Allemagne et l'Italie ordonnent la fermeture de tous les consulats américains sur leur territoire.

1938 — Un pont affaibli par la crue des eaux s'écroule sous le passage d'un train dans le Montana. L'accident fait 60 morts.

L'offre de l'Hydro est formellement rejetée

PAR une voie unanime, les actionnaires de Montreal Light, Heat & Power Consolidated, à une assemblée extraordinaire tenue en l'édifice de la Banque Royale **(le 19 juin 1946)**, ont rejeté l'offre de l'Hydro-Québec. L'assemblée était présidée par M. J.S. Norris.

Les scrutateurs ont annoncé que 72,386 actions étaient représentées par personnes et 2,454,316 par mandats, soit un total de 2,526,702 actions sur un total émis de 4,489,033.

M. Norris a déclaré que la compagnie évalue l'actif exproprié par l'Hydro-Québec à $80,000,000 de plus que le montant de l'offre. «Cet actif, a-t-il dit, ne comprend que l'actif d'exploitation servant à la génération et à la distribution du gaz et de l'électricité; il n'inclut pas les placements que possède encore la compagnie. Ces placements, dont font partie des obligations et des actions de Beauharnois Light, Heat & Power Company, et de Montreal Island Power Company, sont portés aux livres de la compagnie pour une somme d'environ $100,000,000.»

M. Norris a fait remarquer que l'offre sur laquelle l'assemblée avait à délibérer ne se rapportait qu'à l'actif de Montreal Light, Heat & Power Cons. et non pas à celui de Beauharnois Light, Heat & Power Co. et de Montreal Island Power Co. L'Hydro-Québec, a-t-il ajouté, a évalué l'actif d'exploitation de la compagnie à $49,885,000, plus une indemnité de 10%, ce qui forme un total de $54,873,500. De ce montant, l'Hydro-Québec déduit la dette obligataire de $84,081,000 et demande à la compagnie de lui remettre la différence, soit $29,207,500, avec intérêts à partir du 1er avril 1944.

Comme l'actif résiduel a une valeur comptable d'environ $100,000,000, les actionnaires seraient donc appelés à prélever sur cet actif jusqu'à concurrence de $19,207,500 plus les intérêts.

Dans le cas de Montreal Island Power Company, la différence entre l'évaluation de la compagnie et l'offre de l'Hydro-Québec est de $4,000,000 et dans celui de Beauharnois Light, Heat & Power Co., de $37,000,000. (...)

524 jours dans un trou

GELA, Sicile — Un producteur de cinéma italien a revu le ciel et les étoiles hier **(19 juin 1978)** après avoir battu un triste record, celui de la détention la plus longue et peut-être la plus éprouvante aux mains de ravisseurs prêts à tout. M. Nicolo de Nora, qui a été drogué, enchaîné à un lit et nourri de boîtes de conserves pendant 524 jours, soit près d'un an et demi, a été remis en liberté, après versement par sa famille d'une rançon de cinq milliards de lires (cinq millions et demi de dollars environ).

Originaire de Milan où quatre bandits armés, appartenant probablement à la Mafia, l'avaient enlevé le 11 janvier 1977, M. de Nora a été abandonné les yeux bandés sur un chemin muletier près du port de Gela. Il a marché en titubant pendant deux heures avant de trouver de l'aide.

«Je pensais que j'étais toujours dans le nord, en Toscane ou en Emilie. Je n'avais aucune idée que j'étais en Sicile», a déclaré le producteur à la police.

Très affaibli par ses épreuves, la barbe et les cheveux flottants autour de son visage, M. de Nora a raconté qu'il avait été drogué à plusieurs reprises durant sa captivité. «Quelques jours après mon enlèvement, a-t-il dit, j'ai été drogué une première fois et jeté dans une malle. Je me suis ensuite retrouvé dans un cul de basse fosse, une pièce noire et minuscule, seulement éclairée par une lanterne, où je suis resté confiné jusqu'à ma libération.»

Il n'était pas autorisé non plus à se laver, à se raser ou à couper ses cheveux et il était gardé la plupart du temps enchaîné au pied de son lit par un anneau de fer fixé à sa cheville.

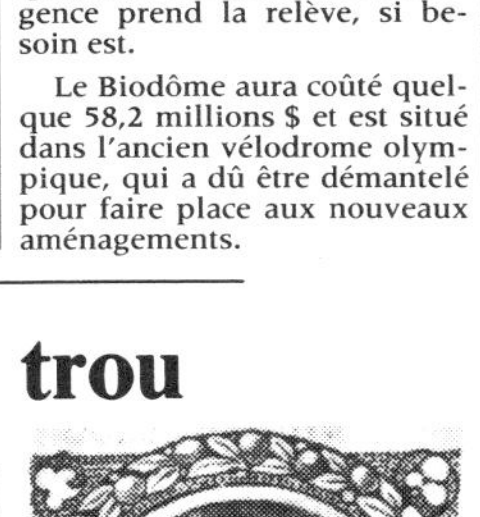

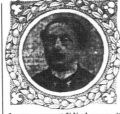

Le gouvernement fédéral annonçait la nomination, le *19 juin 1903*, de Laurent Olivier David, greffier de la Ville de Montréal, au poste de sénateur. Avocat et historien, cofondateur de *Le Colonisateur*, *L'Opinion publique et Le Bien public*, ex-député libéral de Montréal-Est à l'Assemblée législative de Québec, et président de la société Saint-Jean-Baptiste de 1881 à 1888, il accédait au siège jusque là occupé par le sénateur Masson.

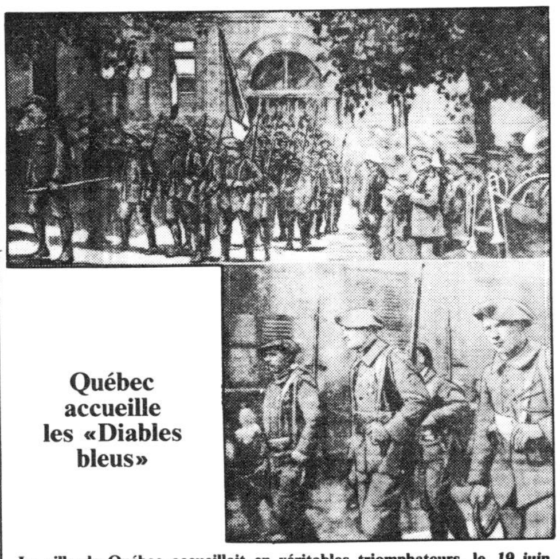

Québec accueille les «Diables bleus»

La ville de Québec accueillait en véritables triomphateurs, le *19 juin 1918*, les hardis chasseurs alpins, mieux connus sous le vocable de « Diables bleus », alors en visite dans la Vieille Capitale. Dans un des nombreux discours d'occasion, M. de Saint-Victor, agent consulaire de France à Québec, avait loué « les héros de la Marne et de Verdun qui, en arrêtant la ruée des barbares, ont assuré la victoire finale du droit, de la justice et de la liberté».

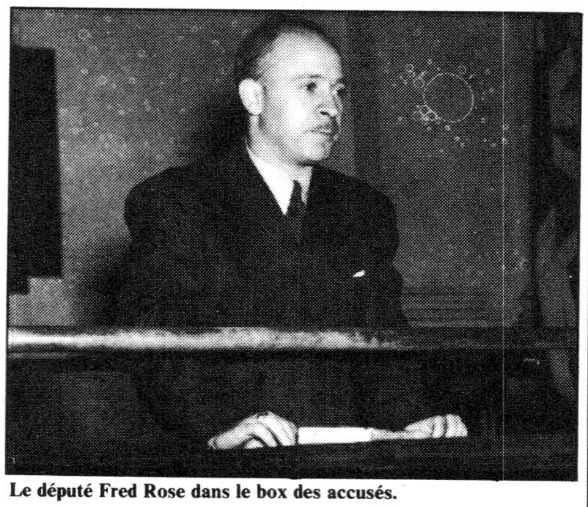

Le député Fred Rose dans le box des accusés.

C'EST ARRIVÉ UN 20 JUIN

1997 — Les fabricants américains de cigarettes paieront près de 370 milliards en 25 ans et devront subir des restrictions sans précédent aux termes d'un accord conclu avec la Justice des États-Unis. En échange, les groupes de tabac obtiennent l'abandon de poursuites en justice intentées contre eux par 40 États américains. Ils ne bénéficient pas d'une immunité totale contre les actions individuelles ou en recours collectif, mais ont pu limiter à cinq milliards par an de futures condamnations.

1988 — Les électeurs du comté de Lac-Saint-Jean ont massivement opté en faveur du candidat conservateur, le secrétaire d'État Lucien Bouchard, donnant ainsi un nouvel espoir au gouvernement conservateur de Brian Mulroney.

1982 — Quelque 50 000 personnes se réunissent au Stade olympique pour rendre hommage au frère André.

1959 — Un naufrage cause la mort de 35 pêcheurs dans le détroit de Northumberland.

1956 — Les électeurs du Québec réélisent le premier ministre Maurice Duplessis pour un nouveau mandat.

1955 — Une équipe scientifique de l'université Harvard observe à Sigiriya, au Ceylan, une éclipse du soleil de sept minutes, la plus longue en 1 238 ans.

1944 — Plus de 2 250 bombardiers participent à des opérations de jour en Allemagne et en France.

ROSE CONDAMNÉ À SIX ANS DE PÉNITENCIER

Le juge souligne la gravité de son crime

FRED Rose, 39 ans, député ouvrier progressiste de Montréal-Cartier, à la Chambre des Communes, déclaré coupable samedi dernier de conspiration dans l'affaire d'espionnage russe au Canada, a été condamné ce matin **(20 juin 1946)** à six ans de pénitencier par l'hon. juge Wilfrid Lazure, qui avait présidé ce grand procès de nos annales judiciaires.

Dans ses remarques, l'hon. juge Lazure a décrit à l'accusé la gravité de son délit dans un pays qui avait rendu Rose heureux, libre et prospère.

«Vous avez sacrifié, souligna le juge, les intérêts et la sécurité du Canada pour donner votre loyauté à un pays étranger.»

Le président du tribunal ajouta que l'accusé n'aurait pas dû oublier qu'il était arrivé au Canada pauvre et misérable et qu'il avait atteint un rang élevé, celui de député à la Chambre des Communes.

«Vous savez, vous comprenez que ce n'est pas un devoir agréable pour le juge que de condamner un prévenu; mais, sans égard aux conséquences, c'est un devoir auquel je ne peux me soustraire, si pénible soit-il.

«Au cours de mes remarques aux jurés, j'ai dit la gravité, selon moi, de l'offense que vous avez commise. Si le complot exposé durant le procès n'avait pas été découvert à temps, ou, découvert, avait été toléré, il est facile d'imaginer les conséquences.

«J'ignore si vous avez réellement compris la gravité du caractère du crime que vous avez commis. Je crois que vous comprenez maintenant parfaitement bien l'importance et les conséquences de votre besogne. On vous a mentionné comme l'un des chefs de la bande. Connaissant le rôle que vous jouiez, ces complices ont dû vous attribuer un rang élevé, un poste de chef, celui d'agent recruteur. A tout événement le crime que vous avez commis est très grave. Par votre travail d'agent vous avez fait tomber la responsabilité sur Lunan.

Le juge rappelle à l'accusé son arrivée au pays.

«Vous n'aviez pas de raison, encore moins de droit, pour faire ce que vous avez fait. Vous êtes né à l'étranger, amené ici, m'a-t-on dit, pauvre et misérable (et je ne dis pas ces choses pour vous offenser ou offenser d'autres, au contraire), mais on m'a dit que c'était là votre situation lorsque vous êtes arrivé.

«Non seulement l'état de ce pays vous a rendu heureux, libre et prospère, mais les citoyens de **cette ville vous ont élu à un poste d'honneur et de grande responsabilité. Vous êtes député à notre Parlement.**

Au lieu de montrer une profonde reconnaissance à ce pays, vous avez consenti à sacrifier ses intérêts et sa sécurité et à donner votre foi à un pays étranger. Même si vous étiez sincère, ce dont je doute, cette manière de penser et de sentir n'est pas normale et ne peut être tolérée.

Une trahison

«Sous un nom d'emprunt vous avez trahi votre pays d'adoption, la patrie qui vous a tant donné.

Vous êtes le seul à blâmer. Vous avez été merveilleusement bien défendu par Me. Jos. Cohen dont l'habileté est reconnue et par ses avocats-conseils, Me Valmore Bienvenue, c.r., A. Marcus et A. Felner.

«Le maximum pour ce délit est de 7 ans de pénitencier et de $2,000 d'amende. Je crois que ce maximum ne serait pas trop sévère. Mais, comme vous avez suivi mes instructions pour cesser toute activité communiste au cours du procès, je prends ce fait en considération comme **d'ailleurs le fait que votre sentence entraînera l'annulation de votre mandat de député.**

«Je ne vous condamnerai donc qu'à six ans de pénitencier.»

Avant le prononcé de la sentence, Me M.-A. Hurteau, gref**fier de la couronne, demanda à** l'accusé s'il avait quelque chose à dire.

«Tout ce que je puis dire, répondit Rose, c'est que je n'ai jamais rien fait contre les intérêts du peuple canadien.»

Sur la scène de l'actualité

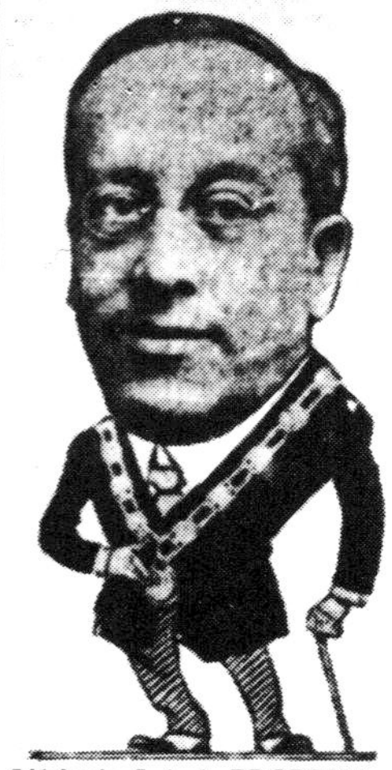

L'échevin J.-A.-A. BRODEUR, président du comité exécutif, qui vient d'être réélu à l'unanimité Haut Chef Forestier de l'Ordre des Forestiers Canadiens, au récent congrès tenu à Montréal. Photo publiée le 20 juin 1924.

Fin de l'Union nationale

Criblée de dettes, l'Union nationale, qui fut toute puissante sous Maurice Duplessis et qui a formé le gouvernement du Québec durant 24 ans, dont 16 années d'affilée de 1944 à 1960, n'est plus autorisée à avoir d'existence légale comme parti politique. Cette décision du directeur général des élections, Pierre-F. Côté, a interdit par le fait même à cette formation tout droit de recueillir des contributions ou même d'effectuer quelque dépense que ce soit.

C'est la première fois au Québec qu'un parti politique perd son autorisation pour dette, mais cette décision vient mettre fin à une situation que l'UN était impuissante à redresser depuis quelques années. On compte désormais 18 partis reconnus officiellement.

Fondée le 7 novembre 1935 par Maurice Duplessis, grâce à la fusion de deux partis d'opposition, l'Action libérale nationale et le Parti conservateur, l'Union nationale devait s'emparer du pouvoir pour la première fois le 17 août 1936. Ce gouvernement ne dura qu'un mandat et l'UN dut attendre les élections de 1944 avant d'être reportée au pouvoir, un pouvoir qu'elle a conservé jusqu'en 1960. (**Texte publié le 20 juin 1989.**)

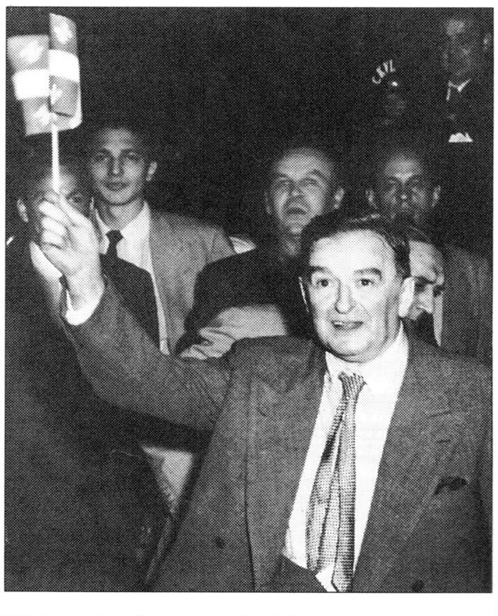

L'Union nationale aura survécu 30 ans à la mort de son fondateur, Maurice Duplessis.

Québec, terre d'infécondité

On ne fait pas assez d'enfants au Québec. Si les Québécois, peu importe leur origine ethnique, refusent désormais d'en faire davantage, la seule solution, si l'on veut garder une population de sept millions d'habitants, est d'ouvrir largement les portes du Québec aux immigrants en provenance des pays étrangers et des autres provinces canadiennes.

Or, selon le démographe Jacques Henripin, cette solution est périlleuse. Elle peut même conduire à la guerre civile. Aussi croit-il qu'il faut résolument faire nous-mêmes des enfants plutôt que de remplacer les berceaux vides par des avions chargés de centaines de milliers d'immigrants.

Autant le préciser tout de suite: la dénatalité n'est pas un problème exclusivement québécois. Ce problème-là existe dans l'ensemble du monde occidental, et surtout dans les pays de l'Europe de l'Ouest. Toutefois, selon Jacques Henripin, « ce qui aggrave le cas québécois, c'est que nous perdons chroniquement des joueurs dans nos échanges migratoires avec les autres pays ».

Henripin soutient que c'est seulement après une période de répit se poursuivant jusqu'au début du prochain siècle que commencerait la véritable dégringolade de la population québécoise. Lorsque la baisse de population serait solidement enclenchée, le Québec perdrait environ 25 p. cent de ses effectifs à tous les quarts de siècle. Cette perte d'effectifs pourrait s'avérer encore plus substantielle si le Québec continuait d'encaisser des pertes dans ses échanges migratoires. (**Texte publié le 20 juin 1987.**)

PROJET GIGANTESQUE

LE projet ci-dessous doit être soumis, dès cet après-midi **(20 juin 1924)**, aux autorités de la cité de Montréal. S'il est de nature, après sérieuse étude, à procurer au grand public de Montréal un accès plus facile à la montagne et de nombreux amusements, et s'il offre toutes les garanties financières raisonnables, ce projet mérite d'être pris en sérieuse considération par nos administrateurs. Il n'y a pas de doute que la montagne est un site idéal et que, jusqu'à aujourd'hui, on en a tiré peu d'avantages; il y a aussi quelque chose à faire pour permettre au public d'en jouir amplement. Mais le tout n'est qu'un projet et doit être scruté en tous sens afin que le public soit absolument protégé, et qu'il puisse avoir toutes les garanties possibles et raisonnables.

Suit un long texte signé par Tancrède Marsil, daté du 19 juin 1924, et adressé «à son honneur le maire de Montréal, aux membres de la commission exécutive et aux échevins de la Cité de Montréal».

Disant parler au nom d'un groupe de financiers, Marsil propose de construire «sur le sommet nord du Mont-Royal, faisant face à l'avenue du Parc, un des plus beaux hôtels-palace qui soient dans toute l'Amérique, ainsi qu'une tour phénoménale d'une hauteur de 500 à 700 pieds, qui sera couronnée de projecteurs lumineux.» *Le tout était évalué à $15 millions, plus $1 million pour les travaux d'embellissement et de terrassement.*

«Tous les matériaux de construction, *poursuivait-on*, granit, marbre, pierre, bois, fer, amiante, etc., viendront de la province de Québec et seront façonnés par nos ouvriers. Nous importerons de l'étranger ce qu'il nous serait impossible de se procurer ici. Nos travaux d'art: sculpture, peinture, céramique, etc., seront confiés aux artistes de chez nous.»

Pour acheminer les Montréalais au sommet de la montagne, Marsil propose, après consultation avec le président de la Commission des tramways, de construire «une voie double, qui partira de la rue Mont-Royal et montera, par gradation, jusqu'au sommet de la montagne, où nous construirons, à nos frais, une gare-véranda, d'une capacité de 8,000 personnes debout.» *Ces tramways, ajoutait-on, se rendraient jusqu'au circuit du chemin Shakespeare qui assurait déjà un service sur le versant ouest à partir du chemin de la Côte-des-Neiges.*

Toujours en matière de transport, le document demande qu'on continue «jusqu'à l'observatoire que nous construirons à ce point extrême et très élevé de la montagne» *la route autorisée jusqu'à la maison de garde Henderson.*

Et que demandaient en retour les promoteurs? En premier lieu, un bail emphytéotique de 99 ans pour tous les terrains requis, avec droit pour la ville de racheter, à tous les 30 ans, «toutes les constructions érigées sur la montagne par ces messieurs, en en payant le coût, plus 15% du coût initial».

En deuxième lieu, les promoteurs demandait que la Cité de Montréal leur accorde «une exemption de taxe de 25 ans, sur le terrain qu'occupera la tour, et la tour elle-même».

Enfin, pour réaliser le tout, les promoteurs promettaient d'organiser «des concours d'architecture et d'architecture paysagiste» *ouverts* «à tous ceux qui s'intéressent à l'embellissement du Mont-Royal, et des prix rémunérateurs seront offerts aux vainqueurs.»

«Un stade, ou on s'en va»

L'avenir des Expos se jouera au cours des 12 prochains mois. Si l'opération à deux volets dévoilée par Claude Brochu ne produit pas les résultats espérés, l'équipe sera vendue et quittera Montréal après la saison 1998.

« Nous ne pouvons pas survivre au Stade olympique, a déclaré M. Brochu, en conférence de presse. Les salaires des joueurs continueront de croître au cours des prochaines années et seul un nouveau stade au centre-ville peut nous apporter les revenus suffisants pour compétitionner avec nos adversaires.

« Froidement, la meilleure décision d'affaires serait de vendre l'équipe et d'empocher un profit de 125 millions. Mais le départ des Expos serait un désastre pour Montréal. »

En présentant la maquette du stade, un édifice de 35 118 sièges situé dans le quadrilatère formé des rues De la Montagne, Saint-Jacques, Peel et Notre-Dame, le président des Expos a lancé un appel aux gens d'affaires, premier volet de son plan. Il les a conviés à acheter 18 000 sièges et 62 loges, ce qui entraînerait des revenus de 70 millions. Cette somme serait consacrée à la construction de l'amphithéâtre, une entreprise de 250 millions.

Deuxièmement, M. Brochu propose aux gouvernements d'identifier des modèles de financement pour trouver les 180 millions manquants. Si, dans un an, ces démarches de vente de sièges et de recherche de financement se révèlent infructueuses, les Expos seront vendus.

Le projet de M. Brochu comporte des embûches. Même si le milieu des affaires soutient son projet, ce qui n'est pas acquis, il devra convaincre le gouvernement Bouchard d'appuyer financièrement le sport professionnel. (**Texte publié le 20 juin 1997**)

LA NAVIGATION DANS LES AIRS

FRIEDRICHSHAFEN Samedi **(20 juin 1908)**, le comte Ferdinand Zippelin *(il eût fallu dire «Zeppelin»)* a mis à l'essai son ballon dirigeable, obtenant un complet succès. Toutes les expériences faites jusqu'ici dans la navigation aérienne ont été par lui surpassées.

Le ballon a obéi au gouvernail avec une exactitude absolue.

Peu de temps après le départ, la direction fut changée, des courbes raides et des cercles de plusieurs milliers de verges de circonférence furent exécutés. Le ballon fut ensuite lancé à pleine vitesse en ligne droite, puis revint au garage. Il était resté dans l'air à peu près une heure et demie, et on n'a pas eu la moindre difficulté à le ramener au point de départ.

Il y avait douze personnes sur les deux plates-formes, durant l'ascension. Sur la première étaient le comte Zippelin, le capitaine Hacker, qui tenait le gouvernail, le capitaine Lau, de l'état-major général de l'armée, le premier mécanicien Duerr, le baron von Bassus, et trois mécaniciens. L'autre plate-forme contenait le fils du comte Zippelin, le major von Hese, le mécanicien-chef Kober et le docteur Uhland.

En atterrissant, le comte Zippelin a déclaré qu'il était satisfait de son appareil, à l'exception du gouvernail de côté, qui n'a pas fontionné tout à fait aussi bien qu'il l'aurait désiré. Il faudra un changement, dit-il, avant qu'un long voyage puisse être entrepris, ce qui ne sera probablement pas avant deux semaines. Le comte fera une nouvelle ascension mardi.

Une attaque contre l'île de Vancouver

TOKYO — De la radio de Tokyo — La radio de la capitale du Japon a annoncé, aujourd'hui, qu'un sous-marin japonais a bombardé l'île de Vancouver, Colombie-Britannique, dans la nuit de samedi **(20 juin 1942)**. Elle a déclaré: «C'est le premier coup porté à la terre ferme canadienne. Ainsi a-t-il été démontré au Canada qu'il est attaqué à la fois par les flottes de l'Axe, tout aussi bien du côté oriental que du côté occidental.»

La radio de Tokyo a fait observer que l'attaque de l'île de Vancouver suit de moins de vingt jours les raids japonais contre Dutch Harbour et contre Midway. Elle a rappelé le bombardement japonais de la côte de la Californie, le 23 février, «qui a causé tant de consternation chez le peuple américain».

Communiqué officiel

Ottawa, 22 — Le ministère de la défense nationale a émis, tard cet après-midi, la déclaration suivante: «Le commandant en chef des défenses de la côte ouest rapporte que le poste de télégraphe du gouvernement du Dominion, à la pointe Estevan, île de Vancouver, a été bombardé par un sous-marin, à ---10h.35 (heure du Pacifique), samedi soir. Aucun dégât n'a été causé».

HITLER POSE SES CONDITIONS

Hitler rencontre les plénipotentiaires français dans le wagon de Compiègne où Foch avait le 11 novembre 1918 posé ses conditions d'armistice à l'Allemagne. — Ne pas reprendre les armes ni aider la Grande-Bretagne.

COMPIÈGNE. — C'est dans le wagon où avait été conclu l'armistice de novembre 1918 qu'a eu lieu la remise des conditions allemandes aux parlementaires français.

Le préambule aux conditions d'armistices remises aux parlementaires français cet après-midi **(21 juin 1940)** reprend la thèse soutenue par Hitler dans «Mein Kampf»: l'Allemagne n'a pas perdu la guerre en 1918, elle a été trahie par ses gouvernants d'alors, voilà pourquoi l'Allemagne dut capituler.

Le chancelier Hitler est resté debout devant les parlementaires français, tandis que le colonel-général Wilhelm Keitel donnait lecture à ceux-ci du préambule aux conditions de l'armistice. Puis le Führer a salué avec raideur, tandis que les parlementaires français, le général alsacien Huntzinger en tête, restaient au garde à vous. Puis il remit au général Huntzinger les conditions d'armistice. En 10 minutes la cérémonie était terminée. Le chancelier quitta promptement le wagon-restaurant où elle s'était déroulée, aux accents d'une fanfare qui exécuta l'hymne national allemand et le chant du nazisme (Horst Wessellied).

Le chancelier Hitler occupait la place du maréchal Foch

Le chancelier avait occupé la place du maréchal Foch. A sa droite étaient rangées le feld-maréchal Goering, le grand-amiral Erich Raeder, M. Joachim de Ribbentrop, l'amiral Leluc, le général Huntzinger, M. Léon Noël, le général Bergeret, M. Rudolf Hess, le colonel général de Brauchitsch, le colonel général Keitel.

Aussitôt après le départ du chancelier, les parlementaires français se réunirent pour débattre les conditions. Un téléphone était à leur disposition pour communiquer avec Bordeaux sur la réponse à rendre. On présume qu'ils séjourneront à Compiègne jusqu'à ce que leur gouvernement ait rendu sa réponse. (...) Le préambule aux conditions, lu aux parlementaires par le colonel-général Keitel, renfermait les dispositions suivantes:

1)- L'Allemagne devra recevoir des assurances qui empêcheront la reprise du combat.

2)- La France devra donner à l'Allemagne «toutes assurances» pour mener la guerre du Reich contre la Grande-Bretagne.

3)- Les conditions préliminaires devront être posées d'une paix qui pourvoira à la réparation des torts causés à l'Allemagne par la violence.

Le général Keitel a néanmoins déclaré que son gouvernement n'entendait pas prêter aux conditions d'armistice et aux négociations pour la fin des hostilités un caractère injurieux pour un «courageux ennemi».

La remise des conditions eut lieu dans le wagon-restaurant 2419-D de la Compagnie des Wagons-lits, comme celle des conditions de novembre 1918.

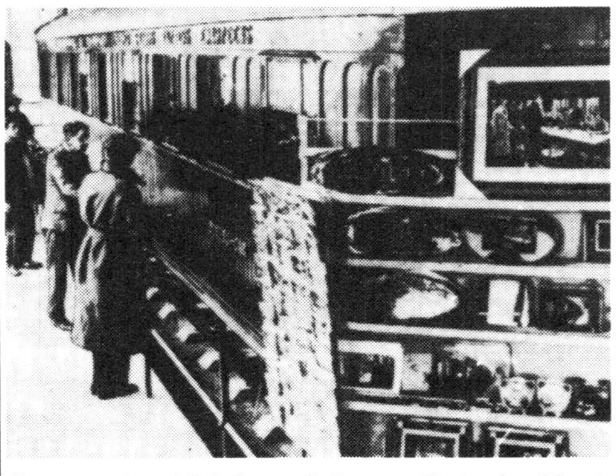

Le wagon-restaurant de la Compagnie des wagons-lits dans lequel furent reçus les parlementaires allemands en 1918 dans la forêt de COMPIEGNE avait été enfermé dans le musée édifié sur l'emplacement du chemin de fer militaire démoli depuis la guerre. La forêt est actuellement aux mains de l'armée d'invasion. A l'intérieur du wagon, des cartes indiquent les places qu'occupait chacun des interlocuteurs du célèbre entretien. C'est dans ce wagon qu'a eu lieu ce matin la remise des conditions de l'armistice; le colonel-général KEITEL a lu aux parlementaires français les conditions de la suspension d'armes.

Rappel de l'armistice de 1918

Berlin, 21 (P.A.) — Voici le texte du préambule aux conditions d'armistice, dont a donné lecture le colonel-général Keitel aux parlementaires français: (...)

...« L'armée allemande déposait les armes en novembre 1918. Ainsi se terminait une guerre que le peuple allemand et son gouvernement n'avaient point voulue, et dans laquelle l'ennemi, en dépit de son énorme supériorité, ne réussit en aucune manière à vaincre l'armée, la marine et l'aviation allemandes. «Cependant, dès l'arrivée de la Commission allemande de l'armistice, on violait la promesse solennellement donnée. Le 11 novembre 1918, dans ce wagon, commença le temps de la souffrance, pour le peuple allemand. L'opposition, l'humiliation, les souffrances morales et matérielles que l'on pouvait causer, prirent naissance ici. Les promesses méconnues, le parjure s'unirent contre un peuple qui au bout de plus de 4 ans d'héroïque résistance n'eut qu'une faiblesse, celle de croire aux promesses des hommes d'Etat démocratiques.»

«Le 3 septembre 1939, 25 ans après le commencement de la grande guerre, l'Angleterre et la France déclaraient de nouveau la guerre à l'Allemagne sans aucun motif. Maintenant le sort des armes en a jugé. La France a été vaincue. Le gouvernement français a prié le gouvernement du Reich de lui faire connaitre les conditions allemandes d'armistice». (...)

PROCLAMATION DE LA LOI MARTIALE A LA SUITE D'UNE SANGLANTE EMEUTE

WINNIPEG — Le sénateur G. Robertson, ministre du travail, a déclaré, hier soir, qu'il ne savait pas si la grève était réglée. Des rumeurs existaient, hier soir, à l'effet que la grève était terminée. La police a fait 21 arrestations au sujet de l'émeute, (...) dont six femmes. (...)

LA JOURNEE DE SAMEDI

A deux heures et demie **(le 21 juin 1919)**, environ 20,000 personnes étaient massées rue Main, près de l'hôtel de ville. Il semble que la majorité de ces gens étaient des grévistes. On voulait voir une parade, «parade silencieuse» de soldats faite dans le but d'abolir les barrières élevées contre la propagande en faveur de la grève générale.

Peu avant deux heures et demie, une bagarre eut lieu rue du Marché, à l'est du parc de l'hôtel de ville. Vers le même moment, un tramway passa dans la foule, rue Main, avec les plus grandes difficultés. La foule semblait devenir aigrie. (...)

Et à ce moment précis un tramway de l'avenue Portage (...) transportant plusieurs passagers pour la plupart des femmes et des enfants. Comme il atteignait la rue du Marché la foule se mit à crier, lui enleva sa perche et lança quelques pierres. Les femmes et les enfants sortirent immédiatement du tramway et se mêlèrent à la foule sans avoir reçu aucune blessure. Le garde-moteur et le contrôleur restèrent dans leur tramway et ce lieu se changea subitement en une scène de bataille.

DES PIERRES AUX SOLDATS

En effet on entendit dans la foule ce cri funeste: «Voilà les soldats sanguinaires» et à l'encoignure de la rue Main on vit s'approcher en ligne serrée les tuniques rouges de la Police à Cheval du Nord-Ouest. Ils couvrirent la rue d'une gouttière à l'autre, se divisant lorsqu'ils passaient devant le char délaissé. Immédiatement un cri de colère fut entendu de la foule et un projectile fut lancé aux soldats qui passaient. 100 verges en arrière s'avança à son tour un second rang de soldats à cheval que la foule reconnut pour les cavaliers du Strathcona Horse et du fort Garry Horse. Mais dans la suite le maire Gray déclara qu'ils faisaient partie de la police à cheval mais qu'ils n'avaient pas encore reçu leurs tuniques rouges.

La foule se précipita alors dans les rangs des soldats et les briques, pavés, bouteilles et tous autres projectile commencèrent à pleuvoir sur les soldats. Les cavaliers se précipitèrent alors à six ou sept rues plus loin et après s'être reformés en rang de quatre revinrent de nouveau après s'être munis de gourdins et tentèrent de pousser la foule sur les trottoirs. (...)

Les projectiles de toutes sortes volèrent de nouveau et la cavalerie dut disparaître au coin de la rue Main. La foule, seule maintenant, se tourna vers le tramway qui stationnait là et l'assiégea. Le garde-moteur et le contrôleur avaient fui. Les vitres volèrent en éclats et ensuite on mit le feu au tramway.

Il achevait de se consumer quand les habits rouges parurent de nouveau. Ils chargèrent, la foule se massa sur les trottoirs et quand les cavaliers passèrent ils furent atteints, eux et leurs chevaux, par des pierres. Ils disparurent. Dans la foule quelqu'un cria que c'était fini et que la parade pourrait se continuer...

Les coups de feu commencèrent alors. Une partie de la police à cheval s'avança à son secours. Les cavaliers avaient leur revolver au poing et se tenaient en rang de quatre. Ils débouchèrent dans le parc de l'hôtel de ville devant les marches. Des coups de feu furent entendus. «Ils tirent en l'air», dit une personne dans la foule. «Ils n'ont que des cartouches blanches» dit une autre. Mais il n'en était pas ainsi. Les policiers avaient tiré sur la foule et un homme avait été tué pendant que plusieurs autres tombaient blessés.

Les premiers coups de feu avaient à peine retenti que la foule se sauvait. (...) La fusillade commença quinze minutes précises après la première arrivée de la police à cheval, à trois heures moins le quart, à l'horloge de l'hôtel de ville. Et deux ou trois minutes plus tard, le carré de l'hôtel de ville était désert. (...) A trois heures de l'après-midi, plusieurs centaines de policiers, ayant en main leur bâton, traversèrent le lieu désert de l'émeute, où brûlaient encore les cendres du tramway. L'homme tué gisait derrière le magasin, où ses amis l'avaient transporté...

L'État surveille votre alimentation

Depuis dix ans, le nombre d'infractions enregistrées dans les établissements d'alimentation, de vente au détail et de consommation sur le territoire de la Communauté urbaine de Montréal a plus que doublé. Pourtant, les 41 inspecteurs des aliments de la CUM ont effectué 25% moins de visites.

Ainsi, en 1986, les 68 610 visites ont révélé 4991 infractions, tandis que les 51 403 inspections de l'an dernier ont permis d'enregistrer 10 063 infractions, dont 335 poursuites judiciaires.

« C'est que, depuis 1986, nous avons adopté beaucoup plus de rigueur dans nos inspections », explique le Dr Jean Troalen, directeur du Service de l'inspection des aliments pour la CUM.

En conséquence, le nombre d'établissements qui ont dû suspendre leurs opérations jusqu'à ce qu'ils soient en règle a également quintuplé. On dénombrait six établissements en 1993 (année de l'application de cette mesure) et 30 en 1995.

L'augmentation du nombre d'infractions s'explique. « Les types de cuisines se compliquent, rapporte le docteur Troalen. Par exemple, il y a 15 ans, on ne voyait pas beaucoup de broches servant à la cuisson des souvlaki. Il a donc fallu établir des règles pour ces instruments culinaires. Les restaurants asiatiques ont également envahi le marché. Leurs cuisines doivent s'adapter à notre façon de faire. La CUM ne fait rien de spécial. Nos techniques et nos principes sont basés sur un code international. »

Pour faciliter la communication, lorsqu'un nouvel établissement ouvre ses portes dans l'île de Montréal, le propriétaire reçoit une trousse de bienvenue qui comprend le guide du manipulateur d'aliments et le règlement 93, relatif à l'inspection des aliments. En plus d'être traduit en anglais, il existe des versions arabe, vietnamienne, espagnole et chinoise du guide pour accomoder les nouveaux restaurateurs multiethniques. De plus, le service songe sérieusement à traduire le guide en coréen.(**Texte publié le 21 juin 1996**)

Lévesque quitte le PQ

René Lévesque a remis sa démission comme chef du Parti québécois. Il reste toutefois premier ministre du Québec jusqu'à ce que le PQ lui ait choisi un successeur.

Même si sa décision était attendue depuis plusieurs semaines, M. Lévesque a réussi à prendre toute le monde par surprise en l'annonçant par la publication d'une courte lettre qu'il venait de faire livrer à la vice-présidente du parti, Mme Nadia Assimopoulos.

On ne sait pas quand il a pris sa décision, mais il l'a annoncée à un groupe restreint de proches il y a quelques jours.

(**Texte publié le 21 juin 1985.**)

Weyerhaeuser acquiert MacMillan Bloedel

La société américaine Weyerhaeuser, de Federal Way, dans l'État de Washington, a fait aujourd'hui (**le 21 juin 1999**) l'acquisition d'une concurrente, la forestière canadienne MacMillan Bloedel.

La transaction de 3,6 milliards can. doit être réalisée entièrement par échange d'actions. Weyerhaeuser est le plus gros producteur au monde de bois d'oeuvre et de pulpes.

C'EST ARRIVÉ UN 21 JUIN

1998 — Aux prises avec la loi antitrust américaine, Bill Gates, le PDG de Microsoft, trône en tête du classement annuel des 200 milliardaires les plus riches du monde, publié par le magazine américain Forbes, avec un « bas de laine » évalué à 51 milliards US. En 1999, la fortune de Gates est haussée à 90 milliards US.

1983 — Début des travaux de la commission d'enquête Grant dans l'affaire de la mort de 28 bébés dans un hôpital de Toronto. — On annonce que le gouvernement du Québec a acquis Quebecair.

1982 — Levée des sanctions économiques imposées à l'Argentine par la Communauté économique européenne. — Les omnipraticiens du Québec sont obligés de reprendre le travail devant la décision du gouvernement d'imposer une loi spéciale. — Diana, la princesse de Galles, donne naissance à un garçon.

1979 — Le début du rationnement de l'essence aux États-Unis provoque de sanglants affrontements.

1970 — Percée majeure de la police contre le FLQ, grâce à l'arrestation de six personnes.— Mort d'Ahmed Soukarno, fondateur de l'Indonésie. — La société ferroviaire Penn State, la plus importante au monde, dépose son bilan.

1969 — À Québec, M. Jean-Jacques Bertrand est élu chef de l'Union nationale. Il est aussi confirmé dans ses fonctions de premier ministre de la province de Québec.

1968 — La grève des employés de la Voie maritime du Saint-Laurent bloque 70 océaniques.

1967 — Adoption à l'Assemblée nationale du projet de loi qui crée les cégeps.

1965 — La grève des 3 900 employés de la Commission de transport de Montréal prend fin au bout de 14 jours.

1962 — Montréal perd un quotidien: le *Nouveau Journal* annonce en effet que son édition du jour est la dernière.

1957 — Ellen Fairclough est nommée Secrétaire d'État du Canada; elle devient la première femme nommée ministre d'un cabinet canadien, et la deuxième dans l'histoire du Commonwealth, après Hilda Ross, ministre du Bien-être des femmes et des enfants de Nouvelle-Zélande.

1942 — Chute de la ville de Tobruk; les troupes de l'axe prétendent avoir fait 25 000 prisonniers.

1940 — Au Canada, le parti de l'Unité nationale et la société Technocratie Inc. sont déclarés illégaux.

1906 — Une conflagration détruit tout un quartier de Nicolet.

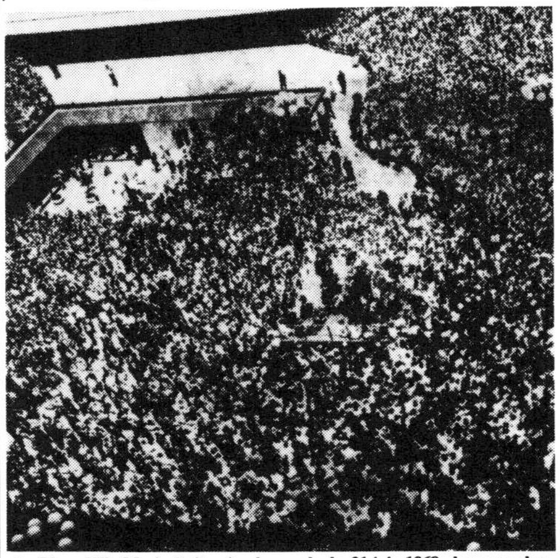

La Place Ville-Marie était noire de monde, le *21 juin 1968*, alors que plus de 25000 personnes, partisans ou simples badauds, s'y étaient réunies pour écouter le premier ministre Pierre Elliott Trudeau.

Montini devient le pape Paul VI

CITE DU VATICAN— Nous avons un pape. Le cardinal Giovanni Battista Montini, archevêque de Milan, a été élu par le conclave au sixième tour de scrutin ce matin **(21 juin 1963)**. Le nouveau pontife a choisi d'être désigné du nom de Paul-VI. Il est le 262e successeur de saint Pierre et il accède au souverain pontificat dix-huit jours après la mort de Jean XXIII.

C'est le cardinal Ottaviani qui a annoncé la nouvelle au monde à 12:23 heure de Rome (7:23 à notre heure) ce matin du haut de la loggia de la basilique Saint-Pierre. Aussitôt, la Campanone, la grosse cloche de Saint-Pierre, a sonné à toute volée pour proclamer la bonne nouvelle et l'immense foule de la Place Saint-Pierre de pousser une grande clameur et la fanfare italienne d'attaquer l'hymne national.

Peu après,le nouveau pape est apparu à son tour au balcon et a donné sa première bénédiction «Urbi et Orbi». Il a récité la formule d'une voix ferme, puis il a peu à peu cédé à l'émotion. Il était revêtu de la soutane blanche et de l'étole pontificale. Une foule de près de 20 000 personnes était sur la grande place à ce moment-là.

Le cardinal Montini est un progressiste, considéré comme l'un des chefs les plus dynamiques de l'Eglise. Il est connu en Italie comme «l'archevêque des ouvriers».

C'est la troisième fois depuis le début du siècle qu'un ecclésiastique ordinaire de Lombardie monte sur le trône de Saint-Pierre. Les deux autres ont été Pie XI, né à Desio, près de Milan, et Jean XXIII, né à Sotto Il Monte, près de Bergamo.

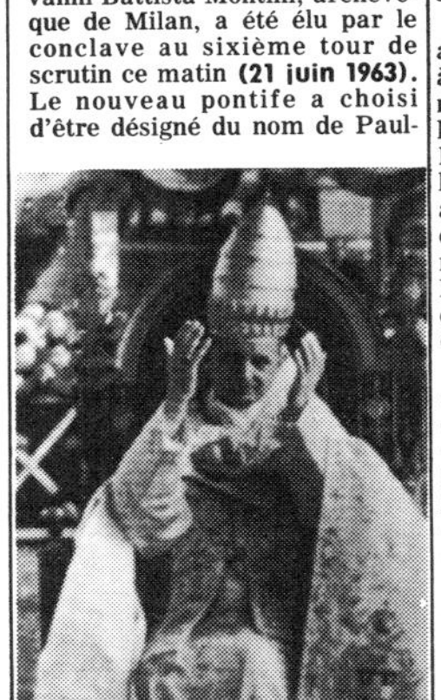

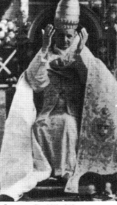

Le pape Paul VI, 262e successeur de saint Pierre à la direction de l'Église catholique.

M. LESAGE AU POUVOIR

Session à l'automne — Enquête dans Dorchester — M. Lesage à la conférence fiscale

Libéraux	50
Union nationale	44
Indépendant	1

QUÉBEC — L'hon. Jean Lesage, semblant frais et dispos après l'élection qui a porté hier **(22 juin 1960)** le parti libéral au pouvoir avec une majorité de cinq sièges, s'est installé aujourd'hui dans les bureaux du chef de l'opposition au Parlement de Québec. C'était la première fois qu'il entrait à la Législature provinciale comme chef victorieux du parti libéral.

Au cours d'une brève conférence de presse, M. Lesage a déclaré ne pas savoir au juste quand il rencontrera l'hon. Antonio Barrette, chef de l'Union nationale, pour discuter avec lui la formation du nouveau gouvernement de la province.

Session à l'automne

M. Lesage a souligné les points suivants:

1. Une session du Parlement sera convoquée l'automne prochain. Le chef libéral n'a pas donné de précisions à ce sujet. Le gouvernement défait de l'Union nationale avait projeté d'ouvrir une session le 7 septembre.

2. M. Lesage assistera à la conférence fédérale-provinciale qui aura lieu en juillet à Ottawa.

Enquête dans Dorchester

3. Il instituera une enquête en marge de la «confusion» qui a existé hier soir dans le comté de Dorchester où le ministre de la Colonisation, M. J.-D. Bégin, a été déclaré élu par une majorité de 326 voix.

4. Il projette de passer une fin de semaine paisible avec sa famille en dehors de Québec. En fin de semaine, il discutera avec ses principaux collègues la formation d'un cabinet libéral. Il projette de revenir à Québec lundi.

M. Lesage s'est amené ce matin à l'Assemblée législative, accompagné des principaux organisateurs libéraux de la région de Québec. Il a été accueilli à la porte de son nouveau bureau par M. Alexandre Larue, secrétaire du chef de l'opposition, des journalistes et des photographes.

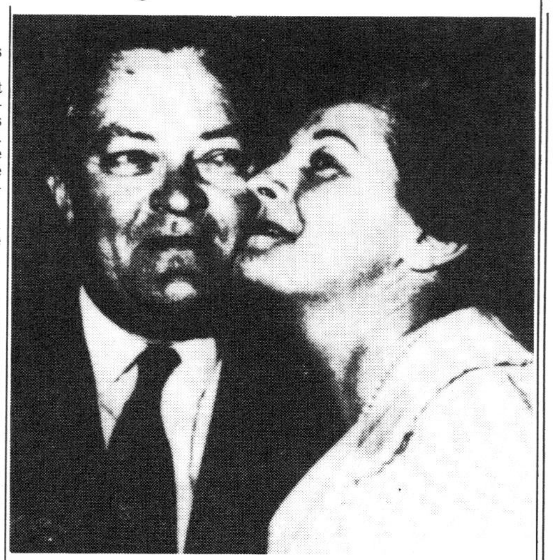

Le chef du gouvernement du Québec nouvellement élu, M. Jean Lesage, reçoit avec bonheur le baiser de la victoire que lui donne fièrement son épouse.

«La victoire du peuple de Québec», dit le chef libéral

QUÉBEC — «La province est libérée. J'avais raison de le dire à Montréal, la victoire est à nous,» a déclaré l'hon. Jean Lesage, chef du parti libéral provincial, hier soir, aux milliers de personnes enthousiastes qui l'acclamaient dans l'immense salle du Colisée après la publication des résultats du scrutin.

«La victoire que nous avons remportée, c'est la victoire du peuple de Québec, a-t-il ajouté. Le peuple méritait cette victoire. Il a voulu, malgré les chaînes qui l'attachaient, se débarrasser de l'esclavage. Il a eu confiance dans l'équipe que j'ai présentée. Il a eu confiance dans le programme que nous avions mis de l'avant. La province est libérée. Le peuple en a la gloire.»

Les résultats du scrutin n'étaient pas encore définitivement connus, mais faisaient présager le succès certain des libéraux. Aussi leur chef a-t-il fait observer: «La victoire est maintenant assurée, mais le plus difficile reste à faire, c'est de restaurer la province. (...)

A ce moment, M. Lesage a donné un avertissement: «J'avise solennellement ceux qui essaieraient de faire disparaître des dossiers et de tronquer des chiffres que je les tiendrai responsables au nom du peuple. Car nous voulons faire la lumière sur l'administration de l'Union nationale.» (...)

La Révolution tranquille

Le 22 juin 1960 est désormais reconnu comme un tournant dans l'histoire du Québec. Ce jour-là fut élu un nouveau gouvernement, libéral, avec à sa tête Jean Lesage comme premier ministre, gouvernement qui s'engageait à réformer et à moderniser la société québécoise.

Comme l'écrit Dale Thompson dans son ouvrage *Jean Lesage et la Révolution tranquille* (Trécarré), le principal instrument de cette révolution allait être un appareil gouvernemental rénové, l'État du Québec. Et son moteur allait être l'énergie et l'ambition du peuple québécois, déjà en fièvre après une domination conservatrice presque continue depuis la fondation de la colonie, plus de trois siècles auparavant.

« Par hasard, comme il arrive en politique, en raison de ses qualités personnelles, il devait échoir à Jean Lesage de diriger cette Révolution tranquille. Il était qualifié pour la tâche à plus d'un titre : intelligent, bel homme, d'une envergure exceptionnelle, très ambitieux, doué d'une voix résonnante qui donnait du poids à ses paroles. »

Bref, selon son biographe, Jean Lesage fut, sans aucun doute, le principal architecte de la Révolution tranquille. Cependant, note Dale Thompson, le terme « Révolution tranquille » n'est pas de Jean Lesage ; sa provenance est obscure.

« Un journaliste du *Globe and Mail* de Toronto l'utilisa après avoir observé les premières semaines de l'administration Lesage. Elles furent lourdes de décisions. Le terme voulait dire que ce qui se passait au Québec était davantage qu'un simple changement de gouvernement : bref, les choses ne seraient jamais plus ce qu'elles avaient été. Jean Lesage aima l'expression, mais il se garda toujours de l'employer lui-même, en partie parce qu'il ne jugea pas que son gouvernement et lui-même fussent révolutionnaires, en partie parce qu'il ne voulait pas alarmer le public. »

En 1975, sous le titre Une certaine Révolution tranquille, *La Presse* publiait un volume de 350 pages dans lequel 19 de ses journalistes, sous la coordination de Réal Pelletier, firent le bilan pour le Québec de ce qu'ils décrirent comme le « changement le plus important de son histoire ». Le projet de cette révolution était pourtant sur la planche depuis plusieurs années. Dans le mouvement syndical. Dans les chapelles d'universitaires, à Laval, à Montréal, dans une sorte de semi-clandestinité.

MORT DE LUCIEN SAULNIER

Administrateur de premier ordre, politicien redoutable, homme intègre et raffiné, Lucien Saulnier, qui fut le premier président du comité exécutif de la Ville de Montréal, est décédé ce matin dans sa demeure de l'Île Bizard. À la fois pionnier et visionnaire, mais cependant pragmatique, il formait un remarquable tandem avec le maire Jean Drapeau. **(Texte publié le 22 juin 1989.)**

C'EST ARRIVÉ UN 22 JUIN

1987 — Une queue de pie, un haut de forme et une paire de gants blancs ont fait rêver près de quatre générations d'amateurs de comédies musicales : cette élégante silhouette était celle de Fred Astaire, mort à Los Angeles des suites d'une pneumonie, à l'âge de 88 ans.

1984 — Pour la première fois, le Canada modifie sa constitution sans avoir recours au Parlement britannique, en proclamant un amendement constitutionnel portant sur les droits des autochtones. L'amendement précise leurs droits quant aux revendications territoriales, à l'égalité des sexes et au prolongement du processus de définition de leurs droits constitutionnels.

1981 — L'ayatollah Khomeiny limoge le président Abolassan Bani-Sadr, élu démocratiquement à la présidence de la République islamique d'Iran 18 mois plus tôt.

1980 — Le pape Jean-Paul II procède à la béatification de Kateri Tekakwitha, de Mgr François de Montmorency Laval et de Marie Guyard.

1979 — La société Asbestos tente de faire déclarer inconstitutionnelle son expropriation par le gouvernement du Québec. — Jeremy Thorpe (ex-chef libéral britannique) est acquitté d'une accusation de conspiration de meurtre.

1977 — L'ex-procureur général des États-Unis, John Mitchell, commence à subir sa peine de 20 mois, cinq ans et cinq jours après l'arrestation des cambrioleurs du Watergate.

1973 — Retour des astronautes américains qui ont réussi à réparer le vaisseau spatial *Skylab*, endommagé lors du lancement.

1966 — Le lieutenant-général Jean-V. Allard devient le chef d'état-major de la défense, le premier francophone à accéder à ce poste.

1941 — Les Nazis envahissent l'URSS, violant ainsi le pacte de non-agression signé par les deux pays en 1939.

1940 — La France se rend à l'Allemagne.

1930 — Dévoilement du monument Vauquelin sur la place qui jouxte l'hôtel de ville de Montréal.

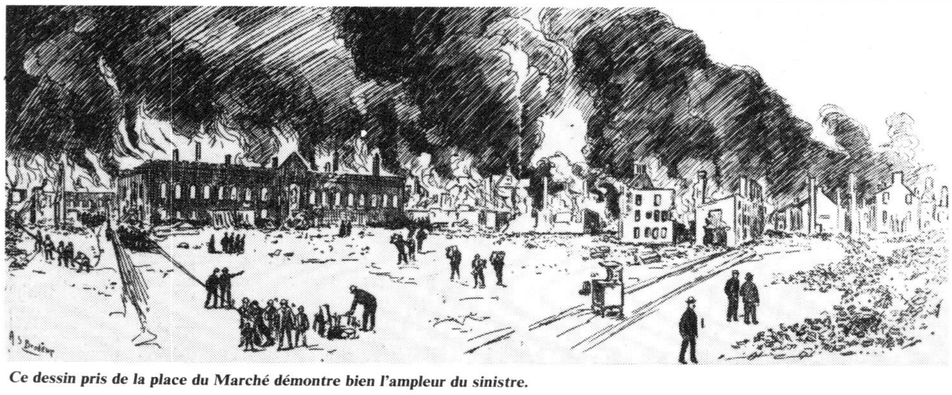

Ce dessin pris de la place du Marché démontre bien l'ampleur du sinistre.

DEUIL ET RUINES A TROIS-RIVIERES

Le terrible incendie qui a ravagé la ville de Laviolette a détruit pas moins de 200 maisons. Un homme tué par la chute de la cheminée d'une maison incendiée.

(Des envoyés spéciaux de la PRESSE)

TROIS-Rivières — C'est au milieu du brasier que je rédige ces quelques lignes, prises à la hâte dans la surexcitation créée ici par l'incendie dévastateur **(du 22 juin 1908)**.

On ne voit de tous côtés que ruines; des demeures qui flambent; des lueurs se projetant vers le ciel sur une vaste étendue. Nous sommes arrachés à la contemplation de ce spectacle d'une triste beauté, de ces scènes déchirantes de destruction et de désolation, par des clameurs de désespoir, des appels, des cris d'alarme.

Partout, on ne voit que du feu. En avant, en arrière, de chaque côté, le feu. Là où quelques heures auparavant s'élevaient de somptueuses demeures, des édifices publics, on n'aperçoit plus que des murailles dressant leurs ruines fumantes au milieu desquelles brûlent lentement les restes d'ameublement de quelques familles éplorées.

Trois-Rivières, ville de quinze mille âmes environ, est aujourd'hui aux trois quarts incendiée. Toute la partie commerciale est rasée. Son honneur le maire Tourigny me disait hier soir: «C'est l'âme même de notre ville qui vient d'être atteinte.»

Pour trouver une comparaison aux sombres péripéties du désastre qui a frappé la vieille cité de Laviolette, il faut remonter au grand feu de Hull en 1900.

Cette fois-là, encore, on avait vu disparaître dans les flammes tous les quartiers industriels d'une ville florissante, l'émule même de Trois-Rivières. Dans un océan de flammes s'étaient engloutis les espoirs de milliers de citoyens. Coïncidence remarquable: *c'était en juin qu'eut* lieu l'incendie de Hull, comme c'est en juin aussi qu'eut lieu la grande conflagration de 1888 au *même endroit, qui arriva dans* la même année que l'incendie de St-Sauveur de Québec, où près de six cents maisons furent détruites.

ACTES D'HEROÏSME

Des actes d'héroïsme incomparables ont été accomplis par de vaillants sauveteurs, et l'on voit aussi des personnes affolées chercher un refuge loin dans les terres; d'autres vont se blottir dans quelque coin des bateaux-passeurs afin de mettre l'eau entre eux et l'élément destructeur. (...)

ORIGINE DE L'INCENDIE

C'est à midi qu'a éclaté la conflagration. Les versions données sur l'origine du feu sont nombreuses et contradictoires.

On a jeté le blâme d'abord, comme on l'a jeté en 1888, à Hull, sur les épaules d'un fumeur imprudent. Seulement, cette fois-ci, c'est un bambin qui a été désigné.

Ailleurs, on parle d'une fillette de sept ou huit ans qui aurait mis le feu en jouant avec des allumettes chimiques.

Quoiqu'il en soit, c'est dans les dépendances de la demeure de M. Jos Duval, propriétaire d'une écurie de louage, que l'incendie a pris naissance, et jusqu'ici c'est l'opinion générale que cette

ETINCELLE DEVASTATRICE

a été allumée par deux enfants du nom de Roy. Ces derniers, bien innocemment, cherchaient à retrouver dans un hangar, avec une allumette en feu, une balle égarée. Il y avait là du foin et des morceaux de bois sec. Pauvres petits: «Ils ne savaient pas combien leur imprudence de bambins allait faire couler de larmes et entasser de ruines.» (...)

Le trivial incident de deux bambins cherchant, cette fois-ci, une balle en caoutchouc dans un hangar aura provoqué la destruction de la plus riche partie d'une cité prospère de notre district. (...)

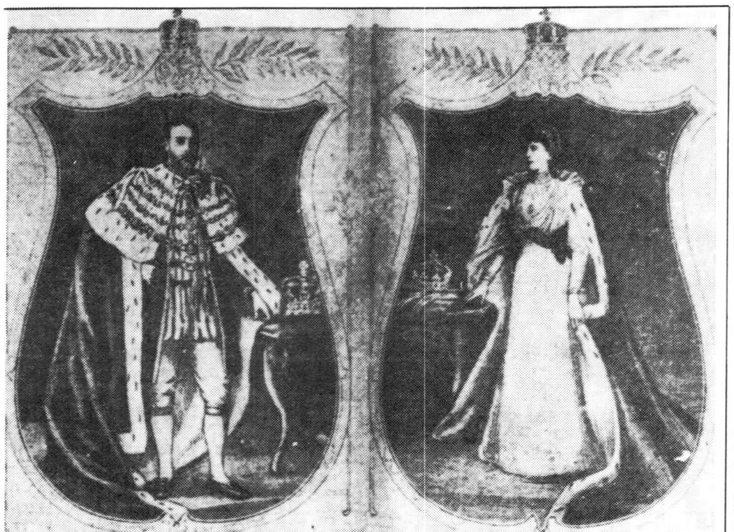

Le roi George V et la reine Mary, tels qu'ils apparaissaient ce matin *(22 juin 1911)*, dans leurs pompeux costumes du couronnement. Couronné par l'archevêque de Canterbury en l'historique abbaye de Westminster, lors d'une imposante cérémonie qui a commencé à 11 hrs 14, George V est le sixième roi de la maison de Hanovre. Il est le fils de feu le roi Edouard VII et le petit-fils de la reine Victoria. Il est âgé de 46 ans.

Bourassa dit NON

QUEBEC — Après deux jours de pourparlers incessants avec ses ministres et ses députés, le premier ministre du Québec, M. Robert Bourassa, a finalement annoncé cette nuit l'une des décisions les plus importantes de sa carrière politique: celle de répondre «non» au projet d'une «charte constitutionnelle canadienne» soumise la semaine dernière par M. P.E. Trudeau, à Victoria.

M. Bourassa a révélé qu'il avait pris dès la fin de semaine dernière la décision de refuser le projet fédéral. «C'est une décision qu'un premier ministre doit tout d'abord prendre seul. J'ai ensuite communiqué formellement au conseil des ministres et à la réunion des députés la décision du gouvernement. Celle-ci fut acceptée après étude.»

Le premier ministre a su, jusqu'à la dernière minute, à 2 h. ce matin **(23 juin 1971)**, imposer la consigne du silence à ses troupes et maintenir le suspense autour de la décision du gouvernement québécois. Il a fait parvenir un communiqué à la presse aux petites heures du matin et est ensuite venu rencontrer de façon impromptue les journalistes de la Tribune de la presse.

Il leur a révélé que, quelques instants plus tôt, il avait fait connaître à M. Trudeau, de passage à Toronto, la décision de son cabinet de ne pas recommander l'adoption du projet de charte à l'Assemblée nationale. M. Bourassa n'a voulu donner aucun indice des réactions du chef fédéral.

Fin de la revision?

Par ailleurs, de façon globale, M. Bourassa n'a pas voulu élaborer sur sa déclaration écrite aux journaux, affirmant qu'il préférait répondre d'abord aux questions que lui poseraient aujourd'hui à l'Assemblée nationale les députés d'opposition.

M. Bourassa a incidemment écarté les propos pessimistes selon lesquels le refus du Québec, tel que prédit par M. Trudeau, mettrait fin pour un certain temps à la revision constitutionnelle.

«Nous verrons,» a-t-il dit en soulignant qu'aucun des premiers ministres provinciaux à Victoria n'avait conclu que le refus d'une province au projet fédéral de charte constitutionnelle mettrait totalement fin à toute négociation constitutionnelle. Certes, ce pourrait être le statu quo pour «un certain temps» en matière de revision mais M. Bourassa a souligné qu'un processus de «négociations bilatérales» avait bel et bien été instauré à la conférence fédérale-provinciale de septembre 1970. (...)

Un an plus tôt, jour pour jour, autrement dit la veille de la Saint-Jean-Baptiste, le gouvernement Trudeau divulguait sa décision d'endosser les grands objectifs de la commission Laurendeau-Dunton sur le bilinguisme et le biculturalisme, notamment en ce qui concernait l'utilisation du français dans la fonction publique fédérale, les forces armées et le secteur privé de l'industrie.

L'ACCORD DU LAC MEECH NE TIENT PLUS

L'accord du lac Meech est mort et le grand responsable de son échec est nul autre que le premier ministre de Terre-Neuve Clyde Wells, a déclaré le sénateur Lowell Murray, ministre d'État aux Relations fédérales-provinciales.

Le sénateur a indiqué que le premier ministre Brian Mulroney s'adressera à la population canadienne au cours d'une allocution télévisée afin de tirer les conclusions qui s'imposent.

Brandissant l'entente intervenue le 9 juin entre les 11 premiers ministres au terme de leur réunion d'Ottawa, le sénateur Murray a souligné que MM. Wells, Filmon et McKenna s'étaient engagés à déployer « tous les efforts possibles » pour en arriver à une décision avant le 23 juin.

« Le Manitoba a fait de son mieux, mais a été empêché de tenir son engagement. Néanmoins trois chefs de partis, M. Filmon, Mme Carstairs et M. Doer se sont prononcés en faveur de l'accord et si le temps l'avait permis il y a tout lieu de croire que l'accord aurait été adopté au Manitoba », a t-il dit. Le sénateur Lowell Murray a donc proposé de soumettre l'échéancier constitutionnel jusque-là immuable à la Cour suprême afin d'obtenir un sursis. Selon M. Murray, il suffisait que le tribunal confirme l'interprétation des juristes fédéraux selon laquelle le délai de trois ans était renouvelable.

Jusqu'ici Ottawa avait toujours affirmé que toutes les provinces devaient ratifier l'accord du lac Meech au plus tard trois ans après son adoption par l'Assemblée nationale du Québec le 23 juin 1987. M. Murray a cependant dit qu'un nouveau délai de trois ans pouvait commencer à compter du jour où une nouvelle province, la Saskatchewan le 23 septembre 1987, avait à son tour ratifié l'accord. **(Texte publié le 23 juin 1990.)**

Le Canada abolit la peine de mort

Il y a 20 ans cette année, le Canada entrait dans le camp des pays progressistes qui refusent de recourir à la loi du talion en adoptant, le 22 juin 1976, en deuxième lecture et après un vote serré de 135 voix contre 125, un projet de loi abolissant la peine capitale.

Il fallut toutefois près d'un mois après ce vote libre pour que la question soit enfin vidée, les partisans de la peine capitale refusant de désarmer et menant un combat de tous les instants contre l'adoption du projet de loi, en deuxième lecture, d'abord. Son adoption définitive, en troisième lecture, le 15 juillet, ne s'est faite qu'après un vote serré de 131 voix contre 121, remplaçant par l'emprisonnement à perpétuité la peine capitale, quel que soit le genre de meurtre commis.

Deux meurtriers, Arthur Turpin et Arthur Lucas, détiennent le douteux honneur d'avoir été, le 11 décembre 1962, à Toronto, les deux derniers criminels à être pendus au Canada. Soixante-sept autres personnes jugées coupables de meurtre les avaient précédés à la potence depuis les débuts de la Confédération. **(Texte publié en juin 1996.)**

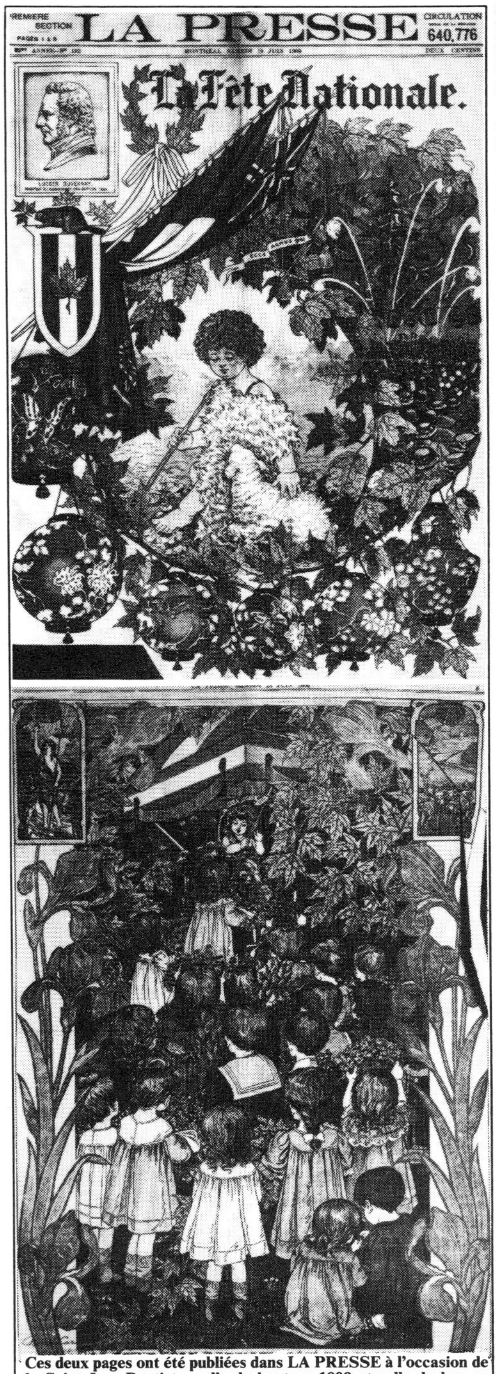

Ces deux pages ont été publiées dans LA PRESSE à l'occasion de la Saint-Jean-Baptiste, celle du haut en 1909 et celle du bas en 1906.

Un Boeing d'Air India explose : 329 morts

Par un beau dimanche matin ensoleillé, à des kilomètres au-dessus de l'Atlantique, un garçonnet canadien attend, surexcité, la visite qu'on lui a promise dans le cockpit du Boeing 747 qui l'emmène visiter sa famille en Inde.

Le pilote vient tout juste d'établir le contact radio avec la tour de contrôle aérien de Shannon, en Irlande, et indique à l'agent de bord qu'il pourra faire entrer l'enfant dans « quelques minutes ».

Mais à 8 h 14, le dimanche 23 juin 1985, la promesse faite au petit garçon ne sera pas tenue : un engin terroriste explose à bord, précipitant les 329 passagers et membres d'équipage du vol 182 d'Air India dans la mort.

L'avion, surnommé Kanishka, en l'honneur d'un ancien dieu indien, plonge dans les eaux sombres de l'océan, à 120 milles nautiques au large de la côte irlandaise. Parmi les passagers, 279 sont des Canadiens, plusieurs d'origine indienne.

La déflagration venait aussi d'enlever aux Canadiens l'illusion confortable entretenue jusqu'à ce moment qu'ils étaient, par quelque mystérieux privilège, à l'abri du terrorisme international, déclenchant une suite d'événements dont les répercussions se font encore sentir aujourd'hui.

Les dispositifs de sécurité dans les aéroports canadiens, qui avaient jusqu'à présent été appliqués avec quelque nonchalance, ont été sévèrement renforcés. L'affaire a eu aussi un impact sur la communauté sikhe canadienne, qui fait l'objet d'une étroite surveillance, et dont 16 membres ont été sous le coup d'accusations allant de la possession d'explosifs à la conspiration en vue de commettre des attentats terroristes en territoire indien.

Ce qu'on sait, c'est qu'à peine une heure avant que « Kanishka » ne s'abîme en mer, de l'autre côté du globe, 390 passagers à bord d'un avion de CP Air, ne se doutant de rien, atterrissaient sains et saufs à l'aéroport de Narita, à Tokyo, après avoir traversé tout l'océan Pacifique avec une bombe dans la soute à bagages.

Comme les manutentionnaires japonais retiraient une valise grise de l'appareil, pour la transborder sur l'avion d'Air India à destination de Bombay, l'engin explosait, tuant deux des employés et en blessant quatre autres.

Au terme d'une véritable « quinzaine noire » pour l'aviation civile internationale, le premier ministre Brian Mulroney décrivait alors le terrorisme comme « la plaie des nations civilisées », et l'administration américaine, sous le président Reagan, exprimait son « mépris » et sa « ferme condamnation » de ces opérations.

« Je ne peux songer à rien de plus répugnant que la perte de vies innocentes causée par des actes terroristes délibérés », a affirmé M. Mulroney en faisant allusion à la double tragédie d'Air India et de CP AIR.

Deux semaines plus tôt, des pirates chiites libanais avaient détourné un avion des lignes jordaniennes Alia, qu'ils faisaient sauter sur l'aéroport de Beyrouth. Un Palestinien détourna en représailles un appareil des lignes libanaises MEA.

Quelques jours plus tard, des chiites libanais détournaient un Boeing 737 de la TWA à Athènes. L'appareil a été immobilisé pendant une semaine à Beyrouth et les pirates ont détenu 40 otages américains en réclamant la libération de plus de 700 chiites libanais détenus en Israël. **(Publié le 23 juin 1986).**

Bourrasque sur le marché de l'art

Le marché de l'art, emballé depuis trois ans par une hausse spectaculaire des prix, subit actuellement une bourrasque tout aussi spectaculaire, laissant dans les ventes aux enchères souvent plus de la moitié des oeuvres invendues.

« C'est grave, depuis quelques semaines il n'y a plus d'ordres d'achat ni à New York, ni à Paris, ni à Londres, plus personne ne bouge », a indiqué le commissaire-priseur Jacques Tajan à l'issue d'une vente de tableaux modernes à Tokyo. Celle-ci s'est soldée par la vente de 55 seulement des 110 oeuvres mises aux enchères. Même au Japon, dont l'appétit et la richesse semblaient pour certains infinis, les tableaux ne se vendent plus facilement.

La spirale des enchères, les records enregistrés sur des Van Gogh, ont avivé une formidable spéculation. Jamais le marché n'a eu à digérer autant de tableaux, dont une part, en outre, était de qualité discutable. Les oeuvres ont circulé de plus en plus en vite, passant de mains en mains entre Paris, Londres, New York où chaque fois investisseurs ou spéculateurs encaissaient des profits substantiels.

Les toiles exceptionnelles comme, *Le portrait du docteur Gachet* (Van Gogh) et *Le Moulin de la Galette* (Renoir) ont atteint des records spectaculaires (82,5 et 78,1 millions $). Mais les toiles secondaires ont essuyé beaucoup d'échecs. Il ne semble pas qu'il y ait de menace globale sur le marché. On estime que le mouvement est limité seulement aux impressionnistes moyens et post-impressionnistes.

(Texte publié en juin 1990.)

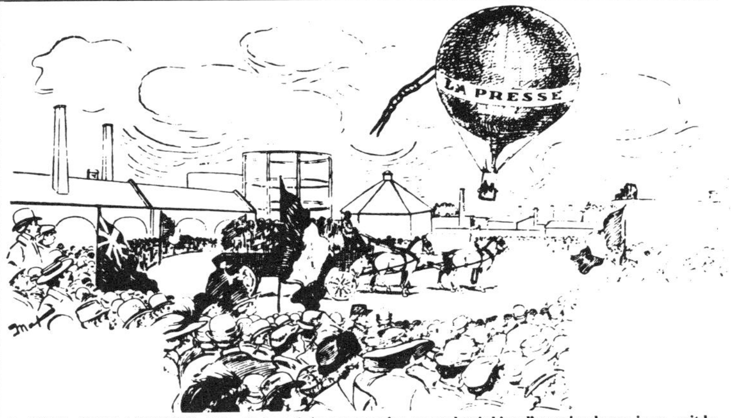

Le *23 juin 1911*, LA PRESSE célébrait deux événements qu'on se garderait bien d'associer de nos jours, soit le lendemain du couronnement du roi Edouard VII et la veille de la Fête nationale (car c'est ainsi qu'on l'appelait déjà à l'époque!) en offrant au public l'occasion d'assister à l'envol du ballon... LA PRESSE cela allait de soi! Quelque 15 000 personnes avaient assisté au gonflement puis au lancement de l'aérostat, à Hochelaga, et quelque 25 000 autres s'amassèrent au parc Lafontaine pour l'admirer au passage.

C'EST ARRIVÉ UN 23 JUIN

1980 — Les chefs d'État et de gouvernement des sept pays les plus industrialisés du monde occidental (Grande-Bretagne, Canada, France, Allemagne de l'Ouest, Italie, Japon et États-Unis) tiennent à Venise une conférence au sommet.

1979 — La nomination de Robert Stanfield pour étudier le projet de transfert de l'ambassade canadienne en Israël de Tel Aviv à Jérusalem, permet de calmer quelque peu les États arabes.

1978 — La police procède à trois arrestations dans l'affaire de l'enlèvement de Charles Marion.

1975 — Le budget Turner déposé à la Chambre des communes se traduit par une diminution de $200 du pouvoir d'achat des Canadiens. — M. Louis Laberge, président de la FTQ, recouvre temporairement sa liberté après qu'on eut accepté d'entendre sa cause en appel.

1968 — Un mouvement de panique à la fin d'un match de football dans un stade de Buenos Aires fait 70 morts.

1967 — L'Américain Jim Ryun établit un nouveau record sur la distance d'un mille, avec un chronométrage de 3:51.1.

1965 — Le Français Michel Jazy établit de nouveaux records du monde sur les distances de 3 000 m et de 2 miles.

1961 — L'avion-fusée *X-15* a établi un record d'un mille à la seconde, à la base aérienne d'Edwards, en Californie. — Entrée en vigueur du traité sur la démilitarisation de l'Antarctique.

1952 — Un accord permet de renouveler pour cinq ans les ententes fiscales entre Ottawa et les provinces. — Les avions alliés bombardent les centrales électriques du Yalou, en Corée du Nord.

1948 — Début du blocus de Berlin-Ouest par les Soviétiques, en guise de protestation contre l'établissement d'une nouvelle monnaie pour l'Allemagne de l'Ouest.

1919 — Les libéraux de Lomer Gouin balaient le Québec, avec 74 députés (et 85 p. cent des voix!), contre cinq pour les conservateurs et deux pour le Parti ouvrier.

La Saint-Jean la plus réussie depuis des dizaines d'années

Une foule innombrable, joyeuse et bruyante a assisté puis participé au défilé de la Fête nationale, hier (**24 juin 1990.**) à Montréal, en agitant des milliers de drapeaux fleurdelisés et en scandant à maintes reprises : Le Québec aux Québécois.

Environ 200 000 Montréalais ont regardé la parade, rue Sherbrooke, avant de se joindre au défilé. La police a estimé la foule à 160 000 personnes, et une organisatrice à 500 000, ce qui a fait dire à certains qu'il y avait autant de gens rue Sherbrooke que dans l'île de Terre-Neuve.

La mort de l'accord du lac Meech — provoquée entre autres par l'opposition du premier ministre de Terre-Neuve Clyde Wells — a été décrite comme le grand catalyseur du rassemblement, un des plus importants dans l'histoire de Montréal.

« Des funérailles ont rarement été aussi joyeuses, a dit Claude David, un homme d'affaires âgé de 43 ans. Mettez-y du Meech bien mort et beaucoup de soleil, et vous avez la fête la plus réussie depuis des dizaines d'années. »

Le soleil brillait en effet après plusieurs journées de grisaille. Le défilé et les célébrations avaient été remis, à cause des risques de pluie, ce qui n'avait pas empêché plusieurs milliers de personnes de fêter spontanément la Saint-Jean, dans l'attente des célébrations officielles.

Quelque 100 000 personnes ont envahi l'île Sainte-Hélène pour assister au spectacle donné par Gilles Vigneault, Michel Rivard, Paul Piché, Diane Dufresne et Laurence Jalbert. Un peu plus de 80 000 personnes ont pu écouter les artistes à l'intérieur des barrières, où tout alcool était interdit.

À 21 h30, la police a commencé à refuser l'accès à l'île, ce qui a provoqué quelques remous. À 21 h 45, la Société de transport de la Communauté urbaine de Montréal a interrompu le service de métro vers l'île Sainte-Hélène.

Vigneault, Piché et Rivard ont chacun chanté un couplet de Gens du pays. Lorsqu'ils ont entonné la finale, *J'entends parler de liberté*, la foule — surtout des jeunes — a hurlé de joie.

« J'ai presque envie de ne pas faire de discours, a enchaîné le comédien Jean Duceppe, un des organisateurs de la Fête. Je crois que ce discours, vous l'avez tous dans le fond du coeur depuis quelques jours : le Québec est notre seul pays. »

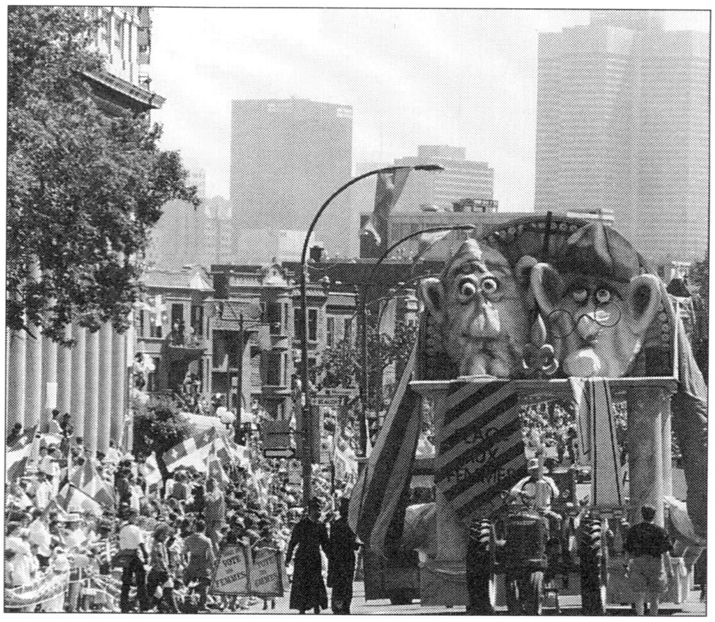
L'humeur était à la fête en cette journée de Saint-Jean 1990.

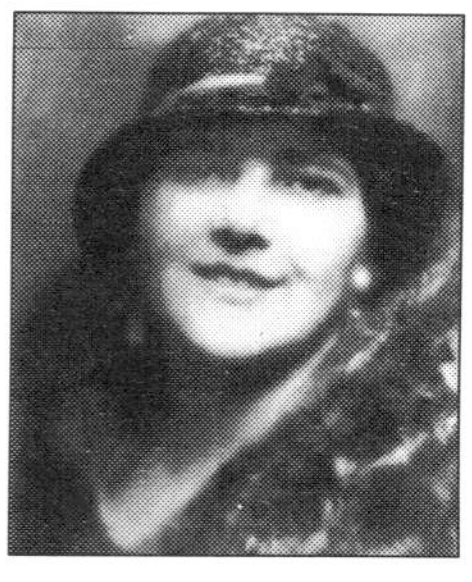
Mary Travers, dite La Bolduc.

LA BOLDUC RENTRE À NEWPORT APRÈS 100 ANS

« Ça va v'nir, découragez-vous pas... ». Cette profession de foi de la Bolduc et de sa fille Fernande qui se bat depuis plus de 50 ans pour la reconnaissance de sa mère, est exaucée, cet été.

La Société Canadienne des postes a donné, au Musée de Gaspé, le coup d'envoi des festivités du centième anniversaire de la Bolduc en dévoilant l'image-concept d'un timbre à son effigie ; le produit fini sera lancé le 11 août prochain, toujours en Gaspésie, à Newport. Il s'agit du village natal de cette pionnière de la chanson québécoise, où l'on a ouvert, le jour de la Saint-Jean, le Site Mary Travers.

Un siècle après la naissance de la joviale « Bolduc » — qui aurait vu le jour le 24 juin 1894 —, les gens de Newport ont décidé d'ouvrir un centre relatant, grâce à des photos, vêtements, instruments de musique, etc., les principales étapes de la vie et de l'étonnante carrière de l'artiste qui, dans les années 30, aura réussi à chanter un peu partout au pays et même jusqu'aux États-Unis, en plus de vendre, dit-on, plus de disques que l'usine pouvait en presser !

(Texte publié le 26 juin 1994.)

La réputation de Québec ternie par des émeutiers

Un parlement dévasté, des centaines de milliers de dollars de dommages et surtout la réputation de la capitale, coquette, ternie sur la scène internationale — le lendemain de veille était dur pour la ville de Québec.

Toute la journée, le centre-ville — la place du Carré d'Youville et les rues avoisinantes — fut envahi par les curieux, incrédules devant l'ampleur des dégâts causés par l'émeute. Quelques heures auparavant, environ 2000 jeunes, rassemblés pour un spectacle de la Saint-Jean, ont affronté les policiers municipaux — le deuxième accrochage sérieux en quelques semaines.

Sur la façade du parlement — point de mire du Québec touristique — plus un seul carreau n'était intact au rez-de-chaussée. En matinée, des dizaines d'ouvriers s'affairaient à ramasser le verre brisé et à placarder les plaies béantes des fenêtres. Les voyous sont même entrés dans la bibliothèque voisine du parlement et y ont mis le feu. Toutefois, seuls des documents sans grande valeur, des rapports annuels furent détruits. On sortait aussi les bancs publics qui avaient été projetés dans les verrières, tandis que dans les couloirs du parlement, on empilait les pavés qui avaient été balancés à travers les fenêtres.

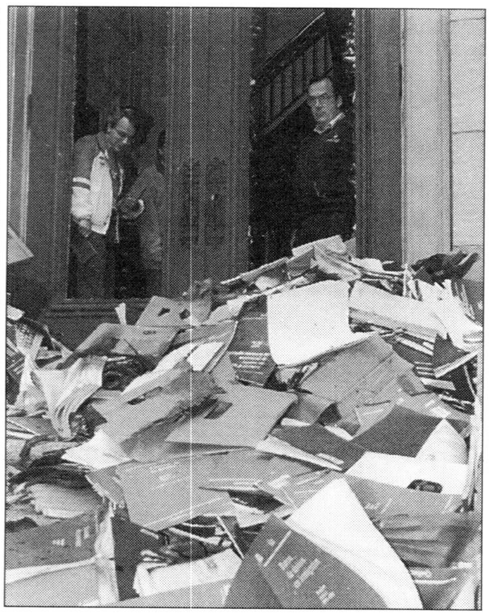
Scène de désolation après le saccage de la bibliothèque du parlement, à Québec.

Plus de 70 arrestations, dont plusieurs pour « désordre », ont été effectuées entre 1 h et 6 h, hier matin, indiquait le capitaine Nicol Marcotte, de la police municipale de Québec. Des comparutions pour méfaits sont prévues pour ce matin. Seulement sept prévenus sont mineurs, la plupart ont de 18 à 25 ans, et quelques-uns sont dans la trentaine.

Peu après le spectacle de Marjo, sur les Plaines d'Abraham toutes proches, les jeunes se sont rassemblés au centre-ville et ont commencé à abattre les immenses vitrines des commerces avoisinants, des tours à bureaux et de l'hôtel Québec Hilton.

En tout, environ 80 commerces ont subi des dégâts, dont une quarantaine ont été pillés, et les estimations policières des dommages (500 000 $) semblaient extrêmement conservatrices. Toutes sortes de commerces furent visés — au hasard, on pilla une boutique de souvenirs « médiévaux », un sex-shop, une boutique de vêtements. la succursale de la SAQ, tout près, les vitrines étaient déjà remplacées, mais on voyait encore une caisse éventrée, les malfrats s'étaient servis, essentiellement dans les spiritueux.

Expulsés de la Place d'Youville, environ 200 apaches s'en sont pris à l'Assemblée nationale, entre 2 h et 4 h du matin, les effectifs de la Sûreté du Québec, qui a le mandat de protéger le parlement, arrivèrent environ une heure après les premiers accrochages, a indiqué Jean-Yves Légaré, constable à l'Assemblée nationale, et « lapidé » comme ses collègues durant l'émeute. Pas de punks ni de marginaux, mais des jeunes qui avaient l'air tout à fait normaux et beaucoup de jeunes filles, a constaté M. Légaré, qui souligne qu'on devrait repenser l'allée autour de l'Assemblée nationale — elle est faite de petits pavés dont plusieurs ont servi à fracasser les carreaux.

« À partir du moment où on veut un parlement ouvert et accessible, cela peut arriver », a dit le président de l'Assemblée nationale, Jean-Pierre Charbonneau. L'émeute d'hier était totalement imprévue, insiste-t-il. Comme « ce n'est pas une émeute qui a commencé au parlement, ce n'était pas contre une politique ou les élus », souligne-t-il.

La police municipale a étrenné son camion-citerne pour repousser les émeutiers. Un véhicule qu'elle avait obtenu à la suite d'une première émeute ce printemps. « C'est nettement la plus importante émeute qu'on ait connu à Québec depuis 30 ans, c'est la première fois qu'on constate une telle frénésie pour tout briser sur son passage », a souligné Normand Bergeron, le chef de la police de Québec. Une émeute mémorable — le Samedi de la matraque — était survenue au passage de la reine Elizabeth à Québec, en octobre 1964, mais il n'y avait eu aucun dommage.

« Je ne pense pas qu'un tel événement touche, de façon substantielle, la saison touristique, surtout qu'il n'y a pas eu de blessé », a dit le maire de Québec, Jean-Paul L'Allier. « C'est une situation déplorable, dégradante, tout à fait contraire à ce que les gens de Québec font et veulent de leur ville », a-t-il dit.

« La population de Québec est fière de sa ville, fière d'elle-même, on risque de peinturer sur tout le monde les problèmes de un pour cent de la population », a déclaré M. L'Allier.

(Texte publié le 25 juin 1996.)

Deux morts sur les plaines d'Abraham

La fête de la Saint-Jean s'est transformée en cauchemar quand deux hommes ont perdu la vie de façon violente sur les plaines d'Abraham, à Québec. Le premier est tombé dans l'immense feu de joie allumé derrière le manège militaire. Le second a été tué d'un coup de couteau au thorax, et la police détient actuellement un suspect en rapport avec ce meurtre.

Vers minuit et demi, un homme de 25 ans s'est jeté dans l'immense feu de la Saint-Jean. A-t-il trébuché dans les clôtures ? A-t-il été poussé ? S'agit-il d'un suicide ? Avait-il fait un pari, comme l'affirment certaines personnes qui se trouvaient près de lui au moment du drame ?

Les témoins interrogés par les policiers ont déclaré avoir vu l'homme s'avancer à deux reprises en direction du brasier. Ses amis ont réussi à le retenir. Mais à la troisième occasion, l'individu a échappé à leur vigilance et s'est jeté dans le feu. « Selon toute probabilité, l'homme était intoxiqué par la drogue ou l'alcool », a souligné Raynald Desjardins, assistant directeur au Service de police de Québec.

« À partir de ce moment, la foule a eu un comportement irrationnel, lié à la consommation d'alcool, déplore M. Desjardins. À deux reprises, des policiers et des ambulanciers ont tenté de s'approcher du feu pour porter assistance à la victime. Chaque fois, une pluie d'objets hétéroclites s'est abattue sur eux. Le pare-brise d'une ambulance a volé en éclats. »

La victime, connue des policiers, est demeurée une vingtaine de minutes dans les flammes, aux dires de M. Desjardins. Sa compagne a désespérément tenté de pousser la foule pour laisser passer les policiers.

L'homme a finalement été dégagé du brasier par des gens qui le connaissaient. Une personne a été gravement blessée aux mains en tentant de secourir l'homme, et a dû être hospitalisée.

L'autre événement tragique s'est produit vers 23 h 30, également tout près du manège militaire situé en bordure des plaines d'Abraham. Selon les informations de M. Desjardins, deux groupes de personnes ont d'abord échangé quelques mots.

Leur discussion a rapidement dégénéré en bagarre, au cours de laquelle un individu a poignardé à mort Serge Tardif, un homme de 35 ans bien connu des milieux policiers. L'homme est mort au cours de son transport en ambulance.

(Texte publié le 25 juin 1991.)

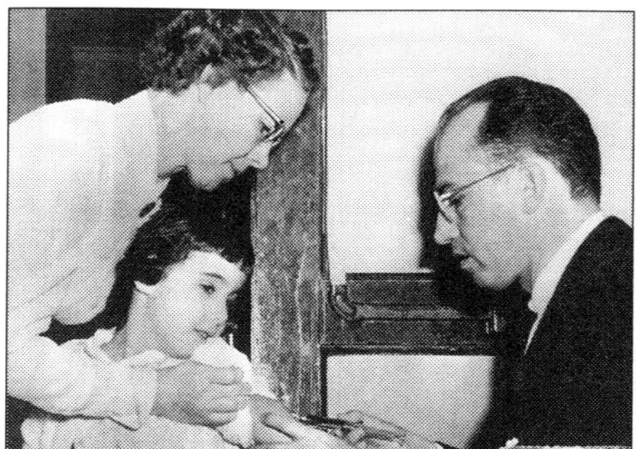

Mort de l'inventeur du vaccin anti-polio

Le Dr Jonas Salk (à droite, sur la photo), découvreur du premier vaccin contre la polio en 1955, est mort à l'âge de 80 ans d'une déficience cardiaque, a annoncé Anita Weld, porte-parole de l'Institut Salk. Le Dr Salk avait passé sa vie à se battre pour ses idées et à se consacrer à la recherche. (Texte publié le 24 juin 1995.)

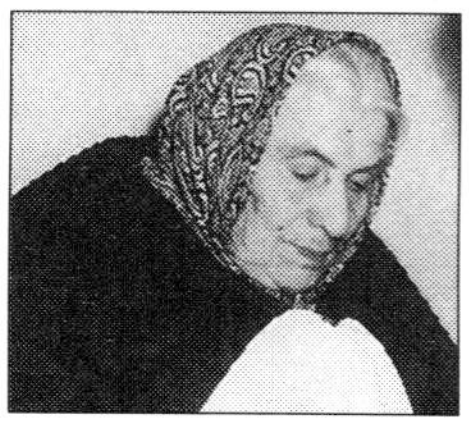
Assunta Goretti, mère de Maria.

Maria Goretti canonisée en présence de sa mère

Pour la première fois dans l'histoire des vingt siècles de l'Église catholique romaine, une mère a assisté à la cérémonie de canonisation de sa fille.

Mme Assunta Goretti, maintenant âgée de 87 ans, est au nombre des milliers et des milliers de fidèles qui ont pu voir Sa Sainteté le Pape Pie XII élever sur les autels Maria Goretti, morte en 1902 à l'âge de 11 ans des 14 coups de poignard qu'elle avait reçus en se défendant contre les avances criminelles d'un campagnard.

Déjà les Italiens dévôts surnomment la maman de la sainte « Mère Assunta ». Elle est arrivée à Rome venant de la petite ville de Corinaldo, près d'Ancône, sur l'Adriatique.

L'assassin de la jeune sainte, maintenant âgé de 68 ans, vit dans un monastère de Capucins. Il s'agit d'Alessandro Serenelli, qui purgea une sentence de 27 ans d'emprisonnement pour ce meurtre et qui fut plus tard l'un des principaux témoins lors du procès de béatification. Très retiré et surtout très pénitent, Serenelli n'a pas assisté à la cérémonie.

(Texte publié le 24 juin 1950.)

Le Monument-National revit

L a dernière fois que Paul Morency a franchi les portes du Monument-National, c'était en 1934. La Société canadienne d'opérette, à qui il prêtait sa voix de basse depuis six ans, cessait ses activités cette année-là.

En y entrant hier (**Texte publié le 25 juin 1993**), 59 ans plus tard, le vieillard de 84 ans en avait des frissons dans le dos. « Je suis tellement heureux d'être ici. Je ne pensais pas pouvoir venir. Heureusement, a-t-il dit, le beau temps m'a poussé jusqu'ici. »

Paul Morency n'était pas revenu au Monument-National depuis tout ce temps, d'abord à cause de la guerre — qui lui a pris la jambe gauche — et ensuite parce qu'après « c'était tellement délabré et à l'agonie que je ne voulais pas voir ça ».

Prenant appui sur la canne qui ne le quitte plus, Paul Morency découvre un nouveau Monument-National qui n'empêche pas ses vieux souvenirs de remonter à la surface.

Bien sûr, il ne l'a pas revisité de la cave au grenier son Monument-National, comme l'ont fait 1500 personnes depuis hier, deux journées portes-ouvertes organisées pour marquer le centenaire du bel édifice du boulevard Saint-Laurent. Sa visite guidée à lui n'a duré qu'une quinzaine de minutes, mais quelle visite !

L'escalier monumental est le même, les céramiques du plancher de l'entrée aussi, ainsi que les boiseries aux étages. Dans la grande salle Ludger-Duvernay, Paul Morency en a presque eu le souffle coupé. Les fauteuils — rajeunis — sont les mêmes qu'en son temps pour au moins 300 des 800 places que compte désormais la salle, le plafond et ses fresques aussi, le balcon, etc.

De 1928 à 1934, Paul Morency a prêté sa voix de basse à la Société canadienne d'opérette et participé, dans les choeurs, à Madame Butterfly, aux Contes d'Hoffmann, etc. Et

il craint d'être le seul survivant de la troupe « à voir revivre le Monument-National ». À l'étudiant-guide qui l'accompagnait, il a dit : « Vous me faites un grand plaisir. Ça me touche au coeur ».

À la directrice de l'École nationale de théâtre du Canada, Mme Monique Mercure, il a repris : « De me retrouver ici aujourd'hui, j'en ai des frissons partout. Merci à l'École de le faire revivre ».

Et il a franchi les portes du Monument-National... nouveau !

Le Monument-National a été inauguré il y a 100 ans aujourd'hui.

Construit par la société Saint-Jean-Baptiste, le Monument-National fut le théâtre de grandes manifestations politiques et culturelles. Henri Bourassa y prononça de grands discours, Wilfrid Laurier aussi. Après la Société canadienne d'opérette, les Variétés lyriques de Lionel Daumais et les Fridolinades de Gratien Gélinas y ont connu un immense succès populaire. On y présenta aussi du théâtre yiddish, du théâtre moderne et des revues.

Après la Seconde Guerre mondiale, le Monument-National n'était plus ce qu'il était : la mauvaise réputation de « la Main » et l'arrivée de la télévision lui portent le coup de grâce. Au début des années 60, la Société Saint-Jean-Baptiste veut s'en départir. L'École nationale de théâtre du Canada loue le Monument-National et en 1965 elle y présente ses exercices publics. Le gouverneur de l'École, M. Arthur Gelber, s'en porte acquéreur en 1971. Sept ans plus tard, l'École nationale de théâtre en devient propriétaire.

En 1991, on entreprend de le restaurer. Deux ans et 18 millions de dollars plus tard, le Monument-National revit. Ne reste plus au Faubourg Saint-Laurent, tout autour, d'en faire autant.

La salle Ludger-Duvernay, du Monument-National. Au moins 300 des 800 places sont les mêmes qu'il y a soixante ans, tout comme le plafond et ses fresques, le balcon etc.

C'EST ARRIVÉ UN **JUIN**

C'EST ARRIVÉ UN JUIN

1997 — Le commandant Jacques-Yves Cousteau s'est éteint tôt ce matin à Paris. Âgé de 87 ans et souffrant de problèmes respiratoires depuis quelques mois, il est mort des suites d'un « accident cardiaque ». Cousteau a initié des millions de spectateurs aux mystères des profondeurs. Ses voyages à bord de la Calypso ont fait l'objet de plus de 100 films pour la télévision.

1987 — Montréal n'a plus d'équipe professionnelle de football. Norm Kimball, président et actionnaire principal des Alouettes, a annoncé la cessation des activités de l'équipe, expliquant la décision par le manque d'intérêt de la communauté montréalaise. « À 20 h mardi, a dit Kimball, nous avons avisé la Ligue canadienne de football que le Club de Football les Alouettes mettait fin à ses opérations à Montréal. »

1985 — La contamination des eaux de surface du bassin des Grands Lacs représente une menace très sérieuse pour la principale réserve mondiale d'eau douce. Toutes les régions bordant les Grands Lacs sont considérées comme possédant un potentiel de contamination élevé ou modéré, tandis qu'il est généralement faible dans le sud-est de l'Ontario, le sud-ouest du Michigan, l'État de New York, la Pennsylvanie et l'Ohio.

1912 — Un quai sur lequel il y avait 250 personnes, s'est écroulé, au parc Eagle, à Grand Isle, causant une vingtaine de morts et plusieurs blessés en les précipitant dans les eaux de la rivière Niagara. Le vapeur « Henry Koerber » a causé le malheur en accostant ; un long craquement se produisit et la partie centrale du quai a cédé.

«Soulignite», «découpite» et «cornite» font 2500 victimes à Montréal

T rois virus tenaces ont pris Montréal d'assaut l'année dernière, faisant au moins 2500 victimes. Le premier provoque la « cornite », le second la « soulignite » et le dernier la « découpite ».

On retrouve leurs traces en 23 lieux différents de la métropole et les spécialistes craignent que l'endémie ne fasse encore plus de victimes cette année.

L'année dernière seulement, ces maladies ont coûté 75 000 $ à la société, soit... 30 $ par victime !

Évidemment, vous aurez deviné qu'il ne s'agit pas ici de bipèdes, mais de livres que

les 23 succursales de la Bibliothèque de Montréal ont dû retirer des rayons pour cause de vandalisme.

Première des trois maladies, la cornite. Symptômes : les pages de la victime se plient dans le haut, elle se déchirent.

Deuxième des trois maladies, la soulignite. Symptômes : le texte de la victime est souligné de vilains traits ou masqué au crayon-marqueur.

Dernière des trois et non la moindre, le découpite. Symptômes : la victime perd ses pages, elles sont trouées ou déchirées.

Une fois le livre infecté, difficile de lui sauver la vie, si l'on peut dire, parce que le

seul remède connu est plutôt du genre préventif.

En l'occurrence, il se compose de deux cuillerées de civisme et trois comprimées d'éducation, disent les spécialistes de la Bibliothèque de Montréal et leurs alliés de Tandem Montréal qui ont lancé une campagne de sensibilisation contre le vandalisme... sur les livres.

Sous le thème « Pourquoi ne pas dévorer les livres du regard seulement ? », Tandem Montréal a fait imprimer 100 000 signets qui seront distribués dans les bibliothèques de quartier et, dès septembre, dans les écoles primaires de la CECM pour

encourager très tôt dans l'enfance, disent encore les spécialistes, le respect des biens publics.

Aux 2500 livres retirés des rayons et mis au rebut pour cause de vandalisme, il faut ajouter les 7500 autres que des abonnés ont déclaré avoir perdus.

En d'autres mots, en 1994, 10 000 des trois millions de documents confiés aux 23 succursales de la Bibliothèque de Montréal sont disparus. 30 $ la victime, cela fait 300 000 $. Soit l'équivalent de 10% du budget des acquisitions, qui n'est que de trois millions de dollars !

(**Texte publié en juin 1995.**)

Le faucon pèlerin, un rapace grand amateur de vitesse.

UN BEAU RETOUR

L a réintroduction du faucon pèlerin semble acquise dans le sud du Québec.

En effet, cette année, comme ce fut le cas l'an dernier, on comptait pas moins de 10 couples nicheurs qui ont élevé avec succès une vingtaine d'oisillons, du Saguenay jusqu'à la frontière américaine.

Le biologiste David Bird, directeur du Centre des rapaces du Collège Macdonald, de Sainte-Anne-de-Bellevue, montait au sommet du vieil édifice de la Banque Royale, au 360 Saint-Jacques, afin de baguer quatre fauconneaux pour suivre leurs futures allées et venues. Il s'agit d'une nichée exceptionnelle. Le couple de parents est formé d'un oiseau sauvage et d'un faucon qui a été jadis élevé en captivité comme en fait foi sa patte baguée.

L'an dernier, un couple de faucons « sauvages » avait niché au sommet de l'édifice de la Banque Royale, mais sans succès. On lui confia toutefois trois jeunes élevés en captivité qui se sont envolés en santé quelques semaines plus tard.

C'est l'utilisation du DDT qui a entraîné la quasi-disparition du faucon pèlerin dans l'est du continent. L'insecticide, accumulé tout au long de la chaîne alimentaire, empêchait la formation normale de la coquille de l'oeuf du rapace qui se brisait alors au moindre choc.

(**Texte publié le 25 juin 1991.**)

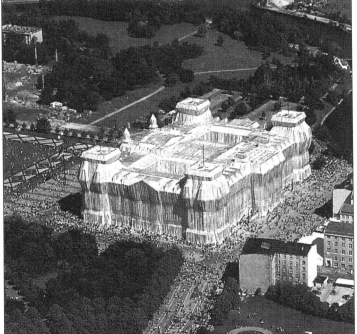

Le Reichstag est emballé

A près une semaine de difficiles travaux, l'artiste américain Christo a mis la dernière touche à l'emballage du Reichstag, l'ancien parlement du Reich. Plus de 100 000 m² de toile argentée, amarrés par 15,6 km de cordage bleu, ont été nécessaires à l'emballage du bâtiment. Pour Christo, dont les dernières oeuvres ont été l'emballage du Pont-Neuf à Paris en 1985 et un agencement de parasols jaunes et bleus de chaque côté du Pacifique en 1991, le Reichstag représente un vieux rêve.

Plus de trois millions de visiteurs sont attendus à Berlin d'ici au 7 juillet pour venir admirer l'emballage.

(**Texte publié le 25 juin 1995.**)

De plus en plus d'allergies

L es réactions allergiques ne sont pas communes à toutes les personnes ; plusieurs sujets n'auront, ou presque, aucune réaction allergique lorsque mis en contact avec certains produits ou substances.

Chaque année, plus de quatre millions de Canadiens sont victimes d'allergies. À elle seule, la rhinite allergique, la plus répandue de toutes les allergies, coûte annuellement plus d'un demi-milliard de dollars aux 47 millions de Nord-Américains affectés, ce qui représente 12 pour cent des dépenses annuelles en médicaments prescrits sur ordonnance. Dans notre société moderne, les cas d'allergies ont tendance à augmenter mais, fort heureusement, les armes pour mener la lutte sont maintenant plus performants.

De la poussière au pollen, du poil d'animaux aux acariens, en passant par les plumes, les fleurs, les médicaments et de nombreux produits alimentaires, les sources d'allergies sont multiples. Le printemps est la haute saison des allergies. Nombreux, en effet, sont ceux qui souffrent de l'inflammation de la muqueuse nasale causée surtout par le pollen des arbres, des graminées et des mauvaises herbes.

(**Texte publié le 25 juin 1991.**)

LA VOIE MARITIME EST INAUGURÉE

La reine et Eisenhower ouvrent au monde le coeur du continent

UNE nouvelle page d'histoire canadienne a été écrite à 12 h. 04 aujourd'hui **(26 juin 1959)**, quand le majestueux *Britannia* a franchi une écluse symbolique inaugurant la Voie maritime du Saint-Laurent.

Une salve de 21 coups de canon a fendu l'air et les cloches de toutes les églises de Montréal ont sonné durant cinq minutes, marquant l'événement de façon encore plus dramatique.

Tandis que le yacht royal traversait l'écluse, la reine Elisabeth II, venue au Canada spécialement pour la circonstance, se tenait debout sur le pont supérieur du navire, aux côtés du président Dwight Eisenhower, du premier ministre Diefenbaker et de son mari, le prince Philip.

Des ballons multicolores, retenus aux écluses de bois par des câbles furent lâchés et allèrent se perdre dans le ciel couvert de nuages.

Il faisait chaud et lourd et le ciel ne s'est montré qu'à intervalles irréguliers.

Des centaines de fusées, auxquelles on avait attaché des drapeaux, ont bientôt couvert le ciel de pavillons de la Grande-Bretagne, des Etats-Unis et de la province de Québec.

Sur le pont du *Britannia*, on pouvait voir le président Eisenhower et la reine répondre fréquemment de la main aux applaudissements et aux ovations de la foule massée le long de la rive.

L'équipage du yacht royal, entièrement composé de Canadiens, se tenait à l'attention sur le pont inférieur.

Bien qu'on eut interdit toute navigation sur le canal durant le passage du *Britannia*, cinq yachts de plaisance sont parvenus à se glisser entre le navire royal et son escorte, diminuant le caractère officiel qu'avaient pris jusque là les cérémonies.

L'escorte se composait des navires de guerre *Forrest Sherman*, vaisseau américain, *Gatineau* et *Ulster*, deux vaisseaux canadiens.

Plus de 5,000 personnes s'étaient pressées sur la rive du canal pour assister à ces minutes solennelles. (...)

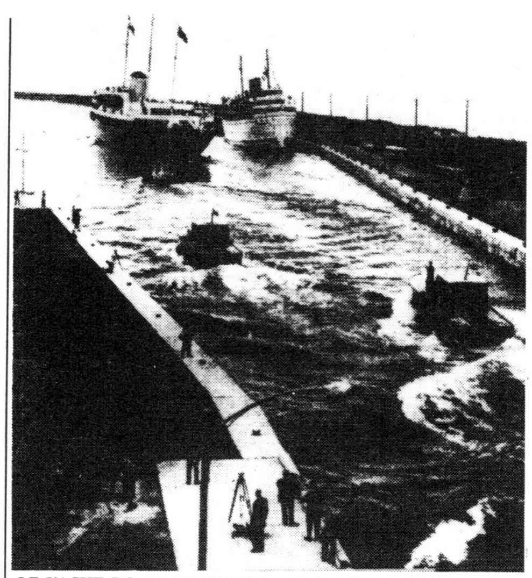

LE YACHT ROYAL BRITANNIA, qui vient de franchir la première écluse de la voie maritime, à St-Lambert, vogue à pleine vapeur vers le bassin de Laprairie. Il est salué au passage par la sirène du paquebot américain NORTH AMERICAN (à droite) et les quelque 400 touristes qu'il transporte. Dans le sillage du BRITANNIA suivent trois vedettes de la Gendarmerie royale.

Le BRITANNIA franchit l'écluse de Saint-Lambert

LA fine coque du yacht royal *Britannia* a glissé majestueusement, un peu après midi, aujourd'hui, dans l'écluse de St-Lambert, la première des sept nouvelles écluses faisant partie de la Voie maritime du St-Laurent. La reine Elisabeth, accompagnée du prince Philip et du président Eisenhower, a vu s'ouvrir devant la proue de son navire les hautes portes de l'écluse qui se sont ensuite refermées derrière le *Britannia* pour le garder captif pendant environ cinq minutes, soit la durée du remplissage du bassin.

Avant de pénétrer dans l'écluse, Sa Majesté est passée sous le pont Victoria que son arrière-grand-père le roi Edouard VII, était venu inaugurer il y a près de 100 ans. Ainsi, pour la deuxième fois dans l'histoire du Canada, un souverain britannique marquait une nouvelle ère de progrès pour notre pays.

Edouard VII avait ouvert le pont qui allait désormais relier Montréal et la rive nord du fleuve avec les vastes régions de la rive sud, et même avec les Etats-Unis. Son arrière-petite-fille, Elisabeth II, inaugure la longue voie maritime du St-Laurent qui traverse les centres industriels canadiens pour atteindre ceux de la république voisine.

Avec ses 413 pieds de longueur et 55 de largeur, le *Britannia* a semblé fort à l'aise dans le bassin de l'écluse de St-Lambert, qui a une longueur de 758 pieds et une largeur de 80 pieds. Sa manoeuvre a donc été facile. Le yacht royal donnait même l'impression d'un petit bateau au fond de ce bassin de 45 pieds de profondeur. (...)

La sécurité d'Etat

Trudeau dit NON à la «CIA canadienne»

OTTAWA — Le premier ministre Trudeau a rejeté la principale recommandation de la commission royale d'enquête sur la sécurité qui aurait eu pour effet de créer un service de sécurité de composition entièrement civile, semblable à la C.I.A. aux Etats-Unis et au M.15 en Grande-Bretagne.

Par ailleurs, M. Trudeau a décidé d'accepter la recommandation des commissaires prévoyant la création d'un comité de révision des questions relatives à la sécurité de l'Etat.

Il est possible toutefois que les pouvoirs, la nature et le fonctionnement de ce comité diffèrent des volontés des commissaires.

Le premier ministre n'a toutefois pas parlé de la recommandation des commissaires au sujet de la mise sur pied d'un secrétariat de sécurité officiel au sein du bureau du Conseil privé.

Dans une longue déclaration en Chambre **(le 26 juin 1969)**, le premier ministre a tout d'abord exprimé la gratitude du gouvernement du Canada aux membres de la commission, MM. M.Q. MacKenzie, de Montréal, président; Yves Pratte, actuel président d'Air Canada, et M. J. Coldwell.

M. Trudeau a tenu à préciser tout d'abord que les opinions contenues dans le rapport sont ceux des commissaires eux-mêmes, ne lient le gouvernement d'aucune façon et que leurs recommandations ne seront pas toutes acceptées.

Mais il ajoute qu'un nombre appréciable d'entre elles seront à la fois acceptées et appliquées.

Le premier ministre fait sienne la déclaration suivante des commissaires: «Le Canada demeure la cible d'activités qui sont ou peuvent devenir subversives, de tentatives d'infiltration et d'opérations d'espionnage.»

Et il se dit d'accord avec leur conclusion: «On peut contester l'efficacité de ses responsabilités dans un domaine qui peut mettre en jeu les libertés fondamentales de l'individu.»

Trudeau: non au S.S.

Mais pour des raisons qu'il laisse inexpliquées, M. Trudeau s'oppose à la création d'un service de sécurité de facture civile complètement détaché de la RCMP et qui aurait entièrement juridiction sur toutes les enquêtes ayant trait aux questions de sécurité nationale.

M. Trudeau propose plutôt que ce service de sécurité soit créé à l'intérieur de la RCMP, moyennant certaines modifications de ses structures.

Et il précise: «Le gouvernement se propose donc, en complet accord avec la RCMP, de faire en sorte que la direction de la sécurité et des renseignements, au fur et à mesure de son évolution, en vienne à jouir, dans le cadre de la Gendarmerie, d'une certaine autonomie et d'une personnalité propre et à se conformer davantage, dans sa composition et sa nature, aux exigences de la sécurité nationale, telles que les ont définies les commissaires.» (...)

Il est ironique de constater que 15 ans plus tard, la dernière loi adoptée par un gouvernement dirigée par le premier Trudeau risque d'être une loi autorisant la création d'un organisme de sécurité...

Les nations prouvent qu'elles sont unies

Accord général sur la charte.

SAN FRANCISCO — A 10 h. 30, heure du Pacifique (1 h. 30, heure de l'Est), M. Wellington Koo, président de la délégation chinoise à la conférence de sécurité, a signé **(le 26 juin 1945)** la charte de l'organisme international de sécurité *(les Nations Unies)*, approuvée à l'unanimité à 10 h. 50 hier soir (heure de l'Est). C'est ainsi que la Chine, première victime de l'agression japonaise, a été le premier Etat à signer la charte destinée à prévenir les agressions.

M. Koo s'est dit très honoré et profondément ému en ce grand jour.

«J'ai, a-t-il déclaré, la confiance et la certitude que le nouvel organisme de sécurité, fondé sur la victoire de l'Europe et la défaite prochaine et définitive du Japon, pourra épargner à la postérité les horreurs de guerres répétées, lui assurant les bénédictions de la paix et de la prospérité.»

Le Canada est neuvième dans l'ordre des Etats signataires. Ses principaux délégués, le très hon. M. King et l'hon. M. Saint-Laurent, signeront en son nom la charte, le statut de la Cour internationale de justice, et l'accord sur la «commission préparatoire». (...)

La plus grande différence entre la charte du nouvel organisme et le pacte de l'ancienne Société des nations, c'est la disposition qui oblige les membres à garder les armées à la disposition du conseil de sécurité, pour appliquer les décisions de ce dernier, s'il le faut pour le maintien de la paix. La grande faiblesse de la Société des nations, c'était qu'elle manquait des moyens nécessaires pour imposer ses décisions.

Une autre différence, c'est que la Société des nations ne pouvait agir qu'en présence d'une agression déclarée. Le nouvel organisme peut intervenir dès que la paix est menacée, avant même tout acte de guerre. L'assemblée et le conseil de la Société avaient des pouvoirs analogues. Mais le conseil de sécurité n'aura qu'une fonction, la police du globe; sur la paix et la sécurité, l'assemblée n'aura que le pouvoir de délibérer et de recommander.

À Québec

Un ministère de l'Éducation

Le plus important projet de loi de la session, qui fusionne en fait le ministère de la Jeunesse et le Département de l'instruction publique, prévoit:

1 — une réorganisation complète des structures administratives de l'éducation,

2 — la mise en application de la première partie du rapport Parent sur l'enseignement,

3 — le remplacement par un nouvel organisme du Conseil de l'instruction publique qui présidait au sort de l'éducation depuis 107 ans,

4 — l'abolition du poste de surintendant de l'instruction publique.

L'opposition s'est étonnée du fait que le gouvernement entend faire adopter son bill au cours de la présente session.

QUEBEC — Le premier ministre M. Jean Lesage a présenté hier **(26 juin 1963)** à l'Assemblée législative le plus important projet de loi de toute la session, proposant la création d'un «ministère de l'Education et de la Jeunesse» et le remplacement du vénérable et puissant «Conseil de l'instruction publique» par un organisme de consultation appelé «Conseil supérieur de l'éducation».

Sous l'apparence bénigne de ses 13 pages le bill propose aux députés une réorganisation complète et radicale des structures administratives de l'éducation.

L'assemblée a adopté le bill en première lecture — ce qui n'est qu'une simple formalité préliminaire — mais ce n'est pas sans une certaine stupeur que l'Union nationale, qui forme l'opposition, s'est rendue compte que le gouvernement entend faire adopter son bill au cours de la présente session.

Le projet de loi découle de la décision du gouvernement du Québec d'appliquer immédiatement les recommandations de la première partie du rapport de la Commission royale d'enquête sur l'enseignement.

Au fait, le projet propose le fusionnement du ministère de la Jeunesse et du Département de l'instruction publique. Le ministre devient le seul grand responsable de l'enseignement.

Le poste de surintendant de l'instruction publique, créé en 1841, est aboli. Le Conseil de l'instruction publique, formé de tous les évêques catholiques de la province ecclésiastique de Québec, d'un nombre égal de laïcs catholiques, et d'un nombre de protestants égal à celui des laïcs catholiques, disparaît après avoir présidé au sort de l'éducation depuis 107 ans. (...)

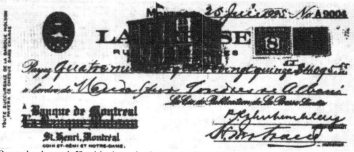

Lesage déclare en Chambre

La SGF rendra possible la mise en marche d'une industrie sidérurgique

LE premier ministre Jean Lesage a qualifié d'historique hier soir **(26 juin 1962)**, le vote unanime accordé en deuxième lecture au bill no 50, prévoyant la création de la Société générale de financement.

Au cours de la discussion qui a précédé le vote, M. Lesage a en effet soutenu que ce projet de loi constituait «un instrument incomparable de projet économique». De l'autre côté de la Chambre, le leader de l'Union nationale, M. Daniel Johnson, tout en appuyant le projet de loi, qualifiait le bill no 50 de «décevant» et lui reprochait de «manquer de précision» et de «sentir l'improvisation».

M. Lesage a notamment affirmé que la Société générale de financement rendrait possible la création d'une vaste industrie de transformation, assurant un emploi aux travailleurs et la mise en marché d'une industrie sidérurgique intégrée. Il voit également dans la SGF la solution d'un problème fort ancien, car ce n'est pas d'aujourd'hui, dit-il, que la population québécoise déplore son absence du monde financier,industriel et commercial.

Quant au chef de l'opposition, il estime ce projet de loi décevant, parce qu'il n'y est aucunement question de l'établissement d'un complexe sidérurgique; parce que le ministre des Finances n'est autorisé qu'à souscrire cinq millions de dollars alors qu'on y parle d'un fonds social de $150 millions, et aussi parce que les Caisses populaires n'y pourraient souscrire guère plus de huit millions de dollars à l'heure actuelle. Un total de $13 millions, dit-il, nous sommes loin du complexe sidérurgique. (...)

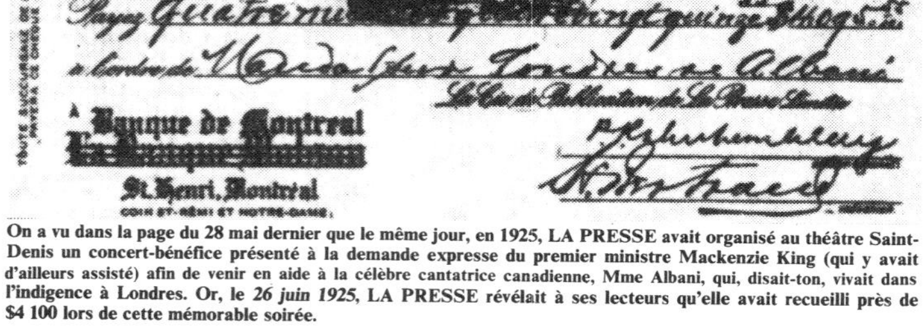

On a vu dans la page du 28 mai dernier que le même jour, en 1925, LA PRESSE avait organisé au théâtre Saint-Denis un concert-bénéfice présenté à la demande expresse du premier ministre Mackenzie King (qui y avait d'ailleurs assisté) afin de venir en aide à la célèbre cantatrice canadienne, Mme Albani, qui, disait-ton, vivait dans l'indigence à Londres. Or, le *26 juin 1925*, LA PRESSE révélait à ses lecteurs qu'elle avait recueilli près de $4 100 lors de cette mémorable soirée.

La CUM prend le virage vert

La phrase tombe presque comme un refrain entendu mille et mille fois. Le déficit en espaces verts reste élevé. Pour respecter la norme québécoise de deux hectares pour 1000 habitants, il faudra acquérir encore 1200 hectares, c'est-à-dire la moitié de ce qu'on possède déjà en parcs régionaux, grands parcs municipaux, réserves naturelles, îles et berges de l'île de Montréal.

Les habitants de l'île-Bizard, qui n'en ont que pour la protection de la forêt de l'île, l'on constaté à la Commission de l'aménagement. Ils étaient d'ailleurs les premiers à applaudir. Hubert Simard, président de la Commission de l'aménagement de la CUM, y croit. Ses collègues qui siègent à ses côtés aussi. Pierre Bélec, porte-parole de Loisir-Ville, milite justement pour ça depuis des années.

(Texte publié le 26 juin 1988.)

C'EST ARRIVÉ UN 26 JUIN

1985 — À compter du premier juillet, les abonnés de Bell Cellulaire et de la firme Cantel pourront se prévaloir du nouveau service de téléphone mobile cellulaire. Le prix de base pour l'achat d'un appareil gravite autour de 2000 $. À ce montant viennent s'ajouter les tarifs d'utilisation, qui vont de 25 cents à 60 cents la minute, aux heures de pointe, selon le type de service loué.

1978 — Deux morts et 105 blessés dans la chute d'un *DC-9* d'Air Canada, à Toronto.

1978 — Une bombe placée par des terroristes explose au château de Versailles, l'un des plus beaux palais de France. L'explosion cause d'importants dommages à plusieurs pièces, statues et autres objets de valeur.

1977 — Un incendie à la prison de Colombia, au Tennessee, cause la mort de 43 personnes.

1975 — Selon des statistiques divulguées par la CECO, les consommateurs québécois ont acheté 20 millions de livres de viande vendue frauduleusement, sur une période de dix ans.

1973 — Me Jérôme Choquette, ministre de la Justice, annonce que le Québec réparera les torts qu'a dû subir Pacifique Plante.

1970 — Bernadette Devlin, membre du Parlement britannique, est incarcérée pour incitation à la violence. Des bagarres sanglantes éclatent à Belfast et à Londonderry où elles feront 6 morts et des centaines de blessés. — Le Parti communiste de Tchécoslovaquie expulse de ses rangs son ex-secrétaire général et instigateur du «printemps de Prague», Alexandre Dubcek.

1966 — Soixante-huit experts venus de 26 pays réclament la fin des essais atomiques souterrains.

1957 — Bain de sang sans précédent, en République populaire de Chine. Chou En-Laï révèle que des milliers de contre-révolutionnaires auraient été exécutés.

1947 — Mort à 77 ans de lord Richard Bedford Bennett, ex-premier ministre du Canada, qui avait dirigé le pays de 1930 à 1935.

1938 — On évalue à 300 000 le nombre de croyants qui participent à l'apothéose du Congrès eucharistique de Québec.

Quatre policiers coupables de brutalité

Après huit jours de délibérations, les verdicts sont tombés comme des tonnes de briques sur les quatre policiers : coupables.

Pierre Bergeron, 41 ans, André Lapointe, 31 ans, Louis Samson, 32 ans et Michel Vadeboncoeur, 31 ans, ont été déclarés coupables d'avoir causé des lésions corporelles à Richard Barnabé, en abusant de la force pour le fouiller et le maîtriser dans une cellule du poste 44, en pleine nuit, le 14 décembre 1993.

Tous quatre ont été acquittés de l'accusation plus sérieuse de voies de fait graves, qui consiste à mettre délibérément en danger la vie de quelqu'un en usant de la force.

Manon Cadotte, 25 ans, accusée elle aussi, a été la seule à être acquittée par les sept hommes et cinq femmes du jury.

Arrêté dans la nuit du 14 décembre 1993 après une chasse à l'homme, Richard Barnabé est ressorti du poste 44 sur une civière, en arrêt cardiaque. Cet homme de 40 ans, père d'un adolescent de 15 ans, restera pour le reste de sa vie dans un état « neuro-végétatif ».

La tragédie de cet homme est vite devenue l'« affaire Barnabé ». Après une enquête de la Sûreté du Québec, six policiers ont été accusés, le 14 janvier 1994, et des voies de fait causant des lésions corporelles.

L'affaire est devenue le symbole d'une brutalité policière intolérable et a passionné le public. Le choix du jury a nécessité une semaine, ce printemps.

(Texte publié le 27 juin 1995.)

L'émotion était à son comble lorsque Jean Drapeau, accompagné de son épouse, a annoncé son départ de la mairie de Montréal. C'est Yvon Lamarre (à gauche, sur la photo) qui a poursuivi la lecture de son discours.

DRAPEAU S'EN VA

Submergé par l'émotion, la voix brisée par les sanglots, le maire Jean Drapeau a tourné une page de l'histoire de Montréal : il ne sera plus jamais candidat à la mairie de Montréal.

« J'ai le regret de constater que mon respect de la fonction (de maire) et des électeurs me dicte ma décision. Je ne la choisis pas. Je mets donc fin à ma carrière élective », a-t-il annoncé devant un mur de caméras de télévision et de micros.

Entouré de sa femme, des membres de l'exécutif de Montréal et des membres du Parti civique, le maire Jean Drapeau a commencé son discours d'une voix forte et assurée. Mais il a fondu en larmes au moment d'expliquer les récompenses que lui avaient apportées ses 32 années au service de la ville de Montréal qu'il aime comme son enfant.

Les longs applaudissements de ses partisans, et même des journalistes présents, lui ont permis un moment de se reprendre. Mais M. Drapeau fut incapable de continuer le discours qu'il avait préparé. Et c'est M. Yvon Lamarre, président du comité exécutif, qui en a poursuivi la lecture dans un climat d'émotion intense, une larme perlant aux yeux de plusieurs.

Ce sont principalement des raisons de santé et d'âge qui lui font renoncer à briguer la mairie de nouveau, en novembre prochain. Rappelant les exigences du métier de maire qu'il a exercé à raison de 18 heures par jour, six ou sept jours par semaine, et ses trois épreuves de santé depuis 1982, il estime ne pas pouvoir s'engager pour un autre mandat de quatre ans.

(Texte publié le 27 juin 1986.)

INAUGURATION DU PLUS HAUT EDIFICE DE L'EMPIRE BRITANNIQUE

Aux accords de la fanfare du régiment de Maisonneuve, l'inauguration officielle du nouvel édifice de la Banque Canadienne Impériale de Commerce a eu lieu hier soir (27 juin 1962) en présence de nombreuses personnalités du monde de la finance et du gouvernement. Le maire Jean Drapeau a coupé le ruban traditionnel et a déclaré que le nouvel immeuble de 43 étages «symbolise le progrès de Montréal et la confiance des hommes d'affaires canadiens en son avenir». (...) Le gratte-ciel, situé boulevard Dorchester à côté du square Dominion, est l'immeuble à mur-écran préfabriqué le plus élevé du monde avec ses 604 pieds. 17,000 tonnes d'acier à structure et 40,000 verges cubes de béton sont entrées dans sa construction et l'éclairage est assuré par tubes fluorescents qui formeraient une longueur de 5 milles. La construction avait débuté en octobre 1959.

Victoire écrasante de Louis Saint-Laurent

LORS des élections générales du 27 juin 1949 au Canada, les libéraux de Louis Saint-Laurent récoltèrent une victoire écrasante sur les conservateurs, avec une majorité de 124 sièges et une supériorité dans neuf des dix provinces! M. Saint-Laurent avait été élu à la succession de William Lyon Mackenzie King au poste de chef du Parti libéral et de premier ministre du Canada le 7 août 1948 et il avait attendu près d'un an après la convention libérale avant de déclencher des élections générales. Quelque deux décennies plus tard, dans des conditions presque similaires, Pierre Elliott Trudeau héritait du même type de succesion des mains de Lester B. Pearson le 6 avril 1968. Quinze jours plus tard, soit le 23, il déclenchait des élections qu'il enlevait haut la main le 25 juin suivant, dans le sillage de la Trudeaumanie. C'est entre ces deux tactiques que John Turner hésite, lui qui se trouve dans une situation

identique à celles de MM. Saint-Laurent et Trudeau.

L'Ouverture Officielle de la Route de la Presse

Ce beau tronçon de la grande voie internationale Edouard VII a été substitué au raboteux chemin d'autrefois, qu'on a fermé à la circulation. — Une belle initiative et un grand succès.

DANS son édition du 27 juin 1914, LA PRESSE consacrait sa première page à la route de la «Presse» récemment ouverte à la circulation à la suite d'un «ordre spécial du conseil de ville de la municipalité de Longueuil». La route connue sous le nom de «La Presse» (pour la bonne raison que le journal s'était substitué à la municipalité de Longueuil en assumant la responsabilité technique et les coûts de sa construction) était en fait la continuation vers LaPrairie du boulevard Edouard VII, à partir du Old Country Club (aujourd'hui le Club de golf de Saint-Lambert). La construction de ce tronçon de route avait coûté $9 551,12 à la direction de LA PRESSE, qui voulait ainsi donner l'exemple dans sa campagne pour l'amélioration des routes au Québec. Les habitués du secteur constateront que cette route existe toujours sous le nom de «Riverside Drive», entre Bretagne et le boulevard Simard.

C'EST ARRIVÉ UN 27 JUIN

1990 — Le juge Antonio Lamer, doyen des trois juges québécois de la Cour suprême du Canada, deviendra le 1er juillet juge en chef du plus haut tribunal du pays. Il succédera au juge en chef Brian Dickson, âgé de 74 ans, qui prend sa retraite.

1980 — Le Parlement canadien adopte officiellement « O Canada » comme l'hymne officiel du pays.

1978 — Au Canada, la Cour fédérale déboute l'Association des Gens de l'Air du Québec de leur appel d'une ordonnance du ministère des Transports prohibant l'usage du français entre pilotes et contrôleurs aériens francophones.

1976 — Un commando palestinien détourne un avion d'Air France en route pour Athènes vers l'aéroport d'Entebbe, en Ouganda.
— Le Portugal tient ses premières élections présidentielles libres depuis 50 ans.

1974 — Début de la grève des autobus et du métro à Montréal.

1973 — Le Conseil de presse du Québec se met en marche à la suite de la nomination de six représentants du public.

1950 — Le Conseil de sécurité des Nations-Unies demande aux membres d'aider la Corée du Sud; les États-Unis acceptent d'envoyer des troupes.

1946 — L'annonce d'une hausse des exemptions d'impôt se traduira par une réduction de 600 000 du nombre des contribuables canadiens précédemment requis de payer des impôts.

1944 — Les alliés libèrent Cherbourg. Le lieutenant général Wilhelm von Schleiben se trouve parmi les 30 000 prisonniers allemands.

1939 — Le Yankee Clipper de la Pan-American Airways arrive à Foynes, en Eire, au terme du premier voyage transatlantique d'un avion transportant du courrier.

1905 — L'un des beaux fleurons de la marine tsariste, le Potemkine, basé en mer Noire, est le théâtre d'une mutinerie. Les marins, favorables aux idées bolchéviques, prennent le pouvoir à bord du cuirassé et hissent le drapeau rouge. Le bâtiment accoste à Odessa où l'équipage participe à des manifestations de la première révolution contre le régime tsariste.

UN NOUVEAU DRAME ASSOMBRIT LE REGNE DE FRANCOIS-JOSEPH

L'archiduc François-Ferdinand, héritier présomptif du trône d'Autriche-Hongrie, et sa femme, la duchesse de Hohenberg, ont été assassinés à Sarajevo, en Bosnie.

SARAJEVO, Bosnie

L'héritier du trône d'Autriche-Hongrie, l'archiduc François-Ferdinand, et son épouse morganatique, la duchesse de Hohenberg, ont été assassinés hier **(28 juin 1914)** alors qu'ils passaient dans les rues de Sarajevo (*on utilisait dans les articles d'époque l'orthographe «Sarayevo»*), capitale de la Bosnie. C'est un jeune étudiant serbe qui a commis les deux crimes et a, aussi, ajouté une nouvelle tragédie à la longue liste de celles qui ont assombri le règne de l'empereur François-Joseph.

L'archiduc et la duchesse étaient à faire leur visite annuelle dans les provinces annexées de Bosnie et d'Herzégovine.

Une bombe fut d'abord lancée sur l'automobile portant les illustres visiteurs vers l'hôtel municipal. Mais l'archiduc, qui savait qu'une tentative d'asssassinat était à craindre, avait l'oeil ouvert, et il put éviter le projectile.

L'archiduc a reçu une balle en pleine figure, et la duchesse a été frappée à l'abdomen et à la gorge. A peine les deux blessés étaient-ils arrivés au palais, qu'il devint évident que leurs blessures étaient mortelles.

Les deux assaillants n'avaient pas voulu manquer leur coup; l'un était armé d'un pistolet, et l'autre tenait cachée sous son habit une bombe.

La bombe fut lancée contre l'automobile de l'archiduc (...) mais comme nous l'avons dit, François-Ferdinand avait eu le temps d'apercevoir le mouvement et étendant le bras, il fit dévier la bombe de la direction dans laquelle elle avait été lancée.

Elle fit explosion à quelques mètres de l'automobile et blessa légèrement deux aides-de-camp, le comte de Boos-Waldeck et le colonel Merizzo.

C'est donc en revenant de la réception, que l'archiduc et la duchesse furent assassinés. Comme l'automobile passait devant la foule, un étudiant, Gavrilo Princip, sortit de la foule et tira plusieurs coups de feu sur

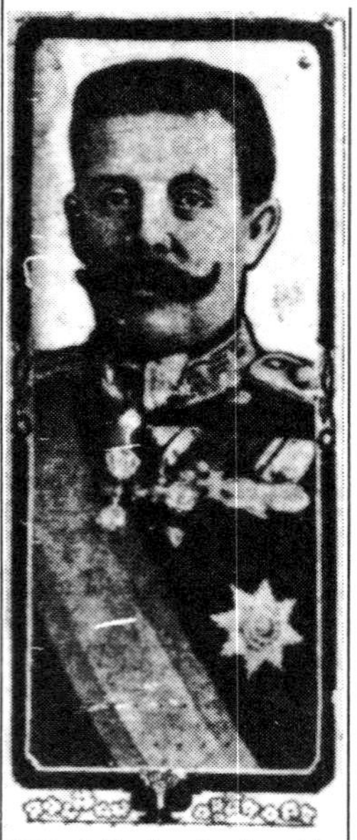

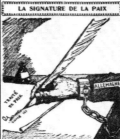

François-Ferdinand, prince héritier d'Autriche.

l'archiduc et la duchesse. Tous deux tombèrent mortellement blessés.

Princip et un autre individu, un nommé Chabrinovich, de Tessinie, ont failli être lynchés par la foule, mais la police eut le temps de les arrêter. Tous deux sont nés dans l'Herzégovine.

EMOI EN EUROPE

Vienne, Autriche, 29. - L'assassinat du prince héritier François-Ferdinand (...) a jeté la consternation dans le monde politique, la situation qui fut créée par la mort tragique de l'archiduc Rodolphe se répète aujourd'hui.

L'archiduc François-Ferdinand, quand il devint l'héritier présomptif du trône d'Autriche-Hongrie, n'était guère plus connu que l'archiduc Charles, aujourd'hui, mais alors, l'empereur François-Joseph pouvait espérer un long règne. Avant longtemps, l'empire devra être gouverné par un prince sans expérience. François-Ferdinand, depuis une vingtaine d'années, s'était toujours tenu en contact avec le monde parlementaire et il ne le cédait, en influence, qu'à l'empereur François-Joseph.

L'archiduc François-Ferdinand avait formellement renoncé, au nom de ses enfants, au droit à la couronne. Or, les lois hongroises ne reconnaissent pas une telle disqualification, et advenant la division de la monarchie dualiste, le fils de François-Ferdinand pourrait aspirer au trône.

La mort de François-Ferdinand jettera tout le fardeau du gouvernement sur le vieux monarque François-Joseph, dans un moment où il est impossible de prédire quel résultat aura la disparition tragique du malheureux prince.

L'archiduc François-Ferdinand avait une haute personnalité dont l'influence était presque sans borne, dans les milieux militaires. Il était doué d'une énergie à toute épreuve et il comptait sur l'appui d'une grande partie du clergé. Il ne voulait pas la séparation de l'Autriche et de la Hongrie. Il était favorable au projet de rendre au pape son pouvoir temporel et c'est ce qui avait grandement contribué à soulever contre lui des haines en Italie.

Par cette attitude, il mettait en péril l'alliance italienne. Pour contrebalancer l'influence hongroise, François-Ferdinand songeait, assure-t-on, à une alliance avec les races slaves du nord. En tout cas, ce qui est certain, c'est qu'il voulait à tout pris augmenter l'influence de l'Autriche dans les Balkans. Ainsi s'explique l'hostilité de la Serbie.

Cet incident a servi de détonateur à la première Grande guerre, puisqu'un mois plus tard, l'Autriche-Hongrie déclarait la guerre à la Serbie, qui fit appel à la Russie pour combattre ses adversaires. Le 1er août, l'Allemagne et la Russie étaient en guerre, et les 3 et 4 août, l'Allemagne s'attaquait à la France, puis à la Belgique.

Enfin, on notera que le Traité de Versailles mettant officiellement fin à la guerre fut signé le ***28 juin 1919,*** *soit cinq ans jour pour jour après l'incident de Sarajevo. On peut résumer le traité de Versailles de la manière suivante: L'Allemagne cède l'Alsace et la Lorraine à la France, ainsi que Moresnet, Eupen et Malmedy à la Belgique. La Saar est placée sous administration internationale pour 15 ans. Posen et la Prusse occidentale passent à la Pologne, tandis que Memel et les colonies allemandes passent aux Alliés. Danzig devient un État libre, et Schleswig décidera de sa nationalité par plébiscite. L'Allemagne payera des réparations et accepte que le kaiser soit traduit devant les tribunaux.*

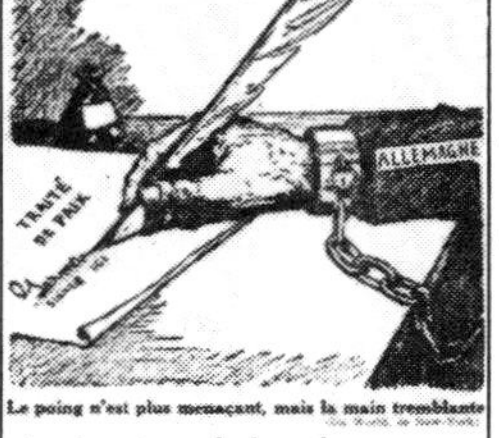

La signature de la paix vue par un caricaturiste.

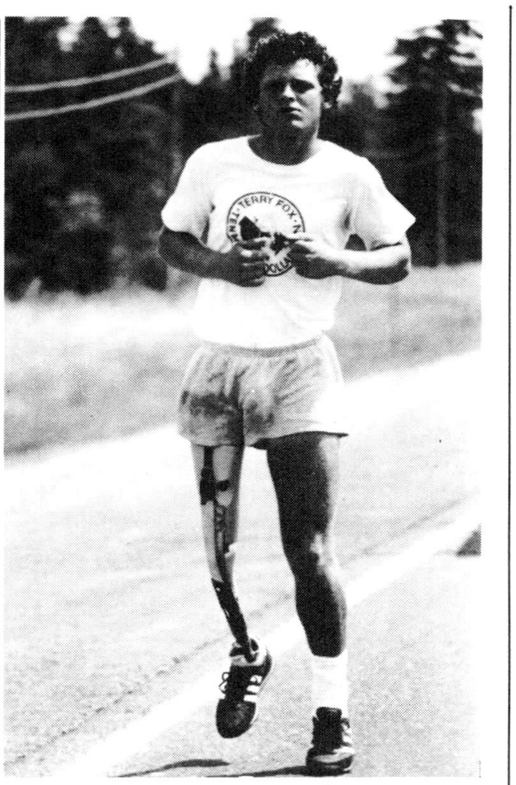

Le *28 juin 1981*, Terry Fox perdait sa dernière bataille contre le cancer dans un hôpital de New Wesminster, en Colombie-Britannique, après avoir supporté son terrible mal avec courage jusqu'à la fin. D'ailleurs, ce jeune Canadien qui avait émerveillé tous ses concitoyens l'année précédente, n'en était pas à son premier geste courageux. Le 12 avril 1980, ce jeune unijambiste alors âgé de 21 ans quittait Saint-Jean, à Terre-Neuve, avec l'intention de traverser le Canada d'un océan à l'autre sur sa prothèse, un périple de 8 480 km que bien des marcheurs avec deux jambes en bonne santé n'oseraient même pas contempler. Appelé le « marathon de l'Espoir », son défi avait pour objectif de ramasser des fonds afin de combattre le cancer, cette terrible maladie responsable de l'amputation de sa jambe droite, en 1977, et qu'il n'avait pas complètement vaincue. Terry Fox n'a pas pu compléter son périple; il dût s'arrêter à Thunder Bay le 1er septembre, après avoir franchi 4 800 km. Mais entre Saint-Jean et Thunder Bay, il avait gagné l'admiration de tout un peuple, ému par son indomptable courage et sa foi inébranlable.

Merci, monsieur le maire

Monsieur Jean Drapeau a donc décidé de tirer sa révérence, il ne sollicitera pas de nouveau mandat à la mairie de Montréal en novembre.

On associera, notamment, à son règne :

- La conversion de la rue Dorchester en un large boulevard, bordé de gratte-ciel ;
- La création de la Place des Arts, devenue un centre rayonnant de la culture ;
- La mise en valeur du Vieux-Montréal ;
- La construction du métro, ce projet colossal qu'il a marqué, en plus, du sceau de l'esthétique et qu'il a voulu, comme pour d'autres projets, inspiré de la technologie française ;
- L'obtention pour sa ville d'Expo 67 après un solide plaidoyer présenté devant le Bureau international des Expositions — autre projet herculéen qui aura été la réalisation la plus emballante de l'histoire du Canada ;
- La création, à l'occasion de cette exposition, des grands axes routiers métropolitains ;
- La transformation d'Expo 67 en Terre des Hommes et plus tard en Parc des Iles, réalités qui suscitent l'engouement de la population ;
- L'entrée de Montréal, avec les Expos, dans le baseball majeur ;
- Les Jeux olympiques dont il a profité pour doter sa ville d'un stade majestueux, d'un vélodrome, d'un bassin olympique, le tout appelé à devenir un précieux héritage pour les générations futures ;
- Le Grand Prix du Canada dont la piste de calibre international dans l'île Notre-Dame immortalise le nom du héros québécois de la course automobile, Gilles Villeneuve ;
- Les Floralies internationales qui nous ont légué le magnifique parc floral de l'île Notre-Dame, plus majestueux encore qu'en 1967 ;
- La construction d'édifices en hauteur dans l'axe du boulevard de Maisonneuve, d'où émerge tout un nouveau secteur du centre-ville ;
- La création du réseau des Maisons de la culture ;
- Les expositions Ramsès II et Trésors et splendeurs de Chine ;
- La plantation de milliers et de milliers d'arbres qui a valu à Montréal, la même année, le double honneur de se voir proclamer « ville verte » par excellence du continent nord-américain, et d'être classée au premier rang des 12 plus importantes villes de ce même continent en ce qui concerne la qualité et la pureté de l'air.

Merci, monsieur le maire.

Roger D. Landry, président et éditeur de *La Presse*
(**Texte publié le 28 juin 1986.**)

Au procès de Ward: révélations sordides

Christine et Mandy racontent leurs amours tumultueuses et commerciales

LONDRES - La première journée **(le 28 juin 1963)** de l'enquête publique sur les activités de Stephen Ward, ostéopathe très connu et peintre de talent, évoluant avec la même aisance dans les milieux les plus fermés de la «haute société» et dans les bas-fonds de Londres, a été marquée par une série de révélations sordides où les noms de lord Astor propriétaire du célèbre domaine de Cliveden et membre du conseil d'administration du grand hebdomadaire britannique «Observer», de Douglas Fairbanks junior, comédien, producteur de cinéma, membre de nombreux conseils d'administration, de John Profumo, ex-ministre de la Guerre, et d'Eugene Ivanov, ancien attaché naval soviétique à Londres ont été mêlés à ceux d'entremetteurs, de rabatteurs, de prostituées et d'organisateurs de parties fines.

Trois personnes ont tenu la vedette au cours des deux audiences. D'abord le représentant de la Couronne. M. Mervin Griffith-Jones, puis les deux hétaïres de haut vol que sont Christine Keeler et Mandy Rice-Davies, deux noms qui alimentent la chronique depuis décembre dernier.

Pour le procureur qui a rassemblé un dossier accablant de documents policiers et qui, dès cette première journée, va les étayer par des témoignages, les activités de Stephen Ward ont été singulières, allant du proxénitisme à l'organisation d'ébats multilatéraux à équipes mixtes où le fouet jouait un grand rôle, jusqu'aux miroirs pour voyeurs.

Chritine Keeler est venue à son tour déposer. Belle fille. ses longs cheveux roux cachant une partie de son visage, elle est entrée sans gêne apparente dans le vif du sujet: ses activités horizontales.

Elle n'a laissé aucun mystère planer sur ses rapports avec Ward. «Je le considérais comme un frère aîné». Un frère pour qui elle avait cependant des faiblesses financières et des complaisances, puisqu'elle recrutait pour lui des sujets de choix que Ward, en connaisseur, catalogue, après les avoir essayés, «bons, mauvais, quelconques», parfois aussi «splendides».

Petite fille issue d'une banlieue triste de Londres, Christine Keeler évoluait avec aisance aussi bien dans la «gentry» ou le «smart jet» que dans les basfonds londoniens ou dans le milieu des petites vendeuses.

De riches amants l'entretenaient. Lord Astor paya le loyer de son appartement lorsqu'elle se décida à vivre séparée de Ward «afin d'apprendre à se débrouiller seule». L'ancien ministre de la Guerre, John Profumo, lui fit quelques cadeaux, mais, vertueusement, elle ajoute: «Je les remis à ma pauvre mère». Quant à Ivanov, le mystérieux attaché soviétique, elle affirme ne l'avoir eu dans son lit qu'une seule fois.

A la conquête de Londres

Mandy, elle est mineure. Elle vint à Londres à l'âge de seize ans, juste le jour de son anniversaire. Dans un établissement de nuit où elle travaillait comme «artiste», elle fit la connaissance de Christine. Toutes deux partirent de concert à la conquête de Londres. Avec autant d'inconscience que de cynisme. Mandy, jolie blonde discrètement vêtue, elle aussi, donne son curriculum vitae. Elle a été plus brève que Christine Keeler. Elle n'est en effet que second rôle mais on sent à la voir et à l'entendre qu'elle grille de jouer, elle aussi, les «premiers grands rôles».

La Charte des droits maintenant en vigueur

QUEBEC — Le ministre provincial de la Justice, Gérard-D. Lévesque, a promulgué hier **(28 juin 1976)** la Charte des droits et libertés de la personne.

La Commission des droits de la personne, qui est rattachée administrativement au ministère de la Justice, entreprend donc officiellement ses activités.

Le but de la Charte est de reconnaître ou de faire reconnaître devant les tribunaux les principaux droits et libertés de la personne.

La Charte interdit particulièrement la discrimination dans tous les secteurs d'activité, y compris les relations de travail, l'accès aux lieux publics, les salaires. La discrimination se définit comme étant une distinction exclusive ou préférence basée sur la race, la couleur, le sexe, l'état civil, la religion, les convictions politiques, la langue, l'origine ethnique ou nationale, ou la condition sociale.

La Charte garantit également les droits politiques, judiciaires, économiques et sociaux des citoyens.

La Commission des droits de la personne a été créée pour promouvoir la Charte, faire des recommandations au gouvernement quant aux lois antérieures allant à l'encontre de la Charte, et enquêter dans les cas de discrimination et d'exploitation. (...)

C'EST ARRIVÉ UN 28 JUIN

1992 — Le pavillon du Canada à l'Exposition universelle et internationale de Séville est un des plus courus de ce grand rendez-vous international, qui s'est ouvert il y a deux mois. Ce qui frappe le plus, c'est l'interminable queue de visiteurs qui attendent parfois plus de deux heures pour voir la principale attraction du pavillon: le cinéma IMAX-HD, la version haute-définition de cette technologie canadienne.

1990 — Les deux États allemands, Est et Ouest, ont annoncé que la frontière inter-allemande, autrefois l'une des plus hermétiques au monde, aura complètement disparu dimanche, moins de huit mois après l'ouverture fracassante du Mur de Berlin.

1981 — Au moins 18 députés, y compris le premier ministre Ali Radjai, meurent dans un attentat terroriste à Téhéran, en Iran.

1978 — La princesse Caroline, de Monaco, épouse l'homme d'affaires français Philippe Junot, à Monte Carlo, lors d'une cérémonie civile (le mariage religieux aura lieu le lendemain).

1978 — Comparution de quatre personnes au sujet de l'enlèvement de Charles Marion, survenu le 6 août 1977.

1978 — Ottawa acquiesce à la demande de Québec d'intervenir dans l'affaire Maschino, enlevée par son frère et transportée en Afrique du Nord contre son gré.

1976 — Fin d'une grève de neuf jours par les pilotes de ligne canadiens. Ces derniers, appuyés plus tard par les contrôleurs aériens, voulaient protester contre le programme fédéral visant à accroître l'usage du français dans les aéroports du Québec.

1974 — Fin d'une grève qui durait depuis le 16 mai à l'hôpital Notre-Dame de Montréal.

1971 — Joe Colombo, reconnu comme un des chefs de la mafia new-yorkaise, est abattu à New York. — Le gouvernement canadien décide de contrôler plus rigoureusement l'usage des tables d'écoute, afin de protéger les libertés des citoyens.

1967 — La décision du gouvernement israélien de fusionner les deux secteurs de Jérusalem soulève l'ire du monde arabe.

1965 — Inauguration d'un service téléphonique commercial utilisant le satellite américain *Early Bird*, entre le Canada et la Grande-Bretagne.

1956 — Début de la révolte des travailleurs de Poznan, en Pologne. Ils envahissent les quartiers généraux de la police polonaise et de l'Union communiste des travailleurs. Les morts et les blessés se comptent par centaines.

Guy Favreau démissionne

Le juge Dorion est convaincu que Me Denis a bien offert les $20,000

OTTAWA — Le dévoilement du contenu du rapport Dorion **(le 29 juin 1965)**, sur l'affaire Rivard, a sérieusement ébranlé l'administration libérale et forcé le premier ministre à accepter la démission de M. Guy Favreau du poste de ministre de la Justice.

Face aux regards inquisiteurs de l'opposition, M. Lester B. Pearson a réaffirmé sa foi absolue en l'intégrité et l'honnêteté du député de Papineau et déclaré qu'il lui confiera sous peu un autre portefeuille.

Ce sont les critiques du rôle de M. Favreau contenues dans le rapport Dorion, qui ont entraîné cette suite d'événements inattendus. Le juge soutient que le ministre de la Justice aurait dû, avant de prendre la décision de ne pas porter d'accusations con-tre Me Raymond Denis, soumettre d'abord le dossier aux conseillers juridiques de son ministère.

Aujourd'hui, le commissaire croit qu'une preuve «prima facie» (à première vue) a été établie devant lui selon laquelle Me Raymond Denis, alors chef de cabinet du ministre de l'Immigration, a offert un pot-de-vin de $20,000 à Me Pierre Lamontagne pour que ce dernier ne s'oppose pas à la libération sous caution du présumé trafiquant de drogues Lucien Rivard.

Par ailleurs, le juge estime que le ministre de la Justice était «justifiable», en septembre dernier, de croire qu'une plainte portée contre Me Denis serait difficilement prouvée devant les tribunaux».

La RCMP est critiquée

Dans ce rapport lourd de con-séquences politiques et juridiques, la conduite de la RCMP n'échappe pas aux critiques du juge Frédéric Dorion. Ce dernier blâme la «force» tout au long du document et parle des «graves conséquences» que peuvent entraîner certains de ses actes.

Le ministre, dit le juge, n'avait certes pas une connaissance suffisante du dossier pour prendre la décision qui s'imposait mais cependant «était sous l'impression que les officiers de la RCMP lui avaient exposé tous les faits pertinents à l'affaire.»

Peu après sept heures hier soir, M. Pearson a déclaré que le gouvernement a demandé au sous-ministre de la Justice d'étudier le cas de Me Raymond Denis pour déterminer si l'on doit ou non porter une plainte devant les tribunaux». Le premier ministre a promis de prendre «toutes les mesures qui s'imposeront dans les autres cas». (...)

La démission dramatique du ministre de la Justice a presque éclipsé le rôle de premier plan du député de Dollard, M. Guy Rouleau, que le juge critique très sévèrement son rapport.

L'ex-secrétaire parlementaire du premier ministre a tenté, dit le juge, d'utiliser l'influence que lui procurait sa fonction pour tenter d'obtenir l'admission à caution de Lucien Rivard.

L'intervention de M. Rouleau constitue certainement un acte répréhensible, affirme le commissaire, mais ne contient pas les éléments nécessaires à la perpétration d'une infraction criminelle.

Dans son rapport, le juge Dorion tient à souligner que la conduite de l'autre ministre dont le nom a été mêlé à l'affaire, soit M. René Tremblay, alors ministre de l'Immigration et patron de M. Denis, «a été absolument irréprochable».

Les épithètes que le juge ajoute aux noms de Robert Gignac et Eddy Lechasseur et de Mme Lucien Rivard n'ont rien d'élogieux mais sont éloquents. Le témoignage de l'épouse du célèbre évadé «est un tissu de mensonges» et les deux autres se sont parjurés à maintes reprises.

Le juge affirme également que Guy Masson, l'entremetteur libéral, et Raymond Denis ont tous deux menti. On sait que Guy Masson a déclaré à l'enquête avoir dit à son ami Raymond Denis que $50,000 à $60,000 étaient disponibles pour la caisse du parti libéral. Bien plus, Masson a, de son propre aveu, offert ces derniers au trésorier du parti, le sénateur Louis-P. Gélinas, qui a cependant refusé de le rencontrer.

Moins de trente-six heures avant l'ajournement de la session, ce rapport tant attendu à quand même ont l'effet d'une **bombe**. M. Guy Favreau était des plus confiants avant sa publication, mais hier après-midi, quelques minutes après que M. Pearson l'eût rendu public, il s'est précipité dans le bureau du premier ministre, une lettre de démission à la main. C'est que M. Pearson l'a convaincu d'accepter un autre poste au sein du gouvernement.

Le ministre de la Justice Guy Favreau vient de remettre sa démission au premier ministre Lester B. Pearson.

Projet de mise en valeur immobilière du secteur de l'avenue McGill College

LES plans d'un gigantesque projet de mise en valeur immobilière, que ses auteurs qualifient de l'un des plus audacieux jamais entrepris sur le continent nord-américain, ont été dévoilés hier **(29 juin 1965)** à Montréal.

Englobant le quadrilatère formé par les rues Sherbrooke, Université, Ste-Catherine et Mansfield, ce projet de nouvelles constructions et de rénovation urbaine couvre presque 20 acres de terrain dans le centre des affaires et sa réalisation complète nécessitera des mises de fonds se totalisant à quelque $125,000,000.

La mise en valeur sera principalement entreprise par The T. Eaton Co. Limited et First National Property Corporation, qui ont formé, à cette fin, la société Mace Development Ltd. qui deviendra propriétaire des terrains et sera chargée de la réalisation du projet. First National Property Corporation est une filiale de Metropolitan & Provincial Properties Limited de Londres. C'est le délégué commercial du Québec à Londres, M. Hughes Lapointe, qui a fait le lien entre les sociétés britanniques et canadiennes intéressées au projet.

Un boulevard de 115 pieds de largeur

Le point principal de la proposition soumise par Mace Development Ltd. est la création d'un immense boulevard, 115 pieds de largeur, s'étendant sur toute la longueur de l'actuelle avenue McGill College, depuis la Place Ville-Marie jusqu'à l'entrée de l'université McGill. Ce boulevard sera bordé d'arcades et divisé en son centre par une série de mails ombragés qui, séparant les voies carossables, minimiseront les effets de la circulation routière. L'élargissement de l'avenue McGill College permettra également d'avoir une vue sur le Mont-Royal à partir de ce centre des affaires.

L'idée de ce projet n'est pas nouvelle, un urbaniste au service de la Ville de Montréal l'ayant proposée dès 1946, mais la construction du métro lui a donné une nouvelle impulsion. En effet, selon les promoteurs du pro-jet, le commerce au détail se dé-placera au nord de la rue Sainte-Catherine. On projette donc d'établir un axe nord-sud, au niveau de l'avenue McGill College. (...)

Première phase du projet en septembre

La première phase de la construction du développement commencera au plus tard en septembre prochain et on prévoit qu'elle sera terminée au printemps de 1967.

Cette première phase, qui nécessitera des investissements de $30,000,000, comprend la construction d'un nouvel immeuble Eaton sur le terrain situé au nord du magasin actuel, de la majeure partie de l'édifice abritant la Galerie Victoria, et d'un édifice à bureaux professionnels de 15 étages, qui sera érigé au coin nord-ouest de la rue Université et de l'avenue Kennedy. (...)

Les trois cosmonautes soviétiques, que l'on voit ici durant leur entraînement, ont été trouvés morts à bord de la capsule Soyouz II, après son atterrissage, hier **(29 juin 1971)**, au retour d'un voyage dans l'espace qui leur avait permis d'établir un record d'endurance de 24 jours. Il s'agissait, dans l'ordre habituel, de l'ingénieur Vladislav Volkov, du commandant Georgi Dobrovolsky et de l'ingénieur Viktor Patsayev. En ouvrant l'écoutille à la suite d'un atterrissage sans failles, les techniciens ont trouvé attachés à leurs sièges, et sans vie, les trois cosmonautes qui avaient communiqué avec le contrôle terrestre pour la dernière fois au moment d'allumer les rétrofusées destinées à ralentir la capsule lors de la rentrée dans l'atmosphère.

Le «Victoria and Albert», yacht du roi Edouard VII.

La salle à manger du «Victoria and Albert».

Page consacrée aux yachts luxueux et publiée le 29 juin 1907.

L'Ariane, yacht de M. Gaston Menier.

Le Hohenzollern yacht de l'empereur d'Allemagne.

La salle à manger du yacht «Nourmahal» appartenant au colonel John Jacob Astor.

L'Étoile-polaire yacht de l'empereur de Russie.

La chambre à coucher et la salle de bain du prince de Galles à bord du yacht Renown.

Le salon du prince de Galles à bord du Renown.

Les infirmières défient Québec

Les infirmières sont plus déterminées que jamais : que le gouvernement Bouchard leur impose des sanctions additionnelles, qu'il adopte une loi de retour au travail ou qu'il décrète leurs conditions de travail, elles resteront en grève illégale.

Telle est la décision sans équivoque prise à l'unanimité par les 600 déléguées de la Fédération des infirmières et des infirmiers du Québec (FIIQ), réunies à huis clos à Saint-Hyacinthe (**le 29 juin 1999**), à la veille d'une réunion cruciale du Conseil des ministres.

« Pour les infirmières, le pire est atteint, rien de ce qui pourrait leur arriver ne sera pire que ce qu'elles vivent et qu'elles ont vécu, a déclaré aux médias en fin de journée la présidente de la FIIQ, Jennie Skene. Ce que les infirmières nous disent, c'est qu'elles préfèrent être debout jusqu'au bout, plutôt que d'accepter des conditions qui sont inacceptables. »

La vice-présidente de la FIIQ et responsable des négociations, Lina Bonamie, a pour sa part réitéré que seul un règlement négocié pourrait inciter les infirmières à cesser leur débrayage, en cours depuis samedi matin 26 juin.

Le verdict des membres du conseil fédéral de la FIIQ, rendu au terme d'un peu plus de trois heures de débat, place dans une position délicate le gouvernement Bouchard, qui refuse de négocier avec un syndicat agissant dans l'illégalité.

La FIIQ se trouve aussi à couper l'herbe sous le pied du Conseil des ministres, qui doit se pencher demain matin sur divers scénarios visant à forcer les infirmières à mettre un terme à leur débrayage, parmi lesquels figurent l'imposition par décret des pertes d'ancienneté prévues dans la loi 160 et l'adoption d'une loi forçant le retour au travail, assortie ou non d'un décret de conditions de travail.

Contrairement à ce que répètent Lucien Bouchard et Pauline Marois depuis le début de la semaine, la FIIQ affirme par ailleurs ne pas faire la grève uniquement pour des motifs salariaux, même si ses deux principales demandes normatives, sur le fardeau de tâche et la création de postes, ont déjà fait l'objet d'un accord, il y a dix jours.

Selon Lina Bonamie, plusieurs questions ne sont pas résolues, dont la période de vacances estivales, l'accessibilité aux postes et la notion d'invalidité dans le régime d'assurance-salaire.

Les principaux personnages de l'affrontement: à gauche, le chancelier Adolf HITLER et son bras droit, Hermann GOERING, premier ministre de Prusse; à droite, de haut en bas, le général Kurt von SCHLEICHER, ex-chancelier tué avec sa femme pendant la révolte des S.A., Gregor STRASSER, nazi tué par les Hitlériens, et le capitaine ERNST RÖHM, commandant suprême des troupes de choc, ou S.A., qui a été tué après avoir refusé de se suicider.

Le majestueux Simon Bolivar.

Grandiose défilé des grands voiliers

On y sera par cents et par milliers, prophétisait la chanson de l'été Mer et monde. Ils sont des centaines de milliers, sans doute plus d'un million de personnes, venues de partout au Québec et d'Ontario, venues même des États américains à l'ouest du Mississipi, pour voir le long défilé des grands voiliers sur le Saint-Laurent, entre Neuville et l'île d'Orléans.

Un défilé de plus d'une trentaine de kilomètres sur l'un des plus beaux plans d'eau du monde, au creux de falaises escarpées à souhait. « Un extraordinaire amphithéâtre naturel », pour reprendre l'expression du président de la Corporation Québec-84, Richard Drouin.

La publicité promettait un spectacle d'une exceptionnelle beauté, un spectacle que l'on ne peut voir qu'une fois dans sa vie, un spectacle qui ne vient qu'une fois dans un siècle et, de l'avis de l'immense majorité des gens présents, c'est un spectacle tout à fait à la hauteur des attentes.

C'est le superbe navire Simon Bolivar, du Venezuela, qui a suscité le plus d'émotions lors du majestueux défilé des grands voiliers qui s'est tenu devant Québec et Lévis. Debout sur les vergues du bâtiment, quelque 60 marins du Simon Bolivar, que l'on voit sur la photo du haut, criaient à l'unisson « Au revoir Québec ! » et « Vive les Québécois ! », ce qui a remué le coeur de nombreux spectateurs.

Parmi les 67 voiliers qui participaient au défilé, on remarquait également le navire polonais Dar Mlodziezy. Ce bateau, construit en 1982, est d'une rapidité remarquable, et il a gagné récemment la course des grands voiliers entre Saint-Malo et Québec. Mais course ou pas, quand les navires ne nécessitent pas de grandes manoeuvres, il est agréable, pour un marin, de goûter quelques instants de repos et découvrir, du haut d'une vergue, un paysage émoucheté de petits bateaux escorteurs.
(Texte publié le 30 juin 1984.)

Hitler mate la révolte et la Reichswehr triomphe

NDLR — Cet article analyse les conséquences de l'attentat des *Schutz Staffel* (mieux connus sous le sigle S.S.) ou corps d'élite ultra-loyal envers Hitler qui était à l'origine de leur formation, contre les *Sturmableitlungen* (connus sous le sigle S.A.) ou troupes de choc, dirigées par Ernst Röhm. Röhm et tous les S.A. furent assassinés le **30 juin 1934** dans l'hôtel de Bad Wiessee, où ils s'étaient réunis, ou tout simplement fusillés par la suite.

BERLIN — C'est la Reichswehr ou armée régulière qui profite en réalité de la situation amenée par le brusque coup de main de Hitler contre ses anciens lieutenants et contre les réactionnaires.

La Reichswehr apparaît comme l'élément de force sur lequel le régime nazi doit s'appuyer pour durer. La milice des troupes de choc en chemise brune, rivale détestée de l'armée régulière, est écrasée et pratiquement sans chefs. Les Schutz Staffel, corps d'élite portant la chemise noire, se trouvent chargés de la tâche ingrate de conduire leurs anciens camarades au poteau d'exécution.

En tout cas, on peut dire en toute sûreté qu'il n'y a pas grand'chose que Hitler ou son principal second, Goering, puisse accomplir contre la volonté de la Reichswehr.

Goering contrôle la police mais il se rappelle sans doute que lorsque Von Papen, alors chancelier d'empire, envoya quelques officiers et soldats de la Reichswehr en juin 1932 arrêter le commandant Heimannsberg, chef de la police de Berlin, aucun coup de feu ne fut tiré pour sa défense. (...)

L'armée coopéra indirectement en livrant aux Shutz Staffen ses informations sur la route que suivraient les troupes de choc dans leur marche sur Berlin. Les S.A. (troupes de choc) voulaient, à ce qu'on dit, s'emparer de la caserne de Doeberitz, juste hors de Berlin, car leur putsch était dirigé tout autant contre l'armée que contre le régime existant.

Ernst Röhm, chef d'état-major des troupes de choc, qui a été tué sur l'ordre de Hitler, avait demandé il y a plusieurs mois à être fait ministre de la Défense nationale avec des pouvoirs plus étendus que ceux de von Blomberg. Röhm s'attendait bien à commander à la fois l'armée régulière, la milice hitlérienne et le Stahlhelm. Mais cette demande fut rejetée carrément par Hitler sur qui l'armée faisait déjà pression. Ce fut le premier différend entre Hitler et Röhm.

Hindenberg prend von Papen sous sa protection

Une trêve entre Franz von Papen, vice-chancelier qui a critiqué certains aspects du régime nazi, et son supérieur Adolf Hitler, a été rapportée non officiellement aujourd'hui.

La garde qui entourait la maison de von Papen depuis que Hitler avait commencé samedi à «purger» le parti nazi à coups de fusil a été retirée de bonne heure aujourd'hui.

Le président von Hindenburg a déclaré catégoriquement que l'on ne doit pas toucher à l'ancien chancelier von Papen. Et le vieux président a chargé du soin d'assurer la sécurité de von Papen la Reichswehr ou armée régulière, laquelle a repris une position politique d'importance. En dépit de ces rumeurs d'accord, il semble que von Papen démissionnera.

Page consacrée au 60e anniversaire de la Confédération canadienne et publiée le *30 juin 1927*.

C'EST ARRIVÉ UN 30 JUIN

1987 — De forme hendécagonale (11 côtés) et de couleur dorée, la nouvelle pièce de 1 $ mise en circulation est destinée à remplacer à la fin de 1989 le dollar canadien en papier. Légèrement plus lourde et plus grande que la pièce de 25 cents, la nouvelle pièce de $1 est l'aboutissement d'une dizaine d'années de planification et de consultation.

1983 — Une collision entre un autobus et une voiture fait huit morts et 26 blessés, à Baie-Comeau.

1981 — Les postiers canadiens déclenchent la grève.

1977 — À Fort Chimo, au Nouveau-Québec, les Inuit mécontents de l'application de la Charte du français occupent les bureaux du gouvernement provincial.

1974 — La mère du regretté Martin Luther King se trouve parmi les victimes d'un attentat contre l'église Ebenezer Baptist, à Atlanta.

1971 — La Cour suprême des États-Unis accorde son appui aux journaux dans l'affaire des documents du Pentagone.

1968 — Second tour des élections; le parti gaulliste U.D.R. remporte une victoire écrasante avec 43,73 p. cent des votes; il détient la majorité absolue avec 294 sièges sur 487.

1963 — Couronnement du pape Paul VI à la basilique Saint-Pierre.

1960 — Le Congo belge obtient son indépendance et la république est proclamée par le roi Baudouin de Belgique.

1958 — Le Sénat américain approuve l'acceptation de l'Alaska comme 49e État américain.

1956 — Deux avions, un *Super-Constellation* de TWA et un *DC-7* de United Airlines, s'écrasent dans le Grand Canyon à peu de temps d'intervalle. Les deux accidents font 128 morts.

1956 — La révolte des travailleurs de Poznan est matée.

1951 — Un *DC-6* de United Airlines s'écrase près de Rocky Mountain, au Colorado, avec 50 personnes à bord.

1948 — Les derniers Britanniques quittent la Palestine.

1946 — Trois navires sont coulés volontairement lors d'un essai nucléaire américain à l'atoll Bikini.

1941 — Proclamation rendant le service militaire obligatoire pour tous les hommes âgés de 21 à 24 ans.

1931 — La Cour suprême du Canada décrète que la radiodiffusion est de juridiction fédérale et qu'en conséquence, le Québec ne peut plus légiférer dans ce domaine.

1912 — Un cyclone fait des centaines de morts et cause des millions de dollars de dommages, à Regina.

La fièvre du déménagement

Ni la pluie, ni le vent, ni le soleil, ni la neige ne peuvent arrêter le vaillant cavalier du Poney Express...

Ce mot d'ordre bien connu ne s'applique plus de nos jours seulement aux facteurs, mais colle très bien à ceux qui déménagent chaque premier juillet, qu'il fasse un soleil de plomb où qu'il pleuve à boire debout.

S'il y a des gens qui déambulent dans les rues de Montréal arborant de petits drapeaux canadiens à la main pour fêter la Confédération, il y en a d'autres qui tentent de protéger tant bien que mal leurs meubles de la pluie.

Michel Champagne, un ferblantier de 33 ans, était un de ceux-là, et la camionnette de son beau-frère Mario, où il avait entassé tous ses biens, « faisait de l'eau ».

« Je me demande bien si mon matelas sera sec pour ce soir », a lancé en riant M. Champagne. « Ça fait trois fois que je déménage en trois ans et il pleut à chaque fois. J'ai beau changer de date, il pleut toujours, ça n'a aucun sens. »

L'été 1989 aura été un gros été pour les déménageurs québécois. Bell Canada estime que 107 000 personnes auront changé de résidence sur l'île de Montréal durant la période de pointe de juin-juillet, 13 500 de plus que l'an dernier.

Les compagnies de déménagement confirment qu'elles sont encore plus surchargées que d'habitude. Le Clan Panneton, par exemple, fait ces temps-ci 80 déménagements par jour, contre 60 l'an dernier. À tel point que la compagnie doit référer des clients à ses compétiteurs.

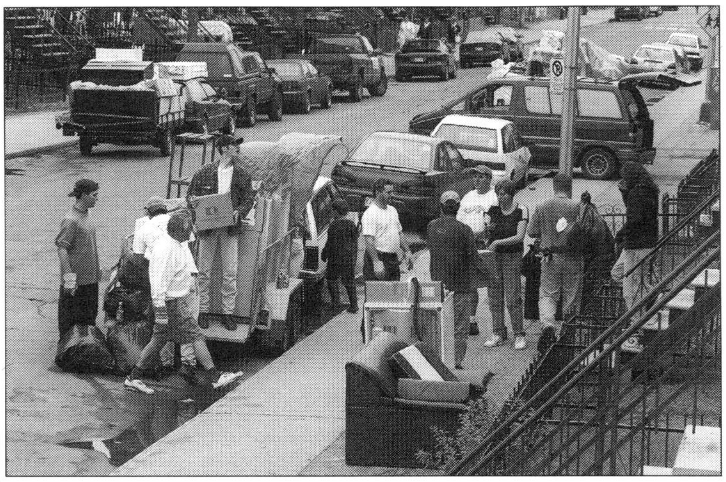

Spectacle familier à Montréal, où un des «sports nationaux» consiste à changer de logis.

Même chose pour les entreprises de location. À la succursale de U-Haul à Saint-Hubert en fin de semaine, chacune des 14 camions est loué par trois clients différents chaque jour, à raison de six heures par client. De plus, rapporte Joël Santos, « c'est la première année que tous mes camions étaient loués toutes les fins de semaine de juin. Mai et juin ont été des mois records pour U-Haul. »

Comment expliquer cette fièvre du déménagement ? Tentative d'explication de la directrice du marketing au Clan Panneton Mme Diane Panneton : « Les taux d'intérêt se maintiennent depuis avril, alors les gens ont acheté des maisons... Et puis il y a la mode des condos. Seulement à Pointe-Saint-Charles, il s'est construit des dizaines de condos ! »

La situation du marché locatif aurait aussi contribué à l'augmentation du nombre de déménagements. Selon les chiffres les plus récents, 15 000 logements étaient vacants sur l'île de Montréal en avril. Le taux de vacance, qui se situe généralement autour de 2 p. cent, atteignait alors 4 p. cent.

« C'est une anomalie dans le marché, ça ne s'est pas vu depuis la période post-olympique », affirme un analyste de la Société canadienne d'hypothèque et de logement M. Ousmane Ba. « Avec le boum de la construction de 1987-88, de gros blocs de logements sont arrivés sur le marché. »

« Dans une telle situation, explique M. Ba, les locataires sont plus enclins à déménager. Dès que leur propriétaire annonce une augmentation, ils sont prêts à quitter parce que le marché leur est favorable. Les propriétaires offrent toutes sortes d'incitatifs, tels des mois de loyers gratuits, pour attirer des locataires. »

(Texte publié le 1er juillet 1989.)

Hong Kong redevient chinoise

Hong Kong redevient chinoise. Selon les termes du traité de 1842, la Chine reprend cette ancienne colonie britannique.

C'est la fête. De nombreux pays sont présents aux cérémonies marquant cette rétrocession, dont le Canada, représenté par Lloyd Axworthy, ministre des Affaires extérieures. En même temps, le Canada marquait sa fête du 1er juillet. Tung Chee-Hwa, patron de la nouvelle région administrative spéciale, qu'est devenue Hong Kong, a déclaré hier vouloir resserrer les liens « très particuliers » entre Hong Kong et le Canada, lors d'une réception donnée à l'occasion de la fête du Canada.

« Les relations entre Hong Kong et le Canada ne se résument pas qu'au commerce, à la finance et à la culture, mais aussi aux gens », a dit Tung. « Nos relations sont étroites et dynamiques. Et j'espère qu'elles se resserreront au cours des années à venir ».

Tung a levé son verre en l'honneur du Canada, en présence de centaines d'invités, présents à Hong Kong pour la rétrocession de l'ancienne colonie britannique à la Chine.

Le retour de Hong Kong « servira d'exemple pour une solution définitive à la question de Taïwan », a déclaré le chef du Parti communiste et de l'armée.

La Chine doit reprendre possession en 1999 de Macao, territoire sous administration portugaise.

(Texte publié le 1er juillet 1997.)

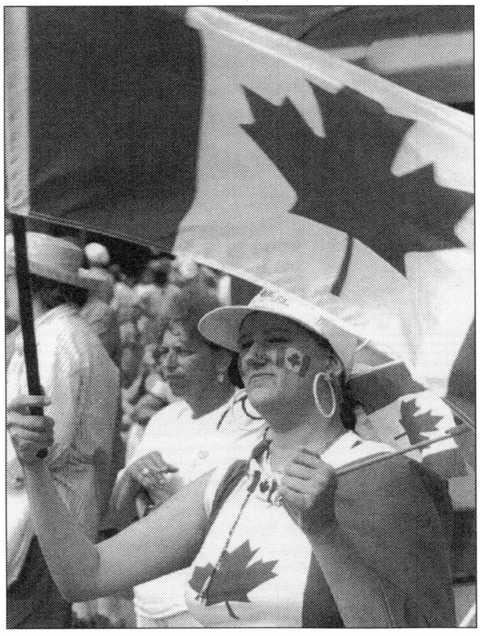

QUAND IL FAIT BEAU À LA FÊTE DU CANADA...

Des milliers de Montréalais enthousiastes ont assisté au défilé annuel qui souligne le Jour du Canada. De nombreuses familles ont pris place le long du parcours, brandissant unifoliés et saluant les figurants qui se déplaçaient sur les chars allégoriques.

Une vingtaine de chars représentaient différentes facettes de la réalité canadienne, comme les communautés culturelles, le folklore, la jeunesse, etc. En cette année internationale de la jeunesse, le thème de la fête du Canada était justement réservé aux jeunes.

(Texte publié le 1er juillet 1985.)

Des Canadiens investissent à Cuba

La firme canadienne Wilton Properties Limited et la société cubaine Gran Antilla, filiale du groupe hôtelier cubain Gran Caribe, ont annoncé à La Havane la création d'une société mixte devant construire à Cuba 11 hôtels d'une capacité de 4 200 chambres.

L'investissement initial de la société mixte Vancuba Holding S.A., la première associant des intérêts cubains et canadiens dans le secteur du tourisme, est de 400 millions de dollars, répartis pour moitié entre chaque partenaire, selon l'agence Prensa Latina.

La construction des 11 hôtels, auxquels s'ajouteront des installations sportives, dont deux terrains de golf, s'effectuera sur une période de dix ans en différents sites de l'archipel, à La Havane, Jibacoa (à une cinquantaine de km à l'est de la capitale) et dans les îles de Cayo Largo et de la Juventud, situées au sud de Cuba.

L'annonce de la création de la nouvelle société mixte, lors d'une cérémonie à laquelle a participé le ministre cubain du tourisme Osmany Cienfuegos, survient alors que les États-Unis s'emploient à décourager les investissements étrangers à Cuba.

Opposé à la Loi Helms-Burton, ayant renforcé l'embargo américain contre La Havane en mars dernier, le Canada constitue un important partenaire économique de Cuba. Les principaux investissements canadiens ont jusqu'à présent été effectués dans le secteur du nickel.

(Texte publié le 1er juillet 1996.)

Nous serons 10 milliards en l'an 2050

La Terre, qui compte actuellement 5,4 milliards d'habitants, en aura vraisemblablement plus de 10 milliards dès 2050 et seule une planification familiale visant à équilibrer les taux de croissance peut assurer l'avenir, affirme un rapport de l'ONU.

Les experts révisent leurs estimations à la hausse en dépit du succès de programmes de planning familial, précise le rapport annuel du Fonds des Nations unies pour la population (FNUAP).

« Au lieu d'un total stable d'environ 10,2 milliards en 2085, le monde pourrait bien atteindre les 10 milliards vers 2050, et il y aura encore une croissance significative pendant cent ans », estiment les auteurs de *L'état de la population mondiale*. Ils ajoutent que la population mondiale pourrait finalement se stabiliser autour de 11,6 milliards d'individus.

Selon le rapport, c'est en Afrique que la population croît le plus vite. Elle devrait passer de 650 millions d'habitants aujourd'hui à 900 millions à la fin de ce siècle, soit une croissance annuelle de trois p. cent, « le taux de croissance régional le plus élevé que le monde ait jamais connu ».

Pour faire face à cette évolution démographique, le FNUAP poursuivra sa politique de planification familiale, dont le coût doit passer de 4,5 milliards de dollars en 1990 à 9 milliards de dollars par an d'ici l'an 2000.

L'un des objectifs du fonds est d'amener d'ici dix ans 567 millions de couples — contre 381 millions aujourd'hui — à utiliser les méthodes modernes de contraception.

Il s'agit de ramener le taux global de fécondité de 3,8 à 3,3 d'ici la fin du siècle.

Les auteurs du rapport se montrent relativement confiants en faisant remarquer qu'aujourd'hui les femmes disent vouloir moins d'enfants que toute autre génération avant elle.

« Atteindre ces objectifs (maîtriser les taux démographiques) sera capital pour le développement — et même pour la survie de l'Humanité — au cours du 21e siècle », prévient le rapport.

(Texte publié le 1er juillet 1991.)

C'EST ARRIVÉ UN 1er JUILLET

1997 — Un vaisseau de guerre, datant de la guerre d'Indépendance, a été découvert dans les fonds du lac Champlain, situé à la frontière des États de New York et du Vermont. Le bateau d'environ 15 mètres de long faisait partie d'une flottille commandée par Benedict Arnold, général américain qui est par la suite passé du côté anglais. Benedict Arnold est encore synonyme de traître aux États-Unis.

1996 — Une loi autorisant l'euthanasie, la première au monde, est entrée en vigueur aujourd'hui dans le Territoire du Nord australien, provoquant immédiatement les attaques groupées de politiques, d'Églises et d'Aborigènes qui veulent la faire déclarer inconstitutionnelle.

1995 — La princesse Stéphanie de Monaco s'est mariée civilement avec Daniel Ducruet, son compagnon depuis quatre ans et le père de ses deux enfants. Discrète, la cérémonie s'est déroulée à la mairie de Monaco, en présence des membres des deux familles et des plus proches amis du couple.

1994 — Ceux qui s'opposaient au fait que la Ville de Sault Ste-Marie, au nord de l'Ontario, se déclare officiellement unilingue anglaise, jubilaient, en cette fête du Canada, ayant appris qu'un juge avait statué que la Ville n'avait pas le pouvoir d'adopter une résolution en ce sens.

— Accueilli triomphalement par ses compatriotes palestiniens à Gaza comme « le père de la Nation », après 27 années d'exil, Yasser Arafat s'est engagé à poursuivre son combat jusqu'à son étape ultime, Jérusalem.

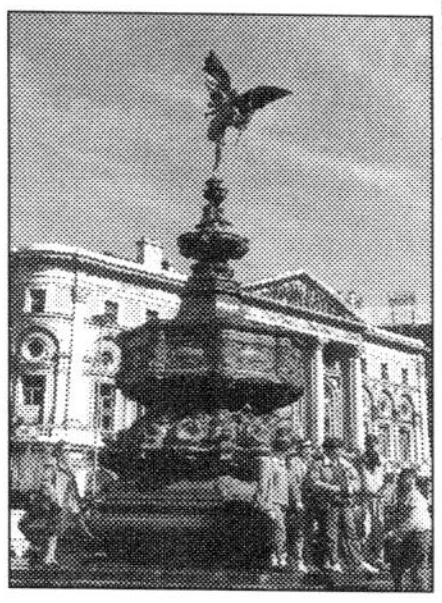

Eros, à Picadilly Circus, à Londres.

1993 — Une des plus célèbres statues au monde, Éros, fête ses cent ans cette semaine sur Piccadilly Circus, la place du centre de Londres que l'angelot perché en équilibre sur un pied, ailes déployées et arc à la main, surplombe depuis le 29 juin 1893. Première statue en aluminium jamais créée, alors que ce métal était considéré comme semi-précieux, Éros avait été commandée au sculpteur Alfred Gilbert pour honorer la mémoire d'un réformateur social du XIXe siècle, le septième comte de Shaftesbury.

— Un homme, de race blanche, d'âge moyen et décrit comme étant corpulent, a tué au moins huit personnes par balles avant de se donner la mort, au 34e étage d'une tour de verre située dans le quartier des affaires de San Francisco. Six autres personnes ont été blessées.

1991 — Les vols de véhicules affichent des hausses sans précédent, de 20 à 70 p. cent, dans la région métropolitaine de Montréal, au lieu de se résorber progressivement comme on l'espérait. La majorité des voleurs d'autos interrogés derrière les barreaux avouent s'adonner à ce crime pour financer leur consommation personnelle de drogue.

1991 — Près de 120 soldats tout équipés sont arrivés dans la région de Baie-Comeau pour aider les pompiers dans les zones évacuées à combattre les feux de forêt. Les arbres brûlent à huit kilomètres du village indien de Betsiamites, et à 12 km de Ragueneau. Environ 3000 des 3500 habitants de ces deux communautés ont plié bagage.

1988 — Des groupes de jeunes admirateurs d'Adolf Hitler ou de Joseph Staline agissent au grand jour en URSS et sont loin d'être systématiquement réprimés malgré leur extrémisme. Un phénomène que dénonce désormais vigoureusement la presse soviétique.

1986 — Les cotisations du régime des rentes du Québec seront haussées de 28% sur cinq ans à partir du premier janvier 1987. Malgré cela, la caisse de la Régie des rentes sera à sec en l'an 2004, à moins qu'une nouvelle hausse des cotisations n'intervienne en 1991.

1986 — Un dirigeable expérimental de 103 m de long propulsé par quatre moteurs d'hélicoptères s'est écrasé au cours d'un vol d'essai près de Lakehurst (New Jersey), à l'endroit même où s'était produite en 1937 la catastrophe du zeppelin allemand Hindenburg.

1967 — La reine Elisabeth a lancé ce matin aux Canadiens un appel à la concorde. « Il y a encore des injustices à corriger et des souffrances à soulager. Il faut poursuivre l'aménagement de ce grand pays pour que tous ses habitants puissent y vivre dans l'amitié et dans la concorde », a dit Sa Majesté, la reine du Canada, en ce 1er juillet du centenaire de la Confédération canadienne. Le tiers de son discours de quatre grandes pages était en français.

1940 — Une dépêche annonce que le maréchal Pétain a quitté Bordeaux pour Clermont-Ferrand et qu'il se rendra plus tard à Vichy où la Chambre des députés et le Sénat français se réuniront dorénavant.

1919 — La prohibition existe aux États-Unis depuis minuit. Le département de la justice a annoncé que ses agents ne tenteraient pas d'empêcher la vente de la bière à deux et trois quart pour cent. Cette décision du département de la justice qui est contraire à la première décision est due à ce que l'on ignore ce que décidera la Cour fédérale de New York au sujet de la prétention des brasseurs que cette bière légère n'est pas enivrante.

Le Sabre remplacé par un avion américain

OTTAWA ADOPTE LE F-104G

OTTAWA — L'hon. G.R. Pearkes, ministre de la Défense, a annoncé aujourd'hui **(2 juillet 1959)** que le gouvernement canadien a décidé d'acheter le chasseur supersonique américain Lockheed *F-104G* pour la division aérienne de l'ARC en Europe.

La charpente et les moteurs seront fabriqués au Canada, mais les derniers détails pertinents à la production et aux frais seront communiqués plus tard par le ministre de la Production de la défense, l'hon. Raymond O'Hurley.

Le coût initial sera, estime-t-on, d'environ $250,000,000 pour 200 appareils. Il faudra ajouter à cela les frais des pièces de rechange, des outils, de l'outillage servant à la manutention de l'appareil, des accessoires servant à l'entraînement et des publications techniques.

Construit par A.V. Roe ou Canadair

Le programme total pourrait excéder $300,000,000.

Le *F-104* sera construit au Canada, soit par la compagnie A.V. Roe, de Malton, Ontario, soit par la compagnie Canadair, de Montréal. On prévoit que les deux avionneries se feront une belle lutte en vue d'obtenir le contrat.

Le *F-104* remplacera le Sabre de fabrication canadienne utilisé actuellement par huit des 12 escadrillles de la division aérienne. Les quatre autres escadrilles utilisent l'intercepteur à réaction *CF-100*.

Le nouvel appareil servira à la fois à des fins d'attaque et de reconnaissance. Sa principale fonction, dans l'éventualité d'une guerre consistera à mitrailler les installations russes échelonnées entre l'Europe occidentale et la frontière soviétique. Les aviations américaines et allemandes de l'ouest seront également pourvues du *F-104*.

En échange pour l'autorisation de construire son avion, l'avionnerie Lockheed, de la Californie, placera des sous-contrats chez les manufacturiers canadiens. La Lockheed Corporation recevra une redevance d'environ 5 pour cent sur le prix de vente du *F-104*, soit environ $12,500,000. Tout indique qu'elle placera au Canada des contrats pour au moins ce montant. (...)

Il est probable qu'on désignera dès aujourd'hui qui des deux grands constructeurs canadiens — Canadair ou A.V. Roe — touchera le contra de $300 millions attaché à la décision du ministère de la Défense nationale de remplacer l'*Arrow* canadien par le *Lockheed F-104G Starfighter*.

Cette décision est d'une importance capitale, d'une part pour la survie du dispositif de Malton, dont près de 10,000 employés et techniciens hautement spécialisés furent mis à pied en fin de février dernier, d'autre part pour la consolidation de l'avionnerie Canadair dont la majorité des contrats sont sur le point de prendre fin.

Normalement le contrat devrait échoir à la firme Avro Canada Ltd., puisque le *F-104G* est appelé à jouer le rôle originalement promis à l'intercepteur canadien *Arrow*.

La démission du président et directeur général de la compagnie Avro, M. Crawford Gordon, **annoncée, hier soir, étonne encore les milieux aéronautiques canadiens, et d'aucuns y voient l'indice qu'un duel très serré s'engagera entre Canadair et Avro. Selon un journal torontois, la démission de M. Gordon lui aurait été imposée afin de permettre à l'avionnerie de retrouver les bonnes grâces de M. Diefenbaker, ce dernier n'ayant pas prisé l'attitude du constructeur lorsque le programme du *Arrow* fut abandonné par le gouvernement. M. Gordon ne faisant plus obstacle, il se pourrait que Avro décroche le contrat et réembauche la majorité des 10,000 employés mis à pied en février.**

Fin du monopole de Bell sur les téléphones publics

Le dernier monopole de l'industrie des télécommunications n'est plus. Le Conseil de la radiodiffusion et des télécommunications canadiennes a fait savoir (**le 2 juillet 1998**) que le marché des téléphones publics serait dorénavant ouvert à la concurrence.

Jusqu'ici, chaque fois que le consommateur canadien déposait une pièce de 25 cents dans un téléphone public, il faisait affaires avec Bell Canada ou l'un de ses partenaires dans le cadre de l'alliance Stentor.

« En plus de permettre aux consommateurs de choisir la compagnie de service de téléphone public qui répond le mieux à leurs besoins, le conseil estime que la concurrence dans ce secteur favorisera l'innovation », a déclaré le CRTC pour justifier sa décision.

Les entreprises qui voudront concurrencer Bell sur le marché des téléphones publics devront se soumettre à quelques conditions qui visent à assurer la protection des consommateurs.

C'EST ARRIVÉ UN 2 JUILLET

1981 — Les Micmacs rejettent comme inacceptables les restrictions imposées par Québec en matière de pêche.

1975 — Journée d'étude des gardiens de prison au Canada.

1974 — Le juge Bora Laskin assume les pouvoirs du gouverneur général Jules Léger, durant la maladie de ce dernier.

1974 — Le réalisateur canadien Ted Kotcheff remporte l'Ours d'or pour son film *The Apprenticeship of Dudy Kravitz* au vingt-quatrième Festival international du film de Berlin.

1969 — Première entente de coopération entre le Québec et le Gabon; échange de professeurs et d'étudiants.

1963 — Le président Kennedy, au dernier jour de sa visite en Europe, est reçu en audience par le pape Paul VI. — Arrestation de quatre espions soviétiques aux États-Unis.

1954 — Au tennis, Jaroslav Drobny parvient finalement à remporter la victoire, à Wimbledon.

1953 — Des nationalistes font sauter un pont et causent l'interruption du service d'électricité dans la capitale de l'Irlande du Nord pendant la visite royale.

1942 — Sébastopol tombe aux mains des Allemands après un siège de plus de sept mois et demi.

1941 — Le plus gros contingent de troupes canadiennes, y compris la première unité blindée, arrive au Royaume-Uni.

1940 — Les nazis torpillent le navire anglais *Arandora Star*. Il était bondé de prisonniers de guerre allemands et italiens en route pour le Canada.— Arrivée des premiers enfants britanniques évacués au Canada. — Établissement à Ottawa de la Commission de contrôle des industries en temps de guerre.

1921 — Jack Dempsey conserve sa couronne des poids lourds, à la boxe, en battant Georges Carpentier.

1919 — Le dirigeable anglais *R-34* quitte l'Écosse pour tenter de traverser l'Atlantique jusqu'aux États-Unis.

1910 — Le comte de Lesseps effectue le premier voyage aérien au Canada.

1900 — On apprend que l'ambassadeur allemand à Pékin, le baron von Kettler a été assassiné par des soldats chinois.

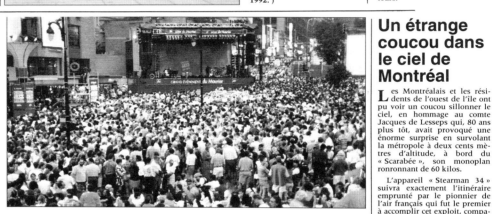

Un million de Corvette

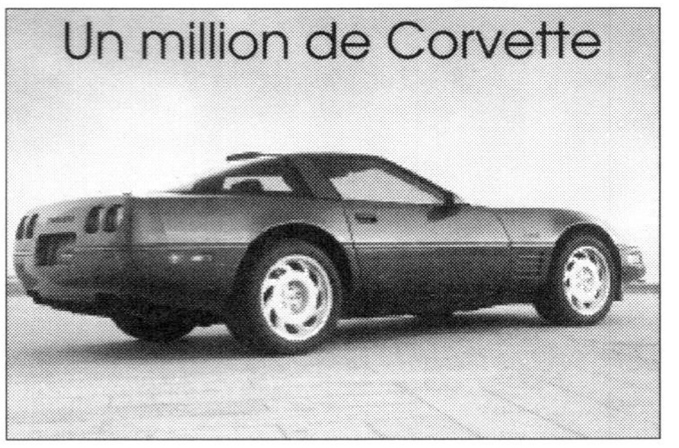

La millionième Corvette a terminé son périple sur la chaîne d'assemblage sous une pluie de confettis et un tonnerre d'applaudissement.Ce chiffre est fort éloquent quand on songe que cette Chevrolet ultra-sportive n'est pas une mini à prix réduit, mais bien une sportive offerte à un prix presque aussi élevé que ses performances. En fait, si Chevrolet a pu en produire autant en un peu moins de quarante ans, c'est que le public nord-américain est toujours en amour avec cette voiture qui jouit d'une clientèle très fidèle. **(Texte publié le 2 juillet 1992.)**

Le Festival de jazz triomphe

Sous une aimable bise, le Festival de jazz a dépassé le demi-million de visiteurs, hier soir (le 2 juillet 1995). À 23 h 30, 170 286 badauds, touristes, promeneurs et jazzophiles avaient franchi les barrières du 16e FIJM: un record absolu pour une journée. Avec 561 937 visiteurs, le festival file vers une année record.

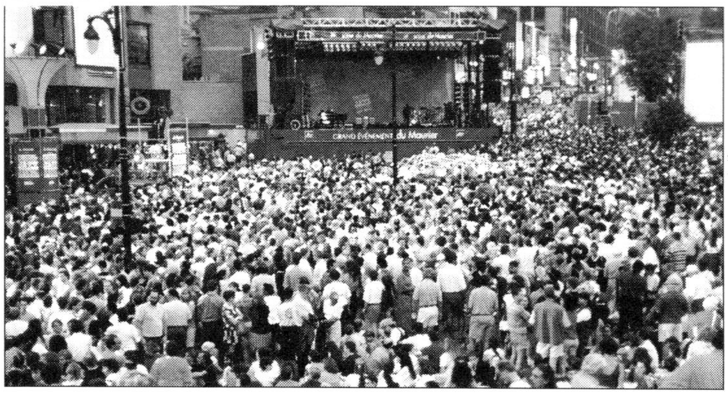

Le Boeing 747: quinze ans de bons services

Le Boeing 747, qui a été mis en service en 1970 — il y a donc 15 ans cette année (1985) — n'a pas encore de concurrent direct dans le monde occidental et la compagnie de Seattle vient d'offrir à la clientèle la onzième version du quadriréacteur géant.

En 1970, un 747-100 coûtait entre $20 millions US et $25 millions. Aujourd'hui, le prix d'un 747-200 varie de $90 millions à $110 millions et celui d'un 747-300 de $95 millions à $115 millions.

Boeing ne se prononce pas publiquement sur la facture pour la nouvelle version, le 747-400, dont l'apparence sera semblable à celle du 300, mais qui pourra parcourir 900 milles de plus grâce à de nouveaux moteurs consommant moins de carburant et l'utilisation de matériaux permettant d'alléger le poids de l'appareil. Son rayon d'action de 7000 milles permettra de relier sans escale Londres à Singapour, New York à Tokyo et Los Angeles à l'Australie, par exemple, soit des vols pouvant durer 13 heures et même plus.

Le 747, qui passera sans doute à la légende de l'aviation commerciale comme l'indestructible DC3, est un des rares gros avions à réaction utilisé à des fins commerciales qui ait été vendu en nombre suffisant pour permettre à son constructeur d'amortir les investissements nécessaires à son développement et à son assemblage, et de faire des profits. On estime généralement que le 747 est devenu rentable 10 ans après la livraison du premier appareil. Ces profits sont très élevés à cause de l'absence de concurrence.

Il est aussi, avec le Concorde, un des seuls avions qui puisse être immédiatement identifié par les profanes grâce à sa « bosse », son pont supérieur, qui a été allongé de 23 pieds sur le 747-300 et peut maintenant accueillir jusqu'à 69 passagers.

C'est au printemps de 1963 qu'un groupe de travail a été constitué chez Boeing pour déterminer les caractéristiques d'un nouvel appareil qui répondrait aux besoins des années 70. La commande de lancement — dont tout constructeur à besoin pour mettre en marche la production d'un nouvel avion — a été placée en avril 1966 par Pan American World Airways, qui signait un contrat pour l'achat de 25 Boeing 747. La compagnie inaugurait en janvier 1967 une nouvelle usine de $200 millions réservée à l'assemblage du 747 et située à Everett, à 30 milles au nord de Seattle (où se trouve le siège social de la compagnie), dans l'État de Washington.

La construction du premier appareil était complétée le 30 septembre 1968 et le premier vol d'essai était effectué le 9 février 1969. La première liaison commerciale a été réalisée par Pan Am entre New York et Londres le 31 janvier 1970. **(Publié le 2 juillet 1985)**

Hemingway meurt à 62 ans

Voici deux textes publiés à 25 ans d'intervalle portant sur la mort de l'écrivain Ernest Hemingway qui jettent un éclairage très différent sur le même événement.

D'abord un **(texte publié le 2 juillet 1986.)**

Le 2 juillet 1986, cela faisait 25 ans que, par un beau dimanche matin, le romancier américain Ernest Hemingway, Prix Nobel de Littérature 1954, s'était enlevé la vie, comme son père l'avait fait, parce qu'il se croyait atteint du cancer, alors qu'il souffrait réellement de dépression.

En 1961, Papa Hemingway comme on l'appelait, avait été hospitalisé par deux fois à la clinique Mayo de Rochester où il avait été traité pour diabète et hypertension. À deux reprises, on lui avait administré des traitements de chocs électriques contre la dépression. Il avait tenté de s'enlever la vie par deux fois, mais chaque fois, des amis étaient intervenus à temps.

À la fin de juin, il se trouvait encore à Mayo et il avait convaincu ses médecins qu'il était rétabli. Sa femme Mary l'avait ramené en auto à Ketchum, Idaho, où ils habitaient.

Durant son absence, Mary avait mis sous clé toutes les armes à feu de la maison. Mais Papa s'était éveillé vers six heures du matin le 2 juillet et avait enfilé sa plus belle robe de chambre, qu'il appelait la « robe de l'empereur ». Il était descendu sans bruit au sous-sol et avait facilement retrouvé la clé de l'armoire où étaient cachés ses fusils.

Il avait choisi un fusil à baril double qu'il utilisait pour la chasse aux pigeons et y avait glissé deux cartouches. Il était ensuite remonté au salon. C'est là que, dans le soleil levant, il a appuyé l'arme sur son front au-dessus des sourcils, posé la crosse par terre et appuyé sur les deux détentes en même temps. Il aurait eu 62 ans le 21 juillet. Il a été inhumé le 5 juillet en présence de quelques amis.

C'était, croyait-on, la fin de sa production littéraire. On ignorait qu'il laissait autant d'oeuvres non publiées. Le roman que son éditeur a publié en mai dernier est sa dixième oeuvre posthume.

(Et maintenant, un texte publié le 3 juillet 1961.)

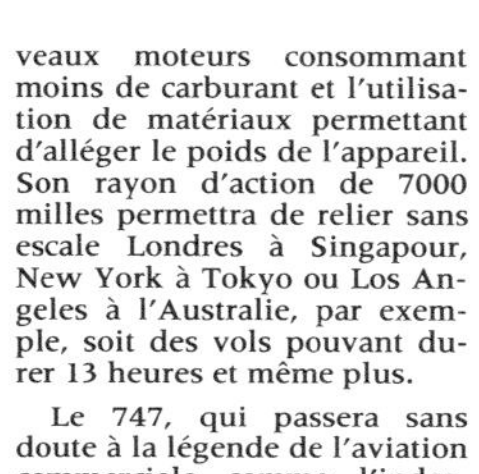

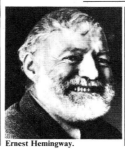

Ernest Hemingway.

SUN VALLEY, Idaho

Un des plus grands romanciers de notre époque est mort. Ernest Hemingway, pionnier de la littérature américaine contemporaine s'est tué, de façon accidentelle, en nettoyant un fusil de chasse. La tragédie s'est produite vers 7 h. 30 hier matin **(2 juillet 1961),** alors qu'il était seul dans sa résidence de Kitchem, Idaho.

Le corps du romancier a été découvert par sa quatrième femme, Mary.

Le coroner du district, M. Ray McGoldrick, a déclaré que la mort a été instantanée. Il a écarté la possibilité d'une enquête. Les funérailles auront lieu vendredi, à Ketchum.

M. Hemingway avait quitté la semaine dernière, la clinique Mayo de Rochester, où il avait reçu des traitements destinés à rétablir sa pression sanguine. De la clinique, Hemingway avait immédiatement gagné son domicile en compagnie de sa femme. Il avait, semble-t-il, décidé d'aller à la chasse et s'était mis en frais de fourbir ses armes.

Un étrange coucou dans le ciel de Montréal

Les Montréalais et les résidents de l'ouest de l'île ont pu voir un coucou sillonner le ciel, en hommage au comte Jacques de Lesseps qui, 80 ans plus tôt, avait provoqué une énorme surprise en survolant la métropole à deux cents mètres d'altitude, à bord du « Scarabée », son monoplan ronronnant de 60 kilos.

L'appareil « Stearman 34 » suivra exactement l'itinéraire emprunté par le pionnier de l'air français qui fut le premier à accomplir cet exploit, comparable peut-être au premier pas de l'homme sur la Lune, en 1969. L'avion déploiera une banderole commémorative, en mémoire de cet as de l'aviation.

De Lesseps était parti d'un champ d'aviation situé près de Pointe-Claire pour survoler Montréal, avant de revenir à son point de départ, 49 minutes et 3 secondes plus tard. Il fut acclamé par la foule qui était plus habituée aux boucles fermées autour d'un terrain d'aviation qu'aux « voyages aériens ».

C'est à Montréal, souligne-t-on, qu'a été organisé le premier grand meeting aérien du Canada, du 27 juin au 5 juillet 1910 et à cette occasion, le comte de Lesseps avait alors décidé de « rendre une visite d'aviateur à la grande cité canadienne ».

Pour la ville de Montréal et la compagnie aérienne canadienne qui ont organisé cette reconstitution historique, l'événement vise à consacrer Montréal comme capitale mondiale de l'aviation civile, en montrant son rôle de précurseur dans ce domaine.

La métropole accueille désormais l'Organisation de l'aviation civile internationale (OACI) et l'Association internationale des transporteurs aériens (IATA). En outre, plusieurs compagnies d'aéronautique sont installées dans la région montréalaise.

Décollant à 18h18, le 2 juillet 1910, le comte survola le canal Lachine, longea le fleuve et fit un crochet au-dessus de l'hôtel de ville, saluant Montréal et son maire. Tandis que l'appareil volait à 200 mètres d'altitude, le ronronnement régulier du moteur du « Scarabée » au-dessus de la métropole en surprit un grand nombre, relatait le représentant de *La Presse* qui suivait le monoplan « Blériot » du type 11 en automobile.

Le frêle avion avait continué sa course en direction de Westmount et avait survolé Dorval avant d'atterrir.

Le pilote du Stearman est parti à la même heure aujourd'hui, survolant aussi l'hôtel de ville, mais il effectua l'itinéraire à plusieurs reprises ; progrès technologique oblige. **(Texte publié le 2 juillet 1990.)**

L'ENNEMI NE L'AURA PAS

LONDRES - Le premier ministre Winston Churchill a annoncé aujourd'hui **(3 juillet 1940)** aux Communes que les canons de la flotte de Grande-Bretagne avaient fait feu sur les navires de guerre français qui refusaient de se rendre, dans les eaux de l'Afrique du Nord.

Le premier ministre a révélé que l'Angleterre s'était emparée de trois cuirassés, de six croiseurs, de huit destroyers et de plusieurs autres navires de guerre plus petits, y compris le sous-marin «Surcouf», le plus gros au monde.

Churchill a expliqué que la Grande-Bretagne, craignant de voir la flotte française, représentant un total de 804,000 tonneaux, tomber aux mains des Allemands et des Italiens pour servir à l'invasion des îles britanniques, a interné plusieurs unités de cette flotte dans des ports anglais.

Aux autres, qui se trouvaient dans le port d'Oran, en Algérie, elle a présenté un ultimatum de 6 heures en leur laissant le choix de continuer la guerre aux côtés de l'Angleterre, de se laisser interner dans des ports anglais ou de se saborder. L'ultimatum expira sans que la flotte française ait accepté. Alors, trois cuirassés anglais, des croiseurs, un navire porte-avions et d'autres navires plus légers ouvrirent le feu sur la flotte française en lui infligeant de lourdes pertes.

Le sort des navires des Français a été défini comme suit par le premier ministre:

A Oran: Un cuirassé de 29,000 tonneaux, du type «Bretagne», a été coulé; un navire du même type a été endommagé gravement; deux destroyers et un porte-avions ont été coulés ou incendiés. Le «Strasbourg» ou le «Dunkerque», en compagnie d'autres navires, a pu gagner Toulon.

Dans les ports anglais: Deux cuirassés, deux croiseurs légers, plusieurs sous-marins et environ 200 navires de petite dimension ont été saisis. Un officier français et un marin anglais ont péri durant une altercation à bord du «Surcouf».

A Alexandrie: Un cuirassé, quatre croiseurs et un nombre indéfini de petits navires sont internés dans un port anglais.

Environ 800 ou 900 marins français se sont joints aux forces britanniques.

Une partie de la flotte française en Angleterre

Londres, 4. (P.C.) - Le premier ministre Winston Churchill a annoncé aujourd'hui aux Communes qu'une partie de la flotte française, incapable de gagner des ports africains, s'était rendue à Portsmouth et à Plymouth, il y a dix jours.

Deux cuirassés, deux croiseurs légers, quelques sous-marins, huit destroyers et 200 petits balayeurs de mines et navires anti-sous-marins ont de la sorte été recueillis aux ports de Portsmouth, Plymouth et Sheerness.

En faisant part à la Chambre des mesures prises par l'Angleterre pour empêcher la flotte française de tomber aux mains de l'axe, le premier ministre a annoncé qu'il y avait eu lutte à bord du sous-marin «Surcouf», interné dans un port anglais. Un marin anglais fut tué, deux officiers et un marin anglais furent blessés et un officier français fut tué. La lutte résulta d'un malentendu.

Churchill a annoncé aussi qu'un cuirassé français de la classe du «Bretagne» avait été coulé et un autre endommagé au large d'Oran lors de la lutte entreprise par la flotte anglaise pour la possession de la flotte française. (...)

Commençant ensuite le corps principal de son discours, M. Churchill dit qu'il devait, avec un chagrin sincère, annoncer à la Chambre les mesures qui avaient dû être prises pour empêcher la flotte française de tomber aux mains des Allemands.

«Lorsque deux nations luttent ensemble, l'une d'elles peut être abattue et matée et forcée de demander à son alliée de la libérer de ses obligations, dit-il. Mais le moins qu'on puisse exiger, c'est que le gouvernement français, en abandonnant le conflit, ait soin de ne pas infliger des blessures inutiles aux fidèles camarades dont la victoire finale représente la seule chance de liberté pour la France.

«Nous avons offert, dit-il, de relâcher les Français des obligations de leur traité si leur flotte était envoyée en des ports anglais avant la signature d'une paix séparée. Cela ne fut pas fait.

«En dépit de toutes les promesses et les assurances données par l'amiral Darlan, un armistice fut signé qui était destiné à placer la flotte française aussi sûrement entre les mains de l'Allemagne que cette portion de la flotte française fut placée entre nos mains lorsqu'elle se rendit à Portsmouth et à Plymouth il y a dix jours parce qu'elle est incapable de se rendre aux ports africains.» (...)

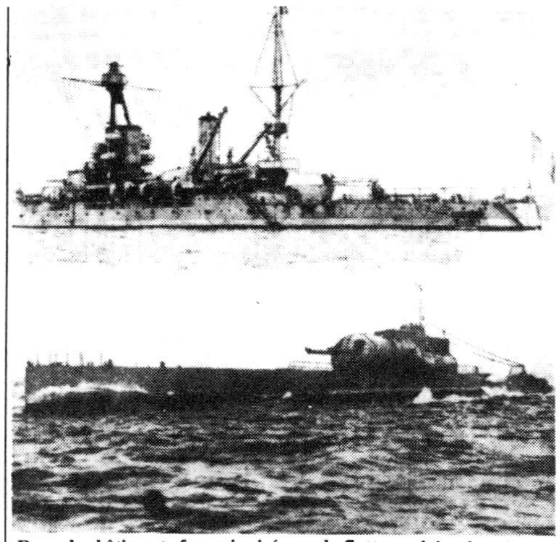

Deux des bâtiments français visés par la flotte anglaise, le cuirassé *Provence* et le sous-marin *Surcouf*.

Staline lance un appel aux armes

LE discours de Staline diffusé àl'adresse du peuple russe par la radio soviétique est d'un réalisme et d'une franchise inusitée chez le dictateur de l'U.R.S.S. Il démontre que le Kremlin n'écarte pas la possibilité de formidables succès allemands et qu'il a un plan pour y remédier.

Staline ne s'est pas étendu sur les slogans bolchéviques dont il émaillait ses précédents discours. Il a franchement admis que les Allemands ont pénétré dans le territoire soviétique sur des étendues qui ne sont pas loin de correspondre aux prétentions allemandes. Il a dit au peuple russe que le pays se trouvait en grand danger.

La dévastation, mot d'ordre

Pour parer à cette situation, il a recommandé la «politique de dévastation» qui a sauvé la Russie lors de l'invasion napoléonienne et immobilisé le Japon dans sa présente guerre en Chine.

«Tout le matériel roulant doit être évacué, a dit Staline, on ne doit pas laisser à l'ennemi une seule machine, un seul wagon de chemin de fer, pas un seul boisseau de grain ou un gallon d'essence».

Déjà les Allemands ont trouvé certains secteurs qu'ils ont occupés, complètement dévastés. C'est un changement pour les nazis, qui, dans leurs précédentes invasions, trouvaient intacts les approvisionnements de vivres et d'essence abandonnés par les soldats et les civils en fuite.

Cela se passait le 3 juillet 1941.

UN HOMMAGE AUX HEROS DU CANADA: UN MONUMENT EST DEVOILE SUR LA CRETE DE VIMY

Crête de Vimy — Arthur Meighen, premier ministre du Canada, a dévoilé hier matin **(3 juillet 1921)** la « Grande Croix du Sacrifice » qui a été érigée dans le cimetière ou reposent des centaines de soldats canadiens. Ces soldats ont été tuée lors de la prise de la fameuse crête de Vimy, il y a quatre ans. Grâce à la merveilleuse activité des Français, il y a de la verdure dans cet endroit qui a été tant dévasté. Malgré la sécheresse presque sans précédent, il y aura une récolte remarquable et le vent fait se balancer l'or des épis.

L'endroit où le monument a été élevé domine la crète de Vimy. En regardant vers l'ouest, on aperçoit la tour blanche, en ruines, de l'église de Saint-Eloi.

Vers l'ouest s'étend la plaine de Douai. C'est par centaines que l'on doit compter les cimetières de guerre dans cette partie du pays. Dans le cimetière de Vimy reposent côte à côte des officiers et soldats anglais, écossais, canadiens, australiens et sud-africains, sous la protection de la magnifique croix du sacrifice de sir Reginald Bloomfield. Cette croix et la pierre massive du souvenir sont des monuments dignes des héros qui dorment dans ce coin de terre. Quelques-uns des cimetières qui serviront de lieux de pèlerinage sont terminés. Quand la tâche sera complétée, les peuples britanniques pourront en être fiers.

La cérémonie du dévoilement a eu lieu hier matin, pendant que les cloches des églises des villages voisins appelaient les fidèles à la messe. Elle a été imposante. Au nombre des personnes présentes, on remarquait le président de la commission impériale des tombes de guerre, le général sir Fabien Ware, commandant des troupes anglaises, en France, le général français commandant la division d'Arras, le président de Pas-de-Calais, les maires des villes et villages environnants et un grand nombre de visiteurs anglais et canadiens.

M. Meighen a prononcé un discours et il a manifesté une grande émotion.

Tous les assistants sont restés découverts pendant ce discours.

LE GEANT BEAUPRE EST MORT

SAINT-LOUIS, Missouri

Le géant canadien Eddie Beaupré, célèbre dans tout le Canada et aux Etats-Unis, est mort subitement, dimanche matin **(3 juillet 1904)**, à l'Exposition universelle, où il s'exhibait parmi les curiosités du Pike. Il attirait l'attention générale et faisait beaucoup d'argent. Il a succombé à une hémorrhagie des poumons.

Beaupré était probablement l'homme le plus grand du monde. Il mesurait 8 pieds 2½ pouces, était âgé de 22 ans et pesait 378 livres. Il était né à Willow Bunch, dans les Territoires du Nord-Ouest, et était généralement connu sous le nom de géant de Willow Bunch. Il était le fils de Gaspard Beaupré et d'une métisse.

Aimé Bernard, de Winnipeg, gérant de Beaupré à l'exposition, a télégraphié au père du géant défunt de venir le rencontrer à Saint-Louis. Il va s'efforcer d'obtenir la permission des parents pour faire embaumer le corps du géant de façon à pouvoir l'exposer quand même et remplir ses engagements.

Après la représentation de samedi, il paraissait heureux et en bonne santé. Plus tard, dans la nuit, il demanda une tasse de thé et après l'avoir avalé, il cracha plusieurs gorgées de sang. Il mourut avant l'arrivée du médecin.

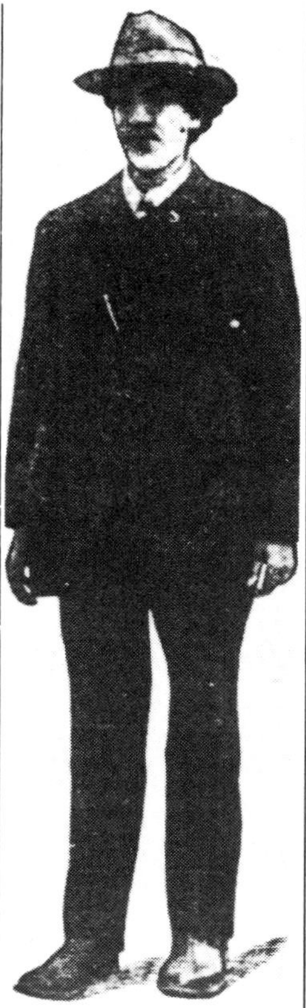

Le géant Eddie Beaupré.

C'EST ARRIVÉ UN 3 JUILLET

1987 — « L'éditeur maudit » Maurice Girodias, âgé de 71 ans, éditeur notamment d'Henry Miller, Samuel Beckett et Vladimir Nabokov, est décédé à Paris des suites d'une crise cardiaque.

— Klaus Barbie, l'ancien chef de la Gestapo de Lyon, a été reconnu coupable de crimes contre l'humanité et condamné à la réclusion criminelle à perpétuité.

1979 — Le Parlement ouest-allemand décide de poursuivre la chasse aux criminels de guerre nazis.

1978 — Pékin met fin à 20 années d'aide au Vietnam et rappelle tout son personnel technique.

1976 — Le roi Juan Carlos confie à Adolfo Suarez la tâche de former le prochain gouvernement espagnol.

1973 — Ouverture de la Conférence sur la sécurité et la coopération européenne, à Helsinki.

1962 — Le président Charles de Gaulle, de France, proclame officiellement l'indépendance de l'Algérie.

1960 — Les États-Unis décrètent un embargo sur le sucre cubain pour protester contre les politiques anti-américaines de Cuba.

1957 — Moscou annonce que Molotov, Malenko et Kaganovitch sont chassés des postes de commande qu'ils occupaient dans le parti et dans le gouvernement communistes.

1953 — Des soulèvements d'envergure ont lieu contre le régime communiste de Varsovie. Les Soviétiques dépêchent leurs blindés en Pologne.

1931 — Le pape Pie XI livre une encyclique pour protester contre le traitement fait à l'Église par le gouvernement fasciste d'Italie.

— Max Schmelling conserve son championnat du monde à la boxe lorsque l'arbitre doit arrêter le combat pour protéger un Stribling presque inconscient.

1908 — Québec célèbre le 300e anniversaire de l'arrivée de Champlain sur la rive où il fonda la ville de Québec.

Aérostiers en quête de record

Un Britannique, Richard Brandon, 36 ans et un ingénieur suédois de 38 ans, Per Lindstrand, ont déjà dépassé, hier, neuf heures après leur décollage de la base de Sugar Loaf, dans le Maine, à bord du « Virgin Atlantic Flyer », la distance record jamais couverte par un ballon à air chaud, et poursuivaient allègrement leur route vers l'Europe.

Se déplaçant à près de 160 km/h, l'énorme montgolfière noire et argent, d'une hauteur équivalant à celle d'un immeuble de 20 étages, a battu le précédent record (1460 km) en volant à une altitude de 6000 mètres environ, ce qui lui a permis de profiter des courants d'air chaud tout en évitant le mauvais temps sévissant plus bas.Les deux aéronautes ne paraissaient toutefois pas autrement impressionnés par cet exploit, à en juger par le message transmis par Branson à l'équipe du sol : « L'océan est énorme, la machine est complexe, les prévisions météorologiques peuvent changer d'un instant à l'autre

(Texte publié le 3 juillet 1987.)

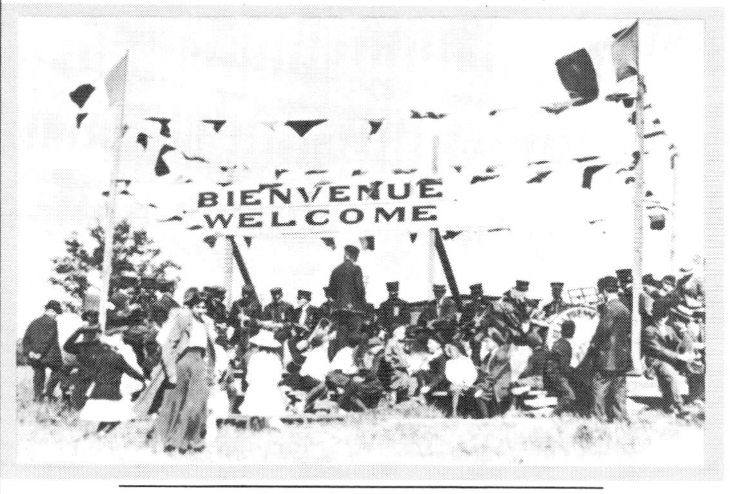
BIENVENUE
WELCOME

LE MONTREAL GAGNE SA PREMIERE JOUTE DU SOIR

BUFFALO, — Le baseball électrique a fait son apparition hier soir **(3 juillet 1930)** à Buffalo. Annoncée par une forte publicité, cette première joute de baseball le soir au stade des Bisons a été couronnée d'un franc succès financier, car plus de 12,000 personnes, comprenant plus de curieux que de véritables amateurs de sport, ont assisté à la rencontre. Ces 12,000 spectateurs à la partie sont partis satisfaits de leur soirée mais rien n'indiquait qu'ils étaient enthousiasmés du baseball le soir. Les 22 joueurs, qui ont pris part à la rencontre, ont été encore moins enthousiasmés du baseball le soir que les amateurs et ne se sont pas cachés pour dire leur déception. Plusieurs ont déclaré que la température est trop humide le soir pour leur permettre de donner la pleine mesure de leurs capacités. De plus, les infielders sont d'avis que les coups frappés avec force sont dangereux pour eux. Les voltigeurs se plaignent qu'il y a des coins obscurs et qu'ils ont de la difficulté à attraper les longs coups qui leur sont envoyés. En général, les joueurs ont déclaré qu'ils préfèrent jouer le jour, du moins, pour le moment, car il n'y a nul doute que les conditions seront améliorées dans le futur.

Les spectateurs ont été ceux qui ont le plus joui du baseball le soir. C'était une nouveauté pour eux. Ils ont trouvé cela intéressant mais on peut se demander s'ils continueront à trouver cela amusant pendant bien longtemps encore et si les assistances ne redeviendront pas aussi peu nombreuses que par le passé. De toute façon, les différents magnats de baseball présents à la rencontere, tout en se disant fort impressionnés par le baseball le soir, ont déclaré qu'ils continueraient à jouer le jour aussi longtemps que cela leur sera possible.

Le Montréal et le Buffalo, deux des plus grands rivaux de la Ligue Internationale, étaient les deux adversaires de cette première joute à la lumière artificielle au Stade des Bisons. Après une lutte contestée au possible, le Montréal est parvenu à remporter la victoire par la faible marge d'un point, sortant vainqueur par 5 à 4.

Georges-Emile Lapalme en Colombie-Britannique

Le Canada français évolue avec «hâte» et «inquiétude»

VANCOUVER

Le ministre des Affaires culturelles du Québec qui parlait, hier **(3 juillet 1962)**, dans le cadre d'un colloque sur le Canada français à l'Université de la Colombie-Britannique, a affirmé que le «Québec est à la fois le coeur et la tête du Canada français et que la survie de ce dernier serait gravement compromise sans la province-mère».

M. Georges-Emile Lapalme a poursuivi en déclarant: «Il est important que le reste du Canada en prenne son parti: le Québec est différent des autres provinces et tout indique qu'il le sera de plus en plus, non seulement en raison de la composition de sa population qui est et restera en majorité française, non seulement en raison des provinces, des besoins et des aspirations de cette population, mais encore davantage en raison de la vocation de l'Etat qui en est l'organe».

«Le Québec est l'expression politique du Canada français,» dit-il.

M. Lapalme a précisé: «Sur le plan politique, une immense majorité de mes concitoyens est d'accord pour exiger que son association avec les Anglo-Canadiens s'organise dans un climat de stricte égalité: ils ont la notion d'une union entre deux peuples égaux plutôt qu'entre dix provinces subordonnées. Si leur destin doit se poursuivre au sein de la Confédération, ils entendent bien y être traités, collectivement, comme citoyens à part entière».

Le ministre des Affaires culturelles a insisté sur lès transformations profondes qu'a subies le Canada français depuis 25 ans.

«La première impression que l'on recueille en regardant battre la vie du Canada français en est une de mouvement, de hâte, de recherche, d'inquiétude. Il existe un écart entre la situation concrète qu'une histoire tragique et compliquée a faite aux Canadiens français et les aspirations, qui spontanément se lèvent en eux».

La commission Salvas: achats «scandaleux»; M. Lesage: les coupables seront poursuivis

QUEBEC — Une commission royale d'enquête a vertement condamné hier **(4 juillet 1963)** un système gouvernemental d'achats qui a permis à des amis de l'Union nationale d'encaisser $2,000,000 de deniers publics sous forme de ristournes,et le premier ministre Jean Lesage a immédiatement annoncé que des personnages impliqués seront traduits devant les tribunaux. Il ne les a pas identifiés.

La commission, présidée par le juge Elie Salvas, de la Cour supérieure, signale particulièrement à l'attention des conseillers juridiques du gouvernement les noms de:

1 — **Alfred Hardy,** directeur du bureau des achats de la province de 1949 à 1960. La commission l'accuse d'avoir «exercé ses hautes fonctions au bénéfice d'un parti politique» et quelques fois «à ses fins personnelles».

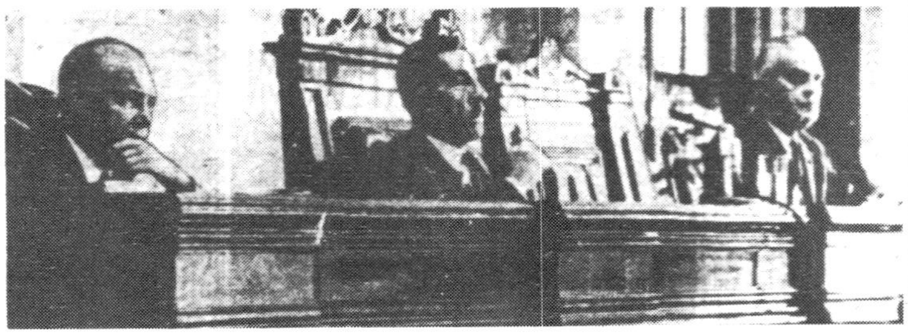

LES TROIS COMMISSAIRES — La commission d'enquête Salvas était composée de M. HOWARD IRVING ROSS, comptable agréé, du juge ELIE SALVAS, de la Cour supérieure du district de Richelieu, et de Me JEAN-MARIE GUERARD, avocat.

2 - **L'honorable Gérald Martineau,** conseiller législatif,ex-trésorier de l'Union nationale, agent pour l'est de la province de la compagnie Remington Rand. La commission l'accuse d'avoir fait distribuer ou d'avoir distribué lui-même des montants considérables en ristournes.

Le rapport dit: «Il a rempli un rôle indigne d'un homme public... sa conduite a eu pour effet de porter gravement atteinte à l'honorabilité de sa haute fonction...»

3 — **L'honorable Joseph-Damase Bégin,** ancien ministre de la Colonisation, ancien organisateur en chef de l'Union naionale. La commission l'accuse de s'être servi «de l'influence attachée à son poste de ministre de la Couronne pour favoriser les intérêts politiques de son parti et ce, au préjudice du public de cette province».

Et la commission ajoute: «De plus, par suite de ses manoeuvres, il a reçu personnellement et à son bénéfice, de façon indirecte mais certaine, des sommes importantes provenant également, en définitive, des deniers publics.»

Particulièrement dure à son endroit, les commissaires le qualifient d'administrateur «infidèle et indigne.»

4 — **Paul Godbout,** commerçant de grains, moulées, graines de semence. On l'accuse d'avoir pris une part active dans l'application des méthodes d'achat de graines par l'ancien ministre de la Colonisation.

5 — **Arthur Bouchard,** il a reçu, affirment les commissaires, la somme de $96,742 dont $13,997 sous forme d'augmentation de la valeur de ses actions dans la compagnie Baribeau Etchemin Inc. et ce, sur des ventes au ministère de la Colonisation.

La commission accuse de plus toutes les compagnies impliquées dans le système de ristournes d'avoir coopéré volontiers «aux manoeuvres pratiquées, et ce, en pleine connaissance de cause.»

Pas de commentaires

Rejoints chez eux, MM. Hardy et Bégin ont déclaré n'avoir pas reçu copie du rapport de 217 pages de la commission et qu'ils n'avaient aucun commentaire à faire. Au bureau du procureur général, un porte-parole a déclaré que le rapport de la commission est l'objet d'une étude serrée par les conseillers juridiques du gouvernement et qu'il n'y aurait aucune poursuite de prise de façon subite ou hâtive.

La commission Salvas fut instituée le 5 octobre 1960, quelques mois après la victoire du parti libéral aux élections de juin. Le présent rapport est son deuxième. Le premier traitait exclusivement de la transaction en vertu de laquelle l'Hydro-Québec avait vendu, en 1957, son système de gaz artificiel à la Corporation de gaz naturel du Québec et des actions qu'avaient achetées certains ministres et hauts fonctionnaires à l'occasion de cette transaction. (...)

Le jour de Lou Gehrig

On fête le vétéran dans un festival d'adieu au stade des Yankees

NEW YORK — Une figure bien connue de l'alignement des Yankees a souri faiblement hier **(4 juillet 1939)** et on a senti des sanglots monter à sa gorge. C'était celle de Lou Gehrig dont c'était le jour au stade des Yankees. Une foule de 61,368 spectateurs a pris part à ce festival d'adieu en l'honneur du vétéran. Il a regardé plusieurs fois la scène qui se déroulait sous ses yeux et des larmes ont coulé sur ses joues.

Un autre vétéran se tenait sur le terrain, un gros homme ayant lui aussi des larmes dans la voix et sur les joues. On l'entendit dire à Lou: «Viens jeune homme, viens! N'aie pas peur! Nous sommes tous avec toi!»

C'était Babe Ruth, l'unique Ruth qui parlait ainsi à Gehrig.

Partout Lou pouvait reconnaître des anciens copains et admirateurs. Gehrig avait là, devant lui et autour de lui, les joueurs de l'équipe actuelle des Yankees et ceux qui en faisaient partie lorsqu'il débuta au premier but pour les Yankees.

Les vétérans et les jeunes étaient tous là pour la circonstance afin de fêter dignement le héros du jour, Lou Gehrig, l'homme de fer que rien ne put empêcher de jouer, ni les balles à la tête, ni les os fracturés, ni les autres accidents du jeu. Mais un germe méchant, un microbe, l'a fait abandonner le jeu.

Il y eut des discours, des présentations et des parades de joueurs. Il dut parler mais il parla d'une voix remplie de sanglots; car on sentit bien des sanglots dans sa voix quand il déclara: «Aujourd'hui, je me sens l'homme le plus heureux de la terre».

La France bannit l'amiante

Si la décision de la France de bannir la grande majorité des produits contenant de l'amiante s'étend à tous les pays de la Communauté européenne, le Québec pourrait perdre jusqu'à 15 % de ses ventes en Europe, ce qui constituerait un « dur coup » pour l'industrie québécoise. Dans un geste-surprise, en se basant sur une étude réalisée par l'Institut national de la santé et de la recherche médicale, le gouvernement français a en effet annoncé qu'il interdisait la fabrication, l'importation et la mise en vente de produits contenant de l'amiante à partir de janvier prochain.

Seuls certains produits sont exclus du décret : les garnitures de freins et les vêtements ignifugés des pompiers.

Des 500 000 tonnes d'amiante que produit annuellement le Québec — qui se situe au second rang de la production mondiale — 25 000 à 30 000 étaient vendues à la France jusqu'à maintenant. Mais le problème ne réside pas dans ces chiffres, croient les barons de l'industrie de l'amiante au Québec, qui emploie 2500 travailleurs. « Si on perd l'ensemble des pays de la CEE (dont huit ont déjà banni l'amiante), c'est 22 % de mes ventes perdues », explique Jean Dupéré, président de Lab Chrysotile, une compagnie qui possède quatre des cinq mines d'amiante au Québec.

(Texte publié le 4 juillet 1996.)

Airbus civil iranien abattu par la marine US

Un navire de guerre américain croisant dans le Golfe Persique a abattu, à l'aide d'un missile, un Airbus civil d'Iran Air avec 290 personnes à bord. L'Iran a aussitôt accusé les États-Unis d'avoir commis un « massacre barbare », mais le président Ronald Reagan a affirmé qu'il s'agissait d'une « action défensive appropriée ».

Le drame est survenu peu avant 11 h (locales), au cours d'un engagement militaire entre le croiseur USS Vincennes et des vedettes iraniennes dans le détroit d'Ormuz, a expliqué le chef d'état-major américain, l'amiral William Crowe.

Il a souligné que l'USS Vincennes avait commis une erreur d'identification en jugeant qu'il s'agissait d'un chasseur iranien F-14, mais il s'est étonné que l'Iran « se lance dans des opérations de combats dans une certaine zone et y envoie en même temps un avion commercial ».

L'agence iranienne Irna a annoncé que l'Airbus avait été « abattu par deux missiles sol-air tirés par la flotte américaine », lors d'un accrochage avec des vedettes iraniennes en patrouille dans le Golfe. Au cours de cet accrochage, deux vedettes iraniennes ont été coulées et une troisième endommagée.

L'appareil, un Airbus A-300, avait décollé dix minutes plus tôt de Bandar Abbas, dans le sud de l'Iran, et devait se poser 28 minutes plus tard à l'aéroport de l'émirat de Dubaï. Les passagers,66 enfants, dont neuf âgés de moins de deux ans, 156 hommes, 52 femmes et 16 membres d'équipage ont tous péri.

Le président Reagan a qualifié l'incident de « terrible tragédie humaine » et il a adressé ses condoléances aux familles des victimes. Il a ajouté que le secrétariat à la Défense allait effectuer une « enquête complète ».

(Texte publié le 4 juillet 1988.)

C'EST ARRIVÉ UN 4 JUILLET

1982 — Le premier ministre Menahem Begin, d'Israël, décrète le blocus total des assiégés de Beyrouth-Ouest.

1977 — L'Office national de l'énergie recommande au gouvernement fédéral d'autoriser la construction du pipeline de l'Arctique. — Selon son président, M. Jean-Luc Pepin, la commission sur l'unité canadienne coûtera moins cher qu'une aile d'avion.

1976 — Des avions de sauvetage israéliens atterrissent à Tel Aviv avec 91 passagers et 12 membres de l'équipage d'un avion d'Air France détourné par des pirates de l'air pro-palestinien vers Entebbe, en Ouganda.

1975 — Le chef Kirby, de Kanawake, et son conseil de bande menacent d'expulser les Indiennes mariées à des non-Indiens du territoire de la bande.

1974 — Derniers adieux émouvants des Argentins à Juan Peron.

1968 — Sur les ordres de son médecin, Daniel Johnson, premier ministre du Québec, doit annuler son voyage à Paris.

1958 — M. Frost, premier ministre de l'Ontario, accepte la démission d'un troisième ministre de son Cabinet à cause de son association avec la Compagnie de Gaz naturel de cette province.

1953 — Imre Nagy remplace Matyas Rakosi comme premier ministre de Hongrie.

1951 — Un journaliste américain en poste en Tchécoslovaquie, William Oatis, est condamné par un tribunal de ce pays à dix ans de prison pour espionnage.

1946 — Le président Truman proclame l'indépendance des Philippines.

1945 — Entrée à Berlin des troupes militaires canadiennes faisant partie de la garnison britannique.

1943 — Le général Vladimir Sikorski, premier ministre du gouvernement polonais en exil, perd la vie dans un accident d'avion qui fait 15 morts au large de l'Angleterre.

1940 — Les *Témoins de Jéhovah* sont déclarés hors la loi au Canada.

1934 — Marie Curie succombe aux suites d'une pneumonie. Elle était âgée de 56 ans.

1919 — Jack Dempsey bat Willard en neuf minutes et s'adjuge le championnat des poids lourds, à la boxe.

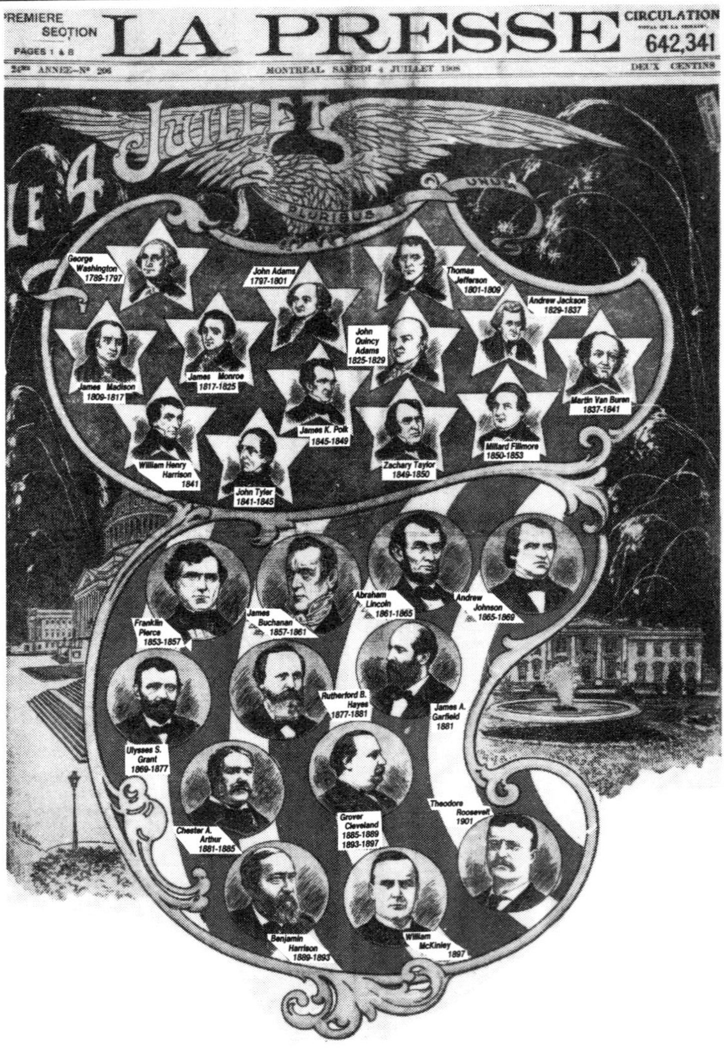
PREMIERE SECTION
PAGES 1 à 8
LA PRESSE
CIRCULATION
642,341
MONTREAL SAMEDI 4 JUILLET 1908
DEUX CENTINS
LE 4 JUILLET
George Washington 1789-1797
John Adams 1797-1801
Thomas Jefferson 1801-1809
Andrew Jackson 1829-1837
John Quincy Adams 1825-1829
James Madison 1809-1817
James Monroe 1817-1825
Martin Van Buren 1837-1841
James K. Polk 1845-1849
Millard Fillmore 1850-1853
William Henry Harrison 1841
Zachary Taylor 1849-1850
John Tyler 1841-1845
Franklin Pierce 1853-1857
James Buchanan 1857-1861
Abraham Lincoln 1861-1865
Andrew Johnson 1865-1869
Rutherford B. Hayes 1877-1881
James A. Garfield 1881
Ulysses S. Grant 1869-1877
Theodore Roosevelt 1901
Grover Cleveland 1885-1889 1893-1897
Chester A. Arthur 1881-1885
Benjamin Harrison 1889-1893
William McKinley 1897

Page consacrée aux différents présidents des États-Unis d'Amérique et publiée par LA PRESSE en ce jour de la fête nationale des Américains, le *4 juillet 1908.*

Le bicentenaire des Etats-Unis: une immense kermesse émouvante et naïve

NEW YORK — Des milliers d'Américains sont descendus hier **(4 juillet 1976)** dans la rue — quand ils n'y ont pas dormi — pour célébrer dans une atmosphère de gigantesque kermesse, souvent émouvante, parfois naïve, deux siècles d'histoire.

Pas une ville, pas un hameau, de l'Atlantique au Pacifique, de l'Alaska à la frontière mexicaine, qui n'ait eu ses services religieux, ses défilés, ses feux d'artifice, ses chants, ses danses, ses concours et ses barbecues quand ce n'était pas le rodéo. Avec une parfaite synchronisation, à 2 h de l'après-midi à New York, 9 h du matin à Anchorage et 11 h à Los Angeles, toutes les cloches d'Amérique ont fait écho à la Liberty Bell, qui, il y a exactement 200 ans, sonnait à Philadelphie l'indépendance du pays.

C'est le président Ford qui a lui-même donné le signal, en faisant teinter dans le port de New York une cloche symbolique installée sur le porte-avions Forrestal, d'où il a suivi la remontée de l'Hudson par une armada de 225 voiliers et de 52 navires de guerre venus de 22 pays.

Même spectacle, moins grandiose sans doute, à l'autre bout du pays, où une armada, partie du port de San Francisco et de la localité voisine de Sausalito, a défilé sous le Golden Gate Bridge.

A Philadelphie, plus de 100,000 personnes, enthousiastes, ont accueilli le président Ford à Independance Hall, où fut signée la déclaration d'indépendance des Etats-Unis. A Boston, 5,000 personnes se sont inclinées sur les tombes de trois des signataires de cette déclaration, Sam Adams, John Hancock et Robert Treat Paine, tandis que 200,000 personnes étaient réunies dans la soirée pour un concert en plein air.

A Fort McHenry, où Francis Scott Key a écrit l'hymne national américain, en attendant, sur un navire britannique, de négocier la libération d'un ami, 12,000 personnes, à moitié endormies, ont assisté, dans l'aube naissant, à un feu d'artifice avant d'entendre Ethel Innis chanter The Star Spangled Banner.

A Washington, on a veillé toute la nuit au Lincoln Memorial. Mais après le défilé conduit samedi par le vice-président Nelson Rockefeller et en attendant le feu d'artifice qui, en présence de M. Gerald Ford, a clos hier soir les célébrations, la capitale fédérale a été pratiquement abandonnée aux contestataires. Mais la manifestation, qui a tenu plus du festival pop que de l'émeute de rue, n'a pas répondu à l'attente de ses animateurs, dont l'actrice Jane Fonda; ils attendaient 150,000 personnes, il n'en vint que 5,000.

Mais l'extraordinaire trafic provoqué par cet événement national a déjà fait quelque 600 morts sur les routes. Et l'on compte pour l'instant à New York un noyé et sept personnes, dont trois enfants, frappées par la foudre et hospitalisées.

UN DC-8 S'ECRASE LORS DE L'ATTERRISSAGE A TORONTO

Les experts s'interrogent sur la cause de la tragédie

TORONTO — Au moins 25 personnes d'Air Canada et un nombre encore indéterminé de fonctionnaires du ministère fédéral des Transports ont entamé, sous la direction de M. R.L. Bolduc, du ministère, une enquête qui doit déterminer les causes de la catastrophe aérienne survenue hier matin **(5 juillet 1970)** à Toronto.

L'appareil, un Super-DC-8 d'Air Canada, avait décollé de Montréal avec 75 passagers à bord, deux bébés, 22 employés d'Air Canada et neuf membres d'équipage.

Attendu à Toronto à 8 h. 15, l'avion s'est écrasé quelques minutes plus tôt, entraînant dans la mort les 108 personnes *(le nombre des victimes fut porté à 109 quand on apprit qu'un adolescent de 16 ans, Gilles Raymond, dont le nom apparaissait sur la liste d'attente, avait réussi à monter à bord au dernier instant)* qui se trouvaient à son bord. L'appareil qui se rendait de Montréal à Los Angeles, avec escale à Toronto, s'est abattu au sol, au moment où il se préparait à atterrir à l'aéroport de Toronto. Il n'en reste plus qu'une masse carbonisée et informe.

Quelques instants plus tôt, alors qu'il se préparait à atterrir, le pilote informait la tour de contrôle qu'un de ses moteurs de droite avait pris feu. Du sol, il reçut l'ordre de prendre de l'altitude et de se délester d'une partie de son carburant.

Pendant qu'il exécutait cette manoeuvre, le moteur se détachait soudain et s'écrasait sur la piste. Puis, en quelques secondes, une autre partie de l'appareil tombait également. Des flammes se dégageaient de l'arrière, et l'on vit une épaisse fumée suivie de la chute de quelque chose que des témoins croient être une aile.

L'avion piquait ensuite au sol et s'écrasait à 75 pieds de la maison d'un agriculteur, située à près de 3¾ milles au nord de l'aéroport. L'impact de la chute fut si violent que l'appareil s'est complètement désagrégé, à l'exception d'une pièce qui semblait être une partie d'aile.

Il était 8.10 hrs du matin. Un agriculteur, M. Sytze Burgsma, réveillé en sursaut par le bruit infernal de la chute, se précipita hors de chez lui pour voir ce qui arrivait. Une immense colonne de fumée noire s'élevait du lieu où l'avion s'était écrasé. Tout autour, le silence était total. (...)

Le Super-DC-8 — version allongée du DC-8 — qui peut transporter jusqu'à 197 passagers, devait atterrir à Toronto à 8 h. 20. Il était donc en avance de cinq minutes. Le temps était beau et clair.

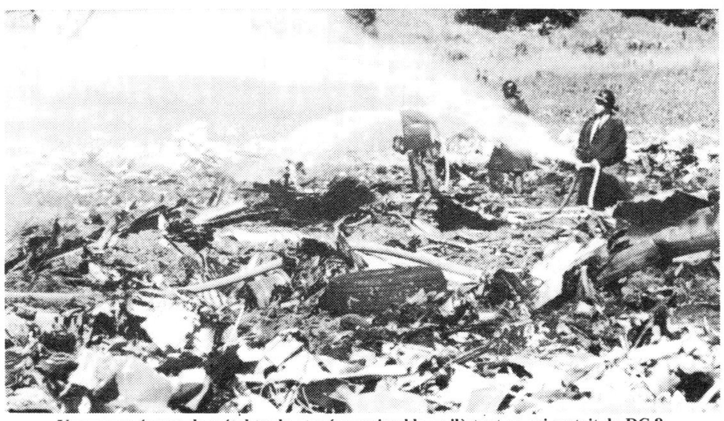

Une masse éparse de métal tordu et méconnaissable, voilà tout ce qui restait du DC-8.

Enquête ouverte

Interrogé sur les causes de l'accident, M. Ted Morris, directeur des relations extérieures de la société, a déclaré: «J'ignore ce qui est arrivé. Une enquête est en cours. Il nous est difficile de préciser si l'avion avait touché le sol avant de reprendre de l'altitude. Nous allons interroger tous les témoins oculaires que nous trouverons.»

La police provinciale de l'Ontario a dépêché sur les lieux quelque 200 agents et une centaine d'autres sont venus de la police de Toronto.

Une zone de trois milles carrés a été fermée à la circulation, provoquant des embouteillages sur les autoroutes voisines.

A l'aéroport même, d'autres passagers qui attendaient pour se rendre à Los Angeles étaient frappés de stupeur. Parents et amis, venus accueillir des victimes, terrifiés par ce qu'ils venaient de voir, attendaient en silence les nouvelles. (...)

C'est la deuxième catastrophe d'envergure que la société Air Canada connaît. La première s'était produite le 29 novembre 1963. Un DC-8 s'était alors écrasé près de Sainte-Thérèse, Québec, et aucune des 118 personnes qui se trouvaient à bord — 111 passagers et un équipage de 7 membres — n'en avait réchappé.

C'EST ARRIVÉ UN 5 JUILLET

1991 — Deux morts suite à la tragédie survenue lors des essais en vue du 53e Grand Prix nautique de Valleyfield, épreuve au cours de laquelle les embarcations peuvent atteindre des vitesses de plus de 200 km/h. Le pilote québécois Daniel Brossoit, de Saint-Timothée, et Jim MacKenzie, un spectateur originaire de Valleyfield, ont péri dans cet accident spectaculaire.

1983 — Philippe Chartrand devient le premier gymnaste canadien à remporter une médaille d'or à une rencontre internationale de haut calibre.

1979 — La Sûreté du Québec annonce la formation d'une escouade féminine contre le viol. — L'Iran nationalise toutes les grandes industries.

1978 — Début du congrès mondial des Témoins de Jéhovah, au Stade olympique de Montréal, où plus de 100 000 fidèles se réunissent.

1977 — Au Pakistan, l'armée renverse le gouvernement du premier ministre Zulfikar Ali Bhutto lors d'un coup d'État sans effusion de sang.

1974 — Chris Evert remporte le tournoi de tennis de Wimbledon pour la première fois.

1970 — À Phnom Penh, un tribunal militaire condamne le prince Sihanouk à la peine de mort par contumace. Ce dernier est aussi déchu de la nationalité cambodgienne et privé de ses biens.

1965 — Restauration du monument de Wolfe détruit en 1963, sur les plaines d'Abraham; la nouvelle inscription sera bilingue.

1958 — Althea Gibson remporte pour la deuxième année consécutive les honneurs du tournoi de tennis de Wimbledon. — Peter Thompson, d'Australie, remporte pour la 4e fois l'omnium britannique de golf.

1946 — Le dollar canadien est mis au pair avec le dollar américain.

1945 — Les Britanniques se rendent aux urnes pour élire un nouveau gouvernement. — Annonce de la reconquête des Philippines par les Américains.

1924 — Ouverture officielle des Jeux olympiques de Paris.

1913 — Une grève est à l'origine de la mort de plus de 100 personnes, en Afrique du Sud.

Adoption, en première lecture, du projet de loi créant la «Ville de Laval», sur l'île Jésus

QUEBEC (DNC) — L'Assemblée législative a adopté hier **(5 juillet 1965)**, en première lecture, un projet de loi fusionnant les 14 municipalités de l'île Jésus en une seule de près de 170,000 habitants — la 3e plus grande de la province — qui portera le nom de «Ville de Laval». Cette ville est appelée à devenir, d'ici la fin du siècle, une métropole géante de 1,200,000 habitants.

C'est le ministre Paul Gérin-Lajoie qui, en l'absence du ministre des Affaires municipales, M. Pierre Laporte, a déposé devant la Chambre le texte du projet de loi portant le no 63 et qui entérine les recommandations de la commission Sylvestre formulées après étude des problèmes intermunicipaux de l'île Jésus. M. Gérin-Lajoie n'a cependant donné aucune explication sur sa teneur.

La ville de Laval naîtra dès l'adoption finale de cette loi et tout indique que, d'ici deux mois, tous les citoyens de l'île Jésus seront soumis à la même autorité municipale.

La nouvelle municipalité, qui groupera les municipalités actuelles de Chomedey, Duvernay, Laval-des-Rapides, Laval-Ouest, Pont-Viau, Ste-Rose, Fabreville, Auteuil, Iles-Laval, Laval-sur-le-Lac, Ste-Dorothée, St-François, St-Vincent-de-Paul et Vimont, sera administrée par un conseil provisoire de 22 membres jusqu'à la date des premières élections, fixées au premier dimanche de novembre 1966, tel que LA PRESSE l'annonçait en primeur, le vendredi 25 juin dernier.

Ce conseil provisoire sera composé des 14 maires en poste au moment de la fusion, de quatre conseillers de Chomedey, d'un conseiller de Duvernay, d'un conseiller de Laval-des-Rapides, d'un conseiller de Pont-Viau et d'un conseiller de la ville d'Auteuil.

Ces conseillers seront choisis par le conseil de leur municipalité actuelle au cours d'une assemblée spéciale qui devra être tenue dans les neuf jours suivant l'adoption de la loi.

Le maire de la nouvelle ville sera nommé par les membres du conseil provisoire, le deuxième lundi suivant la sanction de la loi.

Première élection

La ville de Laval sera divisée en six quartiers: Auteuil, Chomedey, Duvernay, Laval-sur-le-Lac, St-François et Ste-Rose.

Dès la première élection, en 1966, le maire sera élu par la majorité des électeurs et la nomination des 21 conseillers se fera comme suit: deux seront élus dans le quartier Auteuil, sept dans celui de Chomedey, sept dans celui de Duvernay, un dans Laval-sur-le-Lac et trois dans le quartier Ste-Rose.

Le mandat du conseil sera de quatre ans.

La municipalité sera administrée par un comité exécutif formée du maire, qui agira comme président, et de quatre conseillers qu'il choisira. (...)

UNE TRANSACTION EXTRAORDINAIRE

WASHINGTON — La plus colossale opération financière dont l'histoire fasse mention a été terminée, hier **(5 juillet 1923)**, lorsque la Grande-Bretagne a remis au Trésor américain pour $4,600,000,000 d'obligations nationales et a reçu en échange des reçus pour la somme de $4,074,810,858.44 représentant les énormes emprunts de l'Angleterre contractés durant la guerre.

Cet échange de bons du gouvernement britannique pour des billets à demande a été opéré conformément aux conditions pour le remboursement de la dette, conditions acceptées il y a quelque temps.

Cette importante transaction s'est opérée comme simple affaire de routine lorsque le conseiller de l'ambassade anglaise s'est présenté aux bureaux du Trésor.

IMAGES DE MARS

La sonde américaine Mars Pathfinder, qui a parcouru 497 millions de kilomètres en sept mois pour arriver sur Mars, a transmis ses premières photos noir et blanc et couleur de la planète rouge, montrant un paysage hérissé de rochers et de pierres de différentes tailles. Pathfinder a fait irruption dans l'atmosphère de Mars à l'allure de 27 360 km/h. **(Texte publié le 5 juillet 1997.)**

LE COUP DE MIDI PRECIS

La commission des parcs accorde à «La Presse» le privilège de donner l'heure juste, tous les jours, à la population de Montréal.

LA PRESSE est heureuse d'annoncer à ses nombreux lecteurs que ses efforts pour obtenir de la commission des parcs que le midi juste soit donné à la population ont été couronnés d'un entier succès.

Par un vote unanime, la commission a décidé, hier après-midi **(5 juillet 1907)**, d'autoriser la Compagnie de Publication de «La Presse» à faire les dépenses nécessaires pour l'installation et l'entretien d'une pièce d'artillerie, sur le parc Mont-Royal.

L'endroit où sera installé le canon qui désormais tonnera, à midi précis l'heure que nous pouvons qualifier d'officielle, n'est pas encore déterminé. L'hon. M. Berthiaume devra s'entendre à ce sujet avec le président Robillard, l'échevin Laviolette et les deux surintendants, MM. Henderson et Pinoteau.

Ce n'est donc plus qu'une affaire de temps et nous remercions, au nom de la population et surtout de la population ouvrière, les échevins qui ont décidé de donner la vie à ce projet dont personne n'a contesté la nécessaire utilité.

Le juge Dorion modifie son rapport et louange Favreau

Le juge rend son rapport conforme à l'interprétation Favreau

QUEBEC — Le juge Frédéric Dorion a accepté de changer, dans son rapport, une affirmation concernant le premier ministre Pearson et M. Guy Rouleau.

Il a annoncé ce changement d'attitude dans une déclaration écrite qu'il a remise ce matin **(5 juillet 1965)** aux journalistes, à son bureau du Palais de justice de Québec.

En remettant cette déclaration, il a dit aux journalistes qu'à la veille de son départ en vacances, il tenait à faire une mise au point concernant son rapport, mais il s'est obstinément refusé à tout commentaire, déclarant qu'il n'avait pas convoqué les journalistes pour une conférence de presse, mais simplement pour leur remettre sa déclaration.

Il a aussi refusé l'accès de son bureau aux photographes et téléreporters présents.

Le texte de la déclaration

Voici, au texte, la déclaration écrite du juge en chef Frédéric Dorion:

«Vendredi après-midi, vers trois heures, je recevais du premier ministre une lettre venant d'Ottawa, datée du 29 juin. Vu que je dois partir demain soir pour mes vacances, je lui ai immédiatement envoyé un télégramme. J'ai reçu samedi soir, de l'hon. Guy Favreau, le télégramme suivant:

«Le premier ministre m'a mis au courant de votre télégramme du deux juillet — stop — quant à ma réponse à Me Drouin, telle que rapportée à la page 7308 de la transcription des dépositions et dans laquelle je voulais me référer exclusivement à l'adjoint exécutif du ministre de la Citoyenneté et de l'Immagration, je voudrais l'expliciter, de sorte que son sens ne puisse donner lieu à aucun doute possible. — stop — Je voudrais le faire en affirmant que je n'ai pas mentionné le nom de M. Rouleau au premier ministre, lors de notre conversation du 2 septembre 1964. — stop — J'aimerais que cette clarification de ma réponse soit considérée comme faisant partie du dossier, ainsi que vous avez eu la bonté de le suggérer.»

Guy Favreau

«Je n'ai aucune hésitation à accepter cette déclaration et à considérer qu'elle s'ajoute à la réponse de l'hon. Favreau, telle que rapportée à la page 7308 de la transcription des dépositions.

«Considérant cette preuve additionnelle, je déclare que mon rapport, à la page 123 (version française), doit être modifié en retranchant à la neuvième et à la dixième ligne les mots «son assistant parlementaire» pour les remplacer par «l'adjoint exécutif du ministre de la Citoyenneté et de l'Immigration», et je donne des instructions pour que cette modification apparaisse sur toutes les copies du rapport.

«A cette fin, j'ai demandé au procureur de la Commission, Me André Desjardins, de se rendre à Ottawa pour voir à ce que la modification soit faite correctement.

«Je crois que ce geste de l'hon. Guy Favreau, en outre de clarifier une situation qui a soulevé de nombreux commentaires, constitue une autre preuve de la dignité qui le caractérise». (...)

Le juge Dorion, discutant avec certaines personnes dans son bureau, a nié catégoriquement qu'il y a eu heurt entre lui et le premier ministre Lester B. Pearson au sujet de son rapport. Il a expliqué qu'il s'agissait d'un malentendu, lequel venait d'être réglé par la décision qu'il venait de prendre.

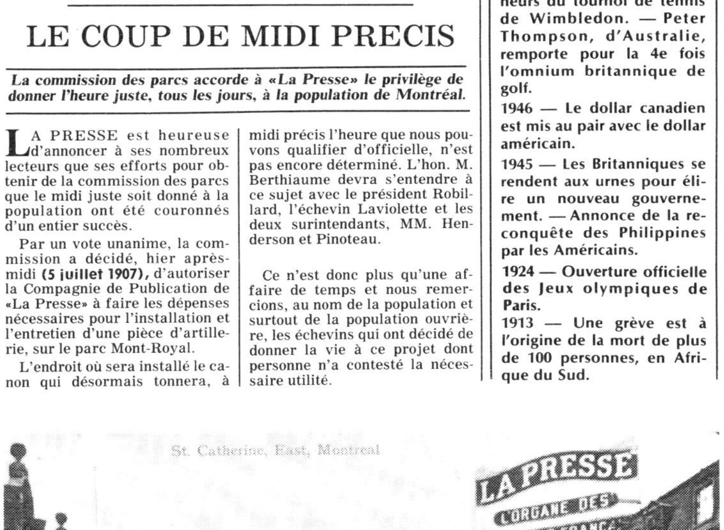

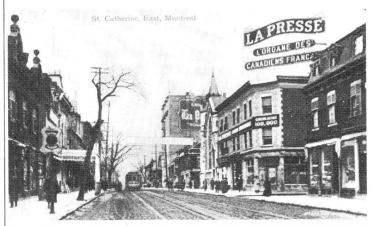

Cette copie d'une carte postale colorée à la main de la collection de M. *Jacques Poitras*, de Montréal, montre la rue Sainte-Catherine tout juste à l'est de Saint-Laurent (la petite rue à la droite de la photo, c'est la rue Berger, la deuxième à l'est de Saint-Laurent) vers les années 1910. L'édifice portant la publicité monstre de LA PRESSE, «l'organe des Canadiens français», existe toujours, et il a occupé pendant de longs moments une boîte de nuit bien connue, la «Casa Loma». Du même côté de la rue, vers l'est, l'église, le pâté de maisons à lucarnes (moins une au coin de la rue de Bullion, remplacée par un terrain vacant) et l'édifice «La Patrie», existent toujours également. Quant au pâté de maisons à l'extrême-droite, il y a belle lurette qu'il a cédé sa place... à un terrain de stationnement, cela va de soi! En face, du côté nord, la physionomie architecturale a grandement changé, puisque le seul édifice reconnaissable est celui qui porte un mât, mais il a perdu son arcade depuis longtemps. Cette arcade fait d'ailleurs penser au «Ouimetoscope».

LE PROJET DE CONSCRIPTION BORDEN EST APPROUVE EN SECONDE LECTURE

(De l'envoyé spécial de la «Presse»).

OTTAWA, - Après une séance des plus mouvementées, le débat maintenant historique sur la seconde lecture du bill Borden, tendant à établir le service obligatoire au Canada, s'est terminé à cinq heures ce matin **(6 juillet 1917)**, à la Chambre des communes par l'adoption de la motion du gouvernement, les voix se partageant 118 pour et 55 contre, soit une majorité de 63 pour la mesure ministérielle. C'est au chant de l'hymne national: «Dieu sauve le Roi», que les partisans de la conscription ont accueilli le résultat du vote.

A 2 h. 40, ce matin, M. Brouillard, député libéral de Drummond-Arthabaska, ayant clos la série des discours, la Chambre se remplit aussitôt de députés et en quelques minutes les deux partis furent au grand complet. Dans les galeries, une foule considérable, où l'on remarquait bon nombre de dames et de militaires, attendait patiemment, malgré l'heure tardive, le moment du vote. Sir Robert Borden, entre, salué par les applaudissements de la droite. Le premier ministre semble rempli d'une grande confiance. Sir Wilfrid Laurier, à son siège depuis quelque temps, montre un visage impassible, indifférent.

L'orateur lit le sous-amendement Barrette, demandant le renvoi à six mois de l'étude du projet Borden et immédiatement la Chambre vote: les voix comptées, on trouve que la proposition du député de Berthier est battue par 165 voix contre 9. L'amendement Laurier, d'après lequel on demandait que la discussion du bill fut retardée jusqu'à ce que le peuple canadien ait eu l'occasion de se prononcer, est battu par 111 voix contre 62, soit une majorité de 49 voix pour le gouvernement.

Puis, après l'amendement Copp, dont nous parlons plus bas, vint la mise aux voix de la proposition principale, celle de la conscription, laquelle fut adoptée par 63 voix de majorité. La séance qui vient de se terminer est désormais historique.

SINISTRES RUMEURS

(De l'envoyé spécial de la PRESSE)

OTTAWA, - Dans la soirée, des rumeurs avaient circulé, dans les corridors de la Chambre, à l'effet que l'on s'apprêtait à faire sauter le musée Victoria où siège le parlement. La bombe a éclaté, mais sous une autre forme que celle prédite, lorsque le moment fut venu de prendre le vote sur la motion principale, c'est-à-dire celle de sir Robert Borden demandant que le bill de la conscription subisse sa seconde lecture.

L'AMENDEMENT COPP

Tout semblait devoir se terminer sans incident, lorsque M. Copp, député libéral de Westmoreland (Nouveau-Brunswick), se leva, sortit deux feuilles du gousset intérieur de son veston, et après un long discours au grand mécontentement de la droite, proposa un nouvel amendement au bill Borden, comportant l'insertion dans la nouvelle loi d'une clause pourvoyant à l'entretien des soldats canadiens et de leurs familles sans avoir recours aux souscriptions publiques. Les remarques de M. Copp, de même que celles de l'hon. M. Oliver, et de M. Mollay, député libéral de Provencher (Manitoba), furent accueillies par des huées et de véritables beuglements du côté de la droite.

SIR ROBERT BORDEN

Visiblement ennuyé, le premier ministre se leva après le discours du député de Westmoreland, pour protester fortement contre le nouvel amendement, présenté, dit le premier ministre, uniquement dans le but de retarder et entraver l'adoption du bill en seconde lecture. Sir Robert déclare que les soldats canadiens sont aussi bien traités que les soldats de n'importe quelle nation alliée et il énumère les résultats magnifiques du système des contributions volontaires aux oeuvres de guerre.

«Le gouvernement ne peut pas accepter cet amendement», déclare le premier ministre.

L'HON. M. OLIVER

L'ex-ministre libéral ne se laisse pas désarmer par la déclaration du chef du gouvernement et il reproche à sir Robert d'abuser de sa majorité pour faire passer son projet de loi. Les cris de: Honte/ Honte/ venant du côté des conservateurs, soulignent les remarques du député d'Edmonton. Celui-ci continue, cependant, et après lui, M. Mollay traite de la situation qui est faite aux soldats canadiens et à leurs familles. A tour de rôle, les orateurs libéraux pressent le gouvernement d'améliorer le sort de ceux qui combattent en Europe, dans les troupes canadiennes. Finalement, l'amendement Copp est mis aux voix et il est défait par 115 voix contre 55, soit une majorité de 60 voix.

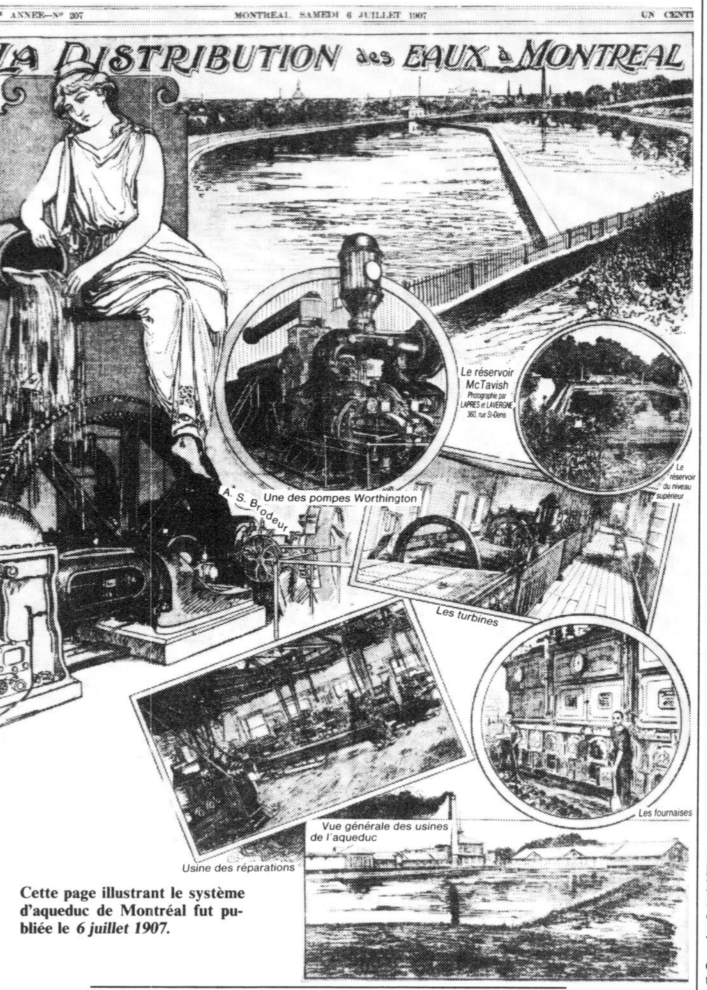

Cette page illustrant le système d'aqueduc de Montréal fut publiée le *6 juillet 1907*.

Les os du Che

Les ossements de Che Guevara figurent parmi les sept squelettes exhumés à Vallegrande, dans le sud-est de la Bolivie, a affirmé hier soir le Dr Jorge Gonzales, médecin légiste cubain. Celui-ci dirige l'équipe d'experts chargée de l'identification de squelettes de guérilleros découverts il y a quinze jours.

(Texte du 6 juillet 1997.)

AFFREUSE EXPLOSION A BELOEIL

BELOEIL, — Le coquet village de Beloeil, qui a déjà été si cruellement éprouvé dans le passé, du fait des cruels accidents survenus à la poudrerie de la «Canadian Explosives Limited», vient d'être de nouveau affligé par une catastrophe épouvantable. L'émoi et la consternation règnent parmi la population, où les deuils anciens sont avivés par les deuils nouveaux qui viennent de se produire.

C'est vers dix heures, ce matin **(6 juillet 1915)**, qu'est survenu le malheur. Les malheureux qui ont été frappés travaillaient dans le pavillon de la cordite, qui a été complètement détruit. Autant qu'on a pu le savoir par les récits des survivants, dont les souvenirs sont naturellement confus et imprécis, tant la chose s'est passée rapidement et tant le sauve-qui-peut a été rapide, c'est la machine à couper la cordite qui a occasionné le malheur par une défectuosité dont on ne peut dire exactement la nature.

Tout à coup, une flamme a jailli de la machine. Elle a grandi démesurément, a tout envahi, tout enveloppé dans son étreinte mortelle. Des cris terribles ont été entendus, les travailleurs se sont rués au dehors, à travers le rideau de feu. En un rien de temps, tout était fini: six morts gisaient, calcinés; neuf travailleurs se tordaient dans les affres de la douleur, plus ou moins gravement atteints.

L'explosion n'a pas été forte; on n'a rien entendu au village. La poudrière est exactement à un mille et demi de la gare. (...)

Parmi les morts et les blessés se trouvent plusieurs jeunes filles et on compte aussi parmi eux une couple d'officiers importants de la compagnie, de sorte que les pertes sont senties non seulement par la population, mais elles affectent en même temps beaucoup la compagnie. (...)

Six malheureux manquent à l'appel. Ces malheureux sont encore ensevelis sous les débris de l'édifice. Huit des blessés ont été amenés à Montréal et transportés à l'hôpital Général. Le train qui amena ces infortunés, la plupart d'entre eux portant d'affreuses blessures, est entré en gare a*(Bonaventure)* un peu après-midi. (...)

LA NOUVELLE DE LA CATASTROPHE

A l'arrivée de la première personne portant la triste nouvelle, a commencé une course folle vers les bâtiments de la poudrerie. Deux cents personnes environ travaillent là et on conçoit le nombre des parents et d'amis qui étaient anxieux de se renseigner sur leur sort. Comme toujours en pareille occasion, les premières nouvelles n'étaient pas précises, de sorte que chacun se demandait avec angoisse quel était l'être cher qui pouvait être disparu. Avant de s'abattre définitivement sur les quelque douze ou quinze foyers qu'il a atteints, le malheur a plané audessus de tous et a répandu sur tous son ombre lugubre. (...)

Les morts sont les suivants: J. Murray Wilson, gérant général de la division de chimie de la compagnie; Helmer Brown, surintendant du département de la cordite, à Beloeil; Raoul Favreau, 36 ans, marié et père de cinq enfants, Beloeil Station; Dick Meyer, 19 ans, célibataire, Beloeil Station; Mlle Maria William, 30 ans, Beloeil Station; Mlle Berthe Blain, 19 ans, village de Beloeil. *Dans les heures suivantes, Henri Chicoine, 40 ans, marié et «père de plusieurs enfants», ainsi que H.C. Schoch, 28 ans, devaient succomber à leurs blessures.*

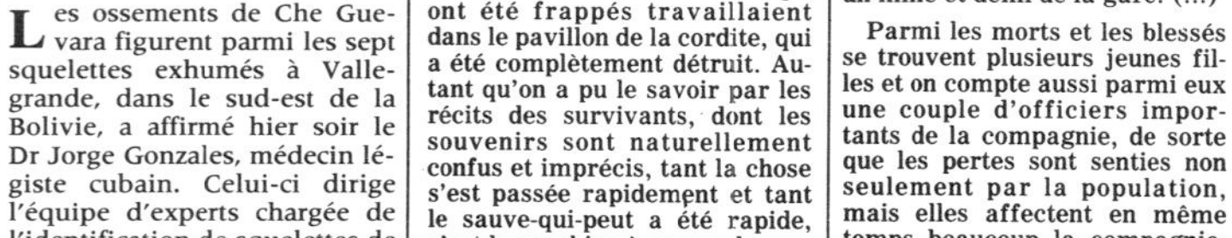

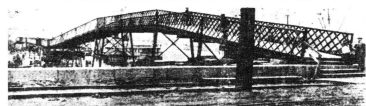

Dans son édition du *6 juillet 1907*, LA PRESSE annonçait avec une fierté bien légitime l'ouverture de la passerelle dont LA PRESSE préconisait la construction, pour relier le quai Victoria au nord de la rue des Commissaires (aujourd'hui, rue de la Commune), au-dessus des routes et des voies ferrées. On notera que deux ans plus tôt jour pour jour, donc le *6 juillet 1905*, LA PRESSE divulguait en primeur et en manchette les plans de construction de la passerelle, dont le coût était alors évalué à $11 000.

C'EST ARRIVÉ UN 6 JUILLET

1995 — L'aînée du clan Bronfman, Mme Saidye Bronfman, s'est éteinte paisiblement tôt ce matin à sa résidence de Westmount. Elle avait 98 ans. Mme Bronfman était l'épouse de feu Samuel, le fondateur de l'empire Seagram.

1982 — L'Amérique du Nord est témoin de la plus longue éclipse de lune depuis 1736.

1977 — Le solliciteur général Francis Fox annonce la création d'une commission royale d'enquête, présidée par le juge David C. McDonald, pour faire la lumière sur les accusations d'activités illégales portées contre la GRC.

1976 — Le maréchal Chu Teh, figure légendaire de la Chine, meurt à l'âge de 90 ans.

1965 — Grève des détaillants d'essence du Québec; plus de 850 stations-services sont fermées.

1961 — M. Robert Thompson est élu chef national du parti du Crédit social du Canada; il succède à M. Solon Low.

1960 — Les troupes congolaises se mutinent; le Congo fait appel aux Nations Unies pour obtenir une aide militaire.

1954 — S. Exc. Mgr Philippe Côté, s.j., qui avait été expulsé de Chine par les communistes, quitte le Canada à destination de Formose.

1952 — Décès de l'hon. L.-A. Taschereau, ex-premier ministre de la Province, à l'âge de 85 ans.

1950 — Inauguration de la cour de triage du Canadien Pacifique à Côte-Saint-Luc, la plus moderne du continent américain.

1949 — Les travailleurs de l'amiante reprennent le boulot, à Asbestos.

1945 — Ottawa décide de rationner de nouveau la viande.

1944 — Le premier ministre britannique Winston Churchill révèle que les bombes volantes allemandes ont déjà fait plus de 2 700 morts. — Un incendie éclate dans la grande tente du cirque Ringling Bros. and Barnum and Bailey, à Hartford, Connecticut, et 159 personnes perdent la vie.

Drapeau gagne son point

OTTAWA — C'est aujourd'hui qu'enfin, après un démarrage laborieux mais sûr, commencera véritablement la mise en oeuvre de l'exposition de Montréal.

En la personne de M. Lionel Chevrier, ministre de la Justice et actuellement premier ministre intérimaire, Ottawa fait former l'artillerie lourde pour annoncer aujourd'hui **(6 juillet 1963)** qu'elle est prête à ratifier définitivement le choix de l'île Ste-Hélène et de l'île Notre-Dame comme emplacement de l'exposition et à verser sa part des frais afférents à une telle entreprise.

«Les travaux auraient dû commencer cette semaine, a déclaré hier avec impatience le maire Drapeau à son arrivée à Ottawa. Il semble bien qu'ils pourront commencer tout de même aujourd'hui».

Obnubilé sans doute par la modeste envergure des contributions initiales de $20 millions par Ottawa, 15 pour le Québec et 5 pour Montréal, le fédéral se montrait jusqu'ici peu enclin à jongler avec les centaines de millions de dollars que suggère maintenant le projet.

Réalisant enfin l'envergure des opérations, Ottawa s'est enfin résolue à voir les choses en face, et c'est ce qu'annoncerait aujourd'hui M. Chevrier, après en avoir discuté hier soir au conseil des ministres.

A mesure que progressaient hier les pourparlers entre Montréal et Ottawa, on sentait que de part et d'autre et surtout de la part d'Ottawa, on prenait enfin conscience des véritables dimensions du projet. Car, contrairement à ce qu'on pouvait croire, le ton des entretiens demeura tout à fait cordial: c'est la difficulté du problème et non celle des interlocuteurs qui a fait se prolonger la discusion une partie de la nuit.

Peut-être enfin fut-ce la détermination du maire Drapeau à ne pas quitter Ottawa sans une réponse définitive qui fit que la question sera tranchée aujourd'hui.

Hier après-midi, il ne fut question que de la protection des eaux navigables. A cet effet, Ottawa réclamait, comme on sait, des garanties maxima, tandis que Montréal ne voulait offrir que le minimum, à savoir: estacade permanente contre estacade amovible.

Ou, pour employer les termes du maire Drapeau: «Nous leur offrons une Ford et ils insistent sur une Cadillac».

L'intransigeance d'Ottawa à cet égard se fondait, semble-t-il, sur celle d'un de ses ingénieurs, qui s'oppose irréductiblement à l'emplacement de l'île Ste-Hélène.

Cependant, l'entrée en scène de M. Chevrier, qui incarne à la fois les intérêts politiques et financiers du gouvernement, semble mettre un point final à ces tergiversations techniques.

Etude détaillée

(PC) - MM. Deschatelets, Favreau, Drapeau et Saulnier ont consacré les quatre heures de discussions de la rencontre d'hier après-midi à analyser les conclusions des rapports préparés par les firmes spécialisées qui, à la demande de Montréal, ont étudié l'effet que pouvait avoir sur le mouvement de l'eau et des glaces le remblayage du fleuve St-Laurent, à la hauteur de l'île Ste-Hélène.

Plus tôt dans la journée, le ministre des Travaux publics avait répété aux Communes que la création de l'île Notre-Dame ne devait d'aucune façon venir en contradiction avec la Loi de protection des eaux navigables (Navigable Water Act). Il a également précisé, et c'était la première fois qu'on en faisait officiellement mention, que les ingénieurs du gouvernement fédéral «insistaient sur certaines réserves».

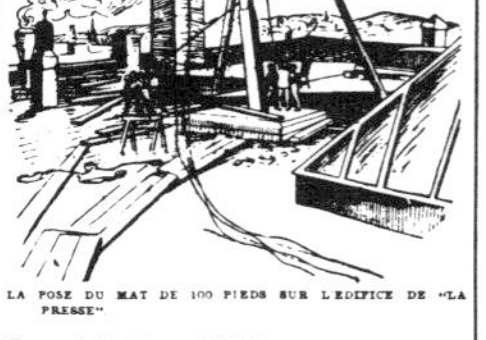

LA POSE DU MAT DE 100 PIEDS SUR L'EDIFICE DE «LA PRESSE»

Le *6 juillet 1904*, on terminait l'érection (entreprise cinq jours plus tôt) sur le toit de l'édifice de LA PRESSE, du premier mât pour télégraphie sans fil installé à Montréal. Ce mât mesurait 100 pieds et 6 pouces de hauteur et pesait une tonne et demie. Il avait une largeur de 9½ pouces à la base et de 3 pouces au sommet. Dans les jours suivants, on devait en installer un deuxième, d'une hauteur de 200 pieds, à l'île Sainte-Hélène, afin de pouvoir procéder à des expériences.

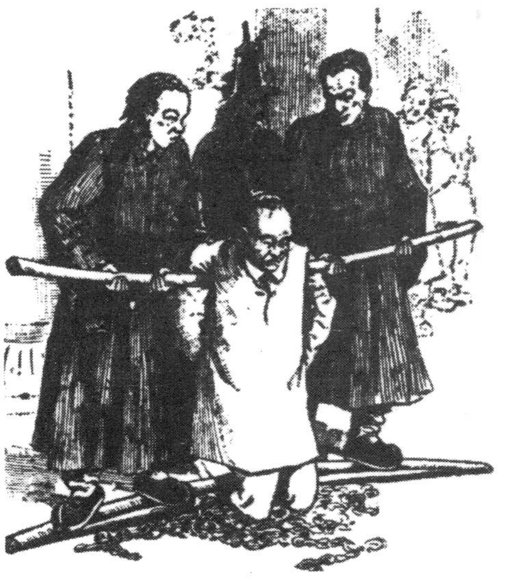

Dans son édition du 7 *juillet 1900*, sous le titre « LES SUPPLICES CHINOIS », LA PRESSE consacrait la moitié de sa première page à ces trois illustrations et à un article signé par un certain « abbé Garnier », qui reprenait la description faite par un récent numéro de « Missions catholiques » de supplices infligés par les Boxers de Chine à leurs victimes, voire aux missionnaires catholiques. Outre les trois supplices illustrés (y compris celui ci-contre de la cage où le prisonnier s'étrangle s'il cherche à mettre les pieds à plat au sol), on y fait la description de supplices tellement horribles que la torture moderne apparaît tel un ersatz en comparaison avec eux.

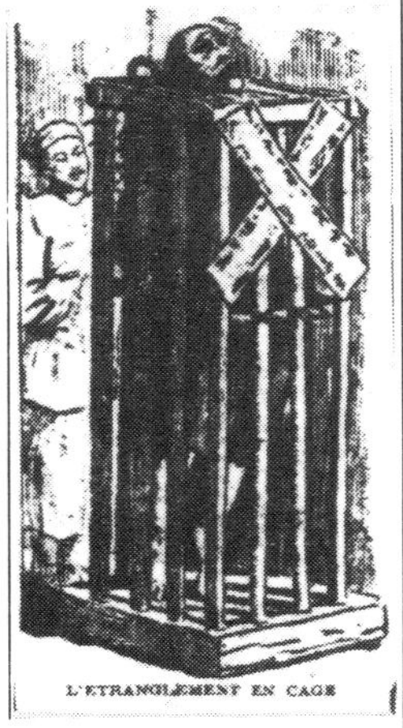

L'ÉTRANGLEMENT EN CAGE

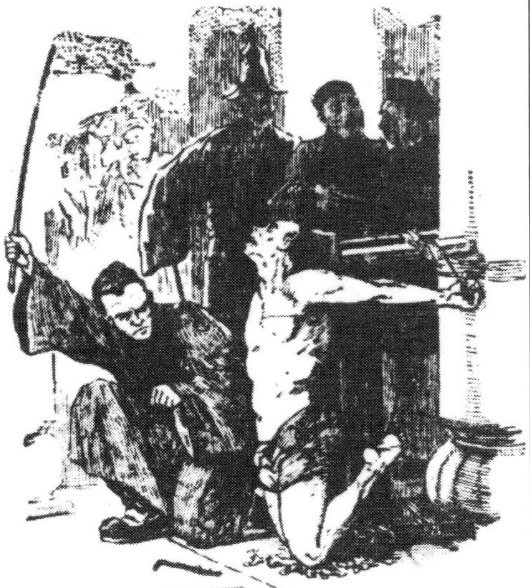

LA FLAGELLATION

«Equité linguistique»

Le bill des langues officielles est adopté

OTTAWA — Même après avoir obtenu l'appui de la Chambre des communes, le gouvernement fédéral continuera à faire campagne dans diverses régions du Canada pour que le bill des langues officielles ne soit pas un élément de désunion.

C'est ce qu'a indiqué le secrétaire d'État, M. Gérard Pelletier, quelques instants seulement après l'adoption **(le 7 juillet 1969)** par les Communes du bill C-120, un projet de loi qui vise à permettre l'usage du français et de l'anglais dans tous les services fédéraux à travers le Canada, grâce en particulier à la création de districts bilingues et à la nomination d'un commissaire linguistique, qui jouera dans son domaine un rôle comparable à celui d'un ombudsman.

Evidemment, pour le gouvernement Trudeau, l'adoption de ce projet de loi représente une étape extrêmement importante, quand on se rappelle l'insistance qu'a mise sur cette question le premier ministre au cours de la campagne électorale, l'an dernier.

Néammoins, M. Pelletier, dans les quelques remarques qu'il a formulées à sa sortie de la Chambre, a déclaré que nul projet de loi ne se mérite l'acceptation universelle.

Il a ajouté toutefois que «le bill des langues sera bienvenu dans la population canadienne plus que ne le laissent entendre les débats aux Communes».

Ceci n'empêchera pas le premier ministre lui-même de se rendre bientôt dans l'Ouest pour prendre entre autres le pouls de l'opinion publique sur la question du bilinguisme. De son côté, M. Pelletier poursuivra au cours de l'été ses visites dans les provinces de l'Est et se propose même de retourner dans l'Ouest l'automne prochain.

L'opposition

A la Chambre, le débat sur le bill des langues s'est poursuivi en troisième lecture de façon plus subtile, à cause sans aucun doute de la mise en garde servie par le chef conservateur à ses 17 députés récalcitrants après le vote en deuxième lecture.

L'intervention sévère de M. Robert Stanfield à la suite de ce vote en deuxième lecture a eu pour effet d'éloigner d'Ottawa les plus prestigieux des protestataires, dont l'ancien leader, M. John Diefenbaker, qui est officiellement en vacances.

L'ancien ministre, M. Walter Drysdale, et le plus farouche des adversaires du bill des langues, M. Jack Horner, étaient également absents des Communes pour les dernières heures du débat et surtout pour le vote.

Les autres, parmi les adversaires du débat à la Chambre, ont bien signifié leur position en présentant une motion visant à envoyer le projet de loi devant la Cour suprême pour en faire vérifier la constitutionnalité, mais aucun d'entre eux n'a voté pour la motion lorsque le temps fut arrivé.

On a remarqué le même silence lors de l'adoption en troisième lecture, de sorte qu'il ne fut même pas nécessaire de prendre un vote enregistré.

Outre ces 17 conservateurs que M. Réal Caouette a qualifiés «d'arriérés mentaux», tous les députés ont donné leur accord au projet de loi. (...)

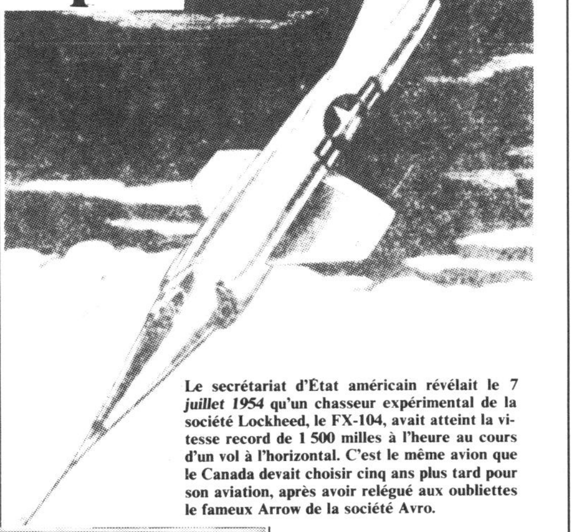

Le secrétariat d'État américain révélait le 7 *juillet 1954* qu'un chasseur expérimental de la société Lockheed, le FX-104, avait atteint la vitesse record de 1 500 milles à l'heure au cours d'un vol à l'horizontal. C'est le même avion que le Canada devait choisir cinq ans plus tard pour son aviation, après avoir relégué aux oubliettes le fameux Arrow de la société Avro.

Premier vol transatlantique d'Air France

L'avion « Lieutenant de vaisseau Paris » est parti hier **(7 juillet 1939)**, à 11 heures 12 du soir (6 heures 12 heure avancée de l'Est), de Biscarosse pour se rendre à New York. C'est la première envolée transatlantique d'Air France à destination de l'Amérique du Nord.

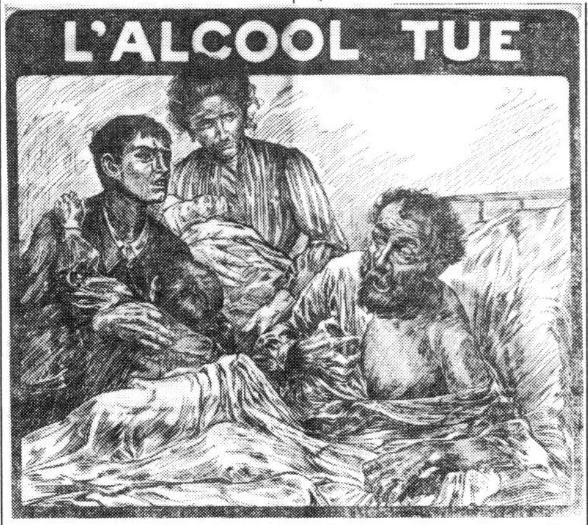

Au tournant du siècle, il existait en France un organisme, la « Ligue nationale contre l'alcoolisme », dont le rôle consistait à combattre l'alcoolisme et toutes ses causes. Dans son édition du 7 *juillet 1906*, LA PRESSE rendait un hommage particulier à cet organisme en lui consacrant la moitié de sa première page, à l'occasion du passage à Montréal du Dr Triboulet, délégué du gouvernement français et de la ligue au congrès médical de Trois-Rivières.

300e anniversaire de la découverte du lac Champlain

LA ville de Plattsburgh était le théâtre, en juillet 1909, de cérémonies grandioses organisées pour célébrer le tricentenaire de la découverte du lac Champlain, et la journée du ***7 juillet 1909*** était tout spécialement consacrée au président William Taft, des États-Unis. Parmi les invités de marque du premier citoyen du pays, se trouvaient les ambassadeurs Jusserand, de France, James Bryce, d'Angleterre, ainsi qu'une brochette de personnalités venues du Canada, soit le gouverneur général Hughes, sir Alphonse Pelletier, lieutenant-gouverneur de la province de Québec, l'hon. Rodolphe Lemieux, ministre des Postes et représentant du gouvernement canadien, sir Lomer Gouin, premier ministre du Québec, le cardinal Gibbons et nombre d'autres personnalités.

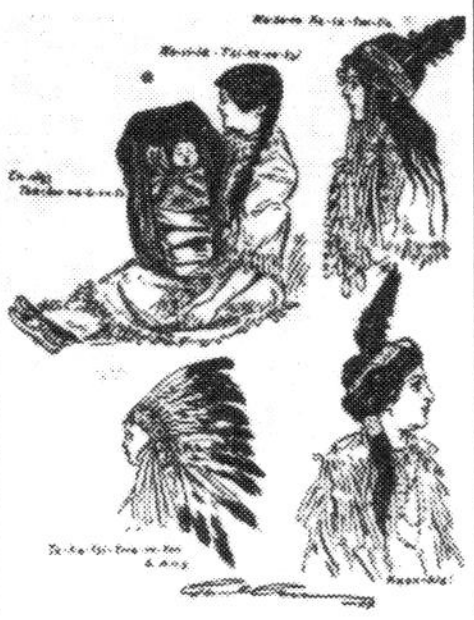

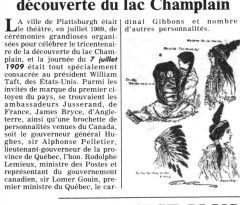

Le bogue de l'an 2000 inquiète

À 542 jours de l'échéance, beaucoup reste à faire au Canada pour s'assurer que les systèmes informatiques traversent le millénaire sans trop de conséquences graves, même s'il y a nette amélioration dans la prise de conscience des entreprises face au bogue de l'an 2000.

Les ordinateurs qui n'auront pas été convertis ne reconnaîtront pas les 00 de l'an 2000 et penseront qu'il s'agit du premier janvier 1900. Environ 15 % des grandes entreprises se disent prêtes pour le changement de millénaire et 27 % de plus le seront d'ici la fin de l'année.

Le tiers des grandes entreprises n'ont toujours rien fait pour préparer leur système informatique au nouveau millénaire et s'éviter de graves problèmes.

C'est ce qui ressort des résultats de l'enquête menée en mai par Statistique Canada auprès de 2700 entreprises de plus de cinq employés. Selon cette étude, 99 % des entreprises se disent au courant du bogue et 70 % s'y préparent. Mais seulement 28 % des entreprises ont vérifié l'état de préparation de leurs fournisseurs et de leurs clients.

Pour Jean C. Monty, président du Groupe de travail de l'an 2000, la situation demeure sérieuse et « le réseau national d'approvisionnement demeure vulnérable. » Le Groupe s'est surtout concentré sur le secteur privé, mais M. Monty souligne que les entreprises dans leur ensemble ont beaucoup à faire.

(Texte publié le 7 juillet 1998.)

C'EST ARRIVÉ UN 7 JUILLET

1998 — Jacques Normand, celui dont l'esprit vif et l'humour frondeur ont mis du piquant dans les cabarets de Montréal de même que sur les ondes de la radio et de la télévision, est mort d'un cancer de la gorge. Il était âgé de 76 ans.

1990 — Martina Navratilova a conquis son neuvième titre de simple, à Wimbledon. Elle a battu la nice américaine Zina Garrison, faisant tomber l'ancien record de Helen Wells Moody, qui avait remporté huit fois le titre féminin entre 1927 et 1938.

1983 — Le futurologue Herman Kahn meurt à l'âge de 61 ans à son domicile de la banlieue de New York.

1981 — Le président Ronald Reagan annonce la nomination d'une première femme, Sandra O'Connor, comme juge à la Cour suprême.

1975 — Ed Broadbent est élu chef national du NPD. — Me René Hurtubise est assermenté comme premier président de la Commission des droits de la personne du Québec.

1973 — Fin des assises de la conférence d'Helsinki.

1972 — Fin d'une grève de sept semaines des débardeurs des ports du Saint-Laurent.

1969 — Cinq bombes éclatent sur des chantiers de construction de Montréal.

1967 — Déclenchement de la guerre civile au Nigeria. — Le maire Jean Drapeau parmi les neuf premiers décorés de l'Ordre du Canada.

1952 — Le nouvel océanique *United States* établit un nouveau record de vitesse pour la traversée de l'Atlantique d'ouest en est, soit 3 jours, 21 heures, 48 minutes entre New York et l'Angleterre.

1950 — La loi de la conscription entre en vigueur aux États-Unis.

1946 — Miguel Aleman devient le premier civil à être élu président du Mexique. — Canonisation de Françoise Xavier Cabrini, première sainte américaine.

1941 — La marine italienne encaisse d'importantes pertes aux mains des Britanniques. — La flotte des États-Unis reçoit l'ordre de tenir les eaux, entre l'Islande et l'Amérique du Nord, « libres de toute activité ou menace ennemie ».

1940 — Hitler et le comte Ciano sont en conférence à Berlin.

1938 — Refus du Conseil privé de se prononcer sur les lois albertaines sur le contrôle de la presse et le règlement du crédit. — R.J. Manion devient chef du Parti conservateur.

1937 — Front judéo-arabe contre le rapport Peel exprimant le projet de partage de la Palestine. — Les Japonais bombardent la ville de Wanpingshien, en Chine, marquant ainsi le début des hostilités, même si la guerre sino-japonaise ne devait être déclarée officiellement qu'en décembre 1941.

1930 — Sir Arthur Conan Doyle, créateur du fameux *Sherlock Holmes*, meurt à l'âge de 71 ans.

M. LEDUC N'EST PLUS MINISTRE

(Du correspondant de la «Presse»)

QUEBEC — Les nuages qui roulaient visiblement depuis deux jours dans l'atmosphère parlementaire ont crevé hier après-midi **(7 juillet 1938)**; le cabinet provincial a été dissous pour être réassermenté aussitôt après, mais avec un de ses membres en moins. En effet, l'hon. François-Joseph Leduc était exclu du ministère et l'hon. Maurice Duplessis, premier ministre, procureur général et ministre des Terres et Forêts, était assermenté comme ministre de la Voirie. Il était 5 heures 45 lorsque la cérémonie d'assermentation se déroula.

Comme question de fait, le ministre de la Voirie n'a pas démissionné de plein gré. Il s'est trouvé sans porte-feuille, du fait que le premier ministre lui-même démissionnait. La démission du chef du gouvernement entraîne automatiquement, on le sait, la fin du ministère.

Lorsque M. Patenaude lui demanda qui il recommandait pour la formation d'un nouveau ministère, M. Duplessis se désigna. Il ajoutait toutefois le titre de ministre de la Voirie à ceux qu'il possédait déjà.

La cérémonie de l'assermentation se déroula, on peut le dire, dans la plus stricte intimité. Elle fut même tenue dans le plus grand secret. Les journalistes apprirent tout à coup que les membres du cabinet étaient réunis chez M. Patenaude.

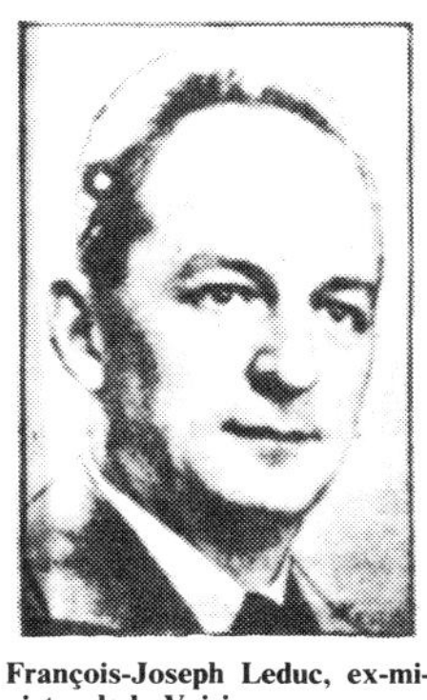

François-Joseph Leduc, ex-ministre de la Voirie.

De là à conclure que M. Duplessis était le nouveau ministre de la Voirie, il n'y avait qu'un pas. Et c'est comme tel que les journalistes le saluèrent lorsqu'il sortit des appartements du lieutenant-gouverneur. Nous avions prévu juste. Au confrère qui demanda ensuite au chef du gouvernement ce qui se passait, celui-ci répondit: «Nous sommes allés saluer le lieutenant-gouverneur et lui demander des nouvelles de sa santé.» Ensuite, le chef du gouvernement fit connaître ce qui n'était plus un secret pour nous.

Bien que les journalistes s'attendissent à quelque chose, ils ne manquèrent tout de même pas d'être un peu surpris. Il y a un mois exactement, au banquet Boiteau, le premier ministre parlait avec éloge de son ministre de la Voirie. Il faudra attendre d'autres déclarations pour être mieux fixés sur la portée des événements d'hier.

Dans sa déclaration, M. Duplessis avait révélé à LA PRESSE qu'il avait «congédié» M. Leduc parce qu'il ne pouvait, conformément à ses engagement électoraux de 1936, tolérer les abus, d'où qu'ils viennent.

Desjardins réalise son rêve boursier

En mettant la main sur La Laurentienne, Desjardins réalise son rêve d'inscrire à la bourse la cote de sa société de portefeuille où sont groupées ses activités de fiducie, de valeurs mobilières et d'assurance.

Desjardins crée une nouvelle institution — la Société financière Desjardins Laurentienne — en joignant les filiales de sa Société financière des caisses Desjardins à celles de la Corporation du Groupe La Laurentienne, une société à capital ouvert. Desjardins entend détenir les deux tiers de la nouvelle entité, tandis que les actionnaires de la Corporation se partageront le reste. Ainsi, Desjardins se retrouvera à la tête d'une grande société inscrite à la bourse dès sa naissance.

Lors des assises annuelles en mars dernier, le président du Mouvement des caisses Desjardins, Claude Béland, avait énoncé son désir de coter en bourse les sociétés de portefeuille comme la Société financière des caisses Desjardins. La structure coopérative du mouvement rend toutefois difficile sa capitalisation en bourse.

Une autre conséquence vraisemblable de cette transaction serait la fermeture du capital de Trustco Desjardins dont la piètre performance préoccupe la haute direction de Desjardins. La valeur totale au marché de sa capitalisation est d'environ 26,4 millions.

Dans un communiqué conjoint, il est expliqué que les actionnaires de la Corporation du Groupe La Laurentienne se verront offrir un montant en argent et des actions ordinaires de la nouvelle société « sur la base de la valeur aux livres de La Corporation ». Celle-ci était de 12,79$ au 31 décembre dernier mais devra être ajustée pour tenir compte des résultats de l'année en cours.

La Société financière Desjardins Laurentienne comptera 14 000 employés et un actif de 23 milliards. Si aucun changement de mission n'est à l'ordre du jour, il faut toutefois prévoir certaines mesures de rationalisation notamment dans le secteur de l'assurance. Pour ce qui est des activités bancaires, tant MM. Drouin et Béland ont soutenu que les deux réseaux demeureront intacts.

La nouvelle société aura des activités dans les quatre grands secteurs financiers : les banques, les fiducies, l'assurance et le courtage en valeurs mobilières. Elle détiendra le contrôle de la Banque Laurentienne (inscrite à la Bourse), de Trustco Desjardins (inscrite aussi à la Bourse), de Valeurs mobilières Desjardins et Placements La Laurentienne, de Groupe Desjardins, assurances générales et des compagnies d'assurance-vie des deux groupes, soit l'Assurance-vie Desjardins (AVD), La Laurentienne Financière et l'Impériale. **(Texte publié le 8 juillet 1993)**

51 milliards $ dans le bas de laine de Bill Gates

Au Monopoly, Bill Gates est le plus fort. Aux prises avec la loi antitrust américaine, le PDG de Microsoft trône en tête du classement annuel des 200 milliardaires les plus riches du monde, publié par le magazine américain Forbes, avec un « bas de laine » évalué à 51 milliards US.

Bill Gates a vu sa fortune faire un bond de 40 % en un an. Le patron de la firme de Seattle devance les cinq héritiers de Sam Walton, fondateur des magasins Wal-Mart, dont les richesses sont estimées à 48 milliards, l'homme d'affaires Warren Buffett (33 milliards) et le cofondateur de Microsoft Paul Allen (21 milliards).

Quatre Américains occupent donc les premières places du palmarès des milliardaires de la planète. Le cinquième est Canadien: il s'agit du PDG de Thomson, Kenneth Thomson (14,4 milliards).

Le douzième classement de Forbes comporte cette année de nombreux « exclus ». Le magazine a en effet renforcé ses critères de sélection. Seuls les « riches en activité » sont désormais acceptés au club. Dixième l'an dernier, la famille Quandt (Allemagne), qui détient la majorité des parts de BMW (15,3 milliards), et la famille de Liliane Bettencourt (France), fondatrice de L'Oréal (11,4 milliards), demeurent ainsi hors-concours.

Ce classement est censé également renvoyer à leurs chères valeurs les dictateurs et les personnalités royales. Il accueille pourtant cette année la famille de Suharto (74e), qui a dirigé d'une main de fer l'Indonésie pendant 32 ans, lui permettant d'amasser des participations dans pas moins de 3200 sociétés indonésiennes, avant d'abandonner le pouvoir le mois dernier sous la pression de la rue.

Si les personnalités du Gotha avaient été sélectionnées, le sultan du Brunei se classerait troisième avec une fortune évaluée à 36 milliards. Jusqu'à cette année, il était plus riche que Bill Gates.

Voici le classement des huit premiers milliardaires, des Canadiens et de quelques autres noms connus qui figurent sur cette liste (nom, nationalité, montant et origine de la fortune):

1 - Bill Gates (É.-U.), 51 milliards, Microsoft;
2 - famille Walton (É.-U.), 48 milliards, magasins Wal-Mart;
3 - Warren Buffett (É.-U.), 33 milliards, Berkshire Hathaway;
4 - Paul Allen (É.-U.), 21 milliards, Microsoft;
5 - Kenneth Thomson (Canada), 14,4 milliards, Thomson;
6 - Edward Forest Mars et sa famille (É.-U.), 13,5 milliards, héritage
7 - Jay et Robert Pritzker (É.-U.), 13,5 milliards, finance;
8 - Alwaleed Bin Talal al Saud (Arabie saoudite), 13,3 milliards, investissements, construction, banque.

(Texte publié le 8 juillet 1998.)

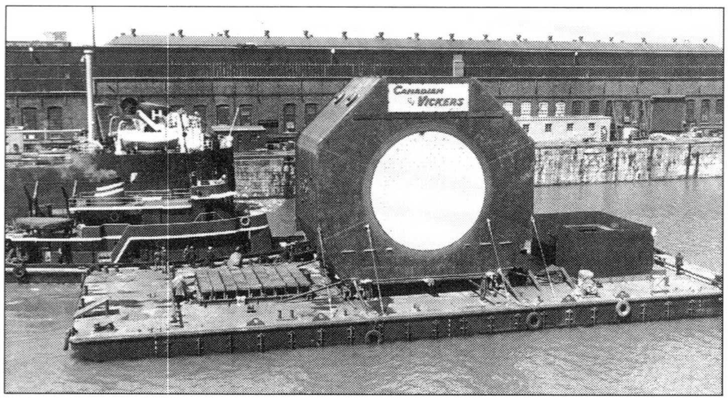

LA VICKERS FERME

Le Groupe MIL (anciennement Marine Industries) a officiellement annoncé **(8 juillet 1989)** la fermeture de MIL Vickers, après 78 ans d'existence, entraînant la perte de 392 emplois dans l'est de Montréal.

En des temps meilleurs, la Vickers avait été une entreprise florissante et capable de grandes choses, comme en témoigne la photo ci-dessus prise en 1972.

Les grandes villes étouffent

Paris, qui a connu un fort pic de pollution à la fin juin, n'est pas un cas unique et toutes les grandes villes européennes sont victimes de la pollution de l'air à des degrés divers et luttent contre ce phénomène de façon différente.

Athènes, Istanbul et Milan battent les records, tandis que Paris commence à prendre le problème au sérieux, sans imaginer encore des moyens de limiter la circulation automobile, principale responsable de la pollution.

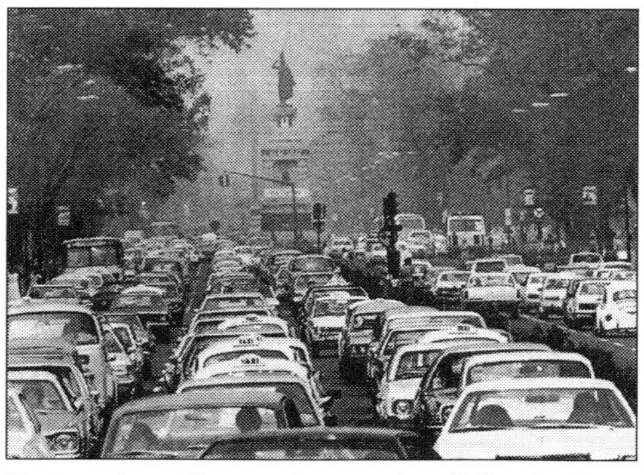

Mexico est une ville aux prises avec la pollution depuis longtemps, à preuve cette photo prise en 1980.

Selon l'enquête menée par les bureaux européens de l'AFP, Athènes reste une des capitales les plus polluées du monde avec Mexico. Son « nefos » (nuage toxique) est apparu au début des années 70. Une forte concentration de population, 60 p. cent des industries du pays, 1,2 million de voitures, dans un bassin dépourvu d'espaces verts expliquent cette pollution qui fait cent morts par an.

En Turquie, Istanbul (plus de 10 millions d'habitants) est devenue une ville irrespirable, surtout l'hiver, sous l'effet conjugué de l'automobile, d'industries polluantes et surtout du lignite à forte teneur en soufre (10 millions de tonnes par an) utilisé pour le chauffage. Le passage au gaz naturel se fait trop lentement, surtout dans les bidonvilles, où vit 60 p. cent de la population. Lors des pics de pollution, on conseille aux enfants et aux personnes agées de ne pas sortir.

En Italie, toutes les grandes villes souffrent de la pollution, due aux voitures et au chauffage.

(Texte publié le 8 juillet 1995.)

La Floride encore durement touchée

Armés de bâtons, de gants et de masques de papier, les petits enfants de Martha Stump se sont livrés à une drôle de chasse au trésor dans les décombres de sa maison de Palm Coast, une ville résidentielle située dans un secteur boisé durement touché par les incendies qui ont ravagé la Floride au cours des derniers jours.

Quand Mme Stump est retournée chez elle, son fils, ses petits-enfants et un couple d'amis fouillaient déjà depuis quelque temps dans les ruines. Ils ont récupéré un peu de vaisselle, des pots de terre cuite et quantité de bibelots de céramique qu'ils ont empilés le long de la rue, autour d'un bassin décoré d'une statuette de petit garçon en prière, les yeux vers le ciel.

Mme Stump et son mari ont su que la maison allait y passer dès qu'ils ont fui, jeudi dernier. « Le feu était tout près. » Seul l'abri de la piscine creusée est resté debout. On distingue toujours le classeur, le congélateur, les ressorts des matelas et une vieille machine à écrire. « J'ai la dernière tasse du service à vaisselle ancien », annonce un ami de la famille, les pieds au milieu de la « cuisine ».

« Je me sens plutôt bien aujourd'hui », confie Mme Stump. Les tracas administratifs sont pratiquement réglés. Ses assurances paieront pour la reconstruction.

Rapidement, dans les secteurs épargnés, la vie reprend son cours. Les travaux recommencent sur les maisons en construction. On tond le gazon et surtout, on l'arrose. Dans un coin dévasté de Palm Coast, un propriétaire a eu la surprise de trouver sa maison intacte, à l'exception des solives qui pendent du toit, ramollies par la chaleur. En partant, il avait placé le gicleur automatique sur le toit de sa maison.

(Texte publié le 8 juillet 1998.)

C'EST ARRIVÉ UN 8 JUILLET

1998 — La General Electric Co. est devenue la première entreprise américaine à atteindre le plateau des 300 milliards de valeur en bourse. En vertu du prix de 92,62 $ l'action à la fermeture des marchés, hier, la valeur en bourse de General Electric s'établit maintenant à 301,8 milliards. Elle devance au classement Microsoft Corp., dont la valeur est d'environ 266 milliards.

1997 — Les preuves indiquant que de l'eau a coulé à flots sur la planète rouge s'accumulent, selon les chercheurs du Jet Propulsion Laboratory de Pasadena, en Californie, qui examinent les photos transmises par la sonde Mars Pathfinder et son robot Sojourner. « D'énormes quantités d'eau » ont coulé et une partie est « restée dans des flaques, puis s'est évaporée », a déclaré le professeur Michael Malin, un scientifique de la mission. Il pourrait bien y avoir eu une gigantesque inondation, « comparable à celle qui a envahi le bassin méditerranéen », a-t-il affirmé.

1995 — Washington, la capitale des États-Unis, ajoute son nom à la longue liste des grandes villes américaines imposant un couvre-feu à ses adolescents pour lutter contre la délinquance juvénile, après l'adoption d'un décret municipal par son maire Marion Barry.

1994 — L'Empire State Building, le célèbre gratte-ciel new-yorkais, a été vendu pour 42 millions de dollars à des investisseurs asiatiques et européens, a rapporté le Wall Street Journal. Construit dans les années 1930, l'Empire State Building, a été longtemps, avec ses 102 étages, le bâtiment le plus élevé du monde. Il est dépassé depuis 1973 par la tour Sears Tower de Chicago (110 étages).

1991 — Afin de prévenir les échouages et d'attirer de plus gros navires, le Port de Montréal dépensera près de deux millions dans un projet de dragage qui augmentera d'un pied (0,3 mètre) la profondeur d'eau navigable dans le chenal du Saint-Laurent.

1990 — Au tournoi de tennis le plus prestigieux au monde, Sébastien Lareau et Sébastien Leblanc, 16 ans tous les deux, ont posé pour les photographes et pour la télévision avec la Coupe des champions junior en double de Wimbledon, arrachée à leurs adversaires sud-africains, ceux-là même qu'ils avaient battus en finale à Roland-Garros.

1989 — L'actrice Audrey Hepburn, qui fut l'héroïne de My Fair Lady et de Roman Holiday s'est reconvertie dans l'action humanitaire : depuis mars 1988, elle est « ambassadrice de bonne volonté » de l'UNICEF (Fonds des Nations-Unis pour l'enfance).
— Une nouvelle lune, temporairement désignée « 1989 N1 », a été découverte sur les photographies de la planète Neptune envoyées sur Terre par la sonde américaine Voyager-2, qui se trouvait à environ 71 millions de km de son but ultime.

1988 — Le Stade olympique est converti en immense salle de classe, ce week-end, alors qu'un cours accéléré d'étude de la Bible est offert à quelque 50 000 Témoins de Jéhovah en provenance du Québec, de l'Ontario, des provinces Maritimes et des États-Unis.
— Valleyfield vit à l'heure des 50es Régates internationales. Il s'agit du plus grand spectacle motonautique jamais présenté en Amérique du Nord. La bourse de 250 000 $ est la plus élevée dans toute l'histoire des Régates de Valleyfield.

1987 — Les délégués au congrès international des clubs Kiwanis se sont prononcés hier à 80 p.cent en faveur d'une motion autorisant les femmes à accéder à cet organisme, fondé il y a 72 ans.

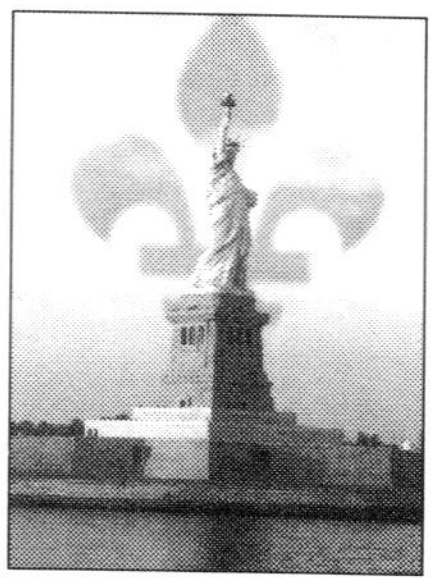

La statue de la Liberté repose sur un socle québécois.

1986 — La statue de la Liberté, dont on célèbre ces jours-ci le 100e anniversaire, repose sur des pierres du Québec. C'est en effet la compagnie Granites Frontenac qui a fourni il y a quelques semaines les blocs de granite requis lors de la réfection de la base de la statue. Il s'agit d'immenses pierres dont les deux plus lourdes pesaient six tonnes chacune.
— Le pape Jean-Paul II a quitté la Colombie en lançant un vibrant et dernier appel à la paix et à la justice sociale, adressé non seulement aux habitants de ce pays qui vient de le recevoir durant sept jours, mais aussi à l'Amérique Latine tout entière.
— Une étude faite par Statistique Canada a établi qu'il y a eu au Canada, en 1980, 63 250 familles (soit 1 p. cent des familles canadiennes) dont le revenu moyen a été de 143 061 $, l'équivalent de 212 000 » en dollars d'aujourd'hui.

1984 — Le déraillement du « Montrealer », survenu près de Williston, au Vermont, à une centaine de kilomètres au sud-est de Montréal, s'établit à cinq morts. On a de plus dénombré 148 blessés, dont deux résidents d'Ottawa, parmi les 278 passagers que transportait le convoi de 13 wagons, dont neuf ont déraillé.

1960 — Les Communes ont adopté, par un vote de 183 à 0, le bill des droits de l'homme du premier ministre Diefenbaker. Celuici a déclaré, dans un discours de deux heures, que cet événement marquait la réalisation de l'un des rêves de sa vie et une « étape importante pour la liberté au Canada ».

1944 — Pendant que les Américains poursuivent leurs avances, les forces anglaises et canadiennes se concentrent sur le front de Caen pour une grande rencontre.

LE GÉANT BEAUPRÉ ENTERRÉ

Plus d'une centaine de parents du géant Beaupré (Édouard) ont enterré les cendres de leur aïeul, qui mesurait 2,52 mètres (8 pieds, 2 pouces), au cours d'une cérémonie religieuse à Willow Bunch, en Saskatchewan, d'où il était originaire.

Ses nièces, neveux et autres parents plus éloignés, ainsi que 200 personnes sont venus rendre un dernier hommage à l'illustre Canadien français dans cette petite ville du sud-ouest de la Saskatchewan.

Les cendres d'Édouard Beaupré ont été enterrées à côté du musée de Willow Bunch, non loin d'une statue grandeur nature en fibre de verre, qui a été inaugurée à la même occasion.

L'artiste de la Caroline du Nord qui a sculpté la statue de 5000 $ l'a transportée à Willow Bunch attachée sur le toit de sa Cadillac.

Le service religieux met fin à une campagne entreprise il y a 15 ans par le neveu du géant, Ovila Lespérance, pour ramener le corps embaumé de son oncle dans son village natal.

Né en 1881, Édouard Beaupré se mit à grandir rapidement à cause d'une tumeur à l'hypophyse. À l'âge de neuf ans, il mesurait déjà six pieds et à 17 ans, quand il entra au cirque Barnum, il atteignait sept pieds.

Il devait mourir de tuberculose à 23 ans au cours de l'Exposition universelle de St. Louis, en 1904.

Ses parents, qui n'avaient pas les moyens de ramener son corps au Canada, acceptèrent la promesse du directeur du cirque de lui faire un bel enterrement à St. Louis.

Mais le corps embaumé du géant fut exposé au public, d'abord à St. Louis, puis dans un musée et un cirque à Montréal. L'université de Montréal acquit finalement le corps et l'exposa à son tour jusqu'en 1975 à l'université.

Ovila Lespérance, qui pensait que son oncle était enterré depuis longtemps, fut indigné lors d'un voyage à Montréal cette année-là de le voir exposé dans sa nudité.

Il essaya alors de reprendre possession de la dépouille mortelle, mais sans argent il ne put intenter des poursuites en justice. L'université accepta finalement de rendre le corps à la famille Beaupré, à condition qu'il soit incinéré pour réduire la possibilité de le voir de nouveau exposé en public.

(Texte publié le 9 juillet 1990.)

Le corps du géant Beaupré était conservé à Montréal depuis 1907.

ON Y VA !

À L'HÔPITAL

CATASTROPHE

MALHEURS JOURNALIERS

Page consacrée aux ambulanciers et publiée le 9 juillet 1904.

Fusée lancée de Floride avec une souris à bord

CAP Canaveral, Floride, — Un avant-coureur incandescent de la roquette que l'Aviation veut envoyer à la lune a été lancé, apparemment avec succès, hier soir **(9 juillet 1958)**, entraînant une souris dans l'espace.

(A midi, aucune dépêche n'avait encore signalé la découverte de l'ogive contenant la souris «Mia II» et l'on ne savait pas encore si la fusée avait parcouru les 6,000 milles requis.)

La roquette «Thor-Able», est montée au-dessus de sa base de lancement à 9 h. 49 p.m., heure normale de l'est, laissant derrière elle une immense champignon de fumée et de feu.

Un communiqué de la Défense a déclaré que les renseignements préliminaires indiquent que cette fusée, une alliance hybride du missile de portée intermédiaire Thor et d'une version hautement modifiée du Vanguard, a fonctionné avec succès.

On ne saura pas avant plusieurs heures probablement si le cône de cette roquette, contenant la souris, a traversé sans encombre l'atmosphère terrestre au retour, et s'il a été recouvré de l'océan. Le communiqué assure qu'on essaiera de récupérer le cône. (...)

(Au lancement), la fusée monta tout droit pendant quelques secondes, puis elle commença une courbe allongée vers une course horizontale, se dirigeant au sud-est, sur l'Atlantique.

La fusée a été visible pendant trois minutes environ, alors qu'elle filait, parmi les étoiles, dans un ciel clair et venteux.

Le premier étage se consuma au bout de deux minutes et 40 secondes, tombant et se fragmentant dans une lueur éclatante. Mais le deuxième étage s'enflamma immédiatement et projeta le cône et son minuscule passager encore plus loin dans les cieux. (...)

Terrible accident à Blue Bonnets

LE plus tragique accident d'automobile qui se soit jamais produit à Montréal, a marqué l'ouverture des grandes épreuves de vitesse hier après midi **(9 juillet 1909)**, à Blue Bonnets. Deux hommes emportés par leur machine dans une course vertigineuse ont trouvé une mort terrifiante. Charles K. Batchelder, 26 ans, qui conduisait l'auto du millionnaire Lorne Hall, et son assistant James Twohey, 35 ans, sont aujourd'hui des cadavres, à l'hôpital. A l'extrémité est de la piste, leur voiture, une solide Stearns de 60 chevaux, lancée comme un bolide, alla heurter à l'angle extérieur, rasa six gros poteaux, comme une boule qui renverse des quilles et descendant le talus élevé avec tous les débris alla s'arrêter à vingt verges plus loin. Twohey avait le crâne défoncé, et le malheureux Batchelder avait le ventre ouvert par deux pièces de bois qui lui étaient entrées, l'une dans l'aine, et l'autre dans l'estomac. L'abdomen était ouvert et les entrailles répandues.

L'on se précipita à son secours. Ses amis le placèrent dans l'automobile de M. H.A. Létourneau, de l'hôtel Arbour, et le chauffeur, Fred Quinn, bien connu de tous les fervents du jeu de crosse, se dirigea en toute hâte vers l'hôpital Victoria. Comme il arrivait à Montréal, le blessé murmura: «Arrêtez que je respire, autrement je vais mourir.» Quelques secondes plus tard, il était mort.

Twohey, lui, mourut à l'hôpital dix minutes après son arrivée.

L'infortuné Batchelder était un jeune homme très favorablement connu, et qui avait devant lui une brillante carrière. Ami et protégé du millionnaire Lorne Hall, il avait pu, grâce à lui, suivre les cours de l'université McGill et avait été reçu ingénieur électricien. C'était son intention de suivre pendant une saison les cours de minéralogie, afin de devenir ingénieur des mines.

LE SAUT DES CHUTES NIAGARA

Il faut croire que la date du 9 juillet exerce une certaine attraction sur ceux qui se rendent aux chutes Niagara, puisqu'on a pu rattacher à cette date au moins trois événements majeurs depuis le début du siècle. Commençons par l'exploit de Bowser, illustré par la vignette ci-dessus, et qui fut réalisé le 9 juillet 1900. Ce jour-là, après avoir été remorqué jusqu'au milieu des rapides, Bowser (de son vrai nom Peter Nissen, Danois de naissance âgé de 37 ans et demeurant à Chicago) avait réussi à descendre les rapides avec l'intention d'étudier la possibilité d'«établir une ligne de bateaux pour passagers à travers les rapides ». Bowser-Nissen avait réussi son exploit dans une embarcation spécialement conçue pour l'occasion et mue par une hélice propulsée par des pédales similaires à celles d'une bicyclette. À la même date, le 9 juillet 1945, c'était au tour de William Hill fils de « sauter les rapides » de la rivière Niagara. Hill rééditait ainsi l'exploit de son père, à une date antérieure malheureusement encore inconnue. Enfin, toujours à la même date, soit le 9 juillet 1960, c'est un tout autre exploit qu'accomplissait un garçonnet de sept ans, à son « corps défendant », c'est le cas de le dire. En effet, naufragé et muni d'une simple ceinture de sécurité, Roger Woodward était tombé du haut des chutes Niagara (167 pieds) dans les tourbillons sans subir la moindre blessure grave, pour ensuite être recueilli dans les rapides par le «Maid of the Mist», un bateau-mouche pour touristes.

Lune de miel... éclipse solaire

Pour Louis et Sabrina, lui physicien et elle mathématicienne, l'éclipse de soleil prévue pour jeudi a été à l'origine d'une charmante équipée : ils ont décidé de se marier et, en guise de lune de miel, d'aller contempler sur une plage mexicaine une des plus longues éclipses solaires qu'il nous est donné d'observer.

Sabrina et Louis se connaissent depuis sept ans et vivent ensemble. Physicien, photographe et astronome amateur, Louis Bernstein donne des conférences au Planétarium Dow depuis des années. Sabrina est la vice-présidente du Festival de Jazz de Montréal : « Je travaille aussi avec des étoiles ! ». Elle avait prévu une semaine de vacances au Mexique tout de suite après la clôture du Festival.

Louis se rend compte alors que l'éclipse avait lieu durant son séjour au Mexique. « On s'est dit : ce serait le fun d'aller là-bas. Puis : ce serait encore plus le fun d'y aller en lune de miel. » Aussitôt dit, aussitôt décidé !

« Dans une vie, on peut avoir la chance de voir une ou deux éclipses totales, affirme Louis. C'est un phénomène assez rare et des plus impressionnants. »

(Texte publié le 9 juillet 1991.)

Une belle oeuvre philanthropique pour combattre la mortalité infantile

UN mouvement philanthropique qui sera, sans doute, bien apprécié du public, s'est fait, samedi soir **(9 juillet 1904)**, alors que plusieurs médecins, parmi lesquels était le Dr Dagenais, président de la commission d'hygiène, se sont réunis à la résidence du Dr Dubé, et ont fondé l'association dite de «La Goutte de Lait», dans le but de fournir du lait stérilisé aux enfants de cette ville. Cette organisation va se mettre à l'oeuvre immédiatement. Des arrangements seront pris incessamment avec les meilleurs laitiers, pour la fourniture d'un article pur qui sera stérilisé ensuite à l'institution des Soeurs de la Miséricorde, et par l'hôpital des Soeurs Grises, si toutefois ces maisons veulent contribuer à l'oeuvre.

C'est l'intention de l'association de se procurer un laboratoire spécialement établi-même le lait. Celui-ci, exempt de tout microbe, sera distribué dans des bouteilles hermétiquement fermées. Il y aura une dizaine de dépôts ou dispensaires, dans différentes parties de la ville, où le lait sera vendu au prix coûtant, ou donné gratuitement, à ceux reconnus incapables de payer.

Pour le moment, on va en procurer aux enfants malades, seulement. Dans la suite, les autres pourront en avoir, aussi.

Les membres du Conseil de la paroisse de Saint-Antoine de Longueuil ont effectué la première visite officielle de la route de LA PRESSE le 9 juillet 1912. On aperçoit sur la photo (1) M. Arthur Daigneault, maire de la paroisse; (2) M. Zotique Bourdon, conseiller; (3) M. Louis Marcille, conseiller; (4) M. L.J.E. Brais, secrétaire de la paroisse; (5) M. Georges A. Simard; (6) M. Lorenzo Prince, gérant de la rédaction de LA PRESSE; (7) M. L.J. Garby, ingénieur représentant le constructeur, la «Canadian Mineral Rubber Co.»; (8) M. Arthur Côté, de LA PRESSE.

POUR TRIOMPHER DES APACHES

Coup de poing de figure sur le côté du menton

Une clé au poignet

Comment on esquive un coup de pied bas

Coup de poing en plein visage

Une prise terrible transperçant de l'adversaire avec l'avant bras

Coup d'arrêt chasse au dessus de la ceinture

La riposte l'adversaire vous saute à la gorge on lui brise le poignet

Coup de pied bas sur le arrêter l'élan tibia pour de l'agresseur

Coup de hanche pour faire basculer l'adversaire dans le corps à corps

Une prise qui disloque la colonne vertébrale

Comment on esquive un coup de couteau

Cette première page initialement publiée le **10 juillet 1909**, démontre que la propension au «self defense» n'est pas exclusivement contemporaine. Les illustrations proposaient des moyens de défense provenant de la «boxe japonaise», traduction de l'époque pour «jiu-jitsu». «La boxe japonaise, disait la légende, tord les membres de l'agresseur, le supplicie et lui fait demander grâce.»

L'INVASION COMMENCE: DÉBARQUEMENT EN SICILE

Américains, Anglais, Canadiens, précédés de bombardements aériens et couverts par la flotte, ont pris pied en Sicile.

LONDRES — Le correspondant de l'agence Reuter câble de l'Afrique du Nord: «La première ligne de troupes alliées est engagée contre l'ennemi après avoir passé par-dessus des mines et des barrages de fil barbelé pour attaquer des nids de mitrailleuses sur les plages de Sicile».

Quartier général allié d'Afrique du Nord, 10 (B.U.P.) — Le communiqué annonçant l'invasion de la Sicile a paru ici à 5 h. 10 du matin (...). Les premiers débarquements auraient été effectués vers 3 h. du matin.

New York, 10 (B.U.P.) — Le général Dwight D. Eisenhower a annoncé officiellement aujourd'hui **(10 juillet 1943)** l'invasion de la Sicile par les Alliés. (...)

Washington, 10 (P.A.) — Les armées alliées, formées de troupes canadiennes, britanniques et américaines, sont parties des bases africaines aujourd'hui pour franchir la Méditerranée et inaugurer la première invasion du sol italien, l'île de la Sicile.

La préparation de l'assaut

De puissantes armadas aériennes, aidées de bombardements navals, ont précédé le débarquement des troupes sur cette grande île dont les défenses ont été amollies par des bombardements s'accroissant en intensité depuis des semaines.

Le haut commandement militaire américain a publié un communiqué d'une cinquantaine de mots pour révéler de façon dramatique les premiers détails de la poussée engagée par les troupes dirigées par le général Dwight David Eisenhower. Le bulletin a coïncidé avec une émission de Radio-Alger annonçant cette invasion de grande portée.

A Ottawa, le très hon. M. King, premier ministre du Canada, a annoncé que les soldats canadiens du pays sont «à l'avant-garde d'un assaut qui a pour objectif ultime la capitulation sans conditions de l'Italie et de l'Allemagne».

Les débarquements en Sicile constituent un grand pas vers le nettoyage de la Méditerranée. L'Afrique est aux mains des Alliés, la Sicile est assaillie, la Sardaigne est si près qu'elle ne peut manquer d'être bientôt atteinte, une grande partie du «bas vulnérable» de l'Europe occupée se trouve exposée au feu.

300,000 hommes à faucher

Reste néanmoins la possibilité, sinon la probabilité d'une défense énergique. Les corps allemands et italiens du midi de la presqu'île et des îles ont reçu des renforts récemment. Il est possible que les effectifs de la défense atteignent 300,000 soldats parfaitement instruits, prêts à l'épreuve. (...)

L'occupation alliée de la Sicile améliorerait beaucoup la situation militaire en Méditerranée. Mais il resterait des points névralgiques, entre autres la Crète, en Méditerranée orientale. L'Axe s'en est emparé après avoir franchi les Balkans, en se servant de parachutistes ou de soldats transportés par avion. Depuis il a fortifié l'île. Mais récemment, une expédition britannique a détruit des avions et des installations avant de se rembarquer. Il est probable qu'en outre, elle a rapporté de précieux renseignements, qui serviront pour l'invasion.

Le débarquement

On ignore sur quels points de Sicile les Alliés ont atterri; les experts jugent que les endroits les plus favorables se trouvent sur les côtes du sud et de l'ouest, le grand port de Palerme au nord-ouest. Marsala, à l'ouest, Porto Empedocle, au sud, sont facilement accessibles de la Tunisie, conduisant à la grande plaine centrale, où l'on présume qu'est massé le gros des forces de l'Axe. (...)

Ces deux cartes indiquent les directions suivies par les bombardiers alliés qui ont pilonné la région afin de préparer le débarquement. Soulignons pour les intéressés que le détroit de Messine n'a que deux milles de largeur.

Pour que s'applique l'assurance-maladie

QUÉBEC S'APPRÊTE À FAIRE DES PRESSIONS

QUEBEC — Le gouvernement Bourassa s'apprête à exercer des pressions sur les professionnels de la santé pour qu'ils signent les ententes qui permettront l'application de l'assurance-maladie.

En vertu du bill qui a été voté hier **(10 juillet 1970)** en dernière lecture par 50 voix contre 18, les Québécois ne peuvent toucher en effet à aucun des bénéfices du régime tant que les accords en question n'auront pas été signés et c'est notamment pourquoi Québec est sur le point de montrer les dents.

Un indice de l'attitude du gouvernement au cours des prochains jours est le fait que le premier ministre Bourassa a décidé de prendre une seule semaine de vacances après la session et, bien plus, ne pas aller à un endroit où il ne pourra pas être à la portée du téléphone.

Quant au ministre de la Santé, de la Famille et du Bien-être social, M. Claude Castonguay, il compte prendre deux semaines de vacances après la session. Toutefois, son ministre sera-t-il à la portée du téléphone, mais il sera à moins d'une journée d'avion de la Vieille capitale.

Un avant-goût

Il y a aussi le coup de théâtre qui a marqué la fin des travaux de la Commission parlementaire de la santé où les députés ont fait l'étude détaillée du bill sur l'assurance-maladie. Après s'être toujours montré plus conciliant que l'Union nationale avec les professionnels de la santé, voilà que le gouvernement a durci subitement ses positions.

En effet, non seulement le ministre Claude Castonguay est-il revenu au bill de l'ancien ministre Cloutier pour empêcher que les professionnels de la santé reçoivent quoi que ce soit s'ils n'adhèrent pas au régime, mais il s'est fait aussi accorder le pouvoir de prendre des mesures spéciales pour annuler les conséquences d'un trop grand désengagement. Par exemple, les médecins au service de l'Etat dans les hôpitaux pourront être appelés à rendre temporairement les soins à la place de leurs confrères récalcitrants.

Le fait que le gouvernement ait été très avare d'information au sujet des négociations avec les professionnels de la santé doit être interprété comme sa volonté de franchir l'étape de l'adoption du bill et non pas de se montrer conciliant avec les professionnels de la santé. Maintenant qu'il a fixé le cadre des négociations, le gouvernement ne tardera pas à faire connaître à la population les offres du gouvernement ainsi que les demandes des médecins, des chirurgiens-dentistes et des optométristes.

Le maire d'Oka demande à la SQ d'intervenir

Pour déloger des Mohawks d'un parc

Le maire du village d'Oka, M. Jean Ouellette, a ignoré l'appel au calme lancé par le ministre des Affaires autochtones du Québec, M. John Ciaccia, et a demandé à la Sûreté du Québec de déloger des Mohawks traditionalistes qui occupent un parc de la municipalité.

Visiblement irrité par la crise stagnante qui secoue la petite communauté de 1500 personnes depuis plus de trois mois, le maire Ouellette a affirmé que le ministre «ne connaît pas ses dossiers» et a rejeté la suggestion de reporter ailleurs l'aménagement d'un terrain de golf projeté par la municipalité et revendiqué par les Mohawks.

Pour leur part, les Mohawks traditionalistes qui ont érigé des barricades aux extrémités d'un chemin qui traverse le parc occupé, ont soutenu qu'ils ne bougeraient pas et ont réitéré leur demande de rencontre avec le premier ministre fédéral, Brian Mulroney.

Alors que des hommes aux visages masqués par des foulards, vêtus de combinaisons militaires, observaient la scène de loin, une porte-parole des Mohawks, Mme Ellen Gabriel, a déclaré que les occupants ne déclencheraient pas de violence si la police intervenait. Mme Gabriel a justifié la présence d'armes sur les lieux, en affirmant que les Mohawks défendraient le territoire qu'ils considèrent comme le leur. **(Texte publié le 10 juillet 1990.)**

C'est décidé, Montréal aura du baseball majeur

LA journée du 10 juillet **(1968)** aura été une journée mémorable pour la cause du baseball majeur à Montréal. Alors que les plus pessimistes étaient prêts à parier que les dirigeants de la ligue Nationale allaient retirer la première franchise accordée à une ville canadienne, le petit groupe représentant la ville de Montréal à Houston revenait à Dorval avec une grande victoire.

Les propriétaires de la ligue Nationale, après avoir entendu les porte-parole du groupe formé de MM. Lucien Saulnier et Gerry Snyder, de la ville, et MM. Lorne Webster et John Newman, représentant le groupe de financiers, ont confirmé l'affiliation des villes de San Diego et de Montréal comme membres de la ligue Nationale pour la saison de baseball de 1969.

La ligue a aussi annoncé qu'elle imitait la ligue Américaine et qu'elle se sectionnerait en deux groupes l'an prochain, l'un comprenant les villes de New York, Philadelphie, Pittsburgh, Chicago, St-Louis et Montréal, l'autre San Francisco, Los Angeles, Houston, Cincinnati, Atlanta et San Diego.

C'est une déclaration du président Warren Giles qui a mis fin à toutes les rumeurs selon lesquelles Montréal perdait sa franchise, rumeurs qui avaient pris naissance dans les difficultés de ce groupe montréalais à pouvoir assurer la construction d'un stade.

«La ligue Nationale est très heureuse des progrès réalisés dans les deux villes où elle doit jouer la saison prochaine d'après les dépositions faites par les représentants de ces villes», a dit Giles. Tel que LA PRESSE l'avait annoncé hier, MM. Saulnier et Snyder ont exposé aux dirigeants de la ligue Nationale les plans selon lesquels l'Autostade sera recouvert d'un toit et que le nouveau club pourra y trouver un abri au cours des trois prochaines saisons.

Giles a précisé que selon les représentants de Montréal, le nombre des sièges sera porté de 26,000 à 37,000 à l'Autostade, et la clôture sur la ligne des fausses balles sera située à une distance d'au moins 330 pieds du marbre.

M. Camillien Houde, maire de Montréal, succède à M. Sauvé

(De l'envoyé spécial de la «Presse»)

QUÉBEC — Comme nous l'annoncions dans notre dernière édition d'hier **(10 juillet 1929)**, M. Camillien Houde, maire de Montréal et député de Sainte-Marie, a été unanimement choisi chef de l'Opposition conservatrice provinciale.

Il avait été question au cours de l'avant-midi de plusieurs autres candidats. Un député avait même offert son siège à l'hon. M. Patenaude si celui-ci voulait se laisser porter candidat, mais le nom de M. Houde fut le seul soumis à la convention.

Le choix de M. Houde fut proposé par M. Laurent Barré, appuyé par M. F. Winfield Hackett.

Des acclamations enthousiastes saluèrent M. Houde, qui venait d'entrer quelques instants auparavant dans la salle. Tout le monde réclama que son élection fût unanime.

M. John T. Hackett, un des présidents de l'assemblée, demanda alors s'il y avait d'autres noms à proposer et, comme personne ne se levait, il demanda à l'assistance si c'était son désir que M. Houde fût élu chef du parti conservateur.

«Oui, oui», cria-t-on de toutes parts.

MM. Hackett et Aimé Guertin, présidents conjoints de l'assemblée, proclamèrent alors M. Camillien Houde, chef du parti conservateur.

C'EST ARRIVÉ UN 10 JUILLET

1979 — Mort à l'âge de 84 ans du populaire chef d'orchestre américain Arthur Fiedler, qui dirigea le Boston Pops Orchestra pendant 50 ans.

1978 — La société Cadbury Schweppes-Powell annonce la fermeture de sa confiserie de Montréal.

1973 — Les Bahamas accèdent à l'indépendance.

1971 — Au moins 180 personnes meurent lors d'un coup d'État avorté contre le roi Hassan II du Maroc.

1970 — Le premier ministre islandais, M. Bjarni Benediktsson, sa femme et leur petit-fils périssent dans l'incendie de leur résidence d'été à Thingvallasoen.

1969 — Fin de la grève de 59 jours dans la construction au Québec.

1968 — Le célèbre pédiatre Benjamin Spock est condamné à $5 000 d'amende pour avoir suggéré l'insoumission aux jeunes requis de faire leur service militaire.

1962 — Un satellite expérimental de communications d'un poids de 170 livres, le *Telstar*, est lancé dans l'espace. Il transmet un programme télévisé transatlantique à partir des États-Unis.

1953 — On annonce l'arrestation de Lavrenti P. Beria, chef de la police secrète russe, ministre de l'Intérieur et premier adjoint du premier ministre Malenkov.

1940 — Début de la bataille d'Angleterre par un bombardement intensif des Allemands. — Le maréchal Pétain est investi des pleins pouvoirs en France.

1920 — Le très hon. Arthur Meighen remplace sir Robert Borden à la tête du gouvernement fédéral.

Deux explosions coulent le Rainbow Warrior

Le Rainbow Warrior, un bateau appartenant à l'organisation écologiste Greenpeace, a coulé en rade d'Auckland, en Nouvelle-Zélande, à la suite de deux explosions dont l'origine n'a pas encore été déterminée (le **10 juillet 1985**).

Un photographe portugais, Fernando Pereire, âgé de 33 ans, qui s'était rendu à bord après la première explosion pour déterminer ce qui s'était produit, a été tué dans la seconde déflagration.

C'EST ARRIVÉ UN 11 JUILLET

1989 — Lord Laurence Olivier, universellement reconnu comme le plus grand acteur britannique de sa génération, est décédé à son domicile de Steyning, dans le Sussex, à l'âge de 82 ans.
1983 — Un *B-737* militaire explose en plein vol, en Équateur, faisant 119 morts.
1982 — La Squadra Azurra d'Italie remporte la Coupe du monde de football, en Espagne, surtout grâce à Paolo Rossi.
1980 — Richard I. Queen, l'un des 53 otages détenus depuis la prise de l'ambassade américaine à Téhéran en novembre 1979, est relâché sur l'ordre de l'ayatollah Khomeiny.
1979 — Mort du sénateur Claude Wagner, à l'âge de 54 ans, des suites d'une longue maladie. — La station spatiale américaine *Skylab* se brise en mille morceaux dans l'atmosphère terrestre.
1978 — Un camion transportant du gaz propane explose près d'un terrain de camping, tuant 120 personnes près de Barcelone, en Espagne.
1973 — Un *B-707* des lignes brésiliennes Varig s'écrase à Orly: on dénombre 122 morts.
1967 — Le juge Guy Favreau meurt à Montréal à l'âge de 50 ans.
1966 — Les libéraux, ayant à leur tête Alex Campbell, âgé de seulement 33 ans (un record canadien), défont les conservateurs lors des élections générales, à l'Île-du-Prince-Edouard.
1960 — Un garçonnet de sept ans, Roger Woodward, a sauté, par accident, les chutes Niagara et a survécu sans grand dommage à cette terrifiante aventure. Il est la seule personne au monde qui puisse se vanter d'avoir fait, sans autre protection qu'une bouée de sauvetage et sans y laisser sa vie, ce plongeon de 167 pieds.
1960 — L'Union soviétique révèle qu'elle a abattu dix jours plus tôt un avion de reconnaissance américain *RB-47*.

De la neige un 11 juillet

Rimouski — A 6 heures, ce matin **(11 juillet 1913)**, le temps était très froid, et il est tombé de la neige pendant 5 minutes, chute qu'on n'a jamais vue à cette époque, ici.

Un symbole distinctif

Ottawa (D.N.C.) — M. Wilfrid Lacroix, libéral de Québec-Montmorency, a été hier soir **(11 juillet 1946)** le seul à s'opposer à l'adoption du rapport du sous-comité du drapeau, recommandant les lignes générales de ce qui sera notre emblème national.

Ce dessin constitue une modification de l'enseigne rouge, soit une réduction de l'Union Jack, et une feuille d'érable or sur un fond blanc. (...)

261 morts

Le bilan de la catastrophe aérienne survenue près de l'aéroport de Djeddah, en Arabie saoudite, s'établit à 261 morts, dont 247 passagers et 14 membres d'équipage, ces derniers, pour la plupart, des Canadiens, quatre étant domiciliés au Québec.

Un incendie à bord et l'explosion d'un réacteur ont précédé l'écrasement de l'avion civil, un quadriréacteur DC-8 loué auprès de la compagnie canadienne Nationair et volant sous le nom des Nigerian Airways.

(Texte publié le 11 juillet 1991.)

Nouvelle industrie du fer sur la Côte Nord et accord Québec-Terre-Neuve sur l'électricité

QUEBEC — M. Jean Lesage a annoncé hier **(11 juillet 1963)** à l'Assemblée législative deux nouvelles qui ont été soulignées par des applaudissements nourris et qui touchent à des sujets de la plus brûlante actualité: l'industrialisation du Québec et les négociations avec Terre-Neuve.

1 — La direction des Wabush Mines et les partenaires de cette société ont commencé des travaux de construction en vue de l'ouverture à Pointe-Noire, d'une mine de bouletage — préparation de boulets de minerai de fer — celle-là même que M. Joe Smallwood convoitait pour le Labrador terre-neuvien. Pointe-Noire est située dans le voisinage de Sept-Iles.

2 — Le gouvernement de Terre-Neuve, «British Newfoundland Corporation» — BRINCO—, «Hamilton Falls Power Corporation», «Consolidated Edison» ont accepté définitivement deux principes fondamentaux dans leurs négociations avec Québec pour l'aménagement des chutes Hamilton et de la frontière qui sépare notre province du Labrador. L'Hydro-Québec achètera toute l'électricité produite, sauf celle qui sera nécessaire aux besoins de Terre-Neuve, et l'Hydro-Québec aura le droit de vendre hors de notre province l'électricité qu'elle n'utilisera pas.

Le premier ministre a souligné que le Québec est la province qui est le plus en mesure de profiter de l'énergie électrique de la future centrale des chutes Hamilton *(les chutes portent le nom de «Churchill» depuis 1965)*.

— «Je ne connais pas de pays qui ne considérerait pas comme une bénédiction la possibilité de disposer d'une telle richesse importée à un prix aussi bas que celui que permettront les installations des chutes Hamilton».

M. Daniel Johnson, chef de l'opposition, ayant appris la nouvelle de l'ouverture de l'usine de bouletage à Pointe-Noire, l'avait saluée avec un plaisir mitigé par une certaine crainte:

— «Est-ce que, après avoir reçu un lapin — (l'usine de Pointe-Noire) —, le gouvernement Lesage ne donne pas à Terre-Neuve un cheval — (l'assurance que l'électricité des chutes Hamilton pourra être transportée à travers le territoire québécois) —?

Un compromis satisfaisant

ST-JEAN, Terre-Neuve (PCf) — Le premier ministre de Terre-Neuve, M. Joe Smallwood, a déclaré hier que son gouvernement est parvenu à un compromis très satisfaisant avec la Wabush Iron Company au sujet de l'établissement d'une usine de bouletage à Pointe-Noire, au Québec.

M. Smallwood a précisé qu'en vertu de l'entente, 600,000 actions de la Newfoundland and Labrador Corporation Limited, que le gouvernement de Terre-Neuve avait vendues à la Wabush il y a trois ou quatre ans, sont remises à Terre-Neuve.

En retour, le gouvernement a consenti à ce que la Wabush construise son usine de bouletage à Pointe-Noire plutôt qu'à Wabush, au Labrador. Le transfert des 600,000 actions redonne au gouvernement le contrôle de la NALCO.

Cette entreprise détient des droits de coupe du bois et d'exploitation minière sur près de 25,000 milles carrés au Labrador et sur l'île de Terre-Neuve.

Elle touches des redevances de 32 cents la tonne sur tout le minerai de fer produit sur son territoire du Labrador.

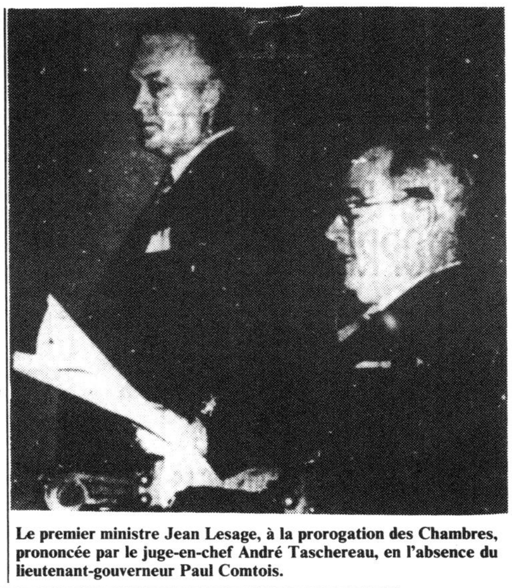

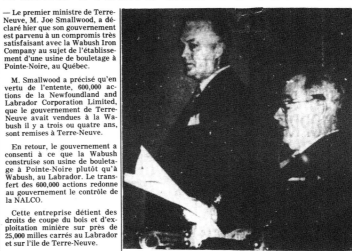

Le premier ministre Jean Lesage, à la prorogation des Chambres, prononcée par le juge-en-chef André Taschereau, en l'absence du lieutenant-gouverneur Paul Comtois.

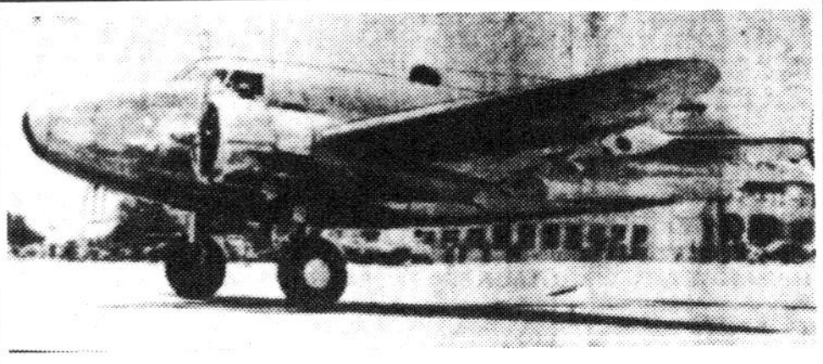

Le *Lockheed 14* utilisé par Howard Hughes pour réussir son exploit.

De New York à Paris en 16 heures

Victorieux, Hughes repart pour Moscou

PARIS — Howard Hughes a atterri à l'aérodrome du Bourget à 11 h. 58 ce matin **(11 juillet 1938)**, après un magnifique raid transatlantique de New York à Paris. C'est la première escale d'un voyage autour du monde.

Le gros bi-moteur tout métal toucha délicatement le sol et roula jusqu'à la porte de l'édifice principal de l'aéroport. Dès l'arrêt des moteurs, l'ambassadeur américain, M. William Bullitt, courut jusqu'à l'avion pour accueillir les aviateurs, les premiers à accomplir cet exploit depuis Lindberg.

Le raid fut réussi en 16 heures, 38 minutes, moins que la moitié du temps — 33 heures et demie— que prit Lindberg en 1927.

A sa descente de l'appareil, Hughes, qui avait pris le temps de mettre une cravate et de se coiffer, déclara qu'il voulait repartir vers la Russie aussitôt que possible.

— Et cela signifie une ou deux heures, a-t-il précisé.

Hughes descendit le premier. Il paraissait fatigué, mais arborait un large sourire. Ses quatre hommes le suivirent et le groupe fut immédiatement présenté aux officiers de l'aéroport.

— Ce fut un beau voyage, dit Hughes. Nous avons fait la traversé en temps record.

On conduisit les voyageurs au bureau du directeur de l'aérodrome, au milieu d'une foule qui les acclamait aux cris de «Vive les Américains».

Des mécaniciens se sont immédiatement mis au travail pour mettre le moteur de l'avion au point. Des camions d'essence sont déjà à remplir les réservoirs, en préparation au départ.

L'avion de Lindberg, le «Spirit of St. Louis» lui avait donné une moyenne de 108.16 milles à l'heure et l'audacieux pilote avait réussi l'envolée à l'aide de quelques instruments rudimentaires.

D'autre part, Hughes était aidé de deux navigateurs, d'un sans-filiste et d'un ingénieur, et pilotait un Lockheed 14, un des plus rapides avions qui soient, avec une vitesse dépassant 200 milles à l'heure. Son appareil est équipé d'une multitude d'instruments et d'indicateurs de toutes sortes. (...)

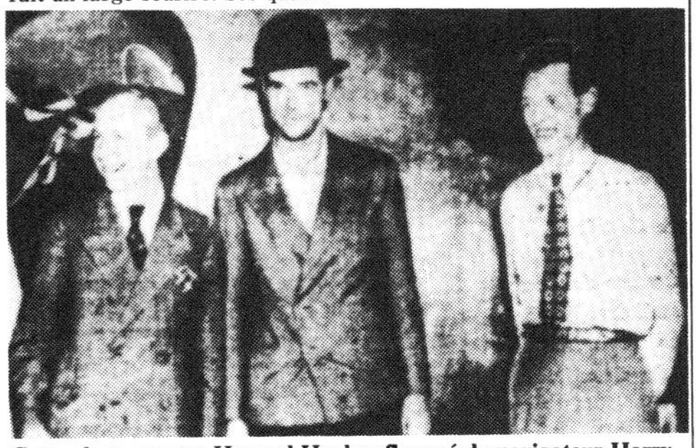

Cette photo montre Howard Hughes flanqué du navigateur Harry Connor (à gauche) et du sans-filiste Richard Stoddard. Le navigateur Tom Thurlow et l'ingénieur Dale Power étaient également du voyage.

Un cas extraordinaire est soumis au coroner Jolicoeur

(Du correspondant de la PRESSE)

QUÉBEC — Le coroner Jolicoeur a tenu, hier **(11 juillet 1927)**, une enquête dans le cas d'un enfant nouveau-né du sexe féminin que des cantonniers ont découvert, sur la voie ferrée, entre Saint-Agapit, comté de Lotbinière, et Craig's Road. L'enfant était né viable. La mort est attribuable à la pression qu'il a fallu exercer sur la victime pour la faire passer par l'ouverture du cabinet d'aisance d'un wagon passant à cet endroit, et à sa chute subséquente sur le rail. Le cadavre était encore frais, au moment de sa découverte. Le coroner a décidé de remettre cette cause entre les mains des détectives de la province. Un verdict de «mort par asphyxie» a été rendu.

Les Jeux de Montréal sont sauvés, mais les Chinois n'y seront pas

LES Jeux olympiques de Montréal sont sauvés! Ils débuteront à la date prévue, samedi le 17 juillet, mais les athlètes de la République de Chine n'y participeront pas en signe de protestation contre l'attitude du Canada et de la commission exécutive du Comité international olympique qui a décidé **(le 11 juillet 1976)** de laisser les Jeux se dérouler.

Cette décision de la commission exécutive du CIO doit cependant être entérinée par une majorité simple des membres du CIO lors de la 78e session mardi à Montréal.

«Nous avons décidé de ne pas annuler les Jeux de Montréal parce que trop de monde en aurait souffert», a indiqué le président du CIO, Lord Killanin, en faisant référence aux athlètes de plus d'une centaine de pays qui se sont préparés, durant plusieurs années, à ce grand rassemblement de la jeunesse du monde ainsi qu'à la ville de Montréal et à l'Association olympique canadienne qui ont rempli leurs engagements.

La commission exécutive du CIO a néanmoins condamné l'attitude d'Ottawa qui aurait violé les accords donnés au Comité international olympique par lettre du 28 novembre 1969 et signée par M. Mitchell Sharp, ex-secrétaire d'État aux Affaires extérieures.

Le maire Jean Drapeau est d'ailleurs venu témoigner samedi après-midi à la commission consultative à l'effet que les accords donnés par le Canada en 1969 ne comportaient aucune restriction envers la République de Chine. L'Association olympique avait fait de même quelques jours auparavant.

Aussi, forte de ces appuis, la commission exécutive a lancé un dernier appel solennel au gouvernement canadien afin qu'il révise son attitude et lui fait endosser l'entière responsabilité pour toute atteinte dont le mouvement olympique pourrait avoir à souffrir.

Depuis son arrivée en terre canadienne le 5 juillet, Lord Killanin a consacré tout son temps à tenter de régler cette épineuse question de l'admission des athlètes de Taïwan. Devant l'échec de la médiation, il a eu hier soir cette réflexion: «Je pense que le monde entier en a assez de la politique». Malgré cette situation, Lord Killanin n'a pas l'intention de démissionner, il va continuer à se battre pour le mouvement olympique, «même si je dois avoir un oeil au beurre noir».

Avec les 8 autres membres de la commission exécutive, Lord Killanin avait pourtant présenté une formule de compromis qui se résumait aux points suivants: la délégation de la République de Chine serait désignée sous l'appellation de «Taïwan», comme à Rome en 1960, les athlètes défileraient sous le drapeau olympique et participeraient à titre d'invités du CIO.

La délégation de Taïwan a rejeté toutes ces propositions au cours des négociations qui se sont déroulées au cours du weekend à l'hôtel Reine-Elizabeth.

«La décision canadienne de ne pas accepter le drapeau et l'hymne national de la délégation de Taïwan constitue un précédent dangereux car jamais auparavant un pays n'a remis en question de tels symboles qui relèvent ordinairement du Comité national olympique du pays représenté au CIO», a dit Lord Killanin. (...)

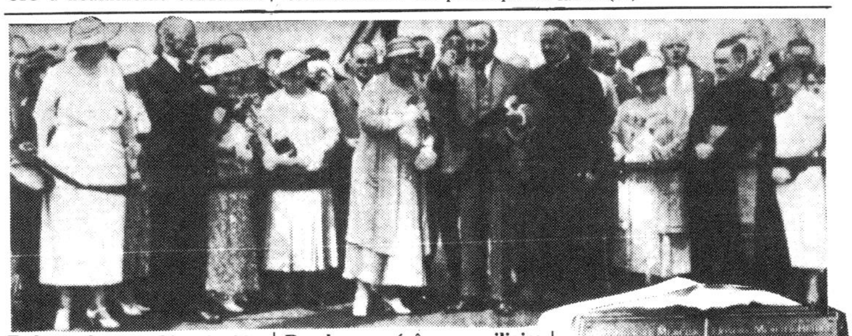

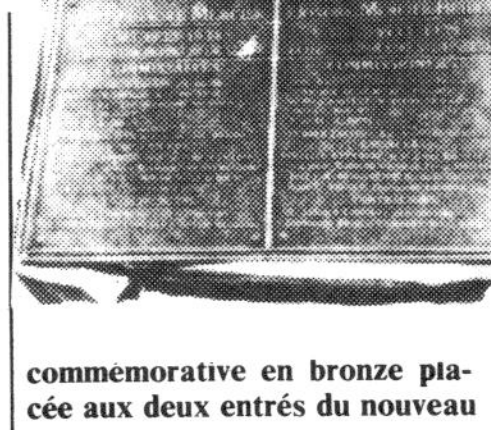

En haut, photographie prise hier *(11 juillet 1934, il y a donc 50 ans cette année)* à l'inauguration officielle du pont Honoré-Mercier (LaSalle-Caughnawaga), au moment où Mme Honoré Mercier, femme du ministre des Terres et Forêts, allait couper le ruban traditionnel. On voit, à la gauche de Mme Mercier, M. J.A. Trudeau, membre de la Corporation du pont du lac Saint-Louis, puis S. E. Mgr Deschamps, évêque auxiliaire de Montréal, qui devait bénir le pont aussitôt après cette cérémonie. On voit également dans le groupe l'hon. Raoul-O. Grothé, président de la Corporation; l'hon. L.-A. Taschereau, premier ministre; l'hon. C.-J. Arcand, ministre du travail; l'hon. Honoré Mercier, M. le chanoine Adélard Harbour, curé de la cathédrale, et autres personnages connus. — En bas, plaque commemorative en bronze placée aux deux entrés du nouveau pont.

Le raid d'Oka foire

L'échec complet de la tentative de raid effectué par la Sûreté du Québec à Oka (**11 juillet 1990**), au nord de Montréal, a plongé le gouvernement du Québec dans une crise majeure et gonflé la détermination des Mohawks qui bloquent maintenant toute circulation sur un tronçon routier d'Oka et sur le pont Mercier, menant sur la rive sud de Montréal.

Arrivé en renfort de Québec, le caporal Marcel Lemay, 31 ans, a été abattu d'une balle au coeur, lorsque les policiers de la Sûreté du Québec ont investi en nombre le terrain boisé où sont encore barricadés les Mohawks, à Oka.

Au moment de la fusillade, survenue vers 8 h 40, le caporal Lemay était dans un bosquet, à une dizaine de mètres de la barricade. Le membre du groupe d'intervention de l'unité d'urgence de la SQ de Québec s'est écroulé, mortellement touché. L'échange de coups de feu a immédiatement cessé, et les agents de la SQ ont évacué leur collègue blessé. Le policier a été transporté d'urgence à Saint-Eustache où il est mort, vers 10 h 15.

L'affrontement entre policiers et Mohawks a duré un peu plus de trois heures. Une tentative de démantèlement de la barricade, qui longeait la route 344, a dégénéré en fusillade nourrie entre policiers et autochtones. Des centaines de coups de feu ont été tirés, souvent à l'aveuglette ou à travers un écran de gaz lacrymogènes, même si la fusillade n'a duré qu'une vingtaine de secondes.

Le raid de la SQ a été un échec sur tous les plans. En plus de coûter la vie à un policier, l'opération s'est soldée par un renforcement des barricades des Mohawks.

Le retrait des policiers a provoqué une véritable frénésie chez les Mohawks, qui ont détruit six véhicules laissés derrière par les policiers en déroute.

C'EST ARRIVÉ UN 12 JUILLET

1983 — Les Chiliens défient le régime Pinochet malgré les arrestations et la censure.

1980 — Au 21e jour de la vague de chaleur qui frappe les États-Unis, les morts se chiffrent par 382.

1979 — L'hôtel Corona d'Aragon, de Saragosse, est détruit par les flammes : 80 morts et 47 blessés.

1977 — Le président Carter, des États-Unis, donne le feu vert à la bombe à neutrons.

1976 — La Cour suprême du Canada déclare dans un jugement majoritaire, que la Loi anti-inflation est conforme à la Constitution.

1975 — On annonce que les 28 victimes de la thalidomide toucheront globalement $7 millions.

1974 — John Ehrlichman, ex-conseiller du président Nixon, est reconnu coupable de complot et de faux témoignage.

1969 — Des émeutes éclatent à Belfast et dans plusieurs autres localités, à l'occasion de la commémoration, par les protestants, de la victoire de Guillaume d'Orange sur le catholique Jacques II, en 1660.

1968 — La police arrête la projection d'un film accepté préalablement par la censure.

1963 — Le monument de la reine Victoria à Québec est détruit par une explosion de dynamite.

1961 — Un satellite *Midas* de 3 500 livres, destiné à repérer le lancement de projectiles ennemis, est mis sur orbite de Point Arguello, en Californie, par l'Aviation américaine. — Un satellite météorologique de 285 livres, le *Tiros III*, est mis sur orbite par la NASA, à Cape Canaveral, en Floride.

1960 — Nomination de M. Roger Duhamel comme imprimeur de la Reine. — Création d'un Conseil du trésor, responsable de scruter toute dépense du gouvernement du Québec supérieure à $15 000.

1949 — Un *Constellation* de KLM s'écrase sur une montagne près de Bombay, en Inde. Parmi les 49 morts, on remarque les noms de 14 éminents journalistes américains.

1946 — Aux Communes, les avis étant trop partagés, la question de l'adoption d'un drapeau national est remise lorsque le comité du drapeau recommande le « Red Ensign » comme étendard national.

1940 — Arrivée de 2 000 autres enfants réfugiés provenant de Grande-Bretagne.

1937 — Inauguration à la bibliothèque municipale de la première école française de bibliothéconomie d'Amérique.

1929 — Les aviateurs Mendell et Reinhart redescendent au sol après avoir volé pendant plus de 246 heures. — Départ de l'aéroport de Cartierville du *Champlain*, qui tentera d'effectuer le premier vol continental jusqu'à Vancouver.

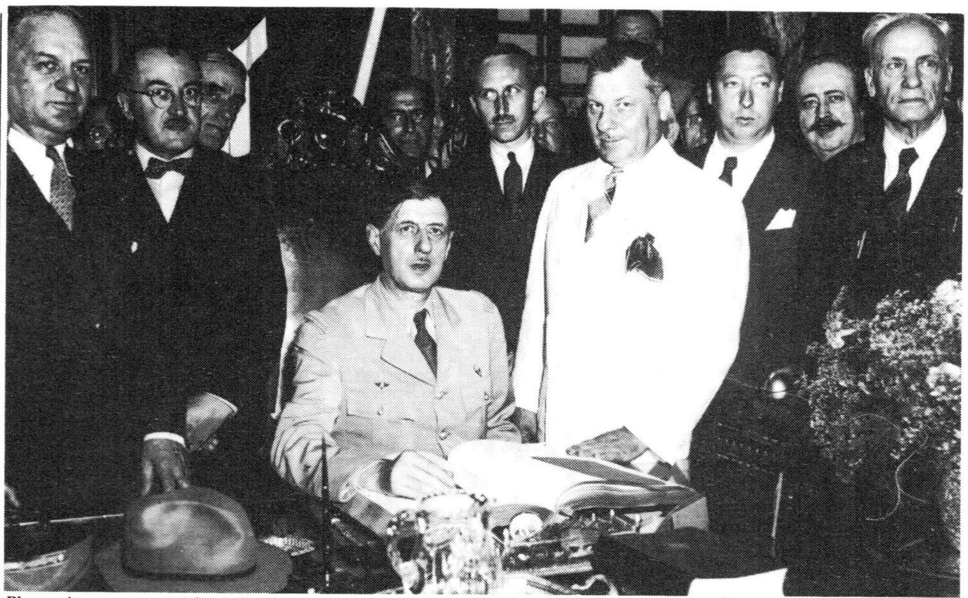

Photo prise au moment où le général Charles de Gaulle se préparait à signer le livre d'or, au bureau du maire Adhémar Raynault. Apparaissent sur la photo, de gauche à droite: J.-O. Asselin, président du comité exécutif; Georges Guévremont, commissaire; Émile Naud, conseiller; de Gaulle; Hector Lortie (derrière la chaise), conseiller; George Marler, vice-président du comité exécutif; le maire; R.F. Quinn, commissaire; le Dr Eudore Dubeau, conseiller; et A.-E. Goyette, leader du conseil.

Cordiale bienvenue au général de Gaulle

LE général de Gaulle, président du Comité français de la Libération nationale, est descendu de son avion, à l'aéroport de Dorval, quelques minutes après midi et demi **(le 12 juillet 1944)**. Il était accompagné du général Béthouard. Il a adressé le salut militaire à la foule de civils, de militaires, d'aviateurs et de marins.

Puis il s'est avancé vers le drapeau français hissé à son arrivée. Les assistants ont entonné la Marseillaise. Son honneur le maire de Montréal, M. Adhémar Raynault, a ensuite serré la main au général de Gaulle pour lui souhaiter la bienvenue. L'illustre visiteur a ensuite reçu l'accueil du vice-maréchal de l'air Adélard Raymond, du capitaine J.E.W. Oland, du lieutenant-colonel Kippen, représentant respectivement l'aviation, la marine et l'armée canadiennes.

Le général de Gaulle a passé en revue deux groupes d'aviateurs français à l'instruction au pays; le premier était revêtu de l'uniforme bleu, le second de l'uniforme kaki.

Le général a aussi passé en revue un détachement de 100 aviateurs canadiens, commandé par le chef d'escadrille Langlois. (...)

De Dorval le général de Gaulle et ses hôtes se rendaient à l'hôtel de ville de Montréal — (où il a signé le livre d'or en présence de dignitaires). (...)

Le départ de Montréal

Le général de Gaulle est parti de Montréal au milieu de l'après-midi.

La visite du général de Gaulle à Montréal a été brève. Elle n'a duré que quelques heures. Descendu à 12 h. 45 à Dorval du puissant avion américain à quatre moteurs qui l'a conduit d'Algérie à Washington, puis de Washington à New York, à Ottawa, à Québec, et enfin à Montréal, il repartait à quatre heures.

Son passage en trombe à Montréal laissera quand même de profonds souvenirs chez tous ceux qui l'ont entendu, qui ont eu l'occasion de lui serrer la main.

Au moment de remonter dans l'avion, le chef de la résistance française à l'extérieur, a remis au premier ministre de la province de Québec, l'hon. Adélard Godbout, le message de gratitude et de confiance que voici:

«*Au moment de quitter le Canada, je tiens à vous exprimer, monsieur le premier ministre, mes vifs remerciements pour l'accueil que vous-même, les membres de votre gouvernement et la population canadienne avez voulu me réserver. Nous avons trouvé à Ottawa, à Québec, à Montréal, une émouvante confirmation de l'amitié fraternelle de la France et du Canada. Cette amitié est consacrée à nouveau par le sang des soldats canadiens et par celui des soldats français qui coulent dans la bataille commune. Bientôt, après la victoire, le Canada et la France y trouveront le meilleur élément de leur confiante coopération dans la paix.*

(*Signé*) CHARLES DE GAULLE

Au vrombissement du quadrimoteur se sont mêlés les cris de: Vive de Gaulle! Vive la France! Les témoins du départ ont longuement suivi des yeux l'avion qui ramenait à la lutte pour la libération de la France celui que plusieurs pays ont reconnu comme le chef du gouvernement provisoire. (...)

Foyer de propagande nazie découvert à Montréal

DES agents de la police provinciale, conjointement avec la Gendarmerie royale canadienne, ont mis à jour **(le 12 juillet 1940)** un nid de propagande nazie, muni d'un poste à ondes courtes, d'une très grande puissance, pouvant recevoir des radiodiffusions de Berlin, Allemagne et en expédier de Montréal.

Ce foyer allemand était sis 3499, boulevard Saint-Laurent, un peu plus haut que la rue Sherbrooke. Le propriétaire est M. Kilbertus, âgé d'environ 55 ans, d'origine yougoslave et naturalisé canadien depuis le mois de mai 1939. Dans son magasin, on a trouvé environ 15,000 revues, brochures et tracts, en langue allemande et d'attaches nazies très accentuées et plus de 1,000 documents se rapportant tous à l'Allemagne nazie.

M. Kilbertus a été placé immédiatement sous arrêt, en vertu de la Loi des mesures de guerre du Canada. Pour transporter toute cette littérature, il a fallu utiliser des camions.

Kilbertus l'inculpé paraissait très nerveux et suivait le déménagement de son étrange librairie, avec des yeux hagards.

Une revue: la «J.B. Juftrierter Beobacher», illustrée copieusement et rédigée en langue allemande, paraissait à première vue être au service d'Adolf Hitler et de son état-major.

Un citoyen de la partie est de la ville a fait tenir ce matin tout un colis de circulaires à tendances subversives, qui auraient été distribuées au cours de la nuit dernière. On y remarque des cartes, une lettre polycopiée dont le texte est contraire à l'effort de guerre du Canada.

Des affiches ont été distribuées un peu partout dans les environs du port de Montréal, mettant en garde marins, débardeurs, arrimeurs, contre les indiscrétions. Le texte est en français et en anglais et se lit comme suit: Méfiez-vous. L'ennemi guette chacune de vos paroles. Celles qui peuvent lui être utiles peuvent aussi vous être fatales. Etre discret, c'est servir.

Le marquis Charles de Montcalm à Ticondéroga

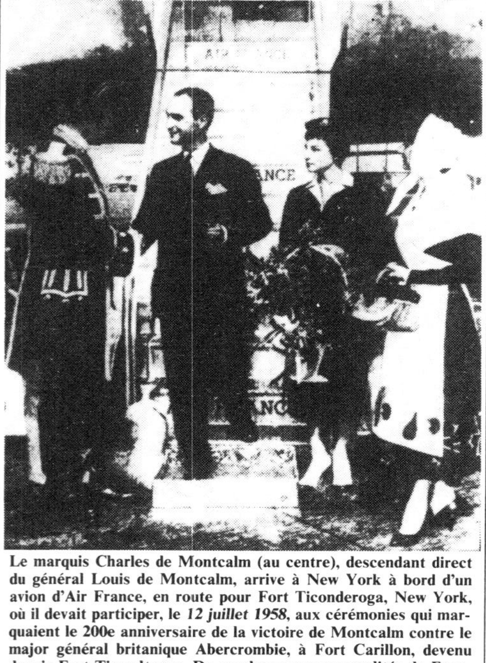

Le marquis Charles de Montcalm (au centre), descendant direct du général Louis de Montcalm, arrive à New York à bord d'un avion d'Air France, en route pour Fort Ticonderoga, New York, où il devait participer, le *12 juillet 1958*, aux cérémonies qui marquaient le 200e anniversaire de la victoire de Montcalm contre le major général britannique Abercrombie, à Fort Carillon, devenu depuis Fort Ticonderoga. De nombreuses personnalités de France, de Grande-Bretagne, des États-Unis et du Canada participèrent à ces fêtes hautes en couleurs.

LE CAPITAINE DREYFUS N'A PAS TRAHI LA FRANCE

PARIS — Le tribunal de la Cour de Cassation a donné aujourd'hui **(12 juillet 1906)** sa décision au sujet de l'affaire Dreyfus. Dreyfus est acquitté et il n'y aura pas lieu de procéder à un second procès. Cette décision rend à l'accusé son rang dans l'armée tout comme si aucune accusation n'avait été portée contre lui.

La décision de la Cour de Cassation a été lue au milieu du plus profond silence par le président, M. Ballot-Beaupré et la scène était des plus impressionnantes. Quarante-neuf juges, vêtus de robes rouges, siégeaient tout autour de l'hémicycle du Tribunal.

Les amis de Dreyfus et ses parents étaient présents, mais il n'était pas là lui-même.

Pour le bénéfice de ceux qui connaîtraient mal la mésenture de Dreyfus — un juif — voici le résumé de son dossier:

— Le 14 octobre 1894, alors qu'il est âgé de 25 ans, il est arrêté sous une accusation d'espionnage. Deux mois plus tard, il est jugé par un conseil de guerre et condamné à la dégradation et à la déportation à l'Ile du Diable.

— Au cours de l'année suivante, le colonel Picquart, chef du Bureau de renseignement au ministère de la Guerre, reconnut que la preuve était beaucoup plus incriminante pour le major comte Esterhazy que pour Dreyfus. Mais il fut remplacé par le colonel Henry avant d'avoir eu le temps d'établir l'innocence de Dreyfus.

— Le 15 novembre 1897, Dreyfus accuse Esterhazy d'avoir rédigé les documents ayant servi à l'incriminer. Jugé par un conseil de guerre, Esterhazy est acquitté.

— Nommé ministre de la Guerre, M. Cavaignac fait arrêter et dégrader le colonel Picquart qui a qualifié de faux et de fabriqués les documents utilisés par le ministre à l'Assemblée nationale pour «prouver la culpabilité» de Dreyfus.

— En août 1899, dans le sillage d'un deuxième Conseil de guerre survenu après que le colonel Henry eut admis avoir fabriqué des faux pour faire condamner Dreyfus, et malgré les nombreuses tortures imposées à ce dernier à l'Ile du Diable, Dreyfus n'en est pas moins reconnu coupable encore une fois et condamné à 10 ans de pénitencier.

— Heureusement, Dreyfus recevra quelque temps plus tard un pardon complet du président Loubet et sera libéré. Mais les amis de Dreyfus insistaient pour une exonération complète, et leur patience fut récompensée en avril 1906.

— Ironie du sort, Dreyfus mourait le ***12 juillet 1935,*** *29 ans, jour pour jour, après son triomphe devant la Cour de Cassation.*

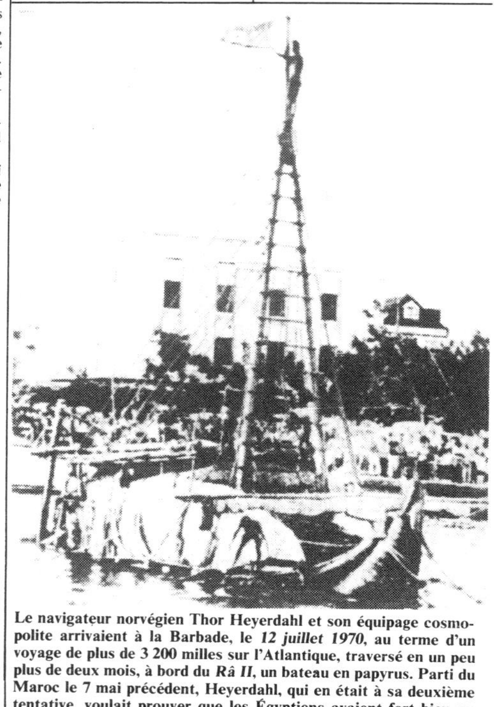

Le navigateur norvégien Thor Heyerdahl et son équipage cosmopolite arrivaient à la Barbade, le *12 juillet 1970*, au terme d'un voyage de plus de 3 200 milles sur l'Atlantique, traversé en un peu plus de deux mois, à bord du *Râ II*, un bateau en papyrus. Parti du Maroc le 7 mai précédent, Heyerdahl, qui en était à sa deuxième tentative, voulait prouver que les Égyptiens avaient fort bien pu traverser l'Atlantique, bien avant Christophe Colomb et les Vikings.

La France triomphe !

Sur le corner tiré au cordeau, Zidane s'est élevé au-dessus du pauvre Leonardo. Il a catapulté la balle de la tête avec une violence inouïe. Taffarel, le gardien du Brésil a figé. La France menait 1-0.

Cinquante-neuf millions de Français ont regardé leur montre et ont vu qu'il leur restait un peu plus d'une heure à attendre ce qu'ils attendaient depuis mille ans. (En fait, 73 ans, mais c'est pareil)

Autre corner. Encore la tête pelée de Zidane au-dessus des têtes brésiliennes. Même résultat. La France menait 2-0. À partir de là le Brésil n'a plus existé. Ronaldo? Ronaldo qui ?... Emmanuel Petit devait ajouter un troisième but juste avant que l'arbitre ne siffle la fin. Après mille ans d'attente, après trois échecs en demi-finale, la France gagnait le Mondial.

Sauvée par un Noir en demi-finale, sacrée championne du monde par un Maghrébin en finale, c'est la France des immigrés, des banlieues, la France plurielle qui a triomphé aujourd'hui.

(Texte publié le 12 juillet 1998.)

Montréal ordonne de démolir Corridart

CORRIDART n'est plus. Ainsi en a décidé hier **(13 juillet 1976)** le comité exécutif de la Ville de Montréal pour des raisons qui demeurent encore obscures.

Dès les premières heures de la nuit, des équipes des travaux publics ont entrepris de faire disparaître photos, échaufaudages et sculptures du plus important projet du programme Arts et Culture des Jeux olympiques subventionné par le gouvernement du Québec.

Pourquoi avoir démoli cet ensemble artistique faisant revivre les moments historiques de la rue Sherbrooke?

Le vice-président du comité exécutif, M. Yvon Lamarre a révélé hier soir à LA PRESSE qu'il n'était pas prêt à commenter immédiatement cette décision. «Le comité a décidé de faire enlever ces choses-là, c'est tout ce que je peux dire. Nous apporterons des éclaircissements au cours des prochaines heures», a promis M. Lamarre.

Pour sa part, M. Lawrence Hanigan s'est dit dans l'impossibilité de fournir la moindre explication, ayant dû s'absenter au moment où la décision fut prise.

Le mystère entourant la décision du comité exécutif a suscité beaucoup de rumeurs la nuit dernière. L'une d'elles voulait qu'une requête policière soit à l'origine de la démolition de «Corridart».

Toutefois, les policiers n'ont pas tardé à réagir.

«Si les autorités de la Ville de Montréal ont décidé de mettre fin à Corridart, elles ne doivent pas faire passer leur décision sur le dos de la police», a déclaré un porte-parole du Comité principal de sécurité publique des Jeux olympiques (CPSPJO).

Ce dernier a précisé que la question de Corridart avait été discutée lundi, lors de la réunion quotidienne des responsables de la sécurité olympique; après discussions, ceux-ci ont établi qu'aucune raison sécuritaire ne pouvait justifier une opposition à ce projet artistique.

Une autre rumeur encore plus persistante, voulait que le maire Jean Drapeau soit le principal artisan de la démolition de Corridart.

Chose certaine, la décision de mettre fin à Corridart avait été prise bien avant la réunion du comité exécutif. Dès hier matin, les employés des travaux publics avaient été invités à faire du temps supplémentaire.

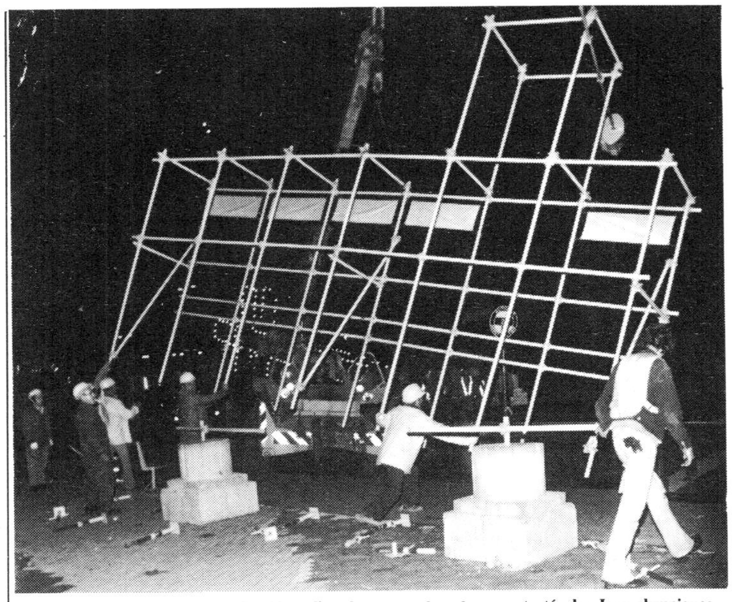

Le démantèlement de nuit de Corridart, l'un des gestes les plus contestés des Jeux olympiques.

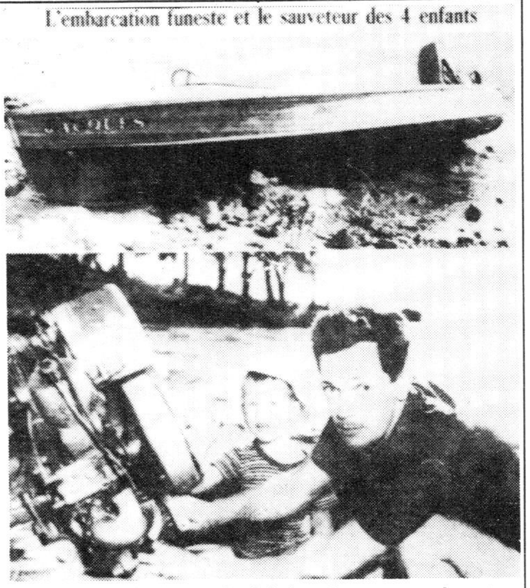

L'embarcation fatidique, à bord de laquelle une panne de moteur provoqua la panique. M. Arthur Robichon, qui sauva la vie de quatre bambins, photographié en compagnie de son fils Yves.
(clichés LA PRESSE, par René Bénard)

12 ENFANTS SE NOIENT À L'ÎLE BIZARD

Une chaloupe portant 18 personnes chavire.

ILE Bizard, — Une joyeuse excursion d'enfants montréalais, au bord du lac des Deux-Montagnes, s'est terminée hier après-midi **(13 juillet 1954)** par l'une des plus affreuses tragédies qui se soient produites dans la région depuis de nombreuses années, lorsqu'une chaloupe à moteur s'est soudainement emplie d'eau et a chaviré. Douze des enfants, âgés de six à 11 ans, qui y avaient pris place, se sont noyés.

L'accident s'est produit à la plage aux Carrières, île Bizard, à un moment où le vent était assez fort et où les eaux du lac étaient agitées.

Les victimes, à l'exception d'une seule, étaient de jeunes noirs montréalais, qui s'étaient rendus à un pique-nique organisé par le Negro Community Center, organisme de bienfaisance de la population noire de Montréal.

Hier soir, les corps de quatre des enfants avaient été repêchés du lac des Deux-Montagnes et les recherches, entreprises dès après la tragédie, qui s'est produite à 1 h. 15, se sont poursuivies sans interruption jusqu'à très tard dans la nuit et en sont reprises ce matin. A midi, on a repêché le corps d'un cinquième enfant, une fillette. (...)

Un témoin de l'accident

A l'exception des personnes se trouvant dans l'embarcation qui allait chavirer, la première personne à se rendre compte des difficultés dans lesquelles elles se trouvaient fut probablement le chauffeur de l'autobus dans lequel les enfants s'étaient rendus à la plage de l'île Bizard.

M. Léon Claing, 32 ans, 5460, rue Noiseux, à S.-Hyacinthe, qui est à l'emploi de la Compagnie de transport provincial, se trouvait non loin du bord de l'eau lorsqu'il constata que la chaloupe à moteur hors-bord penchait dangereusement d'un côté.

«Je me dis aussitôt que tout ne semblait pas normal et j'ai craint que l'embarcation ne chavire, projetant les nombreux enfants et les deux hommes qui s'y trouvaient dans le lac.»

Quelques instants plus tard, M. Claing constatait que sa crainte n'était que trop fondée.

«Je remarquai que le propriétaire de la chaloupe arrêtait le moteur et sautait à l'eau, du côté opposé à celui vers lequel la chaloupe penchait. De ses deux mains, il tenta de rétablir l'équilibre de l'embarcation en essayant de la faire pencher de son côté. Il en fut cependant incapable et les enfants ont tous été projetés à l'eau.»

LE COMMUNISME EXCOMMUNIÉ

CITÉ du Vatican —Le Vatican a annoncé, hier soir **(13 juillet 1949)**, que tous les catholiques du monde entier appuyant le communisme sont automatiquement excommuniés.

Cette mesure d'un caractère à la fois profond et historique est contenue dans un décret de la Sacrée Congrégation du Saint-Office et approuvée par S.S. le pape Pie XII.

Elle met en demeure les catholiques de choisir entre le catholicisme et le communisme, entre Rome et Moscou.

Elle proscrit des milliers de prêtres et des centaines de millers, sinon des millions, de fidèles qui, dans des pays aussi fortement catholiques que l'Italie, la France, la Tchécoslovaquie et la Pologne, se disent à la fois catholiques et communistes.

Effets de l'excommunication

L'excommunication est majeure. Elle prive tous ceux qui en sont frappés de la réception des sept sacrements de l'Eglise, tels que la confirmation, la confession, le mariage et l'extrême-onction.

Même la lecture des ouvrages communistes est interdite à ceux qui veulent demeurer dans l'Eglise.

La décision du Vatican est sans précédent. Le Pape et ses évêques ont averti les catholiques de la faute mortelle qu'ils commettent en professant le communisme.

Melina Mercouri perd sa citoyenneté

NEW YORK — «Toute ma vie je lutterai contre le gouvernement grec. J'aiderai le peuple grec à recouvrer sa liberté. Personne ne peut me prendre ma citoyenneté», a déclaré hier **(13 juillet 1967)** l'actrice Melina Mercouri, l'interprète mondialement connue du film «Les enfants du Pirée», au cours d'une conférence de presse qu'elle donnait dans un hôtel de New York.

Pâle, les traits tirés, dans une robe noire classique, l'actrice avait appris quelques heures auparavant que le gouvernement d'Athènes avait promulgué un décret lui retirant sa nationalité.

C'EST ARRIVÉ UN 13 JUILLET

1995 — Les traditions se perdent : le concours de Miss America, qui fêtera cette année son 75e anniversaire, ne comportera désormais plus de défilé des candidates en maillot de bain. Si le jury « veut juger le physique des candidates, il y a d'autres moyens pour cela, et nous l'avions souligné auprès des organisateurs », a expliqué Irvin Reed, qui fut membre du jury en 1993.

1980 — Le président du Botswana, sir Seretse Khama, meurt du cancer à l'âge de 59 ans. Il était au pouvoir depuis l'accession de son pays à l'indépendance en 1966.

1977 — La ville de New York est plongée dans l'obscurité à la suite d'une panne générale d'électricité qui durera jusqu'à 25 heures en certains endroits. Dix millions de personnes se trouvent privées d'électricité.

1974 — Dans son rapport, la commission sénatoriale Ervin affirme que l'administration Nixon prenait tous les moyens, même illégaux, pour se défendre.

1969 — L'URSS lance un vaisseau spatial inhabité en direction de la Lune, dans le but évident de «couper l'herbe sous le pied» à *Apollo XI*.

1966 — Les employés d'Hydro-Québec reprennent le travail après trois mois de grève.

1961 — James E. Coyne, gouverneur de la Banque du Canada, démissionne après une controverse avec Donald Fleming, ministre des Finances, au sujet de la politique monétaire du Canada.

1960 — Les démocrates choisissent John F. Kennedy comme candidat à la présidence des États-Unis dès le premier tour de scrutin.

Le «patronage» aboli au Service civil

QUÉBEC — Les fonctionnaires provinciaux devront à l'avenir cesser d'exiger de ceux qui sollicitent des emplois ou désirent transiger avec le gouvernement qu'ils soient porteurs de lettres de recommandation de leur député ministériel ou du candidat libéral défait. Cela sous peine de renvoi.

Un avertissement formel en ce sens et signé du premier ministre a été adressé, hier **(13 juillet 1960)**, à tous et chacun des employés provinciaux. Il s'agit de ce que l'on pourrait qualifier de deuxième manche de la bataille engagée pour mettre fin au «patronage».

L'hon. Jean Lesage a fait part, hier, aux journalistes du texte de cet avis, au terme d'un caucus des candidats élus et défaits de son parti aux élections du 23 juin. Cet avis se lit comme suit:

«En vertu d'une pratique condamnable qui s'est propagée au sein du fonctionnarisme provincial, certains fonctionnaires, à divers échelons de l'administration, suggèrent aux personnes qui sollicitent un emploi ou qui désirent transiger avec le gouvernement de leur apporter une lettre de recommandation de leur député ministériel ou du candidat libéral défait.

«Cette pratique est absolument contraire à la politique du gouvernement que je dirige ainsi qu'à la bonne administration de la province.

«Les employés du gouvernement devront mettre fin immédiatement à cette pratique inacceptable sous peine de renvoi.»

Une bonne partie du caucus d'hier a d'ailleurs porté sur ce grave problème du patronage. Lors du premier caucus, tenu dans la semaine qui a suivi la victoire libérale, M. Lesage avait fait part à tous ses lieutenants de l'intention arrêtée de la nouvelle administration de faire cesser le patronage sous toutes ses formes. Le premier ministre a lui-même rappelé la chose, hier, soulignant qu'il y avait eu unanimité lors de cette première rencontre.

«Mais, a dit le premier ministre, les décisions prises par le premier caucus au sujet du patronage n'avaient pas été **parfaitement comprises par une minorité. Cet après-midi, nous avons parfaitement clarifié ces choses et aboli définitivement le patronage et les prébendes.»**

M. Lesage a précisé que les ministres ont expliqué tant aux députés qu'aux candidats libéraux défaits, les procédures prises par eux pour mettre fin au régime du patronage et des «patroneux». (...)

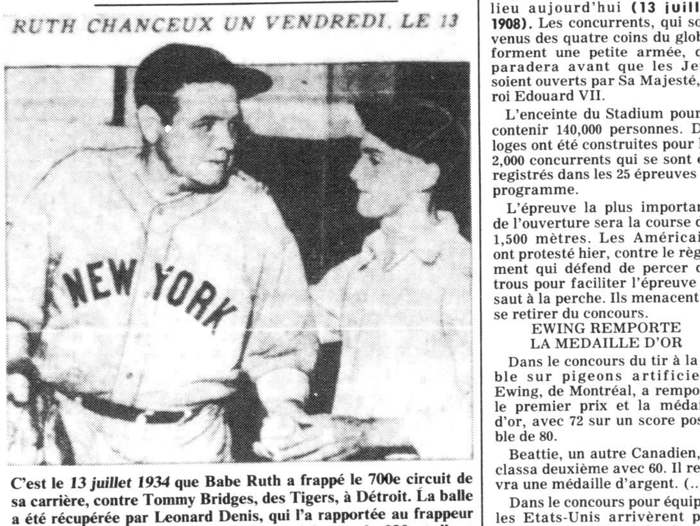

C'est le *13 juillet 1934* que Babe Ruth a frappé le 700e circuit de sa carrière, contre Tommy Bridges, des Tigers, à Détroit. La balle a été récupérée par Leonard Denis, qui l'a rapportée au frappeur vedette des Yankees de New York, en échange de $20 et d'une balle autographiée de la main de Ruth.

OUVERTURE DES JEUX OLYMPIQUES

Un Montréalais gagne au tir aux pigeons

LONDRES — L'ouverture des Jeux Olympiques aura lieu aujourd'hui **(13 juillet 1908)**. Les concurrents, qui sont venus des quatre coins du globe, forment une petite armée, qui paradera avant que les Jeux soient ouverts par Sa Majesté, le roi Edouard VII.

L'enceinte du Stadium pourra contenir 140,000 personnes. Des loges ont été construites pour les 2,000 concurrents qui se sont enregistrés dans les 25 épreuves du programme.

L'épreuve la plus importante de l'ouverture sera la course des 1,500 mètres. Les Américains ont protesté hier, contre le règlement qui défend de percer des trous pour faciliter l'épreuve du saut à la perche. Ils menacent de se retirer du concours.

EWING REMPORTE LA MEDAILLE D'OR

Dans le concours du tir à la cible sur pigeons artificiels, Ewing, de Montréal, a remporté le premier prix et la médaille d'or, avec 72 sur un score possible de 80.

Beattie, un autre Canadien, se classa deuxième avec 60. Il recevra une médaille d'argent. (...)

Dans le concours pour équipes, les Etats-Unis arrivèrent premiers avec 407, et le Canada deuxième, avec 405.

Le procureur général annonce la refonte totale de la Commission des liqueurs dès la prochaine session

QUÉBEC — Le procureur général, M. Georges Lapalme, a annoncé aujourd'hui **(13 juillet 1960)** la démission du directeur de la Commission des liqueurs, M. Edouard Rivard, et la nomination de Me Lucien Dugas, de Joliette, comme son successeur. M Dugas est un ancien président de l'Assemblée législative et un ancien président de la Commission des services publics.

M. Lapalme a également annoncé que la structure de la Commission serait refondue de façon radicale, en sorte qu'elle devienne un organisme «quasi judiciaire» qui prendra connaissance des requêtes de permis au cours de séances politiques.

La législation sans laquelle les changements envisagés ne pourraient s'effectuer sera proposee à l'Assemblée dès la prochaine session, a précisé M. Lapalme dans une conférence de presse. Le statut du directeur de la Commission sera sensiblement modifié: ce dernier se verra confier des pouvoirs de plus grande envergure.

Nouveau nom

Le nom de la Commission, entre autres choses, est appelé à changer. M. Lapalme n'a rien dit du nouveau nom qu'on se propose de lui donner, mais on croit savoir dans les milieux bien informés qu'elle s'appellera, après la réorganisation, la «Régie des alcools et des vins». Les puristes se réjouiront les premiers de cette transformation, puisque dans le sens qu'on lui donne, le mot «liqueurs» est un anglicisme.

Mais la grande modification, naturellement, reste celle de la structure de l'organisme qu'on désire soustraire entièrement au jeu de la politique.

«Tel que déjà annoncé par le premier ministre, a expliqué le procureur général, il y aura un changement radical dans la structure de la Commission des liqueurs, car nous avons l'intention, dès la prochaine session, de présenter une législation en vertu de laquelle cette commission deviendra un organisme quasi judiciaire.

«C'est ainsi par exemple que les demandes de permis, de transfert ou de rénovation de permis seront entendus publiquement, comme cela se fait présentement à la Régie des transports.»

Déluge à Montréal

De nombreux automobilistes ont été forcés d'abandonner leur voiture sur l'autoroute Décarie (le 14 juillet 1987). Ce déluge aura occasionné des pertes matérielles de plusieurs millions de dollars.

Pendant plusieurs heures, Montréal et des villes de la périphérie, plus particulièrement Saint- Laurent, ont vécu des moments dramatiques qui leur donnaient l'allure de villes sinistrées, emprisonnées sous des tonnes d'eau.

Il est tombé 55 millimètres de pluie en l'espace de quatre heures, les précipitations violentes paralysant la circulation automobile sur l'ensemble du réseau routier de la métropole, causant des inondations aussi importantes que nombreuses qui ont englouti des centaines de véhicules et occasionné d'innombrables pannes de courant, en plus d'entraîner la mort d'au moins deux personnes et de forcer la direction du quotidien *Le Devoir* à contremander son édition d'aujourd'hui.

Les services de transport en commun ont également été perturbés, tandis que toutes les lignes de métro ont été paralysées durant plusieurs heures, à l'exception de celle conduisant à Longueuil, forçant des milliers d'usagers à faire le pied de grue aux arrêts d'autobus qui ne venaient pas, ou à tenter de héler des taxis introuvables, ou encore à attendre qu'un parent ou un ami ne vienne les chercher ou qu'un voisin ou un samaritain ne les prenne à son bord.

Il pleuvait déjà depuis un bout de temps, quand soudainement le Niagara s'est abattu sur l'autoroute Décarie, emprisonnant des dizaines d'automobiles.

« J'avais vu ça une seule fois dans ma vie, c'était à Bombay, en Inde, il y a une douzaine d'années. Nous étions en pleine saison des pluies. C'était pareil », raconte Gary Sheppard, de Notre-Dame de Grâces, à Montréal, dont la voiture était encore immobilisée dans un lac d'un demi-kilomètre, en direction nord, au milieu de la soirée.

« Même avec les balais de pare-brise, je ne voyais pas tellement il tombait d'eau, tellement les vitres se sont embuées. Des voitures arrêtaient, d'autres forçaient l'allure pour s'immobiliser un peu plus loin, tout le trafic était finalement paralysé et l'eau a commencé à monter. Les occupants sont sortis en même temps des voitures », poursuit M. Sheppard, 32 ans, un gaillard de six pieds trois pouces qui, debout près de sa voiture, avait de l'eau à la ceinture.

Le déluge a immobilisé les autos sur l'autoroute Décarie

Le plus gros gâteau du monde

La France et les Français de Montréal ont offert aux Montréalais, pour leur fête du 14 juillet (1992), « le plus gros gâteau du monde » et ces derniers, dans l'atmosphère conviviale et bon enfant du Complexe Desjardins, ne se sont pas fait prier pour le déguster.

L'enquête sur les Jeux se terminera juste avant les élections de Montréal et le référendum...

QUÉBEC — L'enquête «royale» que le gouvernement du Québec vient de confier (le 14 juillet 1977) au juge Albert Malouf sur le coût des Jeux olympiques pourrait bien avoir des conséquences politiques considérables. Le gouvernement s'attend en effet à recevoir un rapport préliminaire au printemps 1978, c'est-à-dire à quelques mois des élections municipales de Montréal.

Quant au rapport final, il est espéré pour le 31 décembre 1978, c'est-à-dire qu'il précédera de peu le référendum sur l'avenir constitutionnel du Québec, à moins que cette consultation n'ait lieu dès l'automne 1978.

C'est donc à deux moments politiquement très importants que sortiront successivement les résultats de cette enquête sur le coût des Jeux, événement à l'occasion duquel le premier ministre René Lévesque a déjà la «conviction absolue» qu'il y a eu «un abus continu et massif des fonds publics».

Et M. Lévesque n'hésite pas à dire qu'il espère que l'enquête «ne débouche pas simplement sur ce qu'on pourrait appeler la découverte du menu fretin» sans identifier les principaux responsables, s'il y en a.

L'enquête que présidera le juge Malouf portera notamment sur :

• les causes principales de l'augmentation du coût des Jeux et des installations olympiques;

• le partage des responsabilités quant à cette augmentation;

• le mode d'organisation et de surveillance des travaux;

• l'existence possible de collusion, de trafic d'influence ou de manoeuvres frauduleuses ou irrégulières;

• la possibilité de récupérer une partie des sommes d'argent investies à même les deniers publics et les mesures pour y parvenir;

• enfin, les mécanismes de prévention et de contrôle appropriés pour éviter qu'une telle situation se reproduise à l'avenir dans d'autres travaux de grande envergure.

L'enquête, instituée en vertu de la Loi des commissions d'enquête (l'équivalent d'une commission «royale» d'enquête au niveau fédéral) sera publique bien qu'il n'ait pas encore été déterminé si elle pourra, à l'instar de celle de la CECO, faire l'objet d'une télédiffusion.

Le juge Malouf (le même juge, incidemment, qui avait fait arrêter les travaux de la Baie James en 1973) sera assisté de deux commissaires, qui seront nommés au cours des prochains jours (l'un serait comptable, l'autre ingénieur et relié au milieu de la construction).

L'enquête sur les coûts des Jeux, on s'en souviendra, avait été une des premières décisions prises par le gouvernement Lévesque au lendemain du 15 novembre. Elle devait toutefois débuter de façon peu spectaculaire par une étude du Conseil du trésor à partir des documents que possédait déjà le gouvernement.

C'EST ARRIVÉ UN 14 JUILLET

1983 — Le député Gilles Grégoire est condamné à deux ans de prison pour immoralité avec sept jeunes filles.

1976 — La plus longue session de toute l'histoire parlementaire canadienne prend fin avec l'adoption d'un projet de loi visant à abolir la peine capitale.

1975 — Le « Pocket Rocket » Henri Richard, capitaine du Canadien, annonce sa retraite.

1970 — Le cargo Eastcliffe Hall coule dans le Saint-Laurent près de Morrisburg, Ontario : on dénombre neuf morts. — On découvre que l'armée américaine a délibérément étouffé le massacre de My Lai, au Vietnam.

1968 — Fin de la grève de 24 jours des travailleurs de la Voie maritime.

1960 — Les Nations Unies délèguent des forces d'urgence pour rétablir l'ordre au Congo.

1956 — Ottawa annonce que le Canada, pour aider l'Allemagne de l'Ouest à se réarmer, lui fait cadeau de 75 chasseurs réactés d'une valeur de $35 700 000.

1950 — L'ONU lance un appel aux troupes de 52 pays membres pour enrayer l'invasion des Nords-Coréens.

1948 — Palmiro Togliatti, chef communiste de l'Italie, est grièvement blessé au cours d'un attentat à Rome.

1940 — Fulgencio Batista est élu président de Cuba.

1938 — Le millionnaire américain Howard Hughes complète son tour du monde en avion en quatre jours.

1934 — Début des célébrations organisées pour souligner le tricentenaire de la fondation de Trois-Rivières.

1928 — Le gouvernement fédéral autorise la fusion de la Banque Canadian de Commerce avec la Standard Bank of Canada.

1900 — Au terme de sanglantes bagarres, les troupes alliées parviennent à prendre la ville de Tien-Tsin.

Le sourire du général Italo Balbo

À son arrivée, le général Italo Balbo fut accueilli par le consul d'Italie à Montréal, M. L. Russo et par l'hon. Alfred Duranleau (en haut de forme), ministre de la Marine et représentant du gouvernement canadien. La petite Yola Narizzano présenta une gerbe de fleurs à l'illustre visiteur.

L'Armada vue du haut des airs

NDLR — Le général Italo Balbo, ministre de l'Air dans le gouvernement Mussolini, amerrissait à Montréal à la tête de son escadrille de 24 hydravions, le 14 juillet 1933, alors qu'il était en route vers Chicago. LA PRESSE publia de nombreux articles sur le sujet; nous vous proposons des extraits du suivant.

(De l'envoyé spécial de la «Presse»)

À bord du CF-APJ — Il était exactement midi 26 quand l'avion, modèle D-H Oragon de la Canadian Airways quitta l'aérodrome de Cartierville sur permission spéciale du ministère de la Défense nationale pour se rendre au-devant de l'escadrille italienne commandée par le général Balbo, privilège qui fut réservé seul à cette compagnie dans le but de ne pas entraver la course des hydravions dans leur avant-dernière étape de leur voyage à destination de Chicago.

La Canadian Airways avait bien voulu inviter quelques journalistes à bord de cet avion afin de leur faire suivre plus précisément la course de l'Armada, avant qu'elle eût atteint la jetée Fairchild, ligne de démarcation sur le fleuve Saint-Laurent. (...)

Les journalistes étaient: MM. Henri Beauchamp, de la «Presse», Placide Labelle, Austin Cross, P.-W. Wright et Henry Jany. Le pilote K.-F. Saunders était en charge de l'avion.

Pendant deux heures

Survoler pendant deux heures le fleuve Saint-Laurent, la banlieue de Montréal et la Rive-Sud dans l'attente de voir bientôt apparaître une flottille de 24 hydravions est une expérience que beaucoup de citoyens souhaiteraient faire.

Le spectacle qui s'offrit aux occupants du CF-APJ lors de l'arrivée de l'Armada, vue de 6,000 pieds d'altitude était fort intéressant et même enthousiaste.

Il était exactement une heure 45, hier après-midi, quand les premiers hydravions de l'escadrille italienne firent leur apparition près du pont de Montréal. Du haut du CF-APJ les occupants, encore à une altitude de 6,000 pieds, pouvaient distinctement apercevoir leur silhouette à travers un nuage d'humidité dont était rempli l'atmosphère. On pouvait les voir évoluer gracieusement au-dessus des nappes d'eau du fleuve Saint-Laurent, et venir amerrir docilement à leur place respective. (...)

L'«ARCTIC» PARTI POUR LE NORD

(Du correspondant régulier de La PRESSE)

SOREL - L' «Arctic» a quitté notre port, samedi après-midi (14 juillet 1906), pour la Baie d'Hudson. Une foule considérable a été témoin de son départ, et un grand nombre d'amis du capitaine Bernier sont allés lui presser la main et lui souhaiter un bon voyage.

L'«Arctic» fera escale à a Pointe-au-Père, et de là reprendra sa course, vers la Baie d'Hudson, arrêtant à Churchill et Fullerton, puis passant par les détroits de Davis, d'Hudson et de Lancaster; il s'arrêtera à Pond's Inlet.

Comme on le sait, le but de cette expédition est d'explorer les régions situées au nord de la Baie d'Hudson, de visiter et de ravitailler certains postes déjà établis par le gouvernement canadien à ces différents endroits.

L'équipage de l'«Arctic» se compose de 39 hommes sous le commandement du capitaine J. E. Bernier. (...)

QUÉBEC FÊTE SON TRICENTENAIRE

Qu'elle fête Jacques-Cartier, comme cette année, ou son fondateur, Samuel de Champlain, comme en 1908, la Vieille Capitale semble avoir une propension marquée pour les bateaux comme «pièce de résistance» des festivités. En effet, alors que s'ouvraient le 14 juillet 1908 les fêtes du Tricentenaire de fondation de la ville, c'est vers le port que les Québécois furent invités à se rendre pour voir la flotte anglaise de l'Atlantique du Nord, qu'allait rejoindre plus tard l'*Indomptable* (ci-dessus) à bord duquel voyageait le prince de Galles, trois navires français et quelques navires américains. Outre le voilier *Don de Dieu* (ci-dessous), représentant le navire à bord duquel Champlain arriva au pied du cap Diamant, il s'agissait, contrairement à cette année, de navires de guerre.

UN CONCERT POUR VENIR EN AIDE À L'AFRIQUE

Le plus grand concert de rock du monde a permis de recueillir l'équivalent de 95 millions $ (canadiens) et contribuera sûrement, dans les prochaines semaines, à sauver des milliers de vies dans les pays d'Afrique touchés par la famine, ont fait savoir les organisateurs de l'événement.

Pour leur part, les Canadiens ont versé au cours du week-end plus de 1,5 million $, soit davantage que ce que l'on avait prévu au départ.

Le principal organisateur des spectacles présentés à Wembley, en Angleterre, et à Philadelphie, en Pennsylvanie, l'Irlandais Bob Geldof, a déclaré lors d'une interview qu'il fallait maintenant que les gouvernements adoptent des politiques plus concrètes pour nourrir les millions de personnes qui souffrent de la famine en Afrique.

« Les concerts ont eu lieu pour garder en vie ceux qui souffrent de famine », a dit un Geldof exténué. « Donnons-leur maintenant une vie. Ceci n'est pas la fin de notre effort. Il faut pousser les gouvernements à faire quelque chose », a dit l'organisateur du super-concert, ajoutant que c'était là la réalisation de tous ses rêves.

Le double concert, qui a rassemblé une pléiade de vedettes, a été vu par environ 1,5 milliard de téléspectateurs de 160 pays, y compris l'URSS.

Mick Jagger et Tina Turner étaient au nombre des artistes qui s'étaient produits à Philadelphie lors du célèbre concert de juillet 1985.

L'euro pour l'an 2000

Avec l'approche du prochain millénaire, l'Europe fait face à un double tracas informatique. En plus de la reprogrammation des systèmes informatiques en prévision de l'an 2000, il leur faut aussi composer avec le sérieux problème comptable des conversions à l'euro qui présentent les mêmes similitudes que celles de l'an 2000 : le caractère critique quant à l'échéance, le manque de ressources, la difficulté d'isoler le problème dans les programmes.

L'adaptation à chacun de ces deux événements prochains coûte d'ailleurs tout aussi cher aux entreprises européennes.

Selon le calendrier actuel, les billets et pièces en euro auront cours au même titre que les monnaies nationales dès le 1er janvier 1999 dans les onze pays participants. Ces dernières seront définitivement retirées de la circulation au plus tard le 1er juillet 2002.

Cette période de transition, entre 1999 et 2002, qui voulait permettre aux consommateurs et aux entreprises de changer progressivement leurs habitudes, pose un problème comptable jamais vu : la prise en compte de deux devises pour un même pays.

Les entreprises devront notamment se doter d'un double système de comptabilité et de caisse pour être capables d'acquitter ou d'accepter des paiements aussi bien en euros qu'en francs.

Les petits commerces seront quant à eux rapidement confrontés à des problèmes de double étiquetage (y compris les codes à barres optiques), de tiroir-caisse et de formation des vendeurs, qui devront être capables de jongler avec deux monnaies.

Et, pour les entreprises qui exportent en Europe, des ajustements s'imposent aussi. La conversion des systèmes comptables à l'euro est cruciale pour les sociétés exportatrices canadiennes tirant plus de 20 % de leurs revenus de l'Europe, estime M. Michael Klemen, du service des ventes du fabricant allemand de logiciels SAP AG. Les autres peuvent se rabattre sur leur institution financière pour régler comme d'habitude les problèmes de devises.

Le nouveau look européen

Ce sont 13 milliards de billets et 76 milliards de pièces de monnaie, soit le contenu de 60 800 camions d'une tonne, qu'il faudra remplacer d'ici l'an 2002.

Pièces
Un côté sera commun à toute la zone euro, l'autre sera propre à chaque pays.
Les eurocents
Pièces de 1, 2, 5, 10, 20, 50 cents (1 euro = 100 c).
L'euro
Pièces de 1 et 2 euros.
Billet
Une face commune
Sept coupures de 5,10, 20, 50,100, 200 et 500 euros.

L'euro c'est pour bientôt. Selon le calendrier actuel, l'euro apparaîtra le 1er janvier 1999 pour s'implanter progressivement au cours d'une période de transition de trois ans.

1er janvier 1999
Les monnaies nationales subsistent, mais les réserves et les dettes des États sont désormais comptabilisées en euros. Les comptes en banque, les cartes de crédit et les prix commencent à être calculés en euros.

1er janvier 2002
Commence le retrait des monnaies nationales. Les paiements commerciaux ne peuvent se faire qu'en euros.

1er juillet 2002
Les monnaies nationales disparaissent, seul l'euro a valeur.

(Texte publié le 15 juillet 1998.)

C'EST ARRIVÉ UN JUILLET

1996 — L'Union européenne menace de déclencher un nouveau bras de fer avec le partenaire américain si le président Bill Clinton ne renonce pas à appliquer les mesures discriminatoires contre les firmes européennes en vertu de la loi Helms-Burton qui renforce l'embargo contre Cuba, indique-t-on à Bruxelles.

1994 — Selon une étude effectuée par la Fondation de recherche sur toxicomanie à Toronto, les amateurs de jeu en général ont deux fois plus de chance d'avoir un problème de drogue que les non-joueurs et les amateurs de casinos ont trois fois plus de chances d'avoir un problème d'alcool que ceux qui ne jouent pas.

— Le président haïtien en exil Jean-Bertrand Aristide a appelé la communauté internationale à mener une action « rapide et efficace » pour chasser les militaires du pouvoir dans son pays et contraindre les dirigeants du putsch à se plier à l'accord de l'île des Gouverneurs que les militaires du général Raoul Cédras n'ont jamais respecté, a souligné le chef de l'État.

1990 — Le président Mikhaïl Gorbatchev a accepté l'invitation de l'OTAN d'assister à un futur sommet de l'Alliance atlantique à Bruxelles. Le secrétaire général de l'OTAN a déclaré « qu'on n'a pas parlé de l'appartenance de l'Allemagne réunifiée à l'OTAN ». « Les Soviétiques n'ont pas soulevé la question, pourquoi l'aurions-nous fait », a dit M. Woerner, de nationalité ouest-allemande.

— « Les autochtones lorsqu'ils traversent les frontières ne sont pas soumis à la fouille comme les Canadiens ou les Américains ; ils n'ont qu'à montrer leur carte d'identité et on les laisse passer. Il leur est donc facile de se procurer des armes à feu aux États-Unis et de les transporter ensuite au Canada. » C'est ce qu'a précisé le sergent Bill Rodgers, du New York State Police.

L'ambulance-hélicoptère, pour porter secours partout au Québec

L'ambulance-hélicoptère Max-Vie, équipée au coût de 250 000$ par la compagnie Héli-Max Ltée pour effectuer le transport de personnes malades ou blessées aux quatre coins de la province et clouée au sol depuis un an, faute de permis, entreprend son service dès ce matin, sans avoir obtenu le permis nécessaire pour effectuer le transport de malades par la voie des airs.

Permis ou pas, le docteur Pierre Courchesne, a décidé qu'un an d'attente, c'était assez.

Depuis un an, Max-Vie attend son permis d'opération du gouvernement.

« Comme on ne peut contrevenir à une loi qui n'existe pas, nous avons décidé de commencer nos opérations dès aujourd'hui. »

Conçu pour ce genre d'utilisation, l'hélicoptère, un BO 100-5 de fabrication allemande, est équipé du matériel le plus perfectionné.

Capable de transporter deux civières à la fois ainsi que deux techniciens ambulanciers en plus du pilote, l'appareil est équipé d'un moniteur défibrillateur, d'un régulateur cardiaque, d'appareils à succion, de moniteurs, etc.

Évidemment, l'utilisation de l'hélicoptère n'est pas gratuite : 1859$ l'heure ou 1000$ pour trente minutes, mais le docteur Courchesne affirme que la grande majorité des plans d'assurance couvrent ces frais.

(Texte publié le 15 juillet 1990.)

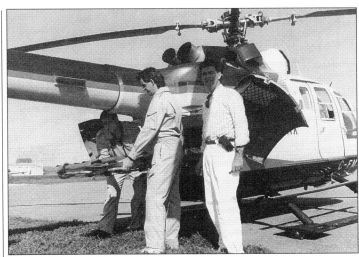

De gauche à droite, André Lizotte, technicien ambulancier, Martin Boucher, pilote, et le docteur Pierre Courchesne, lors d'une simulation à l'aéroport de Saint-Hubert.

Trois enfants, l'exception

Parents de deux petites filles, Raymond Gareau et Sherry Dupuis (ci-contre) attendent maintenant un petit garçon. « Trois enfants, pour nous, c'était le chiffre magique », nous explique le papa.

De nos jours, le couple Gareau-Dupuis, c'est l'exception qui confirme la règle. Selon une étude présentée au dernier congrès de la Canadian Population Society, 86 % des Canadiens qui sont parents de deux enfants n'ont pas l'intention d'en avoir un troisième. Seulement 6 % sont, comme les Gareau-Dupuis, décidés à ajouter à leur descendance, tandis que 8 % sont indécis.

(Texte publié le 15 juillet 1997.)

Appel en vain

Il a fallu deux décharges électriques, à 20 minutes d'intervalles, aux autorités de la prison d'Atmore, Alabama, qui avaient commis une « erreur », pour exécuter Horace Franklin Dunkins, un attardé mental condamné à mort pour le meurtre d'une femme de 26 ans.

Selon les autorités locales, les contacteurs qui liaient le condamné à la chaise électrique avaient été mal fixés et, après la première tentative, les responsables de l'exécution ont constaté l'erreur. Les médecins ont alors constaté que le condamné était inconscient.

Vingt minutes plus tard, à 12 h 27, Horace Franklin Dunkins a finalement été déclaré mort, après une seconde tentative.

La Cour suprême des États-Unis avait rejeté, jeudi soir, un appel de dernière minute.

(Texte publié le 15 juillet 1989.)

Mozart enfant

L'enfant au visage mélancolique, a un front immense, de grands yeux clairs, la bouche aux commissures relevées en un léger sourire, l'oreille gauche bizarrement manquante : ce portrait du XVIIIe siècle, « c'est Mozart, à neuf ans, peint en 1765 par le peintre Johan Zoffany alors qu'il se trouvait à Londres », assure un médecin de l'Université de Rome, le professeur Gianfranco Cavicchioli.

Ce portrait d'enfant rêveur lui a été donné il y a quelques années, par l'un de ses patients, le marquis Sacchetti, à Bologne. Le Pr Cavicchioli remarque aussitôt la ressemblance du petit rêveur et du portrait, officiel, de Mozart tenant un nid d'oiseau, oeuvre de Zoffany qui se trouve actuellement à Salzbourg.

« Les traits de l'enfant correspondent absolument aux descriptions qu'ont faites tous les proches de Mozart », relève le médecin. « Le regard flou des myopes — car Wolfgang avait, comme on disait, la « vue courte » —, les cheveux fins, blonds, le front grand, la bouche bien dessinée, avec une ébauche de sourire au coin des lèvres ».

(Texte publié le 15 juillet 1990.)

Rose Kennedy, centenaire

Rose Kennedy, la « mère courage », celle qui a survécu à la mort tragique de quatre de ses neuf enfants, dont un président des États-Unis, fête ses 100 ans aujourd'hui ((15 juillet 1990)), à Hyannis Port, berceau de cette dynastie à l'américaine. Réunir une famille aussi importante était si compliqué que les Kennedy ont dû se résoudre à célébrer l'anniversaire de Rose, qui est née le 22 juillet 1890, une semaine à l'avance. (Mme Kennedy est morte le 22 janvier 1995.)

DESTINATION LUNE

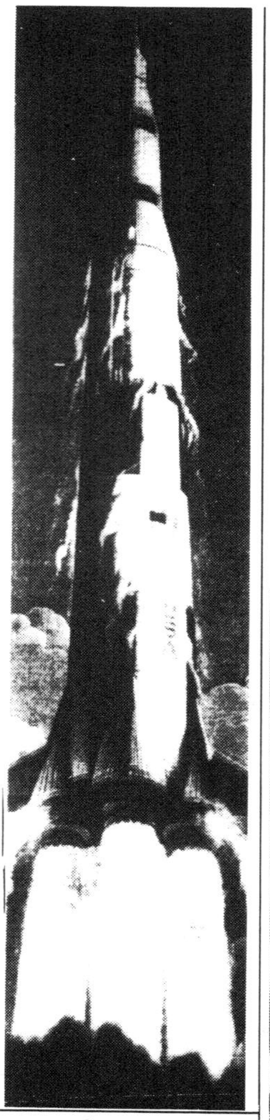

I l est 9 h 32. Un énorme nuage de fumée et de vapeur, un sourd grondement qui va en s'amplifiant, une gigantesque colonne pointée vers le ciel vacille lourdement sur son socle, semble hésiter, puis, comme à regret, s'élève lentement portant le vaisseau spatial « Apollo XI » au sommet de son troisième étage, la fusée géante « Saturne 5 » a été mise à feu (**le 16 juillet 1969**) :« DESTINATION LUNE ! »Au sol, les chronos marquent maintenant un nouveau compte, celui qui va s'écouler jusqu'au moment où les astronautes Neil Armstrong, 38 ans, et Edwin Aldrin, 39 ans, mettront le pied sur la Lune après une odyssée de quatre jours dans l'espace, tandis que leur compagnon Michael Collins, 38 ans, les attendra aux commandes d'Apollo en tournant autour de l'astre de la nuit.

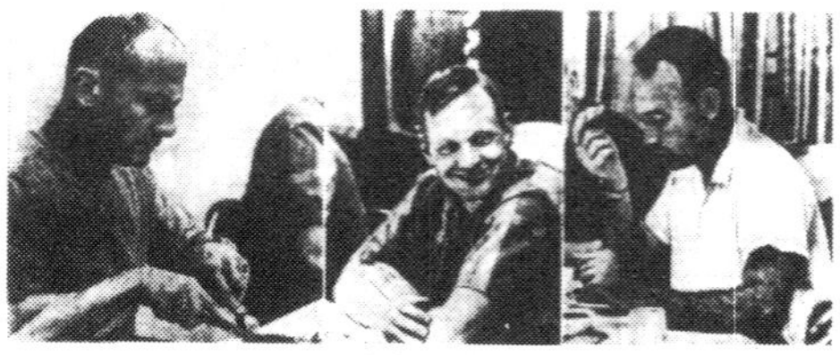

Edwin Aldrin Neil Armstrong Michael Collins

C'est de cette manière que dans son édition du *16 juillet 1969*, LA PRESSE soulignait le départ de l'équipage d'*Apollo XI* en direction de la Lune. Au sein de l'équipage se trouvait Neil Armstrong, qui aura quelques jours plus tard l'honneur d'être le premier être humain à mettre le pied sur la surface lunaire.

RIVARD REPRIS

L'homme le plus recherché au Canada est appréhendé à 20 milles de Montréal

Le célèbre évadé de la prison de Bordeaux qui nous avait quittés si abruptement le 2 mars dernier, a été capturé hier après-midi (**16 juillet 1965**) en compagnie de deux amis, Freddie Cadieux et Sébastien Boucher.

La capture des trois hommes a eu lieu à 5.05 heures à Lower Woodlands, près de Châteauguay, à 15 milles de Montréal, dans un camp d'été appartenant à Mme R.E. Birch, du 428, Lac St-Louis. Ce camp d'été se trouvait à une centaine de pieds seulement de la grand'route, dans les bois. Mme Birch avait loué son camp à un homme, dont elle n'a pas voulu nous donner le nom, dans la journée de lundi dernier.

On se souvient que Lucien Rivard, présumé trafiquant de narcotiques et personnage central de l'enquête Dorion, a défrayé la chronique lors de son évasion de la prison de Bordeaux, en compagnie de André Durocher, qui a été repris depuis et condamné à deux ans d'emprisonnement. Rivard aura joui de sa liberté pendant 135 jours.

Pendant cette période de liberté, il a été vu à peu près partout dans le monde, notamment en Espagne et au Mexique. Sa femme, Marie Rivard, a également prétendu avoir reçu deux lettres de lui, une de Vancouver, lui annonçant qu'il allait quitter le pays, et une autre d'Espagne.

Dans la déclaration que les corps policiers, qui ont participé à la capture, ont remise à la presse hier soir, il est dit que Rivard a été arrêté «grâce à un effort concerté et de longue haleine des escouades de la Gendarmerie royale du Canada, de la Sûreté provinciale du Québec et de la Sûreté municipale de Montréal». Nous avons par ailleurs appris que la police de Châteauguay n'ayant pas été avertie du coup de filet qui se préparait, elle est arrivée sur les lieux une demi-heure après que tout a été fini.

Le récit de la capture

Voici le récit de la capture que nous a fait hier soir Mme Birch: «Des centaines de policiers sont arrivés vers 4.20 heures. Ils sont entrés dans la maison et nous ont dit, à une amie et à moi, de ne pas bouger. Sans explication évidemment! Ces gens-là ne parlent pas facilement.

«Là, il y avait des policiers armés partout sur le terrain, autour de la maison et du camp que je loue tout près. Au bout d'une demi-heure environ, tout était fini.

«Ils ont cadenassé le camp et bouché toutes les fenêtres. Ils m'ont interdit d'aller sur son terrain et d'aller plus loin que ma porte d'entrée principale, qui donne justement sur le terrain où est situé le camp. Ils m'ont dit d'avertir quiconque s'aventurerait par là qu'il se ferait arrêter.» (...)

Les policiers qui ont procédé à l'arrestation de Rivard et de ses compagnons ont dit que les trois hommes n'avaient pas offert de résistance et qu'ils n'étaient pas armés.

Contrairement à ce qu'ont dit certains bulletins de nouvelles, les trois hommes n'ont pas eu le temps de se rendre à un yacht qui aurait été amarré près de leur cachette. Ils ont bel et bien été arrêtés dans leur camp.

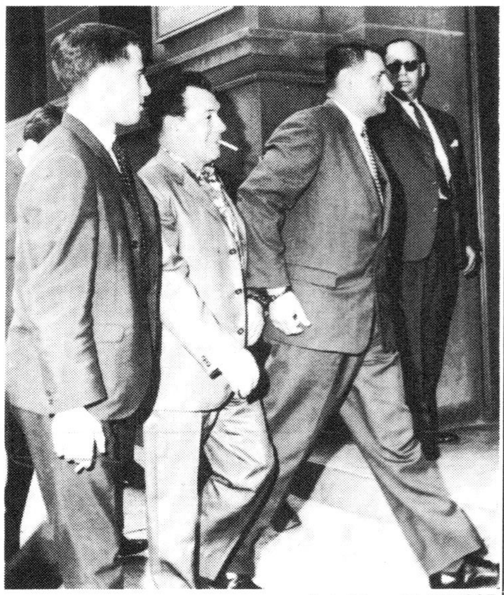

photothèque LA PRESSE

Lucien Rivard, arrivant au Palais de justice flanqué de deux policiers.

Dépôt des plans en vue du harnachement du Saint-Laurent

New York — L'Administration de l'électricité de l'Etat de New York a annoncé, hier (**16 juillet 1948**), qu'elle et la commission hydro-électrique de l'Ontario avaient déposé des plans pour le développement conjoint d'un projet hydro-électrique de 2,200,000 chevaux-vapeur sur le fleuve Saint-Laurent, près de Massena, N.Y.

L'Administration de l'électricité (Power Authority) a souligné que les plans avaient été déposés simultanément à Washington et à Ottawa. Elle a ajouté que les deux documents réclament une prompte référence à la Commission internationale conjointe.

La Commission internationale conjointe a été créée par le traité Root-Bryce sur les eaux de frontière en 1909. Le traité autorise la commission à approuver des projets concernant ces eaux qui servent de division entre les deux pays. (...)

Les sections de New York et d'Ontario utiliseront chacune la moitié du courant naturel du fleuve, produisant une moyenne annuelle de 6,300,000 de kilowatt-heures d'énergie hydro-électrique, ou un total de 12,600,000 de kilowatt-heures. (...)

Le coût des travaux pour le harnachement des eaux et le creusage des canaux avait été fixé approximativement à $447,805,000 en mai 1947.

Toutes les conversations de Nixon ont été enregistrées depuis l'été de 1970

Washington — Les révélations sur l'existence de micros enregistrant toutes les conversations dans les bureaux présidentiels à la Maison Blanche et à Camp David faites hier (**16 juillet 1973**) à la Commission sénatoriale d'enquête sur l'affaire Watergate, ont fait l'effet d'une bombe.

D'autant plus que ces micros ont été installés à la demande même du président et que la Maison Blanche a confirmé leur existence immédiatement après l'audition de M. Alexander Butterfield, ancien adjoint de M. Haldeman, témoin surprise devant la commission.

M. Butterfield avait été entendu par les membres de la commission à huis clos vendredi dernier. Il a souligné qu'il avait d'abord hésité à parler des micros à cause de répercussions possiblement fâcheuses que cela pourrait avoir sur les visiteurs étrangers du président.

Il a ajouté que les enregistrements n'ont pas encore été transcrits à sa connaissance et qu'ils sont conservés à la Maison Blanche. M. Nixon savait que l'enregistrement se déclenchait automatiquement, mais pas ses visiteurs, à l'exception de Haldeman et de deux ou trois autres adjoints.

Immédiatement après les révélations de Butterfield, M. Fred Buzhardt, qui agit comme conseiller juridique de la Maison Blanche, a confirmé dans une lettre à la commission sénatoriale que tous les entretiens de M. Nixon à la Maison Blanche ont été enregistrés depuis 1971.

Pour sa part, le conseiller de la commission sénatoriale, M. Samuel Dash, a déclaré qu'il est maintenant possible de vérifier si John Dean a dit la vérité en déclarant que, selon lui, le président Nixon était au courant des tentatives d'étouffer le scandale dès le 15 septembre 1972.

Il ne fait maintenant aucun doute que la commission sénatoriale multipliera ses efforts pour obtenir accès aux documents de la Maison Blanche pertinents à l'affaire Watergate, ce que le président Nixon a refusé jusqu'ici. (...)

C'EST ARRIVÉ UN 16 JUILLET

1993 — L'aéronef DC-8 de la compagnie Nationair qui s'est écrasé à Djedda, en Arabie Saoudite, en juillet 1991, entraînant la mort des 247 passagers et des 14 membres d'équipage n'était pas apte à voler, a conclu une équipe multinationale d'experts, rapport accablant pour la société Nationair.

1988 — C'est fait. Le célèbre joueur de hockey Wayne Gretzky et la starlette de cinéma Janet Jones sont mari et femme. Le couple s'est juré amour et fidélité au cours d'une touchante cérémonie à la Basilique St. Joseph d'Edmonton.

1982 — Terrassé par un malaise subit, le maire Jean Drapeau doit être hospitalisé.

1981 — Le premier ministre René Lévesque décide de ne plus intervenir dans la « guerre du saumon », sur la Restigouche.

1970 — On retrouve les restes du général Pedro Eugenio Aramburu, ex-président d'Argentine qu'on avait enlevé le 29 mai précédent.

— Ouverture des 9e Jeux du Commonwealth à Édimbourg, Écosse.

1967 — Fin de cinq jours de violence raciale à Newark, New Jersey, marqués par 24 morts.

1965 — Les présidents de Gaulle et Saragat, de France et d'Italie, inaugurent le tunnel sous le Mont-Blanc.

1958 — Yvon Durelle défait Mike Holt à la 9e ronde, au Forum, et garde son titre de champion boxeur mi-lourd de l'Empire britannique.

1952 — Le gouvernement Duplessis est maintenu au pouvoir avec 68 députés sur 92, mais trois ministres sont battus: Marc Trudel, J.H. Delisle et Patrice Tardif. D'autre part, Henri Groulx, député libéral d'Outremont, meurt le soir de l'élection.

1951 — Le roi Léopold III, de Belgique, abdique en faveur de son fils Beaudoin.

1946 — Le public est aujourd'hui saisi d'un document historique, qui lui confirme l'existence au pays d'une cinquième colonne soviétique, qui s'est recrutée presque exclusivement, avec un « étonnant succès », dans les cellules du parti communiste canadien.

1943 — Montréal acclame le général Henri-Honoré Giraud, commandant en chef des forces françaises libres en Afrique du Nord.

1941 — Le ministre de la Défense nationale annonce que le plein quota de plus de 34 000 hommes s'est enrôlé volontairement dans les deux mois de la première campagne nationale de recrutement du Canada.

Jacques Anquetil gagne le 48e Tour de France cycliste

Paris — Le 48e Tour de France cycliste s'est terminé par la victoire du Français Jacques Anquetil qui avait endossé le maillot jaune lors de la première étape et l'a conservé jusqu'à l'arrivée. Depuis la 17e étape qui s'était terminée à Pau et surtout depuis la 19e courue contre la montre entre Bergerac et Périgueux, la victoire finale du champion français — à moins d'accident — ne faisait plus de doute. Dans les étapes de montagne, Anquetil, grimpeur moyen, n'a pas été distancé par des spécialistes comme Charlie Gaul et Manzaneque. On pourra épiloguer sur ces étapes de montagne, mais la tactique de Anquetil était excellente. Pendant ces étapes, soit dans les Alpes, soit dans les Pyrénées, Anquetil a étroitement surveillé ses plus redoutables adversaires, meilleurs grimpeurs que lui. Il prenait leur roue et ne se laissait pas distancer. Cette tactique s'est avérée payante et Anquetil a conservé la première place depuis Versailles jusqu'à Paris.

A l'arrivée, à l'étape au Parc des Princes, hier (**16 juillet 1961**), Anquetil a eu un beau geste digne du grand champion qu'il est. Il a mené le sprint pour un de ses plus dévoués équipiers, Robert Cazala, et il permit à celui-ci de gagner à Paris.

L'équipe française a remporté finalement une triple victoire: individuellement grâce à Anquetil, par équipe grâce à une belle entente au sein de la formation que dirigeait Marcel Bidot et le classement par points où André Darrigade conserve le «maillot vert» arraché au régional Gainche. (...)

CLASSEMENT FINAL

1 — Anquetil (France) 122 h. 01 min. 33 sec.
2 — Carlesi (Italie) à 12 min. 14 sec.
3 — Gaul (Suisse-Lux.) à 12 min. 16 sec.
4 — Massignan (Italie) à 15 min. 39 sec.
5 — Junkermann (Allemagne) à 16 min. 09 sec. (...)

Collision avec Jupiter

La boule de feu observée lors de l'impact d'un fragment de la comète Shoemaker-Levy 9 sur Jupiter a été plus impressionnante que prévu et la chute des autres fragments pourrait être encore plus spectaculaire, selon les astronomes. Le mieux reste encore à venir.

Les fragments G et H de la comète, qui devraient frapper Jupiter aujourd'hui (**16 juillet 1994.**), font environ 3 km de diamètre, ainsi que les fragments K et Q1. Les collisions devraient se poursuivre jusqu'à vendredi. Le fragment A a libéré une énergie équivalente à 10 millions de mégatonnes de TNT.

ON POSERA DES RAILS

Le comité exécutif de Montréal ordonne à la compagnie des tramways de commencer immédiatement à poser les rails dans la tranchée aménagée par la ville sur la montagne en prolongement du chemin Shakespeare.

L'ordre a été signé ce matin (**16 juillet 1929**).

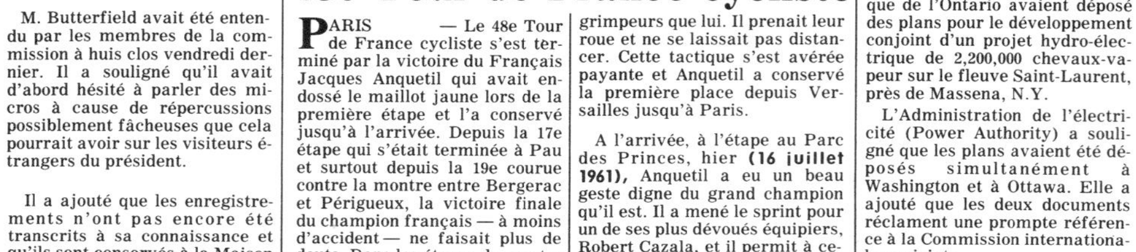

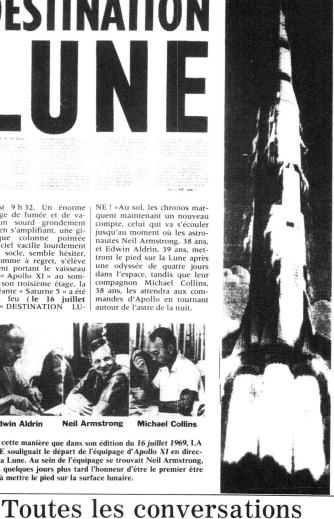

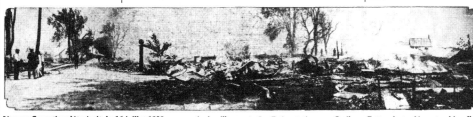

Une conflagration détruisait, le *16 juillet 1929*, une partie du village de La Présentation, au Québec. Cette photo démontre bien l'ampleur du sinistre qui, heureusement, n'avait pas fait de victimes. L'incendie s'était déclaré au magasin général d'Ulric Paradis, pour ensuite détruire tout le centre du village.

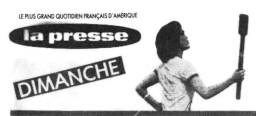

LE PLUS GRAND QUOTIDIEN FRANÇAIS D'AMÉRIQUE

la presse DIMANCHE

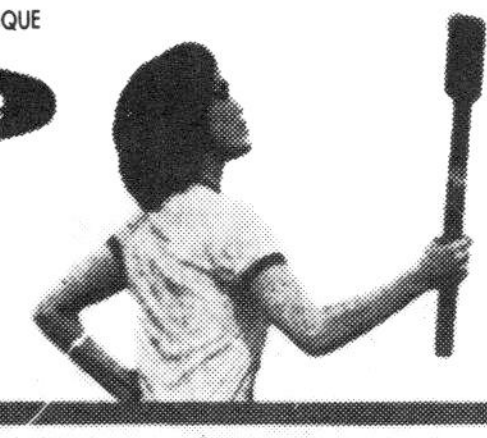

10 CENTS

MONTRÉAL, DIMANCHE 18 JUILLET 1976
92e ANNÉE, 16 PAGES

Un début brillant au stade

— pages 7, 8, 9, 10, 11 et 12

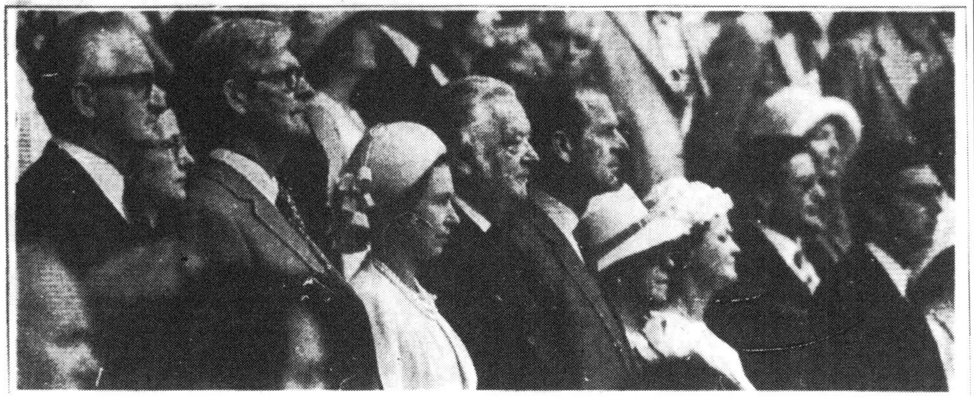

Place aux Jeux de Montréal!

Les jeux de la XXIe Olympiade sont en marche. Vers 16 h 30 (**le 17 juillet 1976**), devant une foule enthousiaste de 73 000 personnes réunies dans les gradins du stade olympique, la reine Elisabeth donnait le signal du départ à 8700 athlètes de 94 pays en proclamant, en français d'abord, les Jeux de Montréal ouverts.

Au départ, il était évident que les Montréalais avaient le coeur à la fête et que rien n'allait les en détourner. Certains attendaient depuis 10 h le matin l'occasion d'occuper le fauteuil réservé depuis 15 mois.

Cet enthousuiasme a transpiré dès le début de la cérémonie d'ouverture alors que le public a accueilli par des applaudissements très nourris la reine et le prince Philip à leur entrée dans le stade en compagnie du président du Comité international olympique, lord Killanin.

Et cet enthousiasme, il allait le manifester à maintes reprises, par la suite. D'abord au cours du défilé des 94 pays fidèles au rendez-vous, alors qu'il a réservé ses meilleurs applaudissements pour les contingents grec, américain, français, mexicain, tchécoslovaque et néo-zélandais, auxquels il signifiait à sa manière son appui devant la décision de la majorité des pays africains de boycotter les Jeux.

Le public devait réserver un accueil tout particulier à Israël, si cruellement frappé lors des Jeux de Munich et qui avait symboliquement confié à Esther Roth, seul athlète présent à Munich, le rôle de porte-drapeau.

C'est toutefois au contingent canadien, comme il se doit, qu'il devait réserver son accueil le plus chaleureux, le plus enthousiaste. Avant même l'entrée d'Abigael Hoffman dans le stade, les applaudissements roulaient déjà dans les gradins, allant en s'amplifiant à mesure qu'elle approchait de l'entrée.

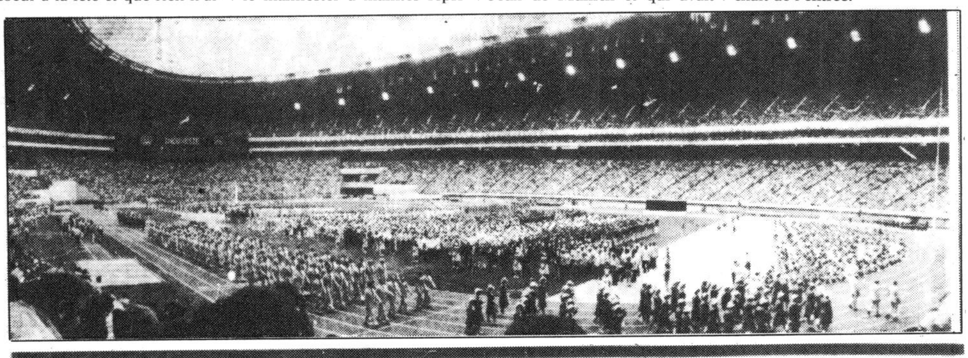

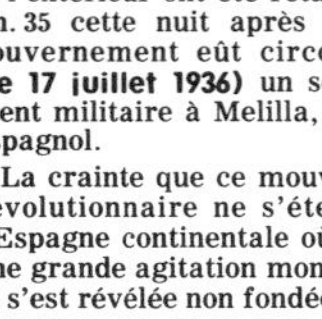

Les Africains quittent en masse

— page JO 3

LES JEUX par Pierre Foglia

Rolland Ménard et le Javanais

— page JO 3

La télé: du bon et du moins bon

PAR LOUISE COUSINEAU

— page JO 6

Première page de l'édition spéciale du dimanche, page consacrée à la cérémonie d'ouverture du *17 juillet 1976*.

25 pays d'Afrique boycottent le défilé de la cérémonie d'ouverture

LE boycottage des Jeux olympiques a pris de l'ampleur hier **(17 juillet 1976)**, 25 pays africains et arabes, à part Taïwan, ne devant pas prendre part à la XXIe Olympiade.

Dix-sept pays avaient officiellement déclaré forfait: Tanzanie, île Maurice, Somalie, Nigeria, Gabon, République centrafricaine, Ouganda, Zambie, Algérie, Ethiopie, Kenya, Ghana, Tchad, République populaire du Congo, Soudan, Irak et Libye.

Le Cameroun, qui avait participé au défilé de la cérémonie d'ouverture, a décidé de se retirer en soirée.

Trois pays n'avaient pas envoyé de délégation aux Jeux: Madagascar, Zaïre et Zambie, tandis que quatre autres, Egypte, Niger, Togo et Haute-Volta, n'ont pas pris part à la cérémonie d'ouverture et attendent à Montréal les instructions de leur gouvernement.

Cinq ont quand même décidé de participer à la XXIe Olympiade: Côte d'ivoire, Maroc, Sénégal, Swaziland et Tunisie, même si le secrétaire général du Conseil supérieur du sport africain, M. Jean-Claude Ganga, avait prédit hier matin que tous les Africains se retireraient.

Compte tenu du forfait de Taïwan, ce seront donc 93 pays qui prendront part aux Jeux, au lieu des 119 qui auraient dû normalement y participer.

Le boycottage des pays africains et arabes vise à protester contre la présence à Montréal, de la Nouvelle-Zélande, à qui ils reprochent ses relations sportives avec l'Afrique du Sud.

C'EST ARRIVÉ UN 17 JUILLET

1996 — Un Boeing 747 de la TWA avec 229 personnes à son bord explose en vol, avant de s'abîmer dans l'Atlantique peu après son décollage de l'aéroport new-yorkais John F. Kennedy. Le vol 800 à destination de Paris s'est abîmé vers 20 h 45 à 30 km au large de Moriches Inlet, à la pointe est de Long Island, près de New York. Un porte-parole de la garde côtière a indiqué vers 22 h 30 que l'appareil avait explosé en vol et que des corps avaient été repêchés.

1987 — Il y a 49 ans, le 17 juillet 1938, Douglas Corrigan décollait de New York à bord d'un monomoteur, pour se poser 28 heures plus tard à Dublin, en Irlande. L'histoire aurait été des plus banales si le pilote n'avait eu l'intention avouée de se rendre... à Los Angeles.

1985 — La tumeur enlevée samedi dernier de l'intestin du président Ronald Reagan, âgé de 74 ans, était cancéreuse, mais le cancer ne s'est pas étendu au reste de l'abdomen, ont annoncé les médecins de l'hôpital naval de Bethesda, près de Washington.

1981 — Des avions israéliens bombardent Beyrouth. Il s'agissait du cinquième raid israélien au Liban depuis le 10 juillet.

1981 — Une passerelle s'effondre dans un hôtel de Kansas City, causant la mort de 113 personnes.

1979 — Le président Anastasio Somoza du Nicaragua est forcé de démissionner, vaincu par les forces sandinistes. La famille dominait le pays depuis 43 ans.

1978 — L'une des figures dominantes de la crise d'octobre 1970, Jacques Rose, sort de prison sous certaines conditions, cinq ans jour pour pour après avoir été trouvé coupable de complicité après le fait dans l'enlèvement du ministre Pierre Laporte.

1976 — Décès à Montréal d'Angélina Berthiaume-Du Tremblay, philanthrope et ex-présidente de LA PRESSE.

1969 — Tandis qu'*Apollo XI* poursuit son voyage vers la Lune, Moscou annonce que le vaisseau soviétique *Luna XV* s'est placé sur orbite lunaire.

1967 — Une loi d'urgence met fin à la grève du rail, aux États-Unis.

1959 — Dans le but de rallier le peuple cubain derrière sa pensée révolutionnaire, le premier ministre Fidel Castro démissionne.

1958 — Des parachutistes anglais arrivent à Amman, capitale de la Jordanie, à la demande du roi Hussein.

1954 — Le premier ministre Maurice Duplessis visite le chantier de la centrale hydro-électrique de la Bersimis.

1951 — Baudoin 1er, cinquième roi des Belges, est monté aujourd'hui sur le trône. Il y a 120 ans presque jour pour jour, le 21 juillet 1831, le roi Léopold premier, fondateur de la dynastie, prêtait serment à la constitution belge sur la place du palais de Bruxelles.

Révolte militaire au Maroc espagnol

(Service de l'United Press, spécial à la «Presse»)

MADRID Les communications entre l'Espagne et l'extérieur ont été rétablies à 2 h. 35 cette nuit après que le gouvernement eût circonscrit **(le 17 juillet 1936)** un soulèvement militaire à Melilla, Maroc espagnol.

La crainte que ce mouvement révolutionnaire ne s'étendit à l'Espagne continentale où il y a une grande agitation monarchiste s'est révélée non fondée. (...)

PARIS, 18 (United Press) — L'idée que le soulèvement militaire espagnol n'est pas limité à la garnison de Melilla (...) se propage aujourd'hui.

En dépit d'une censure sévère, les journaux du matin à Paris publiaient des dépêches sur la propagation des désordres à Cadix, Santander et Ceuta.

Des messages provenant visiblement de sources privées à Madrid disent que tous les congés des agents de police ont été supprimés et que les policiers en vacances ont été rappelés en service.

En apprenant la nouvelle de la révolte de Melilla, le gouvernement républicain avait dépêché un certain général Francisco Franco pour la mater. Pour son malheur, puisque, plutôt que de mettre immédiatement fin à ce début de guerre civile, le monarchiste de droite qu'était Franco joignit les rangs des mutins et prit la tête du mouvement qui, le 18 juillet, s'étendait à l'Espagne continentale.

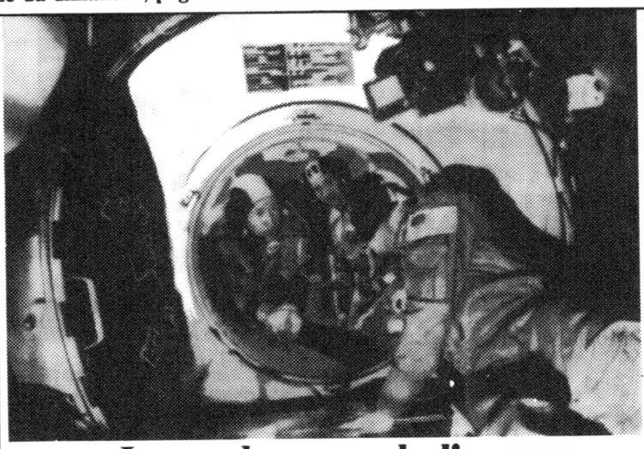

Le rendez-vous de l'espace

Les commandants des vaisseaux *Apollo* et *Soyouz*, Thomas Stafford, à droite, et Alexeï Leonov, se serrent la main après avoir réussi *(le 18 juillet 1975)* le premier rendez-vous dans l'espace de deux équipages appartenant à des pays jusqu'alors rivaux. Selon le président Gerald Ford, cette rencontre historique prouve que la coopération est désormais acquise entre les États-Unis et l'Union soviétique dans le domaine de l'exploration spatiale.

L'héroïsme d'un religieux

*Le **17 juillet 1945**, le bateau de plaisance **Hamonic** s'amarrait à Sarnia, en Ontario, vers 4 h du matin, après avoir traversé le lac Ontario.*

Les quelque 400 passagers et membres d'équipage dormaient d'un profond sommeil quand un incendie se déclencha sur les quais pour se communiquer au navire amarré. Et c'est un religieux de Détroit demeurant maintenant à Montréal, le frère Eugène Benoît, mariste, qui eut la présence d'esprit d'aller réveiller le capitaine du navire (W.T. Keil) pour l'aviser du danger imminent. Heureusement, en grande partie grâce à la clairvoyance du religieux, on n'eut à déplorer aucune perte de vie parmi les passagers du navire.

*L'incendie de l'**Hamonic** est relaté, cela allait de soi, dans LA PRESSE du 18 juillet 1945. Le même jour, des journaux de Détroit et de l'Ontario soulignaient l'exploit du religieux. Mais il faudra hélas attendre un an, au moment de rappeler l'événement, pour que l'exploit du frère Benoît soit rappelé aux lecteurs du journal.*

DIMAGGIO EST FINALEMENT TENU EN ÉCHEC APRÈS 56 JOUTES CONSÉCUTIVES

La saison de baseball a perdu de son piquant, hier **(17 juillet 1941)**, lorsque la longue série consécutive de parties avec coup sûr de Joe Dimaggio a pris fin. Cela n'empêche pas les Yankees de garder les devants et de mener dans le peloton qui est en tête. Des millions d'amateurs avaient suivi avec un vif intérêt la longue série de parties consécutives avec un ou des hits du fameux voltigeur des Yankees. Il en était rendu à sa 56e partie et c'était un record de tous les temps. Comme on s'intéressait vivement à cette série qui semblait devoir s'éterniser, les amateurs téléphonaient aux journaux pour savoir si vraiment Joe Dimaggio avait été arrêté; on se rendit aux parcs de baseball par milliers; on écouta les descriptions jeu par jeu données à la radio. C'est à Cleveland que l'on vit la plus grosse foule de la journée. Une foule de 67,468 amateurs se rendit au Stade municipal pour voir la partie Yankees-Indiens. On s'était rendu là plutôt pour voir ce que ferait Joe Dimaggio que pour assister à la partie proprement dite. La longue série de Dimaggio était devenue une attraction spectaculaire. (...)

Hier, c'était la première fois depuis le 15 mai qu'il *(Dimaggio)* ne pouvait tenir le coup. Ken Keitner au champ de même que Al Smith et Jim Bagby comme lanceur avaient pu le tenir en échec.

Amyot franchit la Manche à la nage

Le premier Canadien français à accomplir cet exploit sportif

DOUVRES, Angl. — Jacques Amyot, de Québec, a réussi aujourd'hui **(17 juillet 1956)** la traversée de la Manche à la nage, de la France à l'Angleterre, devenant le premier Canadien (homme), le premier Canadien français et la première personne cette saison à accomplir l'exploit.

L'athlète, âgé de 31 ans et père de trois enfants, est sorti de l'eau à St. Margaret's Bay, îlot rocheux et escarpé à quatre milles environ au nord de Douvres. Il a mis 13 heures et 2 minutes à franchir la distance de 20 milles.

Amyot est loin du record de 10 heures, 49 minutes réussi par l'Egyptien Hassan Abdel Rehim en 1950.

En escaladant des rochers glissants sur la rive, Amyot est devenu le troisième représentant du Canada à conquérir la Manche.

Les deux autres étaient des femmes. Winnie Roach Leuszler, de St. Thomas, Ont., réussit la traversée en 1951 et Marilyn Bell, de Toronto, qui avait alors 17 ans, en fit autant l'été dernier. Elle devint alors la plus jeune personne à réussir cet exploit. (...)

Amyot, qui a dû se frayer un chemin à travers des cages à homards près de la côte, a atterri dans la solitude au pied d'une falaise de 300 pieds. La petite plage était inaccessible et il retourna au chalutier sans parler à personne sur le rivage. (...)

La première traversée de la Manche à la nage eut lieu en 1875: elle fut accomplie par Matthew Webb, de Grande-Bretagne, en 21 heures, 45 minutes. Depuis, la Manche a été conquise environ 73 fois.

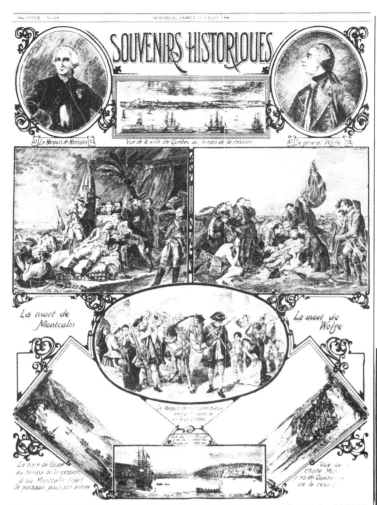

Par cette page qui ouvrait un cahier complet consacré au tricentenaire de Québec, LA PRESSE évoquait de douloureux souvenirs dans son édition du *18 juillet 1908*, en rappelant la bataille des plaines d'Abraham, prologue à la conquête de la Nouvelle-France par l'Angleterre.

La perfection pour Nadia

PAR décision populaire des juges, victorieuse du premier round d'une gymnastique de bataille, Nadia Comaneci. La «petite vlimeuse de Roumanie» a embarqué tout le monde dès ses premiers mouvements à la poutre, et pour finir le plat, elle a mis les juges dans sa poche **(le 18 juillet 1976)** en leur arrachant pour la première fois dans l'histoire des Jeux, un dix sur dix.

C'est aux barres asymétriques que mademoiselle aura fait son entrée dans l'encyclopédie des records olympiques. Si ça continue de même, l'édition 1976 du catalogue des exploits olympiques pourra quasiment s'intituler, s'appeler le «livre de Nadia». C'est du moins ce que l'on pourrait s'amuser à imaginer en écoutant les experts s'extasier devant l'enfant prodige. Faut dire que si les connaisseurs et les mordus de la dissection du «gymnastiquant», si les analystes à l'affût du moindre faux geste n'arrivent pas à contenir leur émoi, les profanes, eux, commencent à avoir de la misère à porter à terre quand la petite Nadia prend son envol. (...)

C'est là que Nadia arrive, comme par hasard. Elle fait son numéro aux barres asymétriques, sa spécialité. Les juges se grattent la tête par en-dedans. Ils hésitent. (...)

Finalement, ils se décident. Bang! Un gros dix qui s'allume au tableau électronique. C'est le délire. (...) La perfecion vient d'atterrir sur le plancher du Forum. Et une demi-heure plus tard, l'entraîneur des gymnastes soviétiques s'amène devant les journalistes et voilà que la perfection est déjà remise en question: «Non, ce n'était pas une performance parfaite», qu'elle a dit la dame, en expliquant clairement quand, comment et pourquoi. C'est pas que j'aie un parti-pris, mais j'étais quand même soulagé d'entendre une sommité affirmer la chose sans ambages. Je commençais à croire sérieusement à cette histoire de perfection qui roulait bord en bord au Forum.

Mais Nadia elle-même avait dit tout bonnement: «Je savais que ma performance était parfaite». Elle avait d'ailleurs dit sur le même ton que c'était la 17e fois de sa carrière qu'elle obtenait une note parfaite et que pour elle, les Jeux olympiques, c'était une compétition internationale parmi tant d'autres. Je doute fort d'entendre quelque chose de plus beau d'ici la fin des Jeux à moins qu'elle ne le répète aujourd'hui. Mais ça n'empêche pas que j'étais encore tout mêlé. Qui croire?

Je suis donc allé voir l'entraîneur de l'équipe américaine pour trancher la question. Elle m'a dit: «Ce n'était pas la perfection, mais rapport aux autres gymnastes, c'était la perfection». C'était en plein ce que j'espérais entendre. Tout était parfait.

Nadia vole vers une note parfaite de dix aux barres asymétriques.

L'accident du séducteur Edward Kennedy

Par une chaude nuit d'été, le 18 juillet 1969, une Oldsmobile noire dérape sur un étroit pont de bois reliant les îles de Chappaquiddick et Martha's Vineyard (Massachusetts) et plonge dans l'eau sombre, roues en l'air.

Son conducteur émerge un moment plus tard : c'est un jeune sénateur à l'avenir prometteur, mais désormais compromis, Edward Kennedy.

Teddy Kennedy attendra dix heures avant de déclarer l'accident. Et lorsqu'un plongeur inspectera l'épave le lendemain matin, il y découvrira le corps de Chappaquiddick et d'une jeune femme de 29 ans à peine, Mary Jo Kopechne, collaboratrice du sénateur. Au moment de l'accident, ils revenaient d'une soirée avec une dizaine d'autres jeunes hommes et femmes.

À 37 ans, le plus jeune des frères Kennedy, le seul survivant après les assassinats de John et Robert, avait la réputation de trop aimer les boissons fortes, les jolies femmes et la vitesse.

Réputation qui ne l'empêchait pas d'être largement considéré comme un futur président des États-Unis. Mais après Chappaquiddick, rien ne sera plus comme avant et ses chances d'accéder à la présidence des États-Unis sont compromises à jamais. (**Texte publié le 18 juillet 1989.**)

Par les armes si nécessaire

Les Tchèques tiennent tête aux dirigeants de l'URSS

LA Tchécoslovaquie a pris l'engagement hier **(18 juillet 1968)** de défendre ses frontières contre toute intervention directe de la part de l'URSS en vue d'empêcher la libéralisation de son régime communiste.

Le secrétaire général du Parti communiste tchécoslovaque, M. Alexandre Dubcek, instigateur du mouvement de réforme, a lancé un appel à la nation dans un discours radio-télédiffusé, lui demandant de lui apporter son appui entier.

«Nous sommes déterminés, et nous comptons sur votre appui pour poursuivre la politique que nous avons adoptée», a dit M. Dubcek. «Ce dont nous avons le plus besoin dans le moment est l'appui du peuple tchécoslovaque», a-t-il ajouté.

Cet appel dramatique a fait suite à quelques heures à une note acerbe précisant que la Thécoslovaquie combattra si nécessaire, si l'URSS décide d'avoir recours à la force militaire comme elle l'a fait en Hongrie en 1956, pour mettre fin à la politique de libéralisation.

La note rendue publique par l'agence de nouvelles CTK, dit froidement: «Nous avons pris les mesures nécessaires pour garder nos frontières».

C'était en réponse à une note soviétique rendue publique mercredi, note qui donnait l'avertissement que la lutte pour sauver le socialisme en Tchécoslovaquie «n'est pas seulement votre lutte mais aussi la nôtre». (...)

Une quinella qui rapporte trop peu

La piste Richelieu essuie la colère des parieurs mécontents

LA huitième course sous harnais de la piste Richelieu a tourné au vinaigre hier soir **(18 juillet 1975)**, lorsque des spectateurs mécontents du prix payé par la quinella ont décidé de tout saccager.

L'émeute aurait été suscitée par un groupe de mécontents qui auraient crié «c'est une gang de voleurs...venez nous aider, on va leur montrer ce qu'on peut faire». En moins de temps qu'il faut pour le dire, plusieurs personnes se sont mises à lancer des bouteilles de bière et autres projectiles dans les vitres des fenêtres et des portes.

La colère prit bientôt une tournure tragique alors que des foyers d'incendie furent allumés avec les chaises du parterre et qu'on commença à détruire les guichets, les téléviseurs qui servent à retransmettre la course, et même la clôture qui ceinture la piste.

L'anti-émeute

Une voiture Cadillac, qui était exposée sur le terre-plein du milieu de la piste et qui devait faire l'objet d'un tirage lors de la soirée «Grand circuit» la semaine prochaine, a été complètement renversée et rouée de coups de bâtons.

Alertés par la direction, les policiers des postes de Pointe-aux-Trembles et de Montréal-Est n'ont pu apaiser l'aide de l'escouade anti-émeute. (...)

Une première émeute à se produire à la piste Richelieu depuis son ouverture et la seconde sur une piste de courses à Montréal. En effet, en 1969, la piste Blue Bonnets fut l'objet d'une émeute semblable.

Le directeur du service des relations publiques du Parc Richelieu, M. Albert Trottier, a indiqué que la direction et les juges feront enquête pour déterminer s'il y a eu trucage dans la huitième course.

Malgré les dommages causés à l'édifice, M. Trottier avait bon espoir que les courses pourraient être présentées ce soir comme d'habitude.

74 voitures de partout

LA ville de Montréal (et plus particulièrement LA PRESSE) accueillait, au matin du **18 juillet 1906**, une caravane de 74 voitures de toutes sortes, parties de Buffalo, 510 milles plus loin, une semaine plus tôt. En lice pour le trophée « Glidden » ces voitures se rendaient vers Bretton Woods, dans les montagnes Blanches, de sorte qu'il leur restait 625 milles à franchir.

Quatre mille employés du Grand Tronc sont en grève

LES employés du Grand Tronc, conducteurs, serre-freins et hommes occupés à la manutention du fret, sont en grève depuis hier soir **(18 juillet 1910)** à 9 h. 30.

En émettant son vote pour la grève, la semaine dernière, il était entendu que chaque homme s'engageait à quitter l'ouvrage dès lundi soir, à 9 h. 30, si à ce moment aucun télégramme n'était venu annoncer que les réclamations des employés étaient écoutées. Or, hier après-midi, les délégués (...) eurent une longue entrevue avec les officiers de la compagnie, après quoi les négociations furent rompues.

Le télégramme attendu n'ayant pu être lancé, la grève éclata ipso facto, à 9 h. 30.

On estime que cette grève affecte directement

3,500 CONDUCTEURS et employés des trains sur le Grand Tronc, entre Portland et 350 employés environ sur le Vermont Central.

Mais indirectement, cette grève affecte déjà plus DE 6,000 OUVRIERS.

Car la compagnie a fermé tous ses ateliers de construction et de réparation, à Montréal, Détroit, London, Hamilton, Niagara Falls et Toronto. (...)

Une Italienne de 63 ans accouche d'un garçon : un record mondial !

Contrat d'exclusivité de 250 000$ avec des hebdos pour le médecin et sa patiente

Donatella Della Corte a battu le record de la mère la plus âgée du monde en donnant naissance par césarienne à 63 ans à un garçon, grâce à une implantation d'ovule inséminé artificiellement.

Donatella Della Corte, qui vit à Canino dans le centre de l'Italie, a eu recours aux services du controversé gynécologue romain Severino Antinori pour réussir à accoucher à un âge aussi avancé. Un ovule d'une jeune Italienne, inséminé artificiellement du sperme de son mari âgé de 65 ans, lui a été implanté. Le précédent record était détenu par une autre Italienne âgée de 62 ans, qui avait accouché selon la même technique avec le même gynécologue.

« Aujourd'hui, c'est une femme de 20 ans qui a accouché d'un petit garçon », a commenté le médecin, voulant dire ainsi que sa patiente allait aussi bien que possible. Il a indiqué que seul l'accouchement par césarienne avait été possible parce que sa cliente avait déjà donné naissance par césarienne, il y a une vingtaine d'années, à un premier enfant conçu naturellement.

Le gynécologue, qui affirme avoir fait accoucher plus d'une trentaine de femmes âgées de plus de 50 ans et ayant atteint la ménopause, a refusé de faire tout autre commentaire. On apprenait de bonne source que le médecin et sa patiente avaient signé des contrats d'exclusivité de 250 000 $ avec des hebdomadaires américains et allemands pour raconter leur aventure. L'argent devrait pour moitié revenir à la nouvelle maman et pour moitié être consacré à la recherche. (**Texte publié le 18 juillet 1994.**)

QUEBEC DANS LA JOIE EXUBERANTE

Les grandes fêtes du Troisième Centenaire sont commencées. — Cérémonies impressionnantes.

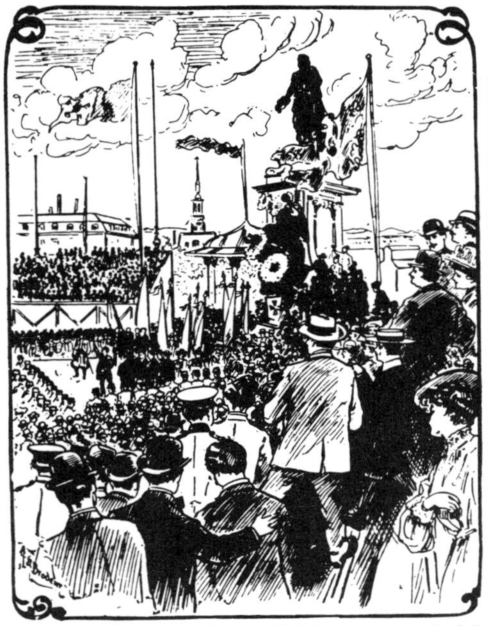

Pendant que les drapeaux claquent à la brise, sous le grand soleil tombant d'aplomb, le bronze de Champlain, impassible, souhaite la bienvenue aux 10,000 spectateurs venus honorer la mémoire du fondateur de Québec.

(Des bureaux de la «Presse»)

QUÉBEC - Arthur Buies écrivait il y a déjà assez longtemps: «La nature a fait de Québec un roc, ses habitants en ont fait un trou.»

Certes, si le malicieux confrère pouvait voir aujourd'hui **(19 juillet 1908)** Québec, son opinion quant au lieu se modifierait considérablement: du «Trou», on a fait d'abord un semblant de terre-plein et, grâce à l'initiative intelligente de quelques esprits d'avant-garde, on a aboli les ravages géographiques, corrigé les endroits trop tourmentés et après trois ans, Québec a refait son sol et n'a guère conservé de l'originale topographie que ses côtes.

Oh ça! les côtes ont gardé la brusquerie de leur angle et il n'y a que ça. Dans cette ville, on ne marche jamais, on gravit péniblement où l'on se précipite. Côtes et raidillons, escaliers, ascenseurs, funiculaires, cette ville est comme située sur un toit. Bêtes et gens y semblent habitués, mais pour l'étranger, cela prend des proportions d'un cours d'entrainement pour la culture physique.

L'aspect de Québec, aujourd'hui, n'est même plus le Québec familier des époques routinières.

On se croirait transporté à quatre cents ans en arrière, dans les régions tourmentées que baigne la Loire. Les édifices que l'on voit partout comme accrochés aux flancs des falaises, perchés sur des promontoires, sont semblables aux formidables châteaux moyenâgeux, laissant paraître entre les dents des créneaux de leurs tourelles des gueules de canon.

Les remparts, où dorment dans leur éternel cauchemar, songeant au réveil possible, les vieux canons, allongent leurs murailles grises qui se confondent avec le roc du cap.

Les vieux muffles, cracheurs de mitraille, dont c'est un peu la fête, ont le nez braqué sur le nez farouche de leurs congénères qui reposent sur leurs affûts, dans le flanc des léviathans de la rade.

Peut-être que la nuit, les vieux invalides, de leur bouche mutilée, interrogent leurs plus jeunes camarades et pendant qu'ils se racontent leurs épopées, on entend monter dans le silence de la nuit, une harmonie chantant «Dieu sauve le Roi», pendant que l'éclatante voix des cuivres, module un peu plus loin des vaisseaux anglais, une consolante «Marseillaise» pour bercer le long sommeil des fils de France qui dorment, oubliés, sur le promontoire des Plaines d'Abraham.

Du sommet de ces remparts, on voit, au bas de la falaise, la reconstitution de l'habitation de Québec, élevée par Champlain en 1608. Cela donne à l'endroit le charmant caractère vieillot que nous signalions. Une haute palissade de pieux de cèdres borde le petit fort qui fut le berceau de la Nouvelle-France.

Les rues de la basse-ville sont toutes encombrés d'arcs triomphaux où flottent les drapeaux de toutes les nations à profusion, et quelques drapeaux français, timidement fichés dans un motif secondaire de la décoration.

Dans la haute ville, même décor, avec, en plus, l'énergique beauté des portes fortifiées, des murailles crénelées, les bastions crevés de machicoulis vides de couleuvrines ou autres armements.

Sur toutes les places, sur tout monticule, on voit de gros canons cuver la griserie éternelle des vieux combats, étalant malgré leur fraiche toilette, les ulcères de la rouille, les blessures anciennes. (...)

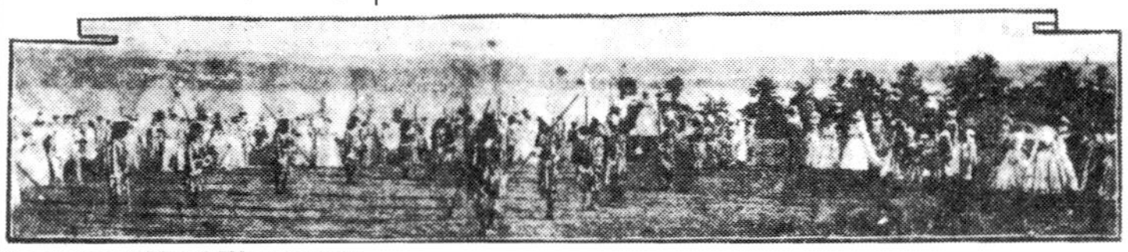

Le pageant: Henri IV et sa cour.

Un Soviétique triche et se fait éliminer

QUEL idiot, s'est exclamé le président de l'Union internationale de pentathlon moderne et biathlon, le général Sven Thofelt, après que le célèbre pentathlonien russe Boris Onistchenko eut été éliminé des Jeux olympiques pour avoir participé à l'épreuve d'escrime avec une épée truquée, enlevant ainsi à son équipe — l'une des plus puissantes au monde — toute chance de répéter son exploit de 1972 et de remporter une médaille d'or.

Au Stade d'hiver de l'Université de Montréal, c'était la consternation générale: Onistchenko, 38 ans, médaillé d'argent à Munich aux épreuves individuelles de pentathlon moderne, plusieurs fois champion mondial dans cette discipline, secrétaire général de la Fédération soviétique de pentathlon moderne, maître émérite en sports dans son pays, — Onistchenko, le grand Onistchenko, le dernier qui eut dû le faire, avait triché.

Oui triché, en dissimulant dans la poignée de son épée électrique un fil supplémentaire relié à un bouton lui permettant sur une simple pression d'un doigt, d'enregistrer une touche sans même avoir à effleurer son adversaire. Le mécanisme était à ce point bien fabriqué qu'il a été décrit comme «un chef d'oeuvre» de perfection technique par le responsable de l'escrime aux Jeux de Montréal, M. Carl Schwende. C'est la première fois qu'un tel incident se produit aux Olympiades.

Le truquage a été découvert hier matin **(19 juillet 1976)**, au deuxième des seize tours de compétitions d'escrime du pentathlon moderne. Onitschenko affronte alors le Britannique Jeremy Fox. Le Soviétique effectue un développement, l'Anglais retraite, mais, surprise, l'appareil de signalisation compte, une touche. Protestations de Fox, qui demande que l'épée soit examinée.(...)

L'Union internationale de pentathlon moderne forme aussitôt un jury d'appel, demande à entendre Onitschenko. L'arme, dit-il, n'était pas la sienne. Explication non satisfaisante. Convaincu qu'il y a bel et bien eu «tricherie délibérée», le jury disqualifie l'athlète russe de toutes les compétitions de pentathlon moderne aux Jeux de 1976.(...)

Dans les épreuves d'escrime du pentathlon moderne, les athlètes se rencontrent à l'épée électrique reliée par un fil à un système de signalisation qui enregistre une touche dès que la pointe de l'un des participants rejoint le corps de l'adversaire avec s ffisamment de pression. Le truquage de l'athlète soviétique lui permettait en quelque sorte de diriger lui-même la signalisation électrique grâce au bouton caché dans la poignée de l'épée. (...)

La bombe Festina

La bombe Festina a explosé. Le directeur du Tour de France, Jean-Marie Leblanc, a annoncé l'exclusion immédiate (19 juillet 1998) de l'équipe Festina de la Grande Boucle de cette année, après les révélations du directeur sportif de l'équipe, Bruno Roussel, sur le dopage de ses coureurs.

Roussel et Érik Ryckaert, médecin de l'équipe Festina, tous deux écroués, ont effectivement reconnu devant les enquêteurs l'utilisation « concertée » de produits dopants par les coureurs de leur équipe.

« C'est l'aveu que le dopage avait cours dans l'équipe Festina et il était même organisé », a estimé Jean-Marie Leblanc, qui s'est appuyé sur le règlement du Tour (article 29) en invoquant l'éthique du sport et la moralité du Tour.

L'équipe Festina est la première équipe mondiale au classement de l'Union cycliste internationale. Cette exclusion est une « première » dans l'histoire du Tour de France depuis la reprise en 1947.

L'affaire Festina a débuté le 9 juillet après l'interpellation par les douaniers d'un soigneur de l'équipe, Willy Voet, dans la voiture duquel 400 flacons d'anabolisants, d'amphétamines et une petite quantité d'érythropoiétine (EPO), avaient été trouvés.

Deux cérémonies d'ouverture: deux mondes bien différents!

À 28 ans d'intervalle, les fervents de l'olympisme auront, le même jour, un 19 juillet, vu le meilleur et le pire visage du mouvement rénové avec les meilleures intentions du monde par le baron Pierre de Coubertin, en 1896.

*Le meilleur, c'est Helsinki, le **19 juillet 1952**, alors que les athlètes de 69 pays défilent dans le stade olympique, le coeur plein d'espoir légitime (c'était bien avant l'époque des athlètes d'État surentrainés et gonflés aux stéroïdes anabolisants) de remporter une médaille olympique, qu'elle fût d'or, d'argent ou de bronze. Helsinki, c'est le symbole des Jeux olympiques comme le souhaitaient sans doute le baron de Coubertin et ceux qui l'appuyaient dans sa démarche: des Jeux simples, organisés par des gens chaleureux, avec des moyens modestes pour éviter que les générations futures fassent les frais de décisions auxquelles ils n'ont évidemment pas pu participer. Une seule ombre au tableau, la menace de boycottage de l'URSS (eh oui, déjà!) si on ne lui avait assuré un village olympique à son usage exclusif. En bons princes, les Finnois avaient cédé.*

*Le pire, du moins jusqu'à ce moment, c'est Moscou, le **19 juillet 1980**. Le président Carter, des États-Unis, avait entrepris en janvier 1980 une campagne de boycottage afin de censurer l'invasion de l'Afghanistan par l'URSS. Si la cause n'était pas en soi mal choisie (il est difficile d'accepter une invitation d'un pays qui impose sa présence par les armes chez un voisin), le moyen n'était pas cependant le meilleur, puisqu'il haussait d'un cran de plus la politisation des Jeux olympiques. Tous les pays occidentaux n'ont pas suivi le mot d'ordre de Jimmy Carter, et certains comités nationaux olympiques ont même ignoré le «souhait» de leur propre gouvernement en se rendant à Moscou. Mais le mal était fait, et la mauvaise graine allait se reproduire quatre ans plus tard à Los Angeles et, vraisemblablement, également huit ans plus tard, à Séoul.*

Jadis une fête de la jeunesse, du combat loyal et de la fraternité, les Jeux olympiques sont devenus une arme que l'on utilise désormais à toutes les fins, même les plus inavouables.

C'EST ARRIVÉ UN 19 JUILLET

1993 — John Le Carré, le célèbre auteur britannique de romans d'espionnage, a fini par admettre ce que soupçonnaient depuis longtemps ses lecteurs : il a lui-même été une taupe. « J'ai d'abord fait partie du MI5 (les services de sécurité) puis du MI6 (les services d'espionnages). Mais ce que j'y ai fait, je n'en ai jamais parlé. On ne peut pas », conclut-il.

1981 — Richard Rodriguez établit un record en passant 218 heures dans le supermanège de La Ronde.

1977 — **Adoption par le Parlement canadien d'un projet de loi modifiant les règles pour les prestations d'assurance-chômage.**

1975 — **Le manoir Richelieu, à la Malbaie, ferme ses portes à la suite d'une saisie.**

1974 — **Le généralissime Franco délègue ses pouvoirs au prince Juan Carlos.**

1970 — **Les 721 passagers et hommes d'équipage du navire norvégien *Fulvia*, en flammes dans l'Atlantique, sont recueillis par le paquebot français *Ancerville*.**

1968 — **M. Dubcek obtient l'approbation unanime du comité central du Parti communiste tchécoslovaque.**

1967 — **Un *B-727* de la Piedmont Airlines vient en collision avec un petit avion à Asheville. Parmi les 82 morts se trouve John McNaughton, secrétaire à la Marine des États-Unis.**

1965 — **L'ex-président de la Corée du Sud, Sygman Rhee meurt à Honolulu, à l'âge de 90 ans.**

1957 — **En athlétisme, Derek Ibotson, voyageur de commerce de Huddersfield, Angleterre, établit un nouveau record pour le mille, à Londres, en parcourant la distance en 3:57,2 minutes, huit dixièmes de seconde de mieux que le record précédent de l'Australien John Landy.**

1956 — **Les États-Unis retirent leur offre de $56 millions pour aider l'Égypte à construire un barrage sur le Nil, à Assouan.**

1950 — **Une escadrille de transport de l'aviation canadienne est engagée dans le pont aérien des États-Unis en Corée.**

1949 — **Une terrible explosion provenant d'un incendie dans une raffinerie secoue l'Est montréalais.**

1932 — Mort, à 58 ans, d'Arthur Berthiaume, président et gérant général de *La Presse*. Il était président du journal depuis la mort de son père survenue en 1915.

Nouvelle politique mise en pratique

Premières soumissions publiques depuis 16 ans ouvertes à Québec

QUÉBEC Le gouvernement Lesage entend mettre résolument en pratique et sans tarder sa politique de demandes de soumissions publiques.

On en a eu la preuve, encore hier **(19 juillet 1960)**, alors que M. Lesage et trois de ses ministres sont revenus sur le sujet.

M. Lesage, pour sa part, a confié aux journalistes que le cabinet provincial avait décidé de publier, à l'avenir, les demandes de soumissions publiques, non seulement dans les journaux, mais également dans la «Gazette officielle du Québec». De cette façon, a dit M. Lesage, les gens intéressés à soumissionner sauront toujours où ils pourront trouver les détails relatifs aux demandes de soumissions du gouvernement.

Le ministre de la Jeunesse, l'hon. Paul Gérin-Lajoie, de son côté, a révélé que son ministère publierait incessamment des demandes de soumissions (...) pour la construction de la nouvelle école normale de garçons à Trois-Rivières. Il s'agit d'une construction dont le coût approximatif est fixé à $3,500,000.

M. René Lévesque, ministre des Travaux publics et des Ressources hydrauliques, a fait savoir que des soumissions seraient demandées, dès le début du mois d'août, pour la construction du pont de Shawinigan. Le même ministre avait fait savoir, plus tôt dans la journée, qu'il exigerait des soumissions publiques aussi pour la construction des deux ponts à la sortie ouest de Montréal, dès que les plans et devis auront été préparés.

Enfin, le ministre de la Voirie, M. Bernard Pinard, a fait savoir qu'il avait ouvert publiquement à 5 h. 45, hier après-midi, les premières soumissions publiques demandées par son ministère pour le pavage asphalté des approches sud du pont de Québec. Il s'agissait, au fait, des premières soumissions reçues par le nouveau gouvernement ou, si l'on veut, les premières soumissions reçues par un gouvernement provincial québécois depuis au moins seize ans.

ROME BOMBARDÉE

QUARTIERS généraux alliés en Afrique du Nord, — Les aviateurs alliés ont bombardé Rome pour la première fois aujourd'hui **(19 juillet 1943)**, concentrant leurs efforts dans un audacieux raid de jour contre des objectifs ferroviaires et évitant soigneusement de toucher au Vatican et aux objectifs non militaires dans la Ville éternelle.

Rome est le dernier des grands centres de communications italiens à être bombardé. Déjà des tonnes d'explosifs ont été lancés sur Milan, Bologne, Naples et Foggia. Rome, qui a joui jusqu'ici de l'immunité à cause de son caractère religieux, est utilisée depuis longtemps par l'Axe pour le transport des troupes et du matériel. (...)

(Il est entendu à Londres que les principaux objectifs sont été les cours de triage à l'est, au nord et au nord-ouest de Rome, l'aérodrome Littorio qui est le principal aérodrome civil de Rome et d'autres aérodromes sis à 8 milles et demi au sud-est de la ville).

Panique à Rome

Berne — Le bombardement allié de Rome a causé des scènes de panique dans la capitale italienne. Il est entendu que de nombreux obus antiavions italiens ont augmenté les dommages des bombes parce qu'ils n'ont pas explosé dans les airs et n'ont éclaté qu'en touchant le sol.

Il y a eu de la panique parce que les gens se refusaient de croire que Rome serait attaquée, bien qu'Ostie, sise à 14 milles, eut été attaquée déjà et que l'aérodrome Ciampino, sis à environ **7 milles, ait été bombardé hier.**

Un DC-10 de la United Airlines s'écrase dans l'Iowa : 119 morts

Un DC-10 de la United Airlines comptant, croit-on, 290 personnes à bord s'est écrasé alors que son pilote, en butte à une défaillance totale du système hydraulique de l'appareil, tentait désespérément de poser celui-ci sur l'aérodrome de Sioux City, dans l'Iowa. L'avion a fait plusieurs tonneaux dans un champ de maïs avant de se couper en deux et de prendre feu, à un kilomètre environ de la piste d'atterrissage.

Deux hôpitaux de Sioux City ont fait savoir qu'ils avaient accueilli 171 survivants.

« Nous ne connaissons pas encore le nombre exact des victimes, a déclaré un collaborateur du gouverneur de l'Iowa ; les recherches se poursuivent tout autour de l'avion, mais elles sont rendues extrêmement difficiles du fait qu'il s'agit d'un champ de maïs dont les tiges ont plus d'un mètre de hauteur. »

La United Airlines avait tout d'abord déclaré que le vol 232 comptait 287 passagers et 11 membres d'équipage, mais lors d'une conférence de presse donnée en soirée à Chicago, le vice-président de la compagnie, Lawrence Nagin, a fait savoir qu'après vérification, il avait été établi que l'avion transportait 279 passagers, y compris un bébé.

Un témoin, Jeff Pritchard, a signalé qu'il se trouvait juste au nord de la piste d'atterrissage lorsque l'appareil s'écrasa.

« La queue toucha terre en premier, le nez de l'avion se souleva, puis l'appareil capota. Il ne prit pas feu avant d'avoir frappé le sol. On pouvait voir que le pilote luttait de toutes ses forces pour maîtriser son avion. Il réussit tout de même à passer au-dessus du quartier résidentiel de Sioux City et à se rendre jusqu'à l'aéroport avant de s'avouer vaincu... »

Le pilote avisa la tour de contrôle que l'un des trois moteurs avait sauté et que les débris avaient frappé la queue de l'appareil, qu'il lui était désormais impossible de contrôler.

(Texte publié le 19 juillet 1989.)

Le 20 juillet, à 22 h 56

L'HOMME A CONQUIS LA LUNE

Un petit pas pour l'Homme un pas de géant pour l'Humanité

— Neil Armstrong

LORSQUE Neil Armstrong a posé le pied sur la Lune à 10 h. 56 hier soir **(20 juillet 1969)**, le «mot» tant attendu qu'il a prononcé s'adressait à toute la Terre: «C'est un petit pas pour l'Homme, c'est un pas de géant pour l'Humanité».

Ce «petit pas» de la part de l'Homme peut signifier que cette première conquête humaine de la Lune pourra être suivie de conquêtes encore plus grandioses dans l'avenir, la Lune servant de tremplin à une exploration de notre Univers.

Le «pas de géant pour l'Humanité», c'est la réalisation du rêve millénaire de l'Homme de se rendre sur la Lune, cet astre ou'il contemple depuis si longtemps, qu'il a commencé par craindre, pour ensuite le déifier, l'adorer, avant d'en violer la solitude avec des instruments optiques, puis finalement de le conquérir.

Cette phrase historique, Neil Armstrong l'a prononcée quatre jours, 13 heures, 24 minutes et 20 secondes après avoir quitté Cap Kennedy.

Lorsque Armstrong et Edwin Aldrin ont planté le drapeau des États-Unis, non pour prendre possession de la Lune, mais simplement pour signifier que c'était leur pays qui avait réussi

cet exploit historique, ils n'ont pas prononcé de grande phrases. Au contraire, ils sont restés silencieux de longs moments, presque au garde-à-vous, savourant sans doute ce moment en prévision duquel ils avaient travaillé si ardument. Cet autre moment historique est survenu à 11 h. 43 p.m.

Le premier exploit de la journée, l'atterrissage sur la Lune, a été salué par une phrase d'une simplicité désarmante de la part de Neil Armstrong: «L'*Aigle* a atterri». Il était 4 h. 17 p.m.

Cette «sécheresse» s'explique par le fait que l'équipage venait de vivre des minutes épuisantes, énervantes, d'une grande intensité dramatique. Quelques minutes plus tard, cependant, Aldrin, au nom de l'équipage de la mission «Apollo-11», a lu le message suivant:

«Je voudrais saisir cette occasion pour demander à tous ceux qui nous écoutent, où qu'ils soient, de se recueillir pour un instant, de méditer les événements des dernières heures et de rendre grâce chacun à sa façon.»

Beaucoup de choses seront dites et écrites au sujet de cet exploit, souhaitons qu'elles aient la même sincérité et la même simplicité que celles des principaux acteurs de l'événement.

Neil Armstrong au moment où il va poser le pied sur la surface lunaire.

LA PRESSE

MORT D'UN GRAND PAPE

La photo du pape Léon XIII occupait toute la première page de LA PRESSE lors de sa mort, le *20 juillet 1903*.

Le drapeau américain « flotte » à la surface de la Lune.

Berlin reconnaît un attentat contre Hitler

NEW YORK — La British Broadcasting Company mande que l'attentat à la bombe commis aujourd'hui **(20 juillet 1944)** a infligé à Hitler une commotion cérébrale (concussion of the brain). L'émission, captée par la Columbia Broadcasting, n'indique pas la source du renseignement.

L'émission de Berlin déclare que le chancelier n'a souffert que de contusions et de brûlures.

Londres, 20 (P.C.) — Le Deutsches Nachrichtenburo, agence officielle ennemie, mande qu'on a tenté d'assassiner Hitler, à la bombe, aujourd'hui. Le chancelier s'en est tiré avec «quelques contusions et de légères brûlures. Il n'a rien souffert d'autre, a continué son travail et a reçu Mussolini».

L'émission de Berlin apprend aussi qu'aussitôt informé le feldmaréchal Hermann Goering a rendu visite à Hitler.

Les officiers suivants ont été blessés sans gravité: généraux Alfred Jodl, principal conseiller militaire du chancelier; Korlen, Buhle, Bodenschatz, Heusinger, Scherff; amiraux Voss et de Putkammer.

D'après l'agence allemande, le lieutenant-général Schmundt,

les lieutenants-colonels Brand et Borgmann, le «collaborateur» (fonctionnaire civil) Berger ont été «gravement blessés». (...)

Hier, la presse russe attribuait au lieutenant-général Edmund Hofmeister, — mais on devait apprendre par la suite que toute l'affaire avait été préparée par le colonel Graf Claus von Stauffenberg — commandant du 41e corps blindé allemand, fait prisonnier, l'affirmation de graves dissentiments dans le haut-commandement. Les anciens généraux seraient mécontents que le chancelier refuse de donner l'ordre de la retraite.

Le premier attentat sur le chancelier remonte au 8 novembre 1939, alors qu'une bombe éclatait dans la brasserie de Munich que venait de quitter Hitler après avoir commémoré le coup d'État manqué de 1929. Les émissions de Berlin, cette fois, n'ont pas immédiatement désigné l'heure, ni le lieu de l'attentat. Depuis quelque temps, Hitler a beaucoup séjourné dans son château de Berchtesgaden. D'après le lieutenant-général Hofmeister, il a réuni récemment 150 généraux et amiraux, pour leur exposer sa stratégie; il avait alors la figure boursouflée, n'articulait qu'avec peine.

Rome, 20 — À 4.04 cet après-midi, le pape LÉON XIII est entré dans l'éternité, après une agonie de plusieurs jours, à l'âge de 93 ans et 4 mois.

L'espace important consacré à la mort du pape comprenait notamment ce résumé des faits. L'heure indiquée est celle de Rome.

12.35 p.m. — Les dernières informations reçues du Vatican font craindre que la mort du Pape ne soit imminente. Tous les cardinaux ont été appelés au Vatican.

12.50 — Le Pape a eu une syncope du coeur, mais on a réussi à le ranimer.

1.40 p.m. — Le Pape est remis de la syncope qu'il a eue, mais sa condition continue d'être extrêmement grave.

1.50 p.m. — Le Dr Mazzoni a été appelé en toute hâte au Vatican. On croit que le Pape est à l'agonie.

2.45 — Le Pape est entré dans ce que les médecins croient être la dernière agonie. Ceux qui sont dans l'antichambre des appartements pontificaux peuvent entendre le râle du mourant.

3.30 — Le Dr Mazzoni, en quittant la chambre du malade, il y a quelques instants, a dit que le Pape mourrait d'ici à deux heures.

4.30 — A 4 heures cet aprèsmidi, le Pape a complètement perdu connaissance.

Atlanta : au jeu !

La cérémonie d'ouverture des Jeux de la XXVIe olympiade de l'ère moderne a été l'occasion d'un spectacle grandiose qui s'est déroulé dans le stade d'Atlanta.

Les cérémonies fastueuses ont été présentées devant plus de 83 000 spectateurs remplissant le stade olympique et un auditoire évalué à 3,5 milliards dans le monde entier par le truchement de la télévision.

Elles ont commencé par l'«Appel aux Nations », une évocation aux tambours des esprits des Jeux olympiques passés. La méga-star Céline Dion, qui a confié lors d'une entrevue à CNN que cette prestation était un fait saillant dans sa carrière, a interprété pendant le défilé la chanson « The Power of the Dream ».
(**Texte publié le 20 juillet 1996.**)

EN INDOCHINE, LA PAIX EST CONCLUE

GENÈVE — Aux dernières nouvelles, la vingt-quatrième et dernière séance de la conférence d'Indochine, pour la signature des accords de trève et de leurs annexes doit avoir lieu à 8 h. GMT, soit 4 h. cet après-midi **(20 juillet 1954)**, heure de Montréal, à la grande salle des conseils du palais des Nations.

A 6 h. 45 GMT, M. Pham Van Dong, qui avait eu une dernière entrevue avec M. Pierre Mendès-France, a rejoint la résidence du Vietminh. Le président du conseil français a alors reçu M. Tran Van Do, ministre des Affaires étrangères du Vietnam. Il devait ensuite recevoir MM. Molotov et Eden pour mettre la dernière main aux textes déjà corrigés par les experts sur les indications des ministres.

Mais aussitôt après la deuxième réunion des Quatre: Mendès-France, Molotov, Eden, Pham Van Dong, terminée à 4 h. GMT, on apprenait que tous les problèmes de fond étaient résolu, du moins pour le Vietnam.

1) Les élections devront avoir lieu entre le 20 juillet 1955 et le 20 juillet 1956. La date sera précisée après consultation entre Vietnam et Vietminh.

2) La ligne de partage du Vietminh sera fixée le long de la rivière Song Ben Hai, une douzaine de milles au nord de la route coloniale no 9, qui assure au Laos un accès vers la mer.

3) Le délai pour que les forces des deux côtés rejoignent

les zones de regroupement aurait été fixé à 300 jours.

Les experts devaient réviser les textes relatifs au Cambodge et au Laos avant la troisième réunion des quatre. Les commissions militaires pour le Vietnam, le Cambodge et le Laos ont tenu leur troisième réunion depuis hier après-midi.

La protestation du Vietnam

La délégation de l'État du Vietnam a fait parvenir, cet après-midi, aux trois autres délégations participant à la conférence sur l'Indochine, une nouvelle déclarant qu'elle ne peut souscrire à la ligne de démarcation, abandonnant au Vietminh tout le nord du pays. Elle demande que des mesures soient prises pour la protection des populations non communistes du Vietnam, et que l'État du Vietnam jouisse du droit d'assurer sa défense et notamment d'importer des armes. (...)

La délégation de l'État du Vietnam fait remarquer que les projets français, soviétique et vietminh admettent tous le principe d'un partage du Vietnam en deux zones, tout le nord-Vietnam devant être abandonné au Vietminh. Quoique ce partage ne soit que provisoire en théorie, il ne manquerait pas de produire au Vietnam les mêmes effets qu'en Allemagne, en Autriche, en Corée.

Il n'apporterait pas la paix recherchée car, blessant profondément le sentiment national du peuple vietnamien, il provoquerait des troubles dans tout le pays.

Retour du choeur «Les Alouettes»

ET le beau voyage accompli ...les «Alouettes» nous sont revenues (le 20 juillet 1934).

On se souvient que, invités par le gouvernement français à participer aux fêtes du quatrième centenaire de la découverte du Canada par Jacques-Cartier, elles quittaient la terre canadienne pour aller outre-mer faire entendre à nos cousins français les beaux chants que nous avons si fièrement et si jalousement conservés. Parti à bord du «Champlain», le choeur des «Alouettes», composé de MM. Jules Jacob, Roger Filiatrault, André Trottier, Emile Lamarre, Emile Boucher, Gérald Gauthier, Paul Leduc et Antoine Dupras, est revenu à bord du «Paris» dans la journée d'hier. A New York, un imposant groupe d'amis dirigé par le Dr Elzéar Hurtubise vint à leur rencontre anxieux d'entendre le récit des fêtes françaises, des réceptions faites à nos délégués et des succès remportés par nos jeunes chanteurs.

Vrai déluge au Saguenay

Une violente tempête, marquée par des pluies diluviennes et de forts vents, a ravagé l'Est du Québec, de vendredi à hier soir (**21 juillet 1996.**).

Le premier bilan est déjà lourd : trois morts, dont deux enfants au Saguenay, au moins cinq disparus, des milliers de personnes sinistrées ou évacuées et des dégâts matériels qui se chiffrent en dizaines de millions de dollars.

Inondations, glissements de terrains, éboulements, ruisseaux, rivières et lacs rendus furieux, les eaux arrachant tout sur leur passage, ponts emportés ou submergés, c'est tout un coin du Québec qui a connu l'enfer des éléments déchaînés.

La dépression a déversé jusqu'à 155 mm de pluie en 24 heures au Saguenay, au Lac Saint-Jean, dans Charlevoix, sur la Côte-Nord et dans la Haute-Mauricie, les régions qui ont le plus écopé.

Des centaines de maisons ont été inondées, déplacées ou détruites, surtout au Saguenay, où des villages ont été isolés, notamment Anse-St-Jean, Ferland-et-Boilleau et Laterrière.

Des tronçons de routes ont été rendus impraticables ou carrément emportés, avec des automobiles, par la force des eaux.

La situation a été jugée si grave que le premier ministre Lucien Bouchard a décidé d'écourter ses vacances californiennes et de revenir au Québec. Il visitera aujourd'hui les zones sinistrées et a d'ores et déjà convoqué un conseil des ministres exceptionnel pour demain.

Les citoyens de nombreux villages, aidés par une dizaine d'hélicoptères, les Forces canadiennes, des policiers et des pompiers municipaux, la Sûreté du Québec et des fonctionnaires d'une dizaine de ministères coordonnés par la Sécurité civile ont porté secours à des centaines de personnes en situation délicate.

La région du Saguenay a été la plus touchée, surtout la ville de La Baie, où une fillette de 10 ans et un garçon de 8 ans ont péri, hier matin, dans leur lit, ensevelis par de la boue, au rez-de-chaussée de leur maison. Un pan d'une colline gorgée d'eau avait dévalé la pente et déplacé l'habitation, partiellement détruite. Les parents (le père est un militaire attaché à la base de Bagotville) et un enfant ont pu fuir, mais les secouristes n'ont pu sauver les deux enfants.

« Environ 5000 des 14 000 abonnés de la région ont été privés d'électricité, dont 3000 à Chicoutimi. Dans certaines localités isolées, le service ne sera pas rétabli avant 48 ou 72 heures, les équipes ne pouvant s'y rendre », a expliqué Marie Archambault, porte-parole d'Hydro-Québec.

Les vannes de plusieurs barrages publics et privés du Saguenay ont dû être ouvertes, hier, tant la pression des eaux menaçait leur structure même. On a procédé ainsi pour les barrages situés en travers de la rivière Chicoutimi, de la rivière des Ha ! Ha ! et de la rivière aux Sables, pour faire baisser le niveau du lac Kénogami. Mais cet afflux d'eau a provoqué des inondations dans toute la région, en plus d'inquiéter la population quant à la résistance des barrages.

Mme Archambault a même fait part des craintes d'Hydro-Québec de voir les barrages de Pont-Arnaud et de Chutes-Garneau, situés sur la rivière Chicoutimi, emportés par les flots. « Ils risquent tout deux de céder, disait-elle hier soir. Ce n'est pas une question de qualité, mais il y a tellement d'eau... »

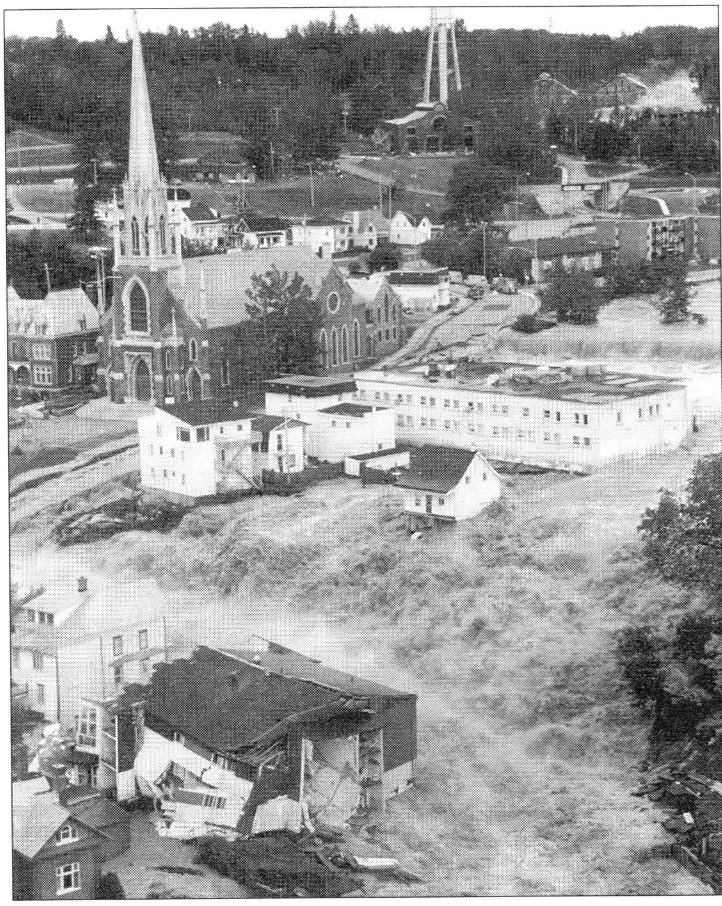

Les eaux déchaînées n'ont pas épargné beaucoup de bâtiments sur leur passage.

C'EST ARRIVÉ UN 21 JUILLET

1993 — Un transporteur annonce cette semaine un vol Montréal-Paris à 305 $, avant taxes (349 $, toutes taxes comprises). C'est une aubaine pour le consommateur, mais une épine pour les compagnies aériennes et les voyagistes qui, en milieu de saison, cassent leurs tarifs à cause du manque d'intérêt sur ce corridor.

1987 — Les développements de l'informatique n'ont pas fini d'étonner. Bientôt, les signatures seront décodées par ordinateur, éliminant ainsi les possibilités de falsification. Dans les bureaux, les mémos seront un jour écrits à « l'encre électronique » et l'écriture en lettres moulées peut déjà être lue par les « souris » de certains ordinateurs.

1984 — Le tourisme religieux se porte fort bien au Québec si l'on en juge par le nombre phénoménal de gens qui défilent annuellement à l'oratoire Saint-Joseph, à la basilique de Sainte-Anne-de-Beaupré et au sanctuaire Notre-Dame-du-Cap. Ces trois lieux de prière attirent plus de 4 millions de visiteurs par année.

1983 — Meurtre invraisemblable à Saint-Sauveur : la victime est enterrée dans un congélateur. La police procède à l'arrestation d'un suspect, Me Claire Lortie.

1981 — Au Canada, clôture du sommet d'Ottawa réunissant les représentants des pays industrialisés, soit, outre le pays hôte, les États-Unis, la Grande-Bretagne, la France, l'Allemagne de l'Ouest, l'Italie et le Japon.

1976 — Les Forces armées canadiennes signent un contrat de $1 milliard pour l'acquisition d'un nouvel avion patrouilleur à long rayon d'action, l'*Orion* fabriqué par la Lockheed Aircraft.

1973 — La France procède à un essai atomique dans le Pacifique.

1972 — Une collision ferroviaire fait 76 morts en Espagne. — Des incidents graves font 16 morts et 130 blessés à Belfast.

1969 — Le module *Eagle* décolle de la Lune et rejoint la capsule *Columbia* du vaisseau spatial *Apollo XI*. — Le vaisseau soviétique *Luna 15* s'écrase sur la Lune.

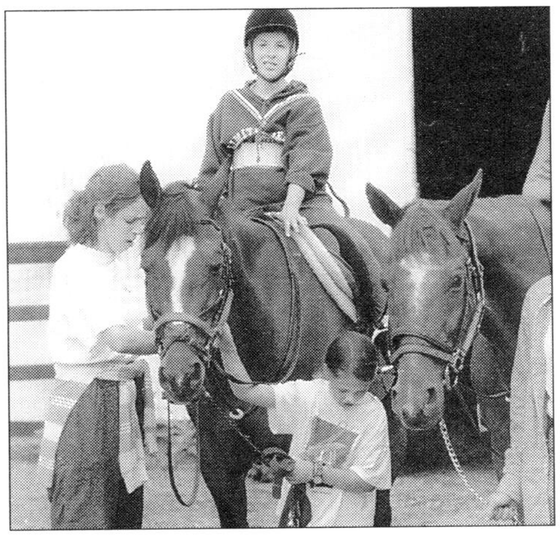

À 12 ans, Marie-Pier est une habituée de la thérapie équestre. Pour rien au monde, elle ne voudrait manquer son cours d'équitation. Une bénévole l'aide pour le départ.

Bienfaits de la thérapie équestre

Il y a de cela bien longtemps, Pégase, le cheval ailé de la mythologie grecque, défiait avec grâce tous les obstacles qui se dressaient devant lui. Aujourd'hui, ce sont les chevaux qui donnent des ailes aux jeunes handicapés grâce à la thérapie équestre.

La thérapie équestre a vu le jour en Europe il y a environ 50 ans, et sa popularité s'est répandue à la vitesse d'un cheval au galop sur le vieux continent pour atteindre l'Amérique du Nord il y a une vingtaine d'années. Comme son nom l'indique, c'est une thérapie qui se fait à l'aide d'un cheval. Jusque-là, rien de si extraordinaire, pensez-vous ? Ce qui l'est, c'est de voir monter à cheval des enfants en fauteuil roulant ou ayant peine à marcher.

Au Québec, ce type de thérapie n'existe « officiellement » que depuis 1990, et c'est à Joanne Côté que nous devons le premier centre de thérapie équestre structuré et organisé. Elle-même mère d'une fillette handicapée, elle a lu, par hasard, un article sur le sujet il y a quelques années.

« J'ai trouvé l'idée fantastique, car ce type de thérapie est une activité merveilleuse et différente à offrir aux enfants, explique-t-elle. J'ai fait venir de la documentation, puis j'en ai parlé aux gens de mon entourage. Grâce à la collaboration bénévole de tous et chacun, j'ai mis sur pied une équipe multidisciplinaire composée de physiothérapeutes et d'ergothérapeutes, d'une orthopédagogue, d'une éducatrice et de cavaliers expérimentés. »

(Texte du 21 juillet 1996.)

1 milliard $ à la poubelle

Chaque ménage canadien a jeté plus de 100 $ à la poubelle, l'an dernier, sous forme de coupons rabais !

Littéralement inondés de 3,1 milliards de coupons-rabais dans le seul secteur de l'alimentation, en 1983, les Canadiens, comme les Québécois d'ailleurs, n'en ont utilisé que 180 millions, soit six p. cent. D'une valeur nominale de 30 cents chacun, ces coupons ont permis des économies de 54 millions $ aux consommateurs... qui ont jeté le reste, d'une valeur de 876 $ millions, ou 101 $ par ménage.

Les fabricants et grossistes émettent des coupons d'abord pour promouvoir l'essai de produits déjà existants, selon une enquête de Nielsen réalisée ce printemps. Le deuxième motif est l'introduction de nouveaux produits.

(Texte publié le 21 juillet 1984.)

ALEXANDRE KERENSKY DEVIENT PREMIER MINISTRE DE RUSSIE

Lénine est en fuite. —Pétrograd reprend son calme habituel.

PÉTROGRAD — La «Gazette de la Bourse» annonce que M. Lvoff a démissionné et qu'Alexandre Kerensky a été choisi comme premier ministre, tout en gardant temporairement son portefeuille de ministre de la guerre et de la marine.

M. Tseretelli a été nommé au ministère de l'intérieur, poste qui était occupé par M. Lvoff. M. Tseretelli gardera son portefeuille de ministre des postes et des télégraphes. (...)

Le calme est rétabli à Pétrograd, aujourd'hui **(21 juillet 1917, selon notre calendrier)**, mais on éprouve une sensation amère et pénible d'humiliation et de dégradation, à la suite des événements insensés et ridicules qui viennent de se dérouler. On se demande pourquoi cela a été **permis. Pourquoi on n'a pas** tout arrêté dès le début? Le crime a été préparé de longue main et ses sources sont obvies; les agents qui l'ont perpétré se sont montrés à plusieurs reprises sans scrupules, mais en lâches. Quand on les a mis en état d'arrestation, ils se sont dérobés, ont menti, ont fait profession de dévouement à un but idéal, ont déclaré qu'ils avaient été impuissants devant les mouvements élémentaires de la masse. (...)

La garnison de Pétrograd et des milliers de travailleurs ont été à la merci de ces conspirateurs de bas étage, qui ont maintenant à répondre à l'accusation directe d'être tout simplement des agents allemands, recevant continuellement des fonds par des intermédiaires notoires de Stockholm. (...)

Deux léninites en vue ont été relâchés, après avoir été écroués. Ils ont dû leur liberté aux instances du conseil des délégués des soldats et des travailleurs.

Le gouvernement a voulu publier des documents établissant que Lénine était un agent allemand; mais le conseil des délégués des soldats et des travailleurs a empêché cette publication. C'est cette intervention de leur part qui a porté le ministre de la justice, M. Pereveizeff, à démissionner.

Le sentiment général est très fort et même très violent contre Lénine, qui est en fuite.

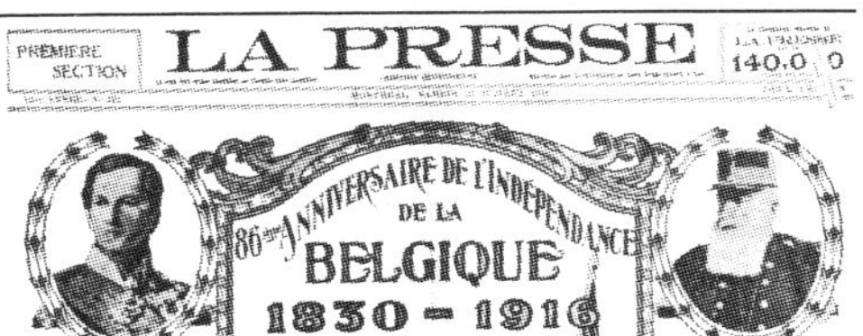

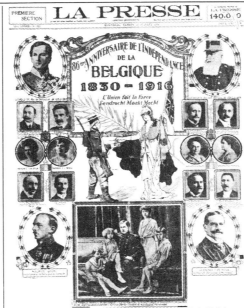

Pour saluer le 86e anniversaire de l'indépendance de la Belgique, le *21 juillet 1916*, LA PRESSE avait consacré toute sa première page de l'édition du lendemain à l'événement.

La bande dessinée a cent ans

Il ne se passe pas un mois sans que l'on célèbre le 25e anniversaire de ceci ou le centenaire de cela : tous les prétextes sont bons pour faire des festivals. Ainsi, après la photographie et le cinéma, voilà que la bande dessinée fête elle aussi ses 100 ans.

S'il est un pays au monde qui se devait de souligner l'événement, c'est bien la Belgique (dont c'est aujourd'hui la fête, d'ailleurs) royaume du 9e art (et des patates frites), où naquirent les Tintin, Spirou, Lagaffe, Le Chat, Lucky Luke, Alix, les Schtroumpfs, Blake & Mortimer et combien d'autres grands héros. Plus de 140 manifestations (expos, colloques, conférences...) se tiennent depuis le début de l'année en Belgique pour marquer le centenaire de ce qui est devenue la principale industrie culturelle belge. Trente millions d'albums sortent des presses belges chaque année, ce qui représente un chiffre d'affaires global annuel de 230 millions de dollars canadien. La Belgique exporte 75 % de sa production.

Mais qu'est-ce donc qui a 100 ans cette année ?

La décision de fêter le centenaire de la bédé en 1996 est pour le moins arbitraire : on pourrait très bien dire que l'art de raconter des histoires en images remonte à la nuit des temps.

Ce qu'on appellera plus tard la bédé s'est d'abord présenté sous la forme d'une suite de petits dessins accompagnés ou non de textes. C'est seulement à la fin du 19e siècle qu'est apparue la fameuse « bulle », mieux connue des bédéphiles sous le joli nom de phylactère. En fait il semble bien que le phylactère soit né aux États-Unis. Selon les spécialistes, la bédé « moderne » a vu le jour dans les pages du New York World en 1896, sous la plume de Richard F. Foucault, alors qu'étaient publiées pour la première fois les aventures de Yellow Kid, celui que l'on considère comme le premier héros de la bédé.

(Texte publié le 21 juillet 1996.)

Quand nos gouvernements vivent au-dessus de nos moyens

Entre 1961 et 1986 les impôts et taxes payés par la moyenne des familles canadiennes ont augmenté de 938,4 p. cent, alors que leurs revenus ne progressaient que de 615,8 p. cent.

En fait, les pouvoirs publics ont dépensé largement plus que ce que leur ont apporté impôts et taxes, puisqu'il faut encore ajouter à ces revenus les emprunts — que rembourseront nos enfants pour compenser leurs déficits budgétaires.

En 1961, le revenu brut moyen des familles canadiennes s'établissait à 7582 $ sur lequel il fallait retirer 1675 $ ou 22,1 p. cent, en impôts et taxes (aux trois paliers de juridiction).

Vingt-cinq ans plus tard, les revenus moyens de la famille canadienne ont augmenté de 615,8 p. cent pour totaliser 54 272 $ à réduire d'une ponction fiscale en hausse de 938,4 p. cent, passée de 1675 $ à 17 393 $, relevant le taux d'imposition de 22,1 p. cent en 1961 à 32,0 p. cent en 1986.

(Publié le 22 juillet 1988)

Nadia, reine des Jeux de Montréal

Nadia Comaneci, bien secondée par les trente-cinq autres meilleures gymnastes de la compétition jusqu'à maintenant, a poursuivi son historique boulot de charmeuse des juges à l'occasion du concours multiple individuel.

Il est heureux que le traditionnel matraquage de questions qui suit la présentation de chaque concours ne se soit pas déroulé avant la compétition, parce que ce qu'il restait de suspense à se mettre sous la dent aurait fondu d'un coup sec.

C'est qu'avant même que ne débute cette finale, il y avait là quelqu'un qui ne doutait pas un instant de son dénouement : « J'étais sûre de gagner. Je savais que si j'y mettais tout mon coeur, je gagnerais » d'affirmer calmement Nadia Comaneci.

(Texte publié le 22 juillet 1976.)

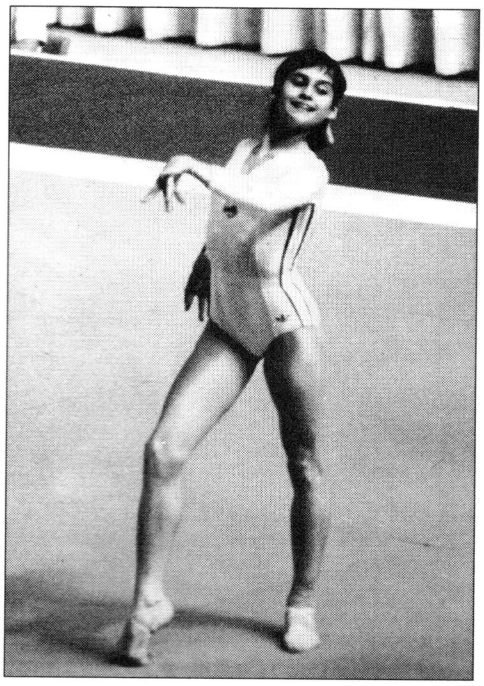

La grâce conquérante de Nadia.

L'abbé Pierre à Montréal

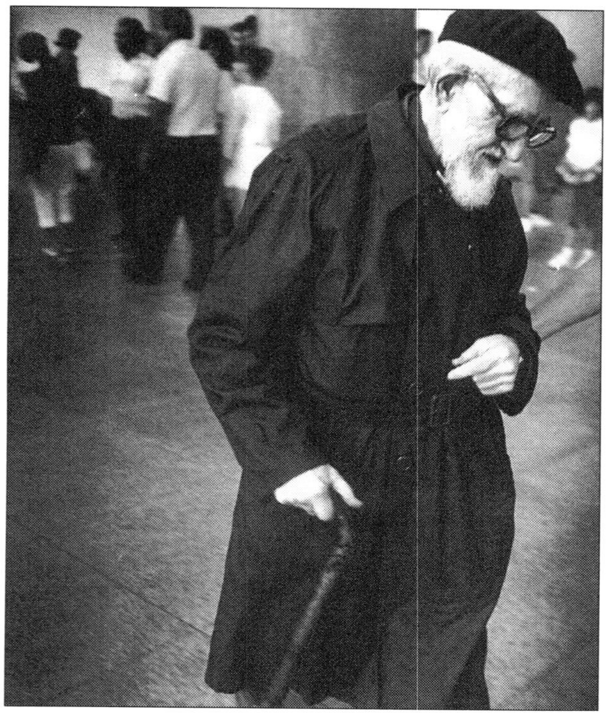

L'abbé Pierre à son arrivée à Mirabel.

L'abbé Pierre, le célèbre fondateur des Communautés Emmaüs, celui-là même dont la vie fut récemment portée à l'écran, est à Montréal pour une visite de deux jours dans le cadre du Festival international de Lanaudière.

L'abbé Pierre se trouvait réuni à Lanaudière avec son ami, le légendaire apôtre des Droits de l'homme Dom Helder Camara, archevêque de Récife, au Brésil, pour une soirée concert intitulée « Paix et partage ». On y présentait en primeur nord-américaine une autre oeuvre de Pierre Kaëlin, « La symphonie des deux mondes », écrite cette fois-ci à partir de textes de Mgr Camara.

Accueilli à son arrivée à l'aéroport de Mirabel par les journalistes et les photographes, l'abbé Pierre, malgré la fatigue du voyage, a répondu rapidement aux questions concernant sa visite à Montréal pour entreprendre un vigoureux plaidoyer contre la misère et l'injustice.

« La terre entière est agressée par la misère, déclare-t-il. Il n'y pas seulement l'Afrique, avec les famines et le sida, qui soit touchée. Aux États-Unis, 30 millions de personnes vivent sous le seuil de la pauvreté. Dans l'Europe unie de demain, sur les 320 millions de citoyens qui habiteront le territoire, 50 millions partageront la plus grande misère. »

L'abbé Pierre se dit très préoccupé lorsqu'il entend parler de la situation des sans-abri à Montréal. « Le problème se renouvelle constamment. Il y a en ce moment des milliers de petits garçons et de petites filles en train de naître qui, plus tard, ne découvriront que de la misère. C'est un acte d'amour perdu », déplore-t-il.

Selon lui, l'offensive contre la misère doit être menée par l'ensemble de la communauté mondiale et fondée sur de nouveaux partages. Surtout en ce qui concerne l'emploi, « la première des justices », et l'immigration, problème de l'heure en France.

« Lorsque j'entends Le Pen dire La France aux Français, j'ai envie de crier La Terre aux humains ! », rétorque celui qui demeure l'un des plus énergiques défenseurs des déshérités de notre monde.

(Texte publié le 22 juillet 1991.)

Les grenouilles paraissent menacées

Des États-Unis à l'Inde, du Japon à l'Australie, de l'Europe à l'Amérique latine, les grenouilles, les crapauds et les salamandres sont en voie de disparition. Impuissants, les scientifiques ne peuvent que constater cette tendance inexorable, parfois rapide, et sont incapables d'avancer une explication.

« Il n'y a pas de modèle cohérent », déclare Marc Hayes, un biologiste de l'Université de Miami. « Il n'y a pas, semble-t-il, de cause évidente et globale, à part le fait que tout semble de la responsabilité de l'homme. »

Au Canada, ce sont surtout les salamandres qui inquiètent les spécialistes

Quand les grenouilles chantent, on ne les entend pas. Mais quand elles cessent leur hymne à la nuit, on remarque leur silence.

Il est difficile de déterminer le taux de disparition des espèces, au Canada, puisqu'il n'y a pas de recherche à long terme pour suivre l'évolution de ces populations. Mais selon Raymond Leclerc, herpétologiste, les amphibiens du Canada et du Québec ne sont pas épargnés par la destruction de leur habitat.

Dans notre pays, la reproduction des grenouilles et autres amphibiens fluctue annuellement en fonction de phénomènes naturels, telles les variations du climat. M. Leclerc constate que la population varie beaucoup selon les régions, pour des raisons inconnues. Dans la vallée du Saint-Laurent, les grenouilles des marais sont presque introuvables, mais dans les Maritimes, elles abondent. Une chute du nombre de grenouilles ne conduit donc pas automatiquement à la disparition de l'espèce.

La grenouille léopard, espèce la plus commune au Canada, n'est pas en voie de disparition même si, dans certaines zones, les habitats sont de moins en moins propices à sa survie. Cependant, les hommes représentent un danger qui s'intensifie. Certaines entreprises québécoises exportent des grenouilles léopard vers des pays où elles sont disparues. Si cette tendance se poursuit, « on risque de vivre une destruction abusive du stock », estime le spécialiste des amphibiens et des reptiles.

(Texte publié le 22 juillet 1990.)

Nudité sur nos plages ?

Chaque été, des milliers de Québécois s'adonnent à la pratique du naturisme, soit dans des camps privés, soit sur des plages dites « libres ». Malgré les menaces que fait peser sur notre épiderme la diminution de la couche d'ozone, le nombre d'adeptes de la nudité intégrale irait même en augmentant.

L'année dernière, deux nouveaux clubs privés ouvraient leurs portes, portant à 11 le nombre de ces endroits où l'on peut s'adonner aux activités de plein air dans le plus simple appareil.

La clientèle de ces endroits est comparable à celle de tout autre terrain de camping. On y retrouve surtout des familles, mais également des gens de tous les âges et de tous les niveaux socio-économiques. Certains y fixent leur roulotte pour y passer tout l'été, alors que d'autres n'y feront qu'une visite annuelle.

S'il faut en croire Michel Vaïs, fondateur de la Fédération québécoise de naturisme (FQN), il y aurait au Québec au moins 900 000 adeptes du naturisme.

(Texte publié le 22 juillet 1989.)

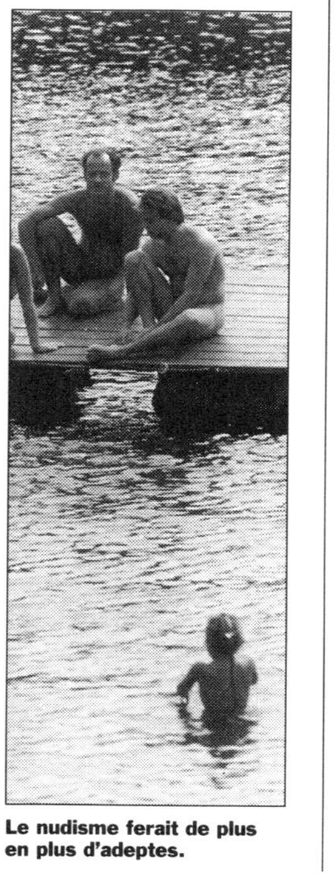

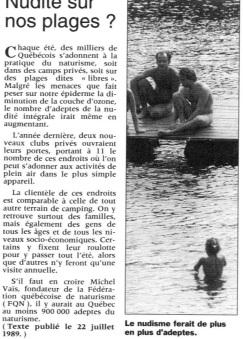

Le nudisme ferait de plus en plus d'adeptes.

C'EST ARRIVÉ UN 22 JUILLET

1998 — Le bilan de la vague de chaleur qui sévit aux États-Unis depuis deux mois s'est encore alourdi, pour atteindre 128 morts dans six États américains. Le Texas compte à lui seul 86 victimes, alors que 26 personnes sont mortes en Louisiane et 13 en Oklahoma.

— Dans la foulée de la crise du verglas de janvier, la centrale thermique de Tracy va reprendre du service. Hydro-Québec y poursuit ses travaux de rénovations pour s'assurer que la centrale de pointe puisse rapidement fonctionner à pleine capacité.

1994 — Le Canadien Pacifique augmente son emprise sur le trafic de conteneurs au port de Montréal en acquérant Cast. La société maritime Cast, qui arme cinq bateaux, possède son terminal à l'embouchure du tunnel Louis-Hippolyte Lafontaine. Le prix de la transaction, qui n'a pas été dévoilé par les parties, oscillerait entre 50 et 60 millions.

1993 — Pour la première fois depuis la création du scoutisme voici 86 ans, une femme, en l'occurrence la Française Jocelyne Gendrin, a été élue au comité mondial des scouts. Mme Gendrin, 36 ans, a été élue à Bangkok, au cours de la conférence de l'Organisation mondiale du mouvement scout à laquelle participent jusqu'à vendredi plus de 1140 délégués de 105 pays.

1989 — Malgré un intérêt mitigé de la part du public, le gouvernement fédéral poursuivra son programme de conversion de véhicules au gaz naturel. Ce programme qui offre une aide financière pour la conversion d'automobiles et de camions au gaz naturel, est venu à échéance, mais le gouvernement a décidé de le prolonger jusqu'au 31 mars 1990.

— Le contrôle de l'économie du Québec repose de plus en plus entre les mains de Québécois francophones. En fait, le nombre de Québécois, qui travaillent pour un « boss » francophone n'a cessé de croître au cours des dix dernières années.

— « Le Bon Dieu ne veut pas de publicité ». Telle est la réponse qu'ont donnée à *La Presse* des religieuses américaines de la congrégation de mère Thérésa qui se sont installées discrètement à Montréal pour venir en aide à des victimes du sida et qui vivent actuellement aux habitations Jean-Pierre Valiquette. Elles sont même déterminées à apprendre le français pour mieux faire leur travail.

— Confronté à une nouvelle attaque de sa politique par les conservateurs, le président soviétique Mikhaïl Gorbatchev a annoncé qu'il souhaitait « une épuration rapide de tous les éléments rétrogrades du Parti communiste soviétique, de la base jusqu'au sommet, y compris le Bureau politique ».

1988 — Michael Dukakis a accepté la nomination de son parti en tant que candidat à la présidence des États-Unis. Plaçant sa campagne sous le signe du « rêve américain », Dukakis, a promis aux Américains de créer un esprit de « communauté ».

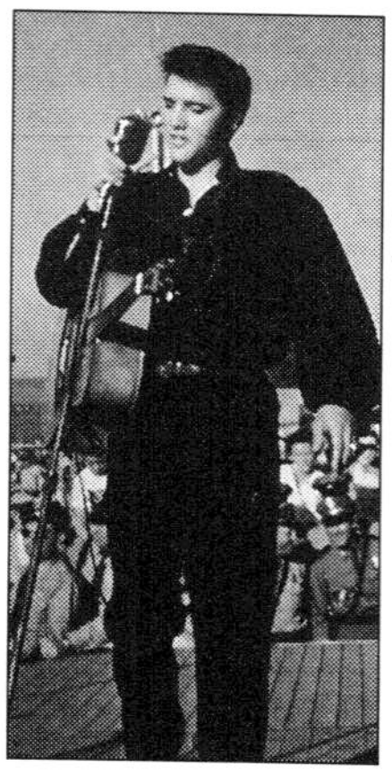

Elvis, en 1956.

— La succession d'Elvis Presley vaut actuellement quelque 50 millions $, en comparaison de 5 millions $ lors de la mort du chanteur, il y a 11 ans, et les profits continueront de s'accumuler. La fortune laissée par Elvis Presley a décuplé en raison, notamment, des droits d'auteur versés à la succession et des revenus provenant de l'attrait que Graceland, la somptueuse demeure que le chanteur habitait à Memphis, continue d'exercer sur les touristes.

1986 — Le prince Andrew, second fils de la reine d'Angleterre, a épousé Sarah Ferguson, au cours d'une cérémonie fastueuse, impeccablement réglée, qui s'est déroulée en l'abbaye de Westminster et qui a été suivie par des millions de téléspectateurs dans le monde entier.

— Pour se divertir, les Canadiens préfèrent encore, et de beaucoup, la radio et la télévision. En 1981, signale Statistique Canada, nous avons passé une moyenne de trois heures par jour devant notre téléviseur et deux heures à écouter la radio.

1967 — Selon le premier ministre du Québec, M. Daniel Johnson, la visite du général de Gaulle en territoire québécois permettra d'une part au Canada anglais d'être plus conscient du « fait français » au pays et, d'autre part, aux Québécois de prendre conscience de leur existence comme groupe distinct. Ce fut dit trois jours avant le cri du général « Vive le Québec libre » !

1960 — Le premier ministre Lesage a fait savoir que son gouvernement va créer, dès la prochaine session, une Commission des universités et des collèges classiques, selon le voeu émis devant la Commission Tremblay par les représentants des universités de Québec et de Montréal.

1935 — La plus virulente publication allemande contre les Juifs, « Der Sturmer », éditée par Julius Streicher, chef nazi de Franconie, a été interdite aujourd'hui en Allemagne à la surprise de tout le monde, puisque les manifestations d'antisémitisme viennent de recommencer. Le ministère de la propagande qui a émis cette interdiction se refuse à l'expliquer.

Mariage des Jocistes

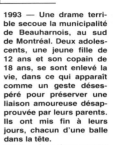
EN plein air, à la face du Ciel, la Jeunesse ouvrière catholique réaffirme sa foi dans le mariage-sacrement. Par ce dimanche doré de juillet, elle présente à la bénédiction nuptiale, sous le regard des évêques et en spectacle au monde, cent six jeunes couples, longuement préparés pour constituer le noyau d'une Cité de Dieu nouvelle où chacun des foyers nés de ce

jour dans le Christ apportera sa pierre fondamentale. Vingt mille personnes assistent, au Stade, à la Messe très impressionnante des Cent Mariages, qui ouvre de solennelle façon le deuxième Congrès général de la J.O.C. du Canada.

C'est en ces termes que le rédacteur de LA PRESSE à l'époque, Ephrem-Réginald Bertrand, commençait le long article consacré au mariage

simultané, au stade de Lorimier, de 106 couples formés de membres de la J.O.C. et venus de l'ensemble du Québec, de l'Ontario et des Maritimes. En présence de personnalités politiques comme P.-J.-A. Cardin, ministre fédéral des Travaux publics, William Tremblay, ministre provincial du Travail, et le maire Camillien Houde, le mariage a été concélébré le

23 juillet 1939 par Mgr Gauthier, archevêque de Montréal, six évêques et des dizaines de prêtes, le serment solennel étant prononcé au nom du groupe par le couple de Thérèse et Henri Séguin, organiste de la paroisse Saint-Roch de Montréal, touchait l'orgue. Quant aux mariés, en sus de l'honneur de se marier devant quelque 20 000 personnes, cha-

que couple a reçu un petit crucifix pour le jeune homme, et un chapelet en nacre pour la jeune fille, objets bénits par le pape. Lorsque publiée en 1939, la photo ci-dessus (et montrant les 106 couples mariés) couvrait toute la partie du haut de deux pages adjacentes. Il nous a fallu en réduire la superficie et vous la présenter en deux demies superposées.

Ultra-léger, ultra-excitant

L'ultra-léger, c'est l'impression d'être suspendu entre ciel et terre avec une paire d'ailes dans le dos !

À bord de l'ultra-léger, tout en-haut, on a l'impression de reculer dans le temps, de revenir à l'époque héroïque des pionniers de l'aviation.

L'avion miniature dévore la piste de terre pendant quel-

ques secondes, puis accélère tout d'un coup. L'instant d'après, le petit biplace prend son envol.

Le décollage se fait tout simplement. Mais le pilote m'a bien averti que le temps n'est pas idéal pour voler. Le vent souffle et on se fait gaiement « brasser le canayen », comme on dit. Dès que l'appareil prend de l'altitude, on se rend

compte, un peu brutalement, qu'on ne voyage pas dans un avion conventionnel.

Le vol libre (delta-plane) et le vol sur ultra-léger sont relativement nouveaux. Aux États-Unis, le delta-plane est devenu populaire au début des années 70, tandis que l'ultra-léger ne date que de 1975.

(Texte publié le 23 juillet 1984.)

LA PETITE SIRÈNE MANCHOTE

Des vandales ont scié le bras droit, en bronze, de la Petite Sirène, la célèbre statue du port de Copenhague, perpétrant la pire profanation de la statue depuis qu'elle avait été décapitée il y a 20 ans.

Hier, des touristes ont découvert la Petite Sirène plus songeuse que jamais, dépouillée de l'un de ses bras, et les experts de la police danoise se démenaient comme de beaux diables à la recherche d'indices.

L'acte de vandalisme a été découvert par des passants qui se promenaient sur le quai Langelinie, dans le port de Copenhague, où la Petite Sirène se trouve depuis 1913.

Le bras droit de la statue était collée au tronc, et les vandales ont donc dû le couper en deux endroits. Les policiers ont indiqué que c'était-là une tâche facile à accomplir, étant donné que le bronze est un métal plutôt mou et que le bras était creux.

(Texte du 23 juillet 1984.)

La statue amputée a été transportée pour qu'on lui refasse une beauté.

Jacques Amyot réussit la traversée du lac S.-Jean

Première fois qu'un humain traverse le lac à la nage. — Quatre échecs.

ROBERVAL — Le nageur Jacques Amyot, de la ville de Québec, a pris 11 heures et 48 minutes, samedi **(23 juillet 1955)**, pour franchir en pleine tempête le lac S.-Jean. C'est la première fois qu'un nageur franchit ce lac de 21 milles.

Des cinq partants, Amyot fut le seul à atteindre le but. Il entra dans l'eau à 5 h. 15 du matin, à Péribonka, et toucha la grève à Roberval, encore en bonne forme, à 5 h. 03 de l'après-midi.

De forts vents et quatre violentes averses firent monter la vague à cinq pieds de hauteur. À un moment donné, Amyot passa trois quarts d'heure à tourner en

rond, car la boussole du bateau qui le dirigeait fut emportée. C'est un bateau de patrouille qui remit le nageur dans la bonne direction.

Si Amyot a remporté la victoire, une jeune fille de 16 ans mérite beaucoup d'éloges. Il s'agit de Louise Parenteau, de Trois-Rivières, qui nageait encore une heure après qu'Amyot eût touché la grève, à Roberval, et qui ne quitta le lac, à cinq milles du but, que lorsque M. Martin Bédard, président du club aquatique du lac S.-Jean, eut réussi à la convaincre qu'elle pouvait nuire à sa santé en persistant à nager. (...)

Assistés sociaux dans la mire

Les agents de l'aide sociale chargés de dépister les « irrégularités » parmi les assistés sociaux, ont visité 41 p. cent des ménages aidés par l'État québécois, en 1989-90.

Ces 200 agents-visiteurs se sont rendus au domicile de 136 533 bénéficiaires de l'aide sociale au cours de la dernière année. Ils ont permis au régime de la Sécurité du revenu de faire l'économie de 7,2 millions de dollars, soit une minime tranche de 0,3 p. cent du budget de l'aide sociale ou 36 000 $ par agent, ou encore 53 dollars par bénéficiaire visité.

(Texte publié le 23 juillet 1990.)

PETAIN EN APPELLE A LA NATION

Il dit avoir aidé à délivrer la France

PARIS — Cet après-midi **(23 juillet 1945)** a commencé devant la Haute Cour le procès du maréchal *(Philippe)* Pétain, ancien chef de l'Etat français, accusé d'intelligence avec l'ennemi et de complot contre la sécurité de l'Etat, avant et après son avènement au pouvoir.

L'avocat du maréchal a décliné la compétence du tribunal, mais son exception a été renvoyée. Le maréchal, couvert de ses décorations, a déclaré au tribunal: «Tandis que le général De Gaulle continuait la lutte à l'étranger, j'ai ouvert la voie de la libération. Par l'Assemblée nationale réunie à Vichy (10 juillet 1940), le peuple français m'a donné le pouvoir de diriger la nation. C'est à lui seul que je suis venu répondre. C'est la seule déclaration que je ferai. Les présentes accusations ne visent qu'à me salir. J'ai consacré ma vie

au service de la France. Que le peuple français se souvienne que j'ai mené ses armées à la victoire en 1918.»

La Haute Cour se compose d'un président, de 2 autres juges, et de 24 jurés de l'Assemblée consultative, dont 12 membres de la résistance et 12 anciens parlementaires. Si le jury prononce le maréchal coupable des accusations portées par le procureur de la République, M. André Mornet, le maréchal est passible de la peine de mort.

M. Mornet, dans son réquisitoire, accuse le maréchal de complot avec l'Allemagne. Il affirme que c'est l'ambition qui a dicté beaucoup d'actes du général. (...) M. Mornet rappelle les événements de juin 1940. Il affirme «c'est sous la pression combinée du général Weygand, alors généralissime des armées alliées, et du maréchal Pétain» que la majorité des ministres

ont décidé qu'il était inutile de prolonger la lutte et ont démissionné. «Aussitôt appelé au pouvoir, le maréchal a commencé les négociations en vue de l'armistice». (...)

La défense de l'armistice

«Lorsque j'ai demandé l'armistice, j'ai accompli un acte décisif de salut et j'ai ainsi assuré la liberté de l'Empire. J'ai usé de mon pouvoir pour la protection du peuple français et c'est pour le peuple que j'ai compromis mon prestige». (...)

Le hasard fait drôlement les choses. Le maréchal Philippe Pétain s'éteignait à 95 ans dans l'île d'Yeu, où il vivait en résidence surveillée depuis que le général de Gaulle avait commué en emprisonnement à vie une sentence de mort prononcée le 14 août 1945. Le maréchal est mort le **23 juillet 1951,** *six ans jour pour jour après le début de son procès.*

1993 — Une drame terrible secoue la municipalité de Beauharnois, au sud de Montréal. Deux adolescents, une jeune fille de 12 ans et son copain de 18 ans, se sont enlevé la vie, dans ce qui apparaît comme un geste désespéré pour préserver une liaison amoureuse désapprouvée par leurs parents. Ils ont mis fin à leurs jours, chacun d'une balle dans la tête.

1986 — Les deux agents secrets français impliqués dans le sabotage du navire de Greenpeace, le Rainbow Warrior, le commandant Alain Mafart et la capitaine Dominique Prieur, ont quitté la Nouvelle-Zélande à bord d'un avion militaire pour l'île de Wallis où ils seront remis aux autorités françaises. Le gouvernement français a en outre versé une compensation de 10 millions $ à la Nouvelle-Zélande.

1980 — Décès à l'âge de 72 ans du sénateur Sarto Fournier, qui fut maire de Montréal de 1957 à 1960.

1979 — Décès de Joseph Kessel, écrivain né de parents russes en Argentine, en 1888.

1976 — Le gouvernement fédéral interdit le français dans l'air, sauf au-dessus de six petits aéroports québécois.

1974 — La junte militaire grecque démissionne par suite de son échec à Chypre et devant la menace d'une guerre avec la Turquie.

1971 — Huang Hua, premier ambassadeur de la République populaire de Chine au Canada, est accueilli avec enthousiasme à Ottawa.

1970 — Le projet de règlement américain (plan Rogers) est accepté par l'Égypte, la Jordanie et Israël, mais rejeté par les Palestiniens, l'Irak et la Syrie.

1955 — Donald Campbell établit un nouveau record de vitesse en poussant le *Bluebird* à 202,32 milles à l'heure, en Angleterre.

1952 — Le général Neguib prend le pouvoir en Égypte et force le roi Farouk à s'exiler.

1951 — Le héros de Verdun, l'ancien maréchal Philippe Pétain s'est éteint ce matin à l'âge de 95 ans.

1950 — Le très hon. William Lyon Mackenzie King, qui a été 29 ans chef du parti libéral et plus de 21 ans premier ministre du Canada, est décédé hier soir, à 9 h 42, en sa maison d'été de Kingsmere, dans la province de Québec.

1943 — Les Lignes aériennes Trans-Canada inaugurent un service transatlantique Montréal-Londres.

Vive le Québec libre!

INOUI, inimaginable! Charles de Gaulle, grand libérateur de la France, fait maintenant l'histoire du Québec, du Canada tout entier.

Quatre mots ont suffi, ont ouvert l'abcès, mis à nu une crise qui, aujourd'hui, secoue le pays. Ce grand adjectif «LIBRE» ajouté délicatement, sûrement, avec un ton peut-être subversif à ce Vive le Québec! a tout ébranlé.

Ottawa est bouleversé, consterné. Le cabinet fédéral tient demain matin une réunion extraordinaire. Québec, de son côté, dissimule mal sa nervosité. La surprise est trop brutale.

Mais les milliers de Montréalais qui ont entendu ces mots de la bouche de l'homme d'État **(24 juillet 1967)** les ont bus, s'en sont enivrés. De Gaulle s'est offert comme libérateur, ils l'ont accepté. De Gaulle leur a proposé la liberté, l'indépendance, ils l'ont accepté.

Un grand moment historique, c'est certain. Mais aussi des conséquences imprévisibles. Que fera Ottawa? Que feront les anglophones du pays? Le ressac anglo-saxon est déjà là. Le général a peut-être changé le cours de l'histoire.

Devant les 15,000, 20,000 Montréalais venus l'entendre du balcon de l'Hôtel de ville, de Gaulle s'est servi de l'histoire pour transmettre son message:

«Je vais vous confier un secret que vous ne répéterez pas. Ce soir, ici, tout au long de cette route, je me trouvais dans une atmosphère du même genre que celle de la libération».

Mots lourds, s'il en est, venant de la bouche du général. La libération de Paris, c'est le triomphe de sa vie, le superbe résultat de ses grands efforts de guerre. (...)

Et à cela, il a associé le premier ministre du Québec. «Mon ami Johnson», a-t-il lancé, triomphant.

Sept discours

C'est vrai, il y avait un bon nombre de séparatistes, militants, venus voir la grande scène du balcon. Quelques centaines. Mais également des milliers d'autres qui n'ont jamais hésité à entonner des Vive de Gaulle! à s'en déchirer les poumons.

Une scène qui ne s'était jamais vue à Montréal. Le clou d'une longue randonnée triomphale que ni la pluie, la chaleur, l'humidité, les défectuosités mécaniques, les bruits agaçants d'hélicoptères n'ont pu souiller.

Sept fois le général a parlé le long de la rive de ce fleuve découvert par un Français. Partout, il a mis du tigre dans le réservoir du nationalisme canadien-français. A Montréal, le réservoir était plein, de Gaulle a lancé la machine...vers l'indépendance. (...)

Un fait demeure. Si les Montréalais n'ont pas hésité à huer leur maire qui soulignait, en passant, la contribution de l'élément non français de la métropole, les mêmes Québécois, ce million de nationalistes qui ont vu de Gaulle, ne lui ont rien reproché publiquement. Discrètement, quelques-uns ont dit: «mais il exagère», rien de plus.

A l'arrivée à l'Hôtel de ville, le premier ministre du Québec qui aime l'automobile et la gloire du général, n'hésitait pas à exprimer physiquement sa grande joie. Au soir d'un triomphe électoral, il n'aurait pas paru plus heureux!

Mais à Ottawa, le premier ministre du Canada révise certainement le discours qu'il avait préparé à l'occasion de la visite du général.

Que dira-t-il? Que fera-t-il? Impossible à prévoir, évidemment, mais la réception ne pourra être que froide.

A moins que le général n'y aille pas!

Le général de Gaulle au balcon de l'hôtel de ville de Montréal.

L'acquisition du «No. 16» en a laissé plus d'un songeur.

Une abstraction au prix bien réel de 1,8 million$

La présidente de l'Association des galeries d'art du Québec, Christiane Chassay, ne s'énerve même plus. Elle n'a même pas envie d'embarquer dans le débat qui fait rage actuellement à Ottawa sur l'achat par le musée des Beaux-Arts du Canada d'un tableau de l'Américain Mark Rothko intitulé « no 16 » et qui a coûté 1,8 million de dollars.

Ça fait des années, explique-t-elle, que le monde de la peinture se heurte à l'incompréhension des médias et d'un certain public. « On est habitué, dit-elle... On faisait la même chose avec Picasso ».

Pourtant, les amateurs de Rothko auraient de quoi s'énerver. Depuis quelques jours à Ottawa, les critiques se mâchent leurs mots et leurs attaques sont féroces. On ne se contente pas de roupéter parce que le musée a payé 1,8 million de dollars en ces années de vaches maigres pour un tableau américain.

Depuis une semaine, on se plaît carrément à ridiculiser la peinture se heurte et en passant, tout l'art abstrait.

Un tabloïd d'Ottawa, par exemple, a lancé un concours. On invite les lecteurs à essayer de faire un tableau semblable et peut-être à l'améliorer. Le gagnant, dont le nom sera connu dimanche, aura droit à 16 billets pour un festival de musique country à Gatineau, 16 billets de cinéma, 16 journaux Sun, 16 balles de golf, 16 sac de chips, 16 cannettes de boisson gazeuse et 16 billets pour le musée.

Le tableau controversé mesure environ 2,5 mètres sur 3 mètres et est composé de deux immenses taches rectangulaires de couloir ivoire aux contours indéfinis, séparées par une autre masse plus petite, orange feu. Le tout flotte sur un fond écarlate. L'œuvre est typique de cette période dans la vie de l'artiste.

Certains politiciens ont qualifié d'aberration totale l'achat de ce qu'ils voient comme un gribouillis. Le plus célèbre de ces critiques est Felix Holtmann, ex-éleveur de porc devenu député, et même pendant un certain temps, président du comité des Communes sur la culture. Il était à ce poste et ne s'est pas gêné pour hurler quand le musée a acheté, il y a trois ans, la peinture Voice of Fire, de Barnett Newman, un artiste de la même école que Rothko.

Aujourd'hui M. Holtmann n'est plus président du comité, mais ça ne l'a pas empêché de quitter son Manitoba natal en plein milieu de l'été, pour venir voir le tableau.

« No. 16 est encore pire que le Voice of Fire », a-t-il dit après l'avoir vu. Même que maintenant, il trouve le Voice of Fire un peu plus beau.

(Texte publié le 24 juillet 1993.)

Fusillade au Capitole: deux policiers tués

Un homme armé, connu des services de sécurité, a fait irruption cet après-midi (24 juillet 1998) dans les bâtiments du Congrès à Washington, déclenchant une fusillade au cours de laquelle deux policiers ont été tués et deux personnes blessées, dont l'assaillant qui a été interpellé.

Cette fusillade, qui a mis les parlementaires américains en état de choc, constitue l'incident le plus violent jamais recensé au Congrès. En 1954, trois nationalistes portoricains avaient ouvert le feu sur des parlementaires, blessant cinq d'entre eux.

Selon les télévisions américaines, l'assaillant serait Russell E. Weston, âgé de 42 ans, originaire de la banlieue de Chicago, Illinois, mais résidant au Montana. Cet homme avait déjà proféré des menaces à l'encontre de Bill Clinton, affirmant notamment dans plusieurs lettres que le président le faisait suivre et devait être tué, a-t-on précisé de mêmes sources.

Pour ces raisons, M. Weston avait été placé sur la liste des personnes à surveiller par le Secret Service, le service chargé de la protection rapprochée du président.

Hospitalisé dans un établissement de la capitale fédérale, le suspect a été touché au bras, à l'épaule et à la poitrine et se trouvait dans une situation qualifiée de « stationnaire » par les médecins.

Ses deux victimes, les policiers Jacob Chestnut et John Gibson, tous deux pères de trois enfants, ont été déclarés morts dans les hôpitaux où ils avaient été transportés, a précisé le sergent Nichols.

Selon un porte-parole du George Washington University Hospital, la quatrième victime, la touriste Angela Dickerson, 24 ans, a été grièvement blessée.

29 personnes meurent dans l'écrasement d'un aérobus

La plupart des victimes sont des bûcherons revenant de l'île d'Anticosti

GASPÉ, Québec
Vingt-neuf personnes ont perdu la vie samedi soir **(24 juillet 1948)**, lorsqu'un avion Dakota, des Rimouski Airlines, s'est écrasé en feu sur le cap Bon Ami, enveloppé de brouillard, dans le pire désastre aérien de toute l'histoire de l'aviation aérienne.

M. Léon Blondeau, inspecteur régional de l'aviation à Montréal, a institué une enquête préliminaire sur les lieux de la tragédie, où le fuselage calciné, une aile et une porte sont tout ce qui reste du bimoteur.

Les cadavres étaient pour la plupart méconnaissables, lorsqu'ils furent transportés sur des traîneaux d'hiver dans la salle paroissiale de Gaspé par des équipes de secours qui avaient difficilement escaladé le promontoire conduisant au théâtre du sinistre. Le Dr Rioux, coroner du district, tiendra une enquête au cours de la journée.

L'aéronef s'approchait de l'aérodrome de Gaspé, 12 milles plus à l'ouest, lorsqu'il donna contre le cap à une centaine de verges de la côte.

Une seule aile fut trouvée près de la scène du désastre, ce qui semblerait indiquer que l'appareil était tombé quelque part en mer.

La plupart des passagers étaient des bûcherons employés par la Consolidated Paper Corporation, qui avait nolisé l'appareil dans le but de transporter les hommes de l'île d'Anticosti, jusqu'à la tête de ligne, à Gaspé.

A bord de l'avion se trouvaient également deux couples mariés, dont M. et Mme Emmett P. Maloney, de Montréal, et M. et Mme Berth McCallum, de Baie des Sables, et leur bébé. Mme Maloney était née Ouellet (Odette); elle était la fille du vice-président des Rimouski Airlines.

L'AUTO-DON DE SANG DE PEUR DE CONTRACTER LE SIDA

Environ 750 personnes ont utilisé l'auto-don de sang préopératoire au cours de la présente année, dans la région de l'est de l'Ontario, de peur de contracter le sida sur la table d'opération.

Cette technique, qui existe depuis 1987, consiste à donner de son propre sang à la Société canadienne de la Croix-Rouge un mois avant de subir une intervention chirurgicale.

L'auto-don de sang préopératoire a été effectué à 1500 reprises au cours de la présente année au Centre de transfusion d'Ottawa. Les gens donnant en moyenne deux unités de sang par visite, on peut conclure que 750 personnes au moins se sont prévalues de ce service tout à fait gratuit au cours de l'année.

(Texte publié le 24 juillet 1993.)

LA CATASTROPHE DE L'"EASTLAND", A CHICAGO

Le navire *Eastland* gît sur le côté dans la rivière Chicago après avoir chaviré, le *24 juillet 1915*, en entraînant dans la mort plus de 825 des 2 500 excursionnistes qu'il transportait. Selon les autorités compétentes, ce navire avait une capacité optimale de 1 200 passagers.

Les conquérants de la Lune en quarantaine

De retour du voyage qui permit à Neil Armstrong et Edwin Aldrin de fouler le sol lunaire, ces deux derniers et leur collègue Michael Collins sont photographiés (le 24 juillet 1969) à l'intérieur de la chambre de quarantaine à bord du porte-avions *Hornet*, venu les délivrer des eaux du Pacifique. Le président Richard Nixon s'était déplacé afin d'être là au moment où les trois astronautes quitteraient la capsule spatiale d'*Apollo XI*.

IL EST MAITRE DE L'ESPACE

Blériot (en costume d'aviateur) à Douvres, après l'atterrissage.

Louis Blériot, le célèbre aviateur français, traverse la Manche en aéroplane à une altitude moyenne de 250 pieds, en moins de 30 minutes.

DOUVRES — Hier matin (25 juillet 1909), ce petit port a éprouvé une émotion vive, alors qu'une machine ressemblant à un oiseau aux ailes blanches, est sortie du brouillard, a fait deux fois le tour des falaises de Douvres, puis a atterri sur le sol anglais.

Un Français à l'air calme, Louis Blériot, un homme de trente-cinq ans aux moustaches rousses, descendit de la sellette, boitant un peu, un de ses pieds ayant été brûlé dans un vol précédent. Deux de ses compatriotes, qui avaient agité un grand drapeau tricolore, pour lui indiquer l'endroit où atterrir, se précipitèrent sur lui, l'embrassant avec enthousiasme, criant et lui tapant dans le dos. Avec quelques soldats qui se trouvaient par hasard sur les lieux, ils ont été les seuls témoins de cet exploit très remarquable.

VITESSE DE 45 MILLES A L'HEURE

Blériot a quitté Les Baraques, à trois milles de Calais, vers trois heures et demie hier matin, dans un des plus petits monoplans dont on ait jamais fait usage. Il a traversé la manche en un peu moins d'une demi-heure, deux fois plus vite que le paquebot-poste. Il a atteint une vitesse moyenne de plus de quarante-cinq milles à l'heure, et s'est parfois approché de soixante milles à l'heure. Il s'est élevé à peu près à 250 pieds au-dessus du niveau de la mer, et pendant dix minutes, à mi-chemin, il a perdu de vue les deux côtes et les contre-torpilleurs français qui le suivaient ayant à son bord sa femme et quelques amis.

Le vent soufflait à une vitesse de vingt milles à l'heure et la mer était houleuse. L'aviateur

était couvert d'un vêtement imperméable au vent, qui ne laissait voir que sa figure. Il portait aussi une ceinture de sauvetage en liège.

Par son exploit, Blériot a gagné le prix de $500 offert par le «Daily Mail» de Londres, pour la première traversée de la Manche.

Blériot, qui parle peu l'anglais, a décrit très modestement son vol.

«Je me levai à trois heures, dit-il, et me rendis au garage de l'aéroplane. Trouvant tout en ordre, je décidai d'entreprendre le vol. Le contre-torpilleur français fut averti et se rendit à environ quatre milles du rivage. Je m'élevai alors dans l'air et mis le cap directement sur Douvres. Au bout de dix minutes, j'avais perdu la terre de vue et j'avais laissé le navire de guerre assez loin en arrière. (...)

«J'ajoutai une fois du pétrole. J'estime que les hélices faisaient de 1,200 à 1,400 révolutions à la minute. Le premier objet que je vis fut des navires au large de la

Louis Blériot

côte anglaise; puis j'aperçus Deal et découvris que le vent, qui soufflait du sud-ouest, me portait de ce côté. Je tournai au sud dans la direction du château de Douvres, et je vis alors des amis qui brandissaient un drapeau dans une vallée propice à un atterrissage *(sic)*. Je décrivis deux cercles tout en réduisant la vitesse de la machine, puis plongeai, mais je vins en contact avec la terre plus vite que je ne m'y attendais. Nous fûmes rudement secoués, la machine et moi.»

M. Blériot fut conduit à l'hôtel, où il fut bientôt rejoint par sa femme, qui l'embrassa en pleurant. Le maire et d'autres fonctionnaires vinrent saluer M. Blériot, au nom de la ville et de la nation, comme le pionnier du vol international. (...)

Ottawa répond à de Gaulle

«C'est inacceptable»

MÊME si le gouvernement canadien le considère comme un agent provocateur et condamne catégoriquement son attitude «inacceptable», le général de Gaulle, imperturbable, file aujourd'hui vers Ottawa.

Cependant, trois fois ce matin, il aura l'occasion de rassurer ce gouvernement qu'il a secoué profondément et plongé dans une crise politique.

En effet, la déclaration du premier ministre est presque un ultimatum. Diplomatiquement, le chef du gouvernement canadien lui demande de reconnaître que le Canada est un pays uni et libre, et surtout, de le dire publiquement. (...)

Texte intégral du communiqué

Voici le texte intégral du communiqué publié hier après-midi **(25 juillet 1967)**, par M. Lester B. Pearson, premier mi-

nistre du Canada. Ce texte se réfère aux récentes déclarations du général de Gaulle.

«Je suis sûr que les Canadiens dans toutes les parties de notre pays ont été heureux de ce que le président français reçoive un accueil aussi chaleureux au Québec. Cependant, certaines déclarations du président tendent à encourager la petite minorité de notre population dont le but est de détruire le Canada et comme telles, elles sont inacceptables pour le peuple canadien et son gouvernement.

«Le peuple canadien est libre, chaque province du Canada est libre. Les Canadiens n'ont pas besoin d'être libérés. En fait, beaucoup de milliers de Cana-

diens ont donné leur vie au cours des deux guerres mondiales pour la libération de la France et d'autres pays européens.

«Le Canada reste uni et regretterait toute tentative pour détruire son unité.

«Le Canada a toujours eu des relations spéciales avec la France, la patrie d'origine de tant de ses citoyens. Nous attachons la plus grande importance à l'amitié avec le peuple français. Le ferme propos du gouvernement du Canada a été et reste de développer cette amitié. J'espère que les discussions que j'aurai plus tard dans la semaine avec le général de Gaulle démontreront que ce désir est de ceux qu'il partage.»

Le premier bébé-éprouvette est né par césarienne

OLDHAM. Le premier bébé-éprouvette, une fille pesant cinq livres et six onces, est né hier soir **(25 juillet 1978)** dans un hôpital d'Oldham.

Le bébé et la mère sont dans un état qualifié d'excellent par le Dr Patrick Steptoe, pionnier de cette méthode de fécondation en laboratoire.

L'enfant est né par césarienne. La mère, Mme Lesley Brown, 32 ans, était mariée depuis neuf ans, mais n'avait pu avoir d'enfant jusqu'à présent souffrant d'une obstruction des trompes de Faloppe.

L'enfant était attendu pour le 18 août. Il semble que les médecins de l'hôpital d'Oldham aient

décidé de pratiquer une césarienne plus tôt, pour des raisons encore obscures. Mme Brown était à l'hôpital depuis plusieurs semaines, dans l'attente de l'heureux événement.

Un garde était posté devant sa porte en permanence, car sa grossesse avait reçu une publicité mondiale. Toutefois, la mère du premier bébé-éprouvette fut mise à l'abri des caméras de télévision et des journalistes et a passé la plus grande partie de son temps à l'hôpital à regarder la télévision et à faire des mots croisés. (...)

Les médecins connaissaient le sexe de l'enfant bien avant la naissance, mais ne l'ont pas révélé aux parents pour ne pas gâcher leur surprise.

La question de relier l'île Sainte-Hélène à l'île Ronde dans le port de Montréal est à l'ordre du jour *(le 25 juillet 1929)*. Une requête vient d'être adressée au ministère de la marine et des pêcheries à cet effet. Pour effectuer cette liaison, il faudrait déposer la terre enlevée du chenal et ailleurs entre les deux îles. Quand l'espace sera complètement rempli, la superficie de ces îles sera de 5,500 pieds. On prête à la ville de Montréal l'intention, si elle est autorisée, d'en faire un terrain de jeux.

SIR THOMAS WHITE SOUMET AUX COMMUNES LE PROJET D'UNE TAXE SUR LE REVENU

L'opposition le félicite

(De l'envoyé spécial de la «Presse»)

OTTAWA — Sir Thomas White, ministre des finances, a présenté à la Chambre des communes, hier après-midi **(25 juillet 1917)**, son projet d'impôt sur le revenu. Cette innovation dans le domaine fiscal au Canada, recommandée à maintes reprises par des députés des deux côtés de la Chambre, dans le débat sur la question du service obligatoire, est destinée à avoir un retentissement considérable à travers notre pays. C'est la conscription de la richesse, avec la conscription des hommes, que le gouvernement décide d'établir.

Les raisons données par sir Thomas pour justifier le recours à une loi de ce genre sont: le surcroît de dépenses qu'occasionnera la levée des 100,000 hommes de troupes en vertu du bill Borden, l'expression de la volonté populaire favorable à la mesure. Ces motifs ont engagé le ministre des finances à passer outre aux inconvénients qui peuvent résulter de l'application de la nouvelle loi. Elle doit avoir, pour principaux avantages, d'augmenter les revenus du Canada, de répartir plus équitablement le fardeau des dépenses extraordinaires encourus par la participation de notre pays à la guerre actuelle, aussi d'intéresser plus vivement les contribuables aux dépenses du gouvernement en vue d'aider les alliés.

Le projet White, d'après les

calculs du ministre des finances lui-même, rapportera au trésor fédéral de 15 à 20 millions, à une époque où la guerre coûte au Canada, $850,000 à $900,000 par jour. (...)

COMMENT CALCULER L'IMPOT

En vertu de la nouvelle loi de l'impôt sur le revenu, tous les revenus de $2,000 ou moins dans le cas des célibataires ou des veufs sans enfants, ou de $3,000 ou moins dans le cas des autres personnes, sont sujets à l'exemption.

Tous les revenus quels qu'ils soient, dépassant $2,000 par année, dans le cas des célibataires ou des veufs sans enfants, et dépassant $3,000 dans le cas des autres personnes, sont taxés de 4 pour cent. (...)

Si le salaire dépasse d'une somme quelconque les $2,000 ou $3,000 exemptés suivant le cas, la taxe de 4 pour cent s'impose. Par exemple, un célibataire reçoit un salaire de $2,500; on déduira de ce salaire le montant de l'exemption, soit $2,000; il restera alors à prélever l'impôt sur l'excédent, soit $500, ou, à 4 pour cent, $20.

Un homme marié qui reçoit un salaire de $3,500 paiera exactement le même impôt que le célibataire qui gagne $2,500. (...)

Cependant, le percentage *(sic)* de la taxe est plus élevé dans le cas où le revenu dépasse $6,000. Dans ce cas, non seulement on doit payer l'impôt de 4 pour cent, mais encore une surtaxe qui varie de (...) 2 à 25 pour cent, le sommet étant atteint pour tout revenu qui dépasse $100,000.

Louise Brown, 10 ans déjà

Joufflue, dotée de grands yeux bleus et de longs cheveux blonds qui lui effleurent les épaules, le premier bébé-éprouvette grandit, selon ses propres termes, «comme toutes les autres filles de son école». Louise Joy Brown, qui célèbre son dixième anniversaire aujourd'hui (**25 juillet 1988**), est douée pour la prose et la poésie et se met parfois dans l'embarras parce qu'elle reste à jouer trop tard, à l'extérieur !

Naufrage de l'Andrea Doria

Un peu après 23 h, dans la soirée brumeuse du *25 juillet 1956*, le paquebot suédois *Stockholm* éperonnait le paquebot italien *Andrea Doria*, à environ 200 milles de la côte, au nord-est de New York. Les 1 634 passagers et membres d'équipage de l'*Andrea Doria* ont tous été rescapés par le *Stockholm*, l'*Ile-de-France* et d'autres navires dans le voisinage, même si trois d'entre eux — plus un marin du *Stockholm* — succombèrent aux blessures subies lors de l'abordage. La photo du haut montre l'*Andrea Doria* presque couché sur son flanc (il devait couler le lendemain matin à 10 h 10). La photo du bas montre l'ampleur des dommages subis par le *Stockholm*.

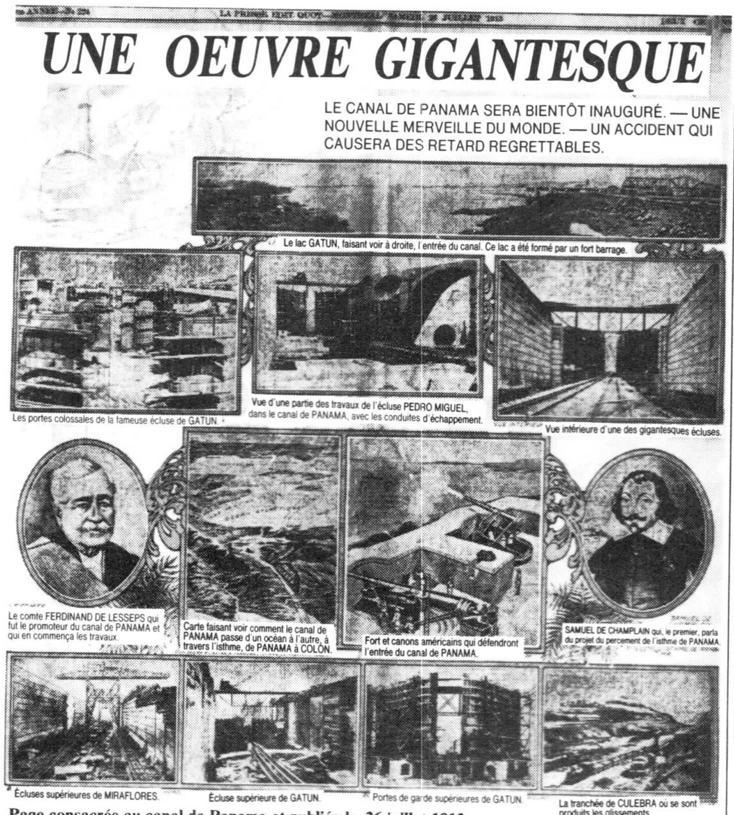

UNE OEUVRE GIGANTESQUE

LE CANAL DE PANAMA SERA BIENTÔT INAUGURÉ. — UNE NOUVELLE MERVEILLE DU MONDE. — UN ACCIDENT QUI CAUSERA DES RETARD REGRETTABLES.

Le lac GATUN, faisant voir à droite, l'entrée du canal. Ce lac a été formé par un fort barrage.

Les portes colossales de la fameuse écluse de GATUN.

Vue d'une partie des travaux de l'écluse PEDRO MIGUEL, dans le canal de PANAMA, avec les conduites d'échappement.

Vue intérieure d'une des gigantesques écluses.

Le comte FERDINAND DE LESSEPS qui fut le promoteur du canal de PANAMA et qui en commença les travaux.

Carte faisant voir comment le canal de PANAMA passe d'un océan à l'autre, à travers l'isthme, de PANAMA à COLON.

Fort et canons américains qui défendront l'entrée du canal de PANAMA.

SAMUEL DE CHAMPLAIN qui, le premier, parla du projet du percement de l'isthme de PANAMA.

Écluses supérieures de MIRAFLORES.

Écluse supérieure de GATUN.

Portes de garde supérieures de GATUN.

La tranchée de CULEBRA où se sont produits les glissements.

Page consacrée au canal de Panama et publiée le *26 juillet 1913*.

INQUIETUDES A OTTAWA

OTTAWA — Le départ précipité du général de Gaulle a certes soulagé le gouvernement fédéral, mais l'inquiétude persiste.

C'est évident, les relations franco-canadiennes sont tendues. Hier **(26 juillet 1967)**, à bord de l'avion présidentiel, le général a expédié un message à M. Daniel Johnson, pour sa «magnifique réception».

Ottawa, qui l'a invité, n'a rien reçu. Hier, on attendait des explications. Rien. A travers les canaux diplomatiques, le gouvernement fédéral a tenté d'obtenir du général qu'il s'explique. Toujours rien. Aucune réponse à ces appels.

Aujourd'hui donc, un grand point d'interrogation. De retour chez lui, que dira, que fera de Gaulle?

Et surtout, que fera le premier ministre du Québec?

Hier, à Dorval, c'était visible, M. Daniel Johnson était mal à l'aise et perplexe.

D'ailleurs, l'adjectif «froide» colle aisément à cette cérémonie de départ. A la hâte, le gouvernement fédéral avait dépêché à l'aéroport la garde d'honneur du 22e régiment qui participe habituellement aux cérémonies d'accueil à la Place des nations.

Seule la presse attendait le général, le public n'étant pas admis sur la piste. Sitôt arrivé, le président a reçu le salut de la garde, puis après quelques rapides poignées de main, il s'est dirigé vers la passerelle conduisant à la cabine du DC-8F. En haut, il a de nouveau salué ses hôtes qui, poliment, ont reçu ce salut.

Quel contraste avec la cérémonie d'accueil, au Foulon, le dimanche précédent!

A Dorval, M. Lionel Chevrier représentait le gouvernement fédéral. Il était accompagné de M. Jules Léger, ambassadeur du Canada à Paris et celui qui a reçu vers minuit, mardi, le message de Couve de Murville annonçant la fin précipitée de la visite.

Le Québec était largement représenté, M. Daniel Johnson en tête.

Le premier ministre du Canada n'a appris qu'à six heures, hier matin, la décision du général. Le cabinet a été réuni vers neuf heures, puis le premier ministre a déclaré ce qui suit:

«La décision du général de Gaulle d'abréger sa visite au Canada est facile à comprendre dans les circonstances. Toutefois, ces circonstances, qui ne sont pas le fait du gouvernement, sont fort regrettables.» (...)

Dans les milieux politiques fédéraux, on estime que le gouvernement s'est bien tiré d'une situation fort difficile. Le discours du maire de la Métropole, peu avant le discours du général, a été reçu avec un grand enthousiasme. Personne, dit-on dans ces mêmes milieux, n'aurait mieux pu faire valoir la cause de l'unité nationale. Dans l'esprit de la grande majorité des politiciens fédéraux, de quelque parti qu'ils soient, M. Drapeau est le héros du jour.

Le gouvernement fédéral attend maintenant la réaction du gouvernement du Québec.

Saisie du canal de Suez

LE CAIRE. L'Egypte a annoncé hier **(26 juillet 1956)** qu'elle nationalise le canal de Suez dans le but d'en affecter les revenus à la construction du barrage d'Assouan.

Les Etats-Unis et la Grande-Bretagne ont retiré, la semaine dernière, leurs offres d'aide financière à propos de ce barrage.

«Nous n'aurons pas besoin de l'aide américaine ou de l'aide britannique pour construire notre digue», a déclaré hier soir le président égyptien, M. Gamal Abdel Nasser. «Nous la construirons nous-mêmes et avec notre argent.»

Quelques instants après que Nasser, qui prononçait un discours à Alexandria, eut annoncé la nationalisation du canal dont la propriété est internationale, les autorités égyptiennes ont pris possession des bureaux de la Compagnie du canal de Suez au Caire, à Ismailia, à Port Saïd et à Suez même.

Trafic normal

Aujourd'hui, des policiers égyptiens casqués de fer montent la garde autour des édifices de la compagnie au Caire et à Ismailia.

Une file de paquebots et de pétroliers glisse sur les eaux du canal entre les rives sablonneuses et un représentant de la compagnie a pu déclarer que l'activité «est normale».

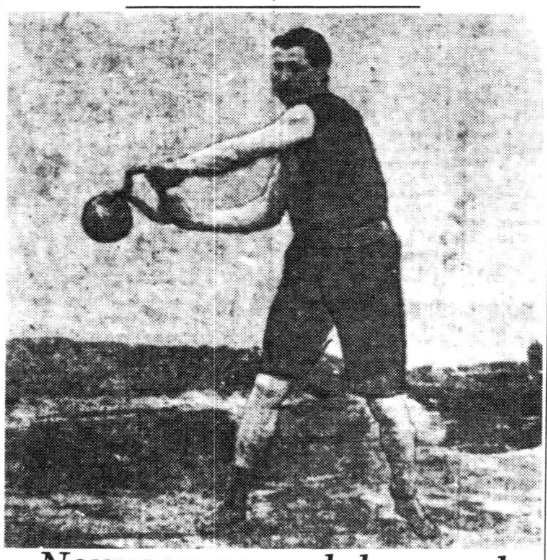

Nouveau record du monde

Lors du tournoi de la police, à Montréal, le *26 juillet 1904*, Étienne Desmarteau établissait un nouveau record du monde pour le lancement du poids de 56 livres en hauteur, avec un jet de 15 pieds et neuf pouces.

Maurice Richard devient le premier instructeur des Nordiques de Québec

RIEN ne sert de courir, il faut partir à point et ça semble le moto des Nordiques de Québec qui, il y a quelques semaines à peine, semblaient dans une position fort précaire.

Or, leur situation est maintenant des plus reluisante, et c'est à midi aujourd'hui qu'ils annonceront, à l'hôtel de ville de Québec, la signature de Maurice Richard au poste d'instructeur de l'équipe.

Selon un porte-parole des Nordiques, le «Rocket» confiera la tâche de pilote adjoint et de capitaine à l'ex-défenseur du Canadien, Jean-Claude Tremblay.

Ainsi donc, la barque des Nordiques sera entre bonnes mains... ou du moins dans des mains fort prestigieuses, ce qui contribuera certes à augmenter de plusieurs centaines le nombre de billets de saison vendus et, en conséquence, d'asseoir un peu plus solidement l'organisation dont on doutait du sérieux il n'y a pas si longtemps.

Richard a signé un contrat d'un an pour un salaire intéressant qui dépasse celui qu'il touchait à sa meilleure année dans la ligue Nationale.

L'entente, suivie de la signature du contrat, a eu lieu au début de la soirée, hier **(26 juillet 1972)**, plus précisément à 18 h. 30. La signature symbolique, à l'hôtel de ville, ce midi, en présence du maire Gilles Lamontagne et de Jean Lesage, ex-premier ministre du Québec (M. Lesage est le conseiller juridique ainsi que le président du Conseil d'administration des Nordiques) doit se terminer par une manifestation grandiose où les Québécois seront conviés par l'entremise des ondes radiophoniques.

On sait que les négociations ont été longues et ardues car le «Rocket» qui aura 51 ans le 4 août, a connu nombre de différends avec plusieurs Québécois dans le passé. C'est d'ailleurs lui qui a insisté afin que l'entente, qui ne constitue vraiment pas une surprise, soit à court terme.

Maurice Richard, dont le nom est toujours synonyme de gloire au hockey (membre du Temple de la Renommée, marqueur de 544 buts et détenteur d'une multitude de records) est demeuré 12 années à l'écart de la compétition dans cette discipline.

L'Église réhabilite Chénier

Le président des fêtes commémorant le 150e anniversaire des Patriotes, M. Pierre Carrière, se prépare à glisser dans un puits l'urne contenant les restes du chef de la rébellion de 1837, le docteur Jean-Olivier Chénier. Il aura fallu 150 ans pour que l'Église permette l'inhumation de Chénier dans le cimetière catholique de Saint-Eustache.

(Texte du 26 juillet 1987.)

C'EST ARRIVÉ UN 26 JUILLET

1987 — « Espéranto 1887-1987 », cette inscription sur une énorme pancarte au pied de l'immense Palais de la culture en plein centre de Varsovie annonce le 72e congrès des adeptes de la langue internationale : l'espéranto que l'on doit à un ophtalmologue polonais d'origine juive, Ludwik Zamenhof (1859-1917) pour commémorer le centenaire de la parution, le 26 juillet 1887 à Varsovie, du premier manuel d'espéranto, signé par Zamenhof sous le pseudonyme de docteur Espéranto.

1985 — L'acteur américain Rock Hudson, 59 ans, célèbre interprète de très nombreux films, dont « Géant », où il jouait avec James Dean, est atteint du SIDA (syndrome immuno-déficitaire acquis), pour lequel il est allé consulter à Paris les spécialistes de cette redoutable maladie, mortelle à 85 p. cent. L'acteur américain est la première célébrité internationale dont il est dit officiellement qu'elle est atteinte du SIDA.

1975 — La Turquie prend le contrôle des bases militaires américaines installées sur son territoire.

1974 — Une bombe éclate près du domicile de Melvyn A. Dobrin, président de la chaîne d'alimentation Steinberg.

1972 — Les 15 infirmières du service d'urgence de l'hôpital Maisonneuve quittent leur travail et abandonnent leurs malades.

1971 — Début de l'expédition vers la Lune du vaisseau spatial américain *Apollo XV.*

1970 — Décès de Robert Taschereau, ex-juge en chef de la Cour suprême du Canada. Il était âgé de 73 ans.

1963 — Ouverture de la conférence fédérale-provinciale d'Ottawa, dont le but est d'étudier l'aide aux municipalités et le régime universel des pensions. — Un tremblement de terre détruit la ville de Skopje, en Yougoslavie et fait plus de 1 500 morts.

1958 — Les Américains placent sur orbite le satellite *Explorateur IV.*

1957 — Le président du Guatemala, Carlos Castillo Armas, qui avait libéré le pays d'un gouvernement à tendance communiste en 1954, est assassiné par un de ses gardes.

1953 — Fidel Castro et ses compagnons échouent dans l'attaque de la caserne de Moncada à Santiago. La révolution cubaine fait 55 morts.

1945 — Les Etats-Unis, la Grande-Bretagne et la Chine avertissent le Japon que le pays sera complètement détruit s'il ne dépose pas les armes. — Le chef du Parti travailliste, Clement Attlee, devient premier ministre d'Angleterre. Il joint la conférence de Potsdam le 29 juillet.

Nu de BB retrouvé: l'art est intact

GROS affolement au pavillon de la France, sur Terre des Hommes: une photo de Brigitte Bardot brillait par son absence sur un des murs de l'exposition photographique consacrée à cette artiste, célèbre pour diverses raisons.

Après un moment de stupéfaction, il fallait bien s'en convaincre; un voleur, un admirateur, un obsédé ou un collectionneur avait sans aucun doute décroché la photographie en question et l'avait emportée. De surcroît, il devait forcément s'agir d'un homme de goût ou d'un naturiste... puisque la photo était une des trois qui représentaient BB en tenue d'Eve, souriant candidement.

Déjà les gardes du pavillon se sentaient dans leurs petits souliers, prêts à encaisser les reproches et les blâmes pour n'avoir pas suffisamment ouvert l'oeil sur lesdites photos.

Ça allait barder! Fallait-il alerter la police? Le commissaire général M. Bauer? M. Messmer? M. Pompidou? Ou plus haut encore?

Il restait cependant deux autres nus de BB. Cela compensait en partie la perte du troisième, mais quand même... Cela faisait un vide. Et il n'y avait rien comme une photo de Bardot sans effets pour habiller un mur et (justement) lui donner de l'effet.

On en était encore à élaborer 36 solutions lorsqu'un des gardes (qui vraisemblablement rentrait de son diner) arriva dans le pavillon. Ses collègues le mirent rapidement au courant de la catastrophe qui entachait le prestige du Coq gaulois et républicain.

Sans mot dire, l'arrivant se dirigea vers une porte marquée du traditionnel «Privé» et réapparut avec la photo. La Vérité sortit alors toute nue du puits; le garde expliqua que la photographie s'était détachée du mur et que ne sachant quoi faire, il l'avait ramassée et placée en lieu sûr, dans un des bureaux de l'administration du pavillon.

Ouf! L'art français est intact.

Cela se passait le 26 juillet 1972.

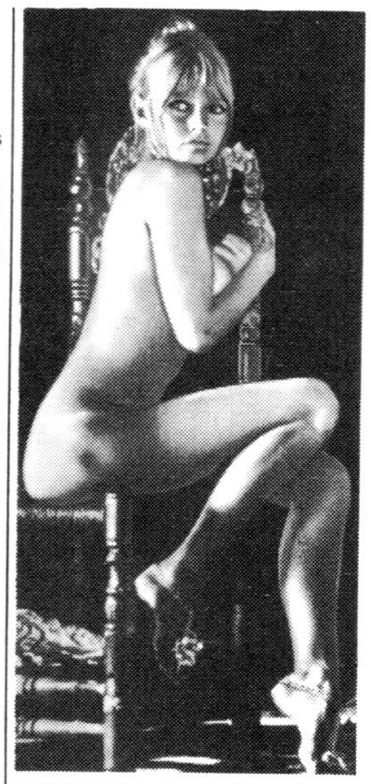

La critique est aisée, mais l'art est difficile...

Eva Peron meurt à 30 ans après une longue maladie

La première femme d'Argentine avait joué un grand rôle politique et social

BUENOS AIRES — Pendant toute la nuit **(du 26 juillet 1952)**, la multitude a continué à défiler devant le cercueil d'Eva Peron *(à l'intention des jeunes qui ne le sauraient pas, Eva, ou Evita comme l'appelaient familièrement les Argentins, était la femme vénérée de Juan Peron, président de la République)*. Celui-ci est maintenant sur un socle plus bas afin que tous puissent s'approcher et voir pour la dernière fois, à travers la vitre qui forme le couvercle, les traits de la défunte. C'est le général Peron qui a insisté pour que la foule puisse passer le long de la bière et toucher le cercueil.

Inutile de dire que des scènes émouvantes se déroulent constamment; les larmes coulent sur les visages de ces Argentins de toutes conditions sociales qui passent lentement dans la chapelle ardente.

Les autorités ont décidé de calmer l'impatience de ceux qui cherchaient à se presser et bousculer pour arriver jusqu'au ministère du Travail avant mardi après-midi, en annonçant que la chapelle ardente sera ouverte jusqu'à ce que tout le monde ait pu y passer. Il est donc fort probable que le transfert du corps d'Eva Peron du ministère du Travail au siège de la CGT ne pourra pas avoir lieu mardi après-midi. Rien d'officiel cependant n'a encore été annoncé à ce sujet.

Par ailleurs, les chambres se sont réunies en séance extraordinaire pour rendre hommage à la défunte. La Chambre et le Sénat ont promulgué une loi par laquelle la date du décès d'Eva Peron, le 26 juillet 1952, sera chaque année une journée de deuil national. (...)

Une pluie fine a commencé à tomber pendant la matinée, mais la longue file de personnes qui attendent n'en est pas moins restée immobile et silencieuse. (...)

LES COMBATS ONT CESSÉ EN CORÉE

Les deux fronts se replieront jeudi. — Echange de captifs. — Démolition des casemates et fortifications.

SÉOUL — Le feu a cessé à 10 h. p.m., soit 9 h. ce matin **(27 juillet 1953)**, heure avancée de l'est.

La canonnade ennemie avait pris une nouvelle intensité juste avant la fin des hostilités.

Puis elle se tut comme par magie.

(BUP) — Les troupes alliées de première ligne ont commencé à détruire les redoutes et fortifications derrière lesquelles elles ont livré l'âpre guerre de Corée.

Les obus des rouges et ceux des Nations unies s'abattaient encore sur certaines portions du champ de bataille tandis que des équipes de démolition effectuaient la première phase du repli qui doit former entre les deux armées une zone démilitarisée de 2½ milles de largeur. Les troupiers disent qu'ils ont instructions de détruire leurs sacs de sable mais de conserver les grosses pièces de bois qui pourraient servir à la reconstruction de la Corée.

L'âpre et coûteuse guerre qui était devenue une mise en échec s'est terminée officiellement par une trêve à 9 h. 01 hier soir (HAE) et, 12 heures plus tard, soit à 9 h. ce matin (HAE), les hostilités ont cessé.

Trois heures après la signature de la trêve, mais avant que la cessation du feu fût obligatoire, un Sabrejet américain abattait un avion de transport de fabrication russe au sud du Yalou. Cet appareil fut descendu par le capitaine Ralph S. Parr et l'on se demanda s'il ne portait pas du personnel communiste qui avait assisté à la signature des documents de la trêve.

Aussi dans les dernières heures de la guerre, les Chinois ont attaqué les Sud-Coréens au front central, mais ils furent repoussés en subissant de lourdes pertes. Ainsi une opération de police s'est changée en une des guerres les plus longues et les plus coûteuses de l'histoire.

Elle fut déclarée en vertu d'une promesse des Nations unies d'arrêter l'agression et elle s'est terminée presque au point où elle commença, dans une «pagode de paix» à Pan-Mun-Jom, juste en bas du 38e parallèle.

Tandis que la guerre se changeait en trêve, les avions alliés revenaient à leurs bases sans avoir lancé leurs chargements de bombes et les soldats alliés se retranchaient en prévision d'une attaque communiste à la dernière minute, mais ils avaient l'ordre de ne pas commencer le combat.

A 10 h. jeudi soir (9 h. jeudi matin HAE), chaque parti devra effectuer un retrait de deux kilomètres afin de laisser un espace démilitarisé de deux milles et demi entre eux. Vers le même temps, le retour des premiers parmi les 12,763 prisonniers alliés pourrait commencer.

Tandis que la guerre allait cesser, les communistes ont porté un dernier coup. Ils ont envoyé 250 hommes attaquer une position sud-coréenne au front central mais ils ont été repoussés en perdant au moins 140 soldats. A 10 h. exactement, lorsque l'armistice était signé, les rouges ont lancé 20 bombes de mortiers et obus sur une compagnie américaine. (...) Il n'y eut pas de pertes chez les Américains.

La guerre qui a commencé par une attaque surprise contre les Sud-Coréens, le 25 juin 1950, s'est terminée trois ans et 32 jours plus tard.

Deux cérémonies marquaient la signature de l'armistice. Trois heures après que les négociateurs alliés et communistes eurent signé les documents à Pan-Mun-Jom, le commandant suprême, le général Mark Clark, apposait sa signature dans une cérémonie spéciale à Munsan. (...)

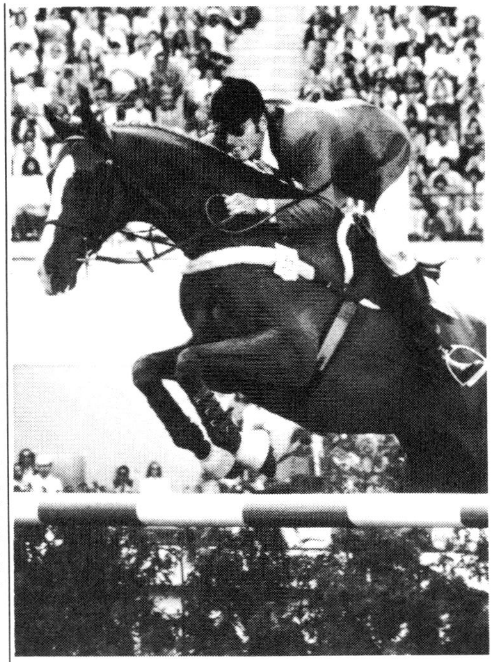

L'écuyer canadien Michel Vaillancourt causait une forte surprise et assurait au Canada une médaille d'argent inattendu en méritant le deuxième rang du Grand Prix de sauts d'obstacles, avec son cheval Branch Count, aux Jeux olympiques de Montréal, le 27 *juillet 1976*. L'épreuve était disputée à Bromont.

C'EST ARRIVÉ UN 27 JUILLET

1998 — Le ridicule ne tuera pas le huard, il le sauvera : les investisseurs le rachèteront quand il sera ridiculement bas. Aujourd'hui, le palmipède s'en est rapproché d'un bon pas en clôturant à 66,51 cents US, en baisse de 20 centièmes. En d'autres mots, il faut maintenant plus de 1,50 $ CAN pour acheter un dollar américain sur le marché interbancaire.

1982 — Les Expos de Montréal atteignent le plateau de 1 000 victoires.

1980 — L'ex-chah d'Iran, Mohammed Reza Pahlavi, meurt au Caire à l'âge de 60 ans. Il régna sur l'Iran pendant trente-sept ans avant de s'exiler le 16 janvier 1979.

1978 — Le premier ministre portugais d'allégeance socialiste Mario Soarès est limogé par le président Antonio Ramalho Eanes.

1977 — Après six mois de grève, les meuniers rentrent au travail, à Montréal.

1976 — Le grand maître soviétique des échecs, Viktor Korchnoi, demande l'asile politique aux Pays-Bas.

1973 — Le capitaine de vaisseau chilien, Arturo Araya Marin, aide de camp du président Allende, est assassiné.

1972 — Les autorités chinoises confirment officiellement la mort, en septembre 1971, du maréchal Lin Piao, ministre de la Défense, successeur désigné du président Mao Tsé-toung, qu'il aurait, dit-on, tenté de faire assassiner.

1970 — Mort du Dr Antonio de Oliveira Salazar, ex-président et dictateur du Portugal.

1965 — Tous les postiers du Canada retournent au travail, sauf ceux de Montréal.

1962 — Le gouvernement fédéral décide d'ouvrir une enquête sur les effets secondaires de la thalidomide.

1955 — Des avions de combat bulgares font feu sur un *Constellation* de la société El Al. On dénombre 59 morts.

1954 — Accord égypto-britannique qui prévoit l'évacuation des troupes britanniques dans un délai de vingt mois.

1952 — Décès de M. Eustache Letellier de Saint-Just, journaliste de la Métropole.

1950 — L'URSS reprend sa place au Conseil de sécurité de l'ONU.

1912 — L'Empress of Britain coupe en deux l'Helvetia qui coule à pic dans le golfe du Saint-Laurent.

Brillante clôture des Jeux olympiques

PARIS, — Les Jeux olympiques de 1924 se sont terminés officiellement **(le 27 juillet 1924)** par des cérémonies imposantes, les vainqueurs encore ici défilant, portant le drapeau de leur nation, et des poilus *(sic)* français portant le drapeau de ceux qui sont partis. Le baron Pierre de Coubertin, président du comité olympique international, a remis les prix, les diplômes et les médailles. Le canon a tonné, les trompettes ont fait entendre leurs sonores accents, et toute la jeunesse a été invitée aux jeux d'Amsterdam en 1928.

La clause Québec

Le jugement de la Cour suprême invalidant la « clause Québec » de la Loi 101 confirme que la nouvelle constitution canadienne bafoue le droit inaliénable du Québec de légiférer dans le domaine linguistique, selon le ministre de la Justice, Pierre-Marc Johnson. « Ce jugement confirme que le Québec n'est plus une société distincte dans le Canada », a-t-il ajouté.

(Publié le 27 juillet 1984)

Le bill des Jeux adopté

OTTAWA — C'est avec une rapidité surprenante que les députés ont adopté en troisième lecture, hier **(27 juillet 1973)**, le projet de loi sur le financement des Jeux olympiques de 1976.

Les députés néo-démocrates s'y sont toutefois opposés jusqu'au bout, insistant pour que le projet de loi soit adopté sur division. En Chambre, hier matin, ceux-ci n'ont cependant pas tenté de retarder indéfiniment les débats comme on prévoyait.

Il faut dire qu'entre-temps, deux événements majeurs sont survenus: d'une part, tard jeudi soir, un accord définitif est survenu entre les chefs des quatre partis pour mettre fin à la session en cours de la journée de vendredi; d'autre part, le chef du Nouveau Parti démocratique, M. David Lewis, est personnellement intervenu auprès de ses députés les plus récalcitrants sur la question pour leur faire comprendre que leur opposition ne servait plus à rien.

Les députés Mark Rose, Arnold Peters et John Harney se sont finalement rendus à l'argumentation de leur chef et, hier matin, ils n'ont aucunement tenté de retarder l'adoption définitive du projet de loi.

Seul un député néo-démocrate, M. John Rodriguez, qui parlait au nom de ses collègues, a, une dernière fois, résumé la pensée de son parti sur le projet de loi. Il a notamment rappelé les graves lacunes qui subsistent dans le bill, en plus d'affirmer qu'il ne croyait pas en la formule des Jeux préconisée par Montréal.

Dans un dernier effort, M. Rodriguez a finalement tenté de persuader les conservateurs de s'opposer à l'adoption du projet de loi. Sa tentative est toutefois demeurée vaine, puisque, quelques minutes plus tard, libéraux, conservateurs et créditistes unissaient leurs voix pour faire adopter le bill.

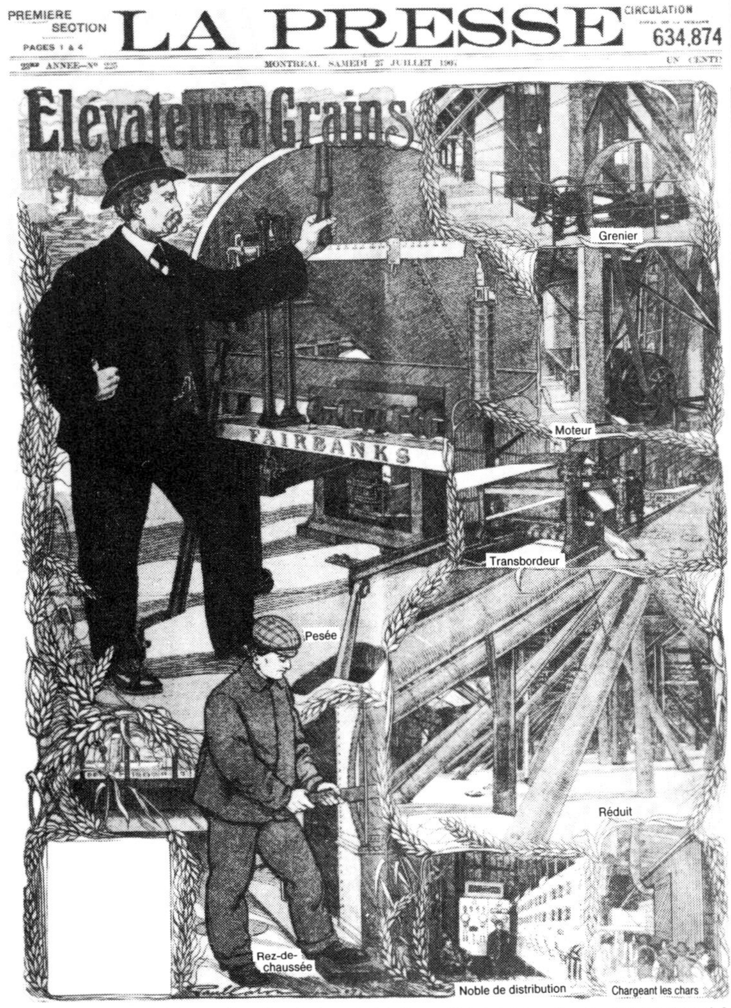
PREMIERE
SECTION
PAGES 1 & 4
LA PRESSE
CIRCULATION
634.874
Élévateur à Grains
Grenier
Moteur
FAIRBANKS
Transbordeur
Pesée
Réduit
Rez-de-chaussée
Noble de distribution
Chargeant les chars

Page consacrée à l'élévateur à grains situé au pied de la rue Saint-Sulpice, dans le port de Montréal, et publiée le *27 juillet 1907*. On y soulignait qu'il avait une hauteur de 214 pieds et une capacité d'un million de minots.

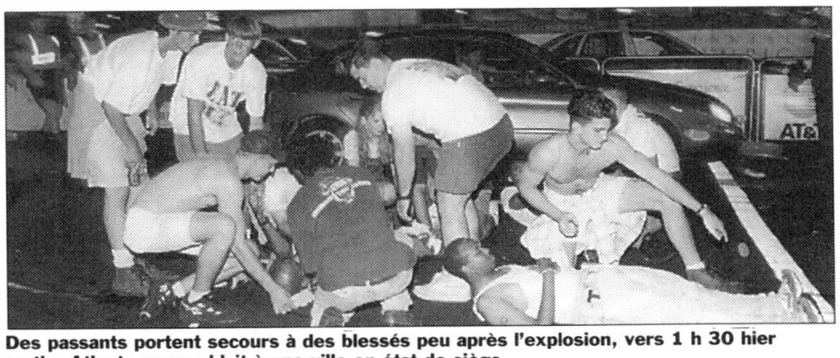

Des passants portent secours à des blessés peu après l'explosion, vers 1 h 30 hier matin. Atlanta ressemblait à une ville en état de siège.

Horreur aux jeux d'Atlanta

Le pire est arrivé à Atlanta. La menace qui semblait planer depuis l'ouverture des Jeux olympiques est devenue réalité la nuit dernière : deux personnes sont mortes et 111 ont été blessées dans l'explosion d'une bombe — précédée par un avertissement téléphonique — pendant un concert de rock dans le parc du Centenaire, au centre d'Atlanta.

Près de 24 ans après les Jeux de Munich, au cours desquels 11 athlètes et entraîneurs de la délégation israélienne avaient été assassinés par des terroristes palestiniens, le terrorisme, tant redouté par les autorités américaines, est venu de nouveau ensanglanter les Jeux olympiques.

Et comme à Munich, en dépit de la tragédie, « les Jeux continuent », comme l'a annoncé dans la matinée le directeur général du Comité international olympique, François Carrard.

Et les Jeux ont continué. Après une minute de silence observée sur tous les sites olympiques, les épreuves ont repris comme prévu, sept heures après le drame, sous des drapeaux en berne.

(Texte publié le 27 juillet 1996.)

Pas de «Caravelle» pour Air Canada

NDLR — LA PRESSE divulguait le ***27 juillet 1963*** *une décision qu'Air Canada gardait jalousement secrète.*

LA «Caravelle» française ne volera pas sous les couleurs d'Air Canada. La haute direction de la compagnie a décidé la semaine dernière de retirer le «poulain» de Sud-Aviation du groupe sélect des biréactés commerciaux parmi lesquels elle devra choisir d'ici la fin de l'année l'avion qui remplacera progressivement ses «Viscount» et ses «Vanguard».

Sans qu'on sache trop pourquoi, cette décision est jalousement gardée secrète par Air Canada, dont les services de relations extérieures affirment encore que la compagnie fera son choix entre trois appareils, à savoir la «Caravelle», le BAC «One-Eleven» ainsi que le DC-9 de Douglas.

Comme un secret a toutefois cette curieuse particularité de se répandre d'autant plus vite qu'on tente de le garder scrupuleusement, une foule de fonctionnaires d'Ottawa, pourtant non concernés par les affaires d'Air Canada, ont appris dès le début de la semaine l'élimination de la «Caravelle».

Ceci désespérera sûrement tous ceux qui ont connu cet avion qui s'est mérité d'exceptionnels titres de noblesse par son confort, son entretien et son pilotage faciles ainsi que par son incroyable sécurité (plus de 500,000 heures de vol sans un seul accident qui soit imputable à une défectuosité mécanique).

Malheureusement pour la «Caravelle», les avions de la British Aircraft Corporation et de la compagnie Douglas ont profité de son expérience et offrent tout au moins autant d'avantages, sans compter qu'ils sont favorisés par des facteurs en apparence secondaires mais qui prennent une grande importance lorsqu'une compagnie aérienne décide d'un investissement aussi considérable. (...)

Quel que soit ce choix par contre, Air Canada est censé commander d'abord six avions, pour en arriver finalement au nombre d'environ 35. On avait d'abord parlé de 50 appareils, mais, selon toute probabilité, il ne sera aucunement question d'en acheter autant.

LA GUERRE EST DECLAREE

VIENNE, Autriche, 28 — La Serbie a appris officiellement, aujourd'hui **(28 juillet 1914)**, que le gouvernement d'Autriche-Hongrie lui déclarait la guerre.

TACHE DELICATE DES PUISSANCES

Londres, 28 — La nouvelle annonçant que l'Autriche-Hongrie avait déclaré la guerre à la Serbie est arrivée presque immédiatement après que les gouvernements de Vienne et de Berlin eurent appris à Sir Edward Grey, ministre des Affaires étrangères, qu'ils refusaient de participer à une conférence d'ambassadeurs. On croit que, maintenant, les puissances européennes tenteront de localiser le théâtre de la guerre.

QUE FERA LA ROUMANIE?

Rome, 28 — Une dépêche de Bucharest annonce que l'Allemagne a demandé à la Roumanie quelle attitude elle prendrait devant la situation causée par le différend austro-serbe.

Paris, 28 — Une manifestation anti-militariste très importante a eu lieu hier soir. Deux mille agents de la paix et un régiment de la garde républicaine ont eu à faire face à 25,000 manifestants, réunis le long des principaux boulevards, sur une distance

d'un mille et demi. Le désordre a été soulevé par la «Bataille syndicaliste» qui avait demandé au peuple de faire une démonstration devant les bureaux du «Matin». La police n'avait pas eu le temps de prendre les précau-

Pierre Ier, roi de Serbie.

L'Autriche a lancé ses troupes dans le royaume de Serbie et les soldats de François-Joseph se portent à l'attaque. — Des centaines de servantes et d'ouvrières assiègent les banques à Berlin.

tions voulues. Les manifestants ont chanté l'«Internationale» et crié: «Vive la paix!» A bas la guerre!» Une multitude d'ouvriers menaçants se sont rassemblés devant les bureaux du «Matin». Il y eut de nombreuses batailles, mais la police et les soldats ont gardé leur sang-froid. Les sabres ne furent pas tirés du fourreau et les agents ne se servirent pas de leurs revolvers. Les blessés sont nombreux et une foule de personnes ont été arrêtées.

LA FLOTTE ALLEMANDE

Berlin, 28 — Le département de la marine a ordonné à la flotte du Kaiser de se concentrer dans les eaux allemandes. Les socialistes se sont réunis aujourd'hui pour protester contre la guerre et demander à l'Allemagne de n'y point prendre part. On annonce que M. Sazonoff, ministre des Affaires étrangères de Russie, est en pourparlers, à Saint-Pétersbourg, avec l'ambassadeur d'Autriche, et qu'il fait tout son possible pour assurer le maintien de la paix.

A Vienne, les esprits sont sur-

Sazonoff, ministre de la guerre en Russie.

excités et l'on demande la guerre. Une dépêche d'Edyt-Kuhmen

assure que des cosaques qui gardaient la frontière ont fait feu sur les Allemands. Il est annoncé que les autorités militaires de Russie déploient la plus grande activité.

M. POINCARE REVIENT

Paris, 28 — Le président Poincaré et M. Viviani doivent arriver à Dunkerque demain matin. M. Poincaré renonce au voyage qu'il devait faire au Danemark et en Norvège. Il est sur le «France», le plus nouveau dreadnought français et l'une des plus belles unités de la marine.

L'ambassadeur d'Autriche à Paris a déclaré que les hostilités entre les Autrichiens et les Serbes allaient être ouvertes ce matin; mais à onze heures, aucune dépêche de Vienne n'avait encore annoncé que le canon grondait.

ELLE VEUT LA GUERRE

Vienne, 28 — Le département des affaires étrangères a annoncé, ce matin, que l'Autriche-Hongrie ne sera pas satisfaite, même si la Serbie se rend aux demandes contenues dans l'ultimatum du gouvernement de Vienne. Les hauts fonctionnaires disent que la réponse de la Serbie rend impossible pour l'Autriche-Hongrie de garder le point de vue qu'elle avait pris.

LA SERBIE SE PREPARE

Belgrade, Serbie, 28.— Un grand nombre de familles serbes

ont quitté la capitale bien que les autorités leur eussent conseillé de rester. Les Autrichiens et les Hongrois rentrent dans leur pays. Les préparatifs militaires sont faits avec une rapidité extraordinaire. Les troupes ont été concentrées dans des positions fortifiées et les quartiers généraux de l'armée sont établis à Kraguyevats; mais ils seront transportés à Krushevats, à 90 milles au sud-est de Belgrade, si la situation l'exige. (...)

Alexandre, prince héritier de Serbie.

Page idéalisant les foins et publiée le 28 juillet 1906.

UN AVION PERCUTE L'EMPIRE STATE BUILDING

NEW YORK — Des ingénieurs rapportent aujourd'hui qu'aucun dommage n'a été causé à la charpente de l'édifice Empire State lorsqu'il a été heurté par un bombardier en plein vol samedi **(28 juillet 1945)**. Tous les bureaux sont ouverts aujourd'hui à l'exception de ceux du 78e et du 79e étages. Tous les ascenseurs fonctionnent jusqu'au 67e et cinq jusqu'au 90e.

New York, 30 (P.A.) — L'édifi-

On dénombre 13 morts, 26 blessés — Le pilote du bombardier est blâmé par le maire de New York.

ce Empire State, le gratte-ciel le plus élevé de l'univers, a rouvert ses portes aujourd'hui après avoir été ébranlé jusque dans ses fondations samedi, lorsqu'un bombardier de huit tonnes s'est écrasé sur lui, a tué 13 personnes et a pratiqué une trouée de 30 pieds de largeur dans sa muraille du côté nord.

C'est le lieut.-général Hugh A. Drum, président de l'Empire State Inc, qui a annoncé la nouvelle de la réouverture. Il a ajouté que seule la tour d'observation restera fermée au public pour l'instant. Il a précisé qu'une inspection n'a pas révélé le moindre dommage à la structure proprement dite.

Une commission d'enquête militaire s'est rendue sur les lieux pour déterminer les causes véritables de l'accident, survenu au 79ème étage de la bâtisse, à 913 pieds au-dessus de la cinquième avenue.

Le général Drum, qui tout d'abord avait évalué les dégâts à $500,000, a déclaré que les dommages ne peuvent pas être calculés de façon précise en ce moment. Les autorités militaires ne sont pas encore prêtes à se prononcer à ce sujet.

Le couple maudit conspué par la foule

Blain et Otis accusés d'avoir battu à mort la petite Christina

Isabelle Blain, 22 ans, et son ami Michel Otis, 27 ans, ont été accueillis par une véritable foule en furie, avant de s'engouffrer dans le palais de justice de Saint-Jérôme Enragés par la mort de la petite Christina, cette enfant de trois ans battue à mort, ils étaient une soixantaine à injurier les deux jeunes gens: lui, les menottes ramenées devant le visage et elle, paralysée dans l'enclos grillagé.

Mais les gardes du palais ont vite entraîné les prévenus à l'intérieur, où, dans une salle obscure, ils ont dû faire face à des accusations de meurtre prémédité. Le crime le plus grave qui soit. Isabelle Blain, qui a comparu la première,

Isabelle Blain, 22 ans, et Michel Otis, 27 ans.

s'est néanmoins offerte aux regards sans broncher, impassible dans sa petite robe de coton fleuri. L'air à la fois plus hostile et plus échevelé, Michel Otis lui succédait deux heures et demie plus tard, devant une salle toujours pleine à craquer.

D'ici là, on se rappellera que Christina a été retrouvée le 25 juillet, dans un petit bois de Saint-Colomban. Le minuscule corps couvert de bleus gisait à 80 mètres du chalet, où Michel

Otis hébergeait Isabelle Blain et ses deux enfants. C'est le jeune homme qui avait alerté le voisinage, en soutenant que la fillette s'était enfuie dans la nuit.

Mais cette version était vite remise en cause. La preuve obtenue de l'enquête indique que les deux accusés ont battu l'enfant.

Selon les policiers, Christina a effectivement été assaillie à répétition, pour être chaque fois rouée de coups de poing et de coups de pied. Et s'ils croient que c'est Michel Otis qui l'a battue avec le plus d'acharnement, les enquêteurs pensent que c'est plutôt Isabelle Blain qui a caché le cadavre de sa fillette parmi les arbres. *La Presse* a d'ailleurs appris qu'on soupçonne la

jeune mère d'avoir brutalisé l'enfant avant même sa rencontre avec Otis — il y a environ deux mois — et d'avoir ensuite laissé les choses empirer, par peur de perdre son nouveau «conjoint», Ou encore par agacement devant les pleurs de la bambine... qui devait fêter ses trois ans le 29 août prochain.

(Texte publié le 28 juillet 1997.)

Cette photo prise au-dessus de l'étage où est survenu l'accident permet de voir les dommages causés à l'extérieur de l'édifice, ainsi que les débris de l'avion et de l'édifice au sol, sur la 34e rue.

Arrestation d'un agent de la GRC pour un attentat à la bombe

LA police de la CUM a confirmé, hier **(28 juillet 1974)**, qu'elle détient un membre de la Gendarmerie royale du Canada pour interrogatoire en rapport avec l'attentat à la bombe perpétré, tôt vendredi matin, au domicile du président de la compagnie Steinberg, M. Melvyn Dobrin, à Ville Mont-Royal.

Le suspect s'est présenté à l'hôpital Christ-Roi de Verdun, tôt vendredi matin, pour être transféré vers cinq heures au Montreal General Hospital. Bien qu'il ait été impossible de connaître la nature exacte de ses blessures, on sait qu'il souffre de blessures aux mains et au visage. Ces blessures aux mains, aux dires du blessé lui-même à son arrivée à l'hôpital, auraient été causées par une explosion alors qu'il effectuait des réparations sur son automobile.

Toutefois, la similitude entre les blessures subies par le policier de 29 ans et celles qu'aurait présumément subies l'auteur de l'attentat a poussé les policiers de la CUM à arrêter.

Le gendarme, qui est à l'emploi de la police fédérale depuis sept ans, a été placé sous surveillance policière, dans sa chambre d'hôpital, mais il ne

sera interrogé que lorsque les médecins le permettront.

Rappelons que les enquêteurs avaient trouvé sur les lieux de l'explosion, au domicile de M. Dobrin, un gant déchiqueté et maculé de sang ainsi que des traces de sang s'arrêtant au trottoir, indiquant que l'auteur de l'attentat pouvait avoir fui dans une voiture conduite par un complice.

Devant ces indices, la police de la CUM a effectué des recherches auprès des hôpitaux de la région métropolitaine afin de retracer le blessé. C'est ainsi que l'agent a été arrêté et placé sous surveillance policière, vendredi.

Quant à la GRC, elle a émis samedi soir un communiqué dans lequel elle précise qu'un de ses membres, absent de son poste vendredi, a été retracé à l'hôpital général, souffrant de blessures qu'il affirme avoir subies en effectuant des réparations à sa voiture.

Par ailleurs, on connaîtra aujourd'hui les résultats d'une comparaison entre l'analyse du sang trouvé sur les lieux de l'explosion et le groupe sanguin de l'agent arrêté.

Mis à part le communiqué laconique qu'elle a émis, la GRC s'est refusée à tout commentaire sur cette affaire.

Charles et Diana se promettent fidélité

La reine Elizabeth semblait plutôt troublée, inquiète. On la voit, l'air distant, les lèvres pincées, les mains jointes sur ses genoux pendant que Philip d'Edimbourg, impassible, balaye de son regard de praticien les quelque 2500 invités venus assister aux noces de son fils aîné.

La famille royale est là, au grand complet.

Les cris de la foule à l'extérieur filtrent à travers les voûtes de la basilique. Lady Di dans son carrosse vitré, approche du parvis. Les têtes se tournent vainement.

Lady Di enveloppée dans un voile de tulle ivoire d'une longueur de près de trente pieds, entame au bras de son père, the Earl of Spencer, la dernière étape de la procession vers l'autel. La mariée semble hésiter entre les larmes et le sourire. Sa robe appartient à notre siècle et déjà une maison de couture de Londres en copie les croquis. Un coup publicitaire.

Lorsque le doyen de Saint-Paul demande à la foule si quelqu'un s'oppose au mariage, le prince Philip s'étire le cou en ayant l'air de dire « sait-on jamais ».

La cérémonie est brève, sans accroc.

À 11 heures 44 pile, lady Di pour la première fois est appelée la princesse de Galles. Le God Save the Queen retentit et tout ce qu'il y a de militaires dans la basilique se tient au garde-à-vous, le regard vide.

Charles et Diana signent le registre civil puis émergent à nouveau au pied de l'autel. L'orchestre symphonique entame Pomp and Circumstance de Sir Edward Elgar et c'est le grand moment. Le nouveau couple royal émerge sur le parvis de Saint-Paul devant une mer de périscopes tricolores. Les cloches sonneront pendant des heures.

Les rues de Londres sont nettoyées, on fête dans les rues, la noce est terminée. Demain, les Anglais retourneront aux vrais problèmes.

1991 - Rien ne va plus entre Charles et Diana après dix ans de mariage.

Dix ans après la pompe nuptiale de la cathédrale Saint-Paul, le conte de fée a tourné au feuilleton conjugal , même si le prince et la princesse de Galles célèbreront leur anniversaire de mariage ensemble, l'union bat de l'aile, murmure-t-on de plus en plus haut.

Leur union est devenue un « mariage de convenance », souligne-t-on, et le fossé de l'âge — 13 ans — s'est creusé entre Charles et Diana. Il a 43 ans. Elle vient d'avoir 30 ans.
(Textes du 29 juillet 1981 et 29 juillet 91.)

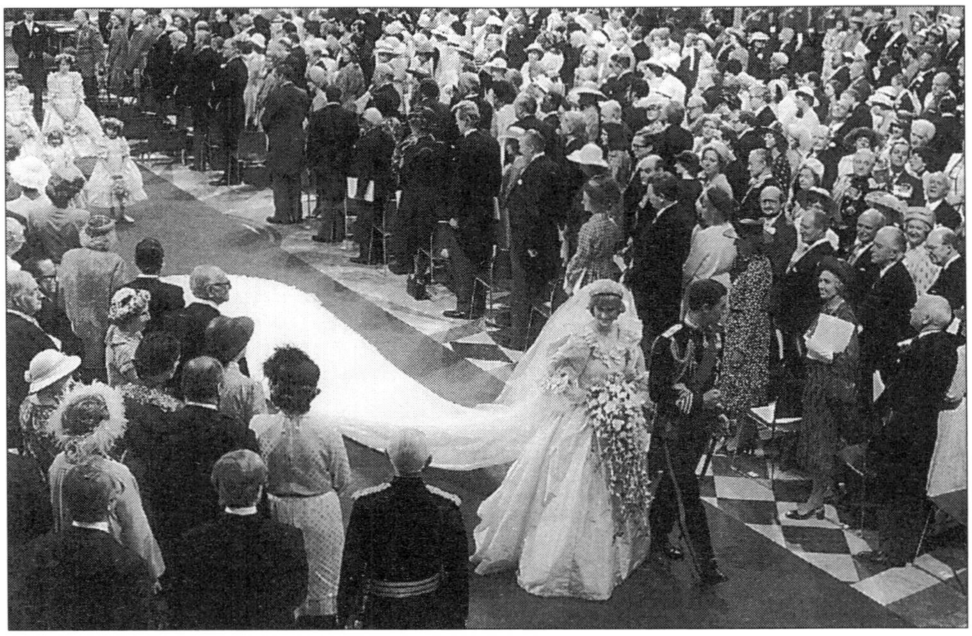

Le mariage de Lady Diana Spencer et du Prince Charles avait été le haut fait de la saison 1981.

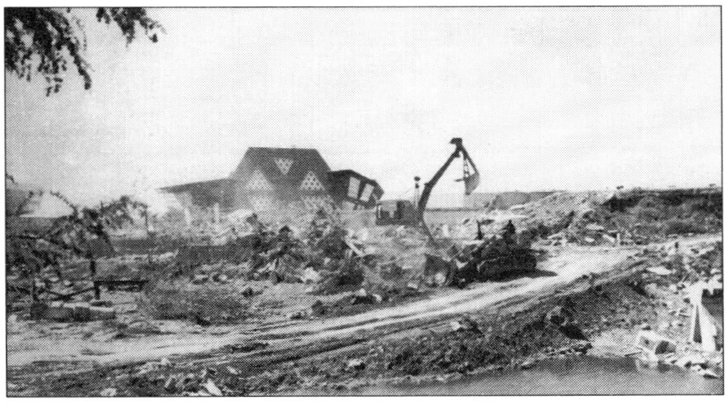

Il a fallu peu de temps pour raser les anciens pavillons de l'Expo.

DÉMOLITION DES PAVILLONS DE L'EXPO

D'ici le printemps prochain, il ne devrait plus rien subsister des pavillons d'Expo 67 sur l'île Sainte-Hélène, à l'exception de quelques monuments qui furent la gloire de Terre des Hommes.

Le coeur d'Expo 67 sera aménagé en parc et comprendra une agora. Il deviendra un lieu privilégié pour la tenue de grandes manifestations populaires comme les Fêtes de la Saint-Jean ou celles du Canada. Il pourra aussi servir à la présentation de grands spectacles avec un droit d'entrée. Quant à la Biosphère, elle pourra éventuellement, illuminée le soir, servir de point d'observation ou d'attrait pour les visiteurs.

Rappelons que des 28 pavillons des pays participants à l'Expo 67, 11 ont été démolis l'automne dernier. Cinq autres, dont celui de l'Iran et les deux pavillons thématiques, subiront bientôt le même sort, le contrat pour leur démolition ayant déjà été octroyé. Il en restera donc encore 12 à démolir d'ici le printemps prochain.

On croit qu'il sera possible d'aménager ce secteur de manière à ce qu'il puisse être prêt pour la saison prochaine, marquant le 20e anniversaire de l'Expo.

Par ailleurs, il n'est absolument pas question de démolir les ex-pavillons de la France et du Québec, (qui deviendront le Casino de Montréal) et celui du Canada qui loge l'administration du Parc des Îles. Ces pavillons sont situés dans l'île Notre-Dame.
(Texte publié le 29 juillet 1986.)

C'EST ARRIVÉ UN 29 JUILLET

1991 — Une cocaïnomane de la Floride a vendu son bébé, une fillette âgée de quatre mois, pour la somme de 10 $ dans un bar, mais a exigé 40 $ pour son appareil de télévision. Shane Jennings, âgée de 20 ans, a été emprisonnée et devra verser un cautionnement de 100 000 $ pour recouvrer sa liberté.

1987 — En réunissant les premiers boy-scouts, il y a exactement 80 ans aujourd'hui dans le sud de l'Angleterre, le colonel Robert Baden-Powell venait de fonder le plus important mouvement de jeunesse du monde, qui rassemble aujourd'hui plus de 16 millions de membres dans 120 pays, garçons et filles.

1986 — Vingt-quatre heures après un attentat à la voiture piégée dans le secteur chrétien de Beyrouth, qui a fait 32 morts et une centaine de blessés, une nouvelle explosion a fait 25 morts et 170 blessés, cette fois dans le quartier musulman de la capitale.

1985 — Quelque 5 millions de litres de vin frelaté contenant des doses plus ou moins fortes de glycoldiéthylène, un produit chimique utilisé dans la fabrication de l'antigel, ont été saisis en Autriche. Quatorze personnes ont été arrêtées jusqu'à présent et le ministère de la Santé doit inlassablement compléter sa « liste noire » de « vins empoisonnés ».

1968 — Après quatre ans d'études et deux ans de réflexion, le Pape est sorti de sa réserve au sujet de la question brûlante de la régulation des naissances par une encyclique, document de 34 pages qui condamne énergiquement le contrôle artificiel des naissances, et n'admet ou plutôt ne tolère, que la méthode de calcul du cycle périodique de fécondité.

1948 — La plus grande fête, dans les annales sportives de l'Angleterre depuis 40 ans, s'ouvrait ce matin alors que plus de 5000 athlètes de toutes les parties du monde paradaient autour du stade de Wembley devant le roi George VI et une foule de spectateurs estimée à 82 000, marquant l'ouverture des XIVe Jeux Olympiques d'été, les premiers de l'après-guerre.

1913 — Par un épais brouillard, le Lady of Gaspé est frappé par le Crown of Cordova, au moment où il allait jeter l'ancre, juste en face du Cap-de-la-Madeleine. Les canots sont mis à l'eau et tous les passagers sont sauvés. Une autre catastrophe maritime évitée de justesse.

1900 — Le roi Humbert d'Italie a été assassiné. Humbert venait d'assister à une distribution de prix à la suite d'un concours de gymnastique. À peine installé dans sa voiture avec son aide-de-camp, au milieu des hourras de la foule, il fut assailli à coups de revolver. Trois balles l'atteignirent dont l'une au coeur. Le roi s'affaissa et expira quelques minutes après.

Elle danse avec l'homme qui porte son coeur !

Il y a quelques semaines, M. Jean-Paul Vincent, auquel on venait de greffer un nouveau coeur, était assez troublé par la révélation que lui avait faite quelques jours plus tôt son chirurgien, le docteur Albert Guerraty, de l'hôpital Royal-Victoria. Il s'en ouvrit à une autre patiente, Mme Francine Marcoux-Fiset. Le docteur Guerraty, lui confia-t-il, m'a dit que la personne qui m'a donné son coeur était toujours vivante. Mme Fiset ne broncha pas. Elle ne lui avoua pas que le coeur qui battait dans la poitrine de M. Vincent était le sien.

Mme Fiset, 45 ans, emphysémateuse au stade terminal, avait besoin de nouveaux poumons. Mais comme ces organes sont si intimement liés au muscle cardiaque qu'ils forment une unité fonctionnelle, on lui a fait une greffe coeur-poumons, en échange desquels elle fit don de son coeur, en parfait état, à son voisin de chambre.

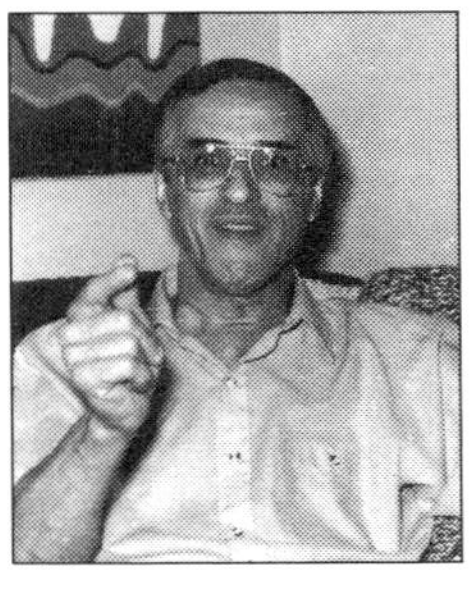

Jean-Paul Vincent entretient de très bons rapports avec celle qui lui a donné son coeur.

Mme Fiset et M. Vincent ont subi dans la nuit du 29 juin dernier la première transplantation « domino » au Canada. L'intervention a duré cinq heures et a mobilisé une douzaine de personnes dont trois chirurgiens qui travaillaient simultanément dans trois salles d'opération contiguës. Ce type de chirurgie, à la limite de la science-fiction, n'a pas été pratiqué plus d'une quinzaine de fois dans le monde. Ainsi M. Vincent, qui fêtait ce jour-là son 58e anniversaire de naissance, devenait à la fois la centième personne à subir une greffe cardiaque à l'hôpital Royal-Victoria et le premier transplanté qui a pu remercier de vive voix sa généreuse donatrice. Ce fut une journée bien remplie.
(Texte publié le 29 juillet 1989.)

TROP BELLE POUR ISRAËL !

Trop belle pour paraître honnête, du moins aux yeux de la police des frontières israélienne, une jeune juive russe a eu la désagréable surprise d'être refoulée à son arrivée en Israël sous prétexte qu'elle ne pouvait être qu'une prostituée de luxe.

Venue visiter son oncle, Ina Zitman, 24 ans, a été interceptée à son arrivée à l'aéroport Ben Gourion de Tel-Aviv et placée sans autre forme de procès dans un avion à destination de Moscou.

Cette élégante étudiante en médecine de Rostov a eu beau nier être une prostituée et même expliquer qu'elle était juive, les employés du ministère israélien de l'Intérieur sont restés intraitables.

On ne l'a même pas autorisée à voir sa famille qui l'attendait au terminal.

Une institution philantropique juive américaine, *The Joint*, a adressé en compensation un nouveau billet à la jeune femme, qui a déclaré qu'avant toute chose elle veut « d'abord s'assurer que cette mésaventure ne se reproduirait pas ».
(Publié le 29 juillet 1997)

Les camps d'été pour enfants se spécialisent

Certains enfants ont passé le temps, l'été dernier, en regardant « Le Parc jurassique » sur un moniteur vidéo. D'autres, comme Darryl Soderberg, ont passé l'été les deux pieds dans les dinosaures.

Darryl, âgé de 17 ans, originaire de Calgary, a participé à de véritables travaux de recherches de restes de dinosaures et a fouillé des sites historiques en tant que participant au Camp scientifique du pays des dinosaures, près de Drumheller, en Alberta.

Après avoir vécu au pays des dinosaures, pas question pour lui de retourner dans un camp d'été traditionnel. « Dans d'autres camps, on n'apprend pas autant, parce qu'il n'y a que des jeux et des choses comme ça, dit-il. Ce camp, ça vous incite à vous lever le matin parce que vous vous demandez : « Qu'est-ce que je vais trouver ou apprendre aujourd'hui ? ».

À travers le Canada, plusieurs camps de vacances vont au-delà du bricolage, du canotage et des soupers aux « hot-dogs » sur feu de camp.

Les camps spécialisés offrent de tout — de la chasse aux fossiles jusqu'aux voyages en mer. Cette tendance a commencé à se faire sentir il y a environ cinq ans. Margaret Seel, la présidente de l'Association canadienne des camps, soutient que les camps « thématiques » sont la voie de l'avenir.

Les camps les plus populaires sont ceux qui permettent aux participants d'acquérir des habiletés ou des connaissances dans un domaine spécifique, en plus de l'expérience de vivre entre jeunes et de dormir ailleurs qu'à la maison.

Le camp du « pays des dinosaures » permet aux enfants d'effectuer un véritable travail de recherche de fossiles, d'examen de sites et de cueillette de données.
(Texte publié le 29 juillet 1995.)

Vin d'épave

Des chasseurs de trésor américains affirment avoir découvert près de 5000 bouteilles de vin, d'une valeur estimée à plusieurs millions de dollars, dans l'épave du Republic, paquebot britannique de luxe qui avait coulé en 1909 près de l'île de Nantucket, au large du Massachusetts.

Un porte-parole de la firme a précisé que les bouteilles de vin, datant du XIXe siècle, étaient en bon état et que seules les quelques-unes ont été remontées.
(Texte publié le 29 juillet 1987.)

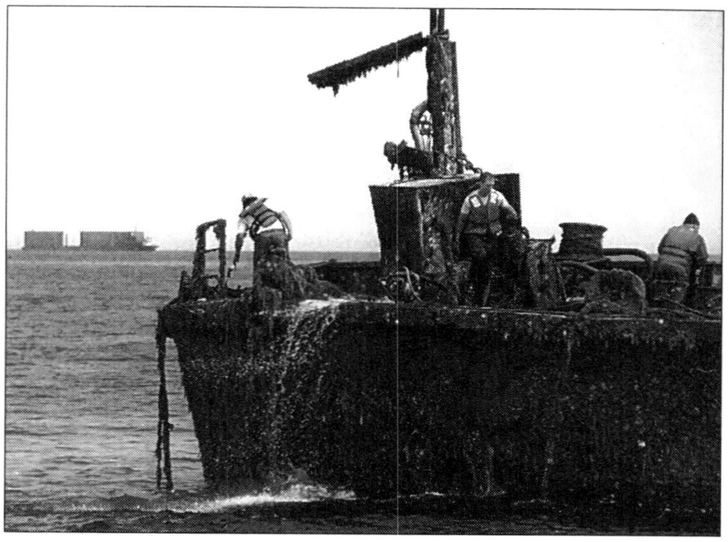

Des ouvriers pompent l'eau du Irving Whale qu'on vient de remonter à la surface. En arrière-plan, à gauche, la barge qui transportera «l'épave» à Halifax.

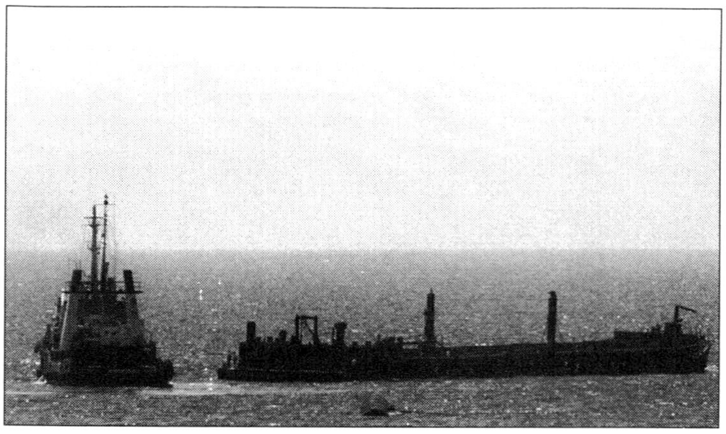

Un remorqueur hale le *Irving Whale* (à droite) en direction d'une barge submersible qui le transportera jusqu'à Halifax.

Une opération délicate : le renflouage de l'Irving Whale

Les autorités ont donné le feu vert pour lancer une délicate opération de renflouage de l'Irving Whale, barge pétrolière qui gît depuis 26 ans au fond du Golfe du Saint-Laurent.

L'épave, qui contient quelque 3000 tonnes de pétrole de type Bunker C et environ 7,2 tonnes d'huile de BPC (biphényles polychlorés), repose par plus de 60 mètres de profondeur dans le golfe du Saint-Laurent, entre l'Île-du-Prince-Édouard et l'archipel des Îles-de-la-Madeleine.

Le projet de renflouage, dirigé par le capitaine de la Garde côtière Bill Dancer, a commencé hier par la pose de câbles d'acier sous la coque de l'épave.

La barge, qui repose à 67 mètres de profondeur, sera soulevée par deux grues et remontée à la surface, après que sa coque aura été minutieusement inspectée. Recouverte de coquillages, elle ne semble souffrir d'aucune faille structurelle importante.

Une vingtaine de navires se trouvent à proximité de l'Irving Whale pour superviser l'opération de renflouage et plusieurs barrages flottants ont été mis en place en prévention d'un éventuel déversement pétrolier. Presque tous ces navires sont munis d'équipements de nettoyage.

L'Irving Whale a déjà laissé échapper des BPC et 1100 tonnes de pétrole, dont près de la moitié juste après son naufrage en 1970, provoquant une marée noire de 400 km carrés. Les BPC, interdits au pays depuis 1977, alimentaient le système de chauffage de la péniche afin d'empêcher la congélation de sa cargaison.

(Texte publié le 30 juillet 1996.)

L'impeachment devient une réalité

WASHINGTON — Dans le geste final de ces huit mois d'enquêtes et de débats sur le scandale du Watergate, la Commission judiciaire de la Chambre a adopté hier **(30 juillet 1974)** un troisième article d'accusation contre le président Nixon, et en a rejeté deux autres.

D'ici dix jours, la Commission transmettra son rapport final, contenant les trois résolutions d'impeachment à la Chambre des représentants qui ouvrira sont débat sur la question le 12 août. Si le programme établi est respecté, le vote final sur l'impeachment du Président aura lieu le 23; dans le cas où il serait favorable, le procès de M. Nixon devant le Sénat devrait débuter vers le 16 septembre.

La dernière des séances historiques de la Commission a été loin d'avoir le décorum et le ton de gravité des premières. De fait, le naturel est revenu a galop, et les 38 avocats qui composent l'organisme s'en sont donné à coeur joie. (...)

Le troisième article, adopté 21 à 17, accuse M. Nixon d'outrage au Congrès pour avoir refusé de livrer les enregistrements de ses conversations à la Commission. Sa principale distinction est d'être le seul qui ait été proposé par un républicain, membre du parti du président, Robert McClory de l'Illinois. Il a aussi marqué la première occasion où des démocrates (James Mann et Walter Flowers) désertaient le bloc de leur parti pour s'opposer à une résolution d'impeachment. (...)

Un silence lourd et grave s'est abattu sur l'assemblée quand le président Peter Rodino a, pour la dernière fois, fait sonner son marteau. Au-delà du brouhaha, de la fatigue et des blagues, on ne pouvait qu'être conscient de la portée de ce qui venait de se passer là, et du pathétique que la Commission judiciaire venait de faire franchir à la vie politique américaine.

Il y a quelquesjours, ce n'était que des mots, des prédictions, des probabilités. Maintenant, pour la première fois en plus de cent ans, le président des Etats-Unis, Richard M. Nixon, est officiellement accusé d'avoir violé son serment d'office, d'avoir nui à l'exercice de la justice, d'avoir abusé de ses pouvoirs et d'avoir fait outrage à la législature. (...)

Louison Bobet remporte le Tour de France pour la 3e année consécutive

PARIS — Louison Bobet, de France, que ses admirateurs se plaisent à appeler le «Napoléon du cyclisme», est devenu samedi **(30 juillet 1955)**, le premier homme à gagner trois fois de suite le Tour cycliste de France, le plus grand marathon cycliste au monde.

Le fameux cycliste de 32 ans a fait son entrée triomphale au stadium du Parc-des-Princes aux applaudissements de milliers et de milliers de spectateurs qui avaient tenu à assister à la fin de cette épreuve de 22 étapes, une distance de 2,704 milles à travers la Belgique, le Luxembourg, la Suisse, l'Allemagne, Monaco et la France. Le tour avait commencé le 7 juillet, au Havre.

La marge de la victoire de Bobet — sur Jean Brankart, de Belgique — fut cependant une des plus minces dans l'histoire de cette classique dont l'origine remonte à 1903.

Bobet pédala le parcours, dont plus d'un tiers se fait en montagne, en 130 heures, 29 minutes et 26 secondes, soit quatre minutes et 53 secondes de moins que Brankart.

Même si Bobet remporta les honneurs de la course, il ne gagna pas la dernière étape de 142 milles sur terrain plat, de Tours à Paris. Miguel Poblet, d'Espagne, remporta les honneurs de cette étape. (...)

Philippe Thys, de Belgique, avait déjà gagné le tour à trois reprises, mais deux seulement de ses victoires furent consécutives.

Des 130 cycliste qui commencèrent la course, au Havre, 69 seulement firent leur arrivée au stadium du Parc-des-Princes.

Le vol de temps

Les multiples manifestations du droit à la paresse, pour emprunter une expression du vieux socialiste français Paul Lafargue, représenteront un manque à gagner de 200 milliards $ US en 1988, chez l'Oncle Sam seulement. Chez nous, c'est beaucoup moins : 6,6 milliards.

(Texte publié le 30 juillet 1988.)

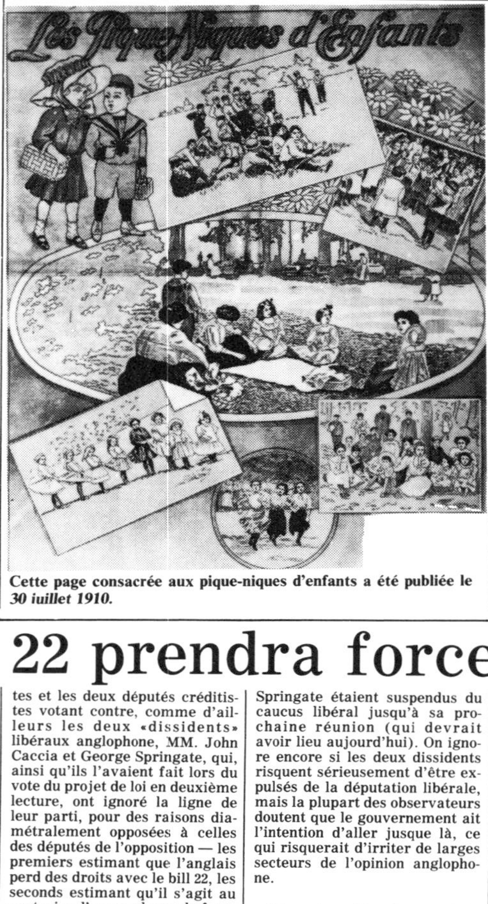

Cette page consacrée aux pique-niques d'enfants a été publiée le *30 juillet 1910.*

C'EST ARRIVÉ UN 30 JUILLET

1984 — Juan Vibaldo Garrido s'est juré de ne plus sourire à qui que ce soit dans sa bonne ville de Quillota, à quelque 80 km à l'ouest de Santiago du Chili, tant qu'il n'aura pas récupéré son dentier. On le lui a volé... dans la bouche tandis qu'il faisait la sieste et dormait paisiblement.. la bouche ouverte, à l'ombre d'un arbre.

— Journée riche en médailles pour le Canada que cette première tranche de compétitions aux Jeux olympiques de Los Angeles. Médaille d'or pour Linda Thom, d'Ottawa, au pistolet de tir sportif et médailles d'argent pour Victor Davis aux 100 mètres brasse et Steve Bauer aux 190 kilomètres sur route en cyclisme.

1982 — Une grève totale de la CTCUM accable encore une fois les Montréalais.

1978 — Le nageur John Kinsella établit un autre record de la Traversée du lac Saint-Jean.

1976 — Recordman mondial au décathlon, l'Américain Bruce Jenner devient millionnaire quasi instantanément.

1976 — Un incendie détruit le dôme du marché Bonsecours.

1974 — Une grenade explose au camp militaire de Valcartier, tuant six cadets et en blessant une quarantaine d'autres. — Le maire de Sainte-Thérèse doit proclamer la loi de l'émeute pour mettre fin à une manifestation de jeunes, provoquée par la mort d'un jeune abattu par un policier de la ville.

1971 — La collision d'un *B-727* des All Nippon Airways et d'un chasseur de l'armée japonaise, au Japon, se traduit par la mort de 161 personnes.

CENT MILLE PERSONNES AUX JEUX OLYMPIQUES

LOS ANGELES — Une foule de 100,000 personnes a assisté samedi **(30 juillet 1932)** à l'ouverture des dixièmes Jeux Olympiques renouvelés de l'ancienne Grèce. C'est au son du canon, aux notes sonores des fanfares et pendant que des milliers de pigeons voyageurs prenaient leur vol, que Charles Curtis, vice-président des Etats-Unis a fait l'ouverture officielle des Jeux.

La multitude accourue de tous les points de l'Amérique et même de pays éloignés remplissait l'immense amphithéâtre et offrait un coup d'oeil impressionnant. Deux mille athlètes représentant l'élite de la jeunesse de 39 pays a pris part à la parade des nations, défilant devant la foule et leurs drapeaux, déployés aux accords d'une fanfare monstre.

A son arrivée au stade, le vice-président Curtis fut reçu par les membres du comité olympique international parmi lesquels le comte Henri de Baillet-Latour et William May Garland. Après que le vice-président eut pris place dans sa loge, les athlètes défilèrent devant lui pendant qu'un choeur de mille voix entonnait le Star Spangled Banner.

Le vice-président déclara les jeux ouverts puis les trompettes se firent entendre et la torche olympique qui brûlera pendant 16 jours, s'alluma au haut du péristyle.

Le Dr Robert Gorden Sproul, président de l'université de Californie donna sa bénédiction, puis le lieutenant George C. Calnan, de la Marine des Etats-Unis, entouré des porte-drapeaux de chaque nation, prêta le serment olympique.

Dans la parade, les représentants de la Grèce marchaient en première place. Ils étaient vêtus de blanc et de bleu et ont été chaleureusement applaudis par la multitude. Les Finlandais ont aussi reçu une très enthousiaste ovation.

Cinq records olympiques ont été brisés lors de la journée d'ouverture des Jeux olympiques.

La victoire de McNaughton, de Vancouver, a été l'une des sensations de la journée. Avant samedi, on croyait généralement que George Spitz, de New York, détenteur du record du monde d'intérieur était invincible, mais ce n'était pas le cas. Quatre sauteurs sont arrivés égaux pour la première place, mais Spitz n'était pas du nombre. Dans le détail, McNaughton l'a emporté avec un saut de 6 pieds 5 5-8 pouces. (...)

Le bill 22 prendra force de loi dès aujourd'hui

QUEBEC — C'est fait: après avoir été l'objet — malgré la période estivale — d'intenses discussions pendant plus de deux mois, le bill 22 a été adopté hier **(30 juillet 1974)** en troisième et dernière lecture à l'Assemblée nationale, et c'est aujourd'hui qu'il aura force de loi, après avoir reçu la «sanction royale» du lieutenant-gouverneur.

Le projet de loi que le gouvernement qualifie de «charte linguistique du Québec» a été adopté hier vers 4 heures et quart, par les 92 députés ministériels qui étaient alors présents en Chambre, les six députés péquistes et les deux députés créditistes votant contre, comme d'ailleurs les deux «dissidents» libéraux anglophone, MM. John Caccia et George Springate, qui, ainsi qu'ils l'avaient fait lors du vote du projet de loi en deuxième lecture, ont ignoré la ligne de leur parti, pour des raisons diamétralement opposées à celles des députés de l'opposition — les premiers estimant que l'anglais perd des droits avec le bill 22, les seconds estimant qu'il s'agit au contraire d'un recul pour le français.

Le premier ministre a fait savoir hier que MM. Ciaccia et Springate étaient suspendus du caucus libéral jusqu'à sa prochaine réunion (qui devrait avoir lieu aujourd'hui). On ignore encore si les deux dissidents risquent sérieusement d'être expulsés de la députation libérale, mais la plupart des observateurs doutent que le gouvernement ait l'intention d'aller jusque là, ce qui risquerait d'irriter de larges secteurs de l'opinion anglophone.

Les autres députés et ministres anglophones ont tous voté en faveur du bill 22, à l'exception de M. Kenneth Fraser, qui est en vacances. Le seul ministre qui n'était pas présent en Chambre au moment du vote était M. Jean Cournoyer.

C'est par une violente charge contre les «élites nationalistes» et le clergé que le ministre François Cloutier, parrain du projet de loi, a entrepris, hier pour la dernière fois, de défendre en Chambre le bill 22. «Je n'hésite pas à dire que le clergé, comme nos élites nationalistes, s'ils ont permis la survie de la collectivité canadienne-française, ont égalemen permis cette survie à un prix considérable qui a été un retard économique que nous n'avons pas encore réussi à combler... bloquant toute une génération dont je suis dans une situation totalement dénuée de liberté, dans un système scolaire où le billet de confession était hebdomadaire, où l'index condamnait la plupart des écrivains contemporains...» (...)

Utilisant le droit de parole alloué au chef de l'Opposition avant l'adoption définitive d'un projet de loi, M. Jacques-Yvan Morin a repris en substance les arguments que le PQ a invoqués sans relâche pendant deux mois pour montrer que le bill 22 ne changera rien, dans les faits, à la situation linguistique existante, et qu'il n'est qu'une «sorte de photographie de la situation actuelle des langues au Québec, sauf peut-être quelques petites retouches mineures pour dissimuler les rides». Il a à son tour vertement critiqué la façon d'agir du gouvernement à l'égard de l'Opposition, qui lui rappelle la façon dont le régime Duplessis traitait l'opposition libérale de l'époque. «Pour nous, a-t-il dit, le véritable rôle d'une l'Opposition, à l'heure actuelle, c'est de remettre en cause le système qui fait que le Québec n'appartient pas aux Québécois. Nous ne sommes pas un vieux parti, et nous continuerons à remettre en cause les fondements même du régime...» (...)

Un autobus plonge dans un canal: 20 morts

L'autobus Toronto-Montréal heurte un camion en bordure du canal de Williamsburg. — 18 voyageurs dont le chauffeur survivent

MORRISBURG, Ont. — Il est possible qu'un total de 20 personnes se sont noyées de bonne heure aujourd'hui **(31 juillet 1953)** lorsqu'un autobus rapide des Colonial Coach Lines allant de Toronto à Montréal a plongé dans le canal de Williamsburg, à deux milles à l'ouest de Morrisburg.

Le gros autobus a heurté une camionnette en stationnement sur la route et les deux véhicules sont tombés dans le canal.

Les autorités de la compagnie d'autobus disent que 37 voyageurs étaient dans leur véhicule quand il partit de Kingston, Ont., sans compter le chauffeur. Dix-sept ont survécu à la tragédie et ont été acheminés vers Montréal en autobus.

Le chauffeur Lorne Cheesborough, de Kingston, a survécu également, mais il est inconscient dans un hôpital de Cornwall. Le chauffeur du camion, Max Rooderman, de Toronto, a été hospitalisé également, mais il n'était pas gravement blessé.

Dix corps ont été sortis de l'autobus submergé et transportés aux salons funéraires Keck, à Morrisburg. L'autobus a été retiré du canal au moyen d'un cabestan, vers 10 heures 30 a.m., et dix corps se trouvaient encore à l'intérieur. Les corps ont été laissés dans l'autobus, qui a été remorqué à Morrisburg. (...)

Quand l'autobus a plongé dans le canal, les voyageurs ont essayé de se sauver par les portes et fenêtres. (...)

L'accident est survenu près de Morrisburg, Ontario, une petite ville située à 27 milles de Cornwall et à environ 90 milles à l'ouest de Montréal. L'autobus, qui devait atteindre la métropole vers 8 h., a plongé dans vingt pieds d'eau, après avoir heurté un camion stationné en bordure de la route.

Au milieu de la matinée, un scaphandrier du ministère des transports avait retiré 5 corps du lit du canal, qui longe la grande route no 2 et qui est l'une des plus achalandées du pays. (...)

Camion stationné sans lumières?

Bien que les rapports de police soient encore fort incomplets (tous les agents de la sûreté provinciale de l'Ontario qui étaient disponibles, aux quartiers de Morrisburg, ayant été dépêchés sur les lieux de la tragédie), il semble que l'autobus chargé de voyageurs ait heurté le camion d'une demi-tonne alors que celui-ci était stationné sur la partie pavée de la route, et sans lumière. Une autre version veut même que le petit camion ait été «en travers» de la route, et la police tente évidemment de vérifier ce fait en interrogeant les survivants.

Le léger véhicule a d'ailleurs été projeté lui-même dan le canal sous la violence du choc qui a fait basculer l'autobus au bas de la falaise, puis dans les vingt pieds d'eau qui constituent la profondeur du canal Williamsburg, à cet endroit.

Dans la pénombre qui sévissait, à cette heure de la matinée, des scènes indescriptibles se sont alors produites, les voyageurs non blessés par le choc luimême tentant désespérément de s'échapper du véhicule en brisant les carreaux pour s'agripper ensuite au toit du véhicule en attendant le secours, qui devait rapidement venir des maisons de ferme voisines.

Averti du danger?

Le conducteur Lorne Cheeseborough était monté dans le véhicule à Kingston, a peu près à mi-chemin entre Toronto et Montréal, et c'est lui qui avait la tâche de conduire l'autobus jusqu'au terminus de la rue Dorchester de la Compagnie de transport provincial dans la métropole.

A Montréal, les autorités de sa compagnie ont déclaré qu'il était à leur emploi depuis six ans et qu'il possédait un excellent dossier sécuritaire.

On a également appris que le conducteur avait été averti, à Iroquois, un village situé à quelques milles à l'ouest de Morrisburg, qu'un camion était stationné sur la route, sans lumière, en direction est.

Il est fort possible, cependant, que, malgré cet avertissement, Cheeseborough n'ait pu voir le véhicule immobilisé assez tôt pour éviter la catastrophe.

Saut en hauteur — Ferragne vite éliminé

Stones échoue; Joy termine bon deuxième

ON pourrait écrire un roman sur cette finale de saut en hauteur des Jeux olympiques de Montréal **(31 juillet 1976)**.

La version canadienne s'intitulerait sûrement: «Greg Joy, médaillé d'argent». Les Américains songeraient probablement à «Dwight Stones, la grande déception des Jeux». Mais ce sont seulement les Polonais qui pourraient écrire, «Jacek Wszola, notre champion olympique».

Tous ces titres, s'ils sont exacts, rendraient bien peu tout ce qu'a été le saut en hauteur hier au Grand Stade.

Il y avait cette médaille d'argent, cette première médaille des Jeux en athlétisme, celle de Greg Joy, un moment de triomphe que l'on avait tellement attendu, tellement désiré, et qui clôturait si bien une semaine décevante.

«J'aurais voulu la médaille d'or, déclarait Greg Joy, mais j'espère que le Canada se contentera de la médaille d'argent». A en juger par le tonnerre d'applaudissements inlassables qui a salué la remise de cette médaille d'argent, le Canada semblait satisfait.

Mais Joy oubliait tout de même quelque chose de très important. C'est qu'il avait offert à la foule encore plus que la médaille d'argent. Il lui avait présenté en même temps que Wszola la défaite du «gros méchant» Stones...

Même dans la défaite, Stones demeurait la grande vedette. Le public a pris autant de plaisir à le huer, lui et sa médaille de bronze, qu'à applaudir Joy, un plaisir qui ressemblait malheureusement un peu à l'acharnement d'un gagnant sur la dépouille de son adversaire.

Il est vrai que même défait, Dwight Stones n'a pas tout à fait la langue dans sa poche. Il n'a pu faire mieux que 2m21, lui qui a réussi le record mondial de 2m30, tandis que Joy réussissait 2m23 à son troisième essai et le Polonais 2m25 à son deuxième essai. Pour cela, il devait des explications au peuple, mais surtout aux journalistes américains: «Quand vous vous attendez à quelque chose, et que vous ne l'obtenez pas, cela fait très mal, déclarait-il. La médaille de bronze pour moi indique seulement que j'ai échoué.»

«Rien ne m'a dérangé, que la pluie. Dès qu'il a commencé à pleuvoir sérieusement, j'ai su que j'étais en mauvaise posture. J'étais prêt à sauter un record mondial et je l'aurais sûrement fait s'il avait fait beau. Mais à cause de mon style, je n'ai aucune chance lorsqu'il pleut. En arrivant sous la barre, j'avais l'air d'un hydroplane, je glissais beaucoup trop.»

Ce n'était évidemment que des excuses.

Mais il faut quand même avouer, même si je vous promets de ne surtout pas le lui dire, que Stones avait un peu raison.

«Il pleuvait aussi pour les autres, déclarait un journaliste un peu agressif.»

Lui aussi avait raison. Mais Stones n'avait pas complètement tort. Puique les autres sauteurs comptent beaucoup plus que lui sur la puissance d'impulsion et donnent moins d'importance à la vitesse lors de la course d'élan. Avec son accélération, Stones n'a aucune chance lorsqu'il pleut. (...)

Car il faut quand même un peu en parler du public, puisque les sauteurs eux, s'y sont longuement attardés.

«L'ovation qu'on m'a servie a sûrement été le plus grand moment de ma vie, mais il a presque été totalement détruit lorsqu'on s'est mis à huer Dwight. Je me sentais tellement mal à l'aise.»

Jacek, lui était concis: «Le public ne devrait jamais avoir de tels partis pris.»

Stones, pour sa part, n'était pas prêt d'oublier. «Je ne pardonnerai jamais cela. Une telle réception. Jamais je ne l'oublierai... Surtout que j'ai expliqué longuement hier que je n'avais jamais dit hair les Canadiens français.»

En tout cas, maintenant, ça y est.

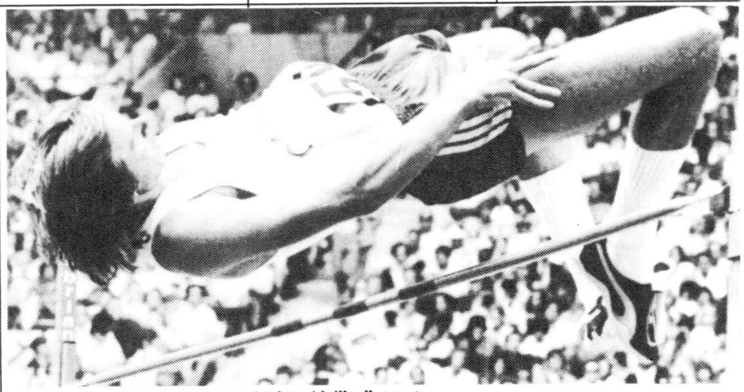

Greg Joy franchit la barre et mérite la médaille d'argent.

Marilyn Bell conquiert la Manche

A 17 ans, elle est la plus jeune nageuse à accomplir cet exploit.

DOUVRES, Angleterre — Bien reposée après une bonne nuit de sommeil, la jeune nageuse canadienne Marilyn Bell a visité la ville de Douvres aujourd'hui, remerciant les sympathiques citoyens pour leur encouragement qui, dit-elle, lui a été d'un précieux secours dans l'exploit qu'elle vien. d'accomplir.

Marilyn, toute souriante et ne laissant paraître aucun signe de fatigue après l'épuisante traversée de la Manche qu'elle a effectuée hier **(31 juillet 1955)**, en 14 heures et 36 minutes, est sortie de son hôtel, un peu après 10 heures ce matin.

Son exploit en a fait l'héroïne du jour, en Grande-Bretagne. Les journaux de Londres lui ont réservé leurs manchettes et leurs pages sont remplies de photos la montrant au moment où elle entre dans les eaux glacées de la Manche, à Cap Gris Nez, en France, et 14 heures plus tard, alors qu'elle est jetée par une vague géante, sur la rive rocailleuse d'Abbotsclif, entre Douvres et Folkestone. (...)

Marilyn a l'intention de prendre un repos bien mérité, qu'elle consacrera à de brèves visites ici et là en Grande-Bretagne. (...)

(PCf) — Marilyn Bell, qui est âgée de 17 ans, a eu assez de force pour effectuer un sprint sur les 200 dernières verges du parcours, hier, et devenir la plus jeune personne à traverser la Manche à la nage.

La jeune Torontoise a touché le littoral anglais à Abbottscliff, entre Douvres et Folkestone, à 5 h. 29 hier soir (3 h. 29 hier après-midi, heure avancée de l'est), soit 14 h. 36 minutes après son départ du cap Gris-Nez, en France. Elle quitta la côte française à 3 h. 53 hier matin.

La courageuse petite étudiante (elle ne mesure que cinq pieds et deux pouces) nagea avec force contre les hautes vagues et les puissants courants de la Manche qui l'empêchèrent probablement d'établir un record pour dames dans cette traversée de 21 milles. Un fort courant de l'ouest l'a retardée d'au moins deux heures, alors qu'elle était à moins de deux milles de la côte. (...)

Quelques seconds firent monter Marilyn dans une petite embarcation et elle fut transportée à Douvres, où elle se reposa pendant 12 heures, sous la surveillance de son médecin, le Dr Bruce Findlay, de Folkestone.

Mlle Bell (...) réussit la conquête de la Manche un an, presque jour pour jour, après avoir remporté les honneurs de la course d'Atlantic City, section des dames, autour de l'ile Abescon, un parcours de 26 milles. Elle avait alors gagné $1,150. La Manche, à l'endroit où Mlle Bell l'a traversée, a 21 milles de largeur.

Elle se remit de nouveau en évidence dans le monde de la nage en septembre dernier, lorsqu'elle devint la première personne à traverser le lac Ontario à la nage, une distance de 32 milles, entre Youngston, New York, et Toronto. Elle nagea les 32 milles en 20 heures et 56 minutes.

Tout comme pour sa traversée du lac Ontario, son exploit de la Manche se fit sous la surveillance de Gus Ryder, son entraineur, et de John Burwell, un vétéran pilote.

Deuxième Canadienne

Marilyn Bell devient la deuxième Canadienne à réussir la traversée de la Manche à la nage. Mme Winnie Roach Leuzler, de St. Thomas, en Ontario, fut la première à réussir l'exploit, en 1951. Marilyn est cependant la plus jeune femme à faire la conquête du bras de mer. Gertrude Ederie, des États-Unis, la première femme à accomplir l'exploit avait 19 ans, en 1926, lorsqu'elle traversa la Manche à la nage. Philip Mickman, un Anglais, a réussi le même exploit à l'âge de 18 ans, en 1949.

Son avance ayant été ralentie par un fort courant, Marilyn a perdu tout espoir d'établir un nouveau record féminin alors qu'il ne lui restait plus que quelque deux milles à parcourir. Le record actuel est de 12h.42 minutes; il a été établi en 1951 par l'Anglaise Brenda Fisher. (...)

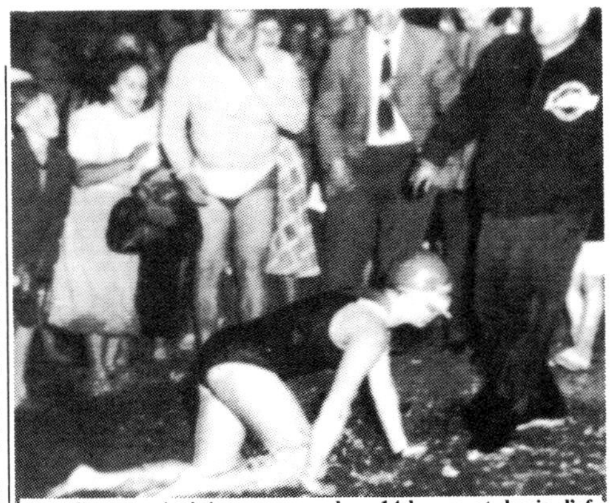

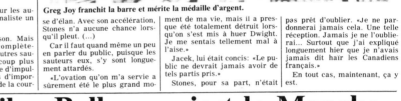

Complètement épuisée par ses quelque 14 heures et demie d'efforts à combattre la Manche, c'est en se traînant sur les genoux que la Torontoise Marilyn Bell arrive à Douvres, en Angleterre.

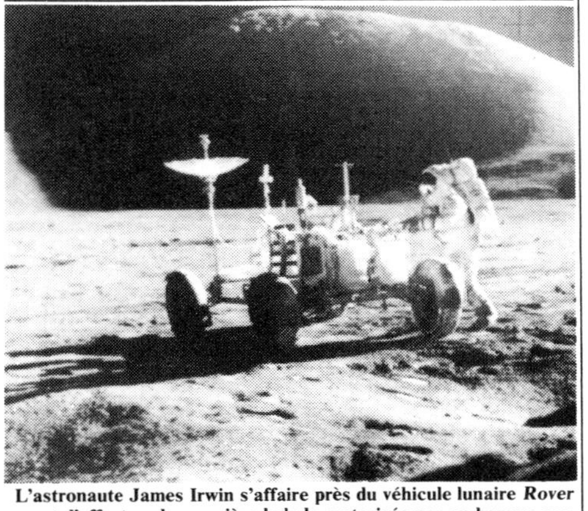

L'astronaute James Irwin s'affaire près du véhicule lunaire *Rover* avant d'effectuer la première balade motorisée par un homme sur la surface lunaire, le *31 juillet 1971*, dans le cadre de l'expédition d'*Apollo XV*.

LE CONSEIL SIEGE DANS LE NOUVEL HOTEL DE VILLE

EN vertu d'une résolution spéciale, le conseil de Maisonneuve a siégé pour la première fois, hier soir **(31 juillet 1912)**, dans le nouvel hôtel de ville, rue Ontario. Comme la grande salle n'est pas encore aménagée, la séance a été tenue dans la salle dite des comités.

M. le maire Alex. Michaud, présidait et étaient présents: les échevins, Oscar Dufresne, Ch. Bélanger, R. Fraser, L. Tremblay et E. Lemay.

Le contrat pour travaux faits par M. Dini a été réglé au coût de $2,000. M. Dini réclamait $600 de plus.

A la demande de l'échevin Tremblay, il a été décidé qu'à l'avenir, les contrats devront être accordés autant que possible à des citoyens de Maisonneuve.

La Compagnie des Tramways de Montréal ne devra restaurer sa voie ferrée, rue Notre-Dame, que d'un côté à la fois, afin de ne pas paralyser le commerce à cet endroit.

L'union des plombiers demande qu'un inspecteur soit nommé pour examiner les travaux de plomberie. Cette question a été référée à l'inspecteur des bâtisses qui devra faire rapport.

La «Montreal Light Heat and Power Co.» et autres compagnies intéressées sont requises sur décision du conseil d'aligner les poteaux, qu'ils plantent dans les rues, notamment rue Aird où on en remarque un au milieu du trottoir.

La prochaine assemblée régulière n'aura lieu que le 14 du courant.

L'inauguration officielle du nouveau palais municipal aura lieu en septembre.

Prestations et recherche d'emploi

La réforme de l'aide sociale que le gouvernement Bourassa veut mettre en oeuvre à l'automne touchera chacun des 694 000 Québécois qui reçoivent actuellement des prestations d'aide mensuelles. Elle prévoit notamment que seuls ceux qui font tous les efforts requis pour trouver un emploi — ou qui sont inaptes au travail — recevront dorénavant l'aide de l'État.

(Texte publié le 31 juillet 1986.)

C'EST ARRIVÉ UN 31 JUILLET

1983 — Le nageur américain Paul Asmuth gagne la Traversée du lac Saint-Jean, mais rate le record de 46 secondes.

1982 — Une collision routière impliquant un autocar cause la mort de 53 personnes, dont 45 enfants, en France.

1975 — James Hoffa, jadis président tout-puissant du syndicat des camionneurs américains, disparaît sans laisser de traces.

1973 — L'écrasement d'un *DC-9* de la Delta Airlines, à Boston, fait 88 morts. — Considérant sa tâche comme impossible à remplir, la délégation canadienne de la Commission internationale de contrôle quitte le Sud-Vietnam. — La reine Elizabeth arrive à Ottawa afin de participer aux travaux de la Conférence des chefs de gouvernement du Commonwealth.

1972 — Cinq Noirs détournent un avion américain et se font conduire à Alger. Une rançon d'un million de dollars, obtenue contre la libération des 87 passagers, est confisquée par les autorités algériennes qui la rendront aux États-Unis. — Décès de Paul-Henri Spaak, 73 ans, à Bruxelles. Il avait été le premier président de l'Assemblée générale des Nations Unies, et l'un des fondateurs du Marché commun européen.

1967 — Le gouvernement français annonce qu'il aidera le Québec à conquérir sa souveraineté.

1962 — L'Ontario, la Saskatchewan et l'Alberta s'engagent à aider les enfants déformés par la thalidomide.

1954 — Ouverture officielle à Sept-Îles de la nouvelle entreprise d'extraction de minerai de fer dans la région limitrophe du Québec et du Labrador. — Pierre Mendès-France promet l'autonomie interne à la Tunisie.

1952 — Décès de M. Anatole Carignan, maire de Lachine.

1947 — On annonce que le mariage de la princesse Elizabeth d'Angleterre a été fixé au 20 novembre.

1940 — Un accident ferroviaire fait plus de 40 morts à Cruyahoga Falls, en Ohio.

1937 — Début des fêtes du centenaire de fondation de la ville de Sherbrooke.

1936 — Le président Franklin D. Roosevelt devient le premier président américain à visiter le Canada.

1932 — Les élections générales d'Allemagne permettent aux nazis de s'assurer une majorité au Reischtag.

1917 — La troisième bataille d'Ypres commence.

1914 — Assassinat de Jean Jaurès, chef des socialistes français, dans un restaurant de Paris.

Ovation debout au maire Drapeau

Bonjour Montréal... Adieu Montréal!

UN spectacle grandiose... le nuvite au milieu de 500 jeunes filles d'une quinzaine d'années... le maire Drapeau qui reçoit une ovation debout... le soulagement incroyable de tout le personnel du COJO à la fin des cérémonies... Moscou en 1980... ces couleurs, ces Indiens...

Des mots, des flashes qu'il faut coordonner, des impressions qu'il faut raisonner, de justes perspectives qu'il faut cadrer.

Si la cérémonie d'ouverture de la XXIe Olympiade avait été majestueuse, elle avait quand même laissé les gens plus impressionnés que bouleversés.

Hier soir **(1er août 1976)**, le grand spectacle de clôture des jeux, tout aussi bien répété que le premier, donnait quand même la chaude sensation que l'âme, la spontanéité, avait pris le pas sur la chrorégraphie.

Deux événements ont contribué à créer cette atmosphère, de joie d'abord, puis de nostalgie.

Le nuvite

Les 16,000 «gendarmes» du COJO avaient tout prévu... tout prévu sauf le retour d'une vieille mode (c'est vrai que le rétro est à la mode), celle des nuvites.

Cinq cents belles filles de la Rive sud qui avaient répété consciencieusement leur numéro, ont vu apparaître au milieu d'elles un barbu blond. En deux temps, trois mouvements, le gracieux oiseau bondissait parmi les donzelles, nu comme un ver.

Les spectateurs, s'ils furent scandalisés, ne le laissèrent pas trop voir... laissant même flotter ici et là quelques applaudissements.

Dès lors, on était plus disposé à s'amuser qu'à se laisser émouvoir. Indiens, athlètes, danseuses ont envahi le stade, montant cinq teepees au milieu des cinq anneaux olympiques formés par les jeunes filles.

Spectacle merveilleux pour les yeux... et aussi satisfaisant pour l'ego; depuis le temps qu'on dit que les Français veulent voir des Indiens au Canada!

Ovation debout pour Drapeau

Après les Indiens, ce fut le tour d'un autre personnage presque folklorique, lord Killanin. Péniblement, le président du Comité international olympique s'installe sur le rostre.

Hymne national grec avec levée du drapeau qui reste d'ailleurs enroulé, puis celui du Canada et enfin hymne national soviétique suivi de la levée du drapeau rouge.

Puis, lord Killanin s'approche du micro. «Au nom du Comité international olympique, après avoir offert à Son Excellence le gouverneur général, au peuple canadien, aux autorités de la ville de Montréal...»

Killanin n'a pu poursuivre plus loin. Doucement, irrésistiblement des applaudissements fusent. Les gens se lèvent debout pour acclamer le maire de Montréal, M. Jean Drapeau.

Les Américains, qui n'ont rien compris puisque M. Killanin parlait en français, emboîtent le pas, se demandant un peu qui ils applaudissent ainsi. «Drapeau... Drapeau... Drapeau...», scande la foule. (...)

Le salut de Moscou

C'est à partir de cet instant que les gens ont semblé prendre conscience que l'aventure achevait, que la grande «fête» olympique ne serait pas éternelle. Déjà le nom de Moscou commençait à flotter dans les coeurs avant d'apparaître sur les écrans géants du stade olympique.

En même temps que le soleil se couchait à Montréal, il se levait sur Moscou... et on nous offrait ce beau matin de Moscou en prime à la télévision.

Les Olympiques, trêve de fraternité... souhaitaient de Coubertin.

«Bonjour Montréal» disaient les cris, les chansons des danseurs et chanteurs moscovites que l'on voyait et entendait en direct à Montréal. Pour quelques minutes privilégiées, le contact était établi, presque palpable. À Moscou le 19 juillet 1980. Adieu Montréal! (...)

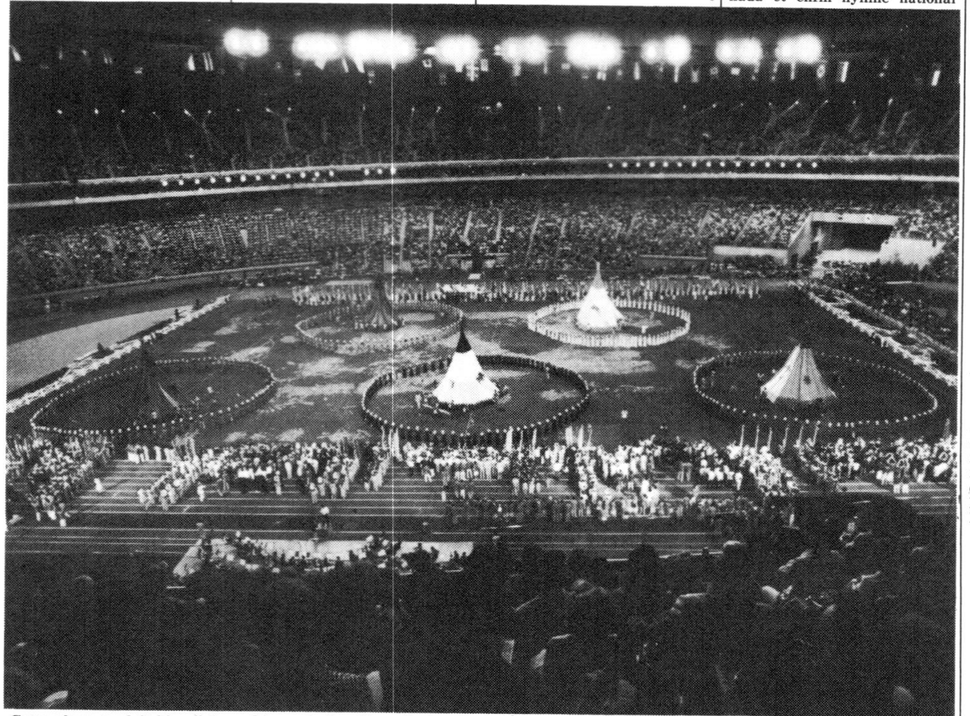

Cette photo traduit bien l'atmosphère qui régnait sur le terrain lors de la cérémonie de clôture des Jeux de Montréal.

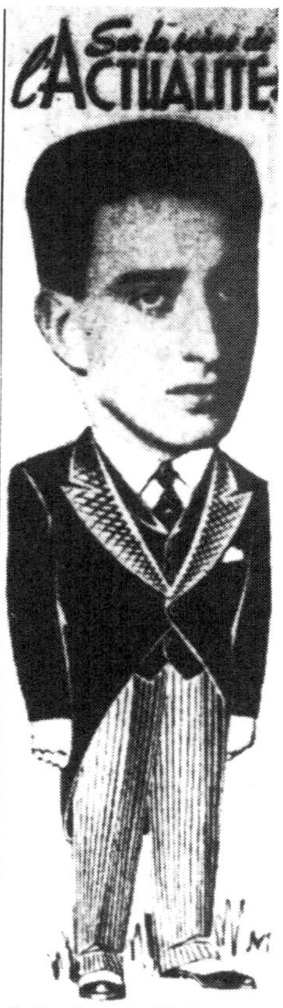

Cette photo de Me Marc Lalonde a été initialement publiée le *1er août 1956* pour souligner qu'il venait de décrocher une bourse pour poursuivre ses études à l'Université d'Oxford.

Inoubliable spectacle à l'ouverture de l'Olympiade

BERLIN — Un firmament gris menaçant couvrait la scène où se déroula l'ouverture officielle des Jeux Olympiques de 1936, samedi **(1er août 1936)**. Ce ne fut pas une malchance car la multiplicité des couleurs remarquées dans la grande parade des 5000 athlètes en présence de 100,000 spectateurs qui remplissaient l'immense stade y trouvait avantage. Un orchestre nombreux, une demi-douzaine de fanfares et un choeur de mille voix, un nouveau César moderne, le chancelier Adolf Hitler d'Allemagne, des personnages politiques allemands et étrangers, une section de sièges occupée par des ambassadeurs de tous les pays, une autre section réservée à quelque 1200 journalistes venus ici pour renseigner les peuples du monde sur les exploits de leurs compatriotes, tout avait un caractère propre à faire de l'événement quelque chose d'incomparable.

Les Américains reçurent en dehors du stade une ovation plus grande que celle qui les accueillit dans le stade même.

Une démonstration inoubliable

La procession des hommes en uniformes d'athlètes et en uniformes militaires, suivis de personnages portant le haut-de-forme avait aussi son caractère imposant. Le comte Henri Baillet-Latour, président du comité international, et Theodore Lewald, chef du comité allemand d'organisation, marchaient en avant. Avec eux marchait un personnage vêtu d'un uniforme khaki mais en l'apercevant ces milliers de spectateurs se levèrent pour l'acclamer dans une ovation inoubliable. C'était Hitler. Les fanfares jouèrent la grande marche de Wagner. De la plus haute et la plus éloignée tour de pierre vint une note grave, celle de la cloche olympique sur laquelle on a gravé ces mots: «J'appelle la jeunesse du monde». Et comme répondant à cet appel commença alors la longue parade des athlètes entrant dans le stade. Les Grecs menaient la marche. (...) Puis suivaient les contingents des autres pays par ordre alphabétique.

Les représentants de la Nouvelle-Zélande prirent pour le Fuehrer un athlète vêtu de blanc qui se tenait à droite sur la grande estrade car en passant devant lui ils le saluèrent en soulevant leurs coiffures.

Un seul drapeau fait exception

Tous les drapeaux des nations furent baissés en passant devant Hitler à l'exception d'un seul, celui des Etats-Unis qui passa haut et flottant au vent. Une déclaration officielle publiée dans les journaux expliquait que cela était dû aux règlements de l'armée et demandait au public de n'y voir aucun signe désagréable pour le chancelier. (...)

Alors Lewald se tenant sur une petite tribune en face d'Hitler et s'adressant au chancelier qu'il appela «avec respect et reconnaissance le protecteur de ces Jeux olympiques devant être disputés dans ce stade construit selon ses désirs», l'invita à déclarer ouverte l'Olympiade.

«Dans quelques minutes, dit-il, le porteur de la torche fera son apparition pour allumer le feu olympique. Quand on verra sa flamme s'élever dans le ciel, on y verra un pacte entre l'Allemagne et la Grèce fondée il y a 4000 ans par des gens ayant émigré du nord». A la fin du discours de Lewald, le plus long de la journée, Hitler s'avança au microphone et dit simplement: «Je proclame ouverts les Jeux olympiques de Berlin célébrant la 11e Olympiade de l'ère moderne».

ARCTIQUE... CANADIEN ?

Malgré ses prétentions, le Canada n'est pas du tout assuré de posséder la souveraineté sur les eaux de l'océan Arctique. S'il veut faire reconnaître sa juridiction, le gouvernement canadien doit exercer ses droits par une présence adéquate.

Dans ce contexte, le périple du brise-glace américain Polar Sea dans le Grand Nord canadien, sans la permission officielle d'Ottawa, constitue une provocation que le fédéral doit contrer.Ottawa prétend depuis plusieurs années que le détroit de Lancaster, qui assure le passage dans l'Arctique entre le Groenland et l'Alaska, fait partie de ses eaux territoriales. Les États-Unis rejettent la juridiction canadienne et soutiennent qu'il s'agit d'un détroit international.

Dans le cas du Polar Sea, le gouvernement américain a estimé qu'il n'avait pas à demander d'autorisation à Ottawa. Le Canada a soutenu le contraire, mais ne peut rien faire pour bloquer le navire américain. Celui-ci entreprendra le trajet nordique le premier août.
(**Texte du 1er août 1985.**)

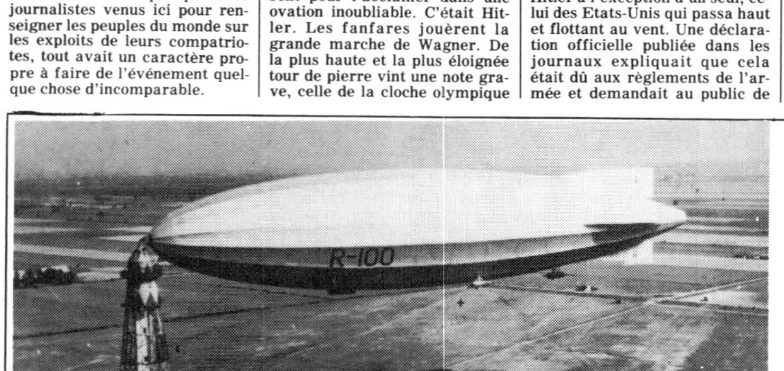

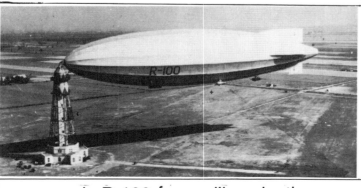

Au terme d'une traversée transatlantique marquée de péripéties qui avaient fait craindre le pire, le dirigeable britannique R-100 arrivait à Montréal le *1er août 1930* et s'amarrait au mât de l'aérodrome de Saint Hubert, sur la rive sud. Le R-100 avait quitté la tour de Cardington trois jours plus tôt, le 29 juillet, avec 44 passagers à bord. Pour les amateurs de statistiques, précisons que le dirigeable mesurait 709 pieds de longueur, 133 pieds de hauteur, et avait un diamètre de 133 pieds également. La superficie des ailerons équivalait à 11 400 pi². Il avait une capacité de cinq millions de pi³ d'hélium, et dans des conditions normales, sa masse pesait 156 tonnes.

La venue du R-100 frappa l'imagination

Si on convient que la première visite au Canada du dirigeable britannique R-100, en août 1930, fut historique, elle fut aussi été un événement populaire. La venue de l'énorme appareil avait frappé l'imagination des gens, accourus par milliers à Saint-Hubert, où le dirigeable fut amarré pendant une semaine. La Bolduc avait même composé une chanson célébrant le passage ici de l'aérostat.

Ceux qui ont pu admirer l'engin se balançant accroché à une tour construite pour l'occasion en ont gardé un souvenir émerveillé et encore très précis, 62 ans plus tard.

La tour avait coûté un million de dollars pour une utilisation d'une semaine. On était scandalisé par le coût, en pleine crise. Mais, c'était un événement, à l'époque, un dirigeable, on pensait que c'était la trouvaille du siècle.

Qu'est-il advenu du mât ? Construit en 1928 sous le contrôle du gouvernement britannique, ce mât de 300 pieds de hauteur et muni d'un ascenseur fut démoli à la dynamite peu avant la Deuxieme Guerre mondiale, parce qu'on se préparait à établir à Saint-Hubert une base de l'Armée de l'air canadienne.

Le R-100 arriva à Saint-Hubert, le vendredi 1er août, après un voyage mouvementé. Parti de Cardington, en Grande-Bretagne, le R-100 mit seulement 78 heures et 51 minutes à atteindre Saint-Hubert, alors que le ZR-3 allemand avait mis 81 heures en 1924.
(**Texte publié le 1er août 1992.**)

C'EST ARRIVÉ UN 1er AOÛT

1984 — Des citoyens de Chicoutimi entreprennent aujourd'hui une expérience unique: vivre un mois en forêt avec pour tout attirail les vêtements qu'ils portent, un trousseau de cinq clés qu'ils transformeront en couteaux, une montre, une bague et un portefeuille.

1984 — La Société protectrice des animaux de Québec a reçu un bracelet d'ivoire et d'argent ciselé, offert par la comédienne Brigitte Bardot en guise de participation à l'encan de l'organisme qui compte en tirer 4000 $ au début de septembre.

1981 — Mort de Kevin Lynch, septième gréviste de la faim à mourir afin d'obtenir la reconnaissance du statut de prisonnier politique pour les membres de l'IRA.

1980 — Le Canada proteste vigoureusement contre la décision d'Israël de faire de la ville de Jérusalem unifiée la capitale de l'État.

1977 — Gary Powers, qui avait été abattu au-dessus de l'URSS à bord d'un avion-espion *U-2*, se tue dans un accident d'hélicoptère, près de Los Angeles.

1974 — Rétablissement en Grèce de la Constitution de 1952, exception faite des articles concernant le souverain et la famille royale.

1973 — Décès de Walter Ulbricht, président du Conseil d'État de la République démocratique allemande.

1966 — Charles-Joseph Whitman, un dément âgé de 24 ans, tue 15 personnes et en blesse 31 avant d'être abattu par la police dans la tour de l'Université du Texas, à Austin.

1962 — La commission Salvas réprouve la conduite de ministres de l'Union nationale dans l'affaire du gaz naturel.

1959 — Le gouvernement central de l'Inde chasse le gouvernement communiste de Kerala à la suite des véritables persécutions que menait ce gouvernement contre ses adversaires et notamment contre les catholiques.

1957 — Le ministre de la Défense, M. Pearkes, annonce la formation officielle d'un commandement de défense aérienne du continent (NORAD).

1941 — Les États-Unis imposent un embargo sur l'huile et la gazoline d'aviation expédiées au Japon.

1933 — Les autorités britanniques procèdent à l'arrestation de Gandhi.

1928 — L'aviateur Ramon Franco quitte Cadix en direction des Açores, à bord de l'hydravion *Numancia*, dans le but de réussir le tour du monde.

1914 — L'Allemagne déclare la guerre à la Russie.

UN AVÈNEMENT DE MAUVAIS AUGURE

Hindenburg mort, Hitler est maître absolu

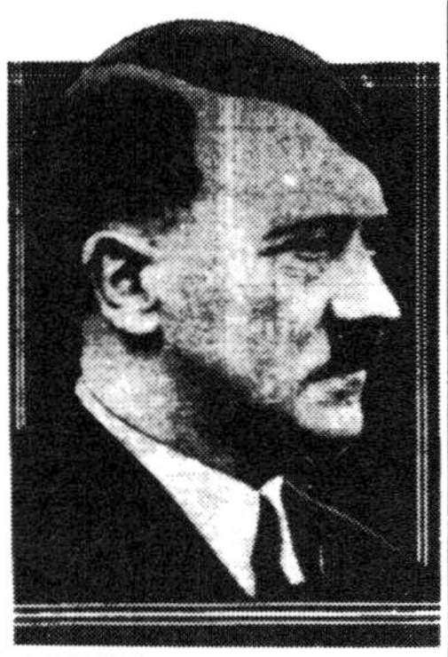

Adolf Hitler

A une session d'urgence la nuit dernière le ministère nazi révoque la loi qui désigne le juge-en-chef de la Cour suprême comme président intérimaire. — Le chancelier prend la présidence.

NEUDECK, — Le président du Reich, Paul Von Hindenburg, est décédé à neuf heures ce matin (**2 août 1934**), âgé de 86 ans, et le chancelier Adolf Hitler lui a succédé immédiatement comme président.

Hindenburg a succombé à la maladie, en son château de Neudeck, après une longue résistance. Son état était devenu désespéré dimanche dernier.

Hitler et son cabinet se tenaient prêts à toute éventualité. Durant une session d'urgence la nuit dernière, le ministère nazi a adopté un décret révoquant la loi de 1932 d'après laquelle le juge-en-chef de la Cour suprême devait devenir président intérimaire à la mort d'Hindenburg.

En apprenant la mort du vieil homme d'Etat, Joseph Goebbels, ministre de la propagande, courut au poste de radio de Berlin et annonça que le chancelier assumait immédiatement les fonctions de président. Hitler devient donc dictateur absolu du IIIe Reich.

Le drapeau du château de Neudeck a été baissé à mi-mât, annonçant au monde la mort du grand homme. Par une coïncidence remarquable, Hindenburg est décédé vingt ans, jour pour jour, après la mobilisation des troupes allemandes de 1914.

Funérailles dimanche

Les funérailles auront lieu à Neudeck dimanche. (...) On prépare des funérailles d'Etat au président défunt.

Les membres de la famille Von Hindenburg étaient au chevet du mourant ce matin. Son fils, le colonel Oscar Von Hindenburg, et ses deux filles, Frau Irmengarde Von Brockhusen et Frau Anna Marie Von Bentz. La femme d'Hindenburg est décédée en 1921.

Quelques heures avant sa mort, le président est tombé dans le coma et il était inconscient lorsqu'il rendit l'âme. Des troubles de la prostate combinés aux infirmités du vieil âge ont causé sa mort.

Le cabinet a invité le peuple allemand à prendre le deuil. Les drapeaux seront à mi-mât sur tous les édifices publics et les navires de la marine allemande salueront la mémoire par une salve de 21 coups de canon demain. Tous les endroits d'amusement sont fermés et une minute de silence sera observée par l'Allemagne toute entière au moment des funérailles.

Un ordre du général Werber Von Blomberg à l'armée allemande se lit comme suit aujourd'hui: «Hindenburg, notre chef de la grande guerre, vient de nous quitter. Sa vie héroïque, toute imbue de l'esprit du devoir envers la patrie, a pris fin. Tout le monde a confiance en Hitler, le meneur de notre peuple.» (...)

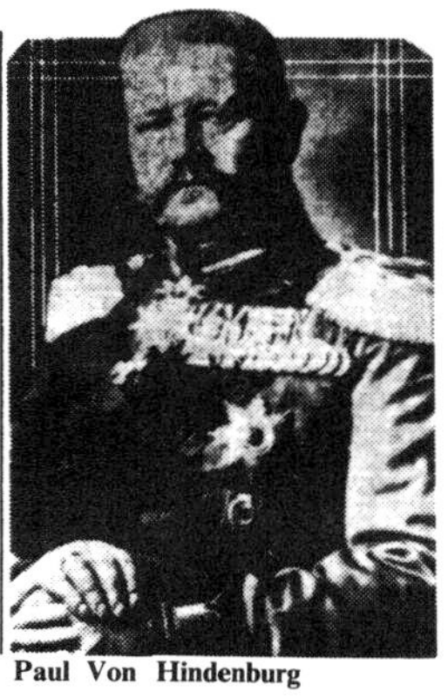

Paul Von Hindenburg

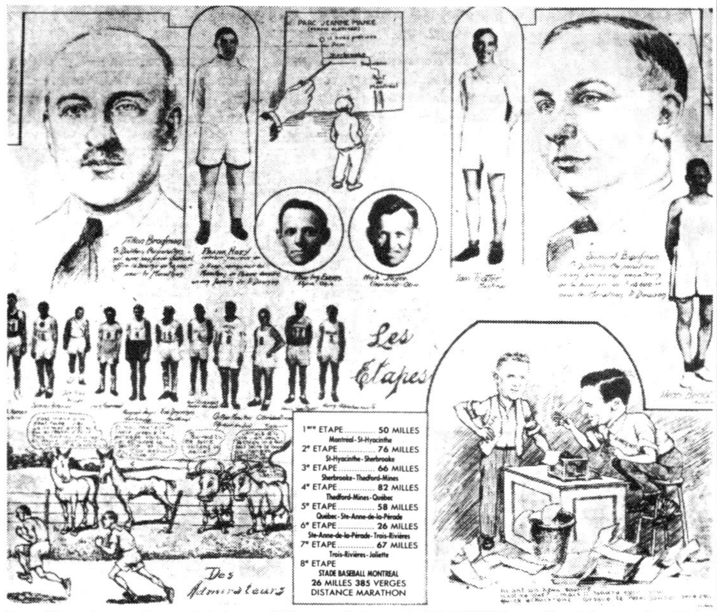

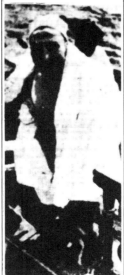

Cette illustration avait pour but de sensibiliser les lecteurs de LA PRESSE au départ du marathon Peter Dawson à relais de 500 milles disputé en huit étapes, avec arrêts à Saint-Hyacinthe, Sherbrooke, Thetford, Québec, Sainte-Anne-de-la-Pérade, Trois-Rivières et Joliette. Dix-sept équipes s'étaient inscrites pour le départ du *2 août 1931*, au parc Jeanne-Mance, mais deux d'entre elles avaient été refusées sur les ordres des médecins. Les deux plus gros croquis, à gauche et à droite, sont ceux des frères Allon et Samuel Bronfman, de la Distillers Corp., qui offrait la bourse de $10 000, ce qui en faisait à l'époque «la course la plus richement dotée de l'univers», pour citer le texte de LA PRESSE. Ce n'est donc pas d'hier que les entreprises de boissons alcoolisées sont «réquisitionnées» pour commanditer des épreuves sportives...

Fin de la conférence de Potsdam

*LE hasard a voulu que, onze ans jour pour jour après l'accession à la présidence d'Adolf Hitler, soit le **2 août 1945**, se terminât la conférence de Potsdam, la dernière de la Deuxième Guerre mondiale.*

Ouverte le 17 juillet, cette conférence a connu certains rebondissements spectaculaires, mais sans déboucher sur de grandes lignes directrices pour l'avenir. Le rebondissement le plus spectaculaire fut sans contredit le remplacement du premier ministre Winston Churchill par le travailliste Clement Attlee à partir du 27 juillet, Churchill ayant été battu lors des élections du 5 juillet précédent, élections dont les résultats définitifs ne furent connus que le 26. Et comme Harry Truman remplaçait le président Franklin Delanoe Roosevelt, décédé en avril 1945, seul le maréchal Joseph Staline était toujours de la partie, du groupe original des trois grands.

Parmi les décisions dignes de mention, soulignons la création d'un conseil des ministres des affaires étrangères des États-Unis, de la Grande-Bretagne, de l'URSS, de la France et, éventuellement, de la Chine; la cession du tiers des marines de guerre et marchande d'Allemagne à l'URSS; la concession à l'URSS d'exiger des réparations des pays qu'elle occupait, ainsi que de la Bulgarie, de la Finlande, de la Hongrie, de la Roumanie, ainsi que de la partie orientale de l'Autriche. Enfin, Truman, Attlee et Staline s'entendirent sur l'attitude à adopter dans les poursuites entreprises devant un tribunal international contre les criminels de guerre de l'Axe.

Le second aéroport de Montréal

Ce sera Farnham

FARNHAM est sérieusement envisagé par le ministère fédéral des Transports comme emplacement du nouvel aéroport international qui sera construit dans la région de Montréal et qui sera en mesure de recevoir les avions supersoniques et les aérobus géants.

L'emplacement de l'ancien camp militaire de Farnham fait partie des quatre ou cinq endroits retenus par le ministère pour la consruction de l'aéroport projeté au coût de $200 à $300 millions, tel qu'annoncé hier (**2 août 1968**) par le ministre des Transports, M. Paul Hellyer.

Plusieurs indices militent en faveur de Farnham et plusieurs faits renforcissent cette hypothèse. Procédons tout d'abord par élimination.

Il n'est pas question de réaliser un tel projet sur l'île de Montréal même. S'il avait été possible d'envisager cette possibilité, le ministère aurait tout simplement annoncé un agrandissement majeur de l'aéroport de Dorval, comme il a décidé de le faire pour Toronto.

M. Hellyer a bien précisé que les constructions domiciliaires sont trop près et que les terrains avoisinants coûtent trop cher. Il n'y a donc aucun espace suffisant sur l'île de Montréal. D'ailleurs, le ministre a tenu à souligner qu'il veut un aéroport «pour toute la grande région de Montréal».

Sainte-Thérèse?

Il y a quelques années, on avait mentionné ce nom comme emplacement possible d'un aéroport géant. Cet endroit ne serait plus propice, selon des experts du service d'urbanisme de la ville de Montréal qui ont travaillé au projet «Horizon 2000». Pour deux raisons: la proximité des montagnes et le coût de plus en plus élevé des terrains. Il y a aussi le fait que les constructions domiciliaires se multiplient et que l'actuel aéroport est quand même tout près de la rive nord.

Saint-Hubert? M. Paul Hellyer a lui-même annoncé, l'année dernière, devant la Société pour le progrès de la rive sud, que l'aéroport militaire actuel poursuivra sa vocation et ne sera pas transformé en aéroport civil.

Saint-Jean? Le ministre a lui-même visité l'aéroport local peu de temps avant les élections fédérales pour s'enquérir des besoins. Le comité municipal de l'aéroport a demandé d'allonger au moins une piste de 4,000 à 7,000 pieds de longueur pour permettre d'y accueillir des avions un peu plus imposants et de faire progresser d'autant la compagnie «Aircraft Industries», qui emploie déjà 400 employés. Il s'agirait dans ce cas d'un projet mineur tout simplement.

Pourquoi Farnham?

Le gouvernement fédéral, plus précisément le ministère de la Défense nationale, est déjà propriétaire d'un immense terrain de 17 milles carrés ou 10,800 acres. Or, selon le gérant de l'aéroport de Dorval, M. J.-A. Goulet, les nouveaux aéroports internationaux devront avoir une superficie d'au moins 10,000 acres. L'aéroport de Dorval n'a qu'une étendue de 3,600 acres. L'espace de terrain dont le fédéral est déjà propriétaire à Farnham est donc triple. (...)

Le Koweït envahi

Le Koweït a annoncé tôt aujourd'hui que des troupes irakiennes avaient pénétré en territoire koweïtien et y occupent plusieurs postes frontières.

La radio koweïtienne a interrompu ses émissions normales pour diffuser un communiqué du ministère de la Défense: « Les troupes irakiennes ont commencé jeudi à 2 h à violer nos frontières nord, à pénétrer sur le territoire koweïtien et à occuper des positions à l'intérieur du Koweït », a déclaré Radio-Koweït en citant le communiqué.

Des explosions qui ont duré plusieurs minutes ont été entendues à Koweït après le survol du pays par quatre avions non identifiés avant l'aube.

(Texte publié le 2 août 1990.)

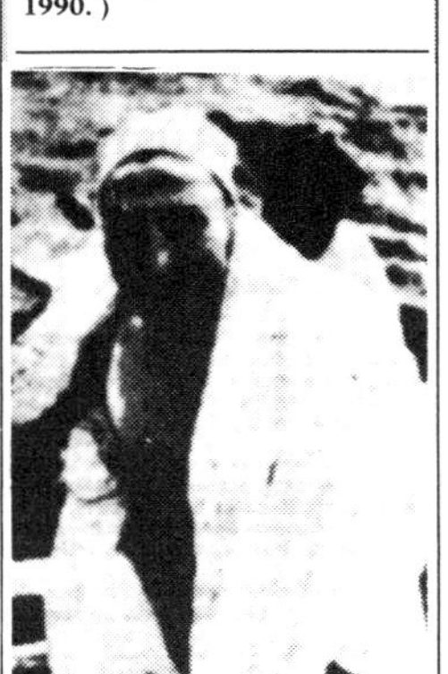

Un nageur de longue distance égyptien du nom d'Abd El Litif Abou Heif réussissait, le *2 août 1953*, la traversée de la Manche d'ouest en est dans un temps record de 13 heures et 45 minutes. Un autre événement marqua la même journée puisque la nageuse américaine Florence Chadwick (que l'on voit, souriante malgré tout, à bord de l'embarcation qui l'accompagnait) abandonnait après neuf heures et 57 minutes, sa tentative de traverser la Manche dans les deux sens alors qu'elle se trouvait à huit km de la côte française. C'était la troisième tentative du genre pour Mlle Chadwick.

C'EST ARRIVÉ UN 2 AOÛT

1981 — Un huitième membre de l'IRA, Kieran Doherty, meurt de la faim après 73 jours de jeûne.

1980 — Un attentat à la bombe dans une gare de Bologne fait 76 morts. L'attentat est revendiqué par un groupe néo-fasciste.

1977 — La Commission d'enquête sur le crime organisé recommande une plus étroite collaboration entre la police et le ministère du Revenu pour contrôler l'octroi de crédits aux criminels du crime organisé.

1976 — Décès du célèbre cinéaste Fritz Lang à l'âge de 85 ans. D'origine autrichienne, il vivait aux États-Unis depuis 1934.

1974 — L'avocat John Dean, ex-collaborateur du président Richard Nixon, est condamné à une peine de prison d'un à quatre ans.

1973 — Une salle de danse de Douglas, dans l'île de Man, est dévastée par un incendie, faisant plus de 40 victimes.

1972 — Proclamation de la *Loi sur la prévention de la pollution des eaux arctiques*.

1970 — Premier détournement d'un gros porteur B-747 vers La Havane. Fidel Castro en profite pour en faire l'inspection.

1969 — Premier chef d'État américain à visiter un pays communiste, le président Nixon reçoit un accueil triomphal à Bucharest, en Roumanie.

1966 — Rejet par six provinces du régime d'assurance-santé et des frais médicaux proposé par le gouvernement fédéral.

1965 — Parmi les bénéficiaires de la succession de $100 millions de Mme Izaak Walton Killam, de Nouvelle-Écosse, on trouve l'Institut neurologique de Montréal ($20 millions).

1958 — On annonce que la révolte a éclaté au Tibet, causant de nombreuses pertes de vie tant du côté des Tibétains que du côté des communistes chinois.

1958 — Robert Bédard défait l'Américain Whitney Reed et devient le premier Canadien en 28 ans à gagner le championnat de tennis du Canada à trois occasions.

1955 — Alfred « Pit » Lépine, ex-vedette du Canadien, meurt à l'âge de 54 ans.

1942 — Mgr Chaumont procède à l'inauguration de la nouvelle Cité-Jardin, dans le quartier Rosemont de Montréal.

1941 — Les États-Unis acceptent de se porter à l'aide de l'URSS, envahie par les troupes hitlériennes.

1923 — Mort du président Warren Harding. Le républicain Calvin Coolidge devient le 30e président des États-Unis d'Amérique.

1921 — L'illustre ténor Enrico Caruso est décédé aujourd'hui à Naples. Caruso a été pendant plus de 25 années une célébrité mondiale dans le monde du chant, le ténor à la « voix d'or », idolâtré par des millions en Amérique et en Europe. Il naquit à Naples le 25 février 1873.

Bourassa ordonne une enquête sur l'échec de Manseau

SELKIRK, Manitoba — Le premier ministre du Québec, M. Robert Bourassa, a annoncé, hier soir (**2 août 1970**), qu'il a demandé au ministère de la Justice d'effectuer une enquête complète sur l'échec du festival «pop» de Manseau.

M. Bourassa a fait part de sa décision à son arrivée à Selkirk, au Manitoba, où il participe à la onzième conférence annuelle des premiers ministres.

M. Bourassa a précisé que l'enquête portera sur toutes les circonstances qui ont entouré l'organisation du festival et qu'elle déterminera si des poursuites judiciaires doivent être prises par suite des abus auxquels elle a donné lieu.

Le chef du gouvernement québécois a également émis la possibilité que le permis accordé aux organisateurs du festival pop de Sainte-Croix soit révoqué par suite de cette enquête.

«Il est normal, a dit M. Bourassa, que le gouvernement décide de faire une enquête sur cet échec et sur les abus auxquels a donné lieu cette manifestation.

«Dans cette affaire, a ajouté M. Bourassa, il est évident qu'il y a des choses curieuses qui se sont produites.»

Parmi les abus auxquels aurait donné lieu le festival «pop» de Manseau, M. Bourassa a signalé le paiement d'un prix d'entrée de $15 pour des concerts qui n'ont pas eu lieu.

M. Bourassa a ajouté que l'enquête du ministère de la Justice portera tant sur les organisateurs que sur la publicité qui a entouré la manifestation.

«Le moins que l'on puisse dire, a dit M. Bourassa en parlant des organisateurs, c'est qu'il y a avait des éléments curieux dans ce festival.»

M. Bourassa a également indiqué que le problème de la drogue sera examiné dans le cadre de cette enquête.

Il a signalé à ce sujet que le ministre de la Santé, M. Claude Castonguay, s'est rendu samedi à Manseau pour constater lui-même la réalité de ce problème et il a précisé que celui-ci lui fournira un rapport à son retour à Québec. (...)

Première greffe du genou, dans le monde, réalisée à Québec

QUEBEC — Un jeune chirurgien québécois, le Dr André Gilbert, a effectué, vendredi (**2 août 1968**), une greffe, la première du genre à être tentée dans le monde.

Le Dr Gilbert, spécialiste en chirurgie osseuse attaché à l'hôpital St-François-d'Assises, où s'est déroulée l'intervention, a prélevé le genou d'une personne décédée la veille pour le transplanter à une femme de 63 ans, dont l'un des genoux atteints d'une maladie osseuse incurable, aurait dû, selon toute vraisemblance, être amputé à plus ou moins longue échéance.

A l'issue de la délicate opération, le Dr Gilbert a déclaré que l'intervention s'était «excessivement bien passée et que l'opérée a même pu bouger son nouveau genou et faire une flexion complète» avant de regagner sa chambre.

Un porte-parole de l'hôpital a fait savoir hier soir qu'aucune complication n'était survenue et qu'un deuxième bulletin médical serait émis ce matin.

Cette personne, dont le Dr Gilbert n'a pas voulu dévoiler l'identité pour l'instant, est maintenant placée dans des conditions idéales d'isolement et de tranquillité, et tout indique qu'elle remarchera prochainement.

L'équipe médicale qui a assisté le Dr Gilbert, au cours de l'intervention d'une durée de sept heures, était formée des Drs Armand Lamontagne, Bernard Paradis, Perley Leboutillier, Gilles Mathon, Jean-Louis Dubé, Guy Michaud et d'une infirmière, Mme Ginette Trudel-Francoeur. (...)

3 morts, 20 blessés, au Stade Ontario

TROIS personnes ont perdu la vie et une trentaine d'autres ont subi des blessures plus ou moins graves dans une panique provoquée par un commencement d'incendie hier soir **(3 août 1942)**, vers 9 h. 30, pendant une soirée d'amateurs qui se donnait au Stade Ontario, sis à l'angle des rues Ontario et Delorimier.

Voici les noms des mortes: Mme Mathilda Côté, 63 ans, 1195 rue Cartier; la petite Denise Wistaff, 8 ans, 2031 rue Demontigny; et une jeune fille, non encore identifiée, d'environ 25 ans. (...)

Un léger incendie

D'après le récit des victimes, de la police et des témoins oculaires, cette panique, qui ressemblait par certains côtés à la panique d'il y a dix-sept ans au Laurier Palace, et qui fit plus de 70 victimes, a été provoquée par un commencement d'incendie, éteint cinq minutes à peine après avoir été découvert.

De fait, l'alerte a été sonnée à 9 h. 17 et le retour à 9 h. 23. A ce moment, il y avait environ 1,000 personnes assises dans l'enceinte construite pour en abriter 2,000. Une vingtaine de minutes auparavant, les agents spéciaux Rodrigue Christin et Donant Leduc, du poste no 13, avaient effectué leur tournée, et dans le rapport qu'ils ont remis plus tard à l'inspecteur Frank Lemlin et au capitaine Arthur Hébert, du poste no 13, ils ont déclaré que lors de leur visite tout était parfaitement calme au Stade Ontario, les allées étaient libres à l'exception des placiers qui circulaient, et les trois grandes portes de l'enceinte parfaitement dégagées.

Précautions prises

Autrement dit, toutes les précautions exigées par les règlements de la cité avaient été suivies à la lettre par les propriétaires. (...) La représentation se déroulait au grand plaisir de l'assistance, composée en grande partie de femmes assez âgées ou de fillettes. (...)

Soudain, un lieutenant de police qui parcourait les rues à ce moment, le lieutenant A. Plaisance, aperçut une flamme et une fumée qui se dégageaient du Stade.

Aussitôt, il alerta les pompiers, et quelques secondes plus tard, les fourgons de la caserne no 19 surgissent sur les lieux, et en un tournemain les pompiers étouffent les flammes.

La panique éclate

Jusque-là, tout va bien. La foule a remarqué l'incendie, se sent un peu nerveuse, mais chacun garde sa place et l'impresario annonce que dans dix minutes la représentation va reprendre son cours.

A ce moment, une voix partant du haut des estrades lance un cri: Au feu. C'est l'étincelle qui met le feu aux poudres. Un mouvement irrésistible se produit dans l'assistance. Une grappe de spectateurs se détache du haut des estrades, saute par-dessus les têtes des personnes assises en avant, déferle en bas des bancs et s'élance vers la sortie.

Cette vague écrase, entraîne tout sur son passage. La panique est déclenchée. Des cris de souffrances s'élèvent de la gorge des femmes et des fillettes écrasées sous les bottes de ceux qui veulent inconsidérablement gagner la porte.

Les premiers rendus à la porte tombent sous la poussée de ceux qui les suivent. Ils tombent. Ils s'empilent les uns sur les autres et bientôt leur monceau obstrue totalement l'entrée. Cette tragédie se déroule à la sortie nord, rue Ontario. (...)

Une clameur immense jaillit du désordre et de l'enchevêtrement, clameur si forte que plusieurs spectateurs qui assistent à la joute entre le Montréal et le Baltimore au Stade, de l'autre côté de la rue, quittent leurs sièges et viennent grossir le nombre des badauds dont les rues avoisinantes regorgent bientôt.

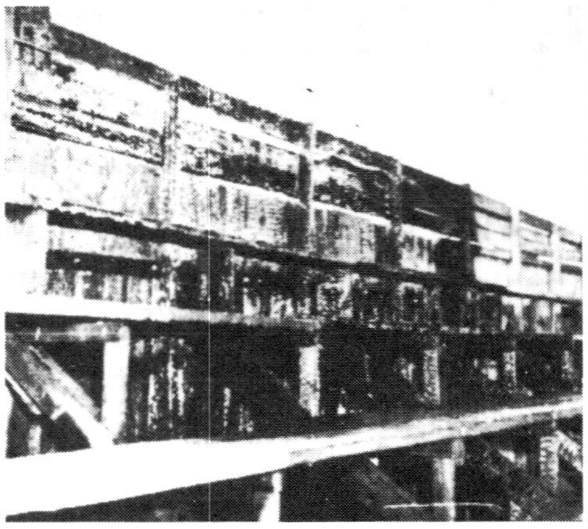

Cette photo montre le peu de dégâts causés par l'incendie.

Le tribunal «condamne sans hésitation» le discours prononcé par M. René Chaloult; mais, en tenant compte «du doute possible», il décide de libérer l'accusé

ME René Chaloult, député de Lotbinière à l'Assemblée législative, a été acquitté, ce matin **(3 août 1942)**, de l'accusation d'avoir violé les règlements de la défense nationale dans un discours prononcé, le 19 mai dernier, au marché Saint-Jacques. Le juge Edouard Archambault, de la Cour des sessions, tout en condamnant le discours de Me Chaloult, comme étant une violation de l'article 39 des règlements de la défense, a déclaré qu'il fallait tenir compte des circonstances particulières dans lesquelles les paroles avaient été prononcées et également du doute possible sur la question de bonne foi.

«Le tribunal, a-t-il dit, condamne sans hésitation ce discours comme une violation de l'article 39 des règlements de la défense, mais en tenant compte de l'article 39b, des circonstances particulières et du doute possible sur la question de bonne foi, le prévenu est libéré des fins de la plainte.»

Une foule considérable a assisté au prononcé du jugement en la cour No 1 du nouveau palais de justice. Me René Chaloult était accompagné de ses avocats, Mes Fernand Choquette, député de Montmagny à l'Assemblée législative, Philippe Monette, ancien député de Laprairie à l'Assemblée législative et Marie-Louis Beaulieu, avocat de Québec. On remarquait également aux côtés de Me Chaloult, M. Maxime Raymond, député de Beauharnois-Laprairie aux Communes, Me Paul Gouin, chef de l'Action libérale nationale, M. André Laurendeau, secrétaire de la Ligue pour la Défense du Canada, Me Jean Drapeau, M. Philippe Girard, et une foule d'autres. (...)

La plainte, déposée avec l'autorisation du procureur général du Canada et complétée par l'annexe d'un compte-rendu du discours reproché à l'inculpé, est ainsi conçue:

«Je suis informé, j'ai raison de croire et je crois véritablement qu'en la cité de Montréal, district de Montréal, le 19 mai 1942, René Chaloult a, en présence de plusieurs milliers de personnes, fait des déclarations et affirmations destinées et propres à causer de la désaffection à l'endroit de Sa Majesté, à nuire aux succès des armées de Sa Majesté, des armées de Puissances armées ou associées, à nuire au recrutement, à l'entraînement, à la discipline des armées de Sa Majesté, destinées et propres à nuire à la sécurité de l'Etat et à la poursuite efficace de la guerre, le tout à l'occasion et au cours d'un discours substantiellement rapporté à l'annexe des présentes; le tout en violation de l'art. 39 des Règlements de la Défense du Canada.

«C'est pourquoi, étant dûment autorisé aux fins des présentes, je demande justice et je signe.

C.W. CHARRON,

«Membre de la Royale Gendarmerie à Cheval du Canada».

Le «mariage du siècle» ?

La fille du King, héritière de Graceland, la demeure mythique d'Elvis Presley et le petit prince de la pop, le capricieux prodige Michael Jackson : ce n'est pas une union, « c'est un conglomérat » !, s'exclament déjà les avocats qui salivent devant une telle union dont on estime qu'elle pourrait peser plus de 200 millions de dollars.

Pour Raoul Felder, un avocat renommé de New York, spécialisé dans les divorces, le mariage de Michael Jackson et de Lisa-Marie Presley fait déjà rêver tous les professionnels des divorces tumultueux — et juteux — qui imaginent le contrat de mariage du couple de stars.

(**Publié le 3 août 1994**)

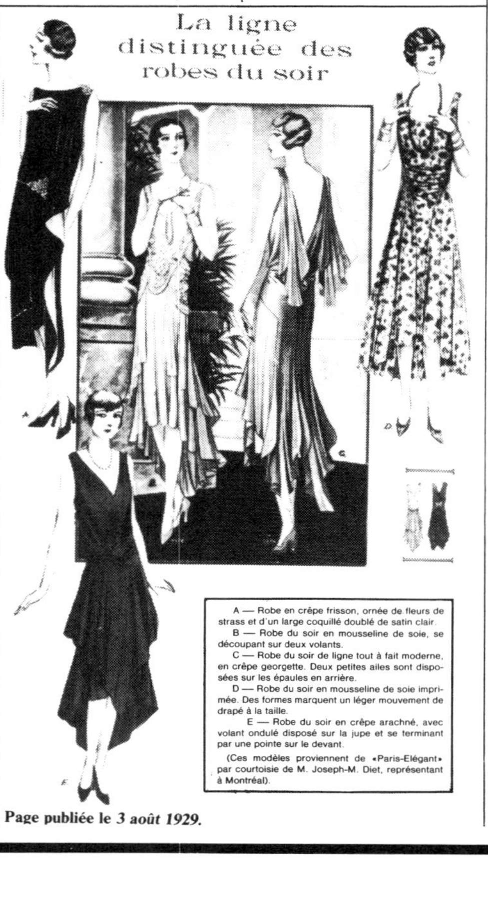

La ligne distinguée des robes du soir
A — Robe en crêpe frisson, ornée de fleurs de strass et d'un large coquillé doublé de satin clair.
B — Robe du soir en mousseline de soie, se découpant sur deux volants.
C — Robe du soir de ligne tout à fait moderne, en crêpe georgette. Deux petites ailes sont disposées sur les épaules en arrière.
D — Robe du soir en mousseline de soie imprimée. Des formes marquent un léger mouvement de drapé à la taille.
E — Robe du soir en crêpe arachné, avec volant ondulé disposé sur la jupe et se terminant par une pointe sur le devant.
(Ces modèles proviennent de «Paris-Elégant» par courtoisie de M. Joseph-M. Diet, représentant à Montréal).

Page publiée le *3 août 1929*.

C'EST ARRIVÉ UN 3 AOÛT

1996 — En 1534, Jacques Cartier et ses compagnons ont mis près de deux mois pour rentrer à Saint-Malo après avoir « découvert » la Nouvelle-France. Exactement 450 ans plus tard, en 1984, le catamaran Royale, des Français Loïc Caradec et Philippe Facque, a parcouru la même distance en un peu moins de neuf jours...
1981 — Plus de 11 000 contrôleurs de l'air américains syndiqués se mettent en grève. Le président Reagan enjoint les grévistes de reprendre le travail, faute de quoi ils seraient congédiés.
1977 — Décès de l'archevêque Makarios III à l'âge de 63 ans. Le prélat de l'Église orthodoxe grecque était président de Chypre depuis l'accession de ce pays à l'indépendance en 1960. — Des révolutionnaires portoricains (FALN) frappent à New York: un mort, sept blessés.
1972 — Le Sénat américain ratifie les accords SALT.
1969 — Anatole Kouznetsov renie toutes ses oeuvres antérieures écrites sous le contrôle de la censure soviétique.
1967 — Selon des rapports parvenus à l'Ouest, de violents combats auraient fait des milliers de morts et de blessés dans le sud de la Chine.
1963 — Impliqué dans l'affaire Christine Keeler, en Angleterre, l'osthéopathe Stephan Ward se suicide. — Herman Willemse gagne la Traversée du lac Saint-Jean pour une troisième fois.
1961 — Le premier ministre de la Saskatchewan, M. Thomas Clement Douglas, est élu chef national du Nouveau Parti démocratique, au congrès du parti tenu à Ottawa.
1954 — Décès à Paris, à l'âge de 81 ans, de la grande romancière Colette.
1949 — Laurent Dauthuille bat le Montréalais Johnny Greco devant près de 20 000 spectateurs, au stade de Lorimier.
1937 — Un hydravion de la société Pan American-Grace s'abîme dans l'Atlantique avec 14 personnes à bord, au large de Cristobal, au Panama.
1936 — L'Américain Jesse Owens gagne le 100 m aux Jeux de Berlin, au grand dam du führer Adolf Hitler.
1927 — Sacco et Vanzetti sont condamnés à mourir pour un meurtre commis en avril 1926.
1916 — Exécution du traître irlandais, sir Roger Casement, à Londres.
1914 — L'Allemagne déclare la guerre à la France et envahit la Belgique.
1906 — Un incendie détruit les bâtiments de l'Exposition universelle de Milan.

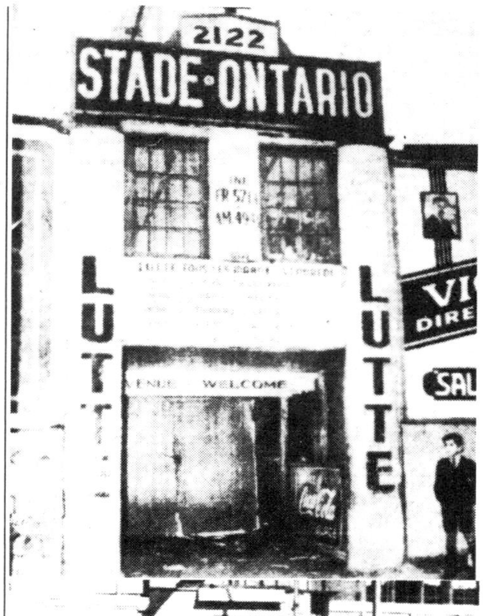

2122
STADE-ONTARIO
LUTTE
WELCOME
LUTTE

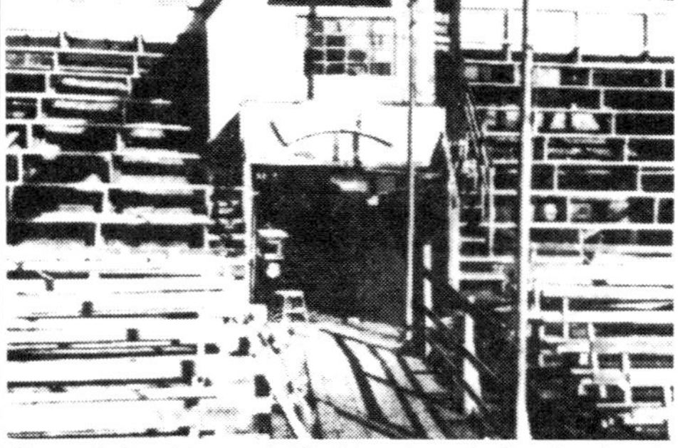

Photos de l'extérieur et de l'intérieur du stade Ontario, où trois personnes trouvèrent la mort lors d'une panique subséquente à un début d'incendie immédiatement éteint par les pompiers.

Un danger menace les Jeux Olympiques

HELSINKI — Avery Brundage, de Chicago, le nouveau président du Comité international olympique, a déclaré **(le 3 août 1952)** qu'un nationalisme outré menace les Jeux Olympiques.

Brundage parlait apparemment de l'extraordinaire et vive lutte que se sont livrée les Etats-Unis et la Russie pour décrocher les honneurs des Jeux Olympiques. Il a laissé savoir qu'il désapprouvait la pratique de faire l'addition des points des divers porte-couleurs d'un pays pour en arriver à décerner les honneurs des Jeux à tel ou tel pays.

Brundage a déclaré au cours d'une conférence de presse:

«Si ces Jeux dégénèrent en une compétition nationale, nous aurons quelque chose de bien différent de ce que nous sommes disposés à obtenir.

«Si cela devient une lutte gigantesque entre deux grandes nations riches en talents et en ressources, l'esprit des Jeux Olympiques sera détruit.

«Le comité olympique est vivement inquiet de cet esprit de nationalisme. Nous ne savons pas ce que nous pouvons faire à ce sujet mais nous nous proposons d'étudier le problème.

«Déjà, nous avons fait adopter une résolution demandant aux journaux d'abandonner la tendance à parler du succès des pays, et d'appuyer surtout sur les exploits individuels, ce qui est le véritable but des Jeux Olympiques.»

L'agence de nouvelles russes Tass a déclaré que la Russie ne se propose pas de faire aucun calcul sur les points obtenus par chacun des pays.

----

*Prononcées dans les heures qui ont suivi la cérémonie de clôture des Jeux olympiques d'Helsinki, ces paroles de l'ex-président Brundage avaient quelque chose de prophétique et les faits lui donnèrent d'ailleurs amplement raison. Vingt-huit ans plus tard, jour pour jour, le **3 août 1980**, prenaient fin les Jeux de Moscou, les premiers à faire les frais du nationalisme outrancier qu'il déplorait, quatre ans avant que les Soviétiques et leurs vassaux socialistes remettent aux Américains la monnaie de leur pièce en boycottant les Jeux de Los Angeles.*

Ce nationalisme avait commencé à se faire sentir aux Jeux d'Helsinki, pourtant les meilleurs Jeux de l'histoire de l'avis de plus d'un connaisseur, de par leur simplicité, leur coût modeste et la cordialité attachante des Finlandais, à la suite de la lutte effrénée que s'étaient livrée les Américains et les Soviétiques.

*Soulignons en terminant que les Jeux du Commonwealth d'Edmonton ont également débuté un **3 août (en 1978)**. La cérémonie d'ouverture a été présidée par la reine Elizabeth II.*

Lancement réussi d'un missile balistique intercontinental

CAP CANAVERAL, Floride — Le missile balistique intercontinental Atlas a été lancé à pleine force, hier **(3 août 1958)**, dans son premier voyage d'essai réussi dans l'espace.

Cette fusée de 100 tonnes à trois engins est la plus puissante arme jamais utilisée par le monde libre.

Cette réussite éclatante a rehaussé le prestige du missile balistique intercontinental (ICBM) américain et compensé la faillite du 19 juillet, alors qu'un Atlas à trois engins éclata très haut dans le ciel.

L'Atlas a été mis à feu à 6 h. 16 p.m. H.A.E., propulsé par deux roquettes d'appui et un engin de soutien principal, fonctionnant à plein gaz.

Une explosion de couleur orangée et une détonation assourdissante ont salué le départ du missile qui a monté tout droit, accélérant rapidement pendant 50 secondes, puis opérant un redressement et filant au sud-est à une vitesse de 15,000 milles à l'heure.

Jusqu'à ce que cet Atlas eût été lancé à quelque 2,500 milles dans l'Atlantique, la Russie pouvait, d'un ton menaçant, prétendre être la seule à pouvoir atteindre des cibles sur un autre continent avec des cônes nucléaires. (...)

«C'est le premier essai réussi où l'on ait utilisé les engins d'appui et de soutien, déclare le communiqué. Ce projectile de 85 pieds de longueur a été lancé à une distance d'environ 2,500 milles pour éprouver les éléments de ces engins.»

On s'attend de recevoir aujourd'hui une déclaration confirmant ce que les spécialistes en missiles savent déjà, c'est-à-dire que les Etats-Unis ont enfin mis en opération un missile balistique intercontinental.

Mais des informateurs sérieux assurent que le succès d'hier signifie qu'au besoin on pourra charger le gros missile de carburant et l'envoyer à 6,200 milles avec une ogive thermonucléaire.

L'ANGLETERRE EN GUERRE

LONDRES — La Grande-Bretagne a déclaré la guerre à l'Allemagne, à sept heures, hier soir **(4 août 1914)**, parce que le gouvernement de Berlin a refusé de respecter la neutralité de la Belgique. L'Allemagne a riposté, aujourd'hui, par une déclaration de guerre à la Grande-Bretagne. Actuellement, sept pays sont engagés dans le conflit. Ce sont la Grande-Bretagne, la Russie, la France, l'Allemagne, l'Autriche, la Serbie et le Monténégro. L'Italie a décidé de rester neutre; mais le Kaiser a menacé de la forcer à combattre. Le Japon mobilise ses forces pour aider la Grande-Bretagne, au besoin. La Hollande et la Belgique qui, déjà, ont été envahies par les troupes allemandes, sont à concentrer leurs armées pour défendre leur sol. L'Italie, la Suisse, la Suède et la Turquie se préparent pour être en état de faire respecter leur neutralité. Les Etats-Unis et le Danemark ont proclamé officiellement leur neutralité. La loi martiale a été établie en Grande-Bretagne et en Belgique. Voilà la situation extraordinaire causée par la provocation de l'Allemagne.

Les dépêches reçues de tous côtés donnent, aujourd'hui, des renseignements importants. Ainsi, on annonce que les Allemands ont violé la neutralité de la Suisse et qu'ils sont entrés à Tilbourg, en Hollande. On annonce aussi qu'une escadre allemande, comprenant dix-neuf vaisseaux, croise dans la Baltique, entre Memel et Libau; que les troupes russes et allemandes se battent dans le nord de la Prusse; que les soldats de l'empereur Guillaume, après un combat de plusieurs heures, se sont emparés de la ville belge de Visé où l'incendie a été allumé; que la ville d'Argenteau est en feu et que 100,000 soldats allemands marchent sur Liège.

Une dépêche américaine dit qu'un engagement naval a eu lieu au large de Portland où huit vaisseaux de guerre croisent.

Les câbles transatlantiques reliant l'Allemagne aux Etats-Unis ont été coupés.

La rumeur assure qu'une grande bataille navale se livre dans la mer du Nord.

Une dépêche officielle de Paris affirme que dix-sept Alsaciens ont été massacrés. Ces Alsaciens voulaient se rendre en France pour défendre le drapeau tricolore.

Le détroit des Dardanelles a été clos par la Turquie qui veut, elle aussi, faire respecter sa neutralité.

Cet après-midi, il a été annoncé que les marins anglais avaient remporté une grande victoire dans la mer du Nord. Il a été, en même temps, annoncé que de grandes batailles étaient sur le point d'être livrées en France et en Allemagne.

Le même jour, LA PRESSE publiait un autre article consacré aux réactions de la population montréalaise à la déclaration de la guerre par Londres. Selon le journal, la nouvelle officielle a été reçue avec enthousiasme et provoqua même une affluence dans les manèges et les salles d'exercices où des dizaines se présentèrent pour s'enrôler dans l'armée. Quant aux différents régiments, certains en profitèrent pour défiler dans les rues de la métropole, aux applaudissements de publics nombreux. On était évidemment encore bien loin de la «bataille de la conscription de 1917», et encore plus de celle de 1940...

Pendant que Margaret se repose

Vaines recherches pour trouver Me John Turner

OTTAWA — La princesse Margaret a passé la journée d'hier **(4 août 1958)** à se reposer au lac Harrington, des fatigues de son voyage en terre canadienne. Et pendant ce temps, des rumeurs de toutes sortes circulaient au sujet de Me John Napier Turner, son principal partenaire de danse depuis son arrivée dans notre pays, qui n'a pas été vu en public depuis 3 h. du matin dimanche.

Certaines sources de renseignements indiquaient même, hier, que le jeune homme avait passé une partie de la journée de samedi en compagnie de la jeune fille, sur les bords du lac Harrington, à une quinzaine de milles au nord d'Ottawa, dans la vallée de la Gatineau. (...)

La princesse a quitté le lac Harrington à 10 h. 40 ce matin, par hélicoptère, pour retourner à Ottawa, d'où elle est montée dans le train royal à destination de Montréal.

Où est Me Turner?

Pendant ce temps, Me Turner demeure invisible. Le jeune homme avait retenu l'attention de la princesse aussi bien à un bal qui a eu lieu à Vancouver, qu'à une danse qui s'est déroulée, samedi soir dernier, à la résidence du gouverneur général, le très hon. Vincent Massey, où il a dansé avec elle durant deux heures et demie.

Après cette danse, qui avait été précédée d'un diner, Me Turner n'est pas retourné, ainsi que prévu, au domicile du contre-amiral K.L. Dyer et de Mme Dyer; il n'y est également pas rentré dimanche soir, bien qu'on l'y attendait à ce moment.

Dans les milieux proches de la princesse, on écarte cependant toute allusion à une affaire de coeur entre la jeune fille, qui est âgée de 28 ans, et Me Turner, qui a 29 ans, fait partie d'une famille riche, est un athlète remarquable et a déjà connu le succès dans sa carrière d'avocat.

On indique que les deux jeunes gens ont été présentés l'un à l'autre tout simplement parce que la princesse désirait rencontrer un jeune homme de son âge pour se reposer un peu du caractère officiel de toutes les manifestations auxquelles elle a eu à participer depuis son arrivée dans notre pays. (...)

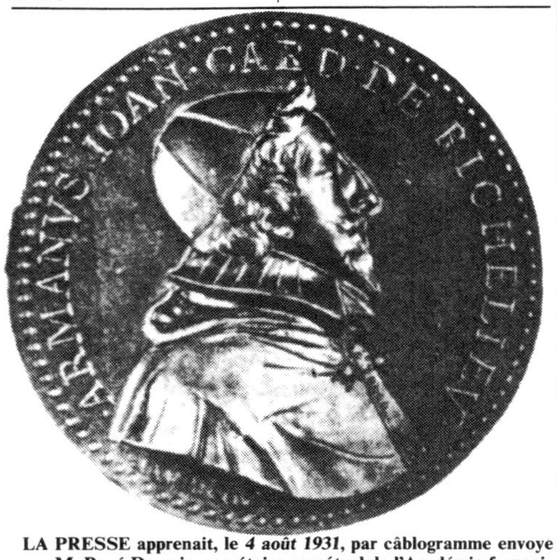

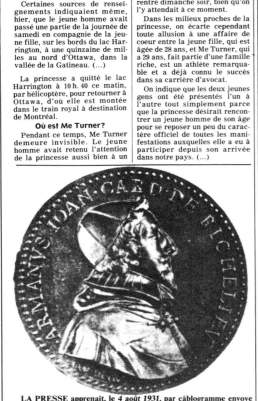

LA PRESSE apprenait, le *4 août 1931*, par câblogramme envoye par M. René Doumic, secrétaire perpétuel de l'Académie française, que l'illustre société venait de couronner l'oeuvre du journal, en lui octroyant la médaille créée en 1914, «pour services rendues à la langue française». Cette photo montre l'avers de la médaille remise à LA PRESSE, représentant le cardinal Richelieu, fondateur de l'Académie française. Et coïncidence remarquable, LA PRESSE avait reçu le câblogramme le jour du 83e anniversaire de naissance du regretté Trefflé Berthiaume, l'âme et l'inspiration de LA PRESSE.

L'essentiel du regroupement des indépendantistes est fait

— Lévesque et Grégoire

NOUS venons de faire un pas décisif pour l'avenir du Québec. Nous croyons que l'essentiel du regroupement des indépendantistes est fait, avec la fusion du MSA et du RN, ont déclaré, hier soir **(4 août 1968)**, MM. René Lévesque et Gilles Grégoire en rendant publics les termes de l'entente intervenue entre les deux groupements.

A l'occasion d'une conférence de presse, dans la métropole, MM. Lévesque et Grégoire ont affirmé que la complémentarité sociale et régionale du Mouvement Souveraineté-Association et du Ralliement national permettra la création d'un parti qui sera «très fort» dès le départ. Il groupera environ 35,000 membres.

Le MSA compte plus de 12,000 membres répartis principalement dans les zones urbaines; la faiblesse vient de son maigre enracinement en milieu rural ou semi-rural et d'un faible recrutement de milieux ouvriers et paysans. C'est un mouvement régional, ayant le plus fort de ses effectifs dans le sud-ouest de la province.

Quant au RN — 23,000 membres inscrits, a révélé M. Grégoire — ses châteaux-forts se retrouvent dans les milieux ruraux et semi-urbains. Il recrute ses membres dans l'est du Québec: Abitibi, Lac St-Jean, Québec et sa région jusqu'à Rimouski.

Le texte de l'entente entre le MSA et le RN, que le Rassemblement pour l'Indépendance nationale s'est refusé à entériner, mettant ainsi fin aux négociations entre lui et les deux autres groupes, rassemble quatre objectifs fondamentaux: créer démocratiquement un Etat souverain de langue française; instaurer une démocratie électorale, mais aussi économique, sociale et culturelle; respecter jalousement les droits scolaires de la minorité anglophone, et négocier un traité d'association économique avec le Canada anglais. (...)

C'EST ARRIVÉ UN 4 AOÛT

1997 — La plus vieille personne au monde, selon le livre des records Guinness, la Française Jeanne Calment est morte hier à l'âge de 122 ans dans sa maison de retraite d'Arles, dans le sud de la France. Elle avait fêté son 122e anniversaire le 21 février dernier.

1982 — Le gouvernement provincial suspend temporairement le droit de grève des employés de la CTCUM.

1980 — Une explosion dans la gare de Bologne fait 76 morts et 203 blessés. Des terroristes d'extrême-droite revendiquent l'attentat.

1978 — L'ex-chef du Parti libéral d'Angleterre, Jeremy Thorpe, est inculpé de tentative de meurtre.

1972 — Ouverture des deuxièmes Jeux d'été du Québec, à Chicoutimi.

1969 — Ouverture de la 10e conférence annuelle des premiers ministres provinciaux, à Québec. Les provinces font front commun pour demander à Ottawa de se tenir loin des municipalités.

1966 — Fin de la grève dans les hôpitaux du Québec après 20 jours.

1960 — Approbation par les Communes de la Déclaration canadienne des droits de l'homme. — Québec annonce l'acquisition par Hydro-Québec d'une partie du réseau de la Shawinigan Water and Power.

— Le *X-15* américain atteint une vitesse record de 2 150 milles à l'heure.

1958 — Le ministre de la Défense, le major-général George R. Pearkes, annonce que le Canada demandera aux États-Unis de lui fournir des armes atomiques pour la défense de son territoire.

1952 — Un violent incendie cause des dégâts inestimables à la bibliothèque du parlement d'Ottawa.

1943 — Les libéraux perdent le pouvoir aux mains des progressistes-conservateurs de George Drew, lors des élections générales d'Ontario.

1939 — Le général Francisco Franco devient le chef suprême d'Espagne.

1929 — Le dirigeable *Graf-Zeppelin* arrive à Lakehurst, au New Jersey, après avoir traversé l'Atlantique en environ 93 heures.

1903 — Le cardinal Joseph Sarto est élu comme successeur du pape Léon XIII, et prend le nom de Pie X.

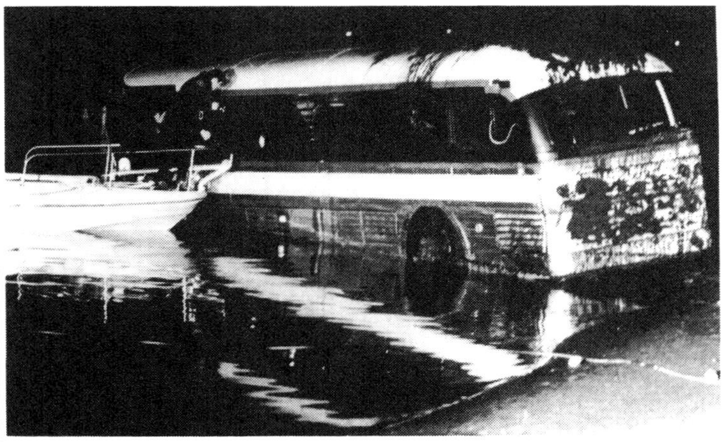

L'autobus de la tragédie, qu'un puissant camion retire graduellement des eaux du lac d'Argent.

Un autobus plonge dans un lac: 43 morts

EASTMAN — Un autobus transportant 49 handicapés a plongé cette nuit **(4 août 1978)** dans le lac d'Argent, à quelque 80 km au sud-est de Montréal, et, selon les premières constatations, on craignait que six personnes seulement n'aient survécu.

Des plongeurs professionnels ont immédiatement été dépêchés sur les lieux, en même temps qu'une trentaine d'agents de la Sûreté du Québec. Le sergent Saint-Amand, du détachement de Granby, a précisé que l'autobus gisait par six mètres de fond.

L'autobus retournait à Asbestos, à une cinquantaine de kilomètres d'Eastman, où les visiteurs venaient d'assister à une représentation au théâtre de la Marjolaine. Tous étaient originaires d'Asbestos.

Le chauffeur — l'un des survivants — a déclaré à la police que ses freins avaient cédé alors qu'il descendait une pente abrupte, et que l'autobus avait quitté la route et plongé dans le lac.

Le pire accident d'une nature similaire qui se soit produit au Québec est survenu en janvier 1967, lorsque 19 étudiants et le chauffeur de leur autobus ont perdu la vie quand leur véhicule a été happé par un train de marchandises à un passage à niveau de Dorion. (...)

Des problèmes à une roue?

Le conducteur de l'autobus (...) a confié à des amis, qui étaient venus le rencontrer samedi durant les opérations de récupération près du site du plongeon fatal, qu'il avait entendu dire que l'autobus avait éprouvé des problèmes avec une roue la veille de l'accident.

Plus tôt, il avait raconté aux journalistes que c'est au moment où il descendait la côte à une vitesse de 20 milles à l'heure qu'il s'est aperçu que le véhicule n'avait plus de frein.

«J'ai alors tenté d'embrayer en deuxième pour obtenir plus de compression mais cela n'a pas fonctionné. Nous avons alors pris de la vitesse et quand j'ai vu le lac, j'ai pensé qu'en y plongeant dedans, l'eau amortirait le choc. J'ai aussitôt crié aux passagers de se cramponner à leur siège.

Denis Martel, qui occupe un emploi d'opérateur de machinerie lourde, conduisait à temps partiel des autobus depuis trois ans.

Une vision de cauchemar

C'est une vision de cauchemar qui attendait les témoins vers 4 heures du matin, dimanche, lorsqu'on a retiré de l'eau du lac d'Argent (...) l'épave de l'autobus qui contenait encore 39 victimes sur 40, noyées dans des circonstances dramatiques. (...)

En effet, à mesure que le camion-toueur retirait lentement des eaux boueuses du lac le lourd véhicule, on pouvait encore apercevoir des victimes entassées à la place du conducteur comme si elles avaient tenté désespérément de sortir par la portière et d'autres encore assises à leur banc. (...)

Le groupe était composé en majorité d'handicapés et de vieillards qu'accompagnaient des bénévoles de même qu'une religieuse et un abbé.

22 médailles pour le Canada à Atlanta

C'est sur la belle médaille d'argent remportée par Caroline Brunet, une jeune femme de Lac Beauport, en banlieue de Québec, que le Canada a conclu ces Jeux de la XXVIe Olympiade. « Je suis soulagée », a dit la kayakiste de 27 ans, qui a terminé deuxième dans l'épreuve individuelle de 500 mètres. « J'ai investi toute ma vie dans ce sport. »

Le succès de Caroline complète une récolte méritoire de 22 médailles pour les athlètes canadiens : trois d'or, 11 d'argent et huit de bronze. Le pays termine au 9e rang du classement général et en précède six qui l'avaient devancé aux Jeux de Barcelone, en 1992 : Japon, Pologne, Hongrie, Grande-Bretagne, Espagne et Roumanie.

Pour les Canadiens, les moments forts de ces Jeux auront eu lieu sur la piste d'athlétisme, fabriquée par une entreprise québécoise, et au bassin d'aviron. En remportant l'épreuve du 100 mètres en un temps record de 9,84 secondes, l'Ontarien Donovan Bailey a hérité d'un titre prestigieux, celui de l'homme le plus rapide du monde.

Une semaine après être monté sur la plus haute marche du podium, Bailey est revenu à la charge samedi, conduisant l'équipe canadienne du relais 4 x 100 mètres à la première place devant des Américains désorientés. Cette victoire a permis au Québécois Bruny Surin de rentrer à la maison avec une médaille d'or au cou, lui qui avait connu une cruelle déception en ne se qualifiant pas pour la finale du 100 mètres.

À l'aviron, le Canada a démontré hors de tout doute qu'il comptait désormais parmi les puissances mondiales. Les six médailles obtenues à Atlanta, dont celle d'or du duo Kathleen Heddle et Marnie McBean, s'ajoutent aux cinq remportées à Barcelone. Les cyclistes ont aussi atteint des résultats étonnants, méritant des médailles sur piste, sur route et en vélo de montagne.

Ces Jeux d'Atlanta nous auront permis de découvrir de beaux sportifs : le nageur Curtis Myden (deux médailles de bronze), la cycliste Clara Hughes (deux médailles de bronze) et le boxeur David Defiagbon (médaille d'argent).

Si les performances canadiennes sont impressionnantes, celles des Québécois n'ont pas répondu aux attentes. On croyait le judoka Nicolas Gill, l'épéiste Jean-Marc Chouinard, la plongeuse Anne Montminy et le boxeur Jean-François Bergeron capables d'atteindre le podium. Aucun d'eux n'a réussi.

(Texte publié le 4 août 1996.)

Molson rachète le Canadien

LES Brasseries Molson du Canada Limitée ont fait l'acquisition du club de hockey Canadien, de la ligue Nationale, pour la somme de $20 millions, a-t-on annoncé hier **(4 août 1978)**.

La transaction en vertu de laquelle Molson a acheté toutes les actions du club de Carena Bancorp Inc., s'étend à la concession des Voyageurs de la Nouvelle-Écosse, de la ligue Américaine, à tous les intérêts du Canadien dans des concessions de hockey junior, ainsi qu'à l'exploitation du Forum de Montréal, tant au niveau du hockey qu'à celui des spectacles. Molson a en effet pris en charge le bail du Forum de Montréal pour un laps de temps non précisé. Le contrôle du Forum demeure toutefois aux mains de ses anciens propriétaires. (...)

Aucune décision n'a encore été prise relativement à d'éventuels changements au niveau du conseil d'administration. Quant au club, il gardera sa pleine autonomie et son entière liberté administrative distincte. (...)

Après avoir vendu le Canadien, les frères Edward et Peter Bronfman ont précisé que cette vente n'avait qu'un caractère financier.

La vente à la brasserie Molson est survenue à l'issue d'une semaine au cours de laquelle des rumeurs ont circulé sur l'acquisition éventuelle de l'équipe pour $23 millions par la brasserie Labatt du Canada Limitée, une entreprise concurrente, dont le siège social est situé à London, en Ontario.

La prestigieuse famille Molson a donc réétabli solidement ses liens avec la meilleure équipe sportive professionnelle au Canada. On se souvient que la famille Molson avait été propriétaire de l'équipe de 1957 à 1971, alors qu'elle avait vendu le Canadien aux frères Bronfman pour $15 millions.

1993 — « C'est un miracle » : une équipe de médecins d'un hôpital d'Oakland a réussi à sauver le bébé d'une femme enceinte déclarée cliniquement morte voilà 104 jours. L'enfant de sexe masculin est né par césarienne quatre semaines avant terme. Il pèse deux kilos et souffre de certaines difficultés respiratoires, mais les médecins se sont déclarés optimistes quant à ses chances de survie.

1992 — L'abbé Pierre, l'un des hommes publics français les plus populaires, fête aujourd'hui ses 80 ans. Une vie extraordinairement pleine, passée au service des plus pauvres selon un précepte qu'il s'est toujours efforcé d'appliquer : « Aider le désespéré à devenir sauveur ». S'il a créé, en 1949, la communauté des chiffonniers-bâtisseurs d'Emmaüs, c'est « après avoir rencontré un homme qui voulait se suicider. Je lui ai dit : « Je n'ai rien à te donner, mais toi, donne-moi un coup de main pour reconstruire une maison ». Depuis, des milliers d'autres désespérés sont devenus sauveurs ».

1989 — Vingt millions d'enfants âgés de cinq à 14 ans sont soumis au travail forcé en Inde, au Pakistan, au Népal, au Bangladesh et au Sri Lanka, selon des informations fournies au groupe de travail de l'ONU sur les formes contemporaines d'esclavage. Le travail forcé des enfants se pratique notamment dans l'agriculture, les fours à briques, les carrières, les ateliers de tissage de tapis, la construction, les plantations, le travail domestique.

1987 — La star de rock britannique Boy George, célèbre pour ses tenues androgynes extravagantes, a révélé qu'il s'était converti au bouddhisme.

1985 — Trois hommes d'affaires ont été victimes d'un audacieux hold-up, tandis qu'ils étaient en train de jouer une partie de golf au club de Golf Royal Québec, à Québec. Le Royal Québec, avec ses deux parcours de 18 trous, est l'un des plus anciens et des plus prestigieux de la province. Il accueille tous les ans le tournoi du Duc de Kent, l'un des plus importants tournois de golf amateur au Canada.

1978 — Le pianiste montréalais de 29 ans, André Laplante, gagnant du deuxième prix au Concours international Tchaïkovsky de Moscou, a déclaré dans une entrevue : « J'ai fait le Tchaïkovsky pour avoir des concerts, des tournées, pour être plus indépendant... Maintenant, je peux faire n'importe quoi », a dit le jeune lauréat, lancé pour de bon dans la grande carrière.

1939 — Le généralissime Francesco Franco a renforcé hier son autorité absolue sur la politique de l'Espagne en signant un décret modifiant la constitution du parti phalangiste et s'établissant lui-même comme « chef suprême responsable seulement devant Dieu et devant l'histoire ».

Chasse aux impudiques à Outremenont

Comme jadis l'inquisition faisait la chasse aux sorcières, Outremont fera désormais la chasse aux impudiques de tout âge et tout poil qui oseront se promener en maillot de bain dans les parcs et les lieux publics.

Invoquant l'article 414 de la Loi des cités et villes qui autorise les conseils municipaux à légiférer sur les moeurs et la bonne tenue, le maire Jérôme Choquette a déclaré que la ville ne tolérera plus de « tenues débraillées », voir de « petites tenues », dans ses parcs. (**Texte publié le 5 août 1985**)

Cette photo célèbre de Marilyn se tenant au-dessus d'une bouche de métro, avait été prise par Matty Zimmerman, photographe de l'agence Associated Press.

Marilyn, 25 années de mystère

Face à la crypte numéro 33, un immense bouquet de fleurs repose dans un vase. Broché à une rose, un bristol. Un touriste de passage s'en approche et le lit : « Marilyn, nous comprenons »

Chaque jour, des fleurs nouvelles sont déposées sur la tombe, de nombreuses voitures s'y arrêtent et les passagers en descendent pour rendre un dernier hommage à la déesse d'Hollywood, Marilyn Monroe, qui repose aujourd'hui au Westward Memorial Park.

Il y a 25 ans cette semaine que la célèbre actrice a rendu son dernier soupir : un suicide selon toutes probabilités.

La légende de cette merveilleuse beauté à la peau translucide s'est terminée de façon tragique le 5 août 1962. Elle n'avait que 36 ans.

Après sa mort, elle fit l'objet d'un véritable culte, on ne parlait que d'elle et ses imitatrices foisonnèrent. La chanteuse rock Madonna tente d'ailleurs tant bien que mal d'imiter la grâce féline de la blonde vedette. Nulle part ailleurs qu'à Hollywood, toutefois, le souvenir de Marilyn Monroe n'est plus évident. La ville semble toujours sous le charme de la jeune Norma Jeane Mortenson qui y arriva la tête pleine de rêves et qui devait y vivre déconvenues amoureuses et tragédies.

Sur Hollywood Boulevard, photos et posters de Marilyn décorent toujours les vitrines de nombreux commerces, on la retrouve sur les façades de plusieurs théâtres et sur les brochures décrivant les activités de la capitale du cinéma.

Les étagères des librairies croulent sous les innombrables livres tentant de décrire la légende Monroe et les magasins de souvenirs offrent de tout : eau de Cologne, oreillers, draps, serviettes et même des cure-dents en son nom.

Au cours de sa carrière, elle a participé au tournage de 30 films. (**Texte publié le 5 août 1987.**)

Les cellulaires, cause d'accidents

Des essais réalisés en laboratoire ont démontré que la distraction occasionnée par le fait d'utiliser un téléphone cellulaire empêchait les personnes testées de déceler plus du tiers des obstacles potentiels placés sur un parcours cible. Et le temps de réponse de ces mêmes personnes en cas d'imprévu était également supérieur de 30 pour cent par rapport à ceux qui n'étant pas occupés à parler dans leur téléphone cellulaire.

Il est certain qu'une personne tenant un récepteur téléphonique d'une main et le volant dans l'autre tout en tentant de se faufiler dans la circulation dense d'un centre-ville est une personne qui tient absolument à être impliquée dans un accident à court ou moyen terme.

Il est donc fortement recommandé d'immobiliser son véhicule en bordure de la route si on désire utiliser son téléphone cellulaire. Et si on tient mordicus à rouler tout en téléphonant, le strict minimum serait d'utiliser un appareil main libre qui permet au conducteur d'avoir les deux mains sur le volant tout en roulant.

Malgré tout, cette conversation est une distraction en soi et peut divertir le conducteur de son but premier, soit de se concentrer sur la conduite de la voiture tout en tenant compte de l'environnement global.

Les prix des appareils cellulaires s'étant effondrés au cours des récents mois, leur popularité est plus forte que jamais et de plus en d'utilisateurs empruntent les routes, ce qui ne fait que rendre le problème encore plus épineux. (**Texte publié le 5 août 1991.**)

Téléphone cellulaire dans une main, café dans l'autre, comment tenir le volant et se concentrer sur la circulation ?

L'âge d'or fait rouler les autobus

Chaque semaine de la belle saison, mille autobus remplis de retraités se lancent sur les routes de la province. Et la belle saison, pour les excursions en autobus, c'est la moitié de l'année. Ça comprend, en plus de l'été, la saison des sucres, la saison du ski de fond, la saison des tulipes et la saison des feuilles.

C'est payant, l'âge d'or ! Payant pour les compagnies d'autobus, payant pour les restaurants et les hôtels, payant pour les théâtres d'été. Et si les compagnies de location d'autobus ont souffert moins que d'autres de la récession, c'est à cause de l'âge d'or.

Cette photo ci-contre a été prise un matin où le club de l'âge d'or de Saint-Eustache partait à 7 h pour Sainte-Anne-de-Beaupré. La semaine précédente, le groupe était allé au festival de folklore de Drummondville. Les hommes étaient moins nombreux pour aller au sanctuaire de la bonne sainte Anne. Allez donc savoir pourquoi... (**Texte publié le 5 août 1992.**)

En route vers Sainte-Anne-de-Beaupré.

Les enfants doués ont aussi des besoins spéciaux

Selon une étude américaine du Dr James Deslisle, de l'université de Kent State, 40 p. cent des enfants qui arrêtent leur cours secondaire sont des surdoués. Et plusieurs d'entre eux tentent de se suicider.

« Les enfants doués ont des besoins aussi spéciaux que les enfants handicapés intellectuellement », dit le professeur Bruce Shore, directeur du Centre de recherches pour la douance à l'Université McGill. Avec lui, le Québec rattrape son retard dans la connaissance et le traitement des problèmes des enfants doués, ceux que l'on nommait autrefois des « surdoués ».

« Surdoué » n'a plus aucune valeur de nos jours. En 1990, le très sérieux Petit Robert, dictionnaire de la langue française, édite un nouveau mot pour définir les talents des enfants doués : la douance. Créée en 1980 à Montréal, à partir des termes « doué » et « enfance », cette expression fera désormais loi chez les enseignants et les psychologues du monde entier.

« Je n'aimais pas le mot surdoué, car il faisait référence à une élite », explique Bruce Shore, un des pères de la douance. « Traditionnellement, on disait qu'un enfant était doué à cause de son quotient intellectuel supérieur à la normale. Maintenant, les tests sont beaucoup plus complets. Ils tiennent compte en plus du potentiel de créativité, de la logique, du raisonnement, de l'analyse et de la synthèse. »

M. Shore illustre ses propos en prenant l'exemple du test suivant : il met des enfants en face de plusieurs pots remplis d'eau et leur demande de transvaser le liquide de telle façon que deux pots seulement soient pleins à égale quantité au bout de la série. « Il y en a qui arrivent au résultat très vite, dit-il, en suivant un processus de raisonnement simple et rapide. En revanche, certains enfants se livrent à des calculs compliqués, font des manoeuvres incroyables. Ils ont une logique différente, ils se font plaisir en se créant des défis pour atteindre leur but. Il y en a même qui me proposent un nouveau problème à résoudre. »

Il y a encore cinq ans, ce test n'aurait tenu compte que du résultat final, en demandant à l'enfant de répondre dans une limite précise de temps. Maintenant, il respecte la liberté de celui qui le subit : l'examinateur veut connaître toutes les possibilités du petit doué.

Les nouvelles recherches de pointe en douance se traduisent donc par des tests qui doivent révéler la personnalité et l'intelligence en même temps.

Elles créent de nouvelles techniques d'enseignement.

En effet, environ 200 écoles, réparties à travers le Canada, font appel à des consultants en douance. Ce sont des personnes ressources, chargées de développer des programmes spéciaux pour les enfants au sein de leur formation scolaire. Ils doivent, en quelque sorte, créer une nouvelle clause de vie pour leurs collègues enseignants, soit par leurs collègues enseignants, soit par les parents. L'intérêt de ces cours réside dans leur contenu.

Liette est consultante dans une école publique de la Rive-Sud. Depuis trois ans, elle développe des programmes de défi pour environ 500 jeunes, âgés de 11 à 16 ans. « Dans les cours réguliers, les élèves font du bourrage de crâne. Dans notre classe, ils ont l'opportunité de mettre en pratique ce qu'ils apprennent. Avec des professeurs, nous créons des ateliers par groupes de 12 élèves. Par exemple, ceux qui s'intéressent aux sciences monteront leur propre atelier. D'autres sont passionnés par la musique : avec l'aide de notre professeur de musique, ils créeront et produiront une comédie musicale, comme s'ils étaient une vraie troupe de spectacle. » (**Texte publié le 5 août 1989.**)

LA BOMBE A FAIT
100,000 VICTIMES

Tokyo dit que presque tous les êtres vivants du centre d'Hiroshima ont été brûlés à mort dans l'explosion de la bombe atomique.

GUAM — Tokyo admet aujourd'hui que la plus grande partie d'Hiroshima a été complètement détruite par une seule bombe atomique, lundi (**6 août 1945**); on ajoute que les corps déchiquetés et brûlés, trop nombreux pour être comptés, jonchent les ruines.

«L'impact de la bombe a été si terrible que presque tous les êtres vivants, humains et animaux, ont été littéralement brûlés à mort par l'effroyable chaleur engendrée par cette explosion», dit un commentateur radiophonique de Tokyo.

Les photos prises par les avions de reconnaissance américains prouvent que 4-1/10 milles carrés de la zone bâtie d'Hiroshima, soit 60%, ont disparu sans laisser de traces dans la plus grande explosion que le monde ait jamais connue.

Il a été calculé non officiellement que le nombre des Japonais tués ou blessés dépassera 100,000.

Cinq grandes usines de guerre et des vingtaines de fabriques, des immeubles à bureaux et des logis ont été rasés. Il ne reste que quelques charpentes d'édifices en béton. On est à évaluer les dommages causés hors de la zone directement atteinte.

Radio-Tokyo, rompant un silence de 60 heures après ce raid, dit que «l'indescriptible puissance destructive» de la bombe a broyé les gros édifices comme les petits dans un holocauste sans précédent.

Les habitants ont été tués par l'explosion, le feu et l'effondrement des immeubles, dit Tokyo. La plupart des corps étaient si mutilés qu'il était impossible de distinguer les hommes des femmes. (...)

Impressions sur le raid

Voici les récits des hommes qui ont lancé la première bombe atomique contre le Japon.

Le colonel Paul W. Tibbets, 36 ans, de Miami, pilote de la superforteresse «Enola Gay», raconte:

«Nous avons choisi Hiroshima comme objectif. Nous n'avons rencontré aucune opposition et les conditions de visibilité étaient excellentes; nous avons lancé la bombe, à l'oeil, à 9 h. 15 a.m.

«Seuls le capitaine Persons, le major Thomas Forebee et moi-même savions ce que nous allions lancer. Les autres membres de l'équipage savaient simplement que nous accomplissions une mission spéciale.

«Nous savions qu'il nous fallait nous éloigner le plus rapidement possible; en 30 secondes nous avons tourné et nous avons eu une vue d'ensemble de l'objectif. Il est difficile de se représenter ce que nous avons vu alors.

«Au-dessous de nous s'est élevé un gigantesque nuage noir. Nous ne pouvions plus rien voir de l'endroit où quelques minutes auparavant il nous était facile de voir distinctement à l'oeil les contours de la ville, ses rues, ses édifices et les quais sur le bord de l'eau.

«Cela s'est produit si rapidement que nous n'avons pu rien voir; nous avons simplement senti la chaleur et le choc de l'explosion.

«L'avion a subi une couple de coups. Nous avions l'impression que c'étaient des balles anti-avions qui éclataient près de nous. J'ai lancé un appel aux membres de l'équipage mais nous étions tous sains et saufs.» (...)

Un sinistre souvenir de la bombe atomique près duquel on s'efforce d'oublier...

LE MAIRE CAMILLIEN HOUDE EST ARRETE ET IMMEDIATEMENT INTERNE

(Du correspondant de la PRESSE)

OTTAWA — Pas un mot n'a été dit ce matin (**6 août 1940**) au commencement de la séance de la Chambre des Communes concernant l'internement (le 5) du maire (Camillien) Houde, et l'on ne croit pas maintenant que le gouvernement en fasse. De bonne heure ce matin, le très hon. Ernest Lapointe a simplement dit: «Je ne peux pas discuter ces choses».

Pour longtemps?

La question que l'on se pose dans le moment est la durée de l'internement du maire. On ne croit pas que ce soit pour toute la durée de la guerre, mais cela dépendra probablement de sa conduite. D'après les règlements des camps de concentration, il y a égalité absolue de choses, sans autre favoritisme. Le lever se fait entre 5 h. 30 et 6 h. du matin, et à 10 h. du soir la lumière s'éteint. Le travail est distribué suivant la capacité physique de l'interné. On rapporte que le contremaître d'une équipe de mineurs est un millionnaire. Pour la nourriture, le régime est le même pour tous, excepté que l'on peut recevoir des fruits, etc. Les internés n'ont pas d'argent, mais il existe dans les camps d'internement un système de crédit. (...)

A l'hôtel de ville

L'arrestation du maire Houde et son internement immédiat dans un camp de concentration «quelque part» n'ont provoqué aucun émoi apparent à l'hôtel de ville. (...)

Les propos et conversations au sujet de la réunion du conseil de demain après-midi ne manquent point cependant. Chez le greffier, on nous a informé qu'il n'y a rien de changé sur l'ordre du jour et que l'item No 1: «Re Enregistrement national et Conscription» (item inscrit à la demande du maire) demeure. Mais si l'on en croit un grand nombre d'échevins, cet item sera biffé au caucus de demain matin. C'est l'échevin Edmond Hamelin, maire-suppléant, qui présidera la séance. (...)

Reste-t-il maire?

On croit que l'on s'informera si M. Houde demeure encore maire de Montréal, et s'il a droit à son traitement. Au contentieux, on nous a répondu que l'on ignorait tout de la décision qui pourrait être prise à ce sujet, mais qu'on étudierait la chose. Il serait aussi question de savoir si l'élection d'un nouveau maire en remplacement de M. Houde, s'impose. (...)

Au bureau du maire, M. Lucien Croteau, secrétaire particulier de M. Houde, nous a déclaré ce matin qu'il accompagnait le maire, hier soir, à son bureau de l'hôtel de ville et qu'il y a rencontré Mme Houde. Le maire semblait très calme et comme s'il avait plusieurs affaires à examiner, demeura au travail de 8 h. à 10 h. 45. C'est alors qu'il se dirigea vers l'ascenseur pour sortir au square Vauquelin, par la porte nord-ouest de l'hôtel de ville. C'est à cet endroit, selon M. Croteau, qu'il a été appréhendé par les policiers fédéraux et provinciaux. (...)

Cri d'alarme pour sauvegarder flore et faune
Quelque 500 000 espèces seraient menacées

C'est un véritable cri d'alarme qu'ont lancé le Jardin botanique de Montréal et le Musée du Séminaire de Sherbrooke : environ 24 espèces animales et végétales risquent de disparaître chaque jour d'ici l'an 2010.

On estime qu'ainsi de 500 000 à un million d'espèces auront été anéanties à jamais.

L'homme, par son ignorance, a modifié et détruit de nombreux habitats naturels, surexploité les ressources vivantes, pollué l'environnement et introduit des espèces étrangères qui ont bouleversé l'équilibre de certains écosystèmes.

Si des arguments économiques lui sont nécessaires pour aider à comprendre l'urgence de la situation, précisons simplement que près de 50 p. cent des médicaments prescrits dans le monde proviennent d'animaux et de végétaux, ce qui représente un chiffre d'affaires de 40 milliards $.

On craint aussi énormément pour la santé des terres humides (marécages, marais, tourbières). Cet habitat est considéré comme l'un des plus menacés actuellement. Plus de 45 p. cent de tous les vertébrés du Québec en dépendent pour leur survie. Mais on continue à faire de ces terres humides des terres cultivables.

(Texte publié le 6 août 1987.)

Diane Jones-Konihowski, l'une des meilleures athlètes à avoir porté les couleurs du Canada en athlétisme, vient d'effectuer le lancement du poids qui lui vaudra la médaille d'or du pentathlon aux Jeux du Commonwealth, le 6 août 1978. Vingt ans plus tôt, le 6 août 1958, l'Australien Herb Elliott avait réussi un exploit extraordinaire (pour l'époque) en franchissant le mille en 3:54,5 minutes.

L'UNE DES GLOIRES DU SPORT

Gertrude Ederle, une jeune Américaine de New York âgée de 19 ans, devenait, le 6 août 1926, la première femme à réussir la traversée de la Manche à la nage. Elle avait mis 14 heures et 31 minutes à relier le cap Gris-Nez, en France, à Douvres, sur la côte anglaise.

MARINE MARCHANDE ET... COMBATTANTE

Près de cinquante ans après la fin de la Deuxième Guerre mondiale et après avoir livré une furieuse bataille contre Ottawa, les membres de la Marine marchande du Canada qui ont servi durant les deux grands conflits mondiaux, ainsi que lors de la guerre de Corée, auront désormais droit à une reconnaissance publique dans les principaux ports canadiens.

Les marins doivent cet honneur à un des leurs, M. William Bruce, qui a été matelot durant la Seconde Guerre sur un des cargos du ministère des Transports servant à assurer le ravitaillement en Europe.

« Des quelque 12 000 marins qui ont navigué à bord des cargos alliés afin d'assurer le ravitaillement des troupes en Europe, 1500 ne sont jamais revenus et 180 ont été faits prisonniers. Ils ont pris des risques pour le monde libre. Reconnaître leur dévouement n'est que leur rendre justice pour leur ultime sacrifice », a déclaré hier M. Bruce, actuel directeur pour le Québec de l'Association de la Marine marchande canadienne.

Néanmoins, la volonté politique veut désormais reconnaître publiquement la valeur de ces hommes en leur dédiant une plaque apposée dans les grands ports du pays.

Ainsi, vendredi prochain, à Québec, une plaque commémorative en mémoire des membres de la Marine marchande du Canada qui ont participé aux trois guerres, sera dévoilée à la Pointe-à-Carcey, dans le Vieux-Port de Québec.

À Montréal, une plaque semblable a été dévoilée au quai de l'Horloge, au mois de mai dernier.

M. Bruce entend poursuivre son combat avec Ottawa afin que les marins de la Marine marchande du Canada ayant servi pendant les guerres reçoivent les mêmes considérations que les anciens combattants.

(Texte publié le 6 août 1994.)

Évacuation totale de Montserrat

Un plan d'évacuation de l'ensemble de la population de Montserrat vers les îles voisines des Caraïbes a été préparé par les autorités de la colonie britannique, face à la menace du volcan de la Soufrière.

« Les retombées de cendres et de poussières pourraient rendre l'air irrespirable et polluer l'eau », ce qui rendrait impossible la vie sur place.

Il reste quelque 5500 des 12 000 habitants que l'île comptait avant le début de l'éruption en juillet 1995. Plusieurs milliers sont partis à l'étranger, ceux qui demeuraient sur place ayant été évacués dans le nord de l'île, protégé des menaces directes du volcan par le relief.

Le 25 juin une éruption avait fait neuf morts parmi la centaine de personnes qui avaient refusé de quitter leur domicile et qui continuaient à résider dans les zones interdites.

(Texte publié le 7 août 1997.)

Lorsque la Soufrière crache feu et fumée, les habitants de Montserrat doivent évacuer au son des sirènes.

L'Irak mise au ban par la communauté internationale

L'ONU cherche à appliquer son embargo contre l'envahisseur du Koweït

Jugeant qu'il fallait « stopper Saddam Hussein », les États-Unis ont obtenu hier soir la mise au ban de l'Irak par la communauté internationale et renforcé leur dispositif naval et aérien dans le Golfe arabo-persique alors que le président irakien, fort de son invasion du Koweït, mettait en garde Washington contre « tout agissement qui porterait atteinte à la stabilité et à la sécurité de la région ».

Trente-et-un bâtiments de la marine américaine, dont deux porte-avions, sont capables d'être engagés contre l'Irak à partir de la Méditerranée orientale ou de la mer d'Oman si la situation empire dans le Golfe, où croisent huit navires de l'US Navy, estiment les analystes. Le porte-avions Saratoga, le Wisconsin et treize bâtiments se dirigeaient hier vers la Méditerranée orientale, a annoncé le Pentagone.

Ils doivent assurer la relève du porte-avions nucléaire Dwight D. Eisenhower, mais ce dernier pourrait rester sur place si la situation l'exige, a-t-on précisé de même source. Dans le Golfe croisent actuellement les huit navires de la flotte du Proche-Orient : le navire-amiral LaSalle, un croiseur, un contre-torpilleur et cinq frégates. Venant de l'océan Indien, le porte-avions Independence se dirige vers le détroit d'Ormouz, avec huit navires d'escorte et quatre bâtiments auxiliaires.

La Grande-Bretagne maintient de son côté deux navires de guerre dans le Golfe. Elle compte y envoyer deux autres navires. Quant à la France, elle a dépêché une de ses frégates vers la mer d'Oman, où elle rejoindra deux autres unités françaises.

(Texte publié le 7 août 1990.)

WEEK-ENDS DE PLUIE

Deux chercheurs américains ont découvert (1998) la réalité d'un phénomène météorologique dont de nombreux salariés se plaignaient depuis longtemps déjà : il pleut en général nettement plus le week-end que pendant le reste de la semaine. C'est le samedi, une fois que toute la pollution accumulée pendant la semaine est à son sommet, que les pluies sont les plus abondantes.

Notre fête nationale

OTTAWA — D.N.C. — Le 1er juillet sera désormais appelé la «fête nationale du Canada», par suite de l'adoption au Sénat de l'amendement apporté au bill présenté aux Communes par M. Philéas Côté, demandant que ce jour s'appelle le «jour du Canada».

Un amendement à l'effet de renvoyer ce bill au comité pour étude supplémentaire, a été rejeté par un vote de 39 à 22. On sait que le comité de la banque et du commerce avait, hier matin (7 août 1946), recommandé que le «jour du Dominion» s'appelle dorénavant «fête nationale du Canada», plutôt que «jour du Canada». La Chambre haute a voté hier après-midi cette mesure en 3e lecture. (...)

Le bill du député libéral de Matapédia-Matane adopté aux Communes changeait le nom de «jour du Dominion» en celui de «jour du Canada», mais, par la suite, une forte opposition à ce projet s'éleva au Sénat. Sous sa forme modifiée, le bill reviendra aux Communes, et sera vraisemblablement adopté comme tel sans discussion.

M. (C.C.) Ballantyne a réitéré à la Chambre haute le plaidoyer qu'il avait fait hier matin au comité contre le changement à l'appellation de la fête du 1er juillet. Il dit de plus que le bill avait été voté trop rapidement aux Communes. Il ajoute que, même dans le Québec, bien des gens s'opposent à ce changement. Il redoute que cela soit un élément de désunion nationale. (...)

L'hon. G.P. Campbell, libéral de Toronto, a déclaré que cette mesure est prématurée. Il dit ne pas croire que le mot «dominion» laisse croire aux Canadiens qu'ils sont des coloniaux.

Page consacrée aux forges Saint-Maurice et publiée le 7 août 1920.

Deux attentats contre des intérêts américains

Nairobi et Dar-es-Salaam, capitales du Kenya et de la Tanzanie, sont en proie à l'horreur et au chaos, après deux attentats sanglants qui ont frappé les intérêts américains au coeur de l'Afrique orientale.

Les deux explosions de forte puissance visant les ambassades des États-Unis ont fait au moins 81 morts et plus de 1700 blessés. C'est l'attentat de Nairobi qui a été le plus meurtrier avec au moins 74 morts, dont huit Américains, et 1643 blessés. À Dar-es-Salaam, on recensait au moins sept morts et 72 blessés.

Sous le choc, l'Amérique n'entend pas rester sans réagir. Face à ces «actes de violence terroriste odieux, (...) inhumains», «nous utiliserons tous les moyens à notre disposition pour traduire les responsables devant la justice, quel que soit le temps que cela prendra», a déclaré Bill Clinton depuis la Maison-Blanche, où la bannière étoilée a été mise en berne. Comme dans tous les bâtiments officiels américains dans le monde.

« Nous ne nous laisserons pas intimider par ceux qui n'ont d'autres valeurs que la haine et la mort », a déclaré sur un ton d'une égale fermeté son secrétaire d'État, Madeleine Albright, qui a interrompu sa visite privée à Rome pour rentrer au pays.

Le département d'État a également recommandé à ses ressortissants de s'abstenir de se rendre au Kenya et en Tanzanie et a suggéré aux Américains qui s'y trouvent de quitter ces pays « s'ils l'estiment nécessaire ».

Certaines informations faisaient état de l'interpellation d'un homme parlant arabe à Nairobi, tandis qu'un témoin disait avoir vu trois hommes lançant un objet et un quatrième tirer des coups de feu. La police kenyane a pour sa part déclaré sur les ondes de la radio d'État que l'attentat aurait été causé par une camionnette bourrée d'explosifs derrière l'ambassade.

(Texte publié le 7 août 1998.)

Un colonel russe est accusé d'espionnage aux États-Unis

Déguisé en photographe, Abel envoyait à Moscou des microfilms de secrets militaires

NEW YORK — Un colonel russe a été accusé, hier (7 août 1957), par un grand jury fédéral, à Brooklyn, d'avoir espionné pour le compte de l'Union Soviétique, notamment d'avoir transmis à la Russie des secrets atomiques et militaires. C'est la première fois qu'un agent rouge d'un rang si élevé est accusé d'espionnage aux États-Unis.

Il s'agit de Rudolf Ivanovich Abel, 55 ans, qui apparemment aurait travaillé de concert avec un maître-espion du Kremlin qui a été impliqué dans la fameuse affaire d'espionnage découverte au Canada, dans l'immédiat après-guerre.

Le grand jury a désigné comme co-conspirateurs, quoique non comme accusés, quatre hommes, dont Vitaly G. Pavlov. Ce dernier avait dirigé un réseau secret de police soviétique ayant sa base à l'ambassade russe d'Ottawa. Ce réseau avait été désorganisé, en 1945, par suite de l'arrestation du traître Alan Nunn May (condamné avec huit autres personnes à la suite des révélations du transfuge soviétique Igor Gousenko à la Gendarmerie royale du Canada).

Ce sont des ramifications de ce réseau établi au Canada qui ont conduit, à l'arrestation de Klaus Fuchs, en Angleterre, et de Julius et Ethel Rosenberg, aux États-Unis. C'est grâce à tous ces espions que la Russie a obtenu rapidement les données secrètes relatives à la fabrication de la bombe atomique. (...)

Ford s'installe à la Maison-Blanche

Le sort réservé à Nixon reste toujours incertain

WASHINGTON — Les Etats-Unis ont un nouveau président, Gerald Ford.

A neuf heures et une hier soir **(8 août 1974)**, Richard Nixon s'est adressé par la télévision et la radio à un auditoire évalué à 150 millions de citoyens américains, pour leur dire:

«Je quitterai la présidence à midi demain. Le vice-président Gerald Ford sera assermenté comme président à cette heure-là, dans le bureau d'où je vous parle.»

D'une voix ferme, émue mais sans le pathos un peu théâtral qui avait marqué plusieurs de ses précédentes déclarations télévisées, le président a parlé pendant 15 minutes, passant en revue les grands succès de son administration en politique étrangère, lançant un appel à l'unité du peuple autour de son successeur, et défendant une dernière fois, tout en admettant avoir commis des «erreurs de jugement», son rôle dans la triste affaire du Watergate:

«Je regrette profondément tout tort qui peut avoir été causé dans le cours des événements qui m'ont amené à cette décision. Je dirai seulement que si certains de mes jugements ont été incorrects, et certains l'ont été, ils étaient faits dans ce que je croyais à ce moment être le meilleur intérêt de la nation.»

Ce matin *(le 9 août donc)*, peu avant dix heures, l'ex-président Nixon quittait la Maison Blanche avec sa famille pour la dernière fois, afin de se rendre à sa résidence de San Clemente, en Californie. Il avait auparavant fait ses adieux à son cabinet et à ses proches collaborateurs.

Pour la réconciliation

Immédiatement ou presque après la dramatique déclaration de M. Nixon, son successeur s'est brièvement adressé aux citoyens pour s'engager à faire tout en son possible pour favoriser la concorde et la réconciliation d'un peuple déchiré par les récents événements, et pour indiquer qu'il avait l'intention de poursuivre les politiques de son prédécesseur. Il a aussi confirmé que le secrétaire d'Etat Henry Kissinger serait maintenu dans ses fonctions.

Les événements de la journée se sont déroulés à un rythme tellement rapide qu'à la réaction universelle de soulagement qui a accueilli la démission de M. Nixon se mêlait hier soir une sorte d'incompréhension étonnée. La plupart des gens s'y attendaient, oui, mais pas si tôt, et pas si vite.

Dès la matinée hier, il était devenu évident que le président devait démissionner. La plupart de ses collaborateurs immédiats le lui conseillaient, un grand nombre de membres des deux Chambres du Congrès le lui demandaient publiquement, et trois des leaders de son propre parti, MM. Goldwater, Scott et Rhodes, lui avaient révélé que s'il persistait à ne pas se soumettre à l'impeachment, il serait inévitablement mis en accusation à la quasi unanimité, et serait destitué par une très forte majorité à l'issue de son procès au Sénat.

L'opinion publique se retournait contre lui à vue d'oeil. De 54 p. cent il y a deux semaines, la proportion de ceux qui souhaitaient son impeachment était passée à 66 p. cent il y a quatre jours, et à 79 p. cent la veille.

Mais au début de la journée, la Maison Blanche continuait à refuser de commenter les mille rumeurs qui bouleversaient la capitale américaine. Enfin, vers 11 heures, on a annoncé que M. Nixon rencontrait son successeur éventuel à huis clos, mais sans vouloir dire exactement pourquoi.

Ce n'est qu'à midi vingt que le secrétaire de presse du président, Ron Ziegler, est enfin apparu dans la salle de presse de la résidence présidentielle pour annoncer que le chef d'Etat rencontrerait les dirigeants des deux partis au Congrès en début de soirée, puis qu'il s'adresserait à la nation à neuf heures du soir. (...)

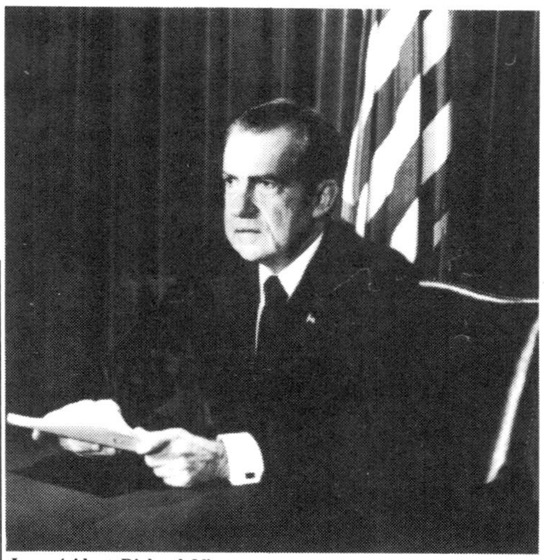

Le président Richard Nixon annonçant sa démission au peuple américain.

Félix est mort

Félix Leclerc est mort. Le « Canadien », le patriarche, le roi heureux s'est éteint dans son île d'Orléans, ce matin à huit heures, six jours après avoir célébré son 74e anniversaire.

La nouvelle de la mort du poète a été connue vers 13 h. Les réactions enregistrées à partir de ce moment donnent une juste idée de la taille du personnage qui, tous l'ont souligné, était pour les Québécois infiniment plus qu'un artiste comme les autres : bulletins spéciaux d'information à la télévision, chambardement de la programmation régulière des stations radiophoniques, déluge de messages de sympathie en provenance de tous les milieux de la société québécoise, ainsi que du reste du Canada et de la France.

Comme c'est souvent le cas dans des moments comme ceux-là — et on ne peut éviter la comparaison avec le deuil national de novembre dernier (la mort de René Lévesque) —, les réactions de l'homme (ou de la femme) de la rue ont participé à ce concert unanime de tristesse et de stupéfaction.

(Texte publié le 8 août 1988.)

Jean-Louis Roux nommé lieutenant-gouverneur

L'homme de théâtre et sénateur Jean-Louis Roux a été nommé lieutenant-gouverneur du Québec en remplacement de Martial Asselin.Âgé de 73 ans, M. Roux aura à sa disposition une résidence officielle à Québec et touchera une rétribution annuelle de 92 200 $, imposable, contrairement à celle du gouverneur général à Ottawa.

M. Roux a été nommé au Sénat par M. Chrétien le 31 août 1994. Avant de lui confier le poste de lieutenant-gouverneur, Ottawa a consulté le gouvernement Bouchard, mais sa désignation demeurait une prérogative du premier ministre fédéral. Les discussions se poursuivent avec Québec au sujet de la date d'entrée en fonction. La tradition veut que le mandat soit normalement d'une durée de quatre à cinq ans.

(Texte publié le 8 août 1996.)

PREMIERE SECTION PAGES : à 8 — LA PRESSE — CIRCULATION 642,264

ANNEE—N° 236 — MONTREAL SAMEDI 8 AOUT 1908 — DEUX CENTINS

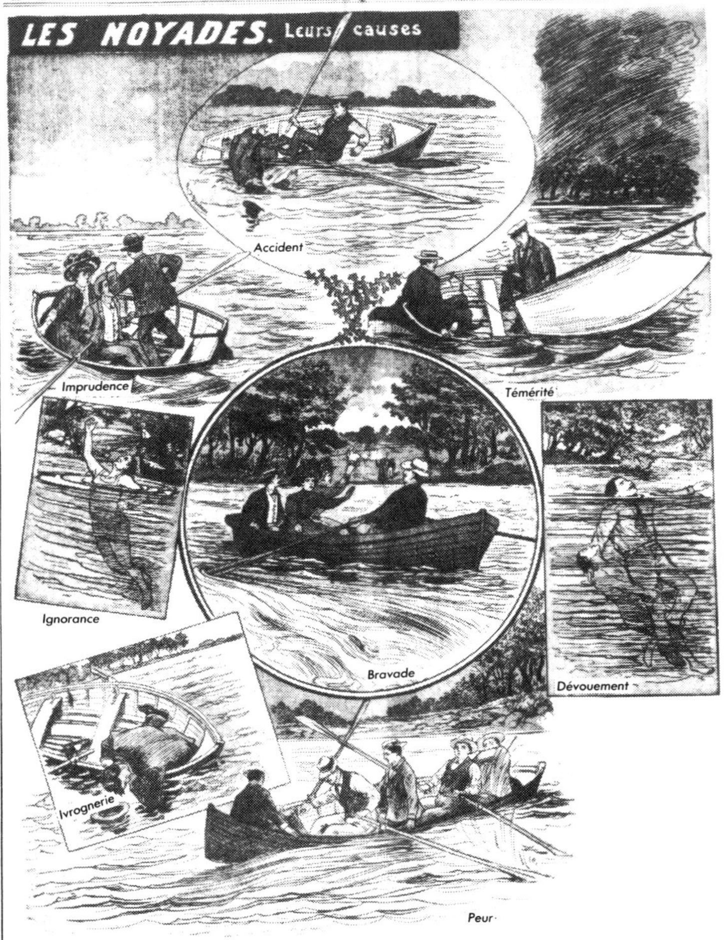
LES NOYADES. Leurs causes
Accident
Imprudence
Témérité
Ignorance
Bravade
Dévouement
Ivrognerie
Peur

NOTRE page est d'une lugubre actualité. Tous les ans, notre beau fleuve et nos admirables cours d'eau, ainsi que nos lacs, dévorent des centaines d'existences et, malheureusement, on peut dire que la majorité de ces drames sont le fait de leurs victimes.

Notre dessinateur a exprimé avec assez de clarté ces différents accidents pour que nous nous dispensions d'insister sur les causes qui les provoquent, et nous espérons que ces images, éloquentes par elles-mêmes, serviront de leçons à ceux qui s'exposent à ces dangers. (...)

*Ainsi commençait le court texte qui accompagnait cette page publiée dans l'édition du **8 août 1908**, et qui est toujours d'actualité, le hors-bord en plus, quelque huit décennies plus tard...*

Scotland Yard mobilise ses effectifs pour découvrir les pirates et leurs $9 millions

LONDRES— Scotland Yard traque les bandits qui ont attaqué et dévalisé le train postal d'Ecosse **(le 8 août 1963)**. Toutefois, les autorités policières se sont refusé à donner le moindre détail sur l'état de leurs recherches. Selon les journaux londoniens, les bandits — dont le nombre pourrait varier entre 8 et 20 — auraient en leur possession un butin s'élevant à environ 9 millions de dollars.

Le ministère des Postes de Grande-Bretagne a offert une récompense de $30,000 à quiconque divulguerait des informations pouvant mener à la capture des bandits. D'autres offres de récompense sont venues s'ajouter à celle promise par le ministère des Postes. Le total des récompenses offertes s'élève actuellement à $130,000.

Le travail d'expert des malfaiteurs laisse supposer un cerveau organisateur de grande envergure, qui aurait pu effectuer l'attaque d'un fourgon postal en plein Londres le 21 mai 1963, affaire qui rapporta aux agresseurs plus de $714,000. Aucun des attaquants du fourgon postal ne fut identifié en dépit de récompenses dont le montant total avait été de $43,500, et des 400 «informateurs» qui avaient été lancés sur l'affaire.

L'inspecteur chef Malcolm Fowtrell, du comté de Buckinghamshire, a ouvert l'enquête et s'est rendu à Scotland Yard, pour mettre au point un plan de bataille susceptible de capturer les bandits.

Ces derniers compteraient parmi eux un sinon plusieurs anciens cheminots. La police pense que le «gang» comprend également certains criminels notoires de Londres. (...)

Un journal londonien, le «Daily Mail», a affirmé que Scotland Yard «savait depuis plusieurs semaines qu'un convoi postal allait être dévalisé». Le journal raconte, sans citer ses sources, que des policiers stationnés non loin de l'endroit du vol, avaient reçu de trois Ecossais de l'argent en rapport avec l'attaque du train. (...)

Le «Nautilus» passe du Pacifique à l'Atlantique sous l'Arctique

*NDLR — Cet événement est survenu le **3 août,** mais ce n'est que le **8 août 1958** que la chose a été révélée à la presse et au monde entier, à cause du secret militaire entourant l'exploit.*

WASHINGTON

Le «Nautilus», sous-marin atomique américain, a traversé la calotte de la terre, glissant rapidement et silencieusement sous les glaces du pôle nord.

La Maison Blanche a annoncé, hier, la réalisation de ce voyage sous-marin du Pacifique à l'Atlantique, par voie de la mer Arctique, qui s'étend entre les Etats-Unis et la Russie. Le communiqué de la Maison Blanche dit que le «Nautilus» a peut-être ouvert une nouvelle voie sous-marine à des submersibles atomiques portant des cargaisons commerciales.

Bien que le président Eisenhower ait orienté ses propos vers un usage pacifique de cette nouvelle voie, le «Nautilus» est un vaisseau de combat. Si le «Nautilus» peut se glisser sous la glace polaire, il est bien évident que des sous-marins polaires porteurs de missiles, maintenant en construction, pourront en faire autant. (...)

Le «Nautilus», le premier sous-marin du monde à être propulsé par la puissance nucléaire, quitta la base américaine de Pearl Harbor, à Hawaii, dans le plus grand secret, le 23 juillet dernier. Le submersible fila par la suite, sans donner l'éveil, vers le nord, au-delà des îles Aléoutiennes, par le détroit de Behring, entre l'Alaska et la Sibérie. Par la suite, il se dirigea vers la frange des champs de glace de l'Arctique, puis poursuivit sa route en plongée sous la calotte d'une épaisseur de 10 à 14 pieds.

A la hauteur de Point Barrow, Alaska, le «Nautilus» dévia légèrement vers l'est. Pendant quelques minutes, le premier août au matin, le sous-marin monta en surface pour prendre des photographies. Puis il s'enfonça de nouveau dans les profondeurs pour poursuivre son voyage de 2,114 milles sous la glace.

La plupart du temps, l'épaisseur de la glace au-dessus du navire était de 12 pieds en moyenne. A certains points, on calcula qu'elle était de 50 pieds et plus parfois.

En sortant de la mer polaire, le «Nautilus» dirigea sa course entre le Groënland et l'Islande. Là un hélicoptère prit le capitaine du «Nautilus» à son bord et le conduisit à Washington, où il reçut les félicitations du président Eisenhower.

Cette réussite maritime avait-elle pour but de contrebalancer les succès des premiers spoutniks russes? Les plans secrets qui ont entouré le voyage du «Nautilus» sous la glace polaire ont en tout cas été préparés de telle sorte que l'affaire ne pouvait être connue qu'une fois terminée et réussie. (...)

C'EST ARRIVÉ UN 8 AOÛT

1985 — Si les Américains sont plus exposés que les Canadiens à être assassinés, les Canadiens, par contre, sont vraisemblablement plus portés que leurs voisins du sud à s'enlever la vie, selon Statistique Canada. Le même rapport indique que les Américains sont plus exposés aux crises cardiaques, tandis que les Canadiens sont davantage victimes du cancer.

1981 — Feu vert du président Reagan, des États-Unis, à la bombe à neutrons.

1978 — Le président Jimmy Carter convoque l'Égyptien Sadate et l'Israélien Begin à un « sommet pour la paix ».

1977 — Le premier ministre Trudeau donne son accord à la construction d'un gazoduc le long de la route de l'Alaska en passant par le sud du Yukon.

1975 — Enlèvement du fils âgé de 21 ans de Sam Bronfman. Ses ravisseurs demandent une rançon de $2,3 millions.

1973 — Les adolescents de la région de Houston assassinés par Dean Coril et deux complices se chiffrent maintenant par 23.

1969 — Québec approuve la fusion des villes de Longueuil et Jacques-Cartier. — Le gouvernement Pompidou annonce une dévaluation du franc de l'ordre de 12,5 p. cent.

1966 — L'haltérophile Pierre St-Jean récolte une médaille d'or et établit deux records aux Jeux du Commonwealth.

1960 — Une commission internationale de juristes accuse la Chine communiste de s'être livrée au viol, au meurtre, au vol, à la torture, à l'enlèvement et à la stérélisation au Tibet au cours des dix dernières années.

1956 — Un coup de grisou fait 256 morts dans une mine de Marcinelle, en Belgique.

1955 — La première conférence internationale sur l'emploi de l'énergie atomique à des fins pacifiques est inaugurée à Genève, avec la participation de 72 nations.

1949 — Des secousses sismiques en Équateur tuent 4000 personnes, font 20 000 blessés et causent des dommages de 50 millions.

1945 — L'URSS déclare la guerre au Japon et envahit la Mandchourie.

1944 — Les élections générales provinciales, faites autour du thème de l'autonomie provinciale, permettent à l'Union nationale de Maurice Duplessis de reprendre le pouvoir.

1942 — Arrestation préventive des leaders indiens Gandhi et Nehru par l'administration britannique de l'Inde.

ATTENTAT CRIMINEL A CARTIERVILLE

UNE tentative criminelle a été faite, la nuit dernière **(9 août 1917)**, à Cartierville, pour faire sauter la maison d'été de Lord Athelstan de Huntington (Sir Hugh Graham), propriétaire du «Star» de Montréal.

La police n'a appris le fait que six heures plus tard, et à l'heure où nous allons sous presse il n'y a pas encore eu d'arrestation.

La demeure est située dans un parc magnifique entouré d'arbres séculaires. C'est sans contredit la plus belle demeure de tout Cartierville, nous disait-on, lorsque la nouvelle de l'attentat a été connu ici vers onze heures.

Le bébé Kennedy est mort

BOSTON — Moins de 48 heures après sa naissance par opération césarienne, 5 semaines avant terme, le bébé du président et de Mme Kennedy est mort, ce matin **(9 août 1963)**.

L'enfant, qui venait d'être baptisé, portait le nom de Patrick Bouvier Kennedy. Son état avait immédiatement inspiré les plus vives inquiétudes. Il souffrait de graves troubles respiratoires, provoqués en grande partie par sa naissance prématurée.

Les plus grands spécialistes mandés au chevet de l'enfant du chef de l'exécutif américain, n'ont malheureusement pu réussir à le sauver.

Placé presque immédiatement dans une chambre hyperborique, qui est une sorte de gigantesque couveuse de 30 pieds de long et de 6 pieds de diamètre, l'état du bébé s'améliora d'abord légèrement, pour ensuite empirer graduellement. (...)

LA POPULATION EN GRAND EMOI

A 3 h. 30, la nuit dernière, la population de Cartierville et des endroits voisins, fut éveillée en sursaut par une terrible explosion, suivie d'une brusque secousse comme si l'on avait eu un tremblement de terre.

En un instant, les fenêtres furent garnies de curieux, mais c'est en vain que l'on regarda dans toutes les directions. Il fut impossible de ne rien découvrir d'étrange. L'affaire n'avait eu que la durée d'un coup de tonnerre. L'explosion n'a été suivie d'aucun commencement d'incendie comme il arrive souvent en pareil cas. (...)

Pendant plusieurs minutes, les messages téléphoniques arrivèrent nombreux au poste de police de l'endroit, mais le lieutenant Laurin, qui était de service, ne pouvait renseigner les gens, pour la bonne raison qu'il n'a appris lui-même, la nouvelle de la tentative criminelle que cet avant-midi, à dix heures, par des voisins.

Il s'est hâté de prévenir le chef Campeau, ainsi que le bureau de la Sûreté, puis il s'est rendu en toute hâte sur les lieux. Le policier ne saurait dire si Lord Athelstan était chez lui lors de l'attentat.

Au premier coup d'oeil, le lieutenant Laurin a jugé que les dommages étaient considérables. L'explosif avait été placé sous la galerie à l'angle nord-ouest de la maison. Toutes les vitres de la façade du côté de la rivière avaient été brisées par la force du choc. La galerie et le solage où la bombe avait été placée, étaient démolis et, de plus, l'on voyait dans le sol un trou de deux pieds de profondeur par trois pieds de diamètre.

FORTE CHARGE DE DYNAMITE

Le lieutenant Laurin, qui s'y connaît en explosifs, croit que l'on a dû placer à cet endroit au moins cinq ou six gros bâtons de dynamite. C'est un miracle que la maison n'ait pas été plus fortement endommagée.

Un des frères de Lord Athelstan dormait à l'autre extrémité de la galerie, mais il n'a pas été blessé, non plus que les huit servantes qui se trouvaient à l'intérieur de l'immeuble.

D'après ce qu'a appris le lieu-

tenant, le coup aurait été fait par des individus venant de la direction de Montréal. Vers trois heures trente, quelqu'un a vu passer six hommes dans un *(sic)* automobile lancé à toute vitesse. Il n'y avait pas de lumière sur la machine. L'automobile dont on a suivi les traces, a tourné à une couple d'arpents de la maison de Lord Athelstan, pour reprendre la direction de Montréal.

La demeure que l'on a voulu détruire porte le nom de «Elmwood». Elle est située dans le quartier Bordeaux.

Le bruit de l'explosion a été entendu jusqu'à Sainte-Dorothée, une distance de cinq à six milles.

Cet attentat fut par la suite relié aux prises de position du journal conservateur en faveur de la conscription.

Le premier vol du chasseur «F-86» de la société Canadair

LE premier chasseur à jet F-86 construit par la société Canadair pour le compte du Corps d'aviation canadien a pris son vol pour la première fois, vers 10 h. ce matin **(9 août 1950)**, à l'aéroport de Dorval. Piloté par M. Al J. Lilly, chef de la division des essais en vol à la Canadair, le rapide avion à jet — que les Montréalais reconnaîtront facilement par ses ailes orientées en pointe de flèche — a évolué avec une belle aisance. Et bien qu'il eût à peine pris

naissance, il a volé pendant plus de 20 minutes à des vitesses de 100 à 500 milles à l'heure ou plus, a exécuté une rapide montée jusqu'à 20,000 pieds en quelques secondes, et a enfin terminé sa randonnée par un superbe atterrissage, pas plus impressionnant que celui d'un vieux «Harvard».

Visiblement un peu ému, Lilly a ensuite déclaré à ses amis que l'avion F-86 prototype «vole à la perfection», et que l'envolée avait été «extrêmement satisfaisante». (...)

Page publiée le
9 août 1913.

(Illustration: Comment Résoudre le Problème de la Circulation Urbaine)

Le Japon est foudroyé pour la deuxième fois

GUAM — La plus grande force de destruction de l'univers, la bombe atomique, a été employée une seconde fois aujourd'hui **(9 août 1945)** contre le Japon. Elle a frappé l'importante ville de Nagasaki, dans l'île de Kyu-shu (Kéou-siou); on a observé de «bons résultats».

Il se peut que les Américains aient lancé plus d'une bombe dans ce deuxième raid; les bombes employées pourraient ne pas être de la même grosseur que la première, qui a détruit 60 p. cent de la ville de Hiroshima. Le communiqué, rédigé avec prudence, dit seulement que la

bombe atomique a servi une deuxième fois, laissant supposer tous les autres détails.

La bombe, ou les bombes, ont été lancées à midi, heure du Japon, (...) au moment où 4 autres villes japonaises brûlaient encore à la suite des raids continuels de démolition et d'incendie des bombardiers Superforteresses B-29.

Au deuxième raid à bombe atomique, les Japonais avaient eu le temps d'étudier les dégâts causés à Hiroshima, où lundi la première bombe atomique a tué «presque tous les êtres vivants» et ruiné 60 p. cent de la ville, qui

comptait 343,000 habitants, au témoignage de l'ennemi même.

Nagasaki est un port de mer et un terminus de chemin de fer dans l'ouest de l'île de Kyu-shu. On estime la population à 255,000 habitants, à peu près celle de Vancouver. La superficie est de 12 milles carrés. Au point de vue militaire, Nagasaki a beaucoup plus d'importance que Hiroshima.

Le quartier général de l'aviation américaine déclare que comme les maisons de Nagasaki sont serrées ensemble, les dégâts qui peuvent résulter d'une bombe atomique sont encore plus graves. (...)

Démissionnaire depuis la veille, l'ex-président Richard Nixon monte pour la dernière fois à bord de l'hélicoptère réservé au chef de l'État, le *9 août 1974*. C'est le vice-président Gerry Ford qui lui a succédé à la présidence des États-Unis d'Amérique.

C'EST ARRIVÉ UN 8 AOÛT

1984 — Il y a 15 ans aujourd'hui, Charles Manson déclarait : « L'heure de l'anarchie est arrivée » et lançait les membres de sa famille dans une mission sacrée qui devait se solder par la mort de sept personnes, dont l'actrice Sharon Tate. Les tueurs firent la manchette des journaux du monde entier lorsqu'ils se livrèrent à leur carnage, les 9 et 10 août 1969, griffonnant le mot « Pig » et d'autres épithètes injurieuses sur les murs des demeures de leurs victimes.

1976 — Décès de Me Pacifique Plante, ex-chef de police de Montréal, au Mexique, où il vivait en exil.

1975 — Décès à l'âge de 68 ans de Dimitri D. Shostakovitch, un des grands musiciens du XXe siècle.

1974 — Neuf Canadiens meurent dans l'écrasement d'un avion de l'ONU au Moyen-Orient; un rapport du ministère de la Défense conclura que l'avion a été descendu par des missiles lancés du sol, probablement en territoire syrien.

1965 — Un accident dans le silo d'un missile Titan II fait 48 morts, à Searcy, Arkansas.

1961 — Décès du ministre d'État Charles-Aimé Kirkland, député de la circonscription de Jacques-Cartier.

1960 — Le Conseil de sécurité affirme que l'entrée des troupes de l'ONU au Katanga était devenue une nécessité.

1958 — La golfeuse Marlene Stewart-Strait gagne un 5e championnat canadien, à Saskatoon.

1955 — Officiellement délégué par le pape, le cardinal Paul-Émile Léger couronne la statue de saint Joseph, à l'oratoire Saint-Joseph.

1946 — Une épidémie de poliomyélite (ou paralysie infantile) sévit au Canada et aux États-Unis. À Montréal, on rapporte déjà 121 cas, dont 12 morts.

1945 — Les Soviétiques opèrent une rapide avance en Mandchourie. Ils disposent d'une force de 1 000 000 d'hommes.

1943 — La consécration de la crypte-église de l'oratoire Saint-Joseph donne lieu à un déploiement liturgique grandiose.

1935 — Adoption du « Social Security Act » par le gouvernement américain. Cette loi assure les chômeurs et les personnes âgées d'un revenu minimal.

1926 — Ouverture des courses de lévriers au parc Maisonneuve.

L'actrice Sharon Tate (ci-dessus, en compagnie de son mari, le cinéaste Roman Polanski), réputée autant pour sa beauté que pour son talent, était la victime d'un meurtre crapuleux en compagnie de quatre de ses amis, à sa luxueuse résidence de Bel Air, le *9 août 1969*. Sharon Tate était enceinte de huit mois, et son mari tournait à l'étranger, au moment de l'assassinat.

Le *9 août 1936*, l'athlète noir américain Jesse Owens complétait son remarquable exploit en méritant une quatrième médaille d'or aux Jeux olympiques de Berlin, au grand dam du führer Adolf Hitler.

Le stade de Lorimier était le théâtre d'un exploit bizarre, le *9 août 1930*. Ce jour-là, en effet, le Finlandais Ollie Wantinen et l'Australien F.B. McNamara remportaient une course de 26 heures qui les avait opposés à d'autres coureurs... et à des chevaux! Le duo champion avait franchi 225 milles et un tiers, soit neuf milles de mieux que le meilleur des chevaux!

SEPT MORTS DANS UN INCENDIE AU PARC DOMINION

Cette photo malheureusement un peu floue montre à l'avant-plan l'amoncellement de débris où se trouvaient les victimes, et à l'arrière-plan, la partie restée intacte du «Scenic Railway» (on parlerait plutôt aujourd'hui de «montagnes russes»).

Le feu éclate au «Mystic Rill» et à une partie du «Scenic Railway» qui s'écroulent et ensevelissent des promeneurs en chaloupe sous leurs décombres. — Appels déchirants que la mort arrête.

A LORS que des milliers de personnes se pressaient, hier après-midi **(10 août 1919)**, au parc Dominion, aux différents amusements et dans les allées et que la fanfare Souas venait de terminer son concert, il s'est produit une catastrophe qui a causé la mort de sept personnes. Un incendie s'est déclaré au «Mystic Rill», sous une section de la voie élevée du «Scenic Rail-way», à l'extrémité sud-est du parc.

La nouvelle de l'incendie se répandit avec une grande rapidité et en un rien de temps, une foule considérable était réunie aux abords du théâtre du sinistre. Il était alors un peu plus de 5 heures 30. Les pompiers du parc s'étaient aussitôt mis à l'oeuvre, mais les flammes se propageaient avec une très grande ra-pidité et il fallut demander du secours à la brigade de Montréal. Bientôt arrivaient les pompiers des deux postes de Maison-neuve ainsi que de la Longue-Pointe, sous le commandement du chef de district Fa-vreau. Mais à ce moment, le «Mystic Rill» ainsi que la partie du «Scenic Railway» au-dessus n'étaient plus qu'une masse de flammes.

APPELS DECHIRANTS

Les pompiers et les personnes qui se trouvaient auprès pou-vaient entendre des appels dé-chirants poussés par les person-nes qui avaient été surprises à l'intérieur du «Mystic Rill» et qui se trouvaient dans le brasier.

Les hommes de la brigade brisè-rent avec leurs haches les cloi-sons de la place afin d'arracher si possible les malheureux à une mort épouvantable. Ils réussi-rent ainsi à dégager et à faire sortir deux personnes qui se trouvaient heureusement du côté sud. Mais bientôt la partie sud-est du «Scenic Railway» s'écrou-lait, ensevelissant les victimes sous ses débris incandescents, et arrêtant leurs plaintes dans la mort.

Toutes sortes de rumeurs cir-culaient dans la foule. On parlait de nombres plus ou moins con-sidérables de personnes qui au-raient péri. On disait qu'au mo-ment de l'incendie, une voiture du «Scenic Railway», chargée de monde, était tombée avec tous ceux qu'elle portait d'une hau-teur de 30 pieds dans le brasier.

L'INCENDIE SOUS CONTROLE

Pendant ce temps se conti-nuait la lutte contre les flammes. L'on avait demandé les pompes à vapeur de la sec-tion est de la brigade des pom-piers, et le remorqueur «Saint-Pierre», de la commission du port, était venu se placer tout près du parc. Les boyaux de ce remorqueur ainsi que ceux de la brigade ayant commencé à fonc-tionner, il fut plus facile de com-battre les flammes. Une demi-heure après le commencement de l'incendie, le feu était sous contrôle. Par bonheur, le vent soufflait de l'ouest ce qui aida beaucoup aux pompiers à empê-cher les flammes de se propager aux autres sections.

L'on put alors commencer à rechercher dans la masse des débris les cadavres des victi-mes. Le «Mystic Rill» comprend une espèce de canal plein d'eau, complètement enclos, qui fait des espèces de zigzags sous le «Scenic Railway». Les chaloupes avec promeneurs entrent par une extrémité et sortent par l'autre. On ne peut comprendre comment les personnes qui se trouvaient dans les chaloupes au moment de l'incendie, se sont trouvées prises comme dans une souricière. (...)

Mort tragique de Marie-Soleil Tougas et de Jean-Claude Lauzon

L a comédienne et animatrice bien connue Marie-Soleil Tougas, âgée de 27 ans, et le cinéaste Jean-Claude Lauzon, 43 ans, ont perdu la vie (**10 août 1997**) de façon tragique dans le Grand Nord québécois, dans l'écrasement du petit avion dans lequel ils prenaient place.

Pour une raison encore in-connue, l'hydravion de type Cessna 180, à bord duquel étaient les deux personnalités du monde artistique, a pris feu et s'est abîmé dans la rivière aux Mélèzes vers 13 h 30 à quelque 160 km au sud-ouest de Kuujjuaq, dans le Nouveau-Québec.

Au moment de la tragédie, les deux victimes revenaient d'une excursion de pêche en compagnie des comédiens Gas-ton Lepage et Patrice L'Écuyer dans une pourvoirie de la ré-gion.

L'effondrement d'un pont en construction à Ottawa a causé la mort de huit ouvriers, le *10 août 1966*, en plus d'infliger des blessures à 57 autres. L'accident est survenu lorsqu'une charpente en bois supportant le béton frais coulé s'est effondrée sans le moindre avertissement. Une fois terminé, le pont doit permettre d'enjamber la rivière et le canal Rideau, au sud-ouest de la capitale nationale.

L'aspirine fête son centenaire

L' aspirine a cent ans (**le 10 août 1997**) et peut s'enorgueillir pour son anni-versaire de figurer parmi les médicaments les plus connus et les plus utilisés au monde, pour la gueule de bois comme pour la prévention de l'attaque cardiaque et même de certains cancers.

Le petit cachet blanc est de l'acide acétylsalicylique, du nom de la formule couchée pour la première fois sur le pa-pier le 10 août 1897 par Felix Hoffmann. Le jeune chimiste de Bayer, dont le père rhumati-sant renâclait à avaler les po-tions censées apaiser ses arti-culations percluses, planchait sur l'acide salicylique utilisé depuis quelques années contre les rhumatismes.

La formule était nouvelle mais les bienfaits du saule, dont Hoffmann avait extrait le principe actif de l'aspirine, étaient connus depuis l'Anti-quité. En 400 av-JC, le méde-cin grec Hippocrate donnait à boire des décoctions de feuiles ou d'écorce de saule pour sou-lager les douleurs de l'accou-chement.

Bayer dépose le nom de marque « Aspirin » en 1899 : « A » d'après acétyl, « spir » d'après spirée (reine des prés) et « in » parce qu'à l'époque le nom de tout nouveau médica-ment se terminait ainsi.

Le médicament connaît un succès immédiat, dû en grande partie à son faible coût. Au dé-but du siècle, Bayer produisait un peu plus de quatre tonnes d'aspirine par an. Aujourd'hui, ce sont environ 50 000 tonnes qui sont produites annuelle-ment.

L'aspirine est devenue une prescription habituelle en car-diologie.

De plus, des vertus insoup-çonnées en font un moyen de diminuer les risques de cancers du colon et du rectum, a ré-cemment conclu le Centre in-ternational de recherche sur le cancer de l'Organisation mon-diale de la santé (OMS).

PREMIÈRE SECTION
PAGES 1 à 4

LA PRESSE

CIRCULATION
634.8

Page publiée le *10 août 1907*.

Sur la Manicouagan, des centaines de millions
L'aménagement hydroélectrique le plus considérable du Québec

Q UÉBEC — À partir d'au-jourd'hui **(10 août 1960)**, l'amé-nagement de la Manicouagan in-combera à l'Hydro-Québec. Des centaines de millions de dollars seront investis dans cette entre-prise, la plus considérable du genre dans les annales de la mise en valeur des chutes d'eau du Québec.

C'est l'importante nouvelle que M. René Lévesque, ministre des Ressources hydrauliques, annonce entre deux séances des membres du cabinet provincial.

Le conseil des ministres, sié-geant sous la présidence de M. Jean Lesage, a, en effet, approu-vé un arrêté dont le texte avait été proposé par M. Lévesque et qui concède à l'Hydro-Québec les chutes situées le long du cours de la Manicouagan et non encore équipées pour la produc-tion d'énergie électrique.

La seule partie aménagée de la rivière jusqu'à ce jour l'a été pour le profit de la société pape-tière «Quebec North Shore» et de l'aluminerie «Canadian British Aluminum», dont les usines sont à Baie-Comeau.

Les eaux de la Manicouagan devront actionner en 1965 des groupes additionnels d'une puis-sance globale de centaines de milliers de chevaux-vapeur, et même probablement de plus d'un million de c.v.

C'EST ARRIVÉ UN 10 AOÛT

1983 — L'Américain Carl Lewis remporte une 3e mé-daille d'or aux championnats du monde d'athlétisme d'Hel-sinki. — Premier vote de grève en 35 ans chez les ou-vrières du vêtement de Montréal.

1982 — Démission du chef Claude Ryan du Parti libéral du Québec.

1978 — Sans renoncer à son option, le Québec s'associe au consensus des provinces pour rejeter les propositions constitutionnelles d'Ottawa.

1977 — Après 13 années de pourparlers, les États-Unis et Panama concluent un accord selon lequel Panama repren-dra le contrôle du canal d'ici l'an 2 000. — Le Parlement fédéral adopte une loi d'ur-gence pour mettre fin à la grève de trois jours des con-trôleurs aériens du Canada.

1976 — La crise prend fin dans les hôpitaux du Québec, après huit longues semaines de grèves.

1973 — L'aviation israélien-ne intercepte une *Caravelle* libanaise, mais les services spéciaux ne trouvent pas les dirigeants palestiniens qu'ils soupçonnaient d'être à bord. — LA PRESSE achète le quotidien *Montréal-Matin*.

1970 — Les ouvriers de la construction du Québec re-prennent le travail à la suite d'une loi spéciale. — À Mon-tevideo, en Uruguay, le diplo-mate américain Dan Mitrio-ne préalablement enlevé par des guérilleros est retrouvé assassiné.

1966 — Lancement de la sonde américaine *Lunar Or-biter*.

1965 — Retour au travail des manutentionnaires de grain du port de Montréal, en grève depuis le 16 juin.

1955 — Ouverture à Monc-ton des célébrations mar-quant le 200e anniversaire de la déportation des Acadiens.

1954 — Début des premiers travaux de l'aménagement hydro-électrique du Saint-Laurent, à Cornwall, en On-tario, et à Massena, dans l'État de New York.

1953 — Les libéraux de Louis Saint-Laurent gagnent les élections générales, les premières auxquelles partici-pent les Esquimaux.

1943 — Sixième conférence de guerre anglo-américaine à Québec; y prennent part le président Roosevelt, le pre-mier ministre Churchill et le premier ministre King.

1932 — Aux Jeux olympi-ques de Los Angeles, Buster Crabbe gagne le 400 m libre, en natation.

1928 — Johnny Weissmuller gagne le 100 m libre, en nata-tion, aux Jeux olympiques d'Amsterdam. — Entrée en vigueur de la Loi des pen-sions de vieillesse au Mani-toba.

1916 — Inauguration de la gare du Palais, à Québec.

1911 — Modification à la constitution de l'Angleterre: les Lords acceptent de voir leur droit de veto limité.

1906 — Un des quartiers dé-truits de 1900, à Hull, est de nou-veau détruit par un incendie majeur.

LES PREMIERES VICTIMES DE L'AUTO MEURTRIER

Pour la première fois à Montréal un citoyen a été victime d'un accident d'automobile. — Les deux chauffeurs de la machine ont été arrêtés et logés au poste No 4.

L'AUTOMOBILE, la machine qui est devenue le plus populaire agent de locomotion, à Montréal; l'automobile dont tous les sportsmen raffolent, parce qu'elle est une nouveauté, a probablement fait, dans la soirée de samedi, sa première victime ici.

Plusieurs fois nous avons eu à relater des accidents survenus aux occupants de ces voitures à moteurs, mais c'est la première fois, depuis leur apparition à Montréal que l'un de ces encombrants véhicules cause la mort d'une personne dans notre ville.

Vers 8.30 heures, samedi soir **(11 août 1906)**, une auto, conduite par Hernold Thomas Atkinson et Herbert Dalgleish, deux machinistes qui ont dit habiter 826 rue du Palais, s'en allaient rue Ste-Catherine dans la direction de l'Est. Le pneu-pneu avait pris la gauche de la rue lorsque, voyant arriver à leur rencontre un tramway, nos chauffeurs firent prendre la droite à leur machine.

Au moment où l'auto prenait la droite du chemin, un nommé Antoine Toutant, sa femme et son enfant, traversaient aussi la rue.

L'auto allait à une telle vitesse que le pauvre homme n'eut pas le temps de l'éviter et fut pris dans la dernière roue, d'arrière. Le malheureux fut lancé à une distance de sept ou huit pieds et écrasé par la machine. Son petit garçon, Oswald, eut les pieds et la jambe droite meurtrie par l'une des roues de la machine, mais il ne s'infligea aucune autre blessure grave.

A la vue de l'horrible accident, des passants s'élancèrent au secours du malheureux, le relevèrent et le transportèrent à la pharmacie Gauvin, coin Maisonneuve et Ste-Catherine, en face duquel établissement, l'accident venait de se produire.

L'infortuné Toutant avait eu le crâne fracturé.

Croquis du malheureux accident d'automobile. Dans le dessin sont intercalées les photos des deux victimes, Antoine et Oswald Toutant.

Les docteurs Isidore Laviolette et Corsin furent appelés mais ils ne purent qu'assister aux derniers moments de l'infortuné. Antoine Toutant expira après avoir serré la main de sa femme, dont le désespoir faisait peine à voir. (...)

Thomas Atkinson fut arrêté à son retour de la morgue. (...) Le capitaine Choquette qui avait ordonné

L'ARRESTATION de Thomas Atkinson, refusa d'admettre les deux chauffeurs à caution et les transféra au poste no 4. (...) L'auto était réclamée par l'un des directeurs du Parc Dominion, qui en est le propriétaire. (...)

L'affaire s'est transportée devant le coroner et l'enquête eut lieu dans la matinée du lundi 13. Vous pourrez en lire quelques extraits lundi dans cette page.

Et l'ironie du sort a voulu que le jour de l'accident, soit le **11 août 1906**, LA PRESSE apprenne à ses lecteurs le choix, par le pape Pie X, de saint Christophe comme «patron des chauffeurs». Les catholiques se souviendront que ce saint ne fait plus partie de la liturgie.

Fabrikant condamné à vie

À midi (11 août 1993), Valery Isaac Fabrikant est entré en souriant dans la salle 3.01 du Palais de justice de Montréal, pour voir tomber sur lui sept verdicts de culpabilité. Il a ri quand le juge a dit au jury que le pays lui devait beaucoup pour leur dévouement. Et quand on lui a demandé s'il avait quelque chose à déclarer, il a bavé sur tout ce qu'il y avait d'humain autour de lui.

Cela pouvait difficilement finir autrement. Le jury de six femmes et cinq hommes, choisis il y a cinq mois pour cet impossible procès, avait mis sept heures à régler le cas de l'ancien professeur de génie.

Il a été déclaré coupable de toutes les accusations qui pesaient contre lui : quatre meurtres prémédités, une tentative de meurtre et de deux séquestrations. Il a été condamné automatiquement à l'emprisonnement à perpétuité, sans possibilité de libération conditionnelle avant 25 ans. Il a du même coup été condamné à des peines de 12 ans pour la tentative de meurtre et sept ans pour les séquestrations.

Le juge Fraser Martin, de la Cour supérieure, qui a présidé depuis le 8 mars le procès le plus pénible de sa carrière, a donné une dernière fois la parole au petit homme qui l'insulte sans relâche depuis cet hiver.

L'homme de 53 ans, avec cette voix glaçante qui a marqué tous ceux qui l'ont entendue, s'est encore dépeint comme « la cinquième victime » de sa propre tuerie, a fait reporter la responsabilité de ses actes sur l'Université Concordia et les journalistes et a dénoncé les seules personnes qu'il avait épargnées jusqu'à maintenant : les 11 jurés.

« Ça ne peut pas être des meurtres prémédités, car on m'avait offert trois ans de salaire pour que je quitte l'université. Si j'avais prémédité les meurtres, j'aurais d'abord pris l'argent », a plaidé Fabrikant.

LA PRESSE publiait en couleurs dans son édition du **11 août 1906** cette très belle page consacrée aux blocs de glace, qui ont connu leur heure de gloire à l'époque où le réfrigérateur n'existait que dans l'imagination.

L'article qui accompagnait cette page proposait d'intéressantes informations. Tout d'abord, on nous apprend que la coupe des blocs de glace à la surface gelée du Saint-Laurent et de l'Outaouais assurait un emploi à 2 000 personnes pendant les mois d'hiver. En deuxième lieu, les pertes étaient énormes, de l'ordre de 25 p. cent du nombre de blocs découpés.

Les énormes blocs tirés du fleuve étaient remisés dans d'immenses glacières jusqu'au moment de la livraison, où des employés spécialisés, les «débiteurs», les découpaient en blocs pour la livraison et la revente.

L'article poursuit en expliquant qu'outre les gros consommateurs comme les bouchers, les hôteliers et les épiciers, il fallait prévoir, en 1906, un approvisionnement de 125 000 tonnes de glace, pour les mois de mai à octobre, un marché que se partageaient 11 marchands.

La Banque du Canada porte son taux de base de 3½ à 4 p. 100

OTTAWA — La Banque du Canada a porté son taux d'intérêt de 3½ à 4% hier (**11 août 1963**). Cette mesure semble consécutive à la proposition de M. Kennedy selon laquelle les Etats-Unis imposeraient une taxe de 15% sur l'achat de valeurs étrangères. On attend de cette mesure qu'elle restreigne la sortie des capitaux canadiens. Mais M. Louis Rasminsky, gouverneur de la Banque du Canada, assure tout de même que cette mesure ne restreindra pas la disponibilité des crédits au Canada.

C'EST ARRIVÉ UN 11 AOÛT

1981 — Fin de la grève des postiers canadiens, après 42 jours.

1977 — Arrestation à New York de David Berkowitz, un postier de 24 ans soupçonné d'avoir commis six crimes attribués au «Fils de Sam», durant une période de terreur qui aura duré un an.

1972 — Les soldats américains ont officiellement cessé de se battre au Vietnam.

1971 — Une équipe de médecins de Détroit procède à l'implantation d'un cœur artificiel sur un cardiaque âgé de 63 ans. — Une guerre des barricades éclate en Irlande du Nord.

1969 — Le gouvernement fédéral remet $125 millions au gouvernement du Québec et se retire des programmes d'habitation.

1968 — Le premier Canadien à recevoir le cœur d'un autre homme, Gaétan Paris visite Terre des Hommes.

1962 — Mise en orbite des vaisseaux interplanétaires soviétiques Vostok III, piloté par Adrian Nikolayev, et Vostok IV, piloté par Pavel Popovich.

1960 — Hazen Argue est élu chef national du CCF.

1958 — Le cardinal Stefan Wyszynski demande trois mois de prières spéciales aux catholiques polonais, pour protester contre les attaques du gouvernement polonais contre l'Église.

1952 — Le parlement jordanien proclame la déchéance du roi Talal pour troubles mentaux. Son fils Hussein I, âgé de 17 ans, assume la succession.

1950 — Baudouin 1er prête serment à titre de roi des Belges, succédant à son père, le roi Léopold III.

1919 — Proclamation de la constitution de Weimar, en Allemagne. — Décès du philanthrope américain Andrew Carnegie, à l'âge de 84 ans.

1914 — La France et l'Autriche sont officiellement en guerre.

1902 — Édouard VII par la grâce de Dieu, du Royaume Uni de la Grande-Bretagne et de l'Irlande et des possessions britanniques par delà les mers, Roi Défenseur de la Foi, Empereur de l'Inde, a été couronné sans entrave ni mal, et Londres a célébré bruyamment l'avènement du monarque.

Une bien mauvaise journée pour l'aviation!

POUR une raison qu'il nous est évidemment impossible d'expliquer la journée du 11 août ne parait pas propice à l'aviation, car nous avons en effet pu retracer au moins quatre accidents d'avion — dont deux au Québec! — survenus ce jour-là.

Le plus près de nous est survenu à ville Jacques-Cartier, le 11 août 1953, quand un chasseur CF-100 du Corps d'aviation royal canadien qui venait de décoller de Saint-Hubert s'est écrasé sur deux maisonnettes. En plus de faire sept morts et de décimer les familles Bourassa et Lavoie, l'accident devait coûter la vie au pilote et au navigateur, natifs de Colombie-Britannique et de Terre-Neuve respectivement.

Issudun, près de Québec, était le théâtre d'une terrible tragédie le 11 août 1957. Ce jour-là, un appareil de type DC-4 de la société Maritime Central Airways en provenance de Grande-Bretagne s'est écrasé dans les marécages, au milieu d'un orage, entraînant dans la mort ses 73 passagers, presque tous d'anciens combattants et des membres de leurs familles, et six membres d'équipage. L'appareil avait explosé en touchant le sol, rendant la tâche des sauveteurs encore plus difficile.

Enfin, le 11 août 1939, un avion de transport militaire américain s'écrasait au sol près de la base de Langley, en Virginie, causant la mort de 11 personnes.

Deux ans plus tôt, le 11 août 1955, une collision en plein ciel, entre deux avions militaires américains C-119, à proximité de Weisbaden, en Allemagne de l'Ouest, avait fait 67 morts. Selon des témoins trois avions de même type volaient en formation quand celui de droite, pour des raisons inexpliquées, a frappé celui du centre, entraînant la chute des deux appareils.

Une image saisissante de l'accident d'avion survenu à Jacques-Cartier.

C'EST ARRIVÉ UN 12 AOÛT

1995 — Deux personnes ont été tuées et au moins une quarantaine d'autres ont été blessées lorsqu'une rame de métro a embouti l'arrière d'un wagon de métro, vers la fin de l'heure de pointe à Toronto. Parmi les blessés, au moins quatre — dont une femme et son enfant — l'ont été grièvement et le bilan risque de s'alourdir au fur et à mesure que le sauvetage se poursuivait frénétiquement au milieu d'un véritable sauna souterrain.

1994 — Vingt milliards de préservatifs : c'est ce qu'il faudra pour arrêter la propagation du virus du sida durant la prochaine décennie, selon les estimations de l'Organisation mondiale de la santé, présentées lors de la 10e conférence internationale de Yokohama.

1991 — Une nouvelle loi britannique imposant un contrôle strict des chiens dangereux est entrée en vigueur aujourd'hui. Cette loi oblige les propriétaires de pit-bulls et du seul tosa du pays de museler ces animaux et de les maintenir en laisse en public. Ces chiens devront par ailleurs être châtrés d'ici le 1er décembre sous peine d'être abattus.

1989 — Indiens et Blancs célébreront ensemble le 300e anniversaire du massacre de Lachine. « Une célébration fraternelle », déclare Guy Descary, maire de Lachine depuis 16 ans. Pour la première fois, Blancs et Indiens s'associeront pour une célébration commune. Les Mohawks de Kanawake et les Lachinois vont, en effet, s'associer pour commémorer un événement majeur dans l'histoire de cette ville qui, au fil des ans et des siècles, s'est développée dans l'harmonie et où il fait bon vivre ! »

1985 — Sept survivants ont été retrouvés ce matin sur le mont Osutaka, où un Boeing 747 des Japan Air Lines s'est écrasé hier soir dans une région montagneuse, à 120 kilomètres à l'ouest de Tokyo, avec 524 passagers et membres d'équipage à son bord.

1985 — Dans une proportion de deux à un, les Canadiens croient que les tribunaux favorisent les gens riches et influents (60 p. cent), plutôt que de dispenser la justice avec impartialité (29 p. cent).

1982 — Henry Fonda qui est mort aujourd'hui dans un hôpital de Los Angeles à l'âge de 77 ans, était un des derniers « grands » du cinéma américian.

1960 — En l'espace de quelques heures, les techniciens des États-Unis ont réussi un triple exploit dans l'espace. Le premier annoncé de ces hauts faits a été la récupération de la capsule éjectable du satellite Discoverer XIII, dans le Pacifique; le deuxième a été la mise en orbite d'un ballon réflecteur géant, d'un diamètre de 100 pieds, autour de la terre; et le troisième, annoncé au début de l'après-midi, a été la montée d'un avion expérimental à une altitude excédant 24 milles.

L'affaire Clinton-Monica Lewinski secoue la Maison-Blanche

Depuis janvier dernier, les Américains assistent à une crise à la Maison-Blanche. Des soupçons de parjure et d'obstruction à la justice pèsent sur le président Clinton dans l'enquête sur sa relation avec l'ex-stagiaire de la Maison-Blanche Monica Lewinski. Voici un survol des acteurs principaux, de la chronologie et du lexique de l'affaire.

ACTEURS PRINCIPAUX

Kenneth Starr : Procureur indépendant chargé d'enquêter sur l'affaire Whitewater et autres scandales de l'administration Clinton.

Vernon Jordan : Confident de Clinton ; a aidé Lewinski à trouver un emploi.

Larry Cockell : Chef des gardes du corps de Clinton ; a été forcé à témoigner devant le grand jury.

Bruce Lindsey : Conseiller de la Maison-Blanche et ami de longue date de Clinton.

Monica Lewinsky : Ex-stagiaire de la Maison-Blanche ; prétend avoir eu des relations sexuelles avec le président. En échange de son témoignage, Starr lui accorde l'immunité totale.

Linda Tripp : Ex-secrétaire à la Maison-Blanche ; a enregistré les confidences téléphoniques de Lewinski à propos de sa liaison présumée avec le président. A remis les enregistrements de ses conversations avec Lewinski à l'équipe de Starr. A vu Kathleen Willey sortir d'une pièce située près du bureau ovale, les vêtements en désordre.

Kathleen Willey : Ex-bénévole à la Maison-Blanche ; prétend s'être fait peloter par le président.

Betty Currie : Secrétaire personnelle du président ; a autorisé les visites de Lewinski à la Maison-Blanche.

David Kendall : Avocat personnel de Clinton.

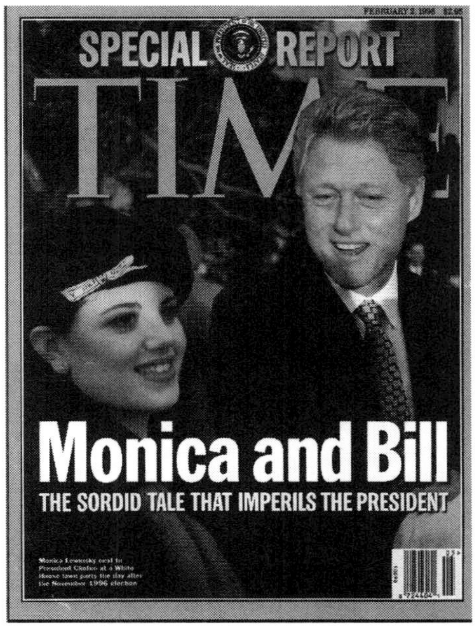

La couverture du Time du 2 février 1998 montre le président Clinton en compagnie de Monica Lewinsky au cours d'une fête organisée au lendemain de l'élection du président américain en 1996.

CHRONOLOGIE

Janvier

12 : Linda Tripp remet à l'équipe de Starr les enregistrements de ses conversations téléphoniques avec Lewinski.

17 : Clinton témoigne dans la poursuite de Paula Jones pour harcèlement sexuel et nie avoir eu une relation sexuelle avec Lewinski.

26 : Clinton déclare : « Je n'ai jamais eu de relations sexuelles avec cette femme... Je n'ai jamais dit à personne de mentir ».

27 : Starr lance une enquête sur les allégations de Lewinski.

Mars

15 : l'ex-bénévole de la Maison-Blanche Kathleen Willey fait une apparition à l'émission 60 Minutes et affirme que Clinton lui a fait des avances non désirées en 1993.

21 : Clinton invoque le privilège de l'exécutif pour circonscrire l'interrogation de ses conseillers.

Avril

1er : la poursuite de Paula Jones pour harcèlement sexuel contre Clinton est classée.

Mai

4 : un juge du district fédéral de Washington nie à Clinton le privilège de l'Exécutif.

22 : le juge décrète que les agents des services secrets peuvent être forcés à témoigner.

Juin

2 : Lewinski remplace son avocat de Los Angeles par deux avocats de Washington.

30 : Linda Tripp effectue sa première apparition devant le grand jury.

Juillet

7 : un tribunal d'appel fédéral décrète que les employés des services secrets sont obligés de témoigner.

17 : des agents des services secrets se présentent devant le grand jury.

27 : un tribunal d'appel fédéral décrète que le témoignage de Lindsey n'est pas couvert par l'immunité avocat-client.

28 : Lewinski reçoit l'immunité totale en échange de son témoignage.

29 : L'avocat de Clinton, David Kendall, annonce que Clinton témoignera devant le grand jury par vidéo interposée le 17 août.

LEXIQUE

L'actualité donne naissance à des mots et à des expressions qui entrent dans le vocabulaire courant. En voici quelques-uns découlant de l'affaire Lewinski.

Points à discuter (*talking points*) : un mémo de trois pages proposant une stratégie pour camoufler la relation Lewinski/Clinton.

Immunité totale : protection accordée à Lewinski contre une poursuite.

Privilège de l'exécutif : droit revendiqué par le président pour empêcher les enquêteurs d'interroger des témoins ou de mettre la main sur des documents.

Le gros dégueulasse (*the big creep*) : surnom donné à Clinton par Lewinski dans un courrier électronique envoyé à Tripp, selon le magazine Newsweek.

Stagiaire : l'emploi bénévole de Lewinski à la Maison-Blanche ; le mot est devenu un gag aux États-Unis.

Vaste complot de la droite : l'expression employée par Hillary Clinton pour décrire l'origine des attaques contre le président.

(Texte publié le 12 août 1998.)

42 ans plus tard, les époux Rosenberg sont acquittés

À l'issue d'un faux procès de deux jours à New York, des jurés ont acquitté (**12 août 1993**) Julius et Ethel Rosenberg qui ont été exécutés il y a 42 ans pour avoir transmis à l'Union soviétique les secrets de la bombe atomique américaine.

« Il n'y avait absolument aucune preuve qui les liait à ce complot. Tout n'était que ouï-dire », a déclaré le président du jury sous les applaudissements du public.

Le fils des Rosenberg, Michael, qui était âgé de 10 ans au moment de l'exécution de ses parents, a déclaré : « Je suis très satisfait que des gens ordinaires aient étudié ce cas et aient conclu à un acquittement ».

Ce procès en révision sans aucune valeur juridique était organisé par l'Association des avocats américains (ABA), qui souhaitait réfaire « le procès d'espionnage du siècle » avec les lois des années 1990. Pour reconstituer le procès de 1951, un véritable juge fédéral présidait les débats, un avocat de Chicago jouait le rôle du procureur et un avocat de New York assurait la défense tandis que le jury était composé de six citoyens ordinaires.

Julius et Ethel Rosenberg, qui sont passés sur la chaise électrique le 19 juin 1953 à la prison de Sing Sing en pleine guerre froide, étaient « interprétés » par les acteurs Lonny Price et Tovah Feldshuh.

Alors qu'en 1951 ils avaient invoqué le 5e amendement de la Constitution des États-Unis qui permet à un citoyen de ne pas témoigner contre lui-même, cette fois les deux accusés ont reconnu être membres du Parti communiste.

« Vous pouvez être un Américain loyal et croire au système communiste, a affirmé l'actrice jouant le rôle d'Ethel Rosenberg, tandis que « Julius Rosenberg » a souligné : « Je pensais que cela me permettrait d'être un meilleur Américain... Il y a des gens concernés par les pauvres travailleurs et j'étais sans aucun doute un de ceux-là ». Toutefois, les deux « époux » ont nié catégoriquement avoir espionné au profit de l'URSS.

Les Rosenberg sont les derniers Américains à avoir été exécutés pour espionnage.

L'homme ne survivrait pas à un conflit nucléaire

L'homo sapiens a-t-il ou non une chance de survivre à un conflit nucléaire majeur entre les États-Unis et l'URSS ? De nombreux savants américains, conduits par le célèbre astronome Carl Sagan, répondent par la négative, en raison de la « catastrophe climatique » qui en résulterait.

L'astronome Carl Sagan, le biologiste Paul Ehrlich, de l'Université de Stanford (Californie), le Professeur Donald Kennedy et Walter Roberts affirment qu'une guerre atomique entre les deux supergrands entraînerait la mort immédiate de 1,1 milliard d'individus. Un nombre égal de personnes serait blessé mortellement, ajoutent-ils.

Dès lors, note Sagan, « près de la moitié de la population de la planète serait tuée ou sérieusement blessée par les effets directs » d'un conflit nucléaire. « Les désordres sociaux, le manque d'électricité, d'essence, de moyens de transport, de nourriture, de communications et d'autres services publics, l'absence de soins médicaux, la dégradation des conditions sanitaires, le développement de maladies et de désordres psychiques entraîneraient certainement un nombre important de victimes supplémentaires », écrit-il encore.

En plus de cette hécatombe (la population du globe est actuellement d'environ 4,5 milliards d'individus), les fumées provoquées par un chapelet d'explosions atomiques seraient tellement importantes qu'elles obscurciraient complètement les rayons du soleil, plongeant la terre et les personnes qui auraient survécu dans un véritable « hiver nucléaire ».

Sans lumière, sans chaleur (la température tomberait, selon eux, en-dessous de moins 40 degrés centigrades dans certaines zones continentales), les survivants seraient condamnés à errer comme des zombies dans un monde de ténèbres glacées où toute forme de végétation et de vie animale aurait à jamais disparu.

Surtout ajoutent-ils, le niveau de radiation serait tel que les rescapés n'auraient virtuellement aucune espoir de survivre très longtemps.

Carl Sagan, qui a déposé au début du mois de juillet devant les deux Commissions économiques du Congrès, a souligné que plusieurs experts soviétiques (dont Andréi Sakharov) sont parvenus à la même conclusion qu'une guerre nucléaire « causerait, à peu près sûrement, la destruction de l'homme en tant qu'espèce biologique ». **(Texte publié le 12 août 1984)**

Déblocage avec les Mohawks d'Oka

La table est mise pour les négociations sur la levée des barricades et le dépôt des armes à Oka et Kahnawake puisque Québec, Ottawa et la nation mohawk ont signé (**12 août 1990**), dans la pinède occupée de Kanesatake où la crise avait débuté le 11 juillet, une entente sur les conditions préalables.

Ces négociations devraient débuter le lendemain de l'arrivée des 24 observateurs qui seront désignés par la Fédération internationale des droits de l'homme. Le groupe devrait être réuni au Québec en au plus deux jours, a estimé le ministre québécois délégué aux Affaires autochtones, John Ciaccia. Les parties devront entre-temps s'entendre sur le site des pourparlers.

Présentée comme un geste historique et un premier pas vers la résolution de la crise d'Oka par le ministre Ciaccia et son homologue fédéral Tom Siddon, l'entente a été officialisée au cours d'une cérémonie de plus de trois heures. La table d'honneur avait été installée en plein air sur un site auquel les journalistes n'avaient pas eu accès depuis le début de la crise. Plus d'une centaine de Mohawks de Kanesatake, détendus et souriants, étaient là.

Les six Bugatti Royale réunies

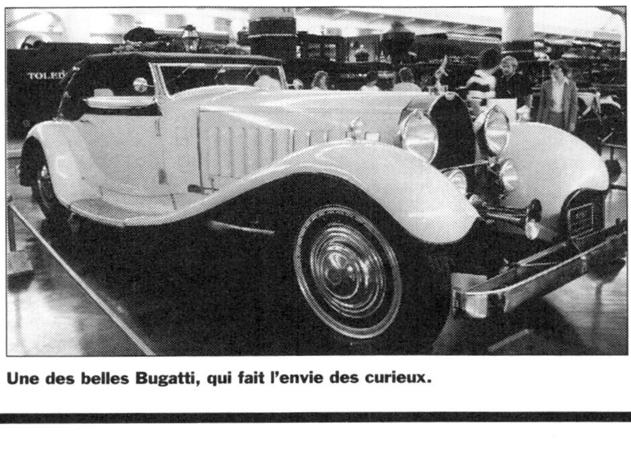

Une des belles Bugatti, qui fait l'envie des curieux.

Pour la première fois dans l'histoire de l'automobile, les six Bugatti Royale sorties entre 1926 et 1930 des ateliers du célèbre constructeur français seront rassemblées, à l'occasion d'un concours d'élégance (**Texte publié le 12 août 1985**) à Pebble Beach, en Californie, a annoncé la direction du Musée national de l'automobile de Mulhouse (Est de la France), propriétaire de deux des inestimables voitures.

Le musée de Mulhouse présentera à Pebble Beach son « Coupé Napoléon », un coupé chauffeur 1930 voiture personnelle d'Ettore Bugatti, considéré comme l'automobile la plus prestigieuse de tous les temps, et sa limousine 1933, carrossée en Grande-Bretagne par Park Ward, actuel carrossier de Rolls-Royce.

La « Joconde » de l'automobile, selon le directeur du musée de Mulhouse, le « Coupé Napoléon » n'a pas de prix. Il mesure six mètres de long, pour un poids de 2,6 tonnes. Son moteur de 12,7 litres de cylindrée lui permet d'atteindre 180 km/h.

Églises à vendre

Parmi les 260 églises catholiques du diocèse de Montréal, une cinquantaine éprouvent de sérieux ennuis financiers (**12 août 1995**) et n'arrivent plus à payer les taxes diocésaines qui représentent 9 p. cent de leurs revenus. Selon l'abbé Claude Turmel, directeur du comité de construction et d'art sacré au diocèse de Montréal, une dizaine d'églises sans véritable valeur patrimoniale pourraient fermer.

L'OCCIDENT PRÉPARE UNE RIPOSTE AU VERROUILLAGE DE BERLIN-EST

BERLIN
Les pays de l'Ouest s'apprêtent à prendre des mesures de représailles contre le verrouillage **(le 13 août 1961)** de Berlin-Est par les autorités communistes de l'Allemagne de l'Est. C'est ce qui ressort des diverses réunions et entrevues qui ont eu lieu aujourd'hui sur cette question du côté occidental.

1) Les représentants des pays membres de l'OTAN se sont réunis à Paris pour examiner les conséquences de «l'action unilatérale et illégale» des autorités de Pankow.

2) Le président Kennedy est rentré à Washington pour s'entretenir avec son ambassadeur à Moscou, M. Llewellyn Thompson. Il a par la suite convoqué son secrétaire, M. Dean Rusk, vraisemblablement pour discuter des contre-mesures à prendre à Berlin. L'une de ces mesures, prétend-on, serait l'interdiction pour les Allemands de l'Ouest de se rendre en Allemagne de l'Est, ce qui serait un dur coup porté à l'économie de l'Allemagne communiste.

Entretien des commandants alliés

3) Les trois généraux commandants alliés à Berlin ont eu un entretien avec le maire de Berlin-Ouest, M. Willy Brandt, au cours duquel ils se sont livrés à un examen approfondi de la situation. On croit savoir que le gouvernement de Berlin-Ouest s'est trouvé d'accord avec les autorités alliées pour conseiller à la police de Berlin-Ouest de faire preuve de vigilance afin de prévenir tout incident aux abords de la frontière close.

4) Le chancelier de l'Allemagne de l'Ouest, M. Conrad Adenauer, a convoqué pour demain un conseil des ministres extraordinaire qui sera consacré aux événements de Berlin. M. Adenauer a déclaré qu'il est évident que la situation est sérieuse, «mais ne justifie pas une panique».

5) Le ministre des Affaires étrangères de l'Allemagne de l'Ouest a rencontré les ambassadeurs occidentaux qui se sont montrés «très graves et préoccupés». Il a fait ressortir que les contre-mesures occidentales feraient l'objet d'un examen approfondi de la part des alliés. (...)

Le mur de Berlin a été érigé pour mettre un terme à l'hémorragie de citoyens de pays de l'Est, et surtout d'Allemagne de l'Est, qui utilisaient Berlin-Ouest comme tremplin pour fuir à l'Ouest, d'autant plus que la frontière entre les deux Allemagne était fermée depuis mai 1952. De 1957 à août 1961, près de 1 150 000 Allemands de l'Est avaient choisi de tout abandonner dans leur pays d'origine pour aller vivre en liberté à l'Ouest. Dans la nuit du 12 au 13 août, un fil barbelé était installé entre Berlin-Ouest et Berlin-Est, et le mur de béton fixe suivait cinq jours plus tard. Aujourd'hui, le mur de la honte est devenu quasi infranchissable tellement les moyens électroniques sophistiqués sont efficaces.

Saisie... saisissante

La Sûreté du Québec a mis fin aux activités d'un important réseau d'importation de haschisch en saisissant la cargaison d'un navire amarré au port de Sorel, dont les cales dissimuleraient 30 tonnes de stupéfiants évaluées à environ 600 millions de dollars.
(**Texte publié le 13 août 1993.**)

Un mur d'acier formé de tanks collés les uns sur les autres, en attendant qu'on érige le « vrai » mur.

Jour de gloire pour l'athlétisme canadien

Le Canada remporte la finale du 4X100 mètres aux Championnats du monde

Sept ans après le scandale Ben Johnson, disqualifié pour dopage aux Jeux olympiques de Séoul, l'équipe canadienne de sprint, le Montréalais Bruny Surin en tête, a fait vivre au pays son deuxième grand moment de gloire de la semaine dernière aux Championnats du monde d'athlétisme, à Göteborg, en Suède.

Après les médailles d'or et d'argent de l'Ontarien Donovan Bailey et de Bruny Surin sur 100 mètres, il y a sept jours, Bailey, Surin, Robert Esmie et Glenroy Gilbert ont confirmé la suprématie du Canada au sprint en remportant la finale du relais 4x100 mètres en 38,50 secondes, devant les Australiens et les Italiens.

L'équipe canadienne a terminé loin du record du monde de 37,40 secondes établi par les Américains aux Jeux de Barcelone en 1992, puis aux Championnats du monde en 1993, et de sa propre marque de 37,83 secondes.

Avec deux médailles d'or et une d'argent sur 100 mètres, et le bronze du décathlonien Michael Smith, le Canada termine au septième rang du classement des médailles, à égalité avec le Portugal. Il s'agit de la meilleure performance de l'histoire de l'athlétisme canadien.
(**Texte publié le 13 août 1995.**)

Cuba courtise les touristes autrefois honnis

Le gouvernement Castro veut faire du tourisme une des principales industries du pays.

« Nous voulons que Cuba projette l'image d'un paradis terrestre », soulignait le président Fidel Castro, récemment, lors d'un congrès touristique à La Havane.

Selon lui, le tourisme pourrait, cette année, générer plus de revenus que la canne à sucre, épine dorsale de l'économie cubaine depuis plus d'un siècle, et assurer des profits de quelque 286 millions $ US.

Les responsables du tourisme cubain affirment que 540 000 étrangers ont visité leur pays en 1993 et ils espèrent qu'un million le feront l'an prochain, malgré l'embargo qui interdit aux Américains le plus vaste et le plus rapproché des marchés de s'y rendre.

Le peso cubain a si peu de valeur en regard des devises occidentales qu'un garçon de table peut toucher plus, en percevant un seul pourboire, qu'un médecin ou un ingénieur en un mois.

Malgré ces contradictions, le gouvernement castriste semble bien décidé à aller de l'avant avec ses nombreux projets d'amélioration des infrastructures touristiques.
(**Texte publié le 13 août 1994.**)

C'est à l'initiative de LA PRESSE qu'est apparu à Montréal le premier distributeur automatique de journaux, installé, pour une raison qu'on ne précise pas par ailleurs, devant l'hôtel de ville d'Outremont. L'emploi était des plus simples: on glissait trois pièces d'un sou (grosses ou petites) dans la fente prévue à cet effet, on abaissait le levier et on saisissait l'exemplaire du journal au bas de l'appareil. L'inscription « VIDE » indiquait que tous les exemplaires avaient été vendus. Cette photo a été publiée le 13 août 1921.

Page initialement publiée le 13 août 1904.

Expropriations pour la Place Ville-Marie
Frais assumés par tous les contribuables
Ainsi en a décidé le conseil municipal après un long débat

LA ville de Montréal, grâce à un règlement d'emprunt de $7,500,000, voté hier **(13 août 1958)** par le conseil municipal, pourra exproprier, entièrement aux frais des contribuables, les immeubles requis pour l'élargissement des rues University, Cathcart et McGill College, près de la Place Ville-Marie.

Cette décision a été prise au terme d'un débat qui avait duré trois séances et qui s'est dénoué au milieu de bruyantes protestations quand le conseiller Lafaille a posé la question préalable, procédure destinée à mettre fin abruptement à la discussion, et qui fut adoptée par 45 voix contre 36. (...)

Le conseiller Lucien Croteau, dont c'était le premier grand discours depuis sa rentrée à l'assemblée municipale, a été le principal orateur du côté des protagonistes du projet.

Le président du Ralliement a déclaré que le principe de faire payer par la ville la totalité des frais, pour l'élargissement des rues, «devrait désormais s'appliquer à toutes les expropriations futures qui auront une portée de ce genre», faisant allusion aux trois rues situées près de la Place Ville-Marie. «Ce devrait être un précédent à invoquer dans toutes les améliorations majeures de l'avenir».

L'opposition au projet a été dirigée par M. Pierre DesMarais, qui y est allé d'un second discours, affirmant que les riches intéressés du projet Ville-Marie, qui bénéficieront des améliorations, devraient en payer une partie, dans les cas d'élargissement d'autres grandes artères, notamment Dorchester.

M. DesMarais a dit favoriser le projet lui-même, mais ne pas endosser ce mode d'expropriation destiné «à faire payer les petits pour les gros».

1980 — Le président Jimmy Carter obtient l'investiture du Parti démocrate pour les prochaines élections présidentielles.

1979 — Grève générale chez Bell Canada.

1974 — Début de la « Superfrancofête » à Québec; 26 pays francophones y participent.

1971 — Suspension par la Couronne des accusations portées contre 32 personnes en vertu de la *Loi sur les mesures de guerre*. — Fin des 6es Jeux panaméricains à Cali, en Colombie; les athlètes canadiens terminent au 3e rang, derrière les États-Unis et Cuba, avec 19 médailles d'or, 20 d'argent et 42 de bronze.

1970 — Le gouvernement du Manitoba étatise l'assurance-automobile.

1969 — Nouvel incident sino-soviétique à la frontière du Sin-k'iang.

1966 — Fin des 8es Jeux de l'Empire britannique à Kingston (Jamaïque); parmi les 1 037 athlètes venus de 35 pays, les 108 compétiteurs canadiens gagnent 14 médailles d'or, 20 d'argent et 23 de bronze, en plus d'établir deux records du monde.

1965 — La ville de Los Angeles est mise à feu et à sac par les Noirs, au cours d'une troisième nuit de terreur.

1963 — Ferhat Abbas, président du parlement algérien, démissionne en signe de protestation contre la politique autoritaire de Ben Bella.

1958 — Parlant devant l'Assemblée générale des Nations Unies, le président Eisenhower expose un programme en six points pour assurer la paix et le future prospérité dans le Moyen-Orient.

1955 — Inauguration officielle du Canso Causeway reliant l'île du Cap Breton au continent, en Nouvelle-Écosse. — Comme signe de sa volonté de favoriser la détente, l'URSS décide une réduction de ses effectifs militaires de 640 000 hommes.

1953 — Fin des tremblements de terre qui ravageaient les îles Ioniennes, en Grèce, depuis le 9 août.

1946 — Tout en affirmant avoir été trompé, l'hon. M. Bertrand, ministre des Postes, est obligé d'admettre qu'il avait signé la requête en naturalisation d'un espion à la solde de Moscou, William Brandis. — Haïfa est le théâtre de sanglantes bagarres lorsque des immigrants juifs tentant d'entrer illégalement sont forcés de rembarquer pour Chypre. — Mort de H. G. Wells, célèbre pour ses romans d'anticipation.

1938 — Beau succès des premières régates disputées à Valleyfield.

1912 — Décès de l'illustre compositeur Massenet, à l'âge de 70 ans.

1910 — Décès à Londres de Florence Nightingale. Âgée de 90 ans, elle s'était signalée par son humanisme au cours de la guerre de Crimée.

L'hon. M. Bennett publie trente nominations en annonçant les élections pour le 14 octobre

(Du correspondant de la PRESSE)

OTTAWA — Le 17e Parlement du Canada est officiellement dissous et les brefs pour les élections générales ont été émis. Dans certains comtés, la mise en nomination aura lieu le 30 septembre; dans tous les autres comtés, la présentation des candidats se fera le 7 octobre, et la votation, dans tout le Canada, aura lieu le lundi 14 octobre prochain. Une déclaration à cet effet a été faite, hier soir **(14 août 1935)**, par le très hon. R.B. Bennett.

Le premier ministre a dit aux journalistes que l'intention du gouvernement avait été de faire les élections le 30 septembre mais on a constaté qu'il ne restait pas suffisamment de temps pour le travail à faire en rapport avec cet événement. Il fut alors suggéré d'en appeler au peuple le lundi 7 octobre mais ensuite on a constaté que ce jour était une fête juive, le jour du Pardon et un grand nombre d'électeurs juifs auraient été défranchisés. (...)

7 nouveaux sénateurs

Plusieurs nominations importantes ont été sanctionnées, hier, par le gouverneur général et ont été ensuite annoncées par le premier ministre.

Toutes les vacances sont maintenant remplies. Le Dr Eug. Paquet, de Bonaventure, Qué., est appelé au Sénat. Deux autres vacances ont aussi été remplies dans la province de Québec, mais elles ne seront annoncées que dans le courant de la journée. (...)

Les nominations de dernière heure de M. Bennett visaient à combler les vacances de quatre postes de ministre, cinq postes de sénateur, huit postes de juge, 11 postes à la Commission des grains, et deux postes de sous-ministre.

Mais la chose n'a visiblement pas plu à l'électorat canadien puisque non seulement M. Bennett a-t-il perdu le pouvoir, mais encore l'a-t-il perdu de façon spectaculaire; en effet, le nombre de députés conservateurs tomba de 137 en 1930 à 39 en 1935, tandis que celui des libéraux grimpait de 88 à 171. Et on dit souvent que l'histoire n'est qu'un éternel recommencement...

LOUISEVILLE ENTERRE SES MORTS

L'Eglise et l'Etat apportent aux familles des 22 victimes de la plus épouvantable catastrophe de l'auto en Amérique, des prières ferventes et des sympathies émues

(Des envoyés spéciaux de la «Presse»)

LOUISEVILLE — Le baisser de rideau de la campagne électorale dans cette région a été sinistre. En une fraction de seconde 22 hommes — des jeunes gens et même des adolescents — ont été précipités dans l'éternité.

A 11 h. 25 (heure solaire) vendredi **(14 août 1936)**, dans la nuit, un convoi de fret, le No 85 du Pacifique Canadien (convoi communément appelé le «train de papier» car il transporte des usines du bas de Québec le papier à journal destiné aux imprimeries américaines) a frappé à la traverse de Louiseville, au mille 61, un camion portant plus de 30 personnes qui revenaient d'une assemblée contradictoire (qui fut tumultueuse) à S.-Justin. Voilà le fait brutal dans tout son laconisme.

Pour ceux qui en furent témoins — ils sont nombreux — cet accident, peut-être le plus formidable du genre dans toute l'Amérique du Nord, restera un inoubliable cauchemar.

Jamais l'imprudence d'un chauffeur n'aura accumulé en si peu de temps pareilles horreurs, créé autant de deuils et jeté toute une population dans une consternation indicible.

La traverse à niveau en question se trouve à un demi-mille de la ville. On y arrivait et le chauffeur, Edmond Houle, 45 ans, amateur de vitesse, nous a-t-on dit, aperçut comme bien d'autres le reflet du phare de la locomotive. Habitant Louiseville depuis des années, il n'était pas sans savoir que le fret rapide de Québec n'allait pas tarder.

Il ne pouvait se méprendre sur la nature du reflet lumineux qu'il voyait grandir rapidement. Et il le voyait fort bien car il n'existe aucune obstruction. Un chauffeur, fut-il bien enfoncé dans son siège, ne peut pas ne pas voir une locomotive approcher.

Si peu admissible que cela soit, supposons un moment que M. Houle n'ait pas aperçu la lumière de la locomotive, il a certainement entendu l'appel dramatique du sifflet qui, durant trois longues minutes, lança son cri. En outre — ceci est confirmé par quatre des jeunes gens qui ont échappé à la mort — M. Houle fut averti par quelques-uns de ceux qu'il transportait dans son camion: «M. Houle, le train s'en vient, arrêtez! Arrêtez!»

Enfin, à quelques centaines de pieds de la voie ferrée, M. Houle ne fut pas sans voir trois autos qui avaient complètement stoppé. Même — ceci encore a été raconté par des témoins oculaires — les chauffeurs de ces autos avaient averti de la main M. Houle de ne pas passer.

Mais celui-ci filait! A quelle vitesse? 35 ou 45 milles à l'heure. Qui le dira? Seulement on croit comprendre qu'il a subitement saisi le danger. Que faire? Appliquer les freins? L'auto eut donné sur le convoi. Tenter le coup alors, jouer avec le destin... et passer?

C'est ce qu'il fit ou plus exactement ce qu'il essaya de faire. Des témoins ont vu le camion sauter sous la pression subite de l'accélérateur poussé à fond.

Le camion fut touché à 2 pieds des roues gauche arrière. Ce fut un seul cri d'horreur! Comme un bolide, le camion de trois tonnes fut soulevé jusqu'à la hauteur de la locomotive. Accomplissant un tour compet sur lui-même, virevoltant, il alla s'écraser, de l'autre côté de la voie, jusqu'au fond du remblai.

Sous le choc, le carburateur du camion éclata — on le retrouva à 100 pieds du véhicule — l'essence se répandit et mit le feu à la cabine du chauffeur. Sur un rayon de 1000 pieds éclairé par le camion en flammes ce n'était que des formes affreusement mutilées. Du champ s'élevait une plainte à fendre l'âme. Le train stoppé le plus prestement possible par son mécanicien formait la toile de fond de cette scène horrible. (...)

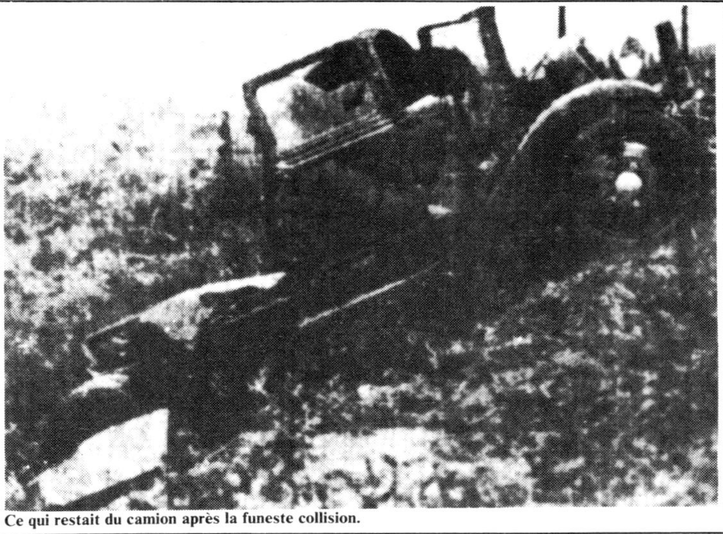

Ce qui restait du camion après la funeste collision.

L'univers sort d'un long et affreux cauchemar

MacARTHUR COMMANDE

Les plénipotentiaires du Japon sommés de se présenter

WASHINGTON — Le monde est entré aujourd'hui **(14 août 1945)** dans une brillante ère de paix comme le général Douglas MacArthur ordonnait sommairement aux Japonais d'envoyer des émissaires à Manille pour recevoir les conditions alliées de paix.

Il agit à titre de commandant suprême allié.

Il semble que MacArthur annoncera que le Japon signera la reddition sur son propre sol ou dans ses eaux territoriales, peut-être dans la baie de Tokyo.

Radio-Tokyo a annoncé la démission du cabinet de guerre du premier ministre Kantaro Suzuki un peu avant que l'ordre de MacArthur fût envoyé. Le ministre de la guerre s'est suicidé.

Les forces américaines ont reçu l'ordre de suspendre leur action offensive. Tokyo a radiodiffusé aux troupes japonaises à minuit, heure avancée de l'est, soit 1 heure p.m., mercredi, heure du Japon, la nouvelle de la décision de capitulation.

Le message de MacArthur prescrivait aussi aux Japonais de cesser immédiatement les hostilités.

Les ordres de MacArthur

Manille, 15 (B.U.P.) — Le général Douglas MacArthur, assumant ses fonctions de commandant suprême allié, a ordonné au Japon de cesser immédiatement les hostilités et d'envoyer à Manille un représentant compétent pour recevoir les conditions de reddition.

MacArthur est déjà entré en communications radiophoniques avec l'empereur Hirohito et le gouvernement japonais, dit un porte-parole.

Les forces alliées dans le Pacifique et en Extrême-Orient n'auront instructions de cesser les hostilités que lorsque l'ennemi aura exécuté des ordres semblables, a dit MacArthur dans une émission adressée à Tokyo.

Les forces alliées ont été avisées de surseoir à leur offensive mais elles n'ont pas reçu l'ordre direct de cesser le feu.

MacArthur a décrété que, si le temps le permet, le représentant du Japon et des conseillers pour l'armée, la marine et l'aviation japonaises, s'envoleront du sud de Kyu Shu vers un aérodrome allié sur l'île Ie, à l'ouest d'Okinawa, vendredi, de 8 h. à 11 h. a.m., heure de Tokyo (soit de 7 à 10 h. p.m., jeudi, heure avancée de l'est).

D'Ie, la délégation japonaise sera conduite à Manille dans un avion américain. MacArthur dit que ce groupe retournera au Japon de la même manière. (...)

MacArthur a donné instruction aux Japonais, quand ils communiqueront avec lui au sujet de l'envolée, d'utiliser le mot «Bataan» comme justificatif; ce mot rappelle la pire défaite de MacArthur.

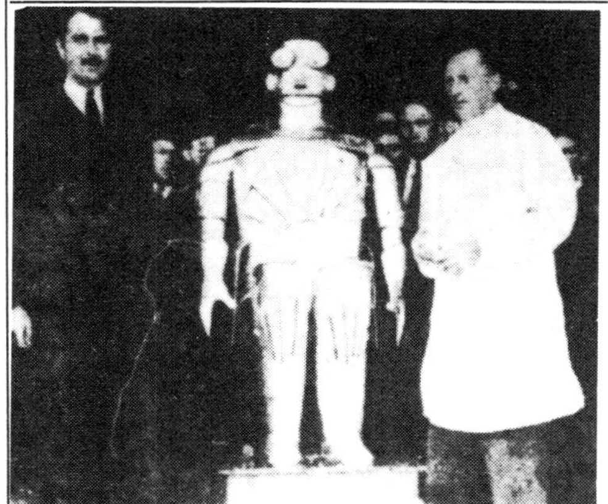

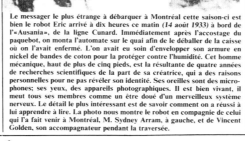

Le messager le plus étrange à débarquer à Montréal cette saison-ci est bien le robot Eric arrivé à dix heures ce matin (*14 août 1933*) à bord de l'«Ausania», de la ligne Cunard. Immédiatement après l'accostage du paquebot, on monta l'automate sur le quai afin de le déballer de la caisse où on l'avait enfermé. L'on avait eu soin d'envelopper son armure en nickel de bandes de coton pour la protéger contre l'humidité. Cet homme mécanique, haut de plus de cinq pieds, est la résultante de quatre années de recherches scientifiques de la part de sa créatrice, qui a des raisons personnelles pour ne pas révéler son identité. Ses oreilles sont des microphones; ses yeux, des appareils photographiques. Il est bien vivant, il meut tous ses membres comme un être doué d'un merveilleux système nerveux. Le détail le plus intéressant est de savoir comment on a réussi à lui apprendre à lire. La photo nous montre le robot en compagnie de celui qui l'a fait venir à Montréal, M. Sydney Arram, à gauche, et de Vincent Golden, son accompagnateur pendant la traversée.

Le tunnel sous le Mont-Blanc réalisé

CHAMONIX — Le percement du tunnel sous le Mont-Blanc a été terminé ce matin **(14 août 1962)**. Cet ouvrage, le plus long tunnel routier du monde (il a presque sept milles et demi), va unir la France et l'Italie sous la plus haute montagne d'Europe occidentale.

Une dernière charge de dynamite a fait sauter à quatre heures ce matin, le dernier pan de roche qui séparait encore Français et Italiens. Ceux-ci ont foré la montagne, chacun de leur côté, depuis plus de trois ans.

A partir de 1964, pense-t-on, trois à quatre cent mille voitures pourront annuellement traverser le tunnel qui raccourcira considérablement *(201 km de moins, pour être plus précis)* le trajet Paris-Rome.

SNC avale Lavalin

Après 17 jours intenses de négociations, les deux plus importantes sociétés d'ingénierie au Canada, Lavalin et SNC, se regroupent et forment une nouvelle firme de taille mondiale (**le 14 août 1991**). C'est la transaction de l'année dans le monde de la finance.

« Il s'agit là d'un grand moment dans l'histoire de l'ingénierie au Québec et au Canada », déclare M. Guy Saint-Pierre, président du Groupe SNC, qui présidait la conférence alors que les frères Lamarre brillaient par leur absence.

La transaction de l'ordre de 90 millions est financée par le Groupe SNC (20 millions) et des emprunts à long terme, portant intérêt à 10 3/4 pour cent. La Société de développement industriel du Québec apporte 25 millions en crédits et la Société pour l'expansion des exportations (SEE) du Canada 5 millions.

Bernard Lamarre, le grand manitou du Groupe Lavalin, a accepté de jouer un rôle de consultant, à mi-temps, dans la nouvelle firme.

En récupérant les 2000 employés de Lavalin, SNC porte son nombre d'employés rattachés au secteur de l'ingénierie à 4000. Elle double donc sa taille mais aussi son chiffre d'affaires.

C'EST ARRIVÉ UN 14 AOÛT

1980 — En Pologne, quelque 17 000 travailleurs se mettent en grève au chantier naval Lénine de Gdansk. C'est le début du mouvement *Solidarnosk*.

1975 — Le sheikh Mujibur Rahman, président fondateur du Bangladesh en 1972, est assassiné au cours d'un coup d'État.

1974 — Robert Stanfield, leader des conservateurs fédéraux, annonce son intention de quitter la direction de son parti et la politique. — Ouverture des championnats du monde de cyclisme professionnel et amateur, à l'Université de Montréal.

1973 — Les forces de police françaises entrent dans l'usine de l'horlogerie Lip et expulsent les ouvriers.

1972 — La Soquem, ou Société québécoise d'exploration minière, découvre un important gisement de sel aux Îles-de-la-Madeleine. — Un Ilyouchine (*Il-62*) du transporteur est-allemand Interflug s'écrase près de l'aéroport Schönefeld, au sud de Berlin-Est, entraînant ses 156 passagers dans la mort.

1967 — Des nouvelles parvenues à l'Ouest permettent de croire que la violence sévit dans plusieurs provinces de Chine.

1959 — L'avionnerie Canadair reçoit un contrat de $91 millions pour le programme des chasseurs canadiens *Starfighter CF-111*.

1957 — Ouverture à Ottawa du 14e congrès de l'Union postale universelle. L'Union n'avait siégé qu'une fois jusqu'à maintenant en Amérique du Nord; et c'était à Washington en 1897.

1950 — Un incendie ravage le navire-croisière *Québec* à Tadoussac. On déplore sept pertes de vie.

1948 — Clôture des Jeux olympiques de Londres. Les États-Unis méritent le premier rang, devant la Suède et la Hongrie.

1941 — Déclaration conjointe du président Roosevelt et du premier ministre Churchill exposant huit des buts principaux de la guerre (Charte de l'Atlantique).

1917 — Le pape Benoît XV envoie des propositions de paix à toutes les nations belligérantes.

1900 — Les alliés entrent dans Pékin sans coups férir; il appert que les chefs boxers ont fui à Shen-si.

LES ÉTATS-UNIS DÉCROCHENT LA PALME À LOS ANGELES

Une foule de 95,000 personnes assiste à la clôture des Jeux Olympiques et voit s'éteindre la torche qui brûlait depuis 16 jours sur le péristyle du Coliseum.

LOS ANGELES — Plus de 95,000 personnes ont assisté hier **(14 août 1932)** à la clôture des Jeux olympiques et ont vu s'éteindre la torche qui brûlait depuis 16 jours sur le péristyle du Coliseum de Los Angeles. On peut dire que ce carnaval de sport a été le plus grand événement du genre jamais vu sur ce continent.

Le dernier numéro au programme était le concours de sauts à cheval connu sous le nom de Prix des Nations. Le baron Takeichi Nishi, du Japon, monté sur Uranus a remporté la victoire après que quatre nations eurent été disqualifiées. Le comte Henri de Baillet-Latour, président du comité olympique international proclama ensuite les Jeux terminés. A la fin de ses remarques, le drapeau olympique fut abaissé du grand mât au sommet du péristyle pendant que cinq coups de canon saluaient la fin de la dixième Olympiade.

La torche olympique qui a brûlé comme un phare pendant seize jours et seize nuits s'éteignit alors, et Los Angeles dit adieu aux fameux athlètes venus de tous les coins du monde pour se disputer les honneurs des tournois. (...)

Plus de 75,000 personnes ont vu samedi l'équipe à huit avirons des Etats-Unis remporter le championnat olympique dans la plus excitante course en canot vue au cours des 16 jours de sport. Elle a battu l'Italie par quatre pouces seulement dans une fin sensationnelle. (...)

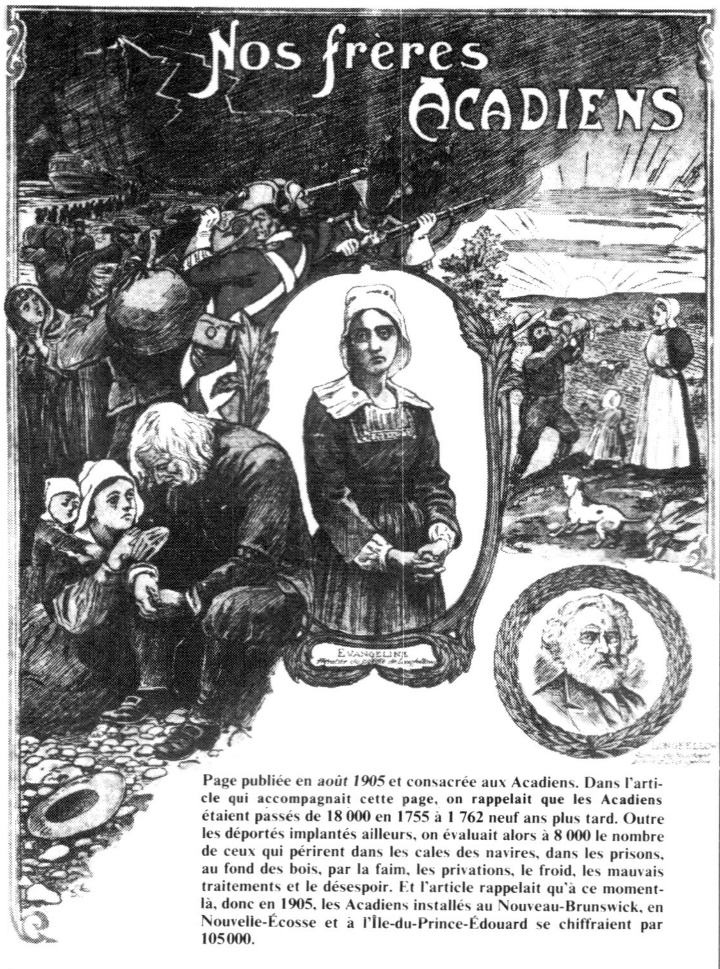

Page publiée en *août 1905* et consacrée aux Acadiens. Dans l'article qui accompagnait cette page, on rappelait que les Acadiens étaient passés de 18 000 en 1755 à 1 762 neuf ans plus tard. Outre les déportés implantés ailleurs, on évaluait alors à 8 000 le nombre de ceux qui périrent dans les cales des navires, dans les prisons, au fond des bois, par la faim, les privations, le froid, les mauvais traitements et le désespoir. Et l'article rappelait qu'à ce moment-là, donc en 1905, les Acadiens installés au Nouveau-Brunswick, en Nouvelle-Écosse et à l'Île-du-Prince-Édouard se chiffraient par 105 000.

Il y a quarante ans, le Japon capitulait

Il y a 40 ans, aujourd'hui (**le 15 août 1985**), l'empereur Hirohito s'adressait directement à son peuple par la radio nationale pour lui annoncer que le Japon était vaincu. C'était la première fois que cela arrivait et ce qu'il annonçait était inouï. Le Japon n'avait jamais été vaincu au cours de son histoire millénaire.

La voix de l'Empereur, enregistrée sur un disque, s'élevait au milieu de villes en ruine, Hiroshima et Nagasaki, atomisées les 6 et 9 août, et Tokyo, rasée par les forteresses volantes américaines. La situation militaire, disait l'empereur à un peuple affamé et en guenilles, a pris une tournure qui n'est pas nécessairement en faveur du Japon, tandis que la marche générale du monde est devenue contraire à ses intérêts.

Dans un langage propre à lui seul, difficile à saisir à la première audition pour des non-initiés, Hirohito annonçait à ses bons et loyaux sujets l'acceptation par le gouvernement de Tokyo de la déclaration adoptée à Potsdam fin juillet par les puissances alliées: le Japon capitulait.

Cet enregistrement, effectué la veille, le Japon et le monde avaient failli ne jamais l'entendre. Le langage de l'armée japonaise, qui avait voulu la Grande guerre du Pacifique, ne comportait en effet pas le mot reddition dans son vocabulaire, selon l'expression d'un officier.

Pour trancher le désaccord insurmontable entre partisans de l'acceptation de la déclaration de Postdam et les partisans de la lutte à outrance sur le territoire national, le gouvernement s'était tourné vers Hirohito. Mouvement sans précédent, le cabinet ne soumettant habituellement une décision au souverain qu'après être parvenu à un consensus en son sein. Le 9 août 1945, à 44 ans, l'empereur Hirohito prenait ainsi la première, la plus importante, mais aussi la dernière décision politique d'un règne qui dure encore aujourd'hui.

Le moment est venu, avait dit l'Empereur cette nuit-là, de supporter l'insupportable. Le 14 août, Hirohito confirmait sa décision en agréant aux conditions posées par les Alliés, pourtant ambiguës quant au maintien du régime impérial après la capitulation. Les rumeurs sur une possible révolte de la part de secteurs de l'armée refusant de rendre les armes se multipliaient. L'Empereur avait alors décidé que nul autre que lui pouvait communiquer au pays le décret impérial signifiant la fin de la guerre et la défaite du Japon.

À deux heures du matin, entraînés par des officiers jusqu'au-boutistes, des éléments de la Garde impériale se soulevaient, isolant du monde le Palais qu'ils étaient chargés de défendre.

À l'aube, toutefois, le coup d'État avait fait long feu.

C'EST ARRIVÉ UN 15 AOÛT

1995 — L'unité monétaire de la France, le franc, a fêté le bicentenaire de son institution comme monnaie unique sur l'ensemble du territoire,

1990 — C'est la fête de l'Acadie. Autrefois, en ce jour, les Acadiens commémoraient leur patronne, Notre-Dame de l'Assomption. Mais avec les années, l'anniversaire religieux a pris une autre allure : le peuple se fête.

1980 — Assassinat de la Playmate de l'année, la Canadienne Dorothy Stratten, par son mari.

1977 — Décès à 51 ans du comédien Gilles Pellerin.

1972 — Harold Ballard, président du Maple Leaf Gardens de Toronto, est déclaré coupable sous 47 accusations de fraude et de vol aux dépens de l'organisation. — Décès du grand acteur français Pierre Brasseur.

1971 — Une série de mesures économiques sont prises par le gouvernement américain, dont la suspension de la convertibilité du dollar en or et le blocage des prix et des salaires pour trois mois.

1969 — Le pétrolier brise-glace américain *SS Manhattan* quitte Chester, en Pennsylvanie, pour tenter de trouver une voie navigable dans l'océan Arctique.

1966 — Le quotidien *New York Herald Tribune* cesse de paraître.

1965 — Les émeutes raciales prennent fin à Los Angeles après cinq jours; on compte 32 morts et les dommages sont évalués à $175 millions.

1954 — Une foule de 200 000 personnes assiste au couronnement de Notre-Dame du Cap.

1953 — Le premier ministre Mossadegh, d'Iran, écrase un complot ourdi par la cour du shah, et ce dernier doit s'exiler en Iraq.

1950 — La princesse Elisabeth et le prince Philip sont les heureux parents d'un deuxième enfant, une fille.

1947 — L'Inde et le Pakistan accèdent à l'indépendance.

1946 — Le gouvernement fédéral décrète une amnistie général pour les déserteurs et met fin à l'inscription obligatoire.

1945 — Henri-Philippe Pétain, chef du gouvernement de Vichy, est condamné à mort pour trahison. Sa sentence est commuée en emprisonnement à vie. — Première assemblée à Montréal du conseil provisoire de l'aviation civile, qui donnera naissance à l'Organisation de l'aviation civile internationale (OACI).

1944 — La 7e armée américaine débarque dans le Sud de la France.

1932 — La station CKAC devient la première à transmettre une émission de radio à partir d'un avion.

L'histoire du radar

Les Anglais se sont servis de cet appareil dès 1940

LONDRES — La censure britannique et américaine permet enfin aujourd'hui **(15 août 1945)** de communiquer au public quelques détails au sujet du merveilleux instrument de détection qui a gagné la guerre aérienne pour les Alliés: le radar. On révèle en même temps que les Britanniques ont fait usage de cet appareil dès 1940, ce qui explique enfin comment nos alliés ont pu vaincre la puissance des centaines d'avions employés par la Lufwaffe au cours du «blitz» sur Londres en 1940 et 1941. On sait que la Grande-Bretagne ne possédait alors qu'une poignée de Spitfires et de Hurricanes, et que ces quelques avions aidés de la D.C.A. ont détruit jusqu'à 7 avions ennemis pour un des leurs.

On attribue aussi au radar le mérite d'avoir permis de retracer les cuirassés Bismark et Scharnhorst.

Au moyen des indications du radar, on a pulvérisé plusieurs villes industrielles de l'Allemagne au cours des raids accomplis la nuit ou à travers un épais brouillard, alors qu'il était impossible de voir les objectifs ou de les localiser par les moyens habituels. Parmi les autres résultats importants atteints, on mentionne: la destruction des batteries côtières de France avant l'invasion de la Normandie, la direction des troupes parachutistes vers l'endroit exact de leur mission, la victoire de l'Atlantique, la victoire contre les bombes volantes V-1 de l'Allemagne. (...)

Fonctionnement du radar

Un appareil de transmission radiophonique à haute fréquence émet des ondes à haute intensité et de cycles très courts. Ces «impulsions» ne sont que de l'ordre de 1 millionième de seconde et sont projetées dans l'espace à la vitesse de la lumière — 186,000 milles à la seconde —; l'émission des ondes est enregistrée visuellement sur un tableau qui fait partie du groupe émetteur au moyen d'un tube cathodique. Les ondes sont dirigées en un mince faisceau et dans toutes les directions voulues au moyen d'une antenne qui peut être orientée suivant la circonférence complète d'un cercle.

Au moment même où les ondes sont brisées par la rencontre d'un objet, l'appareil émetteur fait entendre un son d'alarme, et l'image du tableau lumineux se brise d'un trait vertical.

Dès ce moment, la cible ennemie est captive des rayons radiophoniques de l'appareil émetteur. L'orientation de l'antenne indique sa direction exacte; le calcul de l'endroit où le faisceau lumineux a été brisé sur l'indicateur, en fonction de la vitesse des ondes émises donne la distance où elle se trouve. Certains appareils de radar enregistrent simultanément la distance et la position de l'objectif; d'autres indiquent son altitude exacte. (...)

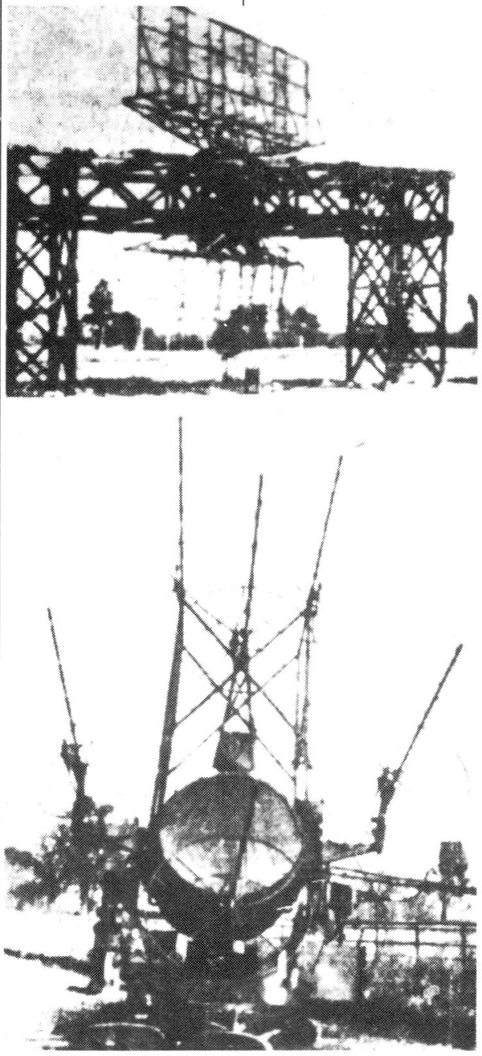

Photos inédites des dispositifs de détection par radar.

UNE BOUTEILLE À LA MER !

La petite Irlandaise Erin Doherty avait dix ans quand un jeune Québécois de 14 ans a lancé une bouteille dans le Saint-Laurent, quelque part entre Baie-Comeau et Sept-Îles, en juin 1988.

Elle était alors bien loin de se douter que, quatre ans plus tard, un message embouteillé par Philippe Longchamps arriverait jusqu'à elle, de son côté de l'Atlantique, avant de la conduire au Québec.

Défiant mille et un obstacles, le destin a voulu que la petite bouteille de Philippe Longchamps emprunte le courant du Gulf Stream et se retrouve dans la baie de Donegal, sur une côte d'Irlande du Nord, à l'endroit même où Erin passait ses vacances.

Elle a ramassé la bouteille polie et rendue difforme par la longue traversée et y a trouvé les deux messages, un en anglais, l'autre en français, Philippe ayant voulu être certain de se faire comprendre sur le continent européen.

L'été dernier, la surprise fut donc de taille pour les parents de Philippe lorsqu'ils ont reçu d'Irlande une réponse à la missive de leur fiston.

Le jeune homme, qui a 19 ans aujourd'hui, était en voyage en France quand il a appris que la bouteille dont il avait même oublié l'existence, avait été repêchée en Irlande du Nord. Quatre ans, c'est long... « Je ne me rappelais même pas avoir lancé cette bouteille », dit Philippe.

Au terme d'une longue virée de 10 mois qui l'a conduit dans plus de trente pays d'Europe, d'Asie et du Moyen-Orient, il n'a pu résister à l'envie de rencontrer en Irlande la mystérieuse personne qui a trouvé sa bouteille.

Il s'est pointé à Derry sans prévenir et sans la moindre idée du visage de sa correspondante. C'était la petite Erin, 14 ans.

(**Texte publié le 15 août 1993.**)

WILEY POST ET WILL ROGERS SE TUENT

L'avion qui transportait le célèbre aviateur et le fameux acteur s'écrase près de Point-Barrow, en Alaska

SEATTLE — Wiley Post, le célèbre aviateur américain, et Will Rogers, le fameux acteur et comédien, ont été tués tous deux lorsque leur avion s'est écrasé hier soir **(15 août 1935)** à 5 heures, à 15 milles au sud de Point-Barrow, en Alaska.

La nouvelle a été transmise par le Service des signaux, qui ajoute que l'avion se rendait, au moment de l'accident, de Fairbanks, en Alaska, à Point-Barrow, l'établissement blanc le plus au nord du territoire américain.

Le sergent Stanley-R. Morgan, opérateur du Service des signaux à Point-Barrow, a fait savoir aux quartiers généraux à Seattle qu'il a recouvré, des débris, les deux cadavres et qu'il les a amenés à Point-Barrow où le Dr Henry-W. Griest, de l'hôpital presbytérien, en a pris charge.

Les deux hommes, on le sait, avaient entrepris par manière de vacances un voyage en avion des Etats-Unis jusqu'en Sibérie, via l'Alaska. Mme Post, qui devait les accompagner, avait changé d'idée à la dernière minute, par crainte des fatigues de l'envolée.

Leur avion, muni de pontons pour l'amerrissage, avait quitté Fairbanks hier et arrivait en vue de Point-Barrow lorsque la tragédie eut lieu. Aucun autre détail n'a pu être obtenu jusqu'ici.

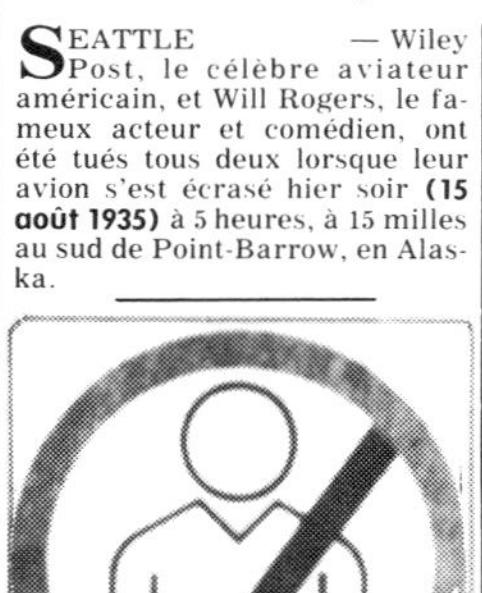

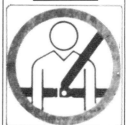

C'est le *15 août 1976* que le port de la ceinture devenait obligatoire au Québec, la deuxième province canadienne à adopter une telle mesure coercitive pour tenter de ralentir la spirale des accidents mortels sur les routes du Québec.

Le *rock n'roll* a perdu son roi

NEW YORK Elvis Presley, la première idole du rock, est mort hier **(16 août 1977)** à l'hôpital de Memphis, dans le Tennessee, à l'âge de 42 ans.

Le docteur Jerry Francisco, qui a procédé à l'examen post mortem, a précisé que la mort avait été causée par un «arythmie» cardiaque. Il s'agit d'un trouble caractérisé par une régularité d'espacement et une inégalité des contractions du muscle cardiaque.

Le praticien a ajouté qu'une autopsie de trois heures n'avait pas permis de déceler d'autre maladie, ajoutant qu'il n'y avait aucun symptôme permettant de supposer que Presley avait pris de la drogue.

On évoque la silhouette, à l'époque jugée sévèrement, de ce garçon de 21 ans qui, dès 1956, semblait faire l'amour avec sa guitare sur la scène. Cheveux noirs gominés et plaqués en arrière, ses rouflaquettes dévorant ses joues, il se tordait, comme pris de frénésie, dans des jeans ultra-collants. Mais le show business tenait enfin un monstre sacré dix ans après l'heure de gloire de Frank Sinatra. La «country music» du Middle West américain était vigoureusement secouée, mais chacun apprit à fredonner «Heartbreak Hotel», «Hound Dog», «Don't Be Cruel» et surtout «It's Now or Never».

«Maman, crois-tu que je suis vulgaire en scène?» demandait Elvis à sa mère, et celle-ci de répondre: «Non, tu ne l'es pas, mais si tu continues comme ça, tu ne dépasseras pas les 30 ans». En fait, Elvis Aaron Presley menait une vie très régulière, ne buvant pas, ne fumant jamais et ne conduisant même pas sa Rolls Royce et ses cinq Cadillac de couleurs différentes, (...) bien qu'il ait commencé sa carrière comme chauffeur de camions.

Après ses premiers succès, Elvis fut immédiatemnt réclamé par le cinéma, et y touchait des cachets fabuleux pour l'époque, un million de dollars, bien que ses films ne servaient qu'à le glorifier aux yeux de ses fans. Il en fit 31 au total.

Sa carrière parut un instant compromise lorsqu'il dut effectuer son service militaire en 1958. Mais le chanteur sut publier de temps en temps des succès qui suffirent à faire attendre son public. Et il revint plus adulé encore, tournant toujours autant de demi-navets dont «G.I. Blues», «Fun in Acapulco», «Double Trouble» ou «Change of Habit».

«My Hapiness»

Elvis était né le 8 janvier 1935 à Tupelo, petit village du Mississippi. Après des études au lycée de Memphis, dans le Tennessee, Elvis Presley devient chauffeur de poids lourds avant d'enregistrer son premier disque, «My Hapiness», qui n'est pas commercialisé.

En 1954, il signe un contrat avec la compagnie de disques «Sun Records» et il enregistre son premier succès, «That's All Right Mama». En 1955, il signe un nouveau contrat avec la firme RCA. Il participe désormais à différentes émissions de radio et de télévision. Ses chansons, parmi lesquelles «Loving You» et «Jail House Rock», sont de plus en plus populaires aux Etats-Unis et sur les autres continents. (...)

Elvis s'était marié en 1967 avec Priscilla Ann Beaulieu dont il eut une fille en 1968. Il vivait dans une semi-retraite depuis 1972, dans son palais de style grec de Bel Air, rempli de machines à sous et de flippers. Il aura marqué l'histoire du disque en vendant le premier disque d'or 33 tours à plus d'un million d'exemplaires, et 400 millions d'exemplaires divers. (...)

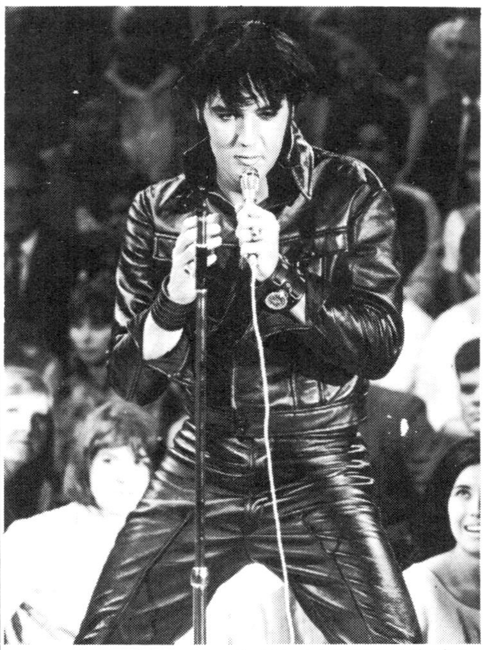

Elvis Presley, le roi du *rock 'n roll*, l'idole de toute une génération.

C'EST ARRIVÉ UN 16 AOÛT

1982 — Le président Wojctech Jaruzelski dénonce la « contre-révolution » avant que la milice intervienne en force à Varsovie.

1979 — John G. Diefenbaker, qui fut premier ministre du Canada de juin 1957 à avril 1963, meurt à Ottawa à l'âge de 84 ans. Membre du parti conservateur, il siégeait à la Chambre des communes depuis 1940, comme député de Prince Albert.

1978 — Pour la première fois en 134 ans d'indépendance, on assiste à un transfert démocratique du pouvoir en République dominicaine.

1977 — Démission du député créditiste Gilbert Rondeau, accusé d'incendie criminel et reconnu coupable de fraude fiscale.

1976 — La Guadeloupe est secouée par pas moins de 300 séismes en 72 heures.

1973 — Claude Castonguay, ministre des Affaires sociales, annonce sa retraite de la vie politique à la fin de son mandat.

1972 — Le roi Hassan II du Maroc échappe à un attentat à son retour de France, un an après la tentative de putsh de Skhirat. Attaqué par des appareils des Forces armées royales, son avion réussit à se poser à Rabat. Quelques heures plus tard, on annonce le suicide du général Oufkir, ministre de la Défense, accusé d'être l'instigateur du complot.

1969 — Ouverture des premiers Jeux d'été canadiens, à Halifax-Darmouth.

1968 — *La Pravda* lance une campagne de presse contre les dirigeants de Prague, tandis que le gouvernement Dubcek tente de freiner l'élan de certains de ses partisans.

1961 — Le Canada accorde le droit d'asile à un savant soviétique, Mikhail Klotchko, qui assistait à un congrès international de chimie au Canada.

1956 — Ouverture de la conférence de Londres sur le canal de Suez; l'Égypte refuse tout contrôle international sur le canal.

1951 — Décès à Paris de Louis Jouvet, artiste dramatique et directeur de théâtre. Il était âgé de 64 ans.

1950 — Inauguration de la nouvelle Cour du Bien-être social à Montréal.

1944 — Camillien Houde est relâché après quatre ans d'internement dans un camp militaire.

1936 — Clôture des Jeux olympiques de Berlin.

1914 — Le corps expéditionnaire britannique débarque en France.

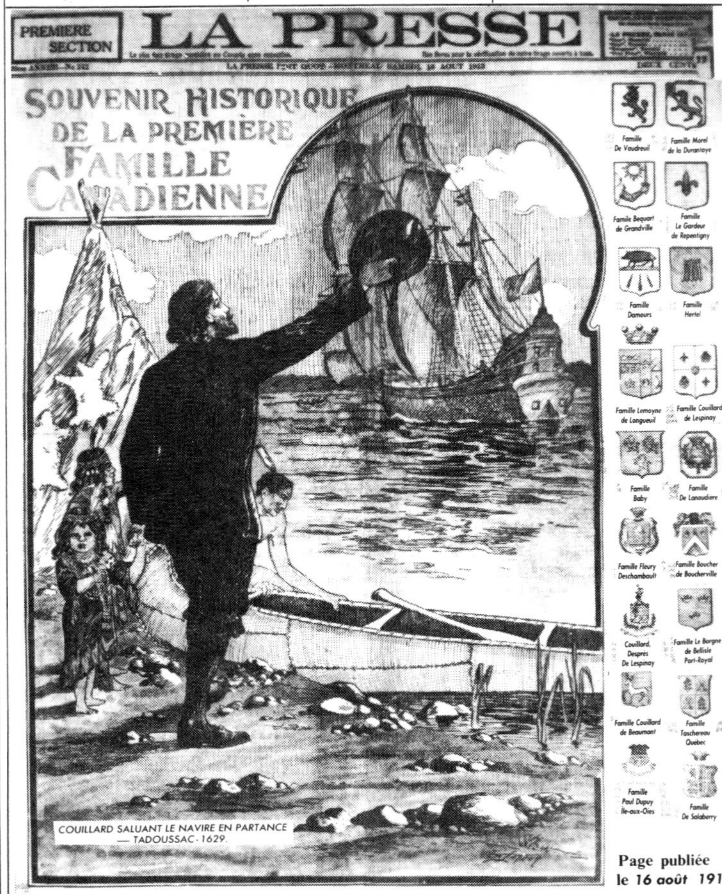

PREMIERE SECTION

LA PRESSE

SOUVENIR HISTORIQUE DE LA PREMIÈRE FAMILLE CANADIENNE

Famille De Vaudreuil
Famille Morel de la Durantaye
Famille Bequart de Grandville
Famille Le Gardeur de Repentigny
Famille Damours
Famille Hertel
Famille Lemoyne de Longueuil
Famille Couillard de Lespinay
Famille Baby
Famille De Lanaudière
Famille Fleury Deschambault
Famille Boucher de Boucherville
Couillard, Després De Lespinay
Famille Le Borgne de Bellisle Port-Royal
Famille Couillard de Beaumont
Famille Taschereau Québec
Famille Paul Dupuy Île-aux-Oies
Famille De Salaberry

COUILLARD SALUANT LE NAVIRE EN PARTANCE — TADOUSSAC - 1629.

Page publiée le *16 août 1913*.

PILE SOLAIRE REALISEE PAR DES SAVANTS

BIEN que le soleil produise plus de mille trillions (1,000,000,000,000,000) de kilowatts-heure d'énergie par jour, ce qui se compare à toutes les réserves de charbon, d'huile, de gaz naturel et d'uranium découvertes sur la terre, l'homme n'a, jusqu'ici, pu convertir directement à son usage qu'une infime partie de son énergie.

Mais de récentes découvertes réalisées par trois savants de la compagnie de téléphone Bell permettent d'anticiper sous peu des développements considérables dans ce domaine. En effet, ces savants ont réussi à construire un appareil capable de transformer en électricité une quantité d'énergie solaire suffisante pour assurer une conversation téléphonique ou encore faire tourner une petite roue.

C'est ce qu'a révélé cet avant-midi **(16 août 1954)**, M. R. Karl Honaman, directeur des relations extérieures aux laboratoires de la compagnie de téléphone Bell, dans une causerie intitulée «Frontières des communications», et donnée à Montréal à un groupe d'employés de cette compagnie.

M. Honaman a donné une démonstration de la fameuse pile solaire Bell inventée par le physicien G.L. Pearson, le chimiste C.S. Fuller et l'ingénieur en électronique D.M. Chapin.

Pour fabriquer cette pile, les savants ont utilisé du silicium, qui forme l'élément principal du sable ordinaire et qu'ils ont traité de façon spéciale au gaz, à haute température. Extrêmement sensibles à la lumière, les bandes de silicium, minces comme des lames de rasoir, peuvent, reliées ensemble, transmettre du soleil 50 watts d'électricité par verge carrée d'exposition.

Cette batterie solaire a une efficacité de 6%, ce qui, disent les savants, se compare avantageusement à l'efficacité de la vapeur ou à la gazoline. Le silicium, l'un des matériaux les plus abondants sur la surface de la terre, possède une plus grande stabilité électronique à des hautes températures que les autres semi-conducteurs employés en électronique. Le silicium est un semi-conducteur chimiquement relié au germanium, ce dernier étant employé dans la fabrication des transiteurs. (...)

L'Oratoire, un budget de 5 millions par année

L'Oratoire Saint-Joseph de Montréal est une « entreprise » qui emploie 80 personnes à plein temps et autant à temps partiel. Cela représente des salaires de 2 millions par année et exige un budget global de 5 millions.

Comment arrive-t-on à financer de tels besoins ? Par un solide réseau d'amis fidèles et généreux. Il n'y a pas de secret des finances de l'Oratoire. Ce sanctuaire a ses « fans » qui répondent inconditionnellement à ses besoins. « L'Oeuvre du Frère André » est toujours appuyée par un large public tandis que quatre fois par an, le Bulletin de l'Oratoire est envoyé à 150 000 abonnés.

(Texte publié le 16 août 1987.)

Vol du coeur et de la couronne de la Vierge

CAP-DE-LA-MADELEINE — Dissimulés à travers les pèlerins et profitant de l'ouverture du sanctuaire au cours de la nuit de samedi **(16 août 1975)**, des cambrioleurs se sont habilement emparés du diadème et du coeur en or de la statue de la Vierge, qu'on évalue à plus de $50,000.

C'est vers 10 heures du matin samedi que le père Bilodeau a découvert la disparition du joyau de 18 carats en or jaune, serti de 10 pierres de 18 carats en or blanc dont l'effigie de platine comprenait 565 diamants. Ce diadème avait été fabriqué par l'orfèvre Gilles Beaugrand, de Montréal, grâce aux dons de bagues et alliances faits par les pèlerins de Notre-Dame-du-Cap.

Le père Bilodeau croit que les malfaiteurs se sont probablement dissimulés dans le sanctuaire avant que le gardien ne ferme les portes.

Exceptionnellement, le sanctuaire était demeuré ouvert tard dans la nuit afin de permettre aux pèlerins de prier pour célébrer l'Assomption de la Vierge.

Seuls à l'intérieur, les cambrioleurs ont pu s'emparer facilement du diadème et du coeur de la Madone et s'enfuir par l'une des portes qui se verrouille de l'intérieur. (...)

MORT DE BABE RUTH, LE CHAMPION FRAPPEUR DE COUPS DE CIRCUIT

Le fameux joueur est une autre victime du cancer

NEW YORK Babe Ruth, l'idole du monde du baseball pendant toute une génération, est mort hier soir **(16 août 1948)** d'un cancer de la gorge, un mal dont il a ignoré l'existence jusqu'à la fin. Le roi des frappeurs de coups de circuit, qui était devenu Monsieur Baseball en 1920 alors que chacune de ses apparitions au bâton amenait les spectateurs à se lever pour mieux voir, mieux saisir ses gestes, est mort doucement dans son sommeil à 8.01 p.m. Il était âgé de 53 ans.

«Babe a eu une belle mort», a déclaré le prêtre catholique Thomas H. Kaufman qui lui a administré les Derniers Sacrements de l'église. «Il a dit ses prières de 6.30 à 7.30 puis il s'est endormi. Il est mort apparemment dans son sommeil.» (...)

Sa famille a demandé à ce que la chapelle soit ouverte au public à partir d'aujourd'hui à 2 heures jusqu'au jour des funérailles afin de permettre à ses admirateurs de lui rendre un dernier hommage. La police a aussitôt pris les arrangements nécessaires pour maintenir l'ordre car des milliers et des milliers d'amateurs sont attendus. Une messe spéciale sera célébrée pour Ruth à la cathédrale St-Patrice jeudi à 11 heures. Tous les détails des funérailles ne sont pas encore connus.

La fin est survenue alors qu'une foule de plusieurs centaines de jeunes admirateurs se tenaient aux portes de l'hôpital pour apprendre des nouvelles de celui qui était encore leur favori malgré qu'il eût cessé de jouer depuis de nombreuses années. Puis vint de l'hôpital la nouvelle que l'homme qui détenait le record d'avoir frappé 60 circuits dans une seule saison «s'en allait rapidement!» (...)

Malade depuis deux ans

Ruth, qui était au moment de sa mort encore le détenteur du remarquable record de 714 coups de circuit en 22 ans dans les ligues majeures, était malade depuis deux ans. Il était entré à l'hôpital Memorial le 24 juin, soit exactement 11 jours après qu'il eût fait une dernière apparition au stade des Yankees où 62,000 personnes s'étaient rendues pour célébrer le «jour Ruth». (...)

Salaires de Ruth

NEW YORK — Voici les salaires que Babe Ruth a obtenus durant sa longue carrière dans le baseball professionnel:

Année	Club	Salaire
1914	Balt.(L.A.)	$ 600
1914(x)	Boston (L.A.)	1,300
1915	Boston (L.A.)	3,500
1916	Boston (L.A.)	3,500
1917	Boston (L.A.)	5,000
1918	Boston (L.A.)	7,000
1919	Boston (L.A.)	10,000
1920	New York (L.A.)	20,000
1921	New York (L.A.)	30,000
1922	New York (L.A.)	52,000
1923	New York (L.A.)	52,000
1924	New York (L.A.)	52,000
1925	New York (L.A.)	52,000
1926	New York (L.A.)	52,000
1927	New York (L.A.)	70,000
1928	New York (L.A.)	70,000
1929	New York (L.A.)	70,000
1930	New York (L.A.)	80,000
1931	New York (L.A.)	80,000
1932	New York (L.A.)	75,000
1933	New York (L.A.)	50,000
1934	New York (L.A.)	35,000
1935	Boston (L.N.)	40,000
1935	Brooklyn (L.N.)	15,000
Total		$925,900

(x) — Acheté par les Red Sox du Baltimore et «optionné» au Providence.

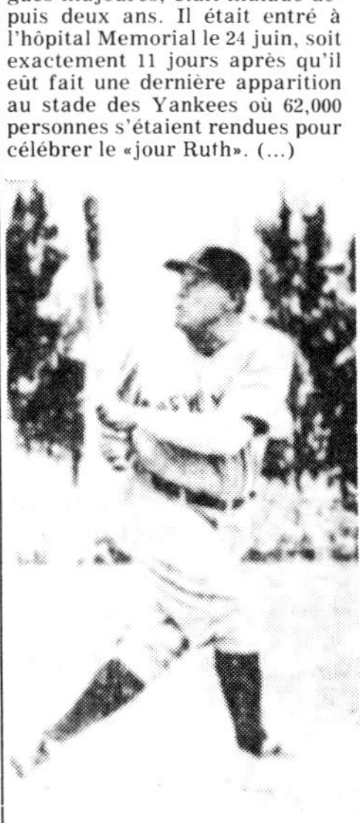

Babe Ruth dans une pose caractéristique de sa puissance au bâton avec les Yankees.

L'UNION NATIONALE VICTORIEUSE

Me Maurice Le Noblet Duplessis, chef de l'Union nationale et nouveau premier ministre du Québec.

APRÈS une lutte ardente comme il ne s'en était pas livré depuis longtemps dans la province, l'Union nationale dirigée par M. Maurice Duplessis a triomphé du Parti libéral conduit par l'hon. Adélard Godbout.

Cette victoire constitue un revirement d'opinion complet.

Le Parti libéral administrait la province depuis 1897. Il avait toujours connu (sauf, en novembre dernier) les plus éclatants succès électoraux. Aujourd'hui, quatorze de ses partisans seulement ont échappé au désastre tandis que l'Union nationale comptera soixante-seize députés dans la nouvelle Chambre.

La défaite du gouvernement se dessina dès les premiers rapports, et à huit heures, elle était déjà admise. (...)

M. Duplessis avait prévu ce résultat. Il avait prédit, à plusieurs reprises, au cours de ses diverses assemblées, notamment à Hull et à Victoriaville, que ses adversaires ne prendraient pas quinze sièges. Il avait visé juste. Les libéraux n'en ont conservé que quatorze.

M. Maurice Duplessis, qui devient le nouveau premier ministre de la province de Québec, a été le premier candidat proclamé élu hier soir **(17 août 1936)**. Dès 6 heures et demie, une demi-heure après la fermeture des bureaux de scrutin, son adversaire, Me Philippe Bigué, concédait l'élection.

Les votes se sont partagés comme suit: Duplessis 5,884, et Bigué, 2,449, donnant à M. Duplessis une majorité de 3,135. M. Bigué perd son dépôt. Aux élec-

tions de novembre 1935, M. Duplessis avait obtenu une majorité de 1,202 voix, et en 1931, seulement 41.

L'hon. M. Godbout et cinq ministres battus

Le premier ministre, l'hon. Adélard Godbout, a été battu dans son propre comté de l'Islet. Cinq autres de ses collègues ont subi le même sort. Son ministre du commerce et de l'industrie (l'hon. Wilfrid Gagnon) a été défait dans la circonscription de Saint-Jacques par le député sortant, l'échevin Henry-L. Auger, qui avait vaincu, à l'élection précédente, l'hon. Irenée Vautrin, ministre de la colonisation.

L'hon. Césaire Gervais, ministre des travaux publics et des mines, a lui aussi encouru la défaite dans le comté de Sherbroo-

ke. Son adversaire heureux a été le colonel John-S. Bourque, député sortant.

Dans Saint-Laurent, le trésorier provincial (l'hon. E.S. McDougall) a dû baisser pavillon devant son adversaire, M. Thomas-J. Coonan.

L'hon. Edgar Rochette, ministre du travail, de la chasse et des pêcheries, a été défait dans Charlevoix-Saguenay par le Dr Arthur Leclerc, candidat de l'Union nationale.

Enfin, le comté de Bonaventure a refusé de faire confiance à l'hon. P.-E. Côté, ministre de la voirie. Celui-ci avait obtenu, aux élections de 1935, une majorité de 1,810 voix. Cette année, il a été mis en minorité par 130 voix. (...)

Une des grandes surprises d'hier a été la défaite de l'hon. J.-N. Francoeur dans Lotbinière, subie aux mains de Me Maurice Pelletier, jeune avocat de Québec. (...) M. Francoeur était le doyen de la Législature, ayant été élu pour la première fois en 1908. Ses électeurs l'avaient toujours réélu depuis avec d'imposantes majorités. (...)

Montréal fidèle à M. Duplessis

Montréal n'a pas modifié le verdict qu'il avait rendu en 1935. Il est resté fidèle à M. Duplessis. Dix de ses collègues électoraux ont donné la victoire à ses candidats. Ce sont Dorion (J.-G. Bélanger), Maisonneuve (William Tremblay), Mercier (Gérard Thibeault), Saint-Georges (Gilbert Layton), Saint-Henri (René Labelle), Saint-Jacques (Henry L. Auger), Saint-Laurent (T.J. Coonan), Sainte-Marie (Candide Rochefort), Verdun (P.-A. Lafleur) et Westmount (W.R. Bulloch).

Les libéraux, eux, ont gardé Saint-Louis (Peter Bercovitch) et Sainte-Anne (F.L. Connors, ministre sans portefeuille) et gagné Laurier. Cette dernière victoire a été chaudement contestée. Tour à tour, les deux candidats eh présence, l'hon. M. Bertrand, procureur général et l'échevin Zénon Lesage ont été proclamés vainqueurs. La victoire avait d'abord été concédée à ce dernier et finalement, M. Bertrand fut déclaré élu par une majorité de 12 voix. (...)

Au procès de Moscou, l'accusé plaide coupable, mais...

L'avocat de Powers insiste sur son «irresponsabilité»

MOSCOU– A la suite de l'interrogatoire (...) auquel le procureur Roman Andreyevich a soumis l'accusé Francis G. Powers, son avocat soviétique, Me Mikhail Griniov a commencé cet après-midi **(17 août 1960)** de questionner à son tour le jeune pilote américain.

L'avocat a demandé au prévenu si on pouvait dire que sa famille était une famille de travailleurs. Il a répondu affirmativement à cette question. Il a dit que son père était cordonnier et sa mère ménagère.

Maître Griniov a déclaré qu'il avait obtenu de la famille une série de photographies montrant la maison où il a vécu et la façon dont il a été éduqué. La Cour a accepté ces photographies à titre de pièces à conviction.

Powers n'a jamais voté

Le pilote a soutenu qu'il n'avait jamais été membre d'aucun parti politique et qu'il n'avait même jamais voté de sa vie.

Francis Powers a déclaré qu'il savait qu'à la suite de sa mission

du 1er mai, la conférence au sommet avait échoué et que la visite du président Eisenhower à Moscou avait été annulée. Il a dit qu'il regrettait sincèrement d'avoir joué un rôle dans cet événement.

L'accusé a en outre affirmé qu'il s'était engagé dans les forces armées parce qu'il n'avait pu se trouver un emploi en sortant du collège. Il a ajouté qu'il avait choisi l'aviation parce qu'il ne voulait pas aller dans l'infanterie. Après avoir terminé son engagement dans l'aviation, il a signé un contrat avec les Services d'espionnage américains parce qu'il croyait pouvoir ainsi assurer son indépendance financière pour le reste de ses jours.

Plus tôt dans la journée, Francis Gary Powers avait plaidé coupable à l'acte d'accusation de 4,000 mots qu'on venait de lui lire.

Du box des accusés, dans la Salle des colonnes brillamment illuminée dans l'immeuble des syndicats ouvriers, le pilote de l'avion de reconnaissance U-2, abattu au-dessus de l'URSS a dit: «Oui, je suis coupable». (...)

C'EST ARRIVÉ UN *17* AOÛT

PREMIÈRE SECTION — PAGES 1 à 4
LA PRESSE
32me ANNÉE—N° 248 — MONTRÉAL SAMEDI 17 AOÛT 1907 — U CENTS
CIRCULATION **635,175**

LES BIJOUX VIVANTS
PAPILLONS ET COLIBRIS

Les oiseaux-mouches et les papillons, par leur délicatesse, la finesse de leur structure et le brillant de leurs couleurs, méritent bien réellement le nom de bijoux vivants. La variété des oiseaux-mouches est assez grande; la plus remarquable est le colibri. (...) Ainsi commençait le texte qui accompagnait cette page bucolique publiée initialement en couleurs le *17 août 1907*. Cette page avait pour objet de mettre en valeur le colibri et en faisait une description très captivante.

Un «héros» canadien: Norman Bethune

OTTAWA — Le Canada a décidé d'accorder «la reconnaissance qui convient» à un héros de la révolution chinoise.

Le Dr Norman Bethune, qui a servi comme médecin dans l'armée de Mao Tsé-toung, va maintenant faire partie des figures nationales historiques du Canada.

C'est ce qu'a annoncé hier **(17 août 1972)** à Pékin le ministre des Affaires étrangères, Mitchell Sharp, et à Ottawa, le ministre des Affaires du Nord canadien, Jean Chrétien.

La forme que prendra cette commémoration n'a pas encore été décidée, mais elle aura lieu à

Gravenhurst, Ont., où est né le docteur qui était à peine connu au Canada avant que les communistes chinois n'en fassent l'éloge.

Gravenhurst est devenu un lieu de pèlerinage pour les Chinois, et le ministre du Commerce Pai Hsiang-kuo s'y est rendu hier.

Pendant la révolution culturelle, Mao a publié un article à la mémoire de Norman Bethune que chaque Chinois doit avoir lu. Ce médecin est devenu le plus connu en Chine et d'imposants mémoriaux ont été élevés en son honneur, dont un musée et un hôpital.

Le département des Affaires du Nord canadien a expliqué que le Dr Bethune s'était fait une réputation sur trois continents. «En Amérique du Nord, il était considéré comme le spécialiste des recherches sur la tuberculose et les techniques d'opération. En Espagne, il a créé le premier service mobile de sang pour les forces royalistes; en Chine, il a construit des hôpitaux, formé des infirmières et des médecins et soigné des blessés.» Le Dr Bethune avait l'intention de rentrer au Canada en 1939 pour prendre la direction du service de transfusion de l'armée canadienne; mais il est mort avant d'un empoisonnement de sang.

Le coeur de Blaiberg a cessé de battre

LE CAP — Le docteur Philippe Blaiberg, doyen des survivants de greffes cardiaques et patient le plus célèbre du Dr Christian Barnard, pionnier de ces opérations, est mort hier soir **(17 août 1969)** à l'hôpital Groote Schuur du Cap, après avoir lutté pendant trois jours contre les effets de sa plus grave rechute après l'opération historique du 2 janvier 1968.

Meurtres d'enfants en Belgique

Trois cadavres ont été découverts au domicile de Marc Dutroux, inculpé d'enlèvement et de séquestration d'enfants, à Sars-La Buissière (sud de la Belgique).

Marc Dutroux avait été arrêté mardi dernier dans le cadre de l'enquête sur l'enlèvement de Laetitia Delhez, 14 ans, le 9 août à Bertrix, dans les Ardennes belges.

Ses aveux avaient permis jeudi de retrouver vivantes Laetitia et une autre jeune fille disparue depuis le 28 mai dernier, Sabine Dardenne, séquestrées dans une cave d'une autre maison appartenant à Marc Dutroux à Marcinelle, dans la banlieue de Charleroi (sud). (Texte publié le 17 août 1996.)

LE PREMIER DERBY AERIEN MARQUE PAR DES TRAGEDIES

SAN FRANCISCO — Quarante contre-torpilleurs, vaisseaux de commerce et vais-

Le «Woolarac»

seaux aériens se sont joints aujourd'hui (17 août 1927) aux randonnées pour retrouver deux aéroplanes — le «Golden Eagle» et le «Miss Doran» — qui avaient entrepris l'envolée Oakland-Honolulu et n'ont pu atteindre l'objectif. A minuit, les aéroplanes manquants avaient quitté Oakland depuis plus de 34 heures et leur gazoline était épuisée depuis longtemps, s'ils avaient évolué tant que leurs réservoirs contenaient de l'essence.

L'un des aéroplanes portait Mlle Mildred Doran, jolie institutrice de 22 ans, du Michigan, et pilote J.A. Adler et le navigateur V.R. Knop. Le «Golden Eagle» était piloté par Jack Frost, de New York, et son navigateur était Gordon Senti, de Santa Monica.

Le sort du «Miss Doran» cause la plus grande anxiété, car on craint qu'il n'ait été forcé de descendre peu après son départ et

ne soit tombé dans la mer avec une tonne de gazoline dans les réservoirs. Il est possible qu'un désastre se soit produit.

Le sort du «Golden Eagle» est moins inquiétant que celui du «Miss Doran». Le «Golden Eagle» était équipé en prévision d'un tel accident. Son navigateur était considéré comme l'un des plus habiles et le pilote Frost avait une machine fonctionnant parfaitement au départ. Si le

«Golden Eagle» était force de descendre en mer, il pouvait, croit-on, après une plongée, se remettre à flot. (...)

Le «Woolarac», avion dirigé par le pilote Arthur C. Goebel, a gagné le premier prix du derby, et l'«Aloha» dirigé par Martin Jensen a gagné le deuxième prix. (...)

......

NDLR — LA PRESSE de l'époque ne mentionne malheureuse-

ment pas dans les jours suivants le sort des deux appareils perdus en mer.

L'«Aloha»

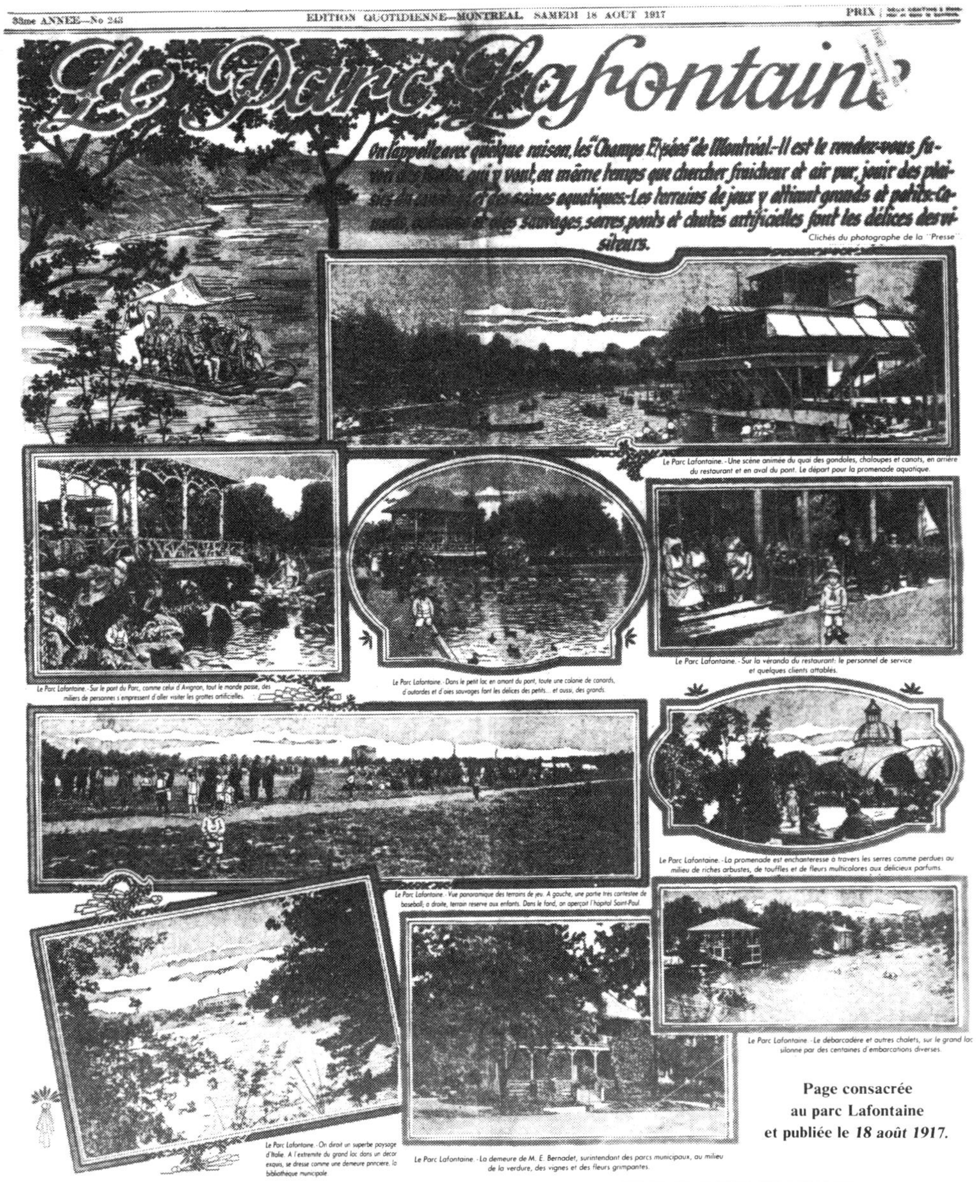

33me ANNEE—No 243 EDITION QUOTIDIENNE—MONTREAL SAMEDI 18 AOUT 1917 PRIX

Le Parc Lafontaine

On l'appelle avec quelque raison, les "Champs Elysées" de Montréal.—Il est le rendez-vous fa-vori des ... qui y vont, en même temps que chercher fraîcheur et air pur, jouir des plai-sirs ... aquatiques:—Les terrains de jeux y attirent grands et petits:—Ca-nards, ... sauvages, serres, ponts et chutes artificielles font les délices des vi-siteurs.

Clichés du photographe de la "Presse".

Le Parc Lafontaine.—Une scène animée du quai des gondoles, chaloupes et canots, en arrière du restaurant et en aval du pont. Le départ pour la promenade aquatique.

Le Parc Lafontaine.—Sur le pont du Parc, comme celui d'Avignon, tout le monde passe, des milliers de personnes s'empressent d'aller visiter les grottes artificielles.

Le Parc Lafontaine.—Dans le petit lac en amont du pont, toute une colonie de canards, d'outardes et d'oies sauvages font les délices des petits... et aussi, des grands.

Le Parc Lafontaine.—Sur la véranda du restaurant: le personnel de service et quelques clients attablés.

Le Parc Lafontaine.—La promenade est enchanteresse à travers les serres comme perdues au milieu de riches arbustes, de touffles et de fleurs multicolores aux délicieux parfums.

Le Parc Lafontaine.—Vue panoramique des terrains de jeu. A gauche, une partie très contestée de baseball; à droite, terrain réservé aux enfants. Dans le fond, on aperçoit l'hôpital Saint-Paul.

Le Parc Lafontaine.—Le debarcadère et autres chalets, sur le grand lac silonné par des centaines d'embarcations diverses.

Le Parc Lafontaine.—On dirait un superbe paysage d'Italie. A l'extremité du grand lac dans un decor exquis, se dresse comme une demeure princière, la bibliothèque municipale.

Le Parc Lafontaine.—La demeure de M. E. Bernadet, surintendant des parcs municipaux, au milieu de la verdure, des vignes et des fleurs grimpantes.

Page consacrée au parc Lafontaine et publiée le *18 août 1917*.

Milliers de personnes à l'arrivée de M. Houde

A la gare, cohue indescriptible; au domicile, une rue noire de monde

PONCTUÉE d'ovations, l'arrivée hier soir **(18 août 1944)** à la gare centrale, de l'ancien maire de Montréal, fut une «apothéose», pour employer le mot même de M. Liguori Lacombe, député de Laval-Deux-Montagnes aux Communes, qui a salué le voyageur à la gare.

Même aux temps relativement anciens de ses succès populaires alors qu'il occupait les fonctions de maire de la métropole, M. Houde n'avait pas été l'objet d'une semblable manifestation. Environ 12,000 personnes s'étaient pressées depuis 6 h. jusqu'à l'arrivée de Portland à 7 h., dans la cour de la gare et en un quadruple rang aux parapets qui encadrent la cour sur trois côtés.

Autour de la voiture qui devait porter M. Houde à son domicile, la foule atteignait à l'étouffoir. Plusieurs femmes (elles composaient la moitié des curieux) faillirent se trouver mal. Les quelques agents du Canadien National n'en pouvaient plus à vouloir contenir la poussée indescriptible. Le reporter, auteur de ces lignes, écrasé contre le pare-boue de l'auto de M. Houde, n'évita l'étouffement qu'en sautant sur le pare-choc et dut s'installer au petit bonheur dans les glaieuls posés sur la capote repliée, et emprunter le dos d'un voisin pour faire office de pupitre.

A plusieurs reprises, le chauffeur tenta de déplacer la voiture de quelques pieds, afin d'être plus près de la sortie de la gare, mais il ne put entamer la résistance du rempart humain.

Soulevé de terre

Tout à coup, une voix crie: «Voilà Camillien! C'est Camillien!» Une ruée secoue la foule, on hurle des bravos. Mais ce n'est qu'une fausse alerte. Elle devait se répéter deux ou trois fois avant que l'ancien maire de Montréal débouchât à ciel ouvert, pour de bon, vingt minutes après l'heure annoncée. Des cris et des mots inintelligibles fusèrent de partout. M. Houde fut littéralement levé de terre et porté vers la voiture plutôt qu'il ne marcha vers elle.

Quand il se retourna vers ses admirateurs, tout rouge d'émotion, de fatigue et du tiraillement de la foule, il fut près de dix minutes sans pouvoir émettre un son devant le micro qu'on lui tendait. (...)

C'est durant cette ovation qui marquait le premier contact de l'ancien maire avec la population montréalaise, que M. et Mme Liguori Lacombe parvinrent à se hisser dans la voiture. Les deux hommes se serrèrent la main et le député de Laval-Deux-Montagnes tapota l'épaule de celui qu'il avait défendu en Chambre.

Enfin, les gosiers fatigués firent silence, et pour la première fois depuis quatre ans M. Houde parla à la foule, et sa voix s'éleva nette et ferme. (...)

Discours à la foule

«Mes chers amis, commença l'ancien maire de Montréal, (...) je vous remercie du fond du coeur de la cordiale réception que vous m'avez réservée ce soir. Je n'attendais pas moins de «ma» population de Montréal et d'une partie de la province, car au cours de mes quatre années d'internement, je n'ai jamais cessé de sentir que votre coeur battait à l'unisson du mien.

«Cette réception ne fait pas que me prouver votre estime; elle constitue en outre un avertissement salutaire aux autorités actuelles pour qu'elles sentent l'opinion publique telle qu'elle est. (...)

«Ce que l'avenir nous réserve, je l'ignore. Mais il est une chose sur laquelle vous pouvez compter, c'est que comme dans le passé, je me tiendrai debout. Chaque fois que le moindre de vos droits ou de vos privilèges sera exposé, je serai au premier rang avec d'autres hommes résolus de la trempe de M. Lacombe. (...)

Après cette réception, M. Houde prit le chemin de son domicile, sis rue Saint-Hubert, et encore là il fut accueilli par une foule en délire et si compacte qu'elle bloqua complètement la circulation sur la rue Saint-Hubert, de la rue Jeanne-Mance à la rue Mont-Royal.

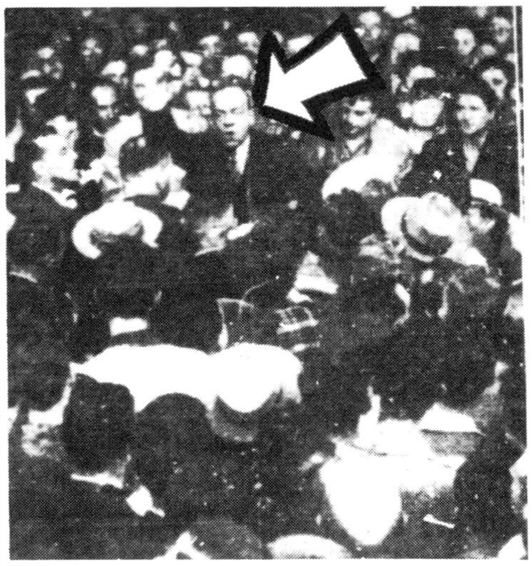

De retour parmi les siens après quatre années d'internement dans un camp de concentration, Camillien Houde est littéralement porté en triomphe, à la Gare centrale.

Mao Tsé-toung présente son successeur, Lin Piao

PEKIN

Tout semble indiquer aujourd'hui **(18 août 1966)** que le ministre chinois de la Défense, le maréchal Lin Piao, devient l'héritier politique du président Mao, à la tête du parti communiste chinois. On croit même comprendre qu'il se trouve désormais sur un pied d'égalité avec le chef vénéré.

En effet, un million de Chinois ont pu voir et acclamer Mao Tsé-toung aujourd'hui sur la place Tien An Men où, du haut de la plus célèbre tribune de Chine, le président est apparu pour la première fois depuis octobre 1965, dans le but, semble-t-il, de céder la parole et de présenter aux masses l'homme considéré comme le dauphin désigné, le ministre de la Défense, Lin Piao.

L'agence **Chine nouvelle** dit que le maréchal, qui est âgé de 59 ans, se tenait immédiatement à gauche de Mao Tsé-toung, qui lui, est maintenant âgé de 72 ans. On a noté qu'à la gauche de Lin Piao se tenait le président de la République, Liou Chao-chi, tandis qu'à la droite de Mao était Chou En-lai, puis le maréchal et vice-premier ministre Ho Lung. (...)

Accusé, Woody Allen se défend

Le comédien-cinéaste Woody Allen nie avoir molesté sexuellement sa fille et son fils adoptifs et a affirmé que c'est la jalousie de Mia Farrow, son actrice fétiche et sa maîtresse durant douze ans, qui est à l'origine de ces allégations.

Woody Allen a ajouté qu'il a eu pour seul tort de « tomber en amour avec la fille de Mia Farrow », Soon-Yi Previn, âgée de 21 ans, ajoutant que les jeunes enfants qu'il a adoptés alors qu'il formait un couple avec Mia Farrow « ne méritent pas le sort qu'on leur fait ».

Lundi, Allen avait admis être en amour avec Soon-Yi, adoptée par Mia Farrow à l'époque où elle était l'épouse du musicien André Previn.

Vêtu comme de coutume de son pantalon kaki élimé, de mocassins et d'une chemise à col ouvert, Woody Allen a prétendu, lors d'une conférence de presse à l'hôtel Plaza, que les avocats représentant Mia Farrow lui avaient demandé la somme de sept millions de dollars, en retour de quoi ils ne l'accuseraient pas d'avoir molesté ses enfants et qu'ils tiendraient ceux-ci « éloignés des autorités ». Un porte-parole de Mia Farrow, John Springer, a affirmé à l'issue de la rencontre de presse que la comédienne n'avait jamais entendu parler d'une telle offre.

« Il va sans dire que je n'ai pas accepté cette offre de médiation, comme on me l'a soumise, et j'ai demandé à mes avocats de collaborer étroitement à l'enquête déclenchée par Mia Farrow », a-t-il ajouté.

Il a décrit les allégations précitées comme étant « une manipulation causant des torts profonds et traumatisants à des enfants innocents, à seule fin de vengeance et de satisfaction personnelle ».

(Texte publié le 18 août 1992.)

C'EST ARRIVÉ UN 18 AOÛT

1983 — En réponse à la campagne de dénigrement du gouvernement à son égard, Lech Walesa le prévient que *Solidarité* n'abandonnera pas.

1977 — Les gouvernements des autres provinces repoussent l'offre québécoise de réciprocité dans le domaine scolaire.

1965 — Au cours d'un raid, les « Marines » américains capturent 2 000 Vietcongs.

1962 — Fidel Castro déclare que les coopératives paysannes seront étatisées.

1960 — Les troupes de l'ONU reçoivent l'ordre de tirer, résultat d'une attaque sauvage dont furent victimes huit soldats canadiens aux mains de soldats congolais.

1947 — La ville de Cadix est ravagée par une explosion dans un arsenal. L'incident fait plus de 1 000 morts et de 6 000 blessés — Londres ayant refusé de les renvoyer en Palestine, les Juifs à bord de trois navires entreprennent une grève de la faim.

1941 — Un incendie fait sept morts dans le port de Brooklyn.

1939 — Le Canada et les États-Unis signent un accord de réciprocité de deux ans en matière de transport aérien.

1927 — John Oliver, premier ministre de Colombie-Britannique, succombe à une longue maladie, à Victoria.

1914 — Ouverture de la session spéciale de guerre du Parlement canadien, la première dans l'histoire du pays.

INAUGURATION DE LA PREMIERE COLONIE DE VACANCES, AUX GREVES

L'oeuvre philanthropique d'un ami de l'enfance

LES colonies de vacances, l'une des plus belles manifestations de l'action sociale catholique, ont enfin trouvé droit d'existence en notre province; grâce à l'initiative de l'excellent éducateur et ami de l'enfance qu'est M. l'abbé Adélard Desrosiers, vice-principal de l'école normale Jacques-Cartier, nous avons pu, hier **(18 août 1912)**, contempler la joie des quelques petits citadins qu'il a transplantés en pleine campagne, leur donnant, pendant une vacance, l'entière jouissance d'un vaste domaine.

Car c'était hier, l'inauguration officielle de la première de ces colonies «Aux Grèves», à dix milles de Contrecoeur, c'est-à-dire à l'endroit même où, ainsi que nous l'a si bien démontré M. Ducharme, curé de Contrecoeur, Champlain, ses compagnons et leurs alliés, les Algonquins, livrèrent aux Iroquois, en juin 1610, un combat meurtrier. (...)

Après la messe, M. l'abbé Ducharme fit un éloquent sermon sur la fête du jour. Un succulent goûter réunit ensuite autour des tables, une cinquantaine d'invités. (...)

Puis ce fut la visite des «Grèves»; désireux de procurer aux enfants des pauvres, les bienfaits d'une vacance à la campagne, sans qu'il en coûte un sou aux parents, M. l'abbé Desrosiers a acheté de ses propres deniers une vaste étendue de terrain, sur les bords du Saint-Laurent à la voie du Quebec, Montreal and Southern; les plus proches voisins de la colonie sont à dix milles. Les enfants jouissent en toute propriété d'une splendide grève, où ils peuvent jouer et se baigner, sans danger aucun.

Un nouveau record d'altitude de Piccard

BOLZANO, Italie — Des aéroplanes ont été envoyés à l'aérodrome de Bolzano, cet après-midi **(18 août 1932)**, à la recherche du ballon du professeur (*Auguste*) Piccard. On n'avait plus reçu de nouvelles de celui-ci depuis qu'il était passé au-dessus des monts Ortelès, vers 1 h. p.m. (...)

Milan, Italie — Il est rapporté cet après-midi que le ballon du professeur Piccard a atterri près de Desenzano, sur le lac de Garde.

Zurich, Suisse — Des calculs faits au moyen de mesures faites avec des théodolites au pic Bernina font voir que le professeur Piccard s'est élevé à 1,000 mètres plus haut que lors de son ascension de 1931 dans la stratosphère (*il avait alors atteint une altitude record de 18 000 mètres*).

Dans un message du professeur Piccard, celui-ci dit que les observations des rayons cosmiques dans la stratosphère ont été hautement satisfaisantes.

C'EST ARRIVÉ UN 19 AOÛT

1998 — Le gouvernement fédéral a versé au gouvernement québécois une somme additionnelle de 100 millions pour dédommager les victimes de la tempête de verglas de janvier dernier, ce qui porte la contribution d'Ottawa à 150 millions.

1995 — Sa capacité à s'adapter aux exigences des consommateurs et son sens de l'innovation ont permis au fabricant de bicyclettes Procycle, de Saint-Georges de Beauce, de se maintenir dans le peloton de tête de cette industrie. Avec un chiffre d'affaires annuel de 50 millions $ et une diversité de ses produits, Procycle peut se vanter de demeurer le chef de file dans l'industrie de la bicyclette au Canada.

1993 — Une adolescente de 17 ans, qui accuse cinq jeunes hommes de l'avoir violée l'an dernier, le 15 avril 1992, a préféré qu'on libère un des accusés plutôt que de témoigner en public. Devant cette situation, la Couronne n'avait plus de preuve à offrir contre le jeune homme. L'accusé a donc été libéré.

1992 — La datcha de l'ancien président soviétique Mikhaïl Gorbatchev à Foros, qui se trouve au sud de la Crimée en territoire ukrainien, va être mise en location en devises, a annoncé le président ukrainien Léonid Kravtchouk. L'Ukraine n'étant pas en état d'assumer les coûts d'entretien qui se montent à plus de 100 millions de roubles (600 000 dollars) par an.

— Les enfants consciencieux ont une espérance de vie plus longue que leurs petits camarades qui ne montrent pas d'ardeur à l'application, révèle une étude apportant une nouvelle preuve du lien existant entre la santé psychologique et la santé physique.

— La Ville de Montréal dépensera 50 millions en 10 ans pour procéder à un lifting radical du boulevard Gouin, lui redonnant sa vocation de voie panoramique au bord de l'eau sur plus de la moitié de sa longueur totale, de Rivière-des-Prairies à Pierrefonds.

1991 — Les forêts québécoises sont toujours stigmatisées par les coupes à blanc, le procédé le plus utilisé. Mais l'image de la destruction systématique d'il y a dix ans s'estompe.

— Les juges canadiens auraient tendance à être plus sévères avec les agresseurs sexuels qu'avec les personnes reconnues coupables d'autres crimes, selon le professeur Julian Roberts, criminologue à l'Université d'Ottawa et auteur d'une enquête pour le compte du ministère de la Justice du Canada. Néanmoins, il ne fait aucun doute qu'à l'heure actuelle, le public sous-estime la sévérité des peines imposées.

1988 — La Ville de Montréal sera l'hôte, en 1992, de la Conférence mondiale des pays nordiques, mieux connue sous l'appellation du Winter Cities Showcase. Ce sommet rassemble les représentants de 300 villes qui sont appelés à discuter des problèmes touchant les grandes cités nordiques.

— Mme David M. Stewart, présidente du Musée, a reçu la médaille d'Officier des Arts et des Lettres de France. Elle devient ainsi la première Québécoise anglophone à mériter un tel honneur, pour son apport au rayonnement des arts et de la culture française.

1987 — La Banque de Montréal absorbera une perte extraordinaire de près de 400 $ millions à la suite des mesures de prudence comptable imposées par le surintendant des institutions financières à l'égard des prêts consentis à certains pays du tiers-monde en difficultés financières, dont le Brésil.

1986 — Jean Viau, gagnant du gros lot de 10,2 millions $ au loto 6/49, réalisera un autre de ses rêves lorsqu'il épousera sa fiancée Linda Lacombe. La cérémonie, qui sera célébrée à l'église Sacré-Coeur d'Alexandria, est entourée du plus grand secret, même si la liste d'invités compte 370 personnes !

1985 — David Clark, le nouveau président de Loto-Québec, croit que la période d'expansion effrénée des dernières années tire à sa fin. Selon lui, il faut maintenant consolider la position de la Société des Loteries et préparer le terrain pour des percées éventuelles dans les autres domaines du jeu.

— Les manufacturiers canadiens de chaussures sont inquiets. Dans un mois, le gouvernement Mulroney décidera s'il maintiendra ou non les contingentements actuels imposés sur les importations. Selon eux, si Ottawa décide de supprimer ces quotas, l'industrie s'effritera, ne pouvant faire face à la concurrence étrangère qui profite d'une main-d'oeuvre à très bas prix.

— Dans une directive aux forces armées, diffusée par l'Élysée, le président Mitterand a affirmé : « Les essais nucléaires dans le Pacifique continueront autant qu'il sera jugé nécessaire pour la défense du pays, par les autorités françaises et elles seules ».

Dieppe, une page sanglante de l'histoire de l'armée canadienne

Le 19 août 1942, il y aura donc 50 ans mercredi prochain (**Texte publié le 19 août 1992**), sur la plage de galets de Dieppe, en Normandie, s'écrivait en lettres rouges la page la plus sanglante et la plus controversée de l'histoire de l'armée canadienne.

La veille au soir, 4963 militaires canadiens de tous grades s'étaient embarqués d'une plage anglaise, de l'autre côté de la Manche, pour participer à ce qui ne devait être qu'une simple « opération de commandos », prélude au grand débarquement qui eut lieu deux ans plus tard.

Quelques heures plus tard, seulement 2211 de ces quelque 5000 militaires canadiens devaient revenir en Angleterre et de ce nombre, 607 étaient blessés. Vingt-huit de ces blessés devaient succomber à leurs blessures sur le sol britannique.

Les pertes totales de l'armée canadienne ce jour-là (tués, blessés, prisonniers), s'élevèrent à 3369 hommes, dont 907 tués. Les Fusiliers Mont-Royal, par exemple, un régiment de Montréal, seule unité francophone parmi les commandos canadiens, perdit 346 des 503 hommes qu'elle engagea dans la bataille. Et encore, parmi ceux qui revinrent en Angleterre, la plupart étaient sérieusement blessés, à commencer par le commandant des Fusiliers, le lieutenant-colonel Dollard Ménard, qui devait plus tard être promu général de brigade et qui avait été touché par le tir ennemi pas moins de cinq fois.

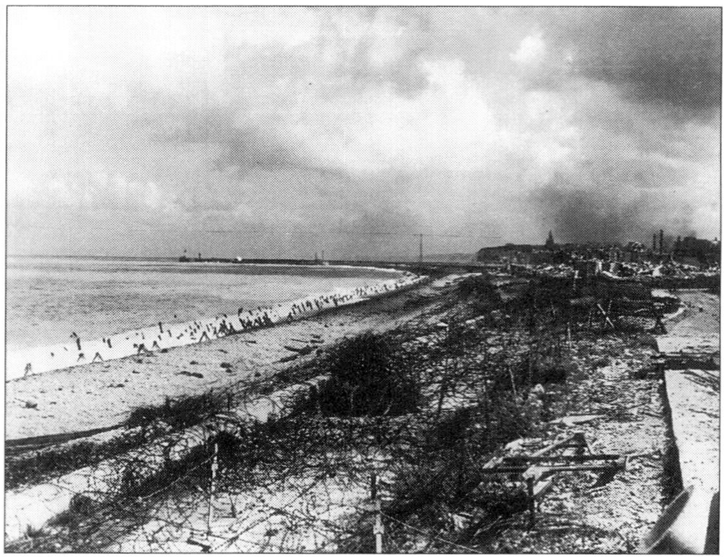

La plage de Dieppe avait grise mine.

L'étendue du massacre est frappante si on considère que près de 1000 des survivants canadiens n'ont même pas pu débarquer sur le sol français. Ils ont été évacués sans avoir pu combattre. Seulement 500 hommes, environ, ont donc pu être tirés de l'enfer des plages principales, en face de la ville.

Pas moins de 1944 officiers et soldats canadiens, dont 558 étaient blessés gravement, furent faits prisonniers. Ils durent passer trois ans dans les camps nazis, dont plusieurs ne valaient guère mieux que des camps de concentration.

En fait, au cours d'une opération qui dura à peine neuf heures, plus de soldats canadiens ont été faits prisonniers qu'au cours des onze mois de la campagne subséquente dans le nord-ouest de l'Europe ou que durant les 20 mois de combats en Italie. Jamais l'armée canadienne n'avait subi, ni n'a subi par la suite, pareil désastre.

Une entreprise insensée ?

Première répétition en vue de débarquements futurs ? Entreprise insensée et gratuite ? Encore aujourd'hui, la réponse n'est pas claire. On peut cependant imputer une bonne dose de responsabilité à la vanité du premier ministre canadien du temps, MacKenzie King, ainsi qu'au général Alan MacNaughton, le militaire canadien le plus haut gradé à l'époque.

Mackenzie King n'a jamais voulu admettre qu'à l'époque, il n'était qu'un partenaire mineur et peu consulté des grands chefs alliés et que lui et son gouvernement ne savaient même pas que les troupes canadiennes étaient engagées dans ce raid, qu'ils ne l'ont appris qu'après coup. Mais les documents sont formels à ce sujet. En renonçant à un droit de veto sur l'emploi de ses troupes, Mackenzie King se trouvait à devenir responsable moralement si elles étaient mal employées.

Le général McNaughton, lui, avait autorisé l'emploi de ses troupes, mais on lui avait refusé le droit d'en parler à son gouvernement. Loin d'être désavoué pour les avoir envoyées à l'abattoir, il fut ultérieurement élevé au statut de ministre dans le cabinet Mackenzie King.

Que diable l'armée canadienne allait-elle faire à Dieppe ? Les raisons avancées sont nombreuses. Elles sont parfois différentes selon que l'on accuse ou défende ceux qui ont pris la décision.

Ainsi, Lord Louis Mountbatten, le grand patron des opérations de commandos à l'époque, lors de sa venue à Dieppe, en 1967, pour le vingt-cinquième anniversaire de ce dramatique débarquement, affirmait : « la France doit sa libération aux leçons que nous avons tirées du raid de Dieppe ».

C'est possible. Mais, loin d'être certain !

Quoiqu'il en soit, les historiens s'accordent pour relever deux raisons principales à la réalisation d'un tel raid : tester le matériel et le comportement des hommes soudainement jetés dans l'action en vue d'une opération de plus grande envergure ; répondre à une demande de l'URSS qui souhaitait l'ouverture d'un second front et montrer aux Allemands qu'il était possible de revenir sur les territoires occupés le moment venu. Sur ce dernier point, le 19 août 1942 aurait plutôt eu, cependant, tendance à démontrer le contraire.

Trois jours qui ont changé le monde

Dimanche — Fin d'après-midi. Le chef du KGB Krioutchkov ordonne de couper toutes communications entre Gorbatchev, en vacances en Crimée, et le monde extérieur. Cinq putchistes rencontrent Gorbatchev et lui lancent un ultimatum : ou bien il proclame l'état d'urgence, ou bien il transfère ses fonctions au vice-président Ianaïev. Gorbatchev refuse carrément.

— Lundi 19 août — 6h18 (heure de Moscou). Un communiqué de l'Agence Tass annonce que Gorbatchev ne peut plus remplir ses fonctions, « pour raisons de santé », et qu'un « Comité d'État pour l'état d'urgence » gouverne maintenant le pays, dirigé par le vice-président Ianaïev. L'état d'urgence est proclamé à Moscou, Léningrad, et dans les républiques baltes.

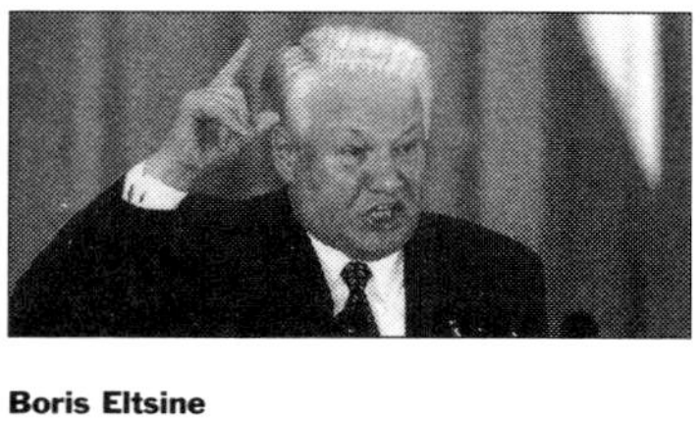

Boris Eltsine

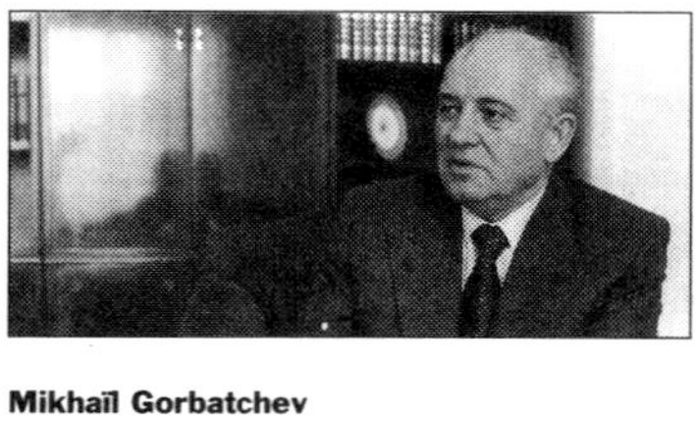

Mikhaïl Gorbatchev

7h. Partis politiques et journaux d'opposition sont suspendus par un décret spécial. L'ordre d'arrêter le président de la Russie, Eltsine, est probablement donné à ce moment mais, mystérieusement, il n'est pas exécuté. Eltsine et ses acolytes parviennent à se rendre au parlement russe -« la Maison Blanche »- dans la matinée.

9h. Des troupes de l'armée soviétique entrent à Moscou et vont se stationner à divers endroits, dont le parlement russe.

12h30. Eltsine grimpe sur un tank, stationné en face du parlement russe, et lance un appel à une grève générale. L'appel ne sera pas suivi, mais la résistance de Eltsine encourage des milliers de Moscovites à venir défendre le parlement russe.

Les troupes du ministère de l'Intérieur ne bougent pas. Certaines troupes de l'armée passent du côté de Eltsine et défendent le parlement. Le putsch a déjà avorté.

— Mardi 20 août — Le parlement de Russie, présidé par Eltsine, est en session, défiant ouvertement les putschistes. Eltsine signe des décrets plaçant toutes les troupes sous son autorité. Les leaders de l'Ukraine et du Kazakhstan sortent de leur attentisme et appuient Eltsine. L'Estonie proclame son indépendance.

Soirée. Une attaque du parlement russe semble imminente. Trois personnes sont tuées par des tanks, presque par accident, mais aucune attaque n'a lieu. Eltsine savait peut-être déjà qu'il n'y aurait pas d'attaque, mais la nuit de mardi passe à l'Histoire comme la nuit de l'héroïsme des défenseurs du parlement.

— Mercredi 21 août — Avant-midi. Le Collège du ministre de la Défense décide de retirer l'armée de Moscou et de suspendre le couvre-feu imposé la veille. Le putsch est terminé.

Après-midi. Une équipe du président Eltsine se rend en Crimée pour libérer Gorbatchev. Inexplicablement, quatre putschistes, dont le chef du KGB et le ministre de la Défense, s'envolent également vers la Crimée, mais Gorbatchev refuse de les voir. Ils sont arrêtés.

(**Texte publié le 19 août 1992.**)

La chute du dollar fait mal au Canadien et aux Expos

La valeur du dollar canadien a baissé considérablement par rapport aux prévisions faites en début d'année

Bien qu'ils paient des millions de dollars américains à leurs joueurs vedettes, les grandes équipes de sports de Montréal ne se sont pas prémunies contre la dégringolade du dollar. Si bien que l'équilibre budgétaire du Canadien et le nouveau stade des Expos apparaissent en péril.

Lorsque le Club de hockey Canadien a préparé le budget de sa prochaine saison, en février dernier, il a parié sur un dollar à 69,93 cents US. « On pensait même que c'était une hypothèse conservatrice et que le dollar prendrait de la valeur. Tous les économistes affirmaient que notre devise était sous-évaluée », dit Fred Steer, vice-président, finance et administration.

Le scénario s'est déroulé autrement. À la fermeture des marchés, hier (**Texte publié le 19 août 1998**), le dollar valait 4,49 cents de moins que cette « hypothèse conservatrice » — 65,44 cents US, en baisse de huit centièmes sur le cours de lundi.

Les Expos de Montréal, de leur côté, ne se sont pas plus mis à l'abri d'une baisse du dollar. Mais leurs finances s'en tirent mieux pour l'instant, selon Laurier Carpentier, vice-président exécutif, développement.

La masse salariale des Expos est de 9 millions $ US, la plus petite de toutes les équipes des ligues majeures de baseball. Aux salaires des jeunes joueurs de Montréal s'ajoutent les frais de séjours et de déplacements aux États-Unis ainsi que les coûts d'exploitation des clubs-écoles.

Des revenus de 19 millions $ US en droits de télévision et en paiements de péréquation (des clubs riches aux clubs pauvres) compensent toutefois les dépenses en dollars US. « Les pertes de change ne sont pas significatives », assure M. Carpentier.

Mais les Expos se préparent peut-être à des lendemains difficiles. C'est que leur projet d'un stade de 250 millions au centre-ville de Montréal, préparé en mai 1997, repose sur un dollar à 76 centsUS ! En plus, l'équipe de Claude Brochu prévoit payer quelque 50 millions US en salaire à de grosses vedettes qui sauront attirer les foules. « La baisse du dollar est un effet à court terme : d'ici l'an 2001, le dollar va se replacer », dit M. Carpentier. Un commentaire qui ressemble étrangement à une supplique.

Invasion-éclair de la Tchécoslovaquie

L'armée russe à Prague

RADIO-PRAGUE a annoncé hier **(20 août 1968)** que des troupes soviétiques, polonaises, hongroises, est-allemandes et bulgares avaient envahi le territoire de la Tchécoslovaquie. Une directive du praesidium du Parti communiste tchécoslovaque a recommandé à la population de ne pas s'opposer à l'avance des troupes communistes.

Dès que la nouvelle fut connue, les principaux hommes d'Etat occidentaux, MM. Johnson, Kiesinger et Wilson, furent mis au courant de la situation. Le président Johnson convoqua immédiatement une réunion du Conseil américain de sécurité. Ce fut l'ambassadeur soviétique à Washington, M. Anatoli Dobrynine, qui informa lui-même le président Johnson de la pénétration des troupes communistes en Tchécoslovaquie.

Par la suite, Radio-Prague annonçait que le praesidium du Parti communiste tchécoslovaque siégeait sans interruption et que le gouvernement et l'Assemblée nationale étaient convoqués.

Un quart d'heure plus tard, les émissions de Radio-Prague étaient interrompues, après que le speaker eut annoncé que la capitale tchécoslovaque et toute la Tchécoslovaquie étaient occupées par des unités du pacte de Varsovie. Le speaker avait également signalé que plusieurs émetteurs avaient dû cesser leurs émissions et qu'un avion étranger tournait autour de la maison de la radio à Prague. Il avait demandé par ailleurs aux auditeurs de faire connaître les informations par tous les moyens.

Après avoir gardé le silence pendant quelques heures après l'invasion de la Tchécoslovaquie, les organes de presse soviétiques, et notamment l'agence Tass, annonçaient que des hommes d'Etat tchécoslovaques avaient demandé aux pays du pacte de Varsovie de leur venir en aide, y compris l'aide militaire.

Le communiqué du praesidium tchécoslovaque annonçant l'invasion du pays par les troupes communistes, outre de recommander à la population de ne pas s'opposer à l'avance de ses troupes, déclarait que les forces et la police tchécoslovaques n'avaient reçu aucun ordre d'intervenir.

Le correspondant de l'agence Reuter à Prague, Vincent Buist, a signalé que des coups de feu ont été tirés de l'édifice du comité central du Parti communiste tchécoslovaque lorsqu'une foule de jeunes manifestait devant le bâtiment aux cris de «Dehors les Soviétiques». Le bâtiment a d'ailleurs été encerclé par des blindés marqués d'une croix blanche. (...)

Selon un journaliste tchèque, une colonne de blindés soviétiques a pris position autour du château de Hradcany, siège du président de la République.

A Moscou, la déclaration diffusée par l'agence Tass a précisé que les gouvernements des pays du pacte de Varsovie ont décidé d'apporter à la Tchécoslovaquie l'aide demandée.

Toutefois, le bulletin de Radio-Prague, adressé au «peuple entier de la République socialiste tchécoslovaque» et annonçant l'invasion du pays, a été capté à Washington et donne une version différente des événements.

«A 23 heures (17 heures HAE), des troupes soviétiques, polonaises, est-allemandes, bulgares et hongroises ont franchi la frontière tchécoslovaque,» dit le bulletin.

«Ceci s'est produit sans que le président de la République, le président de l'Assemblée nationale, le premier ministre ou le premier secrétaire du Parti communiste tchécoslovaque en soient avertis», poursuit le bulletin. La communication demande aux citoyens «de garder leur calme et de ne pas opposer de résistance aux troupes étrangères.

«Notre armée, nos forces de sécurité et notre milice du peuple n'ont pas reçu l'ordre de défendre le pays», poursuit le bulletin qui conclut: «Le praesidium du comité central du Parti communiste tchécoslovaque considère cette action non seulement contraire aux principes fondamentaux régissant les relations entre pays socialistes, mais aussi comme une violation des principes de la loi internationale».

Est-il nécessaire d'ajouter que cette invasion qui mettait fin au «printemps de Prague» a provoqué un tollé de protestations dans tous les pays du monde, sauf en Union soviétique ou ses pays satellites, mais sans qu'aucun geste ne soit posé pour porter secours à la Tchécoslovaquie par quiconque...

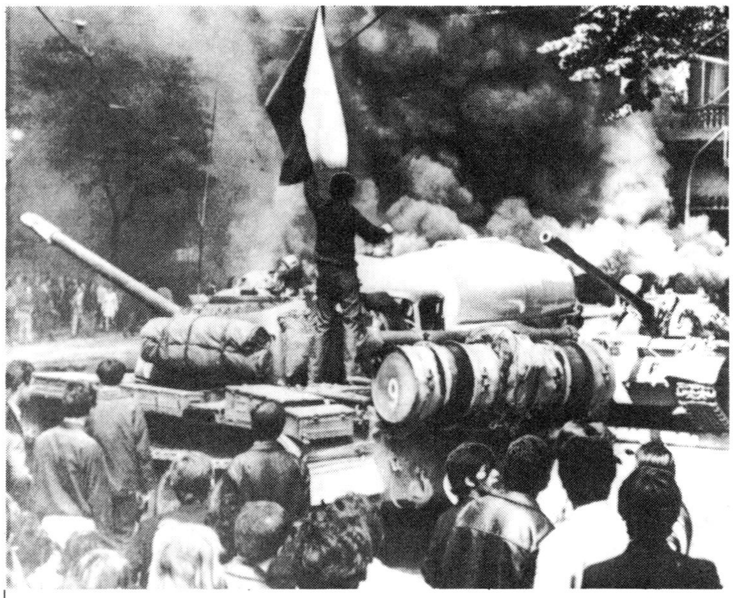

Drapeau national en main, un Tchécoslovaque pose fièrement sur un tank soviétique, tandis qu'un autre brûle à l'arrière-plan. Mais la résistance tchécoslovaque fut beaucoup plus symbolique que réelle.

À Berlin

Le sang coule le long du mur

NDLR — Le 17 août 1962, un jeune Berlinois du nom de Peter Fechter fut abattu par les « vopos » (ou policiers) est-allemands au moment où il tentait de franchir le mur vers Berlin-Ouest. Ces derniers laissèrent Fechter saigner à mort pendant plus d'une heure du côté oriental du mur avant de le faire transporter à l'hôpital. Ce geste provoqua la colère des Berlinois de l'Ouest et déclencha une série de manifestations qui ne tardèrent pas à tourner à la violence...

BERLIN

Quinze policiers blessés, dont quatre grièvement tel était le bilan, hier soir **(20 août 1962)**, des opérations de dispersion des manifestants sur la voie publique, à Berlin-Ouest, lesquels, à certains moments au nombre de 5,000, s'en sont pris à plusieurs reprises aux forces de l'ordre, lapidant les policiers.

On sait que les manifestations, à Berlin-Ouest, ont pour origine la mort d'un jeune Berlinois de l'Est, abattu par les «vopos» à quelques pieds du «mur» alors qu'il tentait de pénétrer en zone occidentale.

Durant l'après-midi de lundi, les manifestations étaient restées sporadiques, mais elles ont brusquement repris de l'ampleur au début de la soirée.

Un millier de Berlinois de l'Ouest ont notamment réussi à s'infiltrer à travers les barrages de police et se sont groupés au «Checkpoint Charlie».

Les manifestants ont assailli le car soviétique transportant la garde au monument aux morts de l'Armée rouge. Les vitres ont été brisées à coups de pierres. Un soldat soviétique s'est écroulé ruisselant de sang et un autre a été plus légèrement atteint. A la suite de cet incident, la police a dispersé énergiquement la foule.

«Le mur doit disparaître»

Finalement, vers 9 heures du soir, un groupe de 1,000 jeunes a manifesté non loin de l'endroit où, vendredi, les «vopos» avaient abattu le jeune Peter Fechter. Les manifestants, comme dimanche, portaient des torches et scandaient: «Assassins, assassins», «Le mur doit disparaître», et «Le barbu doit disparaître» (Le «barbu»: Walter Ulbricht). (...)

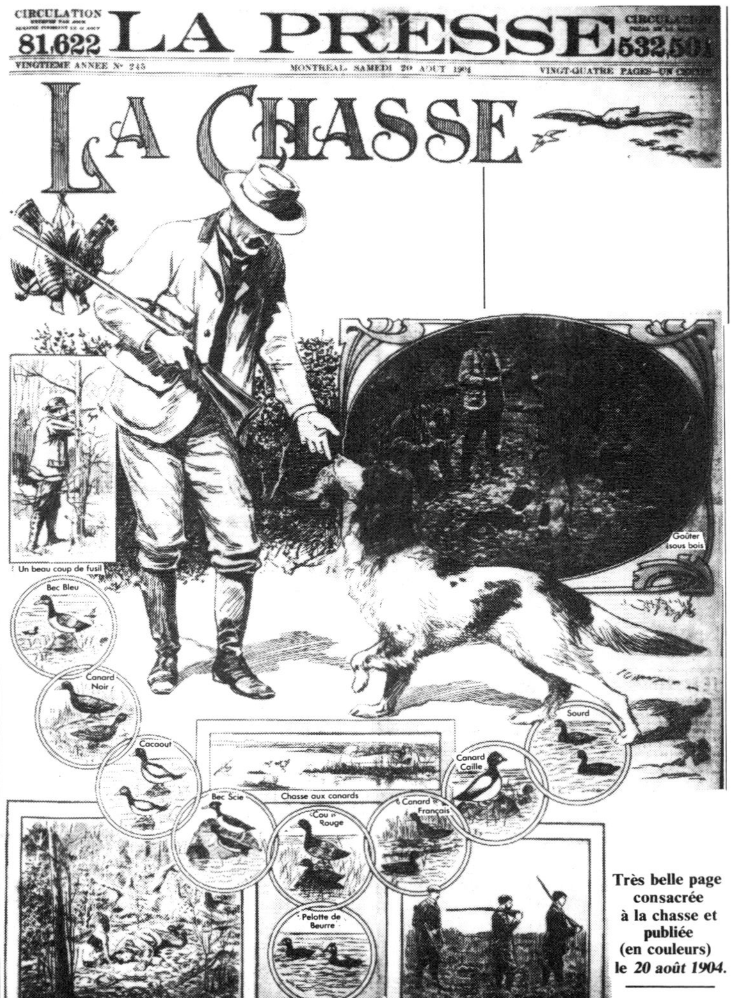

Très belle page consacrée à la chasse et publiée (en couleurs) le *20 août 1904*.

Attentat contre Trotsky

MEXICO — Léon Trotsky, le plus fameux des exilés bolchévistes, repose aujourd'hui sur un lit d'hôpital. Il n'a qu'une chance sur dix de survivre à une tentative d'assassinat perpétrée hier soir **(20 août 1940)** par l'un de ses collaborateurs. Ce dernier est soupçonné par l'entourage du vieux révolutionnaire russe d'être un agent de la police secrète des Soviets.

Les médecins qui ont pratiqué une intervention chirurgicale d'urgence sur Trotsky, pour une fracture du crâne, ont déclaré que le patient avait une chance de conserver la vie, s'il vivait durant quelques heures. A 6 heures, ce matin, un bulletin a annoncé que son état était très grave.

L'assaillant de Trotsky repose dans le même hôpital après avoir été grièvement blessé par Harold Robbins, le chef des gardes de la villa fortifiée de la victime, dans le faubourg de Coyoacan, où la tentative de meurtre a eu lieu.

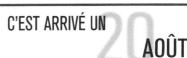

C'EST ARRIVÉ UN 20 AOÛT

1980 — La police polonaise arrête 18 membres du comité d'autodéfense sociale (le KOR), en Pologne.

1977 — Lancement vers les planètes les plus éloignées du système solaire du premier des deux vaisseaux spatiaux *Voyager*.

1976 — La 17e conférence annuelle des premiers ministres prend fin sans qu'on s'entende sur le rapatriement de la Constitution.

1975 — Début d'une grève du transport en commun à Montréal.

1971 — La sentence d'emprisonnement à vie imposée au lieutenant William Calley pour les meurtres de My Lai est réduite à 20 ans.

1970 — Collision en surface, près de Toulon, des sous-marins français *Galatée* et sud-africain *Maria-Van-Riebeeck*.

1968 — Trois bombes éclatent presque simultanément dans la région de Montréal.

1960 — Le satellite soviétique *Spoutnik V* revient sans incident sur terre avec ses deux chiens.

1958 — Démission d'Albini Paquette, ministre de la Santé de la province de Québec.

1957 — Un major de l'Aviation américaine, Davis G. Simons, grimpe à 102 000 pieds (plus de 19 milles) dans la nacelle d'un ballon, la plus haute altitude jamais atteinte par un homme.

1948 — Israël demande son adhésion à l'ONU.

1941 — Vichy déclare que des navires de guerre britanniques sont entrés à Djibouti, en Somalie française.

1914 — Le pape Pie X succombe à l'angoisse occasionnée par la guerre. Il était âgé de 79 ans. — Les troupes allemandes entrent dans Bruxelles.

1910 — Le canot *J.C.M.* de J.C. MacKay gagne le trophée LA PRESSE aux régates de Lachine.

Le désastre du parc Dominion

TRAGIQUE MEPRISE DANS L'IDENTIFICATION DES VICTIMES

NDLR — L'article suivant, initialement publié le ***20 août 1919****, fait état d'événements survenus la veille. Le 19 tombant un dimanche cette année, nous n'avons pu le publier hier. Mais le caractère assez fantastique de l'incident nous amène à déroger à nos habitudes; ce sera donc l'exception qui confirme la règle...*

ON a transporté hier après-midi à la morgue un cadavre qu'on venait de découvrir dans les ruines du «Mystic Rill» au parc Dominion. Il était en état de décomposition avancée. Le détective Adélard Constantin, de la commission des incendies et du bureau des détectives, a fait les démarches nécessaires à son identification et a reconnu que c'était le corps du jeune Jean-Robert Ferland, fils du Dr A. Ferland, qui a été tué à l'incendie du «Mystic Rill».

Cette nouvelle identification suscite des complications qui ne se sont jamais produites à la cour du coroner. Le Dr Ferland a identifié la semaine dernière un cadavre qu'il a pris pour celui de son fils. Il l'a enterré dans son terrain au cimetière de la Côte-des-Neiges. Il avait cru reconnaître son fils par un collet négligé et un morceau de chemise. De plus, c'était le plus petit des cadavres trouvés dans les ruines et le jeune Ferland n'avait que 13 ans.

Mais hier après-midi, on s'aperçut de l'erreur. Sur le corps qu'on venait d'apporter, les employés de la morgue et le détective Constantin ont trouvé un rosaire, une chaussure noire avec talon de caoutchouc et d'autres articles qui, décrits par le détective Constantin au Dr Ferland, ont été reconnus comme appartenant à son fils. Le docteur a demandé au détective de bien vouloir déposer ces objets en lieu sûr: la mère de la malheureuse victime voulant les conserver comme souvenir.

DESOLATION D'UNE MERE

Un dialogue bien touchant s'est engagé hier, lorsque le détective Constantin téléphona à Mme Ferland au sujet de son fils. Elle répondit clairement à toutes les questions et fit la description de tous les objets que le détective tenait entre ses mains. Dès lors, il n'y avait plus aucun doute; le corps récemment trouvé était bien celui du jeune Ferland. La malheureuse mère comprit alors que le corps inhumé dans le cimetière de la Côte-des-Neiges n'était pas celui de son petit Jean. Sa voix s'étouffa dans un sanglot lorsqu'elle demanda au détective de s'assurer aussitôt que possible si l'identification était exacte.

Les objets trouvés sur le corps ont été déposés à la morgue. Il semble aujourd'hui à peu près certain que le Dr Ferland a inhumé le jeune Carbonneau, en guise de son fils, et que le corps enterré par les parents de Carbonneau, est celui du jeune Italien Antonio Ciccio, retrouvé la journée même de l'incendie. (...)

Le radeau «L'Egaré II» touche l'Angleterre après 88 jours

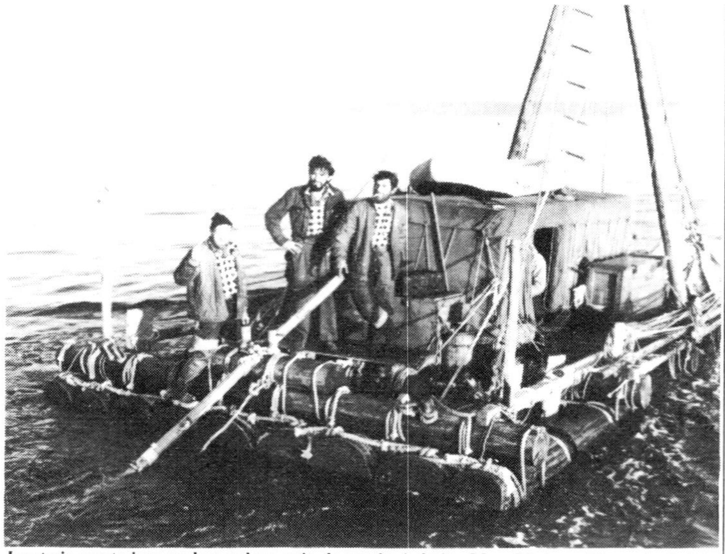

Les trois aventuriers sur leur radeau, soit, de gauche à droite, Marc Modena, 29 ans, le chef de l'expédition, Henri Beaudout, 29 ans, et Gaston Vanackère, 31 ans. Tous trois demeuraient à Montréal.

FALMOUTH

«L'Egaré II» a fait ce matin **(21 août 1956)** une entrée triomphale, sous un radieux soleil, dans le port de Falmouth, près de la pointe des Cornouailles. L'embarcation était remorquée par deux chaloupes de sauvetage, celle du Lizard et de Falmouth, qui avaient conjugué leurs efforts pour haler jusqu'au port le radeau et ses trois occupants français. Tous les navires se trouvant dans le petit port ont salué de quelques coups de sirène l'arrivée, peu après 7 heures GMT (3 h. a.m. HAE), des intrépides navigateurs. Sur les quais, plusieurs centaines de personnes, dont de nombreux estivants, s'étaient rassemblés pour les voir approcher.

En abordant le radeau, les reporters trouvèrent un tas de linge sale sur lequel dormait deux chats, l'un noir, baptisé «Poux», et l'autre, gris, «Griton». Un peu partout gisaient des caisses vides attachées aux rondis par des cordes de chanvre, au sommet du mât flottaient encore trois drapeaux: celui à fleur de lys de Québec, l'Union Jack et le pavillon de la Nouvelle-Ecosse.

Après l'inspection rapide de l'embarcation, les reporters soumirent les trois navigateurs qui les avaient regardés faire en souriant, à un barrage de questions posées dans un mélange de français et d'anglais.

«Recommenceriez-vous?» demanda l'un d'eux à Gaston Vanackère *(31 ans)*, dessinateur industriel dont le visage est orné d'une grande barbe rousse. «Non, certainement pas», répondit-il. «Cela n'a pas été trop désagréable, je suppose, sauf pendant les fortes tempêtes, mais nous avons atteint notre but qui était de nous laisser entraîner à travers l'Atlantique par le Gulf Stream en nous servant le moins possible de la voile».

Aussitôt après leur débarquement, les passagers de l'«Egaré II» se sont rendus directement au foyer du Marin, où un copieux déjeuner leur a été servi.

Une double portion d'oeufs sur le plat, bacon et tomates farcies, suivie de toasts à la confiture. Les formalités d'immigration furent rapidement remplies.

Après un bain chaud, ils se rendirent chez un coiffeur pour se faire couper les cheveux et tailler la barbe. Ensuite, ils revinrent au foyer du Marin pour se mettre au lit.

Interrogé sur ses projets d'avenir, Beaudout *(29 ans)* a dit: «Nous rentrerons à Montréal par paquebot, aussitôt que possible. Nous emporterons le radeau avec nous, car nous estimons qu'il doit être conservé».

Le «capitaine» a précisé que la bonne entente avait régné à bord pendant la traversée. «Nous n'avons pas eu la moindre querelle, a-t-il dit, et la santé a été excellente».

Quant à Marc Modena *(27 ans)*, le jeune artiste très timide, il s'est borné à déclarer: «Je suis fatigué, mais heureux». (...)

Sur la scène de l'ACTUALITÉ

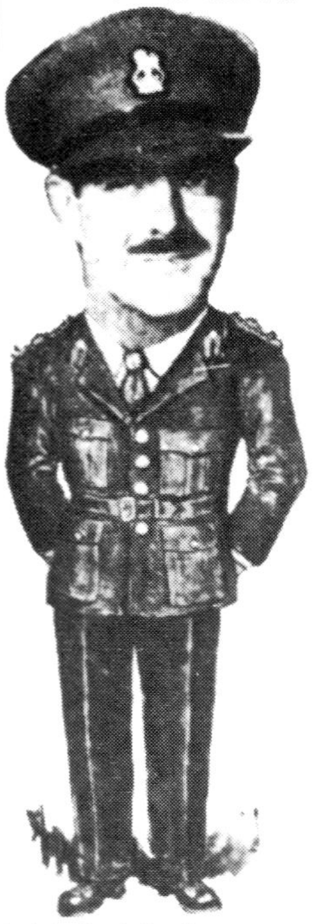

Le brigadier J.-Guy Gauvreau, coordonnateur de la défense civile pour la région métropolitaine, qui vient d'être nommé *(le 21 août 1951)* officier des relations extérieures de la ville de Montréal.

Accusations contre la police provinciale après l'affaire de Murdochville

LE président de la Fédération des Travailleurs du Québec, M. Roger Provost, a accusé hier **(21 août 1957)** la police provinciale d'avoir préparé, conjointement avec la Gaspé Copper Mines Limited et les voyoux, l'attaque de lundi le 19 août contre les chefs ouvriers canadiens et les grévistes de Murdochville qui tentaient d'établir des lignes de piquetage.

«Et cette attaque, a renchéri M. Provost, ne peut avoir été faite à l'insu du procureur général», le premier ministre de la province de Québec, l'hon. Maurice Duplessis, «quand on connaît la servilité de la police provinciale».

L'accusation du chef ouvrier contre le «procureur général, le gouvernement, la police provinciale, la Gaspé Copper Mines Limited et les voyous à sa solde», a été portée hier au cours d'une conférence de presse donnée à la suite des incidents du 19 août, à Murdochville, alors que les grévistes et leurs compagnons ont été lapidés par les briseurs de grève.

«Nous avons acquis les preuves, a affirmé M. Provost, que la police provinciale a non seulement favorisé les actes criminels des briseurs de grève, mais les a aussi armés de matraques pour attaquer les grévistes et leurs compagnons.»

Au moment même où M. Provost faisait sa déclaration, un téléphone parvenait de Murdochville. Le secrétaire du local syndical, M. Yvon Poirier, faisait savoir que «de nouvelles preuves de la connivence de la police provinciale» avaient été recueillies dans la journée à Murdochville, que «plusieurs citoyens affirment avoir été témoins de ce que des matraques ont été distribuées par les policiers provinciaux aux briseurs de grève». M. Roger Bédard, le directeur de la grève, annonçait aussi que «les grévistes sont plus déterminés que jamais» et que «le nombre de briseurs de grève semblait avoir diminué». (...)

L'abominable femme des neiges

Deux soldats chinois ont tué un « abominable homme des neiges » il y a 12 ans, au Tibet, a rapporté le journal de Pékin Beijing Wanbaoé (**texte publié le 21 août 1984**).

En fait, a précisé le journal, il s'agissait d'une abominable femme des neiges. C'est un journaliste de Chine nouvelle qui a découvert l'histoire en allant au Tibet interroger les soldats qui avaient rencontré le yéti en 1972. Le journal n'explique pas pourquoi il a fallu attendre 12 ans pour connaître l'exploit des deux soldats.

TYPE DE VEHICULE ENCORE INCONNU A MONTREAL

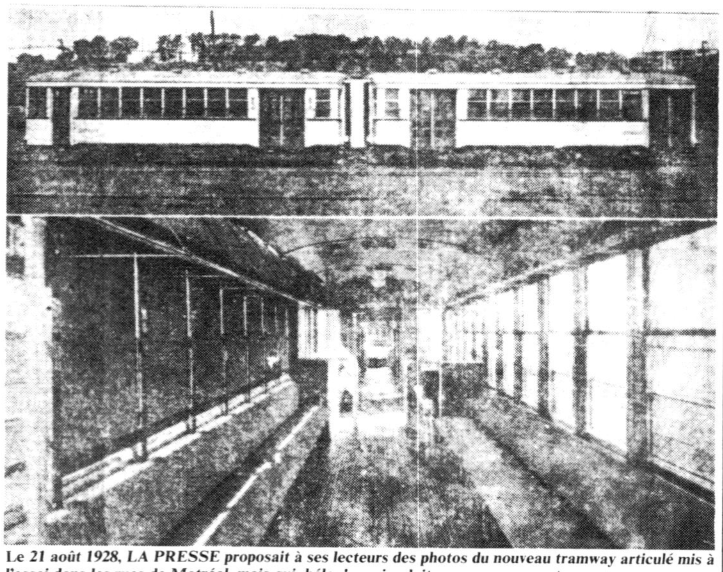

Le 21 août 1928, LA PRESSE proposait à ses lecteurs des photos du nouveau tramway articulé mis à l'essai dans les rues de Motréal, mais qui, hélas! ne circulait pas assez souvent.

Le feu menace la ville de Parent

Un immense feu de forêt a entraîné l'évacuation des quelque 550 résidants et vacanciers qui se trouvaient dans la région de Parent, en Haute-Mauricie, à environ 170 kilomètres au nord-est de Mont-Laurier.

Un porte-parole de la Sécurité civile, Marc Lavallée, a indiqué qu'environ 400 personnes avaient été évacuées par la route vers Mont-Laurier et les autres à bord de deux trains qui ont quitté Parent à 16 h et à 18 h 15 à destination de La Tuque, en faisant des arrêts pour prendre des vacanciers et des pêcheurs le long du trajet.

À Mont-Laurier et La Tuque, ces personnes devaient être prises en charge par les responsables de la Sécurité publique, de la Croix-Rouge et des services sociaux.

Tout comme ces 500 concitoyens, c'est sans vraiment savoir s'il va un jour revoir sa maison que le maire de Parent, Louis Villemure, a quitté sa municipalité. Mais il s'est assuré que toute la population soit bien à l'abri avant de mettre le cap sur Mont-Laurier.« L'évacuation s'est déroulée dans l'ordre, tout en étant un événement très émotif, car on voyait des gens pleurer. C'est dur à vivre », a dit M. Villemure.

Ce feu de forêt a éclaté la semaine dernière au sud-est de la municipalité de Clova.Selon M. Lavallée, de la Sécurité civile, il s'étendait sur un front d'une trentaine de kilomètres en fin d'après-midi hier et se trouvait à une quinzaine de kilomètres de Parent. On estimait sa progression à deux ou trois kilomètres à l'heure, selon la vitesse des vents. Il pouvait gagner 13 ou 14 kilomètres en 24 heures, si bien que les flammes pourraient atteindre le secteur de Parent ce soir. **(Texte du 21 août 1995.)**

Canadiens endettés

La dette totale des gouvernements fédéral et provincial représentait un montant de 27 500 $ pour chaque citoyen du Québec au 31 mars 1991, affirme une analyse rendue publique hier par le Conseil du patronat du Québec (CPQ), la dette fédérale s'élevant à 14 370 $ par citoyen québécois, tandis que la dette du Québec per capita était de 13 130 $.

Soulignant que les deux paliers de gouvernement consacrent maintenant 52,6 cents de chaque dollar qu'ils perçoivent uniquement pour payer les intérêts sur la dette, le CPQ en arrive à la conclusion que « la situation n'a tout simplement pas de sens ».

« Il est clair que nos gouvernements ne semblent pas prendre au sérieux la place démesurée qu'ont pris la dette et le service de la dette dans l'économie canadienne et québécoise », précise l'organisme patronal. Ainsi, chaque citoyen québécois paiera en moyenne en 1991 pour le seul service de la dette, 1407 $ au fédéral et 1086 $ au Québec, pour un total de 2493 $.

(Texte publié le 21 août 1991.)

Chevalier de la Légion d'Honneur

Mle maire Payette est maintenant chevalier de la Légion d'Honneur. Ce matin **(21 août 1908)**, M. le consul de France lui a épinglé à la boutonnière, ce bijou que Flambeau, dans «L'aiglon», dit être du sang qui par en bas devient une fleur.

La cérémonie a été très simple. Dans le salon du maire s'étaient réunis plusieurs échevins qui étaient venus complimenter le maire. M. de Loynes, consul-général de France, était accompagné de M. Stanislas d'Halewyn, vice-consul. Après quelques mots de félicitation, il épingla la croix au revers de la redingote du maire, qui remercia le Président de la République pour le grand honneur qu'il lui faisait. M. le maire remercia, puis les échevins J.A. Lapointe et Sadler félicitèrent notre premier magistrat.

C'EST ARRIVÉ UN 21 AOÛT

1983 — Ninoy Aquino, chef de l'opposition philippine, est assassiné dès sa descente d'avion, à Manille. — La petite Mélanie Decamps est retrouvée morte, près de Drummondville. — Le Sommet québébois de la jeunesse refuse de se prononcer en faveur de l'indépendance du Québec.

1980 — Le chanteur Joe Dassin succombe à une crise cardiaque, à l'âge de 42 ans.

1972 — Ouverture à Pékin de l'exposition commerciale canadienne, en présence du premier ministre Chou En-Lai.

1969 — Un incendie détruit une partie de la mosquée d'Al-Aqsa, à Jérusalem.

1968 — À l'ONU, U Thant demande à l'URSS de retirer ses troupes de Tchécoslovaquie. — Décès à Montréal de Germaine Guèvremont; écrivain de renommée internationale, elle était âgée de 74 ans.

1965 — Lancement au cap Kennedy du vaisseau spatial *Gemini V*.

1959 — Hawaii devient le 50e État américain.

1950 — Le pape Pie XII émet la lettre encyclique *Humani Generis* sur la philosophie.

1944 — Ouverture de la conférence de Dumbarton Oaks. Roosevelt, Churchill et Staline discutent de propositions pour l'établissement d'une organisation internationale.

1941 — La résistance soviétique se raffermit sur le front de Léningrad; des tanks transportés par air portent des coups destructeurs aux Allemands.

1930 — Naissance de la princesse Margaret, en Angleterre.

1925 — Nouveau record établi en matière de transmission radiotéléphonique: on établit une liaison entre Londres et Wellington, en Nouvelle-Zélande, villes distantes de 14 000 milles.

Crédits de $150,000,000 pour l'habitation, pour prévenir le chômage d'hiver

OTTAWA — $150,000,000 pour stimuler la construction de l'habitation et prévenir le chômage d'hiver.

En annonçant **(le 21 août 1957)** cette décision qu'il a luimême qualifiée d'«audacieuse», le premier ministre du Canada a donné à entendre que de nouveaux crédits pourraient bien être votés pour la même fin à la session de l'automne prochain. L'hon. John Diefenbaker a en effet précisé que ce programme du gouvernement conservateur «entraînera la dépense de tous les deniers autorisés par le Parlement», c'est-à-dire de ce qui reste des crédits provisoires que les Chambres ont approuvés avant la dissolution précédant les élections du mois de juin.

Cette somme étant prise à même les crédits déjà votés, elle est mise immédiatement à la disposition de ceux qui désirent se faire construire une maison pour eux-mêmes et des entrepreneurs qui désirent construire des habitations à loyer modique. Elle augmentera la source partiellement tarie des prêts hypothécaires que peuvent consentir les banques, les compagnies d'assurances, les sociétés de prêts et de fiducie et autres institutions, qui sont autorisées par la Société centrale d'hypothèques et de logement à faire de tels prêts aux conditions prévues dans la Loi nationale sur l'habitation.

Le premier ministre a aussi précisé que les programmes de construction qui sont déjà en voie d'exécution, seront les premiers bénéficiaires de cette nouvelle mise de fond. Car, pour encourager la construction, le gouvernement veut que les projets qui sont déjà commencés ou qui sont à l'étude puissent être réalisés le plus tôt possible pour que l'effet de sa décision se fasse sentir sans délai sur l'emploi. (...)

LE FEU RAVAGE LE PONT VICTORIA

L'INCONVENIENT D'UN PONT UNIQUE

L'INCENDIE survenu au pont Victoria ramène sur le tapis l'établissement d'une nouvelle voie de communication entre la métropole et la rive sud, plus particulièrement du projet de construction d'un nouveau pont. Si on en juge par les entrevues que nous avons recueillies au cours de la matinée, on semble d'opinion que nos gouvernements devraient s'occuper de cette question, afin que Montréal ne soit plus dans la situation actuelle créée par l'incendie d'hier **(22 août 1920)**.

En effet, les voitures qui entrent ou sortent de la ville par le pont Victoria, ne pourront utiliser cette voie de communication d'ici peut-être huit jours. On doit passer par Longueuil et se servir du traversier. On devrait, dit-on, reprendre l'étude du projet de construire un autre pont pour relier les deux rives.

L'échevin Dixon, interrogé à ce sujet, a dit ce qui suit: «Les voyageurs qui viennent à Montréal et ceux qui partent d'ici se trouvent aujourd'hui dans un grave embarras. Et la cause, c'est qu'on dépend d'un seul pont pour atteindre soit Montréal soit la rive sud.

«Il serait temps que les gouvernements fédéral et provincial, ainsi que les municipalités intéressées étudient la question d'ériger un pont ou bien de trouver un moyen quelconque de faciliter la traversée du fleuve. On reconnait qu'il manque d'hôtels à Montréal; on s'aperçoit aujourd'hui qu'il nous manque aussi des voies de communication avec la métropole canadienne.» (...)

ATTENDANT LE BATEAU

Au moment où nous allons sous presse, une file interminable de voitures et surtout d'autos attendent encore sur la rive sud le moment où elles pourront monter sur le steamer Longueuil et être traversées à Montréal. Comme on l'a vu plus haut, la chaussée du pont Victoria est trop endommagée pour permettre le passage aux voitures, et il faudra attendre quelque temps avant qu'elle soit suffisamment réparée, bien que tous les trains puissent circuler comme d'habitude sur le pont.

TRAVERSEES SANS CESSE

Aux bureaux de la compagnie Canada Steamship Lines, on a déclaré ce matin, à un représentant de la «Presse» que le «Longueuil» n'a cessé de traverser d'une rive à l'autre depuis de très bonne heure hier matin. On a dit qu'il n'a même pas cessé durant la nuit et que l'on ne pouvait encore dire à quel moment les traversées arrêteraient. On peut s'imaginer le grand nombre de voitures que le navire a dû transporter de la rive sud à la rive nord si l'on sait qu'il ne peut prendre plus de cinquante autos à la fois. (...)

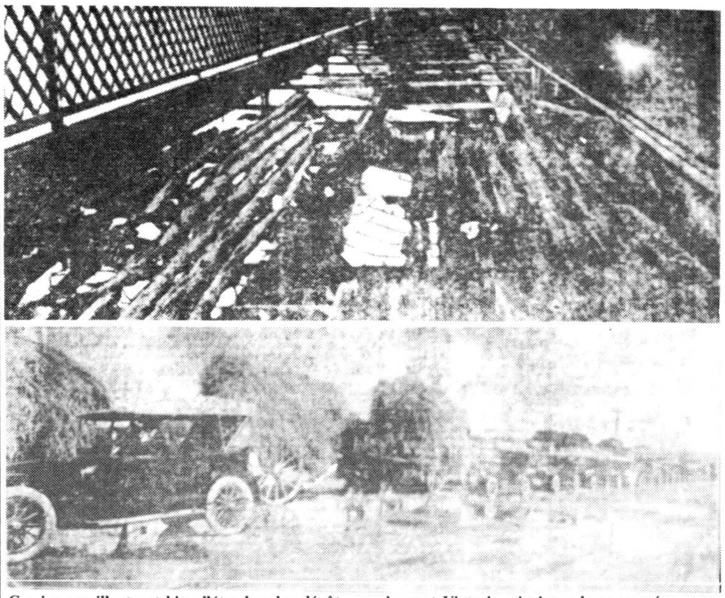
Ces images illustrent bien l'étendue des dégâts sur le pont Victoria, ainsi que leurs conséquences pour les automobilistes.

Expo

M. Bienvenu démissionne

C'est par l'impossibilité où la loi organique de la Société de l'Expo et des règlements internes du conseil d'administration le plaçaient «d'assurer, entre les trois gouvernements concernés un juste équilibre que j'estimais essentiel pour donner un caractère vraiment canadien à cette vaste entreprise» et en proposant «certaines mesures qui, à mon avis s'imposent» pour que son successeur puisse diriger efficacement cette société, que M. Paul Bienvenu explique sa démission du poste de Commissaire général et président de la Compagnie de l'Exposition universelle canadienne, dans deux documents confidentiels qu'il a rendu publics, hier **(22 août 1963)**, à la suite de la publication d'informations dans LA PRESSE.

Le premier de ces documents est la lettre «confidentielle» de démission qui remonte au 8 juillet dernier.

L'autre, qui est datée du 12 août, rappelle la démission et insiste pour qu'elle soit acceptée rapidement et qu'un nouveau commissaire général soit nommé — avec des pouvoirs mieux définis et plus étendus.

Dans ces deux lettres, M. Bienvenu laisse entendre que la Société de l'Expo était tiraillée, sans pouvoir d'arbitrage, entre les autorités fédérale, provinciale et municipale, n'agissant pas toujours d'une façon «coordonnée» et déclare que «les circonstances présentes ne lui permettent pas de donner à ce projet gigantesque le caractère national et universel qu'il doit avoir».

«J'ai la ferme conviction, dit M. Bienvenu, que l'exposition sera une réussite totale, si les trois gouvernements concernés donnent à mon successeur toutes les facilités et l'autorité nécessaire pour la mener à bonne fin». (...)

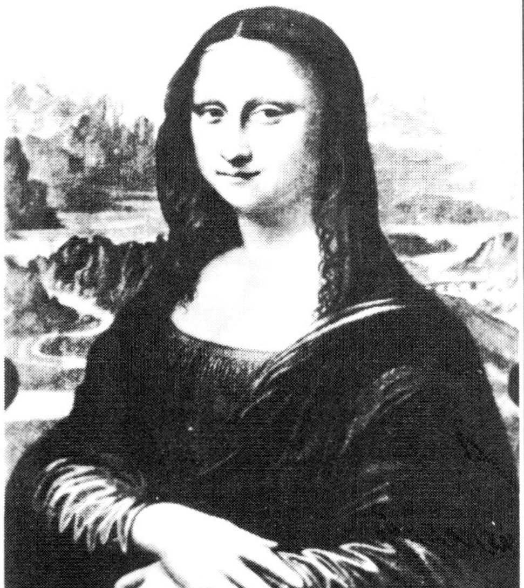

LA POLICE PARISIENNE RECHERCHE LA «JOCONDE»

(Dépêche spéciale à la PRESSE)

PARIS — M. Dujardin-Beaumetz, le sous-secrétaire des Beaux-Arts, s'est chargé du soin de faire rechercher le fameux portrait de la «Joconde», par Léonard de Vinci, qui a disparu mystérieusement du musée du Louvre, hier après-midi **(22 août 1911)**. La police est sur pied.

Il y a un an, le «Cri de Paris» annonçait que le chef-d'oeuvre de Vinci avait été enlevé et qu'on avait mis à sa place une copie très fidèle, mais cette nouvelle était sans fondement.

«La Joconde» est le plus célèbre portrait de femme qu'il y ait dans l'univers. Il représente la femme du Gorentin Francesco del Giocondo. Le trait le plus caractéristique de l'oeuvre est le sourire énigmatique.

Le gouvernement anglais a déjà offert $5,000,000 pour ce portrait.

22 C'EST ARRIVÉ UN AOÛT

1997 — Frédéric Ozanam, béatifié aujourd'hui à Paris par le pape Jean-Paul II, n'avait que 20 ans lorsqu'il fonda la Société de Saint-Vincent-de-Paul avec six autres compagnons.

1982 — Après sept heures de blocus israélien, le navire *Sol Phryne* peut enfin quitter Beyrouth avec 1 100 fedayin à son bord.

1978 — Un commando prend des ministres et des députés du Nicaragua en otages, au Parlement de Managua. — Mort de Jomo Kenyatta, président du Kenya.

1975 — Les premiers ministres du Canada se disent prêts à discuter des contrôles des prix et des salaires.

1972 — Le président Nixon reçoit l'investiture de la convention républicaine comme candidat à l'élection présidentielle.

1968 — Le FNL lance un bombardement aux roquettes sur Saïgon.

1967 — Les gardes rouges brûlent la mission britannique à Pékin.

1958 — Les États-Unis et la Grande-Bretagne acceptent de suspendre les essais nucléaires pendant un an à la condition que l'URSS ne reprenne pas les siens.

1950 — Début d'une grève nationale dans les chemins de fer du Canada. Le parlement fédéral est convoqué d'urgence.

1947 — L'entrée en vigueur de la loi Taft-Hartley réoriente la politique ouvrière, aux États-Unis, en limitant la marge de manoeuvre des syndicats face aux entreprises.

1946 — William Lyon Mackenzie King, premier ministre du Canada, assiste à une séance du procès de Nuremberg.

1935 — Le Crédit social de William Aberhart gagne 59 sièges sur 63 lors des élections générales d'Alberta.

Des observateurs politiques: un début d'Etat policier

Québec à l'assaut du terrorisme

Programme en dix points pour enrayer les attentats à la bombe

QUEBEC — Se servant de termes d'une violence peu commune pour dénoncer les «terroristes» et «extrémistes révolutionnaires» (mais non les séparatistes comme tels), le nouveau ministre de la Justice du Québec, M. Rémi Paul, a dévoilé hier **(22 août 1969)** un programme en dix points pour mettre fin à la vague d'attentats à la bombe qui déferle sur la province, programme qui, selon la plupart des observateurs politiques, constitue un début d'Etat policier et va à l'encontre des principes déjà énoncés dans le premier rapport de la commission d'enquête Prévost sur l'administration de la Justice.

Quoi qu'il en soit, M. Paul, comme l'avait fait le gouvernement libéral lors de la première vague terroriste en 1963, juge que la présente situation en est une d'exception.

Même si les mesures spéciales du ministère de la Justice sont propres, selon certains, à donner aux corps policiers l'impression qu'ils ont carte blanche (M. Paul a lui-même avoué qu'elles pourraient causer des inconvénients à certains citoyens honnêtes et il s'en est d'avance excusé), elles n'en n'ont pas moins été énoncées clairement hier lors d'une conférence de presse convoquée au Parlement québécois:

■ création de patrouilles spéciales qui exerceront une surveillance accrue à la fois auprès des individus soupçonnés d'actes terroristes et dans les endroits habituellement fréquentés par ce genre de personnes;

■ élargissement de la brigade spéciale anti-terroriste qui, en plus des trois corps dont elle se compose déjà (Sûreté du Québec, Police de Montréal et Gendarmerie royale) obtiendra la collaboration directe de 60 autres corps policiers du Québec;

■ surveillance accrue des édifices gouvernementaux provinciaux et fédéraux et appel aux hommes d'affaires et aux industriels pour qu'ils surveillent davantage leurs établissements (ils pourront obtenir l'aide de la Sûreté du Québec);

■ appel aux media d'information afin qu'ils cessent de monter en épingle les attentats terroristes;

■ maintien de la prime de $62,000 pour toute information conduisant à la capture de terroristes;

■ appel à la collaboration du public non seulement pour faire toute suggestion au ministère sur la façon de capturer les terroristes, mais également pour fournir toutes informations utiles, quel que soit l'endroit où elles sont glanées: réceptions, cocktails, rencontres, etc.;

■ possibilité d'une loi-cadre devant permettre aux municipalités de réglementer le «droit de réunion publique extérieure»;

■ contrôle accru de la vente, du transport et de l'entreposage de la dynamite au Québec (tout particulièrement des détonateurs);

■ demande au ministère fédéral de l'Immigration pour que l'on effectue une étude plus poussée des dossiers d'immigrants;

■ appel à tous les corps policiers du Québec qui n'ont pas encore été consultés d'entrer en communication avec la Sûreté du Québec pour échanger de l'information et coordonner les recherches. (...)

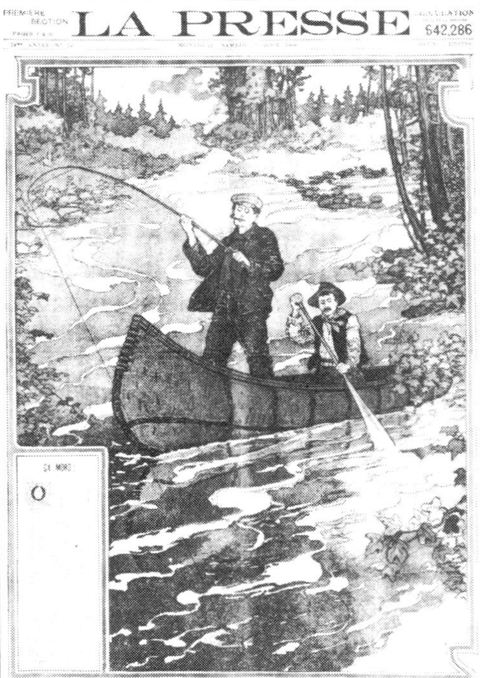

Page consacrée à la pêche et publiée le *22 août 1908.*

Duplessis promet une enquête complète

QUÉBEC — Claude Jodoin, président du Congrès du travail du Canada, a dit aujourd'hui **(22 août 1957)** que le premier ministre Duplessis a promis une enquête complète sur la situation à Murdochville.

M. Duplessis a déclaré qu'il aurait un rapport à la fin de cette semaine ou au début de la semaine prochaine.

M. Jodoin a fait cette déclaration aux journalistes après avoir conféré pendant 45 minutes avec le premier ministre dans ses bureaux de l'édifice du Parlement.

Le président du CTC, qui compte 1,000,000 de membres au Canada, avait demandé à rencontrer l'hon. Maurice Duplessis, à son retour de Murdochville où il avait dirigé une délégation de 450 syndicalistes qui ont manifesté leur appui aux grévistes de la Gaspé Copper Mines. (...)

De Gaulle sort indemne d'un attentat à la mitraillette

PARIS — Le général de Gaulle a échappé à un attentat — le troisième — hier **(22 août 1962)**, en fin d'après-midi, alors qu'il s'apprêtait à regagner Colombey-les-deux-Eglises, après avoir présidé le conseil des ministres à l'Elysée. On attribue généralement cette tentative d'assassinat à l'Organisation armée secrète (OAS).

Le président de la République française était accompagné de Madame de Gaulle et de son gendre le colonel de Boissieu, lorsque sa voiture, à deux reprises, a essuyé, à quelques milles de l'aérodrome de Villacoublay, plusieurs rafales d'armes à feu — au moins 150 balles — qui ont brisé la vitre arrière et crevé deux pneus.

Une balle a d'ailleurs traversé la vitre à moins de deux pouces en arrière du côté où se tenait le général de Gaulle qui a trouvé que «cette fois-ci, c'était assez tangent». Aucun des occupants de la voiture n'a été atteint; un motocycliste de l'escorte a reçu deux balles dans son casque mais n'a pas été blessé. Par contre, l'occupant d'une voiture de tourisme qui se trouvait près du lieu de l'attentat, a été légèrement blessé à la main.

Déroulement de l'attentat

Le conseil des ministres s'étant terminé peu avant huit heures du soir, le chef de l'Etat avait pris place dans une DS noire, pour aller à Villacoublay d'où un avion militaire allait le conduire à Saint-Dizier, près de Colombey-les-deux-Eglises.

La voiture du général était précédée de quelques motards de la police chargée d'ouvrir la route et précédée de la voiture d'escorte habituelle. Soudain, à Petit Clamart, environ à mi-chemin entre Paris et Villacoublay, alors que les deux voitures roulaient dans l'avenue de la Libération, longue artère en ligne droite, semi-déserte et mal éclairée, une rafale de fusil-mitrailleur retentit.

Selon des témoins, une camionnette Renault était arrêtée au bord du trottoir, dans un coin d'ombre. Au moment où arriva le cortège, des «tueurs» descendirent et lâchèrent leur rafale à bout portant.

Indemnes, les voitures poursuivirent leur route mais, 150 pieds plus loin, nouvelle attaque: des rafales crépitent, venant d'un second véhicule. Cette fois, la voiture dans laquelle se trouve le général de Gaulle, est atteinte. Deux pneus sont crevés, la vitre arrière vole en éclats.

Malgré ses pneus atteints, la DS continua de foncer en direction de Villacoublay, atteint 5 minutes plus tard. (...)

L'ordre règne autour de la prison de Boston lors de l'exécution de Sacco et de Vanzetti

Une scène de la dispersion des protestataires contre la peine de mort de Sacco et Vanzetti, à Boston, hier. La police bostonienne ne laissa le temps à aucune des assemblées du genre de devenir violente, se hâtant de disperser les assistants à la moindre manifestation.

BOSTON — Nicola Sacco et Bartolomeo Vanzetti ont été exécutés aujourd'hui (le 23 août 1927) pour le meurtre dont ils furent trouvés coupables, il y a six ans. Ils sont morts calmement, un peu après minuit, dans la chaise électrique, à la prison d'Etat de Charlestown, en protestant de leur innocence, en affirmant leur croyance en l'anarchie et en refusant les secours de la religion. Celestino Madeiros, condamné à mort pour le meurtre d'un caissier de banque de Wrentham, a été électrocuté quelques minutes avant les deux hommes qu'il avait essayé de sauver en avouant qu'il avait vu commettre le crime dont ils furent trouvés coupables, mais que ni Sacco, ni Vanzetti n'étaient là. Cette confession fut la base d'une motion pour demander un nouveau procès, mais elle ne fut pas crue. Après avoir eu recours à toutes les cours et à toutes les ressources légales, les avocats de la défense essayèrent encore de trouver un nouveau moyen pour obtenir un sursis. Quatre avocats se rendirent à Williamstown, en automobile pour demander un sursis à un juge de la Cour du circuit des Etats-Unis. Ils ne revinrent que lorsqu'ils apprirent, par téléphone, que Madeiros et Sacco avaient déjà été exécutés et que l'électrocution de Vanzetti n'était plus qu'une question de minutes.

En se plaçant sur la chaise électrique, Sacco a crié: «Vive l'anarchie!»

Sans un tremblement, Vanzetti s'est assis sur la chaise électrique en disant qu'il n'avait jamais commis de crime et en

Sacco et Vanzetti furent exécutés pour le meurtre d'un payeur et de son gardien, à South Braintree, en 1920. La culpabilité avait été établie partiellement par des témoins oculaires. Sacco et Vanzetti protestèrent de leur innocence et soutinrent qu'ils étaient persécutés à cause de leurs principes radicaux. (...)

AUTOUR DE LA PRISON
(Service de l'«United Press» exclusif à la «Presse»)

Boston — Grâce à l'intervention des gardes, l'exécution n'a pas été caractérisée par les désordres auxquels on avait tout lieu de s'attendre. Comme la minute fatale approchait, la foule fut repoussée et dut se tenir éloignée des portes de la prison. Seuls purent assister les familles qui demeurent dans le voisinage.

On les vit aux fenêtres. Plu-

remercier le geôlier pour tout ce qu'il avait fait pour lui.

sieurs d'elles avaient invité des amis à passer la nuit.

De la maison de la mort, on entendit une voix rauque. «Sh Sh., c'est Vanzetti,» déclara un garde.

Un enfant de douze ans, qui se tenait dans les environs, aperçut deux fils électriques qui passaient au-dessus de sa tête, et attira l'attention sur lui en disant: «C'est là qu'est le jus!» Sur un toit se tenait un pompier, boyau en main. Il était là d'urgence depuis le 4 août, afin de prévenir un incendie possible et d'intervenir dans un cas de poussée générale. (...)

Mme Rose Sacco, la mère des enfants de Sacco, qui perdit connaissance il y a 12 jours comme elle désirait se présenter devant le gouverneur, fit une apparition dramatique en compagnie de Mlle Vanzetti, qui elle-même venait de parcourir 4,000 milles pour faire ses adieux à son frère, dans la chambre de l'exécutif, chez le gouverneur. (...)

Grande perte pour le cinéma des Etats-Unis

NEW YORK — Rudolph Valentino, le célèbre acteur de cinéma, est décédé aujourd'hui (23 août 1926). Il avait subi dernièrement une double opération pour l'appendicite et pour ulcères gastriques. Les trois médecins qui le soignaient depuis cette double opération ont eu recours samedi à l'aide d'un confrère, une nouvelle crise s'étant produite. Samedi, en effet, Valentino commença à souffrir d'une pleurésie, au poumon gauche. Son état paraissait désespéré.

Avec Valentino disparait un artiste extrêmement populaire. Les films cinématographiques dans lesquels il avait un rôle étaient toujours assurés d'un grand succès. (...)

Des scènes de désordre inouïes se sont produites (...) à la suite de l'annonce que le corps de Rudolph Valentino serait exposé dans une des salles de l'établissement Campbell, sur Broad-

Rudolph Valentino

way, près de la 66ème rue. Une foule de 60,000 personnes, en majorité composée de femmes et de jeunes filles, s'est pressée devant l'établissement, créant un embouteillement prolongé de la circulation et luttant avec acharnement afin de parvenir jusque dans la salle où le corps est exposé. On dut faire venir des ambulances et transformer l'une des salles basses de l'établissement Campbell en infirmerie. On ne put compter les femmes blessées, piétinées ou évanouies. Le service de police fut absolument débordé. On ne se rappelle pas d'occasion où une foule newyorkaise ait été aussi difficile à contrôler.

Pour prévenir tout vol de souvenirs, on dut transporter le corps dans une salle dégarnie et l'enfermer dans un cercueil de bronze. Chaque visiteur avait droit de jeter un seul coup d'oeil sur la dépouille mortelle de l'artiste.

S'il est un endroit où les pompiers ne s'attendent pas à combattre un incendie, c'est bien dans un incinérateur. Pourtant, dans la nuit du 23 août 1920, les pompiers de Montréal durent combattre un incendie qui détruisit presque complètement l'incinérateur situé à l'angle des rues Atwater et Saint-Patrice, ainsi qu'une remise à wagons située à l'arrière.

Des BPC flambent à Saint-Basile

L'incendie d'un entrepôt de BPC (biphényles polychlorés) — un produit hautement toxique — a forcé l'évacuation de plus de 2000 citoyens des municipalités de Saint-Basile-le-Grand et Saint-Bruno, sur la Rive Sud de Montréal.

Le nuage de fumée qui s'est formé a été qualifié cette nuit de hautement toxique par un porte-parole d'Environnement-Québec, Pierre Sourdif. Celui-ci demande à la population des municipalités qui ont été survolées par « le panache de fumée » de ne pas consommer les légumes de leur potager et de ne pas boire d'eau du robinet.

Il s'agit des villes de Saint-Basile, Saint-Bruno, Sainte-Julie, Boucherville et les municipalités avoisinantes.

Environnement-Québec procède actuellement à des études pour déterminer le degré de contamination des cours d'eau de la région, dont le plus important est la rivière Richelieu.

La firme « Sanivan » a creusé des digues au tour du feu, cette nuit, et tentera de récupérer l'eau utilisée par les pompiers et qui est maintenant contaminée.

L'incendie a débuté à 20 h 40 à la suite d'une explosion, suivie de deux autres. (Texte publié le 23 août 1988.)

Une demi-heure avant le coup de minuit, dans la soirée du 23 août 1932, le Nord de la ville était secoué par une violente explosion en sous-sol qui ouvrait littéralement la chaussée pavée sur une distance d'environ un mille, entre les rues Jarry et Kelly, l'explosion imputable au gaz propulsa les couvercles d'égout et les pavés de la chaussée à des hauteurs de 50 pieds, en plus de secouer sérieusement les maisons construites en bordure du boulevard. Malgré la panique provoquée chez les citoyens et l'ampleur des dégâts, on n'eut, presque miraculeusement, à déplorer aucune blessure grave parmi la population.

C'EST ARRIVÉ UN 23 AOÛT

1986 — Des astronomes britanniques ont annoncé avoir découvert l'objet le plus distant jamais aperçu dans l'Univers — un astre si lointain que sa lumière a mis vingt milliards d'années pour atteindre la Terre.

1974 — Après avoir plaidé coupable aux accusations de crime d'incendie sur le site du projet hydroélectrique de la baie James, Yvon Duhamel est condamné à 10 ans d'emprisonnement.

1973 — Une grève générale paralyse les trains au Canada.

1970 — Accord entre Ottawa et Québec pour créer un parc national en Mauricie.

1968 — Arrivée du président Svoboda, de Tchécoslovaquie, à Moscou, pour des « consultations » avec les dirigeants d'URSS.

1958 — Les communistes chinois bombardent les îles de Quemoy et de Matsu, de la Chine nationaliste, pour la première fois.

1956 — La nageuse torontoise Marilyn Bell réussit la traversée du détroit Juan de Fuca en un temps record de 10 heures et 38 minutes en-

tre Port Angeles, dans l'État de Washington, et l'île de Vancouver.

1950 — Le nouveau paquebot français Liberté (le Europa allemand cédé à la France pour réparations de guerre) arrive à New York après sa première traversée sous pavillon français.

1946 — Le porte-avions canadien Warrior s'échoue sur un banc de sable, près de la Pointe Saint-Antoine, dans le Saint-Laurent.

1939 — Lors d'une entrevue avec l'ambassadeur britannique, Hitler demande la possession de Danzig et du corridor polonais, ainsi que l'institution d'un protectorat allemand sur la Pologne.

— L'Allemagne et l'URSS signent un pacte de non-agression de dix ans.

1925 — Saint-Gabriel-de-Brandon fête le 100e anniversaire de sa fondation.

1924 — LA PRESSE présente à ses lecteurs les plans de la future basilique du Mont-Royal.

1914 — Le Japon déclare la guerre à l'Allemagne.

« Le ciel obscurci, tout un quartier secoué par de multiples explosions, une vue saisissante du plus désastreux incendie, à Montréal, depuis 35 ans », disait la légende de cette photo, en parlant de l'incendie qui, le 23 août 1948, détruisit 130 wagons de fret dans la cour de triage de la gare Bonaventure, donc entre les rues Windsor et de la Montagne. Cet incendie est survenu en pleine canicule d'août, de sorte qu'à certains endroits, le mercure indiquait 120°F, d'après la chronique de l'époque.

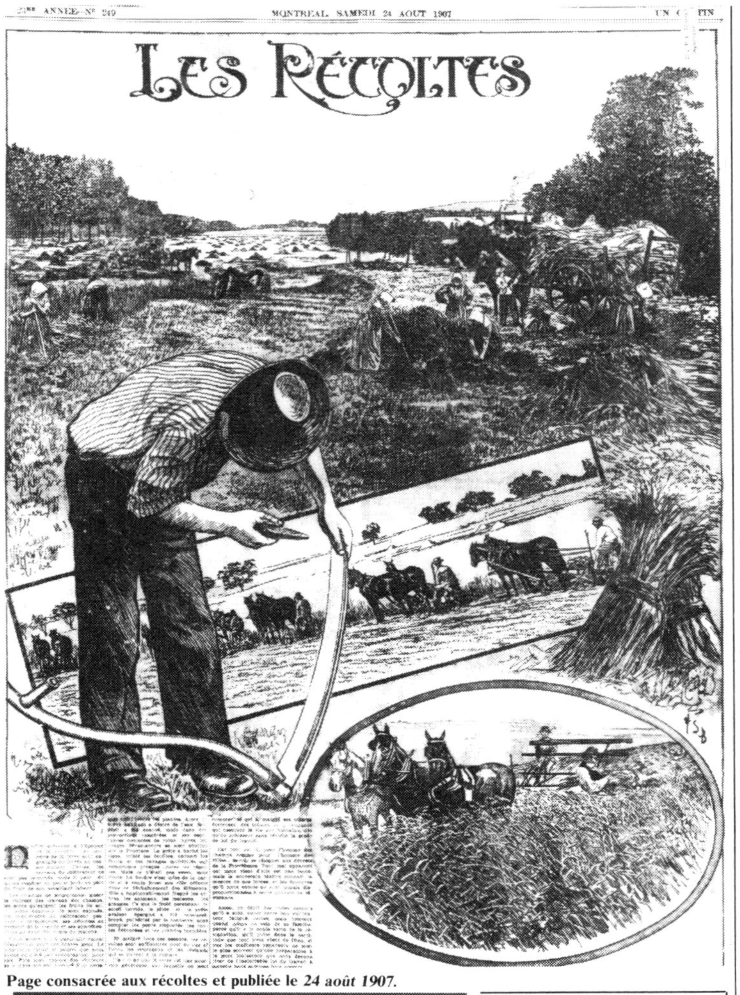

Page consacrée aux récoltes et publiée le *24 août 1907*.

C'EST ARRIVÉ UN 24 AOÛT

1993 — Michael Jackson affirme que les accusations d'agression sexuelle sur un garçon de 13 ans portées contre lui sont totalement fausses et procèdent d'une tentative d'extorsion.

1982 — L'ex-présidente d'Argentine, Mme Isabel Peron, est déchue de ses droits civiques. — Décès à l'âge de 85 ans de Félix-Antoine Savard, le célèbre auteur de *Menaud, maître draveur*.

1977 — Les Inuit du Nouveau-Québec manifestent contre le projet de loi 101, à Fort Chimo, forçant la fermeture des bureaux provinciaux et enlevant tous les drapeaux de la province.

1976 — Retour de deux cosmonautes soviétiques, après 48 jours à bord de la station spatiale *Salyout V*.

1972 — La ville d'Edmonton est choisie comme hôte des Jeux du Commonwealth en 1978.

1971 — Le Canada présente son livre blanc sur la Défense et décide d'abandonner les escadrons de missiles *Bomarc*.

1969 — Selon les premières analyses effectuées, les échantillons ramenés de la Lune seraient vieux de 3,5 milliards d'années.

1968 — À Moscou, les dirigeants tchécoslovaques Svoboda, Dubcek et Cernik négocient avec les Soviétiques. — La France entre dans le club nucléaire.

1965 — Le président Nasser d'Égypte et le roi Faiçal d'Arabie saoudite signent un cessez-le-feu mettant fin à la guerre civile qui sévit au Yémen depuis trois ans.

1962 — Washington révèle que l'équipement militaire et les techniciens soviétiques arrivent sans relâche à Cuba.

1958 — Décès de Johannes Strijdom, premier ministre d'Afrique du Sud.

1954 — Suicide du président Getulio Vargas, du Brésil, après sa démission forcée. — Le président Eisenhower signe la loi qui frappe le Parti communiste américain d'interdiction.

1928 — Mgr Joseph-Arthur Papineau est sacré évêque de Joliette. — Un accident de métro fait 27 morts et 156 blessés sous le Times Square, à New York.

1926 — Décès du sénateur Laurent-Olivier David, à l'âge de 86 ans.

1921 — Le dirigeable SZ-2 explose en Angleterre: 43 morts.

Constitution

Bourassa veut des garanties strictes

MONT-GABRIEL — Le premier ministre Bourassa s'est dit hier **(24 août 1975)** prêt à rouvrir le dossier constitutionnel, mais il a posé comme condition «sine qua non» la nécessité pour le Québec d'obtenir préalablement des garanties très strictes concernant la détermination de son avenir culturel.

Clôturant le colloque de son parti au Mont-Gabriel, le chef libéral a précisé que ces garanties devront assurer au gouvernement québécois «le dernier mot» en matière linguistique, ainsi que dans les secteurs des communications et de l'immigration. Ce n'est pas la première fois que M. Bourassa indique son accord de principe à une réouverture du dossier constitutionnel fermé depuis le «non» historique du Québec, en 1971, à la Conférence de Victoria.

Toutefois, l'originalité du discours d'hier, de l'avis même de M. Bourassa, réside dans le fait qu'il s'agit de la première fois que le Québec précise de façon aussi formelle les conditions de base sans lesquelles il ne saurait être question d'ouvrir la discussion.

Comme la plupart des observateurs l'avaient par ailleurs prédit, le colloque du Parti libéral, auquel participaient quelque 350 militants, s'est terminé sans que ne se produisent de discussions majeures concernant les problèmes politiques actuels du Québec. Au contraire, la grande majorité des exposés ont porté sur des sujets d'ordre général sans grande connotation avec la situation québécoise présente.

Cependant, quelques exposés, portant notamment sur la famille et les problèmes du monde du travail, ont suscité plus d'intérêt et provoqué des discussions plus animées.

C'était d'ailleurs le voeu du président du parti, M. Claude Desrosiers qui, dès vendredi soir, avait demandé que le colloque ne soit pas teinté de partisanerie et qu'il s'agisse, en quelque sorte, d'un événement apolitique.

Conditions objectives

Ce voeu aura été exaucé jusqu'au moment du discours du premier ministre Bourassa qui a profité de la clôture des assises pour lancer quelques flèches au Parti québécois et pour définir les «conditions objectives» obligeant le gouvernement québécois à exiger un contrôle complet sur son avenir culturel comme préalable à toute discussion constitutionnelle.

A son avis, ces conditions sont: la baisse constante de la natalité (et, par conséquent, la diminution progressive de l'importance numérique des Québécois au sein de la Confédération), la difficulté croissante d'intégrer les immigrants, ainsi que la rapidité effarante avec laquelle se développent les moyens de communication. (...)

Horreur à Concordia

Rentrée sanglante à l'Université Concordia : vers 15 h, un chargé de cours du département de génie mécanique, Valery Fabrikant, s'est rendu, armé, au 9e étage du pavillon Henry F. Hall, situé au 1455 ouest, de Maisonneuve, en plein centre-ville de Montréal. Deux personnes ont été tuées et trois autres blessées.

De nombreux policiers se sont rendus sur les lieux afin de maîtriser le présumé tueur qui avait pris deux personnes en otage. Vers 16 h 30, il a été désarmé par un des otages au moment où il négociait avec un enquêteur de la police. Les victimes ainsi que deux des trois blessés sont des professeurs.

Valery Fabrikant, un employé de l'université depuis 1979, n'avait pas une très bonne réputation. Il avait accusé certains de ses collègues de fraude académique, alléguant qu'ils utilisaient les travaux des étudiants à leur profit et obtenaient ainsi de lucratifs contrats du ministère des Approvisionnements et Services.

M. Fabrikant semblait obsédé par cette histoire de conflit d'intérêts impliquant certains de ses collègues dont, plus particulièrement, Seshadri Sankar qui possédaient deux compagnies qui ont obtenu des contrats du gouvernement fédéral.

L'Université Concordia a enquêté sur les accusations lancées par Valery Fabrikant, un Québécois d'origine russe installé au Canada depuis 12 ans et qui se définisssait comme un honnête citoyen. Le vice-recteur, Rose Sheinin, avait d'ailleurs déclaré le 17 mars, lors d'une réunion du bureau des gouverneurs, que les accusations de Fabrikant n'étaient pas fondées.

L'université lui avait refusé sa titularisation. Il a aussi intenté deux poursuites contre des collègues, a déclaré hier soir le vice-recteur aux relations institutionnelles et finances, Maurice Cohen, lors d'une conférence de presse.

Fabrikant harcelait ses collègues. Il les aurait même menacés, créant ainsi un climat d'insécurité. En novembre 1991, Fabrikant se serait rendu à une réunion avec un attaché-case qui présentait une bosse inquiétante, rappelle une journaliste de *The Gazette*, Carolyn Adolph, qui a enquêté sur cette histoire il y a quelques mois.

Fabrikant a refusé de montrer le contenu de son attaché-case à ses collègues inquiets qui croyaient qu'il dissimulait une arme. L'université a contacté la police qui, finalement, n'a rien trouvé.

M . Fabrikant est marié et il a deux enfants de 7 et 9 ans.
(Texte publié le 24 août 1992.)

Un million de millionnaires

Quelque 3,3 millions d'Américains ou 1,6 p. cent de la population adulte totale se partageaient près de 28,5 p. cent des richesses privées du pays, en 1986, selon les dernières statistiques disponibles publiées par le service fédéral des impôts (Internal Revenue Service — IRS).

L'IRS a également souligné que les États-Unis comptent probablement plus d'un million de millionnaires actuellement. En 1986, l'IRS avait déjà dénombré 941 000 adultes américains dont la fortune se montait au moins à un million de dollars, soit le double de ceux recensés en 1982 (475 000) et cinq fois plus qu'en 1976 (180 000).

Les milliardaires, eux, sont 182 dans le monde. Par ailleurs, les deux personnes les plus riches du monde sont des magnats du pétrole: le sultan Haji Hassanal Bolkiah de Bruneï — indéboulonnable au sommet du hit-parade des plus grosses fortunes depuis quatre ans — et le roi Fahd d'Arabie Saoudite et sa famille.

Le sultan de Bruneï «pèse» 25 milliards$ et la famille royale saoudienne 18 milliards$, selon le magazine américain Fortune. L'estimation de leur fortune est fondée en partie sur les prix du brut à la mi-juillet, lorsque le baril valait 18$, a précisé un porte-parole du magazine.

En troisième position figure la famille américaine Mars, des confiseries du même nom - mais aussi le riz Oncle Ben's et les conserves pour animaux Kal-Kan - dont la fortune est estimée à 12,5 milliards$.
(Texte publié le 24 août 1990.)

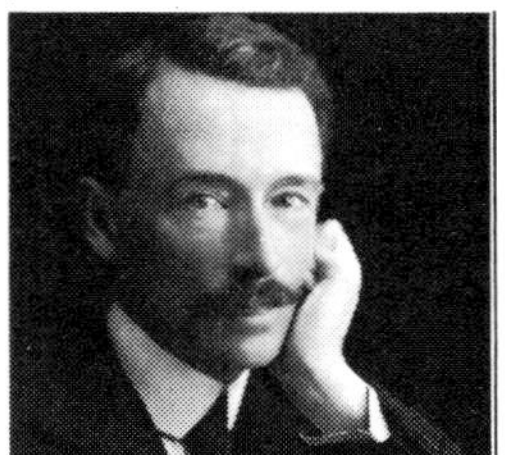

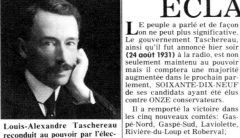

Louis-Alexandre Taschereau reconduit au pouvoir par l'électorat.

ECLATANTE VICTOIRE LIBERALE

LE peuple a parlé et de façon on ne peut plus significative. Le gouvernement Taschereau, ainsi qu'il fut annoncé hier soir **(24 août 1931)** à la radio, est non seulement maintenu au pouvoir mais il comptera une majorité augmentée dans le prochain parlement, SOIXANTE-DIX-NEUF de ses candidats ayant été élus contre ONZE conservateurs.

Il a remporté la victoire dans les cinq nouveaux comtés: Gaspé-Nord, Gaspé-Sud, Laviolette, Rivière-du-Loup et Roberval;

enlevé à ses adversaires cinq comtés: Laval, Maisonneuve, Montréal-Dorion, Montréal-Sainte-Marie et Sherbrooke;

mais l'opposition conserve Hull, Huntingdon, Montréal-Saint-Georges, Montréal-Verdun, Westmount, Trois-Rivières, Deux-Montagnes;

et elle enregistre quatre gains: Chambly, Rouville, Saint-Sauveur et Yamaska.

Ceux qui prévoyaient que la récente défaite du parti libéral dans l'île du Prince-Edouard et la victoire du candidat conservateur à l'élection fédérale complémentaire dans Trois-Rivières détermineraient un courant d'opinion défavorable au gouvernement Taschereau, peuvent constater qu'il n'en fut rien. L'opposition qui comptait douze membres est réduite à onze, bien que la province, subdivisée au cours de la dernière session, ait été appelée à élire hier cinq députés de plus qu'en 1927. Les libéraux, par ailleurs, qui parlaient d'un balayage complet en leur faveur dans l'île de Montréal, selon ce que la «Presse» annonçait jeudi dernier dans ses pronostics, n'ont pas été déçus, M. Camillien Houde, chef de l'opposition, ayant été lui-même défait dans les deux comtés où il briguait les suffrages, Sainte-Marie et Saint-Jacques, et ses candidats dans Maisonneuve, Dorion et Laval ayant subi le même sort alors que les libéraux conservent les divisions qu'ils détenaient déjà.

Il n'y a pas de joie sans mélange. Les libéraux, en effet, ne pouvaient souhaiter victoire plus éclatante ni plus éloquente, mais une défaite semble les affecter très profondément, celle, dans Montréal Saint-Georges, de l'hon. Gordon W. Scott, qui devait être le prochain trésorier provincial. (...)

Le prochain parlement ne comptera aucun député officiellement indépendant des partis politiques.

On constate aussi que nos compatriotes de langue anglaise, du moins où ils étaient plutôt la majorité, semblent être demeurés fidèles au parti conservateur puisque les candidats de l'opposition y furent élus. (...)

Les délégations étrangères rapportent dans leurs bagages le «goût du Québec»

QUEBEC — Le premier festival international de la jeunesse francophone a pris fin samedi **(24 août 1974)** par une journée d'adieu qui a mobilisé des foules considérables, et soulevé une dernière fois l'enthousiasme et l'émotion.

10,000 personnes, selon la Sûreté du Québec, ont assisté samedi soir au spectacle de clôture — moins «international» que prévu, mais néammoins assez sensationnel.

Entre 15,000 et 20,000 personnes ont cassé la croûte sur les Plaines d'Abraham, avant le spectacle, en compagnie des délégués venus de 25 pays.

Plus tôt, à compter de 16 heures, les délégations nationales (à l'exception de celle du Dahomey) ont défilé dans les rues du Vieux-Québec pour saluer la ville hôte. Quinze mille jeunes Québécois se sont joints au défilé, selon la police municipale de Québec, tandis que 50,000 spectateurs massés sur les trottoirs ont rendu aux marcheurs leurs saluts d'amitié.

«Merci, merci»

A l'hôtel de ville, les autorités ont remis à chacun des délégués inscrits au festival une médaille-souvenir pour les remercier de leur «fantastique contribution» au succès de la superfrancofête. La foule tapait frénétiquement des mains au rythme de ces tams-tams qui ont fait partie pendant douze jours de la vie quotidienne à Québec.

«Merci, merci», criaient les Québécois aux visiteurs étrangers qui défilaient une dernière fois dans leurs rues. Echaudée, la délégation canadienne, c'est-à-dire ontarienne, manitobaine et acadienne, défilait elle sans identification. Appuyée par les marcheurs-manifestants qui se pressaient derrière, la délégation québécoise eut droit bien sûr aux plus fortes ovations. Une grande banderole disait: «Au revoir mon frère», «Quand tu reviendras, nous serons libres», ajoutait une autre.

Les délégations étrangères, il faut le dire, n'étaient pas au grand complet; la fatigue des spectacles et des compétitions qui se sont succédés à un rythme presque inhumain avait fait des victimes.

C'est également cette fatigue, voire cet épuisement universel qui a empêché le grand spectacle d'adieu d'être véritablement international. On avait imaginé de monter un spectacle-synthèse où on aurait réuni les meilleurs artistes de tous les pays. Trop long et trop compliqué; l'idée fut abandonnée.

Vendredi, on avait trouvé un substitut prometteur: un groupe de musique québécois serait sur la scène pour donner un «rythme d'appel» auquel, tour à tour, auraient répondu les groupes de musiciens de divers pays. Cela n'a pas marché.

Epuisés par le nombre invraisemblable de «performances» — surtout par celles qui n'étaient pas au programme et qui leur étaient arrachées à l'improviste par les fêtards — les formations nationales n'étaient pas en mesure de consentir à l'ultime effort que la Superfrancofête leur demandait.

Décevant, sans doute, mais personne n'avait le goût de blâmer qui que ce soit. (...)

PARIS EMPORTE D'ASSAUT

La libération est presque un fait accompli. Canadiens entrés à Paris avec les troupes françaises.

LONDRES — Paris paraît être aux mains des alliés ce soir **(25 août 1944)** et la 2e division blindée française opère dans la ville. La bataille, toutefois, continue dans la capitale et ses alentours.

Le général Koenig a annoncé à 6 h. 2 p.m. que les tanks de Leclerc opèrent au coeur même de Paris et que les patriotes occupent tous les principaux édifices officiels ainsi que la plupart des grandes artères de communications.

Les Allemands se sont barricadés en plusieurs points. Les premières patrouilles françaises sont arrivées à l'hôtel de ville, près de la rue de Rivoli, à 10 heures hier soir. Le gros des forces françaises est entré ce matin.

Les Allemands disent que les plus grosses batailles de tanks et de patriotes ont eu lieu près de l'Arc de Triomphe et du Palais du Luxembourg. (...)

(BUP) — La garnison allemande est lentement comprimée vers le nord-est de la ville entre les colonnes alliées arrivant par le sud et et les formations blindées françaises arrivant par l'ouest. En plusieurs points, les nazis fuient devant les assauts alliés mais ils sont attaqués de tous côtés par les patriotes français.

Durant toute la matinée, un poste secret de radio a décrit la bataille, rapportant la marche des troupes françaises à travers le Quartier latin jusqu'au pont S.-Michel et à l'Ile de la Cité, tandis que d'autres troupes alliés parties de la Porte d'Orléans suivaient le large boulevard Montparnasse et atteignaient le Luxembourg.

En plusieurs points, les Allemands ont incendié des édifices publics et privés avant de retraiter et la radio secrète annonce qu'une nappe de fumée couvre le centre de la capitale.

La phase finale est commencée

(...) La phase finale de la bataille de libération est bien avancée et la population croit déjà sa délivrance, apprend-on par des émissions alliés venant de la capitale.

(La libération de Paris par les troupes françaises et américaines est un «fait», déclare une émission de la NBC transmise des quartiers généraux de l'armée américaine en France).

Les émissions de Paris disent que le général Jacques Leclerc est entré par la Porte d'Orléans à 9 h. 43 ce matin. Le gros de la 2e division blindée commandé par ce général français — elle compte 30,000 hommes — est massé dans le district du pont de Sèves dans le sud-ouest de Paris et il a déjà commencé sa pénétration, a dit un annonceur allié.

Le général de Gaulle serait à Bagneux, un faubourg du sud-ouest, à 8 milles du centre de Paris, attendant l'instant inclus dans la capitale où le carillon de Notre-Dame a déjà annoncé l'entrée d'une tête de colonne. (...)

Un des tanks du général Leclerc au pied de l'Arc de Triomphe, sous lequel l'envahisseur allemand avait défilé triomphalement quatre ans plus tôt.

Le célèbre photographe Alfred Eisenstaedt meurt à 97 ans

Le photographe américain Alfred Eisenstaedt, vétéran du magazine *Life* dont la photo d'un marin embrassant une femme sur Times Square lors de la victoire des États-Unis sur le Japon a fait le tour du monde, est mort à l'âge de 97 ans. « Lorsque les gens m'auront oublié, ils se souviendront de cette photo », avait-il coutume de dire.
(Texte publié le 25 août 1995.)

Une mort qui bouleverse

Samantha Smith n'est plus. Cette écolière de 10 ans, qui avait été invitée en URSS par le président Youri Andropov après lui avoir écrit ses craintes d'un conflit nucléaire URSS-USA, a péri dans une tragédie aérienne. Elle avait 13 ans.

Depuis son retour d'URSS, elle avait rédigé un livre en collaboration avec son père, participé à une tournée de conférences et amorcé une carrière à la télévision, auprès de Robert Wagner, dans la série Lime Street.

Sa mort a été largement déplorée par tous les médias américains et a même fait l'objet d'une intervention inaccoutumée de la télévision soviétique.
(Texte publié le 25 août 1985)

Un succès qui fait oublier l'échec du vélodrome

LE succès phénoménal remporté par les championnats du monde de cyclisme qui viennent de prendre fin **(le 25 août 1974)** a permis aux Européens de constater de façon spectaculaire que les organisateurs canadiens ne sont pas manchots et que le public québécois, s'il n'est pas aussi averti dans certaines disciplines, a par contre le don d'apprendre vite les rudiments d'un sport. (...)

Pour le comité organisateur, M. Raymond Lemay en tête, la réponse spectaculaire du public québécois est venue couronner trois ans d'efforts planifiés. Sa petite équipe a littéralement fait des miracles. Et elle a aussi servi des leçons.

Un confrère français a été catégorique au sujet des championnats du monde: l'organisation de Montréal a surpassé tout ce qui s'est vu par le passé.

Et c'est l'organisation du comité organisateur qui a permis d'oublier momentanément l'échec du vélodrome, même si elle n'a pas réussi à ranimer la confiance de la presse mondiale envers le COJO, loin de là.

Ce qu'il faut retenir surtout du comité organisateur, c'est son leadership, personnifié par MM. Raymond Lemay et Maurice Brisebois. (...)

Et on ne peut que regretter qu'un homme aussi compétent, aussi actif, aussi ouvert, n'occupe pas une place de choix au COJO. Avec M. Lemay au COJO, l'image de l'organisme changerait du tout au tout, parce que M. Lemay donne toujours «l'heure juste» pour reprendre son expression favorite. Pas de demi-vérités, encore moins de mensonges. (...)

NDLR — Est-il nécessaire de rappeler que les championnats du monde de 1974 devaient se dérouler au vélodrome olympique, mais qu'il avait fallu les présenter sur une piste temporaire érigée à l'Université de Montréal en un temps record... et à des coûts très modestes. Malgré cet avatar de taille, en grande partie responsable des difficultés financières du comité organisateur, celui-ci avait connu un succès inespéré, tant sur le plan du sport que sur le plan de la presse internationale, de plus en plus inquiète de l'avenir des Jeux de Montréal, à cause justement de l'impossibilité où se trouvait la Ville de Montréal de terminer le vélodrome à temps pour les championnats du monde, tel que promis deux ans plus tôt...

Les Grands des Jeux, Américains et Soviets

ROME — Dans un décor d'une magnificence à la fois moderne et ancienne, Rome, parée de ses couleurs les plus gaies, baigne dans une atmosphère de gaieté et est toute prête à revivre un peu de ses splendeurs anciennes. C'est dans la pittoresque capitale italienne que commenceront aujourd'hui **(25 août 1960)** les 17es Jeux Olympiques modernes. Le vaste stade olympique de béton et de marbre, dont la construction a été entreprise sous feu Benito Mussolini, est prêt à accueillir des milliers et des milliers d'athlètes et de spectateurs qui feront de ces concours internationaux le plus grand spectacle jamais présenté dans l'histoire des sports.

Tout est prêt pour le début de la grande aventure. Il fera le magnificence lors des cérémonies d'ouverture. (...)

La flamme olympique, un symbole de pacifique compétition athlétique entre les nations, est arrivée, en provenance de Grèce, au Campidoglio, l'hôtel de ville de Rome, érigé sur les ruines de l'ancien Forum. Les rayons du soleil plombant sur le mont Olympe ont donné naissance à cette flamme olympique.

Ouverture officielle

Aujourd'hui, un écolier de Rome transportera la torche dans l'enceinte du stade, où la flamme brûlera jour et nuit jusqu'à la fin des Jeux, le 11 septembre.

Cet après-midi, le président de l'Italie, M. Giovanni Gronchi, proclamera les Jeux Olympiques officiellement ouverts. Le canon tonnera, des milliers de colombes s'envoleront vers le ciel et Adolpho Consolini, le géant italien qui remporta le championnat olympique au lancer du disque en 1948, prononcera le serment d'usage au nom de tous les athlètes. (...)

On a estimé que 300,000,000 de spectateurs à travers l'Europe verront les cérémonies par le truchement de la télévision, grâce à un gigantesque réseau spécialement aménagé pour la circonstance. Même certaines parties de la Russie sont raccrochés à ce réseau.

En Amérique du Nord, on verra les cérémonies et les principales épreuves de chaque jour. La plupart de ces épreuves pourront être vues en Amérique le jour même où elles auront été disputées. Des avions à réaction transporteront les films de Rome en Amérique en quelques heures.

Plus de 7,000 athlètes représentant 85 pays assisteront à ces Jeux. C'est la première fois dans l'histoire des Olympiques que l'on a un aussi grand nombre de participants. (...)

Des quelque 90 membres du contingent qui représentent le Canada, 73 participeront au grand défilé.

NDLR — Le contingent canadien causa une certaine émotion chez ses hôtes en défilant sans le veston, derrière son porte-drapeau, l'escrimeur Carl Schwende, de la Palestre nationale.

La ville de Gaspé célébrait avec pompes, le *25 août 1934*, le quatrième centenaire de la découverte du Canada par Jacques Cartier. En présence du premier ministre Bennett du Canada, du premier ministre Louis-Alexandre Taschereau, du Québec, et de représentants des gouvernements français, britanniques et américains, ainsi que de hauts dignitaires de l'Église catholique, dont le cardinal Villeneuve, se déroulèrent de nombreuses cérémonies commémoratives, notamment le dévoilement de la croix-souvenir érigée en l'honneur du découvreur du Canada et la bénédiction des cloches de la future basilique. La fête s'est également déroulée dans les eaux du fleuve, envahies par une véritable armada de navires de plusieurs nationalités. Mais le clou du spectacle fut sans contredit le défilé de 70 barques de pêcheurs décorées aux armes des provinces de France, berceaux de la nation canadienne-française. Les images que nous vous proposons représentent d'abord une vue d'ensemble de la croix-souvenir et de ses environs lors des cérémonies, l'arche d'if à l'entrée de l'évêché et les trois cloches de la future basilique. La plus petite, à gauche, montre une Ursuline enseignant aux Indiens. La moyenne, au centre, montre Jacques Cartier plantant la croix à Gaspé. La grosse porte l'inscription *Christus vincit, Christus regnat, Christus emperat.*

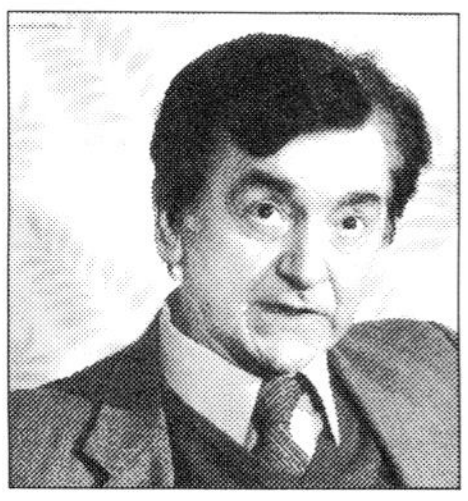

Camille Laurin

La loi 101 dix ans après

C'est aujourd'hui (**26 août 1987**) le 10e anniversaire de la Loi 101.

La Charte de la langue française, parrainée par le Dr Camille Laurin et considérée comme l'un des plus grands accomplissements du gouvernement Lévesque, est entrée en vigueur le 26 août 1977.

D'un côté, elle a soulevé un tollé chez les anglophones, mais de l'autre elle est devenue le symbole de la lutte pour la survie du français au Québec.

L'esprit de la loi était de permettre aux Québécois de vivre en français : de faire du français la langue de l'État et de la loi, aussi bien que la langue normale et habituelle du travail, de l'enseignement, des communications du commerce et des affaires.

La Loi 101 est en continuité avec la Loi 22, adoptée par le premier gouvernement Bourassa, et qui reconnaissait le français comme langue officielle du Québec. Mais elle est allée beaucoup plus loin que la Loi 22 dans les moyens que l'État québécois s'est donné pour réaliser l'objectif d'un Québec français.

Ainsi la loi a imposé l'unilinguisme français dans l'affichage public, restreint l'accès à l'école anglaise et prescrit l'usage exclusif du français dans plusieurs domaines de communications.

Maintenant au pouvoir, le gouvernement Bourassa a clairement indiqué qu'il amenderait la loi pour permettre l'affichage bilingue.

26 C'EST ARRIVÉ UN AOÛT

1995 — Les résidants de Parent évacués vers Mont-Laurier et La Tuque en début de semaine ont finalement pu rentrer chez eux. La route reliant Mont-Laurier à Parent a été ouverte dès 8 h. Selon un responsable de la Sécurité civile à Parent, on ne croit plus que le feu (qui est toujours à 10 km du village) représente encore une menace pour l'agglomération. Plusieurs chalets des environs ont toutefois été la proie des flammes.

1986 — Il y a trop de fonctionnaires au Québec et ceux-ci sont trop bien payés, comparativement à l'Ontario, soutient une étude rendue publique par le Conseil du patronat du Québec. Cette étude comparative révèle que, toute proportion gardée, le Québec compte 21,6 p. cent plus de fonctionnaires que la province voisine et que leur rémunération est de 32,5 p. cent supérieure à celle qu'ils recevraient si on appliquait ici les taux ontariens.

1978 — Charles Boyer, qui fut le grand séducteur français de l'écran des années 1930 et 1940, est décédé en Arizona. Il avait 78 ans. Charles Boyer, qui était devenu la vedette la mieux payée de la Warner, en 1945, était décoré de la Légion d'honneur et avait fondé, à Hollywood, un institut français de propagande et de culture.

Mirabel fut une erreur, admet Ouellet

Le ministre André Ouellet croit le moment venu de rationaliser l'utilisation des aéroports de Montréal pour éviter que les transporteurs aériens ne continuent de fuir Dorval et Mirabel au profit de Toronto et Vancouver.

Prenant la parole à l'hôtel de ville de Montréal, le ministre canadien des Affaires étrangères a d'emblée admis que des compagnies aériennes hésitent à desservir Montréal à cause de la présence des deux aéroports.

Cela dit, M. Ouellet reconnait que ce problème nuit au développement économique de la métropole et, dans une certaine mesure, que Mirabel fut une erreur.

« Quand je dis que Mirabel fut une erreur, ce n'est pas tant de l'avoir construit. Ce sont les circonstances qui font que Mirabel est devenu une erreur », a-t-il précisé.

Selon lui, personne n'avait à l'époque prévu la flambée du prix du pétrole et encore moins que le coût du transport aérien allait du coup quintupler. Il a rappelé qu'on avait cru que Mirabel serait la porte d'entrée du cargo aérien pour l'Amérique, mais que malheureusement cela ne s'est pas concrétisé.

Mais cela n'explique pas tout, a-t-il ajouté en substance, et il faudrait que les infrastructures nécessaires à son développement soient complétées.

« Québec devait construire une autoroute pour relier Montréal à Mirabel et ça n'a pas été fait. Le gouvernement conservateur avait de son côté promis de réaliser une liaison rapide Mirabel-Dorval et ça n'a pas été fait non plus. Nous faisons face à une situation où les compagnies aériennes hésitent à venir à Montréal à cause du problème des deux aéroports. »

En conséquence, a précisé M. Ouellet, les autorités locales ont des décisions à prendre pour changer cette situation « si on veut garder ici un volume de transport aérien acceptable ».

(**Texte publié le 26 août 1995.**)

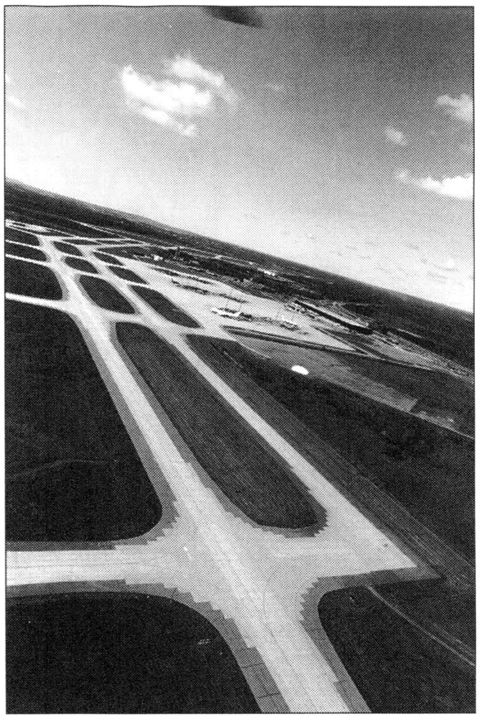

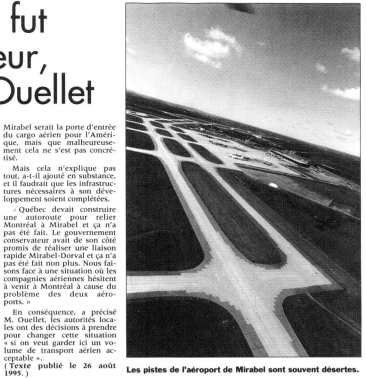

Les pistes de l'aéroport de Mirabel sont souvent désertes.

Le vieil entrepôt n'est plus

Russell Lagacé carbure aux explosifs. Il revient tout juste d'une mission de déminage en Israël pour les Nations unies et pour rien au monde, il n'aurait voulu manquer le dynamitage de l'ancien entrepôt frigorifique, dont la charpente de béton et d'acier s'élève en bordure de la rue Saint-Antoine.

« Si François Panzini, le maître d'oeuvre de l'opération, réussit son coup, il va pouvoir décrocher n'importe quel job partout dans le monde », dit-il.

Une cinquantaine de curieux ont les yeux rivés sur le squelette de l'entrepôt, qui se dresse 200 mètres plus loin. On se croirait un soir de feux d'artifice.

Les policiers s'assurent une dernière fois que personne ne flâne à l'intérieur du périmètre de sécurité. Douze coups de sirène déchirent l'air. La foule se tait.

Cent vingt interminables secondes s'écoulent avant que 16 craquements secs ne se fassent entendre en rafale. Un léger souffle caresse les visages et l'édifice s'écroule en moins de huit secondes, avalé vers le centre.

La foule applaudit. Heureusement, personne n'avait osé parier avec M. Lagacé.

Un immense nuage de poussière s'élève aussitôt. En moins de deux minutes, on ne voit plus rien à une dizaine de mètres. Rapidement, tout l'est du Vieux-Montréal, ainsi que l'autoroute Ville-Marie en contrebas, disparaissent sous un brouillard blanchâtre à l'odeur âcre de dynamite. Le vent devait souffler vers le fleuve, mais il a changé d'avis à la dernière seconde.

Debout à côté de ce qui était il y a quelques minutes un solide édifice de huit étages, François Panzini, le maître d'oeuvre de l'opération, ne cache pas son soulagement. « On en avait mis plus que moins parce que c'était quitte ou double », lance-t-il, en regardant fièrement l'immense tas de débris qui s'élève à ses pieds.

Il avait fallu deux semaines aux boutefeux pour percer pas moins de 2200 trous dans les piliers de soutien de l'édifice érigé en 1926, à l'intérieur desquels ils avaient glissé autant de bâtons de dynamite. Au moment de l'explosion, les charges au rez-de-chaussée ont détonné les premières, suivies quelques millièmes de seconde plus tard de celles placées au premier et au quatrième étage.

« Il fallait fracturer les points d'appui en séquence pour provoquer le mouvement qui a déstabilisé l'immeuble, et après, la gravité a fait le reste », explique M. Panzini.

« Ce qu'on craignait le plus, c'est les débris. On avait installé 10 000 pieds de clôture autour des colonnes pour retenir les éclats. » À une cinquantaine de mètres à la ronde, le sol est parsemé de fragments de ciment. Une seule vitre brisée dans les environs.

Les grues vont s'activer pendant quelques heures, le temps de ramasser les débris qui jonchent la rue Saint-Antoine.

À compter d'aujourd'hui, les punks et les itinérants qui squattaient l'édifice et les amoureux d'un soir qui s'y ébattaient à l'occasion devront se trouver un autre abri de fortune.

(**Texte publié le 26 août 1996.**)

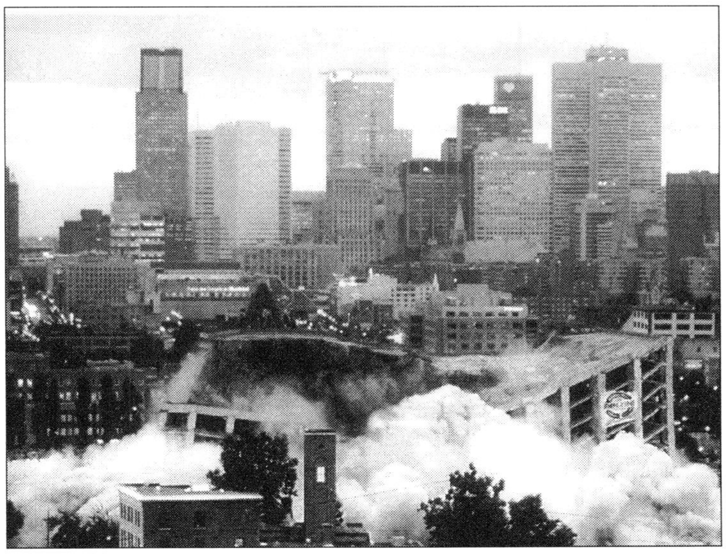

Contrairement aux cheminées Miron, l'entrepôt du Vieux-Port est tombé du premier coup.

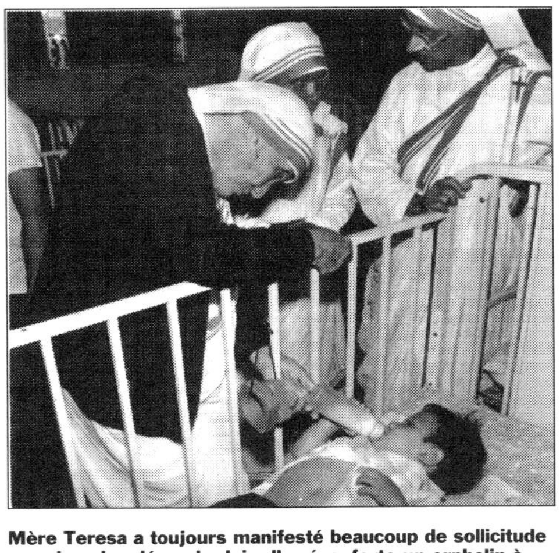

Mère Teresa a toujours manifesté beaucoup de sollicitude pour les plus démunis. Ici, elle réconforte un orphelin à Tegucigalpa, au Honduras.

Infatigable Mère Teresa

Mère Teresa fête aujourd'hui (**26 août 1995**) son 85e anniversaire et la frêle silhouette en bleu et blanc semble toujours infatigable pour lutter contre la pauvreté et contre l'avortement.

Interrogée sur ce qu'elle projetait de faire à cette occasion, Mère Teresa a répondu : « rien de spécial ». « Je verrai quiconque viendra me voir », a-t-elle ajouté.

Depuis un an, Mère Teresa s'est rendue à Washington où elle a inauguré un orphelinat aux côtés d'Hillary Clinton, au Bangladesh pour ouvrir un hôpital flottant et à Rome pour rencontrer le pape Jean Paul II.

L'ordre des Missionnaires de la Charité, qu'elle a fondé, est à la tête de 450 institutions, dont des orphelinats au Rwanda qui prennent en charge les enfants des femmes violées pendant la guerre civile. Mère Teresa est de plus en plus engagée dans la lutte contre l'avortement. En septembre dernier, elle avait adressé un message en termes forts contre l'avortement aux participants à la Conférence mondiale sur la population du Caire : « S'il y a un enfant dont vous ne voulez pas, que vous ne pouvez pas nourrir ou élever, donnez-moi cet enfant ».

Mère Teresa, née Agnes Gonxha Bojaxzhiu, est née à Skopje, en Yougoslavie, le 26 août 1910, d'un père réfugié albanais. À l'âge de 18 ans, elle avait quitté la Yougoslavie pour Dublin, en Irlande, où elle prononca ses voeux et pris le voile dans l'ordre des soeurs de Lorette. Elle avait décidé en 1948 de vivre en Inde aux côtés des plus pauvres. Elle est installée depuis à Calcutta.

Une première : l'ADN sert dans un procès

Le choix des jurés débute aujourd'hui (**26 août 1991**) dans le cadre du procès d'Allan Légère au Nouveau-Brunswick,

accusé du meurtre de quatre personnes en 1989.

Le 14 octobre 1989, les corps des soeurs Daughney, Linda Lou, 41 ans, et Donna, 45 ans, étaient découverts dans leur demeure de Newcastle ravagée par le feu.

Le 16 novembre 1989, le corps d'un prêtre catholique, James Smith, 69 ans, était retrouvé dans la sacristie de l'église de la Nativité de la Vierge Marie, à Chatham Head. Il avait été battu et coupé à mort.

Près d'un an plus tard, soit le 20 novembre 1990, Légère était accusé de ces quatre meurtres. La GRC a expliqué qu'il avait fallu autant de temps avant de porter les accusations en raison de la tenue de tests de vérifications de preuves en laboratoire.

La preuve de la poursuite devrait porter en majeure partie sur des identifications de molécules d'ADN.

Comme le recours aux preuves basées sur l'ADN en est à son stade embryonnaire au Canada, le procès de Légère constituera une cause-type dans les procédures.

La poursuite pourrait appeler au moins 200 témoins à la barre, venant de toutes les parties du Canada et des États-Unis, plusieurs étant des experts dans les sciences de la chimie légale et de l'identification des types d'ADN.

Seuls des jumeaux identiques présentent des structures similaires de molécules d'ADN, substance chimique qui se retrouve dans chaque cellule vivante et qui détermine les caractéristiques individuelles de chaque personne.

Les scientifiques peuvent isoler des types d'ADN uniques dans des cheveux, des tissus, du sang ou des substances séminales recueillies sur les lieux de crimes, et les comparer avec ceux de suspects.

Selon le Dr John Wayne, professeur de pathologie à l'Université McMaster et conseiller auprès de la GRC, « des preuves basées sur l'ADN ont été soumises dans 250 auditions d'admissibilité et n'ont été rejetées qu'en six occasions ».

Corps exhumé

Vingt-sept ans après sa mort, le corps du policier Louis-Georges Dupont sera exhumé pour une nouvelle autopsie, ce matin, au cimetière Saint-Michel à Trois-Rivières.

Les enfants de M. Dupont, qui se battent depuis tant d'années pour faire éclater la vérité sur la mort mystérieuse de leur père, sont bouleversés par la décision prise la semaine dernière par le juge Céline Lacerte-Lamontagne, qui préside la commission d'enquête sur la mort du policier trifluvien.

« Cette exhumation nous fait terriblement mal », a déclaré hier à *La Presse* la cadette de la famille Dupont, France Noël, les yeux en larmes devant le tombeau de son père et de quatre autres membres de la famille Dupont.

« On n'avait pas besoin de ça pour affirmer que mon père a été victime d'un meurtre, expliquait pour sa part l'aîné des enfants du policier, Jacques Dupont. Il y a au moins 100 éléments de preuves comme quoi il s'agit d'un assassinat. Et puis, ça n'a pas de sens de déterrer un mort après 27 ans... » (**Texte du 26 août 1996.**)

ENFIN, NOUS AVONS LE CHAMPIONNAT!

La belle victoire du National à Cornwall, ainsi que la défaite du Montréal, placent incontestablement notre équipe canadienne-française à la tête de la ligue pour la saison 1910.

(Des envoyés spéciaux de la PRESSE)

CORNWALL — Le National est champion de la N.L.U. pour 1910. Après l'une des parties les plus contestées jamais vues ici, les braves du capitaine Lalonde ont triomphé du club Cornwall par un score de 3 à 1 devant une foule de 6,000 personnes dont près de la moitié était venue de Montréal pour applaudir ses favoris.

Comme les Tecumsehs ont de leur côté défait le Montréal, notre club se trouve à décrocher la palme. Pour la seconde fois en treize ans, c'est-à-dire depuis son admission dans la ligue, le National a remporté samedi **(27 août 1910)** le championnat de la National Lacrosse Union. C'est cependant la première fois dans les annales du sport qu'une équipe exclusivement canadienne se classe première dans la catégorie des grands clubs. La victoire d'hier est le digne couronnement d'une saison féconde en glorieux exploits. Notre club a actuellement neuf victoires à son crédit. Il a encore deux parties à jouer et il les gagnera à n'en pas douter, mais même s'il les perdait, il resterait champion.

Cornwall, qui avait battu chez lui le Toronto et les Tecumsehs, a fait un effort désespéré pour infliger le même sort au National. Il a échoué, mais la lutte a été âpre, dure, acharnée et extrêmement intéressante. Une excitation fébrile, intense, a régné tout l'après-midi. Le National avait l'avantage, mais ses partisans se demandaient s'il pourrait le conserver jusqu'à la fin. Finalement, à 6 heures 17, le timbre résonnait, annonçant la fin de cette joute mémorable. Trois mille personnes s'élancèrent alors sur le terrain, acclamant les nouveaux champions et se précipitant pour les féliciter et les complimenter. L'un des chefs de la foule présenta au capitaine Lalonde un bouquet aux couleurs du National offert par les dames de l'excursion. C'était une scène d'enthousiasme délirant, indescriptible. (...)

La victoire d'avant-hier prouve à l'évidence la supériorité du National sur tous les autres clubs de la ligue. Là où les plus fortes équipes avaient été vaincues, avaient mordu la poussière, le National a triomphé.

UNE PRIME

La rumeur circulait dans Cornwall que le club Montréal avait promis un cadeau de $50 à chacun des joueur de l'équipe locale s'ils battaient le National. Nous ne savons si c'est là un fait exact ou non. Ce que nous pouvons dire cependant, c'est que tous les joueurs de Cornwall ont lutté comme si leur vie ou leur fortune était en jeu. Ils ont combattu tout l'après-midi avec une ardeur extrême, et n'ont pas ménagé leurs adversaires. Dulude et Gauthier ont été assommés. Lalonde et Dussault ont reçu sur la tête de vigoureux coups de bâtons, et Gagnon en a reçu un sur le bras. (...)

EN 5 MINUTES

Le National s'est assuré la victoire dans les cinq premières minutes de l'après-midi, Lalonde enregistrant le premier point de la journée en 50 secondes et Dussault, le deuxième en 4 minutes.

(...) Au coup de sifflet, la balle alla vers les buts du National, puis fut transportée à l'autre bout du champ, et après une couple de passes était dans le filet de Cornwall. (...)

La première période se termina par un score de 2 à 0. La lutte fut extrêmement âpre dans le deuxième quart. Cornwall réussit à compter un point après 14 minutes de jeu, et alors que trois des joueurs du National, Secours, Clément et Gauthier, étaient à la clôture. Lorsque le timbre résonna le score était de 2 à 1.

L'inquiétude saisit les amis du National. Chacun se demandait si notre club réussirait à conserver un faible avantage. Les esprits alarmés se calmèrent un peu à la troisième période après que Secours eut compté un troisième point pour le National.

Le club Cornwall combattit avec une énergie désespérée dans la période finale pour égaler le score, mais ce fut peine perdue et la joute se termina avec un score de 3 à 1.

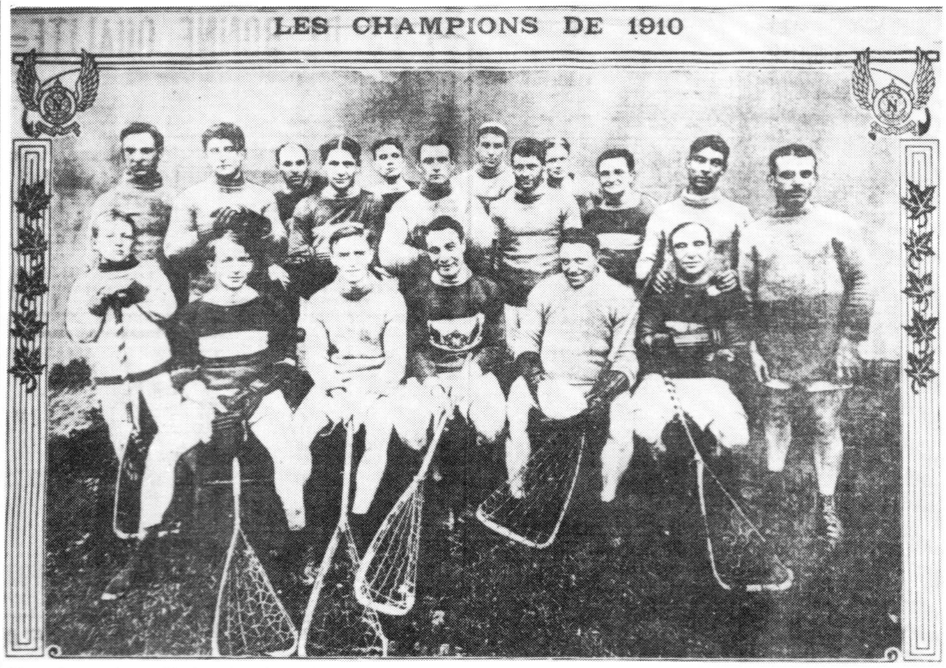

Cette photo présente l'équipe championne. Les vieux fervents de la crosse reconnaîtront, assis, de gauche à droite, Dussault, Clément, Lalonde (capitaine), L'Heureux (gardien) et Dulude; debout, dans le même ordre, la mascotte du club (le jeune garçon n'est malheureusement pas identifié), l'entraîneur Noseworthy, Duckett (substitut), Lamoureux, Boulianne (substitut), Beauchamp (substitut), Secours, Cattarinich, Gagnon, Lachapelle, Gauthier, Dicaire et l'instructeur «Shiner» White, seul représentant de l'équipe championne de 1898.

CE QUE LA «PRESSE» DISAIT LE 31 MARS

SOUS le titre «Aux amateurs de sports», la «Presse» publiait à la date du 31 mars l'article suivant:

La «Presse» a entrepris une bien lourde tâche: celle de mener notre équipe de crosse canadienne-française au championnat.

Nous ne sommes pas illusionnés sur les obstacles qui se présentent sur la route. Nous nous rendons bien compte du travail à accomplir.

Mais la «Presse» compte sur le patriotisme de tous ses lecteurs, qui ont et l'orgueil de la race et de l'admiration pour l'avancement du jeu national et du sport, pour amener la réalisation du rêve que tout Canadien-Français a caressé depuis 1898 *(année du dernier championnat du National)*.

Il nous semble que l'heure de la revanche a sonné cette année et que notre club national doit prendre la place qui lui revient de tradition et de droit dans les annales sportives de 1910.

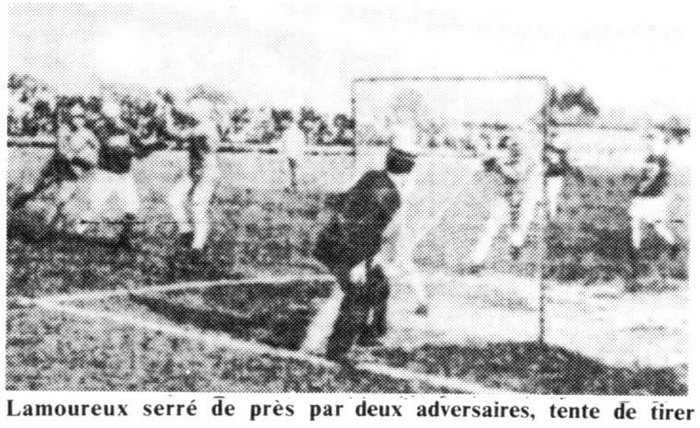

Lamoureux serré de près par deux adversaires, tente de tirer vers les gaules. Gauthier et Dussault attendent une passe possible à l'arrière du filet.

Élection de Jean-Paul Ier

L'élection du pape Jean-Paul Ier (**le 27 août 1978**) (le cardinal Albino Luciani) a provoqué surprise et confusion chez les dizaines de milliers de personnes massées sur la place Saint-Pierre dans l'attente du résultat du vote des cardinaux, l'un des plus surpris étant certainement l'intéressé lui-même.

Selon les observateurs, le nouveau souverain pontife a été élu presque à l'unanimité des 111 électeurs...Le nouveau pape âgé de 65 ans a été ovationné par 200 000 personnes.

Le mont Blanc restitue les vestiges d'un avion

Vingt trois ans après une catastrophe aérienne qui avait coûté la vie à 117 passagers et membres d'équipage d'un Boeing 707 indien, le glacier du mont Blanc a restitué des vestiges de l'appareil, ont annoncé des guides du secours alpin à Aoste (**le 27 août 1989**).

L'appareil s'était écrasé le 25 janvier 1966 à 8 h du matin tout près du sommet du mont Blanc, à 4,677 mètres d'altitude, alors qu'il venait de survoler Turin et se dirigeait vers Genève.

« Des vestiges de l'appareil ont été retrouvés à la confluence du glacier du mont Blanc et du Miage, sur le versant italien, à 3500 mètres d'altitude », a expliqué Renzo Cosson, chef du Secours alpin d'Aoste. Un examen des débris a permis de les identifier comme appartenant au Boeing d'Air India.

« Il y a eu un certain nombre d'accidents dans la zone, a expliqué le responsable des carabiniers du val d'Aoste, il est par conséquent difficile d'identifier les vestiges, traînés chaque été vers la vallée par le mouvement des glaciers ».

Les guides ont trouvé des fragments de la structure interne de l'appareil, des tôles déchiquetées, des écharpes indiennes, des lambeaux de sacs et de valises, quelques chaussures, la casquette d'un pilote. En revanche, pas de trace de corps.

Les recherches continuent, a précisé Renzo Cosson, dans l'espoir de pouvoir retrouver la « boîte noire » et savoir pourquoi l'appareil volait à près de mille mètres au-dessous de l'altitude que venait de lui fixer la tour de contrôle de Genève, 5700 mètres, juste avant le drame.

C'est la « Révolution culturelle » en Chine

Il semble que tout soit en place pour la mise en branle de la purge spectaculaire que le parti appelle « la grande Révolution culturelle du prolétariat ».

Si l'on en juge par le spectacle qui débute actuellement en Chine, il est à prévoir que, d'ici peu de temps, Pékin pourra faire part au monde des plus importants résultats de la purge. Tout ce qui s'oppose à la ligne actuelle du parti, sera écrasé, sans pitié, par les foules et par les jeunes de la « garde rouge ».Ce qui semble à peu près certain déjà, c'est que la Chine a désormais un dictateur militaire qui joue au prolétaire. Le ministre de la Défense, Lin Piao, qui était maréchal du temps qu'il était permis de reconnaître des grades dans l'armée, se révèle comme le patron, et « la grande Révolution culturelle du prolétariat » semble conçue pour inaugurer l'ère consécutive au règne de Mao. (**Texte publié le 27 août 1966**)

C'EST ARRIVÉ UN 27 AOÛT

1982 — L'attaché militaire de Turquie à Ottawa est abattu en pleine rue de la capitale fédérale.

1975 — Haïlé Sélassié, empereur d'Éthiopie de 1916 à 1974, meurt à l'âge de 83 ans. Déposé lors d'un coup d'État militaire, le dernier souverain d'une dynastie trois fois millénaire vivait virtuellement en prisonnier.

1974 — Une grève des employés d'entretien paralyse le transport en commun, à Montréal.

1973 — Jean Cournoyer, ministre du Travail du Québec, promet une loi antiscab. — La Cour Suprême du Canada déclare la Loi sur les Indiens préjudiciable aux femmes, mais non invalide.

1970 — L'assurance que la commission scolaire de Saint-Léonard autorisera les enfants à fréquenter à nouveau des classes anglaises met fin aux controverses soulevées par l'enseignement des langues à l'école primaire.

1969 — Élections générales en Colombie-Britannique: les créditistes gagnent 39 sièges, les néo-démocrates 11 et les libéraux cinq.

1968 — Les dirigeants tchécoslovaques rentrent à Prague à la suite d'un accord intervenu à Moscou au sujet d'un retrait des troupes d'occupation en Tchécoslovaquie.

1962 — Établissement d'une Commission royale fédérale chargée d'étudier la structure des taxes du Canada. — Lancement de *Mariner II* vers la planète Vénus, par les Américains.

1953 — Le Vatican signe un concordat avec l'Espagne. — Fin des grèves qui paralysaient la France, les syndicats communistes ayant décidé de reprendre le travail.

1951 — Début de l'enquête sur les causes de l'effondrement du pont Duplessis, à Trois-Rivières.

1941 — Tentative d'assassinat de Pierre Laval.

1928 — Signature par les États-unis, du Pacte de Paris qui «interdit la guerre»!

1916 — La Roumanie déclare la guerre à l'Autriche-Hongrie.

Jour le plus noir depuis dix ans en Ulster

Lord Mountbatten et dix-sept soldats victimes d'attentats

DUBLIN Héros de la Deuxième Guerre mondiale, Lord Mountbatten, l'oncle du prince Philip, est mort hier **(27 août 1979)** dans l'explosion de son bateau au large des côtes de l'Irlande.

L'Armée nationale de libération irlandaise (INLA), une organisation dissidente de la célèbre IRA provisoire, et l'IRA elle-même ont tour à tour revendiqué la responsabilité de l'explosion dans des coups de téléphone à l'Irish Independant, de Dublin, et au Republican News, de Belfast. L'INLA a par la suite démenti être responsable de l'attentat qui a coûté la vie à Lord Mounbatten, ajoutant que l'appel téléphonique anonyme provenant présumément de cet organisme était l'oeuvre d'un mauvais plaisant ou une tentative délibérée des services de renseignements britanniques pour semer la confusion.

Peu après, l'armée britannique connaissait son jour le plus noir en 10 ans de présence en Ulster avec la mort d'au moins 15 soldats dans l'explosion d'une mine près de la frontière entre les deux Irlande. Huit autres soldats ont été grièvement blessés. L'IRA provisoire a également revendiqué cet attentat.

Lord Mountbatten venait de quitter sa résidence de Mullaghmore, un village du comté de Sligo, proche de la frontière de l'Ulster, pour une partie de pêche à bord de son bateau, le Shadow V.

Il emmenait avec lui quelques amis. Il n'avait pas levé l'ancre depuis cinq minutes pour pénétrer dans la baie de Donegal lorsque l'explosion a fait voler le bateau en éclats.

Lord Mountbatten a été tué sur le coup, ainsi que son petit-fils, Nicholas, 15 ans, et un marin âgé de 15 ans lui aussi, Paul Maxwell. La fille de Lord Mountbatten, Lady Bradbourne, son mari, la mère de ce dernier et Timothy, un autre petit-fils, ont été blessés et hospitalisés. (...)

Le gérant des Beatles est trouvé sans vie

LONDRES — Brian Epstein, l'imprésario des Beatles et propriétaire de nombreuses entreprises de spectacles, a été trouvé mort hier après-midi **(27 août 1967)** dans son lit par un policier prévenu par un coup de téléphone.

Pour autant que nous le sachions, Brian Epstein a eu une mort soudaine. Nous ne pouvons pas en dire plus, ont déclaré hier soir deux inspecteurs de police en quittant le domicile de l'imprésario. «Il y aura sans doute une autopsie», ont-ils ajouté.

Epstein était le plus talentueux des imprésarios anglais actuels. Son succès que l'on doit associer à celui du célèbre groupe avait suivi la même courbe ascendante. Brian Epstein, qui était âgé de 32 ans, était, comme les Beatles, originaire de Liverpool.

AVEC LA MORT DE LE CORBUSIER, LE MONDE ENTIER TÉMOIGNE DE SON GÉNIE

PARIS — La disparition tragique du célèbre architecte Le Corbusier qui, comme on le sait, a trouvé la mort hier **(27 août 1965)** en se baignant au large de Roquebrune-Cap Martin sur la Côte d'Azur, a créé une profonde émotion dans le monde entier.

De tous les continents, de la plupart des pays, les messages affluent. Les milieux internationaux d'architecture, en particulier, témoignent de son génie et de la grande perte — non seulement française, mais aussi mondiale — que cause sa mort.

Le Corbusier, de son vrai nom Charles-Edouard Jenneret-Gris, qui a succombé à une crise cardiaque au cours de sa baignade, était né à la Chaux-de-Fonds, en Suisse, le 8 octobre 1887.

Après avoir été graveur et horloger, il se tourne très tôt vers l'architecture. Après avoir visité l'Italie, l'Autriche et l'Allemagne, il se fixe définitivement à Paris en 1916 et se fait naturaliser français.

Il travaille avec les frères Perret, et ne cesse alors de préconiser sa conception nouvelle de l'habitation ouverte en terrasse, éclairée horizontalement de mur à mur et montée sur potences en béton. Il a édifié dans cet esprit de nombreuses villes dans la banlieue parisienne et dans la France entière. (...)

DEBORDEMENT DESASTREUX DU CANAL

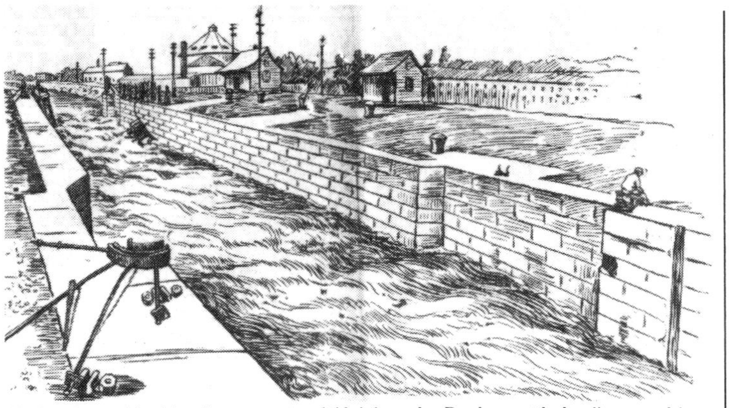

L'écluse du canal Lachine, dont une porte a été brisée par le «Dundurn», et la deuxième arrachée par les flots.

Le vapeur «Dundurn» de la «Hamilton-Montreal Navigation Co.» brise l'écluse du canal Lachine à Ville Saint-Paul, et les eaux se précipitent en torrents.

LE vapeur «Dundurn» de la Hamilton-Montreal Navigation Co. a été la cause ce matin **(28 août 1906)**, d'un accident désastreux en brisant une écluse du canal Lachine à la Ville Saint-Paul. Cet accident a eu pour effet de faire déverser les eaux du canal sur ses deux berges en inondant les manufactures riveraines.

L'accident est survenu vers six heures. Le «Dundurn» était en retard d'une journée, car il devait arriver ici hier matin. Il était parvenu dans le bassin formé par les deux écluses qui se trouvent immédiatement au bas du pont qui unit la Ville Saint-Paul à Montréal.

Les employés de M. Fichaux, gardien de l'écluse, avaient ouvert la première porte et laissé entrer le vapeur dans le bassin. Ils devaient quelques instants plus tard refermer cette première porte pour ouvrir la deuxième, et donner libre cours au vapeur. Mais pour une raison quelconque le «Dudurn»

CONTINUA SON ELAN,

et brisa la deuxième porte. Les préposés de l'écluse tentèrent immédiatement de refermer la première porte, mais il était trop tard.

La pression du courant était énorme et a brisé la deuxième porte. L'eau descendait en torrent impétueux et en quelques minutes gonfla le canal dont les bords étaient devenus insuffisants. L'eau se déversa ainsi de chaque côté inondant les clos de bois Rutherford, à Saint-Henri, la Scranton Coal Co., le petit village connu sous le nom de «Venise» et autres endroits plus bas.

A la Ville Saint-Paul et à Saint-Henri, les fossés, les canaux d'égout, la petite rivière Saint-Pierre étaient insuffisants pour laisser écouler ces eaux montantes. Le chemin Saint-Patrice, mieux connu sous le nom de chemin Poitras, situé au côté du canal, est complètement inondé, et l'on voyait ce matin des voitures complètement submergées. Plus au sud s'étend une immense nappe d'eau claire où des gamins se plaisent à se promener dans des barques improvisées. Le canal inachevé des égouts de la Ville Saint-Paul a pris un cours qui est tout autre que celui qu'on voulait lui donner. Il a plutôt suivi les caprices et les accidents du terrain pour se frayer un chemin en bouleversant tout sur son passage. (...)

Vers onze heures, le canal avait repris

SON COURS ORDINAIRE

laissant à l'homme le trouble de réparer ces dégâts incalculables. (...)

La circulation des vaisseaux est complètement arrêtée pour un temps indéterminé.

CAUSE DE L'ACCIDENT

Le «Dundurn» après avoir enfoncé l'écluse du canal à la Côte-Saint-Paul, poussé par un torrent impétueux, est venu amarrer près du pont de la rue des Seigneurs, où maintenant il dresse ses formes majestueuses au-dessus de l'eau qui est devenue limpide comme une glace de Venise.

Le «Dundurn» appartient à la «Hamilton-Montreal Navigation Co.» et fait le service entre notre port et Hamilton. Il est commandé par le capitaine Malcolmson qui attribue l'accident au fait que le navire n'a pu faire machine en arrière assez vite.

Il était environ 6 heures lorsque l'accident se produisit. Presque tous les soixante-quinze passagers qui étaient à bord, dormaient dans leurs cabines, et le choc fut si faible que personne ne fut éveillé; une panique a été ainsi évitée. (...)

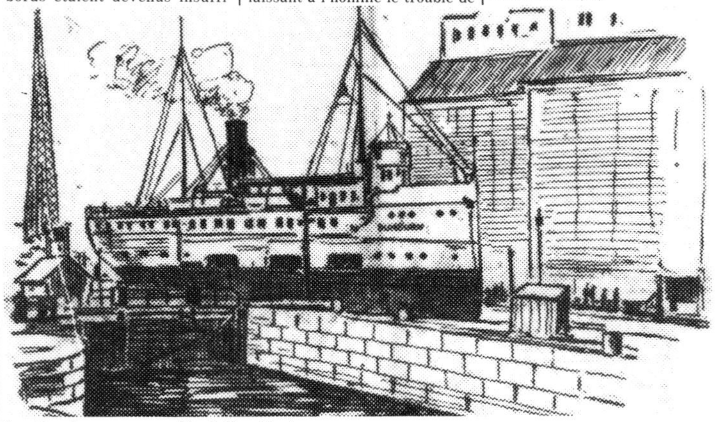

Le «Dundurn», responsable de l'accident.

LA GRC arrête l'agent Samson

A peine libéré par le commissaire aux incendies, Me Cyrille Delage, en attendant la poursuite de son témoignage, aujourd'hui, l'agent Robert Samson a été appréhendé hier midi **(28 août 1974)** par ses collègues de la GRC et a été mis en accusation aussitôt pour des actes dérogatoires à l'éthique professionnelle à cause de ses relations avec deux personnages de la pègre.

Le policier Samson, âgé de 29 ans, que la police de la CUM soupçonne d'avoir placé une bombe, le 26 juillet dernier, à la résidence du président de la compagnie Steinberg, M. Melvyn Dobrin, avait soutenu au cours d'un interrogatoire de près de trois heures, qu'il s'était rendu à cet endroit pour y rencontrer un informateur et qu'il avait été blessé en s'approchant d'un mystérieux colis placé dans la cour arrière.

Cette version de l'agent Samson a cependant été mise en doute par la majorité des onze témoins qui l'ont suivi à la barre des témoins.

Interrogé par le procureur de la police de la CUM, Me Jacques Dagenais, l'agent Samson a indiqué qu'il s'était rendu à Ville Mont-Royal pour y rencontrer un informateur. A son arrivée près de la résidence Dobrin, Samson, ne voyant pas son interlocuteur qui lui avait parlé au téléphone peu de temps auparavant, a décidé de faire une reconnaissance des lieux à la recherche de narcotiques, puisqu'il avait l'impression que c'était là le but de cette rencontre inhabituelle.

«En passant sur le trottoir, a raconté Samson, j'ai aperçu un colis à l'arrière de la maison. (...) J'ai pris des gants qui se trouvaient dans mon imperméable. Je les ai enfilés afin de préserver les empreintes digitales qui auraient pu s'y trouver. En approchant du colis, j'ai vu un paquet d'étoiles.

«C'était comme si j'avais eu de la poussière dans les yeux. Ça me faisait horriblement mal. (...) C'était comme dans un rêve. Maintenant, j'ai de la difficulté à me rappeler ce qui s'est passé à ce moment-là. J'ai vu une automobile, peut-être un taxi, et j'ai demandé à être conduit chez ma mère rue Ethel, à Verdun.»

Des témoins ont, d'autre part, affirmé que la bombe était placée dans un endroit sombre et peu visible du trottoir. (...)

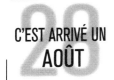

C'EST ARRIVÉ UN 28 AOÛT

1983 — L'exécutif du Parti québécois appuie l'idée de la fondation d'une aile fédérale. — Décès à l'âge de 77 ans du père Émile Legault, l'un des apôtres du théâtre québécois.

1979 — Au sommet des pays non alignés, à La Havane, une lutte s'engage entre le maréchal Tito, de Yougoslavie, partisan d'une neutralité totale, et Fidel Castro, de Cuba, partisan d'une alliance avec le bloc socialiste.

1977 — Dévaluation de la couronne suédoise de 10 p. cent, suivie de sa sortie du «serpent monétaire» européen.

1974 — Le nouveau chef de l'Union nationale, Maurice Bellemare, défait le libéral Jean-Claude Boutin, ex-député de Johnson, lors d'une élection partielle. Boutin avait dû démissionner à la suite d'accusations de conflit d'intérêts.

1969 — M. Jean Lesage, ex-premier ministre du Québec, annonce qu'il abandonne la présidence du Parti libéral du Québec.

1968 — Le vice-président Hubert Humphrey est élu candidat de son parti à la présidence des États-unis à Chicago, tandis que la police réprime les manifestations avec la dernière rigueur.

1950 — Session spéciale du Parlement pour discuter de la grève des chemins de fer, de la situation coréenne et de la défense.

1946 — Le général de Gaulle reproche à la nouvelle constitution française projetée de minimiser les pouvoirs du président.

— Montréal accueille le plus grand héros militaire de Grande-Bretagne, le feld-maréchal Montgomery.

1935 — Le président des États-Unis signe la loi qui impose la neutralité aux Américains.

1917 — Le gouverneur général du Canada sanctionne la Loi de la conscription.

1916 — L'Italie déclare la guerre à l'Allemagne.

La Commission Borden

Pas de pipe-line entre Edmonton et Montréal

OTTAWA — Le pipe-line de $400 millions destiné à apporter d'Edmonton le pétrole brut canadien aux raffineries de Montréal, ne sera pas construit sous peu, si le gouvernement canadien s'en tient aux recommandations du rapport de la Commission royale d'enquête Borden, rendu public hier après-midi **(28 août 1959)** par le premier ministre Diefenbaker.

La Commission a aussi suggéré l'élaboration d'une politique nationale dans l'utilisation des ressources pétrolières canadiennes. Elle a même parlé d'une politique continentale, en collaboration avec les Etats-Unis.

Au lieu de diriger leur pétrole brut vers Montréal, la Commission suggère, et ceci en termes assez impératifs, aux compagnies canadiennes, d'essayer d'écouler une plus grande partie de leur production vers un marché qu'elle trouve plus pratique, plus «naturel» pour le moment, celui du Middle-West américain.

La Commission, dont faisait partie un important financier montréalais, M. Louis Lévesque, a fixé un objectif à l'industrie canadienne: 700,000 barils par jour en 1960, ceci sans accès au marché de Montréal.

La Commission a aussi proposé que les raffineries soient bien averties d'un fait: si leurs démarches ne sont pas satisfaisantes en ce qui a trait à l'écoulement du pétrole canadien en Ontario et à l'exportation aux États-Unis, on pourrait bien reparler du pipe-line Edmonton-Montréal (un peu plus de 2,000 milles) en 1962. (...)

Ces recommandations, qui seront vraisemblablement endossées par le gouvernement, constituent une victoire des cinq grandes compagnies pétrolières internationales qui s'opposaient à la construction d'un pipe-line jusqu'à Montréal.

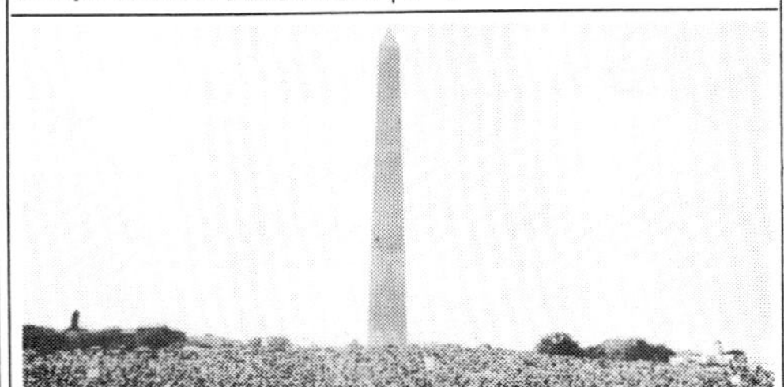

Le *28 août 1963*, quelque 200 000 Noirs et Blancs américains marchaient sur Washington afin de manifester l'appui de la population américaine au projet de législation des droits civils énoncé par le président Kennedy. Inspirés par Martin Luther King, les marcheurs impressionnèrent tous les observateurs, au point que le président John Fitzgerald Kennedy, déjà sympathique à leur idéal, admit que la marche avait fait progresser la cause des 20 millions de Noirs américains.

ZENON SAINT-LAURENT GAGNE ENCORE LE TROPHEE «LA PRESSE»

(De l'envoyé spécial de la «Presse»)

ZÉNON Saint-Laurent, le fameux cycliste du club Quilicot, de Montréal, a décroché hier **(28 août 1932)** pour la deuxième année consécutive le magnifique trophée la «Presse» offert au vainqueur de la course en bicyclettes de Québec à Montréal, organisée sous les auspices de la Canadian Wheelmen's Association.

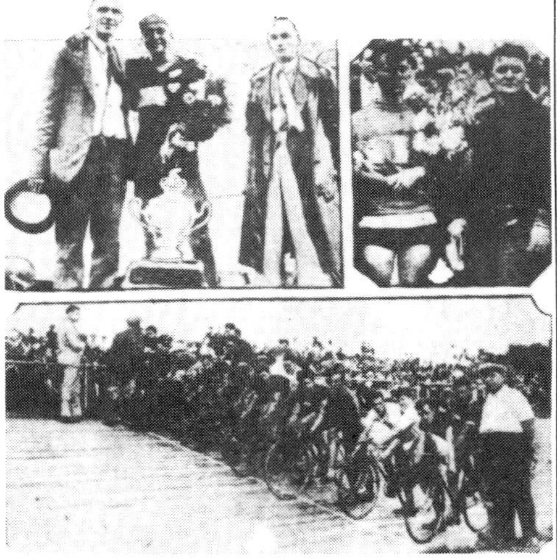

La photo de gauche montre, dans l'ordre habituel, Louis Quilicot, Zénon Saint-Laurent et le journaliste Armand Richer, qui a présenté le trophée LA PRESSE au nom du journal. Celle de droite présente Roy MacDonald, troisième au classement, en compagnie du journaliste Gene Michel, correspondant de *L'Auto de Paris* en Amérique du Nord. Enfin, la troisième photo permet d'assister au départ, en face du château Frontenac, à Québec.

Saint-Laurent, Antoine Gabella, du Club Sportif Français de New York et Roy MacDonald, du club Capital City d'Ottawa, ont parcouru la distance d'environ 200 milles en 9 heures et 57 minutes, mais le premier a remporté la victoire pour être arrivé premier dans le sprint final, une demi-roue en avant de Gabella, au coin des rues Fleury et S.-Hubert. Puis tous se sont rendus au vélodrome où des milliers de personnes les ont acclamés.

Ces trois cyclistes se sont fait une lutte acharnée tout le long du trajet et à la ligne d'arrivée ils étaient presque côte à côte.

Rinon Gomieratto, du club Piazza, de Montréal, s'est classé en quatrième position.

Sur 29 coureurs qui se sont alignés au signal du départ, treize seulement ont terminé cette grande randonnée.

Cyclistes courageux

La pluie, le mauvais temps, peu de soleil ont été autant de handicaps pour les cyclistes. C'est dire que la course n'a pas été une sinécure et qu'il a fallu tout le courage, tout l'héroïsme d'un athlète comme un cycliste, pour avoir parcouru 200 milles en moins de dix heures. On peut s'imaginer la vitesse et l'endurance extraordinaires qu'ont déployées les concurrents dans cette épreuve sportive. (...)

FABRE GAGNE LE MARATHON DE SAN FRANCISCO

SAN Francisco — Edouard Fabre, du club Richmond, de Montréal, a gagné samedi **(28 août 1915)** le grand marathon pour le championnat de l'Amérique. Il a parcouru les 26 milles 385 verges du parcours en 2 h. 56 m. 41 s. H. Hoolahan, du New York A.C., est arrivé deuxième, et Oliver Miller, de l'Olympic Club, troisième. Les meilleurs coureurs du continent ont pris part à la course.

C'est là le troisième marathon que Fabre gagne cette saison. Le 25 avril, il se classait premier dans le marathon de Boston, et le 24 juin, il remportait une nouvelle victoire dans celui de la Casquette. Sa victoire à San Francisco est, pourrait-on dire, le glorieux couronnement de sa carrière. Outre ces trois marathons, Fabre a aussi gagné cet été la course sur la route organisée par la société calédonienne. Ces quatre brillantes victoires nous montrent que Fabre est cette saison dans toute sa force. Il possède maintenant l'expérience voulue et il est plus rapide que jamais. (...)

La victoire de Fabre n'est pas une victoire due à la chance. C'est une victoire remportée par le meilleur homme sur une phalange d'étoiles, sur les coureurs les plus réputés du continent américain.

Un pays disparaît

Les premiers ministres tchèque et slovaque ont fixé au 1er janvier 1993 la mort de la République tchécoslovaque.

En vertu d'un calendrier adopté par les deux hommes, l'État fédéral créé sur les décombres de l'empire austro-hongrois il y a 74 ans laissera alors la place à deux Républiques distinctes.« Les Républiques tchèque et slovaque deviendront deux États », a déclaré Vladimir Meciar, chef du gouvernement slovaque.

(Texte publié le 28 août 1992)

GRAND DESASTRE NATIONAL

Le Pont de Québec, qui devait être une des merveilles du monde, s'écroule au milieu d'un fracas épouvantable, et 90 ouvriers trouvent la mort au milieu de cette catastrophe.

QUÉBEC — Au moment où la population de Québec se réjouissait de la prospérité générale de Québec et des brillantes perspectives qui sont à l'horizon, pour Québec en particulier; (...) au moment où toute la population du Canada jetait un regard d'envie sur Québec, en face de toutes les riches perspectives qui appartiennent à la vieille capitale, un vulgaire mais terrible accident **(le 29 août 1907)** est venu semer la terreur et les espoirs dans les esprits.

Une partie, soit la maitresse partie des travaux de construction du pont de Québec, a été détruite en une seconde. La catastrophe a été aussi rapide que l'éclair. Cent braves ouvriers, peut-être davantage, étaient occupés à ces travaux au moment de l'accident. Cette armée d'ouvriers a été lancée dans l'éternité en moins de temps qu'il n'en faut pour l'écrire. C'est une calamité sans précédent dans l'histoire de la vieille capitale.

Le monument qui devait être un nouvel élément de vigueur commerciale pour Québec est au fond du St-Laurent. Cette nouvelle s'est répandue avec la rapidité d'une trainée de poudre par toute la ville, ainsi qu'à l'étranger. L'accident s'est produit un peu après cinq heures et demie. La structure en acier, du côté sud du fleuve, s'est écroulée avec fracas, au moment où une locomotive en charge de MM. Davis, ingénieur, et McNaught, chauffeur, s'avançait sur la partie surplombant le pilier du large, désigné comme pilier à l'eau profonde.

Les immenses piliers en pierre n'ont pas bougé d'un pouce. Un des piliers de terre a été quelque peu endommagé par la chute de cette masse d'acier. Le pilier de terre est situé à quelque trois cents pieds du rivage, et le pilier d'ancrage est érigé trois cents pieds au large du premier. La structure en acier reposait solidement entre les deux piliers, et le tablier qui doit couvrir le milieu du fleuve entre les deux piliers à eau profonde, s'étendait à plus de cent pieds au large du pilier sud. Au-dessus de chacun des deux piliers s'élevait une tour en acier à laquelle étaient attachées des câbles qui étaient retenus au rivage par de forts pieux. Ce sont ces derniers qui ont cédé, causant la destruction des travaux évalués à plus de deux millions de piastres.

Le tablier en acier qui s'étendait au large du pilier central s'effondra au fond du fleuve, ne laissant aucune trace de l'accident. Le tablier qui avait été couché entre les deux piliers se brisa en deux, au milieu, les deux bouts tombant dans le fleuve et reposant sur les bouts de l'acier brisé et tordu, formant un V. L'autre partie du tablier, entre le pilier de terre et les assises en pierre adossées au rocher, fut également brisée et mise en pièces sur le rivage.

Au-dessus des deux piliers, des tours en acier avaient été érigées temporairement pour maintenir le tablier, c'est-à-dire le pont lui-même, jusqu'au milieu. Le côté nord du pont est construit sur le même principe que sur le côté sud, mais les travaux sont beaucoup moins avancés du côté du cap Rouge.

Les ouvriers qui étaient sur la partie du pont qui s'est effondrée, étaient pour la plupart des experts venus des Etats-Unis. Tous étaient à l'emploi de la cie «Phoenix Bridge», de Phoenix, Etat de Pennsylvanie.

Les contremaitres déclarent que le nombre des victimes se chiffre dans les quatre-vingts, car c'est le nombre qui n'a pas répondu à l'appel, hier soir, à six heures, lorsque les chronométreurs ont préparé leur rapport.

Lorsque la nouvelle de l'accident se répandit de par la ville,

UN CRI D'EFFROI

s'échappa de toutes les poitrines, car plusieurs centaines de Québécois sont employés aux travaux du pont, et comme on était à l'heure du retour de chacun du travail, que de femmes et d'enfants attendaient en sanglotant, sur le seuil de la porte, la rentrée du chef de famille. La plupart des ouvriers de Québec étaient hier employés du côté du pont, et ils ont été les témoins muets de la triste fin de leurs camarades. Toutefois, ils se sont attardés sur les lieux, et durant toute la soirée, des sanglots de désespoir ont retenti dans les quartiers ouvriers de la ville. Partout c'était un deuil complet. (...)

L'article que LA PRESSE consacra à l'événement dans l'édition du 30 août 1907 s'étendait sur quatre pages et était accompagné d'une vingtaine de photographies et de croquis lugubres. Le texte qui précède donne une bonne idée du genre de couverture accordée à l'événement, c'est-à-dire un texte avec force détails. Il aurait fallu consacrer toute cette page à cet événement pour lui rendre pleinement justice.

Cette photo d'époque montre la section du pont qui se trouvait entre le pilier de pierres et le pilier de terre, du côté sud du pont.

Cette scène lugubre montrant «des victimes se débattant pour échapper aux flots tumultueux et aux poutres de fer qui les écrasaient et les broyaient» a été reconstituée par un artiste de LA PRESSE pour l'édition du lendemain de l'événement.

UNE TRAGÉDIE AU STADE
Une poutre tombe: 1 mort, 5 blessés

NDLR — Le texte synthèse suivant publié à la une résumait les différents textes consacrés à l'événement, à l'intérieur du journal.

«J'étais assis en face et j'ai entendu le claquement du câble qui cassait. J'ai vu la poutre s'incliner lentement...»

Yves Leclerc a rencontré hier après-midi **(le 29 août 1975)** un témoin oculaire de ce premier accident mortel à survenir sur le chantier du stade olympique (un autre employé avait préalablement trouvé la mort sur le chantier du vélodrome), tragédie qui a fait un mort (Jean-Marie Lesage) et cinq blessés.

L'événement devait déclencher aussitôt une cascade de spéculations sur les raisons de cet accident: erreur d'ingénierie? déficience des méthodes d'assemblage? simple erreur humaine?

Guy Pinard s'est heurté à un mur du silence au niveau des explications officielles. Chose certaine — corroborée par plusieurs témoins oculaires — les câbles retenant une poutre radiale de 125 tonnes ont lâché.

Chose certaine aussi, note **Pinard**, le rythme des travaux a été accéléré sur le chantier récemment, question de rattraper des retards de 4 à 6 semaines. (...)

Du côté de l'hôtel de ville hier, trois lignes au total: «Même si la cause de la chute d'une poutre au chantier olympique semble à première vue purement accidentelle, j'ai demandé à l'entreprise de me faire parvenir le plus tôt «possible un rapport complet sur les causes de cet accident.»

C'est signé: Charles Boileau, directeur du Service des travaux publics de la ville de Montréal.

Mais d'autres demandent autre chose qu'un «rapport d'entreprise»: le ministre responsable du dossier olympique, Fernand Lalonde, le Rassemblement des citoyens de Montréal, le Syndicat de la construction de Montréal (CSN), la Fédération des travailleurs du Québec enfin demandent une enquête. Une enquête qui pourrait établir notamment si la tragédie résulte d'une accélération de la cadence de travail pour terminer le stade à temps.

Et que pense l'ouvrier de la sécurité sur le chantier? «C'est à peine si on nous demande de porter un chandail pour ne pas attraper un coup de soleil», confiera ironiquement un travailleur à **Daniel Marsolais**.

La route Trans-Canada passera au coeur de la ville

LES gouvernements d'Ottawa et de Québec et l'administration de Montréal ont définitivement conclu, hier après-midi **(29 août 1963)**, l'accord touchant la construction de la route transcanadienne sur le territoire de l'île de Montréal selon un tracé modifié.

Ce projet d'envergure dont le coût initial est estimé à plus de $175,000,000 sera mis en oeuvre immédiatement et les travaux c mmenceront à la fois à la hauteur du prolongement théorique du boulevard Cavendish à l'ouest et à l'entrée du tunnel-pont de Boucherville, à l'est.

Il a été convenu que les villes et les municipalités intéressées (Montréal, Ville Mont-Royal, ville Saint-Laurent et Côte St-Luc) seront appelées à contribuer pour la somme totale de $35,000,000. Le gouvernement du Canada versera $40,000,000 et la province de Québec paiera $100,000,000.

Le premier ministre adjoint du Canada, M. Lionel Chevrier, le ministre de l'Expo, M. J.-P. Deschatelets, le ministre de la Voirie du Québec, M. Bernard Pinard; le maire Jean Drapeau et le président Lucien Saulnier ont accepté l'accord en vertu de la loi de la route Transcanadienne, hier après-midi, au siège social de l'Expo, Place Ville-Marie. (...)

Ces trois administrations n'ont pas accepté un tracé «rigide». Celui-ci peut être modifié à l'occasion. Le coût de construction variera en conséquence. (...)

Même si l'ouverture officielle ne devait se dérouler que quelques semaines plus tard, les automobilistes du Québec pouvait utiliser certains tronçons de la nouvelle autoroute des Laurentides — la première au Québec — dès le *29 août 1959*. Cette photo permet de voir la jonction de l'autoroute avec le boulevard Métropolitain, dont la construction s'arrêtait alors à la hauteur de l'embranchement, comme cette photo permet de le constater.

C'EST ARRIVÉ UN 29 AOÛT

1979 — Les principales banques américaines relèvent le taux d'intérêt préférentiel de 12 à 12,25 p. cent, un niveau record.

1975 — Gérard Pelletier est nommé ambassadeur du Canada en France.

1973 — Le président Nixon repousse la demande du juge Sirica de lui remettre les bandes des enregistrements faits dans son bureau.

1968 — Nancy Greene, championne du monde du ski, devient membre du Temple de la renommée sportive; elle reçoit aussi la coupe Lou Marsh, emblème du meilleur athlète au Canada.

1966 — Le rapport du juge Rand sur l'implication du juge Léo Landreville dans l'affaire des actions de la Northern Ontario Gas Co., est déposé à la Chambre des communes. — Gilles Grégoire, député de Lapointe, annonce sa décision de siéger comme député indépendant à la Chambre des communes, après avoir accepté d'être président d'un parti séparatiste québécois.

1947 — Les Américains annoncent la mise au point de la première pile atomique.

1935 — La reine Astrid de Belgique meurt dans un accident d'auto impliquant également le roi Léopold III, en Suisse.

Nouvelles victimes du Vésuve

Des archéologues ont découvert hier et aujourd'hui (29 août 1991) les restes de huit nouvelles victimes de l'éruption du Vésuve.

Deux corps momifiés ont été dégagés aujourd'hui de la cendre volcanique. Six corps avaient déjà été découverts hier. Le plus petit corps est celui d'une adolescente, qui porte un anneau, ce qui indique qu'il s'agit d'une esclave.

Les nuit habitants de Pompéi s'étaient recroquevillés sur le sol après avoir vainement tenté d'échapper à la lave et aux rochers du Vésuve lors de l'éruption du 24 août 79.

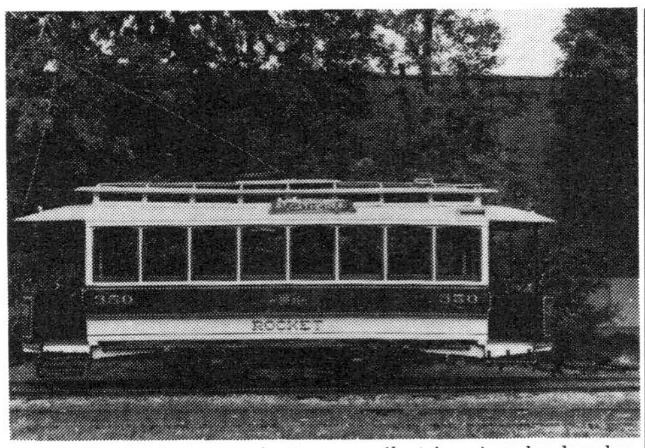

1892 — Le «Rocket», premier tramway électrique à rouler dans les rues de Montréal. Il fut construit par la Brownell Car Manufacturing, de St. Louis, et il fut retiré de la circulation en 1914.

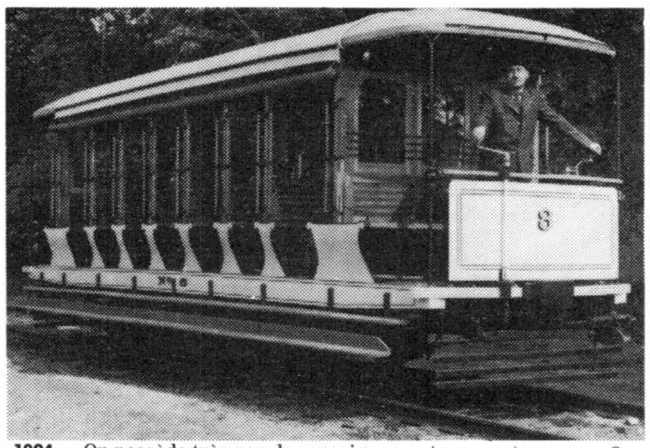

1894 — On possède très peu de renseignements sur ce tramway. On croit savoir qu'il a été construit en Ontario.

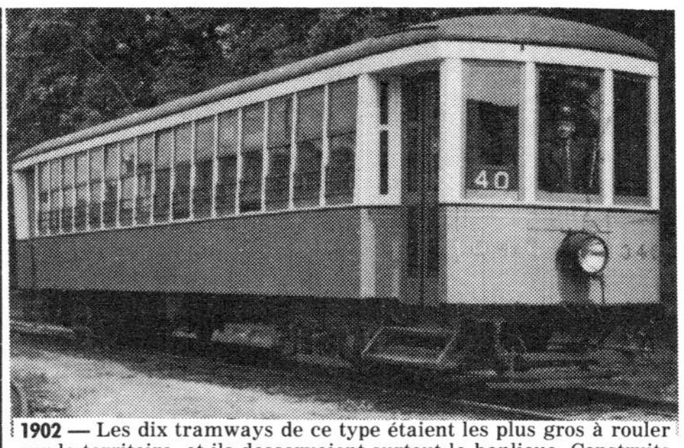

1902 — Les dix tramways de ce type étaient les plus gros à rouler sur le territoire, et ils desservaient surtout la banlieue. Construits par la Montreal Park and Island Railway, ces tramways de 50 pieds de longueur ont roulé jusqu'en 1955.

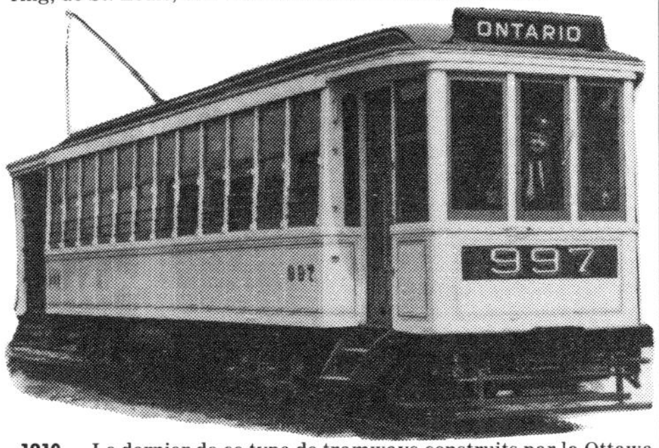

1910 — Le dernier de ce type de tramways construits par la Ottawa Car and Manufacturing a roulé jusqu'en 1955. Ce modèle est le premier à incorporer l'acier comme matériau sur une grande échelle.

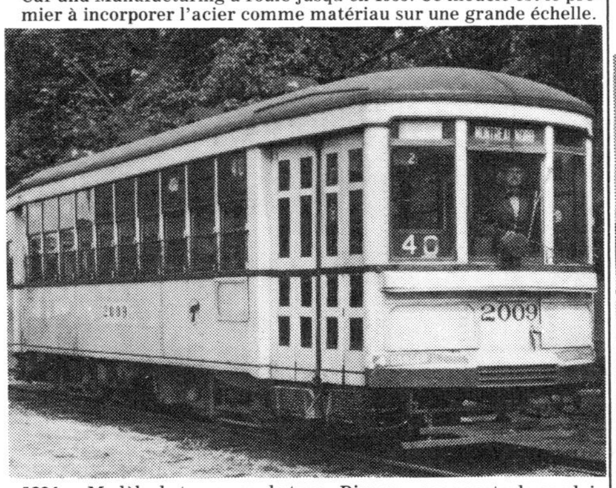

1926 — Modèle de tramway de type «Birney», avec poste de conduite aux deux extrémités pour les circuits en banlieue éloignée où la fréquence était limitée.

20,000 personnes les voient disparaître

Fidèles à eux-mêmes, les tramways ont été en retard jusqu'à la fin!

UN Montréal enthousiaste et endimanché, grande dame mais aussi populacier, cruel et nostalgique tout ensemble est descendu hier après-midi **(30 août 1959)** dans les rues de la ville, rendre un hommage railleur aux derniers vestiges d'une époque qui semblait devoir se faire éternelle.

A un demi-siècle de transport en commun, le commun des mortels a fait des adieux qui, malgré tout, ne manquaient pas de sincérité. La foule dépourvue des classiques petits drapeaux symboliques des manifestations savamment orchestrées, pour une fois a applaudi avec ses mains.

Ce témoignage émouvant, qui s'est répété tout au long du parcours Papineau-Rosemont, les vieux conducteurs ne s'y attendaient pas. Pour eux, transporter des millions de voyageurs chaque jour de la semaine, tout cet immense travail qui consiste à déplacer littéralement une population entière d'une extrémité à l'autre de la métropole, quotidiennement, cela se résumait à ouvrir et fermer des portes pneumatiques, poinçonner des correspondances, remettre en vingt-cinq sous la monnaie de cinq dollars, jurer contre l'automobiliste idiot qui, pour un feu vert, risquait de se faire estropier.

La population maussade des heures d'affluence a laissé tomber hier le masque fatigué des longues journées de la semaine, et laissé voir aux hommes du tramway qu'elle était capable de gratitude, même si les sourires étaient un peu moqueurs, même si on pouvait entendre la remarque classique, encore, au départ du défilé:

— Comme d'habitude, ils sont en retard, jusqu'à la fin!

Effectivement, le convoi s'ébranla à 2 h. 41, onze minutes après l'heure prévue. Coïncidence amusante, le cortège a maintenu une vitesse de six milles à l'heure, la vitesse moyenne même des tramways de Montréal aux heures de pointe Attendu à 4 h. 30 aux ateliers de Mont-Royal après avoir bouclé le circuit Papineau-Rosemont de Notre-Dame jusqu'à Pie IX, les portes symboliques se sont refermées sur le dernier tram à 4 h 50. Mais entre-temps, la pluie, la sale pluie qui paralyse la circulation dès la première averse (...) s'était mise à tomber dru et la foule si abondamment massée se dispersa comme par enchantement. On la retrouva en petites grappes toutes trempées, sous les arbres, piétinant les coquets parterres qui annoncent le Nouveau-Rosemont.

La ruée...sans billets

A la plus grande joie des marmots qui faisaient claquer leurs pieds nus dans les mares, les gros messieurs impressionnants qui avaient pris place dans les ostentatoires tramways découverts reçurent le gros de la douche. Ce fut, comme aux meilleurs temps du tram, une ruée folle vers les véhicules qui suivaient. Mais sans billets à percevoir, ils s'emplirent plus rapidement qu'à l'accoutumée, et bientôt l'atmosphère passa des douces effluves du voisin jardin botanique au parfum innommable d'une foule en nage. A quoi ça tient, la nostalgie du tramway. (...) Sur les 20,000 (au moins) personnes massées le long du parcours il y avait bien 5,000 photographes amateurs.

La fête a si bien réussi que des embouteillages de toute beauté se sont produits à chacune des intersections. La fête a si bien réussi que le caractère officiel de la manifestation s'est dissipé au départ. Tout le monde était dans le coup, même les conseillers qui avant de décrocher le douteux privilège de retrouver leurs Cadillac d'une autre couleur avaient connu eux aussi les affres démocratiques du transport en commun. Sur les banquettes peinturées en or, les gros bonnets étaient devenus joyeux spectateurs. Car la fête était partout.

Mais il y a eu tout de même quelques fonctions officielles. M. le maire, qui se coiffa de la casquette du conducteur, en plaçant une main prudente sur l'accélérateur. A côté de lui, M. James Becket Smith, wattman à sa retrait, reconstituait ses souvenirs.

Le tram 1959...

Il y eut aussi ces portes en papier mâché qu'on referma sur un des anciens Outremont 29, et alors ce fut la guirlande des commissaires de la CTM, du président jusqu'au «switcheur» (voir dictionnaire Belisle), la guirlande de l'Exécutif, de M. le maire en descendant, tous visiblement soucieux car en somme on ne tourne pas une page de la petite histoire montréalaise sans songer qu'il faudra en écrire une autre, sur laquelle le peuple de Montréal veillera à ce qu'on écrive cinq lettres: métro.

Et pendant que tout cela se dissolvait dans la pluie, un vieux conducteur aux cheveux blanchis, M. J.P. St-Onge, aux contrôles du solotram matricule ironiquement 1959, demandait au padre sa bénédiction.

Sacré Montréal, ce que tu peux être sympathique, quand tu descends dans la rue.

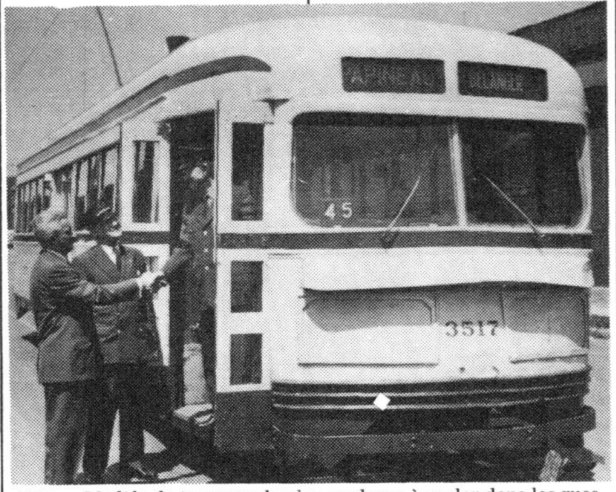

1944 — Modèle de tramway le plus moderne à rouler dans les rues de Montréal.

L'occupation progresse magnifiquement

MacArthur au Grand Hôtel de Yokohama

— Le général MacArthur est arrivé triomphalement au Japon, aujourd'hui **(30 août 1945)**, avec 18,150 hommes des forces d'occupation et il déclare que cette invasion non sanglante progresse magnifiquement.

Le commandant suprême allié a son quartier général à Yokohama. L'amiral Halsey a fait de l'ex-base navale japonaise de Yokosuka le premier établissement naval au Japon. L'aérodrome voisin d'Atsugi fourmille de parachutistes. Une flotte britannique entre à Hong Kong pour reprendre possession de cette ancienne colonie de la Couronne.

L'occupation massive du Japon a commencé à 6 heures ce matin, heure de Tokyo, soit 5 h. hier après-midi à l'heure avancée de l'est.

Les forces armées japonaises se sont retirées de la zone occupée mais l'ennemi rapporte qu'il a encore 15 divisions armées dans la zone de Tokyo. Le plan de MacArthur consiste vraisemblablement à désarmer ou à refouler ces troupes avant l'occupation de la capitale par la 8e armée commandée par le général R.L. Eichelberger.

Yokohama — Le général Douglas MacArthur a établi aujourd'hui son quartier général à Yokohama tandis que 40,000 hommes des forces alliées d'occupation s'emparaient de la plus garnde base navale japonaise, de deux aérodromes et d'un grand secteur de la grande plaine de Tokyo.

Au moins une demi-douzaine de villes nippones dont quelques-unes sont situées à quelques milles de la banlieue sud de Tokyo ont été occupées par les troupes alliées acheminées en quelques heures par air et par mer.

Le général MacArthur, commandant suprême allié, arrivé dans son avion de transport «Bataan», (...) s'installait moins d'une heure plus tard dans le nouveau Grand Hôtel de Yokohama. Il a dit aux journaliste que le plan concernant la reddition est magnifiquement exécuté. Tout indique que l'occupation se poursuivra sans friction ni effusion de sang. Dans les régions éloignées, la bataille a presque cessé. En cette zone, 300,000 Japonais ont été désarmés et démobilisés. (...)

C'EST ARRIVÉ UN 30 AOÛT

1983 — Lancement réussi de la navette spatiale *Challenger*. — Le premier ministre Menachem Begin, d'Israël, confirme que sa démission est irrévocable.

1982 — Le leader palestien Yasser Arafat quitte Beyrouth au milieu d'une évacuation déchirante.

1976 — Première amende imposée pour avoir contrevenu au contrôle des prix et des salaires: Donald Tansley, chargé de l'application de la Loi anti-inflation, ordonne à la Régie des alcools du Manitoba de verser $300 000 au gouvernement fédéral.

1972 — Le gouvernement Bennett est renversé lors des élections générales de Colombie-Britannique.

1971 — Les conservateurs remportent les élections générales de l'Alberta, écartant le Crédit social du pouvoir.

1970 — De violents combats éclatent à Amman, en Jordanie, entre forces jordaniennes et palestiniennes.

1968 — Abandon du programme des travaux d'hiver qui a coûté $321 millions depuis 1958.

1965 — Une avalanche ensevelit une centaine d'ouvriers travaillant à un projet hydroélectrique à Saas-Fee, en Suisse.

1963 — Mort à Moscou de l'ex-diplomate et transfuge britannique Guy Burgess. Il y vivait depuis qu'il avait fui l'Angleterre en 1951.

1962 — La Fédération libérale du Québec approuve le principe de la nationalisation de l'électricité, tel que proposé par le gouvernement.

1944 — Prestation de serment du nouveau cabinet Duplessis.

1943 — Un accident ferroviaire fait 27 morts à Wayland, New York.

1914 — Premier raid aérien allemand sur Paris.

La «ligne rouge» est prête à fonctionner

WASHINGTON — Le téléscripteur entre Washington et Moscou est désormais en état de fonctionner, a officiellement annoncé hier **(30 août 1963)** le secrétaire de la Défense.

La Maison Blanche et le Kremlin sont donc en mesure maintenant d'échanger des communications en cas d'urgence. Au cours des dernières semaines, les techniciens américains et soviétiques ont procédé conjointement, dans les deux capitales, à l'installation et à l'expérimentation de la ligne de téléscripteurs susceptibles d'être utilisés par le président des Etats-Unis et par le chef du gouvernement soviétique.

MM. Kennedy et Khroutchtchev pourraient avoir recours à la «ligne rouge» en cas, par exemple, du lancement accidentel d'une fusée balistique intercontinentale nucléaire par l'un des deux Grands en direction de l'autre pays.

On précise dans les milieux américains qu'il n'y aura pas de cérémonie d'inauguration de ligne entre Washington et Moscou. Dans l'esprit des dirigeants, il s'agit en effet de la «ligne dont on espère ne jamais se servir».

C'est le 20 juin dernier qu'avait été signé l'accord américano-soviétique d'installation de ce téléscripteur qui, pour le moment, comporte une ligne télégraphique entre les deux pays. Dans un avenir rapproché, cette ligne sera doublée par un circuit radio pour prévenir tout risque de non-fonctionnement des appareils pour des raisons techniques.

L'ouverture de la maison Bethune

GRAVENHURST — Le ministre des Transports, M. Otto Lang, a présidé, hier après-midi **(30 août 1976)**, à l'ouverture officielle de la maison du Dr Henry Norman Bethune, à Gravenhurst, en Ontario.

L'ouverture de la maison Bethune se veut un jalon imposant dans l'évolution des relations sino-canadiennes. Acquise par le gouvernement canadien 1973, afin de rendre hommage aux qualités du Dr Bethune comme innovateur médical, et l'un des premiers promoteurs de l'universalité des soins médicaux, cette maison a été restaurée par Parcs Canada pour le compte du ministère des Affaires extérieures.

Les travaux de restauration de cette maison, qui se sont échelonnés sur une période de trois ans, ont permis de recréer l'état de la maison vers 1890, année de naissance du Dr Bethune.

La police frappe le coeur de la mafia

La GRC a frappé le coeur de la mafia sicilienne au Canada, lors d'une série d'arrestations, de perquisitions et de saisies faites surtout à Montréal, mais aussi à Trois-Rivières, à Québec, en Colombie-Britannique et à l'étranger.

« Il s'agit de la plus grosse opération jamais effectuée, pour ce qui est du montant d'argent et de l'importance des criminels impliqués », a déclaré le sergent Claude Lessard, porte-parole de la Gendarmerie royale du Canada.

Vingt-six personnes liées à la mafia et aux Hells Angels, qui perçoivent l'argent pour la mafia, ont été appréhendées. Elles seront accusées d'avoir importé 558 kilos de cocaïne depuis la Colombie et recyclé plus de 100 millions de dollars en argent liquide, dont 65 millions à l'étranger.

La GRC et le détachement de la Sûreté du Québec à Saint-Jérôme ont en même temps frappé un autre réseau — qui n'a rien à voir avec le premier : 12 personnes seront accusées d'avoir importé et distribué du haschisch en provenance de Jamaïque, et d'avoir recyclé quatre millions de dollars.

Un membre important de ce deuxième réseau est un gardien de la prison de Bordeaux, Jacques Levasseur. Il aspirait à la présidence du syndicat des gardiens des centres de détention de juridiction provinciale. Il a été arrêté à son lieu de travail. Il était chargé, au sein du réseau, de recruter des jeunes pour passer la drogue aux douanes en l'avalant.

Au total, la GRC, appuyée par la SQ et la police de la Communauté urbaine de Montréal, a arrêté 41 personnes, perquisitionné 160 résidences, commerces et institutions financières au Québec et en Colombie-Britannique, et saisi 558 kilos de cocaïne.

La GRC a aussi participé à des opérations policières à l'étranger, notamment en Colombie. Cinq Hells Angels ont été écroués en Angleterre. La police a gelé plus de 200 comptes dans 29 institutions bancaires et demandé le gel d'autres comptes.

(Texte publié le 30 août 1994.)

C'EST ARRIVÉ UN 31 AOÛT

1984 — C'est la dernière saison de Terre des Hommes. Une dernière saison qui ferme le Grand livre de cette attraction touristique qui, durant 17 années, a perpétué le message d'Expo 67.

1983 — Cinq pirates de l'air demandent l'asile politique à l'Iran après y avoir détourné un *B-727* d'Air France qui assurait la liaison Vienne-Paris.

1979 — Après avoir balayé la Martinique, la Dominique, la Guadeloupe, Porto-Rico et le Sud des États-Unis, l'ouragan *David*, l'un des plus violents du siècle, fait plus de 1 000 victimes en République dominicaine.

1974 — Le premier ministre Norman E. Kirk, de Nouvelle-Zélande, meurt à l'âge de 51 ans.

1973 — Décès à l'âge de 78 ans du cinéaste américain John Ford, détenteur de quatre Oscars.

1972 — Grâce à Leslie Cliff et Bruce Robertson, le Canada mérite ses deux premières médailles d'argent des Jeux de Munich.

1969 — Frappé d'incapacité à la suite d'une thrombose cérébrale, la maréchal Costa e Silva est remplacé à la tête du Brésil par un triumvirat militaire.

1968 — Un tremblement de terre fait 20 000 morts en Iran.

1966 — Quelque 500 000 gardes rouges acclament le président Mao Tsé-toung, à Pékin. — Un *Bristol Britannia* de la Britannia Airways s'écrase en Yougoslavie, mais 20 de ses 117 passagers et membres d'équipage échappent à la mort.

1962 — Deux navires cubains mitraillent un avion de la marine américaine, au-dessus des eaux internationales. — Trinidad et Tobago accède à l'indépendance après avoir été sous la férule britannique durant 165 ans.

1957 — Après 107 ans de régime colonial britannique, la Malaysie accède à l'indépendance.

1950 — Fin de la grève générale qui sévissait dans le domaine ferroviaire canadien depuis huit jours. — Un *Constellation* de la Trans World Airlines s'écrase dans le désert d'Égypte. L'accident fait 55 morts.

1946 — Décès d'Eugène Berthiaume, dernier fils de l'honorable Trefflé Berthiaume. Il était président du conseil d'administration de LA PRESSE.

1941 — Attaques étendues de la RAF, dont caractérisées par un raid de jour sur Brême. — Début de la contre-offensive soviétique sur le front central, lancée pour diminuer la pression sur Léningrad, Kiev et Odessa.

1937 — Le gouvernement Lebrun décrète la nationalisation de tous les chemins de fer français.

1936 — Une collision entre le transatlantique *Lafayette* et le cargo *Benmaple*, au large de l'île de Bic, dans le Saint-Laurent, fait un mort, alors que le cargo coule dans 50 brasses d'eau.

1932 — Le mauvais temps empêche les Montréalais d'assister clairement au spectacle d'une éclipse totale du soleil.

1931 — Richard T. Ringling, un des propriétaires du fameux cirque Ringling Brothers, succombe à une crise cardiaque, à l'âge de 38 ans.

1929 — Mise en oeuvre du plan Young, par lequel Allemands et Alliés acceptent des modifications aux réparations de guerre.

1923 — Les Iitaliens bombardent l'île grecque de Corfou.

Fin tragique de Lady Di

La princesse de Galles, Lady Di, 36 ans, et le milliardaire égyptien Dodi al-Fayed, 42 ans, sont morts dans un accident de voiture dans la nuit de samedi à dimanche (**31 août 1997**) sous le tunnel de l'Alma, à Paris.

Le chauffeur du véhicule, un employé de l'hôtel Ritz, a également trouvé la mort. Le garde du corps de la princesse a été grièvement blessé.

Dodi al-Fayed est mort sur le coup, Lady Di est morte à 04 heures du matin (02H00 GMT) d'une hémorragie pulmonaire à l'hôpital de la Pitié-Salpêtrière où elle avait été transportée.

La voiture, suivie par des photographes à moto, roulait à vive allure peu après minuit dans le tunnel de l'Alma. Selon les premières informations recueillies de sources sûres, la voiture, une puissante Mercedès noire dans laquelle se trouvaient les quatre personnes, a été suivie par des photographes en moto et en scooter. La voiture roulant à très vive allure a heurté un des piliers sous le pont de l'Alma, a rebondi contre un mur avant de s'arrêter au milieu de la chaussée.

Lady Di avait été transportée à l'hôpital de la Pitié-Salpêtrière. À l'aube, on indiquait que la princesse se trouvait dans un « état grave ». Elle souffrait d'un traumatisme crânien, d'une fracture à un bras et de plaies importantes à la cuisse.

Le ministre français de l'Intérieur Jean-Pierre Chevènement, le préfet de police de Paris, Philippe Massoni, l'ambassadeur de Grande-Bretagne en France, sir Michael Jay et son épouse, ainsi que le consul général de Grande-Bretagne à Paris, s'étaient rendus à son chevet.

Le couple était arrivé dans l'après-midi à Paris. Repéré par des photographes, la princesse et le milliardaire égyptien s'étaient arrêtés à l'hôtel Ritz, l'un des plus célèbres palaces parisiens et propriété de Mohamed al-Fayed, père de Dodi, où ils ont changé de voiture pour un modèle plus puissant, une Mercedès 600. Partis à vive allure vers le XVIème arrondissement de la capitale, où le milliardaire égyptien possède un hôtel particulier, le couple a alors eu cet accident. Sept photographes présents au moment de l'accident ont été interpellés et étaient interrogés à la préfecture de police, l'un d'entre eux a été roué de coups par des témoins de l'accident. Les photographes qui suivaient à moto n'ont pas été blessés. Selon les mêmes sources, aucune moto n'était impliquée dans l'accident et seule la Mercedès, qui roulait à très vive allure, a été très gravement accidentée. Elle aurait fait plusieurs tonneaux, ajoute-t-on. Le choc a été tel que le radiateur a été retrouvé sur les genoux du passager avant.

Selon des témoins, des photographes prenaient des photos de l'accident à l'arrivée des premiers secours.

Ne pouvant soulever la voiture sous la voûte du tunnel, les policiers l'ont tirée à l'extérieur vers 04 h 30 (02h30 GMT) et c'est sous les flashs des photographes et les projecteurs des caméras qu'elle a été déposée à l'arrière d'un camion de la préfecture de police. À l'avant du véhicule, littéralement broyé par la violence de l'accident, on pouvait apercevoir la trace du choc occasionné par l'un des poteaux séparant les deux voies du tunnel.

Les pompiers, pour dégager les victimes, avaient dû couper les montants du toit et seul le sigle Mercedes situé sur la coffre arrière était intact. Les princes William et Harry, en vacances avec leur père au château de Balmoral, en Écosse, ont été immédiatement avertis du décès de leur mère.

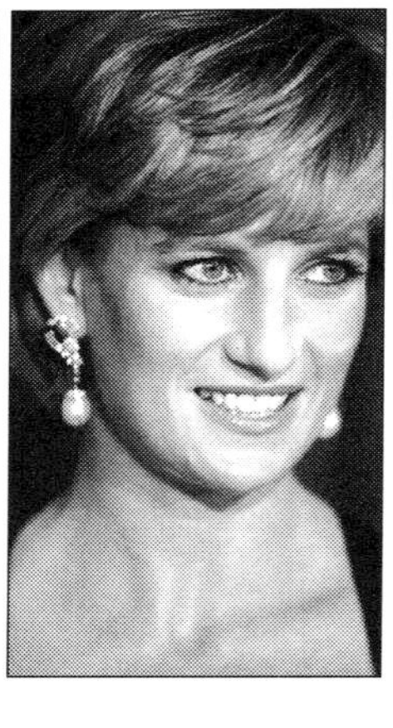

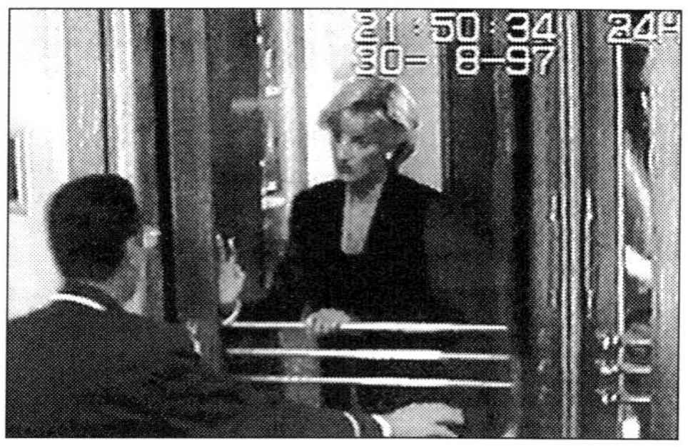

La photo ci-dessus tirée d'une vidéo de sécurité montre Lady Diana arrivant à l'hôtel Ritz, à Paris, le samedi 30 août 1997. Quelques heures plus tard, elle devait connaître une fin tragique dans un accident. Ci-contre, une photo d'archive de celle qui fut princesse de Galles.

Des bandits prêtent main-forte à la POLIO

Vol de 75,000 doses de vaccin

TROIS bandits masqués ont vidé aux petites heures la nuit dernière (**31 août 1959**) la glacière électrique de l'Institut de microbiologie et d'hygiène à l'Université de Montréal, situé au 531, boul. des Prairies, à Laval-des-Rapides. Ils se sont ainsi emparés des dernières réserves de vaccin Salk destinées à être distributeurs à travers la province.

«Ils ont volé, a déclaré à midi, le Dr Lionel Forté, directeur adjoint de l'institut, 75,000 doses de vaccin Salk, d'une valeur de $50,000.

«Ces doses étaient contenues dans 7,500 fioles à raison de dix doses par contenant et provenaient de Toronto.

«Les laboratoires Connaught, de cette ville, avaient eu l'amabilité de nous prêter cette forte quantité à cause de la pénurie extrême de ce vaccin à travers notre province. Nous devions livrer aujourd'hui ce vaccin au ministère de la Santé, à Québec, pour distribution à travers la province».

Le Dr Forté précise que les réserves de l'institut ainsi que celles des principaux manufacturiers du vaccin en notre ville étaient épuisées depuis quelque temps, et que ce généreux prêt de la Ville-Reine comblait un besoin pressant.

Il se demande ce qu'il adviendra dans le cours de la semaine des prochaines cliniques de vaccination, parce que les stocks seront alors épuisés et qu'ils ne pourront plus être renouvelés par l'institut.

Il se demande également ce que les voleurs feront de leur butin.

«Habituellement, notre institut livre le vaccin aux grossistes qui à leur tour le distribuent aux pharmaciens. Mais quel médecin osera se servir du stock volé, qui devra normalement lui parvenir par le marché noir?»

Il croit que les malfaiteurs tenteront plutôt d'écouler leur stock à travers le pays ou encore à l'étranger:

«C'est pourquoi, conclut-il, les policiers ont fait appel au concours de la Gendarmerie royale canadienne.» (...)

Décès à l'âge de 84 ans de M. Henri Bourassa

M. Henri Bourassa, chef du mouvement nationaliste dans la province de Québec, fondateur et ancien directeur du journal «Le Devoir», est décédé dimanche (**31 août 1952**) à son domicile, à Outremont. Il aurait eu 84 ans hier.

Orateur, journaliste et champion des droits des Canadiens français, il avait été pendant plus de 40 ans, et surtout depuis la guerre sud-africaine, une des principales figures dans la plupart des luttes politiques au Canada. Il avait dénoncé avec passion l'impérialisme et avait mené une lutte constante contre la conscription.

Il laisse trois fils, dont les RR. PP. François et Bernard Bourassa, S.J., Jean Bourassa, et trois filles, Anne, Jeanne et Marie.

Ses funérailles auront lieu jeudi en l'église S.-Germain d'Outremont.

Maire à 21 ans

M. Henri Bourassa était né à Montréal le 1er septembre 1868. Il était le fils de M. Napoléon Bourassa, artiste et écrivain de renom, et, par sa mère, il était le petit-fils de Louis-Joseph Papineau.

Après avoir passé à Montréal les premières années de sa vie et y avoir fait ses études, sous des professeurs privés particulièrement, il s'en était allé demeurer à Montebello à l'âge de 18 ans, et s'était longtemps occupé d'agriculture. Dès l'âge de 21 ans, il avait été élu maire de son village, puis, en 1896, maire de la municipalité voisine de Papineauville. (...)

Bourassa député

Élu député fédéral pour la première fois aux élections générales de 1896, il avait été réélu par acclamation quelques années plus tard, dans une élection complémentaire, à la suite de sa protestation contre l'intervention du Canada dans la guerre sud-africaine. C'est alors qu'il s'était séparé de Sir Wilfrid Laurier, avait abandonné son siège mais avait été réélu par acclamation. Il avait été subséquemment réélu, par la suite, aux élections générales de 1900 et 1904.

Suivant les traces de son grand-père, Louis-Joseph Papineau, qui avait dirigé en 1837 la révolte armée du Québec pour un gouvernement responsable, M. Bourassa avait également lutté pour ce qu'il considérait comme les droits et les revendications du Québec. (...)

NDLR — Il importe au lecteur de savoir que «Le Devoir» a été fondé le 10 janvier 1910.

Victoria met un terme à la publicité de l'alcool et de la cigarette, mais...

VANCOUVER —Même si une loi provinciale interdisant la publicité de l'alcool et de la cigarette est entrée en vigueur hier (**31 août 1971**) en Colombie-Britannique, les consommateurs continuent d'entendre vanter et de lire les mérites de ces deux produits, mais par le truchement des postes émetteurs de radio et de télévision situés aux Etats-Unis et dans les journaux et revues publiés en dehors de la province.

La loi interdisant cette publicité a été adoptée en mars dernier par le Parlement à la demande du premier ministre W.A.C. Bennett, qui ne boit pas et ne fume pas.

Quatre fabricants de cigarettes, trois sociétés de publicité et une compagnie de publication attendent d'être entendus par la Cour Suprême de la Colombie-Britannique afin de faire déclarer la loi inconstitutionnelle.

Par ailleurs, les magazines nationaux ont indiqué leur intention de continuer la publication d'annonces sur la cigarette et l'alcool, et au moins deux fabricants de cigarettes ont déclaré qu'ils allaient continuer de se servir des panneaux-réclame pour annoncer leurs produits.

Boycottage?

Le premier ministre n'a pas encore dit comment il empêcherait d'entrer dans sa province la publicité véhiculée par des organes d'information de l'extérieur.

Il a par contre laissé entendre qu'il serait facile pour les magasins des liqueurs, qui sont contrôlés par l'Etat, d'arrêter de vendre les produits annoncés «illégalement».

«Les commandes de la Régie pourraient être lentes à venir si les brasseries ignorent délibérément la volonté du peuple de la Colombie-Britannique clairement exprimée par la voix de son Parlement», a dit M. Bennett.

Les déboires de la reine des «peaux de vache»

Le verdict de culpabilité d'évasion fiscale rendu à l'encontre de la championne de l'hôtellerie Leona Helmsley a ravi plus d'un Newyorkais pour qui il fallait moucher celle qu'on surnomme la « reine des peaux de vache ».

Leona, dont le mari Harry, 80 ans, a été excusé pour sénilité, ne s'est pas contentée de « rouler » le fisc de 1,2 million $ en faisant passer pour frais professionnels les 3 millions $ de travaux de son manoir du Connecticut. Elle refusait de nourrir — même d'un sandwich — ses employés de maison et les congédiait au gré de son humeur — souvent maussade et impérieuse, ont affirmé les témoins.

Celle qui s'était surnommée la « reine » de l'hôtellerie a été reconnue coupable de 33 des 41 accusations pour lesquelles elle comparaissait. Ce qui la rend passible de 8 millions $ d'amende et, pour chacun de ces 33 chefs, de trois à cinq ans de prison : 99 ans minimum.

Dans son esprit et dans ses propos, « il n'y avait que les petites gens pour payer des impôts ». La « reine » n'a pas bronché à l'énoncé du verdict. Nul doute que pour elle, il y a toujours un moyen de s'en sortir. (**Texte du 31 août 1989.**)

Le 17 août Montréal a voté contre moi, et c'est pourquoi je démissionne, dit M. Houde

M. Camillien Houde motive aujourd'hui (**31 août 1936**) sa démission comme maire de Montréal. Sa principale raison est l'avènement du gouvernement Duplessis. Tout ce que j'ai prôné pour le rétablissement financier de la ville, et notamment la taxe de vente, M. Duplessis a promis de l'abolir, déclare M. Houde, qui trouve un autre motif de départ dans la vague de nationalisme qu'il dit qui déferle présentement sur la province de Québec «au risque de détacher Québec de la Confédération canadienne». N'étant plus en sentiment commun avec l'électorat, M. Houde a cru devoir démissionner, quittant l'hôtel de ville, «plus pauvre», dit-il, «que lors de ma réélection en 1934, et dans une situation pire que précaire».

Texte de la déclaration

«Ma brusque démission comme maire de Montréal exige des explications. Je me dois de les fournir à la population de Montréal qui m'élisait en avril 1934, par une majorité sans précédent.

«Le 17 août dernier, la province se donnait un nouveau gouvernement. Durant la campagne électorale, le chef de ce gouvernement, alors chef de l'opposition, venait à Montréal traiter en particulier des choses de Montréal. Il faisait diverses promesses pour améliorer la situation financière de la cité et pour dégrever ses contribuables.

«Au cours de son discours, à la suite d'une interpellation, il promettait d'abolir la taxe de vente, dont je m'étais fait le protagoniste à l'hôtel de ville, croyant ainsi aider à rétablir, en partie, une situation financière précaire due aux administrations précédentes. Cette déclaration était une condamnation de mon attitude comme de celle de la grande majorité de mes collègues qui avaient voté pour cette mesure et dont quelques-uns sont au nombre de ses partisans et ce, au moment où la population, de bon gré, commençait à accepter ce sacrifice pour aider Montréal à supporter les dépenses de chômage et d'administration.

«Je considère donc mon mandat expiré, puisque le nouveau chef du gouvernement a pris sur lui de régler la situation et que Montréal lui a donné un mandat explicite à cette fin.» (...)

Après avoir rappelé que Maurice Duplessis et lui étaient loin de vibrer sur la même longueur d'onde et fait le point sur la situation de la ville de Montréal au moment de son départ, Camillien Houde terminait sa longue déclaration écrite en disant qu'il quittait son poste même s'il se retrouvait ainsi sans gagne-pain dans l'immédiat, avec une situation personnelle «pire que précaire». Et Camillien Houde de retourner dans la vie privée, mais pas pour longtemps puisqu'il était de retour sur le siège du maire, en gagnant haut la main les élections de 1938.

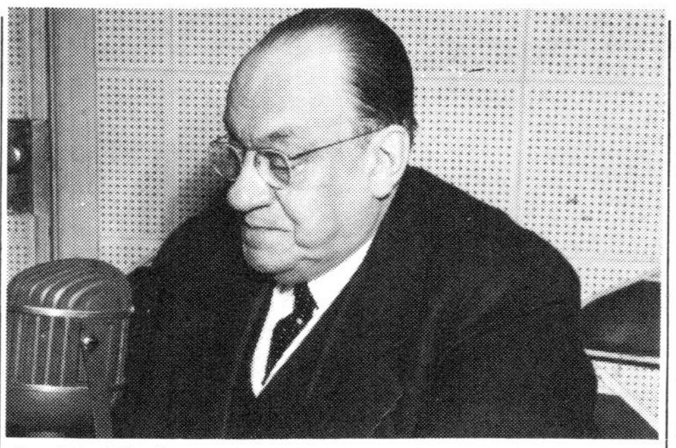

Camillien Houde.

1er — C'EST ARRIVÉ UN SEPTEMBRE

1983 — Surpris au-dessus de l'URSS, un *B-747* de la société Korean Airlines est froidement abattu par deux chasseurs soviétiques, avec 269 personnes à bord. — Au Québec, entrée en vigueur de la loi anti-briseurs de grève.

1981 — Mort à l'âge de 76 ans d'Albert Speer, ministre de l'Armement et architecte d'Adolf Hitler.

1978 — L'ex-député Gilbert Rondeau est reconnu coupable d'avoir fait incendier sa maison.

1974 — Un avion de reconnaissance américain, le *Blackbird SR-71*, effectue le vol New York-Londres en un temps record d'une heure, 55 minutes et 42 secondes.

1973 — Le gouvernement libyen nationalise 51 p. cent des actifs des sociétés pétrolières.

1972 — Bobby Fisher remporte le championnat du monde aux échecs. — Au cours d'une session spéciale du Parlement, les débardeurs de la Colombie-Britannique reçoivent l'ordre de reprendre le travail après 17 jours de grève.

1970 — À Amman, le roi Hussein échappe de peu à un attentat. — Décès à 85 ans du célèbre écrivain François Mauriac.

1969 — À Tripoli, un coup d'État renverse le roi Idriss. L'État adopte le nom de République arabe libyenne.

1966 — Le Parlement canadien, en session extraordinaire, ordonne le retour au travail des cheminots, en grève depuis sept jours. — U. Thant annonce qu'il n'acceptera pas un second mandat comme secrétaire général des Nations Unies.

1965 — La guerre s'intensifie entre l'Inde et le Pakistan au sujet du Cachemire.

1963 — Les députés créditistes du Québec désavouent Robert N. Thompson comme chef du parti national.

1962 — Un tremblement de terre détruit 200 villages et fait plus de 10 000 morts en Iran. — 25e anniversaire du premier vol à horaire fixe d'Air Canada, célébré par un vol sur le parcours original entre Vancouver et Seattle, État de Washington.

1961 — Le gouvernement Lesage annonce la création de la Société générale de financement. — L'URSS rompt le moratoire de trois ans sur les expériences nucléaires en faisant exploser un engin en Asie centrale. — Un *Constellation* de la Trans World Airlines s'écrase à Chicago tuant 78 personnes.

1957 — Un accident ferroviaire fait 205 morts et 700 blessés à la Jamaïque.

1950 — S. Exc. Mgr Paul-Emile Léger, archevêque de Montréal, publie une lettre pastorale sur la Vénérable Mère Marguerite Bourgeoys.

1949 — Un typhon et des vents de 90 milles à l'heure sèment la dévastation au Japon.

1946 — La Grèce se prononce par plébiscite en faveur de la monarchie. Le roi Georges II, en exil à Londres, pourra bientôt rentrer dans son pays.

1934 — Dédicace du pont Jacques-Cartier, alors connu sous le vocable de pont du Havre.

1919 — Le prince de Galles pose la première pierre de la Tour de la paix du nouvel édifice du Parlement à Ottawa.

Londres vote 2 milliards pour la guerre

Paris et Londres ont tout mobilisé. — L'Italie, comme l'Angleterre et la France, convoque son cabinet.

VARSOVIE — La troisième alerte a sonné à 9 h. 55 (4 h. 55, heure normale de l'est) et a duré jusqu'à 10 h. 30 (5 h. 30); les escadrilles allemandes n'auraient cependant causé ni morts ni dégâts matériels, dans la ville même. Les explosions semblaient venir de 8 à 10 milles à l'ouest, où les avions ennemis tentaient probablement de détruire les chemins de fer.

On mande officiellement que les principaux corps allemands viennent de trois directions différentes: ils marchent de Prusse orientale sur Dzjaldowo et Mlawa, de Poméranie sur Chojnice dans la partie la plus resserrée de la lisière ouest du corridor polonais, de Breslau sur Katowice, en Silésie. Cette dernière ville est entièrement évacuée par la population civile. L'armée polonaise aurait abattu 7 avions allemands et se serait emparée d'un train blindé. (...)

Berlin n'a fait aucune déclaration de guerre officielle, jusqu'à cette heure, contre la Pologne, mais les hostilités ont été engagées **(le 1er septembre 1939)** sur plusieurs fronts par une campagne-éclair qui vise surtout le secteur vital des mines et de l'industrie au sud-ouest de la Pologne.

OTTAWA — Un ordre en conseil a proclamé au début de l'après-midi l'entrée en vigueur au Canada de la loi des mesures de guerre passée en 1914 et qui confère au gouvernement les pouvoirs extraordinaires des temps d'urgence.

Londres, 1er (P.C.) — Dans une émission adressée aux Etats-Unis, J.O. Stark, directeur adjoint du bureau de la Presse Associée à Londres, dit que le public anglais a l'impression que son gouvernement peut déjà avoir adressé à l'Allemagne un ultimatum demandant de cesser les hostilités contre la Pologne sous peine de déclaration de guerre.

POLOGNE — Hitler annonce lui-même que les hostilités sont commencées depuis 4 h. 55 (minuit et 55, heure de l'Est). La Pologne est envahie par quatre côtés. Dix-neuf raids aériens ont été effectués contre les centres polonais, dont trois contre Varsovie. La flotte allemande bloque le port polonais de Gdynia, sur la Baltique. Les Allemands cherchent à frapper au coeur de la Pologne et à serrer le Corridor dans un étau avant que la machinerie de guerre anglo-française entre en scène. Les Allemands cernent le district minier de Czestochowa, en Haute-Silésie.

Réaction dans les divers pays

FRANCE — Après une session d'urgence du Cabinet, Paris a ordonné la mobilisation générale, ce qui placera 8 millions d'hommes sous les armes. L'état de siège est décrété dans tout le pays. Le Parlement est convoqué d'urgence pour demain (lui seul pouvant déclarer officiellement la guerre). (...)

ITALIE — Le Duce a convoqué son Cabinet ce matin. Le Cabinet a fait savoir que l'Italie ne commencera pas, pour l'heure, d'opérations militaires.

ETATS-UNIS — Le Congrès s'attend à une très prochaine convocation. Roosevelt informe la marine et l'armée des derniers événements. Il envoie un message à l'Angleterre, la France, l'Italie, l'Allemagne et la Pologne pour leur demander de promettre de ne pas bombarder ni les civils, ni les villes non protégées; la France s'y engage.

ALLEMAGNE — Dantzig est officiellement annexé au Reich. Loi martiale proclamée partout dans le pays. Défense anti-aérienne mobilisée partout. (...)

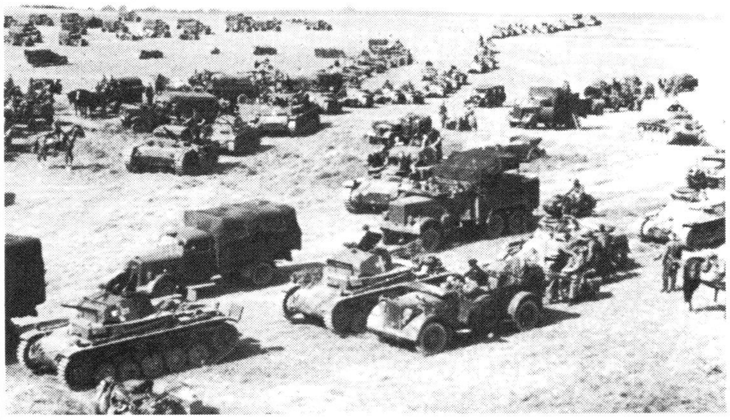

Une des photos qui symbolisent depuis 45 ans le début des hostilités de la Deuxième Guerre mondiale. Celle-ci montre l'entrée dans la plaine polonaise d'une division motorisée.

Incendie criminel du café «Blue Bird»: deux suspects détenus

42 morts, 40 blessés

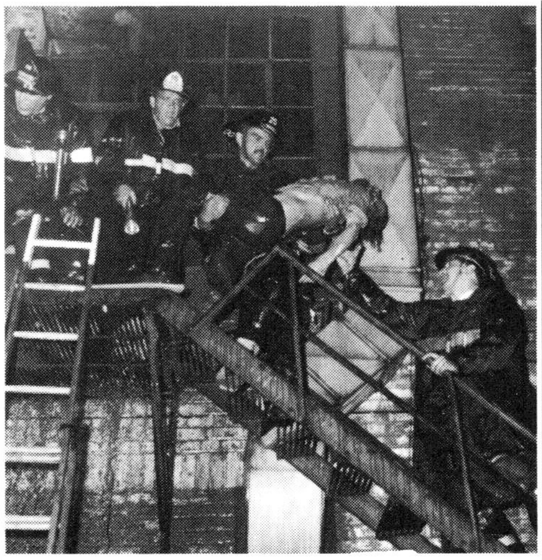

Quatre pompiers encore abasourdis par le drame qui vient de se jouer à l'intérieur du café «Blue Bird» à la suite d'un incendie d'origine criminelle, sortent la dépouille mortelle d'une des victimes.

AU moins 42 personnes sont mortes et une quarantaine d'autres ont été blessées, peu après 11 heures, hier soir **(1er septembre 1972)**, dans un incendie provoqué par des cocktails molotov lancés à l'intérieur du cabaret-restaurant «Blue Bird», au 1172, rue Union, au nord du boul. Dorchester.

Les flammes se sont propagées avec la vitesse de l'éclair et ont surpris les quelque 200 clients et employés à l'intérieur de cet établissement.

Des témoins ont vu des personnes sauter par les fenêtres de l'immeuble d'un étage, dont le restaurant est situé au rez-de-chaussée et la salle de danse et le «cocktail lounge» à l'étage.

Les individus qui ont lancé les bombes incendiaires sont montés dans une automobile dans laquelle se trouvait un complice. Le véhicule a démarré en trombe en direction ouest de la ville. Des témoins oculaires ont donné à la police le numéro d'immatriculation de l'auto, une Corvair de couleur pâle.

Deux arrestations

Quelques minutes plus tard, la police connaissait l'identité du propriétaire du véhicule et vers 3 h. 45 ce matin, la Section des enquête criminelles appréhendait deux jeunes hommes dans une maison de l'avenue Grand Boulevard, dans Notre-Dame-de-Grâce.

Pendant qu'on tentait de porter secours aux personnes emprisonnées dans les flammes, des pompiers montés dans des échelles aériennes arrosaient copieusement l'élément destructeur.

Durant plusieurs heures, le tout Montréal a été tenu en haleine par le bruit des sirènes de voitures d'ambulance et de police et de pompiers qui se rendaient vers la scène du pire sinistre à survenir dans la métropole depuis plusieurs années. (...)

Des jeunes filles horrifiées par le spectacle se déroulant devant elles sont tombées inconscientes et une femme, apparemment la mère de l'une des victimes, a fait une crise d'hystérie.

Les pompiers, quelques-uns munis de masques à oxygène, ont pénétré à l'intérieur du cabaret-restaurant et durant plusieurs minutes, même plusieurs heures, on pouvait voir à quelques secondes d'intervalle, des pompiers tenant sur leur dos des hommes et des femmes morts ou insconcients sortir de l'immeuble. (...)

Plusieurs des victimes ont succombé à l'asphyxie et quelques autres, emprisonnées près de la porte arrière du deuxième étage, sont mortes calcinées. (...)

Aux petites heures ce matin, des équipes de pompiers et de policiers fouillaient toujours les deux étages du «Blue Bird» à la recherche d'indices.

Les enquêteurs de la Section des enquêtes criminelles de la Sûreté de Montréal, sous la direction des lieutenants Normand Trudeau et Jacques Boisclair, émettaient deux hypothèses qui entourent ce sinistre: le racket de la protection ou l'oeuvre de clients expulsés du «Blue Bird». (...)

Le code du travail mis en vigueur aujourd'hui

OTTAWA — Les travailleurs de plusieurs grosses industries-clefs du Canada sont à compter d'aujourd'hui **(1er septembre 1948)** à l'abri du nouveau code fédéral du travail que des commentateurs aux idées assez divergentes ont qualifié, les uns, de «charte modèle du travail» et, les autres, de «déplorable pis-aller».

Le nouveau code est la pièce de législation la plus discutée qui ait fait son chemin au parlement ces dernières années. Elle établit des rouages pour la négociation et le règlement des différends industriels dans un nombre étendu d'entreprises maintenant soumises à la juridiction fédérale.

Celles-ci comprennent les chemins de fer, la navigation intérieure et océanique, les communications, l'aviation, la radio, les entreprises dont l'envergure dépasse celle d'une province et toute activité que le Canada déclarera à l'avantage général du pays. (...)

CATASTROPHE SANS PRECEDENT POUR LE PEUPLE JAPONAIS

TOKIO, via Tomioka, par télégraphie sans fil à San Francisco — Tokio et Yokohama ont été aux trois-quarts détruits par un terrible tremblement de terre, suivi d'incendies, à 11.30 p.m., le 1er septembre **(1923)**.

La plupart des édifices de ces villes ont été complètement rasés. Trois millions de personnes sont sans abri.

Le montant total des pertes est incalculable. Les vivres sont rares et l'eau manque. La loi martiale a été proclamée, mais le moral de la population est splendide. Il n'y a pas eu de pillage. On ne compte pas d'Américains parmi les morts. C'est à peine si une seule maison est restée debout. La destruction a été la plus effroyable dont l'histoire fasse mention. Le district commercial a complètement disparu et le feu continue ses ravages.

ON COMPTE 500,000 VICTIMES

San Francisco, 4 — Une dépêche transmise par Oyanin, au moyen de la télégraphie sans fil, annonce que le nombre des victimes du tremblement de terre et de l'incendie, au Japon, est de 500,000. Elle annonce aussi que 300,000 maisons ont été détruites par le feu. Ces chiffres sont fournis par la police métropolitaine de Tokio. La dépêche en question, qui a été reçue à San Francisco ce matin, disait que le palais impérial de Tokio était gardé par un régiment d'infanterie, un bataillon du génie et la division impériale. (...)

DEUX NOUVELLES PROVINCES

Le 2 septembre 1905, *La Presse*, qui avait délégué un envoyé spécial à Edmonton, consacrait sa manchette à « l'inauguration de l'Alberta » qui avait eu lieu la veille, 1er septembre, tout comme celle de la Saskatchewan d'ailleurs.

Edmonton, notait l'envoyé spécial de *La Presse*, était envahie par les foules venues assister à l'inauguration des nouvelles provinces.

Au moment où les provinces de l'Alberta et de la Saskatchewan entrent dans la Confédération, on compte 250 000 âmes dans chacune d'elles.

Dès le début, toutefois, la question des écoles séparées (en fait des écoles catholiques fréquentées surtout, à l'époque, par des francophones) fut une cause de discorde. Les catholiques des deux provinces y perdirent finalement le droit à leurs écoles ; ce qui marqua le début de l'anglicisation rapide et de l'assimilation des francophones de ces deux provinces.

La Saskatchewan

Le 5 septembre 1905, *La Presse* consacra deux colonnes aux fêtes marquant la solennelle inauguration de la province de la Saskatchewan et à la prestation du serment de son premier lieutenant-gouverneur, un francophone, A. E. Forget, qui jusque-là était gouverneur des Territoires du Nord-Ouest.

Encore là, c'est par milliers que les visiteurs s'étaient rendus à Regina.

Wilfrid Laurier, alors premier ministre fédéral, présent sur les lieux, exprima toute son admiration devant le développement rapide de l'Ouest canadien. Winnipeg venait d'ailleurs de dépasser Québec comme troisième ville en importance du Canada.

(Texte publié le 1er septembre 1995)

UNE RENTREE SPECIALE

L'ouverture des écoles a revêtu un caractère spécial ce matin **(1er septembre 1943)**. Environ 125,000 élèves se sont engouffrés dans les classes des écoles catholiques de la métropole pour y entreprendre l'année académique 1943-44. De ce nombre, on estime à 8,000 le nombre des nouveaux inscrits de 6 à 14 ans en vertu de la loi de l'instruction obligatoire en vigueur depuis ce matin. Un contrôle sévère a été établi sur la fréquentation scolaire, tout élève qui s'absente devant désormais justifier son absence.

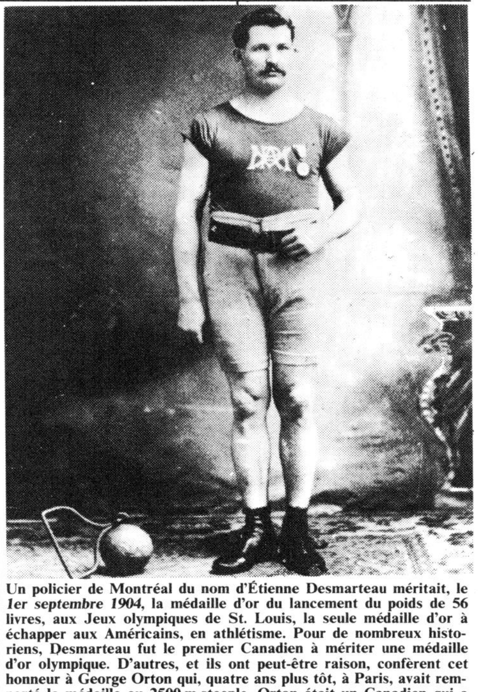

Un policier de Montréal du nom d'Étienne Desmarteau méritait, le *1er septembre 1904*, la médaille d'or du lancement du poids de 56 livres, aux Jeux olympiques de St. Louis, la seule médaille d'or à échapper aux Américains, en athlétisme. Pour de nombreux historiens, Desmarteau fut le premier Canadien à mériter une médaille d'or olympique. D'autres, et ils ont peut-être raison, confèrent cet honneur à George Orton qui, quatre ans plus tôt, à Paris, avait remporté la médaille au 2500 m steeple. Orton était un Canadien qui a porté les couleurs des États-Unis parce qu'il était étudiant dans ce pays, d'où la méprise...

C'EST ARRIVÉ UN 2 SEPTEMBRE

1988 — Plus de 1,8 million d'étudiants fréquentant des écoles anglaises dans les provinces autres que le Québec étaient inscrits à des programmes en français en 1986-87, une augmentation de 24 pour cent depuis 1970-71.

1987 — 9626 voyageurs ont revendiqué le statut de réfugié (4784) ou la résidence permanente (1024) à leur arrivée à l'aéroport international de Mirabel, ou au poste frontière de Lacolle (3818) depuis le début de l'année.

1933 — L'aviation commerciale vient de franchir un grand pas en France par suite de la fusion, sous les auspices du gouvernement et son contrôle, de cinq des plus importantes compagnies aéronautiques françaises. Le nouvel organisme sera connu sous le nom d'Air France.

1904 — Le roi Edouard VII approuve la nomination de lord Grey comme gouverneur-général du Canada.

Le Titanic est retrouvé

Soixante-treize ans après son naufrage consécutif à une collision avec un iceberg, le Titanic vient d'être repéré par une expédition franco-américaine ayant utilisé les moyens techniques les plus modernes, patronnée par l'Institut français de recherche pour l'exploitation de la mer (l'IFREM).

Des documents indéniables obtenus à l'aide du sonar acoustique français (SAR) remorqué par grand fond, et le système américain Argo de caméras sous-marines, sont là pour le prouver.

Le Titanic, dont le naufrage, le 14 avril 1912, avait coûté la vie à 1503 des 2201 passagers et membres d'équipage qui participaient à son voyage inaugural, gît par 4000 mètres de fond, à 900 km environ au sud de St. John's, Terre-Neuve.

Le sonar acoustique français a repéré l'épave dès dimanche et le sous-marin américain a photographié le navire tôt hier matin.

Les responsables de l'expédition ne fournissent pas de plus amples précisions sur le lieu exact en Atlantique-Nord où le plus grand paquebot de l'époque a disparu. Lors de son naufrage, le Titanic transportait notamment des diamants de la De Beers estimés alors à 7 $ millions, plus d'autres bijoux d'une valeur inestimable. Pas question, à l'heure où les chercheurs de trésors se multiplient, de vendre la mèche.

D'ailleurs, l'expédition franco-américaine est le résultat de longues négociations entre l'Institut français de recherche pour l'exploitation de la mer et l'Institut océanographique américain de Woods Hole (Massachusetts) qui ont patiemment mis au point un accord baptisé Étoile Blanche (White Star — du nom de la compagnie qui affrétait le Titanic). Dans ce domaine, en effet, où l'on escompte récupérer des valeurs, tout doit être prévu, codifié dans le détail en fonction des droits américains et français.

L'accord n'a été conclu qu'en juin, quelques jours seulement avant que Le Suroit, appartenant à l'Institut français, n'appareille pour aller essayer, au large de Terre-Neuve justement, le sonar acoustique récemment mis au point. La signature de l'Institut Woods Hole ne fut apposée qu'après. Mais ni l'un ni l'autre des deux organismes participants n'a voulu annoncer la tentative à laquelle il participait. **(Texte publié le 2 septembre 1985.)**

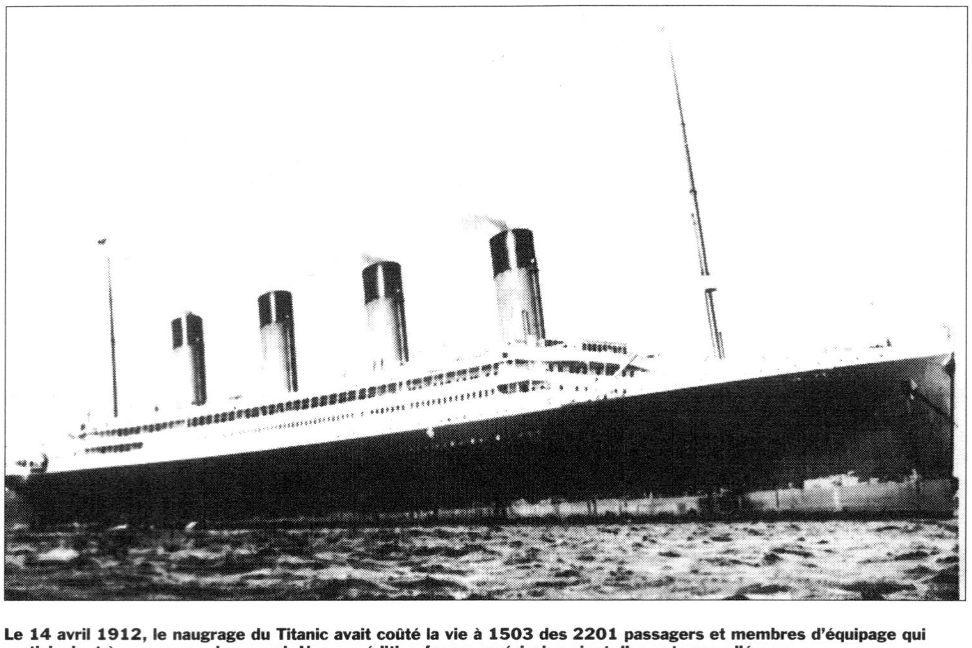

Le 14 avril 1912, le naugrage du Titanic avait coûté la vie à 1503 des 2201 passagers et membres d'équipage qui participaient à son voyage inaugural. Une expédition franco-américaine vient d'en retrouver l'épave

La pauvreté au Québec

En 1986 (chiffres les plus récents), on comptait 615 000 ménages pauvres au Québec, contre seulement 597 000 en Ontario ; au Canada, un pauvre sur trois est Québécois.

— Moins de 10 pour cent des pauvres québécois vivent à la campagne ; on retrouve près de 70 pour cent des pauvres dans les grandes villes, principalement à Montréal.

— S'instruire, c'est s'enrichir : les diplômés universitaires comptent à peine pour 5 pour cent des pauvres québécois, qui sont, à près de 81 pour cent, des gens qui n'ont pas terminé leurs études secondaires.

— On compte 315 000 enfants québécois âgés de moins de 17 ans et vivant dans une famille pauvre. Le Québec a un taux de pauvreté infantile de 18,9 pour cent, un des plus bas au Canada. Cela ne reflète pas une plus grande prospérité, mais le fait que la taille moyenne des familles pauvres, au Québec, est la plus petite au pays.

— Les personnes vivant seules représentent 54 pour cent des pauvres québécois. Le tiers de ces pauvres est formé de personnes âgées. Les familles monoparentales, pratiquement toutes dirigées par des femmes, comptent pour 11 pour cent du total. **(Texte publié le 2 septembre 1989)**

Découverte de fossiles dans l'Arctique

Un scientifique d'Ottawa, Stephen Cumbaa, vient de découvrir dans l'Arctique canadien des fossiles marins vieux de 400 millions d'années, là où les experts affirmaient qu'on ne pourrait rien trouver.

Et ce sont des fossiles complets de poissons qu'a mis au jour l'équipe canado-allemande: un petit requin, un poisson doté de poumons qui respirait hors de l'eau, un poisson doté d'une carapace, un poisson à nageoires rayées, tous des ancêtres des quelque 23 000 espèces de poissons vivant aujourd'hui.

« L'importance de cette découverte réside dans le fait que nous ayons un si grand nombre d'espèces différentes au même endroit », explique Stephen Cumbaa, scientifique au Musée de la nature. **(Texte publié le 2 septembre 1995.)**

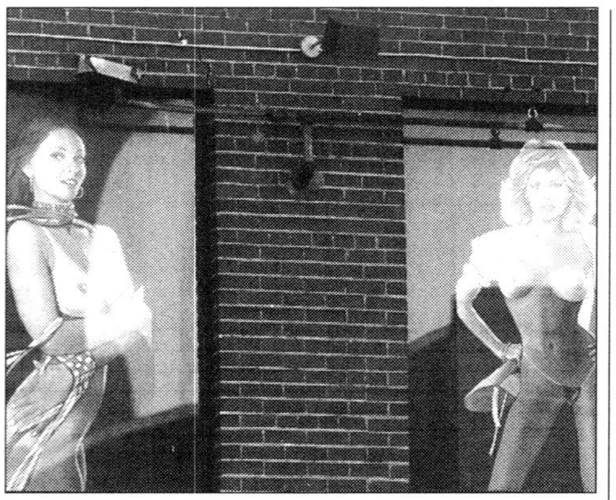

Les affiches érotiques resteront.

Montréal ne peut supprimer l'affichage érotique

L'administration du maire Doré a subi une amère défaite en Cour supérieure du Québec, le juge Ginette Piché considérant invalide et inconstitutionnel le règlement 8887 destiné à supprimer l'affichage érotique dans les rues de Montréal.

Selon le juge Piché, ni le gouvernement québécois, ni la Ville de Montréal ne peuvent intervenir en cette matière qui, selon sa décision, est strictement de compétence fédérale.

« Il est certain que, comme toute femme, madame le juge amenée à étudier la question des affiches dites érotiques ne peut être d'accord avec cet étalage grossier de seins et de fesses. Qui le serait ? » peut-on lire dans son jugement.

« Ce n'est toutefois pas le rôle du juge, homme ou femme, de se substituer aux pouvoirs législatifs des élus pour corriger des lois ou des règlements invalides », ajoute-t-elle.

« Le juge est là pour juger, non pour légiférer. Tout le monde est pour la vertu, mais... », conclut le juge Piché, après avoir invoqué certaines dispositions de la Charte des droits et libertés de la personne, touchées par le règlement 8887 qui fut adopté le 13 août 1991 par l'équipe du maire Doré.

Cette décision, rendue sur la requête de 17 cabaretiers, de l'Association des cabarets de spectacles de Montréal et de la danseuse Linda Duchesne, a été accueillie avec beaucoup de satisfaction et de soulagement par l'ensemble des piliers de cette industrie.

Leur avocat, Me Julius Grey, a laissé tomber : « La liberté d'expression est constamment attaquée et il faut toujours la défendre. Ce sera encore à recommencer ».

Cependant, Mme Léa Cousineau, présidente du comité exécutif de la Ville de Montréal, elle qui était partie en guerre, il y a quatre ans, contre l'affichage érotique, est profondément déçue du jugement Piché.

Cabaretiers en liesse

« La décision a été longue à venir, mais elle confirme notre droit d'expression. Même si nos affiches sont érotiques, elles ne devraient offenser personne. Montrer un corps de femme n'est pas une honte », affirme Johnny, propriétaire du Cleopatra Café dont la vitrine, rue Saint-Laurent, est loin de passer inaperçue.

Alfie, le patron de la boîte Chez Parée, est d'avis que cette décision « stimulera l'économie » dans cette industrie particulière. « Il faut que les gens sachent, à travers les affiches, quels sont les spectacles qui leur sont offerts à l'intérieur de nos établissements », dit-il.

Le propriétaire de l'Axe, Réal Dorais, installé depuis longtemps rue Saint-Denis, a d'abord statué que le règlement municipal « était stupide en partant ».

« La Ville aurait très bien pu s'entendre à l'amiable avec certains propriétaires, dont les affiches sont plus expressives que d'autres», dit-il encore.

Le 20 décembre 1990, soit moins de deux mois après le scrutin, l'Assemblée nationale adoptait un projet de loi privé visant à modifier la Charte de la Ville de Montréal et ouvrant la voie au règlement 8887 portant sur les établissements exploitant l'érotisme. **Texte publié le 2 septembre 1992)**

La Cour suprême ratifie une disposition de la loi 101

La Cour suprême du Canada a déclaré (**le 2 septembre 1988**) « légaux et non discriminatoires » les règlements de l'Office de la langue française exigeant que les professionnels démontrent leur compétence linguistique avant d'obtenir le droit de pratiquer au Québec.

Cette décision du plus haut tribunal du pays vient mettre fin à la saga de Mme Nancy Forget, une infirmière auxiliaire de Montréal, qui voulait être exemptée de certaines exigences de la loi 101 à l'égard des ordres professionnels.

Diplômée du Rosemount High School (Nursing Assistant Program), en 1979, Mme Forget a par la suite échoué onze fois aux examens lui permettant de recevoir une attestation de connaissance d'usage du français de la Régie de la langue française.

Incapable d'obtenir cette attestation, Mme Forget ne pouvait non plus décrocher l'indispensable permis de la Corporation professionnelle des infirmiers et infirmières du Québec.

La loi 101 stipule en effet que les ordres professionnels ne peuvent accorder de permis qu'aux seules personnes ayant suivi, à temps plein, à compter du secondaire, au moins trois années de scolarité en français. défaut de cette scolarité, elles devaient jusqu'en février 1984 subir avec succès l'examen de la Régie.

Dépitée, Mme Forget a donc porté sa cause devant la Cour supérieure du Québec en alléguant que cette pratique était discriminatoire et contraire aux dispositions de la Charte québécoise des droits et libertés.

Après avoir perdu en première instance, Mme Forget a obtenu gain de cause en Cour d'appel pour être finalement déboutée par la Cour suprême.

Le mont Royal n'est pas un volcan!

Eh non, le mont Royal n'est pas un volcan ! Cette croyance largement répandue est fausse, soutiennent les vulgarisateurs scientifiques du Centre de la montagne, au cours de séances de familiarisation avec la montagne.

En fait, expliquent-ils, cartes et maquettes à l'appui, le mont Royal est né il y a environ 125 millions d'années, d'une poussée de magma, de la roche en fusion venant du centre de la Terre. Cependant, la poussée n'a pas été assez forte pour traverser complètement les deux à trois km d'épaisseur de roches sédimentaires qui recouvraient alors la région de Montréal. Or, un volcan comporte une cheminée et laisse passer le magma.

Ce phénomène a évidemment laissé des traces : lors du percement du tunnel ferroviaire qui traverse la base de la montagne, au début du siècle, les géologues se sont rendu compte que le mont Royal comportait en gros trois couches minérales différentes.

Cela confirme que le mont Royal n'est pas un volcan : un volcan serait recouvert de magma refroidi. **(Texte publié le 2 septembre 1986.)**

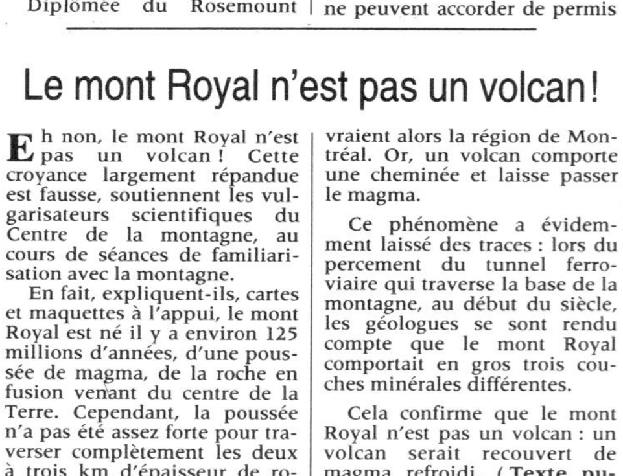

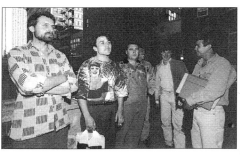

Dans un conteneur...

Un autre groupe de ressortissants roumains, 19 exactement, est arrivé ce matin dans le port de Montréal après avoir traversé l'Atlantique dans des conteneurs du Canmar Europe, un porte-conteneurs de la compagnie Canada Maritime, parti du port belge d'Anvers le 25 août. Depuis le 1er janvier, 120 personnes ont débarqué à Montréal de cette manière. (Texte publié le 2 septembre 1992.)

Le scrabble a 50 ans

Le scrabble fête en septembre ses cinquante ans, sans avoir pris une ride, avec une édition spéciale en série limitée et de luxueuses lettres en bois.

Son propriétaire, le groupe américain Mattel. numéro un mondial du jouet, qui l'avait acheté en 1994, marquera l'événement par des « journées portes ouvertes », un peu partout dans le monde.

En fait, le jeu n'a été officiellement breveté qu'en décembre 1948.

Sans prétendre au record de sa cadette, la poupée Barbie — qui a fêté l'an dernier ses 40 ans et étrenné son milliardième exemplaire vendu dans le monde —, le scrabble reste l'un des produits phares de Mattel.

Depuis sa création, il a été vendu à 100 millions exemplaires dans 121 pays, toutes versions confondues (scrabbles de poche, de luxe, junior, géant etc.) déclinées en 35 langues.

Alfred Butts, créateur du scrabble en 1931, était un architecte new-yorkais au chômage, mort en 1993 à l'âge de 93 ans. la recherche d'un substitut aux mots croisés et aux anagrammes, il innova en affectant aux lettres des valeurs différentes selon leur fréquence dans les mots.

Boudé par les fabricants, le jeu ne prit son envol qu'après la seconde guerre mondiale, grâce à James Brunot. Cet industriel lui donne alors son nom définitif : scrabble, mot anglais signifiant « gratter », « farfouiller ». **(Texte publié le 2 septembre 1998.)**

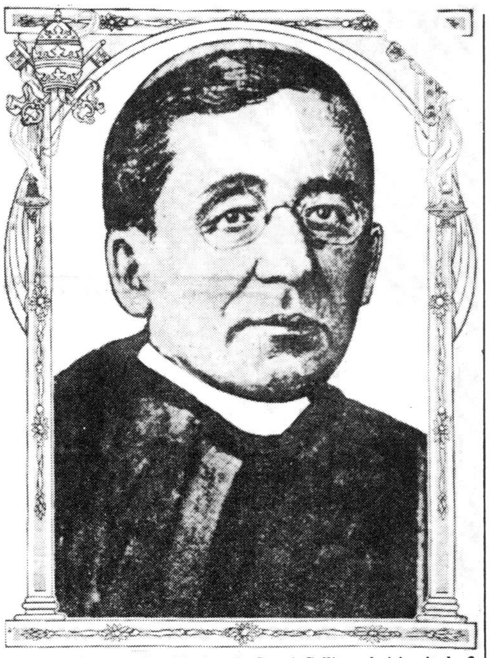

Après trois jours de réflexion, le Sacré Collège choisissait, le *3 septembre 1914*, le cardinal Giacomo Della Chiesa, archevêque de Bologne, comme successeur de Pie X. Benoît XV, car c'est le nom qu'il préconisa, devenait ainsi le 265e (il s'agissait en fait du 258e) successeur de saint Pierre à la direction de l'Église de Rome. Le nouveau pape avait succédé au cardinalat à peine trois mois plus tôt, soit le 25 mai.

UNE ARRESTATION SENSATIONNELLE

OTTAWA
C.E.S. Smith, commissaire de l'immigration, a confirmé hier soir **(3 septembre 1948)** l'information de Montréal selon laquelle le comte Jacques Dugé de Bernonville, condamné à mort par les tribunaux français pour collaboration avec le régime de Vichy, a été arrêté et sera déporté en France avant lundi.

M. Smith déclare: «Cette information est exacte. Je n'ai rien d'autre à dire».

M. S.T. Wood, commissaire de la gendarmerie fédérale (R.C.M.P.), a dit «ne rien savoir» de l'arrestation du comte de Bernonville.

Jacques Dugé, comte de Bernonville, 50 ans, un héros français des deux guerres mondiales, ancien gouverneur de la ville de Lyon sous le régime de Vichy, a été arrêté à Montréal.

Cette nouvelle nous est venue hier soir, par la British United Press à qui le maire de Montréal l'avait d'abord communiquée. M. Camillien Houde a tenu à compléter l'information en nous faisant la déclaration qui suit:

La déclaration Houde

«Les autorités fédérales songeraient à déporter en fin de semaine» l'ancien gouverneur militaire de Lyon, condamné à mort par contumace en France, à la suite des procès dits d'épuration de la IVe République. Il sera impossible à M. de Bernonville d'en appeler aux tribunaux puisque ceux-ci ne siègent pas en fin de semaine. Cette injustice criante, nous dirions cette infamie, ne peut et ne doit pas être passée sous silence.

«Si le comte de Bernonville qui s'est enfui de France, grâce au concours de religieux, condamnés eux-mêmes à 20 ans de prison, et qui reçut l'hospitalité au Canada de la part d'âmes charitables, s'il est déporté, dis-je, il est à peu près sûr qu'il passera par le peloton d'exécution.

«Les membres de la famille du comte de Bernonville, qui eux-mêmes furent mis sous arrêt en France, réussirent à s'échapper un par un pour rejoindre celui-ci au Canada par des moyens de fortune, risquant chaque jour leur propre vie.

«Un héros d'épopée et de légende»

«M. de Bernonville est de la race des grands militaires de France. Il fut cité vingt fois à l'Ordre du Jour et porte 32 blessures. Un héros d'épopée et de légende, dit une citation. C'est donc dire que l'on sacrifiera, pour des raisons politiques un homme dont le seul tort fut, probablement, d'exécuter les ordres qui lui étaient dictés et qui n'étaient pas au goût des gens qui dirigent aujourd'hui les destinées de la République Française.

«Vingt autres proscrits seraient dans la même situation tragique que le comte de Bernonville et seraient déportés, eux aussi, d'ici quelques jours pour alimenter les pelotons d'exécution ou pour garnir les bagnes de France. Les personnages qui nous ont renseignés se sont déclarés indignés de cette manière d'agir des autorités fédérales. (...)

«Le comte de Bernonville était pendant la dernière guerre chef de bataillon de chasseurs alpins sous le régime de Vichy. Pendant la précédente guerre, il a été blessé à plusieurs reprises et a recueilli de nombreuses citations. C'est un glorieux héros militaire. Il est demeuré dur d'oreille et marqué d'éclats d'obus dans la figure.

«Sa femme et ses trois filles étaient venues le rejoindre au Canada après son arrivée ici. Hier soir, à cinq heures, on a libéré Mme de Bernonville sur un cautionnement de $1,000, jusqu'à lundi soir afin qu'elle retrouve et ramène aux quartiers de l'immigration de la rue S.-Antoine la troisième fille, Chantal, présentement en vacances. Ce sont les filles qui, par leur travail, faisaient principalement vivre la famille. Les deux autres filles se nomment Catherine et Josianne.» (...)

Faux passeport et faux nom

SELON une information sûre, le comte de Bernonville était en France lors de sa condamnation à mort, mais, comme nombre d'autres dans le même cas, il vivait caché et se déplaçait de ville en ville. Il a réussi à prendre passage sur un bateau et à entrer aux Etat-Unis, grâce à un faux passeport. Plus tard, il est entré au Canada sous un faux nom. Il n'était pas inquiété, mais un jour, il a voulu aller aux Etats-Unis par affaire et il a demandé un visa. Sans le vouloir, Jacques de Bernonville s'était jeté dans la gueule du loup.

Les troupes canadiennes débarquent en Italie

LONDRES (P.A.) — Les émissions allemandes annoncent que les forces alliées débarquées en Italie continentale ont occupé Scilla et Reggio de Calabre.

Ces deux villes sont sur la côte ouest de l'Italie en face de Messine dont elles sont séparées par le détroit du même nom.

Le bureau allemand d'information, dans une émission entendue par la Presse Associée, que les forces d'invasion alliées ont pénétré jusqu'à Scilla par la route côtière. Un autre détachement, précédé de nombreux tanks, a pénétré à l'est en partant de Reggio de Calabre.

Quartiers généraux d'Afrique, (P.A.) — Des troupes britanniques et canadiennes, vétérans de la 8e armée de Montgomery, ont effectué des débarquements en Italie méridionale aujourd'hui **(3 septembre 1943)**, réalisant la première des invasions prévues contre l'Europe hitlérienne.

Dix heures après qu'elles eurent passé en nombre le détroit de Sicile à bord de petits navires, elles bataillaient sur le pied de la botte italienne pour établir une tête de pont.

Ce corps d'invasion était soutenu par une grande flotte de croiseurs alliés, contre-torpilleurs, moniteurs et canonnières lançant leurs bordées sur les défenses côtières ennemies et par de grandes flottes de bombardiers britanniques et américains qui déversaient des tonnes d'explosifs sur les batteries, les tranchées et les communications déjà ravagées par l'Axe.

La Belgique replonge dans l'horreur

La Belgique a replongé dans l'horreur avec l'exhumation de deux nouveaux corps dans une propriété du pédophile Marc Dutroux, identifiés comme ceux d'An Marchal et d'Eefje Lambrecks, deux adolescentes enlevées par Dutroux en 1995.

Agées alors de 17 et 19 ans, An Marchal et Eefje Lambrecks avaient été enlevées le 22 août 1995 par Dutroux et ses complices près d'Ostende. (**Texte publié le 3 septembre 1996.**)

Si Ottawa en fait la demande à temps

L'Exposition universelle aura lieu à Montréal

«Je reviens d'Europe avec la ferme conviction que le Canada et Montréal peuvent obtenir la tenue de l'Exposition universelle de 1967 si le gouvernement en fait la demande officielle dans les délais requis au Bureau international des expositions à Paris.»

C'est le maire Jean Drapeau qui faisait cette déclaration hier soir **(3 septembre 1962)** à la cérémonie qui a marqué au Chalet de la Montagne, l'ouverture de la Semaine de l'étiquette syndicale.

Il s'est empressé de préciser: «Mais le temps presse et je demande à toutes les unions ouvrières et à tous les syndicats d'appuyer nos efforts auprès du gouvernement d'Ottawa».

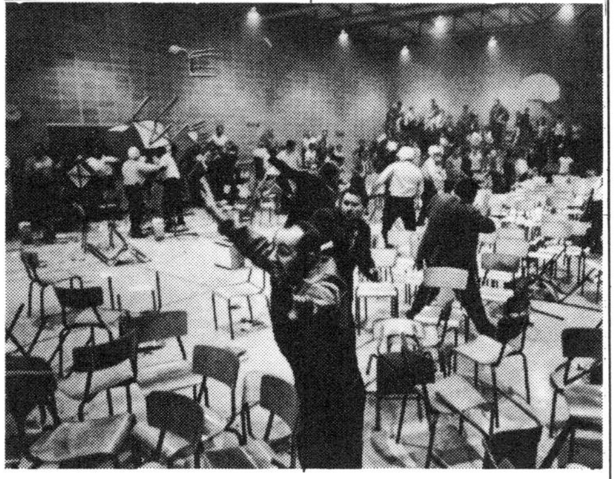

L'assemblée publique organisée le *3 septembre 1969* à Saint-Léonard, par la Ligue pour l'intégration scolaire (LIS), dégénéra en une violente bagarre raciale, à la suite de l'irruption dans la salle d'une cinquantaine de citoyens d'origine italienne. La LIS voulait protester contre la solution proposée par le ministre Jean-Paul Cardinal, de l'Éducation, pour résoudre le problème de Saint-Léonard, soit l'établissement d'une école privée anglophone financée à 80 p. cent par les fonds publics. Heureusement, la bagarre ne fit que quatre blessés chez les belligérants, qui avaient choisi notamment les chaises comme projectiles...

C'EST ARRIVÉ UN 3 SEPTEMBRE

1985 — Elle a 115 ans, lui 119: ils ont fêté leurs cent ans de vie conjugale, entourés de leurs deux cents descendants, à lanchak, un village reculé des montagnes de l'Azerbaïdjan, dans le Caucase.

1980 — Les mineurs rentrent au travail en Pologne après que le gouvernement eût gelé les prix des biens de consommation.

1978 — Ouverture de huit nouvelles stations du métro de Montréal.

1977 — Le grand biologiste, philosophe et académicien français Jean Rostand meurt à l'âge de 82 ans. — Arrestation de l'ex-premier ministre Ali Bhutto, au Pakistan.

1976 — Le module d'atterrissage de *Viking II* touche Mars à environ 7 400 km du lieu où s'est posé le module de *Viking I*, le 20 juillet précédent.

1975 — L'Association des commissions scolaires protestantes du Québec conteste devant les tribunaux la *Loi sur les langues officielles du Québec*.

1974 — L'avocat John Dean, ex-collaborateur du président déchu Richard Nixon, commence à purger sa peine de prison.

1970 — La quatrième tranche du rapport de la commission Castonguay recommande une refonte globale de l'organisation de la santé au Québec, et le salariat pour le médecin. — Un projet de traité américano-soviétique prohibant l'usage des fonds marins à des fins nucléaires est approuvé à la quasi-unanimité à Genève.

1968 — Décès à l'âge de 72 ans de Joseph-Alexandre de Sève, président de *Télé-Métropole* et de *France-Film*. — Chassés de leur île utilisée pendant 22 ans pour les expériences nucléaires américaines, les résidents de l'île de Bikini peuvent réintégrer leur foyer.

1962 — Le premier ministre Diefenbaker inaugure la Transcanadienne en Colombie-Britannique.

1943 — Les Alliés débarquent en Italie continentale, en face de Messine.

1937 — Le baron Pierre de Coubertin, organisateur des jeux olympiques modernes, a été foudroyé par un crise cardiaque. Il était âgé de 74 ans.

1925 — Le dirigeable américain *Shenandoah* est brisé en deux par la foudre, en Ohio.

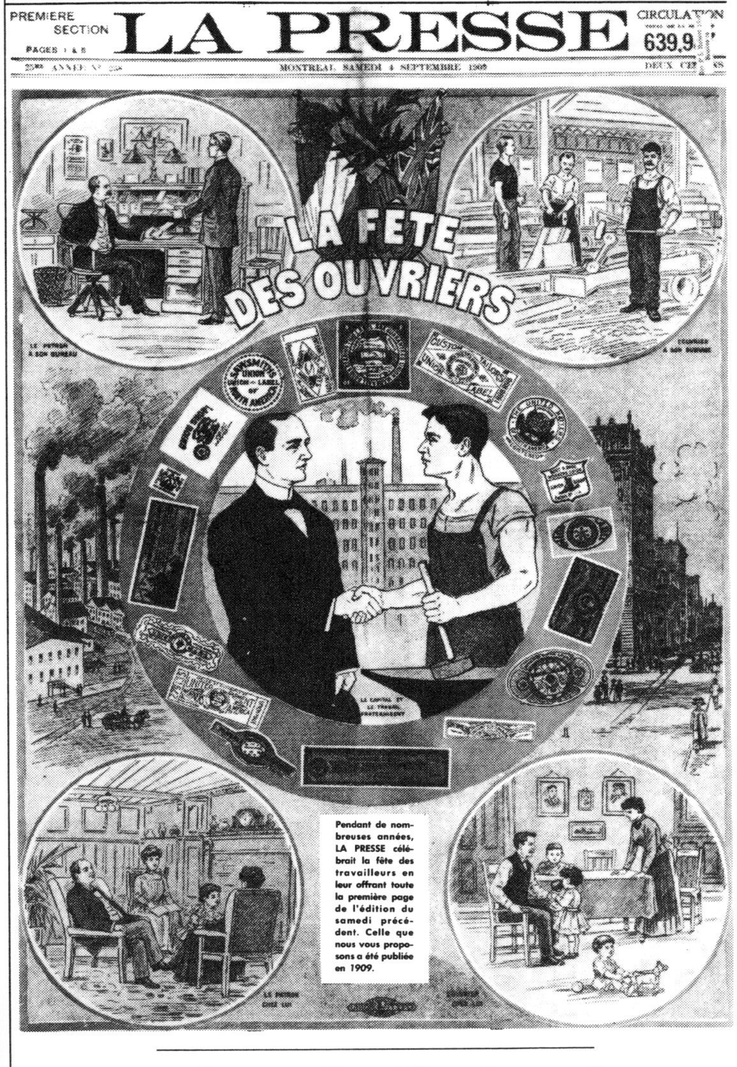

Pendant de nombreuses années, LA PRESSE célébrait la fête des travailleurs en leur offrant toute la première page de l'édition du samedi précédent. Celle que nous vous proposons a été publiée en 1909.

Un avion de Swissair s'écrase près de Halifax

Les 215 passagers et 14 membres d'équipage du vol SR 111 de Swissair ont tous péri dans l'écrasement de l'appareil au large de Halifax.

C'est l'accident le plus meurtrier de l'histoire de Swissair et l'une des pires catastrophes aériennes survenues au Canada.

Les équipes de recherche, auxquelles se sont joints des pêcheurs, ont passé la journée à scruter l'océan pour trouver les corps des 229 personnes qui ont perdu la vie lorsque le triréacteur MD-11 de Swissair reliant New York à Genève s'est abîmé dans 20 mètres d'eau.

Halifax deviendra au cours des prochains jours le centre nerveux de ces recherches et le point de ralliement des proches des victimes. La compagnie Swissair et plusieurs agences gouvernementales ont déjà réservé plus de 900 chambres. Plus d'une centaine de personnes arriveront demain à Halifax à bord d'un Airbus A-310 parti de la Suisse.

Immatriculé « HB-IWF Vaud », le McDonnell-Douglas avait décollé mercredi à 20 h 18 locales de l'aéroport new-yorkais John F. Kennedy en direction de Genève, où il aurait dû atterrir hier à 9 h 30, heure locale.

« Il s'est écoulé 16 minutes entre le moment où (les pilotes) ont rapporté une situation d'urgence — de la fumée dans la cabine de pilotage » et le moment où l'appareil est disparu des écrans radar, a commenté Roy Bears, du Bureau de la sécurité des transports, l'une des principales agences participant à l'enquête. « Rendu là, rien ne permet à l'équipage de croire qu'il s'agit d'un acte terroriste. »

L'appareil a modifié deux fois sa route alors qu'il se préparait à un atterrissage d'urgence, selon les responsables de l'enquête. Après un décollage normal, le commandant de bord, Urs Zimmermann, 50 ans, et le copilote, Stephan Loew, 36 ans, tous deux pilotes et instructeurs expérimentés, ont constaté de la fumée dans le cockpit alors que le MD-11 se trouvait à 10 000 m d'altitude.

Le pilote aurait infléchi sa route vers Halifax, en commençant, semble-t-il, à larguer 208 tonnes de kérosène dans la baie de Saint Margaret. Mais l'appareil s'est abîmé en mer à quelques minutes de la piste.

L'appareil se serait désintégré au contact de l'eau, projetant des débris à plus de 10 kilomètres à la ronde. (**Texte publié le 3 septembre 1998**)

C'EST ARRIVÉ UN 4 SEPTEMBRE

1981 — Assassinat à Beyrouth de Louis Delamare, ambassadeur de France au Liban.
1975 — L'Égypte et Israël signent un deuxième pacte provisoire de désengagement.
1974 — L'agent Robert Samson de la GRC est condamné à 60 jours de prison pour refus de témoigner.
1972 — Le Musée des Beaux-Arts de Montréal est victime d'un vol de tableaux et d'objets d'art d'une valeur de $2 millions, parmi lesquels un Rembrandt évalué à $1 million. — L'Américain Mark Spitz remporte une 7e médaille d'or en natation, aux Jeux olympiques de Munich.
1970 — Signature d'un accord mettant fin à la grève des postes au Canada. — Le socialiste marxisant Salvator Allende sort victorieux lors des élections générales au Chili.
1969 — Hanoï déclare une trêve de trois jours à l'occasion de la mort du président Hô Chi Minh.
1967 — Pékin décide de mettre fin à la violence des Gardes rouges.
1963 — Un *Caravelle* s'écrase près de Zurich, avec 80 personnes à bord. On ne retrouve aucun survivant.
1963 — Mort à l'âge de 77 ans du «père de l'Europe», Robert Schuman.
1958 — Le général de Gaulle soumet aux Français son projet de nouvelle constitution.
1957 — Le gouvernement canadien révèle qu'il a soumis à plusieurs puissances amies un projet d'entente en vertu duquel il consent à leur exporter de l'uranium.
1957 — Un avion à réaction soviétique de type *TU-104* atterrit dans le New Jersey après un vol de 21 heures 54 minutes à partir de Moscou.
1948 — La reine Wilhelmine de Hollande abdique en faveur de sa fille Juliana.
1946 — Deux avions d'Air France s'écrasent, causant la mort de 42 personnes.
1946 — Nomination de Louis Saint-Laurent au ministère des Affaires extérieures.
1945 — Les membres de l'Alliance des professeurs catholiques retardent le vote de grève, le premier ministre Duplessis ayant accepté de rencontrer leurs délégués.
1944 — La 2e armée britannique libère Bruxelles.
1942 — Début du siège de Stalingrad.
1916 — Sir Lomer Gouin préside l'inauguration du pont de Saint-Jean-d'Iberville.

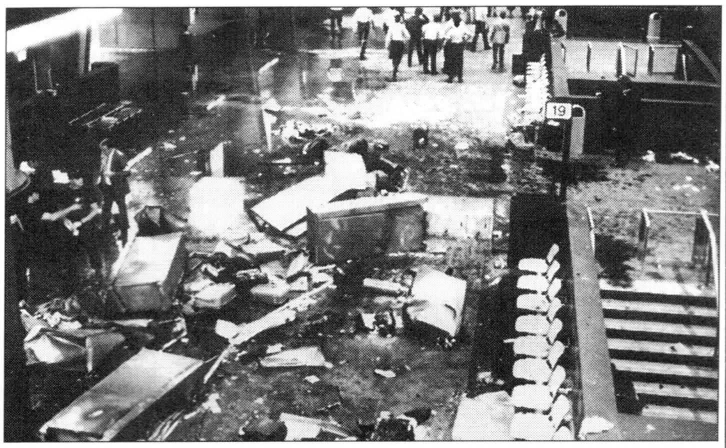

L'explosion d'une bombe, ce matin, à la gare Centrale, a fait trois victimes

Une bombe explose à la gare Centrale

À 10 h 22, ce matin (**le 4 septembre 1984.**), la puissante bombe cachée dans l'un des casiers de dépôt de la gare Centrale, à Montréal, a explosé tel un boulet de canon, emportant tout sur son passage, déchiquetant trois personnes et en projetant plusieurs autres sur le sol.

Une pluie de métal s'est abattue sur la foule, des vitres ont volé en éclats, les tuiles des plafonds sont tombées, l'immeuble a été secoué et une épaisse fumée s'est répandue partout.

La déflagration était telle que les corps des trois victimes ont été transformés en charpie. Tard ce soir, on n'avait pas encore réussi à les identifier. On ignorait même leur sexe. Au moins 3 personnes ont été blessées, dont cinq gravement. La plupart souffraient de brûlures, de fractures multiples, de lacérations et de chocs nerveux.

Un homme de 65 ans, Thomas Brigham, originaire de Rochester, dans l'État de New York, qui souffrirait de troubles mentaux, a été arrêté tard dans la soirée, relativement à cet attentat.

Carmen Quintana soignée à Montréal

Carmen Quintana, la Chilienne de 19 ans qui avait été brûlée vive par des soldats de l'armée chilienne le 2 juillet dans un bidonville de Santiago, va beaucoup mieux, bien qu'elle ne puisse pas encore se tenir debout. Elle a pu livrer son témoignage lundi devant l'enquêteur militaire qui s'occupe de son cas, en présence de son médecin, à l'hôpital El Trabajador, où elle est actuellement soignée.

La ministre des Affaires sociales du Québec, Mme Thérèse Lavoie-Roux, a promis de défrayer les coûts d'hospitalisation de la jeune Chilienne à l'Hôtel-Dieu de Montréal, où elle sera traitée à l'unité des grands brûlés par le Dr Jacques Papillon et son équipe. (**Texte publié le 4 septembre 1986.**)

L'amiante bannie aux É.-U.

Annoncé il y a un an, le bannissement graduel de l'amiante est entré en vigueur aux États-Unis sous la surveillance étroite de l'Agence de protection de l'environnement (EPA).

Répartie en trois phases s'échelonnant jusqu'en 1996, l'interdiction frappant 94 pour cent des produits de l'amiante se fait en deux volets. D'abord, on supprime la fabrication, l'importation et la transformation d'une catégorie de produits, dont la vente pourra cependant se poursuivre encore deux ans, jusqu'en 1992.

Principal fournisseur du marché américain (94 pour cent), le Canada, en particulier le Québec, ressent l'impact de cette décision, spécialement dans le mouvement qu'elle pourrait provoquer à travers le monde. Une centaine de pays imposent des rectrictions à l'utilisation de l'amiante, sans toutefois aller aussi loin que les Américains. (**Publié le 4 septembre 1990**)

Schweitzer est inhumé

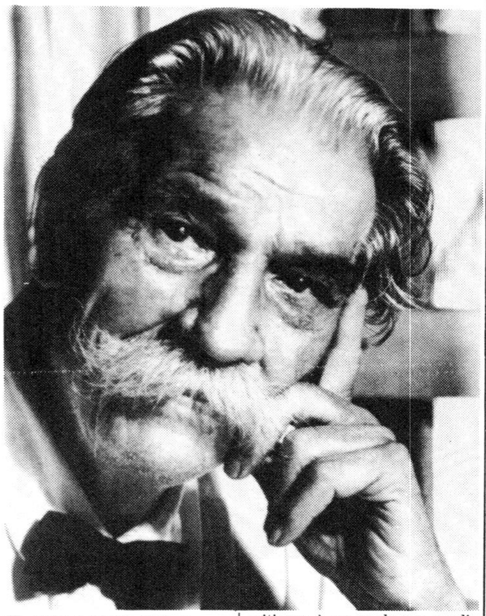

LAMBARENE, Gabon — Le docteur Albert Schweitzer, grand humaniste, philosophe et musicien qui consacra 40 années de sa vie aux lépreux d'Afrique, s'est éteint paisiblement samedi soir (**4 septembre 1965**), à l'âge de 90 ans, à l'hôpital qu'il avait construit dans la jungle de Lambarene.

Les tribus du Gabon, qui avaient une profonde vénération pour le docteur Schweitzer, lui ont rendu un hommage ému dimanche, au cours de la cérémonie de sépulture. Le docteur a été inhumé près de la hutte qu'il avait toujours habitée, aux côtés de son épouse Hélène, décédée en 1957.

L'hôpital que le docteur a fondé il y a 40 ans loge actuellement 550 patients. Cet établissement, qui a traité plus de 60,000 malades, a été l'objet de mauvaises critiques à cause de ses conditions hygiéniques. Mais le docteur Schweitzer a déjà répondu à ces critiques en disant que les conditions et les besoins à cet endroit étaient différents, et qu'il avait construit «un hôpital africain pour les Africains».

Prix Nobel 1962, le docteur a employé le prix de $32,200 qui lui a été attribué pour construire des habitations permanentes pour ses lépreux. Sa fille, Mme Rhéna Eckert, a fait savoir que c'est le docteur suisse Walter Munz, âgé de 32 ans, qui continuera l'oeuvre de son père.

Les quotidiens new-yorkais consacraient hier des pages entières au docteur Schweitzer, dont ils annonçaient la mort en gros titres de première page. «Il laisse sur son époque la marque d'un grand humaniste», écrit le «New York Herald Tribune» dans son éditorial.

Le nouvel instructeur du Canadien
Geoffrion est un gagnant
— Irving Grundman

LES cheveux frisés et arborant un habit beige de coupe impeccable, le nouvel entraîneur du Canadien, Bernard Boum-Boum Geoffrion s'est présenté pour la première fois aux journalistes, hier (**4 septembre 1979**), avec la même verve que celle dont il fait preuve dans ses réclames télévisées.

Geoffrion a formellement accepté hier matin, un contrat de trois ans qui en fait le 16e instructeur du Canadien. L'annonce en a été faite au cours d'une conférence de presse au Forum.

Le successeur de Scotty Bowman qui atteindra les 49 ans en janvier prochain, a avoué que pour une rare fois dans sa vie, il avait les mains moites de nervosité. Mais ce fut le seul moment où il l'a laissé paraître.

«Je vais vous faire un aveu dès aujourd'hui, a-t-il dit. Je réalise aujourd'hui le plus grand rêve de ma vie. J'ai attendu ce moment pendant 12 ans et s'il l'avait fallu, j'aurais attendu pendant encore 20 ans.»

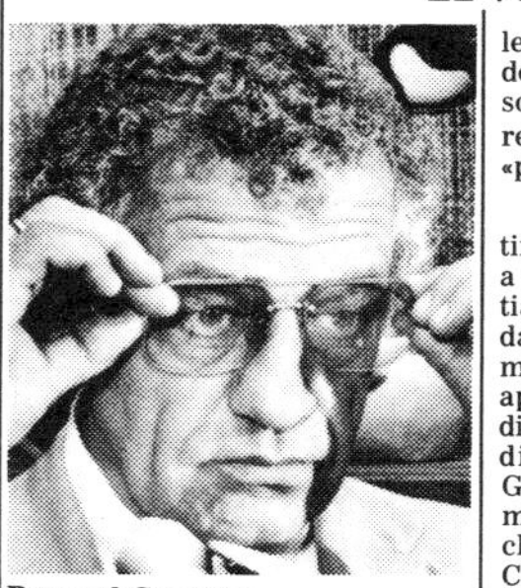

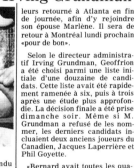

Bernard Geoffrion.

Jusqu'à hier, Geoffrion occupait le poste de vice-président des Flames d'Atlanta, équipe qu'il a dirigée derrière le banc à ses deux premières saisons et demie d'existence. Il est d'ailleurs retourné à Atlanta en fin de journée, afin d'y rejoindre son épouse Marlène. Il sera de retour à Montréal lundi prochain «pour de bon».

Selon le directeur administratif Irving Grundman, Geoffrion a été choisi parmi une liste initiale d'une douzaine de candidats. Cette liste avait été rapidement ramenée à six, puis à trois après une étude plus approfondie. La décision finale a été prise dimanche soir. Même si M. Grundman a refusé de les nommer, les derniers candidats incluaient deux anciens joueurs du Canadien, Jacques Laperrière et Phil Goyette.

«Bernard avait toutes les qualités requises pour être instructeur de l'équipe, a-t-il précisé. C'est un gagnant. Il fait preuve de détermination depuis le jour où il a entrepris une carrière chez les juniors. Il est mon choix, et je suis certain que je ne me suis pas trompé.»

Même si le nom de l'ancien ailier droit circule depuis quelques semaines dans l'entourage du Forum, bien peu de gens y ont cru tant que sa nomination n'a pas été annoncée officiellement.

La candidature de Geoffrion, disait-on, était pleine d'embûches et d'aspects négatifs: sa personnalité n'avait rien de commun avec le portrait type taciturne, renfermé, de l'instructeur du Canadien. Son état de santé présumément chancelant et le fait que son fils entreprend sa carrière cette saison avec le Tricolore étaient autant de raisons pour écarter sa candidature. (...)

Geoffrion, on le sait, avait dû quitter son poste d'instructeur des Rangers de New York, après seulement la moitié de la saison 1968-69, parce que la pression le rendait victime d'ulcères. A Atlanta aussi, il dut abandonner son poste pour des questions de santé, même s'il a laissé entendre hier que c'est plutôt la direction des Flames qui l'aurait convaincu de sa maladie. (...)

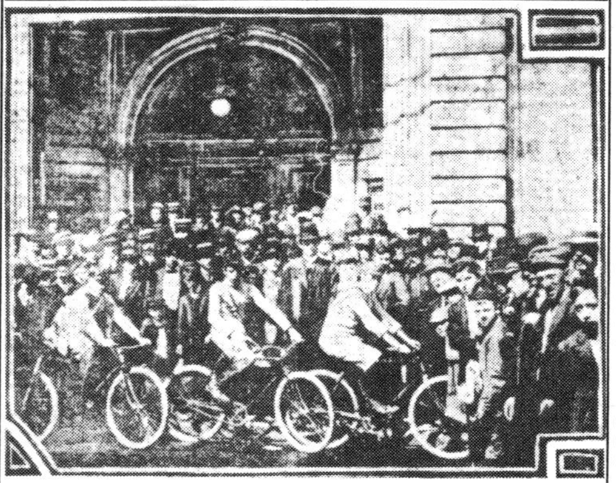

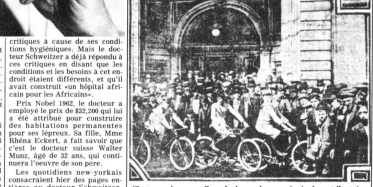

C'est sous les yeux d'une foule nombreuse réunie devant l'entrée principale de LA PRESSE, rue Saint-Jacques, que trois cyclistes, Jos Darveau, Alfred Dufour et Jos Plamondon entreprenaient, le *4 septembre 1908*, leur voyage de retour vers Québec. Les trois Québécois avaient également franchi en vélo la distance entre Québec et Montréal, plus tôt dans la semaine.

Marianne a 100 ans

PARIS — Marianne a cent ans. Une cérémonie en présence du chef de l'Etat a marqué ce centenaire sur la place de l'hôtel de ville de Paris où, le 4 septembre 1870, au lendemain de la défaite de Sedan devant la Prusse, Léon Gambetta, Jules Favre, Jules Ferry, Etienne Arago et des milliers de Parisiens proclamaient la République en battant le Second Empire.

Les Parisiens étaient beaucoup moins nombreux hier (**4 septembre 1970**) et l'on a entendu quelques cris appelant «Le Roi à Paris» lancés de militants du mouvement royaliste «Action française». Deux poignées de tracts ont pu voltiger avant que la police n'arrête les perturbateurs.

Les représentants des corps constitués avaient pris place dans les tribunes pour accueillir, à midi précise, le président de la république et Mme Pompidou. Le couple présidentiel inaugura l'exposition du centenaire réunissant des documents de l'époque, organisée dans les salons de l'hôtel de ville. (...)

Après un bref défilé, les détonations sèches d'un feu d'artifice retentissent. Sur la grisaille du ciel se détachent des bombes fumigènes qui, accrochées à de petits parachutes blancs, restituent le bleu, le blanc et le rouge de la République française. D'autres parachutes soutiennent des drapeaux tricolores.

Enfin, de l'avenue qui fait face à l'hôtel de ville, s'élève un vol compact de pigeons. Les six cents oiseaux symbolisent l'action de ceux qui, pendant le dur hiver de 1870, assurèrent les liaisons entre la capitale assiégée et la province.

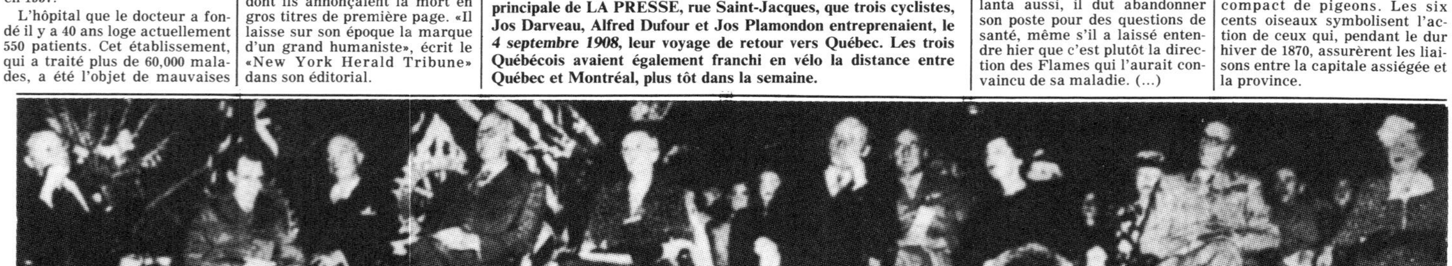

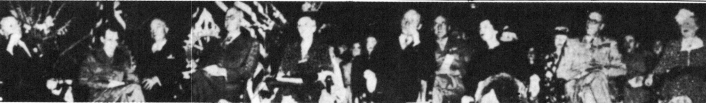

Près de 8 000 personnes assistèrent, le *4 septembre 1942*, au Forum de Montréal, à une soirée organisée pour rendre hommage aux soldats canadiens qui avaient participé au raid de Dieppe, soirée au cours de laquelle le colonel Dollard Ménard s'était exclamé: «Mes soldats sont les meilleurs au monde!» Sur l'estrade d'honneur, on pouvait reconnaître, de gauche à droite, le maire Adhémar Raynault; le journaliste Ross Munro, de la Presse Canadienne, témoin de plusieurs actes de bravoure; MM. Arthur Morton et de Gaspé Beaubien, coprésidents de la soirée; Mme Godbout; le premier ministre Adélard Godbout, de la province de Québec; Mme Panet et le brigadier-général E. de B. Panet, commandant du district militaire no 4; et Mme de Gaspé Beaubien.

Les Jeux continuent

Les otages sont abattus

MUNICH — Les meilleurs parmi les jeunes d'un peu tous les pays du monde, des milliers d'athlètes, le visage austère, faisant contraste avec l'éclat de leurs costumes nationaux, ont assisté ce matin au stade olympique de Munich au service funèbre des 11 membres de l'équipe israélienne, abattus quelques heures plus tôt **(le 5 septembre 1972)** par un commando palestinien.

Le Dr Gustave Heineman, président de l'Allemagne de l'Ouest, le chancelier Willy Brandt, et Avery Brundage, président du Comité international olympique, étaient du nombre des personnes qui ont assisté au service funèbre. (...)

Dix-huit morts! Tel est le bilan officiel de ces sanglants événements. Au nombre des victimes, on compte onze athlètes et entraîneurs israéliens, cinq membres du commando terroriste palestinien, un policier ouest-allemand et un des pilotes qui ont conduit les trois hélicoptères du village olympique à l'aéroport de Fuerstenfeldbruck.

C'est à ce dernier endroit que la tragédie a connu son dénouement alors qu'une fusillade a éclaté entre francs-tireurs ouest-allemands et fedayin palestiniens.

Ce n'est qu'après de longues heures de négociations entre les membres du commando et le gouvernement de Bonn que les deux parties avaient apparemment réussi à s'entendre sur la façon de régler momentanément le sort des neuf otages israéliens.

En effet, un accord avait été conclu suivant lequel trois hélicoptères conduiraient tant les otages que les terroristes à l'aéroport de Fuerstenfeldbruck d'où ils pourraient s'envoler à bord d'un appareil de la Lufthansa en direction du Caire, en Egypte. (...)

La couverture de LA PRESSE dans son édition du 6 septembre 1972, était évidemment abandonnée devant l'énormité du geste des fedayin palestiniens. En prenant le village olympique d'assaut, vers 5 h du matin, ce 5 septembre 1972, les fedayin faisaient un geste politique sans précédent dans l'histoire des Jeux olympiques. Jusqu'à ce jour maudit, tous les mouvements terroristes ou revendicateurs avaient respecté la trêve olympique et n'auraient jamais ne fusse que songé à la possibilité de faire un acte aussi provocant.

Le scénario des événements est généralement bien connu et les versions concordent pour la plus grande partie. Une fois la ceinture métallique du village olympique franchie, les fedayin avaient immédiatement pris d'assaut les locaux de la délégation israélienne, blessant à mort dès leur arrivée l'entraîneur Moshe Weinberg, qui avait choisi de défendre sa peau.

Tandis que le monde extérieur apprenait avec consternation l'ampleur et la lâcheté de ce qui venait d'être fait, le village devenait un véritable camp retranché ceinturé d'hommes armés jusqu'aux dents, équipés du matériel militaire le plus perfectionné.

À l'intérieur, les négociations commençaient entre les porte-parole du gouvernement allemand et le commando de l'organisation «Septembre noir». Après de longues heures de négociations qui se déroulèrent dans un contexte étouffant imputable aux nombreux ultimatums du commando terroriste, les fedayin et les otages quittaient les quartiers d'Israël à bord d'un autocar vers 22 h., en direction des trois hélicoptères posées à proximité et qui les transportèrent vers l'aéroport militaire de Munich.

C'est à cet endroit que les choses se gâterent et comme cela va de soi, les versions divergent lorsqu'il s'agit de déterminer d'où est parti le premier coup de feu à l'origine de la fusillade qui devait faire seize morts à l'aéroport, y compris les neuf Israéliens retenus en otage.

Ironie du sort, la rumeur laissa d'abord croire que tout s'était finalement bien terminé à l'aéroport; les fedayin avaient été abattus ou capturés, et les otages libérés. On venait à peine d'ouvrir les bouteilles de champagne pour célébrer cet heureux dénouement lorsqu'on apprit la triste nouvelle. Le terrorisme international venant de porter un dur coup à un mouvement voué à la paix et à la fraternité.

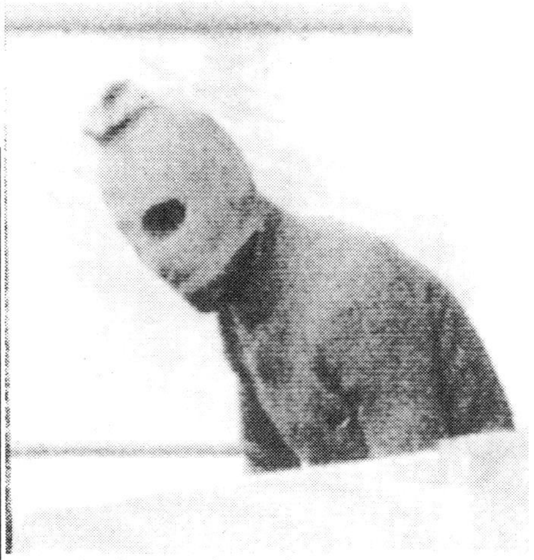

Un membre du commando terroriste.

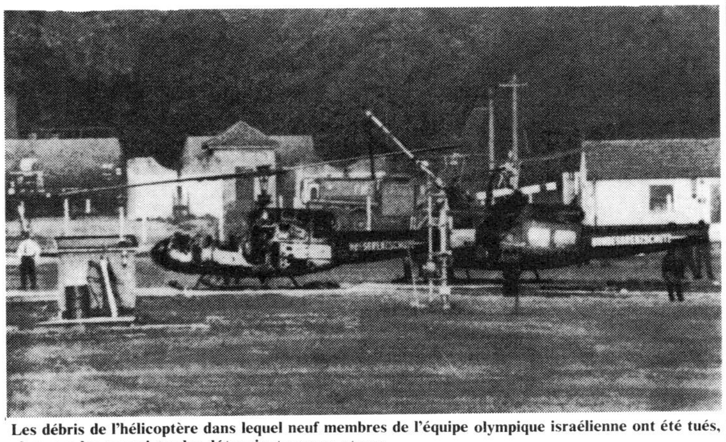

Les débris de l'hélicoptère dans lequel neuf membres de l'équipe olympique israélienne ont été tués, alors que les terroristes les détenaient comme otages.

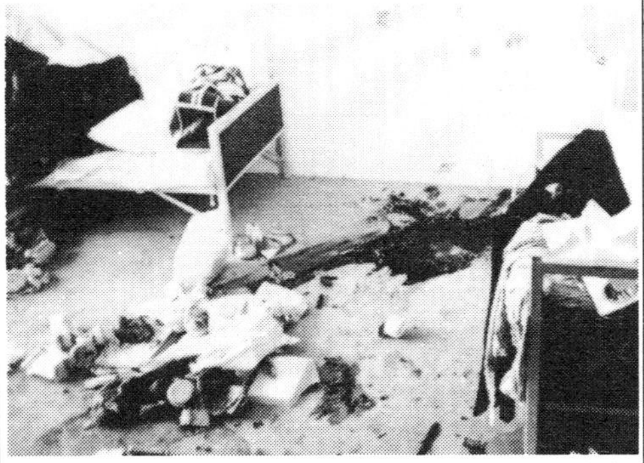

Des taches de sang et des trous de balles marquent l'endroit où l'haltérophile israélien Moshe Romano a été abattu.

La famille royale est ébranlée

Jamais depuis des dizaines, sinon des centaines d'années, on n'avait vu la monarchie britannique plongée dans un tel embarras. Et ainsi menacée par l'incroyable vague d'émotion nationale provoquée par la mort brutale de la princesse Diana. Une lame de fond totalement imprévue au début de la semaine et qui, depuis ce matin **(5 septembre 1997)**, faisait vaciller et reculer la famille Windsor, la reine Elizabeth en tête.

Le drapeau national qu'on refuse de hisser et de mettre en berne au-dessus de Buckingham pour respecter un protocole figé depuis des siècles. Une famille royale réfugiée très loin au nord de l'Écosse, au château de Balmoral, et qui s'abstient du moindre commentaire ou communiqué officiel sur une tragique disparition qui remue l'Angleterre profonde, et des foules innombrables comme cela ne s'était pas produit de mémoire d'historien.

Au fil des jours, la mauvaise humeur populaire à l'endroit de cette famille royale « coupée des gens et de la réalité », comme nous le disait mercredi le recteur anglican (et en soutane) de la paroisse Saint James, Donald Reeves, s'est transformée en franche hostilité. À tel point que l'on s'est mis à craindre des manifestations désagréables et brutales, notamment à l'endroit du prince Charles, lors des obsèques de demain matin à Westminster.

À tel point que le nouveau premier ministre travailliste Tony Blair a dû lui-même se porter à la défense de la Couronne, en expliquant que, « à leur manière ils (les Windsor) partagent notre grande peine ». La famille royale, institution irrationnelle mais intouchable de l'inconscient collectif britannique, malgré toutes ses tribulations des 20 dernières années, semblait se rapprocher d'une dangereuse zone de turbulence.

Son de cloche d'une spécialiste du *Daily Telegraph* (conservateur) : « La reine, mais aussi le prince Charles, appartiennent à une autre époque, celle de la Deuxième Guerre, à une autre Angleterre, celle du devoir, où on cachait ses sentiments. Par son naturel et son humanité, la princesse Diana annonçait une nouvelle monarchie, comme Tony Blair incarne l'Angleterre du tournant du siècle. Pourquoi, dans quelques années, le prince William n'incarnerait-il pas, en succédant à sa grand-mère, les vertus annoncées par Diana ? »

Calcutta perd sa sainte

Mère Teresa, religieuse des Missionnaires de la Charité, devenue figure de légende pour son oeuvre au service des pauvres et des mourants, est morte à Calcutta (est de l'Inde) à l'âge de 87 ans.

Née Agnes Gonxha Bojaxhiu le 26 août 1910 à Skopje, de parents d'origine albanaise, mère Teresa, qui avait pris la nationalité indienne, avait fondé les Missionnaires de la charité à Calcutta le 7 octobre 1950. Cet ordre qu'elle a dirigé pendant près de 47 ans compte aujourd'hui plus de 4000 membres dans quelque 600 institutions dans plus de 120 pays.

Mère Teresa était en Inde depuis 1929. Depuis plus de 40 ans, avec ses missionnaires en sari bleu et blanc, elle recueillait jour et nuit dans les bidonvilles de Calcutta les miséreux, les enfants abandonnés, les lépreux et les mourants. **(Texte publié le 5 septembre 1997.)**

Une étrange alliance

Mère Teresa avait prévue de prier aujourd'hui pour Diana, princesse de Galles. Deux des femmes les plus célèbres du monde sont mortes à une semaine d'intervalle.

« C'est plutôt beau de penser que mère Teresa, qui aimait beaucoup la princesse Diana, l'ait rejointe si vite », a déclaré le cardinal Basil Hume, chef de l'Église catholique d'Angleterre et du pays de Galles.

Les deux femmes s'étaient rencontrées à plusieurs reprises, la dernière fois en juin dernier à New York, où elles avaient prié main dans la main. **(Publié le 5 septembre 1997)**

Gene Mauch pilotera les Expos

LORSQUE la direction du club de baseball de Montréal convoque les journalistes à une conférence de nouvelles, les scribes de la métropole s'attendent à recevoir non pas une, mais plusieurs nouvelles. Et la conférence de nouvelles d'hier **(5 septembre 1968)** n'a pas fait exception à la règle, alors que le président de l'équipe, John McHale, a avisé les journalistes qu'il avait plusieurs nouvelles à leur communiquer.

Il a d'abord débuté avec le nom de l'équipe: les EXPOS de Montréal. Puis, ce fut la nomination de Lucien Geoffrion au poste de gérant des billets. Enfin, pour le dessert, la nomination de Gene Mauch (agréable confirmation des récentes rumeurs). McHale a aussi manifesté son enthousiasme sans cesse grandissant face à la réponse fantastique de la gent sportive montréalaise.

«Vous savez, nous avons déjà vendu 1,767 billets de saison en un mois. Plus nous avançons, plus je suis convaincu que Montréal sera une excellente ville de baseball. (...)

«Nous devons, demain, rencontrer les dirigeants municipaux afin de jeter un coup d'oeil sur les plans. Nous osons croire que ces plans pourront être acceptés immédiatement et que les travaux *(de rénovation du parc Jarry)* pourront commencer sous peu,» a dit McHale.

«Si nous avons choisi de vous annoncer le nom de l'équipe, sans que les amateurs aient eu l'occasion de participer à un scrutin afin de le choisir, c'est simplement parce que le temps nous bouscule. (...) Et, après avoir étudié toutes les suggestions qui nous sont parvenues, obtenu l'avis des propriétaires, des dirigeants municipaux, nous avons opté en faveur des Expos de Montréal.

«Précisément à cause de l'Expo 67, Montréal s'est acquis une réputation internationale (...) C'est un nom représentatif de Montréal, du Québec et du Canada. Il n'y a, non plus, aucun problème linguistique», a dit McHale.

Puis, laissant le micro à son bras droit, Jim Fanning, McHale a dit que le gérant général des Expos avait fait un voyage très fructueux sur la côte du Pacifique.

«Non seulement a-t-il vu d'excellents joueurs d'avenir à l'oeuvre, mais il nous est revenu avec un g´rant hors de pair, Gene Mauch», a commenté McHale.

«Il n'y a aucun doute dans mon esprit ou dans celui du président, que nous venons de mettre la main sur le meilleur homme, disponible ou non.»

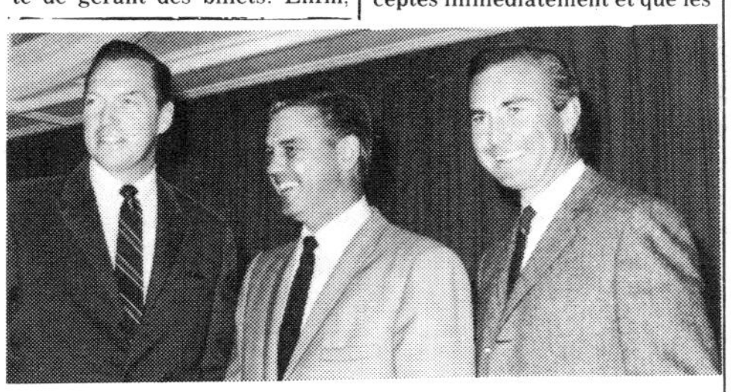

Le triumvirat des Expos en 1968: le président John McHale, le gérant Gene Mauch et le directeur général Jim Fanning.

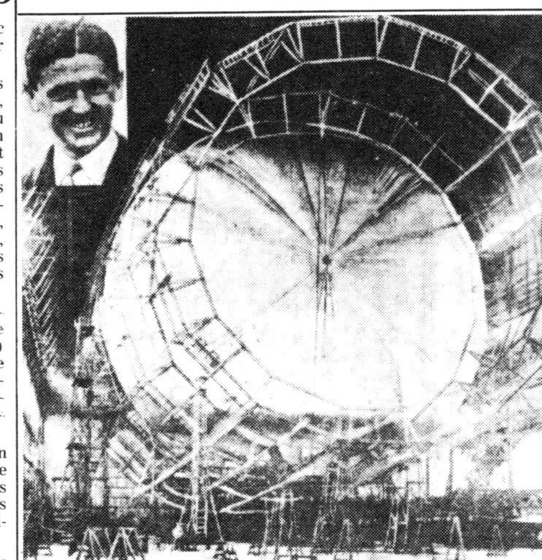

Le *R-101* que l'on voit ici est le plus gros vaisseau aérien du monde. Construit par le gouvernement britannique pour des envolées expérimentales sur la route Angleterre-Egypte-Indes, il a été inspecté ces jours derniers à Cardington. D'une longueur de 750 pieds, ce ballon a une capacité de gaz de 500,000,000 de pieds cubes. En haut, à gauche, le pilote du *R-101*, le lieutenant aviateur H.C. Irwin. Cette photo a été publiée avec cette légende le 5 *septembre 1928.*

C'EST ARRIVÉ UN 5 SEPTEMBRE

1983 — Suspension des vols de la société Aeroflot entre Moscou et Montréal à cause de l'incident du *B-747* coréen.

1981 — Premier congrès du groupe Solidarité, en Pologne.

1979 — Annonce de la fusion des banques Canadienne Nationale et Provinciale du Canada sous le nom de Banque Nationale du Canada.

1978 — Ouverture de la conférence de Camp David, convoquée par le président Jimmy Carter. Le président Annouar el-Sadate, d'Égypte, et le premier ministre Menachem Begin y participent.

1978 — Décès du juge Robert Cliche, à l'âge de 58 ans, qui avait connu son heure de gloire à titre de président de la Commission d'enquête sur les libertés syndicales dans la construction — Le métropolite russe Nicodème succombe à une crise cardiaque aux pieds du pape Jean-Paul 1er, au cours d'une audience particulière.

1977 — Enlèvement audacieux d'Hanns Martin Schleyer, le «patron des patrons», en République fédérale d'Allemagne.

1973 — Cinq fedayin s'emparent de 11 otages à l'ambassade d'Arabie Saoudite, à Paris, et réclament la libération d'Abou Daoud, dirigeant du Fatah détenu en Jordanie.

1972 — Le juge Claude Wagner joint les rangs du Parti conservateur.

1967 — Une manifestation du RIN tourne à l'émeute raciale à Pierrefonds.

1961 — Arrivée au Canada de la statue de l'hon. Maurice Duplessis, qui doit être érigée près du Parlement, à Québec.

1960 — Le général de Gaulle fait savoir qu'il ne tiendra compte d'aucune résolution que les Nations Unies pourraient adopter eu égard à la question de l'Algérie.

1957 — Les Royaux de Montréal gagnent le championnat de la Ligue internationale de baseball pour une neuvième fois.

1949 — L'as aviateur Bill Odom, célèbre par son voyage autour du globe dans un avion léger, se tue lorsque son avion s'écrase sur une maison.

1945 — M. Duplessis annonce que les mères nécessiteuses toucheront des allocations familiales majorées.

1907 — Le carnaval d'Ottawa se termine par une émeute. — Assemblée tumultueuse d'Henri Bourassa, à Québec.

C'EST ARRIVÉ UN 6 SEPTEMBRE

1980 — Edward Gierek, leader du Parti communiste polonais, est limogé et remplacé par Stanislaw Kania. — Le Britannique David Cannon gagne le marathon de Montréal.

1977 — Démission surprise de M. Donald MacDonald, ministre des Finances du Canada.

1975 — Chris Evert remporte le championnat de tennis des États-Unis, à Forest Hills.

1971 — Furieux du résultat d'une course, des émeutiers causent des dégâts évalués à $100 000, à l'hippodrome Blue Bonnets de Montréal.

1970 — Quatre avions des compagnies Pan American Airways, El Al, T.W.A. et Swissair sont détournés vers le désert par des Palestiniens.

1966 — Hendrik Verwoerd, premier ministre d'Afrique du Sud, est assassiné en plein Parlement par Dimitri Stafendas.

1963 — Pierre Dupuy, ambassadeur du Canada en France, est nommé commissaire général de l'Exposition universelle de 1967.

1962 — Fin des réunions du cabinet Lesage, au lac à l'Épaule, près de Québec. — Le Canada annonce qu'il contribuera $5 millions en espèces et en vivres sur une période de trois ans à la Banque mondiale des vivres.

1960 — William H. Martin et Bernon F. Mitchell, employés du service du chiffre de l'Agence de sécurité des États-Unis, annoncent de Moscou qu'ils sont passés à l'Est. — L'Américain Rafer Johnson gagne le décathlon olympique, à Rome.

1958 — Moscou annonce le renvoi du praesidium de l'ex-premier ministre Boulganine.

1957 — L'ex-premier ministre Louis Saint-Laurent annonce qu'il abandonne la direction du Parti libéral du Canada.

1955 — Wilbert Coffin est repris quelques heures après son évasion de la prison de Québec.

1953 — L'échange de prisonniers prend fin en Corée.

1950 — Les Américains se lancent à l'offensive sur le front central en Corée.

1948 — L'investiture de la reine Juliana de Hollande donne lieu à d'impressionnantes fêtes dans son pays.

1946 — En Alberta, les fermiers déclarent la grève. — James Byrne, secrétaire d'État des États-Unis, expose en Allemagne un plan général d'union allemande sous un conseil national. Il rejette le plan français concernant la Rhur et la Rhénanie en même temps qu'il prévient l'URSS que les États-Unis ne considèrent pas la frontière orientale de l'Allemagne comme fixée sur l'Oder.

1944 — La Bulgarie demande l'armistice à l'Union soviétique.

1943 — Un déraillement ferroviaire entre Washington et New York, fait plus de 50 morts.

1915 — Chambly célèbre avec faste le 250e anniversaire de sa fondation.

Les francophones profitent de la vie ; les autres épargnent

Les francophones et les non-francophones du Québec n'ont absolument pas les mêmes priorités financières. En effet, on note dans un sondage CROP-*La Presse* une situation diamétralement opposée entre les deux groupes. Alors que les Québécois francophones préfèrent dans une proportion de 45 % « profiter de la vie », cette préférence tombe à seulement 28 % chez les Québécois non-francophones. D'autre part, quand il s'agit d'épargner, 44 % des non-francophones en font leur principale priorité, à comparer à seulement 21 % du côté des francophones.

C'est chez les Québécois gagnant moins 20 000 $ que l'on retrouve la plus forte propension à « épargner ». « Épargner » est une priorité pour 30 % d'entre eux, à comparer à 16 % pour les 40000 $ et plus.

À quoi attribue-t-on cet écart de comportement entre les francophones et les non-francophones ?

Ces résultats ne surprennent pas Claude Béland, président du Mouvement Desjardins, l'institution financière la plus choyée des Québécois. Selon lui, cela démontre que l'ordre des valeurs entre les francophones et non-francophones n'est pas le même.

Toutefois, le fait que 45 % des francophones veulent profiter de la vie en priorité ne veut pas nécessairement dire, selon lui, qu'ils veulent faire pour autant de folles dépenses.

Cela dit, plus on est jeune, plus notre avenir financier nous tracasse. Alors que les deux tiers des jeunes âgés 18 à 34 ans se disent préoccupés par leur avenir financier, les deux tiers des 55 ans et plus affirment le contraire.

Votre situation

Votre situation financière personnelle est-elle meilleure ou pire qu'il y a cinq ans ?

Pour quatre Québécois sur dix (41 %), elle est meilleure. Mais fait important à souligner : 59 % des Québécois âgés de 18 à 34 ans affirment que leur situation s'est améliorée au cours des cinq dernières années.

Bien que le sondage démontre que les gens sont préoccupés par leur avenir financier, M. Béland se dit heureux de constater que 51 % des jeunes de 18-34 ans estiment que leur situation financière va s'améliorer au cours des prochains mois.

Autre signe d'optimisme pour le Québec : le grand patron du Mouvement Desjardins trouve encourageant de voir que 59 % des jeunes de 18-34 ans affirment bénéficier aujourd'hui d'une meilleure situation financière qu'il y a cinq ans.

Vos épargnes ?

Combien allez-vous épargner cette année ? Un Québécois sur deux (47 %) va épargner en 1997 moins de 1000 $, soit 18 % entre 500 et 999 $, 16 % entre 1 et 499 $ et les 13 % restant absolument pas un rond.

Chez les gens gagnant moins de 20 000 $ l'an, on retrouve 30 % d'entre eux qui ne réussiront pas à mettre un sou de côté.

Autre fait déplorable : 23 % des 55 ans et plus ne peuvent pas économiser un sou.

Par ailleurs, chez les Québécois qui vont épargner plus 1000 $ cette année, 20 % épargneront entre 1000 $ et 2499 $; 10 % entre 2500 $ et 4999 $; 7 % entre 5000 $ et 9999 $ et 3 % plus de 10000 $. Le plus haut taux d'épargnants (68 %) se retrouve chez les gens gagnant plus de 60 000 $. **(Texte publié le 6 septembre 1997.)**

Les naufragées de la Transat saines et sauves

Repêchées saines et sauves par un cargo belge, sept heures après le naufrage de leur bateau dans l'Atlantique, les huit Québécoises qui participaient à la Transat TAG Québec-Saint-Malo sur le Mascaret-Steinberg, débarqueront à Anvers, en Belgique, samedi.

Mme Larsen-Critchlow, de Saint-Bruno sur la Rive-Sud, qui était skipper du monocoque de 13,72 mètres (45 pieds), a précisé lors d'une conversation par la radio du cargo, qu'un incendie était à l'origine du naufrage et que le Mascaret-Steinberg avait coulé en deux heures, par mer calme. **(Texte publié le 6 septembre 1984.)**

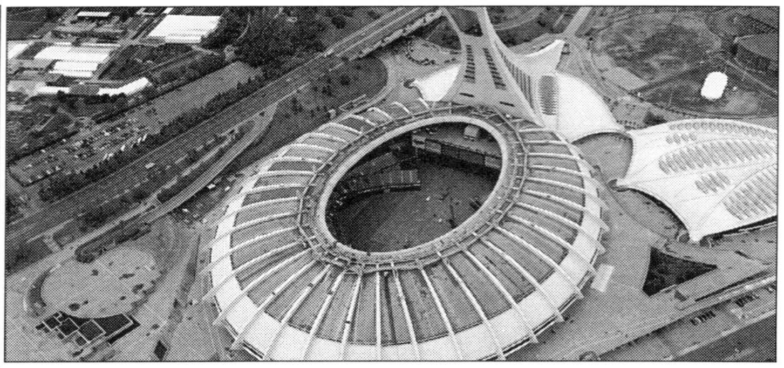

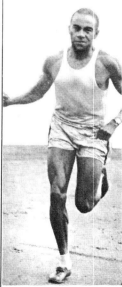

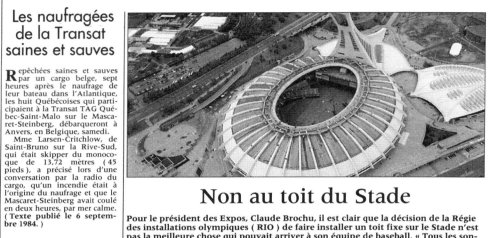

Non au toit du Stade

Pour le président des Expos, Claude Brochu, il est clair que la décision de la Régie des installations olympiques (RIO) de faire installer un toit fixe sur le Stade n'est pas la meilleure chose qui pouvait arriver à son équipe de baseball. « Tous les sondages, de même que nos assistances, démontrent clairement que l'amateur de baseball québécois ne veut pas assister à des matchs sous un toit rigide, » a déclaré M. Brochu qui a d'ores et déjà indiqué que d'ici quelques mois il aura « des plans plus précis » pour un éventuel stade au centre-ville. Texte publié 6 septembre 1996.)

Le Canada possède enfin la télévision

La télévision canadienne existe. Samedi soir **(6 septembre 1952)** à Montréal, ce soir à Toronto, les téléspectateurs ont pu voir et verront des programmes réalisés dans nos studios. C'est une date capitale et c'est aussi le début d'une ère nouvelle. Le ministre du Revenu national, l'hon. James J. McCann qui a prononcé la plus importante allocution samedi soir, lors de l'inauguration du poste CBFT dans la métropole, a souligné quatre faits à retenir. Les voici:

— Jusqu'au 31 mars, les téléspectateurs ayant un poste récepteur n'auront pas à payer de permis.

— Après Montréal et Toronto, des postes émetteurs seront construits à Ottawa, Halifax et Vancouver.

— Un nouveau prêt de l'ordre de $7 millions sera consenti par le gouvernement canadien, après approbation par le Parlement, à la Société Radio-Canada pour l'aider à prendre l'expansion voulue dans le domaine.

— Le gouvernement a nettement l'intention de favoriser dans un avenir prochain l'accès de l'entreprise privée au domaine de la télévision.

L'entreprise privée profitera des expériences faites par l'organisme gouvernemental et ce n'est pas du tout l'intention du gouvernement fédéral de s'assurer un monopole exclusif.

La soirée d'inauguration a revêtu un caractère de «grande première». Des représentants du Tout Montréal; un spectacle fort au point, compte tenu des difficultés inhérentes à tout début; des allocutions courtes mais révélatrices du premier ministre du Canada et du président du bureau des gouverneurs de Radio-Canada, M. A.D. Dunton et une visite des studios qui, de l'avis même des personnalités du monde américain de la télévision, sont sûrement le dernier cri de la science.

Notre télévision n'entend pas faire de miracles. Elle veut procéder lentement mais sûrement. Quelques heures par jour; des programmes bilingues à Montréal jusqu'à la création d'un canal additionnel pour un poste strictement de langue anglaise, mais la politique a été imaginée de telle sorte que les progrès seront sérieux à chaque étape. (...)

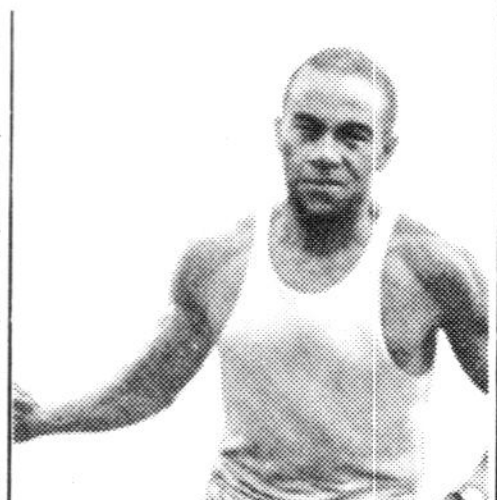

Le *6 septembre 1971*, mourait à Montréal, à l'âge de 64, des suites d'un cancer, le Dr Phil Edwards, éminent spécialiste des maladies tropicales et respiratoires. Mais sa réputation ne se limitait pas à la médecine puisqu'il avait brillamment défendu les couleurs du Canada en athlétisme, gagnant cinq médailles de bronze aux Jeux olympiques de 1928, 1932 et 1936.

L'auto coûte cher

Une dépréciation plus rapide et l'augmentation des taxes sur l'essence ont contribué à porter le coût annuel de possession d'une voiture de taille moyenne à plus de 7700 $ cette année.

Les propriétaires d'autos doivent donc débourser 311 $ de plus cette année que l'an dernier, indique le CAA. **(Publié le 6 septembre 1995).**

Un Russe atterrit au Japon avec un Mig-25

HAKODATE, Japon — Le Mig-25 soviétique qui s'est posé, hier **(6 septembre 1976)**, à l'aéroport de Hakodate, dans le nord du Japon, a été gardé toute la nuit par des policiers après avoir été recouvert d'une bâche et éclairé de projecteurs afin que personne ne s'en approche.

Quant au pilote, le gouvernement japonais a décidé de l'autoriser à chercher asile aux États-Unis, comme il en avait fait la demande après avoir atterri apparemment par manque de carburant. Cette dé 'sion a été prise à la suite d'une entrevue entre le pilote, le lieutenant Viktor Ivanovitch Belenko, et un représentant du ministère, et après consultation de Washington.

Le pilote a passé la nuit dans un endroit tenu secret dans la cité portuaire d'Hokaido. Les autorités japonaises ont enfin précisé qu'elles avaient informé l'ambassade soviétique que Belenko refusait de rencontrer des officiels de son pays.

L'Union soviétique a, pour sa part, réclamé la restitution immédiate du Mig-25 et le renvoi du pilote. (...)

Le Mig-25 est l'avion de combat le plus rapide au monde, il peut atteindre une vitesse de Mach 3.2 à une altitude de 24,000 mètres et possède un rayon d'action de 1,130 km. (...)

BALLES MEURTRIÈRES: LE PRÉSIDENT WILLIAM McKINLEY VICTIME D'UN LÂCHE ATTENTAT

BUFFALO, — Le président McKinley a été tiré, cet après-midi **(6 septembre 1901)**, dans le Temple de la Musique. Il a reçu deux balles dans l'estomac. Son état est dangereux *(il devait d'ailleurs succomber à ses blessures)*. Il a été tiré par un étranger bien mis et portant un chapeau haut de forme; l'étranger parlait avec le président et au moment où il lui tendait la main droite, il tira de sa main gauche.

Telle est l'épouvantable nouvelle que le télégraphe nous apportait, hier soir, vers les cinq heures, et qui s'est répandue dans toute la ville comme une traînée de poudre. Cet attentat contre la vie du président des Etats-Unis a vivement impressionné notre population. (...)

Des groupes de citoyens américains réunis dans la rotonde du Windsor étaient tous d'accord à l'attribuer à un anarchiste. (...)

C'est quelques minutes après 4 heures p.m., pendant une réception publique donnée au grand temple de la Musique de l'exposition, que cette lâche attaque a eu lieu. (...)

C'est immédiatement après l'audition d'orgue (...) que ce criminel attentat a été commis. Il avait été tramé avec toute l'habileté et la finesse dont tous les nihilistes sont capables, et si le Président ne succombe pas, il ne devra la vie qu'à un bienfait signalé de la Providence.

M. McKinley était bien gardé par les agents du service secret des Etats-Unis, mais il se trouvait pleinement exposé à une attaque comme celle dont il a été la victime. Il était au bout du dais, du côté de la salle. (...) Le Président était d'excellente humeur. (...) A sa droite se tenait M. J.G. Milburn, de Buffalo, président de l'exposition, qui causait avec M. McKinley, et lui présentait les personnes de marque. A la gauche du présient était M. Cordelyon.

LA SCENE SANGLANTE

Il était un peu plus de quatre heures quand sortit de la foule un homme de taille moyenne et d'apparence ordinaire. Il s'approcha du président comme pour lui offrir ses hommages. MM. Cordelyon et Milburn remarquèrent tous deux qu'il avait un bandage autour d'une main, on ne peut dire au juste laquelle.

L'étranger se fraya un chemin jusqu'au président et parvint à deux pieds de ce dernier. M. McKinley sourit et tendit la main, mais au même instant, un coup de revolver, clair et net, retentit au-dessus des éclats de voix, des applaudissements et de tous les bruits de la salle.

Il y eut un instant de silence presque complet après les coups de revolver. Le président se tenait encore debout et un regard d'hésitation et de stupéfaction errait sur sa figure. Il recula d'un pas, puis une morne pâleur commença à se répandre sur ses traits.

Burgess traverse la Manche à la nage

(Dépêche spéciale à la PRESSE)

LONDRES, — William Burgess, du Yorkshire, a réussi aujourd'hui **(6 septembre 1911)** à traverser la Manche à la nage de Douvres au cap Gris-Nez.

Le nageur est atterri au cap Gris-Nez à 10 h. 30 ce matin, presque exactement 24 heures après avoir laissé Douvres. C'était la dixième tentative de Burgess de franchir à la nage l'étroite langue de mer qui sépare la côte anglaise de la côte française. Neuf fois il a échoué, puis il a finalement réussi à la dixième.

L'on a fait de nombreuses tentatives pour franchir la manche à la nage depuis 1875 alors que le capitaine Matthew Webb a nagé de Douvres à Calais en 23 heures et 45 minutes.

Burgess a fait sa première tentative le 6 septembre 1904, mais abandonna la partie après une lutte de 13 heures. (...) La Manche entre Douvres et le cap Gris Nez n'a que 20 milles de large, mais la marée est très forte et les nageurs sont obligés de traverser à un angle obtus.

Irving Grundman prend la relève

Pollock coupe les ponts avec le Canadien

SAM Pollock a annoncé hier **(6 septembre 1978)** qu'il abandonnait son poste de directeur général du Canadien de Montréal pour entreprendre une nouvelle carrière dans les affaires avec le holding Carena Bancorp dont il est d'ailleurs un important actionnaire. M. Irving Grundman, ancien président de la Canadian Arena, sera son successeur. (...)

«Je prends ma retraite pour un ensemble de raisons, a-t-il tenté d'expliquer lors d'un entretien. Il y a ma famille qui est encore toute jeune, la vente de l'équipe à la brasserie Molson qui a sans doute précipité quelque peu ma décision et aussi le désir de me consacrer davantage au monde des affaires, à ma collection d'oeuvres d'art et aux quelques vaches dont j'ai entrepris l'élevage.»

Au téléphone hier midi, Pollock semblait fort ému: «C'est compréhensible, on ne quitte pas un travail, un monde où on a oeuvré pendant 31 ans, sans un pincement de coeur. Mais c'est définitif, je coupe tous les ponts», a-t-il soutenu.

Pollock coupe tous les ponts même s'il demeure avec le Canadien comme membre du conseil de direction et gouverneur délégué et il a été très clair sur ce point. (...)

Bowman déçu

Scotty Bowman n'a pas essayé de camoufler son état d'âme quand on l'a rejoint hier soir; Bowman, c'est maintenant un secret de polichinelle, désirait ardemment succéder à Pollock quand celui-ci prendrait sa retraite: «Sincèrement, je suis très déçu; devenir directeur-gérant était un rêve pour moi... et maintenant je devrai encore attendre.» (...)

Bowman a l'intention de rencontrer les gros bonnets du Canadien et de Molson pour clarifier plusieurs points.

L'agonie a duré 80 heures

Duplessis meurt à Schefferville

NDLR — Nous reproduisons un seul des nombreux textes consacrés par LA PRESSE à ce tragique accident.

SCHEFFERVILLE, — Un nom est entré dans l'histoire. L'hon. Maurice Duplessis, chef du gouvernement du Québec, député de Trois-Rivières, qui pendant dix-neuf années, a présidé aux destinées de la province, n'est plus.

Sans avoir repris connaissance depuis la première hémorragie cérébrale qui l'avait terrassé trois jours et demi avant, l'homme d'Etat de soixante-neuf ans a rendu son dernier soupir dans la nuit de dimanche à lundi **(7 septembre 1959),** alors que la nuit étendait son voile noir dans le ciel de l'Ungava comme un signe de deuil.

Ainsi la carrière d'une des personnalités les plus marquantes de la politique canadienne contemporaire a pris fin dans le cadre qui convenait à son ambition, le vaste royaume du Nouveau-Québec aux richesses souterraines fabuleuses.

Au lac Knob

Le premier ministre qui s'est éteint à minuit et une minute à Schefferville, dans une maison de bois grossièrement équarri sur les bords du lac Knob, avait la consolation d'avoir donné à son pays cet empire de 300,000 milles carrés («en l'ouvrant à la civilisation», avait-il l'habitude de dire) et autorisant la mise en valeur de ces terres rudes et sauvages qui, du haut des airs, apparaissent sous l'aspect d'une dentelle rocheuse aux motifs blonds, gris, bleus, roux et vert, bijou étrange où s'enchâssent les miroirs sombres de milliers de nappes d'eau dont l'immobilité masque la vie intense d'une vigoureuse faune aquatique.

Comme par dérision, le destin a voulu que le chef du gouvernement, orgueilleux des subventions accordées par son cabinet pour l'agrandissement et la construction d'hôpitaux, tombât malade loin de ces établissements.

C'est dans une chambre du petit hôtel privé de l'Iron Ore Co. à Schefferville que le député de Trois-Rivières a expiré, le drapeau fleurdelisé flottant au sommet du mat érigé dans la propriété.

A son chevet

Seuls quelques parents et intimes ont assisté le moribond pendant sa longue agonie: Mme Edouard Bureau, une de ses soeurs, trifluvienne; M. Jacques Bureau, son neveu; l'hon. Gérald Martineau, son ami, et membre du Conseil législatif; le Dr Lucien Larue, de Québec.

Ce dernier soignait l'homme d'Etat depuis jeudi soir avec le Dr Yves Rouleau, également de la Vieille Capitale, et avec le Dr A. Rosmus qui, étant attaché à l'infirmerie de la société minière, avait été appelé à donner, jeudi, les premiers soins au célèbre patient.

Dès samedi, l'issue de la lutte entre la vie et la mort apparaissait fatale.

Durant quatre-vingts heures, M. Duplessis est resté inconscient et paralysé du côté droit. Son exceptionnelle résistance physique, remarquable pour un homme de soixante-neuf ans, a prolongé l'agonie dans des proportions qui ont stupéfié les médecins.

La paralysie empêchait l'absorption de toute nourriture et de tout breuvage. Les garde-malades se trouvaient dans l'obligation d'humecter les lèvres sèches du mourant qui, sept ou huit fois, parut avoir repris connaissance pour quelques minutes et qui ouvrit même les yeux à l'appel de son nom, mais ne put articuler une seule parole.

Le R.P. Marcel Champagne, Oblat de Marie-Immaculée, curé de Schefferville, avait été appelé vendredi à quatre heures du soir à administrer les derniers sacrements au chef du gouvernement qui, la veille, avant d'être frappé par le terrible mal, avait répondu «oui» à son invitation, par l'intermédiaire du maire Grégoire, d'assister à la messe du lendemain, premier vendredi du mois. (...)

Décidément, le 7 septembre est une date fatidique pour les premiers ministres de la province. En effet, près de quatre décennies plus tôt, le ***7 septembre 1920,*** *décédait à l'âge de 65 ans l'honorable Siméon-Napoléon Parent, qui fut premier ministre de la province de 1900 à 1905. Et six ans jour pour jour après la mort de Duplessis, comme vous pourrez le lire ailleurs dans cette page, survenait à Trois-Rivières, dans le comté que représentait M. Duplessis, le tragique effondrement du pont en construction au-dessus du Saint-Laurent.*

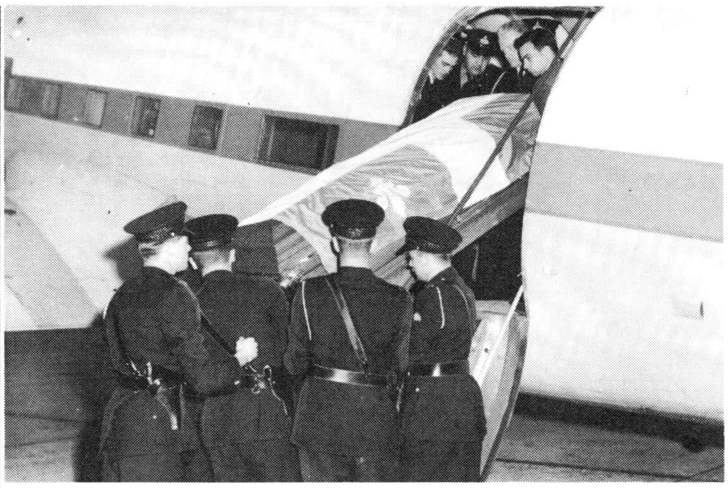

À L'Ancienne-Lorette, des membres de la Police provinciale descendent la dépouille mortelle de l'avion qui l'avait transportée de Schefferville à Québec.

Leningrad redevient Saint-Pétersbourg

Le praesidium du Soviet suprême de Russie a décidé de rendre à Leningrad son ancien nom de Saint-Pétersbourg, a-t-on appris auprès du secrétariat du président du Parlement russe. La décision a été prise « à l'unanimité » des membres du praesidium, a-t-on précisé de même source. **(Texte publié le 7 septembre 1991.)**

Explosion d'un caisson: 12 morts à Trois-Rivières

SPECTACLE d'isolement et d'angoisse. A 500 pieds du rivage, dans le premier caisson de la section nord du pont de Trois-Rivières en construction, une explosion qui s'est produite en fin d'après-midi **(le 7 septembre 1965),** a tué un homme et en a enterré vivants onze autres.

Il est dix heures du soir et sur la rive, parents et témoins apprennent qu'il ne reste, à toutes fins pratiques, aucun espoir de retrouver vivants les onze ouvriers qui travaillaient à 80 pieds sous la surface de l'eau, dans le lit du fleuve. On ne sait rien, on ne voit rien; la compagnie observe le plus complet mutisme; on devine seulement, loin de la rive, sous les puissants réflecteurs, les travaux de sauvetage qui, peu à peu, ralentissent...

Un homme-grenouille et une vingtaine de manoeuvres s'affaireront encore toute la nuit sur le caisson «N-2» du pont de Trois-Rivières, maintenant un amas de ferraille, fendu en deux par une explosion dont on n'a pas encore révélé la cause.

De l'avis des dirigeants de la compagnie Dufresne et McNamara Engineering, qui ont le contrat pour les travaux des piliers du pont, sept des ouvriers qui travaillaient au plus profond du caisson ne possédaient, au moment de l'explosion, que l'oxygène suffisant pour survivre une trentaine de minutes. La déflagration s'est produite au plus profond du caisson, à une profondeur de 80 pieds. C'est à cette profondeur que les hommes, dans le caisson, creusaient le lit du fleuve pour la construction du pilier central «N-2».

Trente à quarante hommes creusaient ce pilier. Sous le choc, quelques-uns, qui travaillaient à la surface du caisson, furent projetés à l'eau et rescapés sans blessures. D'autres, installés plus profondément, subirent diverses blessures et furent éventuellement transportés à l'hôpital Saint-Joseph de Trois-Rivières après avoir été ramenés des lieux de l'explosion à bord de canots-automobiles. (...)

La seule victime dont on a retrouvé le corps jusqu'à présent a été identifiée comme étant M. Gilles Arvisais, âgé de 28 ans, de Mont-Carmel, à une dizaine de milles de Trois-Rivières.

L'explosion s'est produite à 4 h. 05 précises, soit juste quelques instants avant le changement des équipes. (...)

La construction du pont de Trois-Rivières doit être terminée en 1967. Le forage du pilier «N-2» avait débuté il y a quatre mois. Il semble que l'accident d'hier retardera d'autant de mois la fin des travaux.

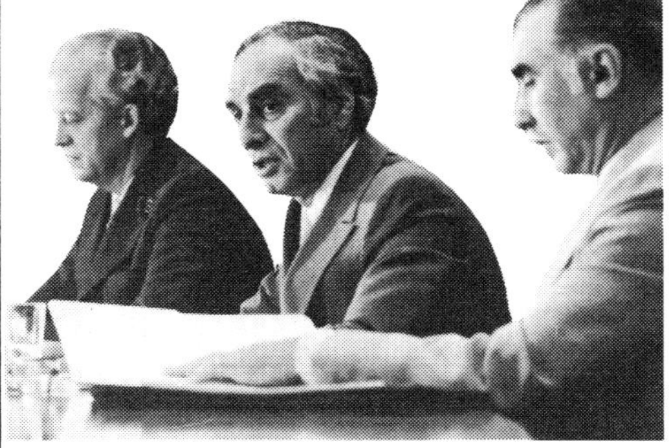

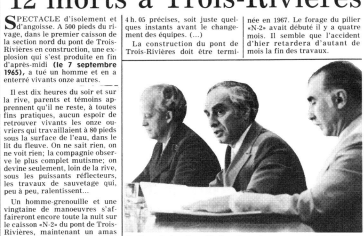

La Commission d'enquête formée par le gouvernement du Québec à l'été de 1977 pour faire la lumière sur les causes de l'augmentation absolument démesurée des coûts des Jeux de la 21e Olympiade de commençait ses audiences publiques le *7 septembre 1978.* Cette photo montre les trois commissaires, soit de gauche à droite, M. Jean-Guy Laliberté, comptable; le juge Albert H. Malouf, de la Cour Supérieure, président des travaux; et M. Gilles Poirier, ingénieur.

Maurice Chevalier: quatre fois 20 ans!

«Récital d'adieu ? » Peut-être...

En tout cas, si Maurice Chevalier n'avait pas fait certaines allusions à l'idée que c'était « la dernière fois », nous n'aurions jamais eu l'impression qu'il présentait, effectivement, son dernier récital devant nous.

Maurice Chevalier a donné tout simplement un excellent tour de chant traditionnel, comme il en donne depuis des années, que dis-je : depuis des générations !

Il n'est jamais tombé dans la nostalgie et il n'a pas montré de signes de fatigue. il a été, encore une fois, tout simplement prodigieux.

Je me permettrai de le taquiner un peu en parlant de «déformation professionnelle». Maurice Chevalier a en effet tellement de métier qu'il ne pouvait se permettre, même en cette «dernière fois», d'être inférieur à lui-même. Il a été impeccable du commencement à la fin, exactement comme un employé silencieux qui fait sa pleine journée de travail, même si cette journée est sa dernière.

Non, ce n'est pas un «récital d'adieu», avec tout ce que cela comporte, que Maurice Chevalier a donné samedi soir **(7 septembre 1968)**: c'est un tour de chant régulier, bien monté et bien présenté, sans bavure et sans hésitation, en fait un tour de chant autrement plus divertissant que ceux que nous donnent à longueur de saison certains soi-disant «grands» du music-hall qui ont la moitié de ses années mais qui, malheureusement, n'ont pas la moitié de son métier.

J'ignore quelle force mystérieuse et invisible maintient Maurice Chevalier dans une telle forme, mais samedi soir, il nous a encore une fois émerveillés. Par son énergie, par sa lucidité, par son extraordinaire métier, bref par sa jeunesse que l'on dirait éternelle! Le visage frais, le sourire franc et jeune, l'oeil et le geste rapides, la mémoire infaillible, en somme on ne croirait jamais que l'artiste qui est là devant nous aura 80 ans dans quelques jours. Ce n'est tout simplement pas possible. La vérité serait plutôt que Maurice Chevalier a quatre fois 20 ans!

Je suis ennemi de la formule qui veut que, pour être «poli», ou «aimable», ou «bien élevé», on ait recours, en pareilles circonstances, à des expressions toutes faites qui ne veulent rien dire. Le cas Maurice Chevalier tient décidément du miracle. D'accord, je n'irais pas jusqu'à dire qu'il pourrait continuer indéfiniment à faire ce métier, mais ce que nous avons vu samedi soir à la Place des Arts, c'est un artiste en pleine forme, quittant le plateau avant qu'il ne soit trop tard.

C'EST ARRIVÉ UN 7 SEPTEMBRE

1983 — Quelque 100 000 personnes assistent aux funérailles organisées à Séoul en l'honneur des passagers du *B-747* coréen abattu par la chasse soviétique. Au Canada, les événements forcent le cirque de Moscou à annuler sa tournée et à rentrer en Union soviétique.

1977 — Nouveau traité du canal de Panama permettant à Panama de recouvrer graduellement des Américains la souveraineté sur l'ensemble des territoires de la zone du canal.

1976 — Le juge Jules Deschênes donne raison aux «Gens de l'air» et ordonne à Air Canada de cesser d'interdire à ses pilotes d'utiliser le français dans l'air.

1973 — Intensification de la campagne déclenchée contre l'académicien Sakharov et l'écrivain Soljénytsine, en URSS.

1968 — Le président portugais Salazar est opéré pour un hématome crânien.

1958 — Ouverture à Montréal de la conférence mondiale sur l'énergie, à laquelle participent 1 200 délégués de 51 pays.

1957 — Manifestation de 3 500 travailleurs devant le Parlement de Québec afin de revendiquer le libre-exercice du droit d'association syndicale dans la province.

1953 — Le championnat canadien d'hydroplanes est disputé à Montréal (Pont-Viau) pour la première fois de l'histoire, et la victoire échoit au *Canada Maid II.* — Au tennis, Maureen Connolly complète son «grand chelem» en gagnant le tournoi de Forest Hills.

1952 — Le général Neguib oblige le premier ministre égyptien Aly Maher à démissionner, et il assume tous les pouvoirs.

1950 — Un incendie ravage 160 logis en construction à Saint-Laurent, en banlieue de Montréal.

1949 — Première session du nouveau parlement allemand, à Bonn.

1945 — Discours d'adieu au Parlement canadien du gouverneur général du Canada, le comte d'Athlone.

1910 — Sentence du tribunal de La Haye sur la question des pêcheries côtières de l'Atlantique du Nord. Accords commerciaux conclus avec l'Allemagne, la Belgique, les Pays-Bas et l'Italie.

QUINZE NAGEURS ONT PRIS PART AU MARATHON, SEULEMENT TROIS ONT COUVERT LE PARCOURS

TROIS concurrents sur quinze ont terminé hier **(7 septembre 1925)** la course à la nage du quai Victoria à Repentigny, organisée par le club Excelsior-Henderson. Omer Perrault, Théo McDuff et R. McDuff sont les seuls nageurs qui ont couvert tout le parcours, soit trente milles environ en tenant compte des zig-zags. Perrault, le vaillant athlète qui a tenté plusieurs fois la traversée de la Manche, contre qui la malchance et le sort se sont acharnés dans le temps, et qui a échoué après être venu tout près de réussir, s'est affirmé hier d'éclatante façon. Habilement dirigé et encouragé par son camarade et ami Armand Vincent, qui l'a accompagné en chaloupe sur tout le parcours et lui a prodigué tous les soins voulus, Perrault a complètement déclassé ses adversaires et a remporté une victoire très facile, arrivant au but deux milles environ avant Théo. McDuff, son plus proche adversaire. (...)

Théo. McDuff est arrivé quarante minutes après Perrault. R. McDuff qui s'est classé troisième, est arrivé au but une heure et douze minutes après le vainqueur. Il s'était trompé de courant et a fait trois milles de plus que les autres nageurs. En arrivant, il a donné une exhibition, pour montrer qu'il n'était pas fatigué.

Le départ du marathon de nage s'est effectué à 1 h. 30 du quai Victoria, et Perrault est arrivé à Repentigny à 6 h. 32, ayant fait le parcours en 5 heures et 2 minutes. Le vainqueur était encore vigoureux lorsqu'il a atterri. Une foule énorme était massée sur le quai de Repentigny pour assister à l'arrivée des nageurs. (...)

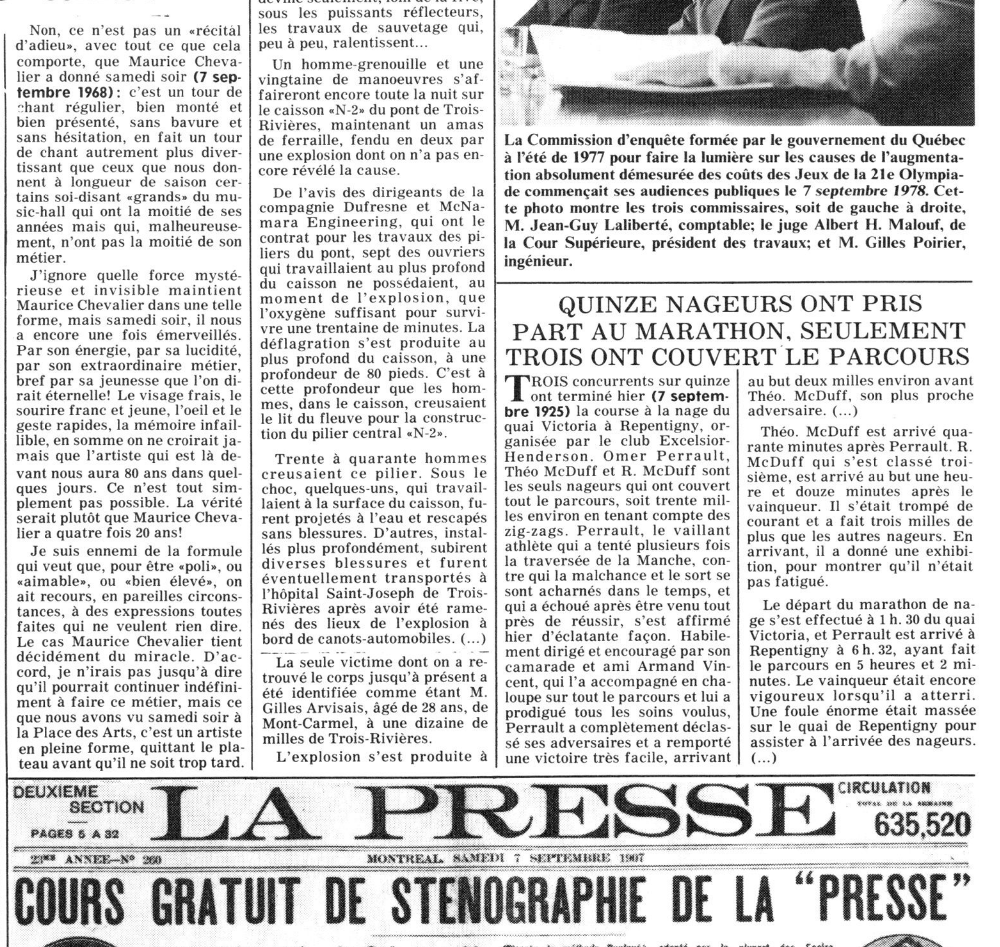

DEUXIEME SECTION — PAGES 5 A 32

LA PRESSE

CIRCULATION — 635,520

23me ANNEE — No 260 — MONTREAL, SAMEDI 7 SEPTEMBRE 1907

COURS GRATUIT DE STENOGRAPHIE DE LA "PRESSE"

Cours Elémentaire de Sténographie (D'après la méthode Duployé) adopté par la plupart des Ecoles et des Collèges commerciaux de la Province de Québec.

PAR MONSIEUR ET MADAME DENIS R. PERRAULT, PROFESSEURS, ET AUTEURS.

Approuvé par le Conseil de l'Instruction Publique en 1889.

PREMIERE LEÇON :— L'ALPHABET

CONSONNES — VOYELLES

Fidèle à sa vocation, LA PRESSE offrait, au début du siècle, des cours en différentes matières. Nous vous avons déjà parlé des cours de solfège. Or, le *7 septembre 1907*, c'est une série de cours de sténographie que LA PRESSE commençait à l'intention de ses lecteurs.

L'ITALIE A CAPITULE

L'armée italienne s'est rendue sans condition. — Armistice accordé.

QUARTIERS généraux alliés en Afrique du Nord, — L'Italie a capitulé aujourd'hui **(8 septembre 1943)**, sans conditions.

Le général Dwight D. Eisenhower a annoncé la capitulation des forces armées italiennes cinq jours après que la 8e armée anglo-canadienne du général sir Bernard Montgomery eut envahi l'Italie.

En anonçant l'écroulement de la résistance italienne, le commandant en chef allié a dit qu'on a accordé à l'Italie un armistice militaire.

Le 1er des séides de l'Axe tombe

— La première rencontre pour discuter des conditions d'armistice a eu lieu en territoire neutre. Le commandement allié a expliqué aux Italiens qu'ils devaient capituler sans conditions.

D'autres rencontres ont eu lieu en Sicile; c'est au quartier général de Sicile, le 3 septembre, qu'a été signé l'armistice.

— Aux termes de la convention d'armistice, non seulement les Italiens ont accepté toutes les conditions posées par le général Eisenhower, mais il se sont engagés à user de la force contre les Allemands si ces derniers veulent les empêcher d'exécuter leurs engagements envers les Alliés.

— Ainsi le membre junior de l'Axe Berlin-Tokyo-Rome s'est-il conformé à la décision du premier ministre Churchill et du président Roosevelt réclamant une capitulation sans conditions.

Cette nouvelle a été annoncée comme les troupes italiennes démoralisées se rendaient par centaines aux troupes britanniques et canadiennes avançant en Calabre où les Alliés ont débarqué vendredi dernier après une victorieuse campagne de 38 jours en Sicile d'où les Allemands s'enfuirent en Italie continentale.

Badoglio lui-même a demandé l'armistice

La capitulation a été faite par le gouvernement du maréchal Badoglio qui succéda à Mussolini quand cet associé d'Hitler fut renversé le 25 juillet.

— Cette reddition est survenue après une brève campagne d'invasion où les Anglo-Canadiens rencontraient une résistance tout au plus symbolique.

Les troupes du général Montgomery n'étaient guère retardées que par des démolitions et le caractère accidenté du terrain.

Berlin muet

(Les postes de radio axistes n'ont rien annoncé immédiatement après la capitulation. Environ une heure plus tôt, la radio allemande annonçait de nouveaux débarquements britanniques près de Pizzo, à une trentaine de milles au nord de l'endroit où l'avance anglo-canadienne avait été mentionnée la dernière fois).

Le général Eisenhower a ainsi annoncé la plus grande victoire encore remportée par les alliés en quatre ans de guerre. La forteresse Europe d'Hitler est enfoncée, la route est ouverte à de nouvelles offensives et la durée de la guerre s'en trouvera extraordinairement raccourcie.

Ainsi, l'ultimatum de Casablanca reçoit-il sa première application.

*Le hasard a voulu que le général Douglas MacArthur entre dans la ville de Tokyo conquise le **8 septembre 1945**, donc deux ans plus tard, jour pour jour, après la capitulation de l'Italie.*

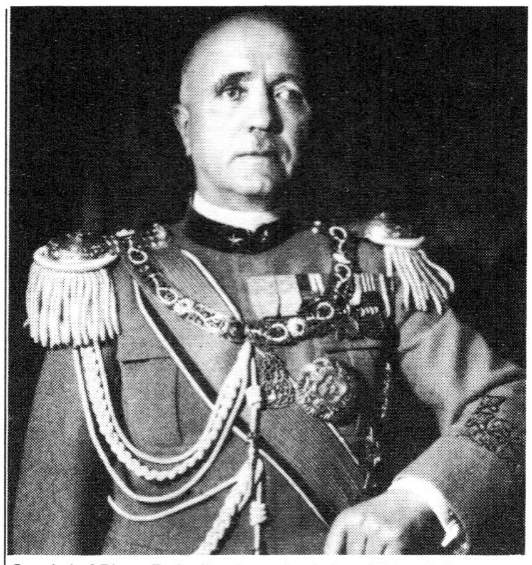

Le général Pietro Badoglio, signataire de la reddition de l'Italie au nom du gouvernement italien.

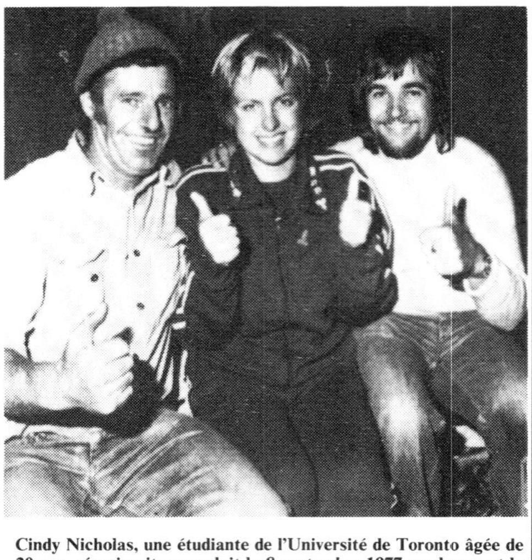

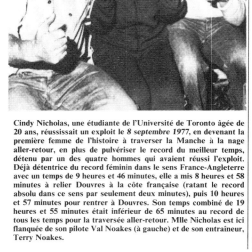

Cindy Nicholas, une étudiante de l'Université de Toronto âgée de 20 ans, réussissait un exploit le *8 septembre 1977*, en devenant la première femme de l'histoire à traverser la Manche à la nage aller-retour, en plus de pulvériser le record du meilleur temps, détenu par un des quatre hommes qui avaient réussi l'exploit. Déjà détentrice du record féminin dans le sens France-Angleterre avec un temps de 9 heures et 46 minutes, elle a mis 8 heures et 58 minutes à relier Douvres à la côte française (ratant le record absolu dans ce sens par seulement deux minutes), puis 10 heures et 57 minutes pour rentrer à Douvres. Son temps combiné de 19 heures et 55 minutes était inférieur de 65 minutes au record de tous les temps pour la traversée aller-retour. Mlle Nicholas est ici flanquée de son pilote Val Noakes (à gauche) et de son entraineur, Terry Noakes.

Rapport de la commission Tremblay: municipalisation du tram recommandée

QUÉBEC — L'hon. Maurice Duplessis, premier ministre de la province de Québec, a divulgué hier **(8 septembre 1950)** au cours de sa conférence de presse hebdomadaire les «grandes lignes» du rapport final de la commission Tremblay sur le système de tramways montréalais.

M. Duplessis révèle que la commission recommande la municipalisation du tramway et la séparation des finances du tramway et du métro, s'il s'en construit un. La commission affirme que le stationnement des autos privées est une grande cause des embarras de la circulation, à Montréal.

La commission blâme la surcapitalisation de la Compagnie des tramways; l'évaluation excessive de l'actif d'anciennes compagnies acquises par la présente de 1915 à 1918; le mauvais état de la caisse de retraite. Elle désapprouve aussi l'ancienne Commission des tramways, chargée de surveiller l'exploitation du réseau.

Le premier ministre note l'unanimité des commissaires, désignés en 1948: l'hon. Thomas Tremblay, juge en chef de la Cour de magistrat de Québec; M. Aimé Parent, représentant de la ville de Montréal; l'hon. Lucien Gendron, C.R., représentant de la Compagnie des tramways. (...)

«Le rapport fait ressortir *(a dit M. Duplessis)* un mouillage des actions (surcapitalisation) supérieur à $14 millions. Il fait aussi ressortir certains procédés qui semblent extraordinaires touchant l'estimation de l'actif d'anciennes compagnies cédées à la Compagnie des tramways. Nous savons que ces opérations financières remontent à 1915, 1916, 1917 et 1918.

«La commission recommande la municipalisation du tramway, blâme la Commission des tramways instituée par des gouvernements soit-disant libéraux, recommande certains moyens d'améliorer la circulation à Montréal.» (...)

Interrogé sur les recommandations de la commission touchant le métro, M. Duplessis répond: «La commission ne croit pas juste que les voyageurs du tramway paient les frais du métro. Elle ne croit pas non plus que le métro doive payer le frais du tramway. Elle juge que les questions de frais du métro et des transports de surface doivent être distinguées et réglées séparément.» (...)

JUIFS DÉBARQUÉS DE FORCE À HAMBOURG

HAMBOURG — Des soldats britanniques, brandissant leurs matraques, ont tiré à force de bras **(le 8 septembre 1947)**, hors d'un transport anglais, les récalcitrants parmi les réfugiés juifs de l'«Exodus 1947» et les ont chargés à bord de trains roulant vers le camp de Poppendorf, près de Lubeck.

Le premier convoi est arrivé en retard à Poppendorf, ayant stoppé en route, disent les autorités britanniques, parce que les réfugiés avaient arraché des barreaux de fer aux portières, apparemment pour s'en faire des armes. Des autos blindés attendaient à Poppendorf, mais les réfugiés ont refusé de sortir du train.

Une partie des réfugiés à bord de l'«Ocean Vigour», le premier des trois transports britanniques à débarquer ses passagers, est descendue paisiblement, mais il fallut en jeter d'autres sur le quai. Au départ du premier train, les réfugiés criaient: «Nous reprendrons notre marche vers la Palestine; nous ne resterons pas dans les camps».

Paisible contingent initial

Le débarquement de l'«Ocean Vigour» avait commencé à l'aube avec les femmes, les enfants, les vieillards. Vers le milieu de la matinée, la résistance commença et les soldats commencèrent à frapper les réfugiés sur la tête avec leurs matraques. Des Juifs qui se rebiffaient furent portés à bras et déversés sur le quai, où d'autres soldats les portaient aux trains.

C'EST ARRIVÉ UN 8 SEPTEMBRE

1982 — Le juge en chef Jules Deschênes, de la Cour Supérieure, reconnaît que «la Loi 101 excède inutilement les limites du raisonnable». — Marcel Léger est écarté du cabinet Lévesque.

1980 — Ouverture de la conférence fédérale-provinciale sur la Constitution canadienne, à Ottawa.

1978 — En Iran, l'armée tire sur la foule et fait dix morts, amenant le gouvernement à décréter la loi martiale.

1974 — Le président Gerald Ford accorde un pardon complet à l'ex-président Nixon pour toutes les offenses commises contre les États-Unis pendant la durée de sa présidence.

1970 — Les dix étudiants exclus temporairement de l'université Sir George Williams sont condamnés à une amende de $1 000 pour leur rôle dans le vandalisme causé au centre d'informatique.

1969 — Rod Laver complète son deuxième «grand chelem» du tennis, à Forest Hills.

1968 — Les premiers réfugiés tchécoslovaques ayant fui devant l'invasion soviétique arrivent au Canada grâce à un programme fédéral qui permet la venue d'environ 10 000 d'entre eux.

1966 — Réélection du Parti libéral de Joey Smallwood avec une forte majorité lors des élections générales de Terre-Neuve.

1961 — Début d'une conférence où l'Université de Montréal est l'hôte des universités de langue française du monde entier, faisant ainsi oeuvre de pionnier.

1957 — L'Américain Bob Schroeder gagne la course de 100 milles pour hydroplanes, à Pont-Viau.

1955 — Le Conseil de sécurité des Nations unies approuve un plan destiné à mettre fin aux incidents entre l'Égypte et Israël, à la frontière du territoire de Gaza. Le plan est l'oeuvre du général E. L. M. Burns du Canada, chef de la commission d'armistice dans ce territoire.

1951 — Quarante-neuf pays occidentaux réunis à San Francisco signent le traité de paix avec le Japon.

1949 — Richard Strauss, célèbre compositeur âgé de 85 ans, auteur des opéras *Le chevalier à la rose* et *Salomé*, meurt à Garmisch-Partenkirchen.

1947 — À Paris, les autorités mettent à jour un complot de la bande *Stern* qui voulait bombarder Londres du haut des airs.

1946 — Le peuple bulgare se prononce par plébiscite en faveur de la république. Le jeune roi de 9 ans, Siméon II, prend le chemin de l'exil.

DÉFICIT DE LA PROVINCE: $6.8 MILLIONS

Les revenus ont diminué en deux ans de $10,500,000. — Services publics maintenus malgré la crise.

(Du correspondant de la «Presse»)

QUÉBEC — Dans une déclaration faite aux journalistes, tard hier après-midi **(8 septembre 1933)**, le trésorier de la province, l'hon. R.F. Stockwell, a déclaré que le bilan des opérations financières de la province pour l'exercice fiscal terminé le 30 juin dernier se clôt par un déficit de $6,840,907.96. Les chiffres détaillés seront publiés dans la prochaine édition de la «Gazette officielle» du Québec.

«Le déficit, a dit le trésorier, est directement attribuable aux temps extraordinaires par lesquels nous passons. La crise a exigé des gouvernements des efforts sans pareils et elle a considérablement affecté les revenus.

«Au cours de l'année qui vient de s'écouler, il y a eu une grosse diminution dans les revenus tels que prévus pour la période de douze mois qui s'est terminée le 30 juin dernier. Cette diminution, en chiffres ronds, est d'environ $6,000,000. Cette somme est formée presque entièrement de la diminution des recettes de la Commission des liqueurs du Québec ($2,700,000); du département des terres et forêts ($1,500,000); des droits sur les successions ($900,000); de la vente de la gazoline (environ $400,000); et de la vente des permis et licences ($650,000). Si l'on poussait encore plus loin la comparaison et que l'on remontât d'une année en arrière, on verrait que, depuis cette époque, la baisse nette dans les recettes a été de $10,500,000.

Les dépenses ont beaucoup augmenté

«En plus de ces diminutions de revenus, on a demandé au trésor des sommes qui n'avaient pas été prévues dans le vote des estimés de la Chambre, pour rencontrer des dépenses comme celles des boni aux colons, le défrichement des terres, le drainage du sol, la fourniture des graines de semences aux colons, sans compter les autres octrois pour l'avancement de l'agriculture, l'aide à nos asiles provinciaux et plusieurs autres oeuvres gouvernementales que l'on ne pouvait abandonner à cause des besoins particuliers de la dépression.

«Les dépenses faites ont largement été distribuées dans une grande variété de services gouvernementaux: pour la conservation de nos ressources naturelles, pour l'éducation de nos enfants et de la jeunesse, pour la protection et la santé de notre peuple. Un programme considérable de travaux publics a été entrepris tout particulièrement pour donner du travail aux chômeurs. En un mot, tous les facteurs dont nous venons de parler, mis ensemble, prouvent que beaucoup de travail a été fait qui a été payé à cent pour cent à même les fonds provinciaux, parce qu'ils étaient entrepris en marge des autres oeuvres auxquelles le gouvernement fédéral contribue dans le but de secourir les sans-travail. (...)

Premiers «amateurs» à recevoir une «bourse d'études»

OTTAWA — Les athlètes plus musclés que doués pour le calcul sont maintenant assurés de pouvoir concilier les études et le sport. Le ministre John Munro a dévoilé hier **(8 septembre 1970)** à Ottawa, le nom des 37 athlètes qui se sont vus attribuer une bourse d'études de l'ordre de $2,000.

Quatre Québécois sont au nombre des premiers élus. Il s'agit de Toomas Arusoo et de Peter Cross, dans le domaine de la natation, et de Bruce Simpson, en athlétisme. George Athans est le seul à recevoir cette bourse dans le sport du ski nautique.

Les 37 athlètes bénéficieront donc d'un appui financier destiné à les encourager, au moment où les besoins deviennent souvent une des raisons de leur renoncement aux épreuves et compétitions internationales. (...)

Au moment où le destin et l'avenir des athlètes se joue, le ministre devait déclarer que les athlètes appelés à recevoir une telle bourse ne devaient pas se limiter à un nombre de 37, mais que de nouveaux noms seraient dévoilés, dans un avenir proche.

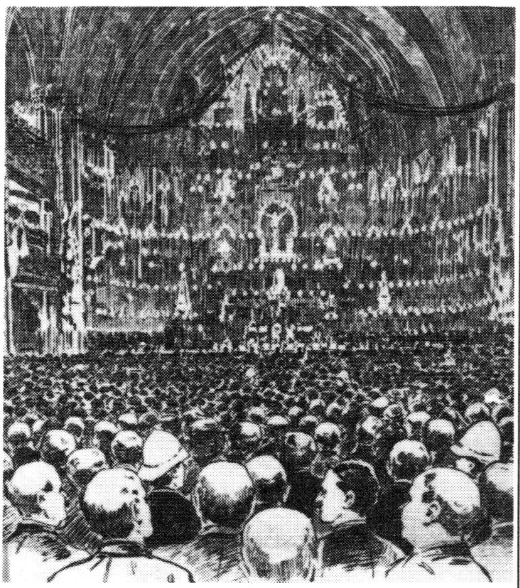

L'église Notre-Dame servit de cadre, le *8 septembre 1910*, à une messe de minuit incomparable proposée aux catholiques à l'intérieur du programme des activités du Congrès eucharistique. Selon LA PRESSE de l'époque, plus de 15 000 fidèles s'étaient entassés dans le sanctuaire, «illuminé de mille feux et couverts de fleurs naturelles tombant en guirlandes».

En shorts, quelle horreur!

La victoire triomphale, en shorts de course, de Hassiba Boulmerka au 1500 m féminin des Championnats du monde d'athlétisme de Tokyo passe mal dans les milieux traditionnalistes et intégristes algériens, partisans du « hijab » (foulard qui recouvre la tête et le cou) pour les femmes.

L'Imam de la mosquée intégriste du quartier de Kouba, près d'Alger, a stigmatisé cette tenue « scandaleuse » (**le 8 septembre 1991**) et « indigne d'une femme musulmane ». À la tournée d'honneur des champions du monde à travers les artères d'Alger à leur retour de Tokyo, il a opposé... l'absence de manifestations islamistes, interdites depuis l'instauration de l'état de siège le 5 juin dernier.

Le cargo de la honte

Le capitaine du « cargo de la honte », accusé d'avoir, dans une région de l'océan Indien infestée de requins, fait jeter par dessus bord 11 passagers clandestins africains au mois de mars 1984, assume désormais seul la responsabilité de ce crime collectif, devant la cour d'assises du Pirée (port d'Athènes). (**Texte publié le 8 septembre 1985.**)

Des dizaines de milliers de gens accueillent le pape

« Salut à vous, gens du Québec »

C'est par une affirmation de son identité particulière que l'Église canadienne a accueilli aujourd'hui (**le 9 septembre 1984**) le pape Jean-Paul II à la première journée de sa visite au Canada.

Malgré la volonté maintes fois exprimée par le pape de maintenir les femmes à l'écart du sanctuaire, le chef de l'Église catholique a été témoin du rôle actif joué par plusieurs femmes au cours du grand rassemblement eucharistique qui a eu lieu sur les terrains de l'Université Laval de Québec.

Un bon nombre de femmes ont en effet distribué la communion au cours de cette messe. D'autres, que l'on a pu voir tout près du pape sur le podium où avait été érigé l'autel, ont fait la lecture de quelques textes liturgiques et apporté des offrandes du sacrifice.

La journée semble par ailleurs avoir donné le ton de toute la visite papale. On a noté, par exemple, que dès son premier message adressé aux Canadiens alors qu'il survolait la région de Gaspé, ce matin, Jean-Paul II a salué les autochtones du Canada, formulant à leur intention un voeu particulier : « Puissiez-vous vivre toujours dans la pleine reconnaissance de votre dignité et de vos droits ».

Questions à poser, questions à entendre

À sa descente d'avion, à Sainte-Foy, Jean-Paul II a dit aux Canadiens : « J'ai des questions à vous poser et j'aimerais aussi entendre les vôtres ». Saluant les Canadiens de toutes les cultures, il a donné une idée du message qu'il vient li-vrer : « Je veux, a-t-il dit, vous parler des problèmes de ce temps, concernant la culture, la communauté, la technologie, la famille, le partage, la justice ».

Par ces propos, l'illustre visiteur a semblé laisser entendre qu'il ne va pas seulement faire des discours, mais qu'il veut également écouter : « Ma parole ne prétend pas apporter une réponse à toutes les questions, ni se substituer à votre recherche », a-t-il ajouté.

Il a aussi souligné le caractère culturel et traditionnel du Québec. Accueilli par le gouverneur général du Canada, Mme Jeanne Sauvé, le premier ministre John Turner et le chef du gouvernement québécois, René Lévesque, ainsi que par de nombreux dignitaires civils et religieux, Sa Sainteté a souligné sa joie de faire une première escale dans ce coin de pays où la nation canadienne et la foi catholique ont pris naissance il y a 450 ans.

« Salut à toi, Québec, première Église d'Amérique »

« Dans cet immense pays du Canada, a souligné le Saint Père, c'est d'abord à Québec que je commence mon pèlerinage, et j'en suis très heureux. Salut à toi, Québec, première Église en Amérique du Nord, premier témoin de la foi, toi qui as planté la croix au carrefour de ses routes et qui as fait rayonner l'Évangile sur cette terre bénie ».

« Salut à vous, gens du Québec, dont les traditions, la langue et la culture confèrent à votre société un visage si particulier en Amérique du Nord », a-t-il lancé à son auditoire.

Peu avant qu'il ne rentre à l'archevêché de Québec pour y passer la soirée et la nuit (il était déjà tard dans la nuit romaine), les fidèles du campus de l'Université Laval le lui ont bien rendu, chantant dans une joie délirante l'hymne de Vigneault : « Mon cher Saint-Père (certains disaient plutôt mon cher Jean-Paul) c'est votre tour de vous laisser parler d'amour ».

Tout au long de ses déplacements à bord de la papamobile et partout où il s'est arrêté, des dizaines de milliers de fidèles et de curieux ont fait joyeusement le pied de grue pour lui réserver des ovations délirantes. L'émotion était visible chez les gens de tous âges. Beaucoup étaient émus jusqu'aux larmes.

Le pape a quitté l'aéroport en limousine pour prendre son premier bain de foule avec quelque 250 jeunes confirmés des différents diocèses de la région. Il s'est ensuite rendu à la basilique cathédrale de Québec où il a rendu hommage à l'Église du Québec. Il a rappelé plusieurs des grands noms de l'histoire religieuse canadienne, dont celui de Mgr de Laval, et a invité les croyants d'ici à continuer l'oeuvre entreprise par leurs prédécesseurs.

Le premier grand «discours» du pape a été l'homélie qu'il a donnée lors de la messe pontificale qui s'est déroulée sur les terrains de l'Université Laval, devant une foule de quelque 275 000 personnes, foule plus nombreuse que ce qu'avaient prévu les organisateurs.

« N'acceptez pas le divorce entre la foi et la culture, a dit Jean-Paul II. À présent, c'est à une nouvelle démarche missionnaire que vous êtes appelés ».

Mme Sauvé

À son arrivée à l'aéroport de l'Ancienne-Lorette, le pape a eu droit, en tant que chef d'État, à une salve de 231 coups de canon. Il a été accueilli officiellement en terre canadienne par le gouverneur général, Mme Jeanne Sauvé, qui a mis l'accent sur la mission d'espérance du pape Jean-Paul II. Elle a souligné que le Canada était une terre de liberté et elle a décrit avec justesse les préoccupations du Saint-Père.

« Partout dans le monde, a-t-elle dit, règne le désarroi. Les enfants cherchent les pères et les adultes cherchent les maîtres. Ce qui, à notre sens, fait le plus défaut, c'est l'audace du prophète. Votre Sainteté ne s'étonnera pas que nous voyions en Elle ce prophète, car, plus que tous les autres chefs de notre temps, Elle a su percevoir les causes de l'angoisse universelle et proclamer qu'il ne faut pas avoir peur, qu'il faut oser ».

Le gouverneur général a ensuite demandé au pape de porter une attention particulière aux jeunes à qui il pourrait apporter « les raisons de croire et de vivre ».

Le pape est sorti du texte écrit de son discours pour dire avec chaleur à Mme Sauvé : « Laissez-moi, Madame, souligner la délicatesse et la hauteur de votre discours et laissez-moi vous féliciter pour la juste appréciation de ma mission dans le monde ».

« J'ai des questions à vous poser et j'aimerais aussi entendre les vôtres », a dit le pape hier, à son arrivée à Québec.

Aucune des 21 personnes qui se trouvaient à bord du DC-3 de Canadian Pacific Airlines n'a survécu à l'écrasement de Sault-au-Cochon.

UN AVION S'ÉCRASE À SAULT-AU-COCHON

Le bureau des Canadian Pacific Airlines à Montréal annonce qu'un avion DC-3 de la compagnie s'est écrasé à 40 milles de Québec, près de Sault-au-Cochon. L'avion portait trois hommes d'équipage et une hôtesse, 17 voyageurs. Aucun n'a survécu à l'accident, d'après les dernières dépêches.

L'avion était en service régulier. Il avait quitté Montréal à 8 h, ce matin; après l'escale prévue à Québec il était reparti pour Baie-Comeau. Les représentants de la compagnie supposent que l'accident est arrivé vers 10h45 ce main, heure normale de l'est.

L'un d'eux ajoute : « On a retrouvé les débris de l'avion et commencé les opérations de sauvetage. Mais à notre connaissance, aucun occupant de l'avion n'a survécu à l'accident ». (**Texte publié le 9 septembre 1949.**)

Les poissons disparaissent

Depuis les années 60, le milieu estuarien du fleuve Saint-Laurent a été fortement agressé par les éléments toxiques, de telle sorte que sur 20 espèces de poissons capturés à cette époque, une quinzaine d'entre elles ont depuis disparu à la hauteur de Québec.

Parmi ces 15 espèces, dont neuf sont commerciales, on a retenu entre autres le bar d'Amérique (à la hauteur de Montmagny), le doré, le brochet, l'éperlan et la truite de mer. (**Texte publié le 9 septembre 1986.**)

Une bonne année pour le vin québécois

Les viticulteurs du Québec ont le vin gai. Cet été, avec ses mois chauds, ensoleillés et secs, a été « plus qu'exceptionnel » et on jure que la qualité du vin nouveau sera tout autant « exceptionnelle ».

« Il a plu juste aux moments où il fallait », lance avec un brin d'humour Victor Dietrich, producteur de vin à Iberville, en versant un verre de la dive bouteille à ses interlocuteurs.

« Nous allons réussir à produire un vin beaucoup plus fruité, avec plus de finesse », poursuit-il, satisfait.

« En fait, nous allons obtenir la meilleure récolte depuis que nous faisons du vin », s'exclame Charles-Henri De Coussergues, propriétaire du plus important vignoble au Québec, L'Orpailleur, situé à Dunham, à la limite de la Montérégie et de l'Estrie.

À peine 16 producteurs pratiquent la vinification au Québec. Parce que le climat y est plus doux, la plupart sont installés dans le sud de la province, tout près du 45e parallèle, le même que dans la région de Bordeaux, en France.

Il y a 10 ans, tout le monde se moquait de ces « pionniers » qui avaient eu l'idée saugrenue de fabriquer du vin typiquement québécois. « On nous disait que nous n'y arriverions jamais », se souvient M. Dietrich, qui parle avec un léger accent alsacien.

L'an dernier, les vignerons ont rempli plus de 200 000 bouteilles de cette « huile de septembre » et presque toutes ont été vendues depuis.

Le principal obstacle qu'ont à franchir les vignerons québécois est le temps. Les vignes ont généralement besoin d'un cycle végétatif de six mois. Au Québec, on le sait, les étés durent trois mois, parfois quatre ; alors, les producteurs utilisent des types de raisins qui poussent en moins de temps.

Cette année, ces raisins sont particulièrement savoureux, sucrés, juteux, sans maladies, et ce, à cause du temps sec et chaud. « Ils sont plus petits et plus concentrés. Nous y perdons peut-être un peu en quantité mais nous y gagnons beaucoup en qualité », analyse M. De Coussergues. Le vigneron précise qu'il a obtenu une deuxième floraison en juillet et qu'il pourra sans doute, avec un début d'automne généreux, effectuer une deuxième récolte en octobre. (**Texte publié le 9 septembre 1991.**)

Le coeur de la femme serait plus vulnérable

Le coeur de la femme serait deux fois plus vulnérable que celui de l'homme à la surconsommation d'alcool, indique une nouvelle étude américaine.

La femme aura beau boire 60 pour cent d'alcool de moins que l'homme, son muscle cardiaque subira les mêmes dommages, appelés cardiomyopathie, une maladie dont on ne dispose pas encore de traitement efficace.

Les auteurs de l'étude ont suivi 50 femmes et 100 hommes qui consommaient au moins dix verres d'alcool par jour. La quantité de sang par battement que le coeur propulse dans le corps a été mesurée. Le taux, entre 60 et 70 pour cent chez des personnes en bonne santé, a diminué jusqu'à moins de 30 % cent chez les femmes observées, alors qu'il n'est jamais descendu au dessous de 48 % cent chez les hommes.

Selon, une femme qui consomme quatre verres d'alcool par jour pourrait souffrir de cardiomyopathie en à peine dix ans. (**Texte publié le 9 septembre 1995.**)

110 millions contre l'analphabétisme

Le premier ministre du Canada, Brian Mulroney, a annoncé la création d'un programme de 110 millions qui servira à lutter contre l'analphabétisme au cours des cinq prochaines années.

Ce programme fédéral, a indiqué M. Mulroney, servira à financer des interventions bénévoles locales, à supporter des programmes conjoints de lutte à l'ignorance conclus entre Ottawa et les provinces, et à maintenir un secrétariat national pour l'alphabétisation mis en place l'an dernier. (**Texte publié le 9 septembre 1988.**)

C'EST ARRIVÉ UN 10 SEPTEMBRE

1988 — Le cauchemar est fini. Dix-huit jours après avoir été chassés de leurs maisons en pleine nuit à la suite d'un incendie de produits contaminés aux BPC, les 3000 sinistrés de Saint-Basile, de Saint-Bruno et de Sainte-Julie peuvent enfin entrer chez eux.

1980 - Le premier ministre Trudeau est contré par les provinces dans ses efforts pour enchâsser une charte des droits dans la nouvelle constitution.

1978 - L'insurrection contre le régime Somoza se généralise au Nicaragua, et les sandinistes s'emparent de Leon.

1967 - Les habitants choisissent à 99 p. cent de maintenir les liens unissant Gibraltar à la Grande-Bretagne.

1965 - C'est maintenant officiel: l'équipe Marchand-Pelletier-Trudeau adhère au Parti libéral du Canada.

1962 - Ottawa accorde son appui à la candidature de Montréal pour l'Exposition universelle de 1967. — Rod Laver réussit le «grand chelem» du tennis en gagnant le tournoi de Forest Hills. — À la Conférence du Commonwealth, le Canada et la Nouvelle-Zélande s'opposent à l'entrée de la Grande-Bratagne au sein de la Communauté économique européenne.

1955 - Wang Ping-nan, ambassadeur de la Chine communiste en Pologne, déclare à Genève que la Chine libérera les 41 détenus américains. De leur côté, les États-Unis laisseront les citoyens chinois des États-Unis retourner en Chine s'ils le désirent.

1949 - Le R. P. Léon Merklen, rédacteur en chef du quotidien catholique parisien *La Croix*, meurt subitement à 74 ans.

1948 - Nomination de Louis S. Saint-Laurent au poste de ministre de la Justice, et de son collaborateur, Lester B. Pearson, au ministère des Affaires extérieures.

1947 - La France propose l'autonomie à l'Indochine, avec droit d'y maintenir des bases militaires.

1924 - Deux adolescents doivent à leur jeune âge le fait qu'ils aient évité la potence alors qu'un juge de Chicago les condamne à l'emprisonnement à vie pour l'enlèvement et le meurtre de Robert Franks, âgé de 14 ans.

1915 - Décès à l'âge de 93 ans de sir Charles-Eugène Boucher de Boucherville, ex-premier ministre de la province de Québec, et dernier survivant des détenteurs d'un double mandat (sénateur à Ottawa et conseiller législatif à Québec).

Le Canada est entré librement en guerre

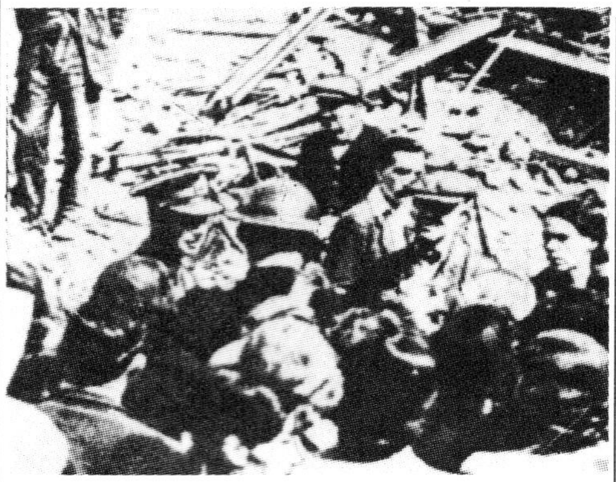

Le Palais de Buckingham était la cible d'une bombe à retardement allemande, le *10 septembre 1940*. En explosant, la bombe n'a heureusement fait que peu de dégâts. L'occupant du palais, le roi George VI s'était rendu la veille sur les lieux d'une zone de Londres plus particulièrement atteinte par les bombes allemandes, afin de remonter le moral des Londoniens.

Décision presque unanime du Parlement. — Présentation du budget de guerre.

(Du correspondant de la PRESSE)

OTTAWA — La proclamation déclarant officiellement que l'état de guerre existe entre le Canada et l'Allemagne a été émise, hier après-midi **(10 septembre 1939)**. Cette décision fut prise avec le consentement presque unanime du Parlement. C'est la première fois dans l'histoire qu'un Dominion du Commonwealth britannique, par sa propre volonté, exerce ce pouvoir souverain, pouvoir le plus important qui puisse exister chez une nation.

En 1914, le gouvernement du Canada n'avait pas publié la proclamation de guerre de l'Angleterre. Seulement une demi-journée, treize heures après l'approbation du Parlement, le Canada mettait toutes ses ressources au service des Alliés, pour la deuxième fois en un quart de siècle. La proclamation royale a été émise par Son Exc. lord Tweedsmuir, gouverneur général du Canada, sur l'autorisation de Sa Majesté le roi George VI à titre de roi du Canada.

Le Parlement devra maintenant étudier le budget de guerre. C'est ce qui sera fait aujourd'hui. (...) A cause des dépenses de guerre considérables que le Canada devra faire, le budget de guerre (...) contiendra des impôts plus lourds que ceux qui existent actuellement. On croit que le gouvernement demandera de voter $100,000,000. (...)

Voici le texte de cette proclamation:

TWEEDSMUIR (L.S.), Canada

GEORGE VI, par la Grâce de Dieu, Roi de Grande-Bretagne, d'Irlande et des Territoires britanniques au-delà des mers, Défenseur de la Foi, Empereur des Indes.

A tous ceux à qui les présentes parviendront ou qu'icelles pourront de quelque manière concerner, — Salut!

PROCLAMATION

ERNEST LAPOINTE, procureur général du Canada,

ATTENDU que par et de l'avis de Notre Conseil privé pour le Canada, Nous avons signifié Notre approbation relativement à la publication, dans la «Gazette du Canada», d'une proclamation déclarant qu'un état de guerre avec le Reich allemand existe et a existé dans Notre Dominion du Canada à compter du dixième jour de septembre 1939;

A ces causes, Nous déclarons et proclamons par les présentes qu'un état de guerre avec le Reich allemand existe et a existé dans notre Dominion du Canada à compter du dixième jour de septembre 1939.

De ce qui précède, Nos féaux sujets et tous ceux que les présentes peuvent concerner sont par les présentes requis de prendre connaissance et d'agir en conséquence.

En foi de quoi, Nous avons fait émettre Nos présentes Lettres Patentes et à icelles fait apposer le Grand Sceau du Canada. Témoin: Notre très fidèle et bien-aimé John, Baron Tweedsmuir d'Elsfield, membre de Notre très honorable Conseil privé, Chevalier grand-croix de Notre Ordre très distingué de Saint-Michel et de Saint-Georges, Chevalier grand-croix de Notre Ordre royal de Victoria, membre de Notre Ordre des Compagnons d'honneur, Gouverneur général et Commandant en chef de Notre Dominion du Canada.

En Notre Hôtel du Gouvernement, en Notre cité d'Ottawa, ce dixième jour de septembre en l'an de grâce mil neuf cent trente-neuf, et le troisième de notre Règne.

Par ordre,

W.L. MACKENZIE KING,
Premier ministre du Canada.

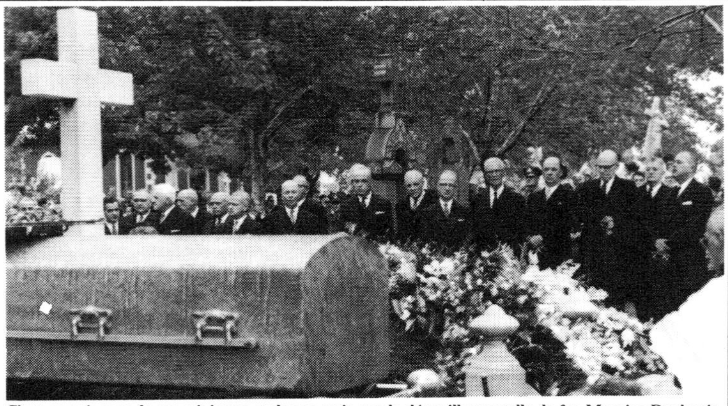

C'est en présence de ses ministres et de ses amis que la dépouille mortelle de feu Maurice Duplessis était portée en terre, le *10 septembre 1959*, à Trois-Rivières, la ville qu'il avait si fièrement défendue à l'Assemblée législative, d'abord comme député, et ensuite comme premier ministre, de 1936 à 1940, puis de 1944 à sa mort.

Moment historique devant moins de 100 personnes

Paul Sauvé forme son cabinet

QUÉBEC — Le parlement provincial, où défilaient mardi des milliers et des milliers de personnes devant la tombe d'un grand disparu, était relativement vide hier soir **(10 septembre 1959)**, quand moins d'une centaine d'hommes, dont 70 représentants du peuple, ont choisi le nouveau premier ministre de la province de Québec, *M. Paul Sauvé, député de Deux-Montagnes, et ministre de la Jeunesse et du Bien-Être social.*

Cette fois, le grand public était représenté par les journalistes, ceux de la presse, de la télévision et de la radio, et par quelques hommes attachés à la personne de tel ou tel ministre.

Les circonstances expliquent ce contraste (*M. Duplessis ayant été porté en terre le matin même*). Tous les ministériels sont évidemment dans le deuil, et la décision qu'ils avaient à prendre, si importante qu'elle fût pour toute la province, ne pouvait être prise que par eux et le plus rapidement possible.

On sait déjà que M. Duplessis, qui n'était parti que pour quelques jours et ne devait pas sortir de la province, n'avait pas désigné de premier ministre suppléant, contrairement à ce qu'il faisait ordinairement lorsqu'il s'absentait pour se rendre à l'extérieur, ne fût-ce que le même temps.

Le cabinet ne pouvait donc se réunir régulièrement et prendre des décisions officielles, bien que les ministres aient apparemment eu le droit de prendre, chacun dans leur département, des décisions administratives courantes.

Leur réunion d'hier soir, dans la salle du conseil exécutif, n'était donc pas une séance du cabinet mais seulement une réunion de ministres devant un fauteuil vide, le principal, celui du premier ministre défunt.

C'est même la raison que le ministre de la Colonisation, l'hon. M. Bégin, a mentionné après consultation avec ses collègues pour ne pas admettre un photographe qui aurait aimé enregistrer cette «photo-souvenir».

Réponse semblable de M. Maurice Bellemarre, whip en chef du parti ministériel à un journaliste qui demandait l'admission de son photographe dans la salle du caucus où les députés attendaient les ministres: «La photo serait peut-être historique, mais notre deuil est trop récent...» (...)

Manifestation de la LIS à Saint-Léonard

LA loi de l'émeute a été décrétée hier soir **(10 septembre 1969)** à Saint-Léonard, alors que la manifestation de quelque 2,500 supporteurs de la Ligue pour l'intégration scolaire se déroulait dans un climat de violence dont l'intensité allait sans cesse grandissante.

La violence avait atteint son paroxysme quand, à 9 h. 04 exactement, le maire de Saint-Léonard, M. Léo Ouellet, s'est avancé dans la rue, à l'intersection des rues Lacordaire et Jean-Talon, pour lire la formule décrétant la mise en vigueur de la loi de l'émeute.

Au moment où le maire Ouellet invitait toutes les personnes présentes à se disperser et à rentrer chez elles, sous peine d'être appréhendées et incarcérées, les troubles persistaient toujours face à l'école Jérôme-Le-Royer, située 800 pieds à l'ouest de l'endroit où il se trouvait.

Le bilan

Cette manifestation, qui a nécessité le déplacement de quelque 500 policiers, dont 300 de la Sûreté du Quebec venant de tous les coins de la province, s'est soldée par des dégâts de plusieurs dizaines de milliers de dollars, alors que des dizaines de vitrines d'établissements commerciaux ont été fracassées.

Dix-huit personnes ont été blessées au cours d'affrontements entre le groupe des manifestants et des groupes de contre-manifestants, la plupart des Néo-Canadiens d'origine italienne.

Du nombre des blessés, on compte 15 Canadiens français et trois membres de la communauté italienne de Saint-Léonard. Treize ont été transportés à l'hôpital Santa-Cabrini alors que les cinq autres étaient dirigés vers l'hôpital Maisonneuve. Une seule des victimes demeurait toutefois hospitalisée ce matin, les autres ayant pu regagner leur domicile après avoir été traitées.

Les policiers de Saint-Léonard et de la SQ ont procédé à une quarantaine d'arrestations. (...)

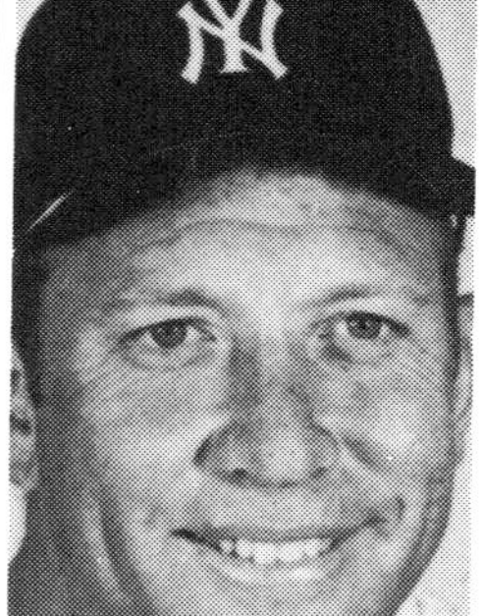

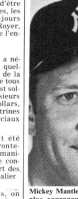

Mickey Mantle, un des joueurs les plus courageux de l'histoire du baseball, claquait le 400e circuit de son illustre carrière le *10 septembre 1962* contre le gaucher Hank Aguirre, des Tigers de Detroit.

LA MESSE AU PARC MANCE

La messe en plein air a revêtu un caractère d'imposante grandeur

LA procession aura été le plus beau spectacle des cérémonies extérieures du Congrès eucharistique, mais immédiatement après, sinon sur le même rang, il faut placer la messe à l'endroit historique surnommé le parc Mance.

Les mots ordinaires ne peuvent donner une idée quelconque de ce qu'était cette démonstration grandiose. Quand il s'agit de raconter un tel spectacle, à moins d'avoir à son service toutes les ressources des grands génies littéraires, on se sent dépassé.

Tant de souvenirs revivaient à cette messe: c'était même tout ce qui lui prêtait un caractère spécial, car rien, sauf les événements mémorables qu'elle rappelait, ne la distinguait des services ordinaires.

Cependant, il y avait le reposoir, superbe sur ses colonnes élancées, toutes drapées d'écarlate et d'or au faîte. Reste encore la décoration florale, la foule des soixante évêques et des deux milles prêtres, l'assistance quasi innombrable, et la maitrise puissante; mais impossible de découvrir à part ces quelques traits de quoi prêter à cette cérémonie une physionomie particulière; c'était encore une fois la fête du souvenir.

Le père Hage l'avait bien compris; car dans son sermon, il rappela les événements mémorables dont le parc avait été le théâtre, et surtout cette première messe du 18 septembre 1642, où le père Vimont prédisait, dans son sermon, le brillant avenir de ce qui commençait d'être Ville-Marie. L'eucharistie était là pour veiller sur la destinée de la patrie canadienne et la conduire à son glorieux avenir.

Mgr O'Connell, archevêque de Boston, fit également un sermon sur l'eucharistie très goûté de ceux qui entendaient l'anglais.

Mgr Farley, archevêque de New York, célébrait l'office divin, et le cardinal légat arriva de Saint-Patrice à temps pour donner à la multitude la bénédiction papale. Rien de plus beau ni de plus éloquent que cette foule de chrétiens de tout âge et de toutes classes s'agenouillant au pied de la magnifique murale du Mont-Royal. (...)

Cela se passait le 10 septembre 1910.

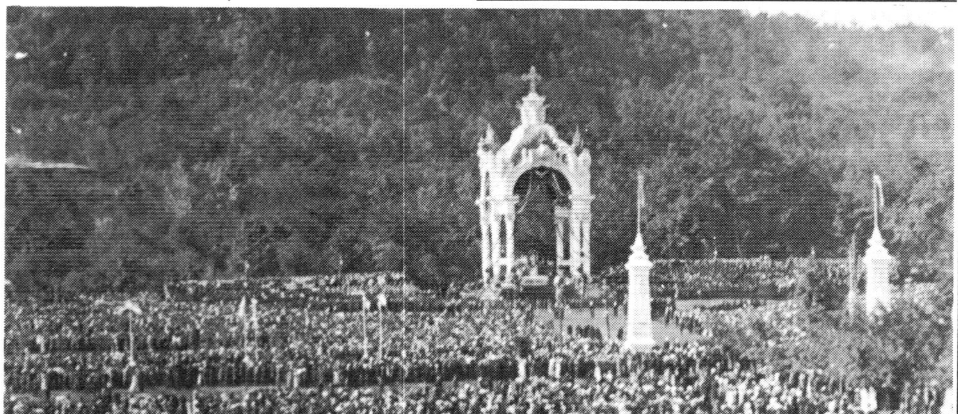

Cette photo d'époque présente l'immense reposoir construit dans la parc Jeanne-Mance, au pied du Mont-Royal, entouré s'une foule énorme venue assister aux cérémonies religieuses présentées dans le cadre du Congrès eucharistique de 1910. C'est à une scène de ce genre qu'on assistera demain, au parc Jarry, lors de la messe célébrée par le pape Jean-Paul II.

Clinton se confesse

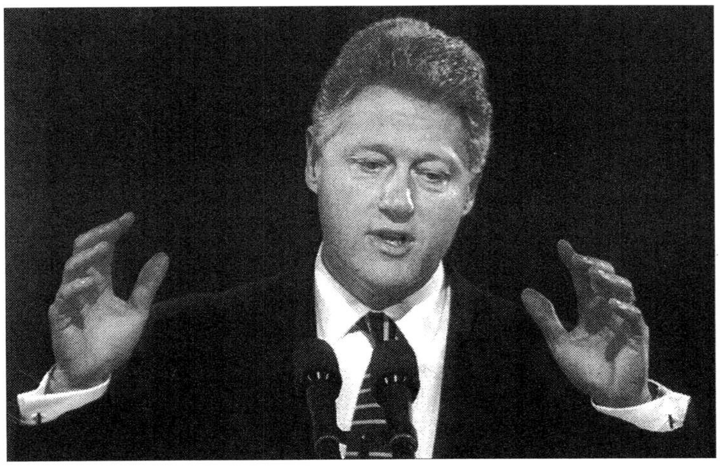

Pour la première fois, Bill Clinton, au bord des larmes, a demandé pardon à Monica Lewinsky et à sa famille.

Le Congrès américain a rendu public le rapport explosif du procureur indépendant Kenneth Starr (**le 11 septembre 1998**) qui conclut que le président Bill Clinton a commis, dans le cadre de sa relation avec Monica Lewinsky, une série de onze délits « pouvant justifier sa destitution ».

Ce rapport accablant pour M. Clinton accuse notamment le président de parjure, d'entrave au fonctionnement de la justice, de subornation de témoins et d'abus de pouvoir. Il fournit des détails très crus de sa relation avec l'ancienne stagiaire de la Maison-Blanche.

En matinée, s'adressant à des personnalités religieuses, M. Clinton s'était livré à une véritable confession, la plus complète à ce jour, dans une intervention retransmise en direct par toutes les grandes chaînes de télévision.

Pour la première fois, M. Clinton, au bord des larmes, a demandé pardon à Monica Lewinsky et à sa famille. « C'est important pour moi que tous ceux que j'ai blessés et en premier lieu ma famille, mes amis, mon équipe, mon cabinet, Monica Lewinsky et sa famille, le peuple américain, sachent que le chagrin que j'éprouve est authentique », a-t-il affirmé.« Je leur ai à tous demandé pardon (...) et je me repens », a-t-il poursuivi.

Mais il a aussi affirmé qu'il avait donné instruction à ses avocats d'organiser une « vigoureuse défense », fondée sur la contrition et la contre-attaque, pour tenter de sauver sa présidence.

La sonde ICE raverse la queue d'une comète

Pour la première fois dans l'histoire de l'humanité, une sonde spatiale, lancée par les États-Unis, a traversé la queue d'une comète (**le 11 septembre 1985**). La rencontre a eu lieu à une distance de 70 millions de km. de la Terre, au moment où la sonde, appelée « International Cometary Explorer », ou ICE, a croisé la comète Giacobini-Zinner, qui achève une orbite autour du Soleil tous les six ans et demi.

La passage de la sonde à travers la queue de poussière jaune longue de 482 000 km, passage qui a duré 18 minutes, constitue donc un prélude à l'observation de la célèbre comète de Halley, qui passera en vue de la Terre en mars 1986. La sonde avait été lancée en 1978 et son « déroutement » vers la comète n'a coûté que $3 millions. L'objectif premier d'ICE, qui ressemble à un gros tambour de 500 kg hérissé d'immenses antennes, était en effet d'étudier l'interaction entre les vents solaires et le champ magnétique de la Terre. En jouant avec ses micro-propulseurs et en utilisant l'attraction lunaire, les techniciens de Goddard ont réussi à confier une nouvelle mission à la sonde.

Brevets royaux pour le café et les dentifrices

Mêmes les maisons royales ont des besoins prosaïques, et la Cour d'Angleterre compte parmi ses fournisseurs attitrés des négociants en café instantané et des fabricants de dentifrice.

« By appointment to Her Majesty Queen Elizabeth II » est la marque d'une distinction hautement convoitée par les commerçants, signifiant littéralement: « Par ordre de Sa Majesté la reine Elizabeth II », mais qui désigne les fournisseurs brevetés de la souveraine.

La tradition d'accorder des « brevets royaux » aux commerçants se perd dans la nuit des temps. Le roi Henry II avait déjà accordé en 1155 une charte royale à la Corporation des tisserands.

Henry VIII avait consenti au XVIe siècle des patentes à un homme qui était tenu d'approvisionner la Cour en « cygnes et grues ».

L'utilisation commerciale des armoiries royales n'a été vraiment pratiquée cependant qu'à partir du règne de Guillaume IV de 1830 à 1837. La reine Victoria, qui lui succéda, multiplia le nombre des autorisations royales, dont beaucoup sont toujours utilisées aujourd'hui pour fournir son arrière-petite-fille, Elizabeth II. (**Publié le 11 septembre 1984**)

Le pape électrise 65 000 jeunes

Un émouvant dialogue entre le pape et 65 000 jeunes Québécois a constitué, au Stade olympique (**le 11 septembre 1984.**), l'apothéose d'une journée au cours de laquelle plusieurs centaines de milliers de catholiques d'ici et d'ailleurs ont vibré sur le passage de Jean-Paul II.

Cette journée, qui avait plus tôt vu le pape célébrer la messe et la béatification de mère Marie Léonie devant 300 000 fidèles réunis au parc Jarry, puis se faire « assaillir » par 3000 enfants bruyants et enthousiastes à la basilique Notre-Dame, aura donc été marquée du signe de la jeunesse. Sans esquiver les questions qui lui étaient posées, le pape a prévenu les jeunes qu'il n'était pas venu pour dévoiler des secrets. « Je suis venu en témoin, a-t-il déclaré. Je suis venu vous inviter à ouvrir les yeux sur la lumière de la vie, sur le Christ Jésus. »

Il a parlé. d'amour et il a lancé: « Redressez-vous et relevez la tête, votre délivrance est proche! »

Sur leur place dans l'Église, il a dit aux jeunes de ne pas rester sur le seuil en attendant que l'Église devienne leur reflet. « L'Église, c'est vous! »

C'EST ARRIVÉ UN 11 SEPTEMBRE

1982 — L'écrasement d'un hélicoptère transportant des parachutistes fait 45 morts, au Festival aéronautique de Mannheim, en RFA. — L'équipe « pragmatique » de Deng Xiaoping s'accapare les pleins pouvoirs en République populaire de Chine.

1981 — Les pompiers de Montréal sont condamnés à verser $10 000 à une des victimes du sinistre « week-end rouge ».

1979 — Mort à Moscou d'Agostinho Neto, chef de l'État angolais et poète, des suites d'une intervention chirurgicale.

1978 — Alex Campbell, premier ministre de l'île-du-Prince-Édouard, quitte la politique active.

1975 — Démission de John Turner, ministre fédéral des Finances.

1973 — Coup d'État militaire au Chili. Le président Salvador Allende se suicide dans le palais du gouvernement. Une junte s'installe au pouvoir sous la présidence du général Pinochet.

1972 — Clôture des 20es Jeux olympiques à Munich. Les Canadiens ont remporté deux médailles d'argent et trois de bronze.

1971 — Décès de Nikita S. Khrouchtchev, ex-président du Conseil des ministres d'URSS.

1968 — Les blindés soviétiques quittent la ville de Prague. — Le premier ministre Trudeau dénonce l'action « clandestine » d'un agent français, Philippe Roussillon, prétendument en visite « officieuse », auprès des minorités francophones du Manitoba.

1965 — Paul VI publie sa troisième encyclique, *Mysterium Fidei* (Mystère de la foi).

1960 — Clôture des Jeux olympiques de Rome.

1959 — Paul Sauvé, ministre de la Jeunesse et du Bien-Être social dans le cabinet précédent, est assermenté comme premier ministre de la province, succédant à feu Maurice Duplessis. — L'Association des journaux canadiens célèbre son 100e anniversaire à Kingston, en Ontario.

1958 — Robert W. Service, le poète écossais qui chanta le Klondike, meurt à Lancieux, France, à l'âge de 84 ans.

1951 — La Californienne Florence Chadwick traverse la Manche dans le sens France-Angleterre en 16 heures et 14 minutes.

1946 — Ouverture de la réunion du Conseil de sécurité des Nations Unies, à Lake Success, dans l'État de New York.

1945 — Hideki Tojo, ex-premier ministre du Japon, tente de se suicider, alors qu'on venait l'arrêter à titre de responsable de l'attaque de Pearl Harbor.

1944 — Ouverture de la deuxième Conférence à Québec, à laquelle assistent le premier ministre Churchill et le président Roosevelt.

1930 — Première expédition de blé canadien vers le Brésil à partir du port de Montréal.

1929 — La commission royale d'enquête sur la radiodiffusion au Canada recommande la nationalisation de la radio.

1906 — Inauguration du nouveau Palais de justice de Sherbrooke.

M. Camillien Houde est exposé à l'hôtel de ville de Montréal

LA dépouille mortelle de M. Camillien Houde, figure politique de renommée internationale, maire de Montréal pendant 18 ans, qui est mort dans son sommeil hier matin **(11 septembre 1958)**, à l'âge de 69 ans, est exposée depuis ce matin en chapelle ardente dans le hall d'honneur de l'hôtel de ville où le public sera admis de 9 h. du matin jusqu'à 10 h. du soir, aujourd'hui, demain et dimanche.

Des funérailles civiques auront lieu à 10 h., lundi matin, à l'église Notre-Dame, en hommage à la mémoire de celui que des centaines de milliers de personnes, de Montréal et de lointains pays, ont longtemps appelé «Monsieur Montréal».

M. Houde a succombé à une trombose coronarienne et artérosclérotique. Selon une source on ne peut plus digne de foi, il devait visiter, hier après-midi, un cardiologue.

La veille de sa mort, soit mercredi, au cours d'une conversation téléphonique avec une personne qu'un représentant de la «Presse» a interrogée hier soir, M. Houde avait dit «se bien porter». Mercredi également, il avait rendu visite à des membres de sa famille. M. Jean-Louis Handfield, un de ses gendres, note, pour sa part, qu'il semblait «très bien». (...)

En apprenant la mort de M. Houde, S.H. le maire, l'hon. sénateur Sarto Fournier, a déclaré que si la famille du défunt y consentait, la dépouille mortelle serait exposée à l'hôtel de ville même — on l'a souvent entendu appeler l'hôtel de ville «la maison» — et que la ville lui ferait des funérailles civiques.

Un vif émoi a été causé (...) par la mort de celui qui fut maire de la métropole canadienne, chef du parti conservateur provincial, «le petit gars du comté de Ste-Marie», porte-étendard du Bloc populaire, puis candidat indépendant, député à l'Assemblée législative et aux Communes. Une figure comme on en compte peu dans une génération n'était plus. M. Houde venait de s'éteindre aussi calmement qu'il avait vécu ses quatre dernières années de retraite. (...)

UNE CATASTROPHE NATIONALE SE PRODUIT DEVANT PRES DE CENT MILLE PERSONNES

Le terrible malheur du mois d'août 1907 se répète alors que la travée centrale du fameux pont de Québec, qu'on venait d'installer, s'écroule avec fracas.

QUÉBEC — Une nouvelle catastrophe s'est produite, ce matin **(11 septembre 1916)**, au pont de Québec; à 10 heures et 30 minutes, le tablier central du pont, lourde construction métallique de 5,000 tonnes *(et longue de 640 pieds)*, que l'on avait élevé à la hauteur de 150 pieds au-dessus du niveau de l'eau, pour le souder aux deux bras «cantilever» qui surplombent le fleuve Saint-Laurent de chaque côté, s'effondrait soudainement, avec un bruit sourd de métal tordu, et disparaissait bientôt dans le gouffre de 200 pieds d'eau, au fond du lit du Saint-Laurent.

A cette vision fantastique, un immense cri de stupeur s'éleva de la poitrine des 100,000 spectateurs qui étaient venus de toutes les parties du Canada et des Etats-Unis, pour être témoins de cette gigantesque entreprise, merveille du génie civil moderne.

Le drame s'accomplit en quelques secondes, et bientôt, les spectateurs horrifiés purent voir flotter au courant, les ouvriers qui, au moment de l'effondrement, travaillaient au nombre, dit-on, de 90, sur le tablier du pont.

A ce désastre matériel vient s'ajouter des pertes de vie nombreuses qu'il est difficile d'estimer, *(l'accident fit en fait 12 morts)*, à l'heure où ces lignes sont écrites.

Le 11 septembre 1916 est donc une nouvelle date rouge dans l'histoire du pont de Québec, tout comme celle du 29 août 1907, alors que s'écroulait, pour la première fois, la gigantesque construction métallique. En cette regrettable occurence, 90 ouvriers trouvèrent une mort tragique; juste le nombre de ceux qui travaillaient sur le pont ce matin! (...)

Depuis qu'avait été fixée la date où l'on devait procéder à l'élévation et à la mise en place de la travée centrale du pont de Québec (qui forme par elle-même un pont complet), la plus grande appréhension régnait dans le public; on avait encore présent à l'esprit l'effroyable catastrophe du mois d'août 1907, et aussi les sombres prédictions de personnes plus ou moins versées dans les choses du génie civil.

En tout cela, on considérait plusieurs choses importantes: la mobilité des pontons, la grande profondeur du fleuve, la hauteur extrême des bras «cantilever» au-dessus du fleuve, et le poids formidable de la construction métallique à venir souder aux deux bras. Tout cela était des obstacles terribles à vaincre, pour le vulgaire; et si l'appréhension populaire a été aussi terriblement justifiée, il est juste aussi de dire que les ingénieurs avaient réussi à vaincre tous les obstacles, lorsque se produisit le formidable écroulement.

Cet article coiffait l'ensemble des informations offertes par LA PRESSE à ses lecteurs. L'accident fut imputé à la faiblesse de la solive servant à lever la travée centrale.

Pour ceux que la chose pourrait intéresser, précisons qu'il n'y a pas de relations entre cet accident et le premier survenu neuf ans plus tôt. En effet, en août 1907, la construction du pont décidée en 1899 était sous la responsabilité de la société Phoenix Bridge Company, de Phoenixville, Pennsylvanie. À la suite de ce premier accident, le «design» du pont subit d'importantes modifications, et sa construction fut confiée à une société canadienne, la St. Lawrence Bridge Co., société incorporée en 1910 et formée de deux entreprises canadiennes, la Dominion Bridge Co. Ltd., de Lachine, et la Canadian Bridge Co. Ltd., de Walkerville, Ontario.

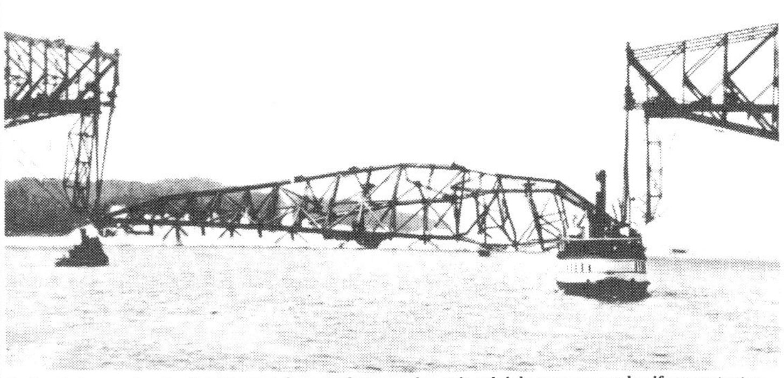

Cette photo exprime le rêve inavoué de tout photographe, soit celui de croquer sur le vif une catastrophe au moment où elle se produit: elle montre la travée centrale du pont au moment où elle frappe la surface du Saint-Laurent.

L'enquête sur la police de Montréal s'ouvre aujourd'hui

L'ENQUÊTE sur l'administration de la police municipale, dont on parle depuis longtemps, débute à 2 h. 30 cet après-midi **(11 septembre 1950)**, à la chambre 24 du vieux Palais.

La dernière procédure intentée en vue de retarder l'ouverture de cette enquête a été rejetée samedi par l'hon. juge Ernest Bertrand, de la Cour d'appel. On s'était adressé à ce tribunal pour obtenir la permission d'en appeler d'une décision du juge Tyndale, qui transmettait au juge François Caron, le juge désigné pour présider l'enquête, le soin de décider d'une tierce-opposition, représentée par deux officiers de police, mentionnés dans la demande d'enquête.

Selon la décision du juge en chef Tyndale, les deux officiers de police, le capitaine J.-N. Laporte et le lieutenant Roma Gervais, présenteront leur tierce-opposition au juge Caron, à l'ouverture du tribunal, cet après-midi.

Une motion sera également présentée par le président du comité exécutif, M. J.-O. Asselin, qui est également mentionné dans la requête. Celui-ci exige des détails sur les accusations qui le concernent. (...)

La requête pour la tenue de cette enquête a été faite par le Dr Ruben Lévesque, un conseiller municipal, et par quelques contribuables qui accusent la police, de même que des membres du comité exécutif et du conseil municipal, d'avoir toléré le jeu dans la métropole.

Mes Pacifique Plante et Jean Drapeau représentent les requérants et ils ont soumis au juge en chef O.S. Tyndale, de la Cour supérieure, une enquête volumineuse. Le travail préparatoire à la tenue d'une enquête est maintenant terminé. (...)

RUPTURE Drapeau-DesMarais

L'ÉQUIPE Drapeau-DesMarais, que l'on croyait indissoluble et qui avait manifesté à maintes reprises sa vigueur à toute épreuve, au temps tout particulièrement où l'Union nationale lui faisait ouvertement la lutte à l'hôtel de ville de Montréal, est passée hier **(12 septembre 1960)** à l'histoire, dans des circonstances tragiques. Elle aura duré six ans.

La scission en deux blocs bien distincts de conseillers élus sous l'étiquette de la Ligue d'Action civique, prévue depuis quelques jours, se préparait depuis des mois. Elle s'est produite au cours de la journée d'hier et elle a ébranlé la Ligue jusque dans ses fondements.

Et cela, à moins de six semaines d'une l'élection municipale qui aurait été relativement plus facile que la précédente pour la Ligue, son adversaire irréductible, l'Union nationale, étant affaiblie par la mort de ses deux chefs, MM. Duplessis et Sauvé, et par sa récente défaite à l'élection provinciale du 22 juin.

A voir la tournure des événements, la scission qui apparait à tous comme définitive, loin de faire disparaître la Ligue, mettra l'électorat en présence de deux ligues, respectivement dirigées par MM. Drapeau et DesMarais.

A six semaines de l'élection, la LAC se divise en deux blocs

Déclaration de rupture

Les événements se sont précipités à un rythme accéléré au cours des 24 dernières heures sur la scène municipale.

Quelques heures en effet après que M. DesMarais eût été réélu par acclamation pour un second mandat de deux ans, président de la Ligue d'Action civique, 16 conseillers municipaux élus en 1957 sous l'égide de la Ligue, et un de la classe C, ont déclaré publiquement ne reconnaître que Me Drapeau comme chef.

Treize conseillers de la Ligue et un indépendant qui a joint à toutes fins pratiques ses rangs, n'ont pas signé la déclaration de rupture.

Me Drapeau n'a toutefois fait aucun commentaire. Nous avons en vain tenté de le rejoindre. Il n'a pas non plus renié la déclaration des 17.

Les 17 conseillers qui ont reconnu Me Drapeau comme leur chef sont: MM. Lucien Saulnier, Roger Sigouin, Roland Bourret, Adrien Angers, Maurice Landes, Prosper Boulanger, Jean LaRoche, Roméo Desjardins, J.-Benoît Bourque, Jean Labelle, Omer Roy, J.-N. Drapeau, Paul-Emile Robert, Jean Guillet, Horace Montpetit et Paul-Emile Sauvageau, tous élus en 1957 sous l'étiquette de la LAC, et M. Fernand Drapeau, un des représentants du Comité des citoyens de Montréal (classe C) au conseil municipal.

Les 14 conseillers qui n'ont pas signé la rupture sont, outre naturellement M. Pierre DesMarais, MM. Ruben Lévesque, Albert Guilbault, Jean Meunier, Jacques Tozzi, Oscar Singer, Charles Mayer, Gerry Snyder, René Clouette, Camille Quintal, André Desmarais, Armand Lalonde et Jean-Paul Lemieux, tous élus en 1957 sous l'étiquette de la LAC, et Edmond Hamelin, un des conseillers du district no 10, qui a joint les rangs de la Ligue. (...)

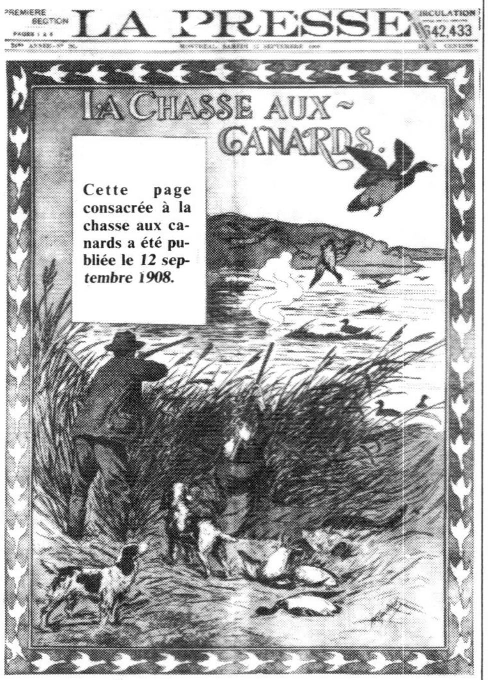

Cette page consacrée à la chasse aux canards a été publiée le *12 septembre 1908*.

C'EST ARRIVÉ UN 12 SEPTEMBRE

1983 — Brian Mulroney, le nouveau chef des Conservateurs, fait son entrée à la Chambre des communes.

1979 — La société ITT-Rayonier annonce la fermeture de son usine de Port-Cartier. — Henri Richard est intronisé au Temple de la renommée du hockey, à Toronto. — Le cyclone *Frédéric* frappe le Mississippi, l'Alabama et la Floride. On estime les dégâts à plus de $900 millions. D'après les compagnies d'assurance, c'est l'ouragan le plus dévastateur dont le pays ait été victime.

1977 — Charles Dutoit est nommé à l'Orchestre symphonique de Montréal.

1974 — L'empereur Haïlé Sélassié d'Ethiopie est déposé par les militaires après 58 ans de règne.

1970 — L'exposition d'Osaka ferme ses portes après avoir été visitée par des foules records. — Trois avions détournés par des terroristes arabes explosent dans le désert jordanien, mais sans faire de victimes.

1966 — Le gouvernement créditiste de W.A.C. Bennett est réélu en Colombie-Britannique pour un sixième mandat.

1963 — Le président Kennedy annonce un programme de bourses de $50 millions pour venir en aide à 25 000 étudiants noirs.

1961 — L'avion-fusée américain *X-15* atteint une vitesse-record de 3 645 milles à l'heure. — Une *Caravelle* d'Air France s'écrase près de Rabat, au Maroc, faisant 77 morts.

1958 — Le gouverneur Orval Faubus, de l'Arkansas, défie la Cour Suprême des États-Unis en fermant les écoles de Little Rock pour contrer l'entrée des enfants de race noire dans ces écoles.

1956 — Londres et Paris conviennent de boycotter le canal de Suez afin de forcer l'Égypte à accepter l'internationalisation du Canal, en créant une association des usagers du canal.

1951 — Dans son encyclique *Sempiternus Rex*, le pape Pie XII demande aux chrétiens de s'unir pour sauvegarder les droits divins et condamne le communisme.

1949 — La «Croix de Jérusalem», contenant une parcelle de la vraie croix, arrive à Québec, transportée par un moine belge, Dom Thomas Becquet.

1946 — Constitution d'un fond provincial de $10 millions par Québec, pour enrayer les ravages de la tuberculose.

1945 — Les Américains arrêtent l'amiral Shigetaro Shimada comme criminel de guerre. Il avait participé à l'attaque de Pearl Harbor.

1938 — Le discours de Hitler au sujet des Sudètes, à Nuremberg, est suivi d'escarmouches sur la frontière tchécoslovaque.

1933 — Décès à l'âge de 88 ans du sénateur Frédéric-Liguori Béique, président de la Banque Canadienne Nationale et de l'Université de Montréal.

1920 — Clôture des Jeux olympiques d'Anvers.

1919 — Coup d'État en Italie, le capitaine-poète Gabriel D'Annunzio s'empare de Fiume.

1915 — Ouverture officielle de la bibliothèque Saint-Sulpice, à Montréal.

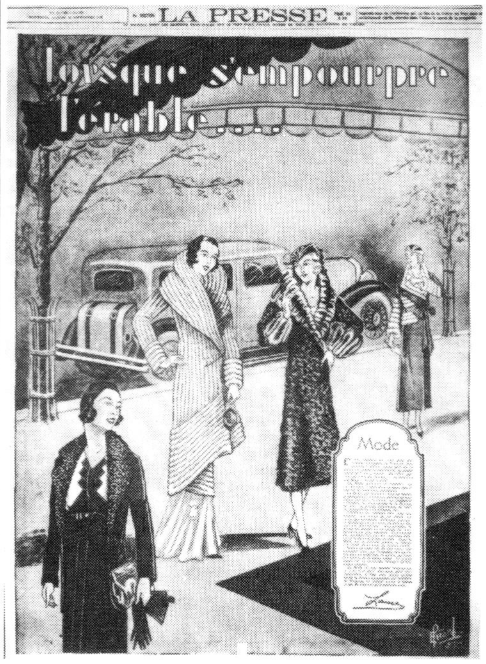

Cette page consacrée à la mode automnale a été publiée le *12 septembre 1931*.

Nette victoire du PQ

Les Québécois ont donné une victoire très nette au Parti québécois (**le 12 septembre 1994**) qui a presque atteint son record de 1981 en nombre de sièges.

Mais en termes d'appui populaire, c'est un mandat plus mitigé qu'a reçu Jacques Parizeau. Bien que la carte électorale vire au bleu aux deux tiers, un point seulement séparait libéraux et péquistes quant aux suffrages exprimés, 45 pour cent pour le PQ contre 44 pour cent au PLQ. En 1981, le PQ avait atteint son sommet historique avec 49 pour cent des suffrages, le même score atteint par le Bloc québécois aux élections fédérales de l'an dernier.

Au moment d'aller sous presse toujours, le Parti québécois était en avance dans 77 circonscriptions sur 125, une victoire devenue évidente moins d'une demi-heure après la clôture du scrutin.

Les libéraux de Daniel Johnson ont en revanche fait mieux que ne le laissaient prévoir la plupart des sondages et se trouvaient en bonne position dans 47 circonscriptions.

L'une des surprises de la soirée fut l'élection d'un premier député de l'Action démocratique du Québec; Mario Dumont, le jeune chef du parti, l'a emporté dans son comté d'origine de Rivière-du-Loup.

Six ans et demi après être revenu à la tête du Parti québécois, Jacques Parizeau devenait hier le 26e premier ministre du Québec. Pour son parti fondé il y a 26 ans, il s'agissait d'une troisième victoire, après celles de 1976 et de 1981.

Jeux Olympiques à Montréal, en 1972?

LE premier ministre Jean Lesage a déclaré, hier après-midi **(12 septembre 1960)**, à sa conférence de presse tenue dans la métropole, qu'il serait très heureux que les Jeux Olympiques de 1972 puisse se dérouler à Montréal.

M. Lesage a dit que si Montréal désire vraiment obtenir ces Jeux et entend faire des démarches pour y arriver, son gouvernement sera heureux de lui apporter sa collaboration.

Le chef du gouvernement n'a pas précisé davantage. La métropole a jusqu'à 1966 pour présenter une demande officielle au Comité international olympique.

Ce texte étonnera plusieurs des historiens intéressés par le déroulement des Jeux olympiques à Montréal. Jusqu'à présent, on était sous l'impression que les toutes premières démarches en ce sens s'étaient déroulées pendant le troisième mandat du maire Jean Drapeau. Or, force est d'admettre qu'on en parlait déjà dès 1960, alors que le sénateur Sarto Fournier siégeait à la mairie...

Le «J.E. Bernier» réussit le passage du Nord-Ouest

LE voilier J.E. Bernier II a réussi hier **(12 septembre 1977)** à compléter son périple dans le passage du Nord-Ouest, alors qu'il est arrivé à Tuktoyaktuk, dans les Territoires du Nord-Ouest, près de l'embouchure du fleuve Mackenzie.

On a appris la nouvelle grâce à un message radio capté au siège de la Canada Steamship Lines, commanditaire de l'expédition.

Le navire ainsi que son équipage comprenant Réal Bouvier, Jacques Pettigrew, Marie-Eve Thibault et Pierre Bédard, est le plus petit à réussir l'exploit uniquement à la voile.

Les quatre Québécois ont été devancés, le mois dernier, dans leur tentative de piloter le premier voilier dans le passage du Nord-Ouest alors que le capitaine hollandais Willie de Roos y est parvenu à bord d'un navire un peu plus gros.

Le premier ministre Trudeau a fait parvenir un message de félicitations à l'équipage déclarant: «A la suite de l'accomplissement d'un tel exploit, je vous adresse mes plus sincères félicitations et vous exprime mon admiration». (...)

UN STENOGRAPHE DEVIENT FOU

Il disparaît après avoir menacé de se donner la mort

UN sténographe officiel de la Cour Supérieure, M. L.-J. Collin, est disparu mystérieusement de son domicile, 355 rue des Seigneurs.

M. Collin est bien connu et très estimé au Palais de Justice. Le 12 septembre **(1903)**, paraît-il, il fut pris de folie, causée par un excès de travail. Se levant soudainement et portant la main à son front, il s'écria qu'il allait enfin se venger de ses ennemis. Il était dans une excitation fiévreuse, et en vînt à menacer de s'ôter la vie. On le conduisit avec beaucoup de peine chez lui. Il trompa la vigilance de ses gardiens, sortit dans la cour de la maison, saisissant un fer à repasser, il s'en porta trois violents coups à la tête. On le ramassa sans connaissance.

Revenu à lui, il eut un moment de lucidité, puis, tout à coup, la folie le prenant de nouveau, il partit en disant qu'il allait se jeter dans le canal, près de là.

Depuis cette heure, on ne l'a plus revu.

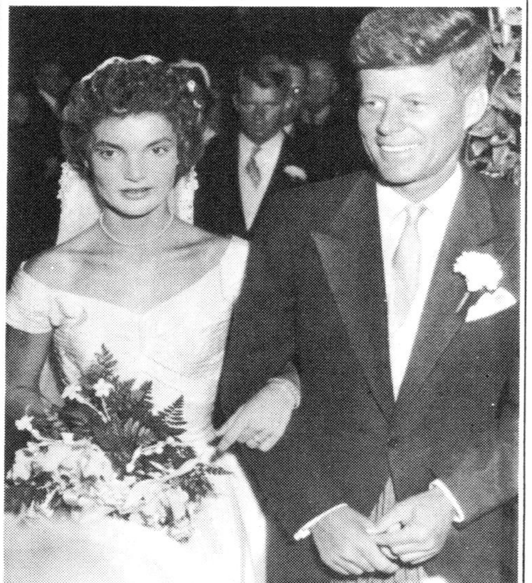

Le sénateur John F. Kennedy, futur président des États-Unis, épousait Jacqueline Lee Bouvier, le *12 septembre 1953*. Le mariage fut célébré par Mgr Richard J. Cushing, archevêque de Boston et ami du clan Kennedy, en l'église St. Mary, à Newport, dans le Rhode Island, au cours d'une cérémonie somptueuse.

Le manoir Richelieu, à La Malbaie, est détruit

L'hôtel construit il y a 80 ans et six cottages contigüs sont rasés par les flammes

(Du correspondant de la PRESSE)

QUÉBEC — Le Manoir Richelieu, de Pointe-au-Pic, l'un des hôtels les plus recherchées par les touristes qui visitent notre province, a été complètement détruit par le feu la nuit dernière, **(1928)** et il n'en reste plus que des ruines fumantes.

La nouvelle a été reçue ici, ce matin, et s'est répandue avec rapidité, non seulement dans notre ville, mais par toute la province et même à l'étranger, où ce splendide hôtel était très connu.

Fermé depuis le six septembre dernier, le Manoir avait été fréquenté, durant l'été, par des milliers d'étrangers qui y trouvaient un confort parfait et y jouissaient d'un grand luxe. C'était, en effet, l'un des plus beaux hôtels de la province.

ON DECOUVRE LES FLAMMES

Les flammes furent découvertes à 12 h. 45 ce matin, par M. John Evans, gérant de l'établissement, qui a aussitôt donné l'alarme. Une vingtaine d'employés s'étaient retirés dans leurs chambres. Ils virent le danger et eurent beaucoup de difficulté à sortir de l'édifice qui, en un clin d'oil, ne fut plus qu'un immense brasier. Les flammes en effet s'étaient propagées avec une rapidité telle qu'à leur arrivée les pompiers volontaires de La Malbaie ne purent rien faire pour empêcher la destruction complète de l'hôtel.

On s'occupa alors du sauvetage des employés qui avaient été surpris à l'intérieur par le feu et qui ne trouvaient pas d'issue favorisant leur fuite. On dut descendre plusieurs hommes au moyen d'un câble. Les employés étaient au nombre d'environ une vingtaine. Ce matin, il en manquait un à l'appel, un chauffeur d'automobile du nom de Turcot. On ignore s'il a péri dans les flammes *(ce qui ne fut heureusement pas le cas, a-t-on appris par la suite)*.

LA VILLE ENVAHIE

L'ouverture des Fêtes du Retour à Montréal est couronnée de succès.

C'EST aujourd'hui **(13 septembre 1909)** l'ouverture des fêtes du Retour à Montréal. Dès hier soir, deux milles personnes étaient arrivées. Ce matin, les trains venant de toutes les parties de l'Amérique ont apporté de nombreux groupes d'excursionnistes qui venaient ou revenaient à la Métropole canadienne.

La plupart des rues sont pavoisées. Drapeaux et banderoles flottent. Les voitures de la compagnie des tramways portent, chacune, un fanion sur lequel on voit l'écusson officiel des fêtes. Le «Back to Montreal» est partout en vue. Ce qui est curieux c'est qu'à l'hôtel Windsor, personne n'a retenu spécialement pour le temps des fêtes des appartements ou des pièces particulières. C'est la même chose dans tous les hôtels. Il est évident que les visiteurs se retirent chez des parents ou des amis.

Hier, à la cathédrale anglicane, l'évêque Farthing a prononcé un sermon remarquable sur le Retour à Montréal et a invité ses concitoyens à profiter de cette occasion des fêtes du retour pour assurer à la ville une administration civique plus honnête.

La scène était très animée ce matin, à neuf heures, aux bureaux généraux de l'organisation, rue Peel. Ce n'est pas sans un vif plaisir que les excursionnistes ont appris que deux magnifiques trophées étaient accordés par les maisons Johnson et Cochentaler, aux Montréalais qui viennent du pays le plus éloigné ou qui ont été absents de la Métropole depuis le plus longtemps. (...)

PROGRAMME DES FETES

AUJOURD'HUI

Neuf heures du matin — Réception aux quartiers généraux, à l'angle des rues Peel et Sainte-Catherine.

Après-midi — Courses à Blue Bonnets, matinées dans tous les théâtres, baseball au parc Atwater, Montréal contre Rochester. Exposition permanente au Builder's Exchange, Edifice de la Banque des Cantons de l'Est, coin McGill et Saint-Jacques.

Le soir — Réception officielle au Parc Dominion. Feu d'artifice au parc, euchre du Royal Arcanium, au Stanley Hall, à huit heures et demie. (...)

Première page de LA PRESSE entièrement consacrée aux fêtes du Retour à Montréal, et publiée deux jours avant l'événement.

Quelque 1 500 invités de marque assistèrent à l'inauguration officielle de la place Ville-Marie, entourés de «Montréalais ordinaires».

...Et la Place Ville-Marie est ouverte au public...

EN inaugurant la Place Ville-Marie, dont le nom évoque une Histoire que nous chérissons, je pense à l'Histoire que nous aurons, nous de notre génération, à écrire...

Il était 4 h. 30, hier après-midi **(13 septembre 1962)**. C'était le premier ministre de la province du Québec, M. Jean Lesage, qui parlait. Autour de lui, sur l'estrade dressée sur l'Esplanade ouest de la Place Ville-Marie, des rangées de personnalités éminentes: le cardinal Léger, le maire Drapeau, le ministre fédéral et associé de la défense, M. Pierre Sévigny, le président du Canadien National, Donald Gordon, M. Earle McLaughlin, président de la Banque Royale du Canada, M. James A. Soden, président montréalais de la Webb O Knapp (Canada) Limited, et M. William Zeckendorf, de la W & K d'origine, véritable maître-d'oeuvre de la Place Ville-Marie.

En face de l'orateur, un impressionnant parterre de 1,500 invités de marque. (...)

Depuis quatre heures — depuis midi — une rouge fanfare lançait ses airs cuivrés sur la tête de milliers de bons badauds montréalais qui (force de l'habitude...le «trou»?...) se penchaient sur l'intrigante entrée, sur l'esplanade des boutiques en sous-sol. Des drapeaux, dont un cruciforme, flottaient aux quatre mâts. Les Montréalais venaient zieuter, tâter, flairer «leur» Place.

Une «vraie» grande ville

Avoir une «Place», une «vraie» Place, — un centre, un coeur, comme New York avec son «Rockfeller Center», Venise avec sa Place Saint-Marc — c'est plus qu'un événement, c'est la consécration d'une «vraie» grande ville.

S.H. le maire Jean Drapeau, qui participa, il y a sept ans, aux pourparlers préliminaires de ce magnifique projet qui porte aujourd'hui le nom de Place Ville-Marie, a déclaré que «lorsque l'histoire de Montréal sera écrite plus tard, des dates en marqueront forcément l'essor et 1962 sera considérée comme l'une des plus importantes d'entre elles.

«Permettez-moi, en terminant, a-t-il dit, de remercier M. Zeckendorf...»

Celui-ci présidait à la cérémonie en plein air et se montrait justement fier de son oeuvre.

Lorsque M. James A. Soden, président de la filiale canadienne de «Webb & Knapp» rappela — dans un discours en français — le rôle des travailleurs montréalais canadiens-français et autres qui ont mis leur métier au service du prestigieux projet, et lui présenta, en leur nom, une clé d'or de la Place Ville-Marie, M. Zeckendorf ne put retenir ses larmes. (...)

Le 40 millionième visiteur de l'Expo

L'EXPO a accueilli hier son 40 millionième visiteur, M. Serge Amiot, du 5932, rue Viau, à Montréal.

Âgé de 25 ans, M. Amiot est dessinateur industriel. Il en était à sa huitième visite sur la Terre des hommes. Marié et père d'un bébé, une fille, qui avait exactement un mois hier, le visiteur devenu célèbre ce mercredi **13 septembre 1967**, était seul lorsqu'il a franchi, à 5 h. 33 hier après-midi, un tourniquet d'entrée à la sortie de la bouche de métro de l'île Ste-Hélène.

Invité d'abord au Salon d'honneur du pavillon d'Air Canada où il a été photographié, M. Amiot s'est ensuite rendu au pavillon de la Suisse, où on lui a remis une montre en or de fabrication suisse. (...)

Québec ferme le Stade olympique

Une poutre de 55 tonnes, pièce importante du contour du Stade olympique, s'est écroulée ce matin en causant quelque dommage mais ne faisant, heureusement, aucune victime. Le vendredi 13 septembre 1991 restera une date mémorable pour ce monument, considéré comme l'un des symboles de Montréal.

Le ministre du Tourisme, André Vallerand, a décidé de fermer le stade pendant au moins une semaine. Un spectacle de motos et quatre matchs de baseball sont annulés. Environ 500 personnes travaillant dans le bâtiment se retrouvent en congé forcé.

La poutre longue de 30 mètres et haute de deux mètres est tombée à 7h45 ce matin d'une hauteur de deux étages, défonçant le toit au niveau 300. Les vitres soutenues par la poutre ont éclaté à l'intérieur du stade.

Trois firmes d'ingénieurs qui ont participé à la construction du stade (parfois sous un autre nom, ou par le biais de filiales), soit Tecsult, SNC-Lavalin et CLA, ont envoyé des experts sur place. (Publié le **13 septembre 1991**)

Une belle solidarité

Rarement a-t-on vu un tel mouvement de solidarité pour sauver la vie d'une jeune fille, Carmen Quintana de Santiago au Chili, qui habite à plus de 8 500 kilomètres de Montréal. Pas moins de huit organismes importants d'ici ont été émus par le martyre de l'étudiante de 19 ans. Ils ont conjugué leurs efforts pour la faire venir à Montréal, plus précisément au Centre des grands brûlés de l'Hôtel-Dieu où elle aurait les meilleures chances de se remettre.

Leur appui soutenu connaîtra bientôt un premier dénouement puisqu'on attend non seulement Carmen mais toute la famille Quintana, désireuse de l'accompagner. (Texte publié le 13 septembre 1986.)

C'EST ARRIVÉ UN **13 SEPTEMBRE**

1982 — Un *DC-10* de la société Spantax s'écrase au décollage, à Malaga, en Espagne; on dénombre 77 morts et 113 blessés.
1977 — Le chef d'orchestre américain, Leopold Stokowski meurt à l'âge de 95 ans, après une carrière de 70 ans.
1973 — L'aviation israélienne abat 13 *Mig 21* au cours d'un raid au-dessus de la Syrie.
1972 — À Moscou, Henry Kissinger et les dirigeants soviétiques concluent un accord sur les dettes de guerre.
1971 — Fin de la révolte au pénitencier d'Attica, dans l'État de New York, après quatre jours de négociations. On dénombre 38 morts.
1970 — Margaret Court complète son «grand chelem» en gagnant le tournoi de tennis de Forest Hills.
1968 — Le Canada demande à la France de s'expliquer quant au rôle joué au Canada par le fonctionnaire français Philippe Rossillon. — La censure est rétablie à Prague.
1966 — Succès de l'expérience du vaisseau spatial *Gemini XI*. On procède en effet à son arrimage avec une fusée *Agena*.
1965 — Témoin à charge dans une affaire de drogues au Texas, Jean-Michel Caron désigne Lucien Rivard comme étant son chef de réseau. — Willie Mays claque la 500e circuit de sa carrière.
1963 — La soirée d'ouverture des Six-Jours cyclistes de Montréal est marquée par une double chute, au centre Paul-Sauvé.
1959 — 200e anniversaire de la bataille des Plaines d'Abraham. — Les Soviétiques parviennent à faire alunir la fusée *Lunik I* sur la Lune.
1955 — Le chancelier de la République fédérale d'Allemagne, Konrad Adenauer, termine ses entretiens avec les dirigeants soviétiques à Moscou.
1947 — On annonce que 100 000 Hindous terrifiés ont fui le Punjab où sévit le choléra.
1943 — Le général Tchiang Kaï-Chek, commandant en chef de l'armée chinoise, est nommé président de la République de Chine.
1921 — Le comédien Roscoe «Fatty» Arbuckle est accusé de l'assassinat de l'actrice Virginia Rappe, à San Francisco.
1908 — Les ouvrières sont l'objet d'une fête religieuse pour la première fois, en l'église Notre-Dame de Montréal.
1906 — Inauguration de la ligne de tramway qui relie la paroisse de la Longue-Pointe à Maisonneuve.
1906 — Inauguration de l'école de l'industrie laitière de Saint-Hyacinthe.

La finale du deuxième tournoi de la coupe Canada opposait l'Union soviétique au Canada, et les champions du monde n'ont fait qu'une bouchée de l'équipe canadienne, l'emportant par un pointage de 8 à 1, le *13 septembre 1981*. Ces deux photos illustrent l'état d'âme qui prévalait dans les deux camps à l'issue du match.

La faute de l'abbé Taillefer

Le 14 septembre 1949, la plus importante saisie de narcotiques dans l'histoire de la métropole à cette époque vient d'être opérée par la Gendarmerie royale. Deux hommes ont été arrêtés, quelque 5000 capsules d'héroïne évaluées à 80 000$ ont été confisquées...

Lors de leur arrestation, ils ont donné comme noms Joseph-Arthur Taillefer et Michel Sisco, tous deux de Montréal. La police n'a pas divulgué d'autres détails sur leur identité...

Mais, le scandale éclate au grand jour, les Montréalais apprennent avec stupéfaction qu'il est prêtre et vicaire, rien de moins, de la vénérable paroisse de Sainte-Madeleine d'Outremont! Les pires rumeurs circulent alors, une feuille de chou avance même que l'ecclésiastique cachait ses drogues dans le tabernacle et qu'il en vendait à ses pénitents avisés dans le secret du confessionnal...

Les policiers entreprennent d'introduire un agent double auprès de l'abbé. Il se nomme Frank Martin, il vit en Colombie-Britannique d'expédients divers et passe parfois à Montréal y brasser des affaires pas très catholiques. L'abbé Taillefer le convoque à une réunion où, dit-il, il va le mettre en contact avec un monsieur important, un dénommé Michel Sisco.

L'abbé et le pseudo trafiquant Martin se rendent à la cathédrale de Montréal où Sisco leur remet la clé d'un casier de la consigne automatique de la gare Winsor où il a laissé 32 onces d'héroïne. L'abbé, aussitôt que les 7200$ lui sont remis, sort remettre la somme à Sisco. Il n'a pas le temps de ce faire, les policiers qui ont suivi tout le déroulement de l'opération leur mettent la main au collet.

Joseph-Arthur Taillefer paiera cher son inconduite. Après avoir purgé sa peine, mis au ban de l'Église, il sombre dans l'alcoolisme et mène des mois durant une vie de clochard avant d'être recueilli par des jésuites qui se font fort de le remettre dans le droit chemin. (**Texte publié le 9 septembre 1991**).

Bourassa abandonne

La décision de tirer un trait sur une carrière politique de 25 années fut très difficile à prendre, mais « il est temps de penser à moi et à ma famille », a soutenu Robert Bourassa.

Et surtout, a-t-il expliqué, il faut donner suffisamment de temps au Parti libéral du Québec pour se choisir un chef qui disposera de toute la latitude nécessaire quant au moment du déclenchement des prochaines élections.

Sans un iota d'émotion dans la voix, devant tous ses députés, ses collaborateurs et son épouse, le premier ministre a expliqué sa décision de ne pas solliciter un nouveau mandat, un départ longuement réfléchi et vivement souhaité par sa famille. « Pour parler franchement, ce n'est pas une journée facile », a-t-il lancé au cours de cette conférence de presse historique, exceptionnellement tenue dans le Salon rouge de l'Assemblée nationale. (**Texte publié le 14 septembre 1993.**)

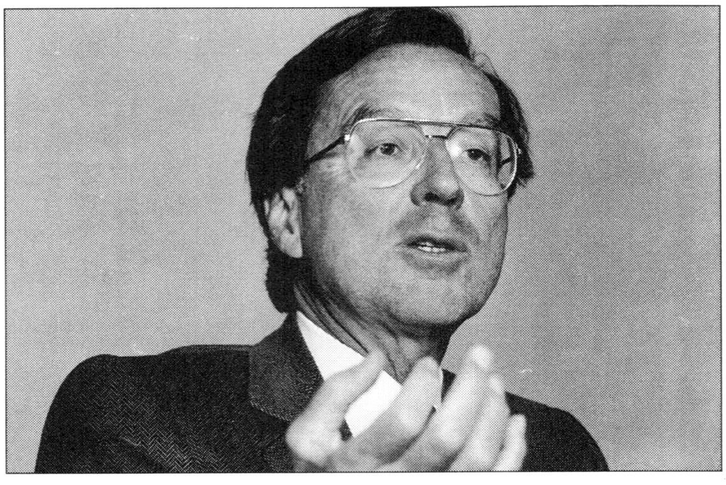

M. Robert Bourassa a annoncé sa décision — longuement réfléchie et vivement souhaitée par sa famille — d'abandonner son poste.

La cause du désastre aérien: une explosion

L'enquête sur l'accident du Sault-au-Cochon n'a révélé aucune négligence du personnel. — L'avion et l'outillage hors de cause.

NDLR — Cet accident est survenu le 9 septembre 1949. Mais le 9 tombant un dimanche cette année, il a fallu attendre à aujourd'hui avant d'évoquer ce tragique accident qui sert de toile de fond au film «Le crime d'Ovide Plouffe».

QUÉBEC (D.N.C.) — Une explosion dans le compartiment à bagages, situé entre la cabine des passagers et le poste de pilotage, a été établie comme la cause de la 3e plus grande tragédie aérienne survenue dans le Québec, par un jury de six hommes, qui rendit un verdict de «mort accidentelle due à une explosion de cause inconnue», hier après-midi (**14 septembre 1949**) à l'enquête du coroner sur la mort des 23 occupants du bimoteur DC-3 des Canadian Pacific Airlines. Il n'y eut pas de délibérations du jury qui n'a fait aucune recommandation après avoir été interrogé publiquement par le coroner, le Dr Paul-V. Marceau.

L'enquête, qui visait à trouver s'il y avait eu négligence criminelle dans cet accident d'avion survenu vendredi dernier au Sault-au-Cochon, à 40 milles à l'est de Québec, a conclu à la négative, laissant aux experts de la commission d'enquête, institué par le ministère fédéral du transport, de déterminer les causes techniques de l'explosion.

Une douzaine de témoins ont été entendus à l'enquête. C'est un ingénieur en aéronautique des CPA, M. Melville Francis, de Vancouver, qui fournit à l'enquête les plus importantes précisions sur cette explosion.

Il affirma qu'un examen des débris de l'appareil démontrait que cette explosion s'était produite dans le compartiment à bagages de l'avant de l'avion du côté gauche. Il a expliqué que l'explosion avait brisé le plancher du compartiment à bagages ainsi que les murs de l'avion, qui fut fracassé au milieu. Selon M. Francis, cet examen des débris permet d'éliminer comme cause de l'accident «presque toutes les causes» se rapportant au fonctionnement de l'avion et à son outillage. M. Francis affirme n'avoir trouvé aucune trace de feu dans les débris. Par contre, les débris de la carlingue, près du compartiment à bagages de l'avant et de l'extrémité de la cabine des passagers, ont été retrouvé à une certaine distance du reste de l'appareil.

D'après le témoignage du pilote en chef pour la division de l'est, le capitaine Marcel Boisvert, de Montréal, il fut aussi possible d'établir que M. Henri-Paul Bouchard, la 23e victime dont on n'a pas encore retrouvé le corps, occupait le siège le plus rapproché de l'endroit où s'est produite l'explosion. Cela permettrait d'expliquer que les recherches pour retrouver son corps soient restées infructueuses. (...)

Une carrière difficile où les femmes sont l'exception

Ce matin, Caroline n'est pas dans son assiette. Elle a trop fêté la veille. Et voilà qu'elle a peur d'avoir raté les photos de la conférence de presse. Photographe à la pige au Saguenay-Lac-Saint-Jean, elle travaille régulièrement pour les journaux locaux. À 23 ans, elle entreprend une carrière difficile où les femmes sont l'exception.

Il n'est évidemment pas question de faire la foire à tous les jours. « Un photographe doit être en pleine possession de ses moyens», dit-elle, anxieuse de voir le négatif de ses photographies. Pour la première fois, elle avait la tremblote en pressant le bouton de la caméra à cause d'un excès passager, la soirée précédente.

Ouf! Enfin, elle respire. Les photos sont réussies. Son patron, Réal Tremblay, prend un malin plaisir à la taquiner. Elle promet de se coucher plus tôt à l'avenir. Caroline est du genre sérieux, déterminé, qui prend à coeur son métier. Depuis qu'elle a terminé son bac en art visuel, à l'Université d'Ottawa, elle a des contrats plein les poches. (**Texte publié le 14 septembre 1985.**)

M. BARRETTE DÉMISSIONNE

QUEBEC — Une bombe politique a éclaté, hier (**14 septembre 1960**), dans le ciel orageux de l'Union nationale: M. Antonio Barrette a donné sa démission comme chef du parti et comme membre du parlement de Québec, donc aussi comme chef de l'opposition à l'Assemblée législative.

Le député de Joliette avait convoqué les journalistes pour leur communiquer une «nouvelle très importante» qu'à trois heures et demie de l'après-midi, seul, connaissait le personnel de ses bureaux du parlement.

C'est avec une émotion difficilement cachée que M. Barrette, très droit et très digne dans un complet veston-noir, a fait part de la décision aux représentants de la presse réunis dans son cabinet de travail.

La cause: MM. Martineau, Bégin et Jean Barrette

Le geste du chef de l'Union nationale fait suite à un désaccord très profond qui divise le parti en deux factions depuis quelques mois et qui n'a cessé de s'intensifier après la défaite du 22 juin dernier.

Le député de Joliette a mentionné les noms des trois personnes qui lui ont fait la guerre au sein de l'Union nationale, MM. Gérald Martineau, Joseph-Damase Bégin, Jean Barrette, et qui sont cause de sa retraite.

M. Barrette a souligné avec insistance qu'il agit dans l'intérêt de la province de Québec, et dans celui du parti dont il abandonne la direction.

Il exprime sa peine de ne pas remplir, jusqu'au bout, son mandat de député de Joliette. Mais, fait-il observer, «les citoyens de mon comté comprendront que ma démission est l'unique moyen dont je dispose pour attirer l'attention de la province de Québec sur une situation que je déplore, mais que c'est mon devoir de dévoiler pour le bien même de l'Union nationale». (...)

Un cargo explose dans le port: 5 marins disparus

QUATRE heures après l'explosion qui a secoué le navire «Fort William», dans le port de Montréal, tôt ce matin (**14 septembre 1965**), il manquait encore cinq des 20 membres d'équipage.

On se perd encore en conjectures sur les causes de l'explosion qui s'est produite au moment où les matelots ont ouvert les portes donnant sur le quai. Le navire de 7,000 tonnes venait tout juste d'accoster avec une cargaison générale comprenant du mazout.

Mais le capitaine du navire appartenant au Canada Steamship Lines a aussi invoqué la possibilité d'explosion d'un produit chimique qu'il transportait et qui serait très sensible à l'humidité. D'autres ont mentionné que l'explosion se serait produite dans la chambre des machines. (...)

L'équipe comprenait vingt membres. Quinze d'entre eux, dont le capitaine S. Wilkinson, ont pu s'échapper du navire alors que celui-ci était renversé sur le côté. (...)

Le «Fort William» était un navire tout neuf qui avait été mis en service au début de l'été entre les Grands Lacs et la métropole. Il en était à son troisième ou quatrième voyage seulement. Il avait quitté Port Credit, en Ontario, hier matin, et sa cargaison devait être transbordée à bord d'un transatlantique au cours de la journée.

Un pilote, M. M. Patenaude, avait pris le navire à l'écluse de St-Lambert pour le diriger dans le port de Montréal. Il venait à peine de quitter le navire lorsque l'explosion se produisit.

La détonation fut si forte qu'elle fut entendue à cinq milles à la ronde. Le navire se renversa aussitôt sur le côté, les mâts se fracassant contre le quai. (...)

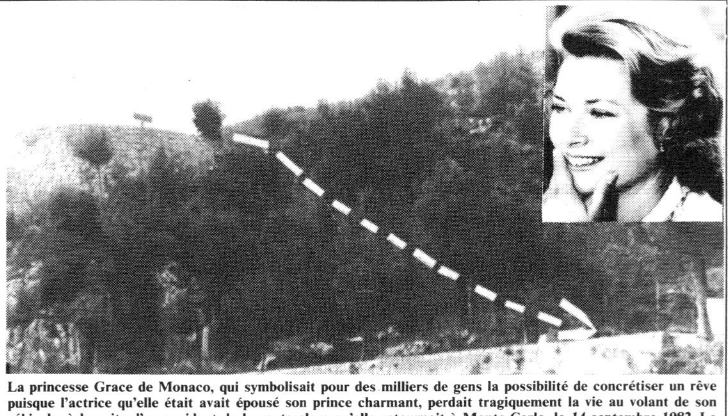

La princesse Grace de Monaco, qui symbolisait pour des milliers de gens la possibilité de concrétiser un rêve puisque l'actrice qu'elle était avait épousé son prince charmant, a perdu tragiquement la vie au volant de son véhicule, à la suite d'un accident de la route alors qu'elle retournait à Monte-Carlo, le *14 septembre 1982*. La princesse Grace, mère de trois enfants, était alors accompagnée de sa plus jeune fille, Stéphanie, qui s'en tira heureusement après un séjour à l'hôpital. On a cru pour un moment que la voiture avait manqué de freins mais on devait découvrir que la princesse avait probablement été terrassée par un hémorragie cérébrale, qui lui fit perdre le contrôle de sa voiture.

C'EST ARRIVÉ UN 14 SEPTEMBRE

1982 — Bechir Gemayel, président élu du Liban, meurt dans un attentat à Beyrouth.

1975 — Le pape Paul VI canonise Elizabeth Ann Seton, première sainte née aux États-Unis.

1969 — Le pétrolier brise-glace américain *Manhattan* devient le premier navire de commerce à traverser le passage du Nord-Ouest, dans l'Arctique. — Le Dr Gustave Gingras, directeur du Centre de réadaptation de Montréal, est proclamé co-lauréat du prix Albert Lasker de médecine, l'une des plus hautes distinctions mondiales décernées pour les travaux sur les handicapés.

1965 — Le pape Paul VI ouvre la quatrième et dernière session du Concile oecuménique.

1957 — L'Assemblée générale de l'ONU adopte une résolution invitant l'URSS et le gouvernement hongrois à rendre ses libertés au peuple hongrois et à rapatrier les Hongrois déportés.

1952 — La Jeunesse ouvrière catholique célèbre ses 20 ans par un pèlerinage au Cap-de-la-Madeleine.

1927 — La danseuse Isadora Duncan meurt dans un accident d'auto près de Nice, en France.

1926 — Les libéraux de Mackenzie King gagnent facilement les élections générales fédérales, alors que le premier ministre Arthur Meighen est défait dans sa propre circonscription.

1923 — Jack Dempsey conserve son championnat en battant Firpo.

1921 — Élection des premiers juges de la Cour internationale de justice par la Ligue des nations.

1901 — Le vice-président républicain Theodore Roosevelt succède à McKinley et devient le 26e président des États-Unis.

La Poune est morte

La Poune est morte (le 14 septembre 1996). Celle qui a fait crouler de rire le Québec pendant 75 ans s'est éteinte doucement à l'âge de 93 ans. Grande dame de théâtre, Rose Ouellette, a fait sa dernière sortie de scène à midi à l'hôpital Maison-neuve-Rosemont.

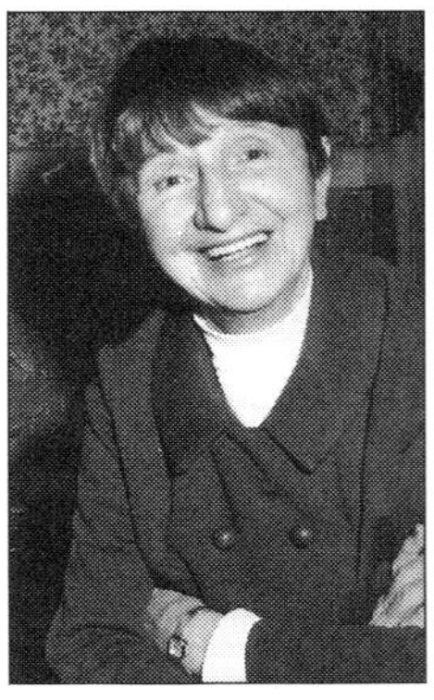

Mme Rose Ouellette

Le Koweït livré au pillage

Six semaines après l'invasion du Koweït, les soldats de Bagdad se livrent au pillage systématique et pourchassent sans merci les Koweïtiens qui résistent à l'occupation.

Les forces de Bagdad ont mis à sac, avant de les faire sauter, les maisons, les commerces, les entrepôts et les palais de la capitale du petit émirat.

« Le pillage semble maintenant systématique », a déclaré un diplomate occidental. Même les feux de circulation et les panneaux routiers ont été démontés et envoyés en Irak. (**Texte publié le 14 septembre 1990.**)

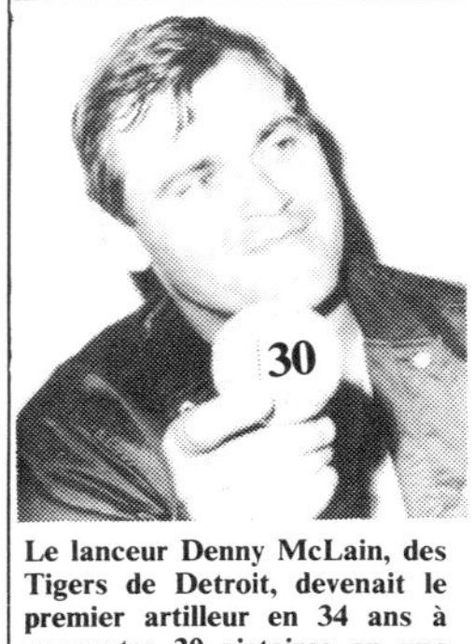

Le lanceur Denny McLain, des Tigers de Detroit, devenait le premier artilleur en 34 ans à remporter 30 victoires en une même saison au baseball majeur, le *14 septembre 1968*, en battant les Athletics d'Oakland, 5 à 4. Dizzy Dean avait été le dernier à réussir l'exploit avec les Cardinals de St. Louis, en 1934.

Fin de la phénoménale carrière de Monsieur Hockey

C'ÉTAIT prévu, c'était même attendu depuis des jours, des semaines, des mois. Et cependant chacun dans son for intérieur se demandait si l'incomparable joueur de hockey qu'a été Maurice Richard n'allait pas renverser une fois de plus les calculs du monde sportif comme il avait si souvent déjoué la stratégie de ses adversaires et défier le temps pour ajouter une autre saison aux dix-huit années de son étincelante carrière dans la Ligue Nationale.

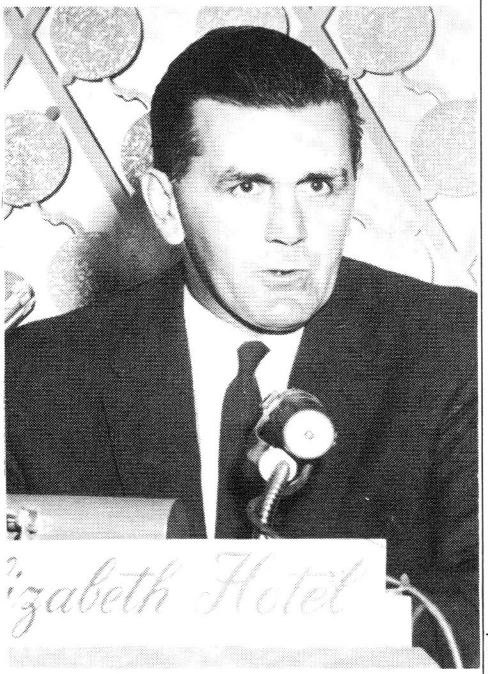

Visiblement ému, Maurice Richard annonce sa retraite.

Mais celui qui a décidé de l'issue de tant de mémorables rencontres sportives sous les assourdissants applaudissements de foules frénétiques de joie, a lui-même scellé le sort de la joute la plus difficile qu'il lui ait jamais été donné de livrer, celle de décider quand mettre fin à ses jours comme joueur, en annonçant lui-même hier soir **(15 septembre 1960)** dans le calme d'un salon de l'hôtel Reine-Elizabeth la fin de sa carrière.

C'est en ses mots que notre exconfrère Marcel Desjardins, commençait l'article touchant qu'il consacrait à Maurice Richard au lendemain de l'annonce de sa retraite. Cet article était accompagné de plusieurs autres consacrés à l'événement, y compris celui qui reproduisait le texte de la déclaration de Richard, que voici:

«Mes chers amis:

«Je suis sûr que vous êtes tous surpris de me voir ici ce soir. Cette réunion devait être un meeting pour dévoiler certains détails en marge de la partie des Etoiles du 1er octobre mais je dois vous dire que la véritable raison de cette réunion était de vous rassembler tous en même temps. (...) J'ai toujours dit que j'annoncerais la nouvelle de ma retraite du jeu actif à tout le monde en même temps et je veux tenir parole. Ma décision est maintenant prise et je m'excuse si je vous ai fait languir, tous, depuis plusieurs mois, avant de prendre une décision finale. Vous admettrez avec moi que cette décision ne fut pas facile à prendre. Ça fait déjà deux ans que j'y songe, presque jour et nuit, et vous devinez donc que ces deux dernières saisons ont été très dures pour moi.

«J'ai toujours fait mon possible et j'ai travaillé bien fort pour bien servir le hockey et le club Canadien et je profite de l'occasion qui m'est offerte pour souhaiter «Bonne Chance» au club et à tous les joueurs qui resteront avec le Bleu Blanc Rouge. J'espère bien qu'il remportera une 6e coupe Stanley de suite le printemps prochain.

«Je voudrais aussi remercier le public, tous les amateurs de hockey de Montréal, de la province et d'ailleurs, sans exception et particulièrement chacun de mes supporteurs qui m'ont tous si bien encouragé durant 18 ans. Je m'en voudrais d'oublier la direction du club Canadien. J'ai toujours reçu un magnifique support du club et surtout de M. Frank Selke qui m'a grandement aidé à prendre ma décision en m'offrant un contrat alléchant tout en étant libre de faire ce que je voulais faire.

«J'ai donc décidé de demeurer avec l'équipe non pas comme joueur, mais comme Ambassadeur du Club de hockey Canadien et j'espère avoir l'occasion d'être encore très utile au club et de demeurer avec l'organisation aussi longtemps que je l'ai fait comme joueur.

«En terminant, je tiens à vous remercier tous, messieurs, vous tous sans exception qui avez tant fait pour moi et le club Canadien. J'espère par-dessus tout que nous resterons toujours de bons amis et en même temps il me fera bien plaisir de vous rencontrer et de répondre de mon mieux à toutes les questions que vous pourrez vouloir me poser. MERCI BEAUCOUP.»

MUSSOLINI REVIENT À LA SURFACE

Benito Mussolini s'est proclamé lui-même chef suprême d'un nouveau gouvernement fasciste de l'Italie aujourd'hui (**le 15 septembre 1943**), sept semaines après avoir été démis de son poste par le roi Victor-Emmanuel III.

Un poste de radio qui se dit fasciste, a transmis une série de proclamations signées par Mussolini, qui a été tiré de sa réclusion sur une montagne d'Italie par des parachutistes, des troupes de choc et des agents de la Gestapo allemande, la semaine dernière.

Radio-Berlin rapporte que les Allemands ont libéré Mussolini, dimanche, avec un petit avion descendu sur un plateau étroit, dans les montagnes.

Sur la scène de l'Actualité

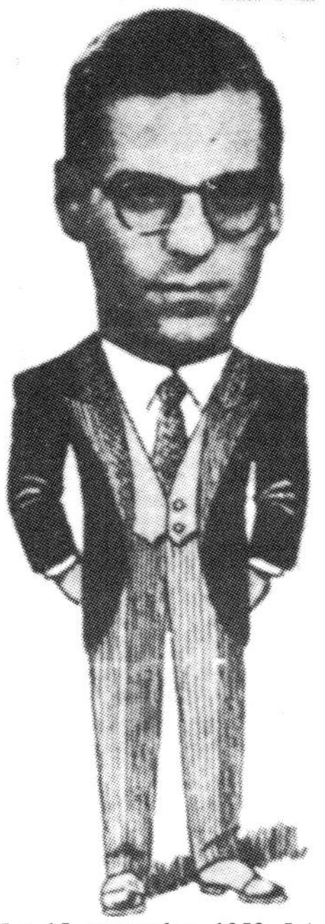

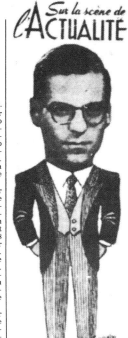

Le *15 septembre 1952*, LA PRESSE annonçait la nomination du cardiologue Paul David à la direction de l'Institut de cardiologie de Montréal.

7 inculpés dans l'affaire Watergate

WASHINGTON — Un grand jury fédéral a inculpé hier **(15 septembre 1972)** 7 personnes accusées de s'être introduites au siège du parti démocrate, l'hôtel Watergate à Washington, pour y dérober des documents et y installer une table d'écoute.

Cinq des accusés avaient été arrêtés sur les lieux le 17 juin dernier. Ce sont, Bernard Barker, un entrepreneur immobilier de Miami, James McCord, un ancien employé de la C.I.A. et conseiller du Comité pour la réélection du président Nixon, Eugenio Martinez, avoué dans la firme de Barker, Frank Sturgis, ancien mercenaire et associé de Barker, et Virgilio Gonzales, serrurier.

Le groupe, lié aux milieux anti-castristes de Miami, était dirigé par deux personnalités également inculpées hier. Il s'agit de Gordon Liddy, ancien conseiller financier du Comité pour la réélection du président Nixon, et de Howard Hunt, un ancien conseiller auprès de la Maison Blanche.

Les 7 hommes contre lesquels sont retenus un total de 28 chefs d'accusation risquent des peines allant jusqu'à 30 ans de prison.

L'enquête a révélé que ces cambrioleurs d'un genre spécial se sont introduits dans l'hôtel Watergate et il semblerait que la correspondance personnelle de M. Larry O'Brien, alors président du parti démocrate, les a spécialement intéressés.

Chamberlain négocie un règlement général

BERCHTESGADEN– (Tous droits réservés) — Il est impossible de dire présentement ce qui se discute à Haus Wachenfeld, la maison d'Hitler, entre le chancelier allemand et le premier ministre britannique. Mais avant de voler de Londres à Berchtesgaden, dit le correspondant Webb Miller, un personnage diplomatique m'a dit que Chamberlain demanderait à brûle-pourpoint au chancelier nazi: «Tenez-vous à une aventure militaire ou songez-vous sérieusement à collaborer à l'élaboration d'un plan d'apaisement commençant par la question sudète et s'étendant jusqu'aux problèmes des colonies?»

Dans les cercles diplomatiques, on entend dire que les nazis voudraient réaliser un triomphe militaire. Si au contraire, Hitler est prêt à accepter une victoire diplomatique, les Anglais et les Français la leur faciliteraient en accordant aux Sudètes «une autonomie qui dépasserait leurs plus chères espérances.»

On apprend de personnalités britanniques bien renseignées que Chamberlain voudrait obtenir d'Hitler, en échange de concessions sur le problème sudète, la collaboration allemande à la solution du problème espagnol.

Hitler et Chamberlain doivent se servir d'interprètes.

(**Cela se passait le 15 septembre 1938.**)

Cette rencontre entre Neville Chamberlain et Adolf Hitler marquait le début d'une série de démarches auprès d'Hitler qui devaient se conclure le 30 septembre par la signature d'un accord germano-britannique qui notamment «réglait» le problème des Sudètes en justifiant leur annexion par les Allemands. Et le peuple anglais accorda un accueil triomphal à Chamberlain à son retour à Londres. Moins d'un an plus tard, la guerre éclatait...

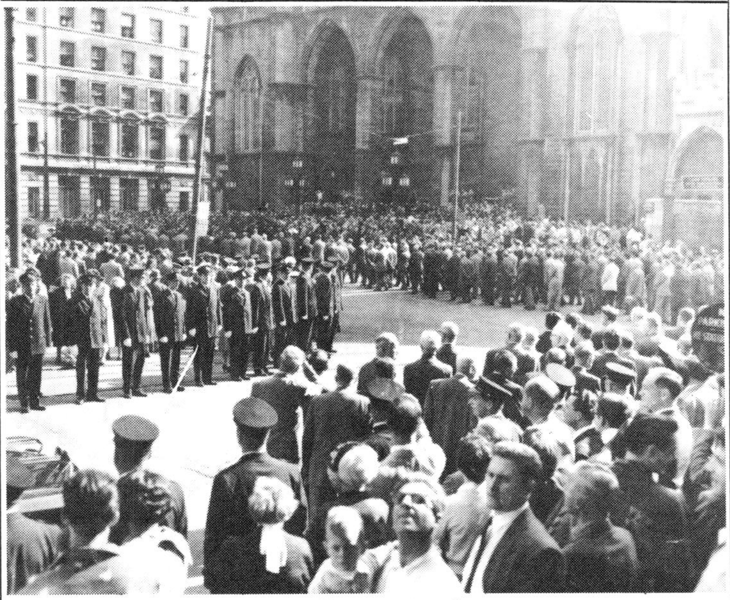

Funérailles de Camillien Houde

Haie d'honneur, escorte humaine, foule innombrable, l'ex-maire de Montréal, Camillien Houde reçoit *(le 15 septembre 1958)* le dernier salut ému de la population de la métropole, sur le parvis de l'église Notre-Dame.

Le Devon fête les 100 ans d'Agatha Christie

Les passionnés de romans policiers, familiers d'Hercule Poirot et de Miss Marple, célèbrent (**le 15 septembre 1989.**) sur la « Riviera anglaise », dans le Devon (sud-ouest de l'Angleterre), le centenaire de la naissance de leur idole, Agatha Christie, née le 15 septembre 1890 à Torquay (Devon).

Mme Christie, décédée en 1976, a écrit 78 romans policiers, 19 pièces de théâtre, et six autres romans sous le nom de Mary Westmacott.

Plus d'un milliard d'exemplaires de ses livres ont été vendus en anglais, et un autre milliard dans 44 autres langues.

Les voisins n'apprécient pas ses 150 serpents

Un résidant de Port Coquitlam, Larry Moore, devra se débarrasser de 146 serpents qui ont refuge chez lui et n'en conserver que quatre sous sa garde, a décidé le conseil municipal de cette localité de la Colombie-Britannique.

Cédant, à la pression exercée par plusieurs voisins de l'amateur de reptiles, les conseillers municipaux ordonnent également à M. Moore de se débarrasser immédiatement des centaines de rats et souris dont il a besoin pour nourrir ses reptiles.

Désormais, M. Moore n'aura droit de garder chez lui que quatre serpents et tout juste assez de rats ou de souris pour les nourrir.

« Cela n'a aucun bon sens pour un secteur résidentiel. Dans n'importe quelle communauté urbaine, 150 spécimens de n'importe quoi, c'est trop, a dit M. John Keryluk, un des conseillers qui ont voté en faveur de la résolution. Je ne voudrais jamais vivre à côté d'une maison où, à ma connaissance, vivraient des serpents, des rats et des souris en aussi grand nombre ». (**Texte publié le 15 septembre 1988.**)

C'EST ARRIVÉ UN 15 SEPTEMBRE

1978 — Willy Messerschmitt, pionnier de l'aviation et du *ME-109* (30 000 exemplaires), meurt à l'âge de 80 ans. À la boxe, Mohamed Ali reprend son championnat du monde des poids lourds pour la troisième fois. Leon Spink aura conservé la couronne pendant 214 jours.

1976 — Équipe Canada, formée de professionnels d'Amérique du Nord, remporte le premier tournoi de la Coupe Canada par une victoire de 5 à 4 en prolongation contre la Tchécoslovaquie.

1974 — Deux pirates de l'air font sauter un *B-727* d'Air-Vietnam et cause la mort de 77 personnes. C'est le premier désastre en plein vol causé par la piraterie.

1973 — Décès à 90 ans du roi Gustav-Adolf IV de Suède.

1967 — Au Caire, le maréchal Abdel Hakim Amer se donne la mort, à la suite d'un complot raté et dont le président Nasser était la cible. — L'*Il-62*, premier long courrier de fabrication soviétique, effectue son vol inaugural Moscou-Montréal.

1966 — Fin d'un voyage spatial de trois jours par des astronautes américains à bord de *Gemini XI*.

1963 — Mort de quatre fillettes noires lors d'un attentat à la bombe dans une église de Birmingham, Alabama.

1963 — Ben Bella est élu premier président de la République d'Algérie et annonce qu'il nationalisera les terres appartenant « aux colons et aux traîtres ».

1959 — Le premier ministre Nikita Khrouchtchev entreprend une visite de 12 jours aux États-Unis. — Intronisation du général Vanier comme gouverneur général du Canada. C'est le premier Canadien français et le premier catholique à accéder à ce poste.

1958 — Jacques Soustelle, ministre de l'Information de France, échappe à un attentat des terroristes du FLN, à Paris. — Un train plonge du haut d'un pont au New Jersey, et l'accident fait au moins 40 morts.

1952 — Signature de l'accord sino-soviétique à Moscou, lequel restitue le chemin de fer de Mandchourie à la Chine.

1951 — Ouverture à Ottawa de la conférence du Pacte de l'Atlantique.

1950 — Les Américains opèrent un double débarquement en Corée et occupent le port d'Inchon, à 35 milles du 38e parallèle et à 18 milles de Séoul.

1950 — La frégate française *Laplace* explose dans le port de Brest.

1949 — Ouverture de la première session du 21e Parlement du Canada, premier auquel participe Terre-Neuve comme 10e province du Canada. Le premier ministre Louis Saint-Laurent promet d'engager promptement le processus d'une réforme constitutionnelle.

1947 — Levée de la plupart des contrôles gouvernementaux sur les prix; seul le sucre reste rationné.

1944 — Début de l'invasion américaine aux Philippines.

1940 — La bataille d'Angleterre atteint son point culminant dans le ciel de Londres; les pilotes anglais et canadiens s'illustrent en abattant 185 avions (un record) en 24 heures.

1938 — Le record de vitesse sur terre est porté à 350,2 milles à l'heure par le millionnaire John Cobb, dans le désert de Bonneville Flats, dans l'Utah.

1935 — Le Reichstag a décrété que le drapeau swastika — champ rouge avec au centre la croix gammée dans un disque blanc — devient l'unique emblème national de l'Allemagne.

1927 — Le Canada est nommé membre du conseil de la Société des nations.

1908 — Prestation du serment de sir Alphonse Pelletier, lieutenant gouverneur de la province de Québec.

Le bras droit de Rizzuto faisait la vie de pacha en prison

C'EST ARRIVÉ UN 16 SEPTEMBRE

1995 — Les retombées économiques des congrès tenus à Montréal sont évaluées pour l'année 1994 à plus de 448 millions, selon une étude préparée par l'Office des congrès et du tourisme du Grand Montréal. Selon ce rapport, la dépense moyenne d'un touriste délégué à Montréal est de 221 $ par jour et la durée du voyage est de 3,5 nuits.

1988 — Les comportements sexuels « anormaux » sont en augmentation en Chine, en particulier l'homosexualité, l'exhibitionnisme et le goût immodéré des hommes pour les dessous féminins, a révélé le dernier numéro du quotidien de Shanghai *Libération*.

1987 — Jean-Paul II a de nouveau dit non à l'ordination des femmes à la prêtrise, lors d'une rencontre qu'il a eue à Los Angeles avec plus de 300 évêques des États-Unis. Il a également réitéré son opposition à l'avortement et au contrôle artificiel des naissances, et il a prôné la chasteté pour les catholiques divorcés et pour les homosexuels.

1987 — Jean-Marie Le Pen, candidat à la présidence de la République française pour le Front national (extrême droite) qu'il préside, se voit menacé d'un isolement complet sur la scène politique, après les propos, unanimement désavoués, qu'il a tenus sur le génocide des Juifs, estimant que la façon dont les Juifs avaient été exterminés pendant la Deuxième Guerre mondiale constituait « un point de détail de l'Histoire ».

1977 — Avec Maria Callas, qui est décédée à Paris à l'âge de 53 ans, d'une crise cardiaque, c'est un des personnages les plus brillants et les plus étonnants, en fait un des derniers « monstres sacrés » de la scène lyrique et de l'art vocal qui disparaît.

1955 — Le président Juan D. Peron d'Argentine a annoncé cet après-midi qu'il est prêt à démissionner.

Les policiers de la Sûreté du Québec ont eu une petite surprise quand ils ont fouillé l'établissement Leclerc, une prison à sécurité moyenne de Laval (**le 16 septembre 1995**). Ils cherchaient de la drogue et des armes. Ils en ont trouvé. Ils ont mis la main aussi sur des couteaux, du haschisch et 53 grammes d'héroïne. C'est beaucoup, mais rien d'extraordinaire.

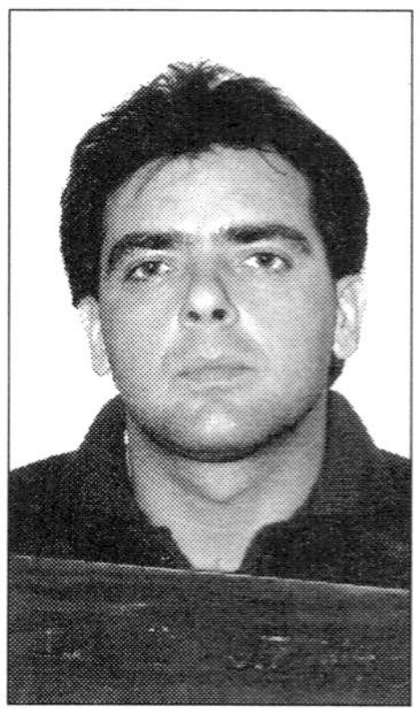

Reynald Desjardins

La surprise est venue quand ils ont ouvert la cellule de Reynald Desjardins. Agé de 45 ans, Desjardins est le bras droit du chef de la mafia sicilienne au Canada, Vito Rizzuto. L'année dernière, il a été condamné à 15 ans de prison pour sa participation à un vaste complot d'importation de 740 kilos de cocaïne. Des comparses, membres des Hells Angels, ont été condamnés dans la même affaire.

La cellule comprenait une magnifique bibliothèque, fabriquée par un ébéniste qualifié. Desjardins n'est pas un grand intellectuel. Sa bibliothèque logeait un ordinateur ; les rayons étaient éclairés par une lampe spéciale, « empruntée » au gymnase de la prison et installée par un ami électricien.

Il y a quelques mois, Desjardins a fait restaurer une piste de jogging dans la cour du même établissement. Il a téléphoné à un copain, entrepreneur en construction. « C'est moi qui paye », a-t-il dit. Le lendemain, l'entreprise s'amenait avec tout le fourbi. Pendant les travaux, Desjardins et des Hells Angels bavardaient avec le patron dans le camion.

Un peu plus tard, Desjardins commandait un autre camion, cette fois rempli de fruits de mer. Il y avait une petite fête dans l'établissement carcéral. « On a eu vent de l'affaire, explique un enquêteur de la police de la Communauté urbaine de Montréal. On a communiqué avec la direction du pénitentier. On lui a demandé de renvoyer le camion. Il y a quand même des limites... »

D'autres exemples de largesses ? Prenons le cas de Frank Cotroni. En 1987, il écope huit ans de prison pour une affaire de meurtre, commis par un de ses hommes de main. Puis, en 1991, il est condamné à six ans pour trafic d'héroïne. Aussi bien faire contre mauvaise fortune bon coeur : il devient responsable du comité des loisirs à l'établissement Leclerc. L'été, on le voit se promener à Laval. Officiellement, il participe au nettoyage des berges de la rivière des Mille-Îles. En vérité, il se détend avec les commerçants du coin, donne des popsicles aux enfants, paye les repas aux détenus.

Au printemps, un comité d'enquête s'est penché sur un établissement fédéral : celui de Leclerc, là où Reynald Desjardins avait fait restaurer une piste de jogging. La conclusion est claire. « L'équilibre des forces est brisé, écrivent les enquêteurs : les détenus influents liés au crime organisé et leur entourage jouissent de conditions d'incarcération dépassant les normes établies ».

Le rapport relève plusieurs irrégularités :

— Les Hells Angels, les motards affiliés et les membres de la mafia exigent et obtiennent la possibilité de résider dans les mêmes sections de la prison.

— Les caïds et autres membres du crime organisé reçoivent beaucoup plus de visites que les autres détenus. Ils reçoivent beaucoup plus souvent leur femme dans des sections particulières, aménagées pour les rencontres intimes.

— La majorité des caïds ne mangent pas à la cafétéria comme les autres détenus. « Ils se font livrer leur cantine par des détenus de la même rangée », appelés livreurs. En effet, comme les achats à la cantine sont officiellement limités, ils obligent d'autres détenus à faire des achats pour eux.

— À l'intérieur de la prison, les caïds occupent les postes de travail les plus intéressants. Ils sont employés (avec salaire) au gymnase, au département socioculturel, à la cantine, à la salle radio, etc. Les autres détenus font les besognes moins gratifiantes : buanderie, cuisine, entretien.

— Le rapport donne l'exemple d'une section où l'accès au téléphone « est contrôlé par les détenus identifiés aux Hells Angels au point où certains détenus ne peuvent en profiter ». Les caïds ont des meubles, des vêtements, des biens luxueux, interdits aux autres.

— Le comité a recommandé plusieurs correctifs. Au cours d'un entretien avec *La Presse*, le solliciteur général du Canada, Herb Gray, a affirmé qu'ils étaient tous appliqués. Le syndicat des gardiens de prison, affilié à l'Alliance de la fonction publique, met un bémol. Les irrégularités persistent, affirme François Gaudreau, vice-président du syndicat.

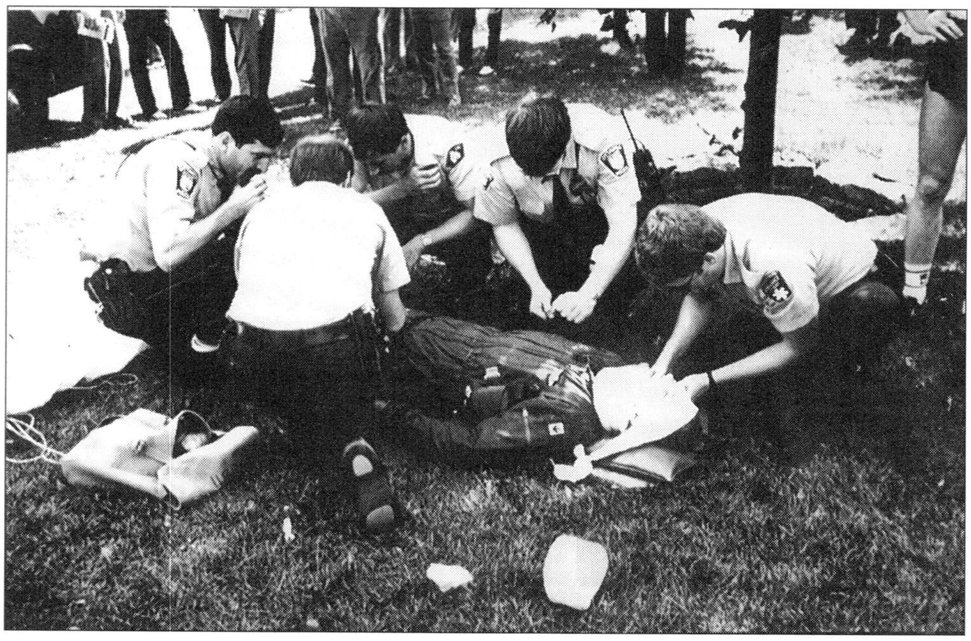

Le parachute de sécurité a sauvé la vie d'un parachutiste, qui a fait une chute de plus de 1000 mètres après être tombé inconscient, à Ottawa.

Un parachutiste inconscient fait une chute de 1000 mètres

Un parachutiste de l'équipe des Sky Hawks des Forces armées du Canada a fait une chute libre de plus de 3000 pieds avant que son parachute ne s'ouvre automatiquement et qu'il tombe inerte sur la pelouse, devant l'édifice de la Cour suprême du Canada, à Ottawa.

C'est lors du saut du deuxième groupe de parachutistes auquel participait le caporal Paul Burke (**le 16 septembre 1986.**) que l'incident est survenu. Le parachutiste de 25 ans a effectué une descente en chute libre de plusieurs milliers de pieds jusqu'à ce que s'ouvre automatiquement son parachute de sécurité, à une altitude de 1000 pieds, lui sauvant ainsi la vie.

Le parachutiste est tombé sur le sol devant l'édifice de la Cour suprême, rue Wellington, évitant de justesse un arbre et une statue, a indiqué l'inspecteur Robert Racine de la Sûreté municipale d'Ottawa.

Au moment du saut, d'une altitude de 4500 pieds, la tête du parachutiste a donné contre l'empennage arrière de l'avion, lui faisant perdre conscience malgré son casque protecteur. Le parachutiste est alors tombé en chute libre. L'ouverture automatique du parachute a heureusement fonctionné, à une altitude de 1000 pieds, et son atterrissage sur la pelouse a amorti sa chute.

La famille royale cogite

La famille royale britannique, bousculée par les scandales et les divorces, s'est réunie en sommet (**le 16 septembre 1996**) pour tenter de redorer son blason.

Les princes Charles et Andrew, tous deux divorcés, sont arrivés au château de Balmoral, résidence d'été de la reine Elizabeth II en Écosse, pour une réunion consacrée à l'avenir d'une monarchie millénaire en net recul dans l'opinion.

La reine et ses proches, regroupés au sein du « Way Ahead Group » créé en 1992 après de premiers craquements matrimoniaux et l'incendie du château de Windsor, s'entretiendront pendant deux jours d'une série de réformes envisagées pour la monarchie.

Le rôle historique joué par le monarque en tant que chef de l'Église anglicane pourrait prendre fin, ce qui autoriserait les héritiers du trône, entre autres, à épouser des catholiques.

La reine et ses conseillers étudient un éventail d'options qui visent à assurer le maintien de la monarchie au XXIe siècle. Elle a mis sur pied un comité stratégique pour l'examen des réformes les mieux adaptées à cet objectif.

On pourrait ainsi décider de réduire le nombre des membres de la famille royale, dont ne feraient plus partie cousins et autres parents éloignés.

La reine, dont les revenus annuels personnels sont estimés à 150 millions de livres (244 millions US), s'est employée à contenir les critiques en proposant en 1992 d'acquitter un impôt sur le revenu.

Le mariage de Charles et Diana, inauguré en grande pompe il y a 15 ans, a pris fin en août par un divorce à l'amiable dans l'arrière-salle d'un tribunal londonien.

LES JUIFS AU BAN DE L'ALLEMAGNE

Le Reichstag a donné son entière approbation (**le 16 septembre 1935.**) à une loi qui met les Juifs au ban de l'Allemagne, comme ils ne l'ont été qu'au Moyen-Âge.

Les Juifs ne pourront rester « sujets » allemands qu'à la condition d'arborer les seules couleurs bleue et jaune de leur drapeau; il ne pourront en aucun temps devenir « citoyens » allemands et participer aux affaires du pays. Les mariages entre aryens et juifs sont défendus sous peine de travaux forcés.

Il est défendu aux Juifs, sous peine d'amende ou d'emprisonnement d'un an ou des deux à la fois, d'embaucher comme servantes des aryennes de moins de 43 ans. De rigoureux châtiments sont prévus pour les relations entre aryens et non-aryens.

Paul McCartney : les chansons des Beatles étaient «inspirées» par les drogues

L'ancien Beatle Paul McCartney a déclaré dans une entrevue que la majeure partie de la musique faite dans les dernières années du groupe avait été inspirée par les drogues.

« Depuis Rubber Soul, en 1965, tous les albums des Beatles ont été produits sous l'influence des drogues, en particulier la marijuana et le LSD », a dit McCartney.

« Tout ce qui a été fait dans les années 60 était inspiré par la drogue : la musique, la littérature, le cinéma. Même la guerre du Vietnam a été faite sous l'effet des drogues », a-t-il confié dans une entrevue faite à Londres.

Après la dissolution des Beatles, en 1969, McCartney a formé son propre groupe et il continue d'enregistrer, de faire des tournées et d'écrire des chansons. Il a déclaré que les drogues étaient maintenant choses du passé pour lui.

« J'ai beaucoup de chance, a-t-il dit. L'année prochaine j'aurai 50 ans et je découvre constamment des choses nouvelles. » (**Texte publié le 16 septembre 1991.**)

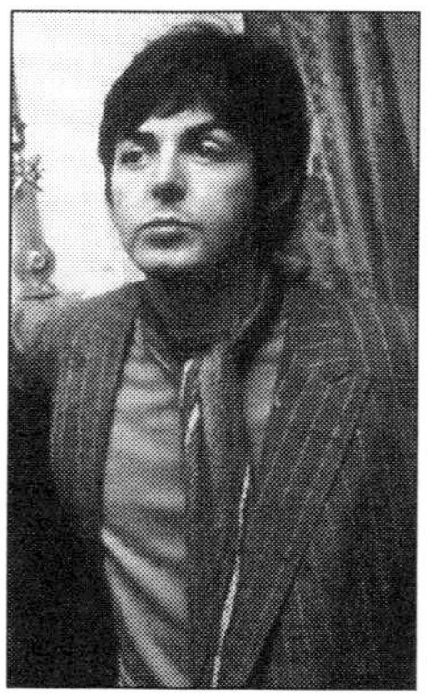

Paul McCartney

LES PREMIERS TANKS FONT LEUR APPARITION AU FRONT DE LA SOMME

Les premiers tanks, une invention anglaise, font leur apparition au front de la Somme (**le 16 septembre 1916.**).

Les Canadiens s'emparent du village de Courcelette au cours d'une des premières grandes offensives menées par les troupes du Dominion sous les ordres de Sir Julian Byng.

Le correspondant du « Times », au front, écrit au sujet des automobiles blindés : « En l'espace d'une heure, ces voitures ont causé plus de dégâts que ne l'ont fait jusqu'ici tous les Zeppelins. Elles ont tué une multitude d'Allemands.

« Ce succès ne se continuera peut-être pas indéfiniment, car la surprise, naturellement, a été un facteur avec lequel il faut compter. On peut prédire que les Allemands et nos alliés construiront d'autres engins de guerre plus puissants ; mais nous avons ouvert la route.

« Il convient de faire remarquer que jamais nous n'avons, dans nos inventions, violé les lois de la civilisation ».

DÉSASTRE MARITIME À TORONTO

TORONTO, — Un incendie-éclair a englouti le navire d'excursion «Noronic», tôt ce matin **(17 septembre 1949)**, alors qu'il débordait de touristes. Les pompiers ont révélé qu'ils avaient déjà retrouvé 58 cadavres calcinés dans les ruines.

Les autorités de la morgue ont dit qu'on les avait averties de se tenir prêtes à recevoir au moins cent autres corps. Même ce chiffré, ont-elles ajouté, serait probablement inférieur à la réalité.

Si ces tristes précisions se réalisent, cet incendie marquera la pire tragédie dans l'histoire du temps de paix du Canada.

Le «Noronic» rasé par un incendie: 58 morts

Toronto — Cinquante pompiers, munis de lampes de poche, fouillent encore aujourd'hui, les ruines fumantes du navire «Noronic» afin d'établir s'il ne se trouve pas encore d'autres victimes de l'incendie qui a surpris passagers et équipage à bord, en pleine nuit.

A 8 h. 15, ce matin, on avait déjà retiré les corps calcinés de 11 personnes des ruines du bar et deux femmes avaient succombé à leurs brûlures à l'hôpital, portant le nombre des morts à treize. Cinquante-sept autres personnes avaient également été hospitalisées, dont 16 pour blessures graves. (...)

Les autorités du service des incendies ont déclaré qu'il serait impossible de déterminer exactement le nombre des morts tant que les pompiers n'auront pu fouiller complètement les décombres.

Ces derniers furent impuissants à monter à bord du navire avant sept heures ce matin, soit cinq heures après que la première des trois alarmes eût été sonnée. Dix-huit voitures du service des incendies se rendirent sur les lieux, de même que deux bateaux-pompe, mais leurs efforts furent vains. Le «Noronic» devait être complètement rasé par les flammes au quai des Canada Steamship Lines, au pied de la rue Bay.

Presque tous des Américains

Les flammes qui ont soudainement englouti l'arrière-pont firent rage à travers le pont de bois. Les 520 passagers, dont la plupart avaient été tirés de leur sommeil, cherchaient désespérément à fuir. Un bon nombre sautèrent par-dessus bord ou se laissèrent glisser sur les cordages.

Les officiers et les membres d'équipage se hâtèrent de donner l'alarme sur le navire et d'éveiller ceux qui étaient au lit. Quatre heures après la première alarme, les flammes faisaient toujours rage et le navire était enveloppé d'un nuage de fumée.

Tous les passagers, moins vingt, étaient des Américains. Le «Noronic» était arrivé à Toronto à 6 h. hier soir, en provenance de Cleveland et Détroit.

Peter Sage, de Hull, Qué., un employé du «Noronic», a relaté comment il avait réussi à aider 100 passagers à atteindre le «Cayuga», un autre navire ancré près du vaisseau en flammes.

Héroïsme de l'équipage

Mlle Mildred Briggs, de Détroit, a raconté de son côté qu'elle croyait qu'on voulait plaisanter quand elle entendit d'abord crier au feu. D'après ce témoin, les flammes se seraient répandues si rapidement qu'on eût dit que le navire était devenu une véritable boîte d'allumettes. Mlle Briggs a loué le travail héroïque des membres d'équipage qui ont réussi à maintenir un semblant de calme et d'ordre malgré l'hystérie qui s'était emparée de nombre de passagers.

J. Donald Church, de Silver Lake, Ohio, décrit par d'autres passagers comme un véritable héros, a déclaré qu'il était d'avis que les flammes avaient été allumées dans une armoire de la buanderie, près du bar. Il t nta, a-t-il raconté, d'éteindre les flammes à l'aide d'un extincteur chimique, mais celui-ci refusa à peu près complètement de fonctionner.

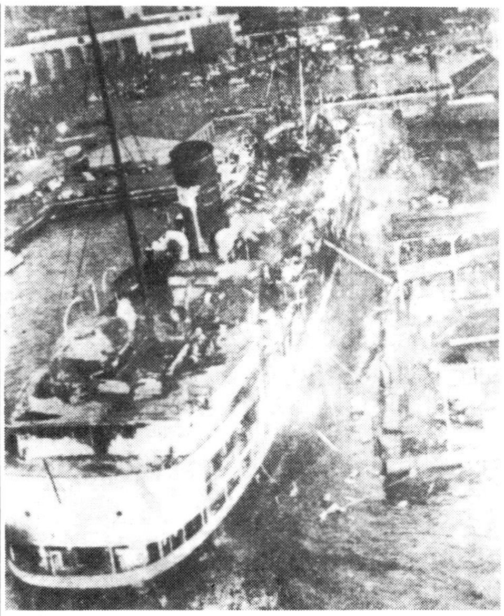

Cette photo illustre bien l'ampleur des dégâts causés par les flammes à bord du «Noronic», dont la carcasse fumante reposait sur le lit du lac au lendemain de l'incendie.

Diplomates de l'ONU assassinés par des irréguliers juifs à Jérusalem

JÉRUSALEM — Le comte Folke Bernadotte, médiateur de l'ONU, et son aide français, le colonel André Sérol, ont été assassinés hier soir **(17 septembre 1948)** par quatre «irréguliers» dans le quartier de Katamon de la nouvelle Jérusalem, a-t-on appris hier soir d'un communiqué de l'ONU.

Les bandits ont fait pivoter un tous-terrains devant l'auto dans laquelle roulait le comte Bernadotte. Lorsque l'auto s'est arrêtée, les agresseurs ont brandi une mitraillette et forcé le comte Bernadotte et le colonel Serot à descendre, puis les ont tués. Aussitôt après, les bandits ont pris la fuite.

Le comte Bernadotte était arrivé hier midi des lignes arabes dans le secteur juif.

Le Dr Bernard Joseph, Montréalais de naissance, gouverneur militaire du secteur juif de Jérusalem, déclare que toutes les mesures ont été prises pour arrêter les assassins.

Aussitôt informés de l'attentat, le Dr Joseph s'est rendu à l'hôpital de la Hassadah, sur le mont des Oliviers, où les cadavres du comte Bernadotte et du colonel Serot avaient été transportés. De l'hôpital, il s'est hâté au secrétariat de l'ONU à la Y.M.C.A. Là, il a exprimé au chef d'état-major du comte Bernadotte, le général Aage Lundström, «son profond regret du crime impardonnable». (...)

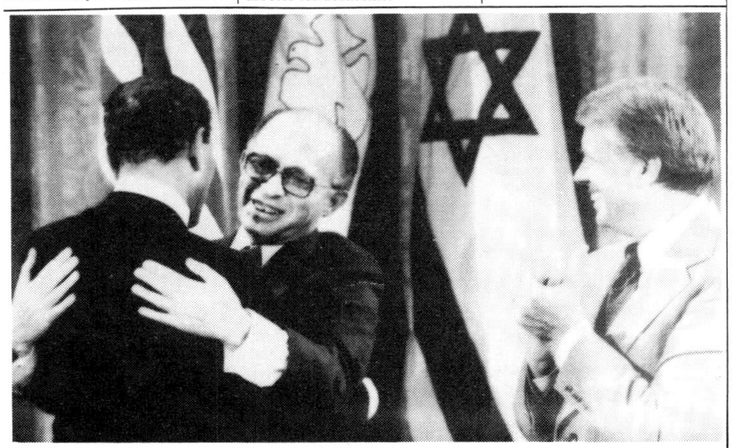

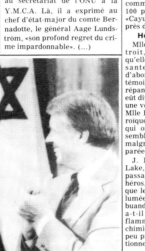

Les pourparlers de paix sur le Moyen-Orient entamés par le président Jimmy Carter, des États-Unis, à Camp David, aboutirent à une conclusion inespérée, le *17 septembre 1978*, lorsque le président Carter vit Menahem Begin, premier ministre d'Israël, et Anouar el-Sadate, président de l'Égypte, s'entendre sur un schéma de traité de paix et le règlement des autres matières litigieuses entre les deux pays.

Ottawa ordonne leur libération

LES DE BERNONVILLE EN LIBERTÉ

LE commandant Jacques Dugé de Bernonville, sa femme Isabelle et ses filles Catherine et Josiane, détenus tous quatre depuis le 2 septembre dernier, aux quartiers de l'immigration à Montréal, et menacés de déportation en France, sont libres depuis ce matin, à neuf heures. Pour la première fcis depuis quinze jours, ils respirent le vivifiant air de septembre, dans le pays libre qu'est le Canada.

M. Jean Bonnel, l'un des fidèles amis de la famille de Bernonville, nous a annoncé tôt ce matin la nouvelle de leur libération sous cautionnement. Malgré les nouvelles adverses, malgré les décisions de l'hon. juge J.-A. Campbell, rendue publique hier et maintenant la détention du commandant et des trois membres de sa famille, il n'avait pas perdu confiance. Il demeurait convaincu qu'un coup de vent viendrait dissiper les nuages sombres.

Un acte du gouvernement

L'éclaircie s'est produite hier soir **(17 septembre 1948)**. Me Bernard Bourdon, C.R., l'un des quatre avocats des de Bernonville, a victorieusement plaidé la cause de ses clients par téléphone avec le gouvernement fédéral. Il a obtenu qu'ils soient libérés en fournissant un cautionnement global de $5,000. Cette libération vaut pour toute la durée des procédures judiciaires. La seule condition posée est que les quatre de Bernonville se «rapportent» une fois par semaine aux quartiers de l'immigration canadienne de la rue St-Antoine.

L'audition de la cause d'habeas corpus, amorcée en Cour supérieure le 8, puis le 14 septembre, reprendra le 29 prochain. (...)

Un avion géant arrivé à Dorval

L'AVION géant «Constellation» a survolé aujourd'hui **(17 septembre 1945)** la métropole canadienne. Construit pour transporter 64 voyageurs, il portait à l'altitude minimum permise ici, 2,000 pieds, un groupe de représentants de l'industrie aéronautique canadienne et des journalistes. Le «Constellation» a décollé de l'aéroport de Dorval à midi, et on a pu le voir au-dessus des différentes parties de la ville. On a remarqué l'énormité de ce nouvel appareil commercial qui mesure 95 pieds de longueur et possède une envergure de 123 pieds.

Parti de Winnipeg hier après-midi à 3 h. 37 (heure de Montréal), le «Constellation» s'est posé sur une des pistes de l'aéroport de Dorval à 7 h. 10 p.m. après avoir parcouru une distance de 1,084 milles en 3 heures et 33 minutes, soit une moyenne de 320 milles à l'heure. (...)

Le «Constellation» s'est arrêté ici au cours d'une tournée organisée au Canada dans le but de présenter ce nouveau modèle commercial aux personnes intéressées dans l'industrie de l'aéronautique et du transport aérien. Les représentants de la compagnie Lockheed Aircraft, de Burbank, Calif., qui ont organisé cette randonnée, ont annoncé que la livraison aux entreprises commerciales commencera dès le mois prochain. (...)

Un raid désastreux

Assurés de la victoire sur les nazis, en septembre 1944, les Alliés décidèrent d'accélérer leur poussée vers l'Allemagne, ce qui devint l'un des points tournants de la Deuxième Guerre mondiale.

Aux Pays-Bas, les armées américaine, canadienne et anglaise tentèrent en effet une percée sur l'Allemagne, en franchissant par surprise le Rhin, à la hauteur de Arnhem, une décision désastreuse qui devait être immortalisée sous le vocable de « Un pont trop loin ».

Le biographe du général Dwight Eisenhower, Stephen Ambrose, a qualifié cette initiative de « pire erreur de la guerre ».

Le lieutenant-général Frederick Browning informa le vice-maréchal Montgomery que la première Division aéroportée britannique, les Diables Rouges, pourrait tenir une tête de pont durant quatre jours jusqu'à ce qu'arrivent des renforts terrestres : « Mais je crois, Sir, que nous allons un pont trop loin. »

Le principal corps de troupes britanniques ne parvint jamais à Arnhem. Les Diables Rouges retraitèrent, mais seulement 2163 d'entre eux furent récupérés. **(Publié le 17 septembre 1994)**

C'EST ARRIVÉ UN 17 SEPTEMBRE

1988 — Les Libanais sont, depuis deux ans, la deuxième communauté en importance pour le nombre d'immigrants admis chaque année au Québec. En deux ans, plus de 3000 d'entre eux se sont installés chez nous. Ils sont devancés de peu par les Haïtiens.

1983 — Vanessa Williams devient la première Noire à être choisie au titre de *Miss America*.

1980 — Anastasio Somoza Debayle est assassiné au Paraguay. Il avait été président du Nicaragua jusqu'en juillet 1979, alors qu'il avait été obligé de s'exiler.

1971 — Une collision entre un autobus et un camion, en Espagne, fait 17 morts, presque tous des Québécois.

1970 — À la suite des violents combats qui se déroulent à Amman, où le roi Hussein, de Jordanie, a dû lancer son armée contre les fedayin, les États-Unis se préparent à évacuer leurs ressortissants. — Léo Cadieux démissionne comme ministre de la Défense canadienne et est nommé ambassadeur en France.

1962 — La communauté noire de Georgie voit brûler un quatrième de ses temples religieux.

1960 — Sur les ordres du président Kasavubu, le personnel des ambassades d'URSS et de Tchécoslovaquie doit quitter le Congo.

1954 — Encore une fois, le Québec refuse l'offre de subventions fédérales aux universités.

1953 — Jean Lesage, député de Montmagny-l'Islet, est nommé ministre fédéral des Ressources nationales.

1952 — Ouverture à Montréal d'une première banque avec guichets pour automobilistes. — La marine américaine annonce que des bombardiers robots sont utilisés contre la Corée du Nord. Il s'agit donc des premiers avions téléguidés utilisés en temps de guerre.

1951 — J.-A. Mongrain est réélu maire de Trois-Rivières.

1949 — Première assemblée du Conseil établi en vertu du traité de l'Atlantique-nord (OTAN), à Washington. Le ministre Pearson y représente le Canada.

1948 — Le gouvernement fédéral lève le ban sur l'immigration française au Canada et admet les Français au même titre que les Britanniques et les Américains. — John Diefenbaker se porte candidat au leadership du Parti conservateur.

1944 — Des parachutistes sautent derrière les lignes allemandes à Arnheim.

1939 — Les Soviétiques envahissent la Pologne. Les nazis demandent à la résistance polonaise de se rendre, à Varsovie, ou de courir le risque de subir de violents bombardements.

1908 — Le célèbre artiste-dessinateur Henri Julien, est foudroyé par une crise d'apoplexie en pleine rue Saint-Jacques. — L'aviation fait sa première victime, le lieutenant Selfridge, qui volait à bord de l'avion d'Orville Wright.

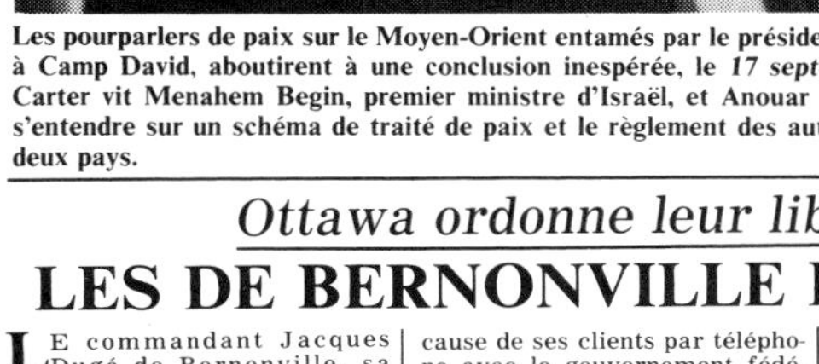

Le «S.S. Arctic» quittant le port de Québec. — Cliché fait expressément pour «La Presse».

LE S.S. ARCTIC EST PARTI EN ROUTE VERS LE NORD

(Du correspondant régulier de LA PRESSE)

QUÉBEC — Il était près d'une heure de l'après-midi, samedi **(17 septembre 1904)**, lorsque le «SS Arctic» quitta Québec pour une expédition à travers les mers glaciales, laquelle expédition doit durer trois ans. Un foule considérable assistait au départ du vaisseau. La fanfare de l'Etat était aussi sur le quai du Roi, jouant des airs patriotiques pour saluer avec la foule le départ des courageux membres de l'expédition. Tout l'avant-midi, ce fut un va-et-vient indescriptible à bord de l'«Arctic». Des camions arrivaient chargés de marchandises. Les commissaires de nos grands magasins se coudoyaient pour se débarrasser de leurs paquets; autant de cadeaux offerts par les parents et amis des voyageurs. Le major Moodie, commandant de l'expédition, et le capitaine J.E. Bernier, maître d'équipage, étaient activement engagés à régler les derniers détails du voyage. Les autres officiers et membres de l'expédition étaient entourés de leurs parents et amis.

A la dernière minute, il y eut de nouveaux changements dans le personnel. Ainsi, M. F. Moffet, fils du propriétaire du journal «Le Temps», d'Ottawa, qui avait reçu sa commission de commis du bord, resta sur le quai, malgré son grand désir de s'embarquer. Il ne put résister aux pressantes sollicitations de son père qui, le coeur brisé, lui demandait de rester. (...)

Les ateliers Angus ferment leurs portes

Les ateliers Angus, où s'effectuaient depuis environ 100 ans les réparations majeures des locomotives et des wagons de CP Rail, ferment leurs portes **(le 17 septembre 91)**, entraînant la perte de quelque 900 emplois à Montréal qui connaît déjà un fort taux de chômage.

Les employés ont appris de la bouche de leur employeur, hier après-midi, que les ateliers fermeraient à compter du 3 janvier.

En vertu du contrat en vigueur, la majorité des employés continueront à recevoir leur salaire et leurs avantages sociaux jusqu'à la retraite. CP Rail a expliqué qu'elle dispose d'une capacité excédentaire, d'où la décision de fermer les ateliers Angus, le plus gros employeur des quartiers Rosemont et Hochelaga-Maisonneuve, dans l'est de Montréal.

La plupart des travaux qui y sont exécutés peuvent l'être dans les principaux ateliers de l'Ouest du Canada dont la capacité est excédentaire, et c'est dans l'Ouest que CP Rail traite actuellement 75 pour cent de ses affaires.

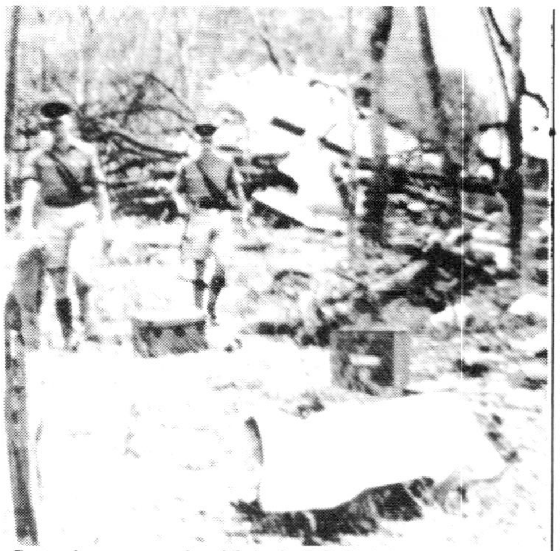

Cette photo montre les débris du DC-6B à bord duquel voyageaient M. Hammarskjold et sa suite.

Nouveau foyer de combat au Katanga

MORT DE HAMMARSKJOLD DANS UN ACCIDENT D'AVION

NDOLA, Rhodésie du Nord M. Dag Hammarskjold, secrétaire général de l'ONU a trouvé la mort dans un accident d'avion en Rhodésie du Nord **(le 18 septembre 1961)**. Son avion «DC-6B» s'est effondré à environ 7 milles et demi de Ndola. Hammarskjold avait quitté hier Léopoldville pour aller rencontrer M. Moïse Tshombé en terrain neutre, en Rhodésie du Nord. Le corps du secrétaire général a été retrouvé au milieu de cinq autres victimes de l'accident, dont MM. H.A. Wieschoff, directeur des Affaires politiques et du Conseil de sécurité, William Ranallo, secrétaire privé de M. Hammarskjold, Vladimir Fabry, chargé des questions légales. *(Une autre des victimes fut identifiée comme étant Alice Lalande, secrétaire particulière de M. Sturm Linner, chef des opérations de l'ONU au Congo).*

Les débris de l'avion ont été retrouvés à la suite de recherches entreprises par l'aviation de la Rhodésie.

La compagnie Swedish Trans-Air, qui a fourni l'avion à M. Hammarskjold, a entrepris une enquête pour déterminer si le DC-6B aurait été abattu par des jets de la chasse katangaise. Les chasseurs de Moïse Tshombé sont entrés dans la lutte pour appuyer les forces katangaises contre les forces de l'ONU.

Un homme, gravement blessé, a survécu à l'accident. Six cadavres ont déjà été retrouvés et l'on croit que les autres se trouvent sous les décombres de l'avion. Quatorze personnes se trouvaient dans l'appareil, soit neuf passagers et cinq membres d'équipage.

Les débris étaient encore fumants à l'arrivée des secouristes qui ont été conduits par un bûcheron noir sur les lieux de l'accident. L'avion semble avoir frappé le sol à une très grande vitesse, après avoir coupé les têtes des arbres environnants. L'appareil s'est désintégré presque complètement. Deux des moteurs se sont séparés de l'avion et n'ont pu être retrouvés, ce qui donne une idée de la force du choc.

La disparition de M. Hammarskjold coïncide avec une aggravation de la situation militaire au Katanga. Le combat aurait éclaté ce matin à Albertville, entre les forces de l'ONU et l'armée katangaise. Albertville est située sur le lac Tanganyika à environ 420 milles au nord-est d'Elisabethville. C'est la quatrième ville à être le théâtre de la guerre qui dure depuis cinq jours au Katanga. (...)

La crise financière mondiale pourrait-elle devenir encore plus pénible que maintenant?

GENÈVE, Suisse, — Le Comité des finances de la Société des Nations a fait rapport aujourd'hui **(18 septembre 1931)** à l'Assemblée que la crise financière mondiale est sans précédent et qu'elle «pourrait fort bien, graduellement ou soudainement, devenir plus aiguë et plus étendue».

Cet avertissement de la part d'un groupe d'experts financiers éminents a servi de base à une demande de crédits plus considérables pour faire face à des situations financières d'urgence que la Société des nations pourrait avoir à envisager cette année et en 1932.

Sir Arthur Salter, délégué britannique, qui est depuis dix ans directeur des organisations économiques de la société, a aussi appuyé sur l'urgence de la crise financière. Il a nettement déclaré au Comité que le problème financier actuel est le plus important dans la vie internationale.

Les systèmes tarifaires et particulièrement les traités qui affectent les nations d'une manière inégale, sont, a-t-il dit, les principales causes des troubles financiers mondiaux actuels. (...)

Carnage à Paris

La folie terroriste continue à Paris, avec un degré supplémentaire dans l'horreur.

Une bombe puissante, lancée d'une voiture devant Tati, un magasin de vêtements très populaire de la rue de Rennes à Montparnasse, a fait un véritable carnage (**le 18 septembre 1986)**), dépassant de loin les bilans des quatorze attentats « proche-orientaux » commis dans la capitale française depuis décembre dernier.

Bilan : cinq morts, 52 blessés, dont 4 dans un état désespéré et 14 autres dans un état grave.

Centenaire ferroviaire célébré avec éclat

Lord Alexander répète le geste de lord Elgin

A cent ans de distance, Son Excellence le vicomte Alexander de Tunis, gouverneur général du Canada, a répété le geste de lord Elgin, alors gouverneur de notre pays, en parcourant par chemin de fer la courte distance de Montréal à Lachine.

En 1847 en effet, lord Elgin inaugurait le 19 novembre le premier chemin de fer de l'île de Montréal. Hier après midi **(18 septembre 1947)**, le vicomte Alexander a rehaussé de sa présence le voyage symbolique organisé par la société ferroviaire, le Canadien National, qui a succédé à la société présidée il y a un siècle par l'honorable James Ferrier. Afin de faire revivre l'atmosphère de l'époque, de jeunes femmes, vêtues à la mode d'autrefois, chapeaux à encorbellement et longues robes à crinolines, paraient de leur charme et de leur grâce le convoi des quelque 500 invités. Un soleil radieux donnait à la fête tout l'éclat souhaité.

Au temps des crinolines

Après un déjeûner plein d'entrain pris à l'hôtel Windsor, les invités du Canadien National ont pénétré dans la gare vieillie de la rue Saint-Jacques, la gare Bonaventure aujourd'hui supplantée par la gare Centrale, et ont envahi les wagons ultra-modernes d'un train plusieurs fois plus long que le modeste convoi de 1847. La puissante locomotive a franchi en moins de temps qu'il y a cent ans la distance de huit milles qui sépare les deux villes. Tout le long du parcours, les gens étaient groupés sur les trottoirs, à l'angle des rues, et les drapeaux britanniques flottaient partout au vent.

Nombre de voyageurs se faisaient la réflexion que l'inauguration du chemin de fer Montréal-Lachine a dû constituer en 1847 un événement extraordinaire. Les rails étaient de bois, recouvert d'une lame de métal; les wagons étaient également de bois et fort légers. Et il y avait la vitesse! (...)

L'Atlantique franchi en ballon

L'audacieux pilote du Ballon de la Paix, Joe Kittinger, a réussi une première mondiale en franchissant l'Atlantique en solitaire (**le 18 septembre 1984**). L'ancien pilote de chasse de l'armée de l'air américaine est en effet arrivé hier soir à Biarritz, sa destination choisie.

À 18 h, heure de l'Est, hier soir, il survolait les Pyrénées vis-à-vis la ville de Pau, en France. Il avait quitté Caribou, dans le Maine, près de la frontière québécoise, à 12 h 20 vendredi dernier.

Selon Bob Rice, du Weather Services Corporation (à Bedford, Massachusetts), il s'apprêtait à voler toute la nuit pour atterrir au lever du soleil. « Chose certaine, avance Bob Rice, il va tenter de dépasser la mer Méditerranée avant de se poser ». Une raison supplémentaire pousse Kittinger à vouloir prolonger son vol: établir un nouveau record de distance.

Le record de 5971 kilomètres de vol a été établi en 1978 par les trois aérostiers du « Double Eagle II », qui ont du même coup réussi la première traversée de l'Atlantique en ballon. L'exploit de Kittinger réside principalement dans le fait qu'il traverse l'océan en solitaire.

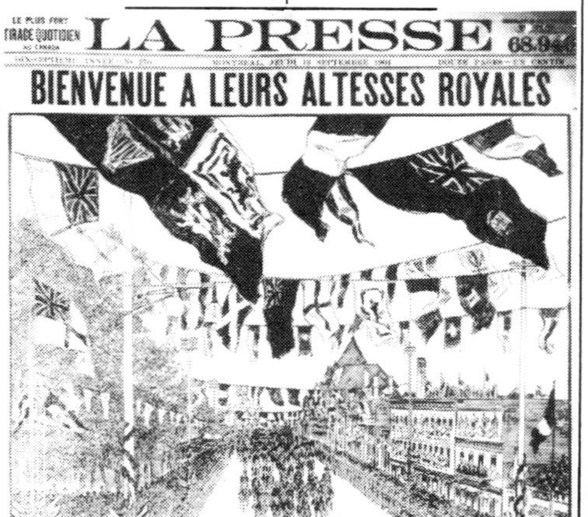
LE PLUS FORT TIRAGE QUOTIDIEN AU CANADA

LA PRESSE

68,944

BIENVENUE A LEURS ALTESSES ROYALES

Le *18 septembre 1901*, Montréal accueillait leurs Altesses Royales le duc et la duchesse de Cornwall avec tout le faste réservé aux membres de la famille royale, à l'époque. Ce croquis du dessinateur de LA PRESSE montre le carosse royal, rue Craig, alors qu'il s'engageait dans la rue Saint-Denis.

ECLATANTE VICTOIRE DE LEO KID ROY SUR WALTER PRICE A HOLYOKE

HOLYOKE, Mass., — Léo Kid Roy a signalé hier soir **(18 septembre 1925)** son entrée dans l'arène après un repos de plus de quatre mois en battant Walter Price d'une façon décisive. C'était là la première défaite subie par Price, et Roy a été le premier homme à le vaincre.

Le boxeur canadien a eu le dessus du commencement à la fin. A la première ronde, Kid Roy a étendu Price sur le plancher pour 4 secondes. A la sixième, il l'a couché de nouveau, cette fois pour neuf secondes. Kid Roy a fort malmené son adversaire. Ce dernier a eu la tête fendue et s'est fait faire six points de suture. Roy a eu l'avantage, un avantage décisif, et le résultat n'a jamais été douteux.

Price est un bon boxeur, mais Roy lui est supérieur et de beaucoup. Inutile de dire que la victoire de Kid Roy a soulevé un vif enthousiasme parmi la foule qui remplissait la salle et qui se composait en grande partie de Franco-Américains qui ont frénétiquement acclamé Léo Kid Roy.

NDLR — Dans la même page, sur la foi d'une lettre d'un lecteur, LA PRESSE soulevait la possibilité que le boxeur Leo Gates n'était pas un indien mohawk comme il le prétendait, mais plutôt un Canadien français originaire de Saint-Hyacinthe, fils de William Langevin et Louise Régnier. LA PRESSE soulevait la question, mais malheureusement sans y répondre.

C'EST ARRIVÉ UN 18 SEPTEMBRE

1983 — Un millier de Montréalais bravent la bruine pour participer au marathon Terry-Fox.

1982 — Le prince Rainier et ses sujets monégasques portent en terre la princesse Grace de Monaco.

1988 — Un nouveau coup d'État militaire est survenu à Port-au-Prince, emportant le régime militaire du lieutenant-général Henry Namphy. L'auteur du nouveau coup d'État serait le brigadier-général Prosper Avril, a-t-on appris de différentes sources.

1981 — Le Parlement français adopte un projet de loi relatif à l'abolition de la peine de mort.

1980 — Accusations de fraude, d'abus de confiance et de corruption portées contre Gérard Niding, Régis Trudeau et Claude Rouleau, résultat des travaux de la commission Malouf.

1976 — Pour la troisième fois, un jury acquitte le Dr Morgentaler, accusé d'avoir pratiqué un avortement illégal.

1975 — Patricia Hearst, fille de l'éditeur Randolph A. Hearst, est capturée à San Francisco par le FBI et accusée de vol de banque. Depuis son enlèvement 592 jours plus tôt, en février 1974, elle avait joint les rangs de ses ravisseurs. — En Ontario, les conservateurs sont mis en minorité après 32 ans de règne majoritaire et le NPD forme l'opposition officielle.

1973 — Admission des deux Allemagne à l'ONU.

1971 — L'administration du *Toronto Telegram* annonce que le journal cessera incessamment de paraître.

1956 — Adélard Godbout, ex-premier ministre du Québec en 1936, puis de 1939 à 1944, succombe aux suites d'une chute accidentelle, à l'âge de 64 ans.

1954 — Dévoilement du monument érigé à la mémoire du frère Marie-Victorin, naturaliste.

1946 — Le gouvernement communiste fait arrêter Mgr Louis Stépinac, primat de Yougoslavie. — Un avion de la Sabena s'écrase dans le brouillard, à Gander, causant la mort de 26 des 44 passagers. — Plus de 36 000 étaux de bouchers ferment aux États-Uunis à la suite du manque de viande et de la dispute sur le contrôle des prix.

1934 — L'URSS est acceptée au sein de la Ligue des Nations.

1926 — Un ouragan fait des milliers de victimes en Floride, en plus de causer des dégâts évalués à $150 millions.

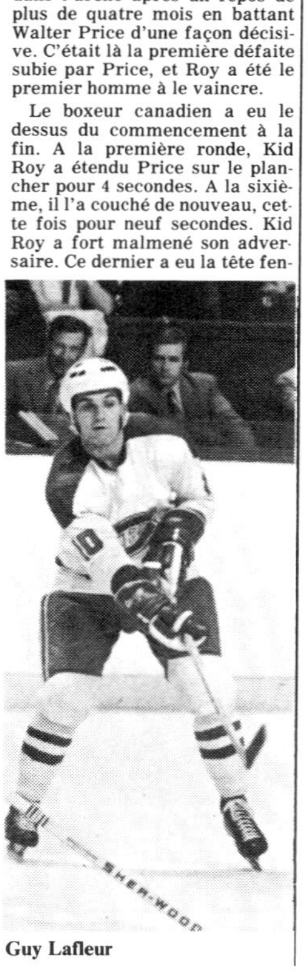

Guy Lafleur

En observant Lafleur, Béliveau se rend compte que c'est fini...

LES yeux des 18,906 spectateurs — une foule record au Forum — étaient tournés vers Guy Lafleur.

Et avec raison d'ailleurs.

C'était l'entrée en scène de la plus jeune merveille du Canadien. Une entrée en scène retentissante. Dommage qu'il ne s'agissait que d'un match hors concours car les trois assistances que Lafleur a méritées dans la victoire de 7 à 4 du Canadien aux dépens des Bruins de Boston, auraient bien paru sur une feuille de pointage officielle.

Les 18,906 spectateurs qui avaient payé le prix d'admission étaient trop préoccupés à surveiller les faits et gestes de Lafleur sur la patinoire pour jeter un coup d'oeil vers la passerelle des journalistes.

S'ils l'avaient fait, ils auraient reconnu une figure familière, installée au milieu des journalistes. Ils auraient reconnu en Jean Béliveau un homme qui ressentait une drôle de sensation.

«Pendant la première semaine de l'entraînement, ce n'était pas si pire, confiait Béliveau à Rogatien Vachon et Serge Savard. Il y a bien eu le premier matin où je me sentais mal à l'aise assis dans les estrades. Mais ce soir, c'est différent. Là, je me rends vraiment compte que j'ai mis fin à ma carrière. J'avoue que j'aurais aimé faire partie du groupe lorsque l'équipe a sauté sur la patinoire. Tu ne restes pas insensible à un tel accueil du public lors de la rentrée quelques mois après la conquête de la coupe Stanley. Ça me fait tout drôle maintenant d'observer le jeu de si haut...»

Une pensée pour Lafleur

Béliveau n'avait pas payé le prix d'admission mais il était peut-être celui qui portait le plus d'attention au début de Lafleur.

Qui sait, il revivait peut-être en cette soirée du ***18 septembre 1971***, le début de sa propre carrière.

«Je n'ai pu m'empêcher de penser à Guy durant toute la journée, disait Béliveau. Il doit être nerveux, même si le match ne revêt aucune importance. Je me demande quelle a été sa réaction lorsqu'il a appris qu'il allait effectuer la mise au jeu initiale.»

Au mois d'octobre 1953, Béliveau avait participé à son premier match comme membre en règle du Canadien dans des circonstances semblables. (...)

Lafleur s'est d'ailleurs comporté comme un vétéran. Il n'a pas compté mais il a récolté trois assistances. Il était sur la patinoire lors des cinq premiers buts du Canadien et pour aucun des quatre buts des Bruins. (...)

NDLR — Les buts du Canadien furent marqués par Frank Mahovlich et Yvan Cournoyer, avec deux chacun, Pete Mahovlich, Marc Tardif et Jacques Lemaire, ceux des Bruins par Bobby Orr, Ken Hodge, Bob Stewart et Wayne Cashman.

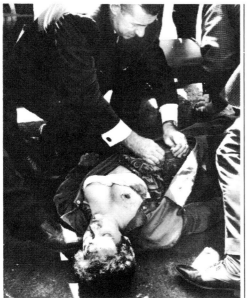

Monique Proietti, mieux connue sous le vocable de «Machine-Gun Molly».

Machine-Gun Molly tombe sous les balles de la police

La célèbre femme à la mitraillette, «Machine-Gun Molly», qui dirigeait un trio de cagoulards soupçonnés d'avoir perpétré quelque 20 vols de banque dans la région de Montréal au cours des derniers mois, est tombée hier **(19 septembre 1967)** sous les balles de la police de Montréal-Nord à l'issue d'une chasse à l'homme mouvementée, à plus de 100 milles à l'heure, dans les villes de Montréal-Nord et Saint-Michel.

De son vrai nom Monique Proietti, âgée de 27 ans, mère de deux enfants, la suspecte s'affublait occasionnellement des alias de Monique Smith ou Monique Tessier. Au moment où elle a été abattue par la police, vers 11 h. 15, elle était en liberté provisoire, attendant de subir son procès sous une accusation de complicité dans un vol d'automobile. Quoique soupçonnée de quelque 20 hold-up, aucun mandat d'arrêt n'avait été délivré contre elle, sauf par la Sûreté de Jacques-Cartier, et seulement sous l'accusation de vol d'auto. Machine-Gun Molly s'était livrée à la police de cette ville, le 30 août dernier, en compagnie de son avocat Me Léo Maranda. Dès le lendemain, elle obtenait sa libération sous un cautionnement de $950. Son enquête préliminaire avait été fixée au 6 octobre.

Peu après 11 h. ce matin, Monique Proietti, accompagnée de deux autres individus, faisait irruption dans la Caisse populaire St-Vital, au 11,117 boul. St-Vital, à Montréal-Nord.

La tête camouflée sous une cagoule et l'arme au poing, le trio s'est approprié assez facilement le contenu de deux tiroirs-caisses soit une somme d'environ $3,000.

Le trio s'engouffra dans une auto de marque Chrysler qui était garée devant l'établissement et démarra en trombe. Pendant ce temps, l'alerte était donnée au poste de la police de Montréal-Nord et, en moins de 30 secondes, deux autos-patrouilles étaient sur les lieux.

Notant rapidement la description de la voiture que donnaient des témoins, les policiers se lancèrent à la poursuite des fuyards. Ceux-ci ont emprunté la rue Martial, pour revenir vers le sud dans la rue London et ont emprunté la rue Fleury jusqu'au boul. des Récollets. A cette intersection, on effectue des travaux de voirie, ce qui a retardé la fuite des cagoulards. Ils profitèrent de la situation pour changer de voiture. (...)

Les fuyards ont passé les limites de Montréal-Nord pour traverser toute la ville de Saint-Michel, où la poursuite s'est arrêtée de façon brutale à l'angle du boul. Pie-IX et de la rue Dickens quand l'auto que conduisait Machine Gun Molly heurta violemment un autobus de la ligne 99 de la CTM. Personne n'a été blessé dans l'autobus.

Trois balles pour Monique

Les deux individus qui accompagnaient Monique Proietti ont rapidement quitté le véhicule accidenté et se sont enfuis à toutes jambes, abandonnant la jeune femme dans la voiture.

Le véhicule fut cerné par les policiers et, se sentant prise, la femme braqua un revolver de calibre .45 en direction des policiers, s'apprêtant à vendre chèrement sa peau.

Craignant que «Machine-Gun Molly» n'hésite pas à faire feu, un policier leva sa mitraillette et fit feu. Une balle se logea dans la tête de Monique Proietti et deux autres dans les seins. La jeune femme s'affaissa morte sur le siège de la voiture. (...)

Houde démissionne
Quel sera le prochain chef conservateur?

Inutile de dire que la démission de M. Camillien Houde comme chef du parti conservateur provincial, démission officiellement annoncée hier **(19 septembre 1932)** dans les journaux et à laquelle d'aucuns s'attendaient depuis déjà quelque temps, est le grand sujet de conversation aujourd'hui rue Saint-Jacques ainsi que dans tous les cercles conservateurs. Y aurait-il convention dès cet automne pour le choix d'un successeur à l'ancien député de Sainte-Marie ou simplement élection, pour le moment, d'un chef sessionnel de l'opposition? Tel est ce qui sera discuté à un caucus que M. C.-E. Gault, lui-même chef sessionnel l'an dernier, doit convoquer sous le plus court délai possible. Nous sommes informés, en effet, qu'il en a déjà donné avis par lettre à tous ses collègues. (...)

Tout indique pour le moment du moins que l'on se contentera de choisir un chef sessionnel de l'opposition, lequel serait M. Maurice Duplessis, député de Trois-Rivières, et que l'on verra l'organisation d'une convention pour le choix du chef permanent du parti conservateur pour le printemps prochain seulement. (...)

Coca-Cola revient au classique

En avril dernier, Coca-Cola surprenait bien du monde en lançant son «nouveau coke», plus sucré que le produit légèrement amer déjà connu de millions de consommateurs. Mais, à peine quelques mois plus tard, la direction de la multinationale d'Atlanta faisait marche arrière et remettait sur les tablettes son ancien produit, aux États-Unis seulement, sous le nom de «Coke classique», tout en laissant le nouveau sur le marché. On a invoqué, à ce moment, les plaintes d'innombrables consommateurs frustrés.

Deux mois après la maisonmère américaine, Coca-Cola Canada ré-introduit à son tour le «Coke classique», et la compagnie n'entend pas lésiner sur les moyens à prendre pour le faire savoir aux Canadiens, y consacrant près de 2$ millions. **(Texte publié le 19 septembre 1985.)**

Explosion de violence à Kahnawake: 75 Mohawks et dix militaires blessés

Le 70e jour de la crise d'Oka **(le 19 septembre 1990)**a été marqué par un retentissant regain de violence sur la réserve de Kahnawake, où des Mohawks ont pris à partie la militaires qui envahissaient une île au cours d'une opération conjointe avec la Sûreté du Québec.

Des gaz lacrymogènes ont été lancés à deux occasions par les soldats et des coups de semonce ont été tirés au moment où de nombreux manifestants revenaient à la charge. Tout au cours des opérations, huit hélicoptères de l'armée survolaient les lieux à basse altitude, amplifiant le sentiment qu'une véritable guerre était en cours.

La violente manifestation s'est produite à l'entrée de l'île Tekakwitha, où les militaires avaient dressé des barbelés afin de protéger les 60 policiers de la SQ qui y recherchaient des armes. Au cours des affrontements, environ 75 Mohawks ont été blessés ou incommodés par les gaz et dix militaires ont été sévèrement battus par les manifestants au point d'être évacués immédiatement des lieux.

Le bilan des saisies, rendu public par la SQ, a fait état de 47 armes, dont huit fusils d'assaut AK-47, deux mitraillettes, sept armes à autorisation restreinte et huit armes de chasse. Entre 6000 et 10 000 balles ont aussi été saisies, selon l'agent André Blanchet, de la SQ.

D'autre part, à Oka, les militaires qui surveillent les Warriors et leurs sympathisants retranchés ont été la cible de lancements d'oeufs provenant du centre de désintoxication.

Les Warriors ont ensuite demandé des vivres et encore une fois l'armée a accepté.

M. Jacques Parizeau passe au PQ

M. Jacques Parizeau, économiste dont la compétence est reconnue et utilisée autant à Ottawa qu'à Québec, est passé officiellement dans le Parti québécois, hier **(19 septembre 1969).**

Et s'il n'en tient qu'aux leaders du PQ, c'est le comté d'Ahuntsic que le nouveau péquiste tentera de représenter lors des prochaines élections provinciales.

Même celui qui espère être choisi candidat dans ce comté, M. Pierre Renaud, s'est dit prêt à s'effacer pour laisser la place à M. Parizeau.

En plus d'être un comté où la cote d'amour de M. René Lévesque est, semble-t-il, assez élevée, Ahuntsic est un comté dont la population ne craint pas les intellectuels; il est représenté à l'Assemblée nationale par le député libéral Jean-Paul Lefebvre.

Quant à M. Parizeau, il s'est contenté de souligner que l'arrivée au PQ a été «laborieuse et difficile», l'ancien fédéraliste a déclaré qu'il consacrera toutes ses énergies, au cours des prochains mois, «à exorciser les démons, à calmer les craintes» que suscite chez certains l'idée de l'indépendance, surtout au plan de l'économie.

Le président du PQ, en plus de souligner que l'arrivée du professeur des Hautes Etudes Commerciales «est un grand jour pour le PQ et pour tous les Québécois», s'est dit assuré que M. Parizeau pourra «dissiper les craintes artificielles que certains ressentent vis-à-vis l'indépendance et que d'autres sont payés pour entretenir».

En plus d'avoir été conseiller économique et financier du cabinet provincial de 1965 à la fin de 1967, M. Parizeau a été membre du Conseil supérieur du travail, conseiller de plusieurs commissions fédérales et provinciales. (...) étroitement lié à la préparation de la nationalisation de l'électricité et à l'élaboration de projets tels que la Société générale de financement, la Caisse de dépôt et de placement, SOQUEM et la politique salariale du gouvernement Bertrand. (...)

L'armée rationalise

Les États-Unis vont fermer 127 installations militaires dans le monde et réduire l'activité de 23 autres à partir de l'an prochain.

Ces mesures concernent notamment 108 installations en RFA. **(Texte publié le 19 septembre 1990.)**

Page bucolique consacrée à la moisson, et publiée le 19 septembre 1908.

La pochette d'allumettes a 100 ans

En un siècle d'existence, la pochette d'allumettes est devenue le support publicitaire le plus populaire au monde pour des sociétés, des produits, des héros sportifs et des vedettes de cinéma.

Malgré sa petitesse et sa discrétion, les historiens chargés de résumer les grands développements de ces 100 dernières années devraient sans nul doute lui rendre hommage.

Pendant la Deuxième Guerre mondiale, des messages patriotiques étaient inscrits sur des pochettes. L'une d'elles contenait des allumettes en forme de bombes que l'on craquait sur le postérieur d'Hitler.

La première fois qu'elle a été utilisée pour faire de la publicité remonte à 1896: la Compagnie de l'Opéra Mendelssohn n'avait pas d'argent pour annoncer qu'elle se produirait au Carnegie Hall. Les deux vedettes ont été prises en photo, ces photos collées sur 200 pochettes d'allumettes avec la date et l'heure de la représentation. Tous les billets furent vendus.

Un vendeur de pochettes d'allumettes a récupéré l'idée. En 1902, Henry Traute a vendu 10 millions de pochettes à la Brasserie Pabst, avec une publicité de bière imprimée dessus.

La pochette d'allumettes en carton a été inventée par un avocat de Philadelphie, Joshua Pusey, à qui l'on doit aussi les montagnes russes par exemple. Il a vendu son invention à Diamond Match Co. pour, dit-on, 5000$, une coquette somme pour l'époque et a reçu 5000$ par an jusqu'à sa mort, en 1906. **(Texte publié le 19 septembre 1992.)**

A L'INAUGURATION DU PREMIER TRAIN ELECTRIQUE

Le Canadien National procédait, le *19 septembre 1925*, au voyage d'inauguration du premier train électrique du monde mû par un moteur à l'huile.

HAUPTMANN EST-IL LE RAVISSEUR ET LE MEURTRIER DU BEBE LINDBERGH?

TRENTON, N.J. — Le gouverneur du New Jersey, A. Harry Moore, a signé tard hier soir **(20 septembre 1934)** un mandat d'extradition sous une accusation d'homicide contre Bruno Richard Hauptmann, suspect dans l'affaire Lindbergh. (...)

A-t-on arrêté le vrai Hauptmann?

Washington, 21 (P.A.) — Le département du travail annonce aujourd'hui qu'un homme qui a donné le nom de Karl Pellmeier alias Bruno Richard Hauptmann avait été déporté en Allemagne le 17 juillet 1923, parce qu'il était entré aux Etats-Unis comme rat de cale.

Cet homme dit qu'il était âgé de 23 ans, ce qui correspond approximativement avec l'âge du Hauptmann qui a été arrêté à New York en rapport avec l'affaire Lindbergh.

Le département explique que cet homme était déportable en tout temps pour des raisons de «turpitude morale». Cet immigrant reconnut, tandis qu'il était détenu aux Etats-Unis, qu'il avait pénétré par effraction avec un complice chez le maire de Pembruch, Allemagne, et lui avait volé environ 1,000 marks. (...)

«Cet argent me vient d'un ami» déclare Hauptmann

Bruno Richard Hauptmann, charpentier allemand accusé d'avoir extorqué $50,000 au colonel Lindbergh contre la promesse de lui rendre son enfant, donnait ce matin à toutes les questions posées par la police une réponse soigneusement étudiée et de nature à le disculper.

«L'argent qu'on a trouvé chez moi, dit-il, m'avait été confié par un ami (apparemment Fische qui fut un associé du prisonnier dans son commerce de fourrures) qui s'en alla en Allemagne et y mourut.

«Je ne savais pas avant hier que cet argent vint de la rançon du petit Lindbergh», soutint-il avec opiniâtreté. Il ajouta que son ami avait confié $14,000 à sa garde et qu'il en avait dépensé $125 ou $150. Il reconnut avoir travaillé à Lakewood et Freehold, New Jersey, mais il dit qu'il n'avait jamais été à Hopewell qui est la municipalité la plus rapprochée de la maison des Lindbergh. Il dit qu'il ne travaille plus depuis avril 1932. (...)

— Où avez-vous pris tout cet argent? demanda-t-on à Hauptmann. — Un de mes amis s'en alla en Allemagne et me laissa tous ses effets. Il mourut en Allemagne. — Vous a-t-il dit quoi faire avec ses biens? — Non. — En quoi pensiez-vous que ces effets consistaient? — Je pensais que c'était des billets de banque.

L'interrogatoire se termina après qu'il eut déposé qu'il possédait un *(sic)* auto depuis 1931.

Hauptmann s'agitait nerveusement pendant qu'on le questionnait. Il paraissait visiblement effrayé.

Sullivan croit tenir le vrai ravisseur

(Presse Associée) — Durant l'interrogatoire de Bruno R. Hauptmann sur l'argent de la rançon Lindbergh, l'assistant de l'inspecteur en chef John L. Sullivan a déclaré (...): «Je comprends cet homme. Nous avons une cause parfaite d'extorsion contre lui. Je ne doute pas le moins du monde qu'il ait à répondre à une accusation plus grave. Je n'entretiens pas le moindre doute au sujet de cet homme».

Silencieux, les Lindbergh paraissent indifférents

(Service de l'United Press spécial à la «Presse»)

Los Angeles, — Le colonel et Mme Charles A. Lindbergh ne livrent pas leurs impressions sur l'arrestation d'un suspect de l'enlèvement de leur fils premier-né.

Ils restent seuls dans la grande maison de Will Rogers qui leur a câblé il y a plusieurs jours une invitation à y demeurer durant leur séjour en Californie. Lindbergh lui-même est invisible mais Jack Maddox, ancien chef d'une compagnie d'aviation et ami intime du colonel, dit que les Lindbergh ne parlèrent pas avant d'avoir reçu des nouvelles de leurs avocats à New York. Maddox dit que Lindbergh a paru peu intéressé quand il apprit l'arrestation de Hauptmann.

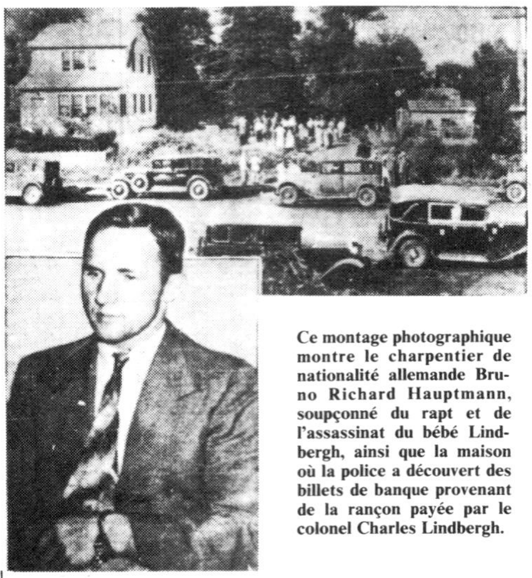

Ce montage photographique montre le charpentier de nationalité allemande Bruno Richard Hauptmann, soupçonné du rapt et de l'assassinat du bébé Lindbergh, ainsi que la maison où la police a découvert des billets de banque provenant de la rançon payée par le colonel Charles Lindbergh.

Coupable d'avoir rendu un ordinateur «malade»

Un tribunal de Fort Worth, Texas, a reconnu coupable un Américain de 40 ans, Donald Burleson, (**le 20 septembre 1988**) d'avoir injecté un « virus » dans un ordinateur, à l'issue du premier procès de ce genre aux États-Unis.

Burleson était accusé d'avoir saboté, en 1985, quelque 168 000 archives informatiques d'une compagnie d'assurances et de courtage de Fort Worth, dont il venait d'être licencié.

Après six heures de délibération, le tribunal a estimé que l'accusé s'était rendu coupable d'avoir « nui à un ordinateur », une accusation passible de 10 ans de prison et de 5000 $ d'amende. La sentence doit être rendue le 21 octobre.

Burleson avait déjà été condamné, au civil, à payer 12 000 $ de dommages-intérêts à son ancien employeur.

L'accusation avait affirmé que Burleson, qui était programmeur informaticien, avait introduit dans l'ordinateur de sa firme un « virus », c'est-à-dire des directives que l'on dissimule dans un programme en apparence normal et qui provoquent une destruction ou une modification d'informations à un moment donné ou après une séquence particulière de commandes.

Ce « virus » avait agi comme une « bombe à retardement », deux jours après le limogeage de Burleson, détruisant quelque 168 000 fiches informatiques sur la paie des employés.

La moitié des cégépiens ne savent pas écrire

Près de la moitié des finissants du collégial n'arrivent pas à écrire correctement le français, selon les résultats d'un test dévoilé par la ministre de l'Enseignement supérieur du Québec, Mme Lucienne Robillard.

Le test de français a été administré le 13 mai dernier à un peu plus de 18 000 finissants des cégeps se destinant à l'université. Il consistait à écrire une dissertation de 500 mots portant sur un des trois sujets proposés par le ministère et les universités. Les étudiants, qui avaient trois heures pour compléter l'examen, pouvaient consulter un dictionnaire et une grammaire.

56 pour cent des finissants ont obtenu la note de passage de 50 pour cent en ce qui concerne la langue, la syntaxe et la grammaire.

Qualifiant ce résultat de préoccupant, la ministre Robillard note que « la maîtrise du français écrit de nos étudiants des collèges, candidats à l'université, révèle des lacunes importantes ». **(Texte publié le 20 septembre 1992.)**

LE TRIOMPHE DE LA REFORME

Les 22 quartiers de Montréal se déclarent, d'une façon très catégorique, en faveur de la réduction du nombre des échevins et du bureau de contrôle

LE peuple a parlé: 22,000 électeurs sont allés aux polls, hier **(20 septembre 1909)**. Près de vingt mille *(19,570, précisait-on ailleurs)* se sont prononcés pour la réduction du nombre des échevins, et près de 19,000 *(18,575, pour être plus précis)* pour le bureau de contrôle. Ce fut un balayage contre les adversaires de la réforme municipale. A cause des événements d'hier, la Commission technique, qui devra être instituée quand même, avec le Bureau de contrôle, est en minorité de 10,000 voix.

Canadiens-français, anglais, irlandais ont fait leur devoir d'honnêtes citoyens, hier. Propriétaires, locataires, ouvriers, commerçants, bourgeois, millionnaires, pauvres, riches, tous, enfin, puisque l'opposition aux réformes est écrasée, anéantie, ont voulu participer au relèvement moral et financier de la ville de Montréal.

On ne peut voir plus éclatante manifestation de la conscience publique honnête. Il n'y a pas de plus bel exemple de la puissance irrésistible de l'opinion publique. La majorité dans tous les quartiers, sans exception, s'est prononcée en faveur d'un changement de régime administratif dans nos affaires municipales. Les quartiers représentés par les adversaires de la réforme ont été, peut-être, les plus violents à répudier les oppositionnistes. Le chef de ceux-ci, l'échevin Giroux, a été écrasé dans son propre quartier, Saint-Jacques.

Les quartiers qui ont remporté la palme de la majorité en faveur de la réforme sont des quartiers canadiens-français. Comment ne pas s'en réjouir?

C'EST ARRIVÉ UN 20 SEPTEMBRE

1982 — La Ligue nationale de football est paralysée par une grève des joueurs.

1978 — Démission inattendue de John Vorster, premier ministre d'Afrique du Sud depuis 1966.

1977 — La plus grande partie du pavillon Émile-Nelligan de l'hôpital L.H. Lafontaine est ravagée par le feu, troisième incendie majeur à frapper cet hôpital en 15 mois. — Le Canada et les États-Unis s'entendent sur le parcours du gazoduc de l'Alaska.

1973 — Annonce par Québec du nouveau programme d'allocations familiales.

1971 — Découverte de lettres piégées adressées à l'ambassade d'Israël à Ottawa et au consulat d'Israël à Montréal.

1970 — Intervention des blindés syriens contre les forces gouvernementales jordaniennes. Washington met en garde la Syrie contre un élargissement du conflit. — Le pape Paul VI et le président Giuseppe Saragat célèbrent ensemble le centenaire de la prise de Rome par les troupes du roi Victor-Emmanuel II, marquant ainsi la fin du pouvoir temporel des papes sur Rome.

1963 — Le cargo canadien *Howard L. Shaw* part de Chicago vide après un boycottage de cinq mois.

1961 — M. Mongi Slim, de Tunisie, devient le premier Africain à occuper la présidence de l'Assemblée générale des Nations Unies.

1960 — Ouverture à Québec d'une session spéciale convoquée pour traiter des problèmes de la Ville de Montréal, et qui débouchera sur l'adaptation de la loi concernant un référendum à Montréal. — Ouverture à New York de la 15e session de l'Assemblée générale de l'ONU. Eisenhower, MacMillan, Diefenbaker, Khrouchtchev, Nehru, Nasser, le roi Hussein, Tito, Soukarno, Menzies, Nash et Castro y participent personnellement.

1958 — Décès à l'âge de 66 ans de Dom Oscar O'Brien, célèbre folkloriste canadien et ex-fondateur du *quatuor Alouette*.

1957 — Jean Sibelius, grand compositeur de réputation universelle, meurt à Helsinki, en Finlande, à l'âge de 91 ans.

1956 — George Drew abandonne la direction du Parti conservateur.

1955 — L'URSS accorde la souveraineté à l'Allemagne de l'Est.

1949 — Richard Dix, étoile de l'écran, meurt dans un hôpital d'Hollywood à la suite d'une crise cardiaque.

1947 — Fiorello Laguardia, ex-maire de New York, meurt à l'âge de 64 ans, d'un cancer du pancréas.

1939 — Décès à Montréal de Mgr Paul Bruchési, à l'âge de 83 ans et 11 mois.

1932 — Pour donner plus de poids à sa lutte pour l'indépendance de l'Inde, le mahatma Gandhi entreprend une grève de la faim à Bombay.

1917 — Le fédéral accorde le droit de vote aux femmes.

1906 — Inauguration solennelle de la Faculté de pharmacie à l'université Laval de Montréal.

1901 — Au tour d'Ottawa d'accueillir avec faste le duc et la duchesse d'York.

Deux lignes de métro déjà rétablies

LES autobus circulent de nouveau ce matin **(20 septembre 1974)**, ainsi que deux lignes de métro, celles reliant Longueuil à la station Berri-de-Montigny et les stations Atwater et Frontenac, *après 44 jours de grève*. L'ensemble du réseau souterrain fonctionnera normalement dès demain.

Toutefois, bien des problèmes demeurent en suspens. Ainsi, le président de la CTCUM, M. Lawrence Hanigan, avoue ignorer où prendre les $4 millions que l'oblige à débourser l'entente conclue hier entre la commission et ses 1,600 préposés à l'entretien et aux garages.

Selon cette entente, la Commission de transport de la CUM s'engage à verser un montant forfaitaire de $600 à chacun des grévistes, et ce avant le premier janvier 1975. Les employés ont préféré cette somme à une formule d'indexation que leur proposait la Commission. (...)

L'accord conclu hier portera le déficit prévu de la CTCUM de $18 à $22 millions pour 1974. En outre, M. Hanigan déclarait plus tôt cette semaine que $103 millions manqueront dans les coffres de la commission de transport d'ici trois ans.

Cette concession monétaire de la commission reste l'élément majeur qui a décidé du règlement du conflit, en cours depuis le 7 août. Les ententes de principe furent signées au bureau du premier ministre à cinq heures, hier, en présence du numéro un de la CSN, Marcel Pepin, et du président de la CTCUM, Lawrence Hanigan.

Environ 1,200 membres du Syndicat du transport de Montréal les acceptaient quelques heures plus tard, au cours d'une assemblée générale dans la métropole.

En plus du montant forfaitaire de $600, elles assurent le retrait des 73 suspensions levées contre certains travailleurs ayant refusé d'assurer le service le 24 juin et le premier juillet derniers.

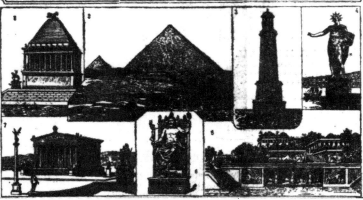

AVEC LE PONT DE QUEBEC LE MONDE COMPTE 8 MERVEILLES AU LIEU DE 7

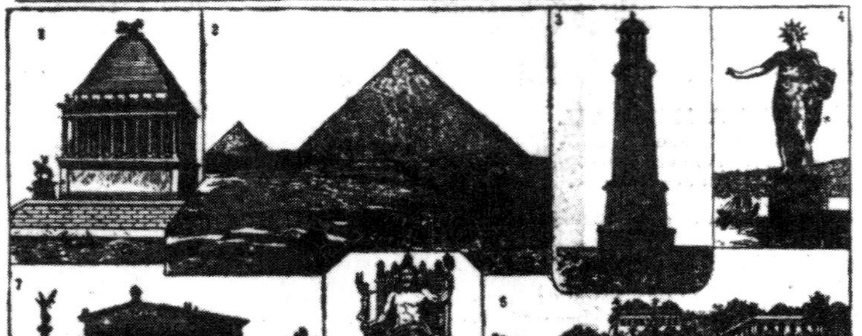

Au moment où la travée centrale était installée, *le 20 septembre 1917*, le pont de Québec devenait la huitième merveille du monde. Les sept autres sont (1) le tombeau de Mausole, à Halicarnasse (2) la pyramide de Chéops (3) le phare d'Alexandrie (4) le colosse de Rhodes (5) les jardins suspendus de Sémiramis, à Babylone (6) la statue de Zeus (Jupiter) olympien, à Olympie et (7) le temple d'Artémis (Diane) à Ephèse.

Le pont de Québec

LE COURONNEMENT D'UNE ENTREPRISE NATIONALE

COMME SUR LE PONT D'AVIGNON, ON Y DANSE!

QUÉBEC — Enfin, le pont de Québec est du domaine de la réalité. La 8ème merveille du monde est parachevée. L'ascension de la travée centrale s'est terminée avec succès, hier après-midi **(20 septembre 1917)**, à trois heures et 28 minutes exactement.

Aussitôt le travail d'ascension terminé, on s'est mis à préparer les voies pour river la travée centrale aux deux bras cantilevers.

Ce travail a commencé à 3 h. 28 et s'est terminé à quatre heures. On s'est servi pour cela de huit boulons de dix pouces de diamètre et pesant chacun 1400 livres.

A quatre heures précises, l'ingénieur-en-chef de la construction du pont, M. G.F. Porter, a donné le signal indiquant que la grande entreprise était terminée. Immédiatement, tous les bateaux qui se trouvaient dans les environs se sont mis à lancer dans les airs des coups de sifflet qui se prolongèrent fort longuement. (...)

TOUT EST EN PLACE

Le représentant de la «Presse» se trouvait sur un bateau, tout auprès du pont, vers trois heures, quand se termina le travail d'ascension de la travée. Nous avons entendu fort bien le bruit des leviers hydrauliques qui faisaient franchir à la travée centrale son dernier échelon. Puis il y eut quelques minutes d'inaction.

C'est alors que l'on vit une chose bien typique. Un des ouvriers qui se trouvaient sur le cantilever nord se dégagea du groupe et arriva sur la travée centrale en marchant d'un pas allègre sur une étroite pièce d'acier. Il s'arrêta à une vingtaine de pieds du cantilever et, en tournant vers les curieux qu'il y avait dans notre bateau, se mit à danser une gigue. Ce danseur enragé est aussi original que brave!

On sait que, durant le travail de montage, il ne s'est tenu personne sur la travée centrale, contrairement à ce qui s'était passé l'an dernier. (...)

Chahut à l'ouverture de la Place des Arts

APRÈS des années de difficultés et des mois de querelles, la Place des Arts a été inaugurée samedi soir **(21 septembre 1963)** mais non sans malaise. Pendant qu'à l'intérieur de la Place, près de 3,000 personnes contemplaient le luxueux édifice et attendaient nerveusement dans les halls le début du concert, à l'extérieur la révolte grondait.

Peu s'en fallut que la manifestation de protestation qui a marqué l'ouverture officielle de la Place des Arts ne dégénérât en effet en une véritable échauffourrée digne de l'émeute de 1955 qu'avait occasionnée la suspension de Maurice Richard.

La plupart des invités étaient arrivés par le garage, et non par l'allée centrale de la rue Sainte-Catherine où une garde d'honneur de 120 PP les attendaient au garde-à-vous, et ne s'étaient pas rendu compte que plus de 400 manifestants, auxquels s'étaient joints presque autant de badauds, étaient aux prises avec 250 policiers de Montréal qui avaient reçu l'ordre de réprimer toute manifestation.

La police attendait de pied ferme les 400 jeunes manifestants du RIN, du PRQ et du CVN, qui avaient décidé, au nom de la nationalisation de la Place des Arts et de l'indépendance du Québec, de parader — drapeaux fleurdelisés et pancartes en tête— devant l'entrée principale de cette salle de concert au moment de son ouverture officielle.

En dix minutes, tout était fini. Douze policiers à cheval, 15 motocyclettes et une centaine d'agents à pied avaient foncé à toute vapeur sur la colonne des manifestants dès leur apparition au coin des rues Ste-Catherine et St-Urbain, vers 8h. Pancartes déchirées, drapeaux arrachés, les manifestants étaient repoussés vers le terrain de stationnement, de l'autre côté de la rue Ste-Catherine, et dispersés au milieu d'un va-et-vient effarant de motos pétaradant et de chevaux lancés au galop. (...)

Le bilan de cette partie de la soirée: 19 arrestations — au moins — et quelques blessés tant chez les policiers que chez les manifestants. Une femme aurait subi la ruade d'un cheval. Les personnes arrêtées, dont les organisateurs du PRQ, M. Yvan Piché, seront accusés d'avoir troublé la paix. (...)

Place des Arts...

Pendant que, rue Ste-Catherine, on s'époumonnait à chanter le «Ah, ça ira, ça ira, ça ira», dans la grande salle de concert, on entonnait nos hymnes nationaux «O Canada» et «God Save the Queen». Dans la Place, très peu d'invités étaient au courant de ce qui se passait dehors. Au reste, les policiers de faction à l'intérieur de la Place défendaient à quiconque de parler de la manifestation du RIN, du PRQ et du CVN. Quand du reporter a voulu se rendre du côté des manifestants, on lui a ordonné de ne plus revenir si c'était pour raconter ce qui se passait dehors.

Les invités avaient d'ailleurs un tas d'autres préoccupations: le verre à la main, on visitait les salles, on parlait de la première moitié du concert qui venait de prendre fin, de la décoration de la Place, on cherchait des amis à saluer et des costumes à critiquer. (...)

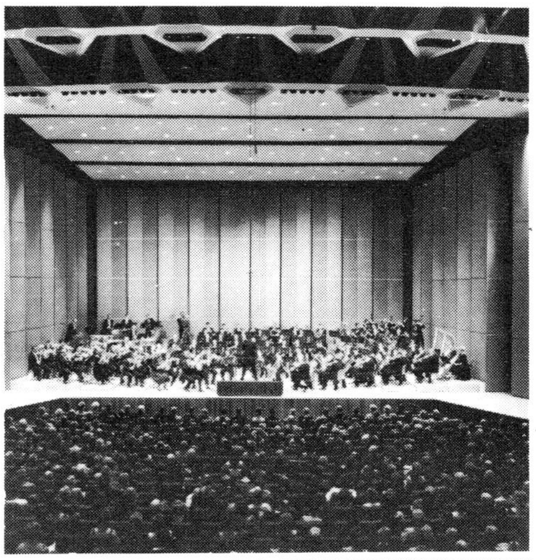

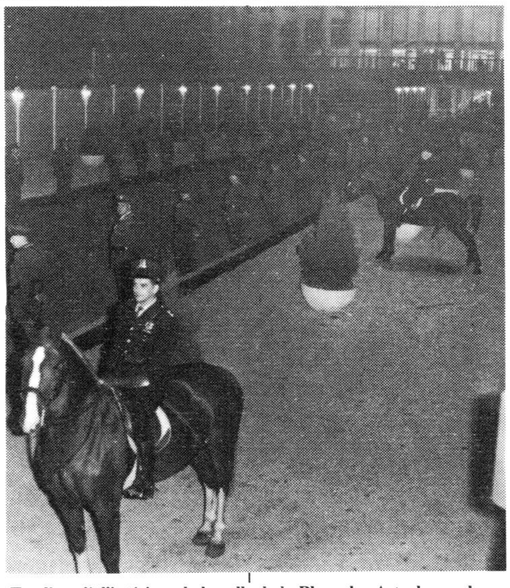

Tandis qu'à l'intérieur de la salle de la Place des Arts, les quelque 3000 invités écoutaient d'une oreille attentive le concert inaugural présenté par l'Orchestre symphonique, à l'extérieur, la police devait contenir quelque 400 manifestants et pas avec des gants blancs. Cette manifestation était passée quasi inaperçue chez les invités, qui étaient presque tous entrés par la voie de garage plutôt que par la haie d'honneur formée de policiers de la Sûreté du Québec (on disait alors Police provinciale) devant l'édifice culturel.

Clinton cloué au pilori

Les Américains et le reste du monde ont découvert aujourd'hui (**le 21 septembre 1998.**), grâce aux télévisions et à Internet, l'humiliant interrogatoire subi par Bill Clinton sur sa liaison avec Monica Lewinsky, point d'orgue d'un scandale aux conséquences toujours imprévisibles pour le président des États-Unis.

Clinton, qui se trouvait à New York pour l'assemblée générale de l'ONU, a été réconforté par une ovation d'une minute des chefs d'État et de gouvernement présents.

La vidéo de l'interrogatoire de Clinton, enregistrée le 17 août dans la salle des Cartes de la Maison-Blanche, était rendue publique peu après 9 h par le Congrès et immédiatement relayée par quatre télévisions d'information en continu, les trois grandes chaînes nationales et par Internet.

Toutes l'ont diffusée sans l'avoir visionnée, pendant quatre heures et 12 minutes, sans interruption publicitaire.

Les téléspectateurs ont pu voir un Bill Clinton tendu et sombre, mais se défendant pied à pied, parfois sarcastique, réussissant à ne pas sortir de ses gonds face à des questions extrêmement indécentes.

Questions répétées sur sa définition des relations sexuelles, sur la fellation, les baisers et caresses intimes échangés avec Mme Lewinsky, les procureurs ne lui ont rien épargné, déterminés à prouver qu'il avait menti en affirmant ne pas avoir eu de rapport sexuel avec l'ancienne stagiaire de la Maison-Blanche.

Dans une déclaration lue aux procureurs, Clinton a d'entrée de jeu reconnu « une relation intime déplacée » avec Monica Lewinsky, « globalement une fille bien, qui a bon coeur ». Mais il a fait valoir que pour lui il ne s'agissait pas de relations sexuelles, telles que définies lors de son premier interrogatoire en janvier dans le cadre de l'affaire Paula Jones.

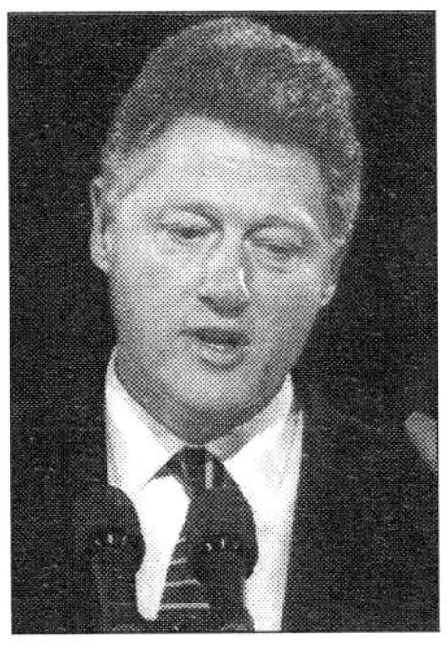

Bill Clinton

Sitôt après, la Maison-Blanche a affirmé qu'il était « clair pour tout le monde que la conduite du président Clinton ne constitue pas un délit justifiant une destitution ».

Avec la vidéo, le Congrès a publié deux volumes d'annexes au rapport Starr, soit 3183 pages de documents. Y figurent les déclarations sous serment de Monica Lewinsky, qui admet avoir eu des relations sexuelles avec Bill Clinton, mais affirme que personne ne lui a jamais demandé de mentir ou n'a cherché à acheter son silence par un emploi.

Emile Maupas est tué par une explosion de dynamite

LE célèbre athlète canadien-français, Emile Maupas, directeur du centre d'entraînement de culture physique qui porte son nom, à Val-Morin, a été tué presque instantanément ce matin **(21 septembre 1948)**, lors d'un tragique accident survenu dans les limites de son camp.

Avec deux autres hommes, il était à effectuer des travaux de dynamitage dans les petites chutes où se déverse le lac qui avoisine son camp afin d'enrayer les inondations qui, chaque printemps, menaçaient sérieusement son établissement. Après avoir placé une forte charge de dynamite sous une énorme pièce de roc, il s'éloigna de quelques centaines de pieds avec ses deux compagnons de travail, MM. Poitras et Richard.

Les trois hommes attendirent alors pendant plusieurs minutes l'explosion qui devait normalement se produire, mais celle-ci tardant évidemment trop à éclater, le vétéran lutteur s'approcha de nouveau de l'endroit où il avait placé la charge, convaincu que la mèche du détonateur, pour une raison ou pour une autre, s'était éteinte.

L'explosion funeste

Au moment même où il se penchait au-dessus de la petite cavité où se trouvait la dynamite, celle-ci fit soudainement explosion, le projetant à une quinzaine de pieds dans les airs et le laissant retomber parmi les débris de roc. L'un de ses compagnons, M. Charlie Richard, courut aussitôt vers le camp, d'où il se rendait quelques minutes plus tard à Val-Morin, pour alerter le Dr Edouard Millette, de Sainte-Adèle. (...)

A l'arrivée du Dr Millette, toutefois, ce dernier ne put que constater la mort de l'athlète, qui gisait inanimé à quelques pas seulement de l'endroit où il avait été affreusement brûlé à la figure par l'explosion et mortellement blessé par les débris de toutes sortes qui lui avaient mutilé le corps à plusieurs endroits.

NDLR — Émile Maupas s'était rendu célèbre à l'époque grâce à ces méthodes d'entraînement qui avaient permis à plusieurs lutteurs, dont Yvon Robert et Larry Moquin, de connaître le succès.

Montréal dit non aux scouts

Les scouts sont furieux. Ils auraient bien voulu participer aux fêtes du 350e anniversaire de Montréal l'été prochain. Même qu'ils projetaient un immense jamboree qui aurait réuni quelque 3000 à 5000 de ces jeunes de 9 à 20 ans, d'un peu partout dans le monde et qui auraient campé joyeusement pendant une semaine dans un des parcs de la ville.

Maintenant plus question. Le projet est tombé définitivement à l'eau le 4 juin dernier, alors qu'ils recevaient la lettre indiquant le refus officiel de la Ville de Montréal.

« Aucun parc ne pourrait servir adéquatement notre projet tout en assurant les services et l'encadrement nécessaires à des jeunes de 9-20 ans », expliquait la lettre signée Jean-Robert Choquet, directeur de cabinet du comité exécutif de la Ville.

S'ils digèrent à peine le refus final, les dirigeants des Scouts du Canada s'expliquent encore moins qu'on ait mis plus de deux ans à en arriver à cette conclusion.

« On a fait notre première demande en mai 1989, déclare Mme Jeanne d'Arc Léger, directrice générale pour la région de Montréal. Si on avait reçu la réponse un peu plus tôt, on aurait pu trouver des familles d'accueil pour nos jeunes et organiser quand même le jamboree. Maintenant, il est trop tard... » **(Texte publié le 21 septembre 1991.)**

L'hon. P.-R. DuTremblay est nommé légataire fiduciaire de la succession de l'hon. T. Berthiaume

L'hon. P.-R. DuTremblay, président de la «Presse», a été nommé ce matin **(21 septembre 1932)** légataire fiduciaire de la succession de l'hon. T. Berthiaume, par l'hon. juge Boyer, de la Cour de pratique. Il succède en cette qualité à M. Arthur Berthiaume, décédé récemment. En faisant cette nomination, l'hon. juge Boyer fit remarquer que la majorité des bénéficiaires s'étaient prononcés en faveur de M. Du Tremblay et que d'après le testament de l'hon. M. Berthiaume, il était évident que le choix devait être fait parmi les membres de la famille.

M. Eugène Berthiaume demandait d'être nommé luimême légataire fiduciaire, mais l'honorable président du tribunal, après avoir entendu les intéressés et pris leur avis, a rendu immédiatement le jugement cihaut mentionné.

NDLR — Les déchirements au sein de la succession d'Arthur Berthiaume furent loin d'être réglés par ce jugement et persistèrent jusqu'à ce que LA PRESSE fut acquise par M. Paul Desmarais.

C'EST ARRIVÉ UN 21 SEPTEMBRE

1982 — Amine Gemayel est élu président du Liban, succédant à Béchir, son frère assassiné.

1972 — Mort de Henry de Montherlant.

1971 — Départ de la première étape du Tour cycliste de la Nouvelle-France, à Montréal.

1966 — Paul Reynaud, premier ministre de France lors de la défaite de 1940, meurt à l'âge de 87 ans.

1965 — Condamnée à cinq ans d'emprisonnement, la Montréalaise Michelle Duclos accepte de quitter les États-Unis de son propre gré et se dirige vers Paris. — Georges Lemay, recherché en regard avec un vol de banque commis à Montréal en 1961, s'échappe de prison à Miami. — Lucien Rivard est reconnu coupable de trafic de narcotiques, à Laredo, au Texas.

1960 — Un rapport officiel indique qu'il y a 322 000 chômeurs au Canada, un nombre record pour l'après-guerre.

1957 — Haakon VII, roi de Norvège pendant 52 ans, meurt à Oslo, à l'âge de 85 ans. Il était le souverain le plus âgé du monde, et son fils Olav lui succède.

1953 — Un pilote pose son chasseur soviétique *Mig* à l'aéroport de Kimpo, au Japon, obtenant une récompense de $100 000 ainsi que l'asile politique aux États-Unis.

1941 — Le maréchal Pétain prie les Français de s'abstenir de toute attaque contre les Allemands.

1934 — Paul Dean réussit un match sans point ni coup sûr, et son frère Dizzie réussit un blanchissage pour les Cardinals de Saint-Louis, au cours d'un programme double.

1932 — Envoi de la première vague de 84 colons qui, sous les auspices de la société Saint-Vincent-de Paul, partent coloniser les régions de l'Abitibi et du Témiscamingue.

1929 — Le Canada adhère à la Cour internationale de justice.

1921 — L'explosion d'une usine de teinture crée un cratère de 130 pieds de diamètre par 45 pieds de profondeur, à Berlin, et fait plus de 1 000 morts.

1917 — Comparution à Montréal des orateurs anticonscriptionnistes, soit Paul Lafortune, Alphonse Bernier, P.-E. Mongeau, Anatole Grenier, Fernand Villeneuve et Fred Côté.

1914 — Il semble que Reims ait été l'objet d'une attention toute spéciale de la part des Allemands, qui maintes fois, ont tenté, mais sans succès, de briser les lignes alliées, après avoir soumis la ville à un terrible bombardement. Ils ont pris comme point de mire la magnifique cathédrale, qui est en flammes depuis hier.

1913 — Dévoilement à Verchères d'un monument érigé en l'honneur de Madeleine de Verchères.

LA PRESSE

27me ANNEE - No 278 MONTREAL VENDREDI 22 SEPTEMBRE 1911 16 PAGES-UN CENTIN

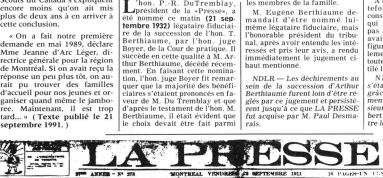

LAURIER EST DEFAIT

Les conservateurs, sous la direction de M. R.L. Borden, reprennent le pouvoir, après 15 ans d'opposition. — Québec a élu 25 conservateurs. — Sept ministres sont restés sur le carreau.

LA journée d'hier **(21 septembre 1911)** a été fatale au gouvernemnt Laurier, qui se trouve renversé du pouvoir après quinze années de luttes victorieuses et quatre succès consécutifs. On calcule que la majorité de M. R.L. Borden, nommé chef de l'opposition en 1900, sera de 50 environ. La majorité de Sir Wilfrid Laurier, en 1908, ayant été de 47, c'est un renversement complet de votes.

La province de Québec est restée du côté libéral, bien que l'opposition ait doublé le nombre de ses sièges, de 12 à 25.

A Québec, hier soir, Sir Wilfrid Laurier déclarait: «En un jour sombre comme celui-ci, il me reste une grande consolation: la fidélité de la province de Québec à nos drapeaux. En effet, — et Dieu merci! — ce n'est pas de la province de Québec que nous vient la défaite...»

La province d'Ontario a porté le coup de mort au gouvernement Laurier en n'élisant qu'une quinzaine de libéraux dans 86 comtés. Ainsi que l'a dit M. Borden, au cours de sa campagne, à Toronto: «C'est désormais Ontario *(sic)* qui dictera la politique du gouvernement». La province d'Ontario se trouve maintenant aussi bleue que la province de Québec était rouge aux meilleurs jours de l'administration Laurier.

Les provinces maritimes et celles de l'Ouest, ont aussi déçu les libéraux, qui s'attendaient d'y gagner du terrain, grâce à la politique de réciprocité; mais sur les rives de l'Atlantique, aussi bien que dans les prairies de l'Ouest et de l'autre côté des Montagnes Rocheuses, les conservateurs ont fait de nombreux gains. (...)

La défaite d'hier fut le signal d'un épouvantable massacre de ministres. Sont restés sur le carreau: l'Hon. M.W.S. Fielding, ministre des finances; sir Frederick Borden, ministre de la milice; l'Hon. M. Sydney Fisher, ministre de l'agriculture; l'Hon. M. Geo. Graham, ministre des chemins de fer; l'Hon. M. William Paterson, ministre des douanes; l'Hon. M. Mackenzie King, ministre du travail; l'Hon. M. William Templeton, ministre du revenu de l'intérieur, et probablement aussi l'Hon. M. Jacques Bureau, solliciteur général. (...)

Sir Wilfrid Laurier sort avec 5 circonscriptions sur 9 et 1,500 voix de majorité sur l'île de Montréal; mais la ville de Toronto n'a élu, de nouveau, que des conservateurs. (...)

Ford échappe à un deuxième attentat

SAN FRANCISCO — Pour la deuxième fois en 17 jours, le président Ford a échappé, hier **(22 septembre 1975)**, à un attentat perpétré contre lui en Californie et par une femme à chaque occasion.

C'est au moment où il sortait de l'hôtel St. Francis et allait monter dans sa voiture pour se rendre à l'aéroport qu'une femme portant un pantalon bleu et des bottes de cowboy a fait feu sur lui avec un pistolet de calibre .38 d'une distance de 35 à 40 pieds. C'est un spectateur alerte, un ancien fusillier marin de 33 ans, Oliver Sipple, qui fit dévier l'arme, et des policiers qui étaient tout près maitrisèrent rapidement la femme. Le projectile a ricoché sur le trottoir et a atteint un chauffeur de taxi, le blessant légèrement.

M. Ford s'est baissé instinctivement en entendant la détonation et les agents du service secret l'ont couvert de leur corps tout en le poussant rapidement à l'intérieur de la voiture.

La femme fut promptement conduite dans l'hôtel avant d'être transférée au tribunal fédéral de la ville, où elle a comparu hier soir. Il s'agit de Sarah Jane Moore, 45 ans, militante de gauche connue de la police et qui a déjà affirmé avoir été une indicatrice occasionnelle du FBI.

Un cautionnement de $500,000

Après s'être enquis de sa situation financière, le juge Owen Woodruff a désigné un avocat d'office pour la défendre et a fixé le cautionnement pour sa mise en liberté à $500,000. La prévenue, qui s'est bornée à déclarer qu'elle était célibataire avec un enfant à charge et qu'elle était en chômage depuis mai 1975, comparaîtra à nouveau mardi devant le tribunal.

Cette femme avait été interrogée dimanche, 24 heures avant l'attentat, devant son domicile du quartier de la Mission. Elle avait même été fouillée et les agents avaient découvert qu'elle portait un pistolet. On l'avait alors conduite au commissariat où l'arme avait été confisquée avant que la femme ne soit remise en liberté.

Hier, armée d'un autre pistolet, vêtue d'un pantalon et de bottes de cowboy, elle se glissait dans la foule qui entourait l'hôtel St. Francis et tirait sur le président.

M. Ford, selon son entourage, n'a pas été traumatisé par l'incident. Comme prévu, il s'est rendu à l'aéroport où il a rejoint sa femme et l'avion présidentiel décollait peu après à destination de Washington.

Autre incident

C'était le deuxième incident de la journée touchant le président. En effet, un homme de 24 ans, Ronald Carlo, avait été arrêté plus tôt après s'être présenté à la réception de l'hôtel St. Francis et y avoir montré une note de menaces à l'égard du président Ford. (...)

Il y a 17 jours, soit le 5 septembre, à Sacramento, capitale de la Californie, une autre femme, Lynne Fromme, 26 ans, avait braqué un pistolet de calibre .45 sur M. Ford alors qu'il se trouvait dans la foule à moins de trois pieds de lui. Elle fut maîtrisée de justesse par des agents du service secret. Son arme était chargée, mais le cran de sûreté n'avait pas été ôté. La jeune femme, membre de la sinistre famille Manson, est actuellement détenue sous un cautionnement de $350,000.

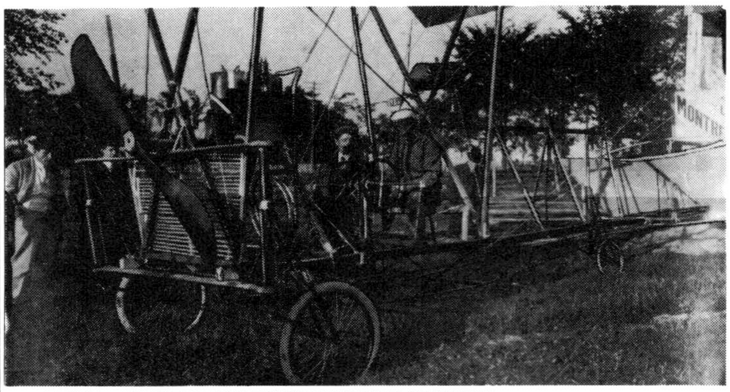

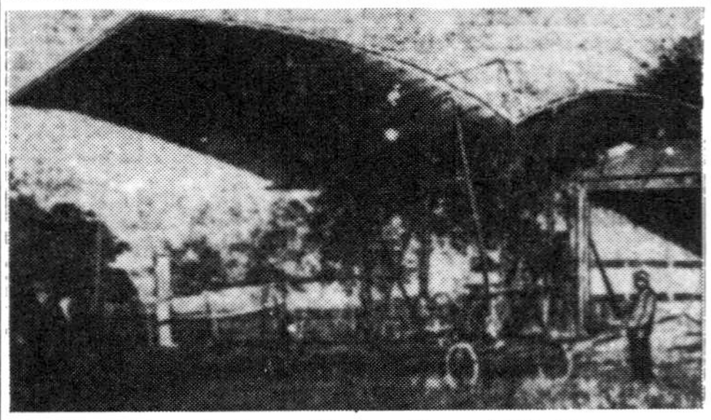

«La Montréalaise», dernière machine inventée par Achille Hanssens, est la propriété de Max Daoust, l'agent d'immeuble bien connu.

La seule photo d'époque qu'on retrouve encore aux archives de LA PRESSE est malheureusement incomplète, tandis que celle publiée en septembre 1910 offre le désavantage d'être très floue. Nous vous proposons donc les deux photos, de sorte que vous aurez une meilleure idée de ce qu'était «La Montréalaise».

Les Canadiens endurants au lit et précoces

Les résultats d'un sondage international sur les attitudes et comportements sexuels publiés aujourd'hui (**le 22 septembre 1998**) démontrent que les Canadiens arrivent bon deuxième pour ce qui est de l'endurance sexuelle et pour la précocité de la première activité sexuelle complète.

Ce sondage a été effectué auprès de 10 000 personnes de plus de 16 ans dans 14 pays dans le but d'évaluer l'effet de la nationalité, de l'âge, du sexe et de l'existence d'une relation sur les pratiques sexuelles.

Quoi qu'il en soit, le sondage indique que la durée moyenne de l'acte sexuel dans le monde a diminué de 42 secondes au cours de la dernière année, passant de 17,9 à 17,2 minutes. L'endurance sexuelle des Canadiens a suivi cette tendance, diminuant d'une minute et 42 secondes.

À l'échelle internationale, près d'un adolescent sur quatre (23 %) a eu une relation sexuelle avant l'âge de 16 ans, et 4 % à l'âge de 12 ans ou moins.

C'est aux États-Unis qu'on trouve encore la population sexuellement active la plus jeune, puisque l'âge moyen de la première relation sexuelle complète y est de 16,3 ans.

Au Canada, les adolescents suivent de près, puisqu'ils ont leur première relation sexuelle à 16,6 ans, soit une année complète de moins que la moyenne mondiale de 17,6 ans.

En outre, le sondage révèle que partout dans le monde, il y a diminution des relations sexuelles et les Canadiens ne font pas exception à la règle.

En 1998, la moyenne mondiale était de 106 fois par année en 1998, par rapport à 112 l'an dernier. Chez les Canadiens, la fréquence des relations sexuelles est tombée à 105 fois par année (c'est-à-dire deux fois par semaine), par rapport à 112 fois par année en 1997. La France arrive au sommet du palmarès avec 141 fois, suivie par les États-Unis et la Russie.

Pour ce qui est de la ville la plus romantique du monde, Paris a la faveur populaire, car 79 % des répondants estiment qu'elle est la « ville de l'amour ». Rome suit de près avec 56 %. Toronto égale Berlin comme ville la moins romantique du monde, les deux obtenant sept pour cent du vote international.

C'EST ARRIVÉ UN 22 SEPTEMBRE

1982 — Les massacres des camps de Sabra et Chatila par les phalangistes libanais et découverts quatre jours plus tôt provoquent une crise politique en Israël. — Québec décide de porter de durs coups contre la sécurité d'emploi dans la fonction publique.

1980 — Les Irakiens bombardent les champs de pétrole en Iran, ce qui déclenche un conflit armé entre les deux pays.

1971 — Bernard Lortie est déclaré coupable de l'enlèvement de Pierre Laporte, alors ministre du Travail du Québec.

1968 — Arrestation à Francfort de Cohn-Bendit.

1967 — L'Expo accueille son 42 073 562e visiteur, battant ainsi le record de l'Exposition de Bruxelles.

1966 — Attaque au bazooka perpétrée par des nationalistes cubains contre l'ambassade de Cuba à Ottawa.

1959 — Les docteurs Penfield et Steacie sont faits membres de l'Académie des Sciences de l'URSS, les premiers Canadiens à être honorés de la sorte.

1955 — La Comédie Française entreprend à Montréal une tournée qui la mènera également à Québec, Ottawa et Toronto.

1950 — Ralph Bunch, un négociateur noir des Nations Unies, gagne le prix Nobel de la paix.

1947 — La Conférence de Paris impliquant 16 pays adopte le programme de relèvement européen, valable de 1948 à 1952 et mieux connu sous le vocable de « plan Marshall ».

1940 — Le Japon occupe l'Indochine française.

1938 — Rencontre de Chamberlain et de Hitler à Godesberg.

1934 — 273 mineurs périssent à 3 000 pieds sous terre à Wrexham, au pays de Galles.

1930 — Les Communes canadiennes adoptent le «Bill du tarif», pour contrer le « dumping ».

1927 — Un « long compte » de l'arbitre permet à Gene Tunney de battre de nouveau Jack Dempsey.

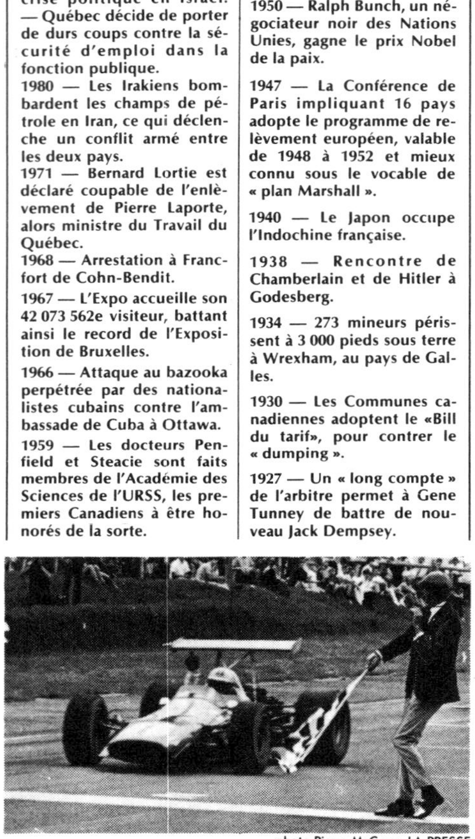

photo Pierre McCann, LA PRESSE

Le circuit de Mont-Tremblant-Saint-Jovite était le théâtre, le *22 septembre 1968*, du tout premier Grand Prix de course automobile disputé au Québec, et le circuit devait faire des ravages puisque seulement sept des 20 Formule-Un à prendre le départ terminèrent l'épreuve d'une longueur de 230 milles. La victoire alla au Néo-Zélandais Dennis Hulme, au volant d'une McLaren-Ford. Ce dernier avait conservé une vitesse moyenne de 97,2 milles à l'heure, pour devancer Bruce McLaren, Pedro Rodriguez, Graham Hill, Vic Elford, Jackie Stewart et Lucien Bianchi, dans cet ordre.

LE PREMIER MONOPLAN CONSTRUIT A MONTREAL

AFIN d'intéresser les journalistes aux premiers essais d'un nouveau monoplan, M. Max. Daoust, de la «Daoust Realty Co. Ltd.», a invité, hier **(22 septembre 1910)**, un représentant de chacun des principaux quotidiens montréalais à se rendre au Parc Sainte-Hélène, à Montréal-Sud.

Le trajet entre la ville et les propriétés de M. Daoust s'est fait en automobile. En une demiheure environ, les deux voitures qui contenaient les journalistes se trouvaient rendues au lieu de destination, après une promenade aussi agréable que rapide.

M. Daoust présenta alors ses invités à l'inventeur et au constructeur de la nouvelle machine, M. Achille Hanssens. Ce dernier est d'origine belge, de Braine-le-Comte; il habite le Canada depuis onze ans et est avantageusement connu du public de la métropole pour ses nombreuses expériences en mécanique.

«C'est en lisant un article de la «Presse» sur les plus lourds que l'air, il y a quelque trois ans», a déclaré M. Hanssens, «que je conçus l'idée de construire mon premier appareil.

«J'en suis maintenant rendu à mon troisième modèle et j'ai l'espoir de voir bientôt mes travaux couronnés de succès.»

Le monoplan construit par M. Hanssens est du type Blériot, avec quelques variantes assez marquées cependant sur certains points. Par une courtoisie qui ne manquera pas d'être fort appréciée de l'élément féminin, le nouvel aéroplane a reçu le nom de «La Montréalaise».

L'ensemble de la machine offre un aspect des plus gracieux avec ses deux grandes ailes blanches et la délicatesse de sa carosserie. Les ailes ont une envergure de quarante pieds par douze de largeur. Elles se trouvent à seize pieds de terre. «La Montréalaise» mesure trente et un pieds de longueur. L'hélice a sept pieds neuf pouces. L'engin peut développer une force de trente chevaux et imprime à l'hélice une rotation de 1200 tours à la minute, en grande vitesse. L'appareil tout entier pèse environ 500 livres et il a coûté à son propriétaire, M. Daoust, à peu près $1,500. (...)

Le monoplan, dans toutes ses parties, a été construit au Canada et avec des matériaux sortis des usines ou boutiques canadiennes. C'est ainsi que M. Paul Lair a fourni le moteur à quatre cylindres; MM. Mathieu et Frères, la carosserie; M. Garth, les réfrigérateurs et le réservoir à gazoline. L'hélice a été fabriquée par la compagnie Franco-Américaine; la ferronnerie, par Millen and Son, L.J.A. Surveyet et J.H. Walker. Pour ce qui est de l'aluminium et du cuivre, M. Daoust a eu recours à la «Union Brass Foundry» et pour les fils d'acier, à la «Wire Rope Company». Le coton et la soie ont été fournis par la Compagnie d'Auvents des Marchands; les roues, par la «Girwood and Stockwell Company». Somme toute, la machine est essentiellement canadienne. (...)

La construction de «La Montréalaise» est commencée depuis le mois de mai et le but de M. Daoust, en s'imposant les dépenses qu'il a dû faire est — outre la pensée mercantile — de former une compagnie qui s'occuperait activement d'aviation et qui aurait un champ régulier pour ses essais. (...)

M. Daoust est à organiser une compagnie au capital de $250,000, et qui portera le nom de «The Canadian Aeroplane Co.». Une usine sera érigée au parc Saint-Hélène, pour la construction des monoplans et autres appareils d'aviation.

Sensationnelle envolée d'un avion «robot» C-54

L'appareil dirigé par télécommande vole de Terre-Neuve en Grande-Bretagne.

WASHINGTON «Le vol d'un quadrimoteur robot, de l'Amérique du Nord en Grande-Bretagne, est le développement le plus sensationnel dans l'aviation depuis la guerre», a déclaré **(le 22 septembre 1947)** un porte-parole du département de la guerre, en annonçant aux journalistes qu'un Douglas «Skymaster» C-54 avait accompli un vol sans escale et uniquement contrôlé par la radio, de St. Stephens, Terre-Neuve, à Brize-Norton, Oxfordshire. La durée du vol a été de 10 h. 15.

L'appareil a décollé par ses propres moyens, dimanche, à 10 h. p.m. (GMT), à St. Stephens. Les mécaniciens ont effectué dans une demi-heure toutes les opérations préliminaires nécessaires, puis ils ont fermé la porte de l'avion. Devant le poste de commande de terre, un simple groupe de cadrans de commandes par relais facilement contenus dans une camionnette, le «pilote» s'affaira.

Un à un, les quatre moteurs se sont mis en marche, puis ont tourné au ralenti, le temps de se réchauffer. Puis ayant accéléré, l'avion s'est ébranlé, s'est placé lui-même dans la direction du vent et a décollé, a fait palier à 800 pieds, a rentré son train d'atterrissage et a fermé ses volets de courbure, puis a repris de l'altitude et a disparu à l'horizon.

Le vol s'est effectué à environ 9,000 pieds d'altitude. A environ 2¾ milles de Londres, l'avion a commencé à descendre régulièrement à 900 pieds. Ses volets se sont ouverts, son train d'atterrissage est sorti, l'avion a pris sa position et s'est déposé normalement, il a fait agir ses freins et s'est immobilisé, ses moteurs tournant au ralenti. (...)

14 personnes se trouvaient à bord du C-54 sans pilote, mais aucune d'entre elles n'a touché aux commandes de l'avion, à aucun moment du vol ou de l'atterrissage. Il s'agissait d'un équipage de secours composé de 9 hommes, destiné à prendre les commandes en cas de défaillance des mécanismes compliqués de la télécommande, et de cinq observateurs militaires et civils, techniciens de l'aviation américaine et britannique. (...)

LAMENTABLE CATASTROPHE A NEW YORK

NEW YORK, — Une explosion de dynamite s'est produite, ce matin **(22 septembre 1915)**, dans le nouveau passage souterrain en voie de construction, dans la 7ième avenue, entre la 24ième et la 25ième rue. Trois tramways portant plus de cinquante personnes sont tombés d'une hauteur de quinze pieds dans l'excavation faite par l'explosion. Il y aurait au moins vingt morts.

Une extraordinaire aventure parlée

IL y a 60 ans aujourd'hui, (22 septembre 1982) naissait à Montréal la première station radiophonique de langue française au monde, CKAC, dont la petite histoire, qui est aussi celle de la radio, est une extraordinaire aventure parlée.

Au printemps de 1922, alors que partout dans le monde on parle des merveilles du sans-fil, le journal LA PRESSE annonce à ses lecteurs qu'ils pourront bientôt «être en communication constante avec le poste CKAC» que le quotidien de la rue Saint-Jacques fait aménager à l'étage supérieur de son immeuble principal, dans le quartier des affaires. Invitant ses lecteurs à se procurer un appareil récepteur, le journal indique qu'il est même possible de s'en fabriquer un chez soi pour la modique somme de $5.

Le poste à galène de l'époque est rudimentaire. Il s'agit d'un cylindre, rivé sur une planche, auquel est relié une paire d'écouteurs. Une seule personne à la fois peut écouter puisqu'il n'y a pas de haut-parleurs. Avec une petite aiguille reliée au cylindre et aux écouteurs, il fallait chercher sur cette galène le point sensible qu'on ne réussissait à trouver qu'après d'inlassables recherches à travers un orage de «fritures». LA PRESSE publiait même, les jours où l'on diffusait, le contenu probable de l'émission du soir. Même s'il y avait souvent de nombreux changements «imprévisibles», personne ne protestait. Comme le dit Roger Baulu dans le livre qu'il vient de consacrer aux 60 ans de CKAC, on écoutait tout. C'était l'émerveillement collectif.

A cette époque, on improvisait beaucoup. Le disque n'avait que très peu d'importance et le temps d'antenne était meublé par des interprétations musicales et vocales qui étaient faites en direct. Causeries et bulletins de nouvelles complétaient le menu des radiophiles. Moins d'un mois après sa première émission, CKAC transmettait les résultats de la série mondiale de baseball avant même qu'ils ne paraissent dans LA PRESSE du lendemain. C'était la première manifestation de la rivalité presse parlée-presse écrite.

La première année de fonctionnement de CKAC fut assez bien remplie, merci. En huit mois, la station radiophonique avait donné 164 concerts et récitals, et 1,898 artistes, chanteurs, comédiens et instrumentistes avaient défilé devant ses micros.

(...) Alors qu'en 1922, on ne compte que 2,000 récepteurs à Montréal, en 1924-25 il y en a plus de 18,000 au Québec et pour lesquels il faut détenir un permis qui se vend $1. (...)

C'EST ARRIVÉ UN 23 SEPTEMBRE

1988 — Le gouvernement fédéral a présenté ses excuses « officielles et sincères » à la communauté nippo-canadienne pour les torts dont ses membres ont été victimes pendant la Deuxième Guerre mondiale et conclut avec elle une entente de redressement au montant de quelque 400$ millions.

1985 — Le ministre fédéral des Pêches et Océans, M. John Fraser, a remis sa démission à la suite de la controverse grandissante entourant l'affaire du thon avarié.

1957 — Le « Pamir », un voilier-école allemand transportant de l'orge de Buenos-Aires à destination de Hambourg, a radiotélégraphié qu'il était en voie de couler à 600 milles à l'ouest des Açores.

1939 — Exilé depuis un peu plus d'un an de l'Autriche annexée par les nazis, Sigmund Freud, le père de la psychanalyse, est mort à Londres.

1926 — Le diabète est, avec le cancer et la tuberculose, une des maladies qui opèrent des coupes sombres chez les humains. Le savant qui a découvert que l'insuline dompte le diabète est le docteur Frédéric Banting, de l'université Queen's de Toronto.

1913 — L'aviateur Roland Garros a réussi à traverser la Méditerranée. Il a couvert la distance de 550 à 600 milles, entre le France et Tunis, en 7 heures et 53 minutes.

Le casino au pavillon français

Le projet d'implantation de casinos à Montréal et à Charlevoix avance. Le conseil des ministres a en effet tenu compte des recommandations du comité interministériel sur la localisation des casinos et retenu le pavillon de la France de l'Expo 67, devenu le Palais de la civilisation, de l'île Notre-Dame et le Manoir Richelieu de Pointe-au-Pic comme endroits où seront établis ces deux casinos au Québec.

Mme Léa Cousineau, présidente du comité exécutif de la Ville de Montréal, a confirmé la nouvelle en précisant que Montréal engagera des négociations avec le gouvernement du Québec pour déterminer le coût du loyer qu'elle recevra comme « juste rétribution » pour son Palais de la civilisation dans lequel elle a investi quelque 11,5 millions depuis 1988.

Pour sa part, Loto-Québec prévoit que le gouvernement du Québec retirera, pour le casino de Montréal seulement, des dividendes de 40 millions par année au début, qui pourraient s'élever éventuellement à 135 milllions, selon les possibilités d'expansion du Palais de la civilisation. Quant aux retombées touristiques de l'établissement du casino à Montréal, elles sont évaluées à 64 millions de dollars.

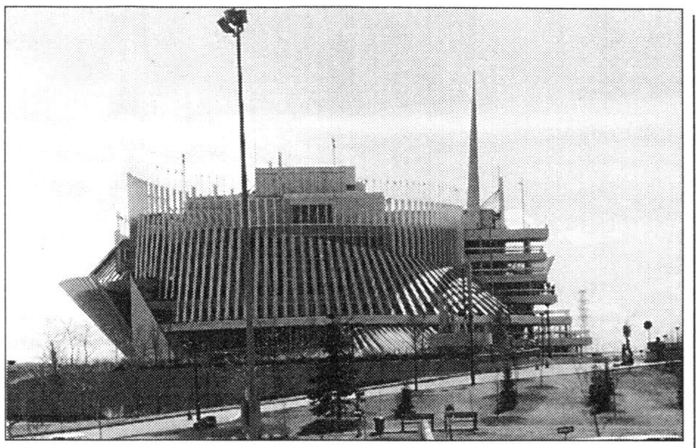

Le pavillon de la France a été retenu pour abriter le futur casino de Montréal.

Les hôteliers de la région de Montréal qui avaient plaidé en faveur du Palais des congrès de Montréal comme emplacement du futur casino de Montréal, ne seront pas tout à fait oubliés. En effet, en plus de faire la promotion du casino de Montréal, on mettra davantage l'accent sur les liaisons entre le casino et les principaux hôtels du centre-ville par l'entremise de navettes.

Si le Palais de la civilisation, l'ancien pavillon de la France à l'Expo 67, a été retenu comme lieu du futur casino de Montréal, c'est que, selon le gouvernement, il offrait « des avantages significatifs » notamment au chapitre de la sécurité. Autrement dit, on croit qu'il sera « plus facile de contrôler un édifice sur l'île Notre-Dame que dans le centre-ville ».

L'aménagement du casino sera d'ailleurs conçu de manière à éloigner « la clientèle non désirée », soit les drogués, les prostituées et les membres du monde interlope. L'aménagement fera aussi appel à un système de surveillance et de contrôle sophistiqués et rigoureux, par l'entremise de caméras et de surveillance physique. La direction du casino pourra aussi suivre les opérations de jeu par un système informatisé.

On veut également implanter une restauration « de haute qualité ». Et il ne sera pas question de crédit ni d'alcool aux tables de jeu. Quant aux joueurs invétérés, qui ne peuvent pas se passer de jeu, ils pourraient se faire exclure du casino, comme cela existe dans les casinos européens, d'où l'identification à l'entrée. Évidemment, les employés ne pourront jouer. Quant aux heures d'exploitation, elle seront contrôlées. On a déjà avancé la possibilité de fermeture à trois heures du matin, mais cela reste encore à déterminer. (**Texte publié le 23 septembre 1993.**)

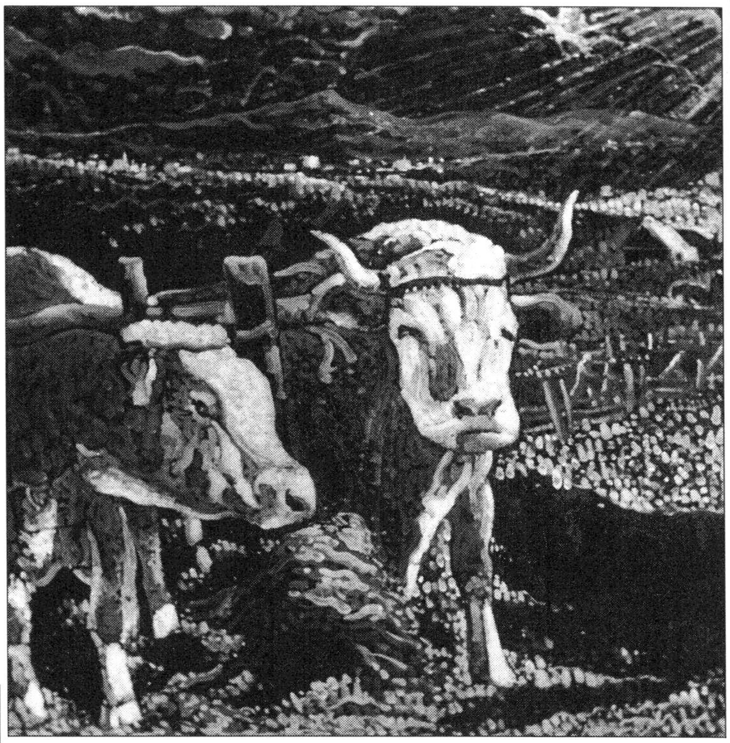

35 000$ pour un Fortin

Une oeuvre majeure du peintre Marc-Aurèle Fortin, Paire de boeufs dans un paysage et qui date de la « manière noire » de l'artiste dans les années 1930-1940, a été adjugée à l'hôtel des encas pour... 35 000$ (le 23 septembre 1986). La foule d'amateurs, de connaisseurs, collectionneurs, propriétaires de galeries d'art, a applaudi. Un autre Marc-Aurèle Fortin, une huile sur carton, Paysage d'hiver, qui date de la manière grise de Fortin dans les années 40, a été adjugée pour 25 000$ à l'issue d'une bataille d'acheteurs qui ont fait monter les enchères.

La fusillade de Concordia fait une autre victime

La fusillade de l'Université Concordia, survenue le 24 août dernier, a fait une quatrième victime (**le 23 septembre 1992**); le professeur Phoivos Ziogas a succombé à ses blessures, à l'Hôpital Général de Montréal.

Agé de 48 ans, le professeur Ziogas, également directeur du département de génie électrique et informatique de l'université, avait été atteint de trois projectiles d'arme à feu, tirés vraisemblablement par Valery Fabrikant. Deux balles l'ont atteint à la tête et une à l'abdomen, alors qu'il se trouvait au moment de la tragédie dans son bureau du 9e étage du pavillon Henry F. Hall de l'université anglophone, situé boulevard De Maisonneuve, au centre-ville de Montréal.

La tuerie de l'Université Concordia a fait trois autres victimes, Michael Hogden, Matthew Douglas et Jann Saber, tous professeurs de génie.

La nouvelle coqueluche du sport québécois

Alexandre Despatie est arrivé des Jeux du Commonwealth, à 1 h la nuit dernière (**le 23 septembre 1998**), à Dorval.

Le médaillé d'or à la tour de dix mètres a été accueilli par ses parents Christiane et Pierre. Il s'est retrouvé en conférence de presse pour la deuxième fois en 24 heures, au Centre Claude-Robillard, et la nouvelle coqueluche du sport québécois a fait rigoler bien du monde, dont la plongeuse Anne Montminy et son entraîneur Michel Larouche.

« C'est pas facile de se faire suivre comme ça par les médias. J'essaie de le prendre le mieux possible. Mais y a pas juste moi qui ai bien fait aux Jeux du Commonwealth. Gênez-vous pas pour interviewer les autres... », dit l'athlète de 13 ans, d'une taille au-dessous de la moyenne.

Les autres, c'était Anne Montminy, Anne-Josée Dionne, Myriam Boileau et Philippe Comtois dont les excellents résultats ont passé un peu inaperçu dans l'euphorie entourant Alexandre.

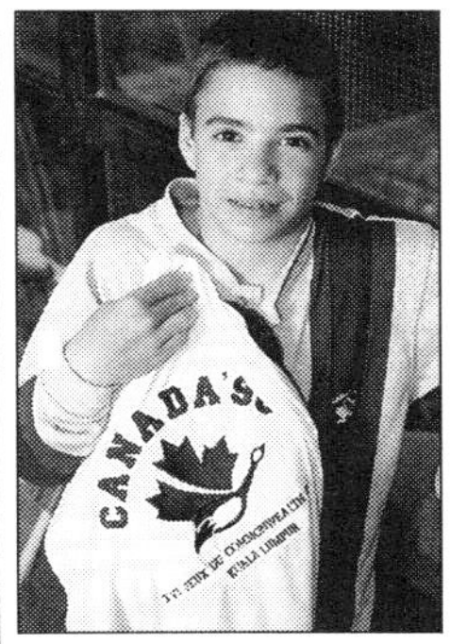

Alexandre Despatie

« Si j'ai un conseil à donner aux jeunes Québécois ? Ne pas lâcher. Des fois ça fait mal, mais il ne faut pas lâcher. »

Séisme au Mexique

Mexico a l'air d'une ville soumise à un bombardement sélectif.

Bien que la ville ait été durement touchée par deux violentes secousses sismiques en autant de jours, Mexico ne présente pas l'aspect d'une ville détruite mais plutôt celui d'une capitale victime d'un bombardement ou quelques points précis, dans certains quartiers, avaient été détruits, alors que des quartiers entiers ont été étrangement épargnés.

Déja plus de 800 corps ont été inhumés de façon sommaire dans des fosses communes aménagées d'urgence en plusieurs sites de Mexico. Beaucoup des victimes n'ont même pas été identifiées. (**Texte publié le 23 septembre 1985.**)

Le Canada annulera des dettes pour plus de 600 millions

Au cours du Sommet de la francophonie à Québec, Joe Clark, a annoncé que sept pays — le Sénégal, le Zaïre, Madagascar, le Cameroun, le Congo, la Côte d'Ivoire et le Gabon — verraient leurs dettes avec le gouvernement canadien annulées pour un total de 325$ millions.

Il a ajouté à l'ONU que la même mesure serait prise à l'égard de pays africains anglophones. On s'attend à ce que cette mesure coûte quelque 300$ millions. (**Texte publié le 23 septembre 1987.**)

Agressées sexuellement par leur père, les jumelles Dionne rompent le silence

Trois des cinq jumelles Dionne, Cécile, Annette et Yvonne, ont confié avoir été agressées sexuellement par leur père, au cours d'une entrevue diffusée à l'antenne de Radio-Canada (**le 23 septembre 1995**).

L'animatrice de Raison Passion, Denise Bombardier, les rencontrait à quelques jours de la sortie de leur biographie autorisée, Les jumelles Dionne : Secret de famille, écrite par Jean-Yves Soucy.

Ponctuée de longs silences et de courtes réponses, l'entrevue a révélé que les célèbres quintuplées — tout comme leurs frères et soeurs — ont été régulièrement agressées par leur père.

Annette Dionne en a un jour parlé à l'aumônier de leur école et elle s'est fait répondre de « continuer d'aimer mes parents et de me protéger en mettant un manteau plus épais quand nous allions faire des tours d'auto ». Leur père les emmenait en balade une à la fois.

Bien qu'elles en parlaient entre elles, les quintuplées n'ont jamais voulu en glisser mot à leur mère « pour ne pas aggraver la situation », a dit Annette.

Les trois dernières jumelles de 61 ans — Émilie et Marie sont décédées — ont cependant dit avoir gardé un souvenir heureux de leur séjour dans une nursery en compagnie du Dr Dafoe. « Il n'y avait pas de disputes, c'était harmonieux », a dit Cécile Dionne.

Celle-ci a souligné que, pendant plusieurs années, elle et ses quatre soeurs n'ont pas ressenti le besoin de jouer avec d'autres enfants, tellement elles étaient habituées à ne vivre qu'entre elles. « Une fois rendue plus vieille, je voyais qu'on était toutes comparées au même modèle », a expliqué Annette Dionne, faisant allusion au « produit commercial » qu'elles furent pour leur père, l'Église et le gouvernement ontarien — qui a empoché des millions grâce aux quintuplées.

Cécile Dionne a admis qu'attendre si longtemps avant de briser le silence « c'est long, mais pour quelque chose de si profond, je pense que c'est normal ».

« Je pense qu'on est rendues à un moment où il fallait se libérer de ce passé et tourner la page », a ajouté sa soeur Annette.

Pour les trois survivantes de cette époque au cours de laquelle, devenues de simples attractions touristiques, elles étaient plus populaires que les chutes du Niagara, le livre de Jean-Yves Soucy vient combler le vide laissé par d'autres biographes moins soucieux de leur propre vision des événements.

Un Québec indépendant serait viable, mais...

Un Québec indépendant serait viable économiquement mais le prix à payer serait relativement lourd, estime M. Patrick Grady, dans une étude publiée aujourd'hui (**le 23 septembre 1991**)par le Fraser Institute. L'économiste prévoit que le Québec subirait une grave récession et que le Canada ferait face à des difficultés économiques.

« L'accession du Québec à la souveraineté pourrait avoir de graves conséquences pour le Canada, et plus particulièrement pour le Québec», conclut-il dans cette étude de 168 pages.

S'il devient indépendant, le Québec verra son déficit s'accroître et ses taux d'intérêts monter. Il assistera à un exode des entreprises et des individus, prédit l'économiste.

Les citoyens québécois feront face à une importante baisse de leur niveau de vie et à des hausses de taxes et n'auront probablement plus de dollars canadiens dans leurs poches et dans leur compte en banque.

Si la province se sépare, son activité économique pourrait diminuer de 10 pour cent à court terme et de 5 pour cent à long terme, prévoit l'économiste, un ancien haut fonctionnaire du ministère des Finances et partenaire dans la firme de consultants Global Economics, d'Ottawa.

La conjoncture économique serait ainsi de trois à quatre fois pire que pendant la récession dont les Québécois sortent à peine.

On enregistrera dans les autres provinces un recul de un à deux pour cent de l'activité économique, attribuable à un manque de confiance momentané.

« Je ne peux nier le fait que l'économie d'un Québec indépendant serait encore viable », dit toutefois l'économiste. Sans le Québec, le Canada se classerait toujours au septième rang des grands pays industrialisés, devançant tout juste l'Espagne.

« La question fondamentale, pour les Québécois, conclut l'économiste, est de savoir s'ils sont prêts à payer pour accéder à l'indépendance. »

LES 23 PERSONNES TUÉES POUR UNE FEMME DONT SON MARI AURAIT VOULU SE DÉFAIRE

QUÉBEC — Un jeune bijoutier de Québec, J.-A. Guay, doit comparaître en cour aujourd'hui **(24 septembre 1949)**, pour être mis en accusation à la suite de la tragédie dans laquelle sa femme et 22 autres personnes ont perdu la vie dans l'écrasement d'un avion, le 9 septembre. La police provinciale laisse entendre que ce sera une accusation de meurtre.

La police provinciale a annoncé tard hier soir qu'elle détient Mme Arthur Pitre comme témoin important, de même que J.-A. Guay, bijoutier de Québec, dans l'affaire de l'accident d'avion survenu le 9 septembre dernier, au Sault-au-Cochon.

Mme Pitre a admis qu'elle a transporté elle-même un mystérieux colis — de la dynamite apparemment — à l'aéroport de Québec et que ce colis a été placé à bord de l'avion en partance pour Baie-Comeau cinq minutes seulement avant l'heure de l'envol. La police précise cependant que Mme Pitre a déclaré qu'elle ne connaissait pas le contenu du colis, qu'elle pensait que c'était une «statue».

En même temps que la police a annoncé les aveux de Mme Pitre, elle a révélé qu'elle a interrogé une troisième personne en cette affaire; une jolie serveuse de restaurant de 26 ans, connaissance intime du jeune et svelte bijoutier.

La femme de 28 ans de Guay est morte dans l'accident

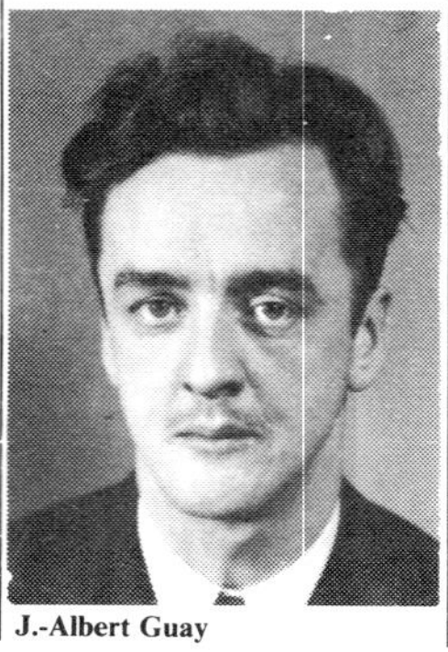

J.-Albert Guay

d'avion. Selon la police, on est en face d'un drame d'amour assaisonné d'une police d'assurance de $10,000. (...)

Guay était recherché en rapport avec la chute de l'avion de la Quebec Airways. Des témoins oculaires ont déclaré qu'ils ont vu tomber l'avion après une explosion survenue dans les airs. L'avion a été plus tard localisé sur un flanc du cap Tourmente, à 52 milles de Québec.

Aveux signés de Mme Pitre

L'inspecteur René Bélec a déclaré que Mme Pitre a signé une confession. Elle raconte qu'elle porta un colis à l'aéroport à la demande de Guay, bijoutier de Québec et ancien employé des Canadian Arsenals (fabrique de munitions). Des morceaux de cet engin furent retrouvés dans les débris de l'avion. Le colis était adressé à un nom fictif à Baie-Comeau.

La police explique que la bombe, à en juger par les restes, se composait de sciure de bois, de bouts de ruban gommé, de parties d'horloge et de morceaux de deux bâtons de dynamite. Elle croit que le paquet contenait un autre explosif disparu, probablement de la nitroglycérine.

Assurance de $10,000

La police considère que Mme Pitre n'était pas en mesure de préparer la bombe elle-même, mais elle fait observer que Guay est un horloger autrefois à l'emploi d'une fabrique de munitions et que la dynamite provenait d'une quincaillerie locale.

Guay et sa femme — celle-ci était au nombre des passagers de l'avion — avaient connu des difficultés de ménage, selon la police, et avaient vécu séparés plusieurs semaines avant de se réconcilier peu de temps avant l'accident du 9 septembre. De source policière, on apprend également que Guay et sa femme se rendirent acheter le billet d'avion pour Baie-Comeau, deux jours avant la date du départ. Mme Guay prit une assurance de $10,000 payable à son mari en cas d'accident. Le déboursé pour cette assurance fut de 50 cents.

Tentative de suicide

La police a consacré des heures, tard hier après-midi, à interroger Mme Marie Pitre, à l'hôpital, où elle se remet d'une dose excessive de somnifères. Jeudi soir, cette femme avait essayé de se suicider, à ce que prétend la police.

Mme Pitre a admis, toujours d'après la police, l'achat d'explosifs en vue de la fabrication d'une bombe et son transport dans une boîte de carton à l'aéroport de Québec. (...)

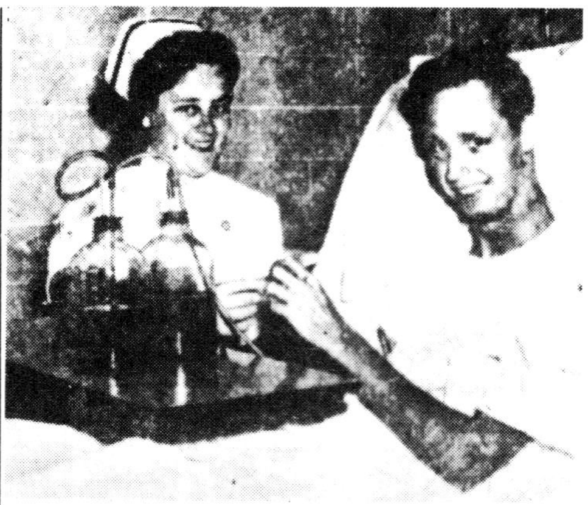

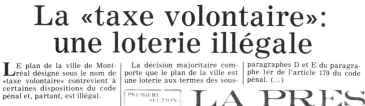

LA PRESSE publiait, le *24 septembre 1959*, cette photo de Walter Murphy, âgé de 21 ans, trois jours après qu'il eût subi une opération à coeur ouvert, la 50e intervention chirurgicale du genre effectuée sur 17 hommes et 33 femmes à l'Institut de cardiologie de Montréal. À l'époque, le plus jeune patient opéré de la sorte avait 5 ans, et le plus âgé, 38 ans.

La «taxe volontaire»: une loterie illégale

LE plan de la ville de Montréal désigné sous le nom de «taxe volontaire» contrevient à certaines dispositions du code pénal et, partant, est illégal.

Telle est la décision de la Cour d'appel rendue hier **(24 septembre 1968)** sur le renvoi qui lui a été fait par les autorités provinciales concernant la question de savoir si l'exécution du système établi par la ville d'accorder un grand prix de $100,000, chaque mois, à l'un de ceux qui envoient une contribution volontaire, est légale ou non.

La question posée était celle-ci: «L'exécution du plan de la ville de Montréal, décrit dans l'arrêté ministériel (comme taxe volontaire) et dans ses annexes contreviendrait-elle à quelque disposition du code criminel?»

La réponse des juges de la Cour d'appel a été «oui». La décision est majoritaire: trois juges, les juges Paul Casey, André Taschereau et G.R.W. Owen, déclarent le système illégal, alors que les deux autrs juges, le juge Lucien Tremblay, juge en chef de la province, et le juge Edouard Rinfret ont maintenu la légalité du plan.

Le procureur général était représenté en cette affaire par Mes Yves Pratte et Fred Kaufman et Mes Michel Côté et Antonio Lamer représentaient la ville de Montréal.

La décision majoritaire comporte que le plan de la ville est une loterie aux termes des sous-paragraphes D et E du paragraphe 1er de l'article 179 du code pénal. (...)

Grève des télégraphistes

TOUTE une sensation a été créée, ce matin **(24 septembre 1917)**, à Montréal, à la nouvelle que les employés de la «Great Northwestern Telegraph Company» allaient se mettre en grève, aujourd'hui. Et, en effet, à 11 heures précises, cet avant-midi, tous les employés de la compagnie, à Montréal, comprenant opérateurs, jeunes filles, clavigraphes et télégraphistes préposés aux lignes, en tout environ cent quinze personnes, ont quitté l'ouvrage tant aux bureaux généraux de la compagnie, rue Saint-François-Xavier, que dans les bureaux des journaux.

Il en a été de même dans toutes les villes du Canada où la «Great Northwestern Telegraph Co.» a des bureaux, de sorte que la grève est générale.

Cette décision a été prise à la suite du refus d'accepter le jugement du tribunal d'arbitrage, institué il y a quelques mois, pour se prononcer sur les demandes que les employés de la «Great Northwestern Co.» lui ont faites. (...) Le tribunal, après consultation des deux parties, décida que la compagnie devait donner à ses employés l'augmentation demandée, et qui s'élevait de dix à quinze cents. (...)

NDLR — Cette grève prenait une importance capitale à cause de la Première grande guerre.

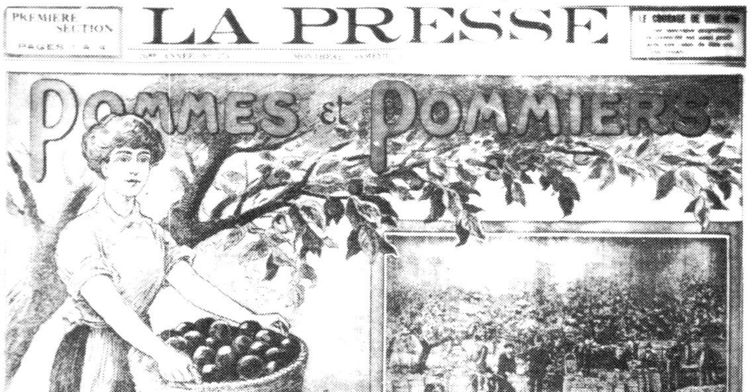

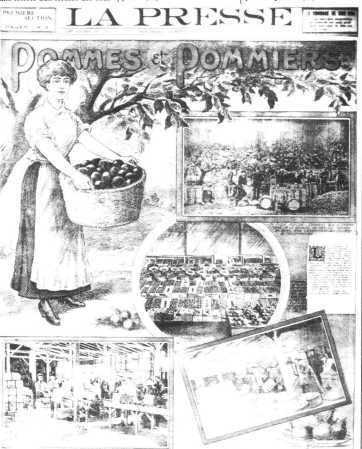

Page consacrée à la cueillette des pommes et publiée le *24 septembre 1910.*

C'EST ARRIVÉ UN 24 SEPTEMBRE

1982 — L'offre patronale aux enseignants québécois implique l'alourdissement de la charge de travail et la diminution de la sécurité d'emploi.

1981 — Le président Reagan procède à des coupures budgétaires de l'ordre de $13 milliards.

1973 — Décès de José de Castro, économiste et sociologue brésilien.

1970 — Atterrissage au Kazakhstan de *Luna XVI* qui rapporte les échantillons du sol lunaire.

1969 — L'Ontario décide d'interdire le D.D.T. à partir du 1er janvier 1970. — L'Assemblée nationale nord-vietnamienne choisit Ton Duc Thang pour succéder à Hô Chi Minh, décédé.

1957 — Le président Eisenhower envoie des troupes à Little Rock et fédéralise la garde nationale de l'Arkansas, devant la violence raciale qui y sévit.

1956 — Un diplomate soviétique, G.F. Popov, est expulsé du Canada pour avoir tenté de se procurer les secrets du *CF-105*. — Le Canada, le Royaume-Uni et les États-Unis signent un accord sur l'énergie atomique.

1955 — Le président Eisenhower subit une attaque cardiaque à Denver, où il se trouvait en vacances.

1949 — Laszlo Rajk, ex-ministre des Affaires étrangères de Hongrie, est condamné à mort par un « tribunal du peuple ».

1948 — Les Soviétiques organisent des exercices de tir dans les corridors aériens alliés conduisant à Berlin. — Le village de Saint-Mathieu, près de Shawinigan, est détruit par une conflagration.

1947 — La collision du cargo-charbonnier *Milverton* et du navire-citerne *Translake* dans le Saint-Laurent, en face d'Iroquois, en Ontario, fait vingt morts.

1945 — Les bouchers déclenchent une grève nationale pour protester contre les rationnements de la viande.

1938 — Don Budge réussit le « grand chelem » du tennis en gagnant le tournoi de Forest Hills.

1918 — Victoriaville est frappée par la grippe espagnole.

Cinq nouveaux kilomètres de passages souterrains

L'aménagement du sous-sol montréalais en un vaste « gruyère » piétonnier se poursuit : environ cinq nouveaux kilomètres d'espaces et de corridors souterrains, notamment entre le Palais des congrès et la Place Bonaventure, seront bientôt ajoutés au réseau actuel d'environ 35 km.

Ce prolongement du réseau souterrain découle d'une part de la transformation du square Victoria, avec la construction récente de l'édifice de l'OACI et d'autres projets immobiliers prévus à cet endroit, et d'autre part de l'agrandissement du Palais des congrès.

On pourra ainsi aller à pied et par voie souterraine de la rue Saint-Urbain à la rue Université, mais aussi et surtout de la Place des Arts jusqu'à la Place Bonaventure, en passant par le Palais des congrès et les magasins de la tour de la Bourse.

Il ne restera plus qu'à relier la Place des Arts au magasin La Baie pour boucler la boucle.

Cette annonce a été faite (**le 24 septembre 1997**) à la veille de la 7e conférence internationale de l'Association des centres de recherche sur l'utilisation urbaine du sous-sol (ACUUS), qui se tiendra la semaine prochaine à Montréal.

Poursuites au criminel contre Martineau, Talbot et Bégin

POUR la première fois depuis 1892, des hommes politiques de la province seront mis en accusation devant les tribunaux de juridiction criminelle. On traduira en justice, sous des accusations de fraude et de conspiration, trois personnages qui furent des têtes dirigeantes du parti de l'Union nationale et un fonctionnaire du régime qui domina durant près de 20 ans la politique québécoise.

Ce sont MM. Jos-D. Bégin, ex-ministre de la Colonisation; Gérald Martineau, conseiller législatif; Antonio Talbot, ex-ministre de la Voirie; et Alfred Hardy, ex-directeur du service des achats durant la plus grande partie du régime Duplessis, soit entre 1936-39 et 1944-1960. On sait que MM. Bégin et Martineau furent également respectivement organisateur-en-chef et trésorier de l'Union nationale durant cette période.

Le poste de directeur du service des achats relevait directement dans ce temps-là comme aujourd'hui d'ailleurs du premier ministre.

Un important homme d'affaires de Québec, M. Arthur Bouchard, frère du conseiller législatif Albert Bouchard, sera lui aussi poursuivi sous une accusation de conspiration pour fraude.

Fraude de $310,000

78 chefs d'accusation impliquant des sommes de $310,000, tel est le bilan sommaire des nombreux dossiers que comportent les diverses accusations. Toutes ces accusations comportent des actes posés par les accusés entre le 1er juillet 1955 et le 30 juin 1960, soit la période qui fit l'objet de l'enquête de la commission Salvas. On notera que ces années concernent les dernières années du cabinet Duplessis, les cent jours de Me Paul Sauvé et les quelques mois de pouvoir de Antonio Barrette.

Toutes les plaintes ont été portées par M. Georges-R. Marier. On se souvient que M. Marier est celui qui, comme enquêteur spécial, colligea les données qui alimentèrent durant de longs mois les séances publiques de la Commission.

Ce début de dénouement de la Commission Salvas a éclaté comme une bombe dans l'atmosphère surexcitée du Vieux palais de justice de Québec hier matin **(24 septembre 1963)**. Manifestement, le secret avait été bien gardé car même dans les milieux judiciaires de Québec on a semblé surpris par le geste.

La poursuite intentée contre M. Antonio Talbot est celle qui a eu le plus grand effet de surprise, d'autant plus qu'il n'était aucunement question de Me Talbot dans les recommandations des commissaires qui ont fait rapport l'été dernier.

En même temps qu'éclatait la nouvelle les journalistes ont dû prendre le parti d'être très circonspects car toute l'affaire est maintenant «sub judice». (...)

Ben Johnson gagne l'or

LE Canadien Ben Johnson a remporté aujourd'hui (**le 24 septembre 1988**), à Séoul, le « duel » des Jeux de la XXIVe olympiade en battant largement son principal adversaire, l'Américain Carl Lewis, dans le 100 mètres, épreuve reine de l'athlétisme

Comme lors des derniers championnats du monde d'athlétisme à Rome, à l'automne dernier, Johnson a littéralement jailli de ses starting-blocks au coup de pistolet du starter. Installé en tête dès les premiers mètres, il ne devait plus la quitter et a remporté cette course détaché en 9,79 secondes, améliorant de quatre centièmes le record du monde qu'il avait établi à Rome.

A la veille de l'inauguration du grand barrage

C'est la «Johnsonmania» à Manic

MANICOUAGAN — Manicouagan-5 est un barrage... formidable, mais il n'est pas si facile d'accès qu'on le croit.

A preuve, les nombreux contretemps survenus hier **(25 septembre 1968)** au cours de la visite «rigoureusement organisée» du gouvernement québécois sur les chantiers de Manic-5 à l'occasion de l'inauguration officielle du barrage.

Trois ou quatre avions devaient amener à Manic les journalistes, hommes politiques, officiers de l'Hydro et financiers tant du Québec que des Etats-Unis.

Seuls les journalistes ont pu atterrir à Manic à l'heure prévue. Le reste, hommes d'affaires, officiers gouvernementaux et hommes politiques n'arrivèrent que cinq ou six heures plus tard en raison du brouillard enveloppant Baie Comeau.

Certains durent atterrir à Forestville et d'autres... retourner à Montréal pour prendre des avions plus petits et susceptibles de s'adapter aux pistes d'atterrissage de l'endroit. Si bien que tout ce monde, environ la moitié des 450 invités, ratèrent le dîner.

Ce contre-temps, toutefois, fut transformé par un premier ministre québécois arrivé à l'heure grâce à un avion gouvernemental, en une magnifique occasion de rendre visite aux ouvriers des chantiers, à ceux qui ont mis la main aux trois millions de verges cubes de béton qui ont servi à construire Manic-5.

M. Daniel Johnson est allé à l'endroit tout désigné, la taverne de Manic-5, immense entrepôt-brasserie où, à leur naturel, les ouvriers consomment leur champagne à eux.

Mais, ce fut finalement une visite plus politique que gouvernementale. Le gouvernement Johnson avait en effet invité à la cérémonie d'inauguration de Manic-5 les personnalités de l'ancien gouvernement libéral, soit MM. Lesage et René Lévesque, ainsi que le député libéral du comté, M. Pierre Maltais.

Ce dernier, d'une façon ou d'une autre, eut vent de la visite du chef du gouvernement à la taverne de Manic-5 et s'y rendit lui-même afin, peut-être, que la seule main que les ouvriers pussent serrer ne soit pas uniquement celle d'un «unionniste».

Le tout finit toutefois dans la plus parfaite cordialité, MM. Johnson et Maltais s'asseyant à la même table en compagnie d'ouvriers de Manic-5 et disparaissant avec eux sous un amas de bouteilles de bière.

M. Paul Allard, ministre des Richesses naturelles et responsable de l'Hydro-Québec, s'est aussi attablé avec les ouvriers.

Le premier ministre a longuement plaisanté pour sa part avec ses compagnons de table, entouré évidemment des micros des journalistes radiophoniques qui lui ont laissé très peu de temps pour ingurgiter la bière qu'il avait lui-même commandée.

M. Johnson n'en a pas moins plaisanté à table avec les ouvriers, surtout au sujet de M. Trudeau. Quelqu'un lui demanda en effet, si, en venant ici se promener au milieu des «gens du peuple», il ne tentait pas de lancer la «johnsonmania».

M. Johnson répondit: «C'est plutôt M. Trudeau qui m'imite. Mais vous voyez, je fais ça en homme, ensuite, je fais ça en homme marié, et, troisièmement, je n'ai encore embrassé personne. Non! je fais ça depuis que je suis jeune avocat. J'allais alors prendre une verre de bière avec les gars. J'ai pas changé depuis, ce sont les autres qui ont changé.» (...)

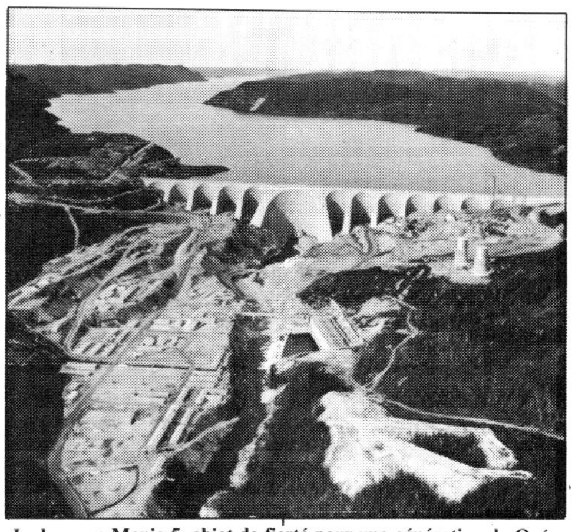

Le barrage Manic 5, objet de fierté pour une génération de Québécois.

Le canal de Panama sera bientôt utilisé

PANAMA — On a commencé, hier **(25 septembre 1913)**, à faire pénétrer l'eau dans l'écluse du canal de Panama.

On croit que toutes les sections de l'un des côtés des écluses seront remplies aujourd'hui. Les glissements de terre qui se sont produits récemment ne retarderont pas considérablement les travaux. Des navires pourront bientôt passer dans le canal.

LE PÈRE DE LA PORSCHE A 80 ANS

Il est rare qu'une voiture porte le nom d'une personne et que celle-ci soit encore vivante. En effet, les créateurs Chevrolet, Dodge, Citroën, Renault et autres sont disparus depuis fort longtemps et leur mémoire se perpétue grâce aux voitures qui portent leur nom. Pourtant, la célèbre compagnie Porsche est suffisamment jeune pour que l'un de ses membres fondateurs soit encore vivant. Ainsi, le Dr Ferdinand « Ferry » Porsche a célébré récemment son 80e anniversaire de naissance. (**Texte publié le 25 septembre 1989.**)

21 enfants... et le bonheur en prime

Elle rêvait d'aller à l'université, d'être serveuse, artiste, religieuse, infirmière... Depuis son enfance aussi, elle rêvait d'avoir neuf enfants comme sa mère. En 22 ans, Marguerite Lacroix-Boisvert en aura eu 21, treize filles et huit garçons, dont 19 sont encore vivants, qui ont maintenant entre 33 et 55 ans. Serveuse, artiste, infirmière... elle l'a été tout au long de sa vie de mère qui lui en aura appris plus que n'importe quelle maison d'enseignement.

Après 56 ans de mariage, Maurice Boisvert est décédé cette semaine, à 78 ans, dans son sommeil comme il l'aurait voulu, et la famille s'est retrouvée dans la maison de Rosemont, les coudes serrés comme ils le font toujours dans les moments de bonheur comme dans les moments difficiles.

Papa leur inculquait toutes les sciences: « Garçons ou filles, il nous apprenait la plomberie, la mécanique, l'électricité. Ce faisant, il nous a enseigné la créativité et la débrouillardise. Maintenant, on peut tout réparer dans une maison », disent les enfants devenus adultes.

Chaque été, à Saint-Côme, les enfants, et aussi les 43 petits-enfants et les six arrières petits-enfants, se rassemblent au chalet des Boisvert pour un immense festival familial.

On pourrait croire que leur nombre les a forcés à vivre dans la misère. Mais non. « La manne arrivait toujours avant qu'on en ait besoin », dit Mme Boisvert. Son mari occupait un poste de contremaître au CN et pour augmenter ses revenus, il réparait des autos. « Pour avoir autant d'enfants, il ne faut pas avoir peur de l'ouvrage et il ne faut pas désirer être riche. »

S'ils n'étaient pas riches, ils ne vivaient pas non plus dans le besoin. Pour que chaque enfant ait des vêtements bien à lui, Mme Boisvert transformait les vêtements des plus vieux. « On ne les reconnaissait même plus », dit une des filles.

Au début, les Boisvert ont vécu dans un trois pièces avec dix enfants. Ensuite, quand le couple de jumelles (Lucille et Annette) s'est pointé, ils sont déménagés... dans un quatre pièces et y ont déjà vécu avec 17 enfants.

On pourrait croire qu'ils ont dû sacrifier les études. Mais non. Quatorze sont diplômés de l'université après avoir eux-mêmes amassé l'argent de leur cours. La liste de leurs professions ne laisse d'ailleurs aucun doute sur le plaisir qu'ils ont eu à s'occuper les uns des autres. Sept sont professeurs, deux éducatrices en milieu pré-scolaire, une est travailleuse sociale et religieuse, deux autres infirmières et une homéopathe et masso-thérapeute. Quant à ceux qui ont « mal tourné », ils sont hommes d'affaires, gérant, électricien, technologiste médicale, secrétaire et conseiller technique.

Mireille qui a dû mettre en veilleuse son projet d'études universitaires pour s'occuper des plus jeunes et travailler pour aider ses parents, poursuit maintenant sa maîtrise en éducation.

Aucun, disent-ils, n'a jamais envié les enfants de familles moins nombreuses: « On trouvait ça triste pour eux. On avait tellement de plaisir. On en a encore. »

Quand on leur demande quel héritage leurs parents leur auront laissé, ils ont chacun leur réponse : le courage, l'idéal, la créativité, la musique, la foi, le partage et surtout, surtout, une immense joie de vivre. » (**Texte publié le 25 septembre 1994.**)

C'EST ARRIVÉ UN 25 SEPTEMBRE

1983 — Évasion spectaculaire de 38 membres de l'IRA de la prison de Maze, près de Belfast.

1982 — Un forcené tue 13 personnes, dont cinq de ses enfants, en Pennsylvanie.

1979 — Le quotidien *The Montreal Star* ferme ses portes après 111 ans de publication. À sa première parution le 16 janvier 1869, il s'appelait *The Evening Star*. En 1877, il adoptait le nom *The Montreal Star*.

1978 — Collision en plein ciel, au-dessus de San Diego, d'un *B-727* avec un monomoteur *Cessna*, causant la mort de 145 personnes, dont 13 au sol.

1973 — Assassinat en Argentine de José Rucci, secrétaire général de la CGT.

1972 — L'Asie est témoin d'un événement historique alors que Kakuei Tanaka, premier ministre japonais, débarque à Pékin. — Victoire du « non » en Norvège, lors du référendum relatif à l'entrée de ce pays au sein de la CEE.

1967 — Nomination de Me Louis-Philippe Pigeon à la Cour Suprême du Canada. — Pierre Bourgault abandonne la présidence du Rassemblement pour l'indépendance nationale.

1963 — Les électeurs ontariens confient un septième mandat consécutif aux conservateurs de John Robarts.

1961 — À l'Assemblée générale des Nations Unies, le président Kennedy convie l'URSS à une *course à la paix*.

1959 — La France quitte les délibérations de l'ONU au moment où on s'attaque au plan de Gaulle pour l'Algérie.

1959 — Le premier ministre Bandaranaïke, du Ceylan, est assassiné par un individu déguisé en moine bouddhiste.

1956 — Première conversation transatlantique transmise par câble téléphonique entre Londres, New York et Ottawa.

1950 — Le premier ministre du Canada réunit les premiers ministres des dix provinces pour étudier les clauses d'une nouvelle constitution canadienne. Cette rencontre historique a lieu à Québec. — Le pape Pie XII émet l'encyclique *Menti nostrae* à l'intention du clergé catholique.

1949 — Célébration du troisième centenaire du martyre de saint Jean de Brébeuf et de ses compagnons, à Québec.

1947 — Dynamitage des quartiers régionaux de Milan du Parti communiste italien.

1943 — Les Nazis évacuent Smolensk devant la pression exercée par les troupes soviétiques.

1941 — Les Soviétiques repoussent une forte offensive allemande à Mourmansk.

1939 — Mgr Georges Gauthier, archevêque de Montréal, rend hommage à son prédécesseur, Paul Bruchési, lors des obsèques de ce dernier.

1934 — Le yacht américain *Rainbow* remporte la coupe America contre l'*Endeavour* britannique.

1911 — Le cuirassé *Liberté* brûle en rade de Toulon, et l'incendie fait 400 morts.

1900 — Décès à l'âge de 68 ans du premier ministre Félix-Gabriel Marchand de la province de Québec.

«Le civisme n'est la propriété de personne»

Le Parti civique de Drapeau sera distinct de la L.A.C.

L'ancien maire de Montréal, Me Jean Drapeau, a annoncé officiellement hier **(25 septembre 1960)** la formation d'un Parti civique de Montréal, distinct de la Ligue d'action civique et sans attache à aucun parti fédéral ou provincial; il l'a fait au cours d'une conférence de presse de deux heures, au comité central de l'est du nouveau groupement, rue Papineau, près Ste-Catherine.

Le nouveau parti présentera des candidats aux 66 postes de conseillers. M. Drapeau en a donné hier une première liste partielle de 43 noms. (...)

Le nouveau parti aura pour devise: «Au service de toutes les classes».

Son but: «Nettoyer la ville de l'administration néfaste actuelle Fournier-Savignac-Croteau-Gagliardi».

S'il le faut, les candidats du nouveau parti lutteront contre ceux de la Ligue d'action civique. «Nous aurons des candidats partout. C'est pour se battre, mais nos efforts seront principalement dirigés contre l'administration actuelle».

Rupture consommée

M. Drapeau a donc confirmé officiellement la rupture des 16 conseillers élus en 1957 sous l'égide de la Ligue, et du conseiller de classe C qui dans une déclaration aujourd'hui historique ont, le 12 septembre dernier, révélé qu'ils n'avaient reconnu que Me Drapeau comme leur seul chef.

L'ancien maire a annoncé que deux autres conseillers se sont joints à leur groupe, M. Edmond Hamelin, à qui la L.A.C. n'avait pas fait d'opposition à la dernière élection municipale et M. Jean-Paul Lemieux.

Emile Genest

Parmi les candidats du Parti civique de Montréal, on remarque le nom d'Emile Genest, artiste de la radio et de la télévision et commentateur sportif, celui d'une femme, Mme Louis Limoges, publicitaire, et celui d'une personne de langue anglaise, M. Kenneth Ryall.

Au cours de sa conférence de presse, M. Drapeau a souligné que «le civisme n'est la propriété de personne», et il a souligné que le Parti civique de Montréal ne s'intéressera qu'au sort de la population de Montréal, de son industrie, de sa jeunesse et qu'il ne peut être question de l'étendre aux champs provincial ou fédéral. Il a également souligné que le groupement est en excellentes relations avec les deux gouvernements supérieurs.

Me Drapeau a attribué la rupture entre lui et M. DesMarais à la personnalité de M. DesMarais. Il a admis que cette personnalité était attachante, que M. DesMarais a beaucoup de qualités. «Rien de ce que j'ai pu dire de M. DesMarais dans le passé n'est à retirer. Mais je lui connais aussi une faiblesse, il manque de cette souplesse, je ne dis pas de tous les genres de souplesse dans toutes les occasions mais de cette souplesse souverainement nécessaire même avec ses collaborateurs les plus proches.» (...)

Un problème de langue

Le perroquet Peekaboo, affectueusement installé sur la tête de Fracesca Baron, se conforme-t-il à la Charte de la langue française ?

L'oiseau a attiré l'attention après qu'un client de l'animalerie à laquelle il appartient, à Sherryington, eut menacé de porter plainte auprès de l'Office de la langue française parce que Peekaboo ne parle pas français...

Aucune plainte n'a cependant encore été déposée. (**Texte publié le 25 septembre 1996.**)

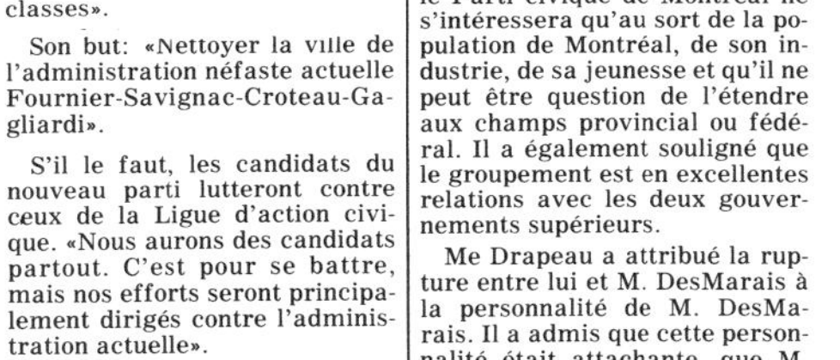

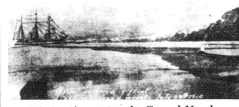

L'«Arctic rentre du Grand Nord

Un peu moins de 15 mois après son départ de Québec, en juillet 1910, le voilier «Arctic» piloté par le capitaine J.-E. Bernier rentrait dans la Vieille capitale le *25 septembre 1911*. Le capitaine Bernier avait échoué dans sa tentative de franchir le fameux passage du Nord-Ouest, «à cause, a-t-il expliqué au reporter de LA PRESSE, des glaces polaires ou locales mues par le vent qui peuvent faire blocus à n'importe quelle époque pendant une période indéterminée». Le point le plus à l'ouest atteint par l'équipage le fut le 3 septembre 1910, alors qu'on se rendit au 116e degré ouest par 74,28 degrés nord. Le navire avait ensuite hiverné à Admiralty Inlet. Les illustrations montrent l'«Arctic» en face du mont George V, le 29 juillet 1910, et le trajet suivi par le voilier.

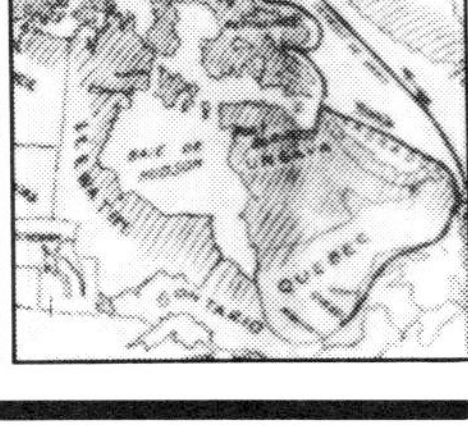

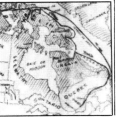

UN PROJET VRAIMENT PATRIOTIQUE

La «Presse» organise un hôpital militaire à Paris et demande aux municipalités canadiennes-françaises de collaborer à cette oeuvre

LA sanglante tragédie qui se déroule en Europe a douloureusement affecté tous les coeurs canadiens-français. Et comment pourrait-il en être autrement?

Descendants de France, ayant conservé au coeur le souvenir toujours cher de notre ancienne mère-patrie, sujets loyaux de l'Angleterre, qui s'est fait la protectrice bienveillante et éclairée de nos droits et privilèges, nous voyons ces deux grandes nations, aidés de l'héroïque Belgique et de la puissante Russie, livrer un combat glorieux et terrible contre la barbarie allemande.

Ainsi commençait l'article publié dans LA PRESSE du **25 septembre 1914** *et consacré au projet ourdi par le journal d'organiser à Paris un hôpital canadiens réservés aux soldats de chez nous et d'Angleterre. Le projet était défini de la manière suivante:*

Sachant répondre à ce désir, La «Presse» a formé le projet d'ouvrir à Paris un hôpital pour secourir les blessés canadiens et anglais. (...) L'ancien palais Borghese, situé au no 7 avenue de La Chaise, coin du boulevard Raspail, que connaissent bien un grand nombre de Canadiens, a été choisi dans ce but. Il est admirablement situé, à mi-chemin entre les jardins du Luxembourg et l'Hôtel des Invalides, dans le nouveau Paris.

L'article se poursuit en annonçant que chacun des 1 200 lits au départ (avec possibilité d'en rajouter 600) porterait le nom d'une des municipalités ou paroisses qui aurait contribué à l'oeuvre.

L'oeuvre s'est-elle concrétisée? Nous vous le dirons plus tard, en octobre...

Crise cardiaque à la Manicouagan

JOHNSON EST MORT

MANICOUAGAN — Le premier ministre du Québec, M. Daniel Johnson, est mort tôt ce matin **(26 septembre 1968)** à la Manicouagan.

Selon les premiers rapports, M. Johnson aurait succombé à la suite d'une attaque cardiaque.

La nouvelle a été lancée pour la première fois sur les ondes d'une station radiophonique de langue anglaise de Montréal, dont le chef des nouvelles se trouvait également à Manic 5 à l'occasion des fêtes d'inauguration du barrage.

Agé de 53 ans, M. Johnson se trouvait en pleine forme hier, donnant une conférence de presse télévisée qui a été captée par des millions de Canadiens à travers le pays.

Selon les premières nouvelles, on aurait trouvé M. Johnson mort dans son lit ce matin. Le premier ministre aurait donc succombé au cours de la nuit, en l'absence de tout médecin.

On croit savoir que c'est un employé de l'Hydro-Québec qui a fait la découverte, en venant lui porter son petit déjeûner. M. Johnson devait présider l'inauguration du barrage de Manic-5 à midi.

Ce n'est que vers 8 h. 15 ce matin que le vice-premier-ministre, M. Jean-Jacques Bertrand, a appris la nouvelle de la bouche de M. Paul Chouinard, secrétaire personnel du premier ministre. M. Bertrand se trouvait alors à Québec. C'est lui qui prendra en mains la direction du gouvernement en attendant qu'un nouveau premier ministre soit désigné.

On se souviendra qu'un autre premier ministre de l'Union nationale, M. Maurice Duplessis, est mort en 1959 dans le nord du Québec, à Shefferville, à l'occasion d'une visite industrielle semblable à celle qu'effectuait aujourd'hui M. Daniel Johnson.

Trois mois plus tard, le jour de l'An 1960, le nouveau premier ministre Paul Sauvé était à son tour terrassé à sa résidence de Saint-Eustache.

Le 3 juillet dernier, M. Johnson était frappé par une crise cardiaque qui l'avait obligé à s'absenter de son bureau pendant deux mois et demi. Pendant sa convalescence, il était allé se reposer aux Bermudes et dans le nord de Montréal.

Hier, au début de sa conférence de presse, le premier ministre avait déclaré qu'il était en parfaite santé, qu'il avait suivi presque à la lettre les conseils de ses médecins. Ces derniers lui avaient demandé trois choses : 1. arrêter de fumer ; 2. dormir au moins six heures par nuit ; 3. prendre une journée de congé par semaine.

«Je me sens dangereusement bien», a-t-il dit aux journalistes, reprenant une expression consacrée pour avertir des adversaires politiques de son agressivité retrouvée. Il avait le teint basané et semblait avoir maigri passablement.

Il a annoncé qu'il procédait à une réorganisation de son cabinet privé afin de pouvoir travailler aux heures normales du jour et de s'accorder à l'occasion, un jour de repos.

Avant la crise cardiaque, il fumait jusqu'à trois paquets de cigarettes par jour et, aux dires de ses collaborateurs, il s'accordait difficilement plus de quatre heures de sommeil par nuit.

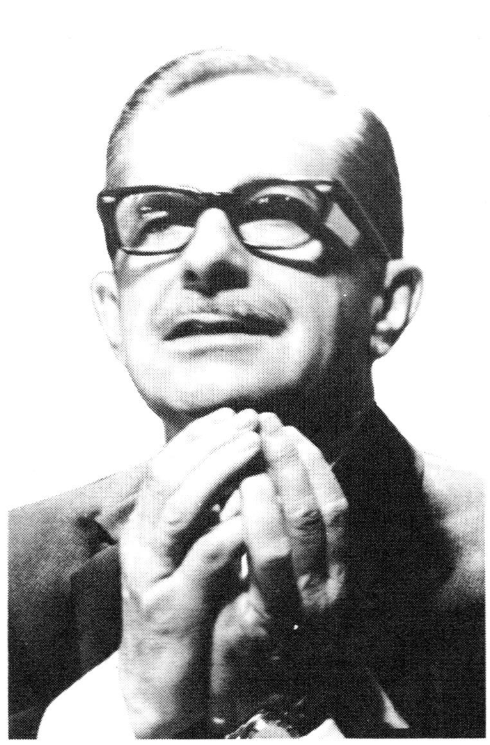

Le premier ministre Daniel Johnson.

C'EST ARRIVÉ UN 26 SEPTEMBRE

1983 — Le Corse le plus célèbre après Napoléon, celui qui a enregistré quelque 2000 disques, en a vendu plus de 400 millions, a joué dans 25 films, l'unique Tino Rossi, a rendu l'âme à l'âge de 76 ans, succombant à un cancer du pancréas.

1983 — Élection de Gérald Larose à la présidence de la CSN.

1980 — Le Cubain Arnaldo Tamiao Mendes, premier astronaute d'une nationalité autre que soviétique ou américaine, rentre d'un voyage de huit jours dans l'espace.

1979 — Le Congrès américain adopte le traité de Panama négocié par le président Carter.

1975 — Jerôme Choquette quitte le ministère de l'Éducation et le Parti libéral à cause de l'application de la Loi des langues officielles du Québec.

1973 — Décès à 65 ans de l'actrice italienne Anna Magnani.

1969 — Le barrage *Manic-5* est rebaptisé barrage *Daniel-Johnson*, en souvenir de feu Daniel Johnson qui y est mort lors d'une visite officielle un an plus tôt.

1968 — Marcelo Caetano est nommé premier ministre du Portugal. Le régime Salazar aura duré 40 ans.

1960 — Plus de 73 500 000 Américains et Canadiens suivent le premier débat télévisé entre John Kennedy et Richard Nixon, candidats à la présidence des États-Unis.

1954 — Inauguration du pont Mgr-Langlois, près de Valleyfield. — Un traversier coule au cours d'un typhon, au Japon. L'accident fait plus de 1 000 morts.

1950 — Un feu dans une mine fait 80 morts, à Workshop, Angleterre. — Les forces des Nations Unies entrent à Séoul, capitale de la Corée du Sud, et en chassent les Nord-Coréens.

1941 — L'URSS reconnaît le général de Gaulle comme chef des Français libres.

1934 — La reine Mary d'Angleterre baptise le nouveau paquebot de la ligne Cunard-White Star du nom de *Queen Mary*.

1917 — Le capitaine Georges Guynemer, grand as de l'aviation française, est porté sur la liste des disparus depuis le 11 septembre. Le célèbre homme-oiseau français a abattu jusqu'ici 52 aéroplanes ennemis.

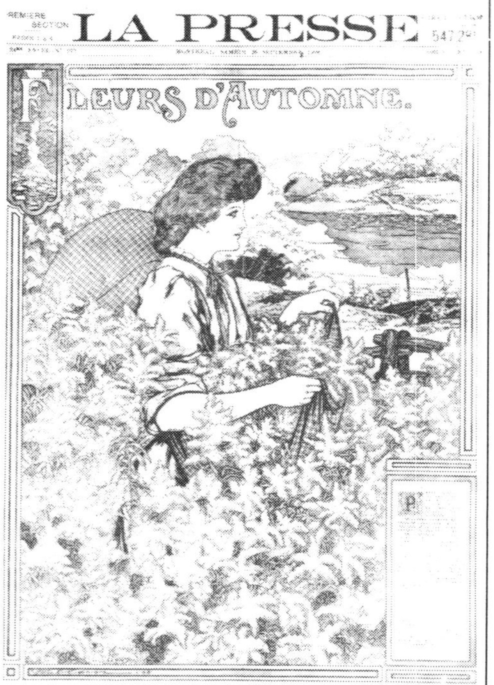

LA PRESSE

FLEURS D'AUTOMNE.

Première page publiée le *26 septembre 1908*. *Le court (mais ô combien poétique !) texte se lit comme suit :*

PARTOUT l'automne est une saison mélancolique et douce, mais nulle part au monde elle n'égale la douce splendeur qu'elle étale au Canada.

C'est la saison transitoire qui nous repose des ardeurs cuisantes d'un été implacable et qui nous prépare aux rigueurs d'un long hiver. Les automnes canadiens sont délicieux, les fleurs tardives sont abondantes et réjouissent les regards par la diversité de leurs nuances. Aussi les femmes se font-elles des moissons journalières pour orner les maisons qui s'égayent de ces bijoux végétaux. Toute la nature semble s'être vouée à la parure de la terre en cette saison idéale. Les feuillages quittent leur livrée verte pour revêtir toutes les teintes de la palette du plus passionné coloriste. Partout où le regard se pose, dans les champs, dans les bois, dans les sentiers ou dans les jardins, c'est comme un semis d'or, de pourpre, d'émeraude et de topaze. Les arbres et les arbustes portent sur leurs branches les tons les plus variés, allant de l'écarlate au vert myrte, en passant par le roux, le jonquille, le soufre, le rubis et mille nuances mixtes qui font de nos campagnes et de nos paysages accidentés un immense kaléïdoscope aux vues incessamment changeantes et merveilleuses.

Après ce temps de douceur reposante, l'hiver peut venir. Nous avons dans l'esprit et dans le coeur un souvenir et une espérance qui nous en feront aisément supporter les rigueurs.

Le gangster Valachi raconte sa vie dans la «cosa nostra»

WASHINGTIN — Joseph Valachi, «l'homme qui a parlé», l'homme qui a fini par rompre le silence, cette loi d'or du milieu interlope du monde entier, et particulièrement des Etats-Unis, vient de raconter en public, pour la première fois, comment il est devenu un «soldat» des légions de l'empire du crime, de la «cosa nostra».

Celui qui fut un temps fournisseur de narcotiques témoignait, en effet, hier **(26 septembre 1963)** devant un sous-comité sénatorial d'enquête dont l'audience était publique.

Le président du sous-comité, le sénateur J.L. McCellan, a déclaré que le début du récit de Valachi (qui avait été en cette circonstance retiré de sa cellule pour la première fois) se rapporte à sa montée dans les rangs de la «cosa nostra», de la «mafia», style américain.

Valachi, reconnu coupable de meurtre et purgeant actuellement en prison des sentences de 15 ans, 20 ans et à vie, n'a jamais occupé dans la «cosa nostra» un «poste de commandement». Comme il l'explique lui-même, c'était un «soldat» de l'armée du crime.

On sait que, parce qu'il a «parlé», la pègre américaine a offert $100,000 pour la tête de Valachi-le-mouchard.

Après la première journée d'audience, le sénateur K. Mundt a déclaré que la déposition de Valachin ne permet pas, par elle-même, de résoudre les meurtres et autres crimes commis à travers tout le pays. Mais elle «permettra d'établir un certain nombre d'indices qui donneront aux forces de l'ordre l'occasion de déterminer qui est coupable». (...)

GRAND TRIOMPHE!

Les gymnastes canadiens, sous le commandement du professeur H.T. Scott, ont reçu une véritable ovation à Rome

NOS gymnastes à Rome marchent de triomphe en triomphe. Après s'être personnellement classés avantageusement, les uns après les autres, dans les concours préliminaires et éliminatoires, après avoir remporté plusieurs prix dans les épreuves finales pour les courses et les sauts, voilà que, après avoir paradé devant le Pape, à la grande admiration de tous, on décerne **(le 26 septembre 1908)** à l'équipe, à l'unanimité, le premier prix international.

La nouvelle nous en est transmise dans le câblogramme suivant que nous adresse M. Jules Tremblay, rapporteur officiel de l'équipe canadienne.

Rome, 27 septembre 1908. — LA PRESSE, Montréal. — Equipe magnifique devant le Pape. Premier prix international. — Tremblay.

Si nous comprenons bien cette importante dépêche — et elle nous paraît très claire — la grande épreuve devant le Pape a été un véritable triomphe pour l'équipe du professeur Scott, et le jury international lui a décerné le premier prix.

Pour se rendre bien compte de l'importance de cette nouvelle, il faut se rappeler que toutes les associations catholiques de gymnastique du monde entier sont représentées à ce congrès et que pas moins de 2,000 gymnastes ont défilé et paradé devant Sa Sainteté.

Comme on le voit, c'est un triomphe sans précédent pour la gymnastique et l'athlétisme chez les nôtres; d'un autre côté, ce résultat que nous n'osions même pas espérer, est une des plus belles réclames que le Canada puisse désirer.

Nos gymnastes ont, à ce congrès, été acclamés, admirés, non seulement par les associations sportives italiennes, mais encore par les sociétés catholiques du monde entier, le Pape, le collège des Cardinaux, la foule des membres du clergé venus de partout, et par des centaines de mille spectateurs.

Honneur au professeur Scott! Honneur à ses gymnastes!

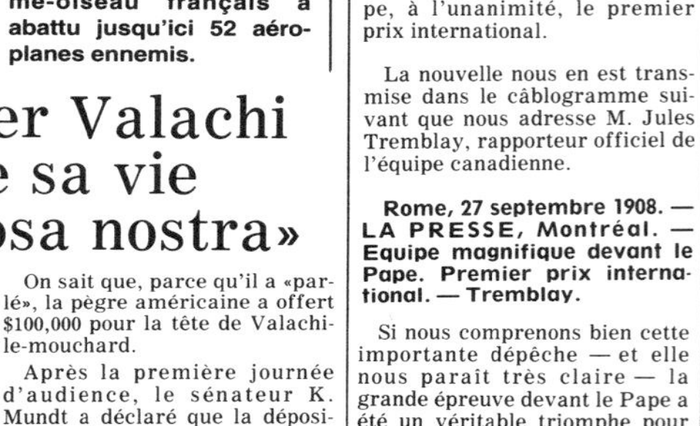

Ernest Anctil, jeune aviateur canadien-français, présentait au public, le *26 septembre 1912*, le «biplan Anctil», premier aéroplane construit par un Canadien-français, qu'il devait ensuite piloter à plusieurs reprises au-dessus de Cartierville, à l'occasion avec un passager à bord.

Ben Johnson est déchu

Le Canadien Ben Johnson, champion olympique et recordman du monde du 100 m, s'est vu retirer hier (**le 26 septembre 1988**)la médaille d'or qu'il avait gagnée il y a deux jours, son test de dopage s'étant révélé positif.

La présence d'un stéroïde anabolisant, le Stanazolol, interdit par les règlements olympiques, a en effet été décelée dans les urines de Johnson, qui passait pour avoir remporté la plus belle épreuve des Jeux en battant nettement son rival de toujours, l'Américain Carl Lewis, et en établissant, en 9,79 secondes, un nouveau record du monde du 100 m.

Michèle Verdier, porte-parole du CIO (Comité international olympique), a fait savoir que le bureau exécutif du Comité avait approuvé à l'unanimité la recommandation de la commission médicale proposant que Johnson soit déchu de son titre.

« C'est un dur coup qui vient d'être porté aux Jeux olympiques et au mouvement olympique, a déclaré le président du CIO, Juan Antonio Samaranch, mais cela prouve que le CIO a eu raison d'adopter des normes très strictes pour préserver l'intégrité du sport. »

Ben Johnson est le septième athlète, mais le plus illustre, à se voir disqualifier des Jeux de Séoul pour usage de produits interdits.

On s'imagine mal une foule de... seulement 25,000 personnes

LE Stade olympique a de nouveau vibré, hier **(26 septembre 1976)**, et les acclamations des 68,505 spectateurs n'étaient pas sans rappeler les plus beaux jours des Jeux olympiques.

Une ovation comme celle qu'a reçue la délégation canadienne, à l'ouverture des Jeux, ça ne s'oublie pas, et celle qu'a reçue l'équipe des Alouettes, lors de la présentation des joueurs, l'égalait certes en intensité. Mais il manquait cependant l'atmosphère hautement dramatique exclusive aux Jeux.

Si les gens ont bien accueilli les Alouettes, ils ont tout au plus été polis envers Sam Etcheverry et Herb Trawick, deux grands du football canadien dans les années 50, lorsqu'ils ont procédé au botté d'ouverture.

Quant aux Rough Riders d'Ottawa, les huées qui ont accompagné leur présentation égalaient presque en intensité l'ovation accordée aux Alouettes.

Don Sweet a également fait vibrer le stade lorsqu'il a établi un nouveau record pour les bottés de placement. Il ne pouvait choisir un meilleur moment.

Après avoir connu la foule d'hier et celle des Jeux olympiques, on s'imagine mal une foule de seulement 20,000 ou 25,000 personnes dans cette enceinte.

D'ailleurs, hier, la foule aurait dû facilement dépasser le cap des 70,000. Depuis plusieurs jours, on entendait dire que les billets étaient tous vendus, mais il restait encore plusieurs bonnes places debout. Un porte-parole de la direction des Alouettes a expliqué qu'il y avait eu quelques problèmes à la billetterie et qu'entre autres, 2,500 billets non vendus sont revenus d'Ottawa, jeudi, alors qu'on les croyait vendus.

Malgré quelques petits problèmes, cette première journée de sport professionnel au Stade olympique s'est quand même bien déroulée.

Le problème le plus sérieux était celui des toilettes et il s'est présenté à la fin de la première demie. Il y avait embouteillage autant du côté des hommes que du côté des femmes, et chez ces dernières, la circulation s'est dégagée seulement 10 minutes après la reprise du jeu.

Il y avait également embouteillage aux comptoirs à hot dogs et à breuvages. De nombreuses personnes, véritables amateurs de football, ont regagné leur siège sans avoir pu faire le vide... et le plein ! D'autres, plus audacieuses, ont humecté le béton, à l'amusement de leurs compagnons. (...)

CINQ CAS DE GRIPPE ESPAGNOLE EN VILLE

LA grippe espagnole a atteint cinq personnes de la ville, qui sont actuellement **(27 septembre 1918)** à l'hôpital Général. Les hôpitaux Royal Victoria et Western rapportent qu'ils n'ont aucun cas. Autant qu'on peut s'en assurer, la maladie ne sévit ni parmi les élèves de la commission scolaire protestante, ni parmi ceux de la commission scolaire catholique. A l'hôpital Général, on dit que les patients atteints de la grippe espagnole souffrent tout simplement d'une grippe ordinaire, mais plus maligne. Si elle est prise à temps, elle ne peut guère causer la mort. Négligée, elle peut dégénérer en pneumonie ou en méningite.

Le Dr Séraphin Boucher, directeur du service de santé de la ville, déclare que tant que persistera le danger d'épidémie de la grippe espagnole, toute personne ayant un rhume accompagné de mal de tête et de peines dans le corps et dans les membres fera bien de s'aliter et d'appeler un médecin. C'est aussi l'avertissement que donne le conseil provincial d'hygiène. Comme question de fait, ces avis ont toujours été donnés par la profession médicale; mais on doit les suivre à la lettre actuellement, si l'on veut éviter tout danger.

LA GRIPPE A SAINT-JEAN

(Spécial à La PRESSE)

Saint-Jean — L'épidémie de grippe espagnole aux casernes de Saint-Jean, est devenue plus sérieuse. Depuis hier, le nombre des cas d'hôpitaux s'est élevé de 355 à 450.

On ne rapporte pas de nouveaux décès. Deux soldats sont cependant dangereusement malades d'une pneumonie qui a suivi l'influenza.

Le général Wilson, commandant du district militaire de Montréal, a pris toutes les précautions possibles pour empêcher la diffusion de la maladie. Les casernes ont été mises en quarantaine d'une manière rigoureuse. (...) On disait, hier, que la maladie avait gagné la population civile de Saint-Jean.

A PRINCEVILLE

(Du correspondant de la PRESSE)

Princeville — L'intensité de grippe espagnole qui ravage nos cantons ne semble pas vouloir s'arrêter. Des cas nouveaux se déclarent à Victoriaville. Dans le village de Saint-Norbert, où il y a foule de malades, les cas semblent moins graves ou ont été soignés à temps. Nous ne connaissons pas de morts dans Saint-Norbert; quelques personnes sont dans un état très grave tout de même. (...)

JAPON, ALLEMAGNE, ITALIE SOLIDAIRES

BERLIN — L'Allemagne, l'Italie et le Japon ont signé aujourd'hui **(27 septembre 1940)** un traité militaire et économique. Les trois pays ont promis d'unir leurs forces contre tous ceux qui s'opposeront à la mise en oeuvre de leur projet de création d'ordres économiques nouveaux en Europe et en Asie. Le pacte a été signé au bureau de la chancellerie du Reich à 1 h. 13 (7 h. 13 a.m., heure de l'Est).

Trois des plus grandes puissances militaires de l'histoire, formant une population de 225,000,000 d'habitants, présentent maintenant un front uni contre l'Angleterre et les Etats-Unis.

Le comte Galeazzo Ciano, ministre des Affaires étrangères d'Italie, est arrivé à l'aérodrome de Tempelhof (...) après un long retard. La cérémonie officielle devait avoir lieu à midi.

Il fut escorté à la chancellerie du Reich entre deux haies denses de soldats de troupes de choc, de membres de différentes organisations nazistes, d'hommes et d'enfants brandissant des drapeaux de l'Allemagne, de l'Italie et du Japon. Ce sont ces drapeaux qui ont causé la plus grande sensation. Depuis plusieurs jours, le peuple allemand s'attendait à une alliance entre l'Allemagne, l'Italie et l'Espagne. Tokyo avait été la seule capitale à annoncer qu'elle signerait un traité avec Rome et Berlin.

Ce ne fut que quelques minutes avant l'arrivée de Ciano à Tempelhof que l'on apprit que le Japon, et non pas l'Espagne, était la troisième puissance en cause. (...)

IMMENSE SUCCES DES COURSES D'AUTOMOBILES

QUATRE mille personnes ont vu hier **(27 septembre 1908)** Walter Christie établir un nouveau record du monde, au Parc Delorimier. Conduisant sa voiture d'une force de 140 chevaux, le jeune chauffeur millionnaire fit un mille en deux minutes et dix secondes. L'ancien record pour la distance sur une piste d'un demi-mille était de 2.21. Si nous ajoutons que le record a été établi dans des conditions extrêmement difficiles, sur une piste encombrée par la multitude, l'on reconnaîtra que Christie a accompli un très glorieux exploit.

Au point de vue du sport, la matinée d'hier a été un tant soi peu gâtée par l'obstination de la foule à envahir le terrain. Afin d'éviter tout accident, et sur l'avis des promoteurs du «meeting», les chauffeurs modérèrent leur allure et ne montrèrent pas toute la force de leur machine. Le programme subit en outre des modifications forcées et les épreuves furent écourtées. (...)

L'assistance, avant-hier, le premier jour, était de quatre à cinq mille personnes. La discipline la plus sévère fut observée et pas un seul homme, en dehors des officiers de la course et des concurrents, franchit la clôture séparant la pelouse de la piste.

Il en fut autrement dimanche. La réclame faite autour des noms de Barney Oldfield, de Christie et de Soules, avait attiré au Parc Delorimier une multitute énorme. Dès une heure de l'après-midi, une interminable procession se dirigeait déjà vers l'hippodrome. En peu de temps, la vaste estrade fut remplie. L'immense pelouse contenait aussi des milliers et des milliers de spectateurs. Avec cela, deux à trois mille personnes s'étaient installées sur une légère élévation dominant le rond. (...) Bientôt, cette multitude franchit les limites assignées, et la piste fut envahie. Les officiers de l'Automobile Club tentèrent mais en vain de faire déguerpir les intrus. (...) Les constables n'étaient guère nombreux, et reconnurent dès le début leur impuissance à repousser l'invasion. Il fallut donc se résigner à courir sur une piste noire d'humanité.

Les promoteurs du meeting étaient dans une extrême inquiétude, redoutant d'effroyables accidents, des hécatombes de victimes. Ils firent annoncer au public que vu le mauvais vouloir de ceux qui encombraient la piste, les chauffeurs ralentiraient leur vitesse.

En dépit des conditions désavantageuses, les courses ont été fort intéresssantes, et l'établissement du nouveau record du monde par Christie à la fin de l'après-midi provoqua un enthousiasme indescriptible. (...)

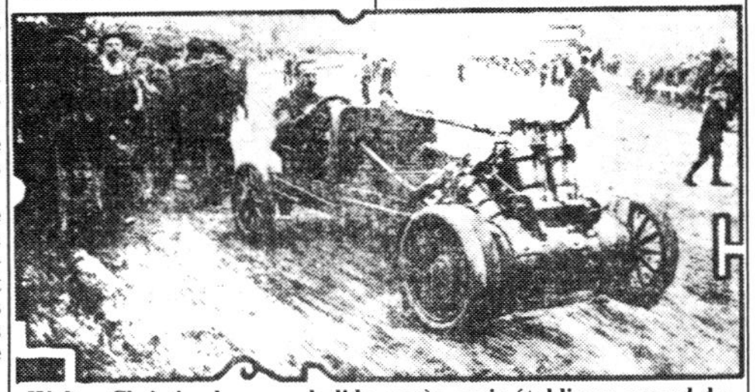

Walter Christie, dans son bolide, après avoir établi son record du monde.

Bogue de l'an 2000: l'aviation civile n'est pas prête

Un nombre important de pays n'ont toujours rien fait, en ce qui concerne l'aviation civile, pour affronter le « bogue de l'an 2000 », et aucun n'est tout à fait prêt, selon les chiffres publiés à Montréal par l'OACI (Organisation de l'Aviation civile internationale).

Depuis près d'un an, l'OACI a lancé un programme de sensibilisation et d'information auprès de ses 185 pays membres, pour les aider à faire face au problème.

On leur demandait par exemple s'ils considèrent que c'est un problème « grave » qui exige « une attention immédiate », s'ils ont mis au point un programme pour y faire face, s'ils pensent être prêts au 31 décembre 1999 et s'ils ont préparé un plan d'urgence.

Il apparaît que des 70 pays qui ont répondu, à peu près le quart n'a pour le moment absolument rien fait pour faire face au problème. Si l'on y ajoute les pays très en retard dans leur adaptation, on arrive à pas loin de 40 % des 70 États qui ont répondu.

À l'autre extrême, un tiers des pays qui ont répondu au questionnaire sont à jour de leur programme d'adaptation au « bogue », même si aucun pays n'est tout à fait prêt, ce qui est assez normal plus d'un an avant l'événement. (**Texte publié le 27 septembre 1998.**)

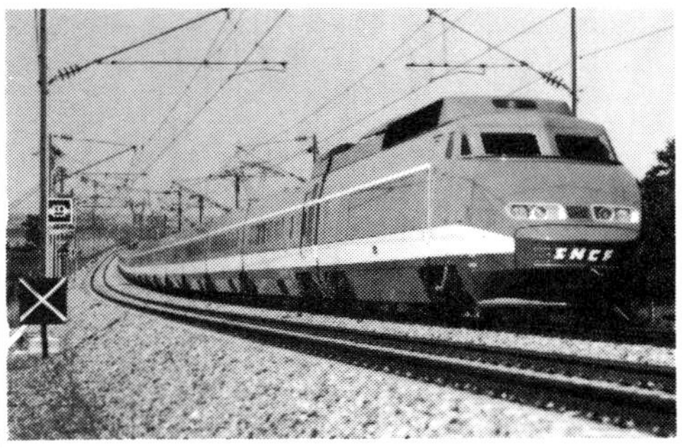

Le TGV, train à grande vitesse circulant sur une voie protégée et exclusive entre Paris et Lyon, souleva l'enthousiasme du public voyageur dès sa première liaison entre ces deux villes, le *27 septembre 1981*. Roulant à une vitesse de croisière de 260 km/h (c'est le train le plus rapide au monde pour le moment), il permet de réduire de moitié la durée du voyage.

Un p'tit bec retentissant

Le baiser de Jonathan, blondinet à lunettes de six ans, à une camarade de classe est devenu une affaire nationale après son expulsion de l'école pour harcèlement sexuel.

Toutes les chaînes de télévision américaines et la presse nationale se sont emparées de l'histoire de Jonathan Prevette, banni de son école élémentaire de Lexington, en Caroline du Nord, pour avoir embrassé sur la joue une fillette « qui l'avait demandé ».

« Comment expliquer à un enfant de six ans ce qu'est le harcèlement sexuel ? » s'interrogeait la mère de Jonattan. « Cet incident pourrait le traumatiser à jamais, c'est vraiment aller trop loin lorsqu'un enfant ne peut plus être un enfant », estimait Kathie Lee Gifford, présentatrice d'une émission télévisée.

La direction de l'école, dont le standard téléphonique est saturé en raison du nombre d'appels indignés venus des quatre coins des États-Unis et de l'étranger, a maintenu sa position, invoquant le règlement de l'établissement qui « interdit tout attouchement d'un écolier par un autre ». (**Texte publié le 27 septembre 1996.**)

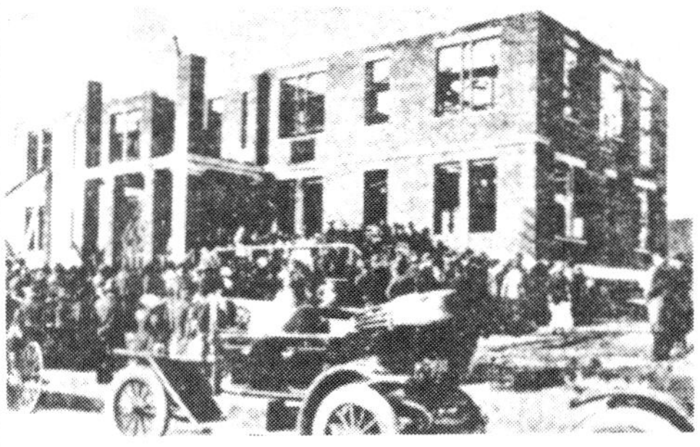

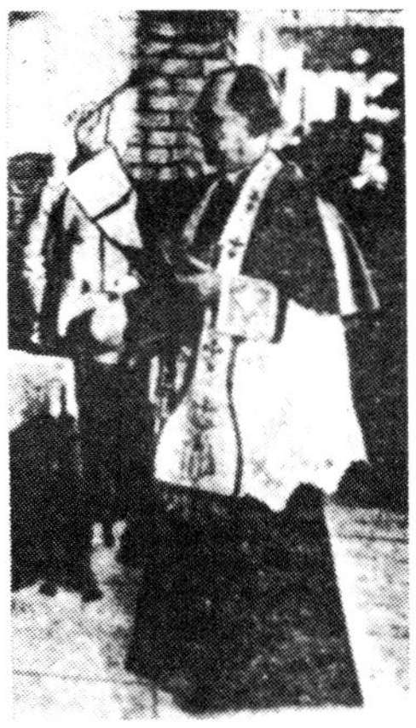

Mgr Paul Bruchési, goupillon à la main, procédait, le *27 septembre 1913*, à la bénédiction et à la pose de la pierre angulaire du nouvel hôpital Sainte-Justine, rue Saint-Denis, à Montréal. La photo principale montre l'hôpital en construction.

C'EST ARRIVÉ UN 27 SEPTEMBRE

1982 — Le dossier Cross est définitivement clos avec la condamnation de l'ex-felquiste Yves Langlois à une peine d'emprisonnement de deux ans moins un jour.

1981 — Gilles Villeneuve termine au troisième rang lors du Grand Prix du Canada, gagné par Jacques Laffite.

1977 — Québec boycotte le congrès de l'Union des municipalités après que celle-ci eût décidé d'inviter un ministre fédéral. — Le coureur automobile Gilles Villeneuve signe un contrat avec Ferrari et devient le pilote no 2 de l'écurie italienne.

1976 — Le Canada estime révoltantes et inacceptables les mesures arabes visant Israël mais qui nuisent à l'entreprise canadienne.

1973 — Le lanceur Nolan Ryan améliore un record de Sandy Koufax en réussissant son 383e retrait de la saison.

1969 — Vaste épuration dans les rangs du Parti communiste tchécoslovaque. Alexandre Dubcek est démis de ses fonctions de président de l'Assemblée fédérale et de membre du praesidium.

1968 — Erik Kierans, ministre des Postes, annonce la discontinuation de la livraison du courrier le samedi à partir du 1er février 1969 — Retraite d'Art Manning, premier ministre de l'Alberta depuis 25 ans.

1960 — Inauguration du *Seaway Skyway*, pont construit entre Prescott, en Ontario, et Ogdensburg, État de New York.

1959 — Fin de la visite de Nikita Khrouchtchev aux États-Unis.

1956 — L'avion américain *Bell X-2* s'écrase au sol après avoir établi un record de vitesse de 2 100 milles à l'heure. — Babe Zaharias, reconnue comme la plus grande athlète féminine de l'histoire, succombe au cancer à l'âge de 42 ans.

1949 — Marie Pitre est de nouveau appréhendée en rapport avec l'affaire du Sault-au-Cochon. — Au baseball, les Royaux de Montréal gagnent la Coupe des gouverneurs pour la troisième année consécutive.

1945 — À Montréal, les débardeurs déclarent la grève pour protester contre le rationnement de la viande. Des bagarres éclatent par toute la ville.

1939 — Varsovie capitule devant l'envahisseur nazi.

1930 — Bobby Jones complète le « grand chelem » du golf en gagnant le championnat amateur des États-Unis.

1924 — Les Giants de New York deviennent la première équipe de l'histoire du baseball majeur à mériter quatre championnats de ligue consécutifs.

1923 — Au moins 100 personnes trouvent la mort lorsqu'un train passe à travers un pont dans l'État du Wyoming.

1918 — Prise du bois de Bourlon, près de Cambrai, par des soldats canadiens.

GESTE HISTORIQUE POSÉ AUX COMMUNES

OTTAWA — Ce fut une séance historique que celle d'hier à la Chambre des communes.

A onze heures, hier soir **(27 septembre 1949)**, exécutant le mandat reçu de la nation canadienne le 27 juin dernier, les élus du peuple donnaient leur approbation au principe de l'abolition des appels judiciaires au Conseil privé de Londres.

Les efforts de M. George Drew, chef du parti progressiste-conservateur, et de quelques-uns de ses principaux lieutenants, pour faire remettre à plus tard la rupture de ce lien juridique avec le Royaume-Uni, restèrent vains et il ne fut même pas nécessaire de procéder à un scrutin.

Ainsi se complétait l'évolution que M. Philippe Picard, député libéral de Bellechasse, résumait hier soir comme suit:

«Laurier a élevé notre pays du rang de colonie au rang de Dominion, M. King, du rang de Dominion à celui de nation souveraine. Et aujourd'hui, après avoir consulté le peuple du Canada, le premier ministre *(Louis Saint-Laurent)* actuel efface de nos institutions les derniers vestiges du colonialisme.»

Le débat n'est pas entièrement terminé. Le projet de loi proposé par l'hon. Stuart S. Garson, ministre de la Justice, n'a franchi, hier, qu'une étape, la plus importante il est vrai, celle de la deuxième lecture. Il lui reste à franchir celle de l'étude en comité plénier de la Chambre, de la troisième lecture et de l'examen qu'il devra subir au Sénat. (...)

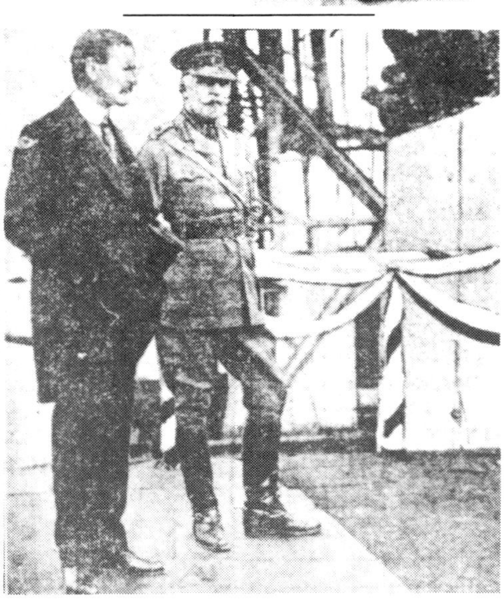

Son Altesse Royale, le duc de Connaught (à droite), assistait, le *27 septembre 1916*, à la pose de la dernière pierre du nouveau quai Victoria du port de Montréal. Le gouverneur général du Canada est flanqué sur la photo de W.G. Ross, président de la commission du port.

Le Canada gagne la «Série du siècle» en arrachant le 8e match in extremis

MOSCOU — Les Soviétiques ont perdu le huitième match de la série par leur faute, par leur propre faute.

Autant le Canada était à blâmer après avoir vu son adversaire effacer un déficit de 4-1, à la troisième période et finalement l'emporter, 5-4, lors du cinquième match, autant les hommes de Boris Kulagin et Vaevolov Bobrov le sont aujourd'hui.

Fiers d'une avance de 5-3, les Soviétiques ont opté pour la stratégie défensive. Ça aurait pu fonctionner. Mais les chances étaient contre eux.

Au lieu de forcer le jeu, de tenter d'augmenter prudemment leur avance, les Soviétiques ont préféré se replier, espérant que les hommes de Harry Sinden ne puissent marquer plus d'un but.

Ils en ont marqué trois!

— Le but de Henderson est un but chanceux, nous a-t-on chuchoté.

On fait sa propre chance, c'est un adage bien connu. Et c'est ce qu'a fait Henderson au cours des trois derniers matches en réussissant les trois buts de la victoire.

Les joueurs du Canada ont commencé à jouer du hockey sérieux lorsqu'ils ont réalisé qu'ils avaient tout à perdre, en subissant l'affreux affront qu'étaient à leur servir les Soviétiques.

Ils ont compris qu'ils avaient grand avantage à demeurer les meilleurs joueurs de hockey au monde.

Cette suprématie, ils n'ont pu la prouver hors de tout doute. Mais les trois victoires enregistrées au cours des trois derniers matches effacent toute la splendeur démontrée par les Soviétiques en territoire canadien.

Quel intérêt aurait-on porté à nos joueurs en sachant que c'était «derrière le rideau de fer» qu'il fallait aller pour voir à l'oeuvre les meilleurs hockeyeurs? Les gens sont ainsi faits.

Il faut donner crédit aux Canadiens

Même si elle tirait de l'arrière trois matches à un, l'équipe du Canada n'a jamais cessé de batailler.

Encore hier **(28 septembre 1972)**, tirant de l'arrière par deux buts, avec vingt minutes à faire, les hommes de Sinden et Ferguson ont mis les bouchées doubles.

— Lors des matches de la coupe Stanley, les joueurs jouent pour l'argent et le prestige. Au cours de cette série, ils ont prouvé qu'ils pouvaient jouer seulement pour l'honneur de leur pays.

Comment mettre en doute les commentaires de Sinden après avoir recueilli les impressions de quelques joueurs.

— Je ne sais plus quoi dire, confie Guy Lapointe. Tout ce que je sais, c'est que j'ai envie de pleurer comme un enfant. C'est la plus forte sensation de ma carrière. Sensation encore plus forte que lorsque nous avions remporté la coupe Stanley, à Chicago, il y a deux ans, lors du septième et dernier match. (...)

Paul Henderson: «Je n'ai jamais vu autant de joueurs aussi nerveux. Nous savions que nous étions les meilleurs, mais encore fallait-il le prouver».

Du grand hockey qui fera réfléchir

La série qui vient de se terminer, c'est devenu un cliché de le dire, a offert du hockey de première qualité, du très grand hockey.

Il est maintenant permis de se demander quelle sera la réaction des amateurs de hockey, lors des matches réguliers de la ligue Nationale. Comment réagiront-ils devant les performances quasi régulièrement médiocres offertes par les équipes de l'expansion? (...)

Et que veulent dire maintenant les séries de la coupe Stanley, alors que tout le monde sait que l'épreuve suprême, la classique par excellence, ce sont ces matches internationaux?

Une série de la coupe Stanley à l'échelle mondiale ne saura tarder. Eagleson et compagnie l'ont déjà compris.

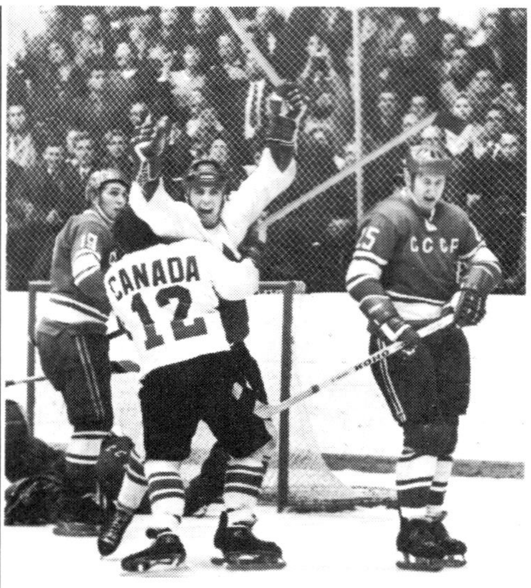

Paul Henderson vient de déjouer l'extraordinaire gardien soviétique Vladislav Tretiak pour marquer le plus important but de sa carrière, puisqu'il permettait au Canada de gagner le huitième match, 6 à 5, et partant d'enlever la « Série du siècle » par quatre matches à trois (l'un ayant été nul). Après son troisième but vainqueur en autant de parties disputées à Moscou, Henderson saute dans les bras d'Yvan Cournoyer (12), sous le regard terrassé de deux joueurs soviétiques.

Les policiers rentrent

DRUMMONDVILLE — Après une séance d'études de 44 heures à Drummondville, les membres de l'Association des policiers provinciaux du Québec ont décidé, à 7 heures ce matin **(28 septembre 1971)**, de mettre un terme à leur débrayage et d'accepter la médiation du ministre du Travail, M. Jean Cournoyer.

Le résultat du vote a été accueilli avec enthousiasme par les policiers, et le président de l'APPQ, M. Guy Magnan, a été porté en triomphe après avoir demandé à tous de se rallier au voeu de la majorité.

C'est par 794 voix à 335 que les policiers ont accepté de reprendre leur travail et de remettre leur sort entre les mains du ministre du Travail.

Quelques instants après avoir connu le résultat du scrutin, M. Magnan a déclaré que l'intervention de M. Cournoyer a été la planche de salut qui permet à la population et à la Sûreté du Québec une certaine réconciliation.

La décision de prendre un vote secret a été prise après plusieurs heures de discussion à huis clos et à un certain moment les dirigeants de l'APPQ craignaient que la déclaration du ministre de la Justice, M. Jérôme Choquette, avant l'arrivée de M. Cournoyer à Drummondville, n'influence défavorablement le vote.

M. Choquette avait mentionné que M. Cournoyer avait pour mandat d'agir comme médiateur mais seulement à la condition expresse du retour immédiat au travail des policiers.

Au cours d'une entrevue, le président Guy Magnan a révélé que M. Cournoyer avait fait des propositions préliminaires touchant le point principal du litige, soit l'opération Cross-Laporte. «Le règlement qu'il propose, a dit M. Magnan, s'apparente aux demandes déjà formulées par l'Association».

Ni représailles ni salaire

(...) On a assuré les policiers avant le vote qu'il n'y aurait pas de représailles pour les policiers qui ont quitté leur travail pour joindre la séance d'études. Toutefois, il a été bien spécifié que ceux qui devaient être au travail ne seront pas rétribués pour le temps perdu.

Parlant posément et très lentement, devant plus de 2,500 policiers qui l'écoutaient scrupuleusement, M. Cournoyer a révélé qu'il ne pouvait bénir le geste des policiers, mais qu'en tant que ministre du Travail et habitué à ce genre de conflit, il était en mesure de le comprendre. (...)

M. Cournoyer s'est refusé à qualifier de grève le débrayage des policiers de la SQ. «Il ne s'agit pas d'une grève mais d'une séance d'étude», devait-il signaler. (...)

La reine va payer des impôts

La reine d'Angleterre va bientôt devoir payer des impôts sur ses revenus personnels, affirme dans son édition d'aujourd'hui **(le 28 septembre 1992)** le quotidien *The Guardian*, qui précise que le gouvernement devrait présenter une loi en ce sens d'ici 1996 au plus tard.

La reine est actuellement exemptée de tout impôt, aussi bien sur ses revenus personnels, généralement estimés à environ six millions de livres (11 millions de dollars) par an, que sur les 9,8 millions de livres (18 millions de dollars) qu'elle reçoit du gouvernement, au titre de la liste civile.

Le projet de loi dont la reine a discuté avec le premier ministre John Major prévoit également de réduire très nettement la liste civile en éliminant la plupart des bénéficiaires actuels.

Selon le projet en discussion, seuls la reine, son époux le prince Philip, leur second fils Andrew et la reine mère continueraient à recevoir de l'argent du gouvernement. Le fils aîné de la reine et héritier du trône, le prince Charles, tire déjà actuellement tout son revenu du duché de Lancaster, qui appartient traditionnellement au prince de Galles.

Les membres plus éloignés de la famille royale, comme le troisième fils d'Elizabeth, Edward, sa fille Anne ou sa soeur Margaret se verraient rayer entièrement de la liste civile et seraient dépendants de la générosité de la souveraine, précise encore le journal.

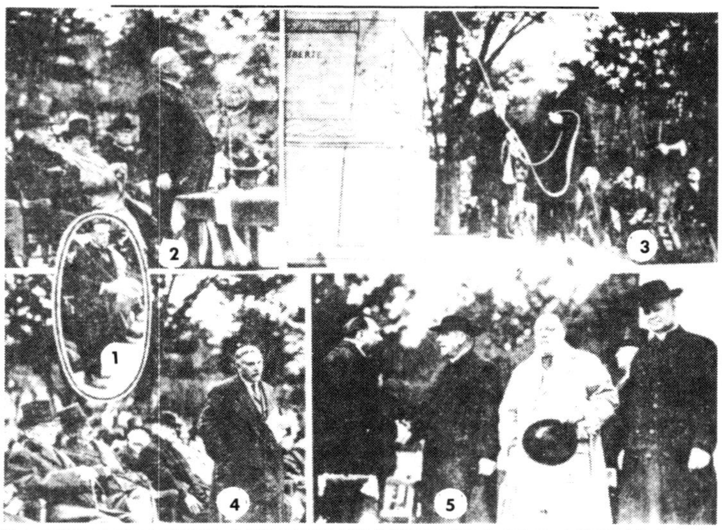

On procédait, au parc LaFontaine, le *28 septembre 1930*, à l'inauguration du monument consacré à sir Louis-Hippolyte LaFontaine. Les photos vous présentent les personnalités suivantes. Tout d'abord, en médaillon (1), le maire Camillien Houde, remerciant le comité du monument. La photo (2) présente le sénateur Rodolphe Lemieux au moment où il faisait le panégyrique du héros du jour. La photo (3) montre le dévoilement du monument par le lieutenant-gouverneur H.G. Carroll, sous les yeux du sculpteur Henri Hébert. La photo (4) présente un journaliste de Toronto, Arthur Hawkes, qui présenta une version anglaise du panégyrique de LaFontaine. Enfin, la photo (5) montre Mgr Gauthier (serrant la main du consul honoraire d'Italie, le Dr Restaldi), le maire Houde et Mgr Deschamps.

C'EST ARRIVÉ UN 28 SEPTEMBRE

1981 — Le premier ministre Pierre Elliott Trudeau se dit toujours prêt à négocier, après que la Cour Suprême lui eût donné raison sur trois questions concernant le rapatriement de la constitution.

1980 — Alan Jones gagne le Grand Prix de Montréal, et Gilles Villeneuve termine cinquième.

1978 — Décès du pape Jean-Paul 1er, âgé de 65 ans, à la suite d'une crise cardiaque. Sa papauté n'a duré que 34 jours, le règne le plus court depuis 373 ans.

1977 — Le Conseil des ministres accepte la démission d'André Fabien, juge en chef de la Cour des sessions de la paix, qui fait l'objet d'une enquête du fisc québécois.

1973 — Marcel Pepin, président de la Confédération des syndicats nationaux, est élu président de la Confédération mondiale du travail, à Évian-les-Bains, en France. — Deux arabes propalestiniens s'emparent de trois juifs soviétiques dans un train à la frontière entre la Tchécoslovaquie et l'Autriche.

1971 — Le cardinal Josef Mindszenty, primat de Hongrie, accepte de mauvais gré de s'exiler à Rome.

1970 — Le président Gamal Abdel Nasser d'Égypte meurt à l'âge de 52 ans. Le vice-président M. Anouar El Sadate assume l'intérim.

1966 — Arrestation de Pierre Vallières et Charles Gagnon à New York.

1965 — Éruption du volcan Taal, dans l'île de Luçon, aux Philippines; on compte 2000 morts.

1961 — En Syrie, une révolte de l'armée ramène un régime civil au pouvoir et met fin à l'union de ce pays avec l'Égypte.

1960 — Le gouvernement Debré bannit quelque 140 intellectuels français de la radio et télévision françaises. — La comédienne Brigitte Bardot tente de s'enlever la vie.

1958 — Plus de 80 p. cent des citoyens habitant des territoires français, y compris les musulmans d'Algérie, répondent « oui » à la nouvelle constitution préconisée par le général de Gaulle, lors d'un référendum. Seule, la Guinée française a voté « non ».

1953 — Le cardinal Stéphane Wyszinski, primat de Pologne, est banni de son poste et relégué dans un monastère.

1951 — Le lanceur Allie Reynolds réussit une partie sans point ni coup sûr alors que les Yankees remportent le championnat.

1950 — Clôture à Québec d'une conférence constitutionnelle fédérale-provinciale.

1945 — Afin de ne plus provoquer des scènes de violence, les bouchers mettent fin à leur grève.

1941 — Raids de l'aviation britannique sur Turin et Gênes.

1939 — L'URSS et l'Allemagne se partagent la Pologne.

1937 — Décès à l'âge de 70 ans du sénateur Rodolphe Lemieux, grande figure de la scène politique canadienne.

1922 — Dévoilement à Québec des statues érigées en l'honneur de Pierre Boucher de Grosbois et de Pierre Gaultier de Varennes de la Vérendrye.

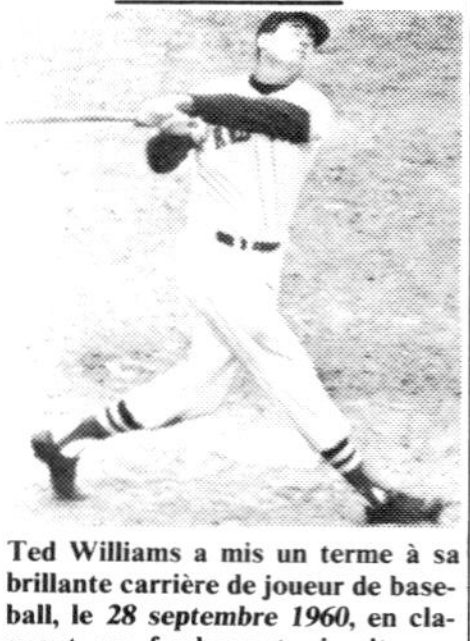

Ted Williams a mis un terme à sa brillante carrière de joueur de baseball, le *28 septembre 1960*, en claquant un foudroyant circuit, son 521e et dernier, sous les yeux de ses admirateurs, au Fenway Park de Boston. Accueilli par une ovation debout de 90 secondes à la 8e manche, Williams s'est élancé sur le deuxième tir et il a canonné la balle par-dessus la clôture, à 450 pieds du marbre.

Bouchard rejette l'unilinguisme français

Les militants péquistes peuvent faire leur deuil d'un retour à l'unilinguisme français au Québec aussi longtemps qu'ils auront Lucien Bouchard pour chef. Le premier ministre a en effet été on ne peut plus clair : pas question de rétablir l'unilinguisme, même si c'est ce que prévoit le programme du Parti québécois.

« Le retour à l'unilinguisme avec une clause dérogatoire, je vous le dis franchement, ne comptez pas sur moi pour faire cela », a déclaré M. Bouchard devant 400 membres du PQ-Montréal-Ville-Marie. C'est que, dit-il, si le Parti québécois a une responsabilité première, profonde et fondamentale envers la promotion de la langue française, il a aussi une responsabilité fondamentale en ce qui concerne la crédibilité démocratique du Québec et l'intégrité de sa réputation comme État démocratique. Et que celles-ci seraient entachées par de nouveaux affrontements.

Ces propos ont été accueillis poliment, mais sans grand enthousiasme, par ces militants du nord et de l'ouest de la métropole. Plusieurs d'entre eux sont considérés comme des « purs et durs » dans le dossier linguistique, réclamant notamment l'abolition de la loi 86 et le retour aux dispositions initiales de la Charte de la langue française.

Pour ce faire, il faudrait déroger à la constitution en recourant à la fameuse « clause nonobstant », une procédure qui avait causé un tort considérable à Robert Bourassa en 1989. Le Canada anglais en avait été ulcéré, et d'aucuns attribuent l'échec de l'accord du lac Meech à la grogne qui s'en était suivie.

La loi 86, actuellement en vigueur, est une mauvaise loi, tranche le chef souverainiste. Mais revenir à l'unilinguisme serait selon lui aller à l'autre extrémité du spectre. Il préfère chercher une solution entre ces deux pôles, assurer le maintien de l'harmonie sociale et, surtout, éviter une nouvelle guerre linguistique. (**Texte publié le 28 septembre 1996.**)

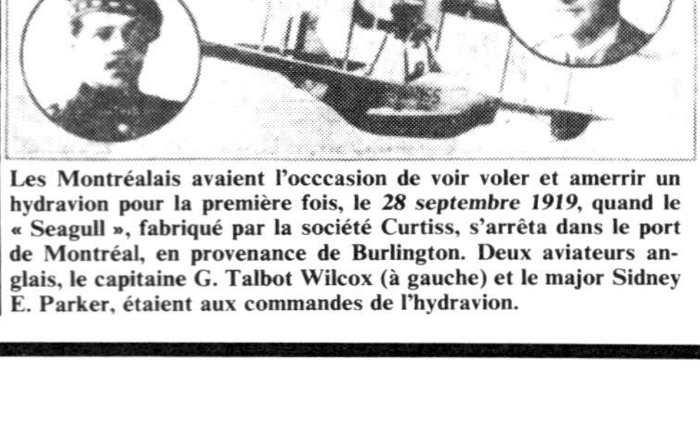

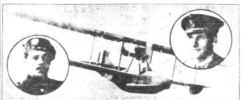

Les Montréalais avaient l'occcasion de voir voler et amerrir un hydravion pour la première fois, le *28 septembre 1919*, quand le « Seagull », fabriqué par la société Curtiss, s'arrêta dans le port de Montréal, en provenance de Burlington. Deux aviateurs anglais, le capitaine G. Talbot Wilcox (à gauche) et le major Sidney E. Parker, étaient aux commandes de l'hydravion.

Attentat terroriste chez Jean Drapeau

UNE bombe d'une violence que la police a qualifié de «très forte» a causé, tôt ce matin **(29 septembre 1969)**, des dégâts considérables à la résidence du maire de Montréal, M. Jean Drapeau.

Mme Jean Drapeau et son fils Michel, qui étaient seuls à la maison, n'ont pas été blessés par cet attentat, le xième dans l'histoire récente de Montréal.

Le maire Drapeau, qui dit-on poursuivait un travail de routine à son restaurant, le Vaisseau d'Or, s'est immédiatement rendu sur place. L'explosion s'est produite à 5 h. 15 très exactement et M. Drapeau était sur place dès 6 h.

La bombe, placée à l'arrière de la maison de M. Drapeau, (...) dans Cité Jardins (quartier Rosemont), a complètement détruit une bonne partie de la résidence et un trou béant a été pratiqué dans la toiture.

Des curieux ont commencé à se rassembler rue des Plaines quelques minutes seulement après que ce bruit d'explosion qui fut tel qu'une dame de Westmount, tirée de son sommeil par la secousse, fut la première à communiquer avec la salle de rédaction du journal LA PRESSE.

Un policier, qui faisait le plein de sa motocyclette, rue de Lorimier, dans le voisinage de Sainte-Catherine, se rendit sur place guidé par le bruit de l'explosion.

Les policiers, pourtant vite rendus sur les lieux, étaient cependant encore peu nombreux, une heure après l'explosion.

La police, évidemment, se perd encore en conjonctures sur les raisons qui ont pu motiver cet attentat. (...)

Des témoins qui ont pu pénétrer à l'intérieur de la résidence de M. Drapeau ont décrit un véritable cauchemar.

Les meubles, lancés dans tous les sens, ont été fracassés. L'intérieur de la chic résidence est méconnaissable.

L'engin a été placé à l'arrière de la maison et c'est cette partie de la construction qui a évidemment le plus souffert de l'attentat.

La maison, aux dires des premiers témoins, ne constitue plus qu'un amas de ruines, même si vue de face, elle ne parait pas avoir tant souffert de l'explosion.

Les fenêtres de plusieurs maisons avoisinantes ont volé en éclats tandis que des voisins, pris de panique, des femmes surtout, ont gagné la rue en pleurant.

C'est la première fois qu'un attentat terroriste, à Montréal, vise un des dirigeants de la ville de Montréal.

On peut présumer, d'ores et déjà, que ce dernier attentat aura des conséquences considérables.

Les auteurs de cet attentat terroriste avait placé l'engin explosif sous le portique, à l'entrée arrière de la maison du maire Drapeau.

Mme Drapeau a dit ne pas être étonnée de la chose. Plus encore, à un photographe elle a simplement confié:

«Dans un coffret, je conserve constamment les papiers importants. Ce genre de chose, je l'attendais d'un moment à l'autre».

Mme la mairesse, qui paraissait surtout soulagée de voir son fils sortir indemne de l'aventure, est apparue dans les circonstances d'un calme extraordinaire.

NDLR — Dès le lendemain, les maisons des principaux hommes politiques oeuvrant aux niveaux fédéral, provincial et municipal étaient placées sous surveillance policière.

Cette photo témoigne de la puissance de la bombe placée à l'arrière de la maison du maire de Montréal.

Le fameux écrivain Émile Zola est mort

PARIS — Emile Zola, le célèbre romancier français, est mort ce matin **(29 septembre 1902)**. Zola a été trouvé dans sa chambre, asphyxié. Sa femme est gravement malade. Tout indique que la mort du grand écrivain est purement accidentelle.

M. Zola a été asphyxié par des gaz échappés d'un poêle dont les tuyaux fonctionnaient mal. Quelques-uns prétendent que l'auteur de «Nana» s'est suicidé, bien que toutes les circonstances qui entourent sa mort indiquent le contraire.

Zola et sa femme étaient revenus de la campagne hier, après une absence de trois mois. Les médecins espèrent pouvoir ramener Mme Zola à la vie.

....

NDLR — Emile Zola naquit à Paris le 2 avril 1840. Orphelin de père dès l'âge de 7 ans, il passa sa jeunesse dans le midi, puis vint achever ses études à Paris. Zola mena une double carrière de romancier à succès et de journaliste agressif, qui n'hésita pas par exemple à se porter à la défense de Dreyfus et du peintre Edouard Monet.

Cette photo fut publiée le *29 septembre 1909* avec la légende suivante: Le type de voitures de patrouille automobiles dont les autorités policières ont l'intention de recommander l'adoption pour Montréal. Ces voitures sont très perfectionnées et donnent la plus entière satisfaction dans les villes américaines où elles sont utilisées.

Pavarotti : Diana aurait été « une reine fantastique »

La princesse Diana aurait été «une reine fantastique», affirme le ténor Luciano Pavarotti dans une interview publiée par le Sunday Telegraph. Diana était «la plus délicieuse des personnes» et «un symbole de la femme moderne», ajoute le chanteur d'opéra dans cet entretien réalisé deux jours après la mort de la princesse de Galles, victime d'un accident de voiture le 31 août à Paris.

Luciano Pavarotti ajoute qu'il a pleuré «toute la journée» à l'annonce de la mort de Diana et de son ami Dodi al-Fayed. Le Sunday Telegraph précise qu'avant l'interview, un membre de l'entourage du ténor avait indiqué que Pavarotti n'était «plus lui-même», ajoutant : «Je ne l'ai jamais vu comme ça.» Luciano Pavarotti, qui dînait souvent avec la princesse lorsqu'il se rendait à Londres, était arrivé aux obsèques de Diana soutenu par deux jeunes femmes. (**Texte publié le 29 septembre 1997.**)

Bataille métrique en Angleterre

Les petits commerçants britanniques ont lancé leur croisade contre l'instauration «démente» du système métrique qui s'appliquera le 1er octobre à tous les produits préempaquetés vendus en Grande-Bretagne.

L'adversaire est clairement désigné : les politiciens qui ont «aquiescé» au «diktat» européen sans consulter la population, mais qui prévoient des amendes allant jusqu'à 5000 livres (7 750 dollars) pour les commerçants britanniques qui, par manque de temps ou d'information, ne s'y plieraient pas.

Mêlant les arguments sentimentaux et économiques, les représentants des 75 000 membres de la Fédération des petits commerçants et artisans exigent que le gouvernement accorde un sursis à la pinte, à l'once au gallon et renonce aux pénalités financières « discriminatoires », faute de quoi la cour européenne de justice de Strasbourg sera saisie. (Texte publié en septembre 1995.)

Bill Gates, l'homme le plus riche aux États-Unis.

Bill Gates, toujours le plus riche

Pour la quatrième année consécutive, le président de Microsoft, Bill Gates, avec une fortune estimée à 39,8 milliards de dollars, figure en tête du classement annuel des 400 Américains les plus riches établi par le magazine *Forbes*.

On compte cette année 170 milliardaires sur la liste, contre 135 en 1996. En 1982, pour le premier classement annuel, les milliardaires n'étaient que 13 sur les 400 plus riches. Les grands capitaines d'industrie occupent les premières places du classement. Parmi les six premiers, Warren Buffet est le seul à ne pas avoir fait fortune dans l'informatique.

Forbes ne recense pas les têtes couronnées dans son classement, mais estime à 38 milliards de dollars la fortune du sultan de Brunei. (**Texte publié le 29 septembre 1997.**)

Une ceinture de plus en plus portée

Terre-Neuve est devenue cette année la première province à atteindre un taux de port de la ceinture de sécurité de 97 pour cent, a indiqué le ministre fédéral des Transports, Jean Corbeil.

Un relevé sur le taux de port de la ceinture, effectué par Transports Canada en juin 1993 auprès de 94 000 conducteurs à 240 emplacements au Canada, a révélé que le taux national d'utilisation de la ceinture avait atteint un niveau record de 88 pour cent, soit 14 pour cent de plus qu'en 1989, lorsque les gouvernements fédéral et provinciaux s'étaient mis d'accord sur un taux d'utilisation de 95 %, en 1995.

Depuis l'instauration du programme national du port de la ceinture de sécurité, en 1989, l'augmentation du taux de port de la ceinture de sécurité au Canada a permis d'épargner quelque 300 vies humaines. (**Texte publié le 29 septembre 1993.**)

« Alouette I », le premier satellite canadien était placé sur orbite le *29 septembre 1962* par une fusée « Thor-Agena » lancée de la base américaine de Vandenberg, sur la côte du Pacifique. Ce satellite entièrement canadien a été placé sur orbite pour étudier les interruptions dans l'ionosphère qui nuisent aux communications radiophoniques.

La CTCC adopte un nouveau nom: CSN

C'EST sous le nom de «Confédération des syndicats nationaux» (CSN) que la CTCC sera désormais désignée.

Tel est le nouveau nom adopté ce matin **(29 septembre 1960)** à l'unanimité par les délégués réunis au congrès de la centrale syndicale.

Le nouveau nom anglais sera: «Confederation of National Trade Unions» (CNTU).

Après que les congressistes eurent indiqué leur préférence par un vote au scrutin secret, tous se sont ralliés, dans l'enthousiasme, au nouveau nom.

Les délégués ont tout d'abord indiqué leur préférence entre deux noms qui avaient été retenus par un comité, à même une liste de huit noms qui avaient été suggérés hier. Ils ont choisi ce matin entre «Confédération des syndicats nationaux» et «Confédération des syndicats chrétiens».

Après que le résultat du scrutin eut été connu, les délégués ont décidé par un nouveau vote de se rallier unanimement au choix de la majorité. De longs applaudissements ont salué la décision du congrès.

Immédiatement après, les délégués ont décidé d'adopter la déclaration de principe proposée par l'exécutif, qui de l'avis des évêques, sauvegarde l'essentiel de la doctrine sociale de l'Eglise.

Par ailleurs, dans sa constitution, la Confédération des syndicats nationaux déclare qu'elle adhère aux principes chrétiens dont elle s'inspire dans son action.

Le statut actuel des aumôniers est maintenu. (...)

Notre mission, a dit M. Jean Marchand, secrétaire général, est de faire passer dans la réalité les principes auxquels nous croyons. C'est là l'essentiel, le reste est secondaire.

C'EST ARRIVÉ UN 30 SEPTEMBRE

1990 — Des jumeaux centenaires ont soufflé ensemble leurs 200 bougies lors d'une fête organisée à Salaunes, dans le sud-ouest français, dans la région de Bordeaux. Nés à Bordeaux le 30 septembre 1890, Georges et Robert Bourit, qui ont toujours habité la région, ne se sont jamais séparés, sauf pendant la guerre de 1914-18. Ils ont vu ensemble les premiers films de Louis Lumière et emprunté ensemble les tramways à cheval qui desservaient la ville au début du siècle.

1987 — Henry Ford II, petit-fils du fondateur de la compagnie automobile Ford, est décédé à l'âge de 70 ans, des suites d'une pneumonie. Il avait pris la suite de son grand-père en 1945 à la tête de la compagnie, à la demande expresse du président Roosevelt.

1946 — Le tribunal international des crimes de guerre siégeant à Nuremberg a jugé aujourd'hui l'Allemagne nazie coupable d'agression contre 11 pays et enlevé aux 21 accusés présents à l'audience le dernier espoir d'acquittement. Le tribunal international des crimes de guerre a déclaré aujourd'hui que « le plus grand crime », c'est de provoquer la guerre.

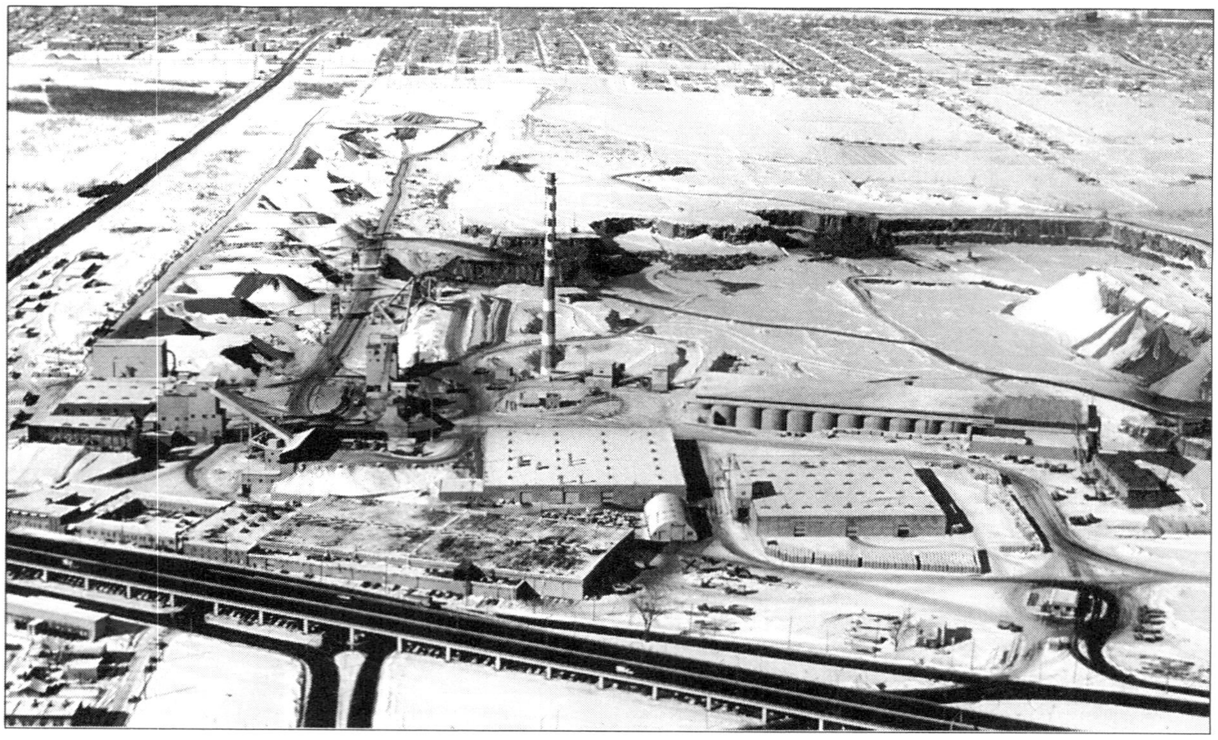

La compagnie qui exploite la carrière Miron a annoncé la cessation des opérations d'extraction et de concassage sur cet emplacement.

La carrière Miron ferme

Les propriétaires de la carrière Miron mettront fin en soirée, aujourd'hui (**le 30 septembre 1986**), à une quarantaine d'années d'extraction du calcaire.

C'est en effet aujourd'hui, après un sprint assourdissant au cours des dix derniers jours, que le président de la compagnie, Joseph P. Husny, fera cesser les travaux de dynamitage pour concentrer les opérations sur le concassage de pierre qui servira à la production de poudre de ciment et de béton préparé.

Jacques Zilby, vice-président de la compagnie, a confirmé à *La Presse* que le démantèlement des machines d'extraction commencera dans quelques semaines et que d'ici six mois tout au plus, la compagnie aura terminé le concassage de pierre « beaucoup moins bruyant et moins poussiéreux ». Il ne restera sur place qu'une cimenterie et le site d'enfouissement des déchets sanitaires qui dessert 30 municipalités environnantes, mais dont le contrat de service expire le 31 décembre 1987.

La ville de Montréal pourra alors pleinement « profiter » de cette carrière dorénavant désaffectée qu'elle a achetée au coût de 45 millions au printemps 1984, et pour laquelle l'ex-administration Drapeau-Lamarre avait conçu l'aménagement d'un terrain de golf de 18 trous et d'un parc de récréation impressionnant.

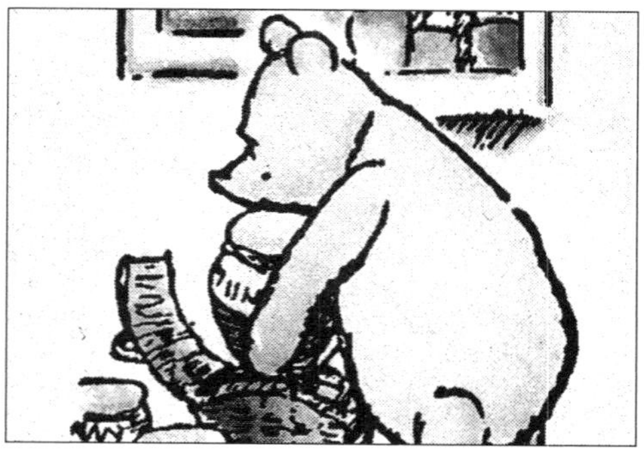

L'ourson adopté par le lieutenant Colebourn a inspiré les contes et les dessins animés de Disney.

Toute la vérité sur Winnie l'ourson

Grâce à quatre petits timbres de 45 cents offerts dans les bureaux de poste, les petits Canadiens apprendront tout de l'existence authentique de leur ourson favori nommé Winnie the Pooh.

Il est révélé, en effet, à l'occasion de la sortie des timbres, que le personnage popularisé par les Productions Walt Disney était inspiré d'un véritable animal né dans une forêt d'Ontario et adopté par un lieutenant de l'Armée canadienne en route pour le front européen de la Première Guerre mondiale.

C'est en 1914 que débute l'aventure vécue par la petite ourse connue maintenant du monde entier. Un lieutenant de la 2e brigade d'infanterie canadienne, Harry Colebourn, décide de descendre du train qui le menait à Valcartier, dans la petite gare de White River, en Ontario, histoire de prendre le frais pendant l'arrêt. Il y rencontre un chasseur qui a rescapé un ourson de quelques semaines dont la mère a été tuée dans la forêt. Colebourn achète l'irrésistible animal pour 20 $.

Il réussira à l'emmener avec lui en Angleterre où est envoyé le corps expéditionnaire canadien. L'ourson, que le lieutenant a baptisé Winnie, parce qu'il vivait lui-même à Winnipeg, se gagne facilement l'amitié de tous dans les baraques du camp militaire.

Mais le régiment est envoyé au front, en France, et Colebourn se voit contraint de confier Winnie au zoo de Londres. Là, la « carrière » de l'ourson va prendre une tout autre tournure.

Parmi les milliers d'admirateurs de Winnie, se trouve l'écrivain Alan Alexander Milne, éditeur du magazine Punch, qui accompagne souvent son fils Christopher Robin au zoo. Les deux se prennent d'affection pour l'ourson canadien qui leur témoigne son amitié à chacune de leurs visites.

Milne en vient à écrire des histoires pour son fils dans lesquelles Christopher Robin vit des aventures fantastiques avec Winnie, Tigrou et Cochonnet. Ces récits, illustrés par Ernest Shepard, deviennent des classiques de la littérature enfantine.

« Pooh », le surnom de Winnie, est le nom que l'enfant avait donné à un cygne qu'il affectionnait à l'égal de l'ourson.

En 1961, après la mort de l'écrivain, sa veuve cédait les droits des histoires de Winnie aux Productions Walt Disney qui en ont tiré des films tant pour le grand écran que la télévision. Des articles ornés de l'image de l'ourson sont mis en marché exclusivement par Disney dans le monde entier, et Winnie a également sa niche au Walt Disney World, en Floride. (**Texte publié le 30 septembre 1996**)

Chirac réitère l'appui de la France au Québec

Le président Jacques Chirac a réitéré l'appui de la France au Québec, quelle que soit la décision que sa population prendra à la suite du nouveau référendum que le gouvernement Bouchard prévoit déclencher quelque temps après les prochaines élections générales.

« Quel que soit le chemin que le Québec choisira, la France l'accompagnera. Le Québec peut compter sur l'amitié et la solidarité de la France », a en effet déclaré le président de la République française à Lucien Bouchard, lors d'un entretien dont la majeure partie a porté sur la question constitutionnelle et la reconnaissance par la France d'un éventuel État québécois.

Cette déclaration, lue par M. Bouchard à sa sortie du palais de l'Élysée, est la même qu'a déjà faite l'ex-premier ministre français Alain Juppé, lors de sa visite officielle au Québec, en 1996. Elle s'inspirait de propos dans le même sens exprimés par le président de l'Assemblée nationale sous Mitterand, Philippe Séguin.

M. Bouchard qui, sans le dire explicitement, comprend de cette déclaration que la France reconnaîtra le Québec comme pays advenant que la population en fasse le choix lors du prochain référendum, avait une autre raison de se réjouir : en matinée, le président du Conseil national du patronat français, Jean Gandois, avait affirmé que la situation politique du Québec ne suscitait pas d'inquiétudes chez les investisseurs français qui sont intéressés à faire des affaires au Québec.

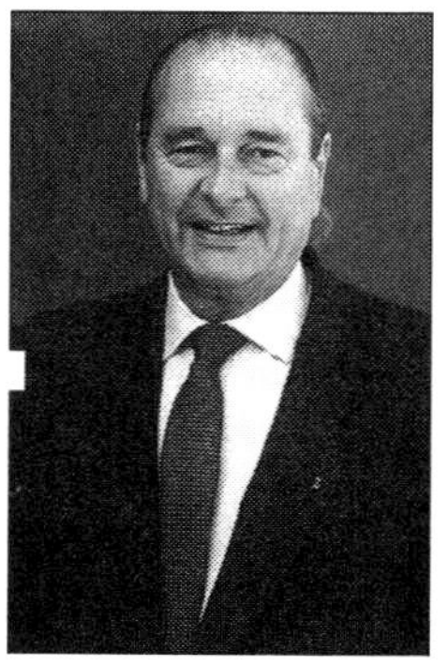

Jacques Chirac

Le premier ministre du Québec a donné cette interprétation du mot du président Chirac : « Ça veut dire ce que ça veut dire. Ça me paraît très clair. Ça veut dire que le Québec va faire des choix et quel que soit le choix du Québec, le choix démocratique du Québec de son avenir, la France sera à ses côtés pour reconnaître son choix. »

Interviewé en fin d'après-midi, le vice-premier ministre Bernard Landry, qui pilote la portion économique de la mission, a réagi ainsi : « Je pense que la langue française est une langue extrêmement claire. C'est la langue de la diplomatie. Et celui qui dit qu'il va vous accompagner avec amitié et solidarité n'est pas celui qui s'apprête à vous décevoir. Il me semble que c'est bien évident. »

L'ambassadeur du Canada, Jacques Roy, qui aura aujourd'hui un entretien privé avec Lucien Bouchard, a suivi ses déplacements par le truchement de deux observateurs, et il fera rapport au premier ministre du Canada, Jean Chrétien. Entre-temps, il n'a pas paru s'inquiéter de la déclaration du président français.

Dans une entrevue, il a minimisé la déclaration de M. Chirac en disant que la France n'en respectait pas moins sa politique de « non-ingérence et de non-indifférence » à l'égard de cette question. Pour lui, cette déclaration d'amitié et de solidarité « ne change en rien la politique de la France vis-à-vis de l'unité nationale canadienne ».Selon M. Roy, les propos tenus par la suite par la porte-parole de l'Élysée l'inclinaient à croire que « la France ne répondait pas à des questions hypothétiques ». « Cela nous satisfait », a-t-il dit.

M. Bouchard a été accueilli personnellement par Jacques Chirac, dès son arrivée à la porte du palais de l'Élysée. « J'ai eu une première rencontre en tête-à-tête avec le président, qui s'est poursuivie ensuite avec des ministres (Bernard Landry, Louise Beaudoin et Sylvain Simard pour le Québec), puis avec un déjeuner de travail où il y avait les délégations et l'entourage du président », a précisé M. Bouchard.

« Nous avons eu l'occasion de faire un tour de piste de toutes les questions qui intéressent la relation entre le Québec et la France », a-t-il expliqué, ajoutant que les deux pays projetaient d'intensifier leurs liens économiques. La question de l'amiante a été abordée, de même que le dossier du doublage de films. Deux dossiers qui n'évoluent pas beaucoup mais à propos desquels la porte n'est pas fermée à la discussion, estime M. Bouchard. (**Texte publié le 30 septembre 1997**)

2000$ pour une oeuvre évaluée à 1,5 million

Un collectionneur amateur a fait la découverte de sa vie lorsqu'il a payé moins de 2000$ un tableau abîmé vieux de 360 ans, qui avait attiré son attention dans le sous-sol d'une boutique d'antiquités de Toronto.

Deux ans après son acquisition, le tableau s'est révélé être ce qu'Edward LeMay avait bien cru déceler : une oeuvre de Jusepe de Ribera, un peintre hispano-italien du XVIIe siècle, évaluée 1,5 million.

Il a fallu deux ans en effet pour faire authentifier par les plus grands spécialistes et restaurer ce tableau représentant saint Paul.

Edward LeMay, qui s'occupe le soir d'enfants malades et court les antiquaires et les marchés aux puces le jour, s'est associé au restaurateur de tableaux torontois Laszlo Cser, qui a passé 11 mois à nettoyer et restaurer le tableau.

Laszlo Cser a fait venir des experts pour avoir leur avis sur l'oeuvre, notamment Craig Felton, un grand spécialiste de Ribera et professeur d'histoire de l'art du Smith College au Massachusetts.

« Je n'ai jamais vu une découverte aussi considérable », a déclaré Felton. « Quand je l'ai vue pour la première fois en juillet, j'étais un peu perplexe; ce n'est qu'au bout de deux ou trois minutes que j'ai dit à Laszlo qu'il s'agissait sans aucun doute possible d'une oeuvre authentique. »

(**Texte publié le 30 septembre 1991**)

JAMAIS PLUS DE GUERRE ENTRE BERLIN ET LONDRES

À son arrivée à l'aérodrome Heston (**le 30 septembre 1938**), le premier ministre Chamberlain a déclaré: « Le règlement du problème tchèque qui vient de se réaliser n'est à mon sens qu'un prélude à un règlement beaucoup plus vaste dans lequel l'Europe pourra trouver la paix ».

Souriant largement, M. Chamberlain agita son chapeau pour saluer une foule émue de plusieurs milliers de personnes. Il brandit aux yeux de cette foule la déclaration que le Reichsführer Hitler et lui avaient signée ce matin au cours d'un entretien privé qui suivit la conférence des quatre puissances, et il lut: « Le chancelier Allemand et moi-même considérons l'accord signé hier soir et l'entente navale anglo-allemande comme le symbole du désir de nos deux peuples de ne plus jamais se faire la guerre ».

Voici le texte de la déclaration conjointe émise aujourd'hui par le premier ministre Neville Chamberlain et le Führer Adolf Hitler:

« Nous, le Führer allemand et le premier ministre britannique, avons eu aujourd'hui un autre entretien et nous avons reconnu d'un commun accord que le problème des relations anglo-allemandes est de la première importance pour l'avenir de nos pays et de l'Europe.

« Nous voyons dans l'accord signé hier soir et dans l'entente navale anglo-allemande le symbole de la décision de nos deux peuples de ne plus entrer en guerre l'un contre l'autre.

12 chefs nazis condamnés à la potence

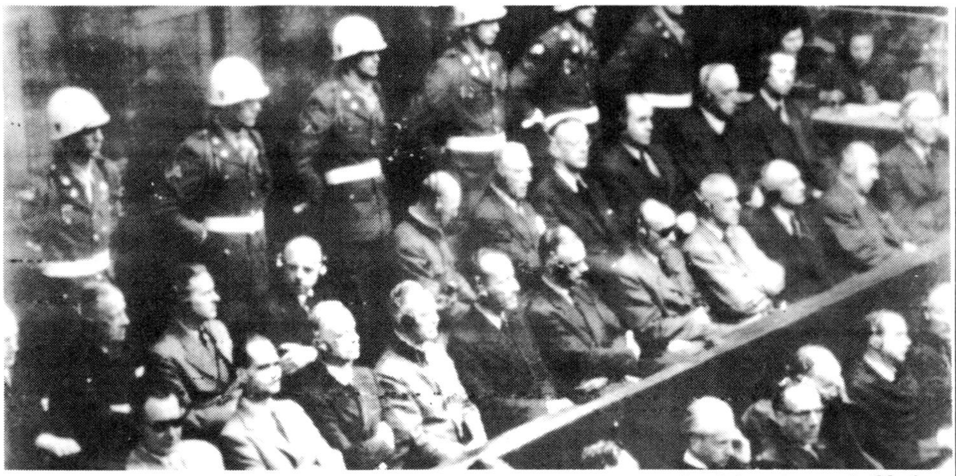

Cette photo d'archives montre 21 des 22 nazis accusés ou soupçonnés de crimes de guerre, dans le boxe des accusés (Martin Bormann brillant par son absence).

NUREMBERG

Le tribunal international des crimes de guerre a condamné à mort aujourd'hui **(1er octobre 1946)** 12 chefs nazis. Il a frappé de prison à temps ou à perpétuité 7 autres chefs hitlériens. Enfin il a acquitté 3 accusés, mais sur la dissidence du juge russe.

Voici les condamnés à la pendaison: Herman Goering, Joachim von Ribbentrop, Wilhelm von Keitel, Ernst Kaltenbrunner, Alfred Rosenberg, Hans Frank, Wilhelm Frick, Julius Streicher, Fritz Sauckel, Alfred Jodl, Arthur Seyss-Inquart, Martin Bormann (par contumace).

Sont condamnés à la prison à perpétuité: Rudolf Hess, Walter Funk, Eric Raeder.

Sont condamnés à la prison à temps: Baldur von Shirach et Albert Speer, 20 ans; Constantin von Neurath, 15 ans; Karl Doenitz, 10 ans.

Sont acquittés: Hjalmar Schacht, Franz von Papen, Ernst Fritzsche.

La protestation russe contre l'acquittement

C'est après avoir annoncé les sentences de mort que le tribunal annonce la dissidence russe sur les acquittements. Le juge russe, le major-général I.-T. Nikitchenko, proteste aussi contre la peine de prison perpétuelle contre Hess, qu'il voudrait voir pendre. Il proteste contre l'acquittement en corps de l'état-major et du commandement allemand, prononcé hier.

Les juges britannique, américain et français: sir Geoffrey Lawrence, M. Francis Biddle et M. Donnadieu de Vabres, sont d'accord.

Exécution fixée au 16

Berlin, 1er (Reuter) — Le Conseil de contrôle allié a résolu que les exécutions auront lieu le 16. Les condamnés ont quatre jours pour en appeler de leur sentence au Conseil de contrôle. Ce dernier peut mitiger les peines, mais non les aggraver, dans le cas des condamnations à la prison. (...)

Impassibilité de la plupart des condamnés

Nuremberg, 1er (B.U.P.) — La plupart des accusés n'ont témoigné aucune émotion ce matin en venant entendre prononcer leur sentence.

Ils sont introduits l'un après l'autre. La sentence prononcée, chacun est renvoyé à sa cellule. Goering est le premier appelé et se présente à 7 h. 53 du matin. C'est le président du tribunal qui donne lecture des sentences.

Un défaut aux écoutes empêche Goering d'entendre la traduction allemande de la sentence. Un gardien essaie de réparer l'appareil, le président lui fait signe avec impatience de s'éloigner. Goering entend ensuite la traduction russe de sa sentence de mort.

Un condamné salue

Hess arrache les écoutes et refuse d'entendre la sentence. Le grand amiral Erich Raeder salue militairement le tribunal après avoir entendu la sentence.

Le président lit très rapidement; la lecture de chaque sentence ne dure qu'une minute ou deux. Les gardiens circulent sans cesse entre la salle d'audience et les cellules. Moins d'une heure après la sentence de Goering, tout est fini; à 3 h. 41 de l'après-midi (8 h. 41 du matin à Montréal), le président annonce la dissidence du juge russe sur les acquittements.

Voici la formule de la sentence, répétée pour chaque accusé, sauf les variantes nécessaires dans chaque cas: «Accusé Herman-Wilhelm Goering, sur les chefs d'accusation dont vous êtes convaincu, le tribunal vous condamne à la pendaison». (...)

Chou En-lai premier ministre

LES communistes chinois ont formellement proclamé **(le 1er octobre 1949)** leur nouveau gouvernement à Pékin (Peiping) avec le général Chou En-lai comme premier ministre et ministre des affaires étrangères et, dès le lendemain, l'Union soviétique reconnaissait le nouveau régime.

Les communistes annoncent qu'ils ont envoyé à tous les consulats et ambassades un message les invitant à reconnaître diplomatiquement le nouveau gouvernement.

Par ce message, les rouges chinois reconnaissent les diplomates étrangers en qui ils ne voyaient auparavant que des citoyens privés.

Chou En-lai est considéré comme le communiste le mieux disposé envers les puissances occidentales mais les observateurs ne sont pas trop sûrs que son choix soit une ouverture adressée à l'Occident. Ils notent que ce personnage a tout de suite recommandé une coopération complète avec l'Union soviétique.

Trudeau dit «un gros non» à Charlottetown

Décrivant l'entente de Charlottetown comme un « gâchis », un document « honteux » qui affaiblirait le Canada et créerait plusieurs catégories de citoyens, Pierre Elliott Trudeau a dit que cette proposition de réforme constitutionnelle mérite « un gros NON ».

Dans le silence religieux qui emplissait la salle d'un restaurant de Saint-Henri où étaient réunis quelque 400 « amis de Cité libre », l'ancien professeur de droit constitutionnel a commencé son allocution sur un ton dramatique, en citant Victor Hugo : « Braves gens, prenez garde aux choses que vous dites. Tout peut sortir d'un mot qu'en passant vous perdites. Tout: la haine et le deuil (...) »

Cette entrée en matière saisissante servait à signifier à son auditoire combien ce mot, « le OUI ou le NON, a une très grande importance ». « Il faut y mettre un peu de raison, un peu d'analyse », a-t-il dit.

L'ex-premier ministre a ensuite déboulonné l'entente du 28 août morceau par morceau avant de donner une leçon de philosophie politique aux convives.

« Il n'y en a que pour les provinces et les autochtones! » a-t-il déploré. « Je ne blâme pas les provinces. On leur a présenté un bar ouvert, il est normal qu'elles aient pris un verre », a-t-il dit, avant de critiquer M. Mulroney pour avoir rouvert le dossier constitutionnel malgré l'échec de Meech. **(Texte publié le 1er octobre 1992.)**

La Russie fait le grand saut vers le capitalisme

La Russie tourne définitivement la page de 75 ans de collectivisme et accomplit un grand saut vers le capitalisme si longtemps honni. Aujourd'hui **(le 1er octobre 1992.)** commence à grands sons de trompe la privatisation des entreprises industrielles du pays et tout le monde est invité à y participer.

Des milliers de commerces et de petites entreprises ont déjà été privatisés à travers le pays, vendus aux enchères à leurs salariés ou aux nouveaux riches. Cette fois-ci, il s'agit de s'attaquer aux grandes entreprises, qui seront dans un premier temps transformées en sociétés par actions.

Sont exclus les richesses du sous-sol, le secteur de l'énergie, l'industrie de la défense, la radio et la télévision. Sans oublier la terre, dont la privatisation se heurte toujours à l'opposition farouche des conservateurs.

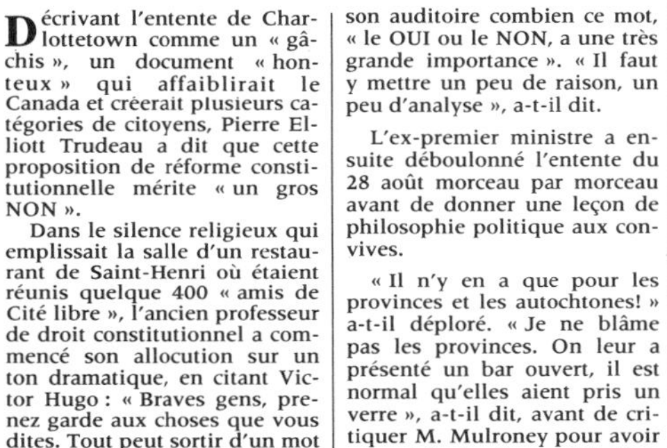

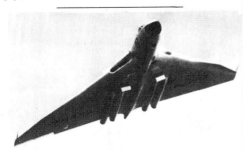

Le *Vulcan*, le plus moderne quadriréacté de l'époque, dont on dit qu'il était l'orgueil de la Royal Air Force d'Angleterre, s'est écrasé quelques instants avant l'atterrissage, à l'aéroport de Londres, le *1er octobre 1956*, au retour de son premier voyage outre-mer. Deux des six personnes à bord survécurent à l'accident.

C'EST ARRIVÉ UN 1er OCTOBRE

1983 — La NASA fête discrètement ses 25 ans.

1982 — Des comprimés malicieusement additionnés de cyanure sont responsables de la mort de cinq personnes à Chicago. — L'élection d'Helmut Kohl à la chancellerie met fin à 13 ans de régime socialiste en République fédérale d'Allemagne.

1979 — Le pape Jean-Paul II arrive à Boston où il entreprend sa tournée américaine.

1978 — L'incendie du Riplecove Inn, à Ayers Cliff, en Estrie, fait 11 morts chez des touristes du troisième âge venus de Barrie, en Ontario.

1976 — Mgr Donald Lamont, évêque catholique d'Umdali, en Rhodésie, est condamné à 10 ans de travaux forcés pour ses interventions contre le racisme.

1975 — Une explosion fait huit morts dans l'usine de la CIL à McMasterville.

1974 — Ouverture du procès des cinq principaux accusés dans l'affaire du Watergate.

1967 — Les Red Sox de Boston causent une forte surprise en remportant le championnat de la Ligue américaine de baseball.

1965 — Le président Soukarno écrase un coup d'État militaire en Indonésie.

1963 — L'Algérie nationalise les fermes de propriété française en territoire algérien.

1962 — Le Noir James Meredith peut enfin entreprendre ses études à l'université Mississippi State.

1960 — Dévoilement à Frelighsburg d'un monument à la mémoire d'Adélard Godbout, ex-premier ministre du Québec.

1956 — Libération de l'amiral Doenitz, dernier chef du gouvernement allemand avant la reddition.

1953 — Rome excommunie tout ceux qui ont participé à la persécution du primat de Pologne.

1951 — Charlotte Whitton est élu maire d'Ottawa.

1950 — Béatification de la vénérable Maria de Mathias, surnommée l'amie des pauvres.

1948 — Andreï Vichinsky, délégué soviétique aux Nations Unies, révèle que l'URSS possède le secret de la bombe atomique.

1945 — De retour d'Europe, le Royal 22e reçoit un accueil triomphal.

1943 — Les Américains capturent Naples.

1938 — Occupation des pays sudètes de Tchécoslovaquie par l'Allemagne nazie.

1936 — Le généralissime Francisco Franco est nommé chef de l'État espagnol.

1918 — Début de la bataille de Cambrai.

1910 — Un terrible ouragan s'abat sur Montréal et fait deux morts et trois blessés.

Bombardier décroche la plus grosse commande de son histoire

Bombardier Aéronautique a décroché la plus grosse commande de son histoire : 50 jets régionaux destinés à Comair, un transporteur régional de Cincinnati, en Ohio, d'une valeur totale de 1,5 milliard. L'entreprise devra hausser sa cadence de production, ce qui créera près de 900 emplois à Montréal.

Cette compagnie aérienne affiliée à Delta achète 20 jets de 70 sièges, des CRJ série 700, un nouveau modèle encore en développement. Et elle commande 30 jets de 50 sièges, des CRJ série 100 sur lesquels elle détenait déjà des options d'achat. Ce n'est pas tout. Comair a assorti ces commandes fermes de nouvelles promesses d'achat: 70 options sur des jets de 70 sièges et 30 options sur des jets de 50 sièges. Celles-ci s'ajoutent aux 15 options sur des CRJ série 100 qui n'ont pas encore été exercées. **(Texte publié le 1er octobre 1998.)**

LE GRAND HOMMAGE DES CITOYENS MONTREALAIS AU ROI PACIFICATEUR

LA cérémonie qui a accompagné **(le 1er octobre 1914)** le dévoilement du monument Edouard VII vivra longtemps dans la mémoire de ceux qui y assistaient. Une foule énorme avait envahi le square Phillips, et elle se composait à parties égales de citoyens des deux langues.

Comme l'a dit le maire Martin: «Cet hommage rendu au grand roi pacificateur sera pour les diverses nationalités qui font la prospérité de Montréal, une leçon, un enseignement, une invitation à vivre dans la paix et dans l'harmonie pour le bonheur de notre ville et de notre pays».

Après la lecture des différentes adresses par les personnages officiels qui étaient mentionnés au programme, un choeur de fillettes chanta «O Canada» en anglais et un choeur d'écoliers répéta en français. La statue du feu roi, qui venait d'être dévoilée, se dressait très haut dans le ciel. Le spectacle était fort impressionnant.

Le duc de Connaught, gouverneur général du Canada, qui présida à la cérémonie, était accompagné de la duchesse et de la princesse Patricia (...)

Notre sculpteur canadien, M. Philippe Hébert, fut demandé pour exécuter le travail et il a si bien réussi que la statue, j'en suis sûr, sera considérée comme un nouveau tribut à ajouter à son génie artistique, peut-être comme son chef-d'oeuvre. (...)

La province consacrée à la Vierge du Rosaire

CAP DE LA MADELEINE —«O Vierge Marie, Reine du Très Saint Rosaire, au nom du chef de notre belle province de Québec, en présence des autorités religieuses et civiles et au nom des quatre millions de Croisés du Rosaire représentés à vos pieds par cette foule immense, je viens consacrer à votre Coeur immaculé notre province toute entière.»

Ces paroles de consécration, prononcées hier après-midi **(1er octobre 1950)**, au sanctuaire national de Notre-Dame du Cap, par l'honorable Onésime Gagnon, trésorier provincial, marquait le point culminant de la vibrante démonstration de foi qui avait réuni sur les terrains du sanctuaire plus de 50,000 pèlerins, venus de tous les coins de la province, dirigés par 3 archevêques, 14 évêques, plusieurs autres personnalités religieuses et de nombreux représentants des autorités provinciales et municipales. La manifestation, qui prit les accents d'une véritable apothéose, était le cri de foi et de confiance de tout un peuple, à l'occasion de la Croisade du Rosaire lancée au milieu de septembre, à la demande de l'épiscopat canadien. (...)

Parlant au nom du premier ministre de la province, M. Onésime Gagnon, agenouillé devant la statue de Notre-Dame, devant le grand kiosque du sanctuaire, récita, au nom de tous les catholiques du Québec, les paroles de l'Acte de consécration au Coeur immaculé de Marie, pour «mériter au pays et au monde entier une ère de paix et de prospérité, et, par-dessus tout, une fidélité inviolable aux enseignements du Christ et de son Eglise».

Geste de dévotion qui rappelait les grandes manifestations du congrès marial d'Ottawa et de celui de Québec. (...)

Sylvie recouvre «sa» médaille d'or

Sylvie Fréchette a récupéré hier **(le 1er octobre 1993)** «sa» médaille d'or des Jeux de Barcelone.

Quelque 14 mois après la tumultueuse compétition, la Fédération Internationale de nage amateur (FINA), réunie à Taïwan, a décidé, hier matin, de recommander au Comité international olympique (CIO) de lui décerner « sa » médaille d'or.

L'Américaine qui avait été consacrée championne olympique à Barcelone, Kristin Babb, conservera cependant sa propre médaille d'or. On se souvient que c'est à la suite d'une erreur technique d'une juge brésilienne que Sylvie Fréchette avait été privée du premier rang.

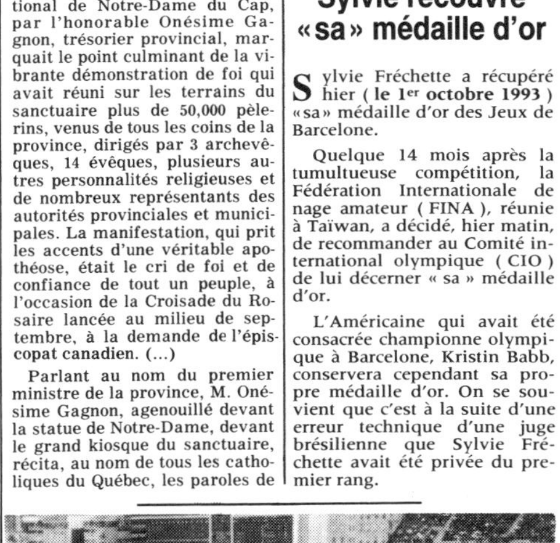

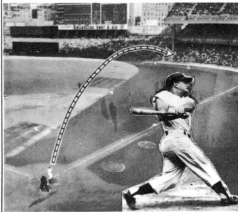

Le *1er octobre 1961*, au tout dernier match de la saison de son équipe, les Yankees, à New York, Roger Maris claquait son 61e circuit au cours du calendrier régulier, éclipsant ainsi le record établi 34 ans plus tôt par l'immortel Babe Ruth. Il faut toutefois souligner que ce dernier avait établi l'exploit en 154 matches, huit de moins que Maris.

Bourassa est mort

On le savait tous très malade. Et pourtant, la mort de Robert Bourassa, ce matin (le 2 octobre 1996), a provoqué une importante onde de choc à travers le Québec et le Canada. L'Assemblée nationale a suspendu ses travaux, tandis que la Chambre des communes rendait un hommage officiel à celui qui fut premier ministre du Québec durant 15 des 26 dernières années.

Le Cirque du Soleil acclamé à Paris

Le cirque revu, revisité, renouvelé par la troupe du Soleil a fait hier soir (le 2 octobre 1990.)un grand triomphe (bien que le mot soit usé) dans un grand lieu mythique de Paris, le Cirque d'hiver de la célèbre famille Bouglione.

Les 1500 spectateurs du Cirque d'hiver ont été transportés d'enthousiasme par la culture (costumes), l'invention, mais aussi et surtout la performance technique des enchaînements. Une bonne partie des spectateurs étaient des invités — ce qui ne change rien à la réalité de l'enthousiasme, au contraire —, une partie d'entre eux, venus du cirque, applaudissaient plus particulièrement les prousses techniques. Les moins initiés ovationnaient les numéros de clowns en duo, les deux gymnastes à cerceaux

(bulgares), ou alors ce formidable numéro de chef d'orchestre caoutchouteux, ou enfin le finale multicolore, agrémenté de costumes orientaux, de fumée.

De temps à autre, ce même « tout-Paris » se retrouve le temps d'une soirée de cirque — et en profite pour emmener ses enfants. Hier, on n'avait jamais vu autant de vedettes : Claire Brétécher, Michel Blanc, Lio, Vanessa Paradis, Mireille Darc, le cardiologue-tv Schartzenteberg, l'« écrivain » Paul-Loup Sulitzer, sans compter M. Jean Drapeau, le couturier Lacroix, Gabrielle Lazure, Jean Rochefort et Annie Girardot. « Du beau linge », comme on dit dans cette ville.

Le Cirque du Soleil débarque justement à Paris avec une organisation infernale. La très

puissante attachée de presse Tony Krantz explique comment la première chaîne de télévision s'est intéressée au spectacle, en le voyant à Londres. En tout cas, cela a donné une apparition de 40 minutes en grande vedette du Cirque du Soleil à Sacrée soirée, émission de variétés aussi gentiment bête que très populaire : 10 millions de téléspectateurs. C'était en direct du Cirque d'hiver et cela valait un million de dollars de publicité.

Après quoi on a parlé partout et tous les jours du Cirque du Soleil, aux principaux journaux télévisés, à la radio. En attendant le reste.

À Paris, le Cirque du Soleil présente une recette qui est, sinon magique, du moins nouvelle.

Le pont de Québec...

Sir Wilfrid Laurier, premier ministre du Canada, présidait, le 2 octobre 1900, les cérémonies qui marquèrent la pose de la pierre angulaire du premier pilier du projet initial du pont de Québec. On sait qu'il fallut attendre deux décennies et subir deux catastrophes avant que le pont soit finalement ouvert à la circulation. Ce dessin effectué à partir d'une photographie du représentant de la «Presse» montre la grande estrade.

LE CINÉRAMA À NEW YORK

Cinérama, nouveau procédé de cinéma à trois dimensions est mis à l'essai avec un vif succès à New York.

Le premier film est intitulé « This is Cinerama » pour la bonne raison qu'il sert uniquement à présenter ce nouveau procédé cinématographique. Il ne s'agit pas encore d'un film avec intrigue. On assiste à des prises de vue du Grand Canyon du Colorado, des jardins Cypress de la Floride et de la triomphale représentation de « Aïda » à La Scala de Milan.

Un écran cylindrique concave, de 63 pieds de largeur sur 23 pieds de hauteur, environ six fois plus grand qu'un écran ordinaire de cinéma, est utilisé pour le cinérama. (Texte publié le 2 octobre 1952)

1989 — Le fils de pauvres immigrants jamaïcains, aujourd'hui général à quatre étoiles, Colin Luther Powell, accède aujourd'hui à la plus haute fonction militaire à laquelle puisse aspirer un officier supérieur américain : chef de l'état-major interarmes.

1986 — L'Union soviétique a mis fin à neuf mois de suspense en signant avec le Canada un contrat d'achat d'un minimum de 25 millions de tonnes de céréales au cours des cinq prochaines années.

1981 — Neuf députés libéraux défient le chef Claude Ryan et votent contre la motion Lévesque visant à prier le fédéral de ne pas amoindrir les droits de l'assemblée en allant de l'avant

avec son projet constitutionnel.

1980 — Le projet constitutionnel du gouvernement Trudeau préconise l'abolition de la « clause Québec » en matière d'éducation.

1979 — A l'ONU, le pape Jean-Paul II suggère que Jérusalem devienne une ville internationale. — La commission McDonald lève le voile sur « Échec et mat », une autre opération douteuse de la GRC. — Décès de l'ex-ambassadeur Jean Bruchési. Avocat, professeur et historien de renom, il fut l'auteur d'une histoire du Canada en deux volumes.

1975 — L'empereur Hiro-Hito entreprend la première visite officielle d'un souverain japonais aux États-Unis.

1970 — Les médecins spécialistes déclenchent la grève pour protester contre le projet d'assurance-maladie.

1969 — Andreï Gromyko entreprend la première visite au Canada d'un ministre soviétique des Affaires étrangères.

1968 — Jean-Jacques Bertrand est assermenté comme premier ministre du Québec. — L'artilleur Bob Gibson établit un nouveau record de la Série mondiale pour les retraits au bâton, avec 17.

1953 — Un hydravion *Norseman* est retrouvé après 39 jours, au lac Emmanuel, et ses sept passagers sont sains et saufs.

1948 — Élection de George Drew au poste de chef du Parti conservateur.

1947 — Les Juifs acceptent le partage de la Palestine tel que proposé par les Nations Unies.

Page consacrée aux premiers « immigrants » et publiée le 2 octobre 1920, en souvenir de l'arrivée de Jacques Cartier à la bourgade d'Hochelaga, le samedi 2 octobre 1535.

On juge une démocratie selon la façon dont elle traite ses minorités
— TRUDEAU

OTTAWA — «Nous ne devons jamais oublier qu'en fin de compte, on juge une démocratie selon la façon dont elle traite ses minorités.»

Et le premier ministre du Canada, M. Pierre Elliott Trudeau, qui prononçait une allocution à Regina, lors de l'inauguration d'un monument en l'honneur de Louis Riel **(le 2 octobre 1968)**, ajoutait: «Le combat de Louis Riel n'est pas encore gagné».

Louis Riel, ce métis issu d'un père canadien-français et d'une mère indienne, voulait créer

dans le Canada d'alors, une république métis et avait dirigé la rébellion contre les autorités. Il fut exécuté, comme traitre, à Regina, en 1885.

De ce métis rebelle, M. Trudeau déclare: «Personne dans toute l'histoire du Canada, n'a subi durant sa vie autant de revers de fortune. Il fut tour à tour chef de son peuple, président d'un gouvernement provisoire, fondateur de la province du Manitoba, fugitif en exil, député, hors la loi, puis prisonnier».

L'inauguration du monument à Louis Riel représente, précise M. Trudeau, le renversement de l'opinion publique. Chef d'une

minorité, il avait livré une dure bataille pour en faire reconnaître les droits. Il fut pendu, après avoir été jugé coupable de trahison. Et pourtant, voici qu'à l'endroit même où on l'exécuta, on lui élève maintenant un monument.

M. Trudeau tente alors d'établir un parallèle entre «l'âpre lutte de Riel et celles qui perturbent aujourd'hui le Canada».

«Combien d'autres Riel y a-t-il au Canada qui, au-delà des normes admises de comportement sont poussés à croire que notre pays n'offre pas de réponses à leurs besoins, de solutions à leurs problèmes. (...)

Sept morts, nombreux blessés

A dix jours des Jeux olympiques, le sang coule à nouveau à Mexico

MEXICO Le sang a coulé hier **(2 octobre 1968)**, dans la capitale mexicaine, à dix jours seulement de l'inauguration des Jeux olympiques.

La violence a éclaté entre étudiants, ouvriers et l'armée, hier soir, alors que les troupes ont ouvert le feu sur quelque 15,000 manifestants, Place des Trois Cultures, et les étudiants ont ri-

posté en chahutant dans les rues, en tirant du pistolet et en lançant des cocktails Molotov.

Au moins sept personnes ont été tuées, tandis que des centaines d'autres ont été blessées, dont au moins 15 par coups de feu.

Il semble que des agents provoquateurs se soient glissés parmi les manifestants. Le co-

mité de grève étudiant, rappelle-t-on, avait annulé une manifestation de rues annoncée mardi, après avoir appris que des forces militaires occupaient le parcours que devaient emprunter les manifestants.

La panique a été effroyable lorsqu'a éclaté la fusillade dont l'origine sera vraisemblablement difficile à établir. 15,000 personnes dont un tiers de fem-

mes, se trouvaient littéralement coincées comme dans une souricière tandis que claquaient les coups de feu.

Au cours de l'échauffourée qui a duré environ 30 minutes, les troupes ont chargé la foule à la matraque, et les étudiants se sont répandus dans le nord de la ville, brûlant des autobus et lapidant les policiers.

Pendant ce temps, de nombreuses personnes installées dans des appartements longeant la Place, ont ouvert le feu sur les soldats qui ont riposté à la mitraillette.

De nombreuses personnes ont été arrêtées alors qu'elles tentaient de sortir de cette souricière fermée par des barrages des forces de l'ordre.

Avant la fusillade, les intentions pacifiques du comité de grève étudiant et de la foule paraissaient manifestes. L'auditoire n'a pas protesté lorsque les responsables lui ont annoncé qu'il n'y aurait pas de manifestation de rues, car le comité ne voulait pas prendre la responsabilité de les envoyer au massacre, l'armée ayant pris position sur le parcours. (...)

QUÉBEC RÉCLAME L'AUTONOMIE FISCALE

OTTAWA, (DNC) — L'hon. Maurice Duplessis a réclamé, au nom de la province de Québec, une répartition mieux appropriée des sources de taxation.

Commençant son discours à la reprise de la séance de cet après-midi **(3 octobre 1955)**, à la conférence fédérale-provinciale, le premier ministre de la province de Québec a déclaré qu'il ne voit pas quel avantage il y aurait à ce que les dollars versés au fisc par le contribuable provincial fassent un détour par Ottawa avant de retourner au trésor provincial, avec le risque d'en revenir diminués.

A quoi bon, a-t-il demandé, avoir le droit de construire des écoles et des hôpitaux s'il faut s'adresser à une autre autorité pour obtenir l'argent nécessaire?

Le régime des subsides fédéraux fait des provinces des organismes inférieurs, a-t-il soutenu, ajoutant que c'est là remplacer les guides par des menottes.

A son avis, le régime confédératif en est un de bon sens et de logique, le seul qui puisse sauvegarder les droits des Canadiens français de la province de Québec, alors qu'un gouvernement unitaire signifierait la disparition des institutions municipales et scolaires.

Le Québec s'est toujours montré généreux à l'égard des autres provinces moins favorisées et a largement contribué au développement et au progrès du Canada, dit le premier ministre. Mais, ajoute-t-il, si Ottawa tient à conserver tous ses pouvoirs de taxation, pourquoi les provinces n'auraient-elles pas le même instinct de conservation?

L'hon. Maurice Duplessis a réitéré de nouveau l'intention de son gouvernement de ne point troquer le droit de taxation, que la constitution canadienne reconnait aux provinces, pour des subsides que voudrait bien lui concéder le fédéral.

Cette attitude, a-t-il dit, Québec la maintient parce qu'elle est convaincue qu'aucune autonomie législative n'est possible sans autonomie fiscale.

Et Québec tient à son autonomie parce qu'elle croit que la formule fédérative, qui a été adoptée par les pères de la Confédération, est la seule viable et pratique pour un pays comme le Canada.

Le premier ministre du Québec a prononcé son allocution dans les deux langues officielles du pays, parlant d'abord en français, puis en anglais. Pour la première fois depuis qu'il prend la parole à ces conférences, le premier ministre du Québec avait un texte.

M. Duplessis a résumé, à la fin de ses remarques, la position du Québec, en réclamant la clarification et la délimitation précises des pouvoirs de taxation de chacun des gouvernements, la simplification du système d'impôt public et la collaboration en vue d'éviter la double imposition.

M. Duplessis, après avoir affirmé que le gouvernement fédéral n'est pas le père des provinces, mais qu'il en est la créature, a demandé si le gouvernement d'Ottawa se contenterait de gouverner en recevant des subventions des provinces.

C'EST ARRIVÉ UN 3 OCTOBRE

1989 — Une armée de 4900 à 5400 fonctionnaires fédéraux percevra la nouvelle taxe sur les produits et services (TPS), a fait savoir le ministre du Revenu, Otto Jelinek.

1983 — L'avocate Claire Lortie plaide non coupable à une accusation de meurtre.

1980 — Le Québec dit non à la formule de rapatriement de la constitution proposée par le premier ministre Trudeau. — Un attentat fait trois morts et 20 blessés dans une synagogue de Paris.

1977 — Enquête officielle sur des violations possibles de la *Loi relative aux enquêtes sur les coalitions* par des membres d'un cartel approuvé par le fédéral dans la commercialisation de l'uranium. — Début de l'enquête Keable sur les agissements de la GRC au Québec.

1962 — L'Américain Walter Shirra fait six fois le tour du monde en neuf heures à bord du vaisseau spatial *Sigma VII*.

1950 — Inauguration de la liaison Paris-Montréal par Air France.

1946 — Des fêtes marquent le 125e anniversaire de la charte de l'université McGill, à Montréal.

1935 — L'Italie envahit l'Éthiopie.

1900 — Simon-Napoléon Parent succède à Félix-Gabriel Marchand, décédé huit jours plus tôt, comme premier ministre de la province de Québec.

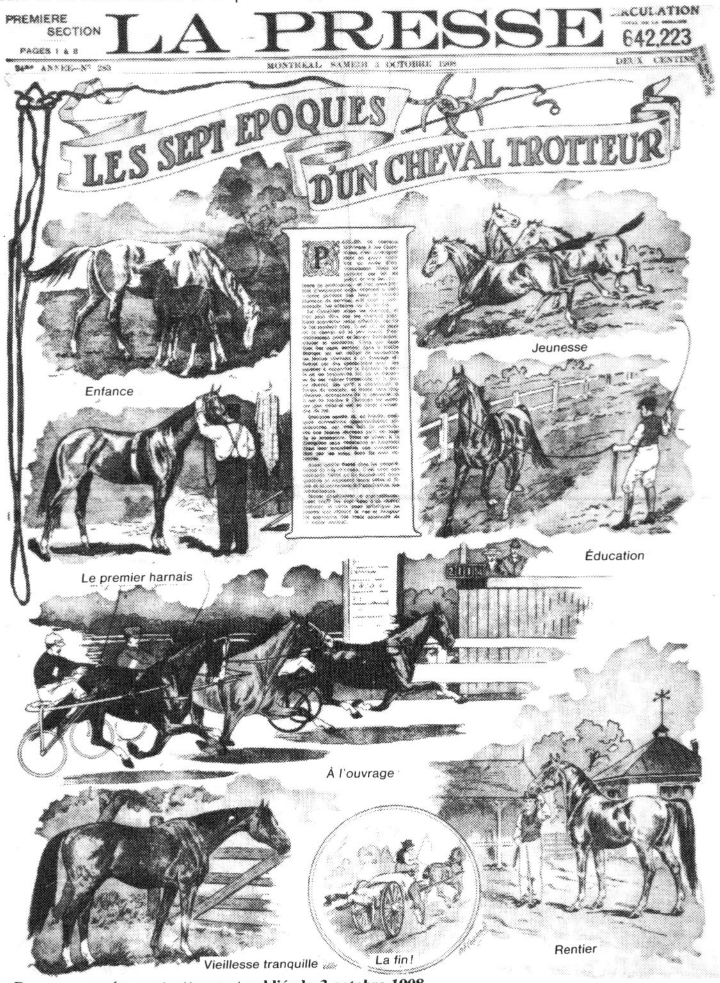

Page consacrée aux trotteurs et publiée le *3 octobre 1908*.

L'Allemagne est réunifiée

L'Allemagne a retrouvé à minuit (heure locale, 19h HAE) **(le 3 octobre 1990)** son unité et sa souveraineté, dans l'allégresse et les feux d'artifice, après avoir fait des adieux sans regrets à la RDA qui entraîne dans sa tombe quatre décennies de division de l'Europe.

La foule berlinoise réjouie, pavoisée aux couleurs nationales noir-rouge-or, était massée sous l'arche de la Porte de Brandebourg, symbole de l'unité retrouvée de la cité, et devant le Reichstag, l'ancien parlement allemand.

Plusieurs centaines de milliers d'Allemands se sont retrouvés en famille, souvent engoncés dans un manteau ou un imperméable pour couper une brise frisquette, sur la grande Avenue du 17 juin qui, il n'y a pas si longtemps, était encore divisée en deux par un certain mur.

Des millions d'autres citoyens ont suivi la cérémonie sur leur téléviseur. Comme leurs compatriotes berlinois, ils ont sans doute versé une larme de bonheur ou d'émotion lorsque l'hymne national a retenti et que toutes les cloches du pays se sont mises à sonner.

La cloche de la Liberté, offerte par les Américains à Berlin-Ouest à l'époque de la guerre froide, a retenti dans les deux parties de la ville désormais réunifiée.

Des spectacles et concerts de rues se sont tenus dans la plupart des grandes villes allemandes et la bière coulait à flot au milieu des odeurs de saucisse grillée.

« Nous avons accompli l'unité et la liberté de l'Allemagne dans l'autodétermination libre », a proclamé le président Richard von Weizsaecker. « Nous voulons servir la paix du monde dans une Europe unie ».

Le chancelier Helmut Kohl, qui devient le premier chancelier du nouvel État allemand, a déclaré dans une allocution diffusée quelques heures avant l'unification que son peuple avait tiré une leçon de son passé : « Nous sommes un peuple épris de paix et de liberté et nous n'abandonnerons jamais notre démocratie aux ennemis de la paix et de la liberté ».

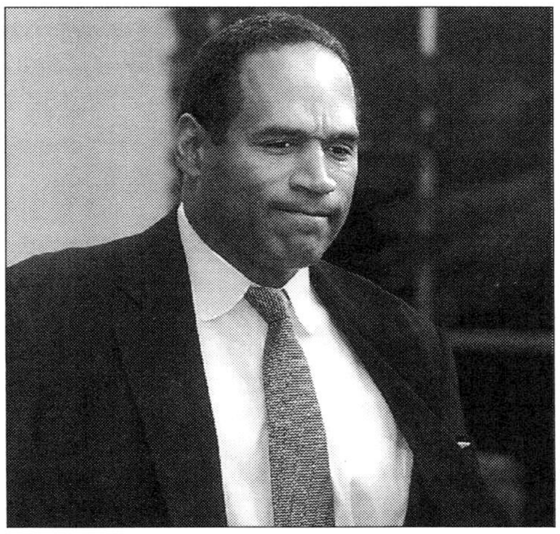

O.J. Simpson a été acquitté de l'accusation de double meurtre dont il faisait l'objet.

La télévision fait son entrée au salon bleu

GRAND événement, hier **(3 octobre 1978)**, à l'Assemblée nationale où les travaux des parlementaires étaient télédiffusés pour la première fois. Comme on s'en doute, ministres et députés avaient bien pris soin de replacer leur cravate et de se donner un dernier coup de peigne avant que ne s'allument les feux des projecteurs. En vérité, le moment était solennel et chacun espérait bien que cette première journée se déroulerait sans anicroches. Les premiers instants se sont d'ailleurs déroulés dans le calme le plus absolu lorsque le président de l'Assemblée nationale, M. Clément Richard, a demandé qu'on observe une minute complète de silence en mémoire de la mort des papes Paul VI et Jean-Paul 1er. On se souviendra que le gouvernement du Parti québécois avait soulevé un tollé de protestations de la part des partis d'opposition lorsque, au lendemain de l'élection de 1976, il avait été décidé d'abolir la traditionnelle prière inaugurant chaque jour les travaux de la Chambre pour remplacer celle-ci par un moment de recueillement. Hier, la demande du président n'a fait l'objet d'aucune contestation et c'est donc dans le silence le plus religieux possible que s'est déroulée cette première minute.

Le naturel revient au galop

Les travaux de cette deuxième partie de la troisième session du gouvernement du Parti québécois ont donc débuté dans le plus grand sérieux, mais le naturel n'a pas manqué de revenir sporadiquement au galop à quelques occasions. Ce fut d'abord le leader parlementaire de l'Union nationale, M. Maurice Bellemare, qui, parlant de la télédiffusion des débats, en a fait sourire plusieurs en affirmant que la présence des caméras l'empêchait de reconnaître les députés du Parti québécois. «Il y a dû y avoir un concours de beauté dernièrement, a-t-il dit, parce que tout le monde est arrivé avec de beaux habits neufs». (...) Cette affirmation (...) était un peu fausse, car mis à part deux ou trois députés, la tenue vestimentaire des membres de l'Assemblée nationale s'est toujours avérée impeccablement traditionnelle. (...)

Campbell fait 304 milles à l'heure

BONNEVILLE, Lac Salé, Utah — Sir Malcolm Campbell, le célèbre conducteur automobile anglais, a brisé cet avant-midi **(3 octobre 1935)** son propre record de vitesse sur terre. Sa moyenne de vitesse pour l'aller et le retour sur le lit desséché du grand lac salé de l'Utah a été de 299.875 milles à l'heure. Cependant, à l'aller, sir Malcolm a atteint la vitesse fantastique de 304.11 milles à l'heure sur un mille mesuré. Il a donc parcouru un mille en 11.83 secondes. A l'aller, sir Malcolm a brisé son propre record par 38 milles.

L'an dernier, il avait parcouru un mille mesuré à une moyenne de vitesse de 276.816 milles à l'heure, à Daytona Beach. (...)

Pour que son record soit reconnu officiellement, sir Malcolm a dû parcourir la piste, aller et retour. La moyenne de temps des deux courses a ensuite été enregistrée et constitue maintenant le record officiel. (...)

Caroline de Monaco est en deuil

Stéfano Casiraghi est mort **(le 3 octobre 1990)** victime de sa passion: à 30 ans, l'époux de la princesse Caroline de Monaco, champion du monde d'offshore, la Formule 1 de la mer, a péri en fin de matinée sur la côte d'Azur au large de Saint-Jean-Cap Ferrat alors que son catamaran, le Pinot di Pinot, filait en tête de la deuxième manche du championnat du monde.

Rock Hudson meurt du sida

Rock Hudson, première vedette victime du sida, est mort **(le 3 octobre 1985)** dans son lit à son domicile de Beverley Hills, dans la banlieue de Los Angeles, à l'âge de 59 ans.

Rock Hudson aura traversé plus de trente années de cinéma sans que se ternisse son image du parfait héros romantique.

O.J. est acquitté

Un jury a acquitté aujourd'hui **(le 3 octobre 1995)** le célèbre footballeur O.J. Simpson du meurtre de son ex-épouse et de l'ami de cette dernière, permettant au tribunal de le libérer aussitôt et de lui permettre de refaire une vie plongée dans l'ignominie depuis maintenant plus d'un an.

Tel est le résultat d'une affaire criminelle que les médias américains ont transformée en « procès du siècle » et qui a captivé l'Amérique entière ainsi qu'une partie du monde.

En entendant le verdict, Simpson s'est tourné vers le jury et a murmuré deux mots : « Thank you » (merci). Il s'est ensuite tourné vers les membres de sa famille, a serré les poings et a arboré un sourire crispé. Il a alors donné l'accolade à son principal défenseur, l'avocat Johnnie Cochran, et à son ami et conseiller juridique, Robert Kardashian.

« Il doit maintenant refaire sa vie », a plus tard affirmé Cochran. Quant au chef de police de Los Angeles, Willie Williams, Nicole Brown n'a aucunement exprimé l'intention de rouvrir le dossier. « Cela ne signifie pas pour autant qu'il y ait un autre meurtrier », a-t-il dit succinctement. Simpson n'en a pas pour autant terminé avec les tribunaux. Des poursuites au civil ont en effet été intentées contre lui par les familles des victimes, Nicole Brown et Ronald Goldman.

Simpson a aussi fait savoir qu'il demandera au tribunal de la jeunesse de lui confier de nouveau la garde de ses deux plus jeunes enfants, Sydney, 9 ans, et Justin, 7 ans. Le tribunal de la jeunesse du comté d'Orange avait confié, l'an dernier, la garde de ceux-ci aux parents de Nicole Brown Simpson, Lou et Juditha Brown.

Après avoir entendu durant neuf mois de très nombreux témoignages, le jury à majorité noire a mis moins de quatre heures, lundi, pour décider de l'innocence de Simpson dans le double meurtre commis le 12 juin 1994. Le verdict avait été remis sous scellé au juge Ito qui l'a rendu public à 13 h.

Dans toutes les villes américaines, les populations noires jubilaient tandis que les quartiers blancs semblaient plongés dans une totale incompréhension.

Malgré les manifestations sanglantes, les Jeux olympiques auront lieu tel que prévu

MEXICO

Le conseil exécutif du Comité international olympique a pris *(le 3 octobre 1968)* une décision qu'il prétend irrévocable: les Jeux olympiques d'été de 1968, XIXes Jeux de l'ère moderne, commenceront, tel que prévu, le 12 octobre.

La déclaration d'Avery Brundage, président du CIO, ne laisse planer aucun doute sur ses intentions et celles de ses confrères:

«Les XIXes Jeux olympiques, cet amical rassemblement de la jeunesse du monde entier dans une compétition fraternelle, se poursuivront comme prévu.

«La ville de Mexico est une énorme métropole de plus de six millions d'habitants, et aucune des démonstrations ou des scènes de violence survenues ici n'ont à aucun moment été dirigées contre les Jeux olympiques.

«Nous nous sommes entretenus avec les autorités mexicaines et nous avons obtenu l'assurance que rien n'empêchera, le 12 octobre, l'entrée pacifique dans le stade de la flamme olympique, ni le déroulement des compétitions qui suivront.

«Etant les hôtes de Mexico, nous avons une complète confiance que le peuple mexicain, universellement connu pour sa sportivité et sa grande hospitalité, s'unira aux participations et aux spectateurs afin de célébrer les Jeux, véritable oasis dans notre monde troublé.» (...)

LA RUSSIE LANCE AVEC SUCCÈS UN SATELLITE ARTIFICIEL DE LA TERRE

Une sphère de 180 livres filant à une vitesse vertigineuse

LONDRES — L'URSS annonce qu'elle a lancé **(le 4 octobre 1957)** dans l'espace le premier satellite artificiel, et que ce dernier gravite maintenant autour de la terre, à 560 milles de distance et à raison d'un tour de globe en une heure 35 minutes, soit à la vitesse de 18,000 milles à l'heure.

Ce satellite *(dont le nom de Spoutnik ne fut connu que le lendemain dans le monde occidental)* mesure 58 centimètres (à peu près 23 pouces) de diamètre et pèse 83.6 kilogrammes (180 livres), d'après l'agence Tass.

Celle-ci ajoute que le satellite peut être suivi au moyen de lunettes d'approche et par les signaux que diffusent l'appareil radiophonique dont il est pourvu.

Le satellite a été lancé trois mois et quatre jours après le début de l'Année géophysique internationale. Les États-Unis doivent aussi lancer des satellites artificiels, mais l'opération n'est fixée qu'au printemps prochain.

Grands espoirs à Moscou

Radio-Moscou déclare à ce sujet:

«Le succès du lancement du premier satellite fabriqué par l'homme apporte une énorme contribution au trésor mondial de science et de culture. Les satellites artificiels de la terre ouvriront la voie au voyage dans l'espace, et il semble que la génération actuelle doive voir comment le travail libre et conscient, du peuple de la nouvelle société socialiste change le rêve même le plus audacieux de l'homme en réalité.»

Le poste précise que le satellite décrit une trajectoire elliptique autour de la terre. Il ajoute les explications suivantes fournies par l'agence Tass:

«Il y a plusieurs années que se poursuivent en URSS les études et expériences en vue de créer des satellites artificiels de la terre. La presse a déjà signalé que le lancement des satellites terrestres par l'URSS était prévu en liaison avec le programme d'études de l'Année géophysique internationale.

«Comme résultat du travail intense des instituts de recherches et des bureaux d'ingénieurs de l'URSS, le premier satellite artificiel de la terre vient d'être créé. Il a été lancé avec succès en URSS, le 4 octobre.» (...)

L'agence Tass précise que l'engin est de forme sphérique, assure qu'il peut être observé à l'aube et au crépuscule au moyen de simples lunettes d'approche.

Le satellite russe a été lancé d'une fusée portante, qui lui donne la vitesse de rotation nécessaire de 8,000 mètres (26,000 pieds) par seconde, toujours selon l'agence Tass. (...) L'orbite du satellite est incliné à 65 degrés d'angle par rapport au plan de l'équateur. (...)

Le satellite est muni d'émetteurs dont les signaux sont constants et assez distincts pour être captés «par des postes d'amateurs de puissances diverses», selon l'agence Tass. (...)

Les prévisions américaines

En juillet dernier, les dirigeants du projet «Vanguard» américain prévoyaient pour le mois de novembre le lancement de petits satellites, mesurant 6.4 pouces de diamètre et pesant 4 livres, pour préparer l'envoi au printemps d'un satellite de 22 livres. Les révolutions des satellites d'essai ne devaient pas durer longtemps. (...)

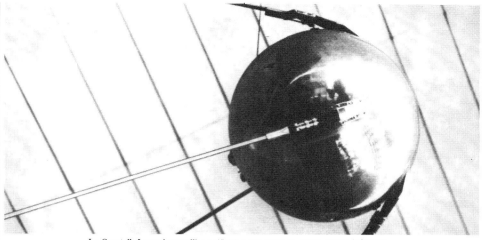

Le *Spoutnik I*, premier satellite artificiel à être placé en orbite autour de la terre.

C'EST ARRIVÉ UN 4 OCTOBRE

1982 — L'ex-ministre Claude Charron fait ses adieux à ses partisans de Saint-Jacques. — Le pianiste canadien Glenn Gould succombe à une hémorragie cérébrale à l'âge de 50 ans.

1978 — Obsèques du pape Jean-Paul 1er, à Rome.

1974 — La Cour suprême du Canada reconnaît la validité des lois sur l'avortement.

1965 — À l'occasion de sa première visite dans l'hémisphère occidental, le pape Paul VI plaide la cause de la paix mondiale aux Nations unies. — Le ministre de la Justice, Me Claude Wagner, révèle que la pègre aurait supprimé 12 témoins gênants.

1963 — Début de la grève de 3 800 débardeurs dans trois ports du fleuve du Saint-Laurent.

1955 — Les Dodgers de Brooklyn gagnent la Série mondiale pour la première fois de leur histoire.

1950 — Les Nations unies autorisent le général MacArthur à traverser le 28e parallèle et à envahir la corée du Nord.

1947 — 25e anniversaire du poste émetteur de CKAC, à Montréal, le pionnier de la radiophonie francophone en Amérique.

1917 — Les prohibitionnistes l'emportent à Québec par plus de 3 000 voix.

1909 — Sir Wilfrid Laurier procède, en personne, à l'inauguration de « l'Université du travail ».

Taxage et suicide

La police de Longueuil, qui a terminé son enquête relativement au suicide d'un autre élève de la polyvalente Jacques-Rousseau, conclut qu'il n'existe aucun lien avec le taxage.

Le jeune Benjamin Roy, 18 ans, fait face à de multiples accusations d'extorsion découlant des plaintes de taxage déposées par une demi-douzaine d'adolescents de Longueuil, au lendemain du suicide du dernier adolescent.

Aucune autre arrestation n'est à prévoir relativement aux plaintes déposées lundi. (**Texte publié le 4 octobre 1997**)

Le CF-105 dévoilé à l'aéroport de Malton

TORONTO — Le premier avion supersonique de fabrication canadienne est sorti hier **(4 octobre 1957)** de son hangar, sous les applaudissements d'une foule nombreuse et distinguée, mais il est resté au sol. L'Arrow CF-105 de la compagnie Avro pourra atteindre 1,200 milles à l'heure.

Cependant, le ministre de la Défense, M. Pearkes, qui assistait à la cérémonie, n'a pas dit que le gouvernement achèterait ce type d'avion chasseur, bien qu'il ait déboursé jusqu'à présent $200,000,000 pour sa réalisation.

L'Arrow possède un long nez effilé, des ailes de chauve-souris et un empennage très élevé. Il ressemble beaucoup au bombardier supersonique B-58 et il se rapproche, en plus petit, du bombardier britannique Vulcan.

Ce n'est pas avant quelques années que le nouvel avion pourrait constituer une formation de l'Aviation canadienne. Le ministre a aussi déclaré que le temps est encore loin où l'on se passera des équipages à bord des avions. (...)

PREMIÈRE SECTION

LA PRESSE

SUR LA GRANDE ROUTE

LES DANGERS SANS NOMBRE QUI NOUS Y GUETTENT ET LES MOYENS À PRENDRE POUR LES ÉVITER... QUELQUES PRINCIPES À RESPECTER QUE CHACUN DEVRAIT CONNAÎTRE.

DANS BIEN DES CAS, IL SERAIT POSSIBLE DE DÉGAGER LES CROISEMENTS DE ROUTE — CES OBSTACLES À FAIRE DISPARAÎTRE SONT ASSEZ FRÉQUENTS.

LE DANGER QUI MENACE LE COCHER QUI, ARRÊTÉ À DROITE, DESCEND DE SON SIÈGE À GAUCHE.

POURQUOI N'OBLIGERAIT-ON PAS LES VOITURES LOURDES ET QUI VONT LENTEMENT, À ÊTRE MUNIES DE LUMIÈRE À L'ARRIÈRE?

IL EST EXTRÊMEMENT IMPRUDENT DE DOUBLER DANS UN FLOT DE POUSSIÈRE; ON NE LE DEVRAIT EN AUCUN CAS.

IL EST ÉLÉMENTAIRE DE SAVOIR QUE LA VOITURE ROULANT SUR LA ROUTE LA MOINS IMPORTANTE, DOIT LAISSER PASSER CELLE QUI ROULE SUR LA ROUTE LA PLUS IMPORTANTE.

QUI NE CONNAÎT CES PASSAGES DANGEREUX OÙ, À PEINE LE PONCEAU TRAVERSÉ, LA ROUTE DÉVIE BRUSQUEMENT À DROITE OU À GAUCHE.

LE CHAUFFEUR QUI TIENT SA DROITE ET QUI A UNE VOITURE DEVANT LUI, NE VOIT PAS SI LA ROUTE EST LIBRE À GAUCHE.

Page publiée le 4 octobre 1913 sur les dangers de la grande route.

EN DÉPIT DE QUATRE MORTS ET DE SEPT ABANDONS

Skreslet conquiert le «toit du monde»

KATMANDOU — L'alpiniste Laurie Skreslet, de Calgary, accompagné de deux sherpas tibétains, a atteint le sommet du mont Everest lundi soir **(4 octobre 1982)**, devenant ainsi le premier Canadien à conquérir le «toit du monde». Skreslet, 32 ans, instructeur d'alpinisme, était considéré comme le plus apte à entreprendre la montée, s'étant reposé ces dernières semaines pour se remettre de fractures aux côtes. L'un des guides, Sungare, 29 ans, en était à sa troisième ascension.

Le temps était clair mais la température était de moins 40 degrés Celsius au moment du dernier assaut. C'est par le col du sud, le même chemin qu'avait emprunté sir Edmund Hillary en 1953, que l'expédition canadienne a atteint le sommet du mont Everest, qui culmine à 8,848 mètres.

Skreslet et ses deux guides étaient munis de bonbonnes à oxygène qui devaient leur permettre de respirer 16 heures sans souffrir de l'air raréfié à cette haute altitude. Ils ont atteint le sommet après une difficile montée en un temps record de cinq heures et 15 minutes depuis le quatrième et dernier camp de base établi lundi à la passe du sud.

Un avion népalais a pu prendre une photo des drapeaux canadien et népalais flottant sur l'Everest. L'expédition n'a pu cependant filmer comme prévu à cause du froid qui a empêché les caméras vidéo de fonctionner.

Les trois hommes sont demeurés une demi-heure sur le «toit du monde» avant d'entreprendre la descente pour regagner le camp 10. (...)

Presque un échec

Au début, l'expédition semblait devoir aboutir à un échec. Elle a connu de nombreux problèmes, avec quatre accidents mortels et l'abandon de certains de ses membres. Le groupe initial de 15 membres a été réduit à huit. (...)

Duplessis demeure chef de son parti

(de l'envoyé spécial de la «Presse»)

SHERBROOKE — M. Maurice Duplessis est le chef élu de la convention provinciale qui s'est terminée, ici, hier soir **(4 octobre 1933)**. Il l'a emporté sur son concurrent, M. Onésime Gagnon, par 332 voix contre 214, soit une majorité de 118 voix, ce qui confirme d'assez près les prédictions auxquelles la «Presse» faisait écho dès le premier jour de la convention, les partisans du vainqueur ayant annoncé qu'il recueillerait 60 pour 100 du vote.

«La convention est terminée et la lutte commence», a déclaré M. Duplessis après qu'il fut proclamé chef de son parti.

Les deux candidats, auxquels M. Hortensius Béique, président, avait accordé 30 minutes d'allocution, ont parlé immédiatement avant le vote, et dans l'ordre que nous avions prévu, c'est-à-dire, M. Gagnon le premier, puis M. Duplessis. L'un et l'autre (...) ont prononcé de vigoureux discours tout en restant dans les limites de la plus parfaite courtoisie. M. Gagnon a parlé exactement trois quarts d'heure, et M. Duplessis, un peu moins que sa demi-heure. (...)

MM. Gagnon et Duplessis ont aussi adressé la parole, une fois le résultat du scrutin connu, de même que l'hon. Alfred Duranleau, arrivé à Sherbrooke sur la fin de la soirée, et M. Armand Crépeau, ex-M.P.P. président du comité de réception de la convention. (...)

Un ballon en feu

IL montera le ballon des cigarettes «Sweet Caporal»; il montera en dépit de tous les contretemps. On avait promis pour dimanche **(4 octobre 1903)** la dernière ascension de l'année; un accident l'a empêchée. La dernière n'a pu se faire dimanche dernier; elle se fera dimanche prochain. Les gens de Montréal ne perdent rien pour attendre une semaine de plus. Il y avait vingt mille personnes au Parc Lafontaine, l'après-midi, pour assister à l'ascension; malheureusement, comme on achevait l'opération du gonflement, le ballon prit feu et en dépit de tous les efforts, s'échappa pour aller tomber à quelques centaines de pieds plus loin.

C'est un accident tout à fait regrettable, car la saison avance de plus en plus; néanmoins, les fabricants des cigarettes «Sweet Caporal» ont décidé que des milliers de personnes qui se sont rendues dimanche, au Parc Lafontaine, pour voir l'ascension, auraient encore une fois l'occasion d'assister à un spectacle si intéressant d'une montgolfière s'élevant dans les airs avec deux personnes. (...)

FUMEZ LE TABAC COUPÉ CROIX ROUGE

Enlèvement de Richard Cross

Les ravisseurs posent 6 conditions

TANDIS que les heures courent vers l'échéance de l'ultimatum du FLQ qui a enlevé **(le 5 octobre 1970)** le diplomate britannique James Richard Cross — l'ultimatum expire demain matin — tous les effectifs policiers poursuivent en secret et sur une échelle sans précédent leurs recherches pour capturer les ravisseurs et sauver l'otage. A moins que d'ici là la police ait réussi ou que le gouvernement n'ait accédé aux six demandes du FLQ, dont la libération des prisonniers politiques et le paiement de $500,000, sa vie sera en danger.

On a essayé de faire le moins de bruit possible autour des descentes continuelles qui ont été effectuées durant la nuit dans la région métropolitaine, mais il appert que de nombreuses personnes — le sait-on au juste — ont été arrêtées, mais que la plupart d'entre elles ont été relâchées par la suite.

A Ottawa et à Québec, entre-temps, les autorités semblent piétiner pour le moment.

La première réaction du gouvernement fédéral, cependant, a été de refuser de négocier avec les terroristes québécois et d'exprimer un vague espoir que le déploiement policier portera fruit.

A Montréal, le maire Jean Drapeau a lancé un appel aux ravisseurs, leur demandant en somme de ne pas faire de mal à leur otage et de rester accessibles à la raison.

Quand aux conditions que le FLQ pose pour la libération de M. Cross, elles sont contenues dans un document de huit pages que le gouvernement du Québec s'est gardé de dévoiler au complet, mais en voici la teneur:

■ La publication dans les journaux du Québec du manifeste du FLQ;

■ La libération de «certains» prisonniers politiques;

■ Un avion devant servir pour leur transport vers Cuba ou l'Algérie;

■ La tenue d'une assemblée au cours de laquelle le ministre des Postes et ministre des Communications, M. Eric Kierans, annoncera le ré-engagement des ex-employés de Lapalme;

■ L'imposition d'une «taxe volontaire» devant rapporter $500,000 en lingots d'or à être placés à bord de l'avion;

■ La dénonciation du délateur qui a vendu la dernière cellule du FLQ.

Telles sont les six conditions qui ont été posées par les ravisseurs du haut-commissaire britannique au commerce pour sa remise en liberté.

C'est ce qu'a annoncé Me Jérôme Choquette, ministre québécois de la Justice, au cours d'une conférence de presse éclair qu'il donnait dans son bureau du Palais de justice de Montréal, hier après-midi.

M. Choquette, qui a refusé de répondre aux questions des journalistes, a précisé que l'ultimatum portait un délai de 48 heures. La déclaration de Me Choquette a été faite sur un ton laconique et rien ne laissait prévoir l'attitude qu'entendaient prendre les autorités québécoises face à cet ultimatum.

Les révélations de Me Choquette étaient faites à partir d'un communiqué du FLQ qui a été saisi par la police, hier matin, au pavillon Lafontaine de l'Université du Québec. Ce communiqué était en fait adressé à la station radiophonique CKLM. (...)

Pour les plus jeunes qui ne connaîtraient rien de cet événement marquant dans l'histoire du Québec, rappelons que le diplomate James Richard Cross a été enlevé à 8 h 20, au matin du 5 octobre 1970, à son domicile du 1297, rue Redpath Crescent, par trois individus armés et portant moustaches. C'était le début des «événements d'octobre» qui connurent leur point culminant par l'assassinat du ministre Pierre Laporte.

James Richard Cross en compagnie de son épouse.

Marc Garneau se met au travail

Une douzaine d'heures après leur lancement dans l'espace, les sept astronautes de la navette Challenger dont le Canadien Marc Garneau, ont réussi à mettre sur orbite le satellite ERBS (**le 5 octobre 1984**) (Earth Radiation Budget Satellite), un engin destiné à l'étude du rayonnement terrestre.

Avions interceptés

Des avions de combat des Forces armées canadiennes ont intercepté deux appareils militaires soviétiques au large de la côte est du pays (**le 5 octobre 1986**). Les appareils soviétiques ont été interceptés et raccompagnés jusqu'en eaux internationales.

C'EST ARRIVÉ UN 5 OCTOBRE

1983 — Le leader syndical polonais Lech Walesa mérite le prix Nobel de la Paix.

1982 — L'Europe célèbre le 20e anniversaire du premier enregistrement sur disque des Beatles.

1977 — Décès à Québec du professeur Jean-Charles Bonenfant, spécialiste en droit constitutionnel.

1976 — La Cour suprême du Canada déclare que la peine de mort n'est pas une peine cruelle et inhabituelle aux termes de la Déclaration canadienne des droits de l'homme.

1975 — Le public est admis pour la première fois à visiter l'aéroport international de Mirabel, mais seulement 100 000 personnes y parviennent.

1973 — Jules Léger succède à Roland Michener comme gouverneur général du Canada.

1971 — Découverte de pétrole brut et de gaz naturel dans l'île de Sable, au large de la côte de l'Atlantique.

1970 — La chanteuse Janis Joplin est trouvée morte à Hollywood.

1966 — Le rapport de la Commission royale d'enquête sur l'affaire Munsinger est déposé en chambre; l'affaire est considérée comme un risque alarmant pour la sécurité du Canada.

1961 — Le premier ministre Jean Lesage inaugure la Maison du Québec à Paris.

1960 — Formation de la Commission royale d'enquête Salvas, qui doit faire la lumière sur l'administration de l'Union nationale, de 1955 à 1960.

1957 — Fin d'une grève de près de six mois à Murdochville.

1951 — Ouverture du Centre des sciences physiques de l'université McGill.

1945 — La Charte des Nations unies est ratifiée par 30 pays.

1910 — Proclamation de la République du Portugal.

1908 — La Bulgarie proclame son indépendance malgré les protestations de la Turquie.

Quatre Québécois périssent dans le carnage de l'OTS

Au moins 48 membres d'une secte « apocalyptique » — l'Ordre du Temple Solaire — dont quatre Québécois, ont péri dans un cérémonial macabre survenu dans deux villages de Suisse romande où leurs corps ont été trouvés, la nuit dernière (**le 5 octobre 1994**), dans des maisons qui avaient été incendiées.

Les Québécois ont été identifiés comme étant Jocelyne Grand'maison, 44 ans, journaliste au *Journal de Québec*, Robert Falardeau, 47 ans, fonctionnaire au ministère des Finances, Robert Ostiguy, 50 ans, maire de Richelieu et son épouse Françoise, 47 ans.

Les drames se sont déroulés dans une ferme de la localité de Cheiry, dans le canton de Fribourg, ainsi que dans deux ou peut-être trois chalets des Granges-sur-Salvan, dans le Valais, à 160 km de Cheiry. Vingt-trois cadavres ont été retrouvés à Cheiry et 25, dont ceux de quatre enfants, aux Granges-sur-Salvan. Les victimes étaient de nationalité suisse, canadienne et française.

L'affaire semble avoir des prolongements au Québec, où deux cadavres ont été découverts après l'incendie criminel de deux villas, mardi dernier à Morin Heights, dans les Laurentides. L'une des deux maisons appartenait au chef présumé de la secte, Luc Jouret, 46 ans, un médecin homéopathe d'origine suisse qui louait un des chalets incendiés aux Granges-sur-Salvan, un village alpestre situé sur les hauteurs de Martigny, dans le canton du Valais.

Le juge d'instruction fribourgeois André Piller, qui a confirmé la thèse du suicide collectif, a précisé que dans les deux cas, les bâtiments avaient été volontairement incendiés.

LE NOMBRE DES MORTS DU R-101 AUGMENTE

ENCORE sous l'effet du douloureux choc dont elle a été frappée, hier **(5 octobre 1930)**, à la nouvelle du désastre de son plus grand dirigeable le R-101, le plus gros du monde, et de la perte de tant de vies, de si nombreux personnages distingués du monde de la navigation aérienne, la population anglaise demande aujourd'hui que la plus grande publicité possible soit donnée à l'enquête qui sera tenue par des experts en Angleterre sur les causes de la catastrophe, et que l'on décide le nom de toute personne qui pourrait en être responsable.

Les autorités britanniques et françaises ne s'entendent pas sur le nombre des morts. Le communiqué officiel anglais donne 47 morts et 7 blessés, alors que la police de Beauvais, où a eu lieu le désastre (le R-101 était en route pour l'Inde), dit que les morts sont au nombre d'au moins 48. (...)

De toutes parts arrive à la nation britannique l'expression des sympathies de toutes les autres nations. La France a été plus loin, et le gouvernement français a décrété que la journée de demain sera «jour de deuil national» pour la France. (...)

Les autorités restent muettes
(Service de la Presse Associée)

Londres, 6 — Les journaux de Londres, et tout le public d'ailleurs, se demandent quelle a bien pu être la cause du désastre.

On suggère trois causes possibles: les conditions atmosphériques défavorables; une erreur de navigation; des défauts dans la construction ou dans les machines.

Pour le moment, les autorités responsables refusent de formuler aucune conjecture. Elles déclarent qu'il faut attendre le résultat de l'enquête du ministère de l'aviation. Mais dans les cercles non officiels, on exprime de sérieuses appréhensions.

Sir J.F. Higgins, le «marshall» de l'air, ancien membre du conseil de l'aviation, dit: «L'écrasement semble avoir été causé par la température défavorable qui aurait obligé à naviguer à une basse altitude». (...)

D'autres sont moins prêts à accepter une telle explication, en dépit de la confiance exprimée officiellement dans la stabilité du «R-101» et dans la facilité avec laquelle il pouvait être manœuvré.

Appréhension dès le départ

Beaucoup de gens ont remarqué qu'il a été lent dans son départ, qu'il s'est élevé gauchement au-dessus de son mât d'ancrage et qu'il paraissait fortement alourdi. Il vola à une basse hauteur au-dessus du sud de l'Angleterre et laissa tomber beaucoup de lest. (...)

Le «Daily Mail» dit que l'agrandissement du dirigeable a pu l'affaiblir au point qu'il ne pouvait plus supporter les attaques d'une tempête. Il suggère qu'il a même pu se faire que la coque se soit rompue au milieu, ou qu'il aurait fait descendre le dirigeable l'avant vers le sol, hors de contrôle.

Les débris meurtriers du *R-101* au sol, près de Beauvais, ne sont plus qu'une carcasse d'acier calciné.

LA GYMNASTIQUE DE CHAMBRE

Le titre de cette page publiée le *5 octobre 1907* ne saurait être plus explicite...

BABE RUTH FAIT TROIS HOME RUNS ET DONNE LA VICTOIRE AUX YANKEES

Le roi des frappeurs se surpasse et établit six nouveaux records. — Les 2 clubs sont égaux.

SAINT-LOUIS — Babe Ruth a donné hier la plus extraordinaire exhibition de baseball jamais vue dans aucune série mondiale.

Trois home runs par le fameux frappeur ont communiqué une telle ardeur à ses camarades qu'ils ont battu le Saint-Louis par le score de 10 à 5 dans la quatrième partie de leur série. Comme résultat, les deux clubs se trouvent maintenant égaux avec deux parties de gagnées et deux perdues chacun. La cinquième partie sera jouée aujourd'hui.

Hier a été un pique-nique pour Ruth. Le **6 octobre 1926** restera pour lui une date à jamais glorieuse, la plus glorieuse de sa carrière. Cette date restera à jamais mémorable pour les spectateurs qui ont été témoins de ses exploits. Non seulement les trois home runs ont soulevé l'ardeur de ses coéquipiers, mais ils ont aidé à briser sept records du monde (*le plus grand nombre de circuits dans un match, trois; le plus grand nombre de circuits dans une série — jusqu'au moment de son exploit —, 7; le plus grand nombre de buts dans une partie, 12; le plus grand nombre de «buts extra» dans une partie, 9; le plus grand nombre de buts dans une série — toujours jusqu'au moment de son exploit —, 27; le plus grand nombre de points dans une partie, 4; le plus grand nombre de buts dans une partie par une équipe, 28*).

La foule la plus nombreuse jamais réunie à une joute de baseball à Saint-Louis a vu la partie d'hier. Elle s'élevait à 38,825 personnes. La foule était accourue dans l'espérance de voir le Saint-Louis remporter une nouvelle victoire. Au lieu de cela, elle a vu Babe Ruth commencer à la première manche une série d'exploits qui ont causé la déroute complète du Saint-Louis. Le gérant Hornsby a envoyé cinq lanceurs dans la boîte pour arrêter l'élan des frappeurs de New York, mais sans le moindre succès. La joute a été féconde en incidents. Le public a vu du bon et du mauvais baseball.

Le jeu a tellement excité la multitude qu'à la fin, les partisans du Saint-Louis encourageaient Babe Ruth à faire un quatrième home run. La chose s'est produite à la huitième manche. Le public a hué le lanceur Hallahan, du Saint-Louis, lorsque ce dernier a servi quatre balles à Ruth.

Jamais, sur un champ de baseball, l'on n'a vu quelque chose qui peut se comparer au jeu de Babe Ruth hier. Ses deux premiers coups de circuit ont été faits dans la première et la troisième manche, chaque fois sur la première balle servie par le lanceur Rhem. Dans la première manche, le jeune lanceur du Saint-Louis essaya une courbe rapide, mais Ruth frappa la balle avec force, l'envoyant dans la droite du champ par-dessus l'estrade. Dans la troisième manche, Rhem se servit d'une balle lente, mais Ruth la frappa avec une force terrible et l'envoya par-dessus le toit des bleachers dans la droite. Lors de ces deux circuits, il n'y avait aucun coureur sur les buts, mais Combs était au premier lorsque Ruth fit son troisième coup de circuit de la journée, sur une balle de Herman Bell dans la sixième manche. Le lanceur avait déjà servi trois balles et deux strikes lorsque Ruth fit son home run. Bell commit l'erreur de servir une balle rapide au-dessus du marbre. Ruth la rencontra avec son bâton et l'envoya au centre du terrain. Ce fut le coup le plus sonore jamais vu ici et le plus long jamais fait à Saint-Louis.

Jamais auparavant Babe Ruth n'avait fait trois home runs dans une partie de série mondiale, bien qu'il l'ait déjà fait dans des parties d'exhibition. (...)

C'EST ARRIVÉ UN 6 OCTOBRE

1983 — Les Communes lancent aux Manitobains un appel unanime à la tolérance dans la bataille du français au Manitoba. — Le cardinal Terrence Cooke, de New York, succombe à la leucémie.

1981 — Le président égyptien Anouar el Sadate tombe sous les balles de fanatiques religieux au cours d'un défilé militaire.

1980 — Les conservateurs annoncent qu'ils s'opposeront au projet constitutionnel du premier ministre Pierre Elliott Trudeau.

1974 — Au hockey, Équipe-Canada perd une série de huit matches aux mains de l'URSS avec une victoire, trois matchs nuls et quatre défaites.

1973 — L'Égypte et la Syrie profitent de la célébration du Yum Kipour en Israël pour attaquer ce pays.

1972 — Un conducteur ivre est la cause d'un accident ferroviaire qui fait plus de 920 morts et blessés au Mexique.

1966 — Steven Truscott, âgé de 21 ans, affirme devant la Cour suprême du Canada qu'il n'a pas tué Lynn Harper. — Georges Lemay accepte de se laisser déporter au Canada à la condition qu'on retire les accusations portées contre lui à Miami.

1960 — Le ministre fédéral de la Justice rencontre les procureurs généraux des dix provinces pour étudier le rapatriement de la Constitution canadienne.

1959 — La fusée à plusieurs étages *Lunik III* effectue une orbite autour de la Lune et en photographie la face cachée.

1955 — Un avion *DC-4* de la United Airlines s'écrase au Wyoming, causant la mort de 66 personnes.

1949 — J.-Albert Guay est cité à son procès pour meurtre par suite de l'accident aérien de Sault-au-Cochon.

1948 — Début à Ottawa des discussions finales visant à préparer l'entrée de Terre-Neuve au sein de la Confédération canadienne.

1947 — Les Yankees de New York gagnent la Série mondiale de baseball contre les Dodgers de Brooklyn.

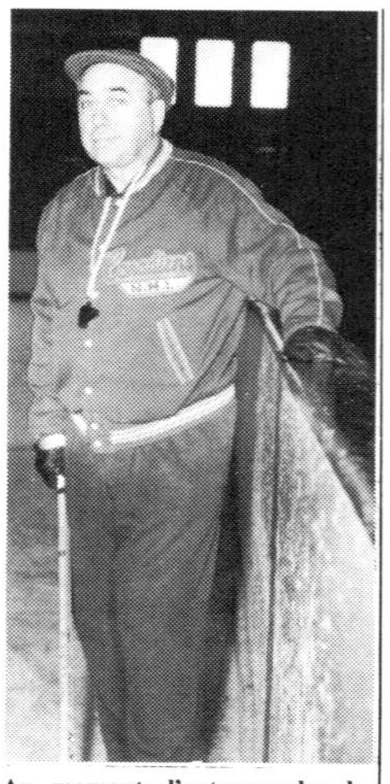

Au moment d'entreprendre la saison régulière, le *6 octobre 1955*, le Canadien de Montréal comptait trois recrues, soit deux joueurs, Henri Richad et Jean-Guy Talbot, et bien sûr le nouvel entraîneur Hector «Toe» Blake, choisi pour succéder à Dick Irvin à la suite des événements du mois de mars précédent impliquant Maurice Richard.

LE PRESIDENT DE LA PRESSE DÉCÉDÉ

L'HONORABLE P.-R. DuTremblay, président de la Presse et de la Patrie, sénateur et conseiller législatif, est décédé hier soir (**6 octobre 1955**) au pavillon Le Royer de l'Hôtel-Dieu de Montréal.

Il y était hospitalisé depuis moins de trois semaines.

Bien qu'on le sût atteint d'une grave maladie depuis plusieurs années, nul ne s'attendait à une fin aussi brusque. Monsieur DuTremblay, en effet, a continué jusqu'à ses derniers jours de diriger l'administration de deux journaux et de deux postes de radio.

Il meurt au moment où la Presse va prendre un nouvel essor grâce aux décisions qu'il venait de sanctionner lui-même.

Monsieur DuTremblay n'avait pas d'enfant.

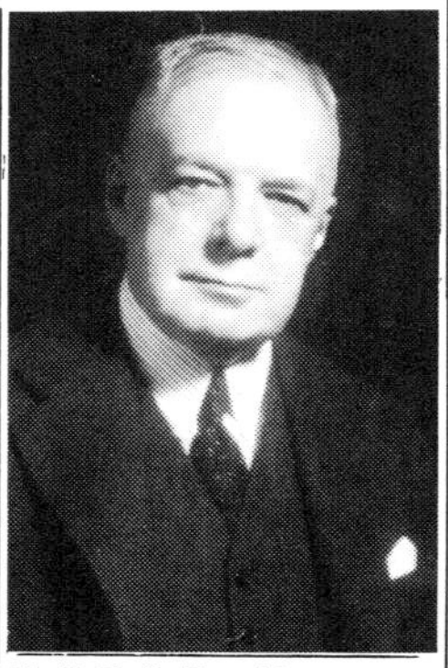

M. P.-R. DuTremblay

Un Pioneer va se désintégrer

Un vaisseau spatial américain Pioneer, qui est en orbite autour de Vénus depuis 14 ans, va bientôt se désintégrer en entrant dans l'atmosphère de la planète, a annoncé hier (**le 6 octobre 1992**) un porte-parole de la NASA.

Premier vaisseau spatial mis en orbite autour de Vénus, Pioneer a permis d'établir des cartes de plus de 90 pour cent de la superficie de la planète en utilisant un radar pour percer l'épaisse couche de nuages qui la recouvre.

Johnson autorise l'entente entre l'Hydro et la Brinco

Québec créera une «commission des frontières»

QUEBEC — Se disant «pris à la gorge» et dénonçant «le manque de planification et l'incurie de ceux qui ont placé le gouvernement dans cette situation sans alternative», le premier ministre a annoncé hier soir (**6 octobre 1966**) que le Québec:

— permet à l'Hydro-Québec de signer une lettre d'intention avec la Churchill Falls Corporation pour l'achat d'énergie électrique;

— créera une commission d'enquête chargée d'étudier toute la question de l'intégrité du territoire et en particulier celle de la frontière Québec-Terre-Neuve;

— entreprendra des réformes radicales de l'administration de l'Hydro-Québec.

Ces décisions du gouvernement ont été rendues publiques hier soir au cours d'une conférence de presse tenue après la fermeture des bourses dans la salle du comité des bills privés de l'hôtel du gouvernement.

Debout devant la grande table au feutre vert, entouré des hauts fonctionnaires les plus prestigieux du gouvernement — Marcel Casavant, Jacques Parizeau, Michel Bélanger, Paul-Emile Auger, André Marier — le premier ministre a clairement indiqué qu'il n'est pas du tout heureux des circonstances qui l'ont forcé à prendre la décision qu'il a annoncée.

«C'est, par mon intermédiaire, le gouvernement comme tel, qui affirme ne pas être heureux du tout de ce que l'Hydro n'ait pas exploré plus avant et plus rapidement la possibilité de développements sur les rivières de la Baie James.

«Les approximations qu'on nous donne à ce sujet date de 1963-64. Je ne suis pas du tout certain que des aménagements aussi considérables que ceux de la Baie James se seraient révélés plus économiques et plus rentables mais nous aurions eu à tout le moins un point de comparaison. (...)

Le gouvernement a cédé aux instances de l'Hydro-Québec pour trois raisons que l'entreprise d'Etat invoquait elle-même pour justifier sa demande.

Pour elle, le développement de Churchill Falls

— constitue de toutes les possibilités, celle qui permet de satisfaire à la demande d'électricité dans la période 1972-76;

— constitue de toutes les possibilités, celle qui permet de produire l'électricité au meilleur prix pour la période 1972-76;

— évite à l'Hydro d'avoir à emprunter dans cette période des sommes variant entre $400 et $700 millions pour exploiter d'autres sources d'énergie.

Il est ironique de constater en rétrospective que ce contrat tant décrié par le gouvernement Johnson à l'époque ait tourné aussi nettement à l'avantage du Québec...

Morin Heights: trois autres victimes

Après la découverte, vers 20h hier, d'un cinquième cadavre, celui d'un tout jeune enfant, les experts de la Sûreté du Québec et de la direction des expertises judiciaires continuaient tôt ce matin (**le 6 octobre 1994**) à fouiller le 199, Chemin Bélisle, à Morin Heights.

Vers 15h30, les policiers avaient trouvé deux corps étendus côte à côte, enveloppés dans une couverture, dans un réduit du sous-sol, dans la partie de la demeure non touchée par l'incendie allumé volontairement mardi matin.

Ces deux cadavres, un homme et une femme, portaient des marques de violence, contrairement aux deux premiers découverts dans les décombres de l'incendie de cette maison, qui appartient à Joseph Di Mambro, leader de l'Ordre du temple solaire. Les deux corps trouvés hier n'avaient aucunement été touchés par le feu.

Puis, alors que le pathologiste Claude Pothel et les autres spécialistes fouillaient le minuscule endroit où les deux derniers cadavres avaient été découverts, le corps d'un enfant mâle d'environ deux ou trois mois a été localisé dans une pièce voisine, un sac sur la tête. Le petit cadavre était caché derrière un chauffe-eau. On apprenait hier soir que l'enfant est né à la Cité de la santé, à Laval.

En outre, l'enquête interne entreprise mercredi à Hydro-Québec a permis d'apprendre que sur les 17 employés identifiés l'an dernier comme appartenant à l'Ordre du temple solaire ou à l'Académie de recherche et de connaissance des hautes sciences (ARCHS), il n'en reste que 14, les autres ne comptant plus parmi les employés de cette société d'État.

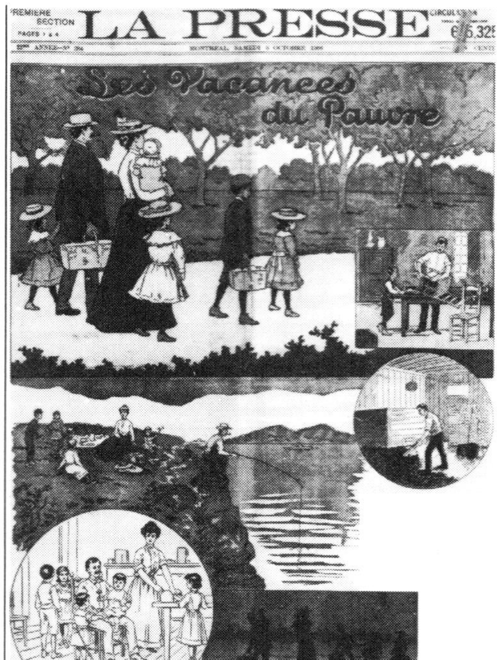

PREMIERE SECTION

LA PRESSE

Les Vacances du Pauvre

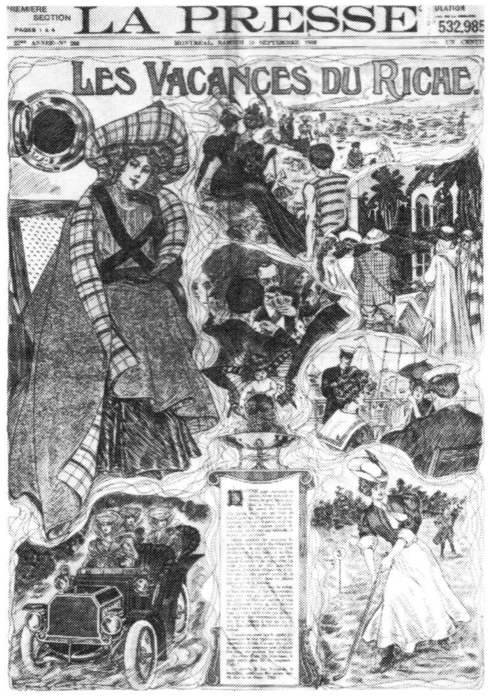

PREMIERE SECTION

LA PRESSE

LES VACANCES DU RICHE

Le *6 octobre 1906*, LA PRESSE consacrait sa première page aux « vacances du pauvre ». Trois semaines plus tôt, le 15 septembre, c'est aux « vacances du riche » qu'elle l'avait consacrée.

ON ADOPTE A L'UNANIMITE LA PROPOSITION RELATIVE A L'EXPO UNIVERSELLE

LA question d'avoir une Exposition Universelle à Montréal en 1917 vient d'entrer officiellement dans le domaine municipal. Le Conseil a unanimement adopté, hier (**6 octobre 1913**), cette proposition de l'échevin L.-A. Lapointe, secondée par l'échevin Robinson.

«Vu que l'on agite depuis quelque temps, dans le public, la question de tenir une Exposition Universelle à Montréal en 1917;

«Vu qu'un grand nombre de citoyens qui ont été consultés à ce sujet se sont déclarés entièrement favorables à a ce projet;

«Qu'il soit RESOLU: Que Son Honneur le Maire soit respectueusement prié de convoquer une assemblée des principaux citoyens de Montréal, des représentants des journaux, des différentes chambres de commerce, associations, compagnies ou corporations, ainsi que des directeurs et membres de l'Association d'Exposition Industrielle de Montréal, pour aviser aux moyens à prendre pour mener à bonne fin le projet de la tenue d'une Exposition Universelle à Montréal en 1917.»

Le maire Lavallée s'est déjà déclaré absolument favorable à une Exposition Universelle qui, dit-il, ferait connaître le Canada et la métropole sous un jour beaucoup plus avantageux à l'étranger. Quant à la date de l'assemblée suggérée par l'échevin Lapointe, il va s'occuper au plus tôt de choisir la plus opportune.

TEMPERATURE

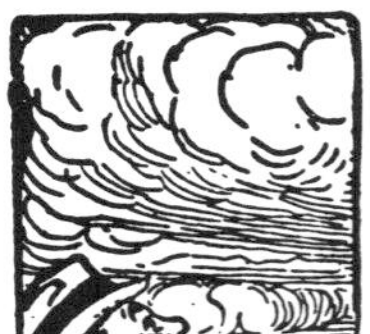

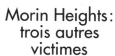

Vent modéré du sud au sud-ouest, beau, plus chaud.

Mercredi, averses locales, beau et chaud.

Montréal, 6 octobre 1908.

Température. — Bulletin d'après le thermomètre de Hearn et Herrison, 10-12 rue Notre-Dame Est.

Aujourd'hui maximum . . .	57
Même date l'an dernier . . .	53
Aujourd'hui minimum . . .	37
Même date l'an dernier . . .	40

Baromètre — 8 a.m., 30.30 ; 11 a.m., 30.30 ; 1 p.m., 30.27.

Voilà de quelle manière on présentait les prévisions atmosphériques le *6 octobre 1908* dans LA PRESSE.

LA CHINE ROUGE ENVAHIT LE TIBET

Il est annoncé officiellement que les troupes chinoises rouges sont entrées dans le nord du Tibet.

L'agence communiste de nouvelles a distribué un rapport de Wang Chen, secrétaire du parti communiste chinois pour la province de Sinkiang (ancien Turkestan chinois) :

« Les troupes du peuple, coopérant avec les armées "multinationalistes" amies, ont apporté la libération dans la province du Sinkiang et elles sont entrées également dans le nord du Tibet ».

C'est la première déclaration officielle que des troupes de la Chine rouge ont envahi ce mystérieux royaume de montagnes administré depuis des siècles par des bonzes. (**Texte publié le 7 octobre 1950**)

L'ALLEMAGNE S'AVOUE VAINCUE

Par la voix de leur nouveau chancelier, les Allemands, bel et bien matés, font des propositions d'armistice et de paix que les journaux américains jugent inacceptables.

Le texte de la note envoyée par le chancelier impérial, le prince Maximilien de Bade, au président Wilson, par l'entremise du gouvernement suisse, est comme suit :

« Le gouvernement allemand demande au président Wilson de prendre en main la restauration de la paix, de mettre les états belligérants au courant de cette requête; et il les invite à envoyer des plénipotentiaires, dans le but d'ouvrir les négociations.

« Il accepte le programme exposé par le président des États-Unis comme base pour les négociations de la paix.

« En vue d'éviter une plus grande effusion de sang, le gouvernement allemand demande la conclusion immédiate d'un armistice, sur terre, sur mer et dans les airs ». (**Texte publié le 7 octobre 1918**)

Un huitième mariage pour Liz

Elizabeth Taylor, les larmes aux yeux, a convolé en huitièmes noces (**le 7 octobre 1991**)avec Larry Fortensky, un ouvrier du bâtiment de 20 ans son cadet, dans le ranch de 690 hectares du chanteur Michael Jackson à Santa Ynez, en Californie.

Tous deux se sont rencontrés il y a trois ans au centre Betty Ford, près de Palm Springs, en Californie, où ils suivaient tous deux une cure de désintoxication alcoolique.

« Je suis faite pour le mariage », avait confié Liz Taylor à la veille de son mariage.

10 000 caribous se noient dans la Caniapiscau

Les rives de la rivière Caniapiscau sont devenues un véritable charnier.

Les bêtes ont été emportées dans une chute de 20 mètres

Plus de 10 000 caribous se sont noyés la semaine dernière dans la rivière Caniapiscau, emportés par les eaux gonflées dues aux récentes pluies.

Ce désastre sans précédent au Nouveau-Québec s'est produit à la chute Calcaire, située à environ 80 km au sud de Kuujjuaq (ex-Fort-Chimo).

Poursuivant leurs migrations millénaires, les caribous, après avoir traversé la Caniapiscau, ont été emportés dans la chute, d'une hauteur d'environ 20 mètres.

Actuellement des milliers de carcasses jonchent les bords de la rivière, ainsi que les rives du fleuve Koksoak, situé en aval, sur plus de 30 km. Plusieurs bêtes sont aussi accrochées aux rochers qui émergent des deux cours d'eau.

Le ministère de l'Environnement a dépêché un hélicoptère sur les lieux pour examiner la possibilité d'enlever les carcasses des deux cours d'eau afin de limiter la pollution engendrée par la putréfaction des bêtes. (**Texte publié le 7 octobre 1984**)

Vingt-cinq des membres de l'OTS sont morts à Salvan, en Suisse, notamment le chef Jo Di Mambro, son fils Élie, et sa femme Jocelyne.

Thierry Huguenin a échappé au massacre de l'OTS

Le fanatisme était si fort au sein de l'Ordre du Temple solaire que même lorsque la supercherie s'étalait devant eux, les membres de la secte refusaient de la voir.

Le Suisse Thierry Huguenin aurait dû être la 54e victime du massacre. Il raconte dans Le 54e, paru aux Éditions Robert Lafont-Fixot, comment il a échappé à la mort et surtout comment il était tombé dans le piège tendu par Di Mambro.

Document exceptionnel sur la crédulité humaine, le livre détaille les raisons pour lesquelles 46 adultes et sept enfants ont péri les 4 et 5 octobre 1994 et comment plus de 560 personnes d'une dizaine de pays ont été bernées.

Près de dix ans avant la tragédie, M. Huguenin découvre par hasard une épée qui a servi, lors d'une cérémonie nocturne, à déclencher « par un éclair » la grossesse d'une femme membre. Il découvre le truc: l'épée est prolongée par une ampoule électrique...

Il subit tout un choc : «Mon coeur cogne, mes jambes ne me portent plus, écrit-il. Je m'adosse au mur, et je me sens glisser jusqu'à me retrouver assis par terre. Non, ce n'est pas possible, me dis-je. Pas ça ! Ce n'est pas vrai... Je me sens suffoquer, je voudrais fuir, trouver la force de fuir, mais à présent j'ai peur de Jo. C'est étrange comme brusquement cet homme me fait peur. »

Le lendemain, pourtant, M. Huguenin doute déjà de ce qu'il a vu. A plusieurs reprises ensuite, plusieurs membres de la secte, dont Élie, le fils de Di Mambro, vont découvrir les supercheries, sans réagir pour autant.

Le document de Huguenin se veut un avertissement « pour que jamais un tel drame ne se reproduise ». Pour lui, la tragédie est une « atroce parodie » du sacrifice de 54 templiers brûlés vifs en France le 12 mai 1310 pour ne pas avoir renié leur foi. « Dans la folie de leur esprit malade, Jo Di Mambro et Luc Jouret voulaient qu'ils soient cinquante-quatre.

La cinquante-quatrième, c'était moi. » (**le 7 octobre 1995**)

Manif pour pouvoir allaiter partout, n'importe quand

Une quinzaine de mères et leurs poupons ont fait la tournée des boutiques de vêtements pour dames et enfants du carrefour Laval avec un message qui rencontre encore bien des réticences : « Bienvenue au bébé allaité n'importe où, n'importe quand ».

Les membres du groupe Maman, une association lavalloise qui prône l'allaitement maternel et l'accouchement naturel, ont choisi de visiter le carrefour Laval parce que le centre commercial a réservé un espace particulier pour l'allaitement dans les toilettes des dames.

« C'est bien, mais ce n'est pas l'endroit idéal pour s'alimenter, en retrait du reste de la famille », note Lysane Grégoire, la présidente du groupe. « Iriez-vous manger dans les toilettes ? »

Les mamans ont obtenu un accueil froid et poli de la part des commerçants à qui elles ont suggéré d'apposer leur autocollant à l'intérieur des boutiques.

Les passants, en revanche, leur étaient plutôt sympathiques. « Je n'ai pas eu de problème à allaiter en public mais j'essayais de faire discrètement. Les gens sont parfois gênés », commente Nathalie Bromley, une jeune maman qui passait faire ses courses avec ses petits.

Malgré les avantages importants pour la santé du bébé, moins de la moitié des Québécoises allaitent leur nourisson en sortant de l'hôpital, rappelle Mme Grégoire. De toutes les Canadiennes, ce sont celles qui nourrissent le moins au sein.

Les partisanes de l'allaitement admettent qu'elles doivent être convaincues pour continuer. Il faut passer par-dessus la douleur, les saignements ; mettre une croix sur l'alcool, le café, le chocolat, les légumineuses et tout ce qui peut changer le goût du lait.

« Dans notre culture, l'allaitement n'est pas la façon la plus normale de nourrir un enfant. Il y a encore une pudeur face aux seins », dit Hélène Plante, de Montréal. « Souvent on entend : 'Tu allaites encore ?, ça va te rendre douillet' », confie une maman. « On a sauté une génération », avance une autre. « Nos mères ne nous ont pas allaités. On leur vantait les vertus du biberon. »

« Ah oui, c'est très bien d'avoir un endroit pour allaiter. Éviter de faire cela devant tout le monde », a déclaré à une militante une passante d'âge mûr, ne comprenant visiblement pas le message du groupe Maman. (**Texte publié le 7 octobre 1997.**)

La baleine est morte

Le rorqual commun qui depuis lundi tentait désespérément de retrouver sa route vers le Bas-du-Fleuve d'où il était parti, est finalement mort hier (**le 7 octobre 1985**) — à 16 h 10 précises — échoué sur un banc de sable à hauteur des battures de la rivière Saint-François, à une cinquantaine de pieds à peine de la Voie maritime du Saint-Laurent.

C'est dans la vase peu profonde du lac Saint-Pierre que le rorqual a terminé sa course.

La Vierge apparaît à Medjugorje

Depuis plus de cinq ans (24 juin 1981), le petit village de 2500 habitants de Medjugorje, au centre de la Yougoslavie, vit des phénomènes étonnants. Six jeunes Yougoslaves sont devenus les témoins vivants de l'apparition quotidienne (pour quatre d'entre eux) de la Vierge.

D'ailleurs, les études et des examens sérieux faits sur place par des scientifiques et deux groupes de médecins français et italiens durant l'extase (au moment où leurs jeunes gens parlent à la Vierge), concluent que ces « voyants », des jeunes très simples et vrais, gardent un équilibre physique et psychique surprenant.

Celle qui se présente comme la « Reine de la paix » presse ces jeunes « voyants », âgés de 15 à 22 ans, d'en appeler à la conversion du monde, à la pratique de la foi, à la prière, au jeûne et à la réconciliation, seuls moyens pour en arriver à la paix intérieure. Suit un avertissement de ce qui va arriver à l'humanité si elle ne se convertit pas si, elle s'entête à ne pas prier.

Chacun des six « voyants » reçoit dix secrets qui ne peuvent être transmis qu'avec l'autorisation de la Vierge. Ces secrets portent sur des catastrophes à survenir dans le monde, dans la paroisse et dans l'Église et des moyens pour les atténuer. Par la prière, le jeûne et la conversion. (**Texte publié le 7 octobre 1986**)

C'EST ARRIVÉ UN 7 OCTOBRE

1995 — Un tableau de Rembrandt, intitulé Cupidon au repos, sera mis aux enchères à Londres le 6 décembre par Sotheby's qui évalue l'oeuvre entre 4 et 5 millions de livres (8,5 à 10,5 millions de dollars canadiens).

1991 — C'était il y a 25 ans aujourd'hui, à un passage à niveau croisant la rue Saint-Charles, à Dorion, dans l'ouest de l'île de Montréal. Un autobus d'écoliers avait été déchiqueté par un train. Et vingt adolescents tués.

1989 — L'ex-ministre conservateur Ramon (Ray) Hnatyshyn a été nommé gouverneur général du Canada. Il entrera en fonction au mois de janvier, quand Mme Jeanne Sauvé aura quitté son poste.

1989 — Le Prix Nobel de la Paix 1989 — décerné à Tenzin Guasto, 14e Dalaï-Lama, incarnation du Bouddha et de la Compassion infinie pour les millions de bouddhistes et chef politique de quelque six millions de Tibétains — est une victoire éclatante de la non-violence dont il est un avocat convaincu.

1989 — L'indomptable lionne d'Hollywood n'est plus. L'actrice Bette Davis est morte tard hier soir, à l'Hôpital américain de Neuilly, en banlieue de Paris, d'un cancer du sein. Elle était âgée de 81 ans.

1998 — Le gouvernement du Québec autorisera une dépense de 179 millions pour le prolongement du métro vers Laval. Le métro aura deux stations dans l'île Jésus en 2004 : l'une à la hauteur du boulevard Cartier, près du boulevard des Laurentides, et l'autre près du cégep Montmorency, où s'établira un lien avec le train de banlieue Blainville-gare Jean-Talon.

1998 — Comme cela était prévisible, la Chambre des représentants a autorisé l'ouverture d'une enquête élargie susceptible de conduire à la destitution du président Bill Clinton. Celui-ci est ainsi le troisième chef de la Maison-Blanche de l'Histoire à devoir faire face à la menace d'une destitution.

1998 — La crise financière qui secoue l'Asie se répercute de façon imprévue sur les mouvements migratoires de sa population, privant cette année le Canada de 20 000 à 40 000 nouveaux immigrants. La crise asiatique a tout de suite été montrée du doigt par le ministère de l'Immigration, surtout depuis que l'on s'est rendu compte que 15 000 visas délivrés à des citoyens de cette région n'ont pas été utilisés.

1997 — La Gendarmerie royale du Canada devra finalement verser plus de deux millions de dollars à l'ancien premier ministre Brian Mulroney, qui a dépensé une telle somme pour défendre sa réputation, après avoir été montré du doigt dans une affaire de corruption.

1996 — À peine quatre jours après avoir été nommé ministre de la Défense, Douglas Young a obtenu la démission du chef d'état-major des forces armées canadiennes, Jean Boyle. Le général Boyle s'était empêtré dans une histoire de documents falsifiés et cachés relatifs à l'enquête sur la Somalie.

1985 — Un commando palestinien a arraisonné hier soir un paquebot italien comptant plus de 400 personnes à bord, exigeant qu'Israël relâche 50 prisonniers et menaçant de faire sauter le navire s'ils étaient attaqués.

1928 — Le dirigeable « Graf von Zeppelin », qui est préparé pour une randonnée transatlantique aux États-Unis, la semaine prochaine, peut parcourir une distance de 6200 milles et rester dans l'espace 126 heures, si c'est nécessaire, tout en maintenant la communication par télégraphie sans fil avec l'Europe ou l'Amérique.

1917 — La proclamation appelant sous les armes les conscrits de la première classe, âgés de 20 à 34 ans, sera lancée le 12 octobre. L'appel sous les armes ne se fera pas avant le 10 décembre 1917.

FLQ: 57 ans de détention

Quelque cinquante-sept années de détention imposées à neuf jeunes accusés ont constitué un épilogue partiel aux cinq mois d'action terroriste du Front de libération québécois.

Toutes les peines ont été prononcées au cours d'une séance presque dramatiquement calme de la Cour d'assises (**le 8 octobre 1963**), celle-ci n'étant marquée que par... une fausse alerte à la bombe... et les cris d'une mère qui, jusqu'au dernier instant, voulut crier à l'injustice.

Les sentences prononcées ont été les suivantes :

— Gabriel Hudon, fondateur et fabricant de bombes du F.L.Q. : douze ans de prison.

— Raymond Villeneuve, fondateur et recruteur-chef du mouvement : douze ans.

— Georges Schoeters, celui qui

Richard Bizier

Georges Schoeters

Jeanne Schoeters

se représenta lui-même comme coordonnateur : dix ans.

— Jacques Giroux, le photographe en chômage qui déposa

la bombe O'Neil : dix ans.

— Yves Labonté, recruté au

restaurant du coin pour accompagner Giroux : six ans.

— Denis Lamoureux, celui qui mit sur pied l'opération de Westmount : quatre ans.

— François Gagnon, celui qui véhicula les autres d'une boîte aux lettres à l'autre : trois ans.

— Richard Bizier, celui qui fit le moins mais paie définitivement le plus : six mois.

— Jeanne Schoeters, qui suivit son mari, une nuit, dans son aventure : sentence suspendue.

Si l'épilogue est partiel, toutefois c'est principalement parce que cinq des prévenus qui avaient été requis de se présenter devant la Cour du banc de la reine ne s'y trouvaient pas.

On sait déjà leurs noms: Gilles Pruneau, Mario Bachand, Roger Tétreault, André Garand, Pierre Schneider.

Reviendront-ils devant le sort fait à leurs compagnons ?

Les **48 wagons** de l'Expo-Express sont toujours remisés dans un champ de la petite municipalité de Saint-Lazare, presque enfouis au beau milieu d'une végétation envahissante.

De vraies pièces de musée

La vie utile des 48 wagons de l'Expo-Express aura été bien courte, le temps de l'Expo 67 et de quelques autres promenades sur le site de l'exposition au cours des années suivantes.

Si elles ont été l'objet de bien des tribulations financiè-res, les voitures sont toujours remisées dans un champ de la petite municipalité de Saint-Lazare, presque enfouies au beau milieu d'une végétation envahissante.

La ville achetait pour 1,8 million le train construit au coût de 10 millions. Mais il devait rester stationné sur le pont de la Concorde de 1972 à 1979.

Un homme d'affaire de Montréal en devient alors propriétaire pour 380 000 $.

En 1984, la firme montréalaise « les Entreprises Pemik » les achète à son tour dans le but d'en faire un train de banlieue ou, le cas échéant, de les vendre à l'étranger. Mais l'entreprise n'a pas réussi.

« Les voitures sont devenues de vraies pièces de musée », a confié un représentant de Pemik qui s'est refusé à tout autre commentaire sur le sujet. (**Texte publié le 8 octobre 1992.**)

DES MESURES ÉNERGIQUES CONTRE LA GRIPPE ESPAGNOLE

Théâtres, écoles, cinémas, salles de danse et autres lieux publics doivent être fermés dès aujourd'hui (**le 8 octobre 1918.**) jusqu'à nouvel ordre.

Malgré le bel optimisme du directeur municipal de la Santé Publique, la grippe espagnole a envahi la ville de Montréal qui, emboîtant le pas aux grandes cités américaines où sévit également le fléau, a décidé de fermer, jusqu'à nouvel ordre, tous les lieux de réunion publique, à l'exception des églises.

Cette décision a été prise après une longue conférence entre les administrateurs de la ville, les autorités sanitaires, plusieurs médecins et nombre de citoyens éminents. On a finalement été d'opinion qu'une mesure radicale s'imposait, pour combattre la maladie. En conséquence, le docteur Séraphin Boucher, chef du service d'hygiène, édictait, hier soir, l'ordre que voici :

L'Avis officiel

« Avis public est par les présentes donné que, jusqu'à nouvel ordre, tous les endroits de réunion publique, tels que les écoles, les théâtres, les salles de danse ; les cinémas, les salles publiques, aussi bien que les endroits où le public peut se réunir, pour des fins sociales ou autres, devront être fermés, sous les peines prévues par la loi ».

Et l'archevêque de Montréal ajoutait :

« Aux catholiques du diocèse de Montréal,

« Il est de notre devoir de travailler, de concert avec l'autorité civile, à enrayer et prévenir parmi nous l'épidémie qui menace de s'étendre et a déjà fait de nombreuses victimes. En conséquence nous réglons ce qui suit :

« Avant tout, recourons à la prière. Supplions le Seigneur d'épargner notre cité et notre pays. Recourons à la Vierge Marie, Notre-Dame-de-Bon-Secours, et disons fidèlement le chapelet à cette intention. Pendant quinze jours, quand la rubrique le permettra, en outre de l'oraison commandée pour la paix, les prêtres diront l'oraison propre aux temps d'affliction, la treizième parmi les oraisons diverses du Missel. »

Une faune indésirable dans le Carré Saint-Louis.

Un véritable dépotoir

De plus en plus terrorisés par les pushers violents et les junkies, les résidants du Carré Saint-Louis ne savent plus où se tourner pour régler un problème qui prend de plus en plus de place dans leur vie.

« Ça fait un an et demi que je ne dors plus », a confié un homme d'affaires déprimé qui vient de déserter sa luxueuse résidence située dans le parc du centre-ville de Montréal. « Ces gens-là se servent de véritables ordures. Ils s'assoient sur nos balcons, prennent un coup, pissent dans nos fenêtres et vomissent dans nos escaliers. Certains vont même jusqu'à faire leurs besoins dans les ruelles. »

Ce citoyen, qui refuse comme tous ses voisins de révéler son nom, de peur d'être reconnu par les voyous du Carré, a essayé sans succès de vendre sa maison depuis un an. « Tous les acheteurs potentiels ont rebroussé chemin en les apercevant », déplore-t-il. (**Texte publié le 8 octobre 1991.**)

Changer de parents comme de chemise...

Des experts des milieux juridiques qualifient de « phénomène d'une gravité épouvantable » la procédure entreprise en Floride par un garçon de 12 ans, Gregory Kingsley, qui a obtenu le droit de « divorcer » de ses parents qu'il accusait de ne pas lui avoir fourni l'affection, la sécurité et la protection dont il avait besoin.

« On ne change pas de parents comme on change de conjoint ou de chemise. La déchéance parentale doit demeurer un recours exceptionnel dont les conséquences sont énormes », expliquait Me Jean-Pierre Senécal, président du comité sur le droit de la famille du Barreau du Québec. Il est particulièrement choqué que l'on ait utilisé l'expression « divorcer de ses parents », sans doute pour frapper l'imagination.

« On peut divorcer de son conjoint, mais pas de son père ou de sa mère. C'est une image terrible. Il faut avoir des motifs très graves pour réclamer la déchéance parentale : l'abandon, l'indignité ou l'incapacité d'exercer son rôle de parent. Même dans les pires cas, il est rare qu'un enfant aille jusqu'à renier complètement ses parents naturels. » (**Texte publié le 8 octobre 1992.**)

Le symbole graphique de l'Expo

Le commissaire général de l'Exposition universelle de Montréal, M. Pierre Dupuy, a dévoilé devant le premier ministre du Canada, M. Pearson, le symbole graphique de l'Expo (**le 8 octobre 1963.**) Il s'agit de l'oeuvre de l'artiste montréalais Julien Hébert qui vient de gagner le premier prix du concours annuel d'esthétique industrielle dans la province de Québec.

Les emblèmes de l'Homme y sont disposés en un cercle qui suggère la forme de la Terre sans en montrer l'habituelle interprétation géographique. La priorité est ainsi donnée à l'Homme plutôt qu'à la Terre elle-même.

Le symbole lui-même représente l'homme comme une ligne verticale avec deux bras étendus en diagonale, et deux tels emblèmes reliés ensemble, illustrant l'amitié et la fraternité.

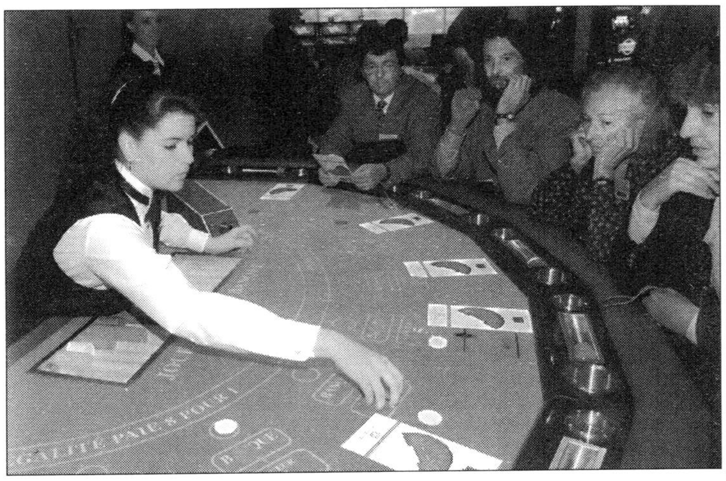

Depuis son ouverture, le 9 octobre 1993, le Casino a accueilli plus de 13 648 000 visiteurs, soit environ 4,5 millions par année.

Un demi-milliard de revenus pour le casino

Trois ans après son ouverture, le Casino de Montréal a franchi le cap du demi-milliard de dollars en revenus nets.

De cette somme, 70 millions ont été récoltés en 1993-1994 ; 195 millions et 173 millions pour les exercices financiers subséquents. Pour 96-97 (l'exercice financier se termine le 31 mars) les revenus dépassent les 100 millions, de sorte que le demi-milliard est déjà largement dépassé. La baisse des revenus à 173 millions en 1995 s'explique par un lock-out de 45 jours décrété contre les employés.

Selon Patrice Tardif, adjoint au président et porte-parole du Casino, la maison de jeu avait, le 4 octobre de cette année, accueilli 13 648 000 visiteurs depuis son ouverture le 9 octobre 1993, soit environ 4,5 millions par année. « Nous sommes actuellement en vitesse de croisière », a-t-il indiqué hier.

Depuis son ouverture, le Casino a plus que doublé le nombre de ses tables de jeux et de ses machines. Ainsi, des 65 tables et 1225 machines que l'on comptait en 93 on est passé, avec l'ajout de l'annexe, (l'ancien pavillon du Québec de l'Expo 67) à 107 tables et 2845 machines. Plus de 2600 employés y travaillent.

On estime qu'un joueur dépense en moyenne 68$ à chacune de ses visites : mises, nourriture et boissons comprises.

Rappelons que le Casino, propriété du gouvernement du Québec, a investi 300 millions depuis sa mise en service qui comptait trois phases. Ainsi 52 millions ont été déboursés pour l'achat de l'ex-pavillon de la France à la Ville de Montréal, 92 millions pour l'aménagement du casino, 72,8 millions pour celui du troisième étage (rotonde et réception, restaurant), et 72 millions pour la rénovation de l'ex-pavillon du Québec. (**Texte publié le 9 octobre 1996.**)

La lutte contre le déficit va mieux que prévu

Même s'il atteint ses objectifs de réduction du déficit plus rapidement que prévu, le ministre fédéral des Finances, Paul Martin, n'envisage pas de baisse des impôts. « Il y en aura seulement lorsque le pays pourra se le permettre », a-t-il déclaré alors qu'il faisait sa mise à jour annuelle de la situation économique et financière.

Comparaissant devant le comité des Finances des Communes, le ministre a révélé que le déficit pour l'année financière qui se terminait le 31 mars dernier a été inférieur de 4,1 milliards à l'objectif fixé et s'est établi à 28,6 milliards.

Les documents déposés aujourd'hui (**le 9 octobre 1996**) précisent sur un autre plan que la dette du gouvernement fédéral portant intérêt s'élevait à 586,4 milliards au 31 mars dernier, une hausse de 71,9 milliards en deux ans.

Les dépenses budgétaires d'un Etat indépendant: $11 milliards

NDLR — Cet article est l'un des nombreux textes publiés par LA PRESSE au lendemain de la divulgation, ***le 9 octobre 1973,*** *du « budget de l'an 1 » du Parti québécois, pendant la campagne électorale de 1973.*

LES dépenses budgétaires d'un Québec indépendant atteindront $11,494,159,600 en 1975-76, soit plus du double des dépenses actuelles du gouvernement québécois mais en excluant les dépenses effectuées par le gouvernement fédéral au profit des Québécois qu'assumera le PQ.

A cela, il faut cependant ajouter des avances et placements que se propose d'effectuer le Parti québécois aux diverses sociétés d'Etat et agences publiques au montant de $477,150,000.

Enfin, le service de la dette (consolidation des dettes provinciales et de la part québécoise des dettes fédérales — soit 25% — sous un même poste) réclamera des remboursements annuels de $598,900,000.

Au total, le gouvernement québécois devra obtenir sur les marchés financiers des prêts de $894,529,600 pour équilibrer tous ses revenus et déboursés budgétaires et extra-budgétaires.

Toutefois, un Québec indépendant, qui désire s'associer avec le Canada dans une zone douanière et monétaire, devra prévoir des crédits de $25 millions au poste des services communs à entretenir entre les deux pays.

De plus, une union monétaire supposera une harmonie complète que pratiqueront les deux banques centrales, celle du Québec et celle du Canada.

Le PQ estime à un peu moins de $900 millions les emprunts que le Québec indépendant devra effectuer en 1975-76. Cela se compare aux emprunts de $625 millions que le gouvernement libéral de la province conclura cette année.

A cette somme, il faut ajouter la part québécoise dans le programme d'emprunts du gouvernement fédéral en 1973-74, soit $400 à $500 millions.

Somme toute, c'est un peu plus d'un milliard de dollars que les citoyens québécois devront emprunter cette année, via Québec ou Ottawa, pour financer leurs services publics.

Tous ces emprunts font évidemment fi des programmes particuliers d'emprunts des sociétés d'Etat comme l'Hydro-Québec, Sidbec, etc. (...)

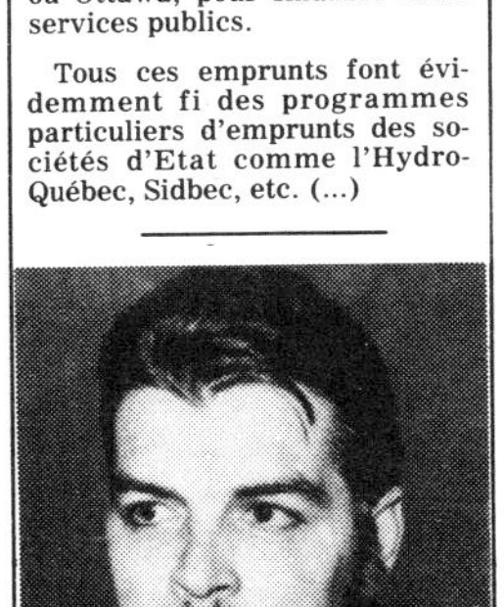

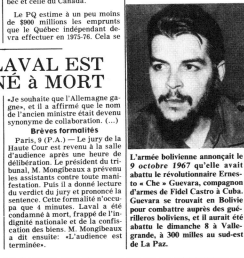

L'armée bolivienne annonçait le *9 octobre 1967* qu'elle avait abattu le révolutionnaire Ernesto « Che » Guevara, compagnon d'armes de Fidel Castro à Cuba. Guevara se trouvait en Bolivie pour combattre auprès des guérilleros boliviens, et il aurait été abattu le dimanche 8 à Vallegrande, à 300 milles au sud-est de La Paz.

PIERRE LAVAL EST CONDAMNÉ à MORT

PARIS — La Haute Cour a condamné aujourd'hui (**9 octobre 1945**) Pierre Laval, âgé de 62 ans, ancien chef du gouvernement de Vichy, convaincu par le jury de trahison et de complot contre la sécurité de l'Etat. La sentence a été prononcée en l'absence de l'accusé, ce dernier ayant refusé de comparaître de nouveau après avoir été expulsé de l'audience samedi.

Le procureur de la République a déclaré à ce propos: «Les dépositions des témoins ne sont pas indispensables lorsque les déclarations, les décrets et les actes de l'inculpé le condamnent». Il a rappelé que l'accusé avait dit: «Je souhaite que l'Allemagne gagne», et il a affirmé que le nom de l'ancien ministre était devenu synonyme de collaboration. (...)

Brèves formalités

Paris, 9 (P.A.) — Le jury de la Haute Cour est revenu à la salle d'audience après une heure de délibération. Le président du tribunal, M. Mongibeaux a prévenu les assistants contre toute manifestation. Puis il a donné lecture du verdict du jury et prononcé la sentence. Cette formalité n'occupa que 4 minutes. Laval a été condamné à mort, frappé de l'indignité nationale et de la confiscation des biens. M. Mongibeaux a dit ensuite: «L'audience est terminée».

C'EST ARRIVÉ UN 9 OCTOBRE

1991 — Le projet de loi sur le contrôle des armes à feu sera amendé pour que l'obtention d'un certificat d'armes à feu soit limitée aux personnes âgées d'au moins 18 ans.

1983 — **Quatre ministres et 12 dirigeants sud-coréens sont assassinés par un commando de Nord-Coréens à Rangoon, capitale de Birmanie.**

1980 — **Le rapport Duchaîne, commandé par le gouvernement Lévesque, conclut qu'au Québec, la crise d'octobre a servi de prétexte à la répression.**

1979 — **La Banque du Canada relève son taux d'escompte de 12.25% à 13%, dans le sillage d'augmentations similaires aux États-Unis.**

1978 — **Décès à Paris, à l'âge de 49 ans, du célèbre auteur-compositeur belge Jacques Brel.**

1976 — **Un homme à la poigne de fer, Hua Kuo-feng, succède à Mao Tsé-tung comme président de la République populaire de Chine.**

1970 — **Le Sénat italien adopte une loi qui légalise le divorce en Italie.**

1969 — **La tension entre Ottawa et Paris monte d'un cran quand Jean de Lipkowski, secrétaire d'État aux Affaires étrangères de France, alors en visite à Montréal, refuse de se rendre dans la capitale fédérale.**

1968 — **Le Canada réaffirme son adhésion aux principes de la Charte de l'ONU.**

1967 — **Mort à Neuilly de l'écrivain André Maurois.**

1963 — **Un barrage de 873 pieds de hauteur érigé sur la rivière Piave, près de Longarone, dans les Alpes italiennes, cède et l'accident fait plus de 500 morts. — Le gouvernement français annonce la mise au point du bombardier supersonique *Mirage IV*, capable de transporter des bombes atomiques.**

1961 — **Les Yankees de New York remportent la Série mondiale une 19e fois. — Le feu ravage l'Académie de Québec, mais on ne déplore heureusement aucune perte de vie.**

1959 — **Ouverture officielle de l'autoroute du Nord par le premier ministre Paul Sauvé.**

1950 — **Les troupes du général Douglas MacArthur traversent le 38e parallèle et atteignent la rivière Yala, en Corée du Nord.**

1949 — **À Annecy, en France, 33 pays, dont le Canada, préconise l'abolition des tarifs pour favoriser le libre-échange entre les pays.**

1946 — **Le vice-premier ministre Piettro Nenni est lapidé alors que 50 000 personnes prennent d'assaut le palais Viminal, au cours de graves émeutes à Rome.**

1941 — **Le premier cargo de construction canadienne est lancé à Montréal. On lui donne le nom de *Fort Ville-Marie*.**

1940 — **Au Canada, les personnes âgées de 16 ans et plus et en bonne santé physique sont tenues de suivre leur entraînement militaire. Quelque 30 000 partent ainsi pour les camps.**

1934 — **Le roi Alexandre 1er de Yougoslavie, le ministre Louis Barthou, des Affaires étrangères de France, et un général yougoslave tombent sous les balles d'assassins, à Marseille.**

1918 — **Prise de Cambrai.**

1913 — **Sacre de Mgr J.-L. Forbes, évêque de Joliette, par Mgr Bruchési, archevêque de Montréal.**

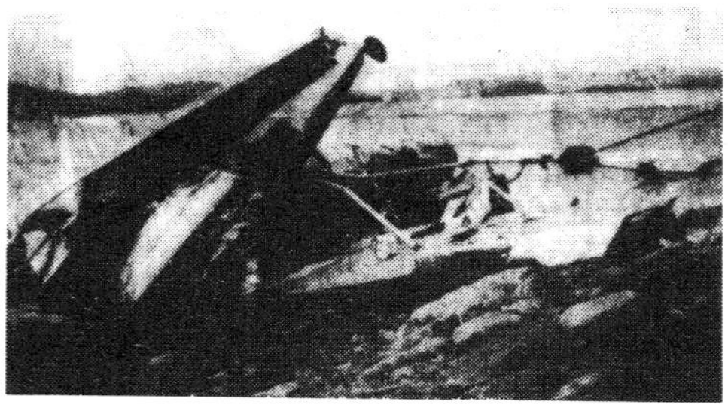

UN AMERRISSAGE MANQUÉ DE PEU

L'hydravion, fût-il descendu dans l'eau vingt pieds plus à droite, aurait été sauf.

SI le hasard avait voulu que l'avion «Norseman» piloté par Russell Holmes pût terminer son amérissage *(sic)* 20 pieds plus à droite qu'il ne l'a fait, on n'aurait pas à déplorer la mort des cinq personnes qui ont péri dimanche (**9 octobre 1949**) à Saint-Michel-des-Saints...

C'est ce que nous a permis de constater une visite que nous avons faite ce matin sur les lieux de l'accident, un point perdu des rives de l'immense lac Taureau, à quatre milles de l'habitation la plus proche, soit le camp de chasse de MM. Raymond Benoit, Léo Poirier et Albert Viens.

La nature des lourds dommages infligés à l'appareil, un gros monomoteur de transport reconnu pour sa robustesse, l'absence de toute trace d'incendie, et naturellement l'opinion des quelques rares personnes auxquelles on pourrait accorder le titre de «témoins», ne permettent que difficilement l'énoncé de toute autre hypothèse.

Nous avons dit plus haut: «Si le hasard...», car il existe au moins un fait incontestable, dès le début. C'est que l'avion a fait son malheureux amérissage au coeur de ce que les gens de la région ont représenté comme «la pire tempête de l'année, dans notre district».

Il semble non moins assuré que, dans de telles circonstances, Holmes a tenté un amérissage à un moment où les conditions de visibilité étaient absolument nulles. Une quelconque éclaircie dans la brume et dans le rideau de pluie «qui empêchait de voir à plus de cinq pieds devant soi» — cette dernière affirmation est également de nos témoins — a probablement permis d'entrevoir un instant le lac, immense nappe d'eau disposée en forme d'étoile sur une étendue de peut-être 20 milles par 20. Le pilote a donc effectué une approche normale, mais le rideau formé par les éléments déchaînés s'est refermé. Volant à l'aveugle, le gros hydravion a bien touché le lac, mais l'a fait tout près d'une rive parsemée de hauts promontoires dont l'un s'avançait directement dans sa trajectoire.

Ce fut donc le choc du flotteur de gauche de l'appareil sur l'extrémité de cette bande faite de roc solide, la perte du flotteur, le virage brusque de l'hydravion sur lui-même et l'écrasement de son moteur sur le roc, et enfin le capotage du «Norseman» privé de son flotteur.

20 pieds plus à droite, l'hydravion se serait trouvé dans un chemin large d'un demi-mille et long de deux milles ou plus. Si les conditions de visibilité avaient été normales, ou même seulement faibles, aucun pilote, et à plus forte raison aucun aviateur aussi expérimenté que Holmes, n'aurait pu être impliqué dans un accident de ce genre.

NDLR — Parmi les morts se trouvaient trois éminents médecins de Montréal, les docteurs René Dandurand, Azarie Cousineau et Emile Legrand.

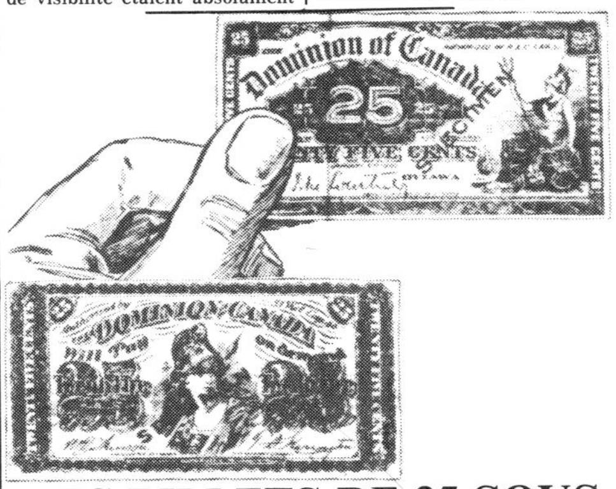

LES BILLETS DE 25 SOUS

Une anomalie que les banquiers et les financiers n'aiment guère

NOUS reproduisons ci-dessus le fac-similé du «shin plaster», ou billet de 25 centins, en papier monnaie, qui circule en ce moment au Canada. Comme on peut le voir le vrai dessin sur cette monnaie, comme oeuvre d'art, égale celui du billet de $1 du Dominion, aussi bien que les émissions semblables de plus haute dénomination. Pour des raisons qui ne sont pas généralement connues, le Département des Finances du Gouvernement, résolut d'émettre une seconde frappe de ces «shin plasters» pour l'année 1900. On ignore encore pourquoi et comment il en est arrivé à cette décision. Cependant, on en rencontre, de temps à autres, un ou deux en circulation. La seule différence qui existe entre les vieux et les nouveaux «billets de vingt-cinq sous», à part les dessins polychromes, est que les chiffres «25» dans les nouveaux ne paraissent qu'une fois pour exprimer la valeur, tandis que dans les anciens, ils paraissent deux fois. Le vieux billet porte deux signatures tandis que pour le nouveau, on a pensé qu'un paraphe était suffisant; il n'y a pas de contre-signature. Les banquiers croient que cette omission dans la nouvelle monnaie est une erreur grave, car elle simplifie l'ouvrage des faussaires.

Dans son enquête relativement aux nouveaux billets de 25 cents, le représentant de «La Presse» a eu l'occasion d'aller à la City and District Saving Bank, afin de se procurer un spécimen de la nouvelle émission. C'est là que le percepteur général tient son bureau pour la province de Québec. Lorsque le reporter lui demanda un spécimen du nouveau billet, le percepteur lui répondit qu'il y avait un si grand nombre de billets de la vieille émission dans le bureau que le gouvernement n'avait pas cru nécessaire de leur en envoyer de nouveaux. Ce n'est qu'après s'être adressé à toutes les banques de la ville que finalement il a pu en trouver un à la banque de Montréal.

Cette nouvelle fut publiée le ***9 octobre 1900.***

Cross pensait mourir

«Depuis le début jusqu'à la toute fin, j'ai cru que j'allais mourir » : vingt ans après, James Richard Cross se remémore son enlèvement et sa captivité aux mains du FLQ

« Le pire moment a été le soir de la mort de Laporte. Soudainement, on a aussi annoncé que j'étais mort. J'ai eu envie de prendre la télévision et de crier que ce n'était pas vrai, que j'étais encore là... »

Dans une entrevue réalisée par Claude Charron (**le 9 octobre 1990**), l'ex-diplomate britannique James Richard Cross relate cette expérience vieille de vingt ans, alors qu'il fut l'otage de la cellule Libération du Front de libération du Québec.

Mitraillettes en mains, les terroristes répondent au refus de Québec de se plier à leurs exigences

IL est 17 h. 50, samedi soir, **10 octobre 1970**, et le ministre de la Justice du Québec vient d'annoncer que «les autorités en place» ne peuvent se plier aux exigences des ravisseurs de James Richard Cross.

Le FLQ a fixé à 18 h. précises l'exécution du diplomate britannique, si on n'accède pas à ses conditions... les deux dernières.

On laisse la vie à M. Cross, mais à 18 h. 18, les terroristes donnent leur réponse.

C'est un coup de cymbales si violent que tout le monde en frémit à l'instant.

Pierre Laporte, le ministre du Travail et de l'Immigration, est enlevé devant sa demeure, au 725, rue Robitaille, à Saint-Lambert.

Ruée des forces de l'ordre, des media d'information et du simple public dans la paisible et bourgeoise rue.

La Sûreté du Québec prend immédiatement les rênes des mains de la police de Saint-Lambert.

Parents et amis affluent chez les Laporte.

Journalistes, reporters, photographes, caméramen et badauds couvrent le terrain de la résidence comme une nuée de sauterelles.

La Tour de Babel n'était qu'un cloître.

A la fin, on s'entend.

Pourvu que tout ce monde s'éloigne un peu, on admettra dans le domicile bourdonnant comme une ruche tragique un représentant des media, un seul... celui de LA PRESSE, délégué par ses collègues.

Il entre dans le vaste bungalow, dont la porte se refe·me comme sous l'effet d'un courant d'air.

C'est une atmosphère de salon funéraire.

Le journaliste est conduit au chargé de l'enquête, l'inspecteur Paul Benoit, un calme géant.

Les faits qu'on vient de glaner:

Pierre Laporte et son épouse s'apprêtaient à aller «souper en dehors».

M. Laporte sort le premier, descend au trottoir et son neveu, Claude, 17 ans, qui jouait dans la rue, lui lance un ballon de football. Attrape et relance.

Mais, une Chevrolet 68, bleu foncé, dans laquelle se trouvent quatre — peut-être cinq — hommes, est plantée au milieu de l'intersection des rues Robitaille et Tiffin.

Subitement, deux individus masqués, l'un armé d'une mitraillette, en descendent et en un tour de main forcent M. Laporte à monter dans l'auto, qui démarre en trombe vers l'est et le boulevard Taschereau.

Un voisin sidéré a cependant la présence d'esprit de noter l'immatriculation: 9J-2420.

«Mais ça n'a encore rien donné», note l'inspecteur Benoit, comme un basset patient.

Non, M. Laporte n'a jamais reçu de menaces de mort auparavant — sauf les «menaces d'usage», que connaît tout homme politique.

L'épouse et la mère de M. Laporte ont été témoins du drame, et toutes deux sont sous le coup d'un choc terrassant. (...)

Un des policiers qui mènent l'enquête devait confier à LA PRESSE, après qu'on eut complété l'interrogatoire des témoins, qu'on possédait un fort bon signalement de certains des ravisseurs.

Ceux-ci auraient même eu le culot, quelques minutes avant le rapt, d'arrêter à une station de service voisine pour demander où, au juste, se trouvait la résidence de M. Laporte. Un pompiste a été considérablement ébahi de voir certains des occupants de l'auto portant des mitraillettes en bandoulière, mais il lui a fallu trop de temps pour reprendre ses sens.

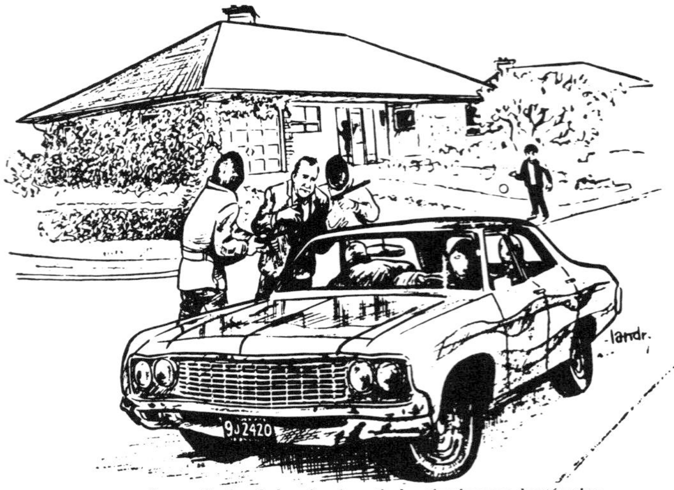

Reconstitution de la scène à partir des témoignages des témoins.

C'EST ARRIVÉ UN 10 OCTOBRE

1985 — Avec le décès de Yul Brynner, 65 ans, et d'Orson Welles, 70 ans, morts tous deux aujourd'hui à quelques heures d'intervalle, le monde du théâtre et du cinéma vient de perdre deux des personnalités les plus éminentes de son histoire.

1980 — Un tremblement de terre fait 20 000 morts et détruit la ville d'El Asnan, en Algérie.

1979 — Ennuyé par un mal de dos, l'ailier droit Yvan Cournoyer, du Canadien, annonce sa retraite.

1973 — Les Indiens du Québec portent plainte contre le premier ministre Robert Bourassa. — Un incendie fait trois morts et 10 blessés sur un chantier de la Quebec Cartier Mining, au mont Wright.

1967 — Premières élections depuis la guerre civile, en Espagne.

1963 — Le professeur américain Linus Pauling mérite le prix Nobel de la Paix, neuf ans après avoir mérité le prix Nobel de Chimie.

1963 — La police de Boston appréhende trois fugitifs du FLQ.

1962 — Une collision entre un *Viscount* d'Air Canada et un avion de chasse de l'ARC à Bagotville fait deux morts et cinq blessés.

1956 — Le Saint-Siège adoucit l'observance de quatre fêtes religieuses (Immaculée-Conception, Épiphanie, Ascension et Toussaint) pour les catholiques canadiens.

1911 — Assermentation du cabinet du gouvernement conservateur de R.L. Borden.

Nouvelle invention permettant la transmission radiophonique d'images et d'ombres mobiles

Cet appareil de télévision a été perfectionné par le Dr Frank Conrad. —L'émission d'un film cinématographe.

NDLR — Cette nouvelle a été publiée le ***10 octobre 1928.***

RÉCEMMENT, plusieurs personnalités du monde du radio se réunissaient aux usines de la Cie Westinghouse, à Pittsburgh, Pennsylvanie, pour assister à des démonstrations de la dernière invention en radiophonie, un appareil pouvant émettre des ondes et images vivantes. La télévision, depuis quelques mois, n'est plus un mystère. On a réussi à émettre les ondes et les images immobiles. La nouvelle invention permet la transmission d'un film tout comme un appareil cinématographique.

Les reproductions obtenues mesurent cinq pouces de hauteur par 8 pouces de largeur. C'est la première fois que les possibilités du cinéma radiophonique sont démontrées aussi clairement.

LE CINEMA A LA MAISON

M. Davis, qui était en charge de ces démonstrations, disait ceci au sujet de la nouvelle invention:

«Nous en sommes encore à l'état d'expérimentation, mais le jour n'est pas éloigné ou la plupart des demeures auront leur appareil de télévision, leur permettant d'avoir le cinéma à la maison. La découverte du Dr Frank Conrad, chef-ingénieur de la Cie Westinghouse, est appelée à jouer un rôle remarquable en radiophonie.»

Cette récente invention est un véritable triomphe scientifique. Les développements apportés à la télévision sont étonnants si l'on prend en considération le fait que l'idée a germé, il y a à peine 4 mois. (...)

LE PRINCIPE DE LA PHOTO-RADIOPHONIE

Le principe de la photo-radiophonie n'est pas incompréhensible aux profanes. Elle consiste à reproduire dans la même disposition des surfaces lumineuses ou ombrées telles qu'elles apparaissent sur le sujet photographié. La reproduction mouvante demande qu'un rouleau autour duquel a été enroulé un film soit opéré de façon à projeter au-devant d'un faisceau lumineux 16 images ou ombres à la seconde. A cause de sa structure, l'oeil humain, si une série d'images ou ombres se succèdent rapidement au taux de 16 ou plus par seconde, ne peut distinguer qu'une seule reproduction.

Pour le cinéma radiophonique, les surfaces lumineuses doivent être transformées en fréquences, dont quelques-unes sont même sonores, puis en une onde radiophonique pour être transmise sous forme d'énergie électrique. Pour la réception, le procédé est entièrement l'opposé, l'énergie électrique étant captée, les fréquences changées de nouveau en surfaces lumineuses ou ombrées et reproduites sous forme d'images ou d'ombres. (...)

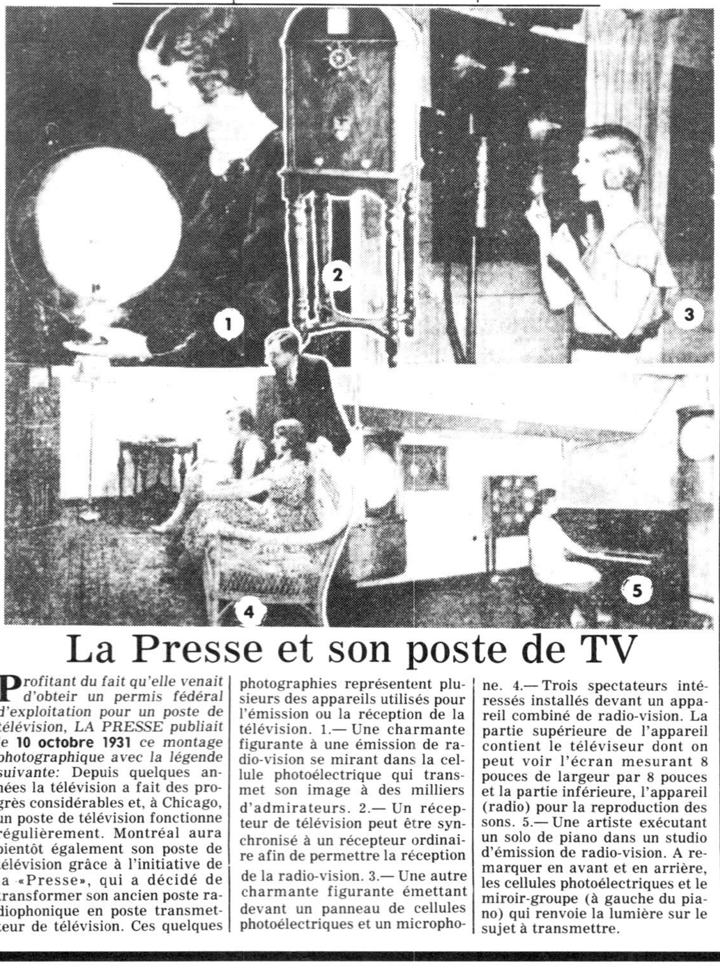

La Presse et son poste de TV

Profitant du fait qu'elle venait d'obtenir un permis fédéral d'exploitation pour un poste de télévision, LA PRESSE publiait le **10 octobre 1931** *ce montage photographique avec la légende suivante:* Depuis quelques années la télévision a fait des progrès considérables et, à Chicago, un poste de télévision fonctionne régulièrement. Montréal aura bientôt également son poste de télévision grâce à l'initiative de la «Presse», qui a décidé de transformer son ancien poste radiophonique en poste transmetteur de télévision. Ces quelques photographies représentent plusieurs des appareils utilisés pour l'émission ou la réception de la télévision. 1.— Une charmante figurante à une émission de radio-vision se mirant dans la cellule photoélectrique qui transmet son image à des milliers d'admirateurs. 2.— Un récepteur de télévision peut être synchronisé à un récepteur ordinaire afin de permettre la réception de la radio-vision. 3.— Une autre charmante figurante émettant devant un panneau de cellules photoélectriques et un microphone. 4.— Trois spectateurs intéressés installés devant un appareil combiné de radio-vision. La partie supérieure de l'appareil contient le téléviseur dont on peut voir l'écran mesurant 8 pouces de largeur par 8 pouces et la partie inférieure, l'appareil (radio) pour la reproduction des sons. 5.— Une artiste exécutant un solo de piano dans un studio d'émission de radio-vision. A remarquer en avant et en arrière, les cellules photoélectriques et le miroir-groupe (à gauche du piano) qui renvoie la lumière sur le sujet à transmettre.

Drapeau comprend ses raisons

Niding quitte la politique

DANS un geste surprise même pour ses plus proches collaborateurs, et dont on mesure mal encore l'impact qu'il pourrait avoir sur les chances électorales du maire Jean Drapeau et du Parti civique, le président du comité exécutif de la Ville de Montréal, M. Gérard Niding, a annoncé hier soir (**10 octobre 1978**) qu'il renonçait à se porter candidat à l'élection du 12 novembre.

M. Niding a également annoncé que le vice-président Yvon Lamarre occuperait le siège présidentiel jusqu'au 12 novembre.

La décision de M. Niding est d'autant plus surprenante qu'il était encore, hier matin, du groupe de candidats du Parti civique que le maire Drapeau présentait fièrement à la presse, en soulignant que son parti était le premier à offrir une équipe complète aux Montréalais en vue des élections.

M. Drapeau s'était d'ailleurs emporté durant cette conférence de presse après qu'un journaliste lui avait demandé de commenter les informations parues dans LA PRESSE de samedi et qui mettaient en cause directement le président du comité exécutif.

Selon ces informations, la firme d'ingénieurs-conseils Régis Trudeau et Associés (RTA) réclame environ $129,000 à M. Niding, à la suite de la construction par cette société d'une maison à Bromont pour le président du comité exécutif.

La maison a été construite en 1973, peu après l'octroi par la Ville de Montréal à RTA d'un contrat ayant trait aux installations olympiques.

De plus, le terrain sur lequel la maison a été construite avait été acheté de deux entreprises reliées au groupe Desourdy, lui aussi impliqué dans la construction des installations olympiques. Les plans avaient été préparés par une firme d'architectes ayant obtenu des contrats lors de la construction du centre Claude-Robillard.

Il y a quelques semaines, RTA a entrepris des démarches auprès de M. Niding pour se faire rembourser les $129,000 déboursés pour la construction de la maison. La société d'ingénieurs-conseils avait reçu des contrats totalisant $6,9 millions lors de la construction des installations olympiques. La firme avait en outre été recommandée par M. Niding à la Ville.

En mars 1975, interrogé par le conseiller Nick Auf Der Maur, alors du RCM, sur sa maison de Bromont, le président Niding avait nié être en conflit d'intérêt puisque la loi interdit à un membre du conseil de transiger avec la Ville, «mais pas avec des gens qui eux transigent avec la Ville», indiquant également que cette transaction était une «affaire personnelle».

Dans un communiqué qu'il a fait parvenir hier en soirée, M. Niding indique qu'il «croyait qu'un litige avec un tiers et de la nature d'une affaire personnelle puisse se régler avant les élections».

Grippe espagnole: 59 décès et 398 nouveaux cas

CINQUANTE-NEUF (59) personnes ont succombé à la terrible maladie, dans la journée d'hier (**10 octobre 1918**), et les nouveaux cas de grippe, rapportés au bureau municipal d'hygiène, pour ce même jour, s'élèvent à trois cents quatre-vingt-dix-huit (398). Ces chiffres sont officiels. (...)

BOYD TRIOMPHE DE L'ATLANTIQUE

Ayant vaincu l'Atlantique, depuis leur départ de Harbour Grace, Terre-Neuve, les aviateurs canadiens Boyd et Connor font descendre leur monoplan Bellanca nommé Columbia, sur la première pointe de terre qui s'offre à leurs yeux, une étroite plage des îles Scilly (le 10 octobre 1930).

Le pilote Erroll Boyd, surnommé Le Lindbergh du Canada, est le premier Canadien à survoler l'Atlantique Nord et le premier aviateur à franchir cet océan hors de la saison estivale.

Les Flames gâchent le début des Nordiques

QUÉBEC — Les Nordiques, à l'exception du deuxième vingt où ils ont semblé manquer d'ardeur, ont lutté avec beaucoup de vigueur, hier (**10 octobre 1979**), mais ce fut loin d'être suffisant puisque les Flames d'Atlanta, avec assez de facilité, devaient l'emporter 5-3, gâchant ainsi le premier pas des Québécois dans la ligue Nationale.

Daniel Bouchard a été solide devant les filets du Atlanta, repoussant de belles charges des Nordiques en début de match et répétant ses exploits en début de troisième période devant Réal Cloutier deux fois, Pierre Lacroix et Jamie Hislop. Cloutier devait cependant avoir le meilleur en marquant les trois buts des siens, les trois réussis en troisième période. (...)

Le Toronto offre $1,000,000 pour les services de Bobby Hull

L'ANNONCE (**le 10 octobre 1968**) de la retraite prématurée de Bobby Hull a eu l'effet d'une bombe dans les milieux du hockey. Il n'est pas exagéré de dire que pendant quelques heures, Hull a volé la vedette à la victoire des Tigers de Detroit dans la Série mondiale.

Comme il fallait s'y attendre, les Maple Leafs de Toronto ont rendu la politesse au Chicago, qui leur avait offert $1,000,000 pour les services de Frank Mahovlich, au début de la saison 1961-62.

Le président Stafford Smythe s'est dit prêt à débourser un million de dollars pour obtenir les services de Hull, qui a annoncé sa retraite à l'âge de 29 ans. (...)

Hull a pris cette décision surprenante parce que les Black Hawks ont refusé de lui verser un salaire annuel de $100,000. Les négociations entre Hull et le gérant général Tommy Ivan avaient été entreprises au début de septembre.

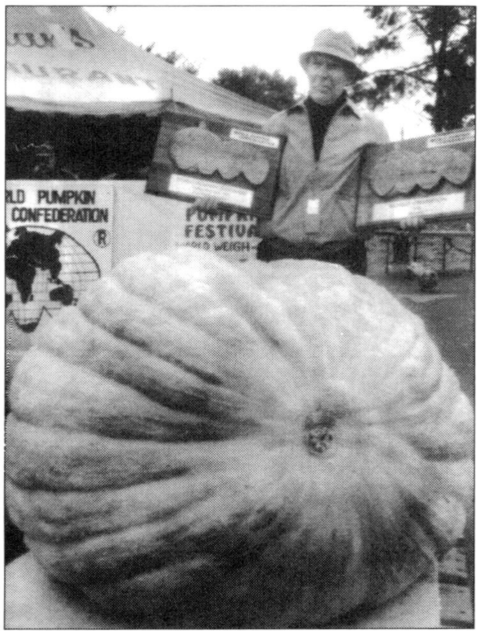

Gordon Thomson, de Hemmingford, Québec, a battu le record de la plus grosse citrouille avec une courge de 3m85 de circonférence et pesant pas moins de 342 kilos.

La plus grosse citrouille au monde est québécoise

La plus grosse citrouille du monde est québécoise

Le « monstre » de 342 kg a été engraissé au pur fumier Holstein à Hemmingford. Les producteurs mondiaux du cucurbita pepo viennent de couronner un nouveau champion.

Il s'agit de Gordon Thomson, de Hemmingford, Québec, qui a battu de 38 kg le record international précédent lors de la septième pesée mondiale de la citrouille, qui se déroulait à Collins, dans l'État de New York. La monstrueuse courge de 3m85 de circonférence produite par Thomson pesait le poids incroyable de 342 kilos. Le record précédent avait été établi en 1986 par Bob Gancarz, de Wrightstown, New Jersey, avec 304 kilos.

M. Thomson a tenu à préciser que sa citrouille avait été engraissée « à l'aide d'un fumier Holstein de toute première qualité ». **(Texte publié le 11 octobre 1989.)**

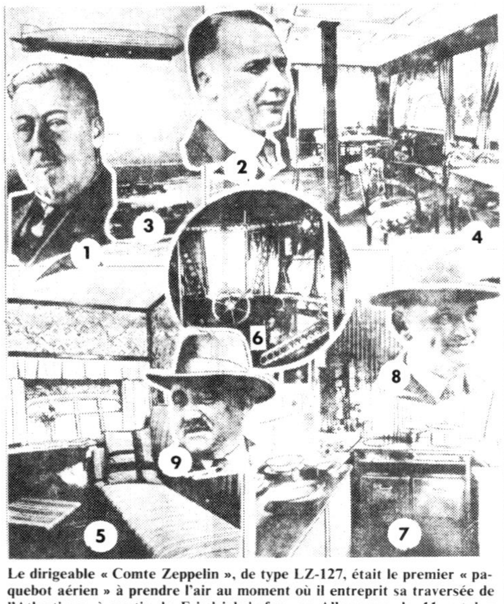

Le dirigeable « Comte Zeppelin », de type LZ-127, était le premier « paquebot aérien » à prendre l'air au moment où il entreprit sa traversée de l'Atlantique, à partir de Friedrichshafen, en Allemagne, le *11 octobre 1928*. Ce montage de photos vous montre quelques facettes de l'intérieur de la cabine, ainsi que les personnages suivants: (1) le Dr Hugo Heckener, architecte et constructeur du dirigeable; (2) le capitaine H. Lehman; (8) Albert Grzesinski, ministre de l'intérieur de la Prusse; (9) le commissaire Branddeburg, du bureau allemand du trafic aérien.

SARAH FAIT VOIR L'ÂME FRANÇAISE

SARAH Bernhardt a donné, hier soir **(11 octobre 1916)**, la première représentation de sa dernière tournée en Amérique.

La grande tragédienne et sa troupe ont interprété deux pièces en un acte. «La mort de Cléopâtre», par Maurice Bernhardt et Henri Cain, et «Du théâtre au champ d'honneur», par un officier français au front.

Disons sans détour que la première de ces oeuvres a laissé le public absolument froid. La célèbre artiste a certes déployé toutes les ressources de son immense talent, de son art prestigieux, mais elle n'a pu empoigner le public, le faire vibrer. La chose peut s'expliquer par le fait que la pièce étant plutôt courte, le public n'est pas préparé graduellement comme dans un drame plus étendu, à subir les émotions que provoquent les événements successifs, émotions qui vont toujours en s'accentuant jusqu'à la scène finale.

Ici, dans «La mort de Cléopâtre», nous avons la scène finale en commençant, et le public, qui n'est pas encore échauffé, ne se laisse pas captiver, n'éprouve aucune émotion. Peut-être, aux jours tragiques que nous traversons, faut-il autre chose que l'évocation des amours et des malheurs d'une ancienne reine d'Egypte pour nous émouvoir.

Constatons aussi en toute franchise que la voix d'or de jadis de la grande artiste, cette voix qui a charmé les peuples des deux continents, a perdu de sa fraîcheur et est un peu gâtée par un étrange accent.

Certes le public a poliment applaudi la célèbre artiste à la fin de la première pièce, le rideau a dû être relevé une couple de fois et l'interprète de Cléopâtre a même reçu une gerbe de fleurs, mais c'était évidemment là un succès d'estime. (...)

C'EST ARRIVÉ UN 11 OCTOBRE

1980 — Les cosmonautes Leonid Popov et Valery Rioumin reviennent sur terre après 185 jours dans l'espace à bord de *Salyout VI*.

1979 — Le transport en commun est paralysé pour une 5e fois en 12 ans à Montréal.

1976 — On annonce l'arrestation de cinq dirigeants de l'aile radicale du gouvernement chinois, notamment la veuve de Mao Tsé-toung.

1971 — Le premier ministre Trudeau préside l'ouverture de la 2e assemblée générale de l'Agence de coopération culturelle et technique des pays francophones.

1969 — L'administration Drapeau-Saulnier fait effectuer des perquisitions aux locaux de la Compagnie des jeunes canadiens.

1968 — Ouverture du congrès de fondation du Parti québécois. — Le vaisseau spatial *Apollo VII* est lancé avec succès de Cap Kennedy, avec trois hommes à bord.

1962 — Le pape Jean XXIII procède à l'inauguration officielle du 21e concile oecuménique connu sous le nom de Vatican II.

1961 — Les Nations Unies adoptent par 67 voix contre une une motion de censure contre l'Afrique du Sud pour sa politique d'apartheid. Le Canada et 19 autres pays s'abstiennent.

1954 — Publication par Pie XII de l'encyclique *Ar Coeli Reginam* sur la proclamation de la fête liturgique de la royauté de Marie.

1948 — Ouverture à Londres de la conférence des premiers ministres du Commonwealth; en raison d'une indisposition, le premier ministre Mackenzie King doit se faire remplacer par le haut commissaire du Canada et, plus tard, le ministre de la Justice, Louis Saint-Laurent.

1947 — Par permission spéciale, les Ursulines du couvent de Trois-Rivières le quittent pour assister à une grand-messe célébrée en l'honneur du 250e anniversaire de fondation de leur établissement.

1946 — Le tribunal communiste de Zagreb condamne Mgr Stepinac, chef de l'Église catholique de Yougoslavie, à 16 ans de travaux forcés pour « collaboration avec l'ennemi ».

1939 — Quelque 158 000 soldats anglais débarquent en France.

1920 — La Pologne conclut un armistice avec l'Union soviétique.

1913 — Le *Volturno* coule dans l'Atlantique, et 135 personnes perdent la vie.

1907 — Arrivée à Montréal de la grande cantatrice Emma Calvé.

1905 — Une conflagration détruit un quartier de Chicoutimi.

Fin du KGB

Le Comité pour la sécurité d'État, le célèbre et redouté « KGB », pilier du système soviétique depuis 74 ans, a été dissous par le Conseil d'État et sera remplacé par des services de renseignements indépendants. La dissolution du KGB entérine la réorganisation du Comité pour la sécurité d'État, dont le sort était en suspens depuis l'échec du coup d'État du mois d'août dernier, dans lequel était impliqué le chef du KGB Vladimir Krioutchkov actuellement en prison.

Les divers services du KGB, seront redistribués en trois organismes indépendants - espionnage à l'étranger, contre-espionnage «interrépublicain» et surveillance des frontières. **(Texte publié le 11 octobre 1991.)**

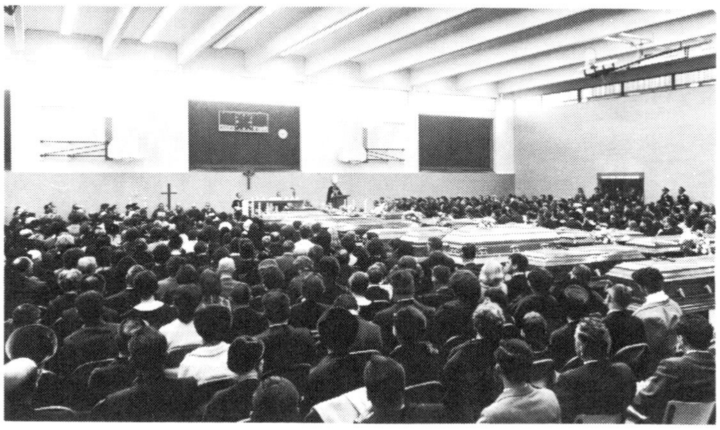

Flanqués des parents et amis des 19 victimes, les cercueils sont alignés dans le gymnase de la Cité des Jeunes de Vaudreuil, pour l'émouvante messe de Requiem célébré par Mgr Percival Caza.

19 corbillards, 22 landaus de fleurs et des centaines d'automobiles

UN long cortège formé de 19 corbillards, de 22 landaus de fleurs et de centaines d'automobiles s'est mis en route, hier après-midi **(11 octobre 1966)**, de la Cité des Jeunes, à Vaudreuil, où venaient d'avoir lieu les funérailles des 19 jeunes gens tués vendredi soir dans la tragédie de Dorion.

Le triste défilé, en cours de route, s'est réparti selon les cimetières paroissiaux où allaient être déposés les restes de chacun d'eux.

Sept ou huit corbillards et leurs suites ont précisément emprunté la même artère et se sont engagés dans le passage à niveau de la rue Saint-Charles où, quatre jours plus tôt, les victimes avaient trouvé la mort.

L'un d'eux a dû s'arrêter lorsque les barrières se sont abaissés pour laisser passer un convoi. Tout comme vendredi soir, ce train à peine passé, un autre est immédiatement apparu, roulant en sens contraire. Les barrières ne se sont relevées que lorsque la voie fut libérée.

Une foule évaluée à environ 2,500 personnes se sont rendues, malgré la pluie et la boue, à la Cité des jeunes pour assister aux obsèques qui avaient lieu dans le gymnase de l'institution. Il n'y avait pas de place pour tout ce monde et une bonne moitié des gens ont dû rester dehors, sous la pluie, pendant qu'à l'intérieur était chanté le service funèbre. (...)

Plusieurs éminents personnages religieux et civils étaient présents aux funérailles, dont S. Em. le cardinal Léger, archevêque de Montréal, de même que les curés ou vicaires de la plupart des paroisses environnantes.

Il y avait également les maires des municipalités de la région, dont MM. Jean Drapeau, de Montréal, Jean-Charles Vallée, de Dorion, et Gilles Brouillard, de Vaudreuil.

Le premier ministre du Québec, M. Daniel Johnson, était représenté par M. Marcel Masse, ministre d'Etat à l'Education, et le premier ministre du Canada, M. Lester B. Pearson, par M. Léo Cadieux, ministre associé à la Défense. (...)

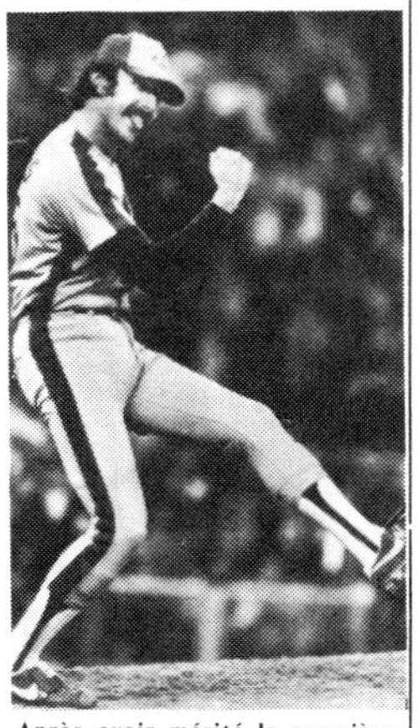

Après avoir mérité la première place à l'issue de la deuxième moitié de la saison 1981 marquée par une grève des joueurs, les Expos remportaient le championnat de leur division le *11 octobre 1981* à Philadelphie, dans le troisième et décisif match. Steve Rogers fut l'étoile indiscutable de cette importante victoire en blanchissant les Phillies, 3 à 0, et en faisant marquer deux points avec son coup de bâton.

Edith Piaf est morte

PARIS

La «môme» Piaf n'est plus.

Edith Piaf, qui avait commencé à chanter dans les rues, avant de devenir, à force d'énergie et de talent, une des plus populaires vedettes mondiales de la chanson, est décédée ce matin **(11 octobre 1963)** à son domicile parisien à l'âge de 47 ans. Elle aurait eu 48 ans dans quelques semaines.

Aimant passionnément son métier, elle avait continué à donner des récitals malgré la maladie, ayant dû, au cours des dernières années, subir cinq interventions chirurgicales.

En août dernier, elle avait dû annuler une tournée de deux mois aux Etats-Unis, en raison de sa santé déclinante. Elle avait épousé, en octobre 1962, sa dernière découverte, le chanteur Théo Sarapo.

L'an dernier, après s'être écroulée sur la scène, elle avait déclaré à ses médecins qu'elle mourrait si elle cessait de chanter. Mais les médecins lui avaient rétorqué qu'elle mourrait plutôt si elle continuait à chanter. (...)

Les Québécois disent non à l'école laïque

Au moment où la Commission des états généraux sur l'éducation propose de laïciser l'école, un sondage SOM-La Presse-Télé-Québec vient jeter un pavé dans la mare. En effet, seulement 19 % des Québécois interrogés souhaitent que la religion sorte de l'école.

Le sondage a été réalisé entre les 4 et 8 octobre auprès de 1000 répondants. À la question « Doit-on sortir complètement la religion des écoles québécoises ? », 74 % des personnes répondent non et 19 % oui. Sept pour cent des gens n'ont pas répondu. La marge d'erreur est de 3,67 points de pourcentage, 19 fois sur 20.

Les Montréalais, d'autre part, sont beaucoup plus favorables à la laïcisation. En effet, 26 % des répondants de ce groupe souhaitent que la religion ne soit plus présente à l'école, comparé à 22 % pour la ville de Québec et 11 % ailleurs en province. **(Texte publié le 11 octobre 1996.)**

Les travaux de réfection du canal de Lachine commencent enfin

Annoncés en grande pompe en avril 1997, les travaux de réfection du canal de Lachine n'ont finalement commencé qu'à la mi-septembre de cette année. Le projet, dont la réalisation devrait se terminer au cours de l'été 2002, devrait entraîner des investissements privés d'au moins 200 millions, soutient le directeur adjoint du projet pour Parcs Canada, Claude Picher. Certains projets immobiliers le long du canal ont déjà pignon sur rue.

La reconstruction de trois écluses, la consolidation de certains murs du canal et certains travaux d'infrastructure aux ponts coûteront 33 millions au Trésor fédéral. Pour sa part, la Ville de Montréal prévoit investir 44 millions pour des travaux dans les environs immédiats du canal. Et on est toujours à la recherche de partenaires privés pour dégager d'anciens bassins et en faire des grands étangs, un projet évalué à cinq millions.

Depuis quelques semaines, on a commencé le creusage du canal de l'écluse de la 5e Avenue, à Lachine, mais on fera relâche durant l'hiver. Une deuxième écluse sera aussi en réfection d'ici peu et dans les deux cas, les travaux devraient être terminés l'été prochain. Une autre écluse sera aussi reconstruite et plusieurs ponts seront haussés de façon à laisser un passage de 2,44 mètres. La plupart des bateaux de plaisance, motorisés ou non, pourront ainsi emprunter la voie d'eau, notamment les voiliers dématés. Seuls les pédalos seront interdits de passage.

Lorsqu'il sera ouvert, il faudra un peu plus de trois heures pour franchir les cinq écluses et les 14 kilomètres du canal. La dénivellation totale est de 14 mètres entre le port et le lac Saint-Louis.

Construit pour contourner les rapides de Lachine, le canal a ouvert ses écluses en 1825 pour devenir une des voies navigables les plus importantes dans le nord du continent. À la fin des années 30, on y comptait 14 000 bateaux par année, durant les huit à neuf mois de navigation. Mais l'ouverture de la Voie maritime du Saint-Laurent devait sonner le glas du canal et de toute l'infrastructure industrielle qui l'entourait. La navigation y a cessé définitivement en 1970. **(Texte publié le 11 octobre 1998.)**

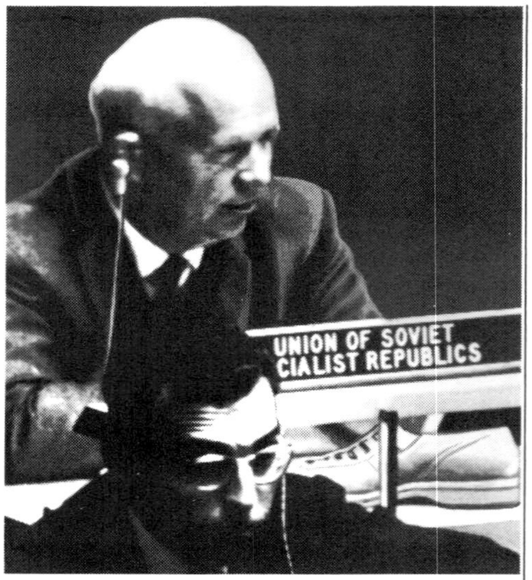

Habitués à beaucoup de décorum inhérent aux milieux diplomatiques, les membres des Nations Unies furent abasourdis, le *12 octobre 1960*, de voir Nikita Khrouchtchev enlever un de ses souliers et ensuite en frapper son pupitre. Cet incident est survenu pendant le discours du délégué philippin, au cours d'un débat sur le colonialisme.

INAUGURATION RELIGIEUSE ET CIVILE DES TRAVAUX DE LA BEAUHARNOIS ELECTRIC CO.

(De l'envoyé spécial de la «Presse»)

VALLEYFIELD — Malgré la pluie qui est tombée toute l'après-midi samedi **(12 octobre 1929)**, un grand nombre de personnes se rendirent à Valleyfield et Beauharnois pour assister à la bénédiction des travaux de la Beauharnois Light, Heat and Power Company. Cette bénédiction fut donnée par Son Excellence Mgr Andrea Cassulo, délégué apostolique au Canada, qui officiait à la cérémonie en plein air. La cérémonie civile eut lieu à Beauharnois à quatre heures de l'après-midi et c'est Son Excellence Lord Willingdon, gouverneur général du Canada, qui présida et qui fit partir la première charge de dynamite placée à l'entrée du futur canal.

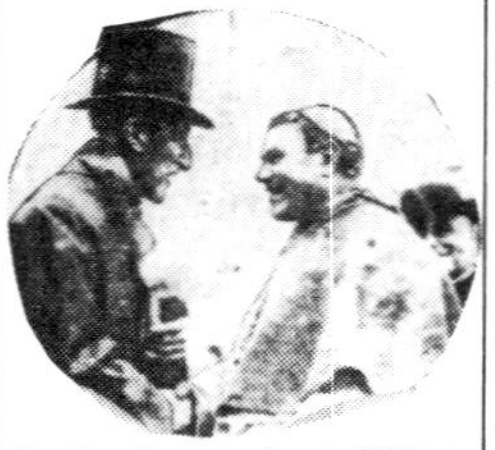

Son Excellence le vicomte Willingdon, serrant la main au délégué apostolique, Mgr Andrea Cassulo.

Le capital et le travail

A Valleyfield, sur la route Larocque, près de l'endroit où deux énormes grues de construction sont installées, Son Excellence le délégué apostolique bénit les travaux et fit ensuite un bref discours. Mgr Cassulo demanda à Lord Willingdon de faire savoir au roi combien ses sujets catholiques du Canada souhaitent son prompt rétablissement. Mgr ajouta qu'il était extrêmement heureux de bénir les travaux de la Beauharnois Electric car il a toujours constaté jusqu'à quel point l'harmonie existait entre le capital et le travail au Canada. (...)

La partie musicale pour la circonstance a été remplie par l'Harmonie Bellerive de Valleyfield, sous la direction de M. Paul Dumouchel.

Les quelque cinq cents voitures qui avaient transporté la foule sur le terrain reprirent le chemin de Valleyfield et continuèrent jusqu'à Beauharnois où eut lieu la cérémonie civile. (...)

La guillotine pour Violette Nozières

(Service de l'«United Press» spécial à la «Presse»)

PARIS — Violette Nozières, la jeune fille de 18 ans accusée d'avoir assassiné son père et d'avoir tenté de tuer sa mère du même coup, a été condamnée hier **(12 octobre 1934)** à la guillotine, à la fin de l'un des plus sensationnels procès jamais inscrits en Cour Criminelle de la Seine. On se souvient que cette affaire avait passionné l'opinion du monde entier dès la découverte de la victime et les circonstances du crime avaient soulevé l'indignation générale.

L'attitude cynique de Violette Nozières, attitude insultante pour la mémoire du défunt, le rôle dramatique de la mère qui, à peine rétablie de l'attentat, vint réclamer justice pour la mort de son mari et dénoncer sa propre fille, les révélations sur la vie de désordre de la jeune fille, tout fit de cette affaire un roman palpitant digne de la plume d'un écrivain habile dans le genre sordide.

Comme aucune femme n'a été guillotinée en France depuis quarante ans, on croit que Violette Nozières profitera de cette coutume et sera condamnée à l'emprisonnement pour la vie. Elle est mineure cependant et avant d'être incarcérée dans un pénitencier, elle passera jusqu'à sa majorité près de deux ans dans une maison de détention pour les jeunes délinquantes. (...)

Notre premier emprunt de guerre: $200,000,000

(Du correspondant de la PRESSE)

OTTAWA. — Le ministre des finances, l'hon. J.L. Ralston, a annoncé, hier soir **(12 octobre 1939)**, son premier emprunt de guerre, au montant de $200,000,000. Comme on l'avait laissé entendre dans le discours du budget présenté à la Chambre des communes par l'hon. J.L. Isley, ministre du revenu national pendant la session spéciale de guerre, le gouvernement canadien a décidé de faire tout d'abord un emprunt à court terme. Il évite ainsi de s'adresser au public avant que les dépenses de guerre et les achats des autres gouvernements du Canada n'aient commencé de stimuler la production et d'accroître le volume des épargnes canadiennes.

Le premier emprunt de guerre de l'hon. J.L. Ralston prend donc la forme d'une émission de $200,000,000 en billets de deux ans, 2 pour cent, vendus au pair aux banques à charte du Canada. Les billets seront datés et commenceront à porter intérêt à partir du 16 octobre 1939. La date d'échéance est fixée au 16 octobre 1941. Ils pourront être remboursés en tout ou en partie, au pair, au choix du gouvernement, le ou après le 16 octobre 1940, sur un avis de 30 jours. L'intérêt et le principal seront payables en monnaie canadienne légale.

On remboursera les emprunts

La plus grande partie des revenus de l'emprunt sera employée à des fins de remboursement. Dans un avenir prochain, trois emprunts domestiques écherront et devront être payés au Canada: emprunt de remboursement, 2½%, 15 octobre 1939, $5,242,500; emprunt de remboursement, 4%, 15 octobre 1939, $17,168,000; emprunt de 1935, 2%, 15 novembre 1939, $4,654,000; soit un total de $28,054,500. (...)

Le funiculaire de Québec s'écrase : 16 touristes blessés

Une cabine du funiculaire du Vieux-Québec s'est écrasée contre son socle, en fin d'après-midi (**le 12 octobre 1996**), et 16 passagers, tous des touristes, ont été blessés, dont plusieurs grièvement.

Les personnes blessées, 12 femmes et quatre hommes, ont entre 30 et 72 ans. La plupart sont des touristes américains. Il y a un Britannique et un visiteur de Saint-Pierre et Miquelon.

Les blessés ont été évacués rapidement vers trois hôpitaux. Cinq ont été transportés au Centre de traumatologie de l'Enfant-Jésus, souffrant de fractures multiples et de coupures.

Pour une raison que les responsables du funiculaire disaient encore ignorer en fin de soirée, le câble d'acier s'est rompu à 15 h 50. Comble de malheur, le frein d'urgence, qui doit normalement stopper la cabine en cas d'urgence, n'a pas fonctionné.

Une des cabines a alors dévalé les dix derniers mètres à pleine vitesse. « Le vacarme a été épouvantable », a affirmé Marcel Auclair, un résidant de la rue du Petit-Champlain.

Le directeur de la succursale d'Otis Canada, à Québec, l'entreprise chargée de l'entretien du funiculaire, a été avare de commentaires. « Nous sommes présentement en train de coopérer avec les autorités locales, a déclaré André Morin. Nous allons mener notre propre enquête. Nous ne voulons pas conjecturer pour l'instant sur les causes de l'incident. » La cabine n'était pas surchargée. Seize passagers étaient à bord alors qu'elle peut en accueillir 19 ou 20.

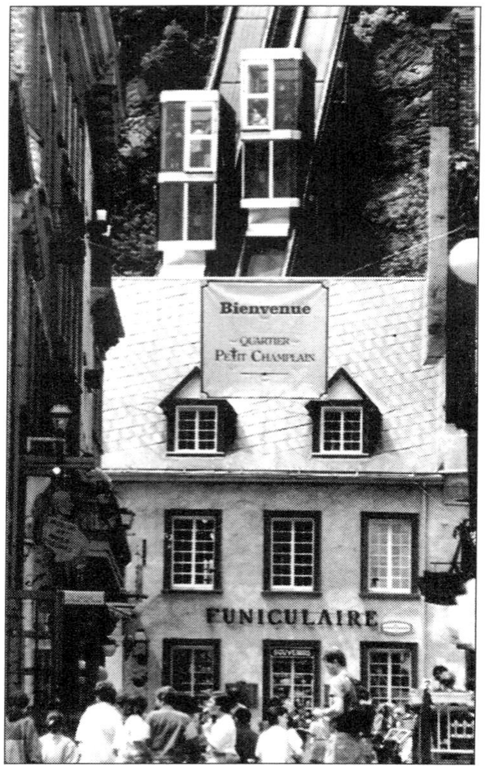

Seize personnes ont été blessées, hier, lors de l'écrasement d'une cabine du funiculaire du Vieux-Québec.

C'EST ARRIVÉ UN 12 OCTOBRE

1983 — Kakuei Tanaka, ex-premier ministre du Japon, est condamné à quatre ans de prison pour son rôle dans « l'affaire Lockheed ».

1978 — Décès à l'âge de 77 ans du poète québécois Alfred Desrochers, père de Clémence, chansonnier, et de Jeanne, journaliste à LA PRESSE.

1976 — La Cour d'Appel des États-Unis maintient les peines de prison imposées à quatre des principaux participants au scandale du Watergate.

1974 — Le gouvernement mexicain confirme la découverte de vastes gisements de pétrole dans le sud-est du Mexique.

1972 — Arrestation de plus d'une centaine de personnes soupçonnées de trafic de drogue à Vancouver, Victoria, Toronto, Moncton et Hull, après une enquête de six mois de la GRC.

1970 — Des troupes de combat quittent Petawawa pour Ottawa, afin d'assurer la protection des députés fédéraux et des diplomates.

1969 — Les Soviétiques lancent un deuxième vaisseau spatial en deux jours, le *Soyouz VII*.

1968 — Ouverture des Jeux olympiques de Mexico.

1965 — Ouverture du procès de Darabaner, accusé de faillites frauduleuses.

1963 — L'annonce du décès du poète académicien Jean Cocteau a provoqué dans le monde des arts et des lettres une profonde émotion.

1953 — Dévoilement du monument érigé en l'honneur de Sir Wilfrid Laurier, au square Dominion de Montréal.

1949 — L'abolition des appels judiciaires au Conseil privé de Londres a reçu l'approbation de la Chambre des communes. Le projet de loi faisant de la Cour suprême du Canada le tribunal de dernière instance a reçu sa troisième et dernière lecture, aux Communes, sans aucune modification.

1945 — Le fédéral annonce un dégrèvement d'impôt de 16 p. cent.

1938 — Près de 50 000 soldats nippons sont débarqués au sud de la Chine et l'avance commence.

1917 — Borden forme un cabinet de coalition à Ottawa afin de rallier les députés libéraux favorables à sa politique de conscription.

1915 — Henri Fabre, le célèbre entomologiste, meurt à quatre-vingt-douze ans.

1907 — La rencontre d'athlétisme pour jeunes enfants de Montréal connaît un éclatant succès.

1904 — Clôture spectaculaire du triduum en l'honneur de Notre-Dame du Saint-Rosaire, au Cap-de-la-Madeleine.

Mme Thatcher et son cabinet échappent à un attentat

Le premier ministre britannique Margaret Thatcher et l'ensemble de son cabinet ont miraculeusement échappé, aux première heures de la journée (**le 12 octobre 1984**), à l'attentat à la bombe de l'IRA qui a fait au moins deux morts, deux disparus présumés morts et 34 blessés au Grand Hôtel de Brighton (75km au sud de Londres) où était réuni le congrès du Parti conservateur.

Le Viagra conduit au prix Nobel

Trois Américains, Robert Furchgott, Louis Ignarro et Ferid Murad, ont reçu le prix Nobel de médecine pour avoir établi l'importance du monoxyde d'azote (NO) dans la dilatation des vaisseaux sanguins, des travaux ayant conduit indirectement à la mise au point du Viagra.

« Le Viagra prolonge l'effet du NO et favorise ainsi l'érection », a indiqué pour sa part l'Institut français de la santé et de la recherche médicale (INSERM), à Paris, en ajoutant qu'Ignarro « avait travaillé sur les mécanismes de l'érection ». (**Texte publié le 12 octobre 1998.**)

Gagnon ferme

Deux ans après Shefferville, la ville minière nordique de Gagnon mourra à son tour. La date fatidique de fermeture a été fixée au 30 juin 1985.

Dès la fin de 1984, les opérations minières cesseront à Gagnon, qui est la propriété de Sidbec-Normines. (**Texte publié le 12 octobre 1984.**)

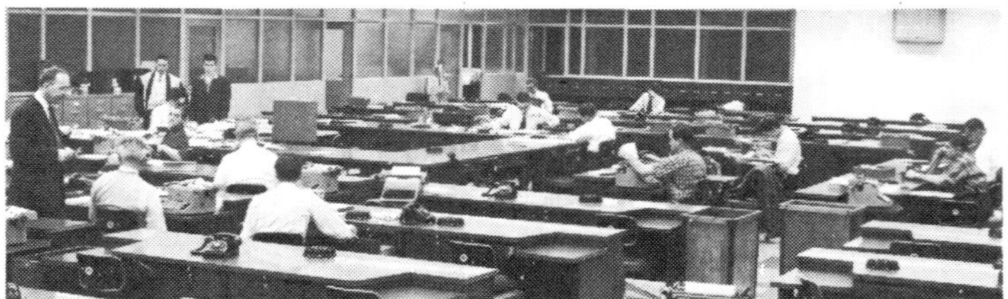

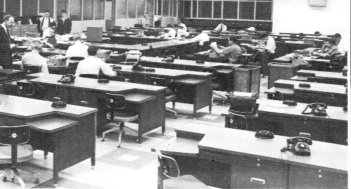

La rédaction de LA PRESSE abandonnait ses locaux vétustes de l'édifice de la rue Saint-Jacques pour emménager, le *12 octobre 1959*, dans les locaux modernes au troisième étage du nouvel édifice de la rue Craig (aujourd'hui Saint-Antoine). Il est à souligner que le grand déménagement s'est effectué au cours de l'année du 75e anniversaire du journal.

Un ralliement sensationnel de 10 points à la 7e manche permet au Philadelphie de gagner la quatrième rencontre de la série

PHILADELPHIE — Avec un score de 8 à 0 en faveur des Cubs de Chicago à la 7e manche de la partie de samedi après-midi **(12 octobre 1929)**, l'Athlétique de Philadelphie a exécuté le ralliement le plus sensationnel jamais vu dans une joute de série mondiale pour compter dix points et changer une défaite qui paraissait certaine en une éclatante victoire de 10 à 8.

Ce nouvel exploit des champions de la Ligue Américaine leur a non seulement permis de vaincre leurs redoutables adversaires mais les a pratiquement assurés du championnat du monde, car il ne leur faut plus qu'un seul autre triomphe pour remporter les honneurs de la présente série. A moins d'un miracle, le Philadelphie peut donc être considéré dès maintenant comme champion pour 1929. (...)

Jamais dans l'histoire du baseball pareil ralliement n'avait été accompli dans une rencontre de série mondiale et jamais Philadelphie n'avait été témoin d'une pareille scène d'enthousiasme. Encore aujourd'hui, le sujet de toutes les conversations est la mémorable victoire des hommes du gérant Connie Mack.

En accomplissant leur gigantesque exploit, les champions de la Ligue Américaine ont battu le record des Giants de New York, qui avaient scoré huit points contre les Yankees en 1921, à la septième manche pour remporter la victoire par 13 à 5.

Restriction des prix et revenus

Une période d'austérité

de notre bureau d'Ottawa

OTTAWA — Brandissant la menace de contrôles absolus des prix et des salaires, si son appel n'est pas suivi, le Premier ministre Trudeau a supplié hier **(13 octobre 1975)** tous les Canadiens de pratiquer de façon concrète la modération, afin de mater l'inflation.

Sur le plan pratique, M. Trudeau a annoncé la mise sur pied d'un Bureau d'examen et de contrôle des prix et des salaires, qui aura le pouvoir d'ordonner le retrait d'une augmentation de prix ou la réduction d'une majoration de salaires. En cas de contravention à la loi, l'Administrateur de ce bureau aura le pouvoir d'imposer des sanctions rigoureuses, selon les mots mêmes du Premier ministre.

Il faudra attendre le dépôt de la loi créant ce Bureau pour connaître de façon exacte l'étendue des pouvoirs exceptionnels qu'entend exercer Ottawa. Cette loi sera déposée aujourd'hui.

Le Premier ministre, dans une allocution télévisée hier soir, a cependant révélé les grandes lignes des directives qui s'appliquent aussi bien au gouvernement fédéral lui-même qu'aux 1,500 principales entreprises du pays.

En gros, ces directives se résument comme suit:

- augmentation maximale des salaires fixées à 10 pour cent (8 pour cent pour annuler l'inflation et 2 pour cent de gain réel);
- maintien des prix à leur niveau actuel, selon les hausses du prix de revient étant autorisées à être traduites dans le prix de détail;
- augmentation maximale des salaires et traitement fixée à $24,00 par année.

De façon générale, ces directives s'adressent à tous les citoyens, mais le Premier ministre a précisé qu'elles avaient force de loi pour les groupes suivants de contribuables:

- tous les employés fédéraux, qu'il s'agisse de ministères ou organismes de la Couronne;
- tous les employés d'entreprises de plus de 500 employés, ainsi que ces entreprises ellesmêmes;
- toutes les firmes de l'industrie du bâtiment ayant plus de 30 employés, ainsi que ces employés;
- tous les professionnels qui reçoivent des honoraires, comme les médecins, les avocats, les comptables ou les ingénieurs.

M. Trudeau a cependant toléré deux exceptions; d'une part, les employés dont le salaire justifie le rattrapage pourront dépasser de deux pour cent la limite permise; et d'autre part la limite minimum acceptable d'augmentation est fixée à $600 par année.

Dans le cas des prix, M. Trudeau ne fixe aucun plafond aux augmentations; la seule limite imposée est celle du coût de revient, mais il ne précise pas quelle méthode de calcul du coût de revient est préconisée par le gouvernement.

Le texte de l'allocution de M. Trudeau ne précise pas si le gouvernement fédéral appliquera lui-même ses directives dans les domaines de juridiction provinciale. Il contient par contre une requête aux provinces, incitant ces dernières à endosser ces mesures et à convaincre ou forcer les municipalités à faire de même.

Malaise psychologique

M. Trudeau a maintenu sa thèse habituelle voulant que l'inflation soit causée par un dérèglement collectif. «La cause fondamentale de l'inflation, dit-il, c'est qu'un trop grand nombre de gens et de groupements essaient d'accroître leurs revenus à des taux supérieurs à celui de l'augmentation de la richesse nationale». (...)

Le Rocket abandonne son poste à Québec

QUELQUES heures avant le premier match des Nordiques, à Québec, vendredi soir dernier **(13 octobre 1972)**, Maurice Richard avait remis sa démission au directeur-gérant des Nordiques, M. Marius Fortier.

Richard n'a pas été long à réaliser qu'il ne pouvait tenir le coup. Nerveux, tendu, le Rocket n'a pas hésité à poser le geste qui s'imposait.

La direction des Nordiques a demandé à Richard de ne pas vendre la mèche avant la fin de semaine prochaine, où une réunion entre Fortier et Richard doit avoir lieu.

Mais la décision de Richard doit être irrévocable puisque la direction des Nordiques a offert le poste d'instructeur à Maurice Filion, le dépisteur en chef de l'équipe.

«Je ne peux rien dire, a révélé le sympathique Filion. Tout ce que je sais c'est que j'ai reçu la charge de l'équipe pour une semaine, question d'accorder un repos à Richard.»

D'ailleurs la direction des Nordiques a fait parvenir un communiqué aux journaux, hier, selon lequel Richard avait reçu la permission de s'absenter au cours de la semaine, à la suite de son épuisant voyage en Russie.

Ça, ce sont les raisons officielles.

Mais les vraies raisons, c'est qu'on ne veut pas créer un certain remous chez les jeunes amateurs des Nordiques en annonçant la démission du Rocket.

D'ailleurs, Richard n'a pas démissionné, mais il a abandonné son poste pour des raisons de santé.

Nous avons appris que lors du match de vendredi dernier, à Québec, malgré la brillante performance de ses joueurs, malgré le fait qu'ils voguaient vers une victoire certaine, Richard (...) *(était)* nerveux, tremblant à l'occasion comme une feuille. (...)

Richard est un gros actif avec les Nordiques. Il a été accepté par les amateurs de hockey et on veut le garder à Québec. (...)

Envolée record d'un avion «North Star II»

LE premier avion quadrimoteur de modèle «North Star II», l'appareil «Canadair Four» ou DC4-M4, qui, il y a 3 semaines effectuait une envolée record entre Montréal et Londres, a établi hier **(13 octobre 1947)** un nouveau record de vol, cette fois au Canada. Il a accompli une envolée de 2,345 milles entre Vancouver et Montréal et 6 h. 52, soit une vitesse moyenne de 342 milles.

Le «North Star II», le premier d'une série d'avions DC4-M4 destinés aux services transatlantique, transpacifique et transcontinental de la société Air-Canada *(sic)*, portait alors 16 passagers, au nombre desquels on remarquait le t. h. C.D. Howe, ministre canadien de la reconstruction, et Me H.J. Symington, C.R. C.M.G., président d'Air-Canada. Tous deux se sont dits enchantés de leur voyage. Ils ont noté que le système de contrôle de la pression interne de la cabine, l'une des principales caractéristiques du nouvel avion, permet des envolées à haute altitude sans aucun inconvénient pour les passagers. (...)

L'ITALIE DÉCLARE LA GUERRE À L'ALLEMAGNE

L'Italie a déclaré la guerre à l'Allemagne aujourd'hui (**le 13 octobre 1943**) et les chefs de la Grande-Bretagne, des États-Unis et de la Russie l'on acceptée comme co-belligérante. Il n'y aura pas de paix en Italie tant que le dernier soldat allemand n'aura pas été chassé du territoire national, proclame Badoglio.

Cette déclaration de guerre est la deuxième grande victoire diplomatique en deux jours. Hier le Portugal accordait à la Grande-Bretagne des bases aéro-navales aux Açores pour faciliter la lutte alliée contre les sous-marins nazis.

Les Alliés ont délogé les Allemands d'environ un tiers de l'Italie mais l'ennemi occupe encore Rome, d'importantes zones industrielles et bases d'aviation dans le nord.

L'explorateur Robert Peary n'a jamais atteint le Pôle Nord

L'Américain Robert Peary, considéré comme le premier explorateur à avoir atteint le Pôle Nord, en 1909, a délibérément affirmé avoir accompli cet exploit alors qu'il s'est arrêté à 195 km du but, selon ses propres notes d'expédition récemment analysées par un historien américain.

Longtemps tenus secrets, ces documents montrent que Peary savait exactement où il se trouvait quand il a décidé de renoncer à aller plus loin en raison de l'épuisement de ses vivres et d'une menace de dégel de la banquise, affirme M. Dennis Rawlins, astronome et historien de Baltimore, Maryland.

Les notes de l'explorateur, mort en 1920, ont été rendues publiques par sa famille en 1984.**(Texte publié le 13 octobre 1988.)**

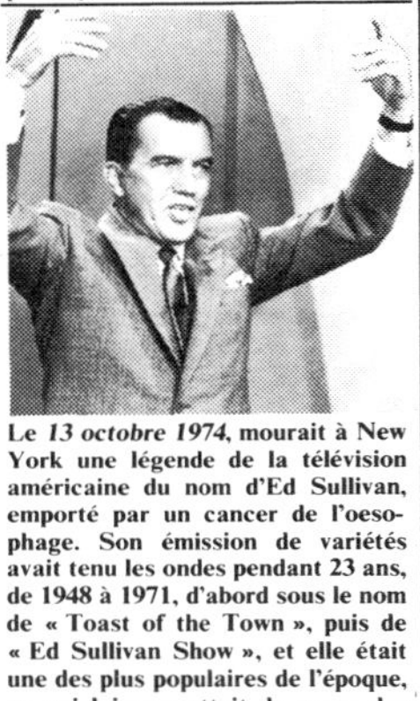

Le *13 octobre 1974*, mourait à New York une légende de la télévision américaine du nom d'Ed Sullivan, emporté par un cancer de l'oesophage. Son émission de variétés avait tenu les ondes pendant 23 ans, de 1948 à 1971, d'abord sous le nom de « Toast of the Town », puis de « Ed Sullivan Show », et elle était une des plus populaires de l'époque, ce qui lui permettait de poser des gestes souvent jugés téméraires, comme par exemple de lancer de futures vedettes comme Elvis Presley et les Beatles.

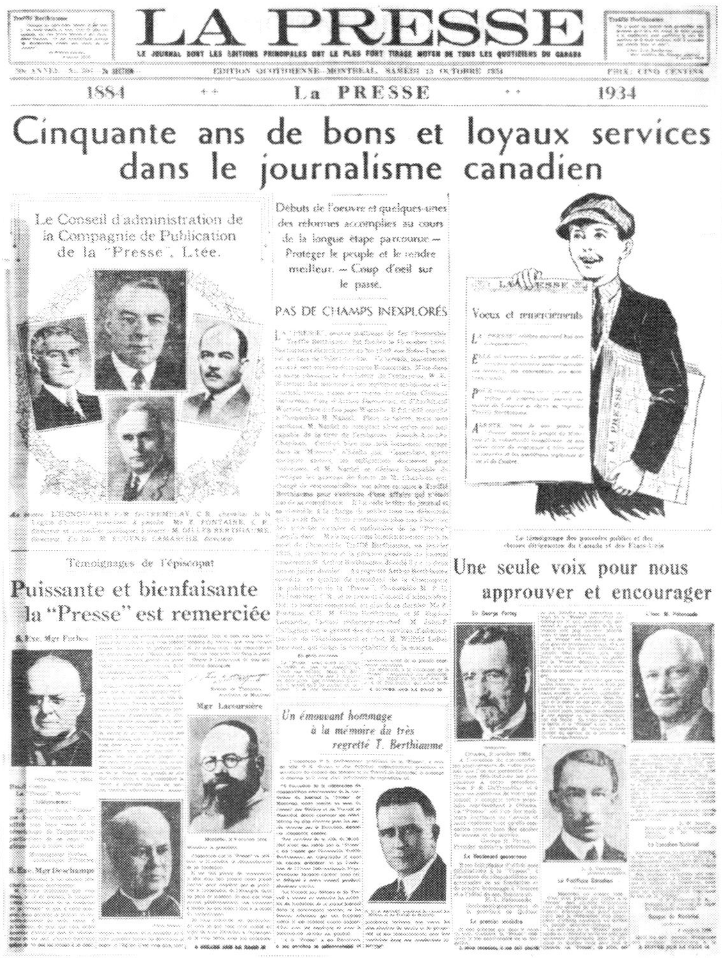

LA PRESSE

1884 La PRESSE 1934

Cinquante ans de bons et loyaux services dans le journalisme canadien

Le Conseil d'administration de la Compagnie de Publication de la "Presse", Ltée.

Débuts de l'oeuvre et quelques-unes des réformes accomplies au cours de la longue étape parcourue — Protéger le peuple et le rendre meilleur. — Coup d'oeil sur le passé.

PAS DE CHAMPS INEXPLORÉS

Voeux et remerciements

Témoignages de l'épiscopat

Puissante et bienfaisante la "Presse" est remerciée

Un émouvant hommage à la mémoire du très regretté T. Berthiaume

Une seule voix pour nous approuver et encourager

Pour marquer de façon éclatante son cinquantième anniversaire de fondation, LA PRESSE offrait à ses lecteurs, le *13 octobre 1934*, deux cahiers spéciaux, un de 116 pages sur papier régulier, et une section rotogravure de 16 pages. Cinquante ans plus tard, LA PRESSE n'a pas à avoir honte de l'effort déployé pour célébrer son centenaire. Les huit spéciaux publiés au cours de la centième année de publication totalisent 188 pages, auxquelles il faudra ajouter les 307 pages quotidiennes « 100 ans d'actualités », pour un grand total de 495 pages grand format.

Un autocar dans un ravin: 43 morts

Le week-end de l'Action de grâces s'est conclu tragiquement dans Charlevoix, par un des pires drames qu'ait connu le Québec: 43 personnes âgées ont perdu la vie quand l'autocar qui les amenait vers l'île aux Coudres s'est précipité dans un ravin, effectuant un vol plané de plusieurs mètres après avoir manqué un virage particulièrement serré sur la route de Saint-Joseph-de-la-Rive.

L'autocar de la compagnie Mercier, qui transportait 47 membres du club de l'âge d'or de la petite localité de Saint-Bernard-de-Beauce, a vraisemblablement manqué de freins au sortir de la pente extrêmement abrupte qui mène des Éboulements à Saint-Joseph-de-la-Rive. Probablement incapable de négocier le virage particulièrement corsé qui conclut la pente, le chauffeur a défoncé le garde-fou et l'autocar s'est échoué sur le côté, dans un précipice profond d'une dizaine de mètres, à quelques pas du fleuve.

La Sûreté du Québec procédera d'ailleurs à une reconstitution minutieuse des événements. Trois hypothèses sont considérées par la police: un bris mécanique, un excès de vitesse de la part du chauffeur ou la surchauffe des freins, un phénomène qui se produit fréquemment parmi les 800 autocars qui arpentent cette côte chaque année.

Les ambulances sont arrivées en 15 minutes sur les lieux et les secours ont immédiatement commencé à dégager les corps des cinq seuls passagers encore vivants. En fin de soirée, les blessés, acheminés à l'hôpital de l'Enfant-Jésus à Québec, étaient dans un état stable.

« Trois ou quatre personnes ont été éjectées: c'était les seules vivantes. C'était affreux à voir », témoigne Albert Tremblay, un hôtelier qui est rapidement arrivé sur les lieux du drame. Et dans l'autocar, il n'y avait pratiquement aucun signe de vie. « Il n'y avait pas un son. Personne en état d'appeler au secours », raconte Gaston Gagnon, un des premiers agents de la sécurité civile à avoir pénétré dans l'autocar. Le curé de Saint-Joseph, Jean Moisan, s'est lui aussi rendu à l'intérieur du véhicule et a donné, en désespoir de cause, l'absolution aux mourants. « J'ai l'impression qu'il n'y a absolument personne là-dedans qui m'a compris », dit-il.

Ce n'est pas la première fois que Saint-Joseph-de-la-Rive est éprouvé par un tel drame. Il y a 22 ans, un autobus s'était précipité dans le même ravin, entraînant ses quinze passagers dans la mort. Il faut dire que la pente qui mène au petit village, voie d'accès à l'île aux Coudres, est particulièrement abrupte sur deux kilomètres, puis effectue une dernière descente vertigineuse sur les derniers mètres, amorcée par un virage très serré. « Ici, l'été, ça sent pas les fleurs. Ça sent les brakes », résume Julienne Desgagnés, qui habite juste en face du lieu du drame.**(Texte publié le 13 octobre 1997.)**

Jean Béliveau élu capitaine

LE joueur de centre Jean Béliveau a été élu par ses coéquipiers, ce matin **(13 octobre 1961)**, capitaine de l'équipe. Béliveau succède à Doug Harvey qui dirige maintenant les Rangers de New York.

C'EST ARRIVÉ UN 13 OCTOBRE

1976 — James Richardson, ministre de la Défense, devient le 4e membre du Cabinet fédéral à démissionner en un mois.

1972 — Étatisation de certains services publics par le gouvernement Bennett, en Colombie-Britannique. — Les États-Unis interdisent le survol de leur territoire aux avions supersoniques. — Un avion d'Aéroflot s'écrase près de Moscou. On dénombre 176 morts.

1971 — Décès à Toronto de Stafford Smythe, président du Maple Leaf Gardens.

1970 — Le gouvernement canadien reconnaît la République populaire de Chine et rompt ses relations avec la Chine nationaliste. — Arrestation à New York de la militante communiste Angela Davis. — Les libéraux battent de justesse les conservateurs lors des élections générales de Nouvelle-Écosse.

1969 — L'URSS place un troisième vaisseau spatial en autant de jours sur orbite, soit *Soyouz VIII*.

1967 — Une ordonnance de la Cour Supérieure met fin à la grève du transport en commun, à Montréal, mais des incidents violents marquent le retour au travail.

1966 — Une explosion suivie d'un incendie fait 11 victimes à l'usine de produits chimiques Monsanto Canada Ltd, à LaSalle. — Vol de $1 million dans les locaux des postes à l'aéroport de Dorval. — Les ménagères décident de boycotter les supermarchés pour protester contre l'inflation.

1960 — L'Aviation américaine récupère, au terme d'un voyage de 700 milles dans l'espace, trois souris placées dans le nez d'une fusée. — Les Pirates de Pittsburgh remportent la Série mondiale aux dépens des Yankees de New York grâce au dramatique circuit de Bill Mazeroski à la neuvième manche du septième match.

1959 — Mise sur orbite du laboratoire spatial américain *Explorer VII*.

1953 — Winston Churchill mérite le prix Nobel de littérature.

1952 — La troupe Barrault-Renaud entreprend une tournée au Canada. — Décès du metteur en scène français Gaston Baty, à l'âge de 67 ans.

1949 — Les troupes nationalistes abandonnent Canton aux troupes communistes de Mao Tsé-toung.

1947 — Le consulat américain à Jérusalem est la cible d'un attentat à la bombe.

1946 — Les Français approuvent par une faible majorité le projet d'une nouvelle constitution.

1944 — Les troupes anglaises libèrent Athènes.

1939 — L'URSS réclame des bases navales de la Finlande, en échange d'un pacte d'assistance militaire mutuelle.

1938 — Décès du dessinateur E.C. Segar, auteur de *Popeye le marin*.

1932 — Berlin est le théâtre d'émeutes antisémites.

1919 — La France ratifie le traité de Versailles.

1917 — Entrée en vigueur de la Loi de la conscription, qui a causé tant de divisions chez les Canadiens.

1915 — Important bombardement de Londres par des *Zeppelin*.

1914 — Christian de Wet, commandant des forces de l'État libre d'Orange, déclenche la rébellion contre le gouvernement d'Afrique du Sud.

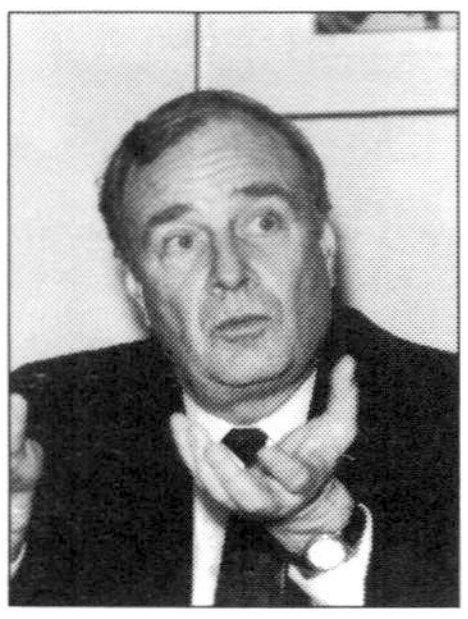

Paul Martin

Ottawa réalise un premier excédent budgétaire en 28 ans

Ceux qui s'attendaient à de grandes initiatives du gouvernement fédéral en matière d'impôts et de dépenses devront déchanter. Le ministre des Finances Paul Martin a clairement énoncé que la prudence demeure de mise et que les Canadiens devront réviser à la baisse leurs attentes.

Le gouvernement libéral va certes abaisser les impôts pour favoriser les couches moyennes et relancer la croissance par la consommation, il va faire du réinvestissement dans le système public des soins de santé sa priorité sociale et il va aussi continuer de rembourser la dette nationale, mais il le fera, comme l'a dit Paul Martin, de façon parcimonieuse.

« Certains semblent croire que nous avons une grosse quantité d'argent à dépenser », a dit le ministre devant le comité des finances de la Chambre des communes hier. « Ce n'est pas le cas. »

M. Martin a néanmoins annoncé que le gouvernement du Canada avait réalisé son premier excédent budgétaire en 28 ans.

Le surplus de 3,5 milliards de dollars pour l'exercice 1997-98 sera entièrement consacré au service de la dette. **(Texte publié le 14 octobre 1998.)**

C'EST ARRIVÉ UN 14 OCTOBRE

1993 — Le géant américain du commerce de détail Woolworth licencie 10 000 employés et ferme 970 magasins en Amérique du Nord.

1989 — Un bloc de quatre timbres imprimés en 1918 pour marquer l'inauguration du transport aérien du courrier aux États-Unis a été vendu aux enchères jeudi soir chez Christie's à New York pour 1,1 million, un record en philatélie.

1987 — Le pape Jean-Paul II, le premier ministre Robert Bourassa et le maire Jean Doré ont rendu hommage aux Soeurs Grises à l'occasion du 250e anniversaire de fondation de leur congrégation religieuse.

1966 — Les catholiques canadiens ne sont plus astreints à se priver de viande le vendredi.

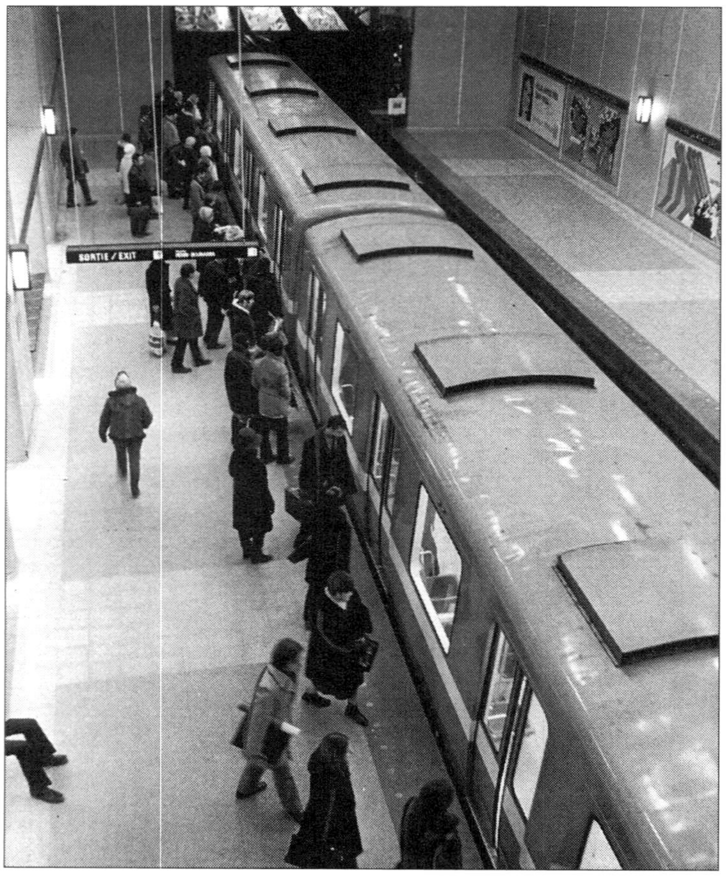

Après 25 ans, les wagons du métro ont besoin d'une cure de rajeunissement.

Le métro a 25 ans

Le métro de Montréal a 25 ans, et le vieillissement du réseau commence à se faire sentir. Aussi 55 millions de dollars seront-ils investis au cours des prochains mois pour prolonger la durée de vie utile de 336 wagons datant de 1966.

En fait, c'est plus de 200 millions que la STCUM devra investir d'ici quelques années pour conserver dans un état convenable cet actif évalué à plus de deux milliards.

Lors de son ouverture — le 14 octobre 1966 — le métro avait déjà fait couler beaucoup d'encre. Dès 1910, la « Montreal Street Railway Company » étudiait la possibilité de construire un métro. La population de Montréal était alors de 500 000 habitants et les grandes villes du monde tels New York, Londres et Paris, avaient déjà inauguré leur métro urbain.

Un peu plus tard, en 1929, l'ancien président de la « Montreal Tramway » faisait remarquer qu'aucune solution réelle aux problèmes du transport urbain n'interviendrait avant la construction d'un métro. Même à l'époque, on affirmait que la présence du métro permettrait d'augmenter la vitesse moyenne des automobiles et de diminuer l'encombrement des rues.

Malgré de nombreux projets, l'idée du développement d'un système de transport rapide demeura en suspens jusque dans les années cinquante.

En 1951, la création de la Commission de transport de Montréal (CTM) « étatisait » le réseau montréalais de transport en commun. La CTM déposa à la Ville de Montréal, le 23 octobre 1953, un rapport de quatre documents incluant les plans d'un futur métro — qui n'eut pas de suite faute de décision et de fonds.

À la fin des années cinquante, Montréal connaît une période de croissance effrénée. Le Québec vit de profonds changements ; c'est l'époque de la Révolution tranquille. Au moment des élections municipales de 1960, le projet d'un métro entrait dans le champ politique. Dès 1961, des ingénieurs et des architectes constituèrent le Bureau du métro, chargé de la préparation des plans, des cahiers des charges, des appels d'offres publics et de la surveillance des travaux. L'inauguration officielle de cet immense chantier eut lieu le 23 mai 1962.

Au plus fort des travaux, qui durèrent quatre ans, quelque 5000 ouvriers travaillaient au projet. Le réseau initial, avec ses 26 stations réparties sur une distance de 25,9 kilomètres, fut entièrement conçu, réalisé et financé par la Ville de Montréal, au coût de 213,7 millions $. Le 14 octobre 1966, vingt des vingt-six stations du réseau initial furent ouvertes au public. **(Texte publié le 14 octobre 1991.)**

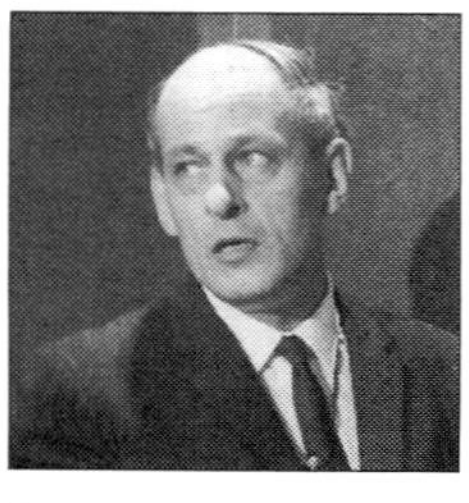

René Lévesque

LÉVESQUE QUITTE LES LIBÉRAUX

C'est devant une foule de 1200 militants libéraux, qui venaient tantôt de le huer, tantôt de l'applaudir, que le député de Laurier à l'Assemblée législative René Lévesque, a annoncé avec émotion samedi soir **(le 14 octobre 1967)**, à six heures, sa décision de démissionner du caucus des députés libéraux et du Parti libéral du Québec.

Le Canada, le meilleur pays au monde… sauf pour les autochtones

La qualité de vie des Canadiens vaut peut-être à leur pays une première place au palmarès des Nations unies, mais le sort de leurs concitoyens autochtones semble pire que celui des Mexicains et des Thaïlandais, selon une étude du ministère des Affaires indiennes.

L'étude révèle que les conditions de vie des quelque 380 000 Amérindiens vivant dans des réserves se comparent à celles du Brésil et d'autres pays dont le niveau de développement humain est considéré comme moyen. Quant aux 270 000 autres autochtones vivant hors réserve, leur qualité des vie est à peine supérieure. Selon le mode de classement des Nations unies, leurs conditions de vie rappellent celles des Russes.

« Cela ne nous étonne pas, a commenté Phil Fontaine, chef national de l'Assemblée des premières nations. C'est ce que nous vivons chaque jour. Il faut que les gens fassent attention avant de déclarer que nous sommes les meilleurs, que le Canada est le meilleur endroit où vivre au monde. C'est difficile de dire ça à une famille autochtone vivant dans une pauvreté abjecte. »

C'est la première fois que, pour interpréter des données statistiques concernant les autochtones, le ministère des Affaires indiennes utilise l'indice de développement humain mis au point par les Nations unies. Cet indice combine trois facteurs : le revenu par habitant, le niveau de scolarité et l'espérance de vie.

Le Canada ravit la première place du palmarès onusien depuis six ans. Mais dans le classement des 173 pays recensés dans le rapport de 1994, le ministère canadien des Affaires indiennes a découvert que les autochtones hors réserve se retrouvent au 35e rang et les Amérindiens des réserves en 63e place.

Les pires conditions de vie des autochtones vivant dans des réserves ont été observées au Yukon et dans les Territoires du Nord-Ouest, alors que les habitants des réserves de Colombie-Britannique connaissent le meilleur sort.

Quant aux Amérindiens vivant hors réserve, c'est en Saskatchewan que leurs conditions sont les moins enviables, alors que l'Ontario leur offre le meilleur niveau de vie au Canada.

Le revenu par habitant au Canada en 1991 était de 19 320 $, tandis que celui des autochtones vivant hors réserve était de 9905 $ et celui des autochtones vivant dans une réserve se chiffrait à 6542 $. **(Texte publié le 14 octobre 1998.)**

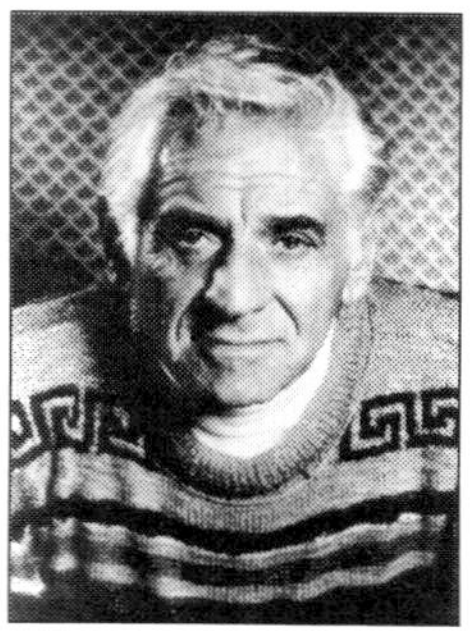

Leonard Bernstein

Décès de Leonard Bernstein

Le chef d'orchestre et compositeur américain Leonard Bernstein, l'un des plus grands musiciens classiques du XXe siècle, est décédé hier **(Texte publié le 14 octobre 1990.)** dans son appartement de Manhattan à New York à l'âge de 72 ans.

Bernstein est notamment le compositeur de la musique mondialement connue de la comédie musicale West Side story.

En 1951, il avait épousé une actrice chilienne, Felicia Montealegre. Le décès de son épouse, en 1978, l'avait plongé dans une dépression pendant plusieurs mois.

Leonard Bernstein avait trois enfants : un garçon, Alexandre, enseignant, et deux filles, Jamie Thomas, musicienne de rock, et Nina, actrice.

Piano, composition, tournées, enseignement, concerts : rien n'avait pu, jusqu'à tout récemment, ralentir ses activités.

Les actions d'Air Canada en vente

C'est parti. Les actions de la société Air Canada ont été mises en vente dans les cinq bourses canadiennes **(le 14 octobre 1988)**. Sur le parquet de la Bourse de Montréal, le coup de départ a été donné en présence du président Pierre Jeanniot et du président du conseil d'administration Claude Taylor.

M. Jeanniot a indiqué qu'il surveillera tous les matins le cours des actions qui, espère-t-il, « prendront leur envol », même si le marché actuel est dépressif.

En route vers Saturne

La sonde spatiale Cassini entreprend son long voyage vers la planète Saturne. Cassini devrait atteindre la planète le 1er juillet 2004 et explorer le système saturnien pendant au moins quatre ans. Au programme de cette ambitieuse mission scientifique : l'étude de l'atmosphère, du puissant champ magnétique et des anneaux de Saturne, l'observation de ses nombreux satellite et, surtout, l'envoi de la sonde Huygens dans l'atmosphère de Titan, la principale lune de Saturne. Que peut nous apprendre cette mission d'exploration aux confins du système solaire ? Entre autres, comment se sont formés le Soleil et son cortège de planètes, et comment est apparue la vie sur Terre.

Les astronomes croient qu'une partie de la réponse concernant l'origine de la vie sur notre planète se trouve sur Titan, la plus mystérieuse des lunes de Saturne. Titan est un monde fascinant à bien des égards. C'est le deuxième plus gros satellite du système solaire, une fois et demi plus gros que notre Lune. Titan est même plus gros que les planètes Mercure et Pluton! De plus, c'est le seul satellite du système solaire qui possède une atmosphère importante, plus dense que celle de la Terre! C'est d'ailleurs l'atmosphère de Titan qui intéresse plus particulièrement les chercheurs: l'étude de sa composition chimique pourrait nous fournir des indices précieux sur les conditions qui prévalaient sur Terre au moment de l'apparition de la vie sur notre planète. **(Texte publié le 14 octobre 1997.)**

Les Indiens rejettent le concept d'intégrité territoriale du Québec

Convaincus que leurs droits et leur avenir sont menacés par l'accession d'un parti souverainiste au pouvoir, les nations autochtones rejettent le concept d'intégrité territoriale du Québec et soutiennent que toute modification du cadre constitutionnel exigera leur consentement.

C'est au terme d'une réunion de trois jours, tenue au nord de Québec, que l'Assemblée des premières nations du Québec et du Labrador (APNQL) a fait connaître sa position.

Les relations entre les Amérindiens et le gouvernement Parizeau s'annoncent donc tendues. La semaine dernière, David Cliche, l'adjoint du premier ministre sur les questions autochtones, affirmait qu'aucune discussion n'était possible sur l'intégrité territoriale du Québec et que les frontières actuelles de la province seraient celles d'un éventuel pays souverain.

La déclaration commune des nations amérindiennes tient en dix points qui font à peine une page. Mais elle est très explicite.

En plus des deux éléments mentionnés plus haut, elle annonce que les premières nations « résisteront à toute tentative de tout gouvernement » de leur refuser leurs droits. On y lit aussi que les peuples indigènes détermineront eux seuls l'avenir de leurs enfants à partir de « principes d'égalité et de co-existence pacifique ». **(Texte publié le 14 octobre 1994.)**

Cette photo montre trois militaires qui représentaient le valeureux régiment des Fusiliers Mont-Royal, à Dieppe. De gauche à droite : le sergent-major Rosario Lévesque (médaille de conduite distinguée); le lieutenant-colonel Dollard Ménard (Ordre du service distingué); le major J.-A. Sabourin, cité à l'ordre de l'armée.

DIX-SEPT HÉROS DE DIEPPE À MONTRÉAL

Scènes émouvantes au parc Lafontaine.
— Le Canada entier y a fait écho.

IL faut se reporter aux jours de la Grande Guerre, alors que le peuple canadien pleurait tant de héros, pour retrouver la nature de l'émotion qui étreignait, hier soir **(15 octobre 1942)**, au parc Lafontaine, le cœur de milliers et de milliers de citoyens. Autrefois, notre pensée allait aux morts de Vimy, de Courcelette, aux braves de Mons... hier soir l'hommage de la foule s'adressait aux morts, aux blessés et aux prisonniers de Dieppe et à ceux qui ont participé à cet audacieux coup de main déjà inscrit en lettres d'or dans les fastes de notre histoire.

C'est la Patrie tout entière qui s'est recueillie en une minute de silence pendant que les clairons sonnaient au champ le DERNIER REPOS! Les militaires portaient la main au képi; la foule debout, immobile, baissait la tête; les troupes étaient à l'attention, l'arme brillant sous le rayon argenté de la lune. Là-haut, sur l'estrade d'honneur, les dix-sept héros de Dieppe, aveuglés sous les feux des projecteurs étaient figés, rigides, dans le geste du dernier salut aux camarades.

Le gage de la victoire

(...) A travers le pays, de l'Atlantique au Pacifique, dans toutes les villes, villages, hameaux, campagnes et montagnes, les ondes ont transmis à la population le message de Dieppe. De la métropole du Dominion du Canada, l'étincelle a été lancée qui allumera de nouveau le brasier de la confiance et de l'espoir. (...)

Cet hommage fut digne de ceux que le peuple entendait honorer de ses vivats, de ceux qu'il honorait en sa douleur muette.

Le gouvernement fédéral, représenté par les hon. Louis Saint-Laurent, ministre de la justice, et C.G. Power, ministre de l'air; la province de Québec, représentée par le premier ministre, l'honorable Adélard Godbout; la métropole, par le maire, M. Adhémar Raynault; l'Eglise, par S. Exc. Mgr Nelligan; tous les services de l'armée ont pris part à cet hommage.

Pleurs et acclamations

Tout à côté du monument élevé au geste héroïque de «Dollard et de ses seize compagnons» (pour faire un rapprochement avec l'histoire que la foule n'a pas manqué de souligner), se trouvait un grand nombre de parents des braves tombés sur la grève de la petite ville du sol français.

Nous avons vu des hommes, des femmes pleurer! Ce fut d'autres minutes tout aussi émouvantes lorsque tour à tour les héros arrivés hier vinrent saluer la foule. Le brigadier-général E. de B. Panet proclamait les noms, citait les blessures, les décorations. Un à un ces représentants des diverses unités qui ont connu le feu de l'ennemi se levaient pour saluer la foule. Lorsque le soldat Harry Wishtacz, de Sheffield, Ont., se leva, s'aidant de ses béquilles, la foule ne put pas, un moment, si elle devait applaudir. Mais le jeune homme agita la main, sourit, et ce fut la clameur des hourras. Il en fut de même pour tous les autres.

Tous ne prirent pas la parole, mais ceux qui le firent ont su trouver les mots justes que l'occasion commandait. Surtout, du lieutenant-colonel Ménard au plus humble troupier, tous ont dit leur confiance en la victoire. (...)

C'EST ARRIVÉ UN 15 OCTOBRE

LA PRESSE PREMIÈRE SECTION

LES CONCOURS DE LABOUR

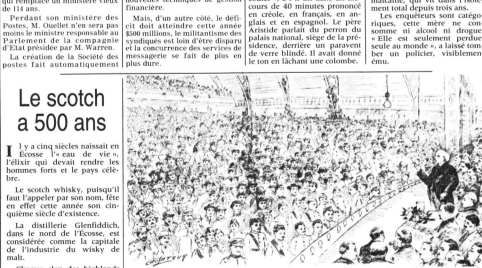

Première page publiée le *15 octobre 1910*.

La Société des postes voit enfin le jour

OTTAWA — MM. André Ouellet et Michael Warren ont officiellement marqué le lancement, hier **(15 octobre 1981)**, de la nouvelle Société des postes qui remplace un ministère vieux de 114 ans.

Perdant son ministère des Postes, M. Ouellet n'en sera pas moins le ministre responsable au Parlement de la compagnie d'Etat présidée par M. Warren.

La création de la Société des postes fait automatiquement tomber les règlements fixés par trois ministères, libère la direction et les syndicats des règles de négociations de la fonction publique et ouvre la porte à de nouvelles techniques de gestion financière.

Mais, d'un autre côté, le déficit doit atteindre cette année $500 millions, le militantisme des syndiqués est loin d'être disparu et la concurrence des services de messagerie se fait de plus en plus dure.

Bambin trouvé sur la voie ferrée à Ahuntsic

«JE lui ai demandé s'il parlait anglais ou français et pour toute réponse, il a tendu les bras... Je l'ai porté jusque chez moi et j'ai appelé la police », relate André Carrière.

Dimanche soir (le 15 octobre 1985)vers 23 h, alors qu'il promenait son chien, ce citoyen d'Ahuntsic a aperçu un petit bonhomme de tout au plus 2 ½ ans.

Rencontre aussi insolite que celle d'un Petit Prince dans le désert!

Le bambin se promenait sur la voie ferrée, tout seul comme un grand. « Il ne pleurait pas et ne paraissait pas avoir froid. Il marchait comme quelqu'un qui sait où il s'en va », explique M. Carrière.

Le bambin cheminait sur la voie ferrée située à la limite sud du quartier Ahuntsic.

« Il aurait pu se faire tuer, affirme son sauveteur. Le train passe plusieurs fois par jour à cet endroit ».

L'enfant est de race noire, mesure 37 pouces et pèse 32 livres.

Les policiers de la CUM ont espéré toute la journée hier recevoir des nouvelles des parents, proches amis, mais en vain.

On a provisoirement confié le garçonnet à une famille d'accueil.

Le bambin a finalement pu être remis à sa mère, une célibataire de 19 ans d'origine jamaïcaine, qui vit dans l'isolement total depuis trois ans.

Les enquêteurs sont catégoriques, cette mère ne consomme ni alcool ni drogue. « Elle est seulement perdue, seule au monde », a laissé tomber un policier, visiblement ému.

Aristide rentre en Haïti

CHASSÉ du pouvoir en Haïti par un coup d'État sanglant trois ans et 16 jours plus tôt, Jean-Bertrand Aristide, prêtre devenu président, est rentré ce matin (le 15 octobre 1994)dans sa patrie pour y exhorter ses partisans à renoncer à la vengeance et à se réconcilier avec leurs ennemis de la veille.

Son retour d'exil a déclenché de formidables manifestations de liesse à Port-au-Prince et dans toutes les villes du pays, dans une atmosphère de carnaval. Mais tout s'est apparemment passé dans le calme, puisqu'on ne signalait aucun incident majeur en fin d'après-midi.

« Jamais, jamais, jamais plus une goutte de sang ne doit couler », a-t-il dit dans un discours de 40 minutes prononcé en créole, en français, en anglais et en espagnol. Le père Aristide parlait du perron du palais national, siège de la présidence, derrière un panneau de verre blindé. Il avait donné le ton en lâchant une colombe.

Mata Hari passée par les armes

Reconnue coupable d'espionnage pour le compte de l'Allemagne, la célèbre danseuse Mata Hari fut passée par les armes par un peloton d'exécution, à Vincennes, le *15 octobre 1917*. Mata Hari, qui signifie « Oeil du matin » en javanais, était un nom de théâtre qu'avait adopté Marguerite Gertrude Zelle Macleod. Elle était née en Hollande. Parmi ses « exploits », on lui doit l'échec de l'offensive de la Somme, repoussée par les Allemands grâce aux renseignements fournis par l'espionne.

Le scotch a 500 ans

IL y a cinq siècles naissait en Écosse l'« eau de vie », l'élixir qui devait rendre les hommes forts et le pays célèbre.

Le scotch whisky, puisqu'il faut l'appeler par son nom, fête en effet cette année son cinquième siècle d'existence.

La distillerie Glenfiddich, dans le nord de l'Écosse, est considérée comme la capitale de l'industrie du wisky de malt.

Chaque clan des highlands opérait sa propre distillerie, défiant le gouvernement de l'Angleterre et pourchassant les percepteurs du fisc. (Texte publié le 15 octobre 1994).

L'amphithéâtre du parc Sohmer était envahi par une foule de vingt mille personnes (et autant s'en voyait refuser l'accès), le *15 octobre 1914*, à l'occasion d'une grandiose manifestation organisée afin de susciter l'intérêt des Canadiens français pour la formation d'un régiment canadien-français. Ce croquis du dessinateur de LA PRESSE nous présente la scène pendant le discours de Sir Wilfrid Laurier, un des nombreux orateurs de marque à défiler sur la scène ce soir-là.

Offensive pour détruire le mouvement terroriste

de notre bureau de Québec

QUÉBEC — Depuis hier **(15 octobre 1970)** à 14 heures, heure à laquelle le premier ministre Robert Bourassa a demandé le support de l'armée canadienne, les gouvernements du Canada et du Québec ont mis en branle une offensive d'urgence nationale dont le but ultime n'est rien d'autre que la destruction complète des mouvements terroristes au Québec. Dans cette optique, l'affaire des enlèvements de MM. James Cross et Pierre Laporte, survenue au cours des jours qu'un des multiples éléments qui ont guidé la mise au point d'une opération beaucoup plus vaste conçue en fonction de la défense des institutions publiques et de la sauvegarde de la démocratie.

Tant M. Bourassa que le premier ministre fédéral, M. Pierre Elliott Trudeau, ont en effet insisté depuis trois jours sur le fait que, selon leurs renseignements, l'activité terroriste au Québec est suffisamment dangereuse pour saper les fondements du régime politique actuel. Le chef du gouvernement canadien surtout n'a pas caché qu'il n'hésiterait pas à promulguer des restrictions aux libertés civiles pour briser à la racine la naissance d'un pouvoir parallèle qui a eu la prétention de vouloir négocier avec les autorités.

Il ne s'agit évidemment pas de se servir directement des forces armées pour effectuer ce grand nettoyage. Indirectement toutefois, l'affectation de l'armée à la protection publique et à la surveillance des édifices libérera les corps policiers fédéral, provincial et municipaux pour qu'ils puissent se consacrer entièrement à découvrir les caches terroristes.

Amendements au Code pénal

Le premier ministre québécois a lui-même fait allusion, au cours de sa conférence de presse de mercredi soir dernier, à la possibilité de modifications au Code pénal, qui relève de la juridiction fédérale, pour faciliter la lutte au terrorisme.

M. Bourassa a refusé jusqu'à maintenant de dire si son gouvernement fera des représentations ou des suggestions au gouvernement d'Ottawa sur la nature des amendements qu'il aimerait voir adopter au Code pénal.

Toutefois, dans la capitale provinciale, diverses sources indiquent que des amendements du genre de celui qui, par exemple, pourrait permettre aux policiers de perquisitionner sans mandat, pour une période déterminée, seraient de nature à obtenir l'adhésion du gouvernement québécois.

Il est d'ailleurs indéniable que depuis le début de l'activité terroriste, avec l'enlèvement du diplomate britannique à Montréal il y a douze jours, les autorités fédérales et provinciales ont marché la main dans la main. (...)

La loi des mesures de guerre est décrétée

de notre bureau d'Ottawa

OTTAWA — Depuis quatre heures ce matin (**16 octobre 1970**), les Canadiens vivent sous l'empire de la loi des mesures de guerre, alors qu'au Québec l'armée est déjà venue prêter main-forte à la police.

Le cabinet fédéral a décidé de recourir à cette mesure afin de conjurer la menace que présente le FLQ.

A 3 h. 00 ce matin, le premier ministre du Canada, M. Pierre Elliott Trudeau a reçu des lettres du premier ministre de la province de Québec, M. Robert Bourassa, et des autorités de la ville de Montréal l'avisant «qu'un état d'insurrection appréhendé» existait dans la Belle Province.

Une heure plus tard, le gouverneur en conseil approuvait l'émission d'une proclamation en vertu de la loi des mesures de guerre.

Usant de ces nouveaux pouvoirs, le Cabinet fédéral a adopté un deuxième arrêté en conseil établissant certains règlements extraordinaires et jugés nécessaires par les autorités politiques en place, notamment le gouvernement fédéral, celui du Québec et la ville de Montréal.

Ceux-ci ne sont pas encore connus. Ils devaient l'être dès 11 h. ce matin, lors de la reprise de la session à Ottawa.

Ils sont cependant en vigueur depuis 4 h. et les autorités provinciales et municipales, par l'entremise des forces de l'ordre, veillent à leur application.

On croit qu'ils permettent à la police d'effectuer des perquisitions sans mandat et d'appréhender des individus sous la seule foi de soupçon.

Ces pouvoirs extraordinaires sont utilisés afin de retrouver les ravisseurs de MM. Cross et Laporte et, comme le soulignait M. Trudeau mercredi, afin de permettre aux autorités «de se défendre contre l'émergence d'un pouvoir parallèle qui défie le pouvoir des élus du peuple».

Ce que permet la loi

La loi des mesures de guerre permet, sur décret ministériel, quand il y a guerre, invasion ou insurrection réelle ou appréhendée, d'imposer la censure ou la suppression des publications, l'arrestation, la détention ou l'expulsion des personnes, le contrôle des ports et des eaux territoriales et des transports par air, par terre et par mer, le contrôle des exportations et des importations, la prise de possession, le contrôle, la confiscation ou la disposition des biens.

Le gouvernement peut imposer des peines pour des infractions à cette loi allant jusqu'à $5,000 d'amende ou à une période d'emprisonnement de cinq ans ou plus ou les deux à la fois. (...)

Point culminant

L'adoption de la loi des mesures de guerre est en quelque sorte le point culminant de la vaste opération qui a suivi les enlèvements de la semaine dernière. Plus tôt cette semaine, le premier ministre Trudeau avait dit qu'il n'hésiterait pas à prendre toutes les mesures à la disposition du gouvernement pour débarrasser le Canada «de ceux qui commettent des actes de violence contre l'ensemble du corps social et de ceux qui cherchent à dicter leurs volontés au gouvernement par l'intermédiaire d'un pouvoir parallèle qu'ils cherchent à établir en recourant à des enlèvements et au chantage».

Des spécialistes fédéraux ont expliqué au cours de la nuit qu'il n'existe aucune définition écrite d'une rébellion ou d'une insurrection.

Au cours des dernières heures et en particulier depuis mercredi, les autorités québécoises, en collaboration avec l'administration municipale de Montréal, ont démontré à la satisfaction du gouvernement fédéral qu'un «état d'insurrection appréhendée» existe au Québec.

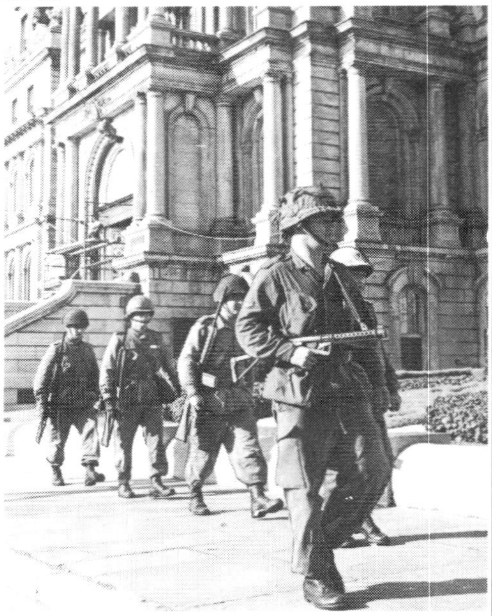

Au réveil, le 16 octobre au matin, l'Armée canadienne occupait tous les points névralgiques au Québec et assumait la responsabilité de surveiller tous les édifices publics. L'hôtel de ville de Montréal n'échappait pas à la règle. photo Michel Gravel, LA PRESSE

Clark efface la dette de six pays africains

Sans poser la moindre condition quant au respect des droits de l'Homme, le secrétaire d'État aux Affaires extérieures, M. Joe Clark, a effacé les dettes de 347 millions de six pays africains membres du Commonwealth.

Les six pays en cause — Le Kenya 109 millions ; le Ghana 7 millions ; le Nigéria 42 millions ; le Zimbabwe 30 millions, le Swaziland 1,3 million et la Zambie 86 millions — ont tous été dénoncés par Amnesty International pour viol des droits de l'Homme. (**Texte publié le 16 octobre 1987.**)

Le juge Thomas confirmé de justesse à la Cour suprême

Le juge Clarence Thomas a été confirmé de justesse à la Cour suprême des États-Unis par le Sénat (**le 16 octobre 1991**), au terme d'une bataille mouvementée qui a vu le débat politique s'élargir à un problème de société, le harcèlement sexuel.

Le juge Thomas, qui a été accusé de harcèlement sexuel par son ex-collaboratrice Anita Hill, entrera cependant à la Cour suprême avec le nombre le plus important de votes négatifs dans l'histoire de cette institution. Ce conservateur sera le seul Noir des neuf juges de la cour, qui sont nommés à vie.

Une manif chez Trudeau

Environ 300 personnes ont manifesté bruyamment à Montréal (**le 16 octobre 1990**)pour commémorer le vingtième anniversaire de la proclamation de la Loi sur les mesures de guerre, lors de la crise d'octobre. Deux manifestants ont été arrêtés.

Le cortège s'est rendu devant la résidence de l'ancien premier ministre Pierre-Elliott Trudeau, à Montréal, pour « dire à Trudeau que le Canada dont il rêvait est en voie de s'effriter », selon l'expression de l'ancien felquiste Pierre Vallières, qui a prononcé un discours porte-voix en main, sur l'avenue du Parc.

SAINT-HENRI EST ANNEXE

A onze heures, le maire Guay de St-Henri a annoncé aux électeurs que le règlement pour annexer Saint-Henri à Montréal était adopté.

La municipalité de Saint-Henri a vécu. Depuis ce matin (**16 octobre 1905**), elle est annexée à la cité de Montréal qui, par le fait même, élargit sa superficie de 424 acres et augmente sa population de 25,000 âmes.

Le règlement a été lu aux propriétaires par le secrétaire, M. N. Sénécal, à dix heures, et à une question posée par le maire, les propriétaires se sont déclarés unanimement en faveur. A une heure le poll n'ayant pas été demandé le règlement a été déclaré adopté.

Ce règlement sera définitivement présenté au conseil de ville de Montréal, cet après-midi, par l'échevin Lavallée. M. le maire Guay a remercié les électeurs de Saint-Henri de la confiance qu'ils lui avaient manifestée jusqu'ici et les a assurés de son entier dévouement pour l'avenir.

Montréal fera du terrain des abattoirs un magnifique parc au quartier Saint-Henri, dit M. Guay, en terminant, et ce sera notre cadeau de Noël.

Le général Pinochet arrêté à Londres

L'ancien dictateur chilien Augusto Pinochet a été mis en état d'arrestation aujourd'hui (**le 16 octobre 1998**)à Londres, 25 ans après le coup d'État sanglant qui l'avait porté au pouvoir à Santiago, à la demande de la justice espagnole qui enquête sur les morts ou disparitions de ressortissants espagnols sous le régime de la junte. Le général Pinochet est ainsi menacé pour la première fois de devoir répondre en justice des crimes commis sous sa dictature.

La fille de l'ancien président socialiste chilien Salvador Allende, Isabel Allende, a accueilli avec satisfaction l'annonce de l'arrestation du général Pinochet.

Salvador Allende s'était suicidé pendant le bombardement du palais présidentiel de La Moneda le jour du coup d'État.

10 NAZIS PENDUS

NUREMBERG — C'est à onze heures moins le quart, hier soir, que (*Herman*) Goering parvenait à se donner la mort par un tour de force qui restera dans les annales de la justice criminelle, à l'instar de Himmler, qui, lui aussi, réussit à échapper au châtiment des hommes.

Peu de temps après, le colonel Burton C. Andrus, commandant la prison, se rendait dans les cellules des dix autres condamnés à mort et leur donnait simplement lecture de la sentence du tribunal militaire international qui, le 1er octobre, leur infligea la peine suprême. (...)

Le souper fut ensuite servi aux prisonniers. Il se composait d'une salade de pommes de terre, de saucisses, de pain noir et de thé. Et ce furent les ultimes préparatifs en vue des exécutions, qui allaient commencer à 1 heure 11 du matin (**le 16 octobre 1946**), au moment où Joachim von Ribbentrop, les yeux complètement éteints, fit son entrée dans la salle des pendaisons, les mains derrière le dos, encadrés par deux gardes précédés par un officier supérieur de l'armée américaine.

Les dix exécutions se déroulèrent à l'intérieur du préau qui, jusqu'à dimanche dernier, servait de salle de basket-ball aux gardiens de la prison.

Une mort sordide

Nul n'aura donc vu la corde se tendre au cou du «Reichsmarschall». Par sa mort lâche, sordide, Goering se priva de la dignité que, face au bourreau, montrèrent certains de ses complices, reconnaissons-le. Son suicide, au contraire, lui retirera le peu d'éclat qu'il avait pu garder aux yeux de ses fanatiques.

Au plus profond d'une nuit à jamais mémorable, il fut donc donné aux représentants de quatre nations victorieuses de l'empire du mal, et à deux personnalités de l'Allemagne conquise, d'assister à l'épilogue de onze vies d'infamie. (...)

(BUP) — L'exécution des chefs nazis, les premiers hommes dans l'histoire à payer de leurs vies, sur l'ordre d'un tribunal mondial, des crimes que l'on a considérés comme ayant une portée universelle, s'est accomplie rapidement et avec précision.

Il ne s'est écoulé qu'une heure et 41 minutes entre le moment où Joachim von Ribbentrop (*ministre des Affaires étrangères*) monta sur l'échafaud et que le bourreau, le sergent-chef John C. Woods, de San Antonio, Texas, lui ajusta la corde autour du cou jusqu'à celui ou Arthur Seyss-Inquart (*gouverneur nazi de la Hollande*), le dixième condamné, fut déclaré mort. (...)

Ceux qui ont été pendus entre ces deux cas sont: le feld-maréchal Wilhelm Keitel; Ernst Kaltenbrunner, chef de la police de sécurité nazie; Alfred Rosenberg, philosophe du parti nazi; Hans Frank, gouverneur général de Pologne; Wilhelm Frick, protecteur de Bohême-Moravie; Julius Streicher, l'adversaire des Juifs; Fritz Sauckel, chef de la main-d'oeuvre asservie; et le colonel général Alfred Jodl. (...)

Jean Paul II, premier Polonais sur 264 papes

Un 56e pape non italien

CITE DU VATICAN— A la surprise générale, les 111 cardinaux enfermés dans la Chapelle Sixtine ont choisi comme pape hier (**16 octobre 1978**) un prélat polonais, le cardinal Karol Wojtyla, posant ainsi un geste spectaculaire, dont la portée est immense, tant sur le plan religieux que politique.

Jean Paul II est le premier pape non italien depuis l'élection en 1522 d'Adrien VI, un prélat d'origine hollandaise. Dans l'histoire de l'Eglise, sur 264 papes, 209 ont été des Italiens, dont 112 Romains. Parmi les 55 étrangers, il y a eu 15 Grecs, 15 Français, y compris ceux d'Avignon, 6 Allemands, 6 Syriens, et deux originaires de l'actuel Etat d'Israël.

Placer à la tête de l'Eglise catholique un évêque qui n'a cessé au cours des dernières années de réclamer une véritable liberté de conscience et de religion pour son peuple — profondément croyant et pourtant soumis à la loi de l'athéisme d'Etat— c'est plus qu'un acte de foi, estiment les observateurs, c'est un acte politique. (...)

L'élection de Jean Paul II, outre qu'elle est un hommage indirect à tous les croyants des pays de l'Est dont la foi a résisté à toutes les pressions ou persécutions, introduit un élément tout à fait nouveau dans l'évolution des idées, et peut-être dans l'équilibre des forces, depuis la Seconde Guerre mondiale.

Un pape jeune

Jean Paul II, qui est le premier pape polonais, est né le 18 mai 1920. Il est donc, à 58 ans, relativement jeune pour un souverain pontife.

Le nouveau pape était archevêque de Cracovie. Il est considéré comme un libéral dont les vues se situent à mi-chemin entre le conservatisme et le progressisme. (...)

Il a été élu au deuxième jour du Conclave, au huitième tour de scrutin, après certaines hésitations entre les deux principaux courants de pensée au sein du Sacré Collège des cardinaux. (...)

La durée moyenne des conclaves a été de près de 4 jours depuis le début du siècle, si on tient compte de la date officielle d'ouverture. Le conclave actuel est donc ainsi dans sa 3e journée. Il est encore inférieure à la moyenne.

Pie X fut élu en 1903 après cinq journées et sept scrutins. Benoît XV en 1941 après 4 jours et 10 scrutins. Pie XI en 1922 après 9 jours et 14 scrutins. Pie XII en 1939 après 2 jours et 3 scrutins. Jean XXIII en 1958, après 4 jours et 11 scrutins. Paul VI en 1963, après 3 jours et 5 scrutins. Jean Paul 1er en 1978, après 2 jours et 4 scrutins.

Le conclave ouvert le 14 octobre est le 53e qui s'est déroulé au Vatican.

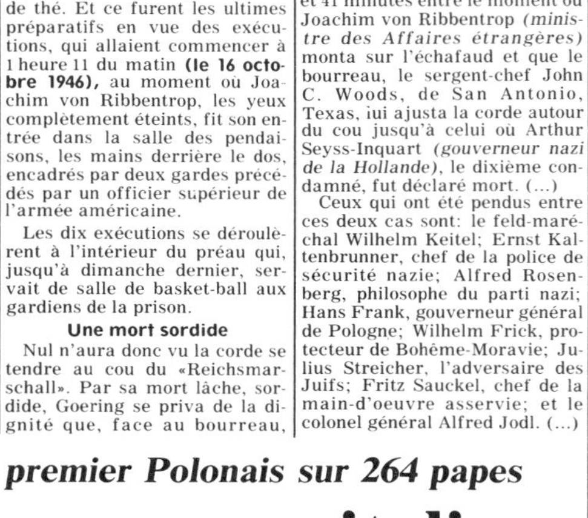

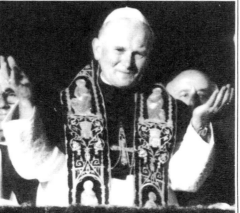

Jean-Paul II immédiatement après son élection.

C'EST ARRIVÉ UN 16 OCTOBRE

1991 — Vingt-deux personnes (14 femmes et huit hommes) ont été tuées et une vingtaine d'autres blessées par un tireur fou qui a ouvert le feu aujourdhui sur les clients d'un restaurant de Killeen, dans le centre du Texas, avant de se suicider.

1989 - Wayne Gretzky est devenu le plus grand joueur de la ligue Nationale avec 1852 points en carrière, dépassant ainsi le record de l'idole de sa jeunesse, Gordie Howe, en accumulant deux buts et une passe hier soir lors d'une partie disputée à Edmonton.

1984 — Vingt ans après Martin Luther King (1964) et 24 ans après son compatriote Albert Lutuli (1960), l'évêque noir sud-africain Desmond Tutu a obtenu à son tour, à Oslo, le prix Nobel pour son combat non violent contre la discrimination raciale.

1982 — Décès à 75 ans de Hans Selye, scientifique et écrivain de réputation internationale.

1981 — Décès à 66 ans de l'ex-général Moshe Dayan, héros israélien des victoires de 1967 et 1973 aux dépens des Arabes.

1975 — La Commission d'enquête québécoise sur le crime organisé blâme les trois paliers de gouvernement dans le scandale de la viande avariée.

1973 — Henry Kissinger et le duc Tho obtiennent conjointement le prix Nobel de la Paix. — Atlanta élit Maynard Jackson, le premier Noir à accéder à la mairie d'une ville du Sud des États-Unis.

1969 — Les incroyables Mets de New York gagnent la Série mondiale de baseball.

1968 — Les sprinters noirs américains Tommie Smith et Juan Carlos causent un scandale aux Jeux de Mexico, en brandissant un poing ganté de noir sur le podium d'honneur.

1953 — Le porte-avions américain *Leyte* est démoli par une explosion. On dénombre 32 morts.

1945 — Ouverture à Québec de la Conférence de l'Organisation de l'alimentation et de l'agriculture des Nations unies.

1941 — Le maréchal Pétain condamne sept personnalités politiques à la détention pour une période indéfinie, après les avoir jugées coupables de la défaite des armées françaises face aux nazis.

1931 — Choix de Charles-Ernest Gault comme chef intérimaire du parti conservateur provincial.

1925 — Fin de la conférence de Locarno, qui décrète la démilitarisation de la zone du Rhin et garantit les frontières franco-allemande et belgo-allemande.

1914 — Débarquement à Plymouth, en Angleterre, du premier contingent canadien, fort de 33 000 hommes.

1913 — Lancement à Portsmouth, en Angleterre, du premier navire mu au pétrole, le cuirassé *Queen Elizabeth*.

1911 — Dévoilement d'un monument érigé en l'honneur de Montcalm, à proximité des plaines d'Abraham, à Québec.

1910 — Les injures proférées à l'endroit du pape par un magistrat fanatique du nom de Nathan amènent quelque 20 000 catholiques montréalais sur le Champ de Mars pour témoigner leur attachement au catholicisme.

Les ravisseurs de M. Laporte retournent son corps dans l'auto qui a servi à l'enlèvement

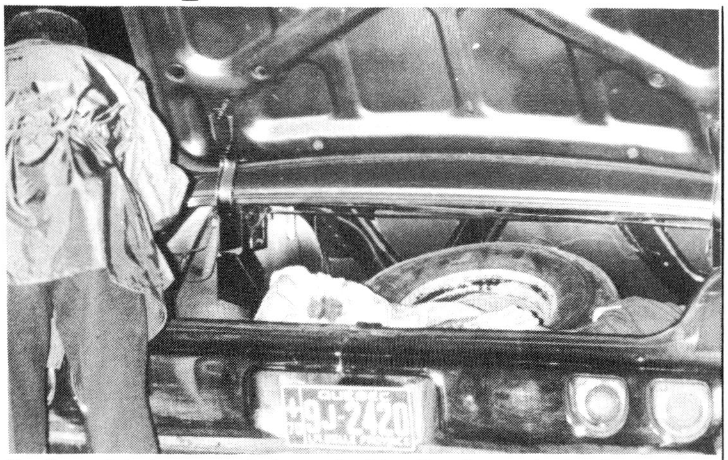

Une découverte bouleversante, celle du corps du ministre Pierre Laporte, dans le coffre de la voiture qui avait servi à son enlèvement une semaine plus tôt.

SAMEDI **(le 17 octobre 1970)**, à 18h.18, une semaine jour pour jour et minute pour minute après son enlèvement devant sa demeure à Saint-Lambert, M. Pierre Laporte, ministre du Travail et de l'Immigration du Québec, a été assassiné.

Son corps a été découvert peu après minuit, au cours de la nuit de dimanche à lundi, dans le coffre de la voiture qui avait servi à ses ravisseurs, le 10 octobre dernier.

Voici comment se sont déroulés les événements, à partir du moment où LA PRESSE, avisée par CKAC de la découverte d'un communiqué du FLQ et de son contenu, a dépêché deux représentants à l'endroit précisé par le communiqué, dans le terrain de stationnement de l'aéroport civil de Saint-Hubert.

A 23 heures, à notre arrivée, seule l'auto-patrouille de CKAC est déjà sur les lieux. Dans la pénombre, à l'intérieur du terrain gazonné, se trouve une Chevrolet de couleur bleu-vert, au toit noir, immatriculée 9J2420, donc correspondant exactement à la description de la voiture ayant servi au rapt de M. Laporte.

L'auto se trouve au milieu du terrain de stationnement, à environ un demi-mille de l'aéroport militaire de Saint-Hubert qui bourdonne d'activité.

Dix minutes plus tard, une dizaine de policiers en civil, armés de fusils et de mitraillettes, sous les ordres du capitaine Raymond Bellemarre débouchent en trombe du chemin qui conduit au terrain de stationnement.

Avec de multiples précautions, ils s'approchent de l'automobile dont l'arrière penche vers le sol, sous le poids du contenu du coffre. (...)

N'ayant rien constaté de suspect, ils reviennent vers l'auto qu'ils identifient formellement comme étant le véhicule qui a servi à l'enlèvement de M. Laporte.

Au cas où le véhicule serait piégé, le capitaine Bellemarre décide de faire appel à l'armée canadienne avant de toucher à l'auto.

Entretemps, il reçoit des mains de Michel Saint-Louis, reporter de CKAC, le communiqué du FLQ qui précise notamment que le corps de M. Laporte, tué à 18.18 heures, se trouve dans le coffre de l'automobile.

Avant l'arrivée de l'armée canadienne, de nombreuses autos-patrouilles de la Sûreté du Québec mandées sur les lieux, barrent les voies d'accès au terrain de stationnement. A l'exception des représentants de CKAC et de LA PRESSE, arrivés avant la police, tous les journalistes sont retenus à l'extérieur du terrain de stationnement.

Vers 23h.45, un camion de l'armée attelé d'une remorque entre dans le terrain. Un militaire spécialiste en désarmorçage examine soigneusement l'auto dont il doit ouvrir le coffre.

Il installe ensuite un écran protecteur devant le coffre et se prépare à forcer la serrure à l'aide d'un pied-de-biche. (...)

Un premier coup de pic est donné sur la serrure. L'explosion appréhendée ne se produit pas. Encouragé, le militaire, derrière son écran, frappe régulièrement sur la serrure. (...) Il s'arrête de marteler, examine son travail et soulève le bord du coffre en forçant sur son pied-de-biche sur lequel il pèse de tout son poids. Le militaire se penche, regarde dans la mince ouverture, se retourne vers ses supérieurs et hoche la tête de haut en bas. Il se relève, avance vers les policiers et dit qu'il a vu des «guenilles». (...)

En quelques minutes, le soldat achève d'ouvrir le coffre. Il est environ 00.15 heures. (...)

Le capitaine Bellemarre confirme qu'il y a un corps mais refuse de dévoiler l'identité de ce corps. De l'endroit où nous sommes, à une vingtaine de pieds du coffre, nous n'apercevons qu'un drap blanc taché de sang.

Les policiers retirent du coffre un bout de corde, une feuille de papier et des morceaux de tissus. Un autre policier prend des photos de la voiture et de son contenu. (...)

Cette fois, il n'y a plus de doute, le contenu du coffre est bel et bien le corps de M. Laporte. La nouvelle est immédiatement lancée dans le monde entier. (...)

Le corps du ministre est étendu dans le coffre. Il porte le chandail dont il était vêtu lors de son enlèvement. Sa barbe est longue de quelques jours et une de ses mains, rougie par le sang, dépasse d'un bandage sommaire qui enroule son poignet. (...)

C'EST ARRIVÉ UN 17 OCTOBRE

1989 — Le violent tremblement de terre qui a secoué San Francisco et sa région a fait au moins 69 morts et provoqué d'importants dégâts.

1983 — Acquittement de l'avocate Claire Lortie, accusée de meurtre avec préméditation. — L'essayiste, journaliste et philosophe français Raymond Aron s'éteint à l'âge de 78 ans.

1979 — Mère Teresa (de son vrai nom Agnès Ganxha Bojaxhim, née en Yougoslavie), l'apôtre des pauvres de Calcutta depuis 33 ans, mérite le prix Nobel de la Paix.

1973 — L'OPEP décrète un embargo des exportations de pétrole vers les États-Unis et les Pays-Bas, tant qu'Israël n'aura pas quitté les territoires occupés depuis 1967.

1956 — Inauguration par la reine Elizabeth de la centrale atomique de Calder Hall, en Angleterre, la première au monde à produire de l'électricité à partir de l'énergie atomique sur une base commerciale.

1946 — Des travaux d'excavation à la Place d'Armes mettent à jour un puits très ancien situé en pleine rue Notre-Dame, à huit pieds sous le niveau actuel du pavé.

1941 — Une partie du gouvernement soviétique est envoyé à Kuibyshev. — Le destroyer américain *S.S. Kearny* est torpillé par un sous-marin allemand à 350 milles au sud de l'Islande.

1938 — Inauguration d'un service de messageries sur les lignes aériennes de la Trans-Canada Airlines.

1936 — Un cargo s'abîme dans le lac Erié; l'accident fait 19 morts.

1926 — Les Montréalais accueillent Babe Ruth, l'idole du baseball professionnel.

1913 — Nouvelle catastrophe aérienne en Allemagne, alors qu'une explosion détruit le dirigeable *L-II*.

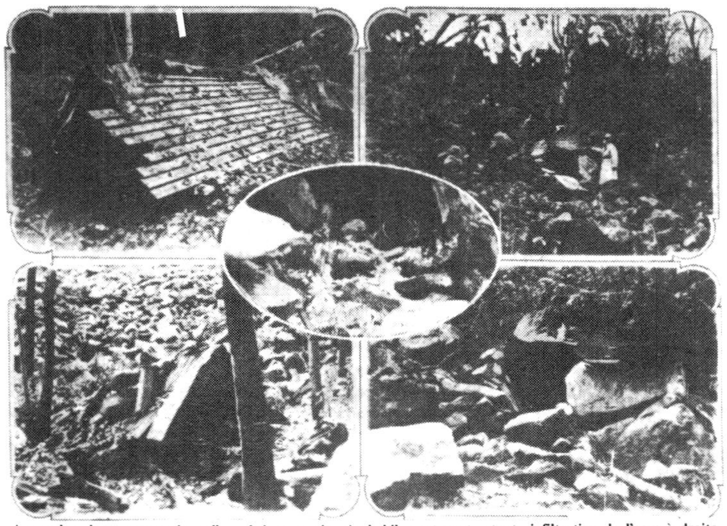

A gauche, deux perspectives d'un abri construit très habilement contre toute infiltration de l'eau; à droite, l'entrée d'une grotte où habitaient un homme et une femme; enfin, au centre, on aperçoit les restes d'un feu et une chaudière.

LES TROGLODYTES DU MONT-ROYAL

LA «PRESSE» qui découvrait récemment une vraie colonie établie dans un dépotoir de la ville fait part dans le récit qui suit d'une autre découverte où l'ingéniosité de l'homme paraît au moins égale à sa misère.

Montréal a-t-il aussi ses troglodytes? (...)

Apprenant que la police arrêtait les gens ayant élu domicile sur le Mont-Royal, nous nous rendons au poste de la montagne qui est situé dans le nouvel immeuble pour le service central des alarmes des incendies. Le lieutenant Georges Gendron qui est en charge de ce poste consent aimablement à nous piloter.

Buveurs d'alcool méthylique

En cours de route le lieutenant Gendron nous fournit les renseignements suivants au sujet des «troglodytes de la montagne».

Durant toute la chaude saison de 300 à 400 hommes couchaient à la belle étoile en différents endroits de la montagne. La police avait reçu ordre des autorités de la ville de ne pas intervenir, sauf en cas de désordre. Il y eut peu d'arrestation car tous ces hommes «se conduisaient bien». Quelques-uns furent cependant appréhendés pour avoir fait du tapage ou pour s'être enivrés. La boisson habituelle de ces hommes est l'alcool méthylique (alcool de bois) qu'ils achètent avec le fruit de leurs quêtes dans les rues.

Chômeurs irréductibles

Comme nous l'explique le lieutenant Gendron, ces hommes ne sont pas du tout pareil à ceux qui habitent les dépotoirs et dont nous avons parlé dans la «Presse» il y a déjà quelque temps. Ceux qui habitent les dépotoirs «gagnent leur vie» en revendant les matériaux qu'ils trouvent dans les déchets et se nourrissent des quelques aliments qu'ils y rencontrent. Au contraire, ceux qui habitent la montagne ne cherchent aucunement «à gagner leur vie». Ils ne veulent pas du tout travailler. (...)

Tout en causant, le lieutenant Gendron, qui connaît la montagne dans ses moindres détails, nous conduit vers une première grotte. Nous gravissons des sentiers divers qui nous éloignent de l'avenue du Parc et nous mènent aux flancs escarpés du Mont-Royal. (...) Et après avoir escaladé la montagne avec peine et misère jusqu'à une hauteur qui domine de 200 pieds environ les rues de la ville, nous apercevons soudainement une grotte. Elle *(mesure)* une dizaine de pieds environ par 5 ou 6 de large. Cette roche qui doit peser plusieurs tonnes est maintenue horizontalement par d'autres énormes cailloux de façon à laisser à l'intérieur un réduit informe mais suffisant pour loger deux ou trois personnes. (...)

Cette nouvelle fut publiée le 17 octobre 1931.

Un train officiel passe sur le pont de Québec

(Spécial à la «Presse»)

QUÉBEC — Un train spécial portant, dit-on, 400 invités de la compagnie St. Lawrence Bridge, a passé sur le pont de Québec, entre 11 heures 30 et midi, aujourd'hui **(17 octobre 1917)**. Le voyage a été un succès complet.

Grand ménage chez le Canadien

Serge Savard, Jacques Demers, André Boudrias, Carol Vadnais...

Les têtes pensantes du club de hockey Canadien ont roulé, toutes victimes d'un grand ménage du président de l'équipe, Ronald Corey. Seul Demers a sauvé un « poste à être déterminé plus tard au sein de l'organisation ». Les autres n'ont plus d'emploi.

Le Canadien connaît actuellement l'un des pires débuts de saison de son histoire et Corey a jugé qu'il devait agir. « C'est la décision la plus difficile de ma carrière, a-t-il dit en conférence de presse, d'une voix étreinte par la nervosité. J'y ai consacré les trois derniers jours au cours desquels j'ai discuté avec toutes les personnes concernées. »

« Apres 13 saisons, deux coupes Stanley et de beaux succès, j'ai décidé de relever Serge Savard de ses fonctions. André Boudrias a aussi été remercié (tout comme Vadnais). »

Corey a refusé d'expliquer en termes personnels les congédiements. « Vous ne m'entendrez jamais parler en mal de mes employés. Quant à moi, ils ont tous rendu de précieux services à l'organisation et je tiens à les remercier. » **(Texte publié le 17 octobre 1995.)**

8150 ans d'histoire

Une équipe de chercheurs dirigée par l'archéologue Claude Chapdelaine, de l'Université de Montréal, a mis au jour à Rimouski le plus vieux site archéologique du Québec, qui date de 8150 ans. Le site a été occupé par un groupe paléo-indien de culture « Plano ». On connaît ce site depuis environ un an, mais la datation vient tout juste d'en confirmer l'importance. **(Texte publié le 17 octobre 1991)**

58 heures de calvaire

La petite Jessica McClure, âgée de 18 mois, coincée depuis plus de deux jours au fond d'un vieux puits abandonné, à Midland, au Texas, a passé le temps à fredonner des chansons dont elle seule semblait connaître la mélodie, à pleurer en appelant sa maman et à sommeiller, tandis que les sauveteurs s'efforçaient désespérément de parvenir jusqu'à elle en creusant un tunnel dans le roc entourant le puits. Elle en a été retirée vivante après 58 heures, sept mètres sous terre, sans boire ni manger. **(Texte publié le 17 octobre 1987.)**

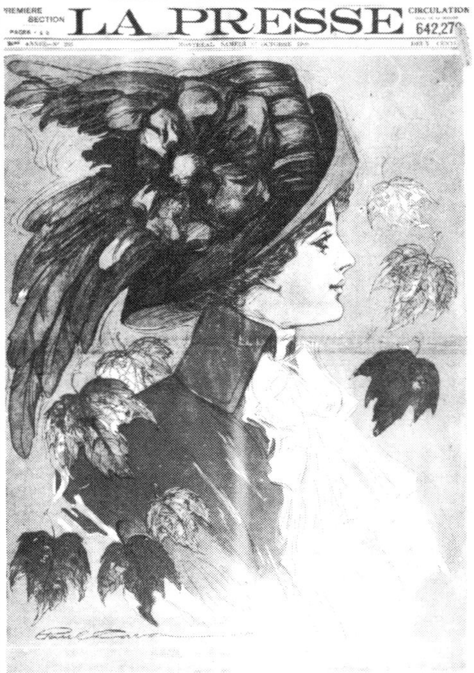

Très belle première page de l'édition du *17 octobre 1908*. Il est à noter que cette page est offerte (avec trois autres) sous forme d'affiche. Ces affiches, en couleurs évidemment, sont offertes au comptoir de l'entrée Saint-Jacques de LA PRESSE.

LE SYSTEME DE MARCONI

La station de télégraphie sans fil de Glace Bay communique avec l'Irlande.

GLACE BAY (Nouvelle-Ecosse) — La station de télégraphie sans fil Marconi a inauguré hier **(17 octobre 1907)** son service commercial. Des télégrammes ont été échangés tout le jour avec la station d'Irlande, envoyés par Lord Strathcona, sir Hiram Maxim, le président Roosevelt et sir Wilfrid Laurier. Pendant tout l'après-midi un télégraphiste s'est tenu au poste, envoyant et recevant des dépêches. Les spectateurs pouvaient à leur aise suivre les opérations. Les journalistes étaient en grand nombre.

M. Marconi était là, surveillant tout. S'adressant aux représentants de la presse: «Tout a bien marché aujourd'hui, dit-il, et j'espère que cela continuera. Nous pouvons à présent échanger

«30 MOTS PAR MINUTE».

On a tenté avec succès des expériences pour démontrer qu'au moyen de la télégraphie san fil on pouvait suivre un navire en mer. Selon M. Marconi, une dépêche ne peut être interrompue, et si par hasard quelqu'un parvenait à la copier, il ne pourrait répéter cet exploit si les expéditeurs en étaient avertis.

Londres, 18 — Plusieurs journaux ont reçu des dépêches, par télégraphe sans fil, de la station de Glace Bay, Nouvelle-Ecosse, et plusieurs personnages, tels que le lord maire de Londres, sir C. Bell, le duc d'Argyll et le Haut-Commissaire Lord Strathcona, ont envoyé des messages

DE FELICITATIONS A M. MARCONI

Les messages sont envoyés avec beaucoup de facilité et les stations établies au Canada et en Angleterre sont aménagées d'une façon complète, et sont munies des appareils les plus modernes.

En 1902, le gouvernement canadien invita M. Marconi à venir au Canada. Un contrat fut conclu entre les deux parties. Aux termes de ce contrat, M. Marconi s'engageait à établir une grande station au Canada, et le prix des dépêches devait être la moitié de celui qui est demandé par câble.

Pire qu'en 1929

I l y a un an, des milliers de petits investisseurs n'en croyaient pas leurs yeux et leurs oreilles : la valeur de leur portefeuille d'actions chutait à vue d'oeil, comme aspirée par un « trou noir », à mesure qu'étaient diffusées les nouvelles en provenance des Bourses de New York, Toronto et Montréal.

Tôt le matin du lundi 19 octobre 1987 parvenaient déjà à la Bourse de Londres des nouvelles inquiétantes : les cours dérapaient, en réaction à la chute d'un peu plus de 100 points que Wall Street avait enregistrée le vendredi précédent. Durant le week-end, analystes et courtiers se disaient

pourtant qu'une panique excessive s'était emparée du marché ce vendredi 16 octobre après la publication de données négatives sur la balance commerciale américaine.

Mais personne ne prévoyait que Dow Jones, le baromètre boursier de New York, perdrait 508 points, soit 23 pour cent, en une seule journée. Aux États-Unis, on estimait à quelque 500 milliards les sommes perdues.

Le record de perte quotidienne de 12,5 pour cent enregistré au jour le plus sombre de la crise de 1929 était pulvérisé.

Mais un an plus tard, le parallèle entre les deux krachs

s'arrête là. La descente aux enfers ne s'est pas poursuivie, des millions de travailleurs ne sont pas devenus chômeurs tandis que les suicides chez les grands et petits boursicoteurs n'ont pas dépassé les normes habituelles... Il y a eu des ravages bien sûr, mais aussi un certain rattrapage.

Après 12 mois, le marché boursier ne sait trop quelle direction prendre.

Mais les prophéties de récession et d'effondrement économique ne se sont pas matérialisées.

À New York hier, l'indice Dow Jones clôturait à 2159,85, se situant ainsi à 539 points au-dessus de son creux de

1620 points atteint le lendemain du krach. Il dépassait d'ailleurs hier son sommet d'après-krach de 2150 points atteint la semaine dernière.

L'indice de Wall Street a donc progressé de 33 pour cent depuis un an. Mais il est encore à 561 points de son sommet historique de 2722 points, atteint à la mi-août 1987. En somme, le principal baromètre boursier se trouve à peu près à mi-chemin entre son creux et son sommet de 1987.

Le Dow Jones a continué son ascension pour atteindre et dépasser les 10 000 points en fin de mars 1999. (Texte publié le 18 octobre 1988)

En portant le record du saut en longueur à 8 m 90, le *18 octobre 1968*, lors des Jeux de Mexico, l'Américain Bob Beamon réussissait un exploit qui n'est pas prêt d'être éclipsé. Le record précédent, 8 m 36, avait été établi par son compatriote Ralph Boston trois ans plus tôt, mais le record antérieur à celui de Boston (8 m 13 réussi par Jesse Owens en 1935) avait résisté pendant 30 ans aux assauts des sauteurs en longueur. Jamais, ni avant ni depuis, un athlète n'a fracassé un record d'une façon aussi importante que Beamon, ce jour d'octobre 1968.

Connie Mack abandonne la gérance du club Philadelphie

PHILADELPHIE —Connie Mack abandonne aujourd'hui (18 octobre 1950) la gérance des Athlétiques de Philadelphie qu'il a pilotés pendant 50 ans et qu'il a conduits à neuf championnats et dans cinq séries mondiales.

Mack, le grand vieillard du

baseball, a annoncé personnellement sa retraite (...) à un lunch offert aux journalistes et commentateurs de la radio.

En annonçant la nouvelle, Mack a dit: «Je me retire du baseball. J'abandonne la gérance du club de baseball».

Casey Stengel

CASEY STENGEL CONGÉDIÉ

Casey Stengel, gérant des Yankees de New York, a pris sa retraite aujourd'hui (le 18 octobre 1960), à l'âge de 70 ans.

Il a déclaré avoir été tout simplement licencié de son poste. « On m'a fait savoir que mes services n'étaient plus requis », a-t-il déclaré au cours d'une conférence de presse en précisant que la raison de ce li-

cenciement était son âge.

De son côté, M. Dan Topping, copropriétaire du club des Yankees, a déclaré que le contrat de Casey Stengel n'a pas été renouvelé en application du programme de pension et de participation aux bénéfices du club. Stengel touchera une somme de 160 000 dollars le 31 octobre 1960.

CAIRINE WILSON DEVIENT LA PREMIÈRE FEMME SÉNATEUR

L' accession des femmes au Sénat canadien date d'il y a à peine 65 ans alors que cinq Canadiennes de l'Ouest réussissaient à faire reconnaître que la femme était, au sens de l'Acte d'Amérique du Nord britannique, une... personne !

Cette décision, rendue le 18 octobre 1929 par le Conseil privé de Londres, devait conduire à la désignation, par le premier ministre W.-L. Mackenzie King, de la première femme au Sénat, Cairine Wilson, en février 1930.

Le tribunal britannique ayant le dernier mot en matière constitutionnelle, le Conseil privé renversait une décision de la Cour suprême du Canada qui avait conclu que le mot « personne » dans l'Acte d'Amérique du Nord Britannique excluait les femmes. Le gouvernement canadien ne s'était pas opposé à ce que cette cause soit portée en appel.

En annonçant la nomination de Mme Wilson, native de Montréal et résidant en Onta-

rio, les journaux insistent autant sur sa fréquentation du milieu politique que sur le fait qu'elle est mère de huit enfants et qu'elle parle français.

On se doute que l'arrivée d'une femme dans cet auguste cénacle jusque-là uniquement occupé par des hommes, ne suscita pas toujours des élans d'enthousiasme.

« Les premières femmes nommées au Sénat ont eu de la difficulté à prendre leur place. Mais elles l'ont prise tant et si bien que certaines en sont devenues présidentes », mentionne Mme Solange Chaput-Rolland, ex-sénateur conservatrice et co-auteur du livre *Chère Sénateur*.

La nomination de Mme Wilson devait ouvrir la voie à celle d'autres femmes au Sénat. Parmi elles, Marianna Beauchamp-Jodoin fut la première francophone à y accéder, en 1953, alors qu'elle avait 72 ans. (Texte publié le 18 octobre 1994.)

Des tournesols de huit étages de haut

La ville d'Altona, au Manitoba, qui se targue d'être la capitale des tournesols du Canada, a fait ériger une reproduction géante des Tournesols de Van Gogh.

La reproduction, de quelque 25 mètres de haut — l'équivalent de huit étages — a été peinte sur 24 plaques de contre-plaqué reliées entre elles, en utilisant près de 80 litres de

peinture. La Ville va soumettre cette réalisation au Livre des records Guinness, comme plus grande peinture au monde.

Cameron Cross, le professeur de dessin à l'origine de l'initiative, a souligné que le tournesol était pour Van Gogh « symbole de vie et d'espoir ». (Texte publié le 10 octobre 1998.)

LE MAIRE MARTIN EST REELU PAR PLUS DE TRENTE MILLE VOTES DE MAJORITE

LES élections municipales d'hier (18 octobre 1921) mettent fin au régime institué en 1918 par le gouvernement de notre province. Elles marquent le départ de la Commission administrative, qui était formée de membres nommés par Québec. La nouvelle administration municipale sera dirigée par un conseil composé de 35 échevins et

d'un maire. Le conseil, dont le terme d'office s'est terminé avec l'élection d'hier, n'était composé que de 20 membres et d'un maire; le nouveau conseil comptera donc 15 membres de plus que celui qui vient de disparaître. Le premier devoir du nouveau conseil sera de nommer un comité exécutif de cinq de ses membres. La charte donne à ce comité des pouvoirs étendus.

M. Ernest Décary, président de la commission, les commissaires Marsil, Verville et Ross doivent quitter l'hôtel de ville aussitôt que le nouveau conseil entrera en fonction. Le maire a déjà annoncé qu'il convoquera une assemblée du conseil aussitôt que possible, c'est à dire que la commission actuelle n'en a plus que pour quelques jours à admi-

nistrer les affaires de la ville. (...)

Le maire Martin recueillit 53 024 voix, comparativement à 22 900 pour son adversaire Rochefort, pour une majorité de 30 124 voix. Le maire Martin l'avait emporté dans 31 des 35 quartiers. Les 75 924 voix représentaient 46 p. cent des 165 205 électeurs éligibles.

Edison meurt content d'avoir pu auparavant terminer son oeuvre

Le grand inventeur s'éteint paisiblement entouré de sa famille, à l'âge de 84 ans.

Thomas Alva Edison.

WEST ORANGE — Thomas Edison est décédé en paix dans sa demeure de Hilltop où durant sa vie il avait travaillé pour donner au monde la lumière, le travail et la récréation.

Plongé dans le coma sur les derniers moments, le vieil inventeur âgé de 84 ans déclara au docteur Hubert S. Howe qu'il ne désirait pas vivre, lorsqu'il comprit qu'il ne pouvait pas revenir à la santé.

Sa femme et ses six enfants, qui s'étaient tenus constamment à son chevet pendant sa maladie de onze semaines, avaient appris de la bouche même de M. Edison que son travail était maintenant terminé et que c'était mieux pour lui de quitter le monde plu-

tôt que de l'embarrasser de ses infirmités et de sa vieillesse.

Dans le calme du matin, M. Arthur L. Walsh, vice-président de Thomas E. Edison Industries Inc., apporta aux journalistes la nouvelle officielle de la mort de M. Edison. Pâle et agité, M. Walsh descendit rapidement vers les quartiers généraux des journalistes et leur lut le bulletin suivant: «Thomas Alva Edison est décédé paisiblement 24 minutes après 3 h. ce matin, 18 octobre 1931. (Signé) Dr H.S. Howe.» (...)

Thomas Alva Edison, inventeur américain, est né à Milan, Etat de l'Ohio, Etats-Unis, en 1847. Après avoir été crieur de journaux, cireur de bottes, puis

homme d'équipage, sur la ligne du chemin de fer du Grand Tronc et du Central Michigan, Edison apprit tout seul la typographie, se fit rédacteur, compositeur et imprimeur d'une feuille de nouvelles qu'il vend aux voyageurs. Entré en 1862 au bureau télégraphique de Port Huron et ne cessant de s'instruire, il inventa, en 1864, son télégraphe «duplex» permettant de faire passer simultanément sur un même fil unique deux dépêches en sens inverse. Il devint par la suite ingénieur de plusieurs sociétés de réseaux télégraphiques. Riche et ayant déjà acquis un grand renom, il fonda, en 1876, son usine de Menlo Park, à Orange, Etat de New Jersey. C'est là qu'il a

réalisé ses inventions les plus considérables. En 1877, il inventait le microtéléphone, qui permit de rendre pratique le téléphone de Bell; en 1878, il a fabriqué le premier phonographe, dont le principe avait été trouvé par le Français Charles Cros, l'année précédente.

En 1878, il apporta de merveilleux perfectionnements à la lampe à incandescence qui porte son nom. La même année, il imagina le mégaphone, et ultérieurement de nombreuses inventions dont certaines sont d'une très grande importance. En 1880, il inventa un câble dans lequel le guipage de coton était imprégné d'huile lourde; et en 1884, il signala l'effet Edison, première étape de la dé-

couverte de la lampe triode (cet effet avait déjà été étudié par Hittorf en 1869). On lui doit encore le kinétoscope (1894), ingénieuse synthèse photographique du mouvement, des expériences fort intéressantes sur diverses applications de l'électricité: en particulier, un procédé permettant de télégraphier avec un train en marche et le télégraphe quadruplex et sextuplex. Vers 1914, il mit au point une batterie d'accumulateurs Edison. Pendant la guerre, il perfectionna les moteurs au benzol, au gaz carbonique liquide et les moteurs électriques. Enfin, il étudia la préparation des colorants d'aniline à partir du nitrobenzène. (...)

LA FATALE EXPLOSION A LA POUDRERIE DE RIGAUD

On n'a pu retrouver que des débris informes des 4 infortunés jeunes gens qui ont perdu la vie dans cette catastrophe.

(De l'envoyé spécial de la PRESSE)

RIGAUD — La triste catastrophe arrivée hier **(19 octobre 1911)** à quelques milles de Rigaud a causé une vive sensation. Quatre hommes, tous jeunes, ont perdu la vie. L'explosion de la poudrerie de la Curtiss & Harvey Company a été si violente qu'elle a été ressentie jusqu'à Carillon. Les gens attablés dans les hôtels ont échappé leurs verres tant la commotion a été violente. L'édifice où s'est produite l'explosion n'existe plus. Les débris en ont été lancés dans les airs et l'on trouve des morceaux de planche à une distance de plus de quatre cents pieds.

Il ne reste plus à cet endroit qu'un vaste trou creusé par la force de l'explosion. Toutes les maisons dans le voisinage ont subi des dommages considérables. (...)

SUR LES LIEUX

Le représentant de la «Presse» a visité les lieux, hier soir, en compagnie du second vice-président, M. Jack J. Reilly. C'est une empoignante scène de désolation. De nombreux employés cherchaient les restes des malheureuses victimes. Des morceaux de vêtements, des lambeaux de chair pendaient aux branches des arbres. Il sera impossible de faire aucune identification.

LUGUBRE CORTEGE

Quelques minutes avant 7 heures se forma un lugubre cortège.

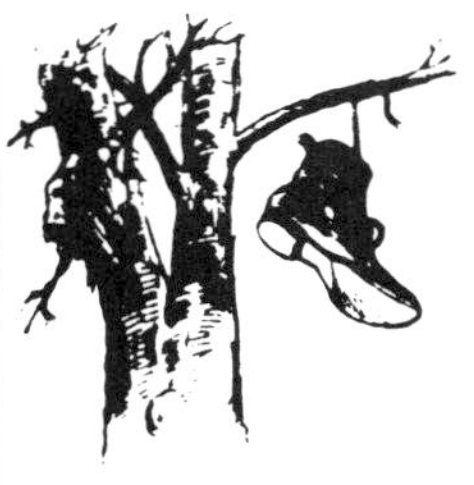

La chaussure de l'une des victimes a été retrouvée accrochée à la branche d'un arbre, à quelque 400 pieds de distance.

Les restes des quatre pauvres jeunes qui ont été tués par l'explosion ont été déposés dans une caisse de bois brut et furent transportés au charnier de Rigaud. (...)

Quelles sont les causes de ce terrible accident? Il serait encore difficile de le dire. M. Reilly, le second vice-président, croit qu'elles peuvent être attribuées à l'imprudence de quelques employés. Au moment où l'explosion s'est produite, deux employés, Napoléon Castonguay, âgé de 18 ans, et Eugène Séguin étaient à l'intérieur de l'édifice où se fait le mélange des matériaux pour la fabrication de la nitro-glycérine. Wilfrid Mallette et Adélard Chevrier étaient supposés se tenir au dehors sous un appentis.

Il ne reste plus maintenant de ces jeunes gens, dont le plus vieux avait à peine vingt-et-un ans, que des lambeaux de chair qu'il est impossible d'identifier. A cinq cents pieds de l'endroit, l'on a trouvé des chaussures accrochées aux branches d'un arbre. Il ne reste plus personne pour dire comment s'est produit l'accident. Les témoins sont maintenant rendus dans l'éternité.

Il y a quatre ans que la poudrière a été ouverte par la Teutonite Explosive Company. La Northern Explosive Company lui a succédé, puis enfin la Curtiss and Harvey Company prenait possession de l'établissement, le printemps dernier. Le colonel Reilly déclarait, hier soir, au représentant de la «Presse» que toutes les précautions possibles ont été prises pour protéger la vie des travailleurs et les propriétés. Vingt-cinq édifices sont distribués sur une superficie d'environ trois cent vingt arpents et chacun est éloigné de l'autre par une distance d'au moins cent cinquante pieds. Les matériaux sont transportés en petites quantités dans des cuves en fibres de bois munies d'anses en cuir. La compagnie emploie environ soixante-dix hommes.

Al Capone reconnu coupable de 5 offenses

CHICAGO, Ill. — Après une carrière de douze années comme chef de bandits de Chicago, Al Capone a été déclaré coupable **(le 19 octobre 1931)**, sous cinq chefs d'accusation, et sa sentence, dont le total peut être de 17 ans de pénitencier et de $50,000, sera prononcée demain matin à 10 heures. Capone a esquissé un rire narquois en entendant le verdict du jury.

Le célèbre «gangster» a été trouvé coupable d'avoir négligé de payer à l'Etat son impôt sur un revenu de $257,285 en 1925, de $195,676 en 1926, et de $218,056 en 1927, et aussi de n'avoir pas fait son rapport à l'Etat au sujet de ses revenus en 1928 et 1929. Sur chacun des trois premiers chefs d'accusation, il est passible d'un emprisonnement de cinq ans, et d'un autre emprisonnement de deux ans sur les deux derniers chefs.

Le juge fédéral James H. Wilkerson, qui a entendu son procès, recevra demain la motion sur le verdict de la part des avocats de Capone, et il est probable qu'il prononcera la sentence aussitôt après. (...)

La première Bomarc arrive aujourd'hui à North Bay

OTTAWA — La première fusée anti-avions «Bomarc» a être livrée au Canada est censée arriver aujourd'hui **(19 octobre 1961)** à la base de lancement de l'ARC près de North Bay, en Ontario.

Les autorités de l'ARC ont refusé de divulguer quand arrivera la première des 56 fusées «Bomarc» que le Canada recevra des Etats-Unis en vue de leur installation à North Bay et à La Macaza, au Québec.

On a rapporté que la première fusée, ainsi que les autres qui suivront, devait être transportée à North Bay par camion de l'usine aéronautique «Boeing» à Everett, dans l'Etat de Washington. On croit savoir que les fusées seront «désarmorcées» au cours du voyage. (...)

Neuf mois après le verglas... les bébés

Dans leurs vieux jours, plusieurs couples du Québec ne se remémoreront pas le terrible mois de janvier 1998 en évoquant les branches cassées, le froid et le manque de piles.

Il parleront plutôt de la fois où ils se sont rapprochés au bord du poêle. C'était il y a neuf mois. Eh oui, déjà. Les « bébés-verglas » sont arrivés!

« Ça nous a pris un peu par surprise », confie Valérie Brodeur qui, mercredi, a donné naissance à Simon, 6,13 livres.

« Il y a probablement eu un problème de calcul de cycle », ajoute son conjoint, François Legault. « C'est ça, peut-être que le verglas a eu des effets sur le cycle. »

« C'est pas scientifique ça », rétorque la maman, qui se ravise aussitôt. « J'ai eu les ovules gelés quelques jours, ç'a peut-être tout décalé. Mais on en voulait un troisième de toute façon, alors c'est parfait. C'est juste arrivé plus vite. Mais il est désiré ! »

La semaine dernière, cinq nouvelles mamans rayonnaient à la pouponnière du CHG. Et on en attend plusieurs au cours des prochains jours. Un baby-boom dû au verglas ? Il ne sera pas possible avant la fin du mois d'établir des comparaisons avec les autres années.

Ce qui est certain, c'est que la vie de tous ces bébés-là, d'une façon ou d'une autre, est liée au verglas. (**Texte publié le 19 octobre 1998.**)

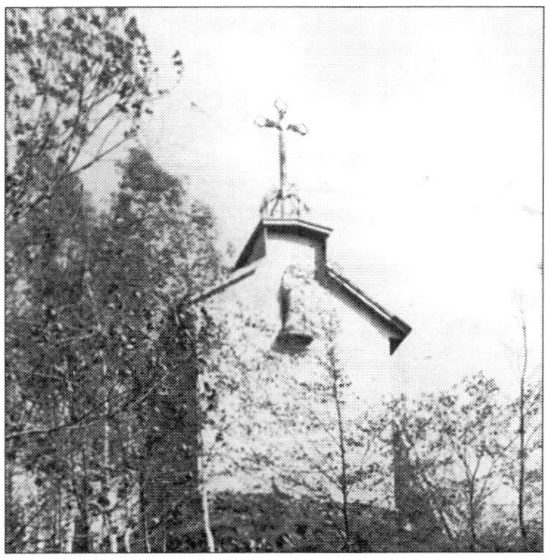

L'Oratoire Saint-Joseph, le jour de son inauguration, le 19 octobre 1904.

UN PREMIER ORATOIRE

Ce matin (**le 19 octobre 1904**), à neuf heures, a eu lieu l'inauguration solennelle de la petite chapelle de Saint-Joseph, érigée par les Pères de Sainte-Croix, du collège Notre-Dame, sur le premier plateau de la montagne faisant vis-à-vis à l'établissement.

Avant la cérémonie de la bénédiction de la chapelle, Mgr Racicot, V.G., du diocèse de Montréal, qui présidait, bénit dans la chapelle du collège, un petit orgue dont la communauté vient de faire l'acquisition.

Il bénit ensuite la statue de saint Joseph qui a été placée dans la petite chapelle de la montagne, sur l'autel, une dévotion particulière du frère André, portier du collège.

La prochaine à Montréal?

L'Exposition de Bruxelles a attiré 42 millions de visiteurs

BRUXELLES

L'Exposition de Bruxelles a fermé ses portes. On ne saurait prétendre en établir aujourd'hui **(19 octobre 1958)** un bilan. Tout juste peut-on formuler quelques constatations d'ordre général.

Si le succès se mesure au nombre des visiteurs, l'Exposition a été un incontestable succès. Le chiffre de 40 millions, cité comme une chimère, avant l'ouverture, a été largement dépassé. Dans le monde entier, l'Exposition de Bruxelles a suscité un grand mouvement de curiosité. C'était la première exposition universelle depuis la guerre; elle a eu la résonnance mondiale qu'on pouvait en attendre.

Le thème de l'exposition, qu'on a beaucoup raillé et qu'on avait fini par perdre de vue dans les remous de foule et les feux d'artifice, était ambitieux, «Bilan du monde pour un monde plus humain». La façon dont ont voisiné pendant six mois le pavillon soviétique et le pavillon américain, rivalisant courtoisement d'attractions pour attirer les visiteurs, laissera un souvenir encourageant. (...)

Comment s'établit le résultat sur le plan financier? La question ne concerne, pratiquement, que le pays organisateur, la Belgique. Les quelques dizaines de millions de francs que l'entreprise aura coûtées à l'Etat belge sont largement compensées par le prestige mondial que l'Exposition a conféré à la Belgique. Quant à dire que tous les Belges se sont enrichis, c'est une autre affaire...

Les visiteurs ont dépensé moins que prévu

Dans l'ensemble, si les visiteurs ont été nombreux, ils ont dépensé moins qu'on ne le prévoyait; c'était trop cher, dit-on généralement; les restaurateurs et limonadiers établis dans l'enceinte de l'exposition ont certes fait de bonnes affaires, mais ce fut au détriment des commerçants du centre de la ville, et surtout au détriment des établissements touristiques du littoral et des Ardennes, dont la saison fut franchement mauvaise.

Le bâtiment a connu des heures dorées pendant la période de préparation, mais la Belgique se voit aujourd'hui contrainte de lutter, à coups de grands travaux coûteux, contre une brusque menace de chômage. (...)

Bruxelles, centre européen

Mais il reste à Bruxelles un réseau de boulevards et de routes que bien des capitales plus importantes pourraient lui envier. (...)

Les exposants ont (...) le devoir de remettre le terrain occupé en état. (...) Les commissaires généraux ont été avisés que le maintien des constructions ne sera autorisé que dans de très rares cas. (...) Nombreux sont (...) les pays qui avaient manifesté leur intention de faire don de leur pavillon, évitant ainsi les très importants frais qu'entraînent la démolition et la remise en état du terrain. L'acceptation de ces cadeaux empoisonnés sera l'exception. Que faire, en effet, de ces constructions en matériaux légers, impossibles à chauffer l'hiver? (...)

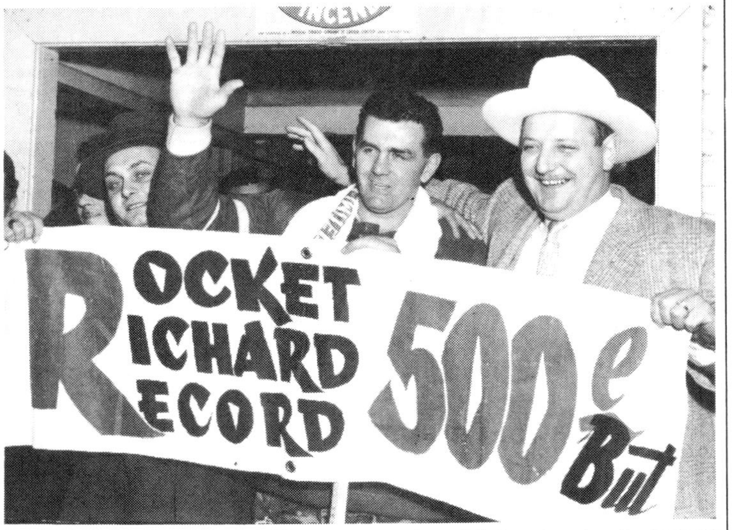

Après avoir réussi son exploit, Richard se retrouve parmi ses admirateurs, tenant une banderole qui ne saurait être plus explicite...

MAURICE RICHARD ATTEINT LE GRAND OBJECTIF DE SA CARRIÈRE: 500 BUTS

QUELQU'UN, là-haut, doit aimer Maurice Richard et les Canadiens français!, a dit M. Frank Selke, après la joute du **19 octobre 1957**, une date mémorable dans toute l'histoire du hockey.

Les paroles de M. Selke méritent qu'on s'y arrête. Comment ne pas reconnaître que Maurice Richard est un athlète privilégié? Quel autre joueur de hockey a connu une plus glorieuse carrière? Quel autre homme a-t-il été aussi adulé par la gent sportive canadienne?

A l'âge de 35 ans, indépendant de fortune et n'ayant plus aucun objectif à viser comme joueur de hockey, Joseph Henri Maurice Richard a éprouvé l'une des plus grandes joies de sa vie d'athlète en marquant le 500e but de sa carrière étincelante dans la Ligue Nationale de hockey, samedi soir, au Forum.

Quand, dans sa joie trépidante, Maurice Richard est tombé dans les bras de Jean Béliveau, l'a étreint de toutes ses forces pour cacher une émotion difficile à contrôler, après son but historique, la foule de 14,405 spectateurs a fait entendre un cri délirant à l'unisson. Les clameurs de la multitude de compatriotes se sont prolongées jusqu'au moment où le «Rocket» est allé de sa propre initiative prendre place au banc, parmi ses coéquipiers.

Le Canadien devait triompher des Black Hawks de Chicago par 3 à 1, mais l'instructeur Toe Blake est le premier à admettre que tous les spectateurs étaient venus au Forum pour applaudir Maurice Richard et le voir accomplir son remarquable exploit.

Même si les hommes sont difficiles à épater après avoir appris que la barrière du son avait été franchie, que des hommes pouvaient lancer un satellite artificiel dans l'atmosphère, qu'un athlète pouvait courir le mille en moins de quatre minutes, les sportifs sont unanimes à admettre que le 500e but de Maurice Richard est un exploit extraordinaire. Hector (Toe) Blake, un gaillard qui a réussi un tour de force peu commun en marquant 235 buts au cours de sa longue carrière dans le hockey majeur, prétend que le total de 500 buts comptés par le «Rocket», son ancien compagnon de jeu, peut se comparer au total de 714 coups de circuit frappés par Babe Ruth. (...)

Ce but n'était pourtant pas le plus spectaculaire que le grand artiste canadien-français ait jamais enregistré. C'était un but comme il en avait marqué plusieurs autres, avec un lancer foudroyant et avec la signature «Maurice Richard» sur la rondelle.

M. Paul-Emile Paquette, le juge de buts, placé derrière la cage de Glen Hall, a déclaré: «J'ai vu Maurice recevoir une passe de Béliveau. Richard était placé à une vingtaine de pieds des buts et était posté au centre de la patinoire. Il a reçu le disque et il a lancé d'un tour de poignet. Le disque a passé avec une rapidité extraordinaire à la droite de Glen Hall.» (...)

C'EST ARRIVÉ UN 19 OCTOBRE

1987 — Sur 4500 policiers oeuvrant sur le territoire de la CUM, 222 sont des femmes.

1983 — Assassinat de Maurice Bishop, premier ministre de la Grenade.

1981 — Les Dodgers de Los Angeles éliminent les Expos en gagnant le 5e et dernier match de la finale de la Ligue nationale. — Les présidents Reagan et Mitterand participent aux cérémonies marquant le bicentenaire de la bataille de Yorktown, gagnée par les Américains aidés des Français, et qui mit fin à la guerre de l'indépendance des États-Unis.

1970 — La police de Montréal découvre un des refuges utilisés par le FLQ.

1968 — Bill Toomey est le champion du décathlon olympique de Mexico.

1965 — André Lamothe, Ovila Boulet, Jean-Jacques Gagnon et Fernand Quirion sont trouvés criminellement responsables des quatre meurtres reliés à l'affaire des incendies criminels.

1960 — Embargo du gouvernement américain sur toute les marchandises destinées à Cuba. — L'ex-gaulliste Jacques Soustelle préconise la création d'un parti de droite pour faire échec aux politiques du général de Gaulle en Algérie. — On apprend que les Jésuites ont demandé au gouvernement provincial de les autoriser à former une université issue des collèges Sainte-Marie et Jean-de-Brébeuf et de conférer le statut d'université au collège Loyola.

1958 — Grandioses obsèques pour le pape Pie XII, à Rome.

1954 — Attribution du premier contrat des travaux de canalisation du Saint-Laurent. — Signature du traité anglo-égyptien du Caire, abrogeant le traité de Londres de 1936.

1948 — Les Américains photographient une superficie de 800 000 pieds carrés grâce à un appareil-photo fixé à une fusée *V-2*.

1947 — Le Rassemblement du peuple français, dirigé par le général de Gaulle, gagne les élections municipales en France.

1943 — Ouverture à Moscou de la conférence des alliés.

1939 — Le collège de Saint-Jean est détruit par un incendie.

1929 — Inauguration du nouveau poste radiophonique CKAC.

1927 — Léo «Kid» Roy conserve son championnat canadien des poids légers aux dépens de Georges Chabot.

1922 — Le premier ministre David Lloyd George démissionne, en Angleterre.

1912 — Dévoilement du monument érigé en l'honneur de F.-X. Garneau, à Québec.

1908 — Retour triomphal d'Europe des gymnastes canadiens.

UNE BOMBE SEME LA MORT ET LES RUINES, RUE FRONTENAC

2 morts identifiés; plusieurs blessés. — 9 logements et trois magasins sont détruits de fond en comble.

NDLR — Cet incident est survenu le **20 octobre 1914**, à une époque où le racisme (hélas!) triomphait, et où les ressortissants venant de pays « adversaires » sur le continent européen étaient soupçonnés des pires maux de la terre...

L'attentat de la rue Frontenac, hier soir — car c'en est un — est plus que significatif.

Dans des logements occupés par des Russes et des Polonais, d'un côté, et par des Autrichiens, de l'autre, on a lancé une bombe, et il y a eu des pertes de vie et des blessés. Une enquête faite sur place par l'un de nos représentants, nous apprend que tout le quartier environnant est au fait de querelles très fréquentes entre ces étrangers, depuis le commencement de la guerre en Europe. Pas plus tard que dimanche dernier, un homme fut lancé par une fenêtre dans la rue, à la suite d'une violente rixe. MM. Paul Bélanger et Joseph Lafrenière, domiciliés dans les environs, sur la rue Frontenac, affirment qu'ils ont vu deux hommes placer une lourde bombe sous les logements détruits,

quelques minutes avant l'explosion formidable qui effrayait tout le voisinage.

Pareil état de chose devrait-il être toléré dans un pays comme le nôtre? Nous sommes en guerre, ne l'oublions pas, et dans les autres pays belligérants on tue sans merci tous les étrangers dont la ligne de conduite n'est pas ce qu'elle devrait être.

On a parlé et on parle encore d'espionnage allemand à Montréal; mais voilà que nous arrivons aux attentats, ce qui est pire. Hier encore, la «Presse» racontait l'aventure d'un policier de Montréal, battu par une bande d'Autrichiens.

Il est grandement temps d'intervenir et d'agir avec la plus grande sévérité. (...) Rappelons surtout que ces étrangers gagnent leur vie à Montréal, alors que plusieurs de nos compatriotes se trouvent jetés sur le pavé à cause de la guerre. Leur seul titre d'usurpateurs les classe comme non désirables; ils ne devraient pas au moins se placer sous le coup de la loi.

Et la justice ne devrait pas ménager ses châtiments les plus sévères pour les espions, les lanceurs de bombes, les fauteurs de la paix publique.

L'ATTENTAT

Un peu après six heure hier soir, une terrible explosion ébranlait tout un quartier de la ville, causait la mort de plusieurs personnes, en conduisant nombre d'autres dans nos différents hôpitaux, pendant que les dommages matériels sont très considérables.

Neuf logements occupés par des étrangers, la plupart des Russes, ont été détruits de fond en comble comme s'ils eussent été secoués par un tremblement de terre. Les occupants, hommes, femmes, enfants, ont été

Ces deux photos montrent l'avant et l'arrière de la bâtisse directement visée par les « dynamiteurs ».

Cette épouvantable tragédie s'est déroulée dans un pâté de maisons situé rue Frontenac, un peu plus haut que la rue Forsyth et à quelques pas à peine du poste de police no 13.

lancés pêle-mêle dans les débris, d'où un cadavre et de nombreux blessés ont été retirés peu après, par les pompiers et les constables qui avaient été appelés en toute hâte, sur les lieux. Les maisons du voisinage ont été ébranlées jusque dans leurs fondations et les citoyens effrayés comme on ne peut le penser, crurent pendant quelques moments que la ville venait d'être assiégée par les Allemands. (...)

1986 — Il y a tout juste cent ans, Griswold Lorillard, un Américain de la haute société, fit scandale en se présentant à une soirée mondaine à Tuxedo Park dans un habit dont il avait coupé les basques: le smoking était né et le nom était tout trouvé.

1975 — Un tamponnement dans le métro de Mexico fait 26 morts et 66 blessés.

1974 — Visite officielle en France de Pierre Elliott Trudeau, la première en sept ans par un premier ministre canadien.

1973 — Le président Nixon révoque Archibald Cox, procureur spécial dans l'affaire du Watergate, ce qui amène Elliot Richardson, secrétaire à la Justice, à démissionner.

1968 — Jean Béliveau marque le 500e but de sa carrière. — Jacqueline Kennedy épouse le millionnaire grec Aristote Onassis dans l'île Skorpios.

1965 — Deux pierres angulaires, l'une en français et l'autre en anglais, sont posées par les premiers ministres Lesage et Robarts au collège Champlain, premier immeuble élevé sur l'emplacement de l'université Trent, à Peterborough, en Ontario.

1963 — Une explosion fait trois morts et deux blessés, à Notre-Dame-de-Grâce. — Le gouvernement canadien ordonne aux marins syndiqués de reprendre leur travail.

1962 — La Chine attaque l'Inde à la frontière commune, dans l'Himalaya.

1960 — Les États-Unis rappellent leur ambassadeur à Cuba, Philip Bonsal.

1952 — Proclamation de l'état d'alerte, au Kenya, à cause des Mau Mau, une secte qui massacre les Blancs.

1950 — Les troupes des Nations unies prennent Pyongyang, capitale de la Corée du Nord, encerclant quelque 30 000 Nord-Coréens.

1949 — Le budget fédéral affiche un surplus de $87 millions, incitant le gouvernement à abolir la taxe sur l'huile à chauffage.

1948 — En réunion à Paris, l'ONU approuve le projet de contrôle de l'énergie atomique tel que proposé par le Canada.

1946 — Décès de J.-P.-A. Cardin, député de la circonscription de Richelieu-Verchères depuis 1911.

1944 — Les troupes américaines du général Douglas MacArthur envahissent les Philippines.

1941 — Proclamation de l'état de siège en URSS.

1936 — Reprise des travaux de la Commission d'enquête sur les comptes publics de Québec, présidée par M. Alexandre Taché.

1919 — Le parti des fermiers-unis fait élire un gouvernement minoritaire à l'occasion des élections générales, en Ontario.

1903 — Décision rendue par la Commission des frontières de l'Alaska, laquelle définit la frontière entre le Canada et l'Alaska.

---

100 000 jeunes sont invités à nettoyer les rives du fleuve

Une armée de 100 000 jeunes est invitée à entreprendre la plus vaste opération de nettoyage jamais effectuée : débarrasser les rives du Saint-Laurent des déchets qui les encombrent. Neuf jours de travail intensif, 3000 km à ratisser, dès le petit matin, le 20 juillet 1985.

Organisme à but non lucratif, ONET 85 se charge d'organiser le projet. Sa mission est de donner aux jeunes l'occasion de ramasser 9000 tonnes de déchets sur la totalité des berges accessibles du fleuve, et bloquer ainsi la dégradation du patrimoine environnemental.

« C'est aussi presque un travail pédagogique, explique son président Alain Soucy. Cette grande corvée de nettoyage ne sensibilisera pas que les jeunes, elle fera aussi de même avec les gouvernements, les municipalités, les simples citoyens. On veut avoir l'effet d'une bougie d'allumage, provoquer un choc pour une action plus permanente. » (Texte publié le 20 octobre 1984.)

C'est OFFICIEL!

MÉTRO DE 21 MILLES EN 1966

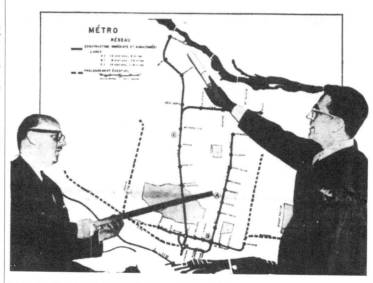

Coût : $150 millions

Le maire Jean Drapeau et son collègue Lucien Saulnier, président du Comité exécutif, confirmaient aux conseillers du Parti civique, le 20 octobre 1961, que Montréal aurait enfin son métro en 1966, au coût de $150 millions. Le projet consistait à construire un total de 21,4 milles de tunnel, et une trentaine de stations sur trois lignes: la ligne « A » entre Bonaventure et Crémazie, la ligne « B » entre Ontario et Atwater, la ligne « C » empruntant la voie du CN sous le Mont-Royal, avec embranchements dans deux directions au nord du boulevard Métropolitain, en direction de Cartierville et de Montréal-Nord. Cette ligne n'a jamais été mise en chantier.

Il montre le sud aux oiseaux

Les automobilistes qui se laissaient distraire un moment de leur route n'en croyaient pas leurs yeux en apercevant l'étrange cortège aérien de deux avions ultra-légers volant vers le sud, suivis, en formation impeccable, de 18 oies du Canada.

Sculpteur et apôtre de l'environnement, William Lishman avait décollé à l'aube (le 20 octobre 1993) en compagnie de ses oies élevées en captivité, dans l'espoir de leur apprendre à voler vers les pays chauds, comme le font instinctivement à cette époque de l'année les oiseaux migrateurs bon teint...

Lishman et son ailier ont franchi la première étape de leur long périple vers midi en se posant sur un petit aérodrome situé près de Gaines, dans l'État de New York. L'étrange équipage devait y passer la nuit avant de reprendre l'air pour la réserve ornithologique d'Airlie, en Virginie, la destination ultime de cette escadrille surréaliste.

Si cette expérience était couronnée de succès, a expliqué M. Lishman, la qualité de vie d'oiseaux faisant partie d'espèces menacées s'en trouverait grandement améliorée.

La Presse a 100 ans

Musique, chansons, gâteau d'anniversaire, animation... C'était fête hier (le 20 octobre 1984) à *La Presse*. Après tout, on n'a pas tous les jours 100 ans! Sur la vignette, le président de *La Presse*, M. Paul Desmarais (à droite) s'apprête à dévoiler une plaque commémorative en compagnie de l'éditeur, M. Roger D. Landry.

Un avenir plus que prometteur

Le texte et la photo qui l'accompagne remplissaient la une de l'édition du 21 octobre 1905 de La Presse. Le dessinateur avait tenté de traduire en images les propos du mage Papou-Gaba-Abidos. Certaines prédictions feront sourire; quelques-unes se sont concrétisées. Une vision futuriste, plutôt plaisante, du début du siècle.

LE 20 mai dernier, « La Presse » a raconté les détails d'une entrevue qu'elle venait d'avoir avec le mage Papou-Gaba-Abidos, savant indien qui parcourt le monde dans le but de porter partout la consolation et la conciliation.

Lors de sa première visite à nos bureaux, le vénérable mage nous a prédit la transformation de l'île Sainte-Hélène en une sorte de « Coney Island », nous exposant dans les plus minutieux détails les futures séductions que nous offrira cet (sic) île changée en Eden Populaire. La prophétie n'est pas encore accomplie, c'est vrai; mais il faut considérer qu'il n'y a pas six mois qu'elle a été faite et que le mage n'a pas fixé de date à cette transformation. Nous en attendons avec confiance la réalisation.

Après avoir été remplir en Extrême-Orient une mission prophétique, le mage Papou-Gaba-Abidos est revenu à Montréal. Sa première visite a été pour « La Presse ». Au cours de la conversation, il nous a fait part de la satisfaction qu'il avait éprouvée en apprenant les efforts tentés par la Ville pour englober dans une cité unique toutes les municipalités suburbaines.

— C'est un mouvement de progrès, nous dit-il, qui fera de Montréal une des plus grandes villes du monde.

Je vois, ajouta le mage Papou-Gaba-Abidos, je vois nettement ce que sera Montréal dans cent ans. Cela dépasse en grandeur tout ce que vous pouvez imaginer.

Nous lui demandâmes de nous faire connaître sa vision, mais le mage s'y refusa.

— Il n'est pas dans l'ordre naturel des choses, nous dit-il, de dévoiler l'avenir aux peuples.

— Mais alors, vénérable mage, à quoi peut servir votre qualité de prophète?

Le bon vieillard parut frappé de l'objection.

— C'est vrai, fit-il, songeur. Eh bien, soit. Apprenez ce que l'avenir vous réserve.

Nous appelâmes un des sténographes de « La Presse » et nous bûmes avec avidité les paroles de Papou-Gaba-Abidos, paroles que nous transcrivons ici avec la plus rigoureuse exactitude.

— « Dans cent ans, dit le mage d'une voix grave et avec une parfaite assurance, dans cent ans, la ville de Montréal occupera en totalité l'île qui porte aujourd'hui son nom. Son importance sera telle qu'elle jouira d'une autonomie complète, à l'instar des provinces de la confédération. Elle n'aura plus un conseil municipal, mais elle aura un parlement. De sorte que les conseillers municipaux de la ville, après avoir aboli, par absorption, les conseils municipaux des localités voisines, seront abolis à leur tour.

« Dans cent ans, les progrès de l'industrie auront tout transformé, et il y aura une plus grande différence entre les conditions de la vie actuelle et celles qui existeront alors, qu'entre les conditions de notre existence

présente et celles de l'homme primitif, avant l'âge de pierre.

« Toutes les tribulations qui nous assiègent, toutes les détresses qui nous accablent, tous les maux qui nous affligent seront à jamais disparus.

« Il n'y aura plus ni riches, ni pauvres; ni grands, ni petits; ni maîtres, ni esclaves. Ce sera le règne de la fraternité qui s'épanouira dans une Salente égalitaire.

« Toutes les maisons seront luxueuses et confortables, et l'électricité remplacera les services publics.

« Plus de demoiselles de téléphone : les communications s'établiront d'elles-mêmes, automatiquement.

« Plus de pompiers : une pression sur un bouton et un extincteur chimique aura raison du fléau naissant, ne laissant d'autre trace de son action que son parfum suave.

« Plus de policemen : la pureté des moeurs les aura relégués parmi les souvenirs des temps barbares.

« Plus de juges, plus d'huissiers, plus de prison; le degré de perfection et de probité sociale aura rendu ces fonctionnaires inutiles et ces édifices sans destination.

« Plus de cochers de fiacres; l'urbanité des citoyens en aura provoqué l'anéantissement.

« Plus de tramways, plus d'automobiles; la lenteur de ces

véhicules d'un autre âge les aura fait rejeter. Ils seront remplacés par des aéronefs dont la vitesse dépassera le vol de l'hirondelle.

« Plus de journaux : les nouvelles seront enregistrées sur des cylindres phonographiques et transmises à toute heure du jour et de la nuit, au domicile des abonnés, qui n'auront que la peine de tourner une petite clef pour en ouïr le récit.

« Plus de facteurs : les lettres et matières postales seront délivrées à domicile à l'aide d'un tube pneumatique, qui desservira également les citoyens, leur épargnant la peine de se rendre au bureau de poste.

« Plus de neige ni de glace dans les rues et sur les toitures :

un système de chauffage électrique souterrain élèvera la température, l'hiver au degré constant convenable pour les chambres de malades. Le produit liquide de la fonte de la neige s'écoulera instantanément par de vastes égoûts creusés sous toutes les voies de la ville.

« Plus d'interruption dans la navigation : à l'aide de petites masses de radium, judicieusement réparties dans les stations sous-fluviales, le Saint-Laurent demeurera libre de glaces pendant toute l'année. Les froids les plus rigoureux ne pourront rien contre le précieux agent calorifique.

« La ville occupera toute l'étendue de l'île de Montréal. De vastes avenues, plantées des

décoratifs et odorants paulownias, la traverseront en tous sens. Les distances seront nulles, grâce aux flotilles d'aéronefs dont les véhicules aériens se succéderont, le jour de seconde en seconde, et la nuit, de minute en minute.

« Les maisons seront construites selon une formule nouvelle qui classera nos palais actuels parmi les taudis. Le chauffage, l'éclairage, l'heure, la réfrigération seront produits par une source unique, l'électricité, qui distribuera ses bienfaits à domicile.

« Les impôts de toute nature seront abolis; ils seront remplacés par des contributions volontaires, qui excéderont toujours tous les besoins de la grande ville idéale.

« Il n'y aura plus de rivalités politiques, attendu qu'il n'y aura plus qu'un seul parti : celui de la fraternité. Les députés seront pris parmi les citoyens volontaires, qui verseront au fonds public une somme de $15,000 par année, juste prix de l'honneur qui leur sera accordé. Eu égard à la population et au grand nombre de citoyens dévoués aux intérêts généraux, le nombre des députés sera porté à 1000, ce qui produira un revenu de $15,000,000. Cette somme, ajoutée aux revenus du milliard donné à la ville par un richissime américain, émule de Carnegie, à la condition que l'avenus (sic) principale qui coupe la ville dans sa longueur porte son nom à la postérité, formera un budget total de $$65,000,000 qui, ajoutée aux contributions volontaires, constituera une somme suffisante pour entretenir les dynamos chargés de faire le bonheur des heureux mortels qui peupleront Montréal-Paradis.

« Pour tout dire en peu de mots, tout ce qui existe aujourd'hui disparaitra pour faire place à des créations nouvelles et perfectionnées.

« Il ne subsistera que l'ordre des avocats. Ils seront recrutés parmi les descendants de ceux qui pratiquaient leur noble profession en 1910, date du commencement de l'évolution dont je vous annonce l'épanouissement. Mais le rôle des avocats sera d'ordre purement académique : ils seront chargés de perpétuer l'éloquence de leurs aïeux et de conserver intacte parmi les masses, la belle langue française, dont seuls ils avaient le secret.

« Voilà l'avenir brillant réservé à votre belle cité, qui, je le dis en toute sincérité, est bien digne de ces accablants bonheurs. »

Nous étions haletants et plongés dans la volupté d'un rêve féérique.

— Mais, dit l'un d'entre nous, Mage, êtes-vous sûr que dans cent ans Montréal aura atteint ce degré idéal de perfection?

Papou-Gaba-Abidos fixa sur nous un regard sévère. Il semblait indigné de la manifestation de notre doute. Il allait nous pulvériser d'une apostrophe indignée, mais il eut pitié de nous en songeant à la fragilité de notre esprit et à la faiblesse de nos facultés conceptives. Il sourit avec indulgence, et se borna à répondre en se levant.

— Vous le verrez bien. »

Puis il se retira majestueusement.

Et pendant toute la journée, une vague odeur de soufre ou d'ozone nous chatouilla le nerf olfactif, comme si le diable ou le tonnerre avait traversé nos bureaux...

MONTRÉAL DANS CENT ANS

21e ANNÉE—N° 298   MONTRÉAL, SAMEDI 21 OCTOBRE 1905   1 CENT

Station d'aéronefs à Montréal dans cent ans.

Tramway d'hiver à Montréal en 1890.

Montréal en 1905.

C'EST ARRIVÉ UN 21 OCTOBRE

Non aux condoms dans les écoles

Après deux années de tergiversations, le Regroupement scolaire confessionnel (RSC), parti au pouvoir à la CECM, rejette finalement les distributrices de condoms dans ses écoles, et ce, en dépit de la volonté contraire des deux tiers des parents de la plus importante commission scolaire du Québec.

Un sondage mené auprès de 711 parents sur leur opinion en matière d'éducation sexuelle dont les conclusions ont été révélées au cours de l'assemblée des commissaires de la CECM, faisait valoir aux élus que 69 pour cent des parents sont en faveur des condoms dans les écoles. Par la suite, le débat tant attendu entre le RSC et le Mouvement

pour une école moderne et ouverte (MEMO) a été si serré que le président François Ouimet (RSC) a dû trancher en votant contre les distributrices.

Constance Leduc, la commissaire du MEMO qui a piloté ce dossier controversé depuis près de deux ans, semblait bouleversée d'avoir perdu la bataille par une seule voix. Le MEMO avait toutefois omis d'exiger la présence d'un membre de son équipe, la commissaire Lucie Rodrigue, retenue à Québec par son travail. Pour elle, la proposition « historique » aurait été adoptée.

Ainsi, 12 pour cent des élèves du secondaire I ont déjà eu des relations sexuelles, une donnée qui grimpe à 40 pour

cent en secondaire IV et à 60 pour cent en secondaire V ; 7000 adolescentes vivent une grossesse chaque année au Québec; de 10 à 15 pour cent des jeunes femmes de moins de 20 ans ont déjà été infectées au chlamydia, la première cause d'infertilité féminine ; etc.

En sortant de la salle du conseil des commissaires de la CECM, rue Sherbrooke, une future enseignante a confié, un peu découragée : « J'ai eu l'impression que les commissaires se soucient très peu des élèves lorsqu'ils font leur travail. Les avez-vous entendu prononcer le mot "enfant" une seule fois, ce soir ? » - Non. (**Texte publié le 21 octobre 1992.**)

LE TUNNEL SOUS LE MONT ROYAL A 75 ANS

Le Canadien National célèbre avec faste (**le 21 octobre 1993**) le 75e anniversaire de l'inauguration du tunnel sous le mont Royal, qui s'est avéré l'un des principaux moteurs du développement économique du grand Montréal, au début du siècle.

Construit sur une période de 18 mois à raison de 26 pieds par jour, le tunnel électrifié fut inauguré le 21 octobre 1918, à 8h15, par un train en partance pour Ottawa et Toronto.

La construction du tunnel et du chemin de fer aura coûté 14,2 millions de dirigeants de ce qui était alors le Canadian Northern Railway.

Malgré des semaines d'efforts, le maire Martin n'a toujours pas comblé le déficit de $100 000

AU cours des prochaines semaines, le Conseil municipal de Montréal devra se pencher sur le budget de la Ville pour l'année 1984. Cette démarche est toujours attendue avec anxiété par les citoyens contribuables qui s'inquiètent, avec raison d'ailleurs, du coût des taxes municipales qu'ils devront assumer.

En 1984, le budget de Montréal dépassera encore le milliard de dollars même en respectant la norme fédérale du 6 et 5 p. cent.

Quand on pense en termes de centaines de millions, voire de milliard de dollars, il est bien évident qu'une différence de quelque $100 000 fait plutôt penser à une goutte d'eau dans l'océan. Pourtant, c'est avec inquiétude que le maire Médéric Martin a vu poindre le jour du 22 octobre 1917. Ce matin-là, il devait déposer son budget de 1918 sans avoir réussi, malgré des semaines de travail et beaucoup d'imagination, à combler l'écart de $92 795 entre les revenus prévus et les crédits de $16,3 millions requis pour administrer la Ville au cours de l'année suivante, et ce malgré un emprunt de $2,68 millions. Le maire hésitait à augmenter les emprunts, d'autant plus que le service de la dette représentait déjà 34 p. cent des engagements financiers de la Ville.

L'augmentation des dépenses

Pour justifier l'augmentation de 15,3 p. cent par rapport aux prévisions budgétaires de 1917, le maire Martin avançait certains motifs : augmentation de $50 à $150 par année aux policiers et aux pompiers, selon le grade; augmentation de $50 des commis de la Ville, dont le salaire annuel était porté à $1 000; augmentation de $2,50 à $2,75 du salaire quotidien des journaliers.

Le document du maire Martin était beaucoup plus riche en suggestions pour augmenter les revenus de la Ville. Sans doute valables à l'époque, ses propositions en feront sourire plusieurs, et pas seulement chez nos administrateurs publics. Jugez-en par vous-mêmes.

■ Impôt nouveau pour l'enlèvement des ordures ménagères, dont les revenus prévus de $400 000 suffiraient pour combler les coûts d'incinération. Mais cet impôt ne devait pas toucher les propriétaires, que l'on disait surtaxés, et auxquels on voulait « ôter un prétexte pour hausser les loyers ».

■ Engagement au mois plutôt qu'à l'année de tous les fonctionnaires (policiers et pompiers exceptés) de façon à permettre à l'administration de procéder aux changements qu'elle jugera à propos.

■ Établissement d'un magasin municipal, pour mettre fin à la politique d'achats en petites quantités, de manière à obtenir de meilleurs prix des fournisseurs.

■ Envoi d'un seul compte aux citoyens pour toutes les taxes, ordinaires, spéciales ou autres.

■Établissement d'un inventaire suivi de près « afin que rien ne puisse être enlevé ou détruit, sans la connaissance des autorités ».

■ Réduction du coût du foin acheté pour les chevaux de la Ville. En revanche, confirmation du rejet de la demande de $100 000 du chef des pompiers Tremblay pour l'achat de machines automobiles susceptibles de remplacer les chevaux.

■ Suppression des pensions payées par la Ville « à d'anciens recorders qui sont très riches ».

■ Instauration d'un système de contrôle pour les employés de l'Hôtel de ville auxquels il demande plus d'assiduité.

Et question de ne pas se fier à son seul flair, le maire avait condé ses principaux collaborateurs. Il soumit leurs suggestions : confection des pavages et des trottoirs aux dépens des propriétaires riverains; paiement des expropriations par les propriétaires qui en bénéficient; augmentation de la taxe immobilière, de la taxe d'eau et de certaines licences.

Comme on peut le constater, l'administration municipale n'a jamais été une sinécure. Quant à l'aventure du maire Martin, elle ne pourrait se répéter aujourd'hui puisque la loi oblige la Ville de Montréal à déposer un budget équilibré.

Sir Lomer Gouin, premier ministre de la province de Québec, pose la pierre angulaire de l'édifice de l'école des Hautes études commerciales, au coin de l'avenue Viger et de la rue Saint-Hubert. Vous aurez évidemment constaté qu'il s'agit d'un dessin d'artiste et non pas d'une photo. La photo n'a été utilisée que plus tard.

1986 — Au Musée du Québec les téléphones ne dérougissent pas. Vingt et un mille billets pour l'exposition des chefs-d'oeuvre français en provenance de l'Ermitage et du Musée Pouchkine d'URSS ont déjà été vendus.

1986 — Brusque escalade dans la « guerre des diplomates », les États-Unis ont annoncé l'expulsion de 55 fonctionnaires soviétiques.

1982 - L'Entraide économique fuit Alma en pleine nuit et déménage son siège à Québec.

1973 — Mort de Pablo Casals, le plus célèbre violoncelliste de tous les temps et aussi chef d'orchestre, compositeur, animateur de festivals, pédagogue et philanthrope.

1962 — Un corps d'armée « stratégique » (forces d'assaut spéciales) a été secrètement alerté par le gouvernement américain et envoyé à des aéroports près de Cuba.

1962 - Le président Kennedy décrète un blocus contre Cuba à cause de la présence de missiles soviétiques en sol cubain.

1956 - Arraisonnement par l'armée française d'un avion transportant Ben Bella et les chefs du FLN d'Algérie.

1918 - Sir Charles Kirkpatrick, Canadien irlandais, est nommé lieutenant-gouverneur de la province, une première depuis la Confédération.

1915 - Un ingénieur parvient à relier par téléphone Arlington, en Virginie, à la tour Eiffel, à Paris, et l'échange de messages est entendu jusqu'à Honolulu.

1908 — La cérémonie toujours solennelle de la pose de la pierre angulaire d'un édifice imposant a eu lieu, cet après-midi, en présence du premier ministre du Québec Sir Lomer Gouin, à l'École des Hautes Études Commerciales.

1904 - La flotte russe de la Baltique ouvre le feu sur des bateaux de pêche anglais.

...et pourtant la Ville surveillait ses intérêts !

ON dit souvent que la tentation fait le larron. Et effectivement, les « emprunts de matériaux » faits au détriment de la Ville de Montréal ne sont pas un phénomène récent, comme en fait foi la narration d'un procès ouvert le 22 octobre 1917 devant l'honorable juge Bazin, de la Cour criminelle.

Les accusés étaient au nombre de trois. D'abord, Armand M., accusé d'avoir volé, deux ans plus tôt alors qu'il était contremaître de la Ville, 35 sacs de ciment d'une valeur de $17,50 et d'avoir soutiré à la Ville, sous de faux prétextes, une somme de $84 pour le bénéfice de son frère Philippe.

Mais M. n'était pas seul. Il était accompagné devant le tribunal de Gordien M., père et fils. C'est la présence de ce dernier qui captivait le plus l'attention des citoyens de l'époque, puisqu'il était échevin au Conseil municipal.

Son malheur? Selon l'accusation, il avait conspiré avec son père pour frauder la ville de 2 000 voyages de terre, de 600 voyages de pierre, et de deux voyages de sable, le tout d'une valeur marchande de $2 000.

On comprendra donc pourquoi le maire Médéric Martin suggérait dans la même édition la nécessité d'instaurer un système d'inventaire très serré, de manière à mettre un terme à ces « emprunts » de biens payés avec les taxes des contribuables.

Le taux de satisfaction à l'endroit de la police est très élevé à Montréal.

Montréal, une ville sûre

La grande majorité des Montréalais (78 pour cent) se sentent en sécurité dans leur ville, n'ont pas peur de circuler dans les rues, ni d'utiliser le réseau de transport en commun.

Le taux de satisfaction à l'endroit de la police est très élevé, à 71 pour cent. Ce taux de satisfaction se maintient depuis 1990.

Le fait de se sentir peu ou pas en sécurité dans son quartier est davantage perceptible dans certaines couches de la population : les femmes (26 pour cent), les allophones (26 pour cent) et les économiquement faibles (26 pour cent également) sont les plus insécures.

Vu dans son ensemble, ce sondage montre donc un haut taux de satisfaction des citoyens à l'égard de la quiétude de Montréal. (**Texte publié le 22 octobre 1994.**)

Toronto, la meilleure

Toronto, Londres, Singapour, Paris et Hong Kong sont les cinq villes internationales où il est le plus agréable de vivre, selon le magazine américain Fortune.

Mais c'est Toronto qui remporte la palme de la ville au monde où il fait bon vivre, notamment parce qu'il y est plus facile de concilier travail et famille.

Une centaine de villes figuraient sur la liste des candidates au titre. La qualité de vie offerte dans des villes canadiennes comme Montréal, Ottawa et Vancouver a été analysée, mais elles n'ont pas été jugées dignes de figurer dans les cinq premières.

Toronto, par contre, est citée pour sa « qualité de vie » : taux de criminalité très faible, propreté des rues, espaces verts, accès facile à l'art et à la culture.

« Le stéréotype de Toronto voulant que ce soit une ville ennuyante ne tient plus. La croissance des industries du spectacle, des télécommunications et des biotechnologies est liée au charme de la ville », dit Fortune, qui rappelle que Toronto demeure la ville où les citoyens sont le plus en sécurité en Amérique du Nord, tout en ayant su conserver un centre-ville vivant.

« Les espaces verts sont importants à Toronto », note encore le magazine, en parlant de cette ville où « on fait un compte détaillé du nombre d'arbres » qui y poussent.

Toronto a aussi ses inconvénients, selon Fortune : le froid, des hivers humides et des taxes élevées. Mais le principal inconvénient, pour toutes ces grandes capitales, est le coût de la vie. (**Texte publié le 22 octobre 1996.**)

Jutras : le Canada anglais aime bien

L'opuscule de la jeune Hélène Jutras, Le Québec me tue, a été traduit au Canada anglais sous le titre Quebec is killing me (chez Golden Dog Press).

Les premières réactions indiquent un accueil plus que favorable au pamphlet qui, rappelons-le, exprime le désabusement de l'étudiante de vingt ans devant le niveau intellectuel très bas — décrivait-elle — de la société québécoise.

Ce qui a surtout retenu l'attention, ce sont cependant les pages d'Hélène Jutras sur la question de la souveraineté. « Elle écrit que le débat sur la souveraineté est absurde, ajoutant que les Québécois devraient plutôt jeter un regard critique sur eux-mêmes avant de songer à se donner un pays. »

L'auteur « tourne un peu les coins ronds et son essai se lit

Hélène Jutras

comme un travail scolaire. Mais on lui accordera un A+ pour le contenu », conclut le Canadian Press, l'agence de presse du Canada anglais. (**Texte publié le 22 octobre 1995.**)

Un gagnant absent

Depuis samedi soir, Roger Ouellette est plus riche de 360 000 $. Mais il ne le sait pas encore : il est à la chasse.

Depuis le tirage du Loto 6/49, samedi, Ouellette et 12 de ses compagnons de travail qui détenaient la combinaison gagnante doivent se partager un gros lot de 4 675 456 $.

Mais Ouellette, mordu de la chasse, se trouve actuellement quelque part dans la région de Montmagny. (**Texte publié le 22 octobre 1985.**)

Des gens hors du commun

Chaque semaine, depuis 15 ans, *La Presse* honore un homme ou une femme de notre communauté. Ce sont alors 52 personnages dont on souligne l'extraordinaire rayonnement dans toutes les sphères d'activités: affaires, humanisme, culture, sport ou science. De ce nombre, l'un ou l'une devient le porte-drapeau de l'excellence et est alors choisi Personnalité de l'année de *La Presse*. Voici un petit rappel de ces 15 carrières hors du commun, de ces exemples de courage et de leadership, de génie et de créativité que nous avons honorés depuis 1984.

1984 : Gaétan Boucher

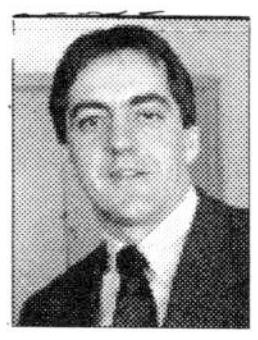

Il patine et tout le Québec patine avec lui. C'est sans doute cette formidable poussée d'adrénaline subliminale venant du peuple qui a aidé un tout petit peu Gaétan Boucher à remporter deux médailles d'or et une de bronze aux Jeux olympiques de Sarajevo. À cette vitesse effrénée, il ne fait pas que gagner des médailles, il ouvre une voie. D'autres Québécois y croient désormais.

1985 : Naomi Bronstein

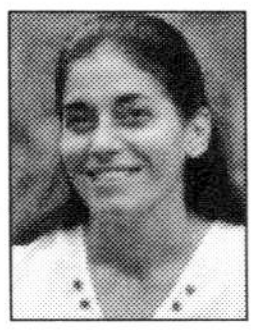

Une femme hors du commun qui agit selon son coeur et ses convictions. Entêtée, il n'y a rien pour arrêter sa passion d'aider. Naomi Bronstein suscite l'admiration. Son destin est celui d'une sainte moderne. Mère de 12 enfants, dont sept adoptés, tous les enfants du monde sont ses enfants, d'une certaine façon. L'Amérique centrale, le Cambodge où elle a fondé un orphelinat, il n'y a pas un coin de la Terre qui la rebute si des enfants sont en péril. Tout le monde l'aide maintenant et elle reçoit toutes les récompenses.

1986 : André Viger

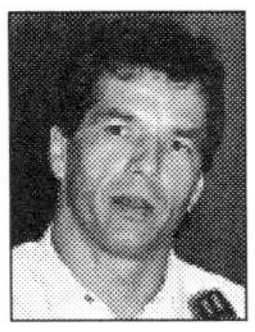

Dans ce fauteuil roulant qui est sa croix et sa gloire, le jeune homme sportif et souriant apparaît comme un héros d'un genre nouveau. Le marathonien paraplégique semble être animé d'une force hors du commun. Comblé par les honneurs, hissé sur les podiums, il rêve encore à sa vie d'avant ses 20 ans, celle où il marchait. Puis ce terrible accident est venu changer son destin, lui donnant une forme d'assurance qui lui a procuré des ailes. Mais de l'humour aussi. Et si le temps est passé de se lancer à l'assaut des honneurs sportifs, il y a encore le merveilleux défi des affaires. Rien n'arrête André Viger.

1987 : Denys Arcand

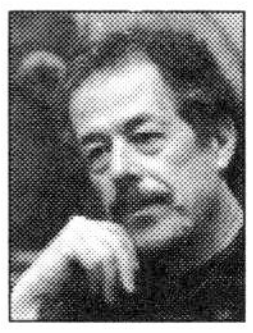

Il a reçu bien des honneurs comme cela arrive souvent : la Société générale du Cinéma, l'Ordre du Canada, etc. À Cannes, ce fut le prix de la Critique internationale. Le Déclin de l'Empire américain, son film-fétiche avait un an et marchait à merveille. Si bien que Denys Arcand a été sollicité partout. Devenu une sorte de héros, le réalisateur a senti le besoin de s'installer à sa table de travail, de s'isoler un peu pour créer un nouveau scénario.

1988 : Guy Laliberté

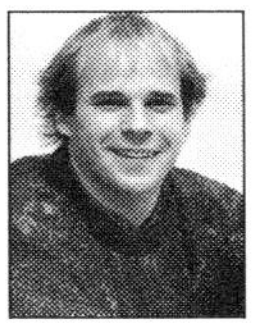

En peu de temps, cinq ans à peine depuis la fondation du Cirque du Soleil, Guy Laliberté au moment où *La Presse* l'honore, est déjà un habile stratège, un acrobate de génie, un prestidigitateur subtil, un jongleur unique. Le président directeur-général de cette entreprise de haute voltige a plus d'un tour dans son sac et multiplie sa magie. Sa vision porte le Cirque aux quatre coins du monde. Aujourd'hui, le Cirque du Soleil qui a son port d'attache à Montréal, pousse ses assises jusqu'à Las Vegas, Singapour et Amsterdam, et maintenant chez Disney. Un monde qui s'ouvre à une troupe et des créateurs qui ont réinventé le vieil art du cirque.

1989 : Phyllis Lambert

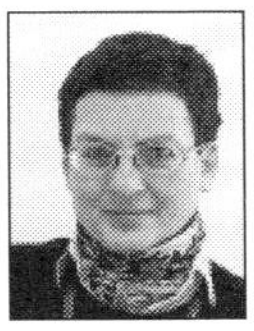

Madame l'architecte est l'une des rares personnalités à avoir reçu plus d'une fois le titre de Personnalité de la semaine. 1989 fut un bon cru. On s'extasiait sur l'existence nouvelle du Centre canadien d'architecture, qui est son oeuvre et sa fierté : un musée, mais aussi une bibliothèque, un lieu d'enseignement, un lieu d'échanges. Et qui ajoute un symbole unique à la vie architecturale de Montréal. La compétence de Phyllis Lambert tient aussi de sa vision. On l'a vue ne pas hésiter à prendre parti dans des débats houleux où la vie d'une communauté ou d'un quartier était menacée.

1990 : Gratien Gélinas

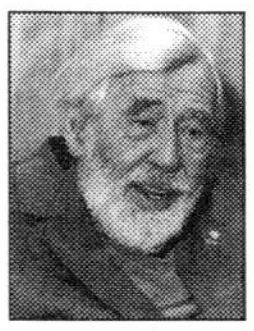

Le théâtre québécois a un père : Gratien Gélinas. En 1990, l'auteur de Bousille et les Justes et des Fridolinades, notamment, des oeuvres si intimement liées à notre histoire théâtrale, avait 81 ans. Son énergie d'homme était belle à voir. Très en demande, très joué, toujours à la mode et toujours enthousiaste, l'auteur et l'acteur, le père et le grand-père vivaient cent vies de front. Des projets de voyage, d'autres d'écriture et de création. Au fond, il possède tous les trucs de longévité, y compris la générosité et l'amour de ses proches. Ses petits-enfants de sang, sa famille élargie qui va maintenir son oeuvre vivante, sont des garanties d'immortalité.

1991 : Jean Vanier

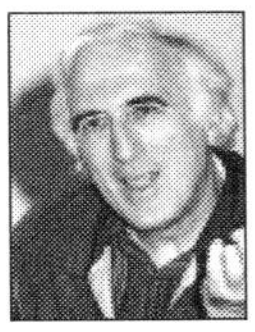

Il n'y a qu'à fermer les yeux pour entendre jusqu'au fond de soi sa pensée joyeuse transmise par une voix monocorde. Jean Vanier connaît un destin exceptionnel et qui peut paraître difficile à comprendre. Au sein du milieu bourgeois où il est né ont fleuri des valeurs de foi et d'amour auxquelles il n'est pas resté sourd. Pas étonnant, dès lors, que la vie secrète des déficients mentaux le fascine; au point de fonder l'Arche, près de Paris, en 1964, un lieu de vie qui s'étend maintenant dans au moins 22 pays. Jean Vanier croit en la grandeur humaine. Sa sensibilité le porte à en dévoiler les mystères. On l'appelle le Prophète des choses inutiles...

1992 : Roberta Bondar

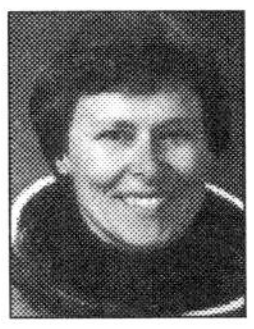

Un rêve d'enfant à réaliser, une volonté de tenir tête aux préjugés et aux difficultés, Roberta Bondar est le modèle incontestable de toute une génération. Première femme astronaute canadienne, elle est la seule femme de la première équipe de l'Agence spatiale canadienne qui passera dix jours dans l'espace à réaliser la mission IML-1 à bord d'une navette américaine. La route de l'espace est semée d'embûches, mais Mme Bondar a le tempérament qui convient aux héroïnes. On la décrit fonçeuse, bûcheuse, énergique, brillante. Son énergie prend la route de ce que lui dicte sa conscience, qu'elle soit politique, féministe, environnementaliste ou autre.

1993 : Jean Béliveau

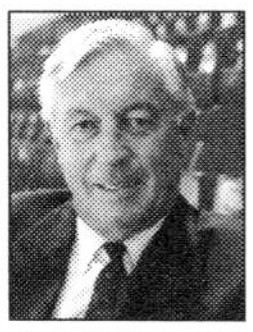

Chacun le reconnaît, Jean Béliveau est un grand homme. Sa taille n'est pour rien dans cette assertion. C'est davantage la personnalité du célèbre joueur de hockey qui est en cause. Humilité, intégrité, gentillesse, ceux qui l'ont connu au faîte de sa gloire, ses amis, ne tarissent pas d'éloges. En 1971, Jean Béliveau a pris sa retraite comme joueur de hockey et pouvait se vanter, durant ses 18 saisons avec le Canadien, d'avoir fait partie de dix équipes gagnantes de la Coupe Stanley.

1994 : Guy Saint-Pierre

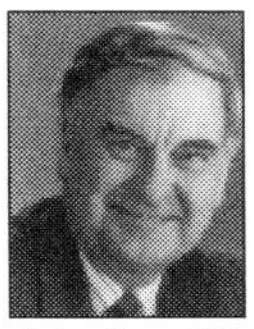

C'est une bonne année pour Guy Saint-Pierre. Il récolte ce qu'il a semé. Les titres et les honneurs rejaillissent sur l'homme dont la carrière a été diversifiée et très riche. L'armée, le génie, la politique, les affaires: des univers différents mais où il a donné le meilleur de lui-même, sans craindre les risques. La fusion SNC-Lavalin, en 1992, est une initiative audacieuse, qui a porté le Groupe SNC sur toutes les routes de la Terre, vers les plus grands projets d'ingénierie. Il faut rappeler qu'il a été ministre de l'Éducation et ministre de l'Industrie et du Commerce à Québec, un leadership incontestable.

1995 : Daniel Langlois

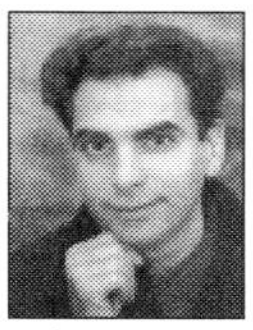

Il est tombé dans la potion de la réussite. Le PDG de Softimage, est, en 1995, le symbole même de la réussite des Québécois sur le plan international. Et il n'a que 38 ans. Trois ans plus tard, avec Microsoft, Daniel Langlois appartient à une intelligentsia mondiale résolument visionnaire. Le monde des ordinateurs, ces instruments qui rendent possible ce qui ne le semblait pas, sont son univers. L'univers des idées lui est familier ; son cerveau en fabrique en quantité industrielle. Il passe son temps à débusquer tous les inconnus derrière les images.

1996: Jacques Villeneuve

C'était une première saison en Formule 1 qui se terminait avec quatre victoires et une deuxième place au classement du Championnat du monde des pilotes. Sur le circuit de Suzuka, au Japon, le départ était raté. Au 37e tour, une roue du bolide se détache et fonce sur la foule. Le pilote n'a pas d'autre choix que de sortir de piste. Déçu certes. Sa première préoccupation est de s'assurer que personne n'a été blessé.

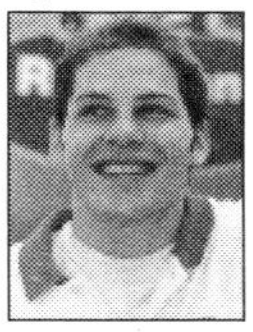

Jacques Villeneuve est fait de toutes ces matières : détermination et courage pour les courses, sensibilité et responsabilité dans la vie de tous les jours. « On va se battre », dit-il souvent. Et il gagne, et il perd. Dans cette partie ingrate où le pilote est tributaire de la mécanique, il n'abandonne pas.

1997 : Laurent Beaudoin

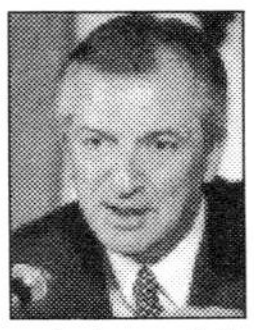

Il fallait souligner la réussite spectaculaire de Bombardier, sous la gouverne de son chef, Laurent Beaudoin. Un peu moins de 32 ans auront suffi à faire de l'entreprise fondée par Joseph-Armand Bombardier, son beau-père, une multinationale implantée partout dans le monde et qui emploie près de 45 000 personnes. Laurent Beaudoin est un gestionnaire visionnaire qui n'a pas peur ni peur des coups d'éclat dans des situations jugées désespérées, notamment lors de la crise du pétrole, en 1973, quand la vente de motoneiges a chuté dramatiquement. Mais de gros contrats ont ramené la croissance ; des voitures de métro pour les Jeux olympiques, d'autres pour le métro de New York, avions d'affaires, motomarines, etc. Et cela continue...

1998 : Julie Payette

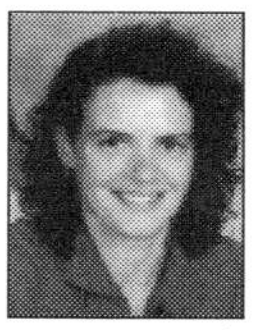

Le rêve de toute la vie de Julie Payette est sur le point de se réaliser. « Je pars au mois de mai, c'est clair ! » Depuis six ans, elle attend ce moment. Depuis que l'Agence spatiale canadienne, en juin 1992, l'a sélectionnée parmi plus de 5000 candidats, la jeune astronaute avance sur une voie accessible à quelques privilégiés seulement dans le monde. Voyager dans l'espace reste la grande aventure de cette fin de siècle. Au mois de mai 1999, l'astronaute Julie Payette deviendra la première Canadienne à participer à une mission d'assemblage de la Station spatiale internationale.

« C'est un projet énorme. De nombreux pays y participent. Imaginez ! La station sera si grande qu'on va la voir de la Terre ! Le Soleil va se refléter dessus. C'est tout un privilège de faire partie d'un tel programme... » Difficile ? « Pas si on a la volonté de le faire », conclut-elle. (**Texte publié le 23 octobre 1998.**)

C'EST ARRIVÉ UN 23 OCTOBRE

1989 — Le ministre soviétique des Affaires étrangères, Edouard Chevardnadze, a condamné l'intervention soviétique en Afghanistan, affirmant que l'URSS sait désormais « reconnaître ses erreurs et les rectifier »

1962 — Le président Kennedy proclame un blocus naval contre Cuba.

1943 — Les forces du général MacArthur chassent les Japonais de Palo, dernière place forte que détenait encore l'ennemi sur la route de Leyte.

1927 — La première voiture du nouveau modèle Ford (le modèle A) est officiellement sortie des ateliers d'assemblage de la compagnie Ford Motor.

1918 — Le chiffre officiel des décès dûs à la grippe espagnole, enregistrés de neuf heures à onze heures ce matin, est de 64. Hier à pareille heure, il était de 120.

La visite de Charles et Diana en Ontario, un affront aux pauvres?

Le prince et la princesse de Galles, accompagnés de leurs deux enfants, entament aujourd'hui (**le 23 octobre 1991.**) une visite en Ontario dont la pertinence et le coût donnent déjà lieu à un débat enflammé.

Les partisans de la monarchie avancent que le Canada doit maintenir à tout prix ses liens avec la famille royale ; par contre, les organisations de lutte contre la pauvreté soutiennent qu'avec un taux de chômage élevé et la multiplication des banques alimentaires, dépenser un seul cent pour la tournée de membres de la famille royale est un affront aux sans-abri et aux affamés.

Ottawa et Queen's Park partageront le coût de l'accueil des visiteurs, tandis que les municipalités assumeront certaines dépenses locales. Selon un auxiliaire du secrétaire d'État Robert de Cotret, Ottawa a alloué un budget de 750 000 $ pour les visites de membres de la famille royale, en 91-92.

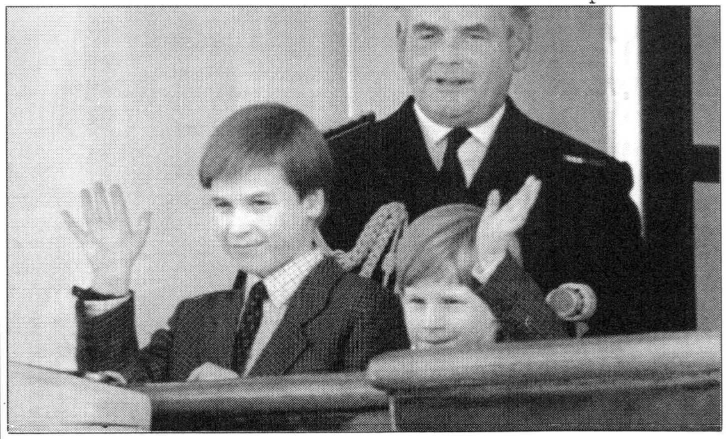

Les princes William (à gauche), neuf ans, et Henry, sept ans, saluent à leur arrivée à Toronto à bord du yatch royal « Britannia ».

La pub des Cris met Québec en furie

C'est un sentiment d'indignation, à tout le moins, que partagent nos édiles politiques après avoir pris connaissance de la page publicitaire de 28 000$US, truffée, selon Hydro-Québec, d'inexactitudes et d'erreurs de faits, publiée dans le prestigieux *New York Times* de lundi par la coalition américaine anti-Baie James, le Grand Conseil des Cris et Greenpeace à sa tête, sous le titre « Catastrophe à la Baie James ».

Tandis que le premier ministre Bourassa, interpellé par le chef de l'opposition Jacques Parizeau, déclarait à l'Assemblée nationale que « l'utilisation de la bêtise avait atteint ses limites », le vice-premier ministre et ministre de l'Énergie, Lise Bacon, annonçait aux journalistes, avec une fureur difficilement contenue, que les dispositions étaient prises pour qu'Hydro-Québec rétablisse les faits en achetant de la publicité dans des médias américains, en tout cas dans le même *New York Times*.

Les faits à rétablir, c'est notamment que le développement hydro-électrique de la Baie James et de la Baie d'Hudson ait été présenté comme « une catastrophe écologique comparable en ampleur à la dévastation de l'Amazonie, la destruction d'une région sauvage grande comme la France ». (**Texte publié le 23 octobre 1991.**)

INSURRECTION EN HONGRIE

La Hongrie se soulève à son tour. La foule, à Budapest comme dans d'autres villes, réclame la libération du cardinal Mindszenty et la réforme des conditions de travail.

Une gigantesque manifestation a réuni aujourd'hui (**le 23 octobre 1956.**), place Bem, des dizaines de milliers d'ouvriers, d'étudiants et de soldats, au cri d'« À bas l'armée russe ». « Nous voulons un nouveau gouvernement, c'est Imre Nagy qu'il nous faut ».

Annoncée comme « geste de sympathie et de solidarité avec la Pologne », la manifestation est aussi une revendication en faveur d'une « déclaration d'indépendance » hongroise à l'égard de Moscou.

Hauptmann aurait bien tué le fils de Lindbergh

Un dossier inédit sur l'enlèvement en 1932 du fils de l'aviateur Charles Lindberg — le premier homme à avoir traversé l'Atlantique en solitaire — vient de relancer la polémique aux États-Unis sur le sort de l'enfant et sur l'exécution de l'homme convaincu du kidnapping.

Les enquêteurs affirment que les documents, retrouvés récemment confirment que Charles Lindberg Junior a bien été assassiné et que l'homme condamné et exécuté pour ce crime, Bruno Hauptmann, était effectivement l'auteur de l'enlèvement.

Celui-ci, arrêté en 1934, avait été condamné à mort et exécuté sur la chaise électrique en 1936. (**Texte publié le 23 octobre 1985.**)

Les quatre bandits succombent chrétiennement

Morel se montre brave; Frank est calme; Gambino meurt de syncope; Serafini gémit

Ce titre paru dans LA PRESSE du 24 octobre 1924 n'a rien de réjouissant, mais il évoque un des plus spectaculaires attentats des annales policières de l'histoire de Montréal, tout comme il évoque, il faut bien le dire, le genre de journalisme qui se pratiquait à l'époque, à LA PRESSE notamment.

Ce matin-là, en moins de huit minutes, au moment où la cloche de l'église de Bordeaux sonnait cinq heures, quatre hommes avaient payé de leur vie aux mains du bourreau Ellis et de son adjoint Scott l'assassinat, le 1er avril précédent, d'Henri Cléroux, responsable du transport de l'argent pour la Banque d'Hochelaga.

Un attentat digne de Chicago

Cléroux avait perdu la vie au cours d'une fusillade spectaculaire impliquant ses trois collègues et lui contre huit scélérats, dans un tunnel de la rue Ontario est, sous les voies ferrées du CP, entre les rues Beaufort et Moreau.

Les apaches avaient tout prévu : fils électriques des tramways coupés, voiture prétendument en panne sous le tunnel, une autre qui s'arrête subitement devant la voiture transportant l'argent, de manière à prendre cette dernière en étau, et enfin une énorme chaîne qu'on aurait levée au travers de la rue Ontario, si d'aventure le véhicule visé était parvenu à s'échapper. Coincés dans l'étau, Cléroux et ses collègues avaient dû défendre chèrement leur peau.

CEUX QUI ONT PAYÉ LEUR DETTE ENVERS LA SOCIÉTÉ

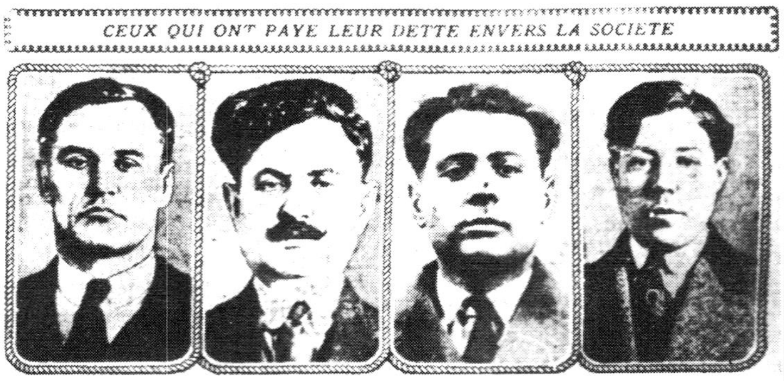

Louis Morel, Tony Frank, Giuseppe Serafini et Frank Gambino, les quatre suppliciés morts sur le gibet de la prison de Montréal.

La pendaison de 4 des bandits

La pendaison de quatre des auteurs du crime passionnait le public, à un point tel que la police avait fermé les lieux depuis 18 h la veille afin de prévenir toute incartade des traditionnels curieux venus par milliers pour tenter d'apercevoir la potence. Le fait qu'il s'agissait de la première quadruple pendaison dans l'histoire du Canada n'était évidemment pas étranger à cette situation.

Le titre qui coiffe cet article résume bien ce qui se produisit au cours de ces quelques minutes fort bizarres.

Disons tout d'abord qu'ils devaient être six à monter sur le gibet ce matin-là. Toutefois, la veille, le cabinet fédéral avait commué en emprisonnement à vie les sentences de mort rendues contre Mike Valentino et Leo Davis par le juge C.-A. Wilson.

Après avoir, comme le rappelle LA PRESSE de l'époque, « reçu la sainte communion 15 minutes avant d'entrer dans l'éternité », les quatre hommes se sont dirigés vers le gibet.

Les deux premiers à y prendre place furent Louis Morel et Frank Gambino. Morel, considéré comme le grand cerveau de l'attentat, fut le plus calme et il avait rédigé deux lettres avant de mourir, lettres reproduites entièrement par LA PRESSE. Quant à Gambino, il s'est évanoui à peine arrivé au-dessus de la trappe qui allait mettre fin à ses jours, et les gardes durent le soutenir pendant qu'Ellis lui glissait la corde au cou. L'autopsie devait révéler que Gambino était déjà mort avant la pendaison, ayant succombé à une syncope.

Puis vint le tour de Tony Frank et Giuseppe Serafini. Encore là, au calme de Frank s'opposait les gémissements de Serafini, qui défaillit même dans les bras du bourreau. Son geste eut pour effet de décontenancer Ellis et son adjoint, qui avait peine à contenir ses larmes en liant les pieds des pendus. Tant et si bien qu'Ellis, dans son énervement, plaça deux cagoules sur la tête de Frank avant de réaliser son erreur, puis croisa malencontreusement les deux cordes, ce qui eut pour effet de défigurer Serafini. Par la suite, Ellis devait retrouver son calme, et même accorder une interview exclusive au journaliste de LA PRESSE.

La «couverture» de LA PRESSE

Il nous serait impossible de vous fournir aujourd'hui autant de détails parfois morbides et macabres si LA PRESSE n'avait pas couvert l'événement d'une manière exceptionnelle.

Dans son édition du 24, le jour de la pendaison, les textes consacrées à l'événement s'étendaient sur quatre pages (dont la une bien sûr) et auraient suffi pour en remplir trois. Rien, mais absolument rien n'y manquait. Pas le moindre détail, pas le moindre nom, pas le moindre geste.

Il est bien évident qu'aujourd'hui, une telle couverture d'une pendaison (depuis devenue illégale au Canada) paraitrait insupportable. Mais les lecteurs de LA PRESSE de ce 24 octobre 1924, eux qui suivaient l'affaire avec passion depuis des semaines, ont certainement dû conclure ce matin-là qu'ils en avaient pour leur argent.

C'EST ARRIVÉ UN 24 OCTOBRE

1985 — L'évêque du diocèse d'Ottawa, Mgr Joseph-Aurèle Plourde, fait part à la Conférence des évêques de son intention d'entreprendre les démarches pour faire reconnaître comme vénérable le général Georges Vanier, ex-gouverneur général du Canada décédé au printemps de 1967.

1979 - Fin de la grève de huit mois à la Commission de transport de la Communauté urbaine de Québec.

1970 - Le Chili élit démocratiquement un président socialiste, Salvador Allende.

1960 - Le maire Jean Drapeau reprend le pouvoir à Montréal, sous la bannière du Parti civique. Son ancien parti, la Ligue d'action civique, est rayé de la carte.

1957 — Christian Dior, l'un des plus grands couturiers de tous les temps, est décédé ce matin à l'âge de 52 ans dans le petit village de Montecatini, en Italie septentrionale, où il passait ses vacances.

1935 — Le très hon. W.-L. Mackenzie King est pour la troisième fois devenu premier ministre du Canada.

1928 - Le maire Camillien Houde, de Montréal, est élu député de Sainte-Marie à l'Assemblée législative de Québec.

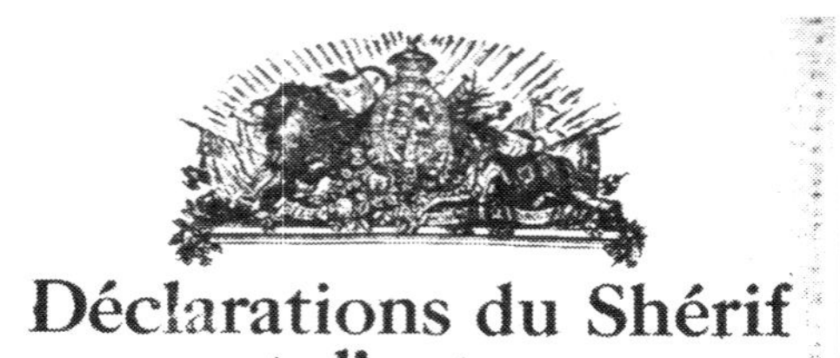

Déclarations du Shérif et d'autres.

Nous, soussignés, déclarons, par le présent, que la sentence de mort a été exécutée, ce matin, sur GUISEPPE SARAFINI, dans la prison commune du district de Montréal, à Montréal, en notre présence

Daté à Montréal, Qué., ce vingt-quatrième jour d'octobre, 1924.

L.-J. LEMIEUX, Shérif
E.-A.-T. LADOUCEUR, Greffier de la Couronne
NAPOLÉON SEGUIN, Gouverneur de la prison

Certificat d'exécution de la sentence de mort.

Je soussigné, Em.-P. Benoit, médecin de la prison commune du district de Montréal, certifie par le présent que j'ai, ce jourd'hui, examiné le corps de GUISEPPE SERAFINI, sur lequel sentence de mort a été, ce jourd'hui, exécutée, dans ladite prison commune et que sur cet examen, j'ai constaté que ledit GUISEPPE SERAFINI, était mort.

Daté à Montréal, Qué., ce vingt-quatrième jour d'octobre, A.D. 1924.

Em.-P. BENOIT, M.D., Médecin de la prison.

VERDICT.

Nous, les jurés soussignés, après avoir entendu la preuve, déclarons :

"Que le cadavre sur lequel nous avons tenu enquête est bien celui de GUISEPPE SERAFINI, condamné, le 23 juin dernier, à être pendu, le 24 octobre, 1924, pour avoir *tué et assassiné*, Henri Cléroux, à Montréal, le 1er avril, 1924, laquelle sentence a été confirmée et maintenue par un jugement de la COUR DU BANC DU ROI, (en appel), en date du 30 septembre dernier. Déclarons, de plus, que ledit GUISEPPE SERAFINI a été exécuté, ce matin, à ladite prison commune du district de Montréal, tel qu'ordonné par ledit jugement, à savoir:—*"Qu'il a été pendu par le cou jusqu'à ce que mort s'ensuivit."*

(Signé)

ALBÉRIC MARIN,
J.-H. McKINNON,
PHILIPPE PANNETON,
L.-E. LAVIGNE,
WILLIAM CHASE,
WILFRID MONETTE,
GEORGES MILLETTE,
ROSARIO FONTAINE.

Témoin : (Signé) LORENZO PRINCE, Député-coroner.

Photographie de la déclaration du shérif affichée aux portes de la prison pour confirmer que justice avait été faite (plus particulièrement dans le cas de Serafini). On notera la faute de frappe commise dans l'épellation du nom de Serafini, au premier paragraphe.

Quatre personnes qui se souviennent...

Les chances de trouver des témoins d'un incident remontant à 1924 étaient minces, aussi spectaculaire eût-il été à l'époque. Pourtant, le rappel de la pendaison du quatuor Morel-Gambino-Frank-Serafini aura provoqué trois interventions de nos lecteurs.

Tout d'abord celle de M. Josaphat Trudeau. Son père, Ernest-David, mieux connu sous le nom de Dieudonné, travaillait comme responsable du transport de l'argent pour la Banque d'Épargne et le jour de l'attentat, il empruntait la rue Ontario afin de se rendre à la succursale sise à l'intersection des rues Maisonneuve et Ontario. Sa voiture suivait de quelques minutes celle de la Banque d'Hochelaga que les bandits devaient attaquer.

Comme il le racontera à Josaphat, en lui soulignant bien sûr toutes les péripéties de l'attentat, Dieudonné Trudeau n'a pas été impliqué dans l'incident directement. La fusillade était terminée à son arrivée sur les lieux. Cependant, c'est à sa suggestion que le reste de l'argent — $90 000 selon son fils — demeuré dans la voiture attaquée a été placée dans la sienne pour être transportée au siège social.

L'un des huit bandits impliqués dans l'attentat, Harry Stone, alias Peter Ward, avait été retrouvé ensanglanté dans une des voitures utilisées par les apaches, puis abandonnée avenue Christophe-Colomb, près de l'orphelinat Saint-Arsène. Stone avait visiblement été atteint au cours de l'échange de coups de feu. Un médecin qui se trouvait dans les environs fut invité à se rendre auprès du moribond. Il ne put que constater sa mort. Le Dr J. David Warren avait son cabinet à l'intersection des rues Saint-Denis et de Castelneau. Ces détails nous ont été fournis par son fils, Jacques, alors âgé de six ans.

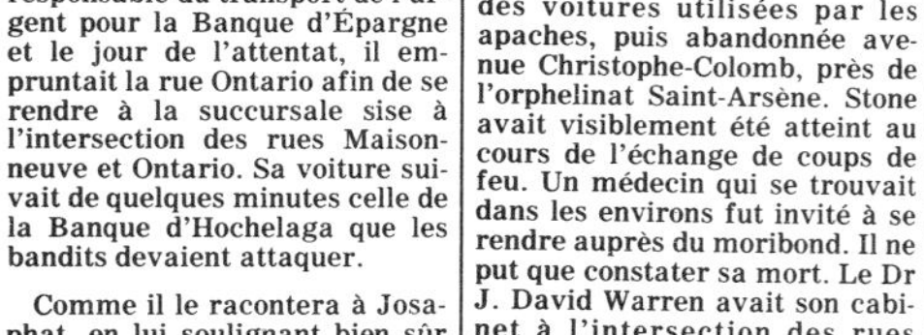

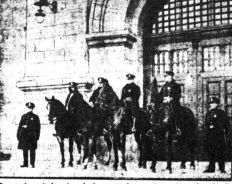

On craignait le pire de la part des curieux. Les abords de la prison étaient gardés de manière à pouvoir subir un siège. La gendarmerie à cheval de la police de Montréal était sur les dents.

Deux clients «de marque»!

Mme Claudia Lachance, elle, a connu deux des bandits sous un tout autre angle. Sans qu'elle sache évidemment d'où pouvait provenir leurs richesses, c'est à elle seule que Gambino et Serafini faisaient confiance lorsqu'ils se rendaient au chic magasin Greenwood and Kahn, rue Sainte-Catherine, à proximité de chez Goodwin (aujourd'hui Eaton). Ce magasin se spécialisait dans l'importation et vendaient très cher, mais cela n'était pas un obstacle pour les deux comparses.

Rien dans leur attitude ne permettait à Mme Lachance (alors dans la vingtaine) de pressentir le « métier » qu'ils pratiquaient. Gambino, pourtant agressif avec son épouse, de même que Serafini, étaient très gentils avec elle, tout en étant raisonnablement généreux dans leurs pourboires, mais sans plus.

Enfin, l'incident rappelle un certain souvenir à l'ex-chroniqueure judiciaire de LA PRESSE, Maurice Morin, aujourd'hui à sa retraite. En effet, Louis Morel, considéré comme le cerveau de l'attaque, était un ancien confrère de travail de son père à la police de Montréal. Une vérification aux archives municipales a permis de constater qu'effectivement, le détective Louis Morel avait été limogé trois ans avant le crime.

Voleurs trop bavards

Deux cambrioleurs qui s'apprêtaient à fuir avec 200 000 $ de marchandises diverses dérobées dans une boutique de vêtements pour hommes, au centre-ville de Montréal, ont échoué, la police les ayant repérés grâce à leur émetteur radio!

Ce vol inusité est survenu vers 3 h du matin dans une mercerie pour hommes du 2144, rue de La Montagne, où les voleurs se sont introduits par effraction.

Tout au long de l'opération, ils ont eu la brillante idée d'utiliser un système d'émetteur du genre talkie-walkie pour communiquer entre eux pour éviter d'attirer l'attention des passants.

Le hasard a voulu que des amateurs de communications radio passant dans les parages, en pleine nuit, interceptent les conversations des malfaiteurs expliquant en long et en large la progression de leur crime.

Les gens ont aussitôt communiqué avec les policiers de la CUM. **(Texte publié le 24 octobre 1997.)**

Moins d'enfants mais plus de… chats

Depuis une dizaine d'années on assiste en Amérique du Nord à une hausse fulgurante du nombre de chats et de chiens dans les foyers. L'industrie de la nourriture pour chats et chiens s'est également développée au même rythme.

Le Dr André Morissette, médecin vétérinaire qui pratique depuis huit ans à Trois-Rivières, voit dans cette hausse du nombre d'animaux de maison, « la contre-partie de la dénatalité au Québec ».

« Au lieu d'avoir des enfants, précise-t-il, on s'est tourné vers les chats et les chiens. Quand quelqu'un adopte un animal on a l'impression qu'il le choisit plutôt que d'avoir un deuxième enfant, comme compagnon pour l'enfant qui est déjà là. C'est aussi une question de coût. On se sent peut-être moins responsable avec un animal qu'avec un enfant. »

Une étude faite dans la région métropolitaine de Trois-Rivières pour son compte, révélait qu'un foyer sur deux comptait au moins un animal (chien ou chat). Ainsi sur une population de 130 000 personnes on dénombrait plus de 12 000 chats et 8000 chiens. C'est, comme le notait le Dr Morissette, « presque une ville d'animaux ». Chaque année il faut d'ailleurs provoquer la mort de 10 000 chats et chiens, la plupart du temps en raison de leur surpopulation.

Cette population animale coûte en soins médicaux plus de 1 750 000 $ par année à leurs propriétaires. Aux États-Unis, ces coûts dépassent le milliard. Le Dr Morissette évalue le coût d'un chat ou d'un chien de taille moyenne à 1200 $ par année : nourriture, jouets, soins vétérinaires, plats et le reste. En soins vétérinaires seulement (vaccins, rappels et stérilisation), un propriétaire dépense entre 40 $ et 50 $ par année.

Pourtant, il rappelle qu'un animal joue « un rôle très important dans la société ». Certes, on peut toujours s'en passer mais « on manque alors vraiment quelque chose ».

Évidemment, le Dr Morissette aime les chiens. Il possède un Labrador et un Boxer. « L'animal ne vit pas comme les humains avec des attentes, conclut-il. On trouve chez lui fidélité, reconnaissance et amitié. Pour certaines personnes, il devient un véritable ami sinon un confident. » **(Texte publié le 24 octobre 1991.)**

105 millions de francophones

Le rapport 1990 établissant « l'état de la francophonie dans le monde » a été présenté à Paris.

Si la langue française n'occupe que le 11e rang dans le monde par le nombre de locuteurs, derrière le chinois, l'anglais, l'hindi, le russe, l'espagnol, le bengali, le portugais, l'arabe, le malais-indonésien et le japonais, le français reste néanmoins avec l'anglais, la seule langue enseignée à peu près partout dans le monde.

Le nombre de francophones « réels » (maîtrise de la langue courante et habituelle) est estimé à quelque 105 millions. **(Texte publié le 24 octobre 1990.)**

Sanglante émeute à Valleyfield: l'armée charge à la baïonnette

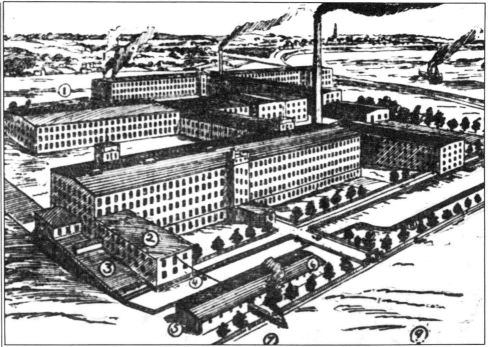

Vue aérienne de la filature de la Montreal Cotton Co., de Valleyfield, au coeur de la terrible émeute du 25 octobre 1900

IL y avait près d'un mois que la grève durait chez les journaliers de la filature de Valleyfield de la Montreal Cotton Co. Le premier octobre, les 250 ouvriers affectés à la construction de la nouvelle usine avaient quitté leur emploi. Le motif: la compagnie refusait de leur consentir une augmentation de 25 cents par jour, ce qui aurait porté leur salaire quotidien à $1,25. Et les journaliers se croyaient d'autant plus justifiés de demander ce salaire que l'entreprise le payait déjà à ses ouvriers réguliers.

La grève des travailleurs de la construction n'avait eu d'autre effet que de retarder l'érection de la nouvelle filature. L'usine continuait de fonctionner sans que rien n'y paraisse.

Réalisant vraisemblablement que leur grève s'éterniserait si rien n'était fait pour modifier les conditions du conflit, les grévistes décidaient le 25 octobre 1900 de bloquer l'entrée au travail des ouvriers de la filature et les arrivages de houille essentielle à son fonctionnement. Dès ce moment-là commençait à s'écrire l'une des pages les plus sombres de l'histoire des Campivalenciens.

Le maire recourt à l'armée

Conscient du fait que l'usine assurait un emploi à quelque 3 000 personnes, et que par conséquent tout arrêt de travail prolongé pourrait entraîner de sérieux incidents, le maire Langevin décidait en début d'après-midi d'appeler l'armée au secours. À 14 h, un premier train spécial quittait la gare Bonaventure avec 113 hommes de troupe à bord.

La situation s'est réellement gâtée vers les 19 h au moment où les hommes de troupe descendaient la rue Dufferin en provenance de l'hôtel Queen's où elles avaient pris leur souper. À ce moment-là, une foule de plusieurs centaines de personnes bloquaient complètement le pont donnant accès à la filature.

Ayant reçu l'ordre de disperser la foule, les soldats s'avancè- rent en rangs serrés, baïonnette au canon. Ils furent accueillis par une nuée de pierres qui blessèrent neuf soldats. Le moment de surprise passé, la riposte ne tarda pas, et des coups de feu éclatèrent dans les deux camps.

La situation aurait pu avoir des conséquences très graves mais heureusement, la bataille ne fit qu'une quinzaine de blessés, dont quatre par baïonnette.

Les soldats reprirent le contrôle de la situation, mais il était évident que celle-ci risquait de s'envenimer, vu l'insuffisance des hommes de troupe pour ramener le calme au sein de la population. En fin de soirée, la décision était donc prise de demander des renforts.

Le calme ne devait être rétabli qu'avec l'arrivée de 250 soldats, dont 45 cavaliers-hussards munis d'un canon. Ces renforts étaient arrivés dans la nuit du 25 au 26 octobre à bord d'un train spécial qui avait quitté la gare Bonaventure à 1 h 20. La décision des autorités municipales de fermer tous les débits de boisson tant que la paix ne serait pas revenue devait également contribuer au retour au calme.

Ce dessin évoque le moment où les militaires montaient à bord du train à la gare Bonaventure, en direction de Valleyfield.

OU PEUT CONDUIRE LA BOISSON

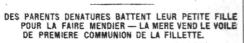

DES PARENTS DENATURES BATTENT LEUR PETITE FILLE POUR LA FAIRE MENDIER — LA MERE VEND LE VOILE DE PREMIERE COMMUNION DE LA FILLETTE.

FLORIDA ET SON PETIT FRERE ARTHUR, RESPECTIVEMENT AGÉS DE 12 ET 7 ANS.

Dans une maison portant le numéro 122, rue Dufresne, habite depuis quelques semaines une famille composée du père, de la mère et de deux enfants: un petit garçon de 7 ans, Arthur, et une bambine de 12 ans, Florida.

Les parents, depuis leur mariage, s'adonnent à la boisson.

Cette nuit, vers 12.30 heures, à la suite d'accusations portées par une âme charitable, les indignes parents ont été arrêtés. Un seul lit servait à toute la famille.

Les voisins et la petite fille ont fait les déclarations suivantes au recorder:

Depuis quatre ans, la petite Florida était en butte aux plus mauvais traite- ments. Durant le rigoureux hiver dernier, la battait pour la forcer à mendier par les rues.

"Je n'ai jamais voulu dénoncer maman, dit la petite; marraine m'a dit qu'elle était bien bonne pour moi, quand j'étais bébé.

Le petit garçon n'a pas les mêmes sentiments, il blasphème comme le père vovou de la rue.

Pour se procurer de la boisson, la mère a vendu jusqu'à son linge de corps, jusqu'au voile de première communion de la petite Florida.

Cette affaire va se dérouler bientôt huis-clos.

Ce texte paru dans LA PRESSE en octobre 1903 illustre fort bien la préoccupation du journal pour le sort des laissés pour compte de la société de l'époque.

Deux rats de cale roumains, Eugen Iterent, 32 ans, et Dan Olaru, 30 ans, racontent comment ils ont traversé l'Atlantique clandestinement, en se cachant dans un conteneur.

Des Roumains arrivés en conteneur se vident le coeur

Aujourd'hui (**le 25 octobre 1992.**), Eugen Iterent trouve le moyen d'en rire lorsqu'il raconte son aventure, mais c'est le coeur serré qu'il est monté clandestinement dans un conteneur en Belgique pour traverser l'Atlantique et entrer en douce au Canada.

Ce garçon de restaurant roumain de 32 ans est débarqué à Montréal vendredi, avec 21 de ses compatriotes rats de cale comme lui, pour réclamer le statut de réfugié. Près de 200 autres ont adopté ce moyen d'immigration périlleux depuis un an.

À l'emploi d'un chic établissement de Cluj, la troisième ville de Roumanie, Iterent critiquait allègrement le régime de Ion Iliescu en servant ses clients le printemps dernier. Mal lui en prit, cependant, puisque certains étaient membres du Service roumain d'information, l'organisme qui a succédé à la Securitate, la police secrète de Ceaucescu.

« Ils m'ont interpellé pour m'interroger lors d'une manifestation d'opposition aux politiques gouvernementales et quelques semaines plus tard j'étais chômeur », raconte Iterent. « J'ai cherché du travail pendant six mois avant de me décider à partir dans le but de refaire ma vie ailleurs. »

Selon lui, le gouvernement qui a succédé au régime Ceaucescu est tout aussi intolérant que celui du dictateur exécuté au milieu des cris de joie de la population roumaine. La bureaucratie communiste est toujours en place soutient-il.

Après avoir passé un coup de fil à un copain installé à Bruxelles, il a entrepris un long périple, sans passeport, pour gagner la Belgique en passant par la Hongrie, l'Autriche et l'Allemagne. De là, il s'est rendu à la gare de Bruges où il s'est introduit dans un conteneur en partance pour Montréal.

« En ouvrant la porte du conteneur, j'ai vu qu'il était rempli de caisses à destination du Québec. J'ai rampé dans le peu d'espace qui restait pour me cacher, jusqu'à ce que les débardeurs chargent le navire le lendemain », dit Iterent.

Pour tout bagage, Iterent emportait un peu de vêtements ainsi que de l'eau et de la nourriture pour trois jours. Son ami lui avait recommandé d'attendre assez longtemps pour s'assurer que le capitaine ne puisse rebrousser chemin une fois ses passagers clandestins découverts en haute mer.

Sa seule préoccupation, c'est de trouver du travail pour faire venir sa famille le plus tôt possible. En attendant, il se prépare à rencontrer les autorités du ministère de l'Immigration et se dit assuré de les convaincre qu'il est bel et bien un réfugié politique.

Charlottetown : c'est NON !

1985 — Les PME jouent un rôle majeur dans le développement économique du Québec. À preuve, elles ont créé 80 pour cent des nouveaux emplois au cours de la dernière décennie.

1982 - La pire chute de l'indice Dow-Jones depuis 1929.

1979 - Assassinat du président sud-coréen Park Chung Hee.

1979 - Guy Lafleur obtient du Canadien le salaire demandé, soit $300 000.

1971 — Les communistes chinois ont finalement obtenu un siège aux Nations unies, 23 ans après avoir conquis le pouvoir dans toute la Chine continentale. L'Assemblée générale a en effet décidé d'expulser les nationalistes chinois de Taiwan, qui représentaient la Chine à l'ONU depuis la fondation de l'organisation internationale, et d'inviter le gouvernement de Pékin à prendre le siège de la Chine à leur place.

1969 - Le président Nasser envoie un émissaire en Jordanie et en Syrie en vue d'un règlement de la crise entre le Liban et la résistance palestinienne.

1968 - Le Rassemblement pour l'indépendance nationale se saborde afin de favoriser l'unité des mouvements indépendantistes au Québec.

1966 - Ottawa et les provinces parviennent à un compromis sur le partage des ressources fiscales.

1965 - La reine Élizabeth II décore les Beatles de l'Ordre de l'empire britannique.

1960 - Au Salvador, une junte militaro-civile dirigée par le colonel Cesar Yanes Urias s'empare du gouvernement sans effusion de sang.

1955 - Proclamation de la République au Vietnam du Sud. L'ex-premier ministre Ngo Dinh Diem devient président et remplace l'empereur Bao Dai comme chef d'État.

1953 - Une inondation détruit 5 000 logements en Calabre, dans le sud de l'Italie.

1949 - M. Saint-Cyr, de Joliette, gagne $77 500 à la loterie irlandaise.

1945 - Le Front arabe propose la formation d'un État arabe de Palestine.

1928 - Une explosion fait cinq morts dans une carrière à Saint-Michel.

1925 — Tuerie à Rougemont. Ce serait après une lutte acharnée que les infortunés époux Bernard auraient succombé aux coups de leurs infâmes agresseurs. Ce qui indique qu'il y a eu lutte entre les époux Bernard et les meurtriers, lutte engagée pour la préservation des ressources enfermées dans le coffre-fort, c'est qu'aucune somme d'argent n'a été volée. Le meurtre de Charles Bernard et de sa femme aurait poussé les cambrioleurs à déguerpir le plus tôt possible, pour éviter d'être surpris et arrêtés pour meurtre et non plus seulement pour vol.

1917 - Désastre à l'île Perrot: une poudrière explose.

1910 - Les flammes causent pour $2 millions de dégâts à Victoria, Colombie-Britannique.

C'était la fête hier, au Métropolis, où des centaines partisans du Non se sont rassemblés.

L'entente constitutionnelle de Charlottetown est morte, repoussée par six provinces et même par une majorité de Canadiens. (**le 26 octobre 1992**)

Désavoué très clairement au Québec, à 57 pour cent contre 43 pour cent, l'accord du 28 août a été rejeté aussi dans toutes les provinces de l'Ouest, de même qu'en Nouvelle-Écosse.

Les sondeurs ne s'étaient pas trompés en prédisant une remontée du NON en Ontario. Jusqu'en toute fin de soirée, le OUI et le NON étaient au coude à coude dans la province de Bob Rae, mais le OUI l'a finalement emporté par moins de 10 000 votes.

Même partiels, les résultats venant de l'Alberta et de la Colombie-Britannique ne laissaient pas de doute sur le désaveu très catégorique qu'encaisserait dans l'Ouest un accord pourtant appuyé par l'ensemble des gouvernements au pays, une conséquence de la campagne de Preston Manning du Reform Party et de la prise de position de Pierre Trudeau. En Alberta, le NON l'emportait 60 à 40 pour cent et l'écart était encore plus grand en Colombie-Britannique, à 68 contre 32 pour cent.

Même les Maritimes n'auront pas échappé à la vague d'opposition à l'accord. Le NON devait l'emporter en Nouvelle-Écosse, surtout à cause des problèmes économiques, une surprise dans cette région du pays, la seule finalement où le OUI a remporté ses victoires, à Terre-Neuve, à l'Île-du-Prince-Édouard et au Nouveau-Brunswick.

Dans l'ensemble du pays, 55 pour cent des Canadiens votaient NON, tandis que 45 pour cent ont approuvé l'entente.

Les libéraux majoritaires ; le Bloc rafle 53 comtés au Québec

Trente ans après son entrée en politique, Jean Chrétien deviendra dans quelques jours le 20e premier ministre de l'histoire du Canada, à la tête d'un gouvernement majoritaire. À l'heure de mettre sous presse (**le 26 octobre 1993**), le Parti libéral du Canada avait remporté ou était en avance dans 178 des 295 comtés du pays.

Tel que prévu, le Bloc québécois a balayé le Québec, y remportant 53 des 75 comtés. À l'heure de mettre sous presse, alors que les résultats venant de la Colombie-Britannique restaient partiels, le Bloc et le Reform Party de Preston Manning se disputaient âprement la deuxième place au plan national et le statut d'opposition officielle qu'elle confère. Les candidats réformistes étaient déclarés élus ou en avance dans 52 circonscriptions, une seule de moins que le parti de Lucien Bouchard.

Rien n'est venu gâcher cette soirée pour le chef libéral Jean Chrétien puisque contre toute attente, il a été élu dans Saint-Maurice par une majorité confortable de plus de 6000 voix. De plus, son parti a fait mieux que prévu au Québec, l'emportant dans 20 comtés. En plus des huit comtés qu'ils détenaient déjà, dont ceux de Paul Martin et André Ouellet, les li-

Lucien Bouchard

Jean Chrétien

béraux ont fait élire des candidats dans des circonscriptions ou ils étaient loin d'être sûrs de l'emporter.

Le Parti conservateur de Kim Campbell s'est totalement désintégré, ne faisant élire que deux députés dans l'ensemble du pays. Les conservateurs ne seront donc même pas reconnus comme parti à la Chambre des communes, puisqu'il faut au moins 12 sièges pour obtenir ce statut. La première ministre elle-même a été battue dans son comté de Vancouver-Centre. Les conservateurs ont même été devancés par le NPD, dont neuf candidats ont été élus, parmi lesquels leur chef, Audrey McLaughlin.

Les bleus ont été rayés de la carte au Québec. Jean Charest, dans Sherbrooke, est le seul des 54 députés conservateurs de la province qui ait survécu.

Malgré ce massacre, le vice-premier ministre Jean Charest a soutenu que le Parti conservateur était loin d'être mort : « Le Parti conservateur a toujours été là, il ne faudrait pas faire l'erreur de croire qu'on va

disparaître. » À une question au sujet du leadership de Kim Campbell, le député de Sherbrooke, son rival durant la course au leadership, a déclaré que si la première ministre souhaitait rester à la tête du parti, il la soutiendrait.

Six des sept députés du Bloc qui siégeaient déjà aux Communes ont été réélus. Seul Gilles Rocheleau, dans Hull-Aylmer, a subi la défaite. Le chef du Bloc, Lucien Bouchard, n'a eu aucune difficulté à l'emporter dans Lac-Saint-Jean, ou sa majorité a dépassé les 21 000 votes.

« Ce soir, le peuple québécois nous donne le mandat de veiller à ses intérêts à Ottawa, mais aussi de baliser la route qui mène à cette prochaine fois », a déclaré hier soir M. Bouchard à Alma, évoquant le discours prononcé par René Lévesque le soir de la défaite référendaire en 1980.

M. Bouchard a tout de suite tenté de rassurer le reste du Canada, s'adressant aux Canadiens anglophones dans leur langue. « Le projet souverainiste, a-t-il rappelé, n'est pas dirigé contre le Canada. C'est le refus des chicanes stériles et des conflits nombrilistes. Je dis à nos amis du Canada anglais que notre victoire représente une occasion unique de nouer une nouvelle relation fondée sur la vérité et le respect. »

La dernière victime de Pierre Brassard : la reine d'Angleterre.

Les Bleu Poudre piègent la reine

Good Lord ! Voilà que les infâmes Bleu Poudre remettent ça et s'en prennent à Sa Majesté la reine Elizabeth II !

Le groupe d'humoristes, qui sévit sur les ondes de la station montréalaise CKOI FM vient d'ajouter une autre trophée à sa collection (**le 26 octobre 1995**) : celui de la reine d'Angleterre.

Un des membres du groupe s'est fait passer pour un attaché du premier ministre Jean Chrétien et, prétextant l'urgence nationale au Canada à quelques jours du référendum, a réussi à obtenir un rendez-vous téléphonique avec la reine.

Hier, à 17h05, heure de Londres, le faux M. Chrétien — Pierre Brassard — appelle à Buckingham Palace. On le met en communication avec la reine.

D'une voix pleine d'enthousiasme, la souveraine répond : « Ah ! Prime Minister ! »

La conversation s'engage en anglais. Chrétien-Brassard dit que la situation est « vraiment critique » au Canada. Une intervention de la part de la reine pourrait sauver la mise...

« Je serais ravie de faire tout ce que je pourrai pour aider », dit la reine.

Après quelques blagues « bleupoudresques », la conversation se termine sur un au revoir.

C'est la misère noire dans les universités

Les universités québécoises souffrent d'un grave problème de sous-financement. Voici un rapide survol de la situation.

Le nombre d'étudiants universitaires à plein temps par professeur ne devrait pas dépasser seize, selon la plupart des experts. L'Ontario se situe en plein dans cette norme. Au Québec, il y a plus de 20 étu-

diants par professeur. La qualité de la recherche et de l'enseignement en souffrent.

Le Québec arrive loin derrière toutes les autres régions canadiennes, y compris les Maritimes, en ce qui concerne les laboratoires de facultés de génie : à peine plus de quatre mètres carrés d'espace par étudiant, contre près de six en Ontario !

Les bibliothèques des universités québécoises font pitié. Il y a deux ans, on estimait que le nombre de documents par étudiant se situait à 105 au Québec, contre 154 en Ontario. À la même époque, pour chaque dollar dépensé au Québec pour l'achat de documents, l'Ontario, consacrait 1,70 $. Tout porte à croire que l'écart s'est maintenu depuis, et peut-être aggravé.

Les finances des universités québécoises sont tellement déplorables qu'on peut parler, dans plusieurs cas, d'insolvabilité technique. Leur déficit accumulé joue dans les 150 $ millions.

Elles n'ont d'autre choix que de rogner les services. Elles n'embauchent pratiquement plus. (**Texte publié le 26 octobre 1989.**)

Un incendie détruit le chantier maritime Davie à Lauzon; les résidents sont atterrés

La petite municipalité de Lauzon, au sud de Québec, se souviendra longtemps du 27 octobre 1955. Ce jeudi-là, à 21 h 30, alors que, dans la majorité des foyers, on se préparait à aller se coucher, un gigantesque incendie éclatait au chantier naval Davie, le plus vieux du Canada.

Pour la majorité des résidents de Lauzon, ce fut un véritable cauchemar pendant lès huit heures qu'il brûla. Pour les plus infortunés, ce fut la catastrophe, car ils perdirent non seulement leur emploi pendant quelques semaines, mais aussi leur foyer. En effet, le feu s'attaqua également à une dizaine de maisons, dont trois furent complètement rasées, jetant cinq familles sur le pavé.

On ne déplora heureusement aucune perte de vie, mais deux pompiers ont été blessés, dont un grièvement.

Malgré le courage des pompiers de Lauzon et de leurs collègues de Lévis et de Québec, il était bien évident qu'ils n'avaient pas l'équipement nécessaire pour combattre l'élément destructeur. Les dégâts furent évalués à $4 millions.

Foyer d'incendie dans la fonderie

L'incendie prit naissance à 21 h 30 dans la fonderie. Les flammes se propagèrent avec la rapidité de l'éclair aux autres bâtisses du chantier et aux maisons avoisinantes, rue Saint-Joseph.

Après la fonderie, ce sont écroulés la boutique de menuiserie, l'entrepôt de bois, le garage, l'atelier de peinture, l'atelier de charpente et l'atelier de gabarits. La douzaine de bâtisses détruites par les flammes couvraient une étendue de 1 200 pieds de longueur par 200 pieds de largeur.

Plusieurs explosions se sont produites, dont une très violente qui a semé la panique dans le voisinage vers 22 h 05.

Georges Galipeau et Gaston Dugas, les envoyés spéciaux de LA PRESSE, firent une description dantesque des événements.

Une véritable vision d'enfer, disaient-il dans LA PRESSE du 28. Dans les ruines fumantes des édifices qui s'étaient déjà effondrés, des flammes basses couraient à travers les décombres, cherchant encore quelque chose à dévorer. Ailleurs, de grandes traînées de feu léchaient les charpentes encore debout, d'énormes poutres d'acier tordues comme des jouets d'enfants s'enchevêtraient petit à petit, formant la plus grotesque image d'un jeu de « meccano » gigantesque brouillé par des enfants trop jeunes. Un ciel rougeâtre reflétait à des milles la ronde cet affreux spectacle.

Des mises à pied nécessaires

Même si les bureaux ont été épargnés par le feu, les ouvriers n'ont pris aucun risque : ils ont sauvé des flammes les plans des navires en cours de construction. Au moment de l'incendie, un seul navire, qui n'a pas été touché, attendait d'être lancé. L'incendie est d'ailleurs survenu la veille d'une visite du premier ministre fédéral, M. Louis Saint-Laurent, qui devait présider au lancement d'un navire d'escorte de la marine canadienne, le *Bluenose.* Et il devait profiter de l'occasion pour accorder officiellement un contrat pour la construction d'un brise-glace. Par ailleurs, trois autres navires étaient en construction ou en réparation, soit un destroyer d'escorte, un dragueur de mines et une frégate.

Au moment de l'incendie, le chantier employait 1 000 ouvriers, dont 60 p. cent étaient résidents de Lauzon, sur une capacité de 2 500. On craignait la mise à pied générale, mais le travail ne devait pas être complètement arrêté, les cales sèches, les quais et les bâtiments les plus rapprochés du fleuve ayant été épargnés.

Manifestations de foi et de solidarité

L'incendie donna lieu à des manifestations de foi et de solidarité. Ainsi, dans la rue Bourassa, qui longe le principal bâtiment des chantiers, on vit apparaître aux fenêtres des statuettes de la Vierge, à qui l'on confiait la protection des foyers menacés par le fléau. *Fait remarquable,* écrivirent les envoyés spéciaux de LA PRESSE, *aucune des maisons de la rue Bourassa, la plus exposée, n'a de dommages à déplorer. Pas même un vitre cassée.*

Cet incendie donna aussi lieu à d'importantes manifestations de solidarité. La plus remarquable sans doute est celle de ce bienfaiteur qui, de passage en voiture, n'a pas hésité un instant à offrir un toit à la famille Lippé, comprenant pas moins de 13 enfants, dont la maison venait d'être rasée par les flammes.

Un amas de fer tordu et de cendres. Voilà tout ce qui restait d'une bonne partie de l'immense chantier naval de la Davie Shipbuilding Co., au lendemain de l'incendie de 1955.

Un grand happening où Chrétien prend la part du Québec

Le premier ministre du Canada, Jean Chrétien, s'efforçant de traduire son attachement et celui de tous les Canadiens pour le Québec, s'est engagé hier (le 27 octobre 1995) à procéder « à tous les changements nécessaires » pour permettre au Québec et au Canada d'affronter les défis du prochain siècle.

Cette ultime démarche, à trois jours d'un référendum où l'issue demeure incertaine, a été accueillie bruyamment par plusieurs dizaines de milliers de manifestants réunis à la Place du Canada, dans le centre-ville de Montréal. Un grand nombre d'entre eux venaient des autres provinces, certains même du Yukon. Tous saluaient le Québec comme « une composante majeure du Canada », que les trois ténors du camp du NON estiment menacé de destruction par le vote de lundi.

« Il y a des représentants de toutes les provinces canadiennes (...) Merci de votre présence », a dit le chef du parti du Non Daniel Johnson.

Le premier ministre Chrétien, qui a chambardé son agenda des derniers jours pour s'occuper du référendum, a déclaré que cette journée n'était pas celle de la classe politique, ni celle des longs discours, mais celle des citoyens. « The Unity Day », comme le voulaient certaines affiches. Il a rappelé que les Québécois avaient « participé à la construction de ce pays ».

Des millionnaires touchent l'assurance-chômage

De nombreux millionnaires ont réussi à toucher des prestations sociales tels des chèques d'assurance-chômage avec l'aide de comptables futés, d'après des chiffres de Revenu Canada.

Les chiffres de Revenu Canada montrent notamment que:
— 250 personnes, avec un revenu brut combiné de 438 millions, ont réclamé des déductions conçues pour permettre à des bas salariés d'envoyer leurs enfants dans des garderies;
— 10 millionnaires ont touché ensemble un total de 38 000 $ en prestations d'assurance-chômage;
— 20 personnes disposant d'un revenu combiné de plus de 27 millions ont réclamé un total de 58 000 $ en frais de scolarité pour leurs enfants. (Texte publié le 27 octobre 1994.)

Cette photo d'un photographe de LA PRESSE a été prise le 6 novembre 1924 à la réserve de Caughnawaga. Quoique le sujet paraisse intéressant puisqu'il s'agissait du tout premier orchestre exclusivement composé d'Iroquois, la photo surprend à notre époque, avec les Indiens en costume, munis d'instruments de musique qui n'ont rien à voir avec le tam-tam. Mais peut-on s'imaginer un instant ce qu'on pensera de nous dans deux ou trois générations en voyant des photos des Classels ou de César et ses Romains ? *L'orchestre de Caughnawaga* — car c'était son nom — était dirigé par Louis Feathers (un nom prédestiné), alias Louis Decair, le deuxième à droite. Les autres membres du sextuor sont Stevens Dehotsitsate, Peter Taronkiawakon, Peter Martin, John Hall, Decair et Roy Feathers.

C'EST ARRIVÉ UN 27 OCTOBRE

1951 — Rocky Marciano triomphe de Joe Louis par knockout technique. La défaite mettra probablement fin à la carrière de l'ancien champion.

1979 - Le premier ministre René Lévesque inaugure LG-2, la plus vaste centrale hydro-électrique souterrraine du monde.

1978 - MM. Annouar El Sadate, d'Égypte, et Menachem Begin, d'Israël, gagnent le prix Nobel de la Paix.

1976 - La plus longue histoire d'enlèvement au Canada (82 jours) prend fin avec la libération de Charles Marion.

1966 - L'ONU révoque le mandat de l'Afrique du Sud sur la Namibie.

1963 - Gordie Howe marque le 544e but de sa carrière, éclipsant du même coup le record de 543 de Maurice « Rocket » Richard.

1961- Essai concluant de la fusée américaine *Saturne*, la plus grande du monde, à cette époque-là, et qui devait éventuellement transporter l'homme jusqu'à la lune.

1959 - Les journaux publient les premières photos de la face cachée de la lune.

1947 - Lucien Borne est élu maire de Québec pour un 5e mandat consécutif.

1940 - Le paquebot canadien *Empress of Britain* coule au large de l'Irlande, son équipage n'ayant pu éteindre l'incendie déclenché par le bombardement de la veille.

1937 - Les Japonais sèment l'horreur en entrant à Shanghai.

1921 - Violente explosion à l'élévateur à grains no 1 du port de Montréal.

1919 - Montréal accueille le prince de Galles.

1917 - Désastre à la poudrière de l'île Perrot; les pertes matérielles dépasseraient $1,6 million.

C'EST ARRIVÉ UN 28 OCTOBRE

1974 — Les États arabes reconnaissent l'Organisation de libération de la Palestine comme seul représentant légitime du peuple palestinien.

1970 — À l'ONU, Israël exige le retrait des missiles égyptiens de la zone du canal de Suez comme condition de la reprise des négociations.

1969 — Quelque 20 000 étudiants descendent dans la rue pour protester contre le projet de loi 63.

1962 — Khrouchtchev désamorce la crise cubaine en acceptant qu'on démantèle les fusées stationnées à Cuba.

1958 — Le cardinal Roncalli est élu pape; le 261e successeur de saint Pierre choisit le nom de Jean XXIII.

1956 — Fin des émeutes à Budapest, en Hongrie.

1952 — Abolition du permis de radio alors en vigueur au Canada (il fallait débourser 2,50 $ pour chaque poste de radio).

1949 — Accident d'avion aux Açores; le champion boxeur Marcel Cerdan est parmi les victimes.

1940 — Les troupes italiennes, protégées par de fortes unités de l'aviation, ont ouvert leur attaque contre la Grèce dans le district de Camurjia, au sud de l'Albanie, et ont attaqué avec fureur Konispoli, en face de l'île stratégique de Corfou.

1924 — Le gouvernement français a officiellement accordé, aujourd'hui, la reconnaissance « de jure » au gouvernement soviétique de la Russie.

1922 — Mussolini et ses fascistes triomphent en entrant dans Rome.

1915 — Le gouvernement de René Viviani démissionne en bloc, en France.

La clientèle des écoles anglaises privées a bondi de 40 pour cent

Seule l'école privée de langue anglaise connaît une augmentation du nombre de ses élèves au Québec, depuis les dernières années, compensant en partie le déclin considérable de l'école publique anglaise depuis l'imposition de la Charte de la langue française (loi 101).

L'école privée de langue anglaise, dont la majorité des établissements ne sont pas soumis à la loi 101 parce qu'ils ne sont pas subventionnés par l'État, a connu une hausse de 40 % de ses effectifs au cours des cinq dernières années, selon des données du ministère québécois de l'Éducation. Le secteur privé anglais comptait pour l'année scolaire 1994-95 près de 12 200 élèves, majoritairement au niveau primaire.

Dans le secteur privé de langue française, le nombre d'élèves est resté stable, à près de 92 600 pour l'année scolaire terminée en juin dernier. La stagnation du secteur privé français est comparable à celle qui est constatée dans le secteur public autant français qu'anglais.

L'école publique de langue française voit ses effectifs plafonner autour de 940 000 élèves, depuis cinq ans, tandis que l'école publique anglaise connaît aussi un plafonnement juste en dessous des 100 000 élèves.

La progression unique de l'école privée de langue anglaise, essentiellement à Montréal où sont situés la majorité des établissements privés, contraste nettement avec le climat de morosité qui imprègne le reste du monde scolaire au Québec.

Contourner la Loi 101 ?

Le recours à l'école privée anglaise non subventionnée est un des moyens de contourner légalement les exigences de la loi 101 en matière de langue d'enseignement.

La loi dit qu'un enfant (dont l'un des parents est citoyen canadien) qui a déjà fait la majorité de son cours primaire en anglais peut être admissible à l'école publique anglaise. Il suffit qu'un écolier ait passé uniquement sa première année du primaire dans une école privée en anglais pour qu'il devienne dès sa seconde année admissible, de même que ses frères et soeurs, à l'enseignement public en anglais.

Imposée par la Charte canadienne des droits, cette mesure d'exception à la loi 101 (communément appelée clause Canada) permet effectivement à des élèves de se soustraire à la Charte de la langue française, mais dans des proportions inconnues. (**Texte publié le 28 octobre 1995.**)

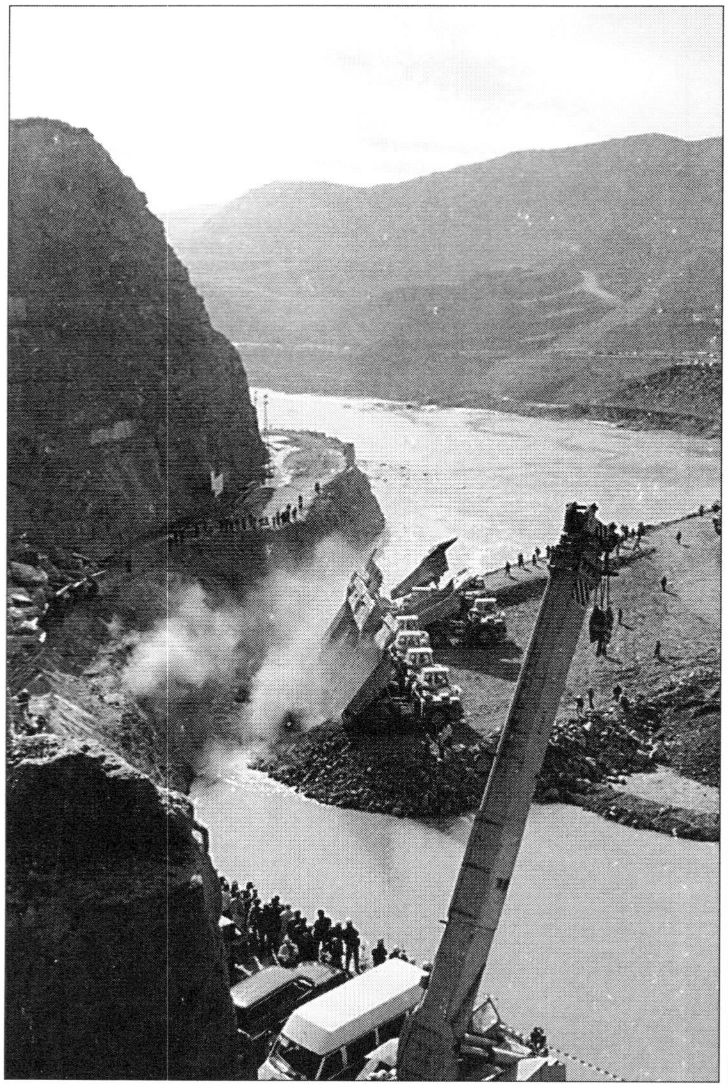

Le fleuve Jaune a été détourné pour permettre la construction du barrage Xiaolangdi, censé contenir les eaux du cours d'eau même en cas de crues catastrophiques.

Le fleuve Jaune dévié

Les travaux de détournement du fleuve Jaune, berceau de la civilisation chinoise, sont terminés pour permettre la construction du deuxième plus grand barrage du pays.

Le premier ministre Li Peng a assisté à la mise en place, couronnée de succès, d'un barrage temporaire qui a permis cette dérivation, une opération qu'il a qualifiée de « progrès considérable dans la domestication de la rivière », a rapporté l'agence officielle Chine Nouvelle.

En principe achevé dans quatre ans pour un coût de plus de quatre milliards de dollars US, le barrage Xiaolangdi est censé contenir les eaux du fleuve Jaune même en cas de crues catastrophiques, comme il en arrive une fois tous les mille ans.

Cette construction n'a pas donné lieu aux controverses qui entourent le barrage géant des Trois Gorges sur le Yang-Tse Kiang, ou fleuve Bleu, le plus grand projet de centrale hydraulique du monde, qui coûtera environ 24,6 milliards de dollars US.

Le barrage de Xiaolangdi nécessite le déplacement de 179 000 Chinois, soit un septième des personnes à reloger après la construction des Trois Gorges. (**Texte publié le 28 octobre 1997.**)

La moitié des anglophones partiraient si le Québec se séparait

Surtout motivés par des raisons « pragmatiques », la moitié des anglophones de Montréal quitteraient le Québec si la province se séparait du reste du Canada, révèle une étude de l'Office de la langue française.

« La peur de l'indépendance ne semble pas être due, avant tout, à la perte d'une langue ou de droits individuels ; c'est, au contraire et surtout, la crainte d'une possible perte monétaire », affirme le document.

« Les répondants, très majoritairement (84 pour cent), resteraient au Québec s'il n'y avait pas de problèmes constitutionnels », affirme-t-on. Par contre, à peine 30 pour cent continueraient d'habiter la province devenue pays ; et 20 pour cent ne savent pas précisément comment ils réagiraient.

Pour le demi-million de Montréalais anglophones, cet appel de la diaspora est fondé essentiellement sur des motifs d'ordre monétaire (30 pour cent) plutôt que de nature idéologique, bien que la perspective de perdre leur citoyenneté canadienne en fasse trembler plusieurs (28 pour cent). On craint aussi « une perte de droits » (25 pour cent), « l'impossibilité de parler anglais » (18 pour cent) et « la possibilité d'être mal traités » (14 pour cent).

Comme la majorité francophone, les Montréalais anglophones craignent pour leurs institutions et la possibilité de se faire servir dans leur langue dans les écoles, les hôpitaux, les tribunaux et au travail. La moitié d'entre eux ont un ami proche qui est francophone.

N'empêche que les anglophones vivent isolés dans un milieu culturel presque exclusivement anglophone — à l'exception de la lecture occasionnelle d'un quotidien francophone. « Le tissu social anglophone demeure encore assez imperméable à cette présence francophone », affirme l'étude.

« La communauté francophone est perçue par la communauté anglophone comme une communauté qui se replie sur elle-même... », dit-on ; les anglophones seraient plus enclins à apprendre le français si son apprentissage se traduisait par une amélioration de leur condition économique. Pour eux, la solution aux problèmes linguistiques du Québec « réside dans la bilinguisation ».

Le document de l'Office fait ressortir une contradiction apparente dans l'attitude des anglophones face à la question linguistique : « Les répondants nient l'importance de l'environnement lorsqu'il s'agit du français, c'est-à-dire la place du français dans un continent entièrement dominé par une seule autre langue. Toutefois, lorsqu'il s'agit de l'anglais, l'environnement devient alors la préoccupation principale, puisqu'ils perçoivent un ensemble de menaces dirigées contre l'utilisation de l'anglais par les diverses formes que peuvent prendre la francisation ». (**Texte publié le 28 octobre 1993.**)

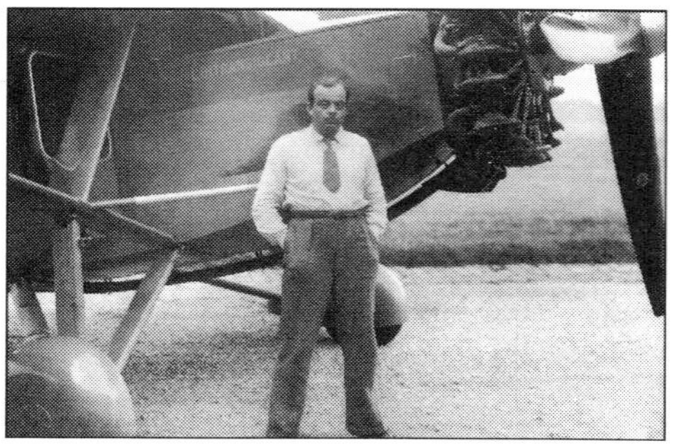

Antoine de Saint-Exupéry photographié devant son avion, l'Intransigeant.

UN BRACELET DE SAINT-EXUPÉRY DANS LES FILETS D'UN PÊCHEUR

Cinquante-quatre ans après la disparition de l'aviateur-écrivain français Antoine de Saint-Exupéry en juillet 1944 au cours d'un vol en Méditerranée au large de Marseille, une gourmette en argent à son nom est remontée dans les filets d'un pêcheur marseillais.

« La mer est si grande, une gourmette si petite. C'est miraculeux », s'exclame Jean-Claude Bianco, le capitaine du chalutier l'Horizon dans les filets duquel sont remontés le 7 septembre le bijou ayant appartenu à l'auteur du Petit Prince et deux débris d'avion.

« La gourmette était entourée d'un morceau de tissu qui était comme calciné et pétrifié, qui a été détruit lorsque nous avons brisé les concrétions », se souvient le pêcheur, qui a confié sa découverte à la COMEX, société spécialisée dans les recherches sous-marines.

Selon Germain Henri Delauze, PDG de la COMEX, on peut lire sur la plaque du bijou « Antoine de Saint Exupéry (Consuelo) - c/o Reynal and Hitchcock Inc. - 386 4th Ave N.Y. City - USA ».

Cette adresse correspond à celle des éditeurs de la version anglaise du chef d'oeuvre de l'écrivain, Le Petit Prince, a-t-il précisé. « C'est vraisemblablement un cadeau que lui ont fait ses éditeurs lorsqu'il vivait à New York pendant la guerre ». (**Texte publié le 28 octobre 1998.**)

UNE GOÉLETTE HISTORIQUE SOMBRE

Les six membres de la goélette Norma and Gladys ont abandonné leur navire, environ deux heures avant qu'il ne fasse naufrage dans la baie de Placentia.

Ce navire, d'une valeur historique, se dirigeait samedi vers Saint-Jean pour y être réparé lorsque sa pompe de cale a brisé. L'équipage a alors lancé un appel de détresse et a été secouru peu de temps après.

La Norma and Gladys, un ancien navire de pêche, a servi de musée flottant et représentait la province de Terre-Neuve dans diverses manifestations maritimes, avant d'être vendue l'an dernier. Le nouveau propriétaire, la compagnie Sail Labrador, entendait l'utiliser à compter de l'été prochain pour des voyages de tourisme le long de la côte du Labrador.

Le gouvernement de Terre-Neuve avait dépensé depuis 1973 plus de 1,5 million pour modifier, réparer et entretenir cette goélette construite en 1945.(**Texte publié le 28 octobre 1984.**)

Catastrophe aérienne aux Açores: 48 morts

Les 48 occupants de l'avion ont péri. Un radiogramme du chef d'escale d'Air-France à Santa Maria (Açores) confirme que les premiers sauveteurs sont parvenus auprès de l'épave de l'avion Paris-New-York et signalent que l'aérobus est complètement détruit et qu'il n'y a aucun survivant.

Cet avion portait le boxeur français Marcel Cerdan, le journaliste canadien français Guy Jasmin, la célèbre violoniste Ginette Neveu et 45 autres personnes, dont la mère de M. Jasmin.

On avait auparavant entretenu l'espoir que quelques occupants au moins avaient survécu. Un pilote qui avait aperçu l'épave fumante sur une montagne de 3500 pieds avait rapporté avoir vu quelques « survivants » en mouvement autour des débris. Il semble bien que ce soit des habitants du voisinage qui sont arrivés sur les lieux avant les groupes de secours.

L'avion français donna contre un pic de 3500 pieds sur l'île San Miguel au nord de Santa-Maria, seulement quelques minutes après voir annoncé son intention d'atterrir à l'aéroport de Santa-Maria.

De vagues rumeurs d'explosion et d'incendie circulaient. Des camions et des autos montèrent vers les hauteurs de cette île ainsi que des autres îles de l'archipel.

Plus d'une douzaine d'avions se mirent aux recherches. Ils survolaient l'Atlantique car on croyait que le Constellation était tombé à la mer. (**Texte publié le 28 octobre 1949**)

De gauche à droite le quartier-maître Kehoe, les tailleurs Drolet et **Charlebois**, les capitaines Bellefleur, Coleman et Millette.

Révélations sensationnelles

Véritable conspiration de la police et de ses fournisseurs pour frauder la Ville

NOMBREUX sont les lecteurs qui se souviendront de la célèbre enquête Caron consacrée au crime organisé, au début des années 50. Les uns, parce qu'elle avait permis à un jeune avocat du nom de Jean Drapeau de planter le premier jalon d'une brillante carrière politique. Les autres, parce qu'elle avait secoué vigoureusement la police de Montréal, en commençant par son chef.

L'enquête Caron n'était cependant pas la première à porter sur les faits et gestes de la police montréalaise. Déjà, le 29 octobre 1902, le scandale avait secoué la brigade policière à la suite d'une affaire de paletots d'hiver (ou plutôt *par dessus* ou *redingote*, comme on disait à l'époque) mise au jour devant la Commission de police de l'époque, affaire impliquant pas moins de dix membres de l'état-major de la police.

De fausses factures

Tout commence par la réception d'une facture de $1 011.26 de la maison Dufour, Drolet et Cie, pour la fourniture de 44 paletots d'hiver, et par la constatation par le quartier-maître Kehoe que 31 des paletots étaient de qualité inférieure à celle de l'échantillon fourni lors de la soumission. En outre, on découvrait que les 13 policiers prétendument satisfaits n'avaient pas dans les faits reçu un nouveau « par-dessus », et que le montant de $22.90 par paletot avait plutôt servi à l'achat de vêtements civils !

Voyons quelle manoeuvre utilisaient les hommes de l'état-major de l'époque. Le texte de l'époque est très explicite à ce sujet.

Les officiers, capitaines ou lieutenants ayant un pardessus jugé suffisamment bon pour passer l'hiver, se présentaient chez le tailleur avec le vêtement; le tailleur nettoyait le pardessus, l'épongeait et le pressait, lui donnait enfin toute l'apparence d'une pièce neuve. Le pardessus était ensuite étiqueté, ficelé et expédié au quartier-maître Kehoe qui le remettait au capitaine du poste où se trouvait le destinataire. Le capitaine ne prenait pas la peine d'examiner le vêtement. Pour tromper tout examen qui n'aurait été que superficiel, le tailleur changeait la marque de l'ancien tailleur de la police, et y substituait la sienne propre.

Des vêtements civils en échange

Évidemment, les membres de l'état-major qui se prêtaient à ce stratagème en toute connaissance de cause ne le faisaient pas avec détachement comme devaient le démontrer les témoignages devant la commission. C'est ainsi qu'on devait apprendre qu'en échange, ces policiers gradés recevaient, les uns un habillement complet, les autres un pardessus de civil ou un habit pour leurs enfants Et pas question de se tourmenter la conscience de cause un système qui durait depuis longtemps car, comme l'a expliqué un policier, *j'agissais de bonne foi. Nous sommes souvent de service sans notre uniforme!*

Le témoignage de Drolet

Le témoignage de M. Drolet, l'un des fournisseurs visés par l'enquête, était assez éloquent quant à l'esprit qui animait cette maison de fournisseurs de la police. En voici un extrait.

Le conseiller Lebeuf : Nous vous envoyez un compte pour 44 paletots et l'enquête, était assez éloquent avez-vous réellement fait et délivré 44 paletots ?

M. Drolet : Nous avons fait du travail pour cette valeur, mais, comme de raison, nous avons fait des échanges comme cela se pratique habituellement. Je pense que nous avions ce droit.

M. Lebeuf : Où prenez-vous le droit d'enlever les marques de fabrique de M. Charlebois pour y substituer les vôtres ?

M. Drolet : Nous avons réparé le pardessus et nous avons par conséquent le droit d'y apposer notre marque.

M. Lebeuf : Sur quoi basez-vous ce droit ?

M. Drolet : Le capitaine Bellefleur m'a dit que si c'était nécessaire, il aurait un ordre du chef de police ou du président de la Commission de police.

Le capitaine Bellefleur est appelé et corrobore cet avancé.

M. Lebeuf à M. Drolet : Vous a-t-il donné un ordre du président ou du chef de son département ?

M. Drolet : Non!

L'ineffable quartier-maître Kehoe

Le dernier témoin fut le quartier-maître Kehoe, qui devait déclarer naïvement, en réponse à des questions relatives à l'achat de 328 pantalons du même fournisseur, qu'il n'avait jamais vérifié le contenu des paquets et qu'il s'était fié aux inscriptions des fournisseurs, et qu'il laissait le soin de vérifier à ses capitaines. Ce qui amena M. Lebeuf à déclarer : *Un homme n'est pas quartier-maître pour regarder des paquets défiler sous ses yeux.*

Les conséquences de ce scandale ? La Commission de police recommandait à la Ville de poursuivre les fournisseurs Drolet et Dufour, et de suspendre tous les policiers impliqués. D'ailleurs, capitaines et lieutenants étaient mis aux arrêts dès la fin de leur témoignage.

LA PRESSE et l'Assemblée nationale du Québec, centenaires la même année

NDLR - À l'occasion du centenaire de LA PRESSE, le président de l'Assemblée nationale, M. Richard Guay, a fait parvenir le texte suivant au journal.

VÉRITABLE institution nationale, LA PRESSE célèbre son centième anniversaire de naissance. Par les mutations successives qu'elle a subies, ce journal a su maintenir une image de dynamisme qui continue à en faire un véhicule privilégié d'information.

Cela est d'autant plus remarquable qu'il connaît la concurrence féroce de la radio et de la télévision vers lesquelles nos concitoyens se tournent davantage pour s'informer et se forger une opinion des événements en cours.

Jeune de ses 100 ans, LA PRESSE a pu, au cours de ce siècle, compter sur des journalistes célèbres qui ont mis en commun leur talent et leur conscience professionnelle au service du « plus grand quotidien français d'Amérique ».

Au cours du siècle qui se termine, LA PRESSE a été le témoin, pour le compte de ses lecteurs, des débats de l'Assemblée nationale. Coïncidence, celle-ci marquera au début de 1984 le centième anniversaire de sa première séance en l'Hôtel du parlement à Québec.

À cause de l'importance de LA PRESSE, l'Assemblée nationale est d'ailleurs intervenue à trois reprises, par lois, dans l'histoire du journal, notamment lors du transfert de propriété en 1967.

Il est donc normal, compte tenu de la relation qui a existé entre elle et le journal, qu'au nom de l'Assemblée nationale, j'associe ma voix à celles qui souhaitent à LA PRESSE un anniversaire qui soit le gage d'une quête incessante vers une information de la meilleure qualité.

**Richard Guay,
président de
l'Assemblée nationale**

Une pilule contre l'impuissance

Des millions d'hommes impuissants pourraient bientôt connaître une révolution sexuelle : une pilule qui provoque une érection en 20 minutes devrait être mise en marché au printemps prochain.

Trois médicaments, encore au stade des tests, promettent la fin des désagréments des thérapies classiques contre l'impuissance, ont expliqué des médecins réunis au National Institute of Health.

Le Viagra de Pfizer bloque une enzyme se trouvant surtout dans le pénis, qui brise un composé appelé GMP, produit durant la stimulation sexuelle. Contrairement aux drogues injectées, le Viagra ne cause pas d'érection sans stimulation sexuelle.

La semaine dernière, la Food and Drug Administration a promis une évaluation rapide du Viagra, ce qui pourrait entraîner une sortie en avril. Le Viagra était au départ conçu pour les troubles cardiovasculaires, mais les recherches ont bifurqué vers le traitement de l'impuissance. Un patient sur dix s'est plaint d'effets secondaires bénins, comme des maux de tête ou des rougissements.

Entre 10 et 20 millions d'Américains souffrent d'impuissance à un moment de leur vie, dont 80 % à cause d'une maladie, notamment le diabète et les affections cardiovasculaires qui diminuent le flot sanguin, selon le docteur Irwin Goldstein, de l'Université de Boston. Les troubles psychologiques ainsi que les effets secondaires de certains médicaments sont aussi en cause. (Texte publié le 29 octobre 1997.)

LA PROSPÉRITÉ FACTICE DE L'AMÉRIQUE S'ÉCROULE

Le 29 octobre 1929, jour que l'on appellera désormais le mardi noir, la prospérité factice de l'Amérique et du monde s'écroulait : à l'ère folle des années 20 devait succéder la pire crise économique que l'histoire ait jamais connue.

Les cours avaient décliné dès le 24 à la Bourse de New York : de 381 points, l'indice Dow Jones tombait à 299, c'est-à-dire au-dessous du seuil magique de l'époque : 300. Les professionnels de la Bourse s'inquiètent, mais espèrent que, comme d'habitude, certains voudront profiter d'une aubaine et en rachetant, faire remonter les cotes. Il n'en est rien, et cinq jours plus tard, c'est la débâcle : l'indice Dow Jones clôture à 230.

La mentalité de l'époque était tellement à la prospérité que les courtiers plaçaient des commandes contre versement en argent comptant de dix pour cent seulement de la valeur des actions achetées.

Or, jouer à la bourse sur marge est dangereux. Si la marge minimale est de dix pour cent seulement, c'est de la haute, sinon de la folle, spéculation. Car pour chaque tranche de 10 $ investie à la Bourse, on se crée une dette de 90 $ qu'il faudra acquitter si les cours baissent.

Pour comprendre l'ambiance de folie spéculatrice qui déferlait à l'époque sur l'Amérique, il convient de se rappeler qu'après un mini-ralentissement qui avait suivi la fin de la Première Guerre mondiale, l'Amérique et le Canada avaient connu une ère de prospérité extraordinaire.

Tout ce beau château de cartes devait s'effondrer le 29 octobre 1929, et les grands perdants furent les petits investisseurs, qui avaient trop misé sur une prospérité factice et sur des valeurs boursières boursouflées. Le krach s'explique essentiellement par le fait qu'un grand nombre d'actions étaient cotées trop haut et que le revenu qu'elles pouvaient produire ne correspondait plus au capital qu'elles représentaient.

À la suite du krach de 1929, les mécanismes de réglementation gouvernementaux furent profondément modifiés et l'on élimina petit à petit les conditions qui avaient rendu cette débâcle possible. (Texte publié le 29 octobre 1987).

Le 29 octobre 1929, des milliers d'investisseurs s'agglutinent nerveusement devant la Bourse de New York, au pied de la statut de George Washington, attendant les informations sur les cours de la bourse.

C'EST ARRIVÉ UN
30
OCTOBRE

1996 — Une pièce d'or frappée sous le règne de Charlemagne a été pour la première fois découverte, à Ingelheim près de Mayence. Cette pièce unique de 4,45 grammes, frappée entre 812 et 814 à Arles (sud de la France) dans les dernières années du règne de Charlemagne, est extrêmement bien conservée et porte une image de l'empereur couronné de laurier.

1994 — Les États-Unis ont atteint un record peu enviable cette année : À la date du 30 juin 1994, il y avait 1 012 851 personnes derrière les barreaux dans les prisons d'État et 93 708 dans les prisons fédérales, rapportent le service des statistiques du département de la Justice, à Washington. La population carcérale est deux fois plus élevée que celle enregistrée le 31 décembre 1984, qui était de 462 002 détenus.

1992 — Un cliché du photographe russe Alexander Rodchenko (1925-1965) a été vendu aux enchères chez Christie's à Londres pour 230 000 $, record mondial pour une photographie du XXᵉ siècle.

1991 — Le coroner Marc-André Bouliane a qualifié d'« aberrants » les 72 morts attribuables à la motoneige au cours des deux seuls derniers hivers au Québec.

1987 — C'est officiel : Montréal aura son Insectarium, le premier du genre en Amérique du Nord. Qui plus est, il fera partie du réseau des institutions scientifiques appartenant à la ville de Montréal et comprenant déjà le Jardin botanique, le Planétarium, l'Aquarium et le Jardin zoologique du parc Angrignon.

1985 — Trois transactions dans le seul secteur du pétrole coûteront deux milliards de remises d'impôt au Trésor fédéral sans que le Parlement ait été mis au courant. « Il y a quelque chose qui ne tourne pas rond du tout, en conclut le vérificateur général, M. Kenneth Dye, après tout, c'est de deniers publics qu'il s'agit, l'argent des contribuables qui élisent les députés pour protéger leurs intérêts ».

1984 — Un groupe d'enfants a remis aux Nations unies une pétition demandant l'arrêt de la course aux armements. Cette pétition était signée par plus de 13 000 enfants de 13 pays, dont la France, la Suisse, la Belgique, les États-Unis, le Japon, la RFA, la Grande-Bretagne, Israël et l'Union soviétique.

1961 — Tandis que des protestations s'élevaient dans le monde entier contre l'explosion d'une superbombe en URSS, l'ambassadeur des Nations unies à l'ONU, Adlai Stevenson, a accusé aujourd'hui l'Union soviétique de mener le monde au bord du désastre en faisant l'essai d'une bombe de plus de 50 mégatonnes.

Céline Dion procède à un «lancement planétaire»

Céline Dion

Sereine, dégagée, rieuse, Céline Dion a présidé aujourd'hui (le 30 octobre 1997)au premier « lancement planétaire » de l'histoire de l'industrie du disque.

Petite planète, mais tout de même... Le lancement de Let's Talk About Love, le quatrième album anglais de « la p'tite fille de Charlemagne », a été diffusé en direct par satellite dans plus de 40 pays d'Europe et d'Amérique du Sud et en mode interactif avec la France, l'Angleterre et l'Allemagne.

En direct du Théâtre Arcade de Télé-Métropole, à 100 pieds du studio D, a précisé son mari et manager René Angelil, « là où Céline a fait ses débuts télé, le 19 juin 1981 ».

Cet hyper-événement constitue la première étape d'une campagne de mise en marché sans précédent, campagne que la multinationale Sony lie à deux autres événements majeurs : le lancement de *Céline*, la biographie écrite par Georges-Hébert Germain, « la seule vraie », et la sortie, le 19 décembre, de Titanic, le film le plus coûteux jamais produit à Hollywood et dont Céline interprète la chanson de la bande originale (My Heart Will Go On).

Le cardinal Paul Grégoire

Le cardinal Grégoire succombe à un cancer

Le cardinal Paul Grégoire, ancien archevêque de Montréal, est décédé hier (le 30 octobre 1993), à l'hôpital Notre-Dame, des suites d'une longue maladie. Le cardinal Grégoire, qui était âgé de 82 ans, était atteint d'un cancer à l'estomac depuis 1990, année de son départ de l'archevêché de Montréal.

Son successeur, Mgr Jean-Claude Turcotte, a appris sa nomination à la dignité de cardinal alors qu'il participait au synode des évêques sur la Vie consacrée des prêtres, frères et religieuses, à Rome.

Le nouveau cardinal de Montréal, le troisième de l'histoire, succède ainsi au cardinal Paul Grégoire.

Le Québec aura dorénavant deux cardinaux. Il y a quelques années, Monseigneur Louis-Albert Vachon avait été élevé à ce rang.

Le «Clean Air Act» aidera l'Amérique à mieux respirer

Après des années de concubinage forcé avec le smog urbain, les polluants toxiques et les nuages acides, l'air de l'Amérique du Nord se respirera un peu mieux.

Le président des États-Unis s'est engagé hier (le 30 octobre 1990) à sanctionner l'importante législation sur la salubrité de l'air, adoptée au cours du week-end par les deux chambres du Congrès. Le « Clean Air Act » devrait permettre de réduire le smog urbain, les émissions de produits chimiques toxiques et les pluies acides, qui ont ravagé les lacs, rivières et forêts des États-Unis, mais aussi de tout l'est du Canada.

Après la Chambre des représentants, vendredi soir, qui a approuvé le texte législatif par un vote de 401 contre 25, c'était au tour du Sénat, samedi midi, de donner son aval à ce qu'on présente comme la plus importante réforme environnementale à être adoptée en 13 ans par le gouvernement américain — depuis l'époque du président démocrate Jimmy Carter, en fait. Le vote au Sénat s'est réparti ainsi : 89 en faveur et 10 contre.

Quelques minutes après le décompte du vote, le premier ministre Brian Mulroney émettait un communiqué d'Ottawa pour manifester la satisfaction de son gouvernement devant l'action des législateurs américains et pour rendre hommage à son ami le président George Bush, qui a fait preuve tout au long du débat d'un « leadership soutenu ».

À Washington, l'ambassadeur du Canada, Dereck Burney, parlait du « triomphe de la raison et du bon voisinage ».

Une fois mise en vigueur, la nouvelle loi fixera des normes plus strictes pour les émissions automobiles, permettra le contrôle des polluants toxiques crachés par les usines et réduira de moitié les émissions d'anhydride sulfureux des centrales thermiques au charbon, de vraies pestes pour l'environnement.

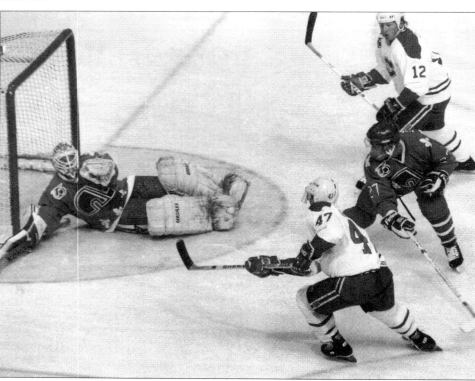

Me Marcel Aubut a 30 jours pour égaler l'offre d'achat des Nordiques déjà acceptée par Carling-O'Keefe.

Les Nordiques sont vendus

Les Nordiques de Québec ont été vendus ce matin (le 30 octobre 1988) à un groupe d'hommes d'affaires de Toronto. Mais Me Marcel Aubut, le président de l'équipe, détient une lettre d'entente qui lui donne 30 jours pour égaler l'offre déjà acceptée par Carling-O'Keefe.

« Je ne sais pas qui a fait cette offre, je ne connais par leurs intentions, mais je sais que nous ne pouvons pas courir le risque de voir l'équipe déménager dans des marchés plus lucratifs pour un acheteur », a déclaré Me Aubut, lors d'une conférence de presse très émotive.

Les rumeurs d'une vente des Nordiques couraient depuis plusieurs mois et s'étaient précisées la semaine dernière. Tellement que Me Aubut, président de l'équipe, s'était rendu voir Mario Bertrand, chef de cabinet du premier ministre Robert Bourassa, pour le mettre au courant de ce qui pouvait se tramer entre les Australiens, propriétaires d'O'Keefe, et le groupe d'hommes d'affaires qu'on croit être de Toronto.

Coups de feu sur la Maison-Blanche

Un homme, originaire du Colorado, a tiré une vingtaine de coups de feu contre la Maison-Blanche, hier (le 30 octobre 1994), brisant les vitres de la salle de presse de la résidence officielle des présidents des États-Unis. Mais personne n'a été atteint.

Francisco Martin Duran, 26 ans, était armé d'un fusil semi-automatique SKS, de fabrication chinoise, similaire à un fusil d'assaut AK-47. Il a tiré une rafale de 20 à 30 balles sur la résidence officielle du président américain.

Des policiers fouillent les pelouses situées derrière la Maison-Blanche à la recherche de douilles, à la suite des coups de feu tirés hier par un inconnu en direction de la demeure présidentielle.

Un coeur de babouin greffé sur un bébé

Les médecins ont refusé de se prononcer sur les chances de survie de la petite fille de 16 jours à qui on a greffé un coeur de babouin, mais ils ont pris la défense de l'intervention chirurgicale au moment où des manifestants protestaient contre ce qu'ils estiment être du « bricolage macabre ».

« Je ne peux pas faire de prédictions quant à sa survie », a déclaré le Dr Leonard Bailey, 41 ans, qui a dirigé l'équipe responsable de la transplantation, vendredi. Il a ajouté que la fillette, connue simplement sous le nom de Bébé Fae, serait morte si on n'avait pas pratiqué l'intervention, étant donné que son coeur n'était pas suffisamment développé.

« Nous avons un beau bébé en santé », a dit le Dr Bailey.

L'enfant repose dans un état critique mais stable, et « se porte mieux que la plupart des bébés ayant subi une intervention cardiaque », a déclaré Mme Jane McGill, porte-parole de l'hôpital de l'Université Loma Lind, à 90 km à l'est de Los Angeles, où l'opération a eu lieu.

Quant on lui a demandé si l'enfant pouvait vivre pendant un an sans que son organisme ne rejette le coeur greffé, le Dr Bailey a répondu : « Nous espérons et nous prions qu'il en soit ainsi... Nous savons que nous avons un dur combat à livrer au cours des semaines qui viennent ». (**Texte publié le 30 octobre 1984.**)

Une manne pour les bars

La récente décision rendue par un juge de la Cour supérieure décrétant qu'une danseuse nue qui se laisse toucher contre rémunération ne se livre pas à la prostitution, n'est pas restée lettre morte dans le milieu des bars de danseuses au Québec.

Depuis que le jugement du juge Claude Guérin a été rendu public, de nombreux bars de la région montréalaise ne se cachent pas pour l'utiliser dans leur promotion.

La Couronne a annoncé depuis qu'elle portait le jugement en appel. (**Texte publié le 30 octobre 1994.**)

Terrible collision de tramways dans le brouillard, au nord de Montréal

IL était près de 6 h 30 en ce matin du 31 octobre 1921. Un épais brouillard couvrait le territoire montréalais, et il se faisait encore plus impénétrable à travers champs. C'était à peine, disaient les témoins, si on voyait dix pieds devant soi.

Sur le circuit Saint-Denis-Ahuntsic, circulaient entre deux voies d'évitement deux rames de tramways. À bord se trouvaient quelque 50 passagers, personnel compris.

La première, formée des voitures 1575 et 1663, se dirigeait en direction d'Ahuntsic, sous la responsabilité du garde-moteur Alphonse Buron, du conducteur Alphonse Verret, et de Joseph Villeneuve à bord de la remorque.

La deuxième rame, formée des voitures 1573 et 1628, revenait vers le centre-ville de Montréal,

sous la conduite du garde-moteur Moïse Dauphin, du conducteur Alexis Joly, et d'Émile Théoret à bord de la remorque.

Au nord de Crémazie, la voie est simple, de sorte que les tramways devaient s'attendre sur les voies d'évitement prévues à cet effet, ce qu'avait visiblement négligé de faire un des deux garde-moteurs.

Et l'inévitable devait se produire. Ce fut la collision qui fit une trentaine de blessés, mais aucun mort heureusement. La collision fut d'une violence inouïe puisqu'elle démolit le vestibule de trois des quatre voitures (y compris celle de M. Théoret), en plus d'arracher presque toutes les banquettes. Mais laissons la parole à M. Théoret qui garde encore aujourd'hui un vif souvenir de cette dure expérience...

Voici dans quel état se trouvaient deux des voitures après la collision.

30 blessés à Ahuntsic
À 86 ans, Émile Théoret se souvient de la collision de tramways de 1921

C'ÉTAIT un froid matin du 31 octobre 1921. Un brouillard opaque recouvrait les champs. On avait peine à y voir. Le tramway nord-sud de la ligne Ahuntsic venait de franchir l'intersection Crémazie et s'était engagé sur la voie simple conduisant jusqu'au bout de ligne. Soudain, dans un fracas de ferraille tordue, ce fut la catastrophe.

Émile Théoret était conducteur de la voiture arrière d'un des deux tramways. Aujourd'hui âgé de 86 ans et à la retraite de la CTCUM depuis 1962, après 45 années de service, il a raconté à LA PRESSE ses souvenirs, demeurés très vivaces.

La collision est survenue en plein brouillard. La veille il était tombé quelques pouces de neige. Le temps était froid et triste. Le conducteur du tramway qui faisait le trajet nord-sud croyait que l'autre tramway était passé. Les deux lourds véhicules se sont heurtés de front, causant des blessures graves à trente personnes.

« C'était épouvantable, de raconter M. Théoret, car il y avait des blessés partout, du sang, des cris et des gémissements. » Lui-même gravement blessé à la tête, M. Théoret eut la force de se rendre jusqu'au poste de sémaphore pour envoyer des signaux

La photo de M. Émile Théoret, telle qu'elle apparaissait dans l'édition du 31 octobre 1921.

au centre de secours situé à la hauteur de l'intersection des rues Saint-Denis et Jean-Talon. Toutes les ambulances et les médecins furent envoyés sur les lieux.

Il a fallu évacuer les blessés par l'arrière, puisque les sorties situées à l'avant du tramway avaient été bloquées par la ferraille tordue. M. Théoret se souvient d'avoir étendu plusieurs blessés côtes à côtes dans le champ, en attendant l'arrivée des secours. « Je ne me suis

même pas rendu compte que j'étais blessé. C'est en arrivant au poste de sémaphore que je suis tombé par terre ». Il a d'ailleurs gardé un souvenir physique de l'accident, soit une légère bosse à la tête. « Cette bosse n'a jamais voulu partir! » note-t-il, l'œil pétillant.

« À l'époque, de poursuivre M. Théoret, Ahuntsic était en pleine campagne. Le trajet depuis le terminus de la rue Craig jusqu'à la gare d'Ahuntsic durait une heure. Les billets se vendaient 6 pour 25 cents. Le salaire horaire d'un conducteur était de 34 cents. La semaine de travail était de 55 heures. »

62 ans plus tard

En 1962 Émile Théoret a été retiré du service. « On m'a mis de côté comme un vieux tramway », raconte-il. Les dirigeants de la CTCUM lui ont accordé une passe à vie sur tout le réseau. M. Théoret en profite. Il voyage tous les jours dans le métro. « Je pars

d'Ahuntsic pour aller acheter mes cigares dans le bas de la ville! ».

Mais il regrette le bon vieux temps et surtout la perte du contact quotidien avec « ses voyageurs ». Il les connaissait tous. « Le matin de l'accident, dit-il, beaucoup de mes amis, qui voyageait régulièrement dans mon tramway, ont été blessés. Dans ce temps-là on faisait la causette avec les voyageurs. Aujourd'hui les gens ne se parlent plus dans les autobus et le métro. Ils sont trop pressés. » Mais M. Théoret aime bien le métro quand même!

Éternel voyageur, M. Théoret possède toujours un permis de conduire. Malgré ses 86 ans, il a obtenu un renouvellement de permis sans difficulté. « Si on voulait me reprendre, dit-il en souriant, je pourrais conduire un autobus! ».

C'EST ARRIVÉ UN 31 OCTOBRE

1988 — « Le décès d'Alfred Pellan, survenu aujourd'hui à Laval, à l'âge de 82 ans, nous fait perdre l'un des fondateurs du Québec moderne », a déclaré le directeur du Musée des Beaux-Arts, Pierre Théberge.

1978 — La Cour Suprême déclare que la Commission Keable n'avait pas la compétence pour enquêter sur le fonctionnement de la Gendarmerie royale du Canada.

1970 — À Saint-Laurent-du-Pont, près de Grenoble, 143 jeunes meurent dans l'incendie d'un « dancing ».

1969 — 50 000 personnes manifestent à Québec contre le projet de loi 63.

1968 — Quelque 1 000 manifestants, la plupart chauffeurs de taxi, envahissent l'aéroport de Dorval.

1968 — Le président américain Lyndon Johson ordonne l'arrêt total des bombardements sur le Nord-Vietnam.

1963 — Une explosion tue 68 personnes au Colisée d'Indianapolis pendant un spectacle de patinage.

1961 — Fin du 22e congrès du Parti communiste soviétique, congrès marqué par les attaques de Khrouchtchev contre Staline.

1960 — Un deuxième ouragan tropical, suivi d'un raz-de-marée, porte à 10 000 le nombre de morts en quelques jours, au Pakistan oriental.

1956 — Français et Britanniques débarquent à Suez pour protéger la zone du canal, tandis qu'Israël déclenche une attaque aérienne contre l'Égypte.

1955 — La princesse Margaret renonce à épouser le capitaine Peter Townsend.

1952 — Mise en service d'un oléoduc de 450 milles (le plus long au Canada) entre Hamilton et Montréal.

1927 — Ameen Lawand, propriétaire du théâtre *Laurier Palace*, où 78 personnes, surtout des enfants, avaient trouvé la mort, est condamné à deux ans de prison.

1902 — On annonce la création d'une classe de 50 policiers d'où sortiront les officiers de police.

1901 — Une baleine sème l'émoi en remontant le Saint-Laurent jusqu'à Longue-Pointe.

L'ABBÉ DELORME ACQUITTÉ

À cinq heures, cet après-midi (le 10 octobre 1924), le jury des Assises, a rendu un verdict d'acquittement en faveur de l'abbé Adélard Delorme, le déclarant innocent du meurtre de son frère au terme de son quatrième procès.

Telle est l'issue d'une cause célèbre qui a passionné tout le Canada pendant plus de trois ans.

L'abbé Delorme, sur motion de ses défenseurs, a été immédiatement remis en liberté et a été reçu avec effusion, dans le corridor d'entrée, par ses sœurs et une foule d'amis et de parents.

Mort de Federico Fellini

Federico Fellini, l'un des plus grands cinéastes italiens et mondiaux de l'après-guerre, est mort à l'âge de 73 ans, dans un hôpital romain (le 31 octobre 1993) : l'Italie, désorientée par les scandales, ressent l'absence de celui qui l'avait dépeinte, enchantée, fait rire et rêver.

Le cinéaste laisse, avec ses 24 films, dont les plus connus resteront La Strada, La Dolce Vita, Amarcord, Huit et Demi, Fellini Roma, Et Vogue le Navire, une œuvre baroque, faite de rêve et de magie, où se débat toute une comédie humaine, grotesque et tendre, avide de communiquer et de trouver le sens de sa vie. Fellini s'est aussi raconté lui-même à travers ses films, ce qui ne leur donne que plus d'intimité et de poésie.

Le référendum du 30 octobre 1995 aura été le dernier combat de Jacques Parizeau

Parizeau s'en va

Le référendum de lundi 30 octobre aura été le dernier combat politique de Jacques Parizeau. À 17 h cet après-midi (le 31 octobre 1995), à la suite de la plus amère défaite de sa carrière, le premier ministre du Québec a annoncé sa démission. Celle-ci prendra effet peu avant Noël, à la fin de la session parlementaire d'automne.

Lucien Bouchard s'en vient et il n'y aura même pas de course à la succession de Jacques Parizeau. Le chef du Bloc québécois sera carrément nommé premier ministre, tout comme M. Parizeau avait été, en 1987, propulsé à la tête du PQ faute d'adversaires.

Indira Gandhi assassinée

Le premier ministre indien, Mme Indira Gandhi, a été mortellement blessée de plusieurs coups de feu à l'abdomen ce matin (le 31 octobre 1984.), lors d'un attentat commis contre elle près de la résidence de New Delhi.

Mme Gandhi, qui était âgée de 67 ans, avait été immédiatement hospitalisée à l'Institut

indien des sciences médicales, dont tous les accès étaient bloqués par la police.

Quelques instants plus tard, plusieurs hauts fonctionnaires et membres du cabinet arrivaient à l'hôpital, tandis qu'une foule commençait à se masser devant l'immeuble. On apprenait un peu plus tard que Mme Gandhi avait été atteinte

de huit balles à l'abdomen.

Selon l'agence Press Trust of India, l'attentat a été commis par deux individus, des Sikhs semble-t-il, alors que Mme Gandhi se rendait à pied de sa demeure à son bureau, situé dans un immeuble adjacent.

Après avoir déchargé leurs armes, ils levèrent les mains en l'air et se rendirent aux gardes.

C'EST ARRIVÉ UN 1er NOVEMBRE

1998 — Pierre Bourque a été réélu maire de Montréal avec une confortable majorité, 44,3 % des voix, et envoyant à l'hôtel de ville 39 conseillers, soit exactement le même nombre qu'en 1994.

1994 — Une religieuse bouddhiste de 71 ans a semé la panique parmi les moines venus l'accompagner à sa dernière demeure : elle s'est réveillée lors de ses propres funérailles. Buaphan Paenchaturas, transportée à l'hôpital Hua Hin, à quelque 250 km au sud-ouest de Bangkok, était bien vivante et en bonne santé, selon un médecin de l'établissement qui a expliqué que la religieuse avait subi une attaque de diabète et s'était effondrée, inconsciente.

1989 — Quarante pour cent des étudiants de baccalauréat admis cet automne à l'Université de Montréal ont échoué au test de français de niveau de secondaire V que leur avait imposé l'établissement à la rentrée.

1985 — Le chômage a les dents longues encore cette année. Mais, cette fois, ses crocs s'acharnent sur une zone urbaine qui n'en finit plus d'encaisser les coups. L'est de Montréal avec tout le symbolisme que cette toponymie revêtait (raffineries, chantier naval, fonderie, industrie lourde) est en voie de se transformer en terrain vague, sorte de zone grise d'une métropole dont le titre même s'atténue de jour en jour.

1984 — « Indira Gandhi, le premier ministre de l'Inde, a été assassinée. Elle n'était pas seulement ma mère mais la mère de toute la nation. Elle a servi le peuple indien jusqu'à la dernière goutte de son sang », a déclaré d'une voix calme le nouveau premier ministre de l'Inde, Rajiv Gandhi.

1979 — Dépôt du livre blanc sur la souveraineté-association.

1976 — Président du Burundi depuis dix ans, Michel Micombero est détrôné.

1973 — Leon Jaworski est nommé procureur spécial du *Watergate*.

1970 — « Assurance-maladie : Jour 1. » Le régime d'assurance-maladie public et universel, proposé par le ministre de la Santé Claude Castonguay, est en vigueur depuis ce matin.

1968 — Arrêt total des bombardements au Nord-Vietnam.

1963 — Le président Ngô Dinh Diêm est tué à Saigon, lors d'un coup d'État militaire.

1961 — L'ouragan *Hattie* détruit la ville de Belize, au Honduras.

1956 — Début de l'intervention de l'Armée rouge en Hongrie pour réprimer l'insurrection. Cette intervention permettra à Janos Kadar de s'installer au pouvoir.

1954 — Déclenchement de l'insurrection algérienne par le Front de libération nationale (FLN).

1950 — Le plus éminent auteur dramatique de notre temps, prix Nobel de la littérature, Georges Bernard Shaw, est décédé.

1945 — Les Soviétiques retirent leurs troupes de la Mandchourie.

1921 — Lady Laurier meurt à Ottawa.

René Lévesque est mort

L'ex-premier ministre du Québec, M. René Lévesque, est décédé aujourd'hui (le **1er novembre 1987**)d'une crise cardiaque à l'Hôpital Général de Montréal.

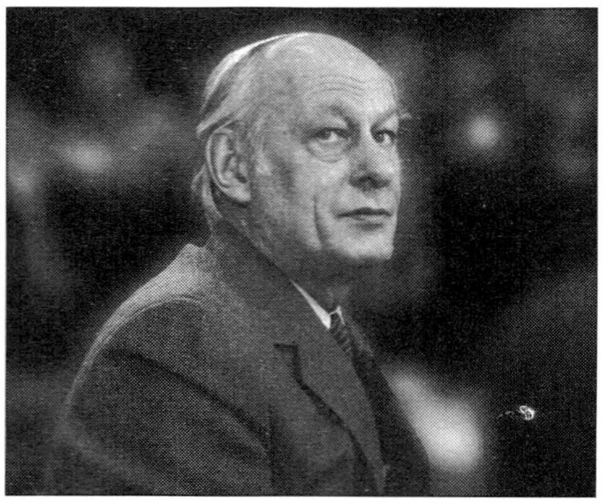

René Lévesque est décédé aujourd'hui d'une crise cardiaque à l'Hôpital Général de Montréal.

La nouvelle, qui s'est répandue rapidement dès que son hospitalisation a été connue vers 21 h 30, a semé la consternation partout au Québec et particulièrement dans le monde politique.

M. Lévesque dînait en compagnie de sa femme, Corinne Côté, lorsqu'il fut terrassé chez lui, à l'Île-des-Soeurs, à Verdun.

M. Lévesque était âgé de 65 ans et était père de trois enfants, Pierre, Claude et Suzanne, issus d'un premier mariage.

Il a été premier ministre du Québec de 1976 à 1985. M. Lévesque avait déjà sa place dans l'Histoire quand il a quitté la direction du Parti québécois, le 20 juin 1985, puis son poste de premier ministre du Québec, le 3 octobre de la même année.

Un des pères de la « Révolution tranquille » et peut-être son plus remarquable artisan, père aussi de l'Hydro-Québec moderne à la suite de la nationalisation de l'électricité, René Lévesque restera quand même surtout celui qui a su faire de l'idée d'indépendance du Québec un projet politique crédible.

Entouré d'abord d'une poignée de partisans mais servi par une immense popularité, M. Lévesque fait rapidement du PQ, fondé en 1968, un grand parti politique moderne qui devient l'opposition officielle dès 73 et prend le pouvoir en 76.

Mais le 20 mai 1980 c'est l'échec. Le référendum sur la souveraineté-association qui devait marquer le début du processus d'accession à l'indépendance est une catastrophe pour les péquistes qui n'obtiennent que 40 pour cent de OUI.

Originaire de New Carlisle en Gaspésie, M. Lévesque est entré en politique en 1960 avec l'« équipe du tonnerre » de Jean Lesage. Le 22 juin de cette année, il était élu député libéral de Laurier alors que M. Lesage devenait premier ministre du Québec. Commençait alors une période de réforme en profondeur de la société québécoise qu'on connaît depuis sous le nom de « Révolution tranquille ».

M. Lévesque, qui aura été pendant plus de 30 ans un des Québécois les plus connus et les plus aimés, était une grande vedette bien avant son entrée en politique. Journaliste de métier, il a connu un très grand succès à la télévision en 1956 avec l'émission « Point de Mire ».

L'HORRIBLE NAUFRAGE DU "CECILIA L"

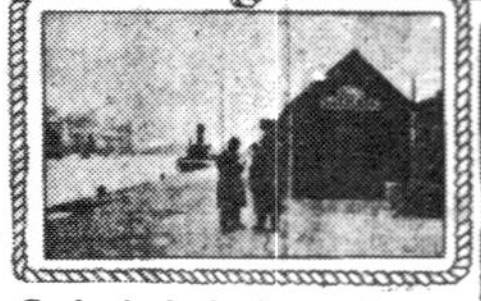

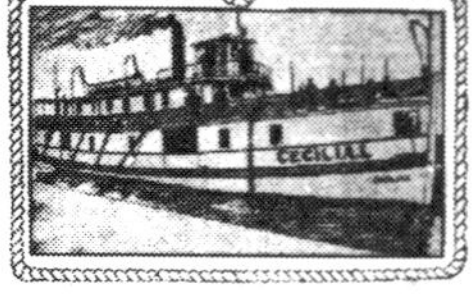

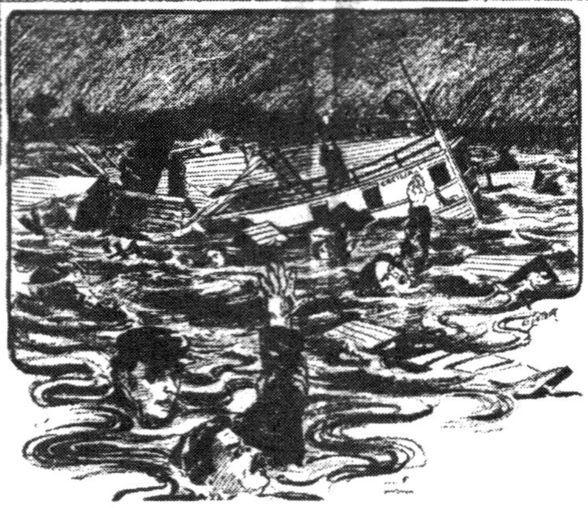

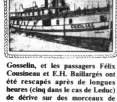

Ce dessin du dessinateur Latour, de LA PRESSE, a été préparé à partir des faits narrés par Lionel Leduc, un des quatre survivants du naufrage du *Cecilia L* dans les eaux du lac Saint-Louis, au sud de l'île Perrot, le 1er novembre 1912. Des 16 personnes embarqués à bord du vapeur à Montréal en route pour Valleyfield, 12 devaient y laisser la vie, dont Emmanuel Leduc, capitaine du navire. Ce dessin illustre d'ailleurs le moment où Lionel Leduc tente en vain de maintenir son père hors des flots. M. Leduc, le pilote Alex Gosselin, et les passagers Félix Cousineau et E.H. Baillargés ont été rescapés après de longues heures (cinq dans le cas de Leduc) de dérive sur des morceaux de l'épave. La catastrophe est survenue quand, au cours d'une violente tempête, le navire a heurté une batture, près de l'île Perrot, le vapeur étant devenu incontrôlable à cause de la force du vent. Sous le choc, la cargaison dans la cale s'est violemment déplacée pour passer à travers la cloison du vaisseau, avec les tragiques résultats que l'on sait.

Une congrégation de « soeurs sourire » à Napierville

« C'est ici que j'ai eu le coup de foudre pour Jésus-Hostie ! »

Encouragée par le silence et les sourires de toutes ses compagnes, petite soeur Suzanne poursuit le récit de la découverte de sa vocation. Elle raconte comment, il y a trois ans à peine, à Trois-Pistoles, une religieuse de la congrégation de Jésus-Marie lui a parlé d'une maison perdue dans le fond d'un rang de Napierville, au sud de Montréal. Deux jeunes femmes y avaient déjà élu domicile, partageant leur temps principalement entre la prière et des visites d'évangélisation dans les écoles et diverses institutions de la région.

Depuis ce temps, d'autres nouvelles venues se sont ajoutées au noyau du début. Et la maison du Rang Double de Napierville, baptisée « Maison de Nazareth », est devenue le lieu de naissance d'une toute nouvelle communauté religieuse comprenant aujourd'hui huit membres: les Petites soeurs de Nazareth.

Le 15 octobre, Mgr Bernard Hubert accordait officiellement au groupe une reconnaissance ad experimentum d'une durée de trois ans.

Aujourd'hui, les Petites soeurs de Nazareth soulignent qu'elles continuent de s'en remettre à l'Esprit pour décider des orientations de leur vie. De même comptent-elles sur la Providence pour subvenir à leurs besoins. « Nous vivons le radicalisme de l'évangile, dit la responsable de la communauté. Nous n'avons rien et nous n'avons aucune sécurité, mais nous demandons au Seigneur ce dont nous avons besoin. » (**Texte publié le 1er novembre 1985.**)

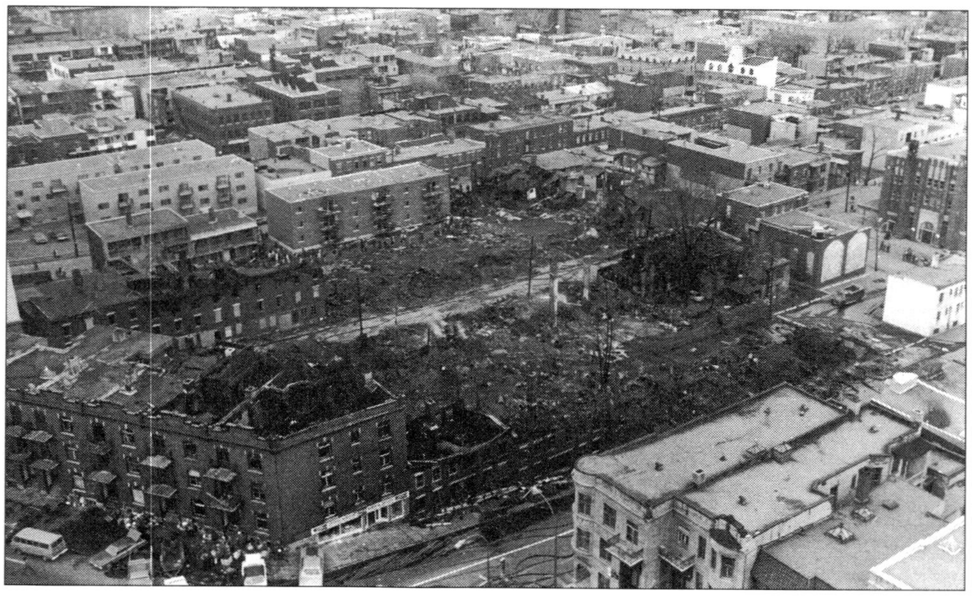

Au lendemain des incendies du week-end rouge, le quadrilatère délimité par les rues Sherbrooke, Amherst, Ontario et Montcalm est en ruines.

Le « week-end rouge »

Le vendredi 1er novembre 1974, le premier incendie d'un gigantesque brasier qui devait détruire tout un quadrilatère prend naissance.

« Il était environ 20h30. Le feu a pris sur les toits de trois maisons situées du côté ouest de la rue Wolfe, puis s'est communiqué aux hangars, raconte un témoin de l'époque, Ferrier Arsenault, qui habite au coin des rues Wolfe et Ontario depuis 1970. On n'a jamais su comment c'était arrivé. Toutes ces maisons étaient habitées, par des gens pas très en moyens, qui travaillaient en général pour le salaire minimum dans des manufactures. La plupart n'avaient pas d'assurance pour le feu et ils ont tout perdu. Ils ont presque tous déménagé et ne sont pas revenus, parce qu'on n'a pas reconstruit tout de suite, ou parce qu'on a construit autre chose à la place des maisons.

« Les pompiers ne sont pas venus, bien sûr, puisqu'ils étaient en grève. Mais des gens du quartier sont allés chercher les camions et les pompiers leur ont expliqué leur fonctionnement.

Camille Lebel, le voisin et ami de M. Arsenault, qui habite rue Montcalm depuis 45 ans, lui aussi épargné par le feu, se souvient d'avoir passé les trois jours du week-end sur les toits.

« On était très nombreux comme ça à essayer d'éteindre les feux, jour et nuit. Je ne suis pas allé travailler pendant trois jours. On ne savait plus où donner de la tête. On éteignait un feu à un endroit et un autre commençait ailleurs.

Chronologie des événements

— À la fin d'octobre 1974, le versement d'une compensation de 750 $ aux pompiers, recommandée par un médiateur, cause un désaccord entre la Ville de Montréal et le syndicat des pompiers.

— Le vendredi 25 octobre, le maire Drapeau déclare que la Ville ne cédera pas au « chantage » des pompiers.

— Les lundi et mercredi suivants, tous les pompiers du quart de soir se font porter malades.

— Le jeudi 31 octobre, c'est la grève. Les premiers incendies signalent le début du « week-end rouge ». Les injonctions émises contre les 2400 pompiers restent sans effet.

— Le lendemain, le 1er novembre, les journaux rapportent des incendies aux quatre coins de la ville, des émeutes, des actes de sabotage. Montréal doit faire appel aux corps de pompiers de la banlieue.

— Dans le quartier centre-sud, entre autres, des incendies se déclarent d'abord dans des immeubles désaffectés et, faute d'intervention des pompiers, se communiquent aux maisons avoisinantes et jettent sur le pavé des familles déjà démunies.

— Le dimanche 3 novembre, une lettre d'entente est signée et la grève, qui aura duré 60 heures, prend fin. On dénombre 25 incendies d'importance, des millions de dommages, 150 familles délogées, mais, finalement, aucun mort. (**Texte publié le 1er novembre 1992.**)

Trois enfants disparus

Il y a un an aujourd'hui (**le 1er novembre 1985**), jour pour jour, que disparaissaient mystérieusement trois jeunes enfants à Montréal. Deux ont été retrouvés morts, le troisième manque toujours à l'appel et la police a peu d'espoir de le retrouver vivant. Le petit Maurice Viens, 4 ans, a été enlevé en plein coeur de l'après-midi par un inconnu alors qu'il jouait avec un ami à proximité de son domicile de la rue Dorion.

Quelques heures plus tard, deux autres enfants disparaissaient à leur tour. Il s'agissait de Sébastien Métivier, 8 ans, et de son compagnon Wilton Lubin, 12 ans.

Huit jours après son enlèvement, le petit Maurice était retrouvé mort et affreusement mutilé dans une maison abandonnée, à Saint-Antoine-sur-le-Richelieu, sur la Rive-Sud.

Le petit Lubin devait être repêché des eaux du fleuve Saint-Laurent, après avoir été poignardé, 32 jours après sa disparition. Son ami Sébastien, avec qui il devait suivre un cours de bricolage le soir de leur disparition, n'a jamais été revu.

Les Allemands ont tenté de propager la contagion chez nos chevaux et nos bestiaux

— Le gouvernement d'Ottawa mis au courant de diaboliques machinations boches dirigées contre le Canada

— Des milliers d'animaux ont dû être abattus

— Leur sinistre façon de procéder

(du correspondant de LA PRESSE)

Ottawa — Le gouvernement canadien vient d'être mis au courant d'une machination diabolique qui avait pour but de répandre au Canada parmi les chevaux et les bestiaux, une affection pernicieuse de la bouche et des pattes.

Le plan, qui est plein d'imagination allemande, consistait à engager des paysans de la Suisse, à émigrer au Canada, et de leur fournir des bouteilles contenant des germes de la maladie que l'on voulait répandre.

Certains de ces paysans suisses se sont rendus jusqu'aux États-Unis, et ont réussi à mettre là-bas leur ignoble projet à exécution. Des milliers d'animaux ont dû être abattus.

Aujourd'hui, le gouvernement canadien a appris de source certaine que c'est le Canada que les Allemands veulent atteindre, et il a donné des instructions sévères aux officiers d'immigration et de douanes d'exercer un redoublement de surveillance, afin de prévenir la possibilité de l'introduction chez nous de sujets suspects qui pourraient répandre parmi nos animaux la repoussante maladie.

Ce texte a paru intégralement dans l'édition du 2 novembre 1916, alors que la germanophobie presque paranoïaque atteignait son sommet au Canada. D'ailleurs, le lecteur aura constaté que les milliers d'animaux abattus l'avaient été aux États-Unis et non au Canada comme le laissait croire le sous-titre.

Commemoration des Morts

Ceux qui pieusement sont morts pour la patrie
Ont droit qu'à leur cercueil la foule vienne et prie.
Entre les plus beaux noms leur nom est le plus beau.
Toute gloire près d'eux passe et tombe éphémère ;
Et comme ferait une mère,
La voix d'un peuple entier les berce en leur tombeau.

Cette page allégorique consacrée à la commémoration des morts occupait toute la « une » du 2 novembre 1907.

Les novembres présidentiels aux États-Unis

Les élections présidentielles aux États-Unis se tiennent à tous les quatre ans, le premier mardi de novembre. Pour faciliter cette suite d'élections, nous les avons regroupées au début du mois de novembre.

Vous remarquerez que certains présidents se sont devenus à la mort du président régnant, pour être ensuite élus à leur tour ou éliminés par le suffrage populaire.

1900 — 6 novembre : Wm. McKinley, candidat des Républicains, réélu par une immense majorité, président de la République américaine

1901 — 14 septembre: Theodore Roosevelt prête serment et dit qu'il marchera sur les traces de son prédécesseur, le président McKinley, décédé à la suite d'un attentat.

1904 — 8 novembre: Theodore Roosevelt, président des États-Unis ; il obtient un triomphe éclatant. Nombre d'États jusqu'ici démocrates se rangent sous la bannière du républicain Roosevelt.

1908 — 3 novembre: William Taft - Les républicains remportent de nouveau la victoire à la suite des élections qui ont eu lieu aux États-Unis. Taft est le 25e président des États-Unis.

1912 — 5 novembre: Woodrow Wilson sort vainqueur de la lutte pour la présidence et les démocrates triomphent.

1916 — 7 novembre: Woodrow Wilson réélu président des États-Unis. La Californie aura été le pivot sur lequel aura tourné l'élection de 1916.

1920 — 2 novembre: Warren-G. Harding, républicain, a été élu président des États-Unis pour remplacer Woodrow Wilson, démocrate.

1923 — 2 août: Calvin Coolidge devient le chef de l'administration de Washington, il a été assermenté en qualité de président des États-Unis à la suite de la mort du président Harding.

1924 — 4 novembre: Calvin Coolidge élu par une imposante majorité. Le peuple des États-Unis détruit les rêves des démocrates et des indépendants en maintenant à son poste le président actuel.

1928 — 7 novembre: Herbert Hoover, républicain, élu président des États-Unis.

1932 — 8 novembre: Franklin D. Roosevelt, gouverneur de l'État de New York, a été élu président des États-Unis dans une des plus grandes volte-face qu'ait faites le peuple américain. Majorité de plus 4 000 000 de votes sur Hoover.

1936 — 3 novembre: Franklin-Delano Roosevelt président des États-Unis. 46 États sur 48 ont donné au chef du parti démocrate une preuve indéniable de sa popularité.

1940 — 5 novembre: Franklin-D. Roosevelt réélu. Premier président élu à un troisième mandat.

1944 — 7 novembre: Franklin-D. Roosevelt - Les États-Unis viennent de renouveler à Franklin-Delano Roosevelt le mandat présidentiel qu'ils lui avaient confié en novembre 1932. C'est la première (et dernière) fois dans l'histoire de l'Union qu'un président gagne quatre élections successives.

1945 — 12 avril: Harry S. Truman - Roosevelt est vaincu par la maladie, son vice-président, Harry S. Truman vient prendre en charge la présidence des États-Unis.

1948 — 3 novembre: Harry S. Truman triomphe sur son adversaire Dewey et est élu président

1952 — 4 novembre: Dwight-D. Eisenhower a été élu président des États-Unis, lors d'une élection écrasante qui lui a donné le plus grand nombre de suffrages jamais recueillis par un candidat à la présidence dans l'histoire américaine ; plus de 5 millions de voix. Le parti républicain était dans l'opposition depuis vingt ans.

1956 — 7 novembre: Dwight-D. Eisenhower - Éclatante victoire d'Eisenhower contre le candidat démocrate Adlai Stevenson. Il remporte plus de 60 % des voix et au moins 475 votes électoraux.

1960 — 9 novembre: John Fitzgerald Kennedy, âgé de 43 ans, est devenu le plus jeune président des États-Unis et le premier de religion catholique.

1963 — 11 novembre: Lyndon B. Johnson est devenu en vertu de la constitution américaine le 36e président des États-Unis quelques heures à peine après l'assassinat de son prédécesseur, John F. Kennedy.

1964 — 3 novembre: Lyndon B. Johnson élu président des États-Unis.

1968 — 5 novembre: Richard Nixon, républicain, le nouveau président des États-Unis s'est engagé à apporter au peuple américain qui l'a élu un « changement » qui puisse diriger la nation dans une nouvelle direction.

1972 — 8 novembre: Richard Nixon - Dix ans jour pour jour après avoir annoncé qu'il se retirait de la vie politique, Richard Nixon a été réélu pour un second mandat à la Maison Blanche avec une majorité qui surclasse le record du président Lyndon Johnson en 1964.

1974 — 8 août: Gerald Ford succède à Richard Nixon, démissionnaire, à la présidence des États- Unis.

1976 — 2 novembre: Jimmy Carter élu 39e président des États-Unis. Le premier Sudiste depuis 1848.

1980 — 4 novembre: Ronald Reagan a balayé Jimmy Carter de la présidence des États-Unis avec une majorité qui rivalise avec celle de Richard Nixon en 1972.

1984 — 7 novembre: Ronald Reagan, battant son propre record, celui d'être le président des États-Unis le plus âgé de l'histoire, a été réélu à la présidence.

1988 — 8 novembre: George Bush - Le républicain George Bush a balayé le Sud profond et le Mid-West industriel pour se faire aisément élire 41e président des États-Unis, écrasant le rêve du démocrate Michael Dukakis de faire un renversement surprise de 11e heure.

1992 — 3 novembre: Bill Clinton est devenu à 46 ans, le plus jeune président des États-Unis depuis John Kennedy qui avait été élu à 43 ans. Clinton est le premier président démocrate en 16 ans.

1996 — 4 novembre: Bill Clinton est le premier président démocrate sortant réélu en six décennies et, aussi, à 50 ans, le plus jeune président réélu de l'histoire de son pays.

C'EST ARRIVÉ UN  NOVEMBRE

1995 — Environ 90 % de la cocaïne et du haschisch saisis au Canada depuis 1988 étaient d'abord destinés aux réseaux criminels du Québec, selon des données que vient de compiler le Service de police de la Communauté urbaine de Montréal (SPCUM).

1991 — L'épidémie de sida emporte actuellement 100 Américains par jour et il est prévu que ce chiffre atteindra 300 en 1993.

1979 — Le célèbre passe-muraille Jacques Mesrine, en cavale depuis le 9 mai

1978, est abattu par la police à Paris.

1979 — Le Congrès américain accepte de garantir des emprunts de $2,45 milliards négociés par Chrysler.

1976 — Victoire du démocrate Jimmy Carter aux élections à la présidence des États-Unis, aux dépens du président sortant Gerald Ford.

1974 — Un incendie fait 88 morts et 38 blessés dans un hôtel de Séoul.

1961 — Le plan du métro montréalais de $132 millions pour la première phase est approuvé au Conseil municipal.

1958 — Les troupes américaines et britanniques évacuent le Moyen-Orient.

1949 — Indépendance de l'Indonésie dans le cadre de l'Union néerlandaise.

1947 — Début du conflit indo-pakistanais au sujet du Cachemire.

1937 — Le maire La Guardia de New York est réélu avec une imposante majorité de près de 500 000 voix.

1932 — Les chômeurs de l'ouest envahissent Montréal.

1923 — Manifestation imposante de l'industrie de la buanderie à Montréal.

1922 — Les nationalistes abolissent le sultanat en Turquie.

1907 — LA PRESSE consacre une pleine page aux résultats de son concours de sac de sel disputé devant 300 000 personnes au parc LaFontaine.

1906 — L'hon. Trefflé Berthiaume reprend possession de LA PRESSE après deux ans d'absence.

1905 — Massacre de 5 000 juifs par les Cosaques, à Odessa.

À cause de la pénurie de charbon

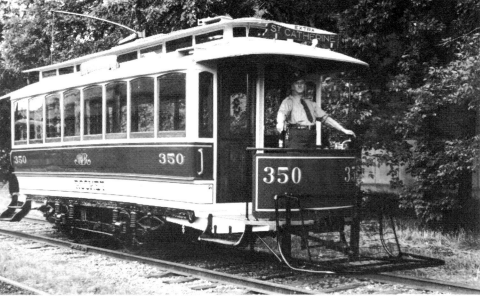

La photo ci-dessus nous permet de voir le célèbre *Rocket* qui circulait dans les rues de Montréal dès 1892. Ce sont des tramways de ce type, mais rénovés, qu'on utilisait à l'époque de la crise du charbon, en 1920. La photo de gauche nous montre l'intérieur du même tramway, avec son *heater* comme on disait à l'époque. Ces photos sont une gracieuseté de la Commission de transport de la Communauté urbaine de Montréal.

Le chauffage des tramways est défendu

UNE grosse émotion règne actuellement parmi les employés de tramways, à Montréal. La compagnie a fait afficher, ce matin, dans tous ses entrepôts, un avis défendant à ses employés de chauffer les voitures dont ils ont la charge. Comme motif de cette décision, la compagnie allègue la pénurie de charbon, et déclare qu'il faut absolument l'économiser, sinon la compagnie se verra obligée de retirer des voitures de la circulation.

S'adressant directement aux conducteurs et garde-moteurs des tramways, elle leur commande de bien s'habiller pour n'avoir pas froid, et les avertit qu'ils seront suspendus s'ils désobéissent à cet ordre.

L'avis se termine ainsi :

« Conducteurs et garde-moteurs, mettez vos paletots; habillez-vous chaudement; chaussez-vous bien et ne mettez pas les « heaters » à présent. Nous suspendrons les garde-moteurs et les conducteurs dont les « heaters » seront mis en action. À bon entendeur salut ! »

Cet avis est signé par M. Arthur Gaboury, surintendant de la circulation.

Aux quartiers généraux de l'union, ainsi que dans les entrepôts, les employés s'entretenaient avec animation de cet ordre de la compagnie. L'union doit tenir une assemblée générale, ce soir, au No 217 Sainte-Catherine est et s'occupera de cette question.

Cette information parue dans LA PRESSE du 3 novembre 1920 méritait sans doute des explications. D'ailleurs, dès le lendemain, donc le 4, le colonel J.E. Hutchison, gérant général de la Compagnie des tramways de Montréal, sentit le besoin de préciser que cette mesure s'expliquait non pas par un souci d'économiser de l'argent, mais plutôt par la lenteur dans la livraison des 35 000 tonnes de charbon commandé par la compagnie pour l'hiver.

La situation était d'autant plus urgente, devait-il expliquer à LA PRESSE, que l'électricité fournie par la Montreal Light, Heat and Power Company ne répondait pas toujours à la demande de la Compagnie des tramways et qu'il fallait donc prévoir des installations supplémentaires, plus particulièrement aux heures de pointe, même durant les mois d'été. Or, ces installations supplémentaires fonctionnaient au charbon. Et M. Hutchison concluait l'entretien en disant que la température n'était pas encore assez froide pour qu'on ait lieu de s'en plaindre, et qu'il fallait faire le sacrifice du chauffage immédiatement que durant les journées très froides de l'hiver.

Le 10 novembre, la compagnie revenait sur sa décision et ordonnait aux employés de chauffer les voitures.

La mode du jour

Même si la dame porte un masque sur cette photo, il ne s'agit pas d'un costume d'Halloween d'antant. Voyons d'ailleurs ce qu'en disait *La Presse* en 1905.

Ceci n'est pas un masque pour effrayer les enfants, mais bien la plus fashionable coiffure pour automobile qui soit adoptée. Le manteau est en peau russe et l'originale toque en renard orné de peau semblable au manteau. Un tel accoutrement coûte de $100 à $1 000.

Le 3 novembre 1917, alors qu'elle venait à peine de célébrer ses 33 ans, LA PRESSE marquait à sa façon le centenaire d'une institution, la Banque de Montréal, en lui offrant toute une page d'hommages, et la « une » par surcroît.

Le père de la mitraillette russe vit peu fortuné

Mikhail Kalachnikov, « père de la plus célèbre mitraillette du monde », aurait pu être millionnaire s'il avait vécu en Occident, mais en URSS il n'a pratiquement rien touché pour « ses multiples inventions » et il souffre aujourd'hui de la solitude et du désintérêt complet de ses concitoyens, révèle l'agence soviétique Novosti.

« Si je vivais en Occident, je serais depuis longtemps millionnaire », a déclaré Kalachnikov à Novosti en avouant qu'« il n'avait même pas eu suffisamment d'argent pour s'acheter un costume avant son départ aux États-Unis en mai dernier ». Novosti rappelle que l'on produit des Kalachnikov en URSS depuis 1948 et qu'actuellement l'Armée rouge et les armées de 55 autres pays en sont équipées.

Jusqu'à ces derniers temps, ajoute Novosti, « son adresse était tenue secrète et la presse ne mentionnait pas son nom ». Aujourd'hui, « oppressé par la solitude, sevré de l'attention de ses compatriotes, il parle », mais « ni ses collègues ni ses supérieurs ne semblent s'intéresser à cet homme qui a armé son pays et même la moitié du monde ». (**Texte publié le 3 novembre 1990**)

La banlieue saigne Montréal

La concentration de la pauvreté dans la ville de Montréal est liée à un phénomène géographique majeur et méconnu : l'étalement urbain. La classe moyenne francophone va vivre en banlieue. Les conséquences sont désastreuses à tous les niveaux :

social : la ville centrale du Québec, qui devrait être le moteur de la province, est devenue une ville pauvre, avec plusieurs quartiers à l'abandon et avec de moins en moins de ressources financières pour donner un cadre de vie agréable à ses citoyens ;

linguistique : l'exode de la classe francophone moyenne fait en sorte qu'il est de plus en plus difficile d'intégrer les immigrants, qui se concentrent à Montréal ;

environnemental : le développement de la banlieue détruit la ceinture verte autour de Montréal, empiète sur les bonnes terres agricoles et entraîne un usage accru des automobiles, une des principales sources de pollution ;

financier : pendant que les écoles ferment à Montréal, il faut en bâtir de nouvelles en banlieue. Il faut consacrer des milliards en fonds publics pour construire des routes, des ponts, des aqueducs, des usines d'épuration, etc., alors qu'il en coûterait beaucoup moins pour entretenir les réseaux existants de la ville centrale. Les statistiques sont frappantes : en 1986, le revenu moyen était de 26 338 $ par ménage à Montréal, contre 33 049 $ dans la région métropolitaine. À ce niveau, Montréal se situe désormais derrière des villes comme Halifax et Saint-Jean de Terre-Neuve. Montréal est devenue « le plus gros bassin de pauvreté au pays », note Jules Léger, du ministère fédéral de l'Industrie.

Le Conseil des Affaires sociales parle de développement en « trou de beigne ». Le beigne, c'est la banlieue. Le trou, c'est la ville. (**Texte publié le 3 novembre 1990**)

Incroyable mais vrai

Aussi incroyable que cela puisse paraître, les deux gros lots de 3,5$ millions réclamés par des Québécois à l'issue du tirage du 28 octobre du Loto 6/49 l'ont été par deux employés du Cégep de Saint-Jérôme: M. Robert Jean, de Saint-Jérôme, et Mme Martine Pearson, de Saint-Antoine.

Et l'anecdote ne s'arrête pas là. Depuis le 9 octobre, M. Jean ne travaillait plus, bénéficiant de sa pré-retraite. Sa remplaçante au cégep ? Nulle autre que... Mme Pearson. (**Texte publié le 3 novembre 1989**)

LA PRESSE SUPPLÉMENT ILLUSTRÉ

39e ANNÉE—No 3 LA PRESSE, MONTRÉAL, SAMEDI 4 NOVEMBRE 1922

DANS LA PROFONDEUR DES MERS

LA FAUNE ÉTRANGE ET HIDEUSE QUI PEUPLE LES OCÉANS

La terrible pieuvre des grands océans, d'après une photographie fort originale prise par un naturaliste aussi patient qu'audacieux. Hugo a écrit sur la pieuvre une page particulièrement dramatique dans "Les travailleurs de la mer."

Cliché original d'un éladon, le gigantesque caméléon des mers, qui change de couleur avec une incroyable rapidité.

Poisson étrange que les naturalistes ont surnommé le "hérisson des mers". Ne dirait-on pas une constellation fantastique ?

Tête de ce formidable monstre marin appelé "Monk fish" et qui paraît-il se rencontre aux environs des stations balnéaires où il s'attaque aux baigneurs. C'est une de ces bêtes répugnantes qui a infligé de mortelles blessures à une jeune fille, ci-devant de Montréal, et qui faisait un séjour quelque part en Floride.

La raie dite bouclée qui atteint jusqu'à six pieds de longueur et qui se rencontre surtout dans les eaux froides.

LA PRESSE a toujours été considérée comme un journal familial, en partie parce qu'elle cherchait à apporter un complément d'informations à ceux qui ne pouvaient s'offrir un voyage, voire des livres pour se documenter sur ce qui se passait à l'extérieur de ce petit univers. Le *Supplément il-* *lustré* était un des principaux outils de cette fonction éducative de LA PRESSE. Celle qui est proposée aujourd'hui a été publiée le 4 novembre 1922; les pages de ce genre se comptent par centaines. Nous vous en offrirons plusieurs dans le cadre de cette page quotidienne.

Un masque à gaz pour pigeon

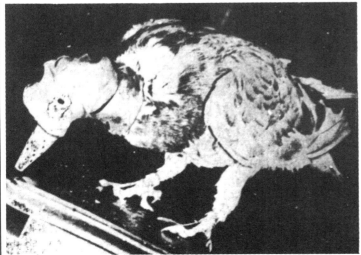

La psychose des gaz empoisonnés, provoquée et entretenue par la propagande des deux côtés de la ligne de feu, avait amené un inventeur hélas non identifié à fabriquer un masque à gaz pour pigeon voyageur. Cette photo publiée dans LA PRESSE du 7 novembre 1939, était accompagnée de la légende suivante : *Ce pigeon voyageur doit porter un masque à gaz, tout comme les êtres humains, pour se protéger contre les gaz délétères en portant ses messages. Cette photographie a été prise à Genève.*

Yitzhak Rabin assassiné

Israël est en état de choc après l'assassinat du premier ministre travailliste Yitzhak Rabin, tombé sous les balles d'un jeune extrémiste juif à Tel-Aviv, à l'issue d'un gigantesque rassemblement pour la paix.

Devenu automatiquement chef de gouvernement par intérim, le ministre des Affaires étrangères Shimon Pérès s'est aussitôt engagé, à l'issue d'une réunion extraordinaire du cabinet, à « poursuivre la voie de la paix tracée par Yitzhak Rabin. C'est le testament qu'il nous laisse. Il a opéré une ré- volution au Moyen-Orient », a-t-il dit.

M. Rabin, 73 ans, a été atteint de trois balles, l'une dans la rate, la seconde dans la colonne vertébrale et la troisième dans la poitrine, a indiqué le ministre de la Santé Ephraïm Sneh.

L'assassin, Yigal Amir, 27 ans, a tiré sur Rabin peu après que le premier ministre fut descendu de la tribune. Il a été aussitôt plaqué contre un mur par des policiers en uniforme qui l'ont arrêté. (**Texte publié le 4 novembre 1995**)

Bernardo mourra en prison

Considéré comme un criminel dangereux, Paul Bernardo devra passer le reste de ses jours derrière les barreaux. Ainsi en a décidé le juge Patrick LeSage, qualifiant l'accusé de psychopathe sadique.

Bernardo s'était déjà vu imposer une sentence de prison à vie pour les meurtres de Leslie Mahaffy, âgée de 14 ans, et de Kristen French, âgée de 15 ans, mais il pouvait espérer obtenir une libération conditionnelle après 25 ans d'emprisonnement.

Mais étant désormais considéré officiellement comme un « criminel dangereux » il sera gardé derrière les barreaux indéfiniment, avec le droit de demander une révision de son cas tous les deux ans après l'échéance ferme de 25 ans.

Bernardo, déjà reconnu coupable du meurtre de deux jeunes filles, a avoué hier avoir commis une série de viols et provoqué la mort par asphyxie de sa belle-soeur.

« Vous passerez le reste de votre vie en prison. Et vous n'aurez jamais le droit d'être relâché. Chacun de nous dans ce tribunal, chacun de nous dans ce palais de justice, chacun de nous dans cette ville, chacun de nous dans cette province, chacun de nous dans ce pays sait que vous êtes un criminel dangereux », a déclaré le juge.

Au moment où Bernardo était amené à l'extérieur de la salle d'audience, une de ses victimes de viol lui a crié : « Rappelle-toi bien Paul que nous avons gagné la guerre ! » pendant qu'une autre ajoutait : « Péris en enfer ! ».

Plusieurs victimes de Bernardo demeurent traumatisées par les sévices subis aux mains de leur bourreau, au point où elles vivent recluses, ne pouvant plus faire confiance à qui que ce soit, craignant d'être encore victimes d'attaques, a expliqué le juge LeSage.

« Ne laissez pas cet homme vous enlever votre liberté », a dit le juge à l'intention des victimes, qui s'étreignaient en pleurant à l'issue de l'audience.

Bernardo a avoué avoir agressé sexuellement 14 femmes entre mai 1987 et avril 1991 dans la région de Toronto et de St. Catharines, en Ontario.

Il a aussi admis sa culpabilité dans la mort de Tammy Homolka, sa belle-soeur, la veille de Noël 1990 et dans l'agression sexuelle d'une femme connue sous le nom de Jane Doe.

Le psychiatre Stephen Hucker a dit que Bernardo souffrait de déviations sexuelles graves, incluant le sadisme et le voyeurisme, et qu'il était incapable d'empathie pour ses victimes, ce qui en faisait un psychopathe. (**Texte publié le 4 novembre 1995**)

C'EST ARRIVÉ UN 4 NOVEMBRE

1993 — Aussitôt assermenté, le gouvernement libéral de Jean Chrétien a rendu une première décision majeure et tenu parole sur une des principales promesses de la campagne électorale : l'annulation du contrat d'achat des 43 hélicoptères militaires EH-101.

1990 — Victoire facile et pratiquement sans surprise du maire de Montréal, Jean Doré, reporté au pouvoir avec 60 pour cent des votes et une majorité absolue au conseil municipal.

1980 — Victoire du républicain Ronald Reagan aux dépens du président sortant des États-Unis, Jimmy Carter.

1979 — Des « étudiants » iraniens s'emparent de l'ambassade des États-Unis à Téhéran et prennent 50 otages.

1960 — Un raz-de-marée fait 10 000 morts au Pakistan.

1958 — Pour la première fois, la télévision permet d'assister au couronnement d'un pape, en l'occurrence Jean XXIII.

1956 — Inauguration de l'*Hôpital du cardinal* (aujourd'hui connu sous son nom de Saint-Charles-Borromée) dans un édifice rénové lors de la *Grande corvée du cardinal.*

1952 — Le général Dwight D. Eisenhower, républicain, est élu président des États-Unis.

1938 — Un accident d'avion fait 14 morts à l'île de Jersey.

1916 — Montréal célèbre le 3e centenaire de l'arrivée de Louis Hébert.

1907 — Éclatante victoire du gouvernement Gouin lors des élections provinciales.

Vingt millions d'enfants esclaves

Vingt millions d'enfants au moins sont réduits à l'esclavage dans le monde, victimes de formes de servitude traditionnelles mais aussi du développement d'un esclavagisme moderne, ont déclaré des experts du Bureau international du travail (BIT) de l'ONU.

Le rapport estime que l'esclavage des moins de 15 ans représente un « problème grave » qui touche « plusieurs dizaines de millions d'enfants », malgré l'absence d'études sur lesquels élaborer des politiques sur une base scientifique.

L'esclavage d'un enfant est une situation dans laquelle un employeur exerce sur cet enfant, de façon temporaire ou définitive, les attributs du droit de propriété. « L'enfant devient un bien, une chose qui peut être échangée », dit le texte.

Les experts notent que l'esclavage des enfants persiste sous une forme traditionnelle en Asie du sud et dans l'est de l'Afrique sub-saharienne. Mais ils relèvent aussi que des « formes contemporaines d'esclavage d'enfants semblent se développer » un peu partout dans le monde.

« On trouve un grand nombre d'enfants esclaves dans l'agriculture, la domesticité, les industries du sexe, du tapis, des textiles, les carrières et la fabrication de briques », dit le texte de travail. M. Bonnet estime leur nombre à « pas moins de vingt millions ».

La prédominance d'enfants esclaves correspond principalement à l'existence de systèmes sociaux fondés sur l'exploitation de la pauvreté, notamment le don d'un enfant pour racheter une dette ou tout simplement survivre.

« Le raisonnement est qu'il vaut mieux sacrifier un membre de la famille que toute la famille », explique le sociologue Michel Bonnet. (**Texte publié le 4 novembre 1995**)

Le Tribunal du Commerce enquête

Les boulangers canadiens-français forment un cartel pour contrôler le prix du pain

L'ASCENSION

Les meuniers pointés du doigt pour la hausse d'un centin du prix de la miche de pain...

LES hausses de prix générales d'un produit sont toujours mal accueillies par les consommateurs quand les circonstances paraissent suspectes, surtout lorsqu'il s'agit d'un bien de consommation aussi indispensable que le pain.

À preuve les événements survenus au matin du 5 novembre 1919, alors que le Tribunal du Commerce, sous la direction du lieutenant-colonel L.-R. Laflèche, ouvrait une enquête sur la récente hausse d'un centin subie par la miche de pain, passée de 11 à 12 cents au détail.

Tout concordait pour indiquer qu'on assistait à la formation d'un cartel, d'un « trust » comme on disait plutôt dans les journaux de l'époque. D'où l'intervention du tribunal.

La formation du « trust »

L'existence du présumé « trust » n'a pas été mise en doute par un des principaux témoins de la journée, bien au contraire. M. Joseph Cardinal, président et gérant général de la compagnie Coursol-Cardinal Limitée, formée à la suite de sa récente acquisition de la boulangerie Coursol, a en effet confirmé la tenue d'une importante assemblée quatre jours plus tôt. En effet, quand M. Laflèche lui a demandé s'il existait une association (euphémisme pour « cartel » dans les circonstances) de boulangers, le témoin a répondu :

« Oui, chez les boulangers canadiens-français. Je n'en fais pas encore partie, mais j'ai signé une demande d'admission comme membre. (...) L'assemblée générale de samedi n'a pas été convoquée sous les auspices de cette association, mais simplement par M. Finlayson. »

Tous les ingrédients d'un cartel

Dans sa réponse, M. Cardinal faisait donc allusion à M. Finlayson. Or, ce dernier n'était pas boulanger, mais plutôt agent-distributeur de farine pour les moulins Ogilvie. On admettra qu'un tel aveu pouvait surprendre.

En deuxième lieu, M. Cardinal a reconnu que tous les boulangers présents avaient accepté de signer un billet sur demande qu'ils s'engageaient à payer s'ils ne respectaient pas les prix convenus, allant même jusqu'à préciser le montant attaché à chaque billet : *Le montant du billet, a-t-il dit, varie avec le nombre de voitures que chaque boulanger possède. Ainsi, ceux qui n'ont qu'une voiture, ont signé un billet de $50; ceux qui en ont deux, $100, et dix, $500. Soit une somme de $50 de garantie pour chaque voiture de livraison. Ces billets ont été remis à M. Finlayson.*

Le boulanger Isidore Caron devait pour sa part admettre qu'il existait une certaine rivalité entre les boulangers : certains vendaient 11 cents, en gros, tandis que d'autres faisaient du détail à moins de 10 cents, pour un pain de 1½ livre.

Un autre témoin, M. V. Brosseau, a tenté de justifier la hausse des prix. Pour justifier cette hausse, il mentionne l'augmentation du coût de production, des salaires des aides-boulangers, des distributeurs, et les prix plus élevés du grain et du foin pour la nourriture des chevaux de livraison. Il dit aussi que l'on obtient, aujourd'hui de 2 à 2½ pains par baril de farine, qu'il y a un an.

Conclusion et épilogue

Avec le recul du temps, force est d'admettre que les boulangers, avec la complicité d'au moins une meunerie (on disait plutôt « moulin » à l'époque) avaient effectivement formé un cartel, allant même jusqu'à trouver le moyen de contourner les mesures restrictives alors en vigueur pour s'approvisionner en graisse et en sucre.

Évidemment, comme on devait le constater au cours des jours suivants, le « trust » du pain a provoqué la colère de la population qui voyait, après le lait, le prix d'une autre denrée essentielle contrôlé par les producteurs.

Et LA PRESSE devait appuyer les revendications des consommateurs en étoffant la preuve pendant le mois de décembre. Hélas, il est impossible de retracer le sort réservé au cartel du pain de 1919. Peut-être qu'un lecteur pourrait nous éclairer à ce sujet...

C'EST ARRIVÉ UN 5 NOVEMBRE

1995 — Les contribuables d'Outremont ont opté pour la jeunesse, en choisissant Jérôme Unterberg, 26 ans, du Mouvement des citoyens d'Outremont, pour diriger leur ville.

1989 — Le pianiste américain d'origine russe Vladimir Horowitz est mort à New York d'une crise cardiaque, à l'âge de 85 ans.

1973 — Les États arabes annoncent une réduction de 25 p. cent de leur production de pétrole brut.

1970 — Arrestation de 24 présumés membres du FLQ.

1970 — L'incendie d'une maison privée fait 17 morts par asphyxie, à Pointe-aux-Trembles.

1968 — Le républicain Richard Nixon remporte l'élection présidentielle américaine.

1951 — M. Léon Jouhaux, chef ouvrier français opposé au communisme, mérite le prix Nobel de la Paix.

1912 — Woodrow Wilson (démocrate) sort vainqueur de la lutte pour la présidence des États-Unis.

L'AUBAINE AU PLUS MATINAL

Une auto pour 99¢

Monsieur Georges-A. Martin, du 1819 rue Gauthier, avait toutes les raisons au monde de s'être levé tôt, ce matin du 5 novembre 1926, et de se présenter le premier à *la grande vente chez Charles-H. Pettit & Co. Ltd.* En effet, il en est reparti au volant d'un Chevrolet Touring, payé 99 ¢. Vous avez bien lu, quatre-vingt-dix-neuf cents! Et le moteur était compris dans le prix...

Un intrus chez les Chrétien

André Dallaire, un individu de 34 ans armé d'un couteau qui s'est retrouvé face à face avec la femme du premier ministre Jean Chrétien, ce matin, au 24, Promenade Sussex, à Ottawa, est décrit par son entourage comme un être renfermé qui avait un « drôle de comportement ».

L'incident s'est produit vers 2h45 dans la nuit de samedi à dimanche, et n'eut été de la prompte réaction d'Aline Chrétien, l'intrus aurait sans doute réussi à pénétrer dans la chambre du couple. Peu avant de prendre l'avion pour Israël, où il doit assister aux funérailles du premier ministre Yitz-hak Rabin, M. Chrétien n'a d'ailleurs pas manqué de souligner le courage de sa femme.

« Je suis chanceux qu'elle ait été là. Nous sommes sous le choc, mais tout va bien », a déclaré le premier ministre en serrant Mme Chrétien contre lui.

Chose certaine, la tentative d'agression a mis en lumière les faiblesses du système de sécurité entourant le premier ministre. Arrivé en pleine nuit au 24 Sussex, le suspect a dû grimper la clôture métallique qui ceinture la résidence du premier ministre fédéral. À ce moment, aucun appareil de surveillance, ni les deux à quatre agents de la Gendarmerie royale du Canada en service n'ont remarqué quoi que ce soit.

L'homme marche dans la maison, monte aux étages supérieurs et se retrouve devant la chambre du premier ministre. Réveillée par le bruit, Aline Chrétien se lève. Elle ouvre la porte et tombe face à face avec l'individu, armé d'un couteau à cran d'arrêt.

Sans plus attendre, elle referme aussitôt en verrouillant. « Elle s'est mise à courir pour verrouiller l'autre porte de la chambre. C'est à ce moment que je me suis réveillé », raconte le premier ministre.

Le plus curieux, c'est que, à ce moment-là, les policiers de la GRC n'avaient toujours pas remarqué la présence de l'intrus dans la résidence officielle du premier ministre. Selon M. Chrétien, il a fallu que sa femme appelle la police pour que ses premiers représentants arrivent sur les lieux, « six à dix minutes plus tard », a-t-il fait remarquer.

Selon la GRC, Dallaire, qui n'a jamais eu d'ennuis avec la justice auparavant mais qui avait des antécédents d'ordre psychiatrique, sera accusé aujourd'hui (le 5 novembre 1995) d'introduction par effraction dans l'intention de commettre un acte criminel, un crime passible de 14 ans d'emprisonnement.

Roux démissionne

La courte carrière de Jean-Louis Roux comme lieutenant-gouverneur du Québec s'est terminée comme elle avait commencé, dans le fracas et la controverse. Devant le tollé provoqué par son aveu au magazine *L'Actualité* d'un flirt de jeunesse avec le nazisme, M. Roux a démissionné de son poste ce matin (le 5 novembre 1996), moins de deux mois après avoir prêté serment.

Mitch : vingt fois le Saguenay

Le nombre des victimes du cyclone Mitch continue à croître en Amérique Centrale où on dénombrait près de 10 000 morts, plus de 14 000 disparus et 2,8 millions de sinistrés, la majorité au Honduras et au Nicaragua, selon les dernières estimations officielles.

Le bilan s'est notamment aggravé au Nicaragua avec 769 morts de plus sur les flancs du volcan Casitas, près de Posoltega, à 140 km au nord-ouest de Managua, où un glissement de terrain avait enseveli vendredi cinq villages. Il est tombé en quatre jours six fois plus de pluie que la moyenne annuelle historique. Du coup, même les jeunes Nicaraguayens qui n'étaient pas nés à l'époque rappellent la date fatidique du 23 décembre 1972, celle du plus terrible tremblement de terre vécu en Amérique latine.

Une catastrophe dont l'ampleur dépasse, semble-t-il, de 20 fois celle du Saguenay en 1996. (**Texte publié le 5 novembre 1998**)

---

13 millions pour une erreur d'accouchement

Un couple du bas du fleuve vient d'obtenir un dédommagement de 13$ millions pour une erreur médicale survenue au moment de la naissance de leur fils, en avril 1979.

Ce montant consenti par une compagnie d'assurances, à la suite d'un règlement hors cour à portée historique, est la plus grosse somme jamais versée au Québec pour une erreur médicale. « Mon médecin trouvait que j'étais en retard et on a décidé de me faire entrer à l'hôpital pour un déclenchement », raconte la mère du jeune Thierry, un enfant handicapé, âgé de 7 ans.

Bien que ni la patiente, ni le bébé ne réagissaient aux médicaments déclencheurs de contractions, on continua le processus. Après avoir accouché la femme par césarienne, on a dû réanimer l'enfant qui ne respirait plus.

Le bébé a repris connaissance, mais des tests démontrèrent plus tard que les cellules au cerveau avaient été détruites. Son intelligence était intacte mais sa motricité et son élocution restèrent traumatisés. C'est la paralysie cérébrale.

Six ans plus tard, la partie adverse proposa un règlement hors cour aux parents qui réclamaient au départ 2 millions: une offre de rente à vie minimum de 5 millions, pouvant aller jusqu'à 13 millions si l'enfant vit jusqu'à 70 ans.

Ce règlement échelonné garantit environ 2000 $ par mois et à partir de l'âge adulte un salaire annuel de 30 000 $ et certains avantages sociaux. (**Texte publié le 5 novembre 1986**)

Les Québécois retournent au restaurant

Avec deux ans de retard sur les autres secteurs de l'économie, la reprise est finalement au menu dans les restaurants. Les recettes des restaurateurs du Québec sont en effet en hausse respectable de 5 pour cent pour les sept premiers mois de 1994, par rapport à la même période l'an dernier, et de 8,3 pour cent dans le cas des établissements avec permis d'alcool.

Le Québec devance à ce chapitre toutes les provinces canadiennes, les revenus des restaurants ayant progressé de 3,8 pour cent dans l'ensemble du Canada et de 1,7 pour cent seulement en Ontario.

« On peut finalement dire que la récession est terminée dans notre secteur », affirme M. François Meunier, directeur des communications de l'Association des restaurateurs du Québec (ARQ).

Le chômage élevé incite plusieurs personnes sans emploi à s'improviser restaurateur, avec des résultats parfois désastreux quand on ne s'y connaît pas. L'ARQ entend d'ailleurs aborder ce problème de façon plus attentive dans la prochaine année, dit M. Meunier.

Certains restaurateurs ont plus de raisons de célébrer que d'autres. C'est ainsi que les établissements offrant des repas à emporter ou la livraison à domicile voient leurs recettes augmenter de 14,2 pour cent jusqu'ici en 1994.

Le phénomène du « cocooning », ce désir des consommateurs de se divertir davantage à la maison, est donc bien en vie au Québec. Le nombre élevé de familles avec deux gagne-pain accroît aussi le besoin pour des restaurants offrant le service à domicile.

Le créneau qui attire le plus l'attention des entrepreneurs est celui des restaurants « thématiques », comme East Side Mario's, qui offre une cuisine italienne à la newyorkaise, ou les Moe's Déli & Bar, La Cage aux Sports et autres.

« Ces établissements proposent à des prix raisonnables un menu simple, qui s'apppuie sur des valeurs sûres comme le poulet, les pâtes, la pizza, explique M. Meunier. Dans chaque cas, l'ambiance est importante et on investit beaucoup dans la décoration ». Le même phénomène se reproduit en Ontario et aux États-Unis, où les stars Arnold Schwarzenegger et Sylvester Sta-

lone, avec leur chaîne Planet Hollywood, misent aussi sur la recette de la restauration thématique pour attirer les convives.

Les restaurants de haut de gamme, quant à eux, « connaissent des difficultés », affirme M. Meunier. Bien que l'ARQ ne dispose d'aucune données sur ce secteur, les commentaires recueillis ici et là ne sont guère encourageants, dit-il.

Le responsable explique que la décision du gouvernement de réduire de 80 à 50 pour cent la déduction fiscale pour les frais de repas, ainsi que les compressions budgétaires des entreprises sont autant de facteurs qui affectent durement ce segment de marché. (**Texte publié le 6 novembre 1994**)

Bourque élu

Pierre Bourque devient le 40e maire de Montréal. Il a chassé le RCM de Jean Doré de l'hôtel de ville. Les Montréalais, qui paraissaient indécis jusqu'à la dernière minute, ont finalement décidé de se donner un conseil majoritairement formé de représentants du parti Vision Montréal. (Texte publié le 6 novembre 1994)

Le tribunal signe l'arrêt de mort de Bre-X

Une cour de l'Alberta a finalement signé l'arrêt de mort de la société minière Bre-X, en approuvant un plan visant la mise en faillite de la compagnie (**le 6 novembre 1997**).

Le juge Robert Cairns, de la Cour du Banc de la reine, a en effet ordonné la mise en faillite de Bre-X et de la société affiliée Bresea Resources Ltd., au cours d'une audience à Calgary.

C'est le cabinet de vérification Samson, Bélair, Deloitte et Touche qui agira à titre de fiduciaire pour redistribuer l'actif de la compagnie.

Mais l'avocat de Bresea Resources, Howard Gorman, a immédiatement contesté la décison du juge Cairns et manifesté son intention d'interjeter appel.

Me Gorman a tenté en vain de convaincre le juge d'accorder un sursis à Bresea, qui possède 22 pour cent des actions de Bre-X, jusqu'à ce que la compagnie tienne une assemblée des actionnaires et nomme un nouveau conseil d'administration.

« Ce sont les actionnaires qui auraient le contrôle de la compagnie. Ils éliront une nouvelle équipe de direction. Il n'y a pas de manigances

pour faire réélire l'actuelle direction », a-t-il dit.

Mais le juge a été on ne peut plus catégorique en ajoutant que Bresea tentait de manipuler la Cour pour servir ses propres intérêts.

« Lorsque Bresea a déclaré qu'elle était insolvable, le 8 mai dernier, c'était pour rencontrer ses propres objectifs. Aujourd'hui, alors que rien n'a changé, ils veulent se déclarer solvables (...) Cette cour ne participera pas à ce genre de tactique », a déclaré le juge Cairns.

David Walsh, le président de Bre-X et de Bresea Resources, avait accepté de démissionner et de mettre sa compagnie en faillite dans une entente à l'amiable conclue avec des avocats représentant un groupe de créanciers de l'Ontario. Mais jusqu'à ce que l'appel de Me Gorman soit soumis à la Cour, M. Walsh demeurera à la tête de Bresea, qui possède un actif d'environ 26 millions.

La compagnie Bre-X, qui a falsifié des échantillons d'or du site de Busang, en Indonésie, passera à l'histoire comme ayant commis la plus importante fraude de l'histoire de l'exploitation aurifère.

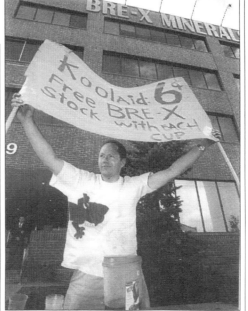

Un actionnaire manifeste à sa manière devant le siège social de Bre-X, à Calgary. Les consommateurs qui lui achètent du Koolaid, à 6¢ le verre, reçoivent gratuitement une action de Bre-X...

Mulroney veut promouvoir l'égalité des femmes

Le gouvernement Mulroney cherchera à combler l'écart entre la reconnaissance de principe de l'égalité des femmes et son application dans les faits.

Pour ce faire, le Parlement et le gouvernement devront non seulement user de leur autorité mais aussi « prêcher constamment par l'exemple », a dit le chef du gouvernement par la bouche du gouverneur général, Mme Jeanne Sauvé, dans sa lecture du discours du Trône.

Reconnaissant que la véritable parité entre les deux sexes passe par l'égalité économique, le gouvernement intensifiera ses efforts pour accroître les perspectives d'emploi des femmes dans l'administration fédérale.

Alors que le gouvernement précédent s'était montré d'accord avec cette orientation, il n'y avait guère accordé d'importance dans les nominations au sein des organismes ou des conseils des offices et des sociétés.

Répondant à un besoin de plus en plus pressant, le gouvernement étudiera la nécessité d'assurer des services de garde d'enfants accessibles et abordables. Un groupe de travail sera formé pour examiner l'ensemble de la question et proposer des solutions au Parlement. (**Texte publié le 6 novembre 1984**)

Une école de futurs chômeurs?

Vingt ans après la grande réforme de l'éducation, à laquelle le rapport Parent donna son coup d'envol, le système scolaire du Québec, apparaît « comme le stade olympique, plus monumental et jamais tout à fait achevé ». Mais si les profs ne prennent pas l'initiative de changer l'école secondaire, celle-ci formera les chômeurs de demain dans une société en stagnation.

Conférencière invitée au colloque de l'Alliance des professeurs de Montréal (CEQ), soeur Ghislaine Roquet a tracé un bilan des réformes accomplies dans le domaine de l'éducation.

« Je ne vous encourage pas à vous battre pour de meilleurs salaires. Mais je vous supplie de reprendre à pleines mains votre métier d'éducateur, de reconquérir la maîtrise perdue de votre profession. Sous peine de former les futurs chômeurs, il vous faut changer votre école et votre pratique pédagogique. Je vous le demande pour le Québec et pour les jeunes », a dit l'ancienne commissaire de la Commission Parent. (**Texte publié le 6 novembre 1984**)

140 prénoms

Après 10 mois d'un combat acharné, M. et Mme Nelson ont enfin obtenu de l'administration britannique qu'elle leur délivre un certificat de naissance pour leur bébé à qui ils avaient donné... 140 prénoms.

Le combat a été rude car l'administration sourit à ses positions. « Vous n'avez droit qu'à 20 prénoms, choisissez ». Facile à dire mais pas facile à faire : les Nelson n'arrivaient pas à se décider. Alors...

Leur fille établit ainsi un nouveau record, devançant largement feu le roi Charles III d'Espagne, qui ne portait que 94 prénoms. (**Texte publié le 6 novembre 1986**)

Octobre 1917 : une « erreur fatale »

1992 — Un Allemand sur trois environ estime que la période nazie a eu ses bons côtés et que les juifs sont en partie responsables des persécutions dont ils ont été victimes, selon un sondage de l'institut Infas.

1990 — L'écrivain canadien Hugh MacLennan, connu universellement pour des romans tels Two Solitudes, Barometer Rising et The Watch that Ends the Night, est décédé dans sa demeure de Montréal, à l'âge de 83 ans.

1989 — Le démocrate David Dinkins a remporté ce soir l'élection municipale de New York devant son rival républicain Rudolph Giuliani, devenant ainsi le premier maire noir de l'histoire de la ville.

1986 — L'Iran aurait reçu des armes au cours des quatorze derniers mois à la suite de rencontres secrètes entre des responsables américains et iraniens qui ont abouti à la libération de trois otages américains détenus au Liban, affirme le *Washington Post*. Des informations niées par le président Reagan.

1985 — John David Munday, ce cascadeur âgé de 42 ans qui a sauté les chutes Niagara dans un baril, le 5 octobre dernier, a été condamné à une amende de 1500 $ en Cour provinciale.

1984 — La santé des Québécois a coûté l'an dernier plus de 5,6 milliards au gouvernement, soit une augmentation de 10,9 pour cent ou une somme de 872 $ par habitant.

1978 — Mort à 80 ans de l'ex-champion poids lourd Gene Tunney.

1973 — Reprise des relations diplomatiques entre les États-Unis et l'Égypte.

1972 — Réélection triomphale du président républicain Richard Nixon, aux États-Unis.

1957 — L'Union soviétique propose une confédération des deux États allemands existants.

1952 — Émeutes raciales en Afrique du Sud, à la suite de l'introduction de lois ségrégationnistes.

1944 — Victoire décisive du président Franklin D. Roosevelt, qui obtient un 4e mandat, fait sans précédent dans l'histoire des États-Unis.

1935 — L'Alliance est consommée entre Paul Gouin, président de l'Action libérale nationale, et Maurice Duplessis, chef du Parti conservateur provincial.

1921 — Début du procès d'Henri Landru, dit «Barbe Bleue», soupçonné du meurtre de 238 femmes.

1917 — Chute de Kerensky lors d'un coup d'État en Russie. Les «maximalistes» dirigés par Lénine assument le pouvoir. (Il est à noter qu'à l'époque, la Russie utilisait le calendrier julien; or, selon ce calendrier, la révolution a commencé le 25 octobre, d'où le vocable de *Révolution d'octobre*).

1907 — Une violente tempête sème la désolation sur toute la côte du Saint-Laurent en aval de Trois-Rivières, et jusqu'à Halifax.

1900 — Sir Wilfrid Laurier gagne les élections fédérales.

Boris Eltsine

Plusieurs dizaines de milliers de communistes russes ont célébré aujourd'hui (le 7 novembre 1997) les 80 ans de la Révolution d'octobre 1917, un événement que le président Boris Eltsine a qualifié « d'erreur historique fatale ».

M. Eltsine, dans une allocution télédiffusée, a dénoncé le bain de sang qui a suivi la prise du pouvoir par les bolchéviks. Il a tout juste reconnu qu'il s'agissait d'une date « mémorable ».

« Il faut comprendre et pardonner aux auteurs de cette erreur historique fatale : placer une idée utopique au-dessus de la vie des gens », a ajouté M. Eltsine.

« C'est la Révolution qui a déclenché le conflit au sein de la société. Qui a poussé les Russes dans une guerre civile fratricide.(...) Qui nous a coupés pendant longtemps de la communauté mondiale », a-t-il souligné.

« Nous étions les chevaliers du cosmos, alors que nous roulions sur des routes défoncées », a résumé le président russe, ironisant sur les priorités économiques et scientifiques de l'ère soviétique, qui recherchait les résultats éclatants au détriment du bien-être de l'individu.

Transformant le 7 novembre en jour du souvenir des victimes de la Révolution, il a annoncé l'érection prochaine d'un monument aux morts de la guerre civile. « Un monument général, et pour les Blancs, et pour les Rouges. Un monument dédié à la foi et aux erreurs. Au courage et aux souffrances d'un peuple. Le premier monument russe dédié à des gens que le destin a placés à des côtés opposés des barricades. »

Accordéon au poing, cette militante communiste a tenu à faire savoir de quel côté penche son coeur dans la Russie actuelle, lors d'une manifestation de son parti à Saint-Pétersbourg.

Sept policiers suspendus pour avoir battu à mort un automobiliste à Detroit

Sept policiers ont été suspendus à Detroit après avoir, la veille, battu à mort un automobiliste noir, a annoncé le chef de la police de la ville, Stanley Knox. « Je pense que cet incident est une honte pour tous les bons policiers du département », a-t-il déclaré.

Selon le chef de police, Malice Wayne Green, un Noir de 35 ans, a été arrêté à un feu de circulation jeudi soir par deux policiers en civil, pour des raisons qui restent indéterminées.

M. Green a refusé de décliner son identité et les deux agents ont appelé le renfort. Cinq autres policiers sont arrivés, des Blancs et des Noirs a précisé le chef Knox. Il a ajouté qu'il ne savait pas quand ni pourquoi les brutalités avaient commencé, et combien de policiers y avaient participé.

La victime a continué à être battue, notamment avec une torche électrique, même après l'arrivée de personnel médical. M. Green est mort peu après son arrivée à l'hôpital.

En mars 1991, un autre automobiliste noir, Rodney King, avait été battu par des policiers blancs après une course poursuite dans la banlieue de Los Angeles. Le passage à tabac avait été filmé sur vidéo. L'acquittement des policiers, un an plus tard, avait déclenché les émeutes les plus meurtrières de l'histoire des États-Unis. (**Texte publié le 7 novembre 1992**)

Le sexe déterminé par le magnétisme ?

Chez les humains, on considère qu'une femme a autant de chances de donner naissance à une fille qu'à un garçon. Mais il est peut-être possible « d'influencer le hasard ».

Le professeur Kenneth Glander, biologiste et anthropologue à l'université Duke de Chicago, a passé dix ans au Costa Rica à étudier le comportement sexuel des singes hurleurs, des primates supérieurs dont la libido et la physiologie sont très proches de celles de l'homme. Il en est arrivé à la conclusion — par analogie — que le sexe d'un enfant dépend de la polarité des voies génitales au moment de la fécondation.

Attrait...
Si rien ne lui permet encore de tirer une conclusion formelle, Glander ne doute plus que les femelles « électropositives » attireront les spermatozoïdes ayant un chromosome XX, plus électronégatifs que les « spermatozoïdes Y » (chromosome XY) et engendreront ainsi des petits de sexe féminin. Quant aux femelles « électronégatives », fécondées par des spermatozoïdes Y, elles devraient surtout mettre au monde des mâles.

Kenneth Glander a ensuite observé que la polarité vaginale était « liée à la qualité de la nourriture absorbée ». En effet, les femelles dominantes, nourries des meilleures feuilles, donnent surtout naissance à des mâles, tandis que les dominées engendrent presque uniquement des femelles.

Pour influencer le choix du sexe, il suffirait donc d'adopter un régime alimentaire particulier. De nombreux couples pourraient ainsi déterminer le sexe de leur enfant, ce qui, selon l'auteur de l'article, « risquerait d'avoir des conséquences désastreuses sur la démographie humaine, la préférence allant souvent (pour des raisons culturelles entres autres) au sexe fort... » (Texte publié le 7 novembre 1992)

Pauvre mais généreux

Cet itinérant a beau disposer de peu de moyens, il n'en aime pas moins nourrir les oiseaux. À la place Eugène-Lapierre, à l'angle des rues Bleury et Maisonneuve, une cinquantaine de pigeons ont rapidement entouré leur bienfaiteur. (Texte publié le 7 novembre 1992 .)

LA LIGNE TRANSCONTINENTALE A CENT ANS

Armé d'un marteau à crampon, Lord Strathcona enfoncera aujourd'hui (le 7 novembre 1985), à Craigellachie, en Colombie-Britannique, le dernier crampon du premier siècle de chemin de fer, commémorant l'achèvement, le 7 novembre 1885, des travaux de la ligne de la Canadian Pacific Railway.

_____

Il y cent ans, lord Strathcona, l'arrière grand-père de celui qui a posé aujourd'hui un geste historique similaire, enfonça le crampon qui marqua le parachèvement du réseau de chemin de fer transcontinental.

C'est son arrière-grand-père qui avait posé ce geste historique il y a 100 ans.

Quelques secondes plus tard, au moyen d'une machine à enfoncer les crampons, moderne celle-là, le premier crampon du deuxième siècle sera posé par les deux principaux dirigeants de CP Rail, le président R.S. Allison, et le président du conseil et chef de la direction, I.B. Scott.

La première ligne transcontinentale du Canada fut achevée en 54 mois, avec presque 6 ans d'avance sur le programme, couvrant plus de 4800 kilomètres sur un terrain parmi les plus difficiles au monde.

Le port de Montréal violemment secoué par l'explosion de 300 livres de dynamite

Il était exactement midi et 45 minutes de l'après-midi. Tout était tranquille dans la ville : la plupart des citadins étaient à prendre leur dîner, les autres s'y préparaient. A l'extérieur, une pluie fine, peu abondante, tombait.

Tout à coup une formidable explosion retentit, ébranlant les airs et se répercutant en longues et lugubres détonations. On entendit comme une grêle de verre cassé : puis tout retomba dans le silence.

Des têtes apparurent à toutes les fenêtres, on se rua sur les trottoirs et dans la rue. L'inquiétude était peinte sur tous les visages. Qu'était-il arrivé? Tous se posaient cette redoutable questions, flairant quelque catastrophe.

Bientôt, les foules commencèrent à affluer de partout, anxieuses. Tous se dirigeaient vers le port, car c'était de là qu'avait paru venir le formidable bruit; d'ailleurs, plusieurs personnes avaient cru distinguer un instant une colonne de fumée et de débris s'élevant des environs des quais. De sourdes rumeurs se faisaient entendre dans cette direction, et c'était là que le mouvement de la population paraissait le plus accentué, le plus fébrile.

La foule grossissait toujours, et au milieu de cette foule qui se rangeait au passage, dévalaient les ambulances et les appareils du département du feu, au galop des chevaux. Des escouades de policiers déjà rendues sur les quais, répondant très vaguement, et pour cause, aux nombreuses questions qui leur étaient adressées.

En effet, on fut quelque temps avant de connaitre la nature de l'explosion qui avait fait sortir les citadins de leurs maisons.

Les premiers rapports disaient qu'un magasin de fer de la rue Saint-Paul venait de sauter; puis on rapporta que le bruit terrible avait été causé par l'explosion d'un dépôt de dynamite sur l'île aux Millions.

Enfin, il fut bientôt connu que c'était une barge chargée de dynamite et qui était accolée en face du quai Édouard VII, près de l'île aux Millions qui avait sauté et — épouvantable rumeur — on disait que deux hommes avaient péri dans la catastrophe. A ce moment-là, la barge avait disparu, les débris étant retombés en grêle aux alentours.

Beaucoup de bruit, mais peu de dégâts

C'est ainsi que *LA PRESSE* coiffait le long compte rendu consacré à l'explosion de quelque 500 livres de dynamite remisées sur un chaland ancré à une centaine de pieds de l'île aux Millions, survenue le 8 novembre 1908.

Il était inévitable qu'une explosion d'une telle force causât des dommages, mais ils auraient pu être beaucoup plus importants. En effet, si on fait exception du chaland, de sa cabine, des 300 livres de dynamite et des dommages causés à la coque d'un perforateur flottant («drill boat»), les dégâts se limitèrent au bris de centaines de carreaux des bâtiments situés à proximité. Mais peu s'en fallut qu'on enregistrât des pertes de vies humaines. Et le plus sérieusement menacé fut le gardien du chaland, William Vanloo, responsable de maintenir un feu sur le chaland pour prévenir le gel de la dynamite. Voyons comment *LA PRESSE* a commenté sa fuite:

M. Vanloo était allé à la cabane pour la dernière fois vers 11:30 heures, et ne trouvant presque plus de feu dans le poêle, il y ajouta un peu de bois, et lorsqu'il est parti, tout était dans l'ordre. Ce poêle était complètement isolé des boites de dynamite au moyen d'amiante. Toute explosion semblait être impossible.

Vers midi et demi, l'incendie se déclarait à la cabane. M. Vanloo se trouvait alors à bord d'un perforateur flottant (sic) et, sans prendre le temps de crier, il sauta dans sa chaloupe et se rendit à force de rames à l'île aux Millions. Jamais, a-t-il déclaré, il n'avait ramé avec une telle force.

Une rumeur désamorcée

L'incident avait par ailleurs permis aux autorités portuaires de contredire une rumeur pernicieuse qui courait quant à la solidité de l'élévateur à grains no 1, rumeur d'autant plus surprenante que 75 ans plus tard, avec toute les techniques modernes à notre disposition, on met des semaines à raser un élévateur à grains. Mais revenons à 1908, et voyons ce que *LA PRESSE* en disait.

L'explosion d'hier après-midi a donné un démenti péremptoire aux critiques nombreuses qui ont été faites contre la solidité de l'élévateur à grains de la Commission du Port. Malgré la violence du choc la vaste structure d'acier n'a pas été ébranlée, malgré le million de minots de blé qu'elle portait dans ses flancs.

Plusieurs ouvriers travaillaient à l'intérieur des diverses salles : au rez-de-chaussée, au premier, à tous le étages. Quand l'explosion se produisit, les travailleurs furent un moment secoués et étourdis par le choc, puis aveuglés par la poussière qui tombait de partout. Quelques carreaux au rez-de-chaussée, se brisèrent en éclats. A chaque moment, les ouvriers terrifiés s'attendaient à voir s'écrouler l'élévateur. Après examen, on trouva tout en ordre.

On avait souvent prédit que le moindre choc pouvait faire effondrer les vastes greniers. L'épreuve est concluante.

Toute la population de Montréal et des environs a été mise en émoi, hier après-midi, par une violente secousse qui a fait croire d'abord à une terrible catastrophe. --- Une barge contenant 300 livres de dynamite venait de sauter dans le port de Montréal.

L'EXPLOSION A ÉTÉ ENTENDUE DANS UN RAYON DE PLUSIEURS MILLES ; NOMBRE DE VITRES ONT ÉTÉ BRISÉES. --- LES DÉGATS MATÉRIELS SONT CONSIDÉRABLES. --- SCÈNES ÉMOTIONNANTES.

Dessin paru avec la légende suivante : Scène reconstituée par un artiste de LA PRESSE *(Paul Caron; on peut d'ailleurs apercevoir sa griffe au coin inférieur gauche)* de la terrible explosion qui s'est produite dans le port à une centaine de pieds de l'île aux Millions.

A gauche, on voit le perforateur flottant où se trouvait le gardien William Vanloo quelques instants avant l'accident. Au fond, on remarque l'une des boutiques de la Commission du port.

L'an 2000 dangereux pour la santé

Vaut mieux éviter de tomber malade le 31 décembre 1999 car, au rythme où vont les choses, il est loin d'être assuré que les hôpitaux du Québec seront capables de traverser la nuit du 1er janvier 2000 sans problèmes. Pour s'assurer que tous les équipements médicaux ne se dérèglent pas sur le coup de minuit, le ministère de la Santé et des Services sociaux (MSSS) estime qu'il lui en coûtera la modique somme de 100 millions.

Même si certains hôpitaux ont déjà commencé à mettre leurs pendules à l'heure de l'an 2000, plusieurs autres jonglent encore avec le problème, ne sachant trop où trouver les sommes nécessaires à même leurs budgets déjà passablement étriqués. Les grands centres hospitaliers qui ont des moyens informatiques n'ont pas de problèmes, mais on a toute une série de petits établissements sans équipes spécialisées qui ont besoin d'encadrement. (**Texte publié le 8 novembre 1997** .)

LA NOUVELLE AMBULANCE DE L'HOPITAL CIVIQUE

Cette voiture est sans contredit la plus belle du genre dans toute la province de Québec.

Voici ce qu'on disait de ce nouveau véhicule dans l'édition du 8 novembre 1902 : Cette voiture d'ambulance que la maison Ledoux et Cie, 93 rue Osborne, vient de construire, est destinée à l'hôpital civique. Nous avons admiré la délicatesse, le fini de l'ouvrage. Le tout est en chêne et en cotonnier que recouvrent des couleurs verdâtres artistiquement disposées.

L'intérieur est fait de manière à donner tout le confort utile au patient et peut être désinfecté, lavé en quelques minutes, sans être détérioré. Le siège contient un compartiment pour les remèdes, les instruments de chirurgie et autres objets. Les ressorts sont très flexibles (sic). L'épaisseur des roues est de 1¾ pouce, chacune est ceinturée d'une forte bande en caoutchouc. Au milieu de chacun des deux panneaux, ont été dessinées les armes de notre cité, qu'encadrent en langue française et en langue anglaise ces mots: Ambulance de la ville de Montréal.

Cette voiture est faite sur le modèle que la maison Ledoux et Cie a construite pour l'hôpital Galt, de Victoria C.A. *(pour Colombie-Anglaise)*.

Le brancard est un véritable chef-d'oeuvre qui est pourvu d'un mécanisme très ingénieux pour donner au malade la position la plus confortable. Ce brancard est très bien capitonné et fait en bois de première qualité.

Bref, ce travail artistique nous donne une nouvelle preuve de l'habileté de MM. Ledoux et Cie, qui ont obtenu une médaille d'or à l'exposition de 1900, à Paris.

Les travaux de remise en eau du bassin Bonsecours, en face du marché du même nom, dans le Vieux-Port vont bon train. Les investissements dans ce secteur atteignent 35 millions auxquels s'ajoutent 30 millions pour reconstruire et insérer dans un parc l'entrée du canal de Lachine.

Inauguration des écluses du canal de Lachine

Les deux premières écluses reconstruites du canal de Lachine ont été officiellement inaugurées. Elles donnent sur un cul-de-sac, mais on espère que la voie d'eau, complètement fermée à la circulation depuis plus de 20 ans, sera un jour navigable à nouveau jusqu'au lac Saint-Louis.

Ensevelie entre 1960 et 1965 avec des déblais de la construction du métro, l'entrée du canal a été reconstituée sur une longueur de 1,5 kilomètre et s'intègrera à un parc de 172 000 mètres carrés qu'un pont ferroviaire vient quelque peu défigurer. Il sera prêt avant le début, en mai 1992, des célébrations du 350e anniversaire de Montréal.

Les travaux, qui coûtent 30 millions, s'effectuent sur le territoire de la Société du Vieux-Port de Montréal, un organisme de la Couronne. Ils prévoient également la construction d'une maison des éclusiers.

Dans la partie est de ce territoire, qui est aménagée au prix de 35 millions, on a coulé les fondements de la patinoire à glace artificielle de 30 000 mètres carrés qui s'inscrira dans le bassin Bonsecours et qui pourra être utilisée du début de novembre au 1er avril. (**Texte publié le 8 novembre 1991**)

Brillante inauguration du Forum

NDLR — Nous reproduisons le texte publié par LA PRESSE dans son édition du 10 novembre 1908 à l'occasion de l'inauguration du Forum, la veille. Cet article sera suivi de quelques considérations techniques publiées dans LA PRESSE du samedi précédent, le 7 novembre.

TOUT resplendissant de l'éclat de treize milles lampes électriques, le Forum a été officiellement inauguré, hier soir. Plus de cent mille personnes ont visité le nouveau patinoir de la rue Ste-Catherine Ouest et toutes ont été absolument émerveillées, ravies. Comme nous l'avons déjà dit, le Forum est un véritable palace qui laisse loin dans l'ombre tous les établissements du même genre. Il l'emporte autant sur les autres patinoirs qu'une superbe automobile du dernier modèle sur l'antique charrette du fermier.

Le Forum présentait, hier soir, un coup d'oeil féérique. Avec raison on aurait pu le qualifier le Palais de l'Electricité. Jamais auparavant on n'avait vu à Montréal... pareille illumination d'un édifice. C'était quelque chose d'éblouissant. De la rue l'on pouvait voir les patineurs tournant sur l'immense plate *(sic)* de trois cents pieds de longueur. La fanfare jouait ses airs les plus joyeux et en pénétrant dans l'édifice on respirait un air d'animation et d'entrain.

Près de trois mille patineurs chaussèrent les patins à roulettes et se livrèrent avec ardeur à leur amusement favori. C'était un spectacle impressionnant que cette multitude tournant d'un mouvement rythmé aux accords d'une musique enlevante.

La soirée se passa sans le moindre incident et l'ordre le plus parfait ne cessa de régner. En partant, tous les visiteurs faisaient un enthousiaste éloge du Forum et nous ne doutons pas que cet établissement ne devienne le lieu de réunion de la jeunesse élégante et distinguée de Montréal.

Le Forum dans l'ouest

Après avoir fondé dans l'Est un patinoir qui est depuis des années le rendez-vous de l'élite canadienne-française, l'Association du Montagnard a construit dans la partie ouest de la métropole du Canada un autre patinoir qui éclipse, tant par ses dimensions que par sa beauté et le confort que l'on y trouve, tous les établissements du même genre, tant du continent que de la vieille Europe. Le Forum (...) est un véritable palais : c'est un édifice dont Montréal peut s'enorgueillir. (...)

Sis *(sic)* rue Ste-Catherine, entre Closse et Atwater, l'immense construction, qui se dresse toute blanche, en face du square, charme par son architecture simple et de bon goût. L'entrée imposante nous conduit dans un vaste vestibule qu'envieraient plusieurs de nos grands théâtres.

Nous admirons les superbes lampes en fer forgé, oeuvres d'art s'il en fut jamais. Par un large escalier, nous montons au premier étage, où se trouve la superbe piste des patins à roulettes. Car, notons-le ici, c'est une idée géniale qu'a eue M. J. A. Christin, de mettre le patinoir à glace sur le sol, dans la cour intérieure de l'édifice, et d'installer tout autour, dominant ce dernier d'une douzaine de pieds, la piste du patin à roulettes. (...)

L'installation électrique est la plus parfaite et la plus importante qui se puisse trouver à Montréal. (...) Le contrat assure 10,000 lumières électriques de 16 chandelles. On peut se convaincre par là que le Forum présentera le soir un coup d'oeil féérique. (...)

Un patinoir en plein air

L'édifice a 300 pieds de longueur et 130 pieds de largeur. On a par là une idée de ce qu'est la piste qui en fait le tour. Les dimensions du patinoir à glace sont de 240 pieds par 60 pieds. Faisons remarquer ici que ce dernier est un patinoir en plein air.

Plus de cinq mille personnes visitent, hier soir, le nouveau patinoir du Montagnard. --- Un véritable palais. --- Illumination merveilleuse.

Dessin de l'artiste de LA PRESSE réalisé à l'occasion du *nouveau patinoir* (au masculin!) *Le Forum*, le 9 novembre 1908.

Vue de l'extérieur du Forum lors de son inauguration.

La piste pour le patinoir à roulettes est en planches d'érable d'un pouce d'épaisseur et de trois de large, disposées sur le camp. Soigneusement rabotée, et légèrement en talus aux détours, cette piste fera les délices de tous les amateurs de patin à roulettes. A côté de la piste et plus élevé de quelques pouces est un promenoir sur lequel seront installés des bancs et des tables. Les patineurs fatigués pourront ainsi s'arrêter un moment pour se reposer. (...)

Grâce à ses innombrables fenêtres qui (en) font un palais de cristal, la ventilation du patinoir à roulettes sera la plus parfaite possible. L'été, la piste sera pratiquement en plein air.

L'édifice est chauffé à la vapeur et possède des salles spéciales pour dames et messieurs. (...) En cas d'incendie, grâce au système unique de portes, l'édifice pourrait se vider en un moment.

Un restaurant de première classe occupera l'une des salles du rez-de-chaussée ayant vue sur la rue Ste-Catherine. Une autre salle à côté de l'entrée principale portera le nom de Jardin des Palmes. Ce sera un magasin de cigares, de gâteaux, de bonbons, etc., pourvu d'une fontaine à soda de $5,000. (...)

Un club de curling

Le Forum sera aussi le « home » d'un club de curling, les allées de ce dernier se trouvant à côté du patinoir à glace. Pendant les mois d'été, ce dernier sera converti en cirque, et la direction du Forum fera venir les meilleurs artistes de variétés. (...)

La construction du Forum et le terrain qu'il occupe représentent un placement de près de $300,000. Avons-nous besoin de répéter maintenant que le Forum fera honneur à Montréal ?

Lors de leur passage dans le petite ville de Minnedosa, au Manitoba, en ce jour du 9 novembre 1902, les Doukhobors, qualifiés de maniaques, d'illuminés et de pauvres fous par les journaux de l'époque, avaient déclenché une bagarre qui les avaient opposés à la force policière du Manitoba et aux citoyens de cette petite ville, qui craignaient que les policiers ne soit débordés, devant le nombre et la corpulence de ces « pèlerins ». Finalement, c'est de force qu'ils montèrent à bord des wagons, afin qu'ils puissent aller chercher « la terre promise » ailleurs qu'à Minnedosa. La scène ci-dessus a été reconstituée d'après les dépêches.

LA "PRESSE" A DEUX SOUS

A partir d'aujourd'hui, le prix de vente de la "Presse", au numéro, sera porté uniformément de UN centin à DEUX centins, pour tous les jours de la semaine.

Cette augmentation est motivée, comme nous l'avons dit, par des causes sur lesquelles notre journal, en cette période de crise universelle, ne peut exercer aucun contrôle.

Depuis deux ans, le coût du papier à journal a pratiquement doublé et il en a été de même pour toutes les matières premières indispensables à la publication d'un grand quotidien.

Mais le papier et les matières premières ne sont pas les seuls éléments qui servent à déterminer le coût d'un journal. Il y a la question des salaires, des frais télégraphiques, etc., qui ont subi, depuis quatre ans, et d'année en année, une marche ascensionnelle plus que rapide.

En un mot, la cherté du coût de la vie a amené la cherté de tout.

Aujourd'hui, le journal à un sou est impossible, surtout si le journal tient à remplir dignement et avec efficacité la mission qui lui incombe.

Cette situation, admise et reconnue par les plus grands journaux du monde entier, les a amenés depuis plus d'une année à relever leur prix de vente.

En s'engageant dans cette même voie les éditeurs canadiens, et principalement ceux de la Province de Québec, ne font, aujourd'hui, que se soumettre à l'inévitable.

Texte paru dans l'édition du 9 novembre 1918.

C'EST ARRIVÉ UN 9 NOVEMBRE

1991 — Décès du comédien et chanteur Yves Montand, terrassé à l'âge de 70 ans par une crise cardiaque.

1978 — Québec autorise la vente du vin dans les épiceries.

1970 — Mort du général Charles de Gaulle, à 79 ans.

1967 — Le cardinal Paul-Émile Léger démissionne de son poste d'archevêque de Montréal pour retourner au missionnariat.

1955 — Les délégués sud-africains quittent leur siège de l'ONU après qu'elle eût décidé d'enquêter sur la politique raciale de ce pays.

1953 — Éclatante victoire de Salazar lors des élections portugaises, l'opposition ne faisant élire aucun candidat.

1953 — Décès de Ibn Séoud, roi d'Arabie.

1952 — Décès du Dr Chaim Weizmann, premier président d'Israël.

1952 — Le feu détruit le collège de Saint-Henri-de-Mascouche.

1945 — Émeutes entre loyalistes et communistes, à Bucharest, Roumanie.

1945 — Un incendie détruit la fabrique Gurd de Montréal.

1937 — Mort subite de l'ex-premier ministre d'Angleterre, Ramsay Macdonald, alors qu'il était en route pour l'Amérique du Sud.

1937 — Première application au Québec de la loi dite « du cadenas ».

1935 — Cinq morts dans un incendie à l'hôpital Saint-Jean-de-Dieu.

1932 — Un cyclone cause des millions de dollars de dégâts à Cuba.

1923 — L'anarchie s'installe en Allemagne, à la suite du coup d'État des nationalistes d'Adolf Hitler, en Bavière.

1905 — Deux championnes du féminisme, Mme Duclos de Méru et Mme Noémi Schmitt, arrivent à Montréal en provenance de Paris.

1902 — Désastreux naufrage près des îles King, en Australie; on compte 90 morts.

Une nuit aux chandelles

Il y a 25 ans, le 9 novembre 1965, la plus grande panne d'électricité de l'histoire des États-Unis plongeait dans l'obscurité 30 millions de personnes habitant sept États du Nord-Est du pays et une partie du Canada.

Ce mardi, à 17h16, un relais électrique près de la frontière canadienne s'arrêtait sous l'effet d'une brusque surtension. En douze minutes, quelque 128 000 km de rues n'étaient plus éclairés que par la pleine lune.

Les New Yorkais gardent pourtant un excellent souvenir de cette panne qui devait durer douze heures.

L'obscurité a certes rapproché les êtres, mais pas au point de provoquer neuf mois plus tard une brusque flambée des naissances, comme le voudrait la légende. Les registres d'état-civil sont là pour le montrer.

« Je pense que New York s'est présenté sous son meilleur aspect », déclarait récemment Robert Wagner, qui était maire de la ville à l'époque.

De fait, ce black-out a surtout permis à chacun de montrer son sens de la solidarité.

Durant cette panne historique, qui n'a été rendue responsable que de trois morts et de deux crises cardiaques, la criminalité a même été plus faible que la normale.

En ces temps d'avant la drogue et la crise économique, seulement 59 personnes ont été arrêtées après avoir tenté de profiter de l'obscurité pour commettre des vols. (**Texte publié le 9 novembre 1990** .)

Berlin-Est ouvre le Mur

L'Allemagne de l'Est a pris aujourd'hui (**le 9 novembre 1989**) la décision historique d'ouvrir ses frontières vers la RFA et Berlin-Ouest, autorisant à ses ressortissants le franchissement sans conditions du « rideau de fer » pour la première fois depuis la construction du Mur de Berlin, en 1961, et rompant spectaculairement avec une politique dont justement le Mur de Berlin était le symbole.

Relique de la Guerre froide

La décision de l'Allemagne de l'Est d'ouvrir ses frontières vers la RFA et Berlin-Ouest ravale au rang de reliques de la guerre froide le Mur de Berlin et les fortifications érigées le long de la frontière inter-allemande, marquant depuis 28 ans la division de l'Allemagne.

Le Mur, une enceinte de béton gris, longue de 160 kilomètres et haute de quatre mètres, encercle complètement les deux millions d'habitants de Berlin-Ouest et empêchait jusqu'à hier les Allemands de l'Est de rejoindre cet îlot capitaliste. Le dispositif est complété par des installations infranchissables érigées tout au long des 1393 km de frontière entre la RFA et la RDA, avec des murs, des fils de fer barbelés et des grilles métalliques.

Le Mur de Berlin a été construit aux petites heures du 13 août 1961, pour « maintenir la paix », selon la RDA. Des unités de la police est-allemande ont dépavé les points de passage routier avec Berlin-Ouest, enfoncé des poteaux de béton, tendu des barbelés. Commencé à la hâte pour colmater les dernières voies d'émigration à l'Ouest, le Mur ne cessera d'être perfectionné pour devenir de plus en plus hermétique. Il avait été conçu pour stopper brutalement ceux qui, déjà, « votaient avec leurs pieds » contre le régime en émigrant à l'Ouest.

La naissance du Mur, sur les ordres de Erich Honecker, depuis peu numéro un de la RDA, devait mettre un terme à l'exode de près de trois millions d'Allemands de l'Est depuis 1945, dont le point culminant avait été atteint au moment du soulèvement populaire de Berlin du 17 juin 1953 : plus de 300 000 personnes avaient alors fui la RDA.

Au fil des ans, nombreux furent ceux qui réussirent ou tentèrent de franchir la frontière. Selon le « Comité du 13 août », environ 175 000 ressortissants est-allemands avaient quitté leur pays en sept ans, dont près de 37 000 en forçant les barrages, alors que 173 personnes avaient payé de leur vie leur tentative de passage clandestin à l'Ouest, abattus par des garde-frontières ou noyés dans des rivières ou dans la Baltique.

Mort de Louis Cyr

Le célèbre athlète canadien succombe à l'âge de 49 ans

Nous vous proposons de longs extraits du texte publié par LA PRESSE, à l'occasion de la mort de Louis Cyr, survenue le dimache 10 novembre 1912.

LOUIS Cyr est mort. L'ancien champion des hommes forts qui était très mal depuis quelque temps a succombé au mal qui le minait depuis des années, la maladie de Bright. Il a expiré à midi et quart. Sa fin a été calme. Dans ses derniers moments de lucidité, il a exprimé le regret de s'en aller.

« Que c'est donc malheureux de se séparer », a-t-il dit à la compagne de sa vie.

Toute la famille de Louis Cyr : sa fille unique, Mme Aumont; son gendre, le Dr Z. M. Aumont; ses petits-enfants, ses frères: Pierre, Léon, Napoléon et Johnny; ses soeurs : Mme Emilien Perron, de cette ville, et Mme Moïse Hébert, de Sainte-Hélène de Bagot, étaient à son chevet lorsque la fin est arrivée.

Les dernières heures de l'ancien champion ont été marquées par un événement dramatique. La bell-mère (*sic*) de Louis Cyr, Mme Evangéliste Comtois, de Saint-Jean de Matha, qui était accourue auprès de son gendre mourant il y a une semaine, a été foudroyée samedi avant-midi par une syncope. La douleur de voir sa fille dans la peine, et son gendre à l'agonie, a été trop forte pour elle, et elle est tombée morte dans la chambre voisine de celle de M. Cyr. Mme Comtois était âgée de 72 ans. Ses restes mortels ont été expédiés à Saint-Jean de Matha. Son mari qui vit encore est âgé de 73 ans.

Mme Cyr a été si péniblement affectée par ce décès et par l'émotion que lui causait la fin imminente de son mari qu'elle a dû prendre le lit et qu'elle n'a pas eu connaissance du départ du cadavre de sa mère. (...)

Notes biographiques

Cyr venait d'une famille de cultivateurs, son père étant fermier à Saint-Cyprien, de Napierville, où Louis vit le jour le 10 octobre 1863. (...) Dès son enfance, le jeune Louis montra qu'il était doué d'une force phénoménale, et il exécuta au cours de ses années d'enfance des exploits qui sont restés légendaires dans Saint-Cyprien.

Cyr a levé jusqu'à 4,400 livres sur son dos, et il a retenu avec ses bras les plus forts chevaux qu'on lui a amenés et qu'on faisait tirer en sens contraire. Il était un Samson dans toute la force du mot.

Cyr voyagea alors avec plusieurs cirques, (...) (dont) le cirque des frères Ringling et le sien propre. (...) En 1890, Richard K. Fox, de la *Peace Gazette*, ayant entendu parler de lui, le fit venir à New York, et Cyr exécuta devant lui des tours qui le convainquirent qu'il était l'homme le plus fort du monde. (...) L'année suivante, il se rendit en Angleterre et exécuta à Londres une série de records qui proclamèrent la supériorité de Cyr sur tous les hommes forts de l'époque. Aucun de ceux qui se trouvèrent alors à Londres ne voulut entreprendre la lutte contre Cyr. De retour à Montréal, il battit Cyclops, le Suédois August W. Johnson, Sebastian Miller, Otto Renaldo et autres dans des matchs demeurés fameux. Le célèbre Sandow refusa toujours de le rencontrer.

Alors qu'il avait commencé à perdre de sa force, il se mesura à Décarie et fit partie nulle.

Alors qu'il n'avait que 15 ans, sa famille émigra aux Etats-Unis. Là, Louis travailla dans une manufacture de coton. Un dimanche, alors qu'il n'avait que 16 ans, poussé par des camarades, il leva et chargea sur son épaule une pierre de 517 livres. A 17 ans, il pesait 230 livres et était de beaucoup l'homme le plus fort de Lowell. Après trois ans passés sur la terre américaine, Cyr entra ensuite dans la police de Saint-Jean de Matha. (...) Lorsqu'il en sortit, il se joignit encore avec Gus Lambert qui arrangea son match avec Michaud. Cyr se montra tellement supérieur à son adversaire que Michaud abandonna la partie.

Photo de Louis Cyr, au sommet de sa gloire.

C'EST ARRIVÉ UN 10 NOVEMBRE

1987 — Le Québec aura son emblème aviaire : le harfang des neiges.

1974 — Élection à Montréal : le tiers du conseil au RCM et la réduction de 35 p. cent de la majorité du maire Jean Drapeau.

1971 — Visite officielle de Fidel Castro au Chili.

1967 — Lancement réussi de la fusée américaine *Saturne 5* destinée à propulser l'homme vers la Lune.

1963 — La Somalie préfère l'assistance soviétique, présumément plus généreuse, au secours économique américain.

1960 — Début à Moscou de la conférence au sommet des 80 partis communistes.

1958 — Des avions réactés de la République arabe unie s'attaquent à l'avion du roi Hussein de Jordanie et le force à rebrousser chemin.

1958 — Le dominicain Dominique-Georges Pire reçoit le prix Nobel de la Paix pour son oeuvre auprès des réfugiés d'Europe de l'Est.

1952 — Trygve Lie, secrétaire général de l'ONU, démissionne.

1949 — Un incendie cause des dégâts de $5,6 millions sur les quais de Liverpool.

1945 — Cordell Hull, ex-secrétaire d'État américain, mérite le prix Nobel de la Paix.

1938 — Plus de 10 000 magasins juifs sont saccagés en Allemagne, tandis que les synagogues sont la proie des flammes.

1928 — Les pompiers sauvent 75 chevaux des flammes lors de l'incendie des écuries Dow.

1922 — L'honorable T.-A. Crerar abandonne la direction du Parti progressiste, aux Communes.

Le nouvel empereur

Cinq cents dignitaires représentant 158 pays étaient au Palais impérial de Tokyo (le 10 novembre 1990) pour participer au Sokuino-Rei, la cérémonie d'accession au trône du 125e Empereur du Japon, Akihito — la première célébrée en vertu de la Constitution d'après-guerre. Il remplace l'empereur Hirohito, décédé l'an dernier. Sur la vignette, on aperçoit l'empereur Akihito en compagnie de son épouse, Michiko Shoda.

La Croix-Rouge n'est pas au bout de ses peines

Au moins 240 personnes infectées par le virus du sida au cours d'un traitement de l'hémophilie ou d'une transfusion sanguine ont entrepris des procédures judiciaires contre la Société canadienne de la Croix-Rouge, au Québec.

Environ 220 de ces victimes sont des hémophiles qui font partie d'un groupe ayant déposé, en décembre 1991, un recours collectif en Cour supérieure du Québec. La requête en autorisation d'exercer ce recours leur a toutefois été refusée en août dernier. La cause, portée en appel, doit être entendue en février.

Mais selon un avocat de Montréal, Me Jacques Roy, le nombre de poursuites pourrait augmenter considérablement à la suite du débat actuel sur l'affaire du sang contaminé.

Le vice-président de la Société canadienne de l'hémophilie, David Page, estime quant à lui que d'autres poursuites seront probablement entamées, à mesure que les victimes ou les survivants perdront l'espoir d'indemnisations volontaires de la part des autorités.

Environ 1000 des 2300 hémophiles canadiens ont contracté le virus du sida. Au Québec, cette proportion est la même, soit 220 des 500 hémophiles. On s'entend généralement pour dire que 200 receveurs de transfusions ont été infectés par le VIH entre 1983 et 1985.

Me Roy plaide la négligence de la Croix-Rouge. Selon lui, la Société a beaucoup trop tardé à adopter une politique d'exclusion des donneurs à risque — les homosexuels et les drogués par intraveineuse. En mars 1983, le Département de santé américain émettait une directive d'exclusion à l'endroit de ces donneurs. Mais, au Canada, ce n'est pas avant 1986 que la Croix-Rouge s'est dotée d'une pareille politique.

Entre-temps, en mars 1985, les États-Unis avaient suivi l'exemple de la Nouvelle-Zélande en filtrant tous les dons de sang avec un nouveau test, le « Elisa ». Le Canada a accepté ce test en novembre, huit mois plus tard. Pourquoi ce délai ? demande Me Jacques Roy. **(Texte publié le 10 novembre 1992 .)**

L'OEUVRE DU TABAC POUR NOS VAILLANTS SOLDATS SUR LES CHAMPS DE BATAILLE D'EUROPE

Un moyen efficace de stimuler le moral de nos troupes qui se battent pour la liberté et la civilisation. — Appel patriotique de la "Presse" à tous les débitants et à tous les consommateurs de tabac.—Il faut découper pour s'en servir, comme nous disons, la pancarte que nous publions aujourd'hui dans nos colonnes. —Il faut bien comprendre l'importance de l'oeuvre que nous préconisons.

UN PEU DE TABAC S.V.P. POUR LES PAUVRES SOLDATS

On est prié de déposer, dans la boite ci-jointe, du tabac en paquet, des cigarettes en boites, des pipes, du papier à cigarettes.

Le journal LA PRESSE, de Montréal, prendra les moyens nécessaires pour que ces cadeaux soient expédiés aux soldats français, anglais et belges qui combattent en France et en Belgique.

Au cours de sa glorieuse histoire, LA PRESSE a toujours démontré une préoccupation particulière pour différentes causes qui lui paraissaient méritantes. *L'Oeuvre du tabac* dont il est question aujourd'hui s'inscrit dans cette lignée. Lancée le 10 novembre 1914, la campagne avait pour objectif de recueillir du tabac sous toutes ses formes possibles afin de soulager quelque peu les misères des soldats engagés dans la Grande Guerre. Et LA PRESSE ne se contentait pas de recueillir le tabac, elle prenait aussi tous les moyens requis pour le faire parvenir aux troupes.

L'eau Naya, du nom de la déesse grecque des eaux de source, est certes la marque québécoise qui connaît la plus forte progression.

Les eaux embouteillées en plein essor

L'industrie des eaux embouteillées est promise à un bel avenir, tellement la soif des Canadiens, mais aussi des Européens et des Asiatiques pour le Chateau la Pompe québécois semble insatiable.

Au Canada, la consommation d'eau embouteillée a atteint un total de 385 millions de litres l'an dernier.

Le Québécois, pour leur part, sont les plus gros buveurs d'eau de source, d'eau minérale et d'eau gazéifiée au pays, avec une consommation annuelle de 37 litres par habitant, ce qui est bien au-dessus de la moyenne de 14 litres pour l'ensemble des Canadiens. **(Texte publié le 10 novembre 1994 .)**

Pierre Marc Johnson démissionne

La politique a eu raison de Pierre Marc Johnson. Aujourd'hui **(le 10 novembre 1987)**, il n'est plus chef du Parti québécois ni même député d'Anjou à l'Assemblée nationale.

M. Johnson a annoncé qu'il quittait immédiatement toutes les fonctions qu'il occupait : la présidence du PQ, depuis le 29 septembre 1985 ; le poste de chef de l'opposition, depuis les élections du 2 décembre 1985 ; et son siège d'Anjou, depuis le 15 novembre 1976.

Pierre Marc Johnson

Suzanne Poirier devra aller en prison pour les livres non rendus

La saga de Suzanne Poirier touche à sa fin. Cette femme condamnée à 14 jours de prison pour non paiement d'une amende concernant la perte d'un livre vient de se faire débouter par la Cour suprême. La peine devra donc être purgée.

L'histoire débute en 1991, quand Mme Poirier, étudiante et mère d'un enfant, emprunte trois livres à la bibliothèque de Lachine. Elle accumule les retards et perd un ouvrage. Quoi qu'il en soit, après avoir reçu des avis, Mme Poirier se fait condamner en juin 1992 par la Cour municipale de Lachine à des amendes et des frais totalisant 438 dollars.

Mme Poirier déclare immédiatement qu'elle ne paiera jamais cette somme considérable, sans rapport avec le prix des livres. Elle reçoit des avis de saisie (non exécutés), puis se fait offrir des travaux compensatoires. Elle refuse. Elle signe par deux fois un document où elle reconnaît savoir qu'un tel refus risque d'entraîner une peine d'emprisonnement.

Au bout de 11 mois, l'affaire retourne devant la Cour municipale de Lachine où un juge « transforme » l'amende en une peine de prison de 14 jours. Toutes les étapes ont été franchies sans succès, et le recours ultime pour forcer l'exécution est la prison, tel que le prévoit le Code de procédure pénale du Québec. **(Texte publié le 10 novembre 1995)**

Le soleil de la paix se lève sur le monde

L'ALLEMAGNE VAINCUE SE LIVRE

La signature d'un armistice donne toujours lieu à des débordements de joie parce qu'elle marque la fin d'un conflit généralement très meurtrier.

Lorsque le jour du 11 novembre 1918 s'est levé, le monde entier savait depuis quelques heures que la Grande Guerre tirait à sa fin, que les derniers obus sifflaient au-dessus de leur tête, et que les baïonnettes allaient être remises au fourreau. Isolées, écrasées, les troupes du kaiser Guillaume II se préparaient à déposer les armes. D'ailleurs, quatre jours plus tôt, la folle rumeur — prématurée, faut-il le rappeler — de la fin de la guerre avait semé tout un émoi dans la population des grandes villes du monde, Montréal compris.

C'est à 11 h, heure d'Europe (6 h, heure de Montréal) que cessèrent les hostilités sur tous les fronts, au terme d'un armistice dont les conditions avaient été définies à Washington, Paris et Londres plus particulièrement, et imposées à la délégation allemande présidée par le Dr Ertzberger par le maréchal Ferdinand Foch, commandant en chef des troupes alliés. L'armistice fut signé à Rethondes, près de Compiègne, endroit que devait choisir Hitler, 21 ans et demi plus tard, pour négocier l'armistice demandé par les Français du maréchal Pétain. Revanchard, Hitler devait pousser l'ignominie jusqu'à choisir également le même wagon utilisé en ce jour de novembre 1918 pour la signature d'un armistice qu'il avait trouvé tout particulièrement humiliant pour le peuple allemand.

Malgré la distance, malgré les moyens mis à sa disposition à l'époque, LA PRESSE avait fort bien couvert l'événement. Si bien que les nouvelles concernant la fin de la guerre abondaient, et dans plusieurs pages, d'où l'impossibilité de choisir un seul texte, car cela ne rendrait pas justice à l'événement. Pour vous tracer le portrait le plus fidèle possible de ces heures qui ont tant réjoui nos aïeux, il nous faudra nous limiter à vous rappeler les grands titres de LA PRESSE du jour, occasionnellement accompagnés d'un bref commentaire. Les titres sont en caractères gras, et les commentaires — qui sont d'époque — en caractères ordinaires.

Guy Pinard

■ **Les nations alliées, avec Foch comme suprême interprète, ont fait connitre aux délégués boches les conditions de l'armistice.**

■ **Les conditions de l'armistice.** L'Allemagne devra, entre autres, évacuer tous les pays occupés, y compris la Belgique, l'Alsace-Lorraine, le Luxembourg, et toute la rive gauche du Rhin; libérer tous les prisonniers de guerre; livrer ses armes et munitions, une partie de sa flotte, et abandonner les avantages acquis à Brest-Litovsk et à Bucharest.

Le Maréchal FERDINAND FOCH
Celui qui a dicté aux boches les conditions des alliés

■ **La France reconquise.** La France récupère l'Alsace et la Lorraine, allemandes depuis 1870.

■ **La France calme dans la joie comme dans les vicissitudes.** La capitale française se réjouit, mais dignement et sans oublier que ce carnage affreux lui a coûté plus de 2 000 000 de ses valeureux enfants.

■ **Les alliés s'arrêtent sur une certaine ligne.** Les alliés conviennent de ne pas dépasser la ligne atteinte au moment de la signature de l'Armistice.

■ **Circulaire révoltante des Boches.** Trouvée sur un prisonnier allemand, cette circulaire émanant du quartier général de Von Ludendorf trace la ligne à suivre avec les prisonniers français.

■ **Tout Montréal sur pied pour célébrer la paix.** La métropole s'est levée ce matin aux coups de clairon de la grande victoire et toute la population s'est portée en masses compactes et enthousiastes sur le parcours de la grande parade de l'emprunt de la Victoire.

■ **La grande parade de l'emprunt de la victoire coïncide avec la fin des hostilités.** Par le plus phénoménal des hasards, la parade avait été prévue pour ce jour-là, comme si ses organisateurs avaient eu une prémonition.

■ **Les troupes canadiennes sont maîtresses de Mons.** Elles sont sous les ordres du général Horne.

■ **On demande l'internement de Guillaume.** La présence en Hollande du fameux tyran, le kaiser Guillaume II de Hohenzollern, de l'ex-impératrice Augusta-Victoria et du kronprinz Frédéric-Guillaume ennuient fort les autorités de ce pays. Ce sont des indésirables, qui cherchent à sauver tout d'abord leur peau. Ils sont accompagnés du maréchal Von Hindenberg.

UN LIEU HISTORIQUE

■ **Le prince Eitel tente de se donner la mort.** Pris de découragement, le second fils du kaiser, tente de se suicider, sort qu'auraient choisi trois généraux selon la rumeur publique.

■ **La république à Hesse-Darmstadt.** Le grand duché s'est déclaré république socialiste libre.

■ **La révolution bat son plein.** En Allemagne, les révolutionnaires occupent 14 des 26 états, y compris les quatre royaumes et les états les plus importants. C'est l'anarchie qui y règne, et une lourde tâche attent le régent du nouvel état, Friedrich Ebert.

■ **Le peuple chante la Marseillaise à Berlin.**

■ **1560 jours de guerre.** Avec la signature de l'armistice par l'Allemagne, la guerre a virtuellement pris fin dans la 1,560e journée de son existence, ou quatre ans et trois mois et un tiers.

L'origine du coquelicot

Si on se fie aux archives de LA PRESSE, le coquelicot traditionnellement offert le jour de l'armistice l'aurait été pour la première fois au Canada le 11 novembre 1921, soit à l'occasion du troisième anniversaire de la fin de la première Grande Guerre.

Dans son édition du 5 novembre 1921, LA PRESSE retraçait l'origine du coquelicot. Elle rappelait tout d'abord que cette fleur artificielle (offerte à l'époque en coton, à 10 cents, et en soie, à 25 cents) était une réplique d'une fleur — le coquelicot — des Flandres. Cette région fut le théâtre, en octobre et novembre 1914, d'une violente bataille au cours de laquelle les Alliés empêchèrent les Allemands de s'emparer des ports du Pas de Calais, indispensables au ravitaillement de l'armée anglaise.

Placé sous le patronage de son excellence le gouverneur général lord Byng de Vimy, le *Jour du coquelicot* ou *Poppy Day*, avait pour but de ramasser des fonds pour les invalides. En effet, disait l'article de LA PRESSE, *les profits nets réalisés, déduction faite du coût d'achat, iront à l'association chargée de venir en aide aux invalides. On espère récolter assez dans cette vente de fleurs (...) pour mettre à l'abri du besoin les invalides au cours de l'hiver.* LA PRESSE ajoutait que même le coût d'achat servait une bonne cause, les coquelicots étant fabriqués par la *Ligue des enfants de Paris*, qui appartenait aux orphelins de la guerre, en France.

C'EST ARRIVÉ UN 11 NOVEMBRE

1989 — Environ 55 500 citoyens est-allemands se sont rendus en RFA en empruntant les contrôles routiers de la frontière inter-allemande lors de la première journée de son ouverture.

1979 — Évacuation de quelque 240 000 personnes dans la région de Mississauga à la suite du déraillement d'un convoi ferroviaire transportant des matières toxiques.

1975 — L'Angola obtient son indépendance du Portugal dans une atmosphère de guerre civile.

1973 — Signature de l'accord du cessez-le-feu égypto-israélien au km 101 de la route Suez-Le Caire.

1969 — À Montréal, l'administration Drapeau-Saulnier édicte un règlement anti-manifestation fort contesté.

1962 — Le débat du siècle à la télévision québécoise oppose le premier ministre Jean Lesage au prétendant Daniel Johnson.

1949 — Les organisations religieuses passent sous le contrôle de l'État en Tchécoslovaquie.

1942 — La France entière est occupée, après qu'Hitler eut déchiré le Pacte d'armistice de 1940 et envahi la zone libre.

1929 — Dédicace du Pont des ambassadeurs, qui relie Détroit au Canada.

1904 — Inauguration d'une nouvelle bibliothèque municipale, à Montréal, au Monument national.

Le pardon d'une enfant de la guerre

Kim Phuc, la petite Vietnamienne nue et en pleurs photographiée en 1972 fuyant une attaque des États-Unis au napalm, lance un message de réconciliation à ses anciens ennemis

Sa photo a fait le tour du monde et symbolisé la guerre du Vietnam. Mais Kim Phuc, la petite Vietnamienne nue et en pleurs photographiée en 1972 fuyant une attaque des États-Unis au napalm, a lancé un message de réconciliation à ses anciens ennemis.

Lors d'une cérémonie devant le Monument aux anciens combattants du Vietnam, un long mur de granit noir où courent les noms des 58 000 Américains morts au Vietnam, Kim Phuc, s'est adressée par dessus la foule à l'artisan de son malheur.

« Si je pouvais parler en tête-à-tête avec le pilote qui a jeté la bombe, je lui dirais que nous ne pouvons pas changer l'histoire mais nous pouvons essayer de faire de notre mieux dans le présent et l'avenir pour promouvoir la paix », a déclaré Kim Phuc, aujourd'hui âgée de 33 ans.

Près de 5000 personnes, la plupart d'anciens soldats de la guerre du Vietnam venus de tous les États-Unis, ont applaudi debout la jeune femme.

Kim Phuc avait 9 ans lorsque la pagode bouddhiste dans laquelle elle avait cherché refuge avec sa famille, près de Saïgon, a été bombardée au napalm. Les deux frères de la fillette périrent dans les flammes.

La photo de Kim Phuc, courant nue sur une route vietnamienne, permit à son auteur, Nick Ut, un photographe de l'agence Associated Press, de gagner le Prix Pulitzer. (**Texte publié le 11 novembre 1996**)

Une des promotions de *La Presse*

À l'instigation de son « journaliste vedette » Lorenzo Prince, victorieux de la course autour du monde quatre ans plus tôt, *La Presse* décidait, en 1905, d'utiliser un énorme ballon pour faire sa promotion. Ce ballon était piloté par Émile Barlatier, photographe de son métier, mais aussi membre du Club aéronautique de France. Chaque décollage du ballon attirait d'importantes foules et s'avérait donc un outil promotionnel spectaculaire pour *La Presse*. La photo de droite nous présente le couple Barlatier.

Vimy ? Dieppe ? Connais pas !

Huit Québécois sur dix échouent un test d'histoire militaire canadienne. Seulement 8 % des Québécois connaissent le nom de la crête où les soldats canadiens ont remporté leur plus grande victoire de la Première Guerre mondiale : Vimy.

Ce résultat, particulièrement déprimant en ce Jour du Souvenir (**le 11 novembre 1998**), ressort d'un sondage réalisé auprès de 1500 Canadiens par la maison Angus Reid.

Le sondage consistait en 15 questions sur l'histoire militaire canadienne, des questions préparées en collaboration avec les spécialistes du Musée canadien de la guerre. Seulement quatre Canadiens sur dix ont réussi ce test, c'est-à-dire ont répondu correctement à plus de la moitié des questions. La performance des 376 Québécois interrogés est tout simplement catastrophique : à peine 17 % ont réussi l'épreuve.

« De 1950 à 1955, plus de 20 000 Canadiens ont pris part au premier conflit armé important de la Guerre froide. Quel était le nom de cette guerre ? » a-t-on demandé aux participants. Seulement 28 % des Québécois ont répondu la Guerre de Corée, contre une moyenne de 43 % pour les répondants de l'ensemble du pays.

« Quel Canadien a remporté le Prix Nobel de la paix en raison des efforts qu'il a consacrés à une résolution pacifique de la crise de Suez ? Par la suite, il a été élu premier ministre. » Vingt-deux pour cent (22 %) des Québécois ont pu nommer Lester B. Pearson. Le résultat du Canada anglais n'est pas brillant non plus : 38 % des Ontariens ont donné la bonne réponse.

« En 1942, a-t-on aussi demandé, un plébiscite national a été à l'origine d'un débat acharné sur le service militaire et l'unité nationale. De quoi était-il question ? » À peine un Québécois sur quatre a fourni la bonne réponse : la conscription.

« En 1942, près de mille Canadiens ont perdu la vie lors d'un assaut tragique dans une ville située au bord de la mer, en France. Pouvez-vous me donner le nom de cette ville ? » Seulement 24 % des Québécois (30 % des Ontariens) ont pu nommer Dieppe, où sont morts 119 soldats des Fusiliers Mont-Royal.

L'ÉTÉ des SAUVAGES

Cette page est tirée de l'édition du 12 novembre 1904 de LA PRESSE. Elle est très représentative de la « une » de l'édition du samedi du début du siècle, alors que la direction du journal mettait beaucoup plus l'accent sur un sujet qui se prêtait à une page de ce genre qu'à la nouvelle comme telle.

Comme le titre le dit si bien, cette page était consacrée à l'été des sauvages. Aujourd'hui, on dirait plutôt l'été des Indiens.

Le texte de l'époque rappelle que l'été des sauvages, ou l'été de la Saint-Martin, est cette époque automnale, qui survient vers le 11 novembre et qui donne un regain d'ardeur à la nature.

Allez donc, disait son auteur anonyme, par une belle journée de novembre, faire une promenade rêveuse sur la montagne; vous comprendrez alors le charme de cette période de transition et vous en déplorerez la fugacité.

Et l'auteur poursuit en rappelant tout le caractère bucolique de ces dernières journées avant que la neige ne vienne s'installer sur le sol pour les quatre prochains mois.

Après cette promenade en forêt, au coeur de la nature et de ceux qui l'habitent, il fallait à l'époque, et c'est tout aussi vrai aujourd'hui, rentrer vers la ville, vers cette machine à écraser comme il disait si bien.

Marguerite Bourgeoys, la Bienheureuse

Le Souverain Pontife honore, à Saint-Pierre, la fondatrice de la Congrégation de Notre-Dame

Plus de 30,000 personnes présentes à la cérémonie

Nous reproduisons de larges extraits du texte publié par LA PRESSE pour marquer l'hommage rendu à Marguerite Bourgeoys, à Rome, le 12 novembre 1950.

Cité du Vatican (PC) - Porté sur la sedia gestatoria, Sa Sainteté le pape Pie XII s'est rendu dans la basilique S.-Pierre (sic) pour y rendre hommage à Marguerite Bourgeoys, religieuse canadienne originaire de France que Sa Sainteté avait béatifiée plus tôt au cours de la journée.

Onze cardinaux, y compris S. Em. le cardinal James McGuigan, archevêque de Toronto, 60 archevêques et évêques, dont 20 du Canada parmi lesquels se trouvaient NN. SS. LL. EE. Alexandre Vachon, archevêque d'Ottawa, Paul-Emile Léger, archevêque de Montréal, et Maurice Roy, archevêque de Québec. De nombreux autres dignitaires ecclésiastiques ont assisté à la cérémonie. Une foule de quelque 30,000 personnes a acclamé le Saint-Père lors de son entrée dans la basilique.

Le Souverain Pontife a honoré solennellement la première Canadienne élevé au rang des bienheureux. La béatification précède de la canonisation.

Son Ex. Jean Désy, ambassadeur du Canada en Italie, était aux premiers rangs. Parmi les 1,200 pèlerins venus du Canada pour assister à cette cérémonie de béatification, on remarquait deux représentants du gouvernement de la province de Québec, les hon. Onésime Gagnon, trésorier provincial, et Camille Pouliot, ministre de la chasse et de la pêche.

Il y avait aussi un groupe de religieuses de la Congrégation de Notre-Dame de Montréal, communauté fondée il y a 300 ans par Marguerite Bourgeoys.

Le Saint-Père et la vaste assemblée des fidèles se sont agenouillés lorsque Son Ex. Paul-Emile Léger, archevêque de Montréal, a donné la bénédiction eucharistique du maître-autel de la basilique.

A l'issue de la cérémonie, les postulateurs de la béatification ont offert au pape un tableau représentant Marguerite Bourgeoys et la vision de la Vierge qui l'a conduite à quitter la France pour mener la vie périlleuse de missionnaire aux premiers temps de la colonie, au Canada. (...)

Mgr. Fernandino Prosperini, chanoine de S.-Pierre, a lu durant la matinée le bref pontifical proclamant Mère Marguerite Bourgeoys bienheureuse tandis que l'évêque titulaire de Palmira et chanoine du Vatican, M. Domenico Fiori, entonnait le « Te Deum » et célébrait la première grand-messe solennelle à S.-Pierre en l'honneur de la nouvelle bienheureuse.

Épilogue

Le pèlerinage de la délégation canadienne devait être assombri, le lendemain (13 novembre) par un terrible accident d'avion qui fit 58 morts, dont 56 Canadiens. Ces Canadiens avaient pris place à bord d'un DC-4 surnommé *Le pèlerin canadien.* L'avion faisait route vers Montréal au retour de la cérémonie de béatification, lorsqu'il s'est écrasé sur le flanc du mont Obiou, haut de 8 000 pieds, dans les Alpes françaises. Il n'y eut aucun survivant.

La maison Arthur-Villeneuve est sauvée

Il n'y a plus qu'un trou béant au 669 rue Taché, à Chicoutimi. C'est à cette adresse, dans un quartier ouvrier modeste, que sont passées près de 200 000 personnes venues visiter la maison-musée d'Arthur Villeneuve, l'ancien barbier de l'hôpital.

En 1957, Arthur Villeneuve avait commencé à peindre sur les murs de sa maison tout un bestiaire d'êtres étranges et démoniaques, sortis tout droit d'un délire créatif étonnant.

À l'époque, il se donnait 15 ans pour passer à la postérité. Son pari est définitivement gagné. Cette semaine, tout Chicoutimi était en émoi en suivant au jour le jour le lent voyage de 1,4 km, entrepris par la « maison de l'artiste », vers l'ancien complexe industriel de La Pulperie de Chicoutimi.

Déjà, à sa mort, en 1990, Arthur Villeneuve était convaincu

On a littéralement construit la remorque sous la maison et on y a ajouté les roues avant d'entreprendre le trajet.

que sa maison serait un jour déménagée. Il en avait été question une première fois en 1967, lors de l'Exposition universelle de Montréal. Puis, à la fin des années 1980, un professeur de l'UQAC, Denys Tremblay, avait presque réussi à mener à terme son projet d'aménager une cloche de verre qui accueillerait la maison sur le site du vaste parc du Vieux-Port récemment complété en bordure du Saguenay.

Le déménagement, effectué à grands frais (150 000 $), ne s'est pas effectué sans heurt. La facture totale s'élève à au moins un million de dollars, dont 450 000$ pour l'acquisition et les droits d'auteur, le reste pour le transport, la restauration et la mise en valeur. Les nombreux opposants à ce « gaspillage éhonté » ont monopolisé les ondes des radios locales et le débat s'est même déplacé jusqu'aux abords de la maison où certains en sont presque venus aux coups, sous les yeux consternés des membres de la famille Villeneuve. (Texte publié le 12 novembre 1994)

Le 184e numéro de LA PRESSE

Autrefois professeur à l'Institut des arts graphiques, M. Aimé Beauchamp, possède un exemplaire de l'édition du 29 mai 1885, le 184e numéro de la première année de publication de LA PRESSE. Inutile de dire que M. Beauchamp conserve fort précieusement ce numéro déniché dans le coffre à pelleterie de son grand-père.

(Publié le 12 novembre 1980)

Une punition à la sicilienne

Afin de punir une épouse infidèle, sa belle-famille l'a contrainte à s'exhiber totalement nue sur son balcon, à Palerme.

Et pour que personne ne rate le spectacle, elle s'est ensuite rassemblée devant l'immeuble en actionnant l'abreuvoir d'injures pour ameuter les passants.

La jeune femme a dû son salut à sa propre mère qui, accourue sur les lieux, l'a délivrée après s'être frayée un chemin parmi les badauds à coups de sac à main. (Texte publié le 12 novembre 1992)

C'EST ARRIVÉ UN 12 NOVEMBRE

1992 — Les ressources du Fonds monétaire international (FMI) ont été évaluées à 201 milliards avec l'entrée en application d'une augmentation moyenne de 50 pour cent des quote-parts de ses 173 pays membres.

1992 — Une fillette de onze ans a été autorisée à « divorcer » de ses parents et à vivre auprès de ses grands-parents, par un tribunal du comté de Torquay (sud-ouest de l'Angleterre).

1986 — Un astronome soviétique a baptisé une planète qu'il a découverte du nom de Samantha Smith, la jeune américaine invitée en URSS il y a trois ans par le numéro un soviétique de l'époque Youri Andropov.

1982 — Les citoyens soviétiques ont appris avec 24 heures de retard, par la radio et la télévision, la mort, à 75 ans, de Leonid Brejnev.

1978 — Le maire Jean Drapeau remporte une autre écrasante victoire, aux élections municipales de Montréal.

1970 — L'écrivain soviétique Andrei Amalrik est condamné à trois ans de prison.

1963 — Le professeur Barghoon, de l'université Yale, est accusé d'espionnage et arrêté à Moscou.

1958 — John Diefenbaker, premier ministre du Canada, obtient une audience privée auprès du pape Jean XXIII.

1955 — À Nicolet, trois morts dans un glissement de terrain qui emporte une maison d'habitation, le collège et une partie de l'évêché. En outre, il faudra démolir la cathédrale.

1948 — L'artisan du « jour infâme » de Pearl Harbor en 1941, l'ex-premier ministre japonais Hideki Tojo, a été condamné aujourd'hui à être pendu pour le rôle prépondérant qu'il a joué dans l'assassinat de millions d'êtres humains.

1937 — Staline poursuit son « nettoyage » en s'en prenant cette fois aux ambassadeurs soviétiques.

1931 — Le statut de Westminster est présenté aux Communes; c'est le premier pas vers une indépendance totale pour le Canada.

1921 — Ouverture à Washington de la conférence sur le désarmement.

1911 — Inauguration solennelle de l'École sociale populaire, fondée par Édouard Montpetit.

1995 — La population de la France dépasse 58 millions d'habitants au 1er janvier 1995, selon le rapport démographique annuel officiel établi par l'Institut national d'études démographiques.

1993 — Des mineurs découvrent à Malishev, à 930 km à l'est de Moscou, dans les montagnes de l'Oural, une émeraude géante de 5805 carats et d'un poids de 1,16 kg. Cette pierre, l'une des plus grosses jamais découvertes, est estimée à 1,5 million US.

1985 — Un homme de 31 ans, qui affirme avoir été le dernier compagnon de Rock Hudson, réclame 10 millions de dommages et intérêts à l'exécuteur testamentaire des biens de l'acteur, arguant du fait que ce dernier ne l'avait pas prévenu qu'il était atteint du SIDA.

1972 — Le maire Jean Drapeau profite de l'arrivée à Montréal du président d'honneur Avery Brundage, du Comité international olympique, pour réitérer sa confiance inébranlable en l'unanimité de l'appui des Montréal à la cause de l'Olympisme.

1950 — L'aérobus « Le Pélerin canadien », revenant des cérémonies de l'Année sainte à Rome, s'écrase au mont Obiou, dans les Alpes françaises près de Grenoble. Quarante-neuf pélerins du Québec, un Américain, un prêtre italien et les sept membres d'équipage perdent la vie.

1944 — Le ministère anglais de l'Aviation annonce que 32 bombardiers lourds de la R.A.F. ont attaqué le cuirassé allemand « Tirpitz ».

1942 — La 8e armée reprend et dépasse Tobrouk. Rommel n'oppose aucune résistance. Les Alliés sont maintenant à plus de 300 milles à l'ouest de la ligne d'El Alamein, point de départ de leur offensive.

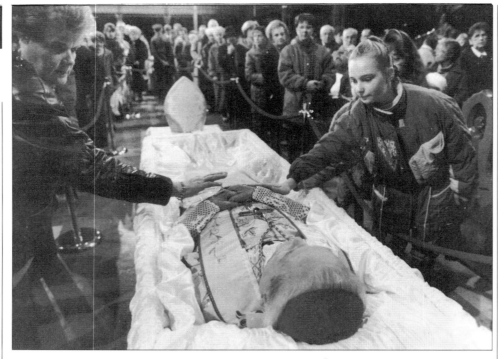

C'est par milliers que les Québécois saluent une dernière fois le cardinal Paul-Émile Léger.

Des milliers de gens honorent la dépouille du cardinal Léger

Des milliers de personnes envahissent la basilique Notre-Dame de Montréal (le 13 novembre 1991) afin de rendre un dernier hommage au cardinal Paul-Émile Léger.

Manifestement attristés par la mort du prélat, tous ces gens ont défilé lentement, profondément recueillis, devant sa dépouille mortelle exposée en chapelle ardente.

Dans la basilique, le corps du cardinal Léger était revêtu d'habits sacerdotaux blancs. Une croix épiscopale avait été déposée sur la poitrine du prélat. Et on avait placé au pied du cercueil une mitre d'évêque. Un prêtre sulpicien a fait remarquer que des personnes de tous les âges semblaient tenir à saluer une dernière fois le cardinal Léger.

On voyait en effet dans la basilique aussi bien des jeunes gens que des personnes d'âge moyen et des vieillards.

Victor Davis est mort

Le coeur de Victor Davis battra dans le corps d'une autre personne, ont décidé les parents du champion olympique canadien de 25 ans, en apprenant que le cerveau de leur fils était mort.

Le jeune nageur, médaillé d'or et d'argent aux Jeux olympiques de Los Angeles de 1984 et détenteur à trois reprises du record du monde du 200 mètres brasse, a été déclaré cérébralement mort à 13 h (le 13 novembre 1989)à l'hôpital Notre-Dame de Montréal.

Victor Davis, qui avait abandonné la compétition en juillet dernier pour se consacrer à une petite entreprise nautique, a été renversé par une voiture dans la nuit de vendredi à samedi, à Sainte-Anne-de-Bellevue, en banlieue ouest de Montréal.

Le jeune athlète se trouvait au beau milieu de la rue Sainte-Anne lorsqu'une voiture de marque Honda Prelude 1989, de couleur noire, l'a heurté sous les yeux horrifiés de sa compagne, Donna Clavel, et d'une amie, Jennifer Watt. Sous l'impact, M. Davis a parcouru dix mètres dans les airs avant d'atterrir, tête première, sur le capot d'une voiture stationnée en bordure de la rue.

La nageur Victor Davis, médaillé d'or et d'argent aux Jeux olympiques de Los Angeles de 1984 et détenteur à trois reprises du record du monde du 200 mètres brasse, est mort aujourd'hui.

Un troisième prix du Gouverneur général pour Marie-Claire Blais

Tous les prix ont leur importance, mais le roman suscite le plus d'intérêt. Pour la troisième fois aux prix du Gouverneur général, triomphe de la romancière Marie-Claire Blais pour son roman Soifs, paru aux Éditions du Boréal. « Un baroque sombre, parfois funèbre, a noté le jury, rassemble ici les vivants et les mourants, les violents et les sages, les assoiffés du monde. Mais c'est la soif du verbe qui prend tout le livre et vous laisse inassouvis. »

Ainsi a parlé le jury — composé de Anne Élaine Cliche, Louis Hamelin et Laurier Melanson. Dans son allocution, la lauréate a manifesté quelque inquiétude à propos du soutien aux artistes et aux créateurs, qui selon elle, en « ce riche pays, ne fait pas trop de place ».

Cette année, 485 ouvrages en français ont été soumis au concours ; en anglais, 608. La domination anglophone est particulièrement marquée dans le domaine des essais, avec 213 titres contre 95. (Texte publié le 13 novembre 1996)

Marie-Claire Blais reçoit son prix des mains du gouverneur général du Canada, Roméo LeBlanc.

L'environnement, toute une entreprise

Surprise! L'environnement devient la troisième industrie du Canada, avec plus de 80 000 emplois. On y compte 3000 entreprises, avec huit milliards de revenus, en croissance de plus de 10 pour cent. D'ici 95, l'effectif augmentera de 7000 personnes, soit de 15 pour cent.

Ce n'est qu'en protégeant son environnement qu'une compagnie peut devenir prospère.

Les comptables Ernst & Young viennent de compléter une étude de 275 000 dollars et de 38 pages pour le compte d'Emploi et Immigration Canada sur l'Environnement Inc., qui aurait devancé les papiers et peut-être l'industrie chimique, pour prendre le premier rang, si on avait tenu compte de tout, admettent les auteurs.

Ernst & Young souligne que l'industrie de l'environnement est en pleine restructuration, de grandes sociétés achetant des PME et de petites firmes fusionnant pour contrer les géants.

Le Canada doit faire vite car, de la santé de son industrie de l'environnement, dépend la vigueur et la compétitivité des autres secteurs de son économie, déjà fort mal en point pour une foule d'autres facteurs. (Texte publié le 13 novembre 1992)

Les enfants adoptés en Chine renouent avec leur culture

Le quartier chinois a reçu les Montréalais et les familles qui ont adopté des enfants chinois. Organisée dans le cadre de la semaine interculturelle nationale par le Service à la famille chinoise du Grand Montréal, la journée avait pour but de faire connaître la culture chinoise et de rapprocher l'Association des familles Québec-Chine à la communauté chinoise montréalaise.

Une vingtaine de familles québécoises qui ont adopté des bébés chinois étaient aussi présentes à la fête, qui a débuté par la traditionnelle danse du dragon dans la rue Saint-Dominique.

Guy Vermette et sa femme, qui avaient déjà trois garçons issus de leur mariage, ont adopté deux jeunes Chinoises en 1990 et en 1991.

Selon M. Vermette, un consultant en toxicomanie, près de huit mois sont nécessaires pour préparer un dossier et le faire parvenir aux autorités chinoises, puis obtenir une réponse.

Lorsque les Vermette ont eu les deux enfants, Naomie avait 5 mois et Yue-Anne avait 15 mois.

Comme l'a expliqué M. Vermette, il est important de maintenir des activités entre les parents adoptifs afin de bien comprendre toute la portée de l'adoption internationale.

Sur le plan de la culture chinoise, le couple Vermette considère important que les enfants puissent maintenir des racines avec leur culture puisqu'aux yeux des autres, ils ne sont jamais des Québécois de souche.

Afin de ne pas leur laisser que le physique chinois, il est important que l'enfant ait une connaissance de la culture chinoise, dont la langue. (Texte publié le 13 novembre 1994)

Le « vive le Québec libre » de De Gaulle n'avait rien d'improvisé

La classe politique française a compté un seul véritable activiste de la cause québécoise, mais il n'était pas le plus mal placé : c'était le général de Gaulle en personne qui, de façon très claire, s'était prononcé, non seulement depuis le balcon de l'hôtel de ville, mais dans une conférence de presse officielle qui avait suivi, en faveur d'une quasi-souveraineté du Québec, à une époque où officiellement, les indépendantistes du RIN faisaient à peine plus de cinq pour cent des voix.

« Le "vive le Québec libre" de De Gaulle n'avait rien d'improvisé, nous dit aujourd'hui (le 13 novembre 1994) son ancien ministre Alain Peyrefitte. De Gaulle pensait que les Québécois devaient s'émanciper, ne devaient pas être les larbins des Anglo-Saxons. Ce qui ne voulait pas dire nécessairement l'indépendance pure et dure. Mais je sais que de Gaulle avait été déçu, en 67-68, par le manque de courage et d'audace des gouvernements Johnson et Bertrand. Par le fait qu'ils ne profitent pas du choc psychologique créé par sa déclaration pour aller plus loin... »

L'activisme de Gaulle, en clair, poussait des fédéralistes québécois qui ne l'étaient pas à devenir souverainistes. Personne, depuis, n'est allé aussi loin dans le monde politique français, si ce n'est un agitateur célèbre de l'époque, Philippe Rossillon qui, le soir du référendum battu de 1980, déclarait à qui voulait l'entendre à la Délégation du Québec : « C'est idiot. L'indépendance ne se soumet pas à référendum, l'indépendance on la décrète ! »

La dictée de Bernard Pivot

Un animateur culturel français, Bernard Pivot, a lancé l'idée d'une dictée à la télévision, pour répandre l'amour des lettres à son auditoire international. Cette idée a été reprise par plusieurs autres animateurs. On vous propose le texte d'une de ces dictées de Bernard Pivot pour votre intérêt:

La Loire

Elle coule, roule, s'enroule, la Loire, tendre ou impétueuse, entre vals et près. Ni les donjons qui s'y sont reflétés, ni les gentes dames qui s'y sont mirées, ni les amoureux qui y ont canoté n'ont réussi à la canaliser.

Est-il né, celui qui, ès qualités, la domptera ? Troublante maîtresse ou farouche traitresse que nul n'apprivoise, la Loire affouille son lit en tourbillonnant... Tantôt elle serpente, sauvage, inondant les champignonnières, effrayant les martins-pêcheurs, charriant tout sur son passage. Tantôt, empreinte d'une douceur tout angevine, elle caresse les vignobles effleurant quelque (s) cep(s) tortu(s) et berce les gabar(r)es et les plates.

Dictée pour les plus avancés

Regardez, dans les eaux ligériennes, l'alose nacrée, l'ablette ou le barbeau, les hideuses lamproies et les sandres filer vers les gammares lancés par les pêcheurs assis sur des perrés. Sur quelque mille kilomètres, du mont Gerbier-de-Jonc jusqu'à la mer, admirez, au-dessus des remous, le vol des aigrettes et des grèbes huppés; voyez, sur les lieux plains, les alluvions accumulées, mais, surtout, gardez-vous d'emprunter les bancs de sable. Méfiez-vous encore des crues qui envahissent les chemins de halage. Réfugiez-vous plutôt près des coteaux, dans une habitation troglodytique. Car perfide est la Loire: mieux vaut découvrir ses appas du haut des levées qu'être trop à ses pieds. (Texte publié le 13 novembre 1996)

Selon les membres de la Commission de police

Le Théâtre Royal est un foyer de corruption

Un coin des deux galeries supérieures du Théâtre Royal montrant une affluence remarquable d'enfants, bambins et jeunes filles à ce spectacle. D'après un croquis de l'artiste de « La Presse » spécialement dépêché à la susdite représentation.

Le 14 novembre 1901, grâce au talent de son dessinateur A. S. Brodeur, LA PRESSE prouvait à la « une » la présence d'enfants aux spectacles prétendument osés présentés sur la scène du Théâtre Royal, rue Côté, théâtre que ceux des générations des 40 ans et plus pourraient comparer au théâtre Gaity, sur la scène duquel se trémoussait la très célèbre Lili Saint-Cyr.

La veille, LA PRESSE avait entrepris une campagne qui devait s'étaler sur plusieurs jours et amener la Commission de police à s'occuper de cette affaire. Voyons ce qu'on lisait dans l'édition du 14, après avoir affirmé la veille que les 11 et 12, on avait dénombré respectivement pas moins de 55 et 30 jeunes filles âgées de 9 à 16 ans dans les fauteuils de la première galerie, à regarder *ces scènes décolletées, ces danses en maillot, ces tableaux vivants, ces allusions risquées, ces déshabillés scéniques, ces mots à double sens qui ne peuvent que fausser le goût de l'enfant, pervertir ses aspirations, nuire à ses travaux, vicier son coeur, peut-être lui tourner la tête.*

La réunion de la Commission de police

Le 14, LA PRESSE donne le compte-rendu des délibérations de la Commission de police. Voici ce qu'on peut y lire : *La question de la fréquentation du Théâtre Royal par des jeunes filles et jeunes garçons a occupé sérieusement l'attention des membres de la Commission de police. (...) Trois des échevins ont admis l'existence de la plaie sociale signalée par « La' Presse » et se sont déclarés prêts à remuer ciel et terre pour y appliquer le fer rouge au plus tôt.*

Une chose a frappé l'attention de ceux qui assistaient à la séance, c'est le rapport officiel, fait par les émissaires du département de la police, deux détectives et un capitaine, sur la moralité des représentations qui ont eu lieu cette semaine au Théâtre Royal. Ce rapport, en effet, constate seulement « des décolletés comme dans les bals, des conversations banales, des gestes suggestifs » (les loustics diront sans doute que c'était avant l'arrivée du lieutenant Quintal qui lui se préoccupait de tout ce qui bougeait...).

Cependant, l'enquête faite par notre confrère du **Herald**, *comme la nôtre, (...) établit :*

Que les décolletés sont exagérés et que la plupart des actrices apparaissent sur la scène en simples maillots collants;

Que les propos, tenus sur la scène, sont non seulement banals, mais excessivement licencieux — des parties de dialogue sténographiées que nous avons sous les yeux puent les maisons de débauche;

Que les choses morales les plus ordinaires, les lois du mariage, etc., y sont tournées en ridicule;

Que les pièces qu'on y joue ont pour décor des lupanars idéalisés, pour thème invariable l'adultère, et pour héros ou héroïnes des femmes galantes et leurs souteneurs.

L'échevin Lebeuf

L'échevin Lebeuf : (...) Ce règlement (qu'il se proposait de déposer au Conseil), *il a déjà été référé aux avocats de la ville qui l'ont examiné et étudié. Puis il a été retourné à la Cour du Recorder, qui y a inséré une note établissant qu'il faut plus qu'un règlement de police pour la réglementation des théâtres. Ces questions de morale doivent tomber sur le coup, paraît-il, des statuts du parlement fédéral. (...)*

Le juge Desnoyers m'a déclaré plusieurs fois que quatre-vingt-dix pour cent des petits garçons qui sont condamnés pour vols — garçons âgés de 10, 12, 15 ou 16 ans — ces enfants ont déclaré avoir volé pour se procurer un dix sous pour aller au Théâtre Royal, et les petites filles sont dans le même cas. (...)

Il a déjà été déclaré que le Théâtre Royal était une école de débauches pour les petites filles. On a appris de petites filles qui menaient des vies de prostituées qu'elles s'étaient débauché à ce théâtre.

Après la lecture du rapport des détectives Joseph Charpentier et F.C. Guérin, et de celui du capitaine Loye, lesquels tendaient à minimiser le caractère lascif des spectacles, l'échevin Lebeuf fait état d'une constatation étonnante.

Subterfuge découvert

D'après, dit-il, les informations que j'ai reçues, (...) la représentation du lundi est toujours plus mauvaise (au sens de vulgaire sans doute) *que toutes les autres, afin d'attirer le public. Aussi les lundis font toujours salle comble. Dès le lendemain, on change le programme. Les mouches sont attirées pour le reste de la semaine.*

L'article de LA PRESSE reprend le texte du **Herald** de la veille : *On prend des mesures sévères pour se préserver de fléaux comme la picote ou la tuberculose, mais on reste indifférent lorsqu'il s'agit d'enrayer une calamité aussi sérieuse que la corruption des moeurs et du goût de la jeunesse.*

Les pères de famille sont surtout intéressés à faire disparaître ces représentations qui n'ont rien d'attrayant et sont une honte pour l'art théâtral.

Épilogue : Victoire!

Après avoir recueilli une foule de témoignages d'appui au cours des jours suivants, LA PRESSE annonçait fièrement, le 19 que *notre campagne porte des fruits.*

Mais on y avait mis le paquet, en impliquant des personnalités comme Mgr Bruchési, le Dr Fleury, interne en chef de l'hôpital Notre-Dame, l'hon. juge Desnoyers, l'hon. juge F.-X. Choquet, M. le magistrat Lafontaine, M. Achille St-Mars, greffier de la cour, son honneur le record Weir, l'hon. sénateur Dandurand, et combien d'autres encore.

Devant ce tollé de protestations, la direction du théâtre décidait de passer à l'action, de sorte qu'à la séance du mardi 18, LA PRESSE avait noté *moins d'enfants, moins d'obscénités, moins de propos indécents, moins de poses lascives, un peu plus de costumes, et, beaucoup plus de police. C'est déjà un grand pas de fait dans le domaine des bonnes moeurs. (...) Baissons le rideau!*

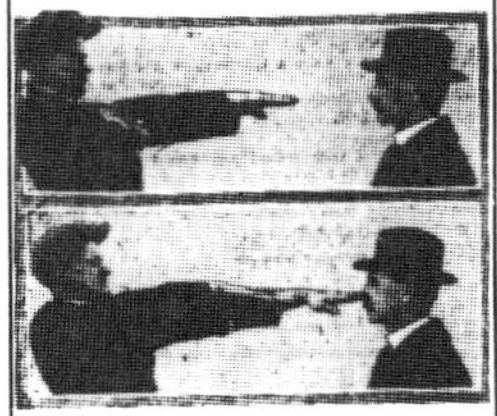

Le 14 novembre 1916, LA PRESSE accueillait dans ses bureaux un homme plutôt étonnant du nom de « professeur Stanley ». Âgé de 24 ans et natif de Brooklyn, Stanley étonnait non pas par ses tours de force ou son développement musculaire, mais plutôt l'extraordinaire contrôle qu'il possédait sur son anatomie. Ce contrôle suspect aux yeux de certains lui permettait, dit-on, de grandir de neuf pouces, d'allonger ses bras de 12 à 15 pouces, voire d'agrandir son tour de cou de 5½ pouces. Examiner les deux photos; sur celle du haut, les deux bras de Stanley se trouvent à une distance de 12 pouces de la figure du lieutenant instructeur Charron, de la police, alors que sur celle du bas, il atteint le nez de M. Charron du bout des doigts.

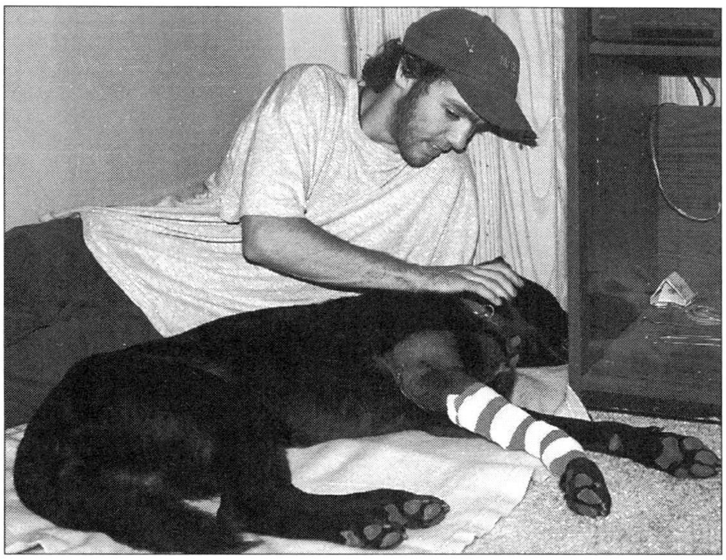

Michel Trudeau caresse son chien, Makwa, sur cette photo récente. Le fils de l'ex-premier ministre Pierre Trudeau a perdu la vie dans une avalanche, en Colombie-Britannique.

Le fils de Trudeau périt dans une avalanche

Un hélicoptère et des équipes au sol sont à la recherche du plus jeune des trois fils de l'ex-premier ministre canadien Pierre Elliott Trudeau, Michel, porté disparu à la suite d'une avalanche survenue la veille dans les montagnes Kootenay, en Colombie-Britannique.

Six skieurs manquaient à l'appel, vendredi, dans le parc provincial du glacier Kokanee, où est survenue l'avalanche.

Trois des compagnons du skieur ont été secourus. Deux autres sont parvenus à se tirer d'affaire seuls.

« Nous sommes toujours à la recherche de cette personne disparue, a déclaré le caporal Randy Koch, de la Gendarmerie royale du Canada (GRC), à Nelson. Il ne s'agit plus vraiment de recherches, mais plutôt d'une opération de récupération. »

En fin de journée, la GRC a diffusé un communiqué de presse dans lequel elle affirmait que le disparu était Michel Trudeau, 23 ans, de Rossland, en Colombie-Britannique. « Il faisait du ski avec des amis dans le parc provincial du glacier Kokanee, lorsqu'une avalanche l'a emporté dans un lac connu sous le nom de lac Kokanee.

« Il semble qu'il ait été incapable de rejoindre la rive, a précisé le caporal Koch. Il se trouvait dans l'eau lorsqu'il a été vu pour la dernière fois, et il est présumé noyé. »

Michel était le plus jeune des trois fils de Pierre Trudeau. L'aîné, Justin, est âgé de 26 ans et son frère Alexandre Emmanuel, ou Sacha, a 24 ans. Leur père semblait complètement atterré. **(Texte publié le 14 novembre 1998)**

BPC : Marc Lévy se dit innocent

Marc Lévy était-il un vulgaire pollueur sans scrupule, uniquement assoiffé par l'argent ? Plus de deux ans après l'incendie de Saint-Basile-le-Grand, le propriétaire de l'entrepôt de BPC incendié est sorti de son anonymat floridien pour répondre à la question lors de l'émission The Fifth Estate, au réseau anglais de Radio-Canada **(le 14 novembre 1990).**

M. Lévy nie toute responsabilité. « Au contraire, dit-il à la fin de l'entrevue présentée hier soir. Dans un futur prochain, ils (le gouvernement et la population québécoise) vont me décerner une médaille pour ces années passées à protéger l'environnement au Québec. »

En dépit des preuves accumulées contre lui lors des enquêtes après l'incendie, il soutient n'avoir jamais pollué. En réalité, dit-il, c'est lui qui est devenu une victime de cette affaire, bien plus que les gens de Saint-Basile. Mais il dit tout de même regretter cet accident qui a chassé 3500 personnes de leur foyer durant près de trois semaines.

La Justice dans l'embarras

Le ministre de la Justice a déposé des plaintes contre le juge Richard Therrien **(le 14 novembre 1996)**, nommé à la Chambre criminelle de la Cour du Québec à Longueuil il y a à peine deux mois, parce qu'il a caché son passé felquiste à son comité de sélection. Le ministre a révélé à l'Assemblée nationale avoir déposé une plainte au Conseil de la magistrature et une autre au Barreau du Québec parce que M. Therrien aurait manqué à son obligation de dévoiler sa condamnation passée.

La juge en chef de la Cour du Québec, Huguette St-Louis, a déclaré hier que le juge Therrien ne siègera pas d'ici à ce qu'un comité du conseil se penche sur son cas. Un comité sera formé le 27 novembre, à la prochaine réunion du Conseil.

M. Therrien, 46 ans, a été arrêté au mois de novembre 1970, peu de temps après avoir caché avec sa soeur les quatre terroristes qui venaient d'enlever puis d'assassiner le ministre Pierre Laporte : Paul Rose, Jacques Rose, Francis Simard et Bernard Lortie.

Le juge Richard Therrien

Richard Therrien avait 20 ans pendant la crise d'octobre 1970 et étudiait en droit. Sa soeur Colette était une connaissance de Paul Rose. Ils avaient hébergé les quatre hommes quelques jours pendant qu'ils étaient en cavale, après la découverte du corps de M. Laporte et la fuite de leur repaire de Saint-Hubert.

14 C'EST ARRIVÉ UN NOVEMBRE

1979 — Les résidents de Mississauga sont autorisés à regagner leur domicile.

1978 — John Sewell, réformiste de gauche, est élu maire de Toronto.

1975 — Création de la Régie des installations olympiques par le gouvernement du Québec, qui sera responsable de terminer les installations olympiques à temps pour les Jeux de juillet 1976.

1973 — La princesse Anne épouse le capitaine Mark Phillips.

1968 — Le gouvernement français impose des restrictions pour freiner la fuite des capitaux.

1966 — Début de la grève des 5 200 mécaniciens, chez Air Canada.

1962 — Éclatante victoire des Libéraux de Jean Lesage après une campagne sur la nationalisation de l'électricité.

1948 — Rupture de la trêve par l'armée israélienne qui lance une offensive sur le Néguev.

1941 — Le porte-avions britannique *Ark Royal* coule après avoir été torpillé près de Gibraltar.

1938 — Tous les juifs sont chassés des universités allemandes.

1932 — Un typhon sème la mort et la destruction au Japon : plus de cent morts, et 6 000 maisons détruites.

1930 — Décès à 67 ans d'Adélard Turgeon, président du Conseil législatif.

1902 — Le Stromboli est en éruption.

Arrestation de Pat Malone, tristement célèbre comme briseur de coffres-forts

M. L. Crevier, inspecteur du Pacifique Canadien.

Le détective Georges Thibault.

Le détective James Walsh.

Deux agents le capturent malgré ses menaces.
La nitroglycérine en scène.— Explosion qui provoque un vif émoi.

UN VERITABLE ARSENAL VIVANT

Le texte suivant parut dans l'édition du **17 novembre 1913** et faisait état d'un crime commis dans la soirée du 15.

UNE terrible explosion ébranlait tout un quartier de la ville, samedi soir, vers 9 heures 15. Quand la fumée se fut dispersée les premiers témoins rendus sur les lieux s'aperçurent que des bandits venaient de tenter de faire sauter avec de la nitro-glycérine, le coffre-fort de l'établissement de MM. Wester and Son, marchands de matériel de construction, No 31 rue Wellington, à quelques portes à l'ouest de la rue McGill.

L'explosion avait causé un émoi bien facile à comprendre parmi les promeneurs qui encombraient les rues voisines et un grand nombre de curieux se dirigèrent au pas de course vers l'endroit où l'attentat venait d'être commis. (...)

Les détectives Thibault et Walsh, qui étaient de service dans le district eurent bientôt vent de l'attentat, et ils se joignirent aux chasseurs d'hommes divisés en trois groupes. (...)

L'arrestation

L'établissement Webster et les dépendances avaient déjà été visités plusieurs fois de fond en comble, mais l'on n'avait pu rien découvrir de suspect et les agents allaient abandonner les recherches, lorsqu'ils remarquèrent à une trentaine de pas plus loin, un hangard dont la porte était hermétiquement close. Ils s'y rendirent, et s'armant d'une pince, ils eurent vite fait d'enfoncer la solide porte qui, assujettie à l'intérieur, avait d'abord résisté à leurs efforts.

Comme ils s'élançaient dans la pièce, les deux intrépides agents entendirent une grosse voix, venant d'un angle obscur.

« Si vous faites un pas, disait la voix menaçante, si vous ne levez pas les mains en l'air, vous êtes morts ! » En même temps, l'on entendait, dans le silence effrayant qui suivit, le bruit d'un révolver (sic) que l'on armait.

Sans se laisser intimider, Thibault et Walsh se saisirent de leurs révolvers et crièrent d'un commun accord :

« Nous sommes ici pour vous arrêter, et nous vous aurons, morts ou vifs ! Levez les mains, ou nous tirons ! » « Très bien, je me rends », fit la voix. On fit de la lumière, et les agents s'aperçurent alors qu'ils avaient affaire à deux hommes qu'ils firent prisonniers et qu'ils conduisirent à la Sûreté.

Arsenal vivant

Là, ils ont dit s'appeler Michael Kelly et Joseph Wilson et n'avoir pas de demeure à Montréal.

Quand on fouilla Kelly, on trouva sur lui un révolver chargé, plusieurs cartouches, des mèches, de la dynamite, une scie, un morceau de savon, une montre, une lanterne électrique.

Le malheureux avait aussi dans l'une de ses poches, une bouteille contenant une chopine de nitro-glycérine.

« Il y avait assez de ce formidable explosif, nous disait un homme qui s'y connaît, pour faire sauter tout le palais de justice ou l'hôtel de ville. (...)

Tous deux avaient cependant donné de faux noms. L'inspecteur McLaughlin qui a eu l'occasion de voir la plupart des criminels célèbres du continent, en examinant Kelly, le reconnut aussitôt pour un nommé **Pat Malone, l'un des briseurs de coffres-forts les plus en renom d'Amérique**. *Il est âgé de 54 ans et a voyagé à travers le monde, à la recherche d'aventures qui l'ont souvent conduit au pénitencier, nous déclarait l'inspecteur de la Sûreté. Il est né à Montréal, rue Hermine, et ses parents étaient très respectables. Pat est entré très jeune dans le monde du vice, mais c'est surtout comme briseur de coffres-forts qu'il a acquis une certaine notoriété. (...)*

Le véritable nom de Joseph Wilson est Dick Flanagan. Il est né à Québec, mais il est venu habiter à Montréal alors qu'il était encore très jeune. Il est aujour'Hui âgé de 41 ans.

Un audacieux exploit

Malone, dont nous ne possédons malheureusement pas de photos, faisait une réapparition dans la région après une très longue absence, soit depuis son évasion à la suite d'un coup contre le coffre-fort de la société Goulet, à Joliette.

Traqués par deux détectives: L.G. Crevier, qui devait ensuite passé à l'emploi de CPR comme inspecteur, et P. McCaskill, qui devait diriger plus tard la Sûreté provinciale. On notera que ces deux hommes travaillaient pour l'agence de Silas H. Carpenter, qui allait devenir plus tard chef de la Sûreté de Montréal, puis de celle d'Edmonton.

Malone fut rejoint à Sainte-Anne-des-Plaines où il livra un duel au revolver à Crevier avant d'être arrêté. Mais, comme le raconte LA PRESSE, *une bonne nuit, il forçait la porte de sa cellule et prenait la clef des champs. On ne l'a plus revu au Canada jusqu'à samedi dernier.*

On ne saurait terminer ce compte-rendu sans mentionner le paragraphe suivant, dans lequel LA PRESSE exprimait le danger que représentait la nitroglycérine.

Parlant de la bouteille de nitro-glycérine trouvée sur Malone, l'inspecteur McLaughlin nous racontait le fait suivant : « Une nuit, des cambrioleurs sont surpris par la police de Philadelphie. Comme ils fuyaient les agents, un de ceux-ci tira un coup de revolver sur l'un des fuyards. Or, le malheureux avait justement une bouteille de nitroglycérine dans sa poche. Le projectile frappa la bouteille et il se produisit une explosion qui réduisit le voleur en atomes ! ». (sic)

15 C'EST ARRIVÉ UN NOVEMBRE

1989 — Le Grand Prix du livre de Montréal, doté de 10 000 $, a été décerné à M. Michel Tremblay, auteur du Premier Quartier de la lune, publié chez Leméac.

1978 — Mort à 76 ans de l'anthropologue américaine Margaret Mead.

1976 — « Un monstre sacré » du cinéma français disparaît avec Jean Gabin, qui a succombé ce matin, à l'âge de 72 ans, à une crise cardiaque.

1975 — Conférence économique et monétaire de Rambouillet : les États-Unis conviennent de réduire les fluctuations erratiques du dollar.

1969 — À Washington, environ 250 000 personnes participent à une manifestation contre la guerre du Vietnam.

1967 — Les forces turques et grecques s'opposent à Chypre.

1965 — Montréal sollicite l'honneur de présenter les Jeux olympiques de 1972 à Montréal (cet honneur échouera à Munich).

1957 — Le Parlement canadien rejette deux propositions de drapeau national distinctif pour le Canada.

1949 — Mort par pendaison de l'assassin de Gandhi.

1949 — Le régime communiste chinois exige l'expulsion de l'ONU de la Chine nationaliste installée à Taiwan.

1948 — Démission du premier ministre fédéral Mackenzie King.

1946 — Les Pays-Bas reconnaissent la souveraineté de l'Indonésie dans le cadre d'une union néerlando-indonésienne.

1945 — Des émeutes éclatent à Tel-Aviv.

1940 — 450 tonnes de bombes sur Coventry en Angleterre, le raid le plus terrible à ce jour : 1000 tués ou blessés.

1935 — Le président américain Franklin Roosevelt et le premier ministre canadien Mackenzie King signent un accord de réciprocité de nature économique.

1920 — Quarante et un pays participent aux travaux de la Ligue des nations, à Genève.

Une ville de Colombie disparaît sous la boue

L'éruption du Nevado del Ruiz a fait au moins 15 000 morts. Les premières images diffusées par la télévision colombienne sur la tragédie du volcan Nevado del Ruiz, une immense plaine de boue d'où surgissent quelques arbres et où erre, ça et là, un chien perdu, ont frappé la population de stupeur.

Suivant dans leurs macabres travaux des hommes ensevelis jusqu'à la ceinture et tentant d'extraire des cadavres méconnaissables de tonnes de sable, de boue et de pierre, les images, transmises par la chaîne nationale, ont montré ce qu'il restait de la petite ville d'Armero, anéantie par des milliers de tonnes de débris après l'éruption du volcan, et dont on craint que la moitié des 21 000 habitants n'aient péri.

La chaleur dégagée par l'éruption, survenue vers 21 h 30 mercredi, a fait fondre la glace et la neige éternelle qui recouvraient les flancs de cette montagne depuis le niveau de 4800 mètres jusqu'à son sommet, à 5400 mètres. Cette énorme masse de boue s'est précipitée dans les eaux de la rivière Langunilla, coulant en contrebas, qui est sortie de son lit, emportant tout sur son passage.

Outre Armero, trois petites localités ont été totalement inondées. **(Texte publié le 15 novembre 1985)**

BERLIN PRÉCISE SA LOI

Le Reich a donné aujourd'hui **(le 15 novembre 1935)** une forme définitive aux édits promulgués contre les Juifs au congrès de Nuremberg. La *Gazette officielle* en contient le texte.

Il y est rappelé que dorénavant les Juifs ne peuvent être « citoyens », mais seulement « sujets » allemands (seuls les « citoyens » ont droit de vote); que tous les employés civils juifs seront renvoyés d'ici au 31 décembre et que tout comme les vétérans de guerre juifs, ils recevront dès lors une pension fixée par le Reich ; que les mariages entre Juifs et « aryens » sont prohibés.

Les hangars ont la vie dure à Montréal

Malgré les dangers potentiels qu'ils représentent, les hangars de Montréal ont la vie dure. Si on en a démoli 12 800 depuis 1982, il en reste encore 14 000 malgré les programmes incitatifs de la ville.

Encore cette semaine, c'est dans un hangar à l'arrière d'une maison de la rue Brébeuf, sur le Plateau Mont-Royal, qu'un pyromane a allumé un incendie qui a ravagé une série de quatre triplex.

Selon le programme en vigueur, la ville subventionne 75 pour cent des travaux jusqu'à un maximum de 4000$ pour un bâtiment et de 5000$ pour deux bâtiments accessoires.

Au budget de 1990, l'administration avait réservé 2,8 millions pour ces subventions. **(Texte publié le 15 novembre 1990)**

La «puce» a 25 ans

Il y a 25 ans naissait le microprocesseur, ce circuit intégré si petit qu'il a mérité le surnom de « puce », mais si puissant qu'il se retrouve aujourd'hui dans des millions d'appareils et représente une des plus grandes inventions du XXe siècle.

C'est un ingénieur travaillant chez la jeune société californienne Intel, Tedd Hoff, qui a trouvé comment regrouper sur une pastille de silicium tous les circuits intégrés indispensables au traitement de l'information.

Le 15 novembre 1971 était introduit le 4004, composé de 2300 transistors, intégrant les fonctions de mémoire et de calcul, et destiné à un client japonais qui en a équipé ses calculatrices. **(Texte publié le 15 novembre 1996)**

René Lévesque et Lise Payette, en ce «grand soir» de 1976.

Une date clé de l'histoire du Québec

Le 15 novembre 1976 est une des dates clé de l'histoire du Québec. Ce soir-là, il y a dix ans aujourd'hui, des centaines de milliers d'électeurs Québécois, surtout les plus jeunes et les plus instruits, célébraient la victoire du Parti québécois.

Si la plupart d'entre eux se réjouissaient de l'arrivée au pouvoir d'un parti social-démocrate, c'était surtout l'étape franchie sur le chemin de l'indépendance — ou de la souveraineté-association — qui les comblait de joie.

La lutte électorale, commencée en 1966 avec le RIN, produisait sa première victoire. Les larmes qui avaient accueilli les défaites amères de 70 et 73, alors que le chef bien-aimé, René Lévesque, était chaque fois battu dans sa circonscription, laissaient la place à une joie presque sans limite.

Presque, parce que le PQ, pour gagner, s'était engagé à ne pas considérer son élection comme un mandat pour mettre en route l'accession à la souveraineté. Il était là d'abord pour bien gouverner. L'indépendance viendrait ensuite, si les Québécois en manifestaient le désir lors d'un référendum que le PQ s'était quand même engagé à tenir dans le cours de son mandat.

Le PQ a par contre réussit à bien gouverner, malgré l'opposition féroce des anglophones et des milieux d'affaires. Les grandes réformes du premier mandat — moeurs électorales, langue, zonage agricole, assurance-automobile — sont venues compléter la Révolution tranquille dont René Lévesque avait été un des pères entre 60 et 65. **(Texte publié le 15 novembre 1986)**

L'inventeur de l'essuie-glace intermittent a gain de cause

L'inventeur de l'essuie-glace intermittent, qui vit modestement au Texas, commence à connaître la fortune. Il a accepté un paiement de 10,2 millions de Ford Motor en règlement de poursuites entamées il y a 12 ans.

Thomas Kearns, un ancien professeur d'ingénierie à l'Université Wayne de Détroit, capitale américaine de l'automobile, poursuit en justice 19 autres constructeurs automobiles américains, européens et japonais. Il avait initialement réclamé 141 millions à Ford, puis rejeté une offre de règlement à l'amiable de 30 millions. Un jury lui avait attribué en juillet dernier 5,2 millions, ce qui avec les intérêts représentait une somme de 10 millions$.

Kearns affirme que les constructeurs ont utilisé son brevet d'essuie-glace intermittent sans lui verser de redevances. Les constructeurs estimaient que ce brevet n'était pas valide.

Selon son avocat, Bill Durkee, Kearns va probablement s'attaquer maintenant à Chrysler, avec de bonnes chances de succès vu le résultat de son procès contre Ford. **(Texte publié le 15 novembre 1990)**

Montréalais racistes

Une enquête maison de la Commission des droits de la personne a établi qu'une part importante des Montréalais — 25 pour cent peut-être — ont des attitudes racistes.

C'est en tout cas ce qui se dégage du rapport final du comité d'enquête sur la discrimination dans l'industrie du taxi. **(Texte publié le 15 novembre 1984)**

1991 — Le chapeau marqué aux initiales de Winston Churchill et que l'ancien premier ministre portait pour ses visites officielles a été vendu 13 200 $ chez Christie's à Londres.

1987 — Le boulevard Dorchester s'appellera boulevard René-Lévesque, et le square Dominion sera rebaptisé Dorchester.

1984 — C'est la Vénézuélienne Astrid Herrera Irazabal, une étudiante en psychologie de 21 ans, qui a décroché le titre de Miss Monde, à Londres. La Canadienne Connie Fitzpatrick a obtenu le second rang.

1969 — Des villageois sud-vietnamiens accusent des soldats américains d'avoir présumément massacré 567 civils sans défense, en mars 1968, à Song My.

1966 — Inauguration de la première centrale nucléaire canadienne, à Douglas Point, en Ontario.

1960 — Le roi est mort ! Clark Gable, l'une des grandes vedette du cinéma américain, a succombé à une crise cardiaque, à l'âge de 59 ans.

1955 — Retour triomphal de Mohamed V, rétabli sultan du Maroc à Rabat à la suite d'un accord avec la France.

1956 — Une grève sans précédent immobilise tous les ports de la côte est des États-Unis.

1949 — Une violente tempête fait des milliers de morts et détruit 85 000 maisons en Inde.

1944 — Certains diplomates disent avoir perdu la trace du fuehrer Adolf Hitler depuis plusieurs jours.

1928 — Le Saint Père désapprouve les concours d'athlétisme féminin donnés en public.

1923 — Le Congrès national indien propose la désobéissance civile et le boycott des produits anglais dans sa lutte pour l'indépendance de l'Inde.

1910 — Le premier ministre Sir Wilfrid Laurier adresse à LA PRESSE (qui la publie à la une) les raisons qui justifient la loi de la marine canadienne.

Macdonald décapité

Le 16 novembre 1885, Louis Riel était pendu à Régina. Le 16 novembre 1992, à Montréal, la statue de Sir John A. Macdonald était décapitée. C'est à partir de cet anniversaire que les enquêteurs du SPCUM vont sans doute commencer leur enquête. Les trois lettres F.L.Q. ont été peinturées au jet sur le monumental socle de la statue, érigée Square Dominion.

La Presse se refait une beauté

Un « grand ménage » qui nécesite une vaste consultation et 3000 heures de travail

La nouvelle toilette de *La Presse*, le « grand ménage » comme disent les graphistes, a nécessité plus de 3000 heures de travail sur les planches à dessin, dans les ateliers, dans les différents comités de l'entreprise.

« La Presse, c'est une véritable tradition. On ne procède pas à d'importants changements, à grands coups de pinceau, sans consulter. Il faut proposer, discuter, vendre nos idées », explique Gilles Robert, de la maison Image de marque, responsable de la nouvelle facture de votre journal.

Ce graphiste de 57 ans jongle avec ses règles, compas et crayons depuis plus de 30 ans. Avec son associé Éric Serre, il s'applique à refaire la toilette de *La Presse* depuis presque un an. Au cours des prochains mois, à la lumière des commentaires que nous recevrons, il procédera aux ajustements qui s'imposent.

Le travail de M. Robert a été précédé d'une vaste consultation. Près de 2000 lecteurs ont exprimé leur avis. Selon ces commentaires des lecteurs, il faut aérer nos pages, coiffer les articles de titres moins lourds pour finalement en arriver à une présentation plus soignée. (**Texte publié le 16 novembre 1986**)

Robert Latimer et son épouse Laura, devant le palais de justice de Battleford en Alberta.

Dix ans de prison pour avoir empoisonné sa fillette handicapée

Un père qui a passé des années à nourrir à la cuiller sa fillette handicapée avant de l'empoisonner a été reconnu coupable d'homicide (**le 16 novembre 1994**).

Le juge Ross Wimmer de la Cour du banc de la reine de la Saskatchewan a condamné Robert Latimer à la sentence minimum — la prison à vie sans possibilité de libération conditionnelle avant 10 ans.

Latimer, 41 ans, avait plaidé non coupable à l'accusation de meurtre avec préméditation.

M. Wimmer a demandé en cour à Latimer s'il avait quelque chose à dire. Latimer a répondu : « Je pense toujours que j'ai fait ce qu'il fallait faire. Je ne crois pas que vous ayez fait preuve d'humanité », a-t-il dit au juge.

Les six femmes et cinq hommes formant le jury qui l'a reconnu coupable ne se trouvaient pas dans la salle.

Laura Latimer est allée dans le box des accusés, a serré son époux contre elle et a commencé à pleurer. Latimer a été emmené par la police peu après, mais sans menottes.

Fraude dans la vente de tableaux : six perquisitions dans les Laurentides

La Sûreté du Québec a procédé à six perquisitions dans des trois galeries d'art et trois résidences de Saint-Sauveur, Sainte-Adèle et Piedmont, dans les Laurentides.

L'adresse d'une des résidences correspond à un édifice dont les titres de propriété sont au nom d'Yvan Demers, marchand d'oeuvres d'art et mari de la chanteuse Michèle Richard.

Les policiers ont saisi au total 100 tableaux, 50 caisses de documents incluant des listes de professionnels — oeuvrant en majorité dans le domaine de la santé — des factures et des certificats d'authenticité d'oeuvres d'art.

En tout, 20 personnes avaient déposé des plaintes pour des fraudes qui totaliseraient quelque 850 000 $. (**Texte publié le 16 novembre 1994**)

L'épicerie à 86 dollars

Le consommateur moyen passe 45 minutes de son temps de magasinage à l'épicerie, il y achète 32 produits et dépense un peu plus de 86 $.

D'autre part, si les Canadiens disent consacrer à l'épicerie à peu près le même montant qu'il y a six ans, ils estiment en avoir moins pour leur argent, selon le plus récent sondage réalisé par les Manufacturiers de produits d'alimentation du Canada. (**Texte publié le 16 novembre 1994**)

NOUVELLE ARTÈRE

L'élargissement du boulevard Crémazie ayant été décidé, les immeubles à exproprier ont été vendus à l'encan.

L'expropriation a lieu de chaque côté de la rue.

Plusieurs édifices sont destinés à tomber sous le pic du démolisseur avant le 1er janvier 1924. (**Texte publié le 16 novembre 1923**)

Ils pardonnent à l'assassin de leur fille de 15 ans

C'était en 1979 durant l'été. Deux enfants rentraient de Terre des Hommes. Elle s'appelait Chantal Dupont, et elle avait 15 ans. Lui, c'était Maurice Marcil, 14 ans. Ils habitaient la Rive-Sud. La mort les attendait sur le pont Jacques-Cartier. Pas n'importe laquelle. Deux hommes de 25 ans se sont jetés sur les enfants, leur ont fait subir d'innommables sévices et les ont jetés en bas du pont.

Huit jours plus tard, la police retrouve les deux cadavres dans le fleuve.

Voilà le sujet du film Le Pardon : les parents de Chantal Dupont ont pardonné aux deux meurtriers de leur enfant. Ils sont allés, à la fin du documentaire, serrer sur leur coeur Normand Guérin, l'un des deux hommes. L'autre n'a jamais voulu rien savoir d'eux.

Le réalisateur Denis Boivin a fait un film bouleversant de cette histoire. Parce que le pardon est presque impossible à comprendre pour la plupart des gens. Souvent, il procède de l'indifférence. Ce pardon-ci, accordé par des parents qui n'ont sans doute pas fini de pleurer leur enfant, est voulu.

Les Dupont ont pardonné, comme Dieu nous pardonne. Comme le Notre Père nous l'ordonne. « Pardonner, dira Mme Dupont, c'était ça offrir notre fille au Seigneur. »

Ces parents-là ont vu le corps de leur fille noyée, un corps boursouflé, une tête quasi-méconnaissable qui n'avait plus de cheveux, emportés par l'eau. Ils ont pardonné quand même. On entend dire que la foi soulève les montagnes, mais le pardon, un pardon de cette magnitude, on n'arrive pas à comprendre.

On rencontrera le frère jumeau de l'assassin et sa mère. Elle dira : « J'ai été si surprise

Jeannine et Louis Dupont avec Normand Guérin, l'assassin de leur fille.

de leur pardon que je n'ai pas été capable de dire merci ». Et elle ajoutera cette phrase étonnante : « Si eux pardonnent,

sin, qui dit cette phrase : « J'ai vu la pureté de cette fille-là. Je n'ai voulu rien que pour moi ». Et qui avouera qu'il a eu peur de l'amour des Dupont.

Peut-être comme on a peur de Dieu...

La scène finale nous montre les Dupont qui arrivent à la prison de Port-Cartier pour rencontrer Normand Guérin. Longue marche dans les couloirs de l'institution. On n'en finit plus d'arriver, comme sans doute on n'en finit plus d'arriver à pardonner. Décidément, Denis Boivin est un puissant réalisateur.

Financement difficile

M. Boivin expliquait au visionnement de presse que c'est son incompréhension des Dupont qui l'a poussé à faire son film. Pas une oeuvre facile à réaliser. Il fallait moult permissions, et, en plus, il n'a jamais pu obtenir d'aide financière

alors que nous on a de la misère, de quoi on aurait l'air si on ne pardonnait pas aussi » ?

Et Normand Guérin, l'assas-

d'organismes comme Téléfilm Canada ou la Sogic. Finalement, c'est un vendeur de voitures de Québec, Giguère automobiles, et l'Office des communications sociales qui lui ont assuré son financement.

Pas facile à vendre non plus. Ni Radio-Canada ni Radio-Québec ne se sont intéressés à ce projet. Trop explosif, trop dangereux, ou peut-être simplement trop religieux. Peur que l'assassin y soit trop sympathique. « Certains auraient voulu un film davantage anti-religieux », dira le réalisateur. C'est Quatre Saisons qui a donné le feu vert, grâce sans doute à l'intervention du reporter Claude Poirier qui y anime l'émission 24/24.

Et Quatre Saisons a été récompensée : le film a remporté des prix à l'étranger, et a eu l'effet d'une bombe aux Rendez-vous du cinéma québécois l'année dernière. (**Texte publié le 16 novembre 1992**)

La crue des eaux interrompt le service des tramways

Ce jeu de photos indique bien l'importance de l'inondation. Voici d'ailleurs ce que disait la légende à l'époque. *Quelques incidents causés par les inondations au village Turcot. — En haut, à gauche : la livraison de pain et de lait par chaloupe, rue Sainte-Marie. Assis, au bout de la chaloupe, le lieutenant Piquette, du poste no 31. Au centre : les autos circulant dans l'eau, sur le chemin de la Côte Saint-Paul. A droite : le facteur livrant ses lettres en chalou-pe, rue Saint-Omer. Debout, près de la chaloupe, le lieutenant Piquette et le sergent Leclair, du poste 31. En bas, à gauche : l'aspect que présentait la rue Notre-Dame, à l'angle de la rue Carillon. Au centre : une autre vue de la rue Sainte-Marie, qui a été l'une des plus affectées par les inondations. A droite, une maison isolée, rue Carillon.*

La circulation sur la ligne de Lachine est suspendue. — Les pluies torrentielles ont fait déborder la petite rivière Saint-Pierre.— La plupart des rues du village Turcot sont inondées

Les lecteurs de LA PRESSE qui connaissent bien le secteur de Côte-Saint-Paul, de Saint-Pierre et de la cour de triage Turcot du Canadien National seront plus en mesure d'apprécier les événements survenus le 17 novembre 1927 que nous vous remémorons aujourd'hui.

Il est question dans l'article de la « ligne de tramways de Lachine ». À ce sujet, il est bon de préciser que jusqu'à la fin des années 50, la rue Notre-Dame s'arrêtait à quelques centaines de mètres du chemin de la Côte-Saint-Paul. Le tramway menant à Lachine s'engageait alors en plein champ, longeant la cour de triage Turcot dans sa partie sud, à peu près dans l'axe de l'actuelle rue Notre-Dame, et il desservait autant les employés de la Canadian Car (aujourd'hui disparue) et les citoyens de Saint-Pierre et LaSalle (avec correspondance) que ceux de Lachine. La construction des échangeurs Turcot et Saint-Pierre, ainsi que celle de la route 20 qui les relie, ont complètement transformé le visage de ce secteur. Mais après cette digression géographique, revenons à notre inondation.

LE débordement de la petite rivière Saint-Pierre cause actuellement, au village Turcot, des dommages considérables. Dans certaines rues, il y a pas moins de 6 pieds d'eau. Aux autres endroits, le niveau d'eau varie entre 3 pieds et demi et 4 pieds.

Les rues qui souffrent le plus sont les rues Carillon, Sainte-Marie, Saint-Omer, Victor-Hugo, Septembre, la partie de la rue Notre-Dame longeant la rivière Saint-Pierre, et la partie du chemin de la Côte Saint-Paul située entre la rue Saint-Ambroise et le canal (*il s'agit du canal Lachine évidemment*).

La circulation est complètement interrompue, rue Notre-Dame, à partir du chemin de la Côte Saint-Paul. Cela veut dire que les tramways faisant le service de Lachine ne peuvent plus circuler. Le service de tramways de la Côte Saint-Paul continue cependant.

La petite rivière Saint-Pierre a commencé à déborder vers 1 heure p.m. Les premiers endroits inondés furent les rues Septembre, Carillon, Saint-Omer et Notre-Dame. (...)

Joyeuse population

La population de village Turcot prend la chose gaiement. Les enfants s'en amusent beaucoup. On pouvait voir nombre d'entre eux, s'étant construit des radeaux, naviguer sur les canaux de cette nouvelle Venise.

Les services de livraison ont offert, au début, quelques difficultés. Mais grâce aux officiers du poste de police no 31, le lieutenant Piquette et le sergent Leclair, qui ont pris la situation en main, un service de chaloupes fut bientôt organisé dans les rues les plus affectées. Ainsi, on pouvait voir le spectacle étrange d'un livreur de pain ou de lait ou encore le facteur, se rendant de porte en porte en chaloupe. (...)

La plupart des caves du village ont été inondées et les dommages, surtout chez les marchands qui sont assez nombreux, s'élèveront probablement à plusieurs milliers de dollars.

A Ville Saint-Pierre

Des dommages considérables ont été causés dans la plupart des caves des maisons situées sur la cinquième avenue à Ville Saint-Pierre. La rue principale, à l'angle de la 5e, est devenue un véritable lac. (...)

Le service des tramways de Lachine a dû être complètement suspendu. (...) Ordre a été donné, en conséquence, par la compagnie des tramways à ceux qui veulent se rendre à Lachine de prendre les tramways partant de la Place d'Armes à destination de Montréal-Ouest et là prendre les autobus à destination de Lachine, le nombre de ces derniers ayant été augmenté de façon à répondre autant que possible à tous les besoins du public voyageur.

C'EST ARRIVÉ UN 17 NOVEMBRE

1984 — Bébé Fae, la fillette nouveau-née sur laquelle un coeur de babouin a été greffé il y a trois semaines pour remplacer le sien, mal formé, est morte ce soir à 21 h, à l'hôpital de Loma Linda.

1961 — Le « séparatiste » Marcel Chaput perd son emploi au Conseil des recherches pour la défense. Motif invoqué : absence sans permission.

1974 — Le Parti québécois promet qu'advenant la prise du pouvoir, il tiendrait un référendum sur la question de l'indépendance.

1973 — Le président Georges Pompidou, de France, et le premier ministre Edward Heath, d'Angleterre, signent le traité pour la construction d'un tunnel sous la Manche.

1972 — Le général Peron rentre une première fois en Argentine après 17 ans d'exil.

1969 — Ouverture à Helsinki des négociations soviéto-américaines sur la limitation des armes stratégiques.

1967 — Régis Debray est condamné à 30 ans de prison, en Bolivie.

1947 — Le président Truman demande les pleins pouvoirs afin de contrôler les prix et les salaires pour lutter contre l'inflation.

1942 — Les Américains portent un dur coup aux Japonais aux îles Salomon, en coulant ou en avariant 30 bâtiments de guerre.

1936 — Une explosion dans une poudrière de Saint-Chamas, France, fait 52 morts.

1931 — Les Japonais intensifient leurs bombardements aériens contre la Mandchourie.

1927 — M. J.A.A. Brodeur, président du Comité exécutif de la ville de Montréal, meurt à New York.

1905 — Décès à Bruxelles du comte Philippe de Flandres, héritier du trône

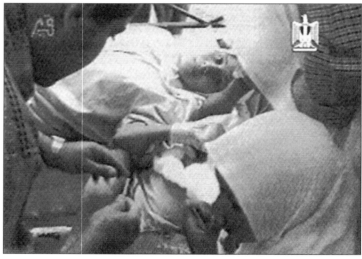

Cette image de la télévision montre une touriste blessée lors de l'attentat de Louxor, que des secouristes transportent par hélicoptère vers un hôpital du Caire, depuis le sud de l'Égypte.

Le terrorisme islamiste frappe en Égypte

Une soixantaine de touristes étrangers ont été tués devant le temple d'Hatchepsout à Louxor, en Haute-Égypte, dans un attentat d'une violence sans précédent, commis à la mitraillette et au poignard, et revendiqué par le groupe intégriste armé égyptien Jamaa islamiya.

Cet attentat, le plus meurtrier en Égypte et le premier à Louxor, l'une des principales destinations touristiques du pays, a fait 67 morts (dont 57 touristes, un guide touristique égyptien, trois policiers et six assaillants), et 24 blessés, dont 16 étrangers, selon un bilan du ministère de l'Intérieur.

L'attentat sanglant coïncide avec l'ouverture du procès, devant un tribunal militaire en plein désert, de 65 islamistes présumés, jugés pour conspiration en vue d'assassiner de hauts responsables du gouvernement. Les accusés seraient membres de la Jamaa.

L'attaque a eu lieu dans la matinée, un commando d'une dizaine de personnes ayant tiré à la mitraillette sur des dizaines de touristes qui grimpaient une rampe d'accès menant au temple.

Selon un témoin, les agresseurs étaient arrivés sur place à bord de taxis et s'étaient euxmêmes fait passer pour des touristes.

Les forces armées et la police ont décrété un couvre-feu autour du temple et dans la Vallée des rois voisine où elles ont procédé à des ratissages « à la recherche d'éléments ayant participé à l'attentat », selon l'agence égyptienne MENA.

Les forces de sécurité égyptiennes se sont déployées en force à Louxor où les rues étaient désertes.

Les voyagistes européens ont commencé à organiser le rapatriement de leurs clients d'Égypte et ont pour la plupart proposé des annulations sans frais pour les voyages vers ce pays. (**Texte publié le 17 novembre 1997**)

12 milliards d'improvisation

Les 12 milliards de projets que doivent annoncer Ottawa et les provinces, ce moici, dans la réfection et la modernisation du réseau routier d'ici 10 ans, réjouissent plusieurs spécialistes et automobilistes, qui les attendaient depuis si longtemps.

Pour d'autres, c'est de l'improvisation électorale par le premier ministre Brian Mulroney, qui veut sauver sa peau après le référendum. Et surtout, on a tellement dormi sur le bouton de l'économie, obnubilés par la Constitution, qu'on a plein d'autres priorités et défis à relever avant la transcanadienne.

Kimon Valaskakis, de l'Université de Montréal et du ISO Groupe, avertit que si l'Ontario et le Québec ne mettent pas fin à leur désindustrialisation « d'ici trois ans, on est foutu ».

Le programme canadien de 12 milliards ne semble pas du tout faire le poids face aux... 200 milliards d'investissements, pour la construction d'autoroutes nouvelles, planifiées par Bruxelles pour la Communauté européenne, d'ici 2002. Sans parler des programmes spécifiques de plusieurs des 12 pays membres, souvent de 10 à 20 milliards chacun ! (**Texte publié le 17 novembre 1992**)

Jean Lallemand, un des fondateurs de l'OSM, meurt à 89 ans

Jean Lallemand, le dernier survivant des trois fondateurs de l'Orchestre Symphonique de Montréal est mort, à l'âge de 89 ans (le 17 novembre 1987).

En 1934, en compagnie de Mme Athanase David et du Dr Henri Letondal, Jean Lallemand fondait la Société des concerts symphoniques de Montréal, qui devait, en 1954, prendre le nom d'Orchestre Symphonique de Montréal.

Comme il l'a dit lui-même, c'est par « nationalisme » que la Société des concerts a été créée. Les trois pionniers réagissaient au fait que le Montreal Orchestra, « l'orchestre de Clarke » comme on l'appelait, refusait l'hospitalité aux chefs, compositeurs et solistes canadiens-français.

Jean Lallemand

Le patron de la Régie Renault assassiné

La nouvelle de l'assassinat de Georges Besse (le 17 novembre 1986) a provoqué un véritable choc.

À cause de la personnalité particulièrement forte du patron de la Régie Renault. Aussi et surtout parce que le terrorisme « national » à l'italienne (Brigades rouges) ou à l'allemande (Bader) avait jusqu'à présent épargné la France.

Georges Besse, 58 ans, père de cinq enfants, président directeur général depuis janvier 1985 de Renault, no. 1 de l'au-tomobile en France, rentrait à pied à son domicile du quartier Montparnasse, après avoir été déposé par son chauffeur à quelque distance de chez lui.

Deux jeunes femmes (accompagnées d'un jeune homme selon certains témoins) se sont portées à sa rencontre, devant l'entrée de la maison. Un premier coup, et la victime s'effondre. Un ou deux autres tirés à bout portant, puis les agresseurs prennent la fuite.

Un cauchemar!

Il y a 15 ans le suicide collectif de la secte de Jim Jones faisait plus de 400 victimes

Sur une colline dominant la baie de San Francisco, loin du bruit et de l'agitation de la grande cité, une stèle de granit rappelle une tragédie vieille de 15 ans. Là, sous l'herbe verte, reposent plus de 400 corps, dont beaucoup d'enfants : les victimes de la folie d'un homme qui leur a ordonné de se suicider.

« Ces gens méritent que l'on garde un peu mieux leur souvenir », proteste Patricia Ryan dont le père est lui-même mort dans cette tragédie. « C'était si horrible, c'est une chose qui dépasse l'entendement ».

Jim Jones a créé sa secte, le Temple du Peuple, au début des années 1970 près d'Ukiah, à 160 km au nord de San Francisco où il a ensuite installé son siège. Le nombre de ses adeptes s'est rapidement développé et le Temple a pu financer des soins médicaux gratuits et un programme d'aide aux drogués qui ont encore accru sa notoriété.

Mais, en 1977, des rumeurs ont commencé à circuler sur les pratiques de la secte et de Jim Jones, qui a alors déménagé son Temple pour l'installer dans un petit État d'Amérique du sud, la Guyane. Plusieurs centaines d'adeptes avec leurs enfants ont suivi leur gourou

Le 18 novembre 1977, plus de 400 adeptes de Jim Jones se sont suicidés sur l'ordre du gourou.

pour vivre, disaient-ils, en harmonie avec la nature dans une communauté égalitaire et multiraciale.

Le représentant Leo Ryan a décidé d'aller voir sur place si

tout était aussi idyllique. Le 18 novembre, au moment où il repartait après sa visite, il devait être abattu avec trois journalistes et un transfuge de la secte dans une embuscade tendue

par des adeptes de Jim Jones sur l'aérodrome de Port Kaituma.

Quelques heures plus tard, devant le risque d'une intervention armée, le gourou de-

vait ordonner aux 912 de ses adeptes qui l'avaient suivi de mettre fin à leurs jours en buvant du punch assaisonné de cyanure.

Les enfants sont morts les premiers. Des parents avaient injecté la boisson empoisonnée dans la bouche de leurs bébés à l'aide de seringues. Puis ce fut le tour des adultes dont certains avaient manifestement été contraints de boire. D'autres ont été abattus par les gardes de Jim Jones. D'autres enfin ont échappé à la mort.

Le gourou lui-même a été retrouvé tué d'une balle dans la tête. Mais il n'a pas été possible d'établir s'il s'était suicidé ou s'il avait été assassiné.

Les corps ont été ramenés aux États-Unis, mais beaucoup n'ont pu être identifiés. Plusieurs cimetières ont refusé de les accueillir avant que celui d'Evergreen accepte finalement, en 1979. C'est l'Église baptiste qui a fait don de la petite stèle rappelant le drame.

Les familles des victimes ont lancé une souscription pour faire ériger un monument portant les noms des morts et retraçant leur martyre. Elles espèrent réunir les 31 000 dollars nécessaires d'ici l'année prochaine. (Texte publié le 18 novembre 1993)

Une sensation à Valleyfield

Les agissements louches de gens disant venir de Montréal pour vendre un fonds de nouveautés, provoquent presque une émeute.

POURSUIVIS PAR LA FOULE

Reproduction du texte publié par LA PRESSE en rapport avec les événements survenus le 18 novembre 1914. Ce texte démontre qu'à l'époque, il ne fallait pas jouer avec les règlements municipaux.

(Du correspondant de LA PRESSE)

Valleyfield, 19 — Notre paisible petite ville a failli être le théâtre d'une émeute, hier soir. Il y a quelques jours, arrivaient dans notre ville certains personnages disant venir de Montréal, pour y vendre un fonds de nouveautés ; on fit une réclame retentissante en contravention avec les règlements de notre ville et qui valut l'arrestation en bloc du personnel de tout le magasin. Tous furent remis en liberté provisoire en attendant leur comparution devant le recorder.

La conduite de ces personnages avait soulevé l'indignation du public, on se mit à les surveiller. Or, comme c'était, hier soir de fermeture, on vit vers six heures et demie, trois jeunes filles entrer dans le magasin de ces personnages. Plusieurs personnes ayant été témoins de la chose, ordonnèrent à ceux-ci de faire sortir ces jeunes filles immédiatement ; ceux-ci refusèrent. En un instant près d'une centaine de citoyens accourus, avaient cerné le magasin. Les personnes à l'intérieur craignant cette foule grandissante, éteignirent les lumières et se cachèrent, espérant que la foule, fatiguée d'attendre, se disperserait. Malheureusement, ce fut le contraire, et celle-ci alla en augmentant.

Vers les 11 heures, nos fameux personnages craignant pour leur vie, demandèrent à la foule de reculer de cinquante pieds, et qu'ils laisseraient sortir les jeunes filles. La foule se rendit à cette demande ; c'est alors que celles-ci sortirent et furent arrêtées quelques instants plus tard par la police et écrouées au poste de police, où elles passèrent la nuit. Deux des personnages du magasin, ayant profité de la sortie des filles pour prendre la fuite, furent poursuivis par la foule et se réfugièrent dans une maison de la rue Champlain, et durent leur salut à l'intervention de la police.

La cour, ce matin, était remplie de curieux on dit que d'autres arrestations vont avoir lieu.

Le dernier voyage du *Montréal* s'est terminé en tragédie

LE soir du **18 novembre 1926**, Mme Marie-Rose Valois, née Guertin, de Saint-Ignace-de-Loyola, n'a pas regardé en direction du fleuve avant de se coucher. « D'habitude, quand le *Montréal* arrivait à Sorel, j'ouvrais ma fenêtre et j'essayais de le voir passer. Mais ce soir-là, il était tombé une neige bonne heure et j'avais fermé mes contrevents de bonne heure. »

Le *Montréal*, un élégant bateau à aubes, propriété de la Canada Steamship Lines, entreprenait ce soir-là son dernier voyage de l'année. Parti de Montréal, il devait arrêter à Sorel vers minuit puis filer sur Québec. Retour prévu à Sorel à la Sainte-Catherine, une semaine plus tard, cette fois pour « dégreiller ».

Bateau de croisière doublé d'un cargo, il ne transportait que des marchandises sèches et des animaux en ce soir de novembre. Son capitaine, N. McGlennon, commandait à un équipage d'une cinquantaine d'hommes, au nombre desquels, Charles-Édouard Valois, le jeune époux de Marie-Rose.

Vers 11h, au moment où Mme Valois monte se coucher, un incendie majeur éclate à bord du navire, qui va s'échouer près de Saint-Joseph-de-Sorel (aujourd'hui Tracy), sur la propriété d'un M. Joly.

Charles-Édouard Valois, « homme de vigie », réveille plusieurs de ses compagnons dont son père, deux de ses frères et quelques oncles et cousins. Le feu, qui a débuté dans une écurie à chevaux, prend rapidement de l'ampleur; les hommes ont à peine le temps d'enfiler quelques vêtements avant, dans plusieurs cas, de se jeter à l'eau.

Le *Montréal*, de la compagnie Canada Steamship Lines, qui a été détruit par un incendie au large de Saint-Joseph de Sorel.

Quelques uns s'étant précipités vers le quatrième sabord de l'avant se trouvent pressés devant une étroite ouverture. Il ne peut y passer qu'un homme à la fois. À défaut de femmes et d'enfants, on s'entend tacitement pour que les pères de familles passent les premiers.

Vers les 4h30 du matin, les marins rescapés ont été regroupés à l'hôtel Balmoral, à Sorel. On leur distribue vêtements secs et chaussures. Trois hommes ont quitté pour l'hôpital... et trois manquent toujours à l'appel, dont Charles-Édouard Valois. Des compagnons racontent l'avoir vu se jeter à l'eau puis disparaître de leur vue.

Trois enfants

Marie-Rose Valois, aujourd'hui âgée de 83 ans, n'apprendra la nouvelle que le lendemain matin. « J'étais en train de laver la vaisselle quand une demoiselle Brooks, âgée d'une dizaine d'années, est venue m'apprendre que le *Montréal* brûlait à la « pointe des Joly ».

« J'ai couru chercher mon chapelet et je me suis confiée à la

Sainte-Vierge. Je me promenais dans le champ avec mon chapelet et je faisais des promesses, j'ai fait ce jour-là des folies que je n'aurais jamais dû faire.

« Je me suis rendue chez mon beau-père avec mes deux enfants, Léonne, 2 ans, et Vitalien, 1 an — Mme Valois était alors enceinte de deux mois; Edouardina

naîtra sept mois plus tard. Quand ils m'ont vu entrer, ils ont éclaté ! »

Le bateau et sa cargaison étaient assurés. Les hommes, c'était différent. « Moi, se rappelle Mme Valois, il ne m'en est pas resté épais. Vingt-six ans, trois enfants... mais j'avais du cœur. »

Les Canadiennes peuvent en appeler au Conseil Privé

Londres — Le comité judiciaire du Conseil Privé a accordé aujourd'hui à cinq femmes du Canada le droit d'en appeler au Conseil privé contre le jugement de la Cour Suprême du Canada qui a décidé que les femmes n'étaient pas des « personnes », selon le sens de l'Acte de l'Amérique du Nord et que, par conséquent, elles n'avaient pas le droit d'être élues membres du Sénat canadien.

La demande d'appel a été présentée par Me Cazan et elle n'a pas été combattue par le repré-

sentant du Canada, Me Theobald Matthews.

Les demanderesses sont toutes de la province d'Alberta. Ce sont l'hon. Irene Parlby, d'Alix, l'une des premières femmes de l'empire à devenir membre d'un cabinet; Mme Louise McKinney, de Claresholm, la première femme membre de la législature d'Alberta; Mme Nellie McClung, écrivain et conférencière; Mme C.C. Edwards, de McLead, et le magistrat Emily Murphy, d'Edmonton.

Cela se passait en novembre 1928.

Mulroney poursuit Ottawa pour 50 millions

MIS en cause par le ministère fédéral de la Justice dans une affaire de pots-de-vin, l'ancien premier ministre du Canada Brian Mulroney a annoncé qu'il intentera une poursuite de 50 millions de dollars contre le gouvernement et la Gendarmerie royale du Canada.

Le *Financial Post* d'hier fait état d'une lettre de 13 pages, signée par un procureur principal du ministère de la Justice à Ottawa, Kimberly Prost, envoyée au gouvernement suisse le 29 septembre, au sujet des « activités criminelles de l'ancien premier ministre » du Canada.

De fait, le document accuse carrément l'ancien premier ministre d'avoir accepté des commissions secrètes lors de l'achat des 34 Airbus A320 par Air Canada, en 1988, à une époque où M. Mulroney était encore en poste à Ottawa et alors que le transporteur aérien était société de la Couronne.

Fait à signaler, le *Financial Post* souligne qu'après une lecture attentive de la lettre, on arrive à la conclusion que le mi-

nistère de la Justice ne possède pas de preuves concrètes contre M. Mulroney. Le document serait plutôt basé sur des reportages de l'émission Fifth Estate, à la CBC, et du magazine allemand Der Spiegel.

Les accusations contenues dans cette lettre ont incité Brian Mulroney à se doter d'une super-équipe d'avocats provenant de cabinets différents.

Appuyés par le cabinet de relations publiques National (qui s'enorgueillit d'être le meilleur gestionnaire de « crises » au pays), trois de ces avocats ont organisé une conférence de presse pour annoncer la poursuite en diffamation.

« M. Mulroney n'a absolument rien à voir dans la décision d'Air Canada d'acheter des Airbus ; il n'a reçu d'argent et n'a participé à aucun complot, à d'entrée de jeu déclaré Me Yarosky. Ces affirmations ont été faites sans fondement et sans que la GRC donne la chance à M. Mulroney de faire connaître sa version des faits. C'est injuste et indécent. » (Texte publié le 18 novembre 1995)

Lévesque met la souveraineté en veilleuse

René Lévesque

René Lévesque s'est prononcé de façon très claire en faveur de la mise en veilleuse de l'option souverainiste de son parti. La souveraineté n'a pas à être un enjeu des prochaines élections.

« Ni en totalité ni en parties plus ou moins déguisées, précise-t-il, ni directement ni moins encore par une replongée dans la tentation de vouloir "amorcer" à la pièce quelque processus que ce soit, en recommençant à nouveau, dans une semaine ou dans un mois, à évoquer chacun sa ou ses tranches préférées de l'objectif. »

Il rejette ainsi d'une façon qui ne laisse pas subsister la moindre équivoque le compromis offert il y a dix jours dans un texte commun publié par treize de ses ministres.

M. Lévesque leur répond par un « non » ferme et n'ajoute aucune clause de style qui pourrait leur permettre de prétendre même à une victoire morale. Il rejette au contraire sans ménagement tous leurs arguments et se range carrément dans le camp des modérés en épousant sans réserve le discours qu'ils ont tenu pendant le débat.

Il leur annonce également qu'il faut mettre fin au débat.

« Il est clair, dit-il, que dès les tout prochains jours, il deviendrait intolérable de laisser se maintenir une telle atmosphère de forum là où la population s'attend à juste titre à sentir comme à voir à nouveau la solidarité essentielle d'une équipe de gouvernement. »

Il semble ainsi inviter à quitter le cabinet ceux qui voudraient poursuivre le débat jusqu'au congrès spécial que le Conseil exécutif a fixé hier soir au 19 janvier, et au cours duquel on réexaminera exclusivement l'article un du programme du PQ.

Pour M. Lévesque, « il saute aux yeux » qu'il faut laisser tomber l'idée d'élections référendaires et « la prétention extrême, terriblement "ghettoisante", d'indiquer à l'avance les votes qu'on accepterait et ceux qu'on refuserait ». (**Texte publié le 19 novembre 1984**)

OTS : le massacre devait avoir lieu à Saint-Sauveur

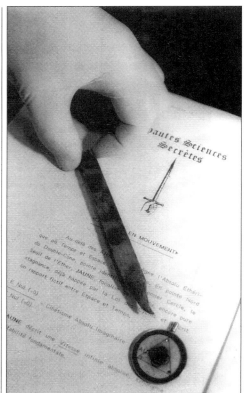

Le pieu de bois qui a été enfoncé dans le coeur du petit Emmanuel Dutoit, assassiné au préalable à coups de poignard.

Ce bébé — photographié ci-contre dans les bras de sa mère — était l'Antéchrist aux yeux du grand chef du Temple solaire.

Trois capes utilisées dans les cérémonies de l'Ordre du temple solaire, et saisies par la SQ. Les capes étaient confectionnées à Morin Heights et envoyées dans le monde entier : l'Ordre comptait 567 membres dans dix pays en 1991.

Gros plan sur la flamme d'une chandelle. Image hors foyer. Plan d'ensemble de la chandelle et de la salle, où s'avancent des templiers, deux par deux. Les premières scènes du film de promotion de l'Ordre du Temple solaire, saisi par la Sûreté du Québec, font rire les profanes et frémir les survivants du grand carnage d'octobre.

Le film a été tourné dans la maison de l'Ordre sur la rue Lafleur, à Saint-Sauveur. C'est là que le grand chef, Joseph Di Mambro, avait prévu qu'une centaine de membres de l'Ordre finiraient leurs jours, avec ou sans leur consentement. Les survivants, qui se sont reconnus dans le film, frémissent aujourd'hui, quand ils le visionnent. Ils l'ont échappé belle.

La scène finale était prévue pour 1993. La machine s'enraie : une enquête de la SQ vient perturber les préparatifs. La SQ veut savoir pourquoi Luc Jouret et d'autres membres cherchent à se procurer des armes munies de silencieux.

« L'enquête lancée en 1993 a permis aux policiers de la SQ de contrer à ce moment-là les intentions suicidaires et criminelles de la secte, affirme un porte-parole, Robert Poëti. Les dirigeants de l'Ordre ont dû changer leurs plans, réorganiser leurs actions, trouver un autre lieu.

« Nous sommes convaincus qu'entre 40 et 80 personnes, qui ont quitté les rangs de l'Ordre du Temple solaire à la suite de cette enquête, auraient pu faire partie de ce drame, qui se serait déroulé non pas en Suisse, mais au 66, rue Lafleur, à Saint-Sauveur. » (Texte publié le 19 novembre 1994)

« Non » définitif aux femmes prêtres dans l'Église catholique

Le veto de l'Église catholique à l'ordination de femmes prêtres est du domaine de l'infaillibilité pontificale et ne pourra donc être modifié par les papes qui succèderont à Jean-Paul II, a indiqué la congrégation du Saint-Siège pour la doctrine de la foi.

En mai 1994, le souverain pontife avait publié une lettre apostolique, « Ordinatio Sacerdotalis », dans laquelle il écrivait que « l'Église n'a pas la faculté de conférer l'ordination sacerdotale aux femmes et que cette sentence devait être prise en compte de manière définitive par tous les fidèles ».

Mais la lettre avait laissé subsister des doutes chez les théologiens quant au caractère d'infaillibilité de cette doctrine. Le cardinal Joseph Ratzinger, président de la Congrégation pour la doctrine de la foi, leur répond dans un sens affirmatif : « la doctrine qui prévoit que l'Église n'a pas la faculté de conférer l'ordination sacerdotale aux femmes, doit être considérée comme appartenant au "dépôt" (héritage) de la foi ».

« Cette doctrine exige un assentiment définitif parce qu'elle est fondée sur la parole de Dieu, écrite et constamment conservée et appliquée dans la tradition de l'Église depuis le début », ajoute un commentaire explicatif.

L'ordination des hommes, ajoute ce commentaire, « n'est pas le fruit du hasard, d'une habitude répétée, encore moins d'une imaginaire infériorité de la femme, mais elle existe parce que l'Église a toujours reconnu comme norme éternelle la façon d'agir de son Seigneur » (le Christ). (Texte publié le 19 novembre 1995)

Une énorme machine

La Commission des écoles catholiques de Montréal est une machine très complexe. Elle gère 154 écoles primaires et secondaires, des plus pauvres aux plus riches. Elle couvre le territoire de six municipalités, dont Montréal. Elle a un budget annuel de 625 millions et son parc immobilier est évalué à environ 1 milliard et demi de dollars.

Elle embauche 9926 employés réguliers et 17 262 occasionnels. Elle dessert 88 000 élèves au secteur jeune, 27 000 à l'éducation des adultes et 5000 en formation professionnelle.

C'est la plus grosse commission scolaire au Québec. La plus politisée aussi. Demain, ce sont les élections scolaires et trois partis politiques se font la lutte dans 21 circonscriptions.

Mais peu de gens prennent la peine d'aller voter : à peine 15 pour cent en 1990. Pourtant, les enjeux sont de taille et la CECM est confrontée à d'énormes problèmes dont un taux de décrochage effarant : 46 pour cent des élèves ne terminent pas leur secondaire. La disparité socio-économique entre les écoles et le caractère multi-ethnique de la clientèle rend la tâche encore plus difficile. (Texte publié le 19 novembre 1994)

Située en bas de la côte Sherbrooke, l'école Marguerite-Bourgeoys est coincée entre les rues Plessis et Panet. Des taudis chambranlants menacent de s'écrouler dans la cour d'école, mais les enfants ne voient rien : ils s'amusent sur l'asphalte crevassée en attendant que la cloche sonne la fin de la récréation.

QUI DONC A CHASSÉ MGR CHARBONNEAU ?

De Victoria, en Colombie-Britannique, où il s'était exilé après avoir été contraint de quitter ses fonctions d'archevêque de Montréal, Mgr Joseph Charbonneau écrivait, le 14 mars 1950, dans une lettre à une nièce de La Tuque : « ...mon état de santé n'a pas été la vraie raison de mon brusque départ de Montréal. J'ai dû m'éloigner à la suite d'attaques violentes et sournoises de quelques esprits étroits et vindicatifs ». Mgr Charbonneau devait mourir à Victoria le 19 novembre 1959.

D'aucuns ont dit que Mgr Charbonneau visait probablement d'une façon particulière le premier ministre Duplessis.

Il est notoire que Mgr Charbonneau et M. Duplessis, dont les tempéraments étaient diamétralement opposés, s'entendaient fort mal. Le premier était un homme droit, franc, trop franc, même. C'est peut-être ce qui l'a perdu.

Ils étaient comme le feu et l'eau. L'archevêque, un jour, serait allé jusqu'à bouter le premier ministre hors de l'archevêché !

En désaccord sur plusieurs points, notamment sur la question syndicale et l'éducation, les deux hommes croisèrent le fer à maintes reprises, en particulier lors de la fameuse grève de l'amiante, en 1949.

À titre de président de la Commission épiscopale des questions sociales, Mgr Charbonneau avait approuvé la déclaration de la Commission sacerdotale d'études sociales intitulée « Secourons les Travailleurs de l'amiante » et, pour venir en aide aux familles éprouvées, avait annoncé une grande collecte. Duplessis ne l'avait pas digéré.

De là à conclure que le premier ministre avait fait limoger l'archevêque de Montréal il n'y a qu'un pas. Mais le chanoine Lionel Groulx dans ses mémoires conclut : « M. Duplessis n'était pas de taille à faire tomber une tête d'archevêque ». Alors...? (Texte publié le 19 novembre 1984)

La Presse *100 ans* d'actualités

Le MEMO prend le pouvoir à la CECM

Une page d'histoire a été écrite aujourd'hui (le 20 novembre 1994) à Montréal. Diane De Courcy, la présidente du Mouvement pour une école moderne et ouverte (MEMO), a remporté la victoire lors des élections scolaires à la CECM, battant son plus proche rival, Étienne Morin, commissaire sortant du Regroupement scolaire confessionnel (RSC).

Le MEMO a aussi fait élire neuf autres commissaires. Le parti de l'opposition prend donc les rennes du pouvoir et la formation non confessionnelle met la main sur la plus importante commission scolaire au Québec, avec plus de 90 000 élèves.

C'est la première fois dans l'histoire de la CECM qu'un parti non confessionnel est porté au pouvoir.

Diane De Courcy

C'EST ARRIVÉ UN 20 NOVEMBRE

1993 — L'Institut de tourisme et d'hôtellerie du Québec, qui a formé une grande partie des cuisiniers québécois, mais aussi des gestionnaires d'hôtels et de restaurants et des agents de tourisme, fête cette année son 25ᵉ anniversaire d'existence.

1985 — Un jury d'une cour de district de Houston a condamné Texaco Inc. à verser 10,53 milliards en dommages et intérêts à la compagnie pétrolière Pennzoil Co. Le jury a estimé que Texaco a volontairement empêché la réalisation d'un accord de fusion passé entre Pennzoil et Getty Oil Co.

1984 — Les conseillers du président Reagan en matière budgétaire lui recommandent de réduire de 50 milliards les dépenses de l'État au cours du prochain exercice fiscal.

1976 — Dans une déclaration froide et laconique d'une durée de 89 secondes, Robert Bourassa annonce sa décision de quitter la direction du Parti libéral du Québec dès le 1ᵉʳ janvier prochain.

1931 — La dette nationale du Canada s'élève à 2 404 321 857 $, révèlent les chiffres publiés lors du lancement de l'emprunt intérieur du gouvernement fédéral au montant de 150 000 000 $.

NUREMBERG: IL Y A 50 ANS

Le 20 novembre 1945 s'ouvrait à Nuremberg un procès sans précédent : pour la première fois, les plus hauts dirigeants d'un État souverain, le Reich nazi, répondaient de leurs crimes devant une cour internationale de justice. Seront prononcées : douze condamnations à mort, trois à la réclusion à perpétuité, quatre à un emprisonnement de dix à vingt ans, trois acquittements.

Vingt-et-un dignitaires du Reich vaincu prennent place dans le box. L'adjoint d'Adolf Hitler, Martin Bormann, est jugé par contumace. L'exécuteur des basses oeuvres et de l'extermination des juifs, Ernst Kaltenbrunner, coudoie les soldats, Alfred Jodl, chef de l'état-major de la Wehrmacht, les amiraux Doenitz et Raeder, qui côtoient eux-mêmes les idéologues Alfred Rosenberg et Julius Streicher.

Depuis 1943, on s'affairait dans le camp allié sur le sort à réserver aux criminels de guerre. Joseph Staline préconisait de passer par les armes 50 000 officiers allemands. Malgré les réticences inavouables, États-Unis, Grande-Bretagne et URSS s'accordaient finalement sur la tenue d'un procès.

Les contorsions juridiques réalisées pour faire entrer le génocide juif dans le jugement jette une ombre sur la procédure. Mais Nuremberg a contribué à donner la mesure des persécutions antisémites et la publicité faite à dessein aux débats confronte l'Allemagne à l'ampleur des crimes commis.

Le jugement est rendu le 30 septembre et le 1ᵉʳ octobre 1946. Les dissensions qui, de bout en bout, ont placé le procès au bord du gouffre, déchirent une dernière fois les juges : sur la culpabilité, sur la condamnation, sur la mise en oeuvre enfin des peines capitales. Même aux soldats, l'humiliation n'est pas épargnée : les condamnés à mort seront pendus, et non fusillés. La sentence est exécutée le 16 octobre, les corps sont incinérés et dispersés dans l'Isar. (**Texte publié le 20 novembre 1995**)

Le château de Windsor, qui abrite la plus grande collection privée d'oeuvres d'art au monde, a été la proie des flammes pendant quatre heures.

Un incendie endommage le château de Windsor

Un important incendie qui s'est déclaré ce matin (le 20 novembre 1992) dans l'enceinte du château de Windsor a été maîtrisé dans l'après-midi, ont annoncé les pompiers. La résidence royale, qui abrite la plus grande collection privée d'oeuvres d'art au monde, a été la proie des flammes pendant quatre heures.

Dans la soirée, une épaisse colonne de fumée noire continuait de s'élever au-dessus du château, où près de 200 pompiers tentaient de limiter les dégâts causés par la fumée et l'eau.

La reine Elizabeth, qui se trouvait au palais de Buckingham, s'est rendue précipitamment à Windsor, à 50 km à l'ouest de Londres, pour constater l'ampleur du sinistre.

Le deuxième fils de la reine, le prince Andrew, qui se trouvait dans les environs quand l'incendie s'est déclaré, s'est joint à la chaine humaine formée par les employés du château et les pompiers pour sauver les objets d'art des flammes.

Collections de tableaux

Le chateau de Windsor abrite la plus importante collection privée d'art au monde, composée notamment de tableaux de Rembrandt, Rubens, Van Dyck et Canaletto, ainsi que de mobilier, de tapisseries et de porcelaine ancienne.

« Je prie pour qu'il ne soit rien arrivé parce qu'il pourrait s'agir de la pire catastrophe touchant notre patrimoine depuis un siècle », a déclaré Roy Strong, ancien conservateur du Victoria and Albert Museum.

Des camions de déménagement ont enlevé les objets placés sur les chemins de gravier. Parmi eux figuraient un buste en bronze de la reine Elizabeth et des portraits d'autres souverains britanniques, appuyés contre un mur.

Deux ouvriers blessés pendant les opérations de secours ont dû être hospitalisés. Trois autres hommes qui avaient inhalé des fumées toxiques ont pu être soignés sur place.

Accroché au sommet d'une colline dominant la Tamise, le château de Windsor a été construit au XIᵉ siècle par la volonté de Guillaume le Conquérant. Le château est une des principales attractions touristiques de Grande-Bretagne, avec 630 000 visiteurs par an.

Noces d'or royales

La reine Elizabeth II, 71 ans, et le prince Philip, 76 ans, ont célébré leurs noces d'or (le 20 novembre 1997). Malgré les orages conjugaux, les époux royaux ont su faire ce que n'ont pas pu imiter leurs enfants : rester mariés pour le meilleur et pour le pire. Le cinquantième anniversaire de mariage du couple royal a été célébré en présence de nombreux invités et têtes couronnées d'Europe.

Les enfants ont le droit de témoigner derrière un écran protecteur

La Cour suprême du Canada confirme la légalité des lois permettant aux enfants de témoigner sur bande vidéo et derrière un écran protecteur dans les procès relatifs à des agressions sexuelles.

Le juge en chef Antonio Lamer a défendu le témoignage enregistré sur bande vidéo comme une « réponse appropriée à la dominance et au pouvoir que les adultes, à cause de leur âge, ont sur les enfants ».

Le témoignage sur bande vidéo protège les intérêts des enfants, rend moins stressante et moins traumatisante leur participation aux procédures judiciaires et aide à préserver les preuves et à découvrir la vérité, a dit M. Lamer.

Le juge L'Heureux-Dubé a soutenu que des instruments comme le témoignage sur bande vidéo sont particulièrement importants à cause de l'inégalité de pouvoir entre la plupart des victimes de sexe féminin et la plupart des accusés de sexe masculin dans les cas d'agression sexuelle.

Dans la cause de l'enregistrement sur bande vidéo, un Manitobain était accusé d'avoir agressé sexuellement sa petite-fille de neuf ans en 1988.

Un enregistrement sur ruban magnétoscopique de l'enfant décrivant les incidents a été utilisé au cours du procès de l'individu. Le Code criminel juge admissible une telle preuve si l'enregistrement a été fait dans un délai raisonnable après la commission du présumé délit et si le plaignant en confirme le contenu en témoignant en personne.

L'individu a été reconnu coupable. La Cour d'appel du Manitoba a renversé la décision, mais la Cour suprême l'a rétablie.

Dans la cause de l'écran protecteur, un habitant de London, en Ontario, est accusé d'avoir agressé sexuellement un garçon de 11 ans en 1988.

L'enfant a témoigné au procès caché derrière un écran protecteur, tel que permis par le Code criminel. Il ne pouvait pas voir l'accusé, mais l'accusé pouvait le voir.

Le juge L'Heureux-Dubé a estimé que l'écran protecteur ne restreint pas la capacité de contre-interroger un enfant. La Cour a maintenu la culpabilité de l'individu. (**Texte publié le 20 novembre 1993**)

Agréable Montréal

Montréal est l'une des trois villes du monde où il est le plus agréable de vivre, les deux autres étant Melbourne, en Australie et Seattle, dans l'État de Washington.

C'est ce qui résulte d'une étude effectuée par le Population Crisis Committee, de Washington, qui a classé 100 grandes agglomérations disséminées dans 45 pays.

L'étude, intitulée « La vie dans les plus grandes métropoles du monde », a établi par ailleurs que les villes présentant les pires conditions de vie étaient Lagos, au Nigéria, Kinshasa, au Zaïre, Kanpur, en Inde, Dhaka, au Bangladesh et Recife, au Brésil. Lagos, par exemple, a obtenu 19 points. (Texte publié le 20 novembre 1990)

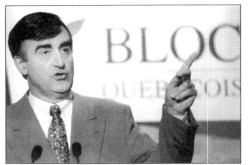

Le chef du Bloc québécois, Lucien Bouchard, a finalement annoncé ce matin qu'il se portera candidat à la présidence du Parti québécois.

Lucien Bouchard deviendra-t-il premier ministre du Québec?

Avec Lucien Bouchard aux commandes, le gouvernement québécois s'occupera d'abord de réconcilier un Québec plus que jamais divisé, de relancer l'économie et d'assainir les finances publiques.

Confirmant qu'il serait candidat à la succession de Jacques Parizeau, le chef bloquiste a repoussé à un avenir plutôt éloigné un prochain référendum sur l'avenir constitutionnel du Québec. Cette consultation, à moins d'imprévus, ne saurait avoir lieu avant la ronde de discussions constitutionnelles déjà prévue pour le printemps 1997.

« J'ai confiance en moi et je pense qu'inconsciemment, toute ma carrière m'a préparé à cela (devenir premier ministre). Je suis presque obligé de plonger et d'accepter le défi. Je pense que je peux faire quelque chose pour le Québec. Si je réussis, je pense que ce sera utile pour tous les Québécois », a confié M. Bouchard.

Il n'est pas question pour l'instant que la famille du chef du Bloc québécois déménage à Québec. Il faudra attendre la fin de l'année scolaire et la fin du bail à Outremont, en juillet. M. Bouchard indique que sa femme et lui décideront plus tard si la famille ira vivre à Québec.

Mais si tel était le cas, ce ne serait pas au 1080, avenue des Braves, résidence officielle de Jacques Parizeau et Lisette Lapointe, qui ne convient pas pour élever des enfants, explique-t-il. (**Texte publié le 21 novembre 1995**)

Équité salariale : le vrai combat commence aujourd'hui

Le 21 novembre 1997 marque la date d'entrée en vigueur de la Loi sur l'équité salariale, une loi arrachée de chaude lutte par le mouvement des femmes pour combler les écarts salariaux qui les séparent des hommes.

Même si cette noble cause est maintenant appuyée par une loi, ce n'est pas aujourd'hui qu'en fait, qu'à travail équivalent, les femmes recevront un chèque de paie égal à celui des hommes.

À l'heure actuelle, l'écart de salaire moyen est d'environ 25 % entre les deux sexes, selon les données gouvernementales. De l'aveu même de la présidente de la toute nouvelle Commission de l'équité salariale, Jocelyne Olivier, la loi ne pourra toutefois combler que le tiers de cet écart, une bonne partie du fossé résultant de la structure du marché du travail et de son évolution historique.

La loi qui entre en vigueur ce matin ne corrigera pas les écarts immédiatement. Les employeurs disposent de quatre ans pour élaborer un programme d'équité salariale identifiant les ajustements requis. Après, ils ont quatre années supplémentaires pour corriger les écarts constatés.

Le rôle de la commission se limite pour l'instant à sensibiliser et informer les employeurs et les employés sur la façon de procéder. Par la suite, elle approuvera les programmes d'équité salariale et, en cas de conflit, elle agira comme arbitre. Ultimement, le Tribunal du travail pourra être appelé à trancher les différends.

Transfert de deux millions d'affamés en l'Éthiopie

L'Éthiopie a entamé une vaste opération de transfert des populations frappées par la famine dans le nord du pays vers les régions plus fertiles du sud.

La mesure pourrait toucher deux millions et demi de personnes. (**Texte publié le 21 novembre 1984**)

La Maison nationale des Patriotes voit le jour

Il ne s'agit pas d'une nouvelle rébellion des patriotes de 1837-38, mais bien de l'ouverture de la Maison nationale des Patriotes à Saint-Denis-sur-Richelieu (le 21 novembre 1988) qui relate une page de notre histoire nationale. La Maison est un lieu de diffusion historique de la période des patriotes de 1837-38 et rend hommage de façon tangible et permanente aux acteurs de cette page de notre histoire.

La princesse Diana

La princesse Diana confesse son infidélité

La princesse Diana s'est confessée sur la BBC dans une interview exceptionnelle où elle a reconnu avoir trompé le prince Charles avec le capitaine James Hewitt et s'est dite déterminée à « se battre jusqu'au bout » pour ses enfants, en leur évitant si possible le traumatisme d'un divorce.

« Je me battrai pour mes enfants, à tous les niveaux », a confié la princesse de Galles, qui refuse le divorce dans leur intérêt, mais qui pour autant ne se voit pas devenir reine d'Angleterre.

« J'aimerais être reine dans le coeur des gens, mais je ne me vois pas reine dans ce pays. Je ne pense pas que l'establishment aimerait me voir reine. Parce que je fais les choses différemment.

« Je n'obéis pas aux règles. J'obéis à mon coeur, pas à ma tête ».

L'amour de son mari pour Camilla Parker-Bowles l'a beaucoup fait souffrir. « Je m'en suis aperçue », l'instinct d'une femme est un très bon instinct — et on me l'a dit. Notre mariage était déjà difficile. Il l'est devenu encore plus. Nous étions trois dans ce mariage. C'était un peu surpeuplé », dit-elle avec un petit sourire.

Pendant la diffusion de l'interview par la BBC, un événement national en Grande-Bretagne, la princesse était à une soirée londonienne, resplendissante dans une longue robe noire, le dos dénudé, cinq rangs de perles au cou, accueillie par d'innombrables crépitements de flashes de photographes. (Texte publié le 21 novembre 1995)

Dix jumeaux dans une école

À l'école de la Résurrection de Brantford, élèves et instituteurs voient double... mais n'en ont pas pour autant besoin de l'intervention d'un opticien. Cinq paires de jumeaux — dont quatre couples univitellins — figurent en effet parmi les 260 écoliers fréquentant l'établissement.

« C'est très difficile de savoir qui est qui », admet le principal, Tom Laracy, qui aime à connaître personnellement le nom de tous ses élèves, surtout qu'il en est à sa première année dans cette école.

« Je ne crois pas avoir entendu parler d'une école ayant plus de trois couples de jumeaux et, l'an prochain, un sixième couple doit s'inscrire chez nous. »

Les jumeaux les plus faciles à reconnaître sont Richard et Chris Blasiak, qui sont en septième année. Non seulement sont-ils des jumeaux dizygotes, mais ils s'habillent différemment et n'ont pas les mêmes goûts et intérêts.

Les jumeaux Jiggens, Tyler et Chris, qui sont en première année, semblent, eux, chacun savoir ce que l'autre s'apprête à faire, même s'ils sont dans une pièce différente du domicile familial.

« Même s'ils sont éloignés l'un de l'autre, dans notre maison qui compte quatre paliers différents, chacun sait lorsque l'autre est en train de boire ou de manger quelque chose », de dire Mme Jiggens.

Contrairement à beaucoup de jumeaux, les jumelles Corner sont nées à une trentaine de minutes d'intervalle l'une de l'autre. Elles se ressemblent tellement que même leurs parents avaient de la difficulté à les départager.

Par ailleurs, lorsqu'on écoute parler Natalie et Alekzandra Przednowek, on croit entendre un écho, comme ceux qui nous assaillent parfois lors d'un appel interurbain. Les fillettes sont en maternelle. Alekzandra est la plus volubile mais, lorsqu'elles répondent à une question, elles le font simultanément et, souvent, en utilisant les mêmes mots. « C'est comme si vous amorciez une seule conversation », explique Charlene Rudyk, une institutrice.

Avec trois paires de jumeaux dans sa classe de première année, Mme Rudyk tente d'identifier des indices — une dent qui manque, des rubans différents — pour identifier qui est qui. (**Texte publié le 21 novembre 1994**)

C'EST ARRIVÉ UN 21 NOVEMBRE

1996 — Depuis 20 ans, la région de Montréal a subi une perte nette de 384 sièges sociaux, au profit de Toronto, précise une étude commandée par le Comité québécois pour le Canada.

1995 — Alors qu'Ottawa privatise le Canadien National, le Canadien Pacifique annonce une restructuration sans précédent qui fait perdre 706 emplois à Montréal, le tiers des 2180 postes touchés en Amérique du Nord. De plus, le siège social du Réseau CP Rail quittera ses locaux montréalais pour s'établir à Calgary.

1990 — Un britannique de 22 ans a été condamné à 50 livres (115 $ dollars CAN) d'amende pour cruauté pour avoir laissé sa tarentule domestique sans rien à manger ni à boire pendant neuf jours.

1988 — Les électeurs canadiens ont reconduit au pouvoir aujourd'hui le gouvernement conservateur du premier ministre sortant, Brian Mulroney.

1984 — La pénurie d'escargots menace la France, premier consommateur mondial (35 000 tonnes), qui essaie d'endiguer ce douloureux phénomène par des importations massives (16 000 tonnes) et la mise en place d'un programme national d'élevage à grande échelle.

1984 — Le « dépliage » des billets de banque déposés dans les boîtes de péage des autobus urbains coûte 64 millions en main-d'oeuvre au Canada chaque année. Il n'en faut pas plus pour amener l'Association canadienne du transport urbain (ACTU) à demander à Ottawa de frapper une pièce d'un dollar en métal.

1984 — Nationair, le nouveau transporteur aérien québécois qui commencera ses opérations le 19 décembre prochain, fera 35 millions de chiffre d'affaires et des profits en 1985, prédit son président Robert Obadia.

1980 — 84 morts dans l'incendie d'un hôtel à Las Vegas.

1974 — L'IRA fait exploser sept bombes à Birmingham : 19 morts et 200 blessés.

1973 — Découverte de cinq appareils d'espionnage électronique à l'Agence de presse libre du Québec.

1968 — Le gouvernement du Québec propose la suppression du sénat provincial et la transformation de l'Assemblée législative en Assemblée nationale.

1961 — Au Congo-Kinshasa, Moïse Tschombé accepte de mettre fin à la guerre de sécession du Katanga.

1960 — Je parle «joual» pour me faire comprendre... mais ensuite je retraduis en FRANÇAIS! — Le frère Untel à la télé.

1959 — L'ex-champion mondial Max Baer meurt à l'âge de 52 ans.

1950 — Dans la guerre de Corée, les Américains se retrouvent à la frontière mandchoue.

1945 — Le général de Gaulle, président du conseil provisoire de France, forme son gouvernement.

1936 — Brillante ouverture du Salon de l'auto à l'édifice Sun Life, devant une foule considérable.

1933 — Le cardinal Rodrigue Villeneuve interdit le communisme soviétique aux catholiques.

1930 — Le capitaine J. Erroll Boyd est de retour au pays après avoir réalisé son rêve de traverser l'Atlantique en avion.

1927 — Une foule immense assiste aux obsèques de M. J.-A.-A. Brodeur, président du Comité exécutif de la Ville de Montréal.

1927 — Une conspiration de criminels est découverte à Chicago et donne lieu à des arrestations sensationnelles.

1920 — Sanglante journée à Dublin où les morts se comptent par dizaines.

L'Université de Montréal est la proie des flammes

Un désastre national qui cependant n'abat pas le courage des autorités universitaires

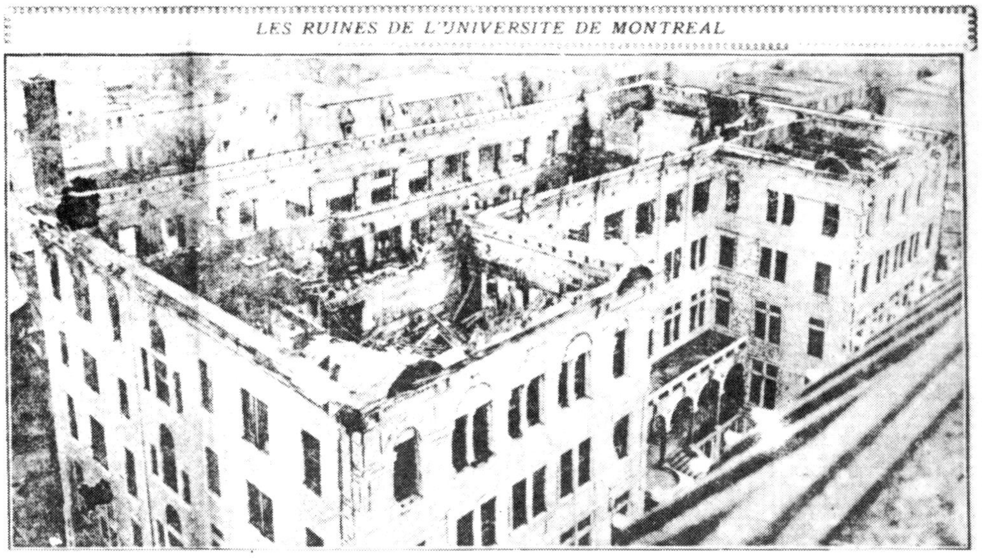

Voici l'apparence qu'avait l'édifice principal de l'Université de Montréal, au lendemain de l'incendie de 1919. Le feu avait causé des dommages aux deux étages supérieurs des ailes nord et sud, et à tous les étages de la partie centrale du bâtiment.

L'immeuble de notre grande maison d'enseignement supérieur, rue Saint-Denis, est la proie des flammes samedi soir et les dommages se chiffrent à plusieurs centaines de mille dollars. — La brigade entière des pompiers est appelée. — Un travail des plus rudes à exécuter pour combattre le feu.

LES COURS REPRENDRONT INCESSAMMENT

L'UNIVERSITÉ de Montréal vient de subir des pertes pratiquement irréparables par l'incendie désastreux qui, samedi soir (le 22 novembre 1919), a causé des dégâts matériels évalués à $250 000 ou $300 000 *(l'université n'était assurée que pour une somme de $150 000, nous apprenait LA PRESSE du même jour)* au superbe édifice et ameublement que cette institution purement canadienne-française possède, rue Saint-Denis, près Sainte-Catherine. Bien des choses précieuses ont été épargnées par les flammes mais, combien d'autres ont été détruites ou sérieusement endommagées par le feu, l'eau et la fumée, qui ne sauraient être remplacées à prix d'argent. C'est une perte quasi nationale que notre province vient de subir et il faudra bien des années pour arriver à remplacer tous les travaux de maîtres qui ont été détruits en quelques heures, dans les deux étages supérieurs de l'édifice.

Cet incendie a été l'un des plus menaçants que l'on ait eus, dans la métropole canadienne, depuis bien des années. Découvertes malheureusement trop tard, les flammes perçaient déjà la couverture, à l'extrémité est de l'aile sud, lorsque la première alarme fut sonnée. (...)

Danger imminent

Le vent soufflait en tempête et poussait les flammes vers le nord-est de l'université où se trouve l'église de Notre-Dame de Lourdes, l'église Saint-Jacques, deux ou trois institutions religieuses et nombre de magasins qui se trouvaient ainsi menacés. Des pièces de bois enflammées, poussées par le vent, pouvaient à tout instant retomber sur l'un de ces édifices et y allumer un nouvel incendie; en somme, tout ce quartier important était menacé de destruction. Le chef de la brigade des incendies n'hésita pas le moindrement, et coup sur coup il donna le troisième appel et l'alarme générale, appelant sur les lieux toutes les casernes, sauf celles des quartiers excentriques. (...)

Dès le tout début, le chef-adjoint Saint-Pierre avait pris sous sa charge la rude tâche de protéger les édifices voisins. Plusieurs équipes d'hommes furent chargées d'arroser les toits et d'établir un voile d'eau, que les flammes ne pourraient franchir, autour de l'église Notre-Dame de Lourdes, qui se trouvait la plus rapprochée de l'université. (...)

Cause du sinistre

Jusqu'ici, il a été impossible de s'assurer de la cause exacte de l'incendie, bien que, généralement on semble porté à croire que ce sont des fils électriques défectueux. Les pompiers affirment que c'est dans l'aile sud, en arrière, que l'incendie s'est déclaré. La rapidité avec laquelle les flammes se sont propagées, partout, à l'étage supérieur s'explique par l'explosion qui s'est produite, dès le début, dans le laboratoire de chimie, situé dans l'aile sud. (...)

Le travail des pompiers a été entravé sérieusement, dès le début. Il a fallu couper tout un réseau de fils électriques, en avant, puis la tour d'eau, la tourette et les pompes siamoises ne pouvaient être installées assez près de l'édifice, à cause de la construction particulière de l'entrée principale. En premier lieu, on avait dressé une couple d'échelles sur la grande galerie en avant, mais, après l'explosion du laboratoire de chimie, les pompiers reçurent l'ordre de ne plus s'y hasarder et ces échelles y furent brûlées. De cet endroit, on pouvait facilement, avec les jets d'eau, atteindre le foyer principal, mais, ce fut encore là une chance enlevée à nos braves pompiers. (...)

Première alerte

Suivant la version de M. W. Caron, concierge et gardien de nuit de l'édifice, c'est en terminant sa tournée d'inspection de 9 heures qu'il découvrit les flammes. Il arrivait au quatrième lorsqu'il vit des étincelles tomber dans le puits de l'ascenseur. Il grimpa rapidement l'escalier conduisant à l'étage supérieur et vit tomber l'ascenseur. C'est alors qu'il courut donner l'alarme. (...)

Immédiatement après avoir sonné l'alarme, M. Caron courut prévenir un certain nombre d'étudiants qui étaient occupés à compter les bulletins d'élection de la faculté de médecine qui avait eu lieu au cours de la journée. (...) Ce fut un sauve qui peut général et plusieurs durent abandonner leurs chapeaux et autres effets. (...)

Au rez-de-chaussée et au premier étage, quelques étudiants et professeurs parvinrent à sauver quelques-uns des objets les plus précieux consistant en peintures, photographies et autres articles qu'il aurait été impossible de remplacer. (...)

L'édifice détruit

La construction de l'université avait été commencée en 1893, peu de temps après que le terrain fut donné par les Sulpiciens; elle fut terminée en 1895, alors que les différentes facultés qui, jusqu'alors avaient été séparées, furent amalgamées. La corporation des médecins et chirurgiens obtint sa charte en 1845 et les premiers cours universitaires furent donnés à l'angle des rues Craig et Saint-Urbain, à l'endroit maintenant occupé par la Montreal Light, Heat and Power. Plus tard, à la suite d'un incendie, l'école fut transportée rue Lagauchetière, puis rue Saint-Antoine. En 1873, les cours furent donnés dans l'édifice en face de l'Hôtel-Dieu, avenue des Pins; en 1891, au château de Ramesay, et enfin, dans l'ancienne Cour du recorder, sur la Place Jacques-Cartier, jusqu'en 1895, alors que le présent édifice fut terminé.

La séparation avec l'université Laval de Québec ne fut obtenue qu'au mois de mai dernier, alors que Sa Grandeur Mgr Bruchési, après maintes démarches, fit directement appel au pape. A Montréal, la nouvelle fut annoncée le 9 mai par Mgr Gauthier.

Chassée du théâtre Saint-Denis à cause du feu à l'Université de Montréal

Au moment où l'incendie se déclarait à l'Université de Montréal, le 22 novembre 1919, Mme Rosalie Couture, se trouvait à quelques dizaines de mètres de là, et nous livre le court témoignage suivant.

J'ÉTAIS au théâtre Saint-Denis avec une cousine lorsque soudainement les lumières s'éteignirent. On est alors venu nous dire de ne pas nous alarmer, qu'il y avait un feu dans les environs, et qu'il nous fallait quitter. On nous dirigea vers la sortie avec des lampes de poche.

Ma cousine et moi nous nous dirigeâmes vers la rue Sainte-Catherine et nous nous arrêtames dans un restaurant situé au deuxième étage. Mais à peine arrivées, on nous demandait de quitter l'établissement; hélas, l'escalier était déjà bondé de gens et nous avons dû rester dans le restaurant.

Les premiers pompiers arrivaient sur les lieux; à cette époque-là, les voitures étaient tirées par des chevaux. Nous fûmes témoins de l'explosion qui brisa les fenêtres par lesquelles s'envolèrent des milliers de feuilles qui virevoltèrent jusqu'à la rue Sainte-Catherine. C'était terrible et triste à voir.

Il devait être 8 heures et demie à notre arrivée au restaurant, et ce n'est que vers 3 heures que nous avons pu le quitter, à cause de la foule qui s'était rassemblée. Nous étions contentes de pouvoir retourner à la maison.

J'étais arrivée à Montréal le 1er novembre 1919. Venant de Saint-Stanislas, près de Valleyfield, je n'avais jamais vu de feu semblable; ça m'avait très impressionnée. Aujourd'hui, malgré mon âge avancée (85 ans), je revois encore le tourbillon de papiers volant dans les airs.

Je suis toujours une fidèle lectrice de LA PRESSE.

C'EST ARRIVÉ UN 22 NOVEMBRE

1997 — Le Canada vient au huitième rang des dix pays les plus pollueurs au monde, révèle une étude de l'Agence internationale de l'énergie.

1989 — Le président René Mouawad est assassiné à Beyrouth-Ouest dans un attentat à la bombe, 17 jours seulement après son élection à la tête du Liban.

1980 — Jules Léger meurt à Ottawa à l'âge de 65 ans, après une longue carrière diplomatique.

1979 — Des manifestants attaquent l'ambassade des États-Unis au Pakistan.

1975 — Juan Carlos devient roi d'Espagne.

1973 — La Cour d'Appel du Québec ordonne la reprise des travaux, à la baie James.

1967 — Adoption à l'unanimité par le Conseil de sécurité de l'ONU de la résolution 242 sur les principes d'un règlement du conflit israélo-arabe.

1957 — Le Maroc et la Tunisie se proposent comme intermédiaire dans la crise franco-algérienne.

1956 — L'ex-premier ministre hongrois Imre Nagy est enlevé par des soldats soviétiques après avoir quitté l'ambassade yougoslave où il s'était réfugié, avec une promesse d'immunité.

1945 — Manifestation de 100 000 Indiens à Calcutta, pour protester contre le colonialisme britannique.

1944 — 70 000 Allemands sont isolés en Alsace.

1941 — L'armée nazie est encerclée en Libye.

1938 — Le ministre de la Propagande d'Allemagne, Paul-Joseph Goebbels inaugure une série de cours sur l'antisémitisme.

1928 — Ivan Michailoff, chef révolutionnaire de la Macédoine, marche sur Sofia, capitale de Bulgarie.

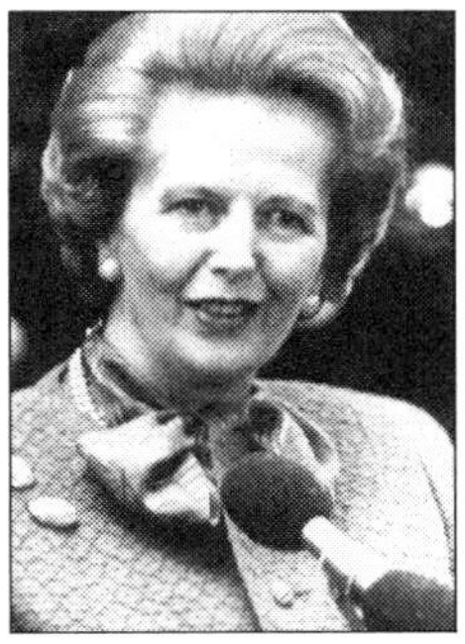

Margaret Thatcher

Mme Thatcher s'en va

Le premier ministre britannique, Margaret Thatcher, au prise avec son propre parti en raison de son opposition agressive à une plus grande intégration européenne, a renoncé à son poste après onze années et demie au pouvoir.

L'ancien ministre de la Défense Michael Heseltine, le secrétaire au Foreign Office Douglas Hurd, et le chancelier de l'Échiquier John Major, briguent la succession de la Dame de fer. (**Texte publié le 22 novembre 1990**)

Cinq ministres du cabinet Lévesque démissionnent

La crise que traverse le gouvernement Lévesque a pris des proportions dramatiques, lorsque cinq ministres, dont celui des Finances, M. Jacques Parizeau, ont remis leur démission.

D'autre part, les députés de Saint-Jean et des Deux-Montagnes, MM. Jérôme Proulx et Pierre de Bellefeuille, ont quitté le groupe parlementaire péquiste et siégeront désormais comme indépendants.

Les autres ministres démissionnaires sont M. Camille Laurin (Affaires sociales), M. Jacques Léonard (Transports), Mme Denis LeBlanc-Bantey (Condition féminine) et M. Gilbert Paquette (Science et Technologie).

Ils partent tous parce qu'ils sont incapables de se rallier à la proposition faite lundi par M. René Lévesque de mettre en veilleuse l'option souverainiste du Parti québécois.

« Votre texte, écrit par exemple Jacques Parizeau, remet en cause un objectif qui me paraît toujours nécessaire, et dont huit ans de travail ministériel n'ont fait que confirmer le caractère essentiel. » (**Texte publié le 22 novembre 1984**)

Kennedy : la thèse du complot hante encore les esprits

C'est la mafia ; c'est Fidel Castro ; c'est le KGB ; c'est l'extrême-droite ; c'est l'extrême-gauche ; c'est le gouvernement. Trente ans après l'assassinat de John Fitzgerald Kennedy, le 22 novembre 1963 à Dallas, les Américains tentent en vain de percer le plus épais mystère de leur histoire, avec pour seule certitude que le meurtrier présumé, Lee Harvey Oswald, n'a pas pu agir seul.

Si la famille de l'ancien président des États-Unis a admis la version officielle de la Commission Warren, désignant Oswald comme un malade mental solitaire, une large majorité d'Américains estime qu'il ne fut que le pion d'un complot dont les instigateurs restent inconnus.

Une semaine après l'attentat, un sondage de l'Institut Gallup montrait que 29 pour cent des personnes interrogées admettaient la thèse d'un acte isolé. En 1988, pour le 25e anniversaire de l'assassinat, une autre enquête d'opinion révélait que seuls 13 pour cent croyaient encore à la culpabilité exclusive d'Oswald. Un sondage, réalisé par l'Associated Press début novembre 1993 arrivait à 15 pour cent.

L'an passé, Bill Clinton et Al Gore ont, eux-mêmes, admis avoir des doutes sur les conclusions de la Commission Warren. La raison de ce scepticisme apparaît évidente : l'affaire n'est pas plausible.

En résumé

Un ancien Marine de 19 ans se réfugie en URSS en pleine Guerre froide. Il épouse une Russe et trois ans plus tard (1962), les autorités soviétiques l'autorisent à rentrer dans son pays.

Il s'installe à Dallas et le jour où le président visite la ville, il parvient à se faufiler avec un fusil sur son lieu de travail qui surplombe la route du cortège présidentiel.

Il fait feu à trois reprises. Une balle tue le président et blesse le gouverneur du Texas John Connally. Ensuite, malgré l'important dispositif de sécurité, il quitte à pied les lieux du crime.

Deux jours plus tard, il est arrêté dans un cinéma de quartier et emprisonné. Au moment de son transfert vers une autre prison, un patron de boîte de nuit, Jack Ruby, connu pour ses liens avec la mafia, le tue à coups de pistolet sous les yeux de la police.

Cela paraissait absurde il y a 30 ans. Cela l'est encore plus aujourd'hui. (**Texte publié le 22 novembre 1993**)

223 SUFFRAGETTES SE RETROUVENT EN TAULE

Deux cent vingt-trois des suffragettes qui ont tenté inutilement d'envahir le parlement hier soir, ont comparu ce matin, devant la cour de police.

Elles ont été condamnées à payer une amende ou à passer quinze jours, trois semaines ou un mois en prison.

Toutes ont refusé de payer l'amende.(**Texte publié le 22 novembre 1911**)

Les Méfaits des Grands Chats de la Jungle Asiatique

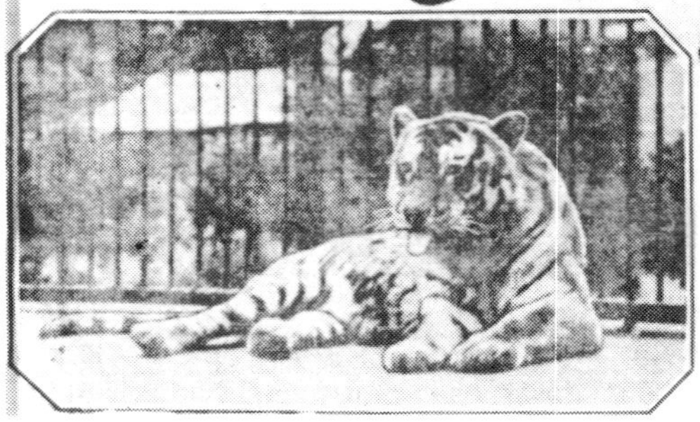

Les méfaits des tigres dans l'Hindoustan et les victimes qu'ils font.–Aventure dramatique d'un savant explorateur, le docteur Joseph Rock.–Comment s'effectue la chasse de ces grands carnassiers.–Le tigre manque à nos audacieux nemrods.–Une anecdote amusante.–Une aubaine... attrayante.–Le klakson le mit en fuite.

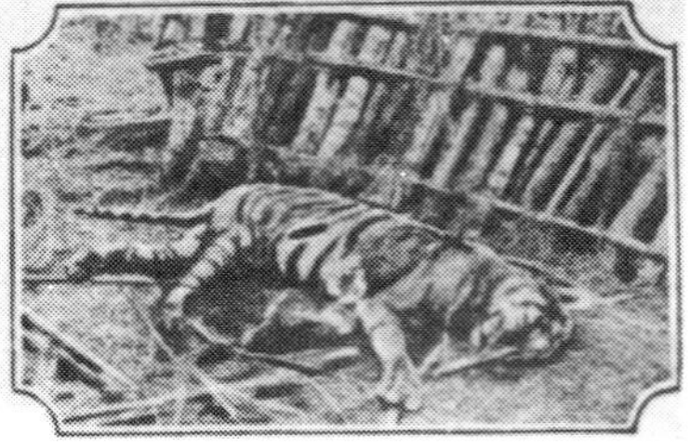

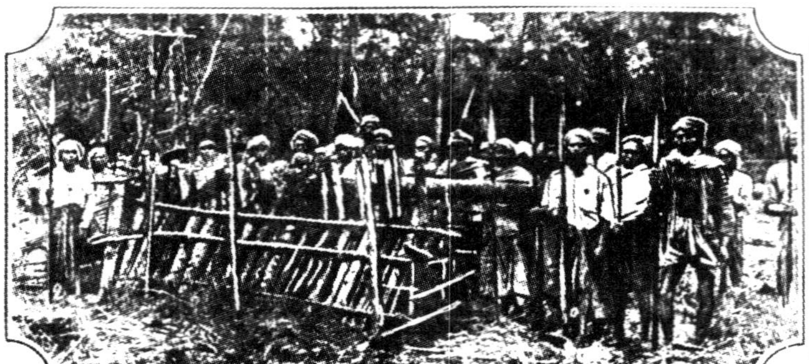

*Ce reportage spécial publié dans LA PRESSE du **23 novembre 1929** trouve son intérêt d'abord dans le fait qu'il s'agissait d'une collaboration spéciale d'un certain Victor Forbin, et ensuite dans le fait qu'il démontre que LA PRESSE, dans son désir d'informer et de contribuer aux connaissances générales de ses lecteurs, savait à l'occasion leur offrir de ces reportages à faire rêver. En voici donc de larges extraits.*

(spécial à LA PRESSE)

COMME elle le fait chaque année, la presse anglo-indienne vient de publier une statistique officielle sur les méfaits des bêtes féroces qui pullulent encore dans l'Hindoustan: elle nous signale que les tigres, pour leur part, on égorgé plus de cinq milles indigènes.

Il semblerait que l'humeur sanguinaire de ces grands chats ne saurait donner lieu à discussion; et c'est tout le contraire qui se produit, selon que vous interrogiez un nemrod de retour des Indes anglaises ou un chasseur qui revient de l'Annam, du Cambodge ou du Tonquin (sic).

Le premier vous dépeindra le tigre sous de bien noires couleurs: le plus redoutable des carnassiers, un monstre épris de carnage, et qui tue pour le plaisir de tuer. Le second (s'il n'a pas en lui l'étoffe d'un Tartarin de Tarascon!) proclamera non moins éloquemment que c'est la bête la plus timide, la plus poltronne, de la faune indochinoise. Lequel a raison? Malgré qu'ils se contredisent aussi violemment, les deux verdicts sont, l'un et l'autre, l'expression de la vérité! Et je vais tenter d'expliquer ce mystère qui veut que le tigre, très féroce aux Indes, soit quasi inoffensif dans le pays voisin.

Les témoignages sur les habitudes agressives et meurtrières du tigre indien sont innombrables. Je n'exagère pas en disant que la présence d'un seul de ces félins terrorise tout un district. Les paysannes n'osent plus s'éloigner de leurs demeures, soit pour aller à la source proche, soit pour cueillir fruits et légumes sur la plantation de la famille. Elles ne se déplacent que sous la protection d'une escorte armée. (...)

En Indochine

Par contre, il est très rare que l'on signale en Indochine, une mort d'homme due à ce roi des félins. J'ai interrogé sur ce sujet (...) de nombreux Français qui ont passé plusieurs années dans cette colonie, et tous m'ont affirmé qu'aucun cas de ce genre n'était venu à leur connaissance. (...)

Mon cher gendre, soit dit en passant, termine sa septième année de Cambodge. (...) Il me permettra de dire ici qu'il n'ajoute pas à sa collection de mérites et de qualités un tempérament de nemrod. Il m'en a fourni la preuve dans les circonstances suivantes:

Il était parti de bon matin de Phnom-Penh, la capitale, pour inspecter les travaux de construction d'une route dans un district écarté. Son automobile s'enlise dans la boue. Le chauffeur et le boy, Annamites l'un et l'autre, descendent pour dégager le véhicule. Soudain, un tigre apparaît à 50 mètres de distance, avance encore, pousse un rugissement sourd, puis bat en retraite, d'un pas lent.

Eperonnés par une vision à laquelle ils ne trouvaient rien de bien réjouissant, les indigènes se sont hâtés de remettre la voiture d'aplomb. La voilà qui file aussi rapidement que le permet le terrain... jusqu'à la nouvelle panne! Cette fois, il s'agit d'un banc de sable sur lequel les roues patinent. Et, comme les voyageurs vont mettre pied à terre pour unir leurs efforts et aider la voiture à démarrer, un tigre de grande taille surgit à vingt pas d'eux et se plante effrontément au beau milieu du chemin!

L'armement de mon estimable gendre se limitait... à un canif et à une lime à ongles! Je crois pouvoir certifier qu'il n'éprouva pas une frousse trop aiguë en cette minute tragique! Mais convenez que d'autres, à sa place, auraient été excusables de trembler dans leur peau! Finalement, à grand renfort de trompe et de klakson (sic), le Seigneur de la Jungle fut mis en fuite. (...)

Que de gibier!

Il me faut expliquer maintenant pourquoi le tigre modifie ses habitudes, d'un pays à l'autre. En principe, il partage avec tous les animaux sauvages la peur instinctive de l'homme. Pour qu'il ose s'attaquer à lui, il doit y être poussé par un concours de circonstances, dont la principale est l'âge. Oui! Il acquiert ce courage sur le tard, quand il est devenu un... vieillard de tigre! (...)

Tant qu'il garde la plénitude de ses forces, le tigre ne s'alimente que de gibier. Pour s'emparer d'un cerf, d'un daim, d'un sanglier, il lui faut exercer un effort relativement considérable. (...)

Cet effort lui devient très pénible quand l'âge a roidi ses muscles: il rate son coup de plus en plus fréquemment. Un jour vient où la faim qui le tenaille lui donne l'audace de s'approcher d'un village de la jungle. Vient à passer un enfant qui revient de la source proche. L'affamé le cueille, et ce premier festin, accompli sans risques ni fatigues, marque le tournant de sa carrière: c'est un nouveau «mangeur d'hommes» qui se met sur les rangs. (...)

Ces deux conditions (raréfaction du gibier et rapprochement des villages de la jungle) ne se sont pas encore réalisées en Indochine, beaucoup plus giboyeuse que l'Hindoustan, et qui est loin d'être surpeuplée. Les tigres peuvent donc y rester débonnaires: leur panse pleine leur en donne le droit!

Victor FORBIN

LE VOL DE SAINT-LIBOIRE

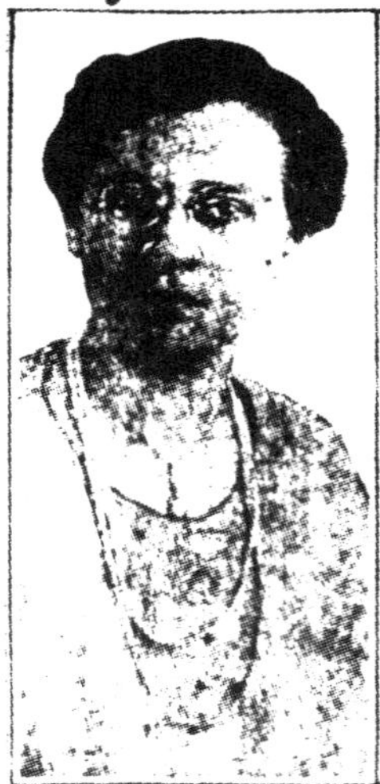

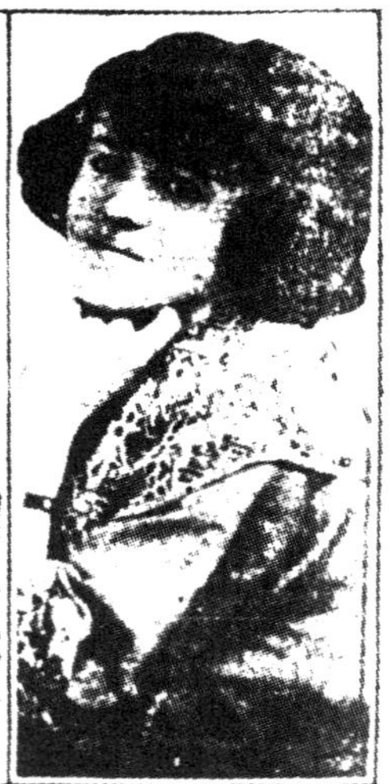

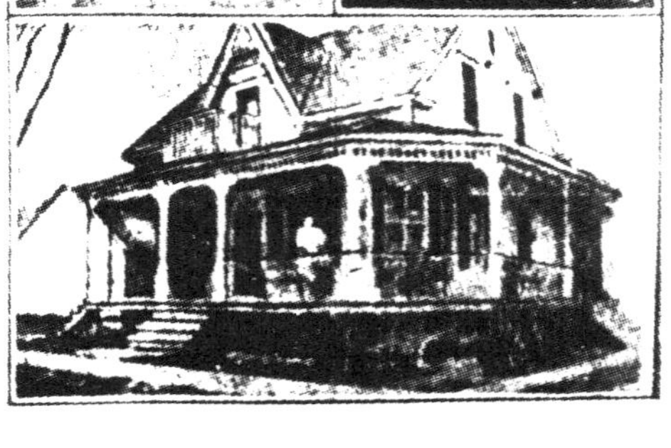

Une affaire invraisemblable

Le petit village de Saint-Liboire a été le théâtre d'une affaire absolument invraisemblable au cours du mois de **novembre 1923.** L'affaire commença dans la nuit du 5 au 6 novembre, alors que sur le coup de minuit, trois cambrioleurs dévalisaient la succursale de Saint-Liboire de la Banque nationale, en s'en prenant à Mlle Olivine Dupont, gérante de la succursale, et à sa nièce Flavienne, lesquelles habitaient un logement sous le même toit que la succursale bancaire. Deux jours plus tard, pour illustrer l'événement, LA PRESSE proposait le montage photographique qu'on trouve ci-dessus, montrant la bâtisse où l'incident s'est produit et les *deux jeunes filles* (l'épithète « jeune » peut surprendre, Olivine (à gauche) étant la tante de l'autre, mais elle n'avait que 26 ans, quatre de plus que sa nièce, celle qui adopte la pose artistique).

Banal! direz-vous sans doute. Ce serait certes le cas si tout s'arrêtait là. Sauf que 17 jours plus tard, le 23 plus précisément, trois bandits masqués, possiblement les mêmes que la première fois, revenaient répéter leur « exploit », mais en y ajoutant la violence, sans doute à cause de la présence sur les lieux de M. Eugène Dupont, le frère d'Olivine, qui avait tenté de s'interposer. M. Dupont et Flavienne eurent à subir les pires sévices aux mains des apaches, et on a longtemps craint pour la vie de Flavienne. Et que publia LA PRESSE pour illustrer ce deuxième vol ? Eh oui, vous avez vu juste- ...le même montage photographique que 17 jours plus tôt!

Vieillir n'est pas nécessairement dégénérer

Des chercheurs de l'université de Sherbrooke s'efforcent de présenter une nouvelle approche du vieillissement : celle de l'actualisation de soi que deux psychologues américains, Abraham Maslow et Carl Rogers, ont popularisée. L'actualisation de soi, c'est la capacité de chacun de développer son potentiel psychologique et de l'exercer dans les diverses situations de la vie.

Plutôt que de marquer un déclin, le troisième âge est un temps de croissance, de dynamisme, d'intégration des possibilités de la personne. Considérer cette étape de la vie comme une phase de dégénérescence est une fausse perception à classer au rayon des mythes avec le préjugé de la personne âgée incapable d'apprendre, tournée vers le passé, solitaire et dépendante.

Pour le chercheur Gilbert Leclerc, directeur du programme d'enseignement et de recherche en gérontologie à l'Université de Sherbrooke, les principaux traits des personnes âgées qui s'actualisent bien sont : vivre magnifiquement bien le temps de grande liberté que donne la retraite et faire montre de créativité dans la manière d'organiser le temps libre.

Elles regardent le passé sans aigreur et avec une grande satisfaction de ce qu'elles ont accompli. Leur attitude face à l'avenir est positive : elles ne condamment pas les valeurs différentes de la société et ne craignent pas la mort. En général elles sont très actives aux plans physique, intellectuel et social.

Bref, vieillir n'est pas nécessairement synonyme de dégénérescence. M. Leclerc croit que les personnes âgées peuvent se maintenir alertes à tous points de vue jusqu'à ce que leur infrasttucture se mette à décliner. Cette cassure peut se produire entre 75 et 85 ans et entraîne alors une détérioration psychologique.

Le troisième âge, renchérit M. Leclerc, founit aux personnes âgées l'occasion de trouver le rôle qu'aucun autre groupe d'âge ne peut remplir à leur place. « Ce rôle consiste à rappeler au monde que les valeurs de l'être priment sur celles de l'avoir, que le développement global de la personne est plus important que le développement professionnel et que la collaboration, le partage et l'amitié l'emportent sur le rendement, l'efficacité et la compétition. » (**Texte publié le 23 novembre 1991**)

Des banques de sang personnelles

Des milliers de Canadiens mettent sur pied de véritables petites banques de sang personnelles parce qu'ils craignent de contracter le virus du sida lors d'une éventuelle transfusion sanguine, expliquent des porte-parole de la Croix-Rouge.

Près de 3000 donneurs ont ainsi emmagasiné 6519 unités de sang en un an dans les centres canadiens de la Croix-Rouge, précise le Dr Roslyn Herst, directrice médicale de la Croix-Rouge à Toronto.

Tous ces donneurs prévoyaient qu'ils allaient bientôt avoir à subir une opération chirurgicale impliquant une ou plusieurs transfusions sanguines.

« La qualité des dons de sang dépend de l'honnêteté des donneurs... Mais les réserves de sang canadiennes sont parmi les plus sûres du monde », rappelle Mme Herst.

Les inquiétudes à propos de la qualité du sang recueilli par la Croix-Rouge se sont multipliées après la demande d'enquête de la Société d'hémophilie du Canada dans l'affaire du sang contaminé administré à des milliers d'hémophiles au début des années 80.

Depuis 1985, tous les dons de sang à la Croix-Rouge passent un test qui détermine si le donneur est porteur de l'anticorps HIV.

La contamination par le biais d'un donneur récemment contaminé par le HIV reste cependant possible, parce que le test de la Croix-Rouge détecte l'anticorps HIV, et non le virus lui-même, indique Roslyn Herst. (**Texte publié le 23 novembre 1992**)

Nouveau gouverneur général

Le sénateur libéral Roméo LeBlanc deviendra le 25e gouverneur général du Canada, succédant à l'actuel gouverneur général Ray Hnatyshyn en février.

M. LeBlanc est le premier Acadien à occuper ces fonctions et le premier gouverneur général des provinces atlantiques.

Il s'est dit « heureux » de sa nomination, indiquant son intention de voyager partout au Canada pour rencontrer le plus grand nombre possible de Canadiens. (**Texte publié le 23 novembre 1994**)

C'EST ARRIVÉ UN 23 NOVEMBRE

1998 — Le Dow Jones clôture à 9 374,27, en hausse de 214,72 points ou de 2,34 %. En six semaines, le Dow Jones a donc réussi une remontée d'environ 26 %, un exploit qui semblait impensable même pour les plus optimistes.

1986 — Mme Elzire Dionne, la mère des célèbres quintuplées Dionne, est morte à l'hôpital civique de North Bay en Ontario, à l'âge de 77 ans.

1976 — André Malraux s'est éteint ce matin, à l'âge de 75 ans, à l'hôpital Henri-Mondor, de Crétell.

1979 — Fin de la grève dans les hôpitaux du Québec.

1974 — Le président Gerald Ford rencontre Leonid Brejnev, à Vladivostok, où ils s'entendent sur un accord de principe pour la limitation des armements stratégiques (accords « Salt »).

1973 — La junte militaire chilienne restitue cent entreprises nationalisées au secteur privé.

1973 — La pénurie du pétrole s'aggrave à Montréal.

1970 — Le pape Paul VI décide d'exclure des élections pontificales tous les cardinaux âgés de 80 ans et plus.

1968 — Recrudescence des combats au sud et dans la zone démilitarisée du Vietnam.

1967 — Les États généraux du Canada français réunissent 2 500 délégués à Montréal.

1959 — Les syndicats cubains rejettent le plan d'unité ouvrière de Fidel Castro en élisant des non-communistes au sein du comité exécutif de la Fédération syndicale de Cuba.

1956 — Déportation en Roumanie de l'ex-premier ministre hongrois Imre Nagy.

1945 — Le général de Gaulle propose à l'Assemblée constituante française de procéder à la nationalisation de l'électricité et des assurances.

1945 — Fin du rationnement aux États-Unis, à l'exception du sucre.

Projet d'agrandissement pour le marché Bonsecours

Plan d'agrandissement du marché Bonsecours préparé par MM. Resther et Gohier, et qui vient d'être enregistré au bureau des brevets, à Ottawa.

Reproduction intégrale du texte paru dans LA PRESSE du 24 novembre 1902. On notera sans doute le style parfois très échevelé et presque télégraphique de l'auteur du texte.

UNE dépêche d'Ottawa, ce matin, nous apprend que M. Z. Resther, architecte, de Montréal, a fait enregistrer, au bureau des brevets, un plan photographié du projet d'agrandissement du marché Bonsecours. Nous publions ce plan aujourd'hui.

Voici quelques notes explicatives accompagnant le plan projeté pour l'agrandissement du marché Bonsecours par Edouard Gohier et J. Z. Resther.

Cette construction sera en acier sur des piliers en maçonnerie de pierre et ciment sur fondation en béton et asphalte, certaines parties en verre et chaînes en granit gris, le bord de cette plateforme sera appuyé sur le mur de revêtement tout récemment fait par le hâvre.

La charpente des couvertures sera en acier, elles seront recouvertes en cuivre et en verre, ces couvertures seront supportées par des colonnes en acier superposées sur les colonnes supportant les planchers ; cette plateforme sera faite de niveau avec le principal plancher du marché Bonsecours ou étage des bouchers.

Ce projet ne comporte aucune expropriation, vu que le tout sera construit au-dessus des rues. Il y aura des rampes pour arriver à ce niveau et en descendre, une à la place Jacques-Cartier, une à chaque bout du marché, et au besoin à la rue Berri, etc., ce qui facilitera l'arrivée et le départ des commerçants à n'importe quel temps de la journée, vu qu'il y aura un espace libre de 10'0'' de largeur entre les parties couvertes, afin de permettre à ceux qui auraient vendu leurs produits de bonne heure de s'en aller quand ils le désireront.

Le public pourra arriver sur cette plateforme en passant par le marché et par le fait, évitant de monter et de descendre des escaliers ; de plus, sur le rebord de cette plateforme, immédiatement au-dessus du mur de revêtement, il y aura une promenade de 12 à 15 pieds de largeur, permettant aux étrangers et au public en général d'aller visiter notre port même les jours de marché et, par ce fait, dotant la ville d'une superbe place publique dans cette localité, cette partie de la rue des Commissaires étant couverte, pourra être tenue bien propre et ne sera plus un marécage comme cela a été depuis des années.

Les cultivateurs venant vendre leurs produits auront l'avantage de louer des places à l'année, leur permettant par conséquent d'arriver quand il leur plaira et d'en repartir de même et sans encombrement.

La ville en louant des places à l'année s'assurera un joli revenu en cas de pluie ou orage, chevaux et voitures sont à l'abri, vu que les couvertures seront faites en conséquence ; une partie des couvertures et des plateformes sera finie en verre afin de bien éclairer la partie en dessous de la plateforme.

Ce projet peut être construit en trois sections, la première vis-à-vis le marché ; la seconde, de la place Jacques-Cartier au marché ; et en troisième lieu, de la rue Victor à la rue Berri, et ce, au fur et à mesure que le besoin se fera sentir.

Si ce projet était mis à exécution, il pourrait accommoder 800 voitures aujourd'hui, il est impossible de placer sur la place Jacques-Cartier plus de cinq cents, et quand il y a ce nombre, il est impossible de circuler, ce qui n'arriverait pas avec le projet ci-contre tous les autres projets qui ont été soumis à la cité, obligeraient à exproprier à grands frais autour du marché et ne pourraient pas donner d'accommodations pour plus de cinq cents (voitures).

Il faut déjà agrandir le casino: 75 millions

Le gouvernement Bourassa a donné son approbation de principe à un agrandissement important du casino de Montréal et de son stationnement. L'investissement serait de l'ordre de 75 millions.

Le Conseil des ministres du gouvernement Bourassa a donné son approbation de principe à un agrandissement important du casino de Montréal et de son stationnement, un investissement pouvant atteindre 75 millions.

La titulaire des Finances, Monique Gagnon-Tremblay, a obtenu le feu vert du gouvernement pour lancer des appels d'offres pour ces travaux majeurs, rendus nécessaires par le succès inespéré de l'établissement de l'île Notre-Dame.

L'aval du gouvernement sera conditionnel toutefois à l'importance de la facture à payer. Il s'attend à des propositions de l'ordre de 75 millions, selon l'ampleur des travaux — le casino et son stationnement souterrain en ont déjà coûté une centaine.

D'importantes agences de voyages américaines se disent prêtes à augmenter le nombre de départs vers Montréal, à la condition que le casino puisse plus facilement recevoir leurs clients. L'achalandage du casino est tel depuis l'inauguration, en octobre, qu'une heure après l'ouverture des portes, le stationnement de mille places est pratiquement plein.

Le pont de la Concorde sert actuellement de stationnement de fortune, une situation que ne pourra tolérer longtemps la Ville de Montréal, a-t-on expliqué au Conseil des ministres.

On compte aussi augmenter le nombre des tables de jeu en ouvrant le troisième étage de l'édifice, actuellement inoccupé. Il n'est pas exclu qu'on construise même un étage supplémentaire dans cet ancien pavillon de la France à l'Expo 67. (Texte publié le 24 novembre 1993)

Le PQ doit changer, dit Lucien Bouchard

Le Parti québécois doit changer, mettre fin aux débats acrimonieux sur les droits des anglophones a prévenu le premier ministre Lucien Bouchard, après avoir dû mettre son poste en jeu, pour convaincre ses militants de renoncer au retour de l'unilinguisme français dans l'affichage.

Au terme d'un congrès très éprouvant, un « baptême du feu », a-t-il dit, la voix serrée par l'émotion, M. Bouchard a dissipé le doute qu'il laissait planer depuis que, samedi, un militant sur quatre avait refusé de l'appuyer au vote de confiance. Il entend rester à la barre, et estime que ses brefs états de service au PQ lui confèrent, « l'avantage de la nouveauté des angles ».

« Je voudrais que la perception du Parti québécois soit celle d'un parti plus ouvert. Elle gagnerait certainement à des débats qui tournent moins souvent sur les discussions sur les droits des minorités », insiste-t-il. Quelques heures plus tôt, il avait clairement mis son poste en jeu pour faire battre de façon significative — aux deux tiers — la résolution pilotée par les péquistes des 31 comtés de Montréal qui réclamait le retour à l'affichage unilingue français. M. Bouchard a sans détour soutenu qu'il se sentirait « apatride », dans un parti qui prônerait l'utilisation de la clause dérogatoire, nécessaire à la prohibition de l'anglais.

« Un jour, il serait bon qu'on n'ait pas à voter sur des choses aussi évidentes que la démocratie, l'égalité des citoyens quelle que soit leur langue, leur origine », a-t-il dit sans ménagement, à la clôture du congrès.

Une fois les décisions prises, « le parti doit serrer les rangs, derrière son gouvernement, son programme et son chef », a dit M. Bouchard. (Texte publié le 24 novembre 1996)

CETTE VACHE DETIENT LE CHAMPIONNAT DU MONDE

LA PRESSE du 24 novembre 1923 saluait *Carnation,* **une vache qui venait de remporter le championnat du monde avec une extraordinaire production de 35 550 livres de lait, ou 20 fois son propre poids. On peut apercevoir sur la table sa production d'une journée, soit 48 pintes de lait, mais elle a déjà atteint un sommet inégalé de 63 pintes en une journée, soit près de 16 gallons de lait. Elle pose en compagnie de son propriétaire, M. E.-A. Stuart. La légende de l'époque ne précise pas si ce dernier aimait le lait...**

C'EST ARRIVÉ UN 24 NOVEMBRE

1985 — Au moins 50 personnes ont été tuées, dont les 5 pirates, lors de l'assaut donné par des forces d'élite égyptiennes, contre le Boeing 737 d'Egypt Air détourné par cinq pirates de l'air.

1980 — Un séisme, le pire en 65 ans en Italie, touche 170 villages et fait plus de 3 000 morts.

1976 — Un tremblement de terre ébranle la Turquie, causant 3 600 morts et laissant 150 000 personnes sans abri.

1965 — La vente de l'alcool est désormais permise à Verdun.

1963 — Jack Ruby abat Lee Harvey Oswald, le présumé assassin du président Kennedy, sous les yeux de la police.

1961 — L'ONU proclame l'Afrique « zone non nucléaire ».

1960 — Le maire Drapeau est en voyage en Europe à la recherche de capitaux pour le métro.

1956 — Un avion s'écrase sur un village français, causant la mort de 34 de ses 36 occupants, dont le jeune chef d'orchestre et protégé de Toscanini, Guido Cantelli.

1955 — Le vice-amiral Byrd quitte San Francisco, en direction de l'Antarctique, pour y installer une base permanente dans le cadre de l'Année géophysique internationale.

1955 — La Commission d'urbanisme de Québec classe comme monument historique la maison Montcalm, que son propriétaire voulait démolir.

1954 — M. Pierre Des Marais I est élu président du comité exécutif de la Ville de Montréal.

1947 — L'académie Saint-Michel est entièrement détruite par un incendie à Jonquière ; les dégâts se chiffrent par $200 000.

1945 — La situation s'aggrave à Java; les Britanniques déciment les rangs des indigènes.

1944 — Le Rhin est franchi par les Américains et les Français devant Strasbourg.

1929 — Décès de Georges Clémenceau, homme politique français de renom qu'on avait surnommé « le Tigre ».

1929 — À Saint-Pierre de Rome, une femme fait feu sur le vicaire apostolique de Norvège, Mgr Smit.

La Chambre des lords refuse l'immunité au général Pinochet

Les juges de la Chambre des lords ont asséné un coup de massue judiciaire au général Augusto Pinochet le jour de son 83e anniversaire (**le 25 novembre 1998**). Ils ont estimé qu'aucune immunité ne protégeait l'ex-dictateur chilien d'une arrestation en vue de répondre des accusations de génocide, torture et terrorisme.

Cette décision, qui a surpris les observateurs et qui pourrait faire jurisprudence en droit international, confirme donc la légalité de l'arrestation du général Pinochet, le 16 octobre dans un hôpital londonien. Elle signifie que le sénateur à vie reste en détention en attendant la décision sur son éventuelle extradition réclamée en premier lieu par l'Espagne, une procédure qui pourrait prendre des mois.

Après l'Espagne, la France, la Suisse et la Belgique ont également demandé l'extradition de l'ancien dictateur. Dans sa demande officielle d'extradition, le juge espagnol Baltasar Garzon met en cause l'exdictateur dans 3178 meurtres ou disparitions. Le gouvernement chilien lui-même avance le chiffre de 3000 meurtres ou disparitions pendant les 17 ans de règne du général Pinochet, 1973 à 1990.

Augusto Pinochet

Les jeunes Canadiennes peu portées sur le petit déjeuner

Bien des Canadiens — particulièrement les jeunes femmes — ne quitteraient pas leur lit du bon pied, comme en font foi les données recueillies au cours d'une étude nationale sur les habitudes de santé.

En effet, 18 pour cent des personnes interviewées au cours de l'étude effectuée en 1990 ont déclaré n'avoir rien pris si ce n'est, peut-être, un thé ou un café, comme petit déjeuner au cours des sept jours précédents. Et, parmi les femmes âgées de 20 à 24 ans, 27 pour cent d'entre elles ont dit s'être entièrement passées de petit déjeuner.

Presque un adulte sur cinq ne commence donc pas sa journée correctement, a indiqué Cora Lynn Craig, présidente de l'Institut de recherche sur la bonne forme et le mode de vie.

Les recherches permettent de constater que les gens se concentrent et travaillent beaucoup mieux lorsqu'ils ont pris un bon petit déjeuner, a-t-elle dit.

Les Canadiens se classent toutefois devant les Américains en ce qui a trait au petit déjeuner. Seulement 56 % des Américains ont pris un petit déjeuner régulièrement en 1990, comparativement à 74 % des Canadiens. (**Texte publié le 25 novembre 1993**)

Raymond Villeneuve

L'ex-felquiste Villeneuve rentre au Québec après 16 ans d'exil

Un des derniers membres du Front de libération du Québec vivant encore en exil, Raymond Villeneuve, est revenu à Montréal en provenance de Paris, se livrant immédiatement à la police.

L'ancien felquiste, maintenant âgé de 41 ans, avait été condamné à 12 ans de prison en 1963 pour avoir posé des bombes, dont l'une a tué un veilleur de nuit de l'armée canadienne.

Après avoir purgé sa peine pendant quatre ans, il avait été libéré sur parole, mais il rompait bientôt les conditions de libérations en quittant le pays.

L'ancien felquiste sera transféré cette semaine dans un centre de détention fédéral en attendant d'être entendu par la Commission des libérations conditionnelles, qui déterminera le nombre d'années qu'il lui reste à purger. (**Texte publié le 25 novembre 1984**)

Robert Jobin, de La Baie, montre les dommages causés à sa maison par le tremblement de terre dont l'épicentre se trouvait à peu de distance de là, dans le parc des Laurentides.

Un séisme secoue tout le nord-est du continent

Tout l'est du Canada et une partie des États-Unis ont été secoués par le plus fort tremblement de terre depuis 50 ans, qui a atteint 6,25 sur l'échelle de Richter.

Au Québec, plusieurs régions ont été plongées dans l'obscurité et privées de services téléphoniques à la suite de la secousse dont l'épicentre se trouvait dans le parc des Laurentides, à 35 km au sud de Chicoutimi et à dix km sous la croûte terrestre. (**Texte publié le 25 novembre 1988**)

« Attention », disent les jumelles Dionne aux parents des septuplés

Rappelant leur enfance difficile, les trois jumelles Dionne toujours en vie ont averti les parents des septuplés d'Iowa, nés il y a six jours, des périls de la célébrité.

La vie des sept enfants de Kenny et Bobbi McCaughey « ne devrait pas différer de celle des autres enfants », plaident Annette, Cécile et Yvonne Dionne dans une lettre publiée dans le premier numéro de décembre du magazine *Time*. « Des naissances nombreuses ne devraient pas être confondues avec le spectacle, pas plus qu'elles ne devraient permettre de vendre des produits », écrivent les soeurs de 63 ans.

Conçues avant les traitements de l'infertilité, les cinq jumelles identiques sont nées le 28 mai 1934 près de North Bay, en Ontario. Pesant moins de deux livres chacune, elles étaient les premières quintuplées à survivre aux premiers jours de leur vie.

Instituées en attraction touristique par le gouvernement ontarien, à qui elles ont demandé compensation, les jumelles Dionne nées dans une famille franco-ontarienne pauvre, sont passées aux mains de l'État en 1935.

Les jumelles ont grandi à Quintland, un parc thématique situé en face de la maison de

La vie des sept enfants de Kenny et Bobbi McCaughey « ne devrait pas différer de celle des autres enfants », plaident Cécile, Yvonne et Annette Dionne.

leurs parents, où les fillettes étaient exhibées. Chaque jour, jusqu'à 6000 curieux les regardaient jouer derrière un miroir sans tain.

L'une des cinq soeurs, Émilie, est morte en 1954, une autre, Marie, en 1970.

Les trois survivantes demeurent à Saint-Bruno et espèrent que leurs vies servent de leçon aux McCaughey. « J'espère que leurs enfants auront droit à plus de respect que nous. »

Les sept bébés ont maintenant six jours et leur mère, Bobbi, est rentrée à la maison hier. Six d'entre eux sont en santé malgré un état précaire, alors que le plus gros, Kenneth, se porte bien depuis son premier repas, samedi, et respire de lui-même. Selon les médecins, il est normal que les prématurés aient des premiers jours difficiles. Les septuplés sont nés à 30 semaines et demie et pesaient à la naissance entre 1,05 et 1,48 kilos. (**Texte publié le 25 novembre 1997**)

La joyeuse fête de la Sainte-Catherine

Le court texte suivant illustre comment on percevait la Sainte-Catherine en **novembre 1906.**

Fabrication et distribution de la tire, le jour de la Sainte-Catherine.

La Sainte-Catherine, au Canada, c'est la fête des jeunes filles, celle des vieilles aussi ; car, comme les premières, elles sont des fleurs charmantes avec cette légère différence qu'elles se sont un peu étiolées sur leur tige, enfin, la *Sainte-Catherine*, c'est un petit *Jour de l'an*.

Or, ce jour-là, c'est grand gala pour la marmaille ; ce jour-là, on pardonne un peu partout, on se rapproche des siens, on oublie, on fait ripaille, on se barbouille de tire, on chante et l'on s'aime davantage ; en un mot on est plus normand, plus breton, plus picard, c'est-à-dire beaucoup français.

À la campagne, la coutume s'est mieux conservée que dans les grandes villes.

Dans les familles, on se réunit entre voisins. Des fricots formidables sont organisés de longue main. De bons plats de ragoût, succulent, épaissi à l'amidon, du pain de ménage, des pommes fameuses, ornent les tables autour desquelles les convives s'asseyent. (...)

Ce jour-là, on donne des petites soirées, où l'on danse et comme on ne veut pas « coiffer sainte Catherine », les belles jeunes filles ont plus de tendresse ; les idylles vont grand train ; on se fiance, et le dimanche suivant, le prône de monsieur le curé est chargé de nombreuses publications de bans. (...)

Dans notre pays, tant que nos belles jeunes filles auront le caractère harmonieux comme les lignes, l'âme profonde et douce comme leurs yeux, le coeur jeune et délicat et tendre comme leurs vingt ans, le nombre de vierges tardives sera petit et les honnêtes gars canadiens, au lieu de fuir ne chercheront qu'à tomber dans l'embuscade idyllique où le bonheur se tient discrètement caché.

Les Canadiens parmi les plus instruits

Le Canada est l'un des pays de l'OCDE où les citoyens sont les plus instruits.

Ils sont même loin devant les États-Unis, la France et le Royaume-Uni, indique un rapport du Conseil des ministres de l'Éducation du Canada.

« On a souvent tendance à critiquer notre système d'éducation. Mais cette étude nous rappelle que les choses ne vont pas si mal », a déclaré Gordon MacInnis, le président du CMEC (**le 25 novembre 1995**).

C'EST ARRIVÉ UN 26 NOVEMBRE

1986 — Une opération dirigée de la Maison-Blanche à l'insu du président Reagan (affirme-t-il) a permis de détourner au profit des « contras » nicaraguayens une partie de l'argent versé par les Iraniens pour l'achat d'armes américaines.

1975 — Le président Ford sauve New York de la faillite en lui consentant un prêt de $2,3 milliards.

1973 — À Alger, début, sans la Libye et l'Irak, de la conférence au sommet des États arabes.

1968 — Les employés de la Régie des alcools du Québec reprennent leur travail après une grève de cinq mois.

1966 — Inauguration de l'usine marémotrice de la Rance, en France.

1965 — La France lance le A-1, son premier satellite artificiel.

1963 — Les provinces se liguent pour attaquer le pouvoir central, lors de la conférence d'Ottawa.

1950 — Intervention de la République populaire de Chine aux côtés de la Corée du Nord, « victime de l'agression américaine ».

1945 — Les États-Unis demandent à l'URSS et à la Grande-Bretagne de retirer leurs troupes d'Iran.

1945 — Ouverture de la conférence fédérale-provinciale des premiers ministres à Ottawa. Elle durera deux jours, et aucune décision contraignante ne sera prise.

1945 — Les communistes autrichiens subissent un cinglant revers en ne recueillant que 5 p. cent des voix.

1937 — L'Exposition des arts et techniques de Paris a duré 185 jours et a été visitée par 33 millions de personnes.

1922 — Le Ku Klux Klan veut devenir international.

1918 — Début d'une campagne contre la tarification de Bell Telephone, jugée trop élevée pour un service d'utilité publique.

1906 — On croit avoir trouvé à Kealukukua Bay, Hawaii, le crâne du célèbre explorateur français James Cook, assassiné à cet endroit il y a près de 130 ans.

Une comtesse de Lilliput meurt à l'âge de 77 ans

Fameuse par ses randonnées mondiales, elle avait 32 pouces de hauteur.

APRÈS FORTUNE FAITE

Middleboro, Mass. — La «comtesse» Primo Magri, connue généralement sous le nom de Mme Tom Thumb, une naine fameuse, est morte à son domicile, après plusieurs mois de maladie. Elle était âgée de 77 ans. Elle avait fait plusieurs fois le tour du monde, faisant partie de la célèbre troupe Barnum. Elle était la fille de James S. et Hulda Bump. Le «comte» Magri, son époux, lui survit.

Cette naine de grande renommée mesurait 32 pouces de taille, et ne pesait que 29 livres. Elle a vu disparaître tous les associés professionnels de sa génération. Son premier mari, le «général» Tom Thumb, est mort depuis 37 ans. Sa soeur, une naine... encore «plus petite», est morte depuis 42 ans.

Les parents étaient de haute stature et plusieurs enfants sont issus d'eux. Tous, à l'exception des deux enfants précités, étaient de taille normale. À sa naissance, Lavina Warren (Mme Tom Thumb) pesait 6 livres. Elle grandit normalement jusqu'à l'âge de 9 ans, mais la croissance cessa soudain. À 70 ans, elle avait encore les cheveux d'un beau noir, et sa voix était encore douce et mélodieuse.

Sa carrière fut mouvementée. Au cours de ses voyages dans les

LA «COMTESSE» MAGRI, alias Mme Tom Thumb, décédée à l'âge de 77 ans.

pays civilisés, Mme Thumb fut présentée à presque tous les rois et les principaux fonctionnaires d'État. Satisfaite de la grande fortune qu'elle s'était acquise, la «comtesse» fit son voyage d'adieu en 1912. Son second mari, le comte Magri, un Italien, est aussi un nain.

Cette nouvelle a paru dans l'édition du 26 novembre 1919.

Une Canadienne accède à un haut poste aux Nations unies

Mme Thérèse Sévigny, vice-présidente aux communications de Radio-Canada, accède à l'un des 27 postes de sous-secrétaire général des Nations unies, responsable des services de l'information publique.

L'ambassadeur du Canada à l'ONU, Stephen Lewis, a souligné qu'aucune femme n'avait encore servi en tant que sous-secrétaire général à plein temps. Il a confirmé qu'Ottawa avait proposé une femme pour ce poste à l'invitation de M. Perez de Cuellar.

Le service de l'information publique, qui compte 500 employés et bénéficie d'un budget bisannuel de quelque 30 millions US, s'occupe de la distribution de documentation sur les activités de l'agence. (**Texte publié le 26 novembre 1986**)

Thérèse Sévigny

Sang contaminé: Ottawa s'excuse

L e gouvernement fédéral et la Société canadienne de la Croix-Rouge ont présenté leurs excuses aux milliers de victimes de la tragédie nationale du sang contaminé.

Après avoir déposé aux Communes le volumineux et accablant rapport de 1200 pages du juge Horace Krever sur le système d'approvisionnement en sang au Canada — commandé en 1993 et dont la confection a coûté 17,2 millions — le ministre de la Santé, Allan Rock, a déclaré en conférence de presse que le gouvernement fédéral acceptait sa part de responsabilités pour les erreurs passées. « Nous nous excusons pour tout ce qui est

arrivé, a-t-il dit. Nous ne pouvons pas réparer les dommages, même si je souhaiterais pouvoir le faire, mais nous pouvons exprimer notre profonde tristesse et nos regrets profonds pour le mal fait à tant de Canadiens et à leurs familles. »

On estime à 3000 le nombre de personnes qui sont ainsi mortes de l'hépatite C ou du sida au cours des années quatre-vingt. Elles avaient contracté ces maladies à la suite de transfusions sanguines. Quelque 1200 Canadiens ont été contaminés par le virus HIV et environ 12 000 autres par l'hépatite C au cours de cette même période et dans les mêmes circonstances.

Quelques minutes plus tôt, avec émotion, le président de la Croix-Rouge, Gene Dunin, avait aussi exprimé sa compassion envers les victimes et leurs familles. « Nous sommes profondément désolés, a-t-il dit, et nous vous présentons nos excuses. »

Le rapport minutieux et détaillé d'Horace Krever, juge à la Cour d'appel de l'Ontario, rend responsable de ce « désastre national » non seulement la Croix-Rouge, mais aussi la Direction générale de la protection de la santé, qui est sous la coupole du ministère de la Santé, le Comité canadien du sang, les gouvernements provinciaux et fédéral et

le Bureau des produits biologiques responsable d'assurer la sécurité, du sang et de ses produits.

« Au moment où il existait une preuve raisonnable que des maladies infectieuses graves pouvaient être transmises par le sang, écrit le juge Krever, les principaux acteurs du système d'approvisionnement en sang au Canada se sont abstenus de prendre des mesures préventives essentielles en attendant que le rapport de cause à effet ait été scientifiquement et incontestablement établi. Il en est résulté un désastre national pour la santé publique. » (**Texte publié le 26 novembre 1997**)

Une cure de rajeunissement

C'est dans une atmosphère de fête, en présence du ministre du Travail, Normand Cherry, que le premier wagon remis à neuf du métro de Montréal a été présenté à l'Atelier de Montréal du Canadien National. La rénovation de 336 wagons de métro datant de la première génération (1966), au coût de 60 millions, devrait être achevée à l'automne 1993. Elle permettra non seulement le maintien des 1700 emplois actuels de l'atelier, mais la création 204 emplois additionnels. (Texte publié le 26 novembre 1991)

Pascale Lefrançois, championne mondiale junior de l'orthographe

«Ça ne fait que commencer. Tu vas voir. Ce que tu vis aujourd'hui, ça n'est rien à côté de tout ce qui s'en vient. »

Entre deux becs de gens de la parenté, entre deux éclairs de flashes, entre deux questions de journalistes, Stéphane Éthier a trouvé le moyen de souffler cette petite remarque à la nouvelle championne du monde junior d'orthographe, Pascale Lefrançois.

Stéphane se souvient. L'an dernier, c'était lui qui était là, à clignoter devant les flashes et à échanger des poignées de mains. Dans les trois dernières années, le Québec a produit

trois champions mondiaux juniors à la dictée de Pivot.

À son arrivée à Mirabel, Pascale exultait. Médaille d'or au cou, elle répondait aux questions avec une verve qui ne tarissait pas : « L'amour du français, c'est une maladie héréditaire qui s'est transmise depuis la grand-mère jusqu'à la petite-fille en passant par la mère, disait la jeune fille en lançant un clin d'oeil aux deux intéressées... Enfin, maintenant, je vais pouvoir lire pour le plaisir. J'avais hâte de fermer mon dictionnaire... » (**Texte publié le 26 novembre 1990**)

Pascale Lefrançois

Ouverture de 1200 dossiers secrets de la Seconde Guerre

Winston Churchill savait-il à l'avance que le Japon se préparait à attaquer Pearl Harbor ? Les archives des services secrets britanniques ne répondent pas à cette interrogation. Elles révèlent en revanche que le premier ministre britannique pouvait connaître l'existence des camps d'extermination nazis dès 1942.

La publication de ces documents intervient dans le cadre de la politique de transparence voulue par l'actuel hôte du 10 Downing Street, John Major. Historiens et chercheurs ont ainsi pu se plonger dans 1273 dossiers jusqu'alors tenus secrets, relatifs aux années 1941 et 1942.

Pas un des documents ne

fait directement allusion à l'attaque par des avions japonais de la base américaine de Pearl Harbor, aux premières heures du 7 décembre 1941. Cette agression nippone s'était soldée par la mort de 2400 personnes et la perte par les Américains de 120 avions et 19 navires. (**Texte publié le 26 novembre 1996**)

Les commerces du Québec pourront ouvrir jusqu'à 17h le dimanche

Tous les commerces du Québec pourront ouvrir jusqu'à 17h le dimanche.

Restaurants et tabagies pourront ouvrir en tout temps, comme les libraires. Quant aux marchés d'alimentation, ils pourront ouvrir passé 17h le samedi et le dimanche, à condition de n'avoir pas plus de quatre employés en poste.

Le projet de loi que prévoit déposer aujourd'hui le ministre de l'Industrie et du Commerce, Gérald Tremblay, permettra une libéralisation très large des heures d'ouverture des commerces, une approche déjà adoptée par l'Ontario.

La publicité de l'ouverture des commerces dimanche prochain est déjà prête. Du point de vue parlementaire, toutefois, une telle démarche demeure inusitée. (**Texte publié le 26 novembre 1992**)

C'EST ARRIVÉ UN
NOVEMBRE
27

1990 — John Major, le dauphin de Margaret Thatcher, a été élu premier ministre du Royaume-Uni par 185 des 372 députés conservateurs.

1989 — Afin de déjouer les faux monnayeurs, les nouveaux billets canadiens de 50 $ qui entreront en circulation vendredi porteront une vignette composée de zirconium et de silicium qui passera du doré au vert en déplaçant le papier-monnaie.

1970 — Le pape Paul VI a été la cible d'un attentat raté, aujourd'hui, 10 minutes après sa descente d'avion à l'aéroport de Manille, où il entreprend une visite de trois jours dans le cadre de sa tournée dans le Pacifique.

Ce fossile découvert en Chine est le plus ancien connu d'une fleur.

Une fleur de 150 millions d'années

Des géologues chinois et américain ont identifié en Chine les vestiges fossilisés de ce qui serait la plus vieille fleur découverte à ce jour, dont l'âge a été estimé à près de 150 millions d'années.

Cette découverte, réalisée par Sun Ge, de l'Institut de géologie de Nankin (Chine), et David Dilcher, de l'université de Floride à Gainesville, repousse d'au moins 25 millions d'années l'apparition sur notre planète des premières plantes dites angiospermes, c'est-à-dire qui fleurissent et dont les graines sont enfermées dans un fruit. (**Texte publié le 27 novembre 1998**)

Toronto dit non aux jumelles Dionne

Le gouvernement de l'Ontario affirme qu'il n'a jamais exploité les quintuplées Dionne et qu'il n'accordera aucune compensation aux trois survivantes pour les problèmes qu'elles ont subis alors qu'elles étaient sous la tutelle de la province.

Cette prise de position de la province a aussitôt été dénoncée par un représentant des soeurs Dionne et les députés de l'opposition, selon lesquels une compensation serait juste du point de vue moral, même en l'absence de justification légale.

Un porte-parole du solliciteur général, Brendan Crawley, a soutenu que le gouvernement n'avait rien eu à voir avec la décision de faire parader les Dionne devant les touristes, dans une atmosphère carnavalesque, dans les années 30.

Le solliciteur général, Charles Harnick, estime quant à lui que les soeurs Dionne ont été traitées selon les lois et valeurs de l'époque.

On estime à 500 millions de dollars les retombées économiques des quintuplées Dionne dans le nord de l'Ontario, aux plus beaux jours de l'époque « Quintland », le surnom donné à l'enclos où les cinq soeurs étaient élevées par des infirmières et où elles ont été montrées à plus de cinq millions de touristes. (**Texte publié le 27 novembre 1997**)

Deux Candu vendus à la Chine : 8000 emplois au Québec

Même s'il ne reçoit pas la part du lion, le Québec pourra profiter des retombées économiques du contrat de 4 milliards que le Canada vient de conclure avec la Chine pour la construction de deux centrales nucléaires Candu.

Les représentants du gouvernement et de l'industrie calculent en effet que 8000 des 27 000 emplois (personnes / année) qui seront créés grâce à ce contrat le seront au Québec.

« Cette vente profite beaucoup à l'économie du Québec. Elle aura des retombées de 275 millions », a déclaré le secrétaire d'État responsable du Bureau fédéral de développement régional du Québec, Martin Cauchon, en conférence de presse.

La signature finale du contrat entre Énergie atomique du Canada ltée (EACL) et la Corporation nucléaire nationale de Chine, qui se négociait depuis deux ans et qui est vivement critiqué par certains groupes environnementaux, s'est faite hier à Shanghai. Le premier ministre Jean Chrétien, qui fait une tournée asiatique, était présent pour l'événement, ainsi que son homologue chinois, Li Peng, une personnalité dénoncée par les défenseurs des droits de la personne à cause du rôle qu'il a joué durant la répression des manifestations étudiantes sur la place Tiananmen.

La valeur totale de la vente des Candu 6 sera de 4 milliards de dollars. De cette somme, 1,5 milliard seront destinés à une centaine d'entreprises canadiennes qui veilleront à la construction des réacteurs. (**Texte publié le 27 novembre 1996**)

Très tôt hier matin, la toile était aux portes du stade. Le transport du matériau de 80 tonnes a nécessité 22 véhicules. Le trajet de 20 kilomètres aura duré cinq heures.

La toile est enfin au stade !

Fabriquée en Allemagne, entreposée pendant six ans à Marseille avant que l'ex-ministre Claude Charron, alors responsable de la Régie des installations olympiques, ne décide en 1982 de la rapatrier au Québec où elle séjournera des années dans le stationnement intérieur du stade, la « toile olympique », repose enfin en plein centre du stade, qu'elle recouvrira en avril prochain à temps pour l'ouverture de la saison de baseball.

Dans la nuit de mardi à mercredi, le fardier, long de 213 pieds, a achevé un travail gigantesque : le transport d'un matériau de 80 tonnes, nécessitant 22 véhicules et l'abattage de quelques arbres et poteaux de signalisation. Le trajet de 20 kilomètres aura duré cinq heures. La toile sera étendue aujourd'hui (**Texte publié le 27 novembre 1986**)sur les feuilles de contreplaqué qui recouvrent le sol du stade.

Carmen Quintana réapprend à marcher

Cinq mois après avoir été battue et brûlée à Santiago du Chili, Carmen Quintana commence à réapprendre à marcher, et pourra peut-être passer quelques jours avec sa famille, hors de l'hôpital, pour Noël.

La jeune fille de 19 ans a été brûlée sur 60 pour cent de son corps le 2 juillet dernier, lors d'une manifestation dirigée contre le régime militaire d'Augusto Pinochet.

Elle passa plusieurs semaines entre la vie et la mort, et est encore incapable de quitter la chambre qu'elle occupe dans l'unité des grands brûlés de l'Hôtel-Dieu, où les membres de sa famille et ses amis doivent toujours, porter des masques chirurgicaux lors de leurs visites quotidiennes. (**Texte publié le 27 novembre 1986**)

Carmer Quintana

Hydro estime avoir « neutralisé la campagne de dénigrement » des Cris

Hydro-Québec estime maintenant avoir « neutralisé la campagne de dénigrement et de harcèlement » que les Cris avaient amorcé en Europe contre ses grands projets hydro-électriques.

Dépêché d'urgence à Bruxelles il y a deux ans, le vice-président Europe d'Hydro-Québec, M. Jacques Finet, rentre au Québec le mois prochain avec le sentiment d'avoir gagné cette bataille. « En Europe, on a réagi à temps, ce qu'on n'avait malheureusement pas fait aux États-Unis. Aujourd'hui, on peut s'en féliciter, a dit M. Finet. Les banquiers commençaient à se faire accuser d'être les partenaires d'une entreprise qui massacrait l'environnement et commettait un génocide. Il était grand temps qu'on vienne ».

Avec ses trois employés, le bureau bruxellois d'Hydro-Québec dispose d'un budget annuel de près d'un million de dollars. Cette somme est à la mesure des enjeux : la société d'État vient chercher des milliards de dollars de financement sur les marchés européens. Les Cris, forts de l'appui des Verts européens, ont tenté plusieurs opérations en Europe, notamment à Bruxelles, devant le Parlement européen, à Genève, en Allemagne et à Amsterdam, auprès du Tribunal international de l'eau. Hydro-Québec a neutralisé toutes ces tentatives. « Et dans ce domaine, neutraliser, c'est réussir le travail », résume M. Finet.

Rester vigilant

Pour l'instant, Hydro-Québec n'est plus dans le collimateur des écologistes européens. Les Allemands en particulier ont trouvé une autre cible : les exploitants forestiers de la Colombie-Britannique, contre lesquels ils mènent une campagne féroce. Si la « menace est moins grande », il faut néanmoins rester « alerte », prévient Jacques Finet.

« Les Cris sont moins menaçants parce qu'on a fait le travail, dit-il, mais je serais drôlement inquiet si on fermait le bureau. Les Verts croiraient qu'ils ont la voie libre ». Hydro-Québec restera donc à Bruxelles après le départ de son vice-président Europe. Cette présence sera toutefois plus « légère ».

M. Finet ne sera pas remplacé et le reste du personnel pourrait être relogé dans des locaux moins vastes. Depuis septembre 1991, Hydro est le voisin de palier de la Délégation générale du Québec dans la prestigieuse rue des Arts. (**Texte publié le 27 novembre 1993**)

Les Québécois moins sympathiques aux autochtones

La crise autochtone a laissé de profondes cicatrices chez les Québécois : 43 pour cent d'entre eux se disent maintenant moins sympathiques à la cause des autochtones et 70 pour cent croient que leurs revendications territoriales ont peu de fondements.

D'après le sondage réalisé pour *La Presse, The Toronto Star* et CTV du 14 au 19 novembre auprès de 1535 adultes par les maisons Environics et CROP, il se trouve 48 pour cent des répondants à travers le Canada qui jugent ou pas valides les revendications amérindiennes, contre 70 pour cent au Québec.

31 pour cent des Canadiens affirment qu'ils sont aujourd'hui moins sympathiques aux demandes autochtones, proportion qui monte à 43 pour cent au Québec pour diminuer à 22 pour cent en Ontario.(**Texte publié le 27 novembre 1990**)

Des bourdes de l'État

Le vérificateur général du Canada, Denis Desautels, a innové en publiant un rapport annuel qui comprend une dose d'éléments anecdotiques, tout en donnant de sombres exemples de l'énorme gaspillage qui sévit encore au gouvernement central. Les vérificateurs provinciaux en ont autant à raconter sur l'administration des provinces.

Ainsi, un chantier naval de Terre-Neuve a présenté une soumission inférieure de 71 $ à celle d'un chantier de la Nouvelle-Écosse pour la réparation d'un navire de la Garde côtière amarré en Nouvelle-Écosse. La plus bas soumissionnaire l'a emporté et le gouvernement a payé plus de 30 000 $ pour les coûts du voyage de Terre-Neuve.

Au total, 17 000 fonctionnaires fédéraux partagent la responsabilité de la gestion du matériel, des crayons aux avions, et le gouvernement a dans ses entrepôts des marchandises valant entre 8 et 10 milliards, dont la seule possession lui coûte entre 2 et 2,5 milliards par année. Le ministère de la Défense possède 1,7 milliard de stocks de plus qu'il n'en aura besoin au cours des quatre prochaines années.

Par ailleurs, un projet informatique appelé Amélioration (sic) du système d'approvisionnement des Forces canadiennes coûtera 100 millions de plus que les 295 millions prévus et « ne sera peut-être jamais mené à terme ».

Pauvres contribuables... (**Texte publié le 27 novembre 1996**).

Les deux copines avaient déjà parlé de leur suicide

Cathia Arpage, 15 ans, une des deux adolescentes qui est morte broyée jeudi matin à Longueuil, sous les roues d'un train de marchandises du CN, à la suite d'un pacte de suicide, venait de vivre une grosse peine d'amour.

Les élèves de la polyvalente Monseigneur-Parent croient que Geneviève Poirier, 14 ans, l'a accompagnée dans la mort « parce qu'on ne peut pas laisser tomber une amie. »

La stupeur était palpable le lendemain dans les couloirs de la polyvalente de Saint-Hubert. Les deux adolescentes avaient pourtant laissé entendre à plusieurs reprises à l'école qu'elles voulaient en finir. Les copains ont cru qu'elles voulaient se rendre intéressantes...

Et la direction s'est empressée de faire effacer des graffiti révélateurs sur le casier de Cathia et dans les toilettes. Elles ont écrit sur le mur des toilettes: « Merci tout le monde. On vous aime. Carl, ne t'en fais pas, c'est pas de ta faute », a expliqué Chantal Lacasse, 15 ans.

Carl, c'est l'ex-copain de Cathia. Il est parti vivre au Lac-Saint-Jean il y a quelques jours à cause, semble-t-il, de problèmes familiaux. Mais les copines de secondaire III ne pensaient tout de même pas que Cathia et Geneviève iraient jusque-là. Elles n'arrivaient pas à croire à la tragédie, même si certaines ont avoué qu'elles feraient la même chose une fois rendues au bout du rouleau.

Plusieurs professionnels de la polyvalente ont rencontré les étudiants, par groupes de 8, pour les aider à passer à travers. Comme les étudiants, a affirmé le directeur Jules Martens, les professeurs et les professionnels étaient très surpris : Cathia et Geneviève ne paraissaient pas avoir plus de problèmes personnels que d'autres. « Mais les étudiants se sentaient coupables de ne pas avoir compris à temps », a indiqué le directeur de la polyvalente.

Le comité de l'école s'est réuni au grand complet dans l'après-midi pour faire le point : directeur, directeurs adjoints, psychologue, travailleuse sociale, criminologue, conseiller-orienteur. Deux cas d'étudiants potentiellement attirés par le suicide seront surveillés de près dans les prochains jours. Et lundi, les rencontres vont reprendre entre étudiants et professionnels.

Du côté policier, on n'a fait que confirmer la thèse du suicide. Les cadavres des deux adolescentes ont été trouvés vers 13h20, jeudi, dans la cour de triage du CN, le long de la route 116, à Longueuil. L'autopsie, pratiquée hier, a montré que la mort remontait à six ou huit heures. Les deux adolescentes étaient couchées sur le ventre, côte à côte.

La police estime que les deux filles, qui portaient des vêtements foncés, ont pu entrer facilement sur les lieux, surtout dans l'obscurité. Des analyses toxicologiques ont été demandées afin de savoir si elles avaient pris de la drogue ou de l'alcool avant de commettre leur geste. (**Texte publié le 28 novembre 1992**)

Ce montage de photos permet d'apercevoir le commandant R.-E. Byrd (1), le photographe Ashley McKinley (2), le pilote Berndt Bolgen (3), le radiotélégraphiste Harold-I. June (4), ainsi que le trimoteur (5) à bord duquel ils vont voler vers le pôle sud.

RAID VERS LE POLE SUD

Le fameux commandant Byrd entreprend une randonnée dans un trimoteur.

COURSE DE 1,600 MILLES

NEW-YORK — Le «New York Times», le «St. Louis Post Dispatch» et les journaux alliés avec eux pour la publication des rapports de l'expédition antarctique du commandant Richard-E. Byrd annonçaient aujourd'hui que le commandant Byrd avait quitté sa base de Little America, dans l'antarctique, à 3 heures 29 hier après-midi (**28 novembre 1929**), pour une envolée de 1,600 milles au pôle sud (aller et retour).

Le commandant Byrd, qui vole avec Bernt Bolgen, comme pilote, Harold June, radiotélégraphiste, et le capitaine Ashley C. McKinley, photographe, à bord du grand aéroplane à trois moteurs qu'il a emporté dans la région antarctique, compte se tenir en communication directe, au cours de toute la randonnée, avec le poste de radio du «Times», à New York, et avec sa base. Il signalera les incidents de la randonnée. Si tout va bien, le commandant Byrd retournera à sa base avant vingt-quatre heures.

Histoire des pôles

Le commandant Byrd veut porter le drapeau étoilé au pôle sud comme il l'a déjà porté au pôle nord.

L'envolée actuelle de Byrd rappelle celle qu'il fit, en mai 1926, dans un aéroplane Fokker à trois moteurs, le «Miss Josephine Ford». Byrd avait quitté la Baie du Roi, à Spitzberg. Il s'était rendu au pôle nord et en était revenu dans l'espace de quinze heures et demie. Il s'agissait d'une course de 1,600 milles (aller et retour).

Byrd était le premier aviateur à atteindre le pôle nord en aéroplane. Deux dirigeables, le «Norge» et l'«Italia», ont pu plus tard évoluer au-dessus du pôle nord, qui fut découvert le 6 avril 1909 par l'amiral Robert-E. Peary, au cours d'une expédition en traineau.

Le commandant Byrd est le premier à tenter le survol du pôle sud. L'année dernière, Byrd et le capitaine sir George Hubert Winkins avaient employé des aéroplanes pour des raids dans l'antarctique.

Le pôle antarctique a été découvert par Roald Amudsen, explorateur norvégien, en décembre 1911. Peu de jours après, le capitaine anglais Robert-F. Scott atteignit aussi le pôle sud.

Une éclipse très visible

En dépit d'un ciel montréalais souvent nuageux, notre photographe Bernard Brault a réussi à prendre, depuis l'île Notre-Dame, ces quatre expositions successives de la Lune, cachée progressivement par le passage de la Terre entre notre satellite et le Soleil. Les éclipses lunaires se produisent une ou deux fois par an, mais celle de la nuit dernière était considérée comme l'éclipse totale la plus visible en Amérique du Nord depuis 1982; une observation aussi claire ne devrait se reproduire que le 26 septembre 1996. (Texte publié le 28 novembre 1993)

Avant les Noirs, les Canadiens français et les Juifs ont souffert du racisme

Avant les Noirs, les Canadiens français et les Juifs ont souffert du racisme, jusqu'à ce qu'ils s'imposent en revendiquant leurs droits en adoptant un comportement collectif.

C'est Donald M. Taylor, professeur de psychologie à McGill, qui l'affirme. Ayant étudié le problème du racisme ici et dans plusieurs pays du monde, il a publié sur le conflits entre groupes près d'une centaine d'articles dans des revues scientifiques.

Pour les Canadiens français, explique-t-il, c'est l'esprit de la loi 101 — et il insiste sur le mot esprit — qui a amené le changement.

Quant aux Juifs, ils ont pu agir après s'être regroupés dans un même quartier pour être plus forts. De plus, ils ont donné à leurs enfants une éducation solide et ils ont renforcé en eux la connaissance de leur héritage culturel.

À la base de tout, pense-t-il, il y a une communauté menacée : plus une communauté est menacée, plus elle doit prendre des mesures pour agir et qui ne sont pas toujours perçues comme étant logiques. (Texte publié le 28 novembre 1987)

LE MÉDECIN DU ROI A HÂTÉ SON DÉCÈS POUR FAIRE LA UNE DU *TIMES*

Les terroristes qui répandent la mort quelques minutes avant le téléjournal pour assurer la diffusion de leur acte semblent avoir eu un précurseur : le médecin du roi George V qui, selon un historien britannique, aurait hâté la mort du souverain, il y a 50 ans, en lui faisant une injection de morphine. Il voulait s'assurer que l'annonce du décès de son illustre patient serait publiée dans les journaux du matin.

Les archives du médecin révèlent que la reine Mary et le prince de Galles (héritiers du Trône) avaient demandé au médecin d'abréger les souffrances du moribond. Il appert en outre que le prestigieux *Times*, journal du matin, devait, aux yeux de l'establishment, être le premier à publier dans ses pages une nouvelle de cette importance. (Texte publié le 28 novembre 1986)

Mme Gaétane Gauron (à droite), dont le nom a été tiré au sort parmi les personnes nées le 20 octobre et qui s'étaient inscrites auprès de LA PRESSE, était récemment de passage au journal. Elle a reçu des mains de Mme Christiane Dubé, du service de la promotion à LA PRESSE, un agenda et plusieurs autres souvenirs du centenaire.

photo Paul-Henri Talbot, LA PRESSE

(Texte publié le 28 novembre 1984)

Claire Richard, la compagne de Réjean Ducharme, et sa mère tenant le fameux chèque.

Réjean Ducharme ne sort pas de l'ombre, même pour 100 000 $

Même 100 000 $ n'ont pas réussi à faire sortir Réjean Ducharme de sa tanière. Premier lauréat du prix Gilles Corbeil, l'un des prix les mieux dotés au monde, octroyé par la Fondation Émile-Nelligan, Réjean Ducharme, quelques semaines après avoir lancé son dernier roman, *Dévadé*, est demeuré fidèle à sa légende. On ne l'a pas vu. Et c'est sa mère qui est allée chercher le chèque pour lui, tandis que sa compagne, Claire Richard, se chargeait de lire un poème où le romancier et dramaturge remercie le public.

Gilles Corbeil, artiste et dilettante, a laissé à sa mort une succession évaluée à un million de dollars. Neveu du célèbre poète Émile Nelligan, il a légué toute cette fortune à la fondation qui octroiera ce prestigieux prix littéraire de 100 000 $ à tous les trois ans. Les deux autres années, on accordera un prix plus modeste de 25 000 $, une année pour la musique et une autre pour les arts visuels.

Claire Richard, la compagne de Ducharme, a livré un texte en vers plein d'humour, tapé sur une vieille machine à écrire par son compagnon. (Texte publié le 28 novembre 1990)

photo René Picard, LA PRESSE

De la ferraille tordue, voilà tout ce qu'il restait au petit matin du DC-8 d'Air Canada.

La pire tragédie aérienne au Canada

Un DC-8F s'écrase à Sainte-Thérèse : 118 morts

UN aérobus réacté DC-8F d'Air Canada s'est écrasé au sol et a explosé, à 6 h 32, hier soir **(29 novembre 1963)**, à environ trois milles au nord de Sainte-Thérèse de Blainville, entraînant dans la mort 118 personnes: 111 passagers et les sept membres de l'équipage.

C'est la pire tragédie de l'histoire du Canada et la plus désastreuse qui soit survenue dans la province depuis celle d'Issoudun, dans le comté de Lotbinière, survenue le dimanche 11 août 1957.

Selon un porte-parole d'Air Canada, l'appareil s'était envolé de l'aéroport international de Dorval à 6 h 28, et devait se rendre à Toronto, où il était attendu vers 7 h 15. Le départ était prévu pour 6 h 10, mais ce n'est qu'à 6 h 15 que le quadrimoteur à réaction avait quitté l'aéroport pour aller se placer sur la piste.

L'aérobus n'a tenu l'air que pendant quatre minutes avant d'aller s'écraser dans un terrain boisé, rendu marécageux par la pluie diluvienne qui n'a cessé de tomber au cours de la journée. La visibilité était complètement nulle.

C'est à moins de 1,000 pieds de la route 11, à la hauteur du garage Berthiaume, 1239, boul. Labelle, que l'avion a piqué au sol.

Les premiers témoins à se rendre sur les lieux n'ont pu que constater leur impuissance à secourir les passagers de l'appareil qui était complètement désintégré. Des morceaux de corps humains avaient été projetés dans les arbres et jonchaient le sol autour du lieu de l'écrasement, tandis que les flammes s'élevaient au-dessus des débris de l'avion.

Alimenté par les milliers de gallons d'essence contenus dans les réservoirs de l'appareil, le feu a continué de consumer les débris pendant toute la soirée, empêchant les enquêteurs et les secouristes de s'approcher de trop près.

L'écrasement

Les témoins de la tragédie ont dit n'avoir entendu un sifflement aigu puis une violente explosion au moment où l'appareil touchait le sol. D'autres petites déflagrations auraient suivi, après quoi une boule de feu de 50 pieds de hauteur s'est formée dans le ciel.

Sous la violence de l'explosion, le sol a tremblé à des milles à la ronde et plusieurs personnes ont avoué avoir cru leur dernière heure arrivée.

La frayeur du moment calmée, les secours ont commencé à s'organiser et des milliers de curieux ont afflué sur les lieux.

Les premiers policiers arrivés avaient du mal à contenir la foule des badauds qui ne cessait de grandir de minute en minute. Les ambulances avaient du mal à se frayer un chemin à travers le flot de voitures qui obstruaient la route sur plusieurs milles de chaque côté de l'endroit.

La Sûreté provinciale, la Gendarmerie canadienne, les corps de policiers municipaux de la région, de même que les autorités d'Air Canada ont envoyé des hommes sur les lieux, mais comme ils étaient littéralement débordés, on a fait appel au camp militaire Bouchard, situé à environ un mille du lieu de la tragédie. Le major Bernard Dorion, d'Ottawa, commandant du dépôt de munitions, a pris la direction des quelques 300 militaires qu'il a envoyés sur les lieux.

Récupération des cadavres

Pour contenir les curieux, un câble a été installé autour du cratère de 75 pieds de diamètre qui s'est formé dans l'écrasement. Pendant ce temps, des équipes de secouristes commençaient à recueillir les morceaux de corps humains qui étaient accessibles. Ils étaient placés dans des couvertures de caoutchouc et amenés, sur ordre du coroner, à une morgue provisoire installée au dépôt de l'intendance militaire, au camp Bouchard. (...)

Un dirigeant d'Air Canada a également déclaré cette nuit qu'il serait impossible de récupérer tous les corp et que l'on n'identifiera probablement aucun de ceux que l'on pourra retrouver. (...)

Une enquête a été ouverte par le ministère des Transports dans le but de déterminer la cause de l'écrasement.

On a éliminé dès le départ la possibilité d'un sabotage de l'appareil parce que différents témoins s'accordent à dire que l'explosion ne s'est produite qu'au moment où l'avion a touché le sol.

Horticulture et nationalisme

La passion qu'éprouvent les Québécois pour les plantes et les jardins, depuis quelques années, est directement liée à une certaine forme de nationalisme et à une recherche constante des racines.

Tel est l'opinion du responsable du secteur horticole à la Corporation de développement économique de Laval — CODEL — M. François Roch. Selon lui, « le vieux fond paysan des Québécois s'est réveillé en même temps que se réveillait le nationalisme et la recherche d'une identité ».

« Les Québécois ont retrouvé les valeurs ancestrales du sol. Ils s'affirment en s'entourant de beauté, notamment des fleurs et des végétaux. Celui qui plante un arbre pose un geste d'avenir. Il marque sa volonté de prendre souche ».

M. Roch attribue également une grande part des succès actuels de l'horticulture au concours annuel des villes et villages fleuris du Québec, lancé au début des années 80 par le ministre de l'Agriculture de l'époque, M. Jean Garon.

« Grâce à ce concours, des milliers de Québécois ont redécouvert le plaisir de jardiner et d'embellir leur propriété, contribuant du même coup à l'amélioration de leur environnement ».

M. Roch croit que « le meilleur est encore à venir ». Il soutient que l'horticulture québécoise est non seulement florissante, mais qu'elle est appelée à connaître, au cours des prochaines années, une vitalité qui fera l'envie de plusieurs pays.

Il note enfin que, chaque été, de plus en plus de Québécois prennent leurs vacances chez-eux, ou au chalet, préférant jardiner plutôt que d'aller aux États-Unis ou ailleurs. « L'industrie horticole et l'environnement ne s'en portent que mieux », conclut-il. (**Texte publié le 29 novembre 1990**)

L'Ontario sous le couperet d'Harris

Le premier ministre de l'Ontario, Mike Harris, a pleinement justifié ce surnom de « Mike the Knife » — « Monsieur Couteau ».

À peine élu, le gouvernement Harris annonçait, en juillet, des coupes de deux milliards, touchant surtout l'aide sociale, et le mini-budget, présenté aujourd'hui par le ministre des Finances, Ernie Eves, ajoute des réductions de 3,5 milliards. Ce sont donc 5,5 milliards de moins que dépensera le gouvernement ontarien en 96-97.

Le gouvernement lui-même promet de réduire du tiers la taille de son administration, entraînant en cours de route le congédiement de 13 000 des 89 000 fonctionnaires. Mais c'est tout le secteur public qui sera affecté par ce programme draconien de réductions des dépenses.

On a même créé l'acronyme MUSH pour désigner ce secteur des municipalités, des universités et collèges, des commissions scolaires et des hôpitaux, qui passent maintenant sous le couperet.

Chacun des membres du MUSH verra ses octrois amputés : 290 millions de moins aux municipalités, 400 millions de moins aux collèges et universités, 400 millions de moins aux commissions scolaires et 365 millions de moins aux hôpitaux.

Le gouvernement lui-même introduit le ticket modérateur pour les médicaments aux personnes âgées et aux bénéficiaires de l'aide sociale.

Une trentaine de programmes gouvernementaux de tout ordre sont éliminés et les subventions aux organismes culturels et populaires sont grandement diminuées ou carrément abolies.

M. Harris a souvent promis de démolir le coûteux édifice érigé, à crédit, par ses prédécesseurs. Sa révolution du bon sens est effectivement une restauration de la société qui prévalait avant la poussée social-démocrate des dernières décennies.

Une oeuvre de démolition aussi gigantesque que l'avaient été les grandes manoeuvres sociales dont l'Ontario est en voie d'effacer les traces.

À ceux qui l'accusent de mesquinerie à l'endroit des plus démunis, Mike Harris répond que la pire cruauté serait de laisser à ses enfants une province appauvrie et endettée.

Ce n'est pas en s'excusant mais en clamant la moralité de leur tâche que les croisés de la Révolution du bon sens sont en train de virer l'Ontario à l'envers. (**Texte publié le 29 novembre 1995**)

Point d'eau dans l'île Sainte-Hélène.

Ottawa consacrera 22 millions au réaménagement de l'île Sainte-Hélène

Le gouvernement fédéral a approuvé une dépense de 22 millions pour le réaménagement de la partie ouest de l'île Sainte-Hélène en prévision des fêtes du 350e anniversaire de Montréal en 1992.

M. Michel Devoy du module des parcs de la Ville de Montréal, précise que le coût total des aménagements dans les îles Sainte-Hélène et Notre-Dame sera de 32 millions.

Ils comprendront notamment, ajoute-t-il, un belvédère et un quai de débarquement pour une navette fluviale, tandis que l'ancienne Place des nations, maintenant à l'abandon, sera réaménagée et commémorera l'Expo 67.

Des études sont également entreprises en vue de la remise en état de la biosphère, ancien pavillon américain des célébrations de 1967, qui a été détruite par le feu. On peut présumer que la somme de 7 millions qu'Ottawa n'a pas encore approuvée touche la biosphère, dont la vocation n'a pas été déterminée. (**Texte publié le 29 novembre 1995**)

Un seul homme, un Canadien, a pu s'évader de l'île du Diable

AU large des côtes de la Guyane française, se trouve le fameux bagne colonial français, un véritable enfer sur terre, que l'on nomme Cayenne. C'est un groupe d'îlots brûlés par le soleil, infestés par la fièvre, perdus dans des eaux peuplées de requins voraces, et dont on a fait le dépotoir de la lie du monde des assassins, des bandits et des apaches. Et la plaie la plus hideuse de ce cancer de la terre est une petite île appelée île du Diable, où les morts restent vivants.

Cette description pathétique faite par un correspondant spécial de LA PRESSE dans l'édition du **29 novembre 1924** paraît assez réaliste si on se fie aux descriptions obtenues d'anciens bagnards ou geoliers. Et elle coiffait un long article consacré au briseur de coffres-forts canadien de réputation internationale, Eddie Guérin, le seul qui ait réussi à jamais s'échapper (c'était bien avant *Papillon* bien sûr) du terrible bagne.

Guérin s'y était retrouvé à la suite d'un vol commis au bureaux de l'American Express, à Paris, vol qui lui valut une peine de dix ans d'emprisonnement. Mais il ne devait y rester que pendant quelques mois avant de trouver le moyen de s'enfuir en risquant la maladie et même la mort, avec la complicité, selon certains, de sa maîtresse « Chicago May », réussissant là où des milliers avaient échoué avant lui. Les détails de cette évasion n'ont hélas pas été racontés dans l'article.

Guérin devait finalement aboutir à Londres où la police française le retraça. Cette dernière demanda son extradition, mais le gouvernement britannique refusa, après que Guérin eut fait la preuve... de sa citoyenneté canadienne!

Ce montage nous présente la photo de Guérin, et à droite un dessin montrant la hutte du célèbre Dreyfus entourée d'une palissade, le quartier des gardes et la tour de guet.

Le nord de la ville secoué par des explosions

Deux bâtiments ont été plus particulièrement touchés par les explosions. Les deux photos de gauche indiquent l'ampleur des dégâts subis par la maison de trois étages sise à l'intersection des rues de Fleurimont et Saint-Vallier. Une fois l'incendie éteint, il ne restait plus qu'un amas de briques, de ferraille et de bouts de bois brûlé. Six familles ont été jetés sur le pavé par l'effondrement de leur domicile, tandis que le feu détruisait tous leurs biens. La photo ci-dessus montre qu'il ne reste que des murs à l'édifice qui abritait le garage de la Municipal Oil Co.

Les bouches d'égout crachent des flammes

UNE série d'explosions sans précédent à Montréal a semé la panique hier dans le nord de la ville. Les couvercles des bouches d'égout ont sauté l'un après l'autre, d'intervalle en intervalle durant une couple d'heures, rues Beaubien et Bélanger en passant par de S.-Vallier jusqu'à DeFleurimont, et boulevards Gouin et Saint-Laurent. Un geyser enflammé a brûlé de 5 h 30 à 8 h 30 à l'intersection des rues Bélanger et S.-Denis, où se produisit la première explosion et un autre a surgi à l'angle des rues Bélanger et Drolet. Les fenêtres, les vitrines et les enseignes ont été réduites en miettes dans tous les environs.

Vers 8 heures, une formidable explosion a fait crouler une maison de trois étages rue DeFleurimont, et les occupants s'en sont sauvés avec des blessures qui auraient pu être plus graves. Un garage a sauté, un autre a été menacé de destruction, quelques-uns ont subi des dégâts assez considérables. L'académie Saint-Edouard a été violemment secouée et une religieuse a été projetée dans la rue à travers une fenêtre. Un certain nombre de passants ont miraculeusement échappé à la mort, de même que quelques personnes qui se trouvaient tranquillement chez elles lorsque des couvercles traversèrent le toit ou brisèrent toutes les fenêtres.

C'est de cette façon que LA PRESSE du 1er décembre 1932 entamait sa « couverture » exceptionnelle des événements de la veille, le **30 novembre 1932**. Votre journal préféré y avait mis le paquet, consacrant à cet événement plus de la moitié de la page un et une page complète à l'intérieur. Aucune victime, aucun témoin digne de ce nom n'avait vraisemblablement été négligé, et le journaliste de LA PRESSE s'était même payé le luxe de faire la tournée en compagnie du chef des pompiers.

Les couvercles transformés en projectiles

La première explosion est sur-

venu vers 5 h 30, projetant dans l'air le couvercle du puits d'accès au réseau d'égout, à l'intersection des rues Bélanger et Saint-Denis. L'explosion fut immédiatement suivie d'un incendie qui brûla sans interruption pendant trois heures. Mais l'affaire ne devait pas s'arrêter là, puisqu'au total, pas moins de 150 couvercles sautèrent de la sorte à l'intérieur d'un quadrilatère grossièrement délimité par le boulevard Saint-Laurent à l'ouest, la rue Bélanger au sud, la rue Saint-Hubert et le boulevard Gouin au nord.

Dans les circonstances, il tient donc du miracle que ces trois heures d'angoisse ne se soient pas soldées par une hécatombe. En effet, on n'a finalement dénombré que sept blessés sérieux, mais sans être graves.

La cause de cette explosion? On a d'abord pensé au gaz, mais le responsable du réseau d'approvisionnement en gaz, la *Montreal Light, Heat and Power Consolidated*, s'empressa de nier toute responsabilité, en soulignant d'une part que le secteur n'avait pas été le théâtre d'aucune fuite de gaz ni d'aucune conduite brisée depuis fort longtemps, et d'autre part que les flammes sortant des bouches d'égout étaient huileuses et laissaient une fumée acre et dense, typique d'un feu d'huile ou d'essence.

En outre, on a constaté qu'une heure avait séparé une explosion à la hauteur de la rue de Fleurimont d'une autre survenue à la hauteur du boulevard Gouin. Or, ont dit les employés de la Ville de Montréal, à cause de 6 ou 7 p. cent du tuyau d'égout, il fallait une heure à l'eau d'égout pour franchir la distance de Fleurimont-boulevard Gouin. Il ne faisait donc pas de doute dans leur esprit que les explosions étaient dues à une fuite d'essence, de sorte qu'il devenait tentant de pointer du doigt le garage Municipal Oil Co., à la croisée des boulevards Saint-Laurent et Crémazie, d'autant plus que le garage en question avait subi de très lourds dégâts.

C'EST ARRIVÉ UN NOVEMBRE

1969 — À Washington, on révèle que les États-Unis ont payé $1 milliard à la Thaïlande pour son assistance au cours de la guerre du Vietnam.

1967 — Lester B. Pearson, premier ministre du Canada, qualifie d'intolérables les propos du général de Gaulle au sujet de l'avenir du Québec.

1958 — Victoire décisive du général de Gaulle après les deux tours de scrutin.

1957 — Le président Soekarno, d'Indonésie, échappe à un attentat à la grenade qui fait sept morts à Jakarta.

1956 — Le Noir Floyd Patterson, bat Archie Moore à Chicago, et devient à 21 ans le plus jeune boxeur de l'histoire à mériter le titre de champion des poids lourds.

1953 — Lors d'un scrutin populaire, les Soudanais repoussent l'allégeance britannique et favorisent leur rattachement à l'Égypte.

1948 — Soun Fo devient premier ministre de la Chine nationaliste, pendant que Mme Chiang Kai-Check se rend aux États-Unis afin d'obtenir une aide dans la lutte de son gouvernement contre les communistes de Mao Tsé-Tung.

1939 — Le président de la République finlandaise déclare la guerre à la Russie.

1923 — Les policiers de Montréal acceptent de se soumettre aux autorités municipales en abandonnant leur « union ».

1922 — L'école dentaire de l'Université de Montréal ravagée par le feu à peine deux semaines après qu'un incendie eut lourdement endommagé le bâtiment principal de l'université.

La guillotine pour «Barbe bleue»

La mort n'effraie pas Landru

VERSAILLES, France — Henri-Désiré Landry, le «Barbe bleue» de Gambais, a souri, hier soir **(30 novembre 1921)**, pour la première fois depuis le commencement de son procès. Il a paru amusé lorsqu'il a entendu les paroles fatales du juge Gilbert qui l'a condamné à la guillotine pour le meurtre de dix femmes et d'un garçonnet.

« Merci messieurs », a dit Landru, en faisant faire une espèce de moulinet à son vieux chapeau pour saluer d'une façon moqueuse les jurés. Après ce salut, le « Barbe-Bleue » a disparu en passant par la petite porte conduisant à la prison de Versailles.

En attendant le jugement des jurés, Landru a dit quelques mots d'encouragement à son avocat, Me de Moro-Giafferi, qui, après avoir fait les plus grands efforts pour sauver son client, paraissait être sur le point de s'évanouir. Landru a fait cette remarque qui a été entendue par un spectateur : « Il doit sembler étrange de voir un homme menacé de la mort consoler son défenseur ».

Landru a refusé de signer une requête demandant au président

Millerand de commuer la sentence, requête que les jurés ont signée. Il a dit : « Je refuse de demander la pitié, un homme comme moi veut la justice et non la miséricorde. Vous pensez que je suis coupable, eh bien! laissez-moi mourir ». (...)

Après être rentré dans sa cellule, le « Barbe-Bleue » de Gambais qui, par ses crimes, a attiré sur lui l'attention du monde entier, a fait des remarques qui donnent une idée de son caractère extraordinaire. Il a parlé ainsi : « Le procès a été une grande représentation dramatique. Je veux croire que le public est satisfait. Je vous donne rendez-vous pour la fin de février ou le commencement de mars afin de vous montrer comment un homme innocent sait mourir ». (...)

On sait que Landru a eu recours aux promesses de mariage pour tromper les femmes qu'il a tuées. Le motif des crimes serait le vol. Landru faisait disparaître les victimes en les brûlant. La plupart des femmes tuées par Landru possédaient quelques biens. La seule preuve directe de culpabilité de Landru était une petite quantité d'os, à peu près

une livre et demie. Certains fragments d'os étaient si petits qu'il a fallu des microscopes pour les examiner.

Victime du pharaon?

Le 30 novembre 1935, LA PRESSE publiait cette photo du Dr James-H. Breasted, égyptologue américain, l'un des premiers savants à pénétrer dans le tombeau du roi Tout-Ank-Amon, et qui souffrait alors d'un mal dont on ne pouvait déterminer la cause. Le Dr Breasted, explorateur de temples et de tombeaux égyptiens pendant les 20 années précédentes, revenait de la vallée du Nil lorsqu'il fut frappé de ce mal mystérieux. Lorsqu'il partit pour l'Égypte, il s'était moqué de la malédiction qui était supposée peser sur tous ceux qui violaient les tombeaux des Pharaons. Il avait défié cette malédiction en vivant durant deux mois dans le tombeau de Tout-Ank-Amon. Vingt-et-une personnes qui firent des recherches là sont mortes depuis de façon mystérieuse.

À la fin de novembre 1928, LA PRESSE proposait en manchette un court texte qui attirait l'attention sur le début des travaux, ce jour-là, du réservoir McTavish. D'une capacité de 90 millions de gallons d'eau par jour, la station de pompage devait coûter $600 000 aux contribuables montréalais. Pour accompagner la manchette, on présentait un dessin à la plume de M. Victor Depocas, et la légende du croquis précisait qu'en plus d'être utile, l'usine aurait une vocation décorative puisqu'on avait grandement soigné son architecture.

Voici le 911

À partir de demain matin, à 4 h, dans le territoire des 29 municipalités de la Communauté urbaine de Montréal, le seul numéro à composer pour tous les appels d'urgence (pompiers, police, ambulance) sera 911. (Texte publié le 30 novembre 1985)

Le premier ministre Lucien Bouchard a célébré sa réélection en compagnie de son épouse, Audrey Best.

Le PQ est réélu

Victoire décevante pour les militants péquistes (le 30 novembre 1998), Lucien Bouchard est loin d'avoir obtenu le balayage que lui prédisaient les sondages. Tout au plus a-t-il réédité le score de son prédécesseur, Jacques Parizeau, en 1994.

Les résultats ont clairement laissé songeur M. Bouchard qui s'était, en campagne, engagé à réunir les « conditions gagnantes » pour un référendum sur la souveraineté. Ovationné par ses partisans dès qu'il a évoqué la souveraineté, M. Bouchard a bien davantage insisté sur l'équilibre des fi-

nances publiques, la création d'emploi et l'avenir des programmes sociaux.

Il a même tendu la main à son adversaire Jean Charest pour créer une coalition pour contrer les visées fédérales en matière sociale.

Hormis quelques exceptions, le visage politique reste inchangé dans la plupart des 124 circonscriptions. En termes de sièges — le PQ récolte 75 comtés — il en avait rapporté 77 il y a quatre ans. Les libéraux l'ont emporté dans 48 comtés, un de plus que la récolte de 1994.

VUE GENERALE DE LA PARTIE DE TERREBONNE DETRUITE PAR LA CONFLAGRATION

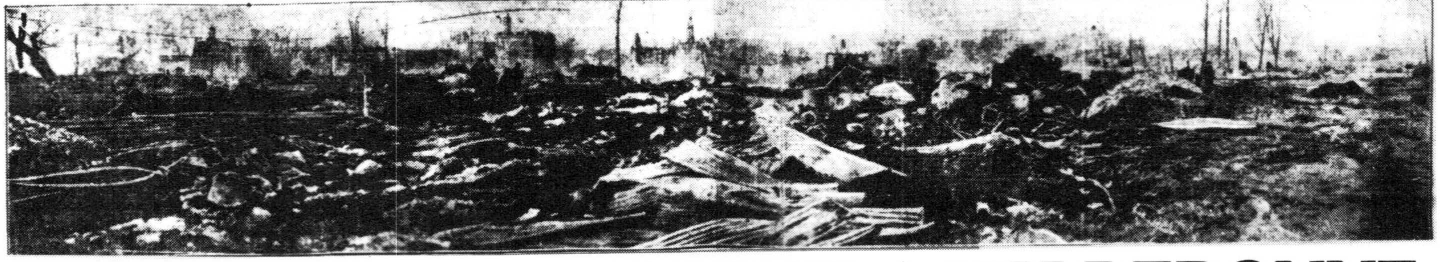

DESASTREUX INCENDIE A TERREBONNE

Le feu détruit la partie basse de la ville de Terrebonne

Tout le quartier des affaires, où se trouvent l'hôtel de ville, le bureau de poste et les banques, n'est plus qu'un amas de ruines

(Spécial à LA PRESSE)

TERREBONNE — Un incendie qui s'est déclaré hier soir **(le 1er décembre 1922)** dans la ville de Terrebonne en a détruit toute la partie basse. Les flammes, activées par un vent violent, se sont propagées avec une extraordinaire rapidité. Plus de soixante-quinze maisons ont été réduites en cendres, et quatre cent personnes se trouvent ce matin sans foyer. Par un véritable miracle, il n'y a pas eu une seule perte de vie. (...)

C'est vers 9 heures 30 que l'incendie a été découvert. On ne connaît pas avec certitude quelle a pu être la cause de la conflagration, l'incendie se déclara d'abord dans le séchoir de l'établissement de M. Joseph Limoges, marchand de bois et manufacturier de portes et de châssis, rue de la Pompe. (...)

Le vent soufflait à une vitesse de 40 à 60 milles à l'heure et activait l'incendie. Comme il soufflait vers le nord, il poussa les flammes du côté de la demeure de M. Limoges qui ne fut bientôt qu'un brasier. De là, les flammes se propagèrent de maison en maison. (...) Un peu avant 10 heures, presque toute la partie sud de la ville était en feu. (...)

Les édifices détruits

L'église, le couvent, le collège, la Banque d'Hochelaga, la maison des Pères du Très-Saint-Sacrement ont échappé à la destruction. mais tout le quartier des affaires, dans le centre et la partie basse de la ville, pratiquement tous les magasins, l'hôtel de ville (...) ont été la proie des flammes.

Un des premiers et des plus gros édifices détruits fut l'Hôtel de ville. C'était un édifice à deux étages, en brique, bâti en 1893. Il valait environ $40,000 et les assurances qui le couvrent se chiffrent à $10,000. Les autres maisons détruites sont : la pharmacie du docteur Rochette, le magasin de meubles et la résidence privée du maire Labelle, le magasin de chaussures de M. Napoléon Gareau, le magasin de meubles Provost, le restaurant Brière, le magasin Brière, le magasin Richard, l'étal de boucher Lauzon et Ouimet, la maison de Mme Valiquette, la boutique Vézina, le garage Charbonneau, l'épicerie Beausoleil, le magasin de chapeaux de Mlle Gauthier, la boulangerie Dansereau, la boutique Guay, le bureau de poste, la glacière Alarie, le magasin de ferronnerie Gauthier. Plusieurs explosions se produisirent lorsque le feu consuma ce dernier endroit, car il s'y trouvait de la gazoline en petite quantité et des cartouches. (...)

Au commencement de l'incendie, on a cru, pendant un temps, que le collège Saint-Louis, où se trouvent 175 pensionnaires et 20 Clercs de Saint-Viateur, y passerait. (...) L'église, le couvent et les autres institutions religieuses se trouvaient dans une autre partie de la ville, et conséquemment en dehors de la zone dangereuse. (...)

Les effets à sauver

Quelques-uns des appareils à incendie de la municipalité n'étaient pas en bon état et un boyau creva sous la pression de l'eau. Bientôt on réalisa que la meilleure chose à faire était de sauver les effets mobiliers. Dans certains endroits, ces effets furent même détruits et les victimes de l'élément dévastateur durent chercher refuge ailleurs. (...)

Un peu partout, les bébés pleuraient alors qu'on les transportait en lieu sûr. Un vieillard se promenait avec une horloge sous le bras, c'est tout ce qu'il avait pu sauver dans sa maison vieille de 70 ans. Le long de la rivière se trouvaient amoncelés des lits, des matelas, des cadres, des tapis, des chaises et toutes sortes de meubles. (...)

Au cours de la conflagration, alors que les flammes avaient atteint leur maximum d'intensité et menaçaient de destruction toute la ville de Terrebonne, il se produisit une scène d'un pathétisme à faire pleurer même les plus endurcis. Afin d'empêcher la mer de flammes de continuer à s'étendre, on décida de couper le chemin au feu en faisant sauter des maisons.

Aussitôt, ce fut la consternation chez les familles à qui appartenaient les maisons que l'on voulut détruire. Des femmes et même des hommes se jetèrent aux genoux des pompiers pour les supplier d'épargner ces maisons et de ne pas mettre leur projet à exécution. Mais une cruelle nécessité y forçait. Des paquets de dynamite furent placés à neuf endroit différents, et bientôt, on entendit une série d'explosions.

En épilogue, on peut ajouter que les pertes se chiffrèrent à plus d'un million de dollars, ce qui était énorme à l'époque.

C'EST ARRIVÉ UN 1er DÉCEMBRE

1984 — Pour la première fois de ses 115 ans d'histoire, la société Eaton fait face à une grève qui touche ses six magasins du sud de l'Ontario.

1978 — Funérailles du maire George Mascone, de San Francisco, assassiné le 27 novembre.

1976 — Un tremblement de terre fait 5 000 morts en Turquie.

1973 — Décès à l'âge de 87 ans de David Ben Gourion, fondateur de l'État d'Israël en 1948.

1970 - Introduction du divorce dans la législation italienne malgré l'opposition du Vatican.

1959 — Signature du traité de l'Antarctique par 12 États, lequel exclut toute activité militaire sur le Continent.

1958 — Mort de 87 enfants et trois religieuses dans l'incendie d'une école catholique, à Chicago.

1952 — Décès en Chine communiste de Mgr Louis Lapierre, missionnaire canadien âgé de 72 ans.

1948 — Arrestation par le gouvernement indonésien de l'ex-premier ministre Amir Sjarifuddin, instigateur de l'insurrection communiste dans l'île de Java.

1947 — Gabrielle Roy mérite le prix Fémina pour son livre *Bonheur d'occasion*. Elle est le premier écrivain canadien à mériter un grand prix littéraire français.

1926 — Les prohibitionnistes subissent un cinglant échec lors des élections provinciales en Ontario, alors que l'abrogation de la loi de la tolérance de 1916 est exigée par une très forte majorité.

1925 — Signature du traité de Locarno : les signataires s'engagent à respecter les frontières territoriales telles que définies par le traité de Versailles.

1924 — Une explosion dans un élévateur à grains du port de Montréal fait un mort et plusieurs blessés.

1923 — Un barrage cède et détruit la ville de Glano, en Italie, faisant quelque 1 500 morts.

Audacieux vol de 16 millions à Dorval

«Du travail de professionnels», répètent en choeur les policiers chargés de l'enquête sur l'audacieuse attaque, tôt ce matin (**1er décembre 1990**), à l'aéroport de Dorval, d'un avion nolisé par la Brinks que des cagoulards ont délesté de 15,6 millions en lingots d'or, bijoux et valeurs négociables.

En deux minutes, vers 3h45, les bandits, que l'on croit au nombre de cinq à huit et qui pourraient bien avoir tenu un « exercice » il y a un mois, ont ajouté un nouveau chapitre dans l'histoire des plus grands vols au Canada, en dérobant plus d'une demi-tonne en lingots et près de 10 millions en valeurs mobilières. Aujourd'hui, ces « professionnels » sont recherchés partout au pays.

Vers 3h45, une explosion à l'ouest de l'aéroport de Dorval, du côté de la rue Stewart-Graham, attire l'attention des policiers de la Gendarmerie royale du Canada chargés de la surveillance des pistes et des hangars.

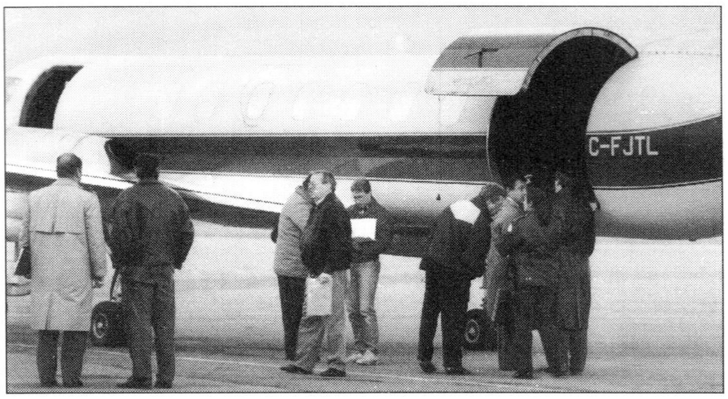

Policiers, enquêteurs et employés des firmes impliquées se pressent autour de l'appareil attaqué tôt ce matin.

Trois minutes plus tard, un bimoteur à hélices de type Metroliner en provenance de Toronto se pose à l'extrémité est, à trois ou quatre kilomètres du lieu de l'explosion, avec à son bord, en plus du pilote et de son assistant — des Montréalais — , un gardien de sécurité de la compagnie Brinks.

L'avion loué par la Brinks à la Jet All Holding de Toronto roule jusqu'en face du hangar d'Air Texaco, au 9788 Ryan, et le pilote coupe les moteurs. Soudainement, un camion de vidange fait irruption devant l'appareil et poursuit sa route. Les passagers l'ignorent encore mais le camion, qui avait été volé la journée précédente à Lachine, vient de défoncer la clôture donnant sur la piste.

Il est suivi d'une camionnette de type Econoline bleue qui s'arrête devant l'avion. Un cagoulard armé d'un fusil d'assaut russe Kalashnikov en sort. Il tient en joue l'équipage.

Au même moment, la porte latérale de l'appareil s'ouvre et un homme ordonne en anglais au pilote et à ses compagnons de ne pas se retourner et de ne pas toucher la radio. On présume que l'homme est sorti d'une autre camionnette, grise celle-là, qui s'est placée derrière l'appareil.

Selon les témoins, trois suspects masqués, qui entre eux parlaient français, ont ensuite délesté l'appareil d'une partie des trésors qu'il transportait. Ils y sont parvenus avant l'arrivée du camion blindé de la compagnie Secur qui devait en prendre livraison. L'opération n'a pas duré plus de deux minutes.

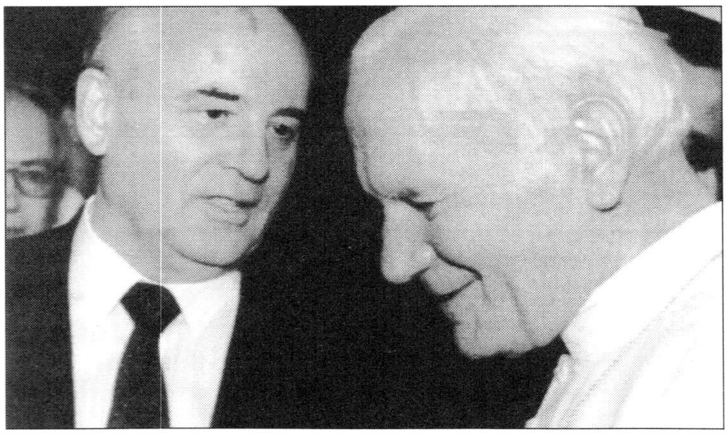

Le pape Jean-Paul II et le président soviétique, Mikhaïl Gorbatchev, se sont donné hier une poignée de main historique.

La fin de 72 ans d'hostilité

À l'issue d'une rencontre historique de 75 minutes marquée par une poignée de main de six secondes entre Jean-Paul II et Mikhaïl Gorbatchev, l'URSS et le Vatican ont tourné la page d'une longue période de 72 ans d'hostilité et d'indifférence entre le matérialisme athée soviétique et le catholicisme romain (**le 1er décembre 1989**). Une nouvelle ère s'est ouverte avec l'annonce par Gorbatchev de l'établissement de prochaines relations diplomatiques entre Moscou et le Saint-Siège, pour la première fois depuis l'arrivé des Soviets au pouvoir lors de la Révolution d'octobre 1917.

Le numéro un soviétique a également officiellement invité le souverain pontife à se rendre en Union soviétique, voyage qui, lorsqu'il se concrétisera, constituera un autre événement historique. Prudent, le Vatican a annoncé dans un communiqué officiel que Jean-Paul II « attend l'évolution de la situation » avant d'accepter l'invitation.

Bouchard amputé

Coup très dur pour le chef du Bloc québécois, sa famille et le mouvement souverainiste. Lucien Bouchard a été amputé de la jambe gauche (**le 1er décembre 1994**) et repose toujours aux soins intensifs de l'hôpital Saint-Luc, à Montréal. Son état est stable, mais demeurera critique au cours des 36 prochaines heures.

M. Bouchard, qui est âgé de 55 ans, a été hospitalisé mardi midi pour une phlébite (un caillot de sang) à la jambe gauche. Selon les informations obtenues de son entourage, il aurait aussi été victime du streptocoque BHA, baptisé par les médias « bactérie mangeuse de chair ».

Dans les deux capitales, la nouvelle a estomaqué les milieux politiques, à commencer évidemment par les collègues immédiats du chef du Bloc québécois, et pour cause. Encore samedi, à l'occasion du conseil général de son parti au mont Sainte-Anne, Lucien Bouchard dansait la gigue avec le député de Rimouski, Suzanne Tremblay.

M. Bouchard était cependant absent de la Chambre des communes depuis le début de la semaine. Lundi, son bureau avait fait savoir qu'il souffrait d'une grippe, puis mardi, d'une phlébite. Il n'avait pu assister au discours inaugural de Jacques Parizeau à Québec.

Le projet référendaire mis en veilleuse

À la suite du verdict populaire, le gouvernement péquiste met son objectif référendaire en veilleuse, du moins pour la première partie de son mandat qui sera essentiellement consacrée à offrir aux Québécois le « bon gouvernement » qu'ils réclament, a déclaré le premier ministre Lucien Bouchard.

« La décision de lundi signifie très clairement que les Québécois n'estiment pas réunies les conditions d'un référendum gagnant. Les Québécois ne veulent pas de référendum actuellement, ça me paraît évident. Ils veulent qu'on finisse le travail qu'on a commencé. Qu'on fasse progresser le Québec. Et c'est ce que nous allons faire », a indiqué M. Bouchard. « Je comprends très bien le message. Je l'accepte et nous allons nous y conformer. » **(Texte publié le 1er décembre 1998)**

C'EST ARRIVÉ UN 2 DÉCEMBRE

1985 — Avec 55,9 pour cent des suffrages exprimés, le Parti libéral du Québec a balayé 99 des 122 sièges de l'Assemblée nationale, n'en laissant que 23 au Parti québécois qui formait le gouvernement depuis 1976.

1981 — Le projet de loi demandant au Parlement britannique de voter une loi donnant au Canada le pouvoir d'amender sa propre constitution est adopté par une forte majorité à la Chambre des Communes.

1975 — Après une grève de six semaines, la plus longue de l'histoire des Postes canadiennes, les 22 000 postiers rentrent au travail.

1975 — Des terroristes tuent trois otages et en détiennent 60 autres à bord d'un train, aux Pays-Bas.

1961 — Fidel Castro annonce qu'il endosse le marxisme-léninisme et que Cuba devient une dictature du prolétariat.

1960 — Une première : le révérend Geoffrey Francis Fisher, chef de l'Église anglicane, visite le pape Jean XXIII au Vatican.

1959 — Le barrage de Malpasset, France, se romp. Des milliards de gallons d'eau annéantissent la ville historique de Fréjus, et font 300 morts.

1954 — Signature d'un accord de défense mutuelle par les États-Unis et Taiwan, à la condition que Tchang Kaï-Chek renonce à attaquer la République populaire de Chine.

1949 — *L'Implacable*, ancien navire français capturé à Trafalgar, coule à Portsmouth.

1943 — Accueil délirant de 217 Canadiens, y compris 75 missionnaires, arrivés du Japon où ils étaient retenus prisonniers depuis la déclaration de la guerre.

1931 — Le compositeur Vincent d'Indy meurt subitement à 80 ans.

1907 — Le *Mount Temple* du Pacifique Canadien s'éventre sur un récif près de Halifax.

1903 — L'Université d'Ottawa est ravagée par les flammes; les dégâts sont évalués à $500 000.

Pablo Escobar, le « baron » de la drogue, est abattu

Seize mois après s'être évadé de prison, le « baron » colombien de la drogue Pablo Escobar — le plus grand trafiquant au monde et l'un des hommes les plus recherchés de la planète — a été abattu par les forces de sécurité colombiennes.

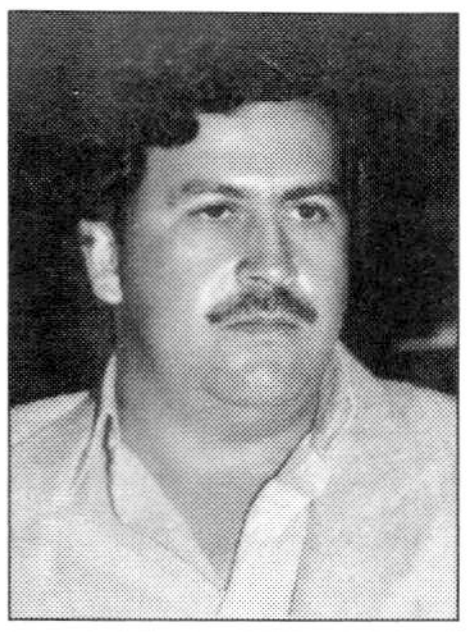

Pablo Escobar

Pablo Escobar a été tué en plein centre de Medellin, capitale de la drogue, par les membres de la force fédérale spéciale d'élite (3000 hommes), composée de policiers et de militaires, qui a agi après avoir bénéficié de renseignements Il a été abattu près d'un centre commercial, après avoir été repéré dans une cachette et alors qu'il essayait de s'échapper par les toits. Un autre homme, un de ses gardes du corps, selon la radio, a également été abattu.

Escobar s'était rendu aux autorités en 1991 contre la promesse de clémence, mais il s'était évadé en juillet 1992 de sa luxueuse prison. Les États-Unis et la Colombie avaient offert une récompense de 8,7 millions de dollars US pour sa capture. Mais le procureur de Greiff a précisé que cette récompense ne serait pas attribuée puisque ce sont les forces de sécurité qui ont retrouvé Escobar.

Au moment de sa gloire, son cartel de Medellin était le plus grand exportateur de cocaïne dans le monde. Mais sa mort ne signifie pas pour autant la fin du trafic de drogue, le cartel de Cali ayant supplanté le cartel de Medellin ces dernières années. Cependant, le terrorisme lié au trafic de drogue pourrait être terminé, car les gens du cartel de Cali — désormais premier fournisseur de cocaïne dans le monde — ne sont pas des terroristes, selon le procureur de Greiff. « Ils se sont entretués mais n'ont pas attaqué les gens normaux, comme Escobar l'a fait. »

Pablo Escobar, né dans une famille pauvre, était devenu l'un des hommes les plus riches du monde grâce au trafic de drogue et à une série d'attentats et d'assassinats qu'on lui impute, parmi lesquels ceux de candidats à la présidence, de juges, de journalistes et de policiers. En 1991, le magazine américain Forbes l'avait classé 62e parmi les personnalités les plus riches du monde, avec une fortune évaluée à plus de 2,5 milliards de dollars. (**Texte publié le 2 décembre 1993**).

L'Académie française rend hommage à Gilles Vigneault

Gilles Vigneault a reçu à Paris, la médaille de vermeil de la chanson française, le prix Henri Josselin de l'Académie française.

Cette distinction lui a été décernée pour l'ensemble de son oeuvre par le secrétaire perpétuel de l'Académie, Maurice Druon, qui a rendu un vibrant hommage à Vigneault en disant de lui qu'il était « le Béranger du Québec ». Pierre Jean de Béranger, né à Paris en 1780, créa de nombreuses chansons d'inspiration patriotique et politique qui lui valurent une immense popularité.

« Vous êtes un grand patriote, excessif parfois, mais qui a mieux compris que quiconque que c'est par sa langue qu'un peuple conserve son âme », conclut l'académicien à l'adresse de Gilles Vigneault. (**Texte publié le 2 décembre 1988**).

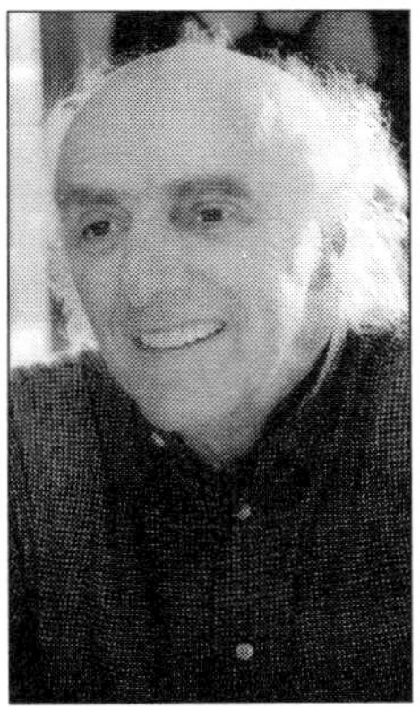

Gilles Vigneault

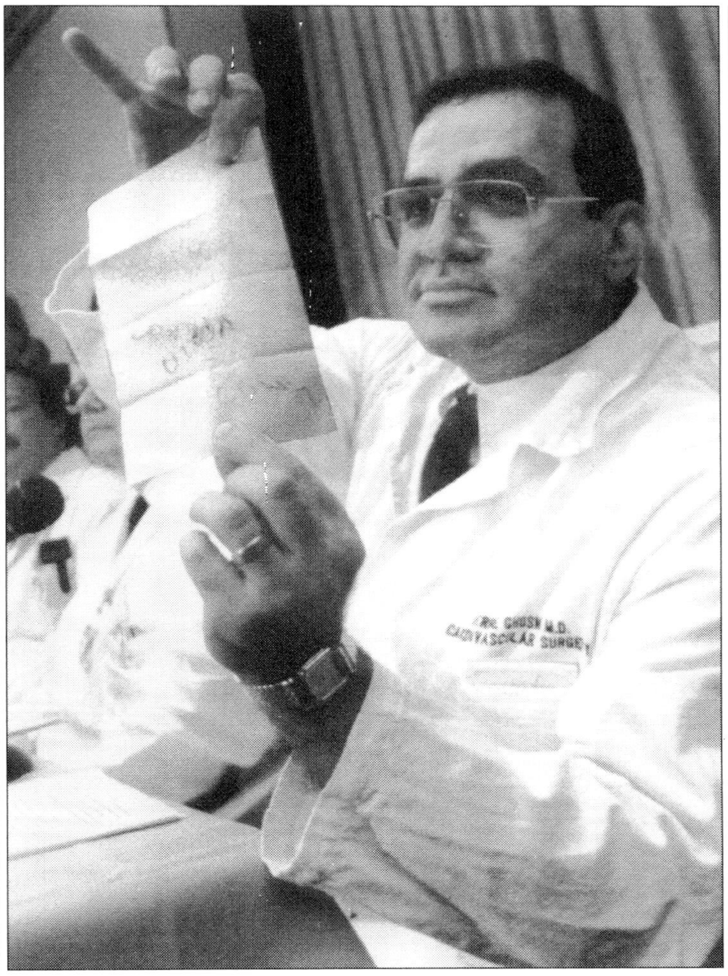

Le chirurgien Pierre Ghosn exhibe devant les représentants des médias la note rédigée péniblement par le chef du Bloc québécois, Lucien Bouchard, dans son lit de l'hôpital Saint-Luc et qui se lit ainsi : « Que l'on continue... »

Bouchard est sauvé

La note était maladroite, difficile à déchiffrer. Une vingtaine de lettres parfois superposées, parfois alignées. Mais elles disaient ce que tout le monde voulait entendre : Lucien Bouchard était bien en vie. Il était sauvé !

Le Québec entier a poussé un grand ouf...

« C'est presque un miracle », a admis le docteur Patrick D'Amico, qui a annoncé la nouvelle lors d'une conférence de presse tenue hier midi à l'auditorium de l'hôpital Saint-Luc, à Montréal.

Celui que tout le monde qualifie de « politicien le plus aimé du Québec » vient de vivre la période la plus difficile de sa vie. La bactérie « mangeuse de chair », appelée plus communément streptocoque beta hémolytique, a causé la perte de sa jambe gauche et s'est propagée jusqu'à la cage thoracique. Mais les médecins et un fort traitement aux antibiotiques auraient réussi à la stopper avant qu'il ne soit trop tard.

Selon le docteur D'Amico, M. Bouchard se trouvait encore dans un état critique, hier, mais sa vie ne semblait plus en danger. « Il n'est pas encore sorti du bois, mais presque. Jusqu'à maintenant, sa grande forme physique l'a beaucoup aidé », a précisé le médecin, qui a aussi souligné le « moral extraordinaire » de son patient.

Sans traitement, la bactérie mangeuse de chair peut ronger jusqu'à deux centimètres de chair à l'heure. À l'hôpital Saint-Luc, ce fut le branle-bas de combat. La jambe était très abîmée ; il a fallu amputer à mi-cuisse. « Après mûre réflexion, M. Bouchard a dit que sa vie et celle de sa famille étaient beaucoup plus importantes que sa jambe », a relaté le docteur D'Amico. L'intervention s'est déroulée dans la nuit de jeudi.

Pour le thorax et l'abdomen, qui étaient aussi infectés, les traitements aux antibiotiques ont fini par faire effet.

Lucien Bouchard était encore intubé, hier matin, aux soins intensifs. Si l'infection est éliminée, il pourrait quitter les soins intensifs dans quelques jours. Son médecin espère qu'il sera remis d'ici trois à quatre mois. « Avec la force de caractère qu'il a, je suis très confiant qu'il pourra reprendre ses activités dans quatre ou cinq mois », a-t-il ajouté.

Quant à la note gribouillée hier matin par M. Bouchard, plusieurs y ont vu une volonté absolue de vivre. « Il a tellement de courage. Je suis persuadé qu'il va guérir et qu'en bout de ligne, il reviendra plus fort », a déclaré le député bloquiste Nic Leblanc. « Il a une force morale formidable, a poursuivi un grand ami de M. Bouchard, Marc-André Bédard (ancien ministre péquiste). Je suis convaincu qu'il saura relever ce nouveau défi, même s'il est énorme. »

D'autres y voient plutôt un ultime message politique. C'est le cas du premier ministre Parizeau : « C'est un message extraordinaire, qu'il nous passe à nous tous... Continuez... continuons ». (**Texte publié le 2 décembre 1994**).

Oscar Wilde réhabilité

Condamné aux travaux forcés pour « conduite indécente » après la révélation de son homosexualité, mort en exil dans la pauvreté et la solitude, l'écrivain anglais Oscar Wilde a été tardivement réhabilité à Londres où une statue à sa mémoire a été dévoilée.

Quatre-vingt-dix-huit ans après sa mort, le dramaturge britannique le plus joué dans le monde après Shakespeare a enfin eu droit à un bronze dans le centre de la capitale, dévoilé par Stephen Fry, interprète de Wilde à l'écran, en présence de quelques figures de l'establishment, dont le ministre de la Culture Chris Smith, l'un des trois homosexuels « déclarés » du gouvernement.

Sur la statue représentant l'écrivain une cigarette aux lèvres, l'une de ses citations les plus célèbres : « Nous sommes tous dans le caniveau. Mais quelques-uns d'entre nous regardons les étoiles » (« We are all in the gutter, but some of us are looking at the stars »).

À 40 ans, Oscar Wilde fut condamné à deux ans de travaux forcés pour « conduite indécente et sodomie » après la dénonciation du marquis de Queensberry, père de son jeune amant, Lord Alfred Douglas. L'auteur le plus fêté du pays pour ses caricatures féroces de la bonne société victorienne et de la nature humaine ne se remit jamais de cette condamnation. Une fois sa peine effectuée, il partit en exil en France, où il finit ses jours deux ans plus tard, en 1900, seul et misérable.

« C'est grâce à Oscar Wilde que nous pouvons aujourd'hui vivre dans une société qui accepte la diversité » a lancé le ministre de la Culture Chris Smith. (**Texte publié le 2 décembre 1998**).

La majorité des Québécois ne se disent pas Canadiens

La majorité des Canadiens se considèrent avant tout comme tels, plutôt que comme des Albertains, des Manitobains, des Ontariens, etc.

Un sondage effectué récemment par l'Institut Gallup à ce sujet révèle que 71 pour cent des répondants disent être avant tout Canadiens, tandis que 19 pour cent s'identifient plutôt à leur propre province et que 7 pour cent prétendent aux deux allégeances. L'exception vise les Québécois, dont 38 pour cent seulement se disent avant tout Canadiens, tandis que 49 pour cent s'identifient essentiellement au Québec.

À l'autre extrémité de l'échelle se trouvent les Ontariens, dont 94 pour cent se considèrent avant tout comme Canadiens. (**Texte publié le 2 décembre 1993**).

Les cégépiens souverainistes à 82 pour cent

Les étudiants d'une trentaine d'institutions d'enseignement post-secondaire se sont prononcés en faveur de la souveraineté du Québec dans une proportion de 82 pour cent dans le cadre d'un référendum.

Quelque 33 pour cent des 85 000 étudiants inscrits dans 31 établissements ont répondu à la question : « Aujourd'hui, voulez-vous que le Québec devienne un État souverain ? » Seulement 16 % ont dit non.

Le Non l'emporte dans les collèges anglophones tels que John-Abbott (92 % sont contre) et Mariannapolis (87 %). Parmi les établissements francophones, le Oui l'emporte avec moins d'éclat à Jean-de-Brébeuf (63 % pour et 34 % contre) et André-Grasset (68% pour et 29% contre).

Généralement, la souveraineté du Québec suscite massivement l'adhésion, et souvent par une majorité dépassant les 90%. C'est notamment le cas à Victoriaville (près de 95 %), au département d'études françaises de l'Université de Montréal (près de 94 %), au cégep Maisonneuve (92 %), à celui de Chicoutimi (92 %) et à André-Laurendeau (91 %). (**Texte publié le 2 décembre 1990**).

Nadia Comaneci refait surface à New York

Nadia Comaneci, qui est devenue mercredi le plus célèbre transfuge de la Roumanie, est remontée sur le podium à New York.

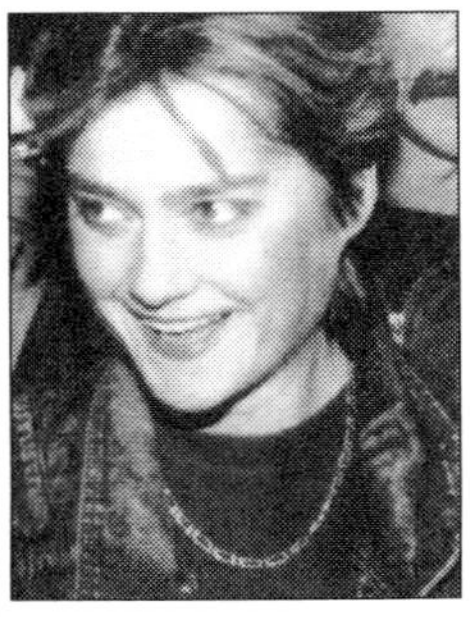

Nadia Comaneci

Après l'atterrissage du vol 029 de la Pan Am, qui l'a menée de Vienne à New York, la reine des Jeux olympiques de Montréal de 1976, où elle avait obtenu, à 14 ans, une note parfaite en gymnastique, a fait une brève apparition devant une trentaine de journalistes réunis dans un lounge de l'aéroport John F. Kennedy.

S'exprimant en anglais, elle a expliqué d'une voix timide qu'elle avait choisi de passer à l'Ouest parce qu'elle voulait mener une vie libre.

Plusieurs amis de Comaneci ont indiqué que Comaneci avait décidé de laisser derrière elle un appartement, une voiture et une sécurité financière parce qu'on lui refusait la permission de voyager ou de devenir entraîneur à l'étranger. (**Texte publié le 2 décembre 1989**).

La vaccination à l'hôtel de ville: l'une des scènes multiples que présentait l'intérieur du Bureau d'hygiène, cet avant-midi. (D'après un croquis de l'un de nos dessinateurs).

EN AVANT LA VACCINATION !

Depuis la dernière proclamation il y a une grande affluence de personnes à l'Hôtel de Ville -- Les bureaux d'hygiène sont encombrés

LA vaccination bat son plein, de ce temps-ci, à l'hôtel de ville. Il est vrai que tous les moyens ont été pris par le Bureau de santé, pour encourager la chose; à part le fait regrettable que l'on charge le prix du vaccin aux médecins, qui se font payer pour vacciner leurs clients.

N'empêche que la population semble à tout prix décidée à renoncer aux vieux préjugés et à s'immuniser au moyen de la vaccine (sic). Il se fait, dans ce sens, un mouvement très sérieux. On remarque surtout la chose depuis les dernières proclamations du bureau de santé.

Les maîtresses d'écoles amènent leurs élèves en bloc, à l'hô-

tel de ville, depuis samedi, et les trois médecins vaccinateurs sont sur les dents. Ils sont réellement encombrés. Il a fallu mettre des bancs dans le couloir, près du bureau de santé, pour faire asseoir la foule.

Comme l'a dit, samedi, le médecin de la cité, si ce bon mouvement continue, dans un mois nous n'aurons plus de variole parmi nous. Pour nous sauver du fléau, il n'y a qu'une chose, la vaccination. Qu'on se le tienne pour dit, et que chaque père de famille agisse.

CE QUE DIT M. LE CURE
D'HOCHELAGA
DE LA VACCINATION

A la séance du Conseil de ville,

hier, l'échevin Bumbray a créé toute une sensation, en disant que, dimanche dernier, le curé d'Hochelaga avait annoncé en chaire, que tous ceux qui ne se feront pas vacciner seront passibles d'une amende de $10.00.

Le président de la commission d'hygiène, M. Ames, a déclaré en réponse à la question qui lui a été posée à ce sujet, qu'il n'y a ni loi, ni règlement à l'heure qu'il est, qui autorise l'abbé en question de faire une semblable menace. Cela n'empêche pas, bien entendu, que la vaccination ne soit grandement recommandée.

Cela se passait le 3 décembre 1901.

Des curiosités qui ne manquent pas d'étonner

À l'époque où les moyens de transmission des informations n'étaient ni aussi rapides ni aussi efficaces qu'aujourd'hui, l'étonnement était toujours grand lorsqu'on voyait des vignettes sortant le moindrement de l'ordinaire comme ces deux curiosités publiées dans l'édition du 3 décembre 1910. L'aéroplane sans hélices (comme on disait à l'époque) n'était autre chose que le précurseur du turbo-propulseur utilisé sur une grande échelle d'abord par l'armée allemande au cours de la deuxième guerre mondiale, et ensuite par l'aviation commerciale depuis le milieu des années 50. Quant à l'autre illustration, elle présente une embarcation alors en usage dans les îles de Polynésie, mais qui pouvait en étonner plusieurs en territoire américain...

ON TROUVE UN CIMETIERE SOUS L'HOTEL DES POSTES

Des ouvriers occupés à creuser un tunnel découvrent une grande quantité d'ossements humains enterrés près du mur de pierres, très épais, des anciennes fortifications.

A l'Hôtel des Postes, on est à effectuer, en ce moment, des travaux très considérables, et depuis une dizaine de jours des surprises n'ont cessé de créer l'intérêt le plus intense par suite des découvertes inattendues.

La semaine dernière, nous apprend M. Gaboury, on découvrait des ossements en grand nombre, et il y a deux jours, une source qui semble intarrissable inonde les travaux.

Accompagné du sous-directeur des Postes à Montréal, nous descendons une vingtaine de pieds afin d'arriver au niveau de la rue Craig, permettant ainsi de se servir de l'ascenseur pour descendre les colis postaux, qui sont chargés et expédiés par le personnel de la nouvelle bâtisse, rue Craig.

Ceci nécessitait un tunnel, et c'est en creusant que l'on s'est trouvé arrêté par un mur de pierre solide, que l'on croit être ce qui reste des anciennes fortifications.

Des ouvriers qui étaient à piocher, poussèrent soudain des exclamations. Le contremaître de M. Peter Lyall, M. A. Gariépy, vint s'informer, et, quelle ne fut pas sa stupéfaction, quand on lui remit les ossements que l'on venait d'exhumer. Il y avait plusieurs fémurs, des radius, des humérus, un grand nombre de côtes et des vertèbres, et des crânes.

On continua les fouilles toute

l'après-midi, mais on ne découvrit rien de plus.

Il y a de soi qu'il y eut des commentaires et des recherches de faites.

On croit qu'à cet endroit à peu près au centre du Bureau de Poste, on avait établi hors des murs, un cimetière et que ce sont les ossements de ce lieu funèbre que l'on vient de trouver.

Notons que lors de la construc-

tion du nouvelle immeuble du «Star», on fit des découvertes identiques.

On eut à démolir un mur de pierre très épais, et dans les fouilles on trouva des ossements en grand nombre. Comme dans le cas actuel, on ne put apprendre rien de bien exact en fait de renseignements historiques.

Cela se passait le 3 décembre 1909.

Une première sainte de souche québécoise

La Générale de la communauté des Soeurs de la charité prédit un juste retour des choses pour les communautés religieuses du Québec, dont les valeurs seront bientôt embrassées par l'ensemble de la société parce que les gouvernements ne peuvent plus répondre aux besoins des plus démunis et qu'il faudra compter de plus en plus sur le bénévolat.

« Je sais qu'il y a beaucoup de souffrance dans le monde et je m'aperçois que les gouvernements ne peuvent suffire à la tâche. Nous devons donc imiter comme société ce que les communautés religieuses faisaient autrefois, même si on ne l'appréciait pas toujours à l'époque », déclare soeur Marguerite Létourneau dans une interview à la maison mère de la congrégation, mieux connue sous le vocable des Soeurs grises.

C'est le 9 décembre, place Saint-Pierre à Rome, que le pape Jean-Paul II présidera la cérémonie de canonisation de la fondatrice de cet ordre religieux, événement qui prend une signification particulière pour l'Église catholique d'ici puisque Marguerite d'Youville sera la première Canadienne

Mère d'Youville

de souche à atteindre la sanctification.

Il y a bien les Saints Martyrs canadiens, mais ils sont d'origine française et ont déjà été canonisés. Marguerite d'Youville est la première personne née ici à devenir sainte.

Plus connu parce que plus contemporain, le frère André a été déclaré bienheureux il y a quelques années. Sa canonisation serait une question de temps. (Texte publié le 3 décembre 1990).

Dehors, Patrick Roy !

Après deux Coupes Stanley et des années de gloire, le Tricolore et l'une des plus grandes vedettes de son histoire, le gardien Patrick Roy, divorcent.

Le numéro 33 a été suspendu, à la suite de son comportement lors de la dégelée subie hier par le Canadien contre les Red Wings au Forum, et le directeur général Réjean Houle a annoncé qu'il tenterait d'échanger son gardien dans les plus brefs délais.

Après le neuvième but des Wings, en deuxième période, Roy a regagné le banc en furie et, en passant devant l'entraîneur Mario Tremblay, il s'est adressé au président Ronald Corey, devant plus d'un million de téléspectateurs.

« Patrick a déclaré à M. Corey que c'était son dernier match à Montréal, a admis Réjean Houle en conférence de presse. Le geste de Patrick à l'endroit de l'organisation est

inacceptable. » Il y a eu plus que cette remarque. Lors de la fameuse scène derrière le banc, Roy a carrément défié son entraîneur devant tout le Québec sportif. Les téléspectateurs ont vu Tremblay se retourner vers son gardien pour savoir ce qui se passait, à la suite de l'échange verbal avec le président du club, et Roy de lui répondre, le regard enflammé et les lèvres serrées : « T'as compris ! »

Quelques instants plus tôt, la vedette du Tricolore avait levé les bras au ciel en signe de victoire après un arrêt de routine, pour répondre à la foule qui l'avait applaudi par dérision.

« Après l'incident, j'ai dit à Patrick de ne pas se présenter à l'entraînement de ce matin et de me rencontrer avec son agent Robert Sauvé », a dit Houle. (Texte publié le 3 décembre 1995)

C'EST ARRIVÉ UN 3 DÉCEMBRE

1975 — Dissolution du gouvernement d'union nationale, au Laos. Le pays se transforme en république populaire et le prince Souphanouvong, chef du Pathet Lao d'obédience communiste, en devient le président.

1973 — Lancé le 28 février 1972, *Pionneer X* transmet une première photographie de la planète Jupiter.

1970 — Traqué dans son repaire, le FLQ se rend et libère James Cross, enlevé deux mois plus tôt. Ses trois assaillants sont extradés à Cuba.

1967 — Louis Washkansky est le premier homme à subir une transplantation cardiaque, au Cap, Afrique du sud; il survivra pendant 18 jours à l'intervention chirurgicale effectuée par le Dr Christian Barnard.

1956 — Les troupes françaises et britanniques évacuent Suez, à la suite des pressions exercées par les États-Unis et les Nations-Unies.

1956 — Romain Gary, consul français à Los Angeles, mérite le prix Goncourt.

1952 — Onze chefs communistes sont pendus à Prague, pour *intelligence avec l'ennemi*.

1947 — Des terroristes communistes font dérailler le train Paris-Arras : conséquence, 20 morts.

1945 — Le coût de la deuxième grande guerre est fixé à un trillion, 154 milliards de dollars américains pour les seuls armements.

1943 — Quelque 3 800 personnes meurent dans l'explosion du navire de réfugiés « Kianga », près de Shanghai.

1936 — L'opinion anglaise réprouve le mariage d'Édouard VIII avec la roturière Wallis Simpson, et le roi est acculé à l'abdication.

1906 — Les flammes ravagent 12 commerces à l'intersection des rues Notre-Dame et McGill; les dégâts se chiffrent à 250 000 $.

Caricature d'Albéric Bourgeois publiée le 3 décembre 1909.

C'EST ARRIVÉ UN
DÉCEMBRE
4

1991 — La faillite de Lavalin Inc., qui regroupait le secteur d'ingénierie de la grande famille des sociétés Lavalin, entraîne des pertes de 200 millions de dollars pour 2300 créanciers.

1989 — L'OMS recense près de 200 000 cas de sida dans le monde.

1986 — Trois Québécois sur quatre sont favorables à ce que le français demeure la seule langue officielle au Québec.

1985 — Los Angeles, avec 8 870 000 habitants, dépassera New York (8 843 000) en l'an 2000 comme plus grande métropole américaine. Sa population croîtra de 13,5 % d'ici la fin du siècle, contre seulement 1,7 % pour New York.

1985 — La petite île de Burgh, qui inspira notamment Dix petits nègres à Agatha Christie, va être mise aux enchères.

1961 — Marcel Chaput, âgé de 43 ans, président du Rassemblement de l'indépendance nationale, a aujourd'hui remis sa démission au Conseil des Recherches de la Défense.

BPC : « Enfin la fin ! »

« **E**nfin la fin ! » se réjouit Pierre Lupien, directeur technique du comité de vigilance de Saint-Basile-le-Grand où on est à la veille de mettre un point final au roman-fleuve des BPC.

La quasi-totalité des matières contaminées, soit plus de 22 000 tonnes, ont été acheminées dans des centres de traitement ou d'élimination du Québec ou de l'Alberta. Et, dans moins de trois semaines, tous les travaux seront terminés, a indiqué Robert Noël de Tilly, coordinateur du plan d'élimination des BPC au ministère de l'Environnement et de la Faune (MEF).

« Ça fait 20 ans qu'on nous dit qu'on va avoir un cadeau de Noël. Mais ce n'est pas tombé du ciel ! dit Bernard Gagnon, maire de Saint-Basile-le-Grand. C'est le résultat d'un effort collectif. Et aujourd'hui, nous avons davantage la satisfaction du devoir accompli que l'impression d'avoir reçu un cadeau. »

Le comité de vigilance, ce groupe de citoyens mis sur pied en 1991 pour surveiller les opérations, a travaillé sans relâche, précise le maire. Et le plan de match a été respecté, note-t-il. L'aventure aura coûté plusieurs dizaines de millions de dollars — on parle de 20 millions uniquement pour le transport et l'élimination des BPC de Saint-Basile, rapporte le MEF.

Les terres agricoles qui avaient été placées sous la responsabilité du gouvernement après l'incendie de 1988 seront rendues à leurs propriétaires au printemps.

A-t-on tiré des leçons de tout ça ? « Les leçons, on les a tirées depuis longtemps, soutient Robert Noël de Tilly, du MEF. Depuis 10 ans, la réglementation a changé, c'est beaucoup plus sévère. »

Ce sont les habitudes de notre société de consommation et non les règlements qui devront changer, croit pour sa part le maire de Saint-Basile-le-Grand. « C'est un problème de fond. L'action humaine devra être plus respectueuse de l'environnement », plaide-t-il, rappelant que c'est un entreposage sauvage qui a été à l'origine du problème des BPC à Saint-Basile. « Une situation qu'on aurait pu éviter. » (Texte publié le 4 décembre 1998)

Le terrorisme aveugle frappe de nouveau à Paris

Nouveau carnage dans le métro parisien : hier en fin de soirée, on dénombrait deux morts, trois blessés dans un état « désespéré », 25 autres dans un état grave ou très grave. Plus quelques dizaines de blessés légers hospitalisés ou traités sur place. Aussitôt après, tous les regards se sont tournés vers la « piste islamiste », qui avait déjà frappé en 1995.

La bombonne de gaz de 13 kilos qui a explosé hier soir à 18h05, en pleine heure de pointe, dans une station du métro régional parisien (le RER), était une bombe aveugle faite pour tuer. À quelques dizaines de secondes près, le bilan aurait pu être encore plus lourd au milieu de cette foule compacte. Il se trouve que l'engin de fabrication artisanale a explosé dans un wagon du RER au moment où la rame entrait en gare de Port-Royal, et que cette station est à ciel ouvert, ce qui a atténué l'effet de la déflagration.

Parmi les deux victimes tuées sur le coup dans l'attentat à la bombe du métro Port-Royal à Paris, il y avait une femme, tellement déchiquetée par l'explosion que son identification posait problème à la police.

Il n'y a plus de doute aujourd'hui. Selon les informations obtenues, il s'agit d'une Montréalaise de 36 ans, Hélène Viel, à peine arrivée dimanche à Paris avec son conjoint, Franklin Stonebanks, un Canadien de 31 ans, originaire de Victoria, et avec qui elle vivait à Saint-Lazare, près de Rigaud, depuis environ cinq ans. C'est elle qui se trouvait pratiquement au contact de la bombonne de gaz et qui, selon les enquêteurs, a pris la déflagration de plein fouet, protégeant même de ce fait les autres passagers du wagon. Son conjoint, qui se trouvait à côté d'elle, a été sérieusement brûlé aux mains et blessé aux jambes, mais son état n'inspire plus d'inquiétude.

Cadre supérieur chargé de la production au sein de la société pharmaceutique Rhône-Poulenc, M. Stonebanks venait d'être nommé à Paris, et le couple cherchait un appartement où s'installer dès la fin de la première semaine de janvier. Hélène Viel était elle-même chercheuse en pharmacie et comptait trouver un emploi dans ce domaine à Paris, où le couple prévoyait habiter deux ans.

Le rêve a tragiquement pris fin à 18h05 lorsque la rame du métro régional entrait dans la gare de Port-Royal, à la limite sud du jardin du Luxembourg. Selon une source proche de l'enquête, la jeune femme était assise sur le strapontin au-dessous duquel les terroristes avaient précisément laissé la bombonne de gaz (de camping) remplie de poudre et de ferraille : « C'est elle qui a tout pris directement, à un point tel qu'elle a pratiquement constitué un rempart pour les autres passagers, et considérablement amorti l'impact. » Hier soir en tout cas, les services officiels parlaient d'« une femme déchiquetée et méconnaissable » qu'on cherchait à identifier au moyen de divers indices. (**Texte publié le 4 décembre 1996**)

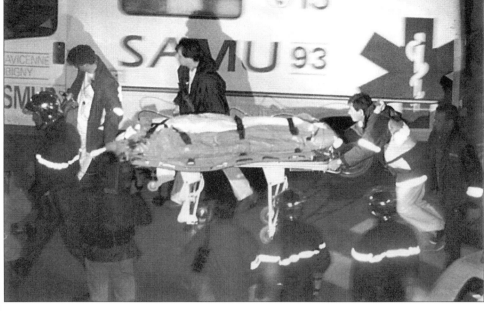

Des sauveteurs évacuent un passager blessé après l'explosion d'une bombe à la station Port-Royal du RER.

Un peu d'histoire qui s'envole en fumée.

300 ans d'histoire en fumée

Le pâté de maisons incendiées à l'angle de la rue Notre-Dame et de la Place Jacques-Cartier a plus de 300 ans d'histoire. On raconte même que de nombreux patriotes se sont cachés dans certains de ces immeubles durant la révolte de 1837.

Originellement, les terrains faisaient partie d'un fief cédé par Chomedey de Maisonneuve, le 2 février 1653.

Les documents que l'on a pu consulter aux archives de la Ville de Montréal, indiquent que les quatre édifices occupent l'emplacement de maisons construites vers la fin des années 1700. Les plus touchées ont été érigées au début du 19e siècle. (**Texte publié le 4 décembre 1985**)

Il n'y a plus d'otage américain au Liban

Le dernier otage américain au Liban, Terry Anderson, a finalement été relâché et a exprimé à son arrivée à Damas son exaltation d'être libre après près de sept ans de captivité.

Le journaliste de l'agence Associated Press, souriant et apparemment en bonne forme, n'a toutefois donné aucune nouvelle des deux Allemands encore détenus et dont la libération, selon plusieurs indices, semble proche.

« Vous ne pouvez pas imaginer combien je suis content de vous voir », a déclaré M. Anderson à ses confrères journalistes dans les locaux du ministère syrien des Affaires étrangères, où il a été remis à des diplomates américains.

Terry Anderson est reparti peu après minuit pour l'hôpital américain de Wiesbaden, accompagné de sa fille Salomé, née trois mois après son enlèvement, et de la mère de celle-ci, Madelaine. (**Texte publié le 4 décembre 1991**).

Terry Anderson, en compagnie de sa fille et de sa fiancée.

Orphelins de Duplessis : les religieuses répliquent

Les communautés religieuses, qui administraient les crèches et les institutions psychiatriques pendant les années 40 à 60, se sentent aujourd'hui les boucs émissaires de la colère des Orphelins de Duplessis. Pourtant, affirment ces communautés, le gouvernement, les médecins et la société ont aussi leur responsabilité dans le triste sort qui fut celui de plusieurs pupilles de l'État.

« On essaie de trouver un coupable, et les coupables, ce sont les communautés », déplore Raymond Lamontagne, de l'Association des supérieurs majeurs de Montréal.

Des représentants du groupe des Sept, formé des sept communautés religieuses visées par le Comité des orphelins de Duplessis, livrent leur première véritable réplique aux accusations de mauvais diagnostics, de mauvais traitements et de sévices lancées publiquement contre elles.

« Il y a une chose qu'on sait, c'est que l'institutionnalisation pendant toute sa jeunesse, ce n'est pas une chose normale, dit soeur Ghislaine Roquet, de la Conférence religieuse canadienne. Et pendant toute cette période-là, il y a eu une surcharge des institutions dont les communautés se sont plaintes au gouvernement. »

Les communautés se montrent prêtes à reconnaître leurs torts, à condition que le dossier « soit analysé dans le contexte de l'époque ». « Il y a eu des cas d'erreurs, c'est sûr, mais on ne sait pas combien », poursuit soeur Roquet.

Et si les enquêtes menées actuellement par la Sûreté du Québec à propos de plaintes de nature criminelle déposées par des orphelins contre des religieux et religieuses ont des suites, « on laissera les individus face à leurs responsabilités individuelles », soutient Raymond Lamontagne.

Mais, selon ce dernier, les membres des communautés qui posaient des gestes répréhensibles étaient généralement démasqués par leurs collègues. « On regrette des fois qu'ils (les orphelins) ne l'aient pas dit ou que ça ait pris du temps avant qu'on sache qu'un comportement inacceptable ou dangereux avait lieu », ajoute soeur Roquet.

D'autre part, si des orphelins qui estiment avoir été bien traités dans ces institutions refusent de le dire sur la place publique aujourd'hui, c'est souvent parce qu'ils ne veulent pas retrouver l'étiquette sociale très péjorative que leur valait à l'époque leur « naissance illégitime », soutiennent les religieuses. (**Texte publié le 4 décembre 1992**).

Le bilinguisme gagne du terrain

Le bilinguisme français-anglais a continué de gagner du terrain au Québec depuis le début des années 90, en particulier à Montréal, mais il stagne chez les non-francophones du reste du Canada, révèle le recensement de 1996. Avec plus d'un million et demi de ses habitants qui se disent capables de s'exprimer en français et en anglais, soit un Montréalais sur deux, la métropole arrive facilement en tête du classement des régions métropolitaines du Canada pour son taux de bilinguisme. Montréal a une bonne longueur d'avance sur la région de la capitale fédérale, où, avec les deux rives de l'Outaouais confondues, le bilinguisme atteint un niveau de 44%. En terme de pénétration du bilinguisme parmi leurs populations, les régions métropolitaines du Québec arrivent toutes dans le peloton de tête des agglomérations du Canada.

Le Québec est la province qui présente le plus haut taux de bilinguisme au Canada. Il est passé de 28% à 38% en 25 ans. Le Nouveau-Brunswick est la seule autre province comparable. Le bilinguisme y a augmenté de 22% à 33% depuis 1971. (**Texte publié le 4 décembre 1997**).

Patrick Roy s'excuse de son geste de frustration

« **M**oi, tout ce que je peux faire, c'est partager l'immense peine de mon mari. Patrick rêvait de terminer sa carrière avec le Canadien. Bien plus, il souhaitait passer le reste de sa vie dans l'organisation. C'était son grand rêve. »

Michèle Roy a partagé minute par minute les dramatiques événements qui ont fait basculer la vie de son mari Patrick, la sienne et celle de leurs trois enfants.

Hier soir à Laval, c'est un homme abattu, profondément perturbé, amaigri et les traits tirés, qui a confessé avoir commis une grave erreur samedi soir lors du match contre les Red Wings de Detroit : « J'étais humilié, j'étais frustré par les événements et j'ai posé un geste qui a sans doute offensé les partisans de l'équipe. Je le regrette profondément. Toute ma carrière, j'ai joué avec tout mon coeur et je voudrais que les gens pardonnent ce geste de frustration », a déclaré Roy devant une petite armée de reporters et de commentateurs. (Texte publié le 5 décembre 1995)

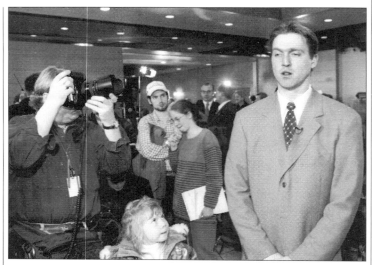

« J'aurais tellement aimé que ça se termine autrement, pas bête comme ça », a lancé un Patrick Roy bouleversé en conférence de presse.

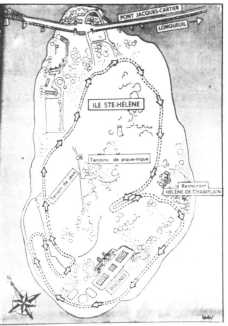

Le parcours du Grand Prix Automobile de Montréal

Le Grand Prix de Montréal dans l'île Sainte-Hélène?

LORSQUE la direction de la brasserie Labatt a décidé en 1977 de présenter un Grand Prix de course automobile dans un île au milieu du fleuve Saint-Laurent, ce n'était pas la première fois qu'on songeait à organiser une telle course à Montréal.

En effet, sous la plume du confrère André Trudelle, LA PRESSE du 5 décembre 1962 divulguait les grandes lignes d'un projet envisagé par le directeur André Champagne, du Service des parcs de la Ville de Montréal. C'était bien avant que le Grand Prix du Canada ne voyage entre Mont-Tremblant, au Québec, et Mosport en Ontario. C'était bien avant aussi que la brasserie montréalaise ne l'installe dans une île, l'île Notre-Dame, qui n'existait même pas à l'époque.

Selon le confrère Trudelle, une demande avait été faite auprès de la Fédération internationale automobile, à Paris, afin de faire la course prévu le 23 septembre suivant.

Comme le rappelait le confrère Trudelle, la course allait attirer des voitures de formule 1, et non pas les voitures avec lesquelles on était plus familier à l'époque, comme celles qui se disputaient annuellement les 500 milles d'Indianapolis.

Il s'agissait plutôt de voitures comme les Lotus, les Ferrari, les Porsche, les Stebro-Stabbler, et pilotées par les Ross de Ste-Croix, Ludwig Heimrath, Maurice Trintignant, Olivier Gendebien, Stirling Moss (s'il revient à la compétition, avait-il précisé), Phil Hill, Joachim Bonnier, etc.

Quant au circuit d'une longueur de deux milles, il aurait emprunté la voie de ceinture de l'île Sainte-Hélène sur sa plus grande partie, mais en passant derrière les piscines plutôt que devant.

S'il faut en croire le confrère Trudelle, le maire Jean Drapeau en aurait approuvé le principe. Mais il est permis de penser que le projet était voué à la mort avant même de voir le jour à cause de la décision du maire d'utiliser l'île Sainte-Hélène et l'île Notre-Dame pour l'Exposition internationale de 1967, décision divulguée quelques mois plus tard.

Alessandra Mussolini

Un second tour serré en Italie

Des affiches placardées sur les murs de Rome montrent des photos noir-et-blanc de rassemblements fascistes dans les années 30 et 40. Aucun nom de candidat mais un avertissement net: « La nouvelle droite est comme l'ancienne droite ».

Les scrutins qui seront les plus suivis, aujourd'hui (le 5 décembre 1993)dans le second tour, seront ceux devant décider du poste de maire à Rome et Naples — où la petite fille de Benito Mussolini, la député MSI Alessandra Mussolini, 30 ans, est candidate.

Le nouveau programme de français n'apporte rien de neuf

Les élèves du secondaire ont des problèmes en français. Leur syntaxe est abominable. Ils écrivent « à cause que » et « le téléphone que je réponds ». Ils croient que le mot assez est un verbe car il se termine par ez et ils mettent des virgules n'importe où.

Depuis quelques années, les cégeps et les universités ont multiplié les tests de français pour évaluer l'étendue des dégâts. Les résultats sont renversants. Au printemps dernier, par exemple, à peine 54 % des finissants de cégep ont réussi le test de français, qui est pourtant de niveau secondaire V.

L'incompétence des élèves est flagrante et on la retrouve partout, au primaire, au secondaire, au cégep et à l'université. Même les futurs enseignants ont des problèmes : près du quart des diplômés des facultés des sciences de l'éducation du Québec ont échoué le test de français élaboré par la commission scolaire des Mille-Îles.

Le gouvernement a décidé de réagir et, au début de novembre, le ministre de l'Éducation, Jean Garon, a annoncé qu'un nouveau programme de français entrerait en vigueur à partir de septembre 1997.

Mais ce nouveau programme n'apporte pas grand-chose de nouveau : il conserve la même « approche communicative » développée dans le programme de 1980 et qui a été tant décriée par les professeurs de français.

Prenons un élève de première secondaire qui doit écrire un texte narratif. Il doit d'abord « analyser sa situation de communication », « se situer en tant que'émetteur », « prendre conscience des facteurs qui peuvent influer sur la production de son texte », « déterminer l'effet que l'on souhaite produire », « examiner ses conditions d'écriture », « cibler son destinataire », « déterminer les caractéristiques psychologiques, sociales, cognitives, etc, de son destinataire », etc.

« Tu fais tout ça dans une classe de 35 élèves, précise Claude Belcourt, un enseignant de français de l'école secondaire Père-Marquette, membre du comité de l'Alliance des professeurs chargé d'étudier le nouveau programme. Et par-dessus tout ça, il faut enseigner la grammaire. On va le faire, mais de façon ponctuelle, saupoudré au fil des besoins et du temps qui nous reste. Le programme est noyé par des objectifs inutiles qui font perdre de vue l'essentiel. »

La même démarche recommence si l'élève veut faire une communication orale ou lire un texte. (Texte publié le 5 décembre 1995)

En 1967, malgré son ouverture sur le monde provoquée par le succès phénoménal de son exposition universelle, Montréal avait trouvé le moyen de se ridiculiser en forçant, à l'instigation d'un certain lieutenant Émile Quintal, les danseuses des Ballets africains à porter un soutien-gorge pour présenter leur spectacle à la Place des arts. C'était à l'époque où on jugeait obscène tout sein nu qui bougeait le moindrement. Plutôt que de contremander leurs présentations à Montréal, les Ballets africains s'étaient soumis et lors de la représentation du 5 décembre 1967, les danseuses portaient de larges soutiens-gorges qui avaient inspiré cette caricature à notre collègue Jean-Pierre Girerd.

C'EST ARRIVÉ UN 5 DÉCEMBRE

1981 — Le général Leopoldo Galtieri succède au général Robert Edouardo Viola à la présidence de l'Argentine.

1980 — M. Francisco Sa Carneiro, premier ministre portugais, trouve la mort dans un accident d'avion. Francisco Pinto Balsemao lui succède.

1975 — Le coureur automobile Graham Hill meurt dans un accident d'avion.

1973 — Inauguration officielle de la Maison de Radio-Canada.

1966 — Le rapport de la Commission royale sur le bilinguisme et le biculturalisme (commission Laurendeau-Dunton) demande l'égalité des langues française et anglaise dans les activités du gouvernement fédéral.

1962 — Mme Claire Kirkland-Casgrain devient la première femme à occuper des fonctions de ministre au Québec.

1953 — La Grande-Bretagne et l'Iran renouent leurs relations diplomatiques.

1951 — La Yougoslavie libère Mgr Stepinac, archevêque de Zagreb, mais lui interdit de reprendre ses fonctions.

1949 — Le gouvernement nationaliste chinois de Tchang Kaï-Chek s'installe dans l'île de Taiwan.

1948 — Berlin rejette le communisme; c'est une victoire pour la sociale-démocratie.

1944 — Les Allemands délogés de Ravenne, place forte de l'Adriatique, par des troupes canadiennes.

1933 — Fin de la prohibition aux États-Unis.

1927 — Tragique attaque des bandits sur le café Parody, à Chicago, alors que la police stoppe un holdup contre 200 personnes. Le chef des bandits est tué.

QUE DE PRECAUTIONS POUR AVANCER D'UN PAS

Un brouillard d'une densité extraordinaire

On n'y a vu goutte ce matin

DÈS le lever du soleil — lever que personne ne vit — ce matin, un brouillard épais s'abattit sur la ville et devint si épais que la circulation des voitures et des tramways en souffrit considérablement.

Dans certains endroits, on ne voyait pas à cinq pas, tant la brume était épaisse. Le nord de la ville a particulièrement souffert, car une toute petite brise du sud-est soufflait et amoncelait du côté de la montagne la fine nuée de brouillard.

On ne rapporte pas d'accidents, mais les voitures et même les piétons ne s'avançaient qu'avec précaution dans cette,

mer de brume enveloppant les hommes et les choses. Ce brouillard semble un présage d'une continuation du temps doux.

A maints endroits, les tramways ont dû stopper, crainte de provoquer des accidents.

Le brouillard, en tombant, rend les pavés très glissants, et nombreux sont les chevaux qui sont tombés, surtout sur les rues en pente. On devrait exhorter les entrepreneurs de transport à moins charger ces pauvres bêtes, qui ne peuvent trainer sur un pavé aussi glissant la moitié d'une charge ordinaire.

Cela se passait le 5 décembre 1912.

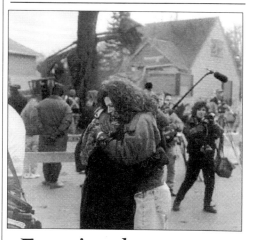

Exorciser le monstre

Reconnu coupable le 1er septembre dernier des meurtres de Leslie Mahaffy et de Kristen French, déclaré criminel dangereux, Paul Bernardo passera le reste de ses jours en prison. Comme pour effacer jusqu'au souvenir de son existence et des horribles crimes qu'il a commis, la ville ontarienne de St. Catharines a fait démolir la maison de l'ancien comptable et compresser la Nissan 240 SX couleur or que Paul Bernardo avait utilisée pour enlever une de ses victimes. Pendant la démolition de la maison de Bernardo (le 5 décembre 1995), en Ontario, Wendy Lutezen (à droite), une ancienne collègue de travail de Karla Homolka, femme et complice de Bernardo, réconforte la mère d'une des victimes de Bernardo, Mme Mahaffy.

EPOUVANTABLE CATASTROPHE

Halifax avant... et après la conflagration, le secteur Nord de la ville (la partie de la photo du haut) n'était que ruines fumantes.

La ville de Halifax est partiellement dévastée par une explosion qui se produit à la suite d'une collision entre un « steamer » chargé de munitions et un autre navire. — Une conflagration est allumée et des centaines de maisons sont détruites. Un choc terrible.

PLUS DE 1 200 MORTS

L'UNE des plus grandes catastrophes de l'histoire du Canada, et plus vraisemblablement la pire, est survenue le **6 décembre 1917**, vers 9 h le matin, quand l'explosion d'un navire bourré de munitions et d'explosifs a rasé au sol tout un secteur, le quartier nord, le plus important et le plus populeux, de la ville portuaire de Halifax, en Nouvelle-Écosse.

Le bilan a été très lourd, plus particulièrement sur le plan humain, car s'il est facile de reconstruire un édifice à la condition de pouvoir y mettre le prix, il est impossible de remplacer adéquatement un ou des êtres chers.

En fait, la catastrophe a fait 1 226 morts et plus de 8 000 blessés plus ou moins graves, y compris 300 cas de cécité vraisemblablement irréversible, et elle a laissé pas moins de 25 000 victimes sur le pavé. En comparaison, le naufrage de l'*Empress of Ireland* dans les eaux du Saint-Laurent, avait entraîné la mort de 1 024 personnes.

Les pertes matérielles se sont chiffrées par $35 millions, ce qui était gigantesque à l'époque. Ce chiffre a été décortiqué de la façon suivante : $20 millions pour les édifices détruits; $6 millions pour les pertes maritimes; $5 millions pour les pertes de marchandises; et $4 millions en dommages aux quais.

L'explosion et la conflagration qui lui a succédé ont rasé pas moins de 500 bâtiments et rendu inhabitables 500 autres édifices. Au surplus, trois navires amarrés dans le port ont aussi été complètement détruits.

Les édifices entièrement démolis occupaient une superficie de deux milles carrés. Le district dévasté s'étendait sur une distance d'environ dix milles et sur une profondeur d'environ trois quarts de mille à partir de la mer.

Au nombre des édifices complètement détruits, on cite la gare de chemin de fer du gouvernement, la brasserie d'Halifax, les entrepôts et les cale-sèches du gouvernement, la fonderie Hollis & Sons, l'hôtel King Edward, les deux arsenaux, le marché, l'hôpital militaire du port, les casernes Wellington, la raffinerie de sucre Acadia, les établissements de la Dominion Textile, les bâtisses de l'Exposition, l'école Alexander McKay, l'école méthodiste Brunswick, l'église anglicane Saint-Marc, l'école Saint-Joseph, le refuge des sourds, l'orphelinat protestant, les édifices de l'Amirauté et l'école Richmond, pour ne citer que ceux-là.

Mais à premier abord, et à cause de la confusion qui règne toujours dans de pareilles circonstances, ces tristes résultats auraient pu être pire encore. En effet, les premiers rapports émis par les responsables et repris par LA PRESSE faisaient état de pas moins de 5 000 morts. Et au début, on croyait que tous les membres d'équipage des deux navires impliqués avaient perdu la vie, ce qui ne fut pas le cas.

La collision

L'explosion est survenue au large du quai 8, juste à l'entrée du bassin du port de Halifax, quelque 25 minutes après une collision entre le *Mont-Blanc*, un navire français chargé de munitions et d'explosifs, et le steamer norvégien *Imo* affecté au ravitaillement de la Belgique. Selon le capitaine du navire français, Frank Mackay, la collision aurait été imputable à un mélange dans les signaux dont se serait rendu coupable le *Imo*.

Un incendie s'est déclaré à bord du *Mont-Blanc* immédiatement après la collision et son équipage, voyant que la cause était désespérée, a cherché refuge à terre. Quant au *Imo*, on le dirigea à toute vitesse vers Tuft's Cove où il alla s'échouer. Ironie du sort, son capitaine, qui se trouvait sur le pont au moment de l'explosion, fut décapité. Le préposé au gouvernail est aussi mort à son poste. Quant au pilote, William Hayes, il est tombé à la mer sous la violence du raz-de-marée qui a suivi l'explosion, et il a péri noyé.

Le *Mont-Blanc* transportait une cargaison de 5 000 tonnes de munitions et de produits explosifs, dont le trinitrotuol, le plus puissant fabriqué en Amérique. Après l'explosion, il ne restait du navire qu'une épave sinistre toute noircie et toute tordue par la force de la déflagration.

L'explosion a été si forte qu'elle a été entendue à Truro, à 67 milles de Halifax. Les lignes télégraphiques et téléphoniques ont été coupées dans un rayon de 30 milles autour de Halifax.

Et c'eut pu être pire !

Le bilan aurait pu être encore plus épouvantable, n'eut été du courage d'une compagnie de garde du 63e régiment de Halifax, montée à bord du *Pictou* pour y combattre un incendie allumé lors de l'explosion. Ce navire transportait lui aussi des explosifs, en l'occurrence de la cordite.

Tuerie à Poly

Le premier trimestre de l'année à l'École polytechnique de Montréal s'est terminé dans le sang cet après-midi (**le 6 décembre 1989**). Armé d'une carabine semi-automatique de calibre 223, un tireur fou a tué 13 étudiantes et une employée, dans un geste d'une rare violence contre les femmes, en plus de blesser 13 autres personnes (neuf femmes et quatre hommes) avant de s'enlever la vie.

Cinq des blessés sont dans un état jugé critique.

Les victimes de la tuerie ont été trouvées en trois endroits : trois dans la cafétéria, sept au deuxième étage, dont six dans une même salle, et quatre autres au troisième étage, non loin du corps du meurtrier.

Le drame, sans précédent au Québec, est survenu vers 17h15 au deuxième étage de l'École Polytechnique, située au 2500, boulevard Édouard-Montpetit, sur le campus de l'Université de Montréal.

Le tireur fou était âgé d'une vingtaine d'années, mesurait quelque 5 pieds et 8 pouces, était coiffé d'une casquette de baseball et portait un blouson et des jeans. Il a fait irruption dans une salle de cours. Il a tiré un coup de semonce et demandé aux garçons de se ranger d'un côté de la classe et aux filles de l'autre. Puis, il a dit aux gars de prendre la porte.

« Au début, on pensait que c'était une farce plate de fin d'année. Mais quand le gars a tiré au plafond, on s'est rendu compte qu'il en était tout autrement », a raconté Yvon Bouchard, qui donnait son cours de génie mécanique au moment où le tireur est entré dans la classe.

« Vous êtes des filles. Vous allez devenir ingénieurs. J'haïs les féministes », a-t-il crié.

« Mais non, mais non », a rétorqué une étudiante, en essayant de le raisonner. C'est alors que le fou a tiré sur la quinzaine d'étudiantes présentes dans la salle.

Le directeur du service des communications de la police de la Communauté urbaine de Montréal, M. Pierre Leclair, qui s'était déplacé pour informer les médias, a trouvé sa fille morte en arrivant sur les lieux. Elle était au nombre des victimes. C'est également lui qui aurait trouvé le corps du meurtrier.

Dans les corridors et à la cafétéria de l'école de six étages, fréquenté par 5000 étudiants, la panique s'est emparée de tout le monde. « J'ai entendu des coups de feu. Je suis descendue au troisième étage. M. Biron qui donnait un cours est arrivé au salon des profs, très nerveux. Il m'a dit viens. Je suis sortie et j'ai vu deux étudiantes et un étudiant qui gisaient par terre. Le gars (le meurtrier) s'était tiré une balle dans le visage », a confié Denise Garneau, attachée administrative à l'association des professeurs.

Plusieurs étudiants ont eu la vie sauve parce qu'ils ont feint d'être morts en apercevant le tueur.

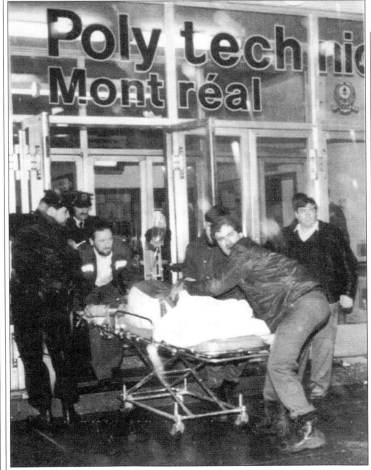

Parmi les blessés, sept reposaient hier soir dans un état grave, dont cinq dans un état jugé critique.

« Vol collectif »

En dépit des efforts récents, le gouvernement du Québec n'a pas pu endiguer le « vol collectif » que constitue l'économie au noir.

Plus de 2 milliards de revenus non déclarés échappent chaque année au fisc, mais Revenu Québec ne fait pas les efforts nécessaires pour récupérer tout l'argent qui lui est dû, déplore le Vérificateur général du Québec (**le 6 décembre 1995**).

C'est le jour de la Guignolée

Des centaines de bénévoles de la Saint-Vincent de Paul envahiront les rues de Montréal aujourd'hui (**le 6 décembre 1998**)lors de la collecte porte-à-porte de la Guignolée pour amasser des vivres non périssables et de l'argent pour permettre d'offrir des paniers de Noël et de plus belles Fêtes à des familles démunies.

« Nous, dans Hochelaga-Maisonneuve, on est toujours très tapageurs. On arrive avec des klaxons, des cloches, une quarantaine de bénévoles pour ratisser les quadrilatères l'un après l'autre. Les plus jeunes, scouts ou cadets, grimpent aux étages alors que les retraités, comme moi, font les rez-de-chaussée. À la fin de la journée, toutefois, quand les jeunes affichent un peu moins de fougue, on prend la relève aux étages. »

Depuis plus de 20 ans, M. André Moisan, qui travaille au comité des paniers de Noël de la Société de Saint-Vincent de Paul, participe à la Guignolée. « Les gens sont de plus en plus sollicités, mais ils demeurent généreux. Beaucoup, en nous entendant arriver, nous attendent la porte grande ouverte », dit-il.

Des affiches arborant les mitaines rouges de la Guignolée qui ornent les véhicules de cette troupe charitable et des macarons portés par les bénévoles identifient bien les gens oeuvrant pour la Saint-Vincent de Paul.

UN NOUVEAU CLUB CANADIEN

L'admission dans la National Hockey Association d'un club canadien-français ayant Jack Laviolette comme gérant, est le dernier développement dans la situation du hockey (**le 6 décembre 1909**). Le nouveau club portera le nom de Canadien, et sera le rival du National. Afin de donner au Canadien toutes les chances possibles pour mettre une bonne équipe sur la glace, les autres clubs de la National Hockey Association ont résolu de ne pas engager de joueurs canadiens-français.

Le Japon force les Américains à s'engager dans la guerre mondiale en les attaquant à Pearl Harbor

Ce groupe de photos permet de mesurer l'ampleur de l'attaque japonaise contre la base américaine de Pearl Harbor. En haut, à gauche, les destroyers *Downes* et *Cassin* à l'avant plan, ce dernier étant complètement détruit en cale sèche, tandis que le vaisseau-amiral *Pennsylvania* est presque intact. En haut, à droite, le *West Virginia* en flammes. En bas, à gauche, le destroyer *Shaw* n'est plus que ruines, et il coulera à la suite de l'explosion de sa soute avant. Enfin, en bas, à droite, au premier rang, le mouilleur de mines *Oglala* est renversé sur le côté; derrière lui, c'est le *Helena* qui flambe à quai après avoir été touché par une bombe; enfin, à droite, on peut apercevoir le *Maryland* en feu.

Au matin du dimanche **7 décembre 1941**, les États-Unis d'Amérique n'étaient toujours pas engagés dans la deuxième guerre mondiale. Le président Roosevelt aurait rencontré beaucoup d'opposition si d'aventure il avait osé porter le premier coup, même si l'industrie fonctionnait à pleine capacité, afin d'équiper les alliés opposés aux troupes de l'axe.

Mais l'attaque sournoise de l'aviation japonaise (appuyée par de petits sous-marins) contre la flotte américaine du Pacifique amarrée à Pearl Harbor, sur l'île d'Oahu, Hawaii, au matin du 7 décembre, au moment même où les diplomates japonais continuaient de parler de paix à Washington, allait complètement transformer la guerre et son issue, puisque le lendemain, soit le 8, le président Roosevelt signait la déclaration de guerre au Japon, rétroactive à la veille, pour ensuite déclarer officiellement la guerre à l'Allemagne et à l'Italie trois jours plus tard.

L'attaque avait fait de lourds dégâts. Pas moins de six navires avaient coulé, tandis qu'une dizaine d'autres avaient été lourdement endommagés. Mais les principaux navires que les Japonais désiraient détruire, soit les deux porte-avions de la flotte, étaient au large au moment de l'attaque.

Les pertes de vies ont également été très élevées puisque près de 2 900 marins et soldats ont été tués au cours de l'attaque, sans parler des milliers de blessés plus ou moins gravement.

Une nouvelle mal couverte

Pourtant, il a fallu plusieurs jours (jusqu'au 15 décembre pour être plus précis) pour que les citoyens d'Amérique du Nord soient adéquatement informés sur l'ampleur du désastre de Pearl Harbor.

L'attaque a eu lieu un dimanche. Le lundi 8, LA PRESSE ne parut pas puisqu'à l'époque, la fête de l'Immaculée-Conception était un jour chômé au Québec. C'est donc dans l'édition du 9 décembre qu'on aurait dû traiter de cet événement d'importance. Mais aucune des trois manchettes de la première page du jour, toutes reliées à la guerre en cours, ne mentionnait l'attaque de Pearl Harbor. Il fallait aller voir dans les pages intérieures pour être informé de l'attaque.

Devant un tel résultat, nous avons cru bon de consulter un autre journal, américain par surcroît, en l'occurrence le *New York Times*, pour voir comment la nouvelle avait été couverte.

Or, dans son édition du 8 décembre, en première page, le *New York Times* traite l'attaque nippone contre Pearl Harbor comme une nouvelle parmi plusieurs autres. Le 9, le journal publiait en première page la déclaration de la guerre et la photo du président Roosevelt en train de la signer, le tout flanqué d'un article sur une colonne se continuant à la page 4, au sujet de l'attaque de Pearl Harbor. Devant l'importance de l'événement, on aurait été en droit de s'attendre à des manchettes beaucoup plus spectaculaires.

Une Bugatti de 8 millions

Le millionnaire texan Jerry Moore vient de vendre pour 8,1 millions sa Bugatti Royale 1931. Moore avait acquis la voiture de collection un peu plus tôt cette année au coût de 6,8 millions. C'est Thomas Monaghan (sur la photo), fondateur de Domino's Pizza et propriétaire des Tigers de Détroit, qui s'est payé ce petit caprice. (Texte publié le 7 décembre 1986)

MACKENZIE KING EST ÉLU

Le Parti libéral obtient aux polls une majorité absolue sur les deux partis adversaires. L'honorable Mackenzie King formera le prochain gouvernement sans l'aide de coalition.

William Lyon Mackenzie King, âgé de 47 ans, a conquis le coeur des Québécois en s'opposant à la conscription, même si cela devait lui aliéner le reste du Canada. (Texte publié le 7 décembre 1921).

Galileo, vers son rendez-vous périlleux.

Galileo a rendez-vous aujourd'hui avec Jupiter

La NASA retient son souffle. La sonde spatiale Galileo, qui a rendez-vous aujourd'hui (le 7 décembre 1996) avec Jupiter après un voyage de 3,7 milliards de kilomètres, aborde la partie la plus délicate de sa mission commencée il y a six ans.

En approchant de Jupiter, une planète 316 fois plus grosse que la Terre, l'engin doit traverser une zone de radiations 35 à 40 fois supérieure au seuil de tolérance humain. « Il s'agit pour nous de la plus grande inconnue », reconnaît William O'Neil, directeur du projet au Laboratoire de propulsion par réaction de la NASA, à Pasadena.

Bouclier de protection

Pour éviter que le système électronique soit perturbé par ce phénomène, les ingénieurs de la NASA ont conçu un bouclier de protection. « Mais nous ne connaîtrons son efficacité que lorsque nous serons passés dans la zone de turbulences », souligne Matt Landano, directeur adjoint de la mission Galileo.

L'autre grand sujet de préoccupation de l'agence spatiale concerne la sonde lancée par Galileo en juillet dernier. L'engin de 340 kilogrammes doit plonger dans l'atmosphère de Jupiter à la vitesse de 170 600 km/h. Bien que protégé par un bouclier thermique, il est impératif qu'il amorce sa descente sous un angle de huit degrés seulement sous peine de dévier de sa trajectoire et de se consumer.

En raison des délais de transmission entre Jupiter et la Terre, la NASA doit attendre 52 minutes pour savoir si le grand plongeon, annoncé pour 17 h 56, s'est bien déroulé.

Cette étape franchie, la sonde devait perdre progressivement ensuite de sa vitesse et déployer son parachute pour flotter pendant 80 kilomètres dans l'atmosphère gazeuse de la planète géante avant de se désintégrer sous l'effet de la pression et de la chaleur.

Au cours de sa descente, l'astronef devait disposer d'une fenêtre de transmission de 75 minutes pour communiquer à Galileo des informations sur l'atmosphère de Jupiter, la composition des nuages traversés, la lumière, la chaleur ou la vitesse des vents.

Les images et les informations captées et retransmises par Galileo devaient être captées par des stations de réception en Californie, en Espagne et en Australie. Les premiers résultats devraient être rendus publics à la fin du mois de décembre.

Après avoir joué son rôle de relais de transmission, Galileo, qui pèse 2,5 tonnes, allumera ses moteurs pendant 49 minutes pour se mettre en orbite autour de Jupiter et de huit de ses seize satellites. Pendant deux ans, l'engin permettra ainsi de mieux connaître Io, une planète à la forte activité volcanique, et Ganymède, la plus grande lune du Système solaire.

Lundi, les scientifiques de la NASA ont modifié les réglages de l'engin par radio-commande pour tenter de le rendre moins sensible à de possibles perturbations. Ils se sont aussi préparés à l'éventualité d'une coupure de communications lorsque le Soleil s'intercalera entre la Terre et Jupiter, du 12 au 28 décembre.

« Je pense que nous avons fait tout ce qui était en notre pouvoir pour la réussite de cette mission », déclare M. Landano. « Maintenant, c'est à la grâce de Dieu. »

C'EST ARRIVÉ UN 7 DÉCEMBRE

1990 — Le Québec a perdu aujourd'hui deux grands artistes. Le comédien du peuple, Jean Duceppe, et l'un des grands de la peinture du Québec, Jean-Paul Lemieux.

1978 — Un incendie criminel cause des dommages inestimables à la chapelle du Sacré-Coeur de l'église Notre-Dame de Montréal.

1978 — M. Edward Richard Schreyer, ex-premier ministre néo-démocrate du Manitoba, succède à M. Jules Léger comme gouverneur général du Canada.

1972 — Une foule nombreuse assiste avec nostalgie au départ vers la Lune d'*Apollo 17*, dernier de la série *Apollo*.

1962 — Le smog qui recouvrait Londres depuis plus de quatre jours se lève enfin, après avoir fait 106 victimes parmi la population.

1958 — Ardent défenseur du maintien des troupes occidentales à Berlin, le maire Willy Brandt est réélu lors des élections à Berlin-Ouest. Les communistes subissent une véritable raclée en ne recueillant que 2 p. cent des voix.

1946 — Un incendie se déclare à l'hôtel Winecoff d'Atlanta. On dénombre plus de 120 morts.

1933 — Le jeune écrivain français André Malraux remporte le prix Goncourt avec son livre intitulé *La condition humaine*.

1923 — Les dirigeants de la Russie ont annoncé hier que ce pays serait désormais connu sous le nom d'Union des républiques socialistes soviétiques, et non plus sous le nom de République soviétique de Russie.

1900 — Victoire spectaculaire du gouvernement Parent lors des élections provinciales; le Parti libéral enlève 66 des 74 sièges, dont 36 par acclamation.

UNE BELLE FÊTE RELIGIEUSE

Le peuple canadien donne une nouvelle preuve de sa foi touchante

Cette première page de LA PRESSE a été publiée le 3 décembre 1904 en prévision du 50e anniversaire de la proclamation du dogme de l'Immaculée-Conception. Les lecteurs plus âgés de LA PRESSE se souviendront qu'à cette époque-là, LA PRESSE n'était pas publiée le 8 décembre.

LE monde catholique était témoin, en 1854, d'un événement immense. Hier (**8 décembre 1904**), la croulante gravité de cette grande fête chrétienne, le 50ième anniversaire du dogme de l'Immaculée-Conception, n'a pu échapper à aucun oeil vraiment chrétien.

L'amour et le respect du culte de Marie ont soulevé d'enthousiasme et de profonde piété l'âme de la grande population catholique de Montréal.

Des masses de fidèles, dès les premières lueurs de l'aurore, ont commencé de s'acheminer vers les temples saints, par groupes nombreux s'enchaînant comme les grains du Rosaire.

Dès les premières heures du matin, les sanctuaires vénérés que s'est choisis la

REINE DU CIEL

regorgeaient de fidèles agenouillés dans de ferventes contemplations aux pieds des madones.

Cet élan, merveilleuse manifestation d'une profonde croyance et d'une religion que rien jusqu'ici n'a pu diminuer, est une fière réponse à la horde des associations et des hommes impies. (...)

Notre archevêque, à Rome, s'est agenouillé aux pieds du Pape Pie X qui nous a tous bénis.

Dans cette grande figure, nous évoquons l'histoire du passé, l'histoire de feu Messire Rousselot et de tous les autres titulaires ecclésiastiques qui, il y a cinquante ans, assistèrent à Rome, lors du règne de Pie IX, à la proclamation du dogme de l'Immaculée-Conception.

Le coeur de l'Immortel Vieillard doit vibrer aujourd'hui jusque dans son tombeau de marbre. Car son successeur Pie X peut être considéré comme son digne fils. Les évêques de tous les pays se sont réunis hier autour de lui, dans la grande basilique de Saint-Pierre. On a chanté les louanges de l'Immaculée-Conception et le « Vivat » a monté de Rome et dans toute la chrétienté : le vivat de gloire, l'hymne de gloire à Marie :

VIVE L'IMMACULÉE-CONCEPTION !

(...) Aujourd'hui, comme autrefois, c'est-à-dire il y a 50 ans, le Pape Pie X traverse les flots agités de ce fleuve d'impiétés, de tribulations et d'épreuves.

« Prends cette pierre, disait Pie IX autrefois à feu messire Rousselot, et va sur les bords de ton pays bien-aimé répandre le culte de Marie ». Cette pierre, c'est la madone de Pie IX, c'est la patronne de Ville-Marie. Elle donne rendez-vous à ses enfants des quatre coins de la cité.

Cette pierre, c'est la statue de l'Immaculée-Conception chez les Jésuites ; cette pierre, c'est la Vierge des Oblats, c'est la patronne des étudiants ; c'est Notre-Dame de Lourdes, et puis c'est Notre-Dame de Pitié, Notre-Dame de Bonsecours, et que nombre d'autres statues.

LE CULTE DE LA VIERGE

En érigeant à Montréal, dans toutes les églises, une statue de la Vierge, Montréal reste fidèle aux traditions de son histoire et suit l'inclination de sa piété.

L'île de Montréal n'était encore qu'un désert que déjà des âmes apostoliques, ambitionnant d'en faire le centre religieux du Canada, la consacraient à Marie. Cette consécration eut lieu au mois de février 1642.

M. Olier convoquait, à Notre-Dame de Paris, la compagnie de Montréal, qu'il venait de fonder de concert avec M. de la Dauversière, et la messe dite, au nom de tous les associés, il vouait l'île de Montréal à la Sainte-Famille, sous la particulière protection de la Très Sainte Vierge.

La Reine du Ciel fut la Reine et la Mère de la petite ville de Montréal.

Après ces considérations d'ordre historique, l'article de LA PRESSE se poursuivait en faisant état des cérémonies religieuses présentées en l'honneur du 50e anniversaire dans les différentes églises de Montréal.

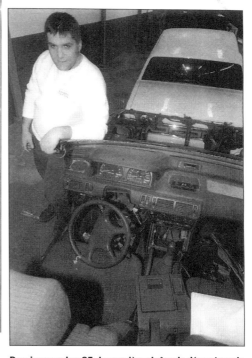

Depuis novembre 95, la première chaîne de démontage de voitures en Amérique du Nord est en opération à Laval. Recyclage d'auto Saint-François se donne un objectif ambitieux : récupérer 98 pour cent de la masse totale d'une voiture, indique son président, François Houle.

Un pas de plus vers l'auto recyclée

On utilise bien du carton recyclé et des bouteilles recyclées ; pourquoi pas des autos recyclées ? Depuis novembre 95, la première chaîne de démontage de voitures en Amérique du Nord est en opération à Laval.

Vous avez bien lu : il s'agit bel et bien de la première chaîne de démontage — du moins, la première qui soit commerciale — et non de la première chaîne de montage.

Cette initiative, prise par Recyclage d'auto Saint-François, se donne un objectif ambitieux : récupérer 98 pour cent de la masse totale d'une voiture. Déjà, « on récupère 65 pour cent des pièces des voitures qui arrivent ici, pour la revente ou le recyclage, explique son président, François Houle. Pour l'autre 35 pour cent, plus difficile à récupérer, nous recherchons activement des débouchés. »

Pour ce faire, il fait jouer toutes les ressources mises à sa disposition : Recyc-Québec,

Centre de recherches industrielles du Québec (CRIQ) et l'Institut canadien des plastiques et de l'environnement (IPEC). « Avec les spécialistes de ces organismes, nous travaillons à identifier les composantes et à déterminer combien on pourrait en produire lorsque notre chaîne de démontage sera en pleine activité. Car pour intéresser des acheteurs, il faut avoir des quantités suffisantes de matériel à offrir. »

Les ouvriers de la chaîne démontent actuellement quatre véhicules par jour. Ce chiffre sera haussé à 10 dès février prochain, selon M. Houle. « Et ce n'est qu'un début. Si tout va bien, on ouvrira des succursales ailleurs au Québec et même en Ontario. »

À quoi ressemble une chaîne de démontage de voitures ? Comme dirait le capitaine Haddock, c'est la même chose qu'une chaîne de montage, sauf que c'est exactement le contraire. (**Texte publié le 8 décembre 1996**)

Clinton signe l'ALENA

Le président américain, Bill Clinton, a signé aujourd'hui (le 8 décembre 1993) la législation visant à mettre en oeuvre l'Accord de libre-échange nord-américain (ALENA).

Le président Clinton a tenu à souhaiter une bienvenue particulière à l'ambassadeur du Canada aux États-Unis, John de Chastelain, et au représentant du Mexique.

« Ce sont nos partenaires dans l'avenir que nous essayons de bâtir ensemble », a-t-il déclaré.

La dette de chaque Québécois dépasse 21 000 $

Les gouvernements fédéral, provincial et municipaux se sont endettés à un tel rythme que les dettes accumulées par chaque citoyen du Québec, enfants compris, s'élèvent à 21 090 dollars, une donnée qui risque de se détériorer encore au cours des prochaines années.

Ce terrible constat a été livré par Mme Monique Leroux, présidente de l'Ordre des comptables agréés du Québec, devant la Chambre de commerce du Montréal métropolitain.

Voulant rendre le débat sur le déficit plus accessible au citoyen, l'Ordre des comptables a publié un document de travail facilitant la lecture des finances publiques.

« Dans notre vie personnelle, les décisions quotidiennes se chiffrent en centaines ou en milliers de dollars. Dans les entreprises, elles représentent souvent des millions. Il n'y a qu'au gouvernement que les milliards sont monnaie courante », a affirmé Mme Leroux.

Le document de travail (Comprendre pour agir) fait une comparaison entre le Canada et les membres du G-7. En pourcentage du PIB, la dette publique du Canada se

Monique Leroux

situe à 83 pour cent, un taux que seule l'Italie dépasse.

« Dans le cas du Canada et du Québec, il nous apparaît que la détérioration continue des différents indicateurs est alarmante », affirme le document. « Nous devons réagir maintenant, de façon énergique. » (Texte publié le 8 décembre 1993)

À la mémoire de Lennon

Des centaines d'admirateurs de John Lennon se sont réunis sur l'emplacement de son étoile sur le boulevard de la Renommée à Hollywood et au jardin commémoratif Strawberry Fields dans Central Park, à New York, à l'occasion du dixième anniversaire de sa mort (**le 8 décembre 1990**).

Les fans du défunt Beatle, parmi lesquels on trouvait aussi bien des adolescents que des quadragénaires, étaient rassemblés autour de son étoile sur Vine Street, en face de l'immeuble des disques Capitol, et chantaient, lisaient des poèmes et déposaient des fleurs fraîches sur l'emplacement.

À New York même, des centaines d'admirateurs se sont réunis devant l'immeuble où Lennon fut abattu.

C'EST ARRIVÉ UN 8 DÉCEMBRE

1980 — John Lennon, un des quatre Beatles, est assassiné par Mark David Chapman, à la sortie de son appartement, à New York.

1978 — Mort d'une des plus grandes dames de son époque, Mme Golda Meir, premier ministre d'Israël de 1969 à 1974.

1975 — Révélations étonnantes de Pierre McSween devant la Commission d'enquête sur le crime organisé.

1974 — Les Grecs, dans une proportion de trois contre un, préfèrent la république à la monarchie lors d'un référendum.

1966 — La Syrie saisit tous les biens de l'Irak Petroleum Co.

1965 — Fin des travaux du concile Vatican II.

1960 — Le gouvernement cubain nationalise les actifs de la Banque royale du Canada sur son territoire.

1958 — Le bris d'une écluse retarde l'évacuation du canal Lachine et cause l'immobilisation de 30 navires.

1953 — Le pape Pie XII inaugure l'année mariale.

1953 — Le président Eisenhower, des États-Unis, propose devant l'Assemblée générale des Nations unies, que l'énergie atomique serve à des fins pacifiques. La délégation de l'URSS applaudit à son discours.

1951 — Environ 600 magasins, grands et petits, défient la loi en ouvrant leurs portes un samedi.

1947 — Un sanglant combat fait 70 morts chez les Arabes, à Tel Aviv.

1945 — Reconnu coupable du meurtre de 41 soldats canadiens, le général nazi Kurt Meyer est condamné à vie l'emprisonnement à vie.

1944 — Le premier ministre Mackenzie King gagne le débat sur la conscription par 143 voix contre 70, à la Chambre des communes.

1940 — Les Bears de Chicago surclassent les Redskins de Washington, 73 à 0, pour mériter le championnat de la Ligue nationale de football.

1914 — L'escadre de l'amiral sir Fred Sturdee détruit trois navires de guerre allemands au large des îles Falklands.

Des touristes satisfaits

Près de 97 pour cent des touristes venus à Montréal entre les mois de juillet et septembre se disent satisfaits ou très satisfaits de leur séjour, révèle une enquête de l'UQAM.

Pas moins de 98,3 pour cent des 3000 répondants se sont

dits satisfaits ou très satisfaits, notamment de la qualité de l'hébergement ; 97 pour cent de la qualité de la restauration; et plus de 96 pour cent ont apprécié l'accueil des Montréalais. (**Texte publié le 8 décembre 1992**)

C'EST ARRIVÉ UN 9 DÉCEMBRE

1987 — Le président américain Ronald Reagan et le secrétaire général du Parti communiste soviétique Mikhaïl Gorbatchev signent un traité sur la réduction des armements nucléaires.

1975 — Mort d'Esdras Minville, l'un des plus prestigieux économistes du Canada.

1974 — Début du sommet de deux jours des « Neuf » à Paris. Ils décident de l'élection d'un parlement européen par suffrage universel dès 1978.

1974 — Takeo Miki succède à Kauei Tanaka comme premier ministre du Japon, ce dernier ayant dû démissionner à la suite d'accusations de trafic d'influence dans l'affaire des avions Lockheed.

1970 — Dans son rapport sur la concentration de la presse, le sénateur Keith Davey, président du comité spécial du Sénat, recommande une surveillance accrue des entreprises de presse.

1969 — Les bourses de Londres et de Zurich cotent l'or à son cours officiel de $35 l'once, pour la première fois en 20 ans.

1956 — Un North Star de Trans-Canada Airlines disparaît avec 62 passagers (dont cinq joueurs de la Ligue canadienne de football) à son bord, entre Vancouver et Calgary.

1955 — L'augmentation des tarifs de la Commission des transports de Montréal débouche sur une véritable émeute et force l'organisme à retirer tous ses véhicules de la circulation.

1946 — Début à Nuremberg du procès de 23 médecins allemands accusés d'avoir torturé des cobayes humains sous le prétexte fallacieux de faire avancer la science.

1946 — Le paquebot *Liberté* (ex-*Europa* allemand), brise ses amarres lors d'un raz-de-marée, s'échoue sur les récifs, puis coule. C'était le plus gros paquebot de la flotte française.

Le *9 décembre 1925*, la Société Saint-Jean-Baptiste de Montréal, présidée par l'échevin Léon Trépanier, organisait au Monument national, avec le concours de LA PRESSE, un festival musical au bénéfice de M. Rodolphe Plamondon, le plus grand ténor canadien-français de l'époque. Ce dernier faisait notamment partie de l'Opéra de Paris. Sur les photos on peut voir MM. Trépanier (en haut) et Plamondon.

MONTRÉAL APRÈS LA GUERRE
La Métropole du Canada a le devoir de préparer, dès maintenant, ses progrès futurs.-Les plans d'embellissement, déjà préconisés par la "Presse," s'imposent plus que jamais, au triple point de vue du transport, de l'esthétique et de l'hygiène.
RUE SHERBROOKE
RUE DORCHESTER
CRAIG
NOTRE DAME
CANAL LACHINE
LAURENT
FLEUVE
St Lambert

Ce croquis occupait toute la page 1 de l'édition du **9 décembre 1916.** Les numéros qui apparaissent sur la partie illustrée du plan soumis par M. Lavoie identifient les entités suivantes : 5. Grand marché central. 10. Abattoirs. 11. Incinérateur. 13. Morgue. 14. Expositions. 17. Bibliothèques. 18. Gare centrale. 38. Centre des universités. 39. Cale-sèches d'hiver. 47. Boulevard du Nord. 48. Boulevard de l'Est. 49. Boulevard de l'Ouest. 50. Boulevard du Sud. 52. Entrée des chemins de fer venant du nord. 53. Entrée des chemins de fer venant de l'Ouest. 54. Entrée des chemins de fer venant de l'est. 54a. Entrée des chemins de fer venant du sud. 55. Entrée et sortie des voitures provenant de la Gare centrale. 56. Station de tramways sous le Champ-de-Mars. 57. Pont à bascule reliant la Gare centrale à l'Île aux Millions. 58. Écluses fermant la cale-sèche sous le pont. 59. Pont reliant l'Île aux Millions à l'île Sainte-Hélène. 60. Chenail principal. 61. Débarcadère pour trains et tramways sur l'île Sainte-Hélène. 62. Champ de courses sur l'île Ronde. 63. Port de plaisance sur l'île Ronde. 64. Port de plaisance sur l'île Sainte-Hélène. 65. Port de plaisance sur l'Île aux Millions. 66. Pont reliant l'île Sainte-Hélène à la rive sud. 67. Cour de chemin de fer sur la rive sud. 68. Gare du nord avec marché. 69. Gare de l'est. 70. Gare de l'ouest avec marché. 71. Gare de la rue McGill. 72. Chemin de fer de ceinture. 74. Pont au-dessus de la voie ferrée pour relier la rue Notre-Dame au boulevard de l'Ouest. 75. Place centrale à Saint-Henri. 76. Entrée de la gare Saint-Henri. 77. Cour à marchandises pour trains. 78. Cale-sèches d'été. 79. Pont reliant la Côte-Saint-Paul au boulevard de l'Ouest. 80. District militaire. 81. Place de convergence de tous les boulevards. 82. Jetée pour protéger les bateaux de plaisance. 83. Quartier européen. 84. Quartier des théâtres.

LA PRESSE dépose son plan d'embellissement

DEPUIS le tout début de son existence, LA PRESSE avait toujours fait preuve de civisme en se faisant fréquemment le porte-flambeau de causes qu'elle jugeait fort valables pour l'ensemble des citoyens. Il ne fallait donc pas s'étonner de voir le quotidien montréalais proposer, à la une de son édition du **9 décembre 1916** rien de moins qu'un plan d'embellissement.

À juste titre, LA PRESSE rappelait d'abord aux lecteurs les nombreuses luttes qu'elle avait entreprises depuis sa fondation, **32 ans plus tôt. Comme elle le rappelait d'ailleurs dans cette édition de 1916, ses interventions avaient pour but, *soit d'embellir la ville, soit d'améliorer et d'accroître les facilités de transport, soit de perfectionner l'état sanitaire ou le service hygiénique, tout cela en prévision de l'expansion de la métropole.***

LA PRESSE ne mettait aucunement en doute le fait que Montréal allait connaître un important développement, ou encore que la ville pourrait un jour occuper la totalité de l'île. Mais, disait le journal, il fallait que tout soit fait pour que le « coeur » de Montréal reste au même endroit, c'est-à-dire au pied du Mont-Royal, et sur la rive du Saint-Laurent.

Un « replaning » plutôt qu'un « planing »

Ce que proposait LA PRESSE, et pour reprendre ses mots, c'était rien de moins qu'un « *replaning », c'est-à-dire d'une reconstruction plus ou moins complète du centre-ville,* plutôt qu'un simple « planing » visant à poursuivre le développement dans l'ordre déjà établi.

Et pour élaborer son projet, LA PRESSE avait eu recours à M. J.A. Lavoie, un ingénieur-conseil (sa photo apparaissait d'ailleurs à l'intérieur du croquis de la première page), plusieurs fois associé à des projets d'envergure de LA PRESSE depuis 1908.

L'épicentre

Le projet plaçait l'épicentre du futur développement à entreprendre dès la fin de la Première Grande Guerre à l'intérieur du quadrilatère délimité par la rue Saint-Laurent, la rue Sherbrooke, la rue Saint-Denis et le fleuve. C'est à l'intérieur de ce quadrilatère qu'il fallait construire, de l'avis de LA PRESSE, la Gare centrale vers laquelle seraient déviés tous les trains du Grand Tronc et du Pacifique Canadien.

Les boulevards

Le plan de LA PRESSE préconisait la construction de quatre boulevards. Le **boulevard du Nord** devait emprunter à peu près en droite ligne l'avenue Hôtel-de-Ville jusqu'à Ahuntsic, *passant sous la rue Sherbrooke, en pente de 50 p. cent plus douce que celle de la rue Saint-Laurent,* pour reprendre l'explication de LA PRESSE. Le **boulevard de l'Est** devait passer en diagonale de la Gare centrale jusqu'à la rue Sherbrooke, qu'il devait rejoindre vis-à-vis l'intersection de la rue Papineau, pour se prolonger dans l'axe de la rue Sherbrooke jusqu'au bout de l'île. Le **boulevard de l'Ouest** devait suivre le parcours suivant, à partir de la Gare centrale : rue Craig ou Vitré jusqu'au square Victoria, en diagonale par la petite rue Saint-Jacques près de la gare Bonaventure, puis par la rue Saint-Jacques en absorbant la voie du chemin de fer du Grand Tronc, jusqu'à Saint-Henri, de là par la rue Saint-Jacques jusqu'à Notre-Dame-de-Grâce, et de Notre-Dame-de-Grâce à Sainte-Anne-de-Bellevue en absorbant encore une fois la voie ferrée du Grand Tronc. Enfin, le **boulevard du Sud** devait emprunter le quai Jacques-Cartier pour atteindre l'Île aux Millions par le biais d'un pont à bascule, et enfin traverser le fleuve par deux ponts construits à l'extrémité « amont » de l'île Sainte-Hélène (donc un peu plus à l'ouest que l'actuel pont Jacques-Cartier).

Les chemins de fer

La grande particularité de notre projet, disait LA PRESSE, *est que celui-ci fait disparaître complètement les voies de chemin de fer à niveau ; tout le système est une combinaison de voies souterraines et de voies élevées.*

En fait, tout reposait sur le fait que la Gare centrale allait accueillir tous les trains desservant Montréal de la façon suivante : construction d'une déviation (le long du canal Lachine) entre Saint-Henri et la Gare centrale pour détourner les trains à destination de la gare Bonaventure ; prolongement de la voie du Pacifique Canadien à partir de la gare Windsor, en suivant en viaduc l'axe de rue de l'Aqueduc jusqu'à la déviation précédente ; prolongement de la voie du Grand Tronc sous le Mont-Royal dans le même axe ; prolongement en viaduc de la voie du Pacifique Canadien à partir de la gare Viger ; tous les trains venant du sud emprunteraient le pont de l'île Sainte-Hélène pour aboutir à la Gare centrale ; pareillement, tous les trains provenant du nord emprunteraient le boulevard du Nord pour aboutir au même endroit. Enfin, LA PRESSE prévoyait une électrification systématique de toutes les lignes de chemin de fer sur le territoire.

Est-ce que ce projet ourdi par M. Lavoie et défendu par LA PRESSE aurait été supérieur au plan d'aménagement implanté depuis 1916, nul ne peut le dire. Mais cette prise de conscience méritait d'être étalée au grand jour...

100 000 morts en Arménie

Le bilan du tremblement de terre qui a dévasté le nord de l'Arménie mercredi ne cesse de s'alourdir et est estimé aujourd'hui (**le 9 décembre 1988**) à 100 000 victimes, par le ministre soviétique de la Santé, M. Evgueni Tchazov.

Pendant ce temps une course contre la montre s'est engagée pour dégager des décombres les survivants dont on entend les appels désespérés.

Le premier communiqué officiel sur le séisme publié par les autorités soviétiques fait état de milliers de morts et de dizaines de milliers de blessés. Près de 400 000 personnes sont sans-abri à la suite du séisme qui a dévasté une zone dans laquelle vivaient plus de 700 000 personnes.

Les équipes de sauveteurs et des milliers de soldats travaillent sans relâche pour dégager des personnes qui se trouvent sous les décombres. Plus de 200 survivants ont ainsi pu être secourus.

L'URSS observera aujourd'hui une journée de deuil national. Les drapeaux seront amenés à mi-mât et les spectacles annulés.

Près de 400 000 personnes sont sans-abri à la suite du séisme en Arménie qui a dévasté une zone dans laquelle vivaient plus de 700 000 personnes.

Des paroisses à l'État

À partir du 1er janvier 1994, il n'y aura plus que deux endroits ou obtenir des documents attestant la naissance, le mariage ou le décès : les bureaux de la direction de l'état civil, à Québec et à Montréal.

Les autorités religieuses, municipales et judiciaires n'auront donc plus la responsabilité de délivrer ces documents comme c'était le cas auparavant.

Ces changements s'inscrivent dans le cadre de la refonte du Code civil et visent à répondre aux besoins du Québec moderne. (**Texte publié le 9 décembre 1993**)

Lech Walesa est élu président de la Pologne

Lech Walesa a remporté une victoire écrasante sur son rival, au second tour de la première élection présidentielle démocratique de l'histoire de la Pologne.

Des résultats partiels rendus publics par la télévision d'État peu après la clôture du scrutin donnaient 75 pour cent des voix au président de Solidarité, contre 25 pour cent à son adversaire.(**Texte publié le 9 décembre 1990**)

Lech Walesa

Victoire d'Adhémar Raynault, avec la plus faible majorité de l'histoire

LES élections à la mairie de Montréal ont rarement produit des résultats qui ne risquaient pas de soulever des commentaires, et celles du **9 décembre 1940** n'ont pas dérogé à cette règle.

Pas moins de neuf candidats se disputaient le siège laissé vacant par M. Camillien Houde. Le nombre de candidats n'a en soi rien d'étonnant, mais on ne saurait en dire autant des noms des candidats.

Au début de la campagne électorale, les experts prévoyaient une lutte sans merci entre Adhémar Raynault, le favori (mais par si peu...), et son principal **concurrent, Léon Trépanier.**

Et les experts avaient vu juste puisque, avec 16 565 voix, M. Raynault devait l'emporter par 974 voix de majorité, la plus faible majorité de toute l'histoire. Sauf qu'on peut se demander combien de personnes qui croyaient voter pour Léon Trépanier **ont en fait voté pour** deux des sept autres candidats portant eux aussi le nom de Trépanier, en l'occurrence Léonard et Raoul ? Ensemble, ces deux derniers ont récolté plus de 16 800 voix. S'est-il trouvé au moins mille personnes qui se sont trompées et qui auraient pu permettre à Léon Trépanier d'être élu ? On ne le saura évidemment jamais.

En revanche, il est une constante qu'il faut relever ; en 1940 comme en 1982, les Montréalais ne souffraient guère de la « fièvre électorale », puisqu'au soir du 9 décembre 1940, seulement 28,02 p. cent des 236 898 électeurs inscrits s'étaient présentés aux urnes. Plus ça change, plus c'est pareil !

Les premiers voyageurs franchissent le tunnel sous le Mont-Royal à bord d'un train

photo Roger Saint-Jean, LA PRESSE

Cette photo d'époque montre le premier train qui franchit le tunnel sous le Mont-Royal. Dans des wagons-tombereaux, spécialement arrangés pour la circonstance, les voyageurs ont pris place, et se préparent à entrer dans le tunnel par l'entrée de Maplewood. Le chiffre 1 identifie le commissaire Dupuis, le chiffre 2, l'échevin Drummond, et le chiffre 3, S.P. Brown, ingénieur en chef du tunnel pour le compte du « Canadien-Nord ».

Le premier voyage en wagon, sous le Mont-Royal, a eu lieu hier après-midi **(10 décembre 1913)** et il demeurera à tout jamais gravé dans l'esprit de ceux qui y ont pris part.

Une centaine de citoyens en vue de Montréal avaient été invités par M. S.P. Brown à traverser le tunnel du « Canadian Northern » *(un des chemins de fer constituants du Canadien National)*, qui avait été définitivement ouvert dans la nuit d'hier matin. Le départ eut lieu des quartiers généraux de la compagnie du Canadien Nord, rue Dorchester ouest, d'où les invités furent transportés en automobile, sur le versant ouest de la montagne, à l'entrée du tunnel. A trois heures, cette foule prenait place dans des wagons-tombereaux brossés, nettoyés et capitonnés de fort papier pour la circonstance, à raison de quatre par wagon. « Penchez-vous en avant. Prenez garde au fil électrique qui est chargé ! », crient dernière recommandation les ingénieurs qui surveillent le départ ; et traînée par une puissante locomotive électrique, d'un bizarre aspect *(voir la photo)*, la longue suite de véhicule s'ébranlent lentement vers les profondeurs mystérieuses du Mont-Royal, dont l'industrie humaine vient de pénétrer le secret.

Le passage est d'abord très étroit et très bas, et les voyageurs sont forcés de se coucher presque dans le wagonnet, pour ne pas se frapper la tête, puis brusquement, le tunnel s'élargit et s'élève en une voûte magnifique, lisse comme un mur, striée ça et là de pierres d'un beau rouge de minium, sur lesquelles viennent se refléter la lumière des centaines d'ampoules électriques dont est éclairé le tunnel. De formidables machines qui ronflent avec un bruit formidable *(sic)*, bordent la route ; c'est le souffle puissant de l'appareil à air comprimé, le halètement de la pompe à eau et le grincement strident de la perforatrice électrique.

Durant une heure et demie, le voyage se continue ; tantôt le passage est spatieux et élevé, tantôt il est si étroit et si bas qu'il faut garder les bras contre le corps et faire des prodiges de souplesse pour ne pas se heurter au plafond. Enfin, après avoir parcouru trois milles et quart, c'est-à-dire plus d'une lieue sous terre, on arrive à l'ouverture de la rue Dorchester, et chacun s'empresse de monter dans la cage qui les amène à la surface.

Ce creusement du tunnel sous le Mont-Royal a été certainement une entreprise d'une extrême hardiesse, et il a fallu le génie de l'organisation de M. Brown, l'ingénieur en chef, pour la mener à bonne fin. Il faut voir dans toute leur impressionnante grandeur les travaux gigantesques qui ont été accomplis pour avoir une juste idée des difficultés qu'il a fallu surmonter. Les plus grands éloges doivent être également accordés aux assistants de M. Brown, entre autres M. H.T. Fisher, qui a fait des calculs d'une justesse telle que la différence de niveau et de ligne à la rencontre des deux tronçons, hier matin, n'était que d'un quart de pouce à peu près. (...)

Pour avoir une idée de l'esprit d'organisation qui a présidé à toute cette entreprise, contentons-nous de dire que durant les quinze mois de creusement, il n'y a eu que deux ou trois accidents, mais aucun causé par la dynamite ; pourtant on en employait 5,000 livres par jour, soit 100 caisses ; depuis trois mois il n'y a eu aucun cas de maladie parmi les terrassiers et les ingénieurs. (...)

L'ouverture de ce tunnel sera pour l'avancement de « Model City » *(aujourd'hui Town of Mount-Royal)* d'un immense avantage, car quarante trains par jour feront le service des deux côtés.

C'EST ARRIVÉ UN 10 DÉCEMBRE

1984 — L'évêque noir sud-africain Desmond Tutu reçoit le prix Nobel de la paix 1984.

1970 — Le président Nixon menace Hanoï de représailles si le Nord-Vietnam érige un complexe militaire à la frontière du Sud-Vietnam.

1967 — Une foule recueillie ovationne le cardinal Léger lors de sa messe d'adieu, à l'église Notre-Dame.

1962 — Le premier ministre Nehru repousse la proposition chinoise déposée pour régler le problème frontalier sino-indien.

1958 — Vingt-et-un navires sont prisonniers des glaces dans le canal Lachine.

1957 — Lester B. Pearson, homme d'État canadien, reçoit le prix Nobel de la paix, à Oslo.

1956 — Les Polonais manifestent contre les Soviétiques, à Stettin.

1954 — L'Île du Cap-Breton n'est plus une île, à la suite de la fermeture du détroit de Canso par une jetée de 4 200 pieds.

1953 — En l'absence de sir Winston Churchill, c'est lady Churchill qui a reçu du roi Gustave et de la reine Louise le prix Nobel de littérature 1953 décerné à son mari.

1952 — Le chanoine Lionel Groulx reçoit le prix Duvernay.

1948 — L'ONU adopte la déclaration universelle des Droits de l'homme.

1936 — George VI succède à Edouard VIII après que ce dernier eut abdiqué afin de pouvoir épouser une roturière américaine.

1933 — Décès à 78 ans de J.-Claver Casavant, président de la fabrique d'orgues Casavant Frères, de Saint-Hyacinthe.

Chef ouvrier bien connu accusé de manoeuvres indignes envers une jeune fille de 14 ans

Cet article paru dans LA PRESSE du ***10 décembre 1900*** *vous est proposé afin de vous montrer de quelle manière votre journal traitait des affaires de moeurs au début du siècle. Nous en reproduisons de très larges passages. On notera l'usage abondant du pointillé, de manière à protéger toutes les personnes impliquées jusqu'au début du procès. Et vous constaterez que les don juan de l'époque n'agissaient guère différemment de ceux d'aujourd'hui...*

Le 31 mai dernier, la paroisse .... du comté de Champlain était en émoi à cause de la disparition soudaine d'une jeune fille, appartenant à une brave famille de la localité. La jeune fille avait quitté le domicile de ses parents sans raison apparente. La police fut informée du fait, des perquisitions furent faites dans tous les coins de la province, mais tout fut inutile. Les parents pleurèrent leur enfant, l'excitation causée par cette mystérieuse affaire s'apaisa peu à peu et peu après il n'en fut plus question.

La jeune enfant est d'une beauté remarquable ; elle se distingue par une intelligence extraordinaire, mais elle est timide, et comme toutes les enfants de la campagne, elle est d'une naïveté qui révèle la candeur et l'honnêteté.

Le chef ouvrier, que nous désignerons sous le nom de X, arriva aux chantiers, situés à une couple de milles de la paroisse où demeurait la jeune fille, de bonne heure au commencement du printemps dernier. Il se fit remarquer aussitôt par ses allures cavalières et entreprenantes. Il se disait garçon et agissait en conséquence.

Le coup du charme

Un jour, le malheur voulut qu'il rencontrât dans la rue, par hasard, la jeune fille. X fut frappé par la beauté incomparable de cette jeune fille, (...) qui n'avait connu d'autre amour que celui qu'elle avait toujours entretenu pour ses vieux et vénérables parents.

Il résolut la perte de cette enfant. Il manoeuvra d'une façon tellement habile, qu'il réussit à se faire présenter à la jeune beauté par l'intermédiaire d'un ami de la famille. Il résulta de cette première entrevue un échange de correspondance que la famille découvrit plus tard et qui démontre toute la perfidie du corrupteur de l'innocence. Dans quinze de ces épitres, brûlantes de passion, il parle de bonheur, d'espérance, et de ce que lui procurera une union consacrée par la religion. Il promet voitures, maison, piano, joie de vivre dans la tranquillité de la famille.

Déjà marié

Il mentait à cette jeune et naïve enfant, comme il trahissait honteusement une épouse avec ses trois enfants qu'il avait abandonnés plusieurs mois avant, et qui attendait vainement de ses nouvelles.

Un jour, la jeune fille quitta la maison pour rendre une visite à son oncle. Sa mère était malade et avant de partir, elle lui donna de la monnaie pour acheter un peu de cognac. X, qui guettait depuis plusieurs jours les allées et venues de la jeune fille, l'accosta et finit par convaincre l'enfant de son amour. Il proposa une visite au théâtre d'une ville voisine. (...)

Après le théâtre, X prit la direction de la gare. Il mit l'enfant sous l'impression que le train qu'ils allaient prendre les conduirait à la paroisse où demeuraient ses parents. Il acheta cependant deux billets pour Montréal. L'arrivée du couple à Montréal s'opéra sans encombre. Pendant deux jours, ce ne fut que théâtre, soupers fins, amusements divers. De là, X conduisit l'enfant à Lachine. Elle voulut s'en retourner ; il s'interposa. Voyant que sa proie allait lui échapper, il partit avec elle pour une petite ville du district de Montréal, où il arriva le 15 juin dernier. Rendu là, il loua des meubles et présenta la jeune fille au public comme étant sa jeune soeur.

Dernièrement, il se fit beaucoup de bruit autour du nom de X. Il résolut donc de s'enfuir avec la jeune fille.

Épilogue

LA PRESSE poursuit cet article en expliquant que c'est grâce à la ténacité, à la patience et à la compétence du capitaine L, et un peu à la chance aussi, qu'on a retrouvé la jeune fille.

En effet, après avoir franchi pas moins de 1 500 milles à suivre la trace de X, le capitaine L le rejoint finalement dans un petit village peu connu d'Ontario où il arrêta X pour d'autres motifs. C'est quelques jours plus tard, à l'occasion d'un voyage à Trois-Rivières, qu'il apprit l'existence de la fugue de la jeune fille et de la correspondance amoureuse avec X. Après avoir reçu la déposition de la jeune fille, le capitaine L eut le bonheur de la rendre à ses parents lors de retrouvailles fort pathétiques.

L'Europe prépare un embargo sur les fourrures canadiennes

Les ministres de l'Environnement de l'Union européenne ont réclamé à Bruxelles la préparation immédiate d'un embargo sur les produits à base de fourrure canadienne devant entrer en vigueur dès le 1er janvier.

Les ministres se sont prononcés en faveur d'une telle mesure après avoir rejeté un compromis qui devait permettre d'éviter un conflit commercial avec le Canada et les autres nations chassant au moyen de pièges. Les Européens s'opposent à l'utilisation de trappes. **(Texte publié le 10 décembre 1996).**

Les Canadiens de plus en plus hostiles à l'endroit des immigrants

Des documents de travail, préparés par de hauts fonctionnaires, mettent le nouveau ministre fédéral de l'Immigration en garde contre une attitude de plus en plus hostile des Canadiens à l'endroit des immigrants.

Ces documents avaient été préparés à l'intention du ministre Sergio Marchi, afin de le sensibiliser à la situation actuelle de l'immigration.

Or, le ministre Marchi et son personnel semblent avoir perdu ces documents qui ont été éventuellement retrouvés, apparemment abandonnés, dans un édifice gouvernemental.

Ces documents font état de sondages confidentiels réalisés par le gouvernement en vertu desquels on a constaté que la moitié des répondants, au cours de la dernière année, faisaient preuve d'intolérance ou de xénophobie, en plus de manifester crainte et aversion envers les étrangers. Seulement 14 pour cent faisaient preuve de « compassion » à ce chapitre.

Le Canada a accepté quelque 220 000 immigrants, l'an dernier, les deux tiers d'entre eux en provenance d'Afrique et d'Asie. **(Texte publié le 10 décembre 1993)**

Gorby champion de la paix

Mikhaïl Gorbatchev est venu à New York en champion de la paix et de la détente. Et, le temps d'un discours inspiré aux Nations unies, il a relancé de façon spectaculaire les négociations sur le désarmement et imposé son agenda à une administration américaine encore dans les limbes de la transition.

Mikhaïl Gorbatchev

Le « cadeau de Noël » principal du leader soviétique est de taille : réduction unilatérale des troupes soviétiques de 500 000 hommes en deux ans, accompagnée d'une diminution substantielle de l'arsenal conventionnel sur le front européen.

Le président élu George Bush, qui demandait du temps pour redéfinir la stratégie américaine, devra répondre vite, alors même qu'en raison de contraintes budgétaires, les pressions montent au Congrès en faveur d'une répartition plus équitable des dépenses de l'OTAN, ainsi que d'une réduction des forces américaines en Europe. **(Texte publié le 10 décembre 1988)**

La loi empêche Paul Rose d'être candidat dans Anjou

Un comité fait actuellement la promotion de la candidature de Paul Rose à l'élection partielle dans Anjou, avec l'accord du principal intéressé. Il y a toutefois un hic : étant sous le coup d'une libération conditionnelle, l'ancien felquiste n'est pas éligible.

Reconnu coupable du meurtre du ministre libéral Pierre Laporte, survenu lors de la crise d'octobre 1970, Rose a été condamné à perpétuité. Il bénéficie depuis plusieurs années de la forme la moins contraignante de liberté conditionelle, mais le fait que sa condamnation continue techniquement de courir l'empêche de convoiter un siège à l'Assemblée nationale aux termes de l'actuelle loi électorale. **(Texte publié le 10 décembre 1991)**

Après les 10 premiers rounds d'un combat disputé au Forum de Montréal, le *10 décembre 1958*, le « boxeur pêcheur » Yvon Durelle, de Baie Sainte-Anne, croyait bien qu'il était sur le point de réaliser le rêve de sa vie : remporter le championnat du monde des mi-lourds. En effet, jusque là, Durelle avait réussi à envoyer le champion en titre, Archie Moore, pas moins de quatre fois au plancher, dont trois fois au premier round. Mais à chaque fois, l'Américain avait pu se relever. Et le 11e round devait être fatidique pour Durelle, la victoire allant à Moore, par mise hors de combat. La photo montre Durelle au plancher, tandis que l'arbitre Jack Sharkey compte les secondes fatidiques.

1997 — Le président Boris Eltsine est hospitalisé pour une douzaine de jours, en raison d'un refroidissement pour la première fois depuis son opération du coeur et les complications qui l'avaient suivie en janvier.

1993 — Pour la première fois, quelques pionniers ont rejoint l'Angleterre par voie terrestre depuis la France, un fabuleux voyage en train symbolisant l'achèvement des travaux du tunnel sous la Manche et la fin de l'insularité anglaise.

1992 — Tout est en place pour l'annonce officielle d'un casino à Montréal. Le gouvernement Bourassa veut rendre public la semaine prochaine son projet qui consiste en la réfection, au coût de 50 millions, de l'ancien pavillon de la France à l'Expo 67 sur l'île Notre-Dame.

1967 — À l'église Notre-Dame, le cardinal Paul-Émile Léger dit adieu à son diocèse avant d'entreprendre son voyage vers l'Afrique, où il deviendra missionnaire et pasteur des lépreux.

1961 — Adolf Eichmann a été reconnu coupable aujourd'hui de crimes contre les Juifs, de crimes contre l'humanité, de crimes de guerre et d'appartenance à la Gestapo criminelle, sous Hitler.

Guy Fitzgerald et le harfang des neiges trouvé près de Québec.

Un hôpital pour rapaces

U n harfang des neiges, qui avait été trouvé gisant sur une route près de Québec, probablement blessé par un véhicule, a pu retrouver sa liberté, après avoir été soigné à « l'hôpital pour rapaces » de l'Institut de médecine vétérinaire de Saint-Hyacinthe.

Guy Fitzgerald est le médecin responsable des soins aux rapaces, qui ont été prodigués, depuis septembre, à 75 oiseaux souffrant de blessures ou de malnutrition.

L'hôpital de M. Fitzgerald constitue l'un des maillons du réseau mis sur pied par l'Union québécoise de réhabilitation des oiseaux. (Texte publié le 11 décembre 1987)

Elie Wiesel reçoit le prix Nobel de la paix

L' écrivain américain Elie Wiesel, « le Messager de toutes les races et de tous les peuples opprimés », selon l'attendu du comité norvégien des Cinq Sages, a reçu officiellement aujourd'hui (le 11 décembre 1986), à Oslo, le prix Nobel de la paix 1986 au cours d'une cérémonie dans le grand amphithéâtre de l'Université de la capitale norvégienne.

« Cet honneur me fait plaisir, car il appartient à tous les survivants et à leurs enfants et, à travers eux, au peuple juif », a-t-il dit.

Bill Clinton

Le processus de destitution de Clinton est enclenché

L a commission judiciaire de la Chambre des représentants a adopté un « article de destitution », l'équivalent d'un chef d'accusation, à l'encontre du président Bill Clinton, ce qui ne s'était produit que deux fois auparavant dans l'histoire des États-Unis.

L'article, adopté par 20 républicains contre 17 démocrates, reproche au président de s'être parjuré et d'avoir fourni un faux témoignage lors de sa déposition dans le cadre de l'audition sur l'affaire Paula Jones. (Texte publié le 11 décembre 1998)

10 000 personnes rendent hommage aux victimes de Polytechnique

P lus de 10 000 personnes ont fait la queue dans le froid et l'humidité, certaines jusqu'à deux heures, pour rendre un dernier hommage à huit des victimes de la tuerie de l'école Polytechnique, dont les dépouilles mortelles étaient exposées au pavillon principal de l'Université de Montréal.

Seuls le silence et les larmes semblaient de mise lors du passage devant les cercueils fermés. Une sobre inscription rappelait les noms et le jeune âge des victimes, toutes nées à la fin des années 60.

Placées au milieu des gerbes de fleurs, les photos de ces jeunes femmes valaient bien plus que mille mots. Surtout la photo de Geneviève Bergeron, qu'on aurait cru faite pour illustrer une campagne sur la santé et la joie de vivre.

« Mes deux filles représentent le plus beau succès de ma vie. Moi, j'ai dû retourner aux études pour aller me chercher un papier. Geneviève, elle, sera bientôt ingénieure, car elle étudie à Poly. Vous devriez voir comme c'est une belle fille... »

C'était à la fin du dîner, mercredi dernier, que nous prenions ensemble pour parler d'élections municipales que Thérèse Daviau faisait ainsi l'éloge de sa chère fille, qui allait tomber sous des balles insensées, trois heures plus tard.

Généreuse, la mère d'une autre fille tombée mercredi, à Poly.

« Il devait souffrir terriblement pour faire un geste aussi horrible. Je pense à sa mère qui doit être aussi triste que moi », a dit, jeudi, Mme Louise Leclair en parlant de celui qui avait abattu sa fille aînée, Maryse.

Leurs motivations étaient diverses, mais c'est dans un silence recueilli et avec une infinie patience que les visiteurs, femmes, hommes et enfants de toutes origines sociales et de plusieurs groupes ethniques, franchissaient l'étroit passage s'allongeant sur quelques dizaines de pas devant les huit cercueils blancs et cuivre.

Les cercueils fermés de Annie Saint-Arneault, Maryse Leclair, Barbara Maria Klueznick, Maud Havernick, Barbara Daigneault, Nathalie Croteau, Hélène Colgan et Geneviève Bergeron étaient disposés dans cet ordre. (Texte publié le 11 décembre 1989)

Ils étaient plus de 10 000, aux portes de l'Université de Montréal, à faire la file en vue de rendre un dernier hommage aux victimes de la tuerie de Polytechnique.

Isabelle et Lloyd champions

Isabelle Brasseur et Lloyd Eisler ont défendu avec brio leur titre de champions du monde de patinage artistique, à la compétition NHK du Chiba, au Japon.Le couple de patineurs a complété des levées spectaculaires et quelques triples vrilles à haut quotient de difficulté pour remporter la compétition devant les Tchèques Radka Kovarikova et Rene Novotny et les patineurs japonais. (Texte publié le 11 décembre 1993)

Hubie Brooks **Gary Carter**

Carter échangé

G ary Carter passe aux Mets (le 11 décembre 1984), échangé contre Hubie Brooks et trois inconnus.

Une transaction dont on va beaucoup parler : le très populaire joueur des Expos de Montréal, le meilleur receveur des majeures, contre un joueur d'inter moyen (Hubie Brooks) et trois jeunes « qui promettent »: le receveur Mike Fitzgerald, le voltigeur Herman Winningham et le lanceur droitier Floyd Youman.

Jennifer Capriati

Jennifer Capriati inculpée de vol à l'étalage

L' arrestation de Jennifer Capriati, à Tampa en Floride, est venue montrer encore une fois combien sont fragiles les « enfants prodiges » du tennis.

Selon une station de télé de la Floride, la jeune fille de 17 ans a été inculpée de vol à l'étalage dans une bijouterie. Aucun détail n'a été révélé par la police en raison de l'âge de l'accusée.

L'agent de la joueuse, Barbara Perry, a confirmé que Capriati avait quitté la bijouterie sans payer une bague, la rendant dès qu'elle a été interpellée. Capriati a été remise en liberté.

Des employés de la bijouterie ont raconté pour leur part qu'elle avait « oublié » d'enlever deux bagues qu'elle avait essayer. Le caissier de la bijouterie a indiqué que Capriati avait acheté un vase quelques secondes avant d'être arrêtée.

« Je n'en croyais pas mes yeux quand elle est sortie sans payer les bagues, a-t-il dit. Une personnalité comme elle ne devrait pas avoir à se livrer à des tels gestes ».

Et pourtant...

La plus jeune millionnaire du tennis, neuvième joueuse mondiale, elle a connu une saison difficile, Elle a invoqué des blessures mais plusieurs membres de son entourage ont noté qu'elle avait beaucoup changé.

Comme plusieurs avant elle, Capriati a souvent donné l'impression cette année d'en avoir assez d'une vie de vedette qui ne laisse guère de place à ses états d'âme.

Son arrestation vient confirmer les rumeurs. (Texte publié le 11 décembre 1993)

Les femmes peuvent aller seins nus en public en Ontario

L a Cour d'appel de l'Ontario a tranché : les femmes pourront aller seins nus en public.

En rendant cette décision, un banc de trois juges a annulé la condamnation pour indécence, de Gwen Jacobs, qui avait déambulé les seins nus à Guelph, en Ontario, par une torride journée de juillet 1991.

Au nom de ses collègues, la juge Weiler a statué que pour qu'un acte soit jugé indécent, il doit comporter une connotation sexuelle. Or Mme Jacob n'avait aucune motivation d'ordre sexuel lorsqu'elle a enlevé sa blouse, a-t-elle dit.

Mme Jacob avait invoqué pour sa défense que puisque les hommes peuvent se montrer en public le torse nu, les femmes devraient également en avoir le droit.

On ignorait toujours en fin de journée hier si la Couronne interjetera appel du jugement en Cour suprême du Canada. (Texte publié le 11 décembre 1996)

Les trois officiers de police dont le renvoi est exigé

Joseph TREMBLAY
directeur du service de la sûreté municipale

Arthur MANN
ass.-directeur du service de la sûreté municipale

J.-A.-A. BELANGER
chef du service des détectives de la ville de Montréal

Conséquence regrettable rappelée par une lectrice

LE rappel de la grève des policiers de 1918 éveille un triste souvenir dans la mémoire d'une fidèle lectrice du quartier Saint-Michel, Mme Gabrielle Raymond.

Elle avait dix ans au moment de la grève, et demeurait rue Joliette, face au Couvent d'Hochelaga.

Un marchand d'habits avait pignon sur rue à l'intersection des rues Sainte-Catherine et Cuvillier. Soudain, profitant du moment qu'il n'y avait pas le moindre policier à la ronde, dit Mme Raymond, des fiers-à-bras s'avisèrent de défoncer la vitrine du magasin. Quelques passants se pressèrent alors à l'intérieur pour en ressortir tout de neuf habillés.

« Le pauvre commerçant, M. Mallek, ne put rien faire pour contrer ce pillage. Les jours suivants, on pouvait le voir, debout, devant sa porte, les larmes aux yeux. Il croyait reconnaître sa marchandise sur le dos des promeneurs de la rue Sainte-Catherine, et il n'avait aucun recours possible. »

Il est intéressant de noter, au sujet de ce souvenir de Mme Raymond, que cet incident avait été relevé dans l'édition du 13 décembre 1918 de LA PRESSE, et on y mentionnait d'ailleurs que M. Mandel Mallek avait évalué ses pertes à $35 000.

LA GREVE EST DECLAREE

Les agents de police, les employés du service de l'incinération et les préposés au service des pompes de l'aqueduc ont abandonné tout travail à midi, après avoir délibéré toute la matinée.

LES POMPIERS NE SONT PAS EN GREVE

UN arrêt de travail décrété par un service aussi important que ceux des policiers et des pompiers ne peut que traumatiser la population à cause de ses conséquences très graves.

Comment pourrait-on oublier les images du pillage de la rue Sainte-Catherine et de l'incendie du garage de la compagnie Murray Hill, pendant la grève des policiers de Montréal, en 1969 ? Comment pourrait-on oublier la frustration désespérante des milliers de victimes du « week-end rouge », devant leurs domiciles qui brûlaient de fond en comble, faute de pompiers pour éteindre le feu ? Pas facile n'est-ce pas ?

Et n'allez pas croire qu'il s'agit d'un phénomène récent. En effet, les policiers d'abord, puis les pompiers ensuite, avaient déjà débrayé à midi, le **12 décembre 1918**, et ils n'étaient rentrés au travail que 33 heures plus tard. Policiers, pompiers et travailleurs manuels devaient même « remettre ça » le **14 décembre 1943** (décidément, le mois de décembre est populaire pour de tels affrontements...).

Assaillie par une foule sympathique aux pompiers, la caserne du square Chaboillez a subi pour plusieurs milliers de dollars de dégâts. Pas un seul carreau n'était resté intact et les voitures à l'intérieur ont aussi été lourdement endommagées.

La grève de 1918

Revenons à la grève qui nous préoccupe plus particulièrement aujourd'hui, soit celle de 1918. Le malaise avait commencé chez les policiers. Leurs griefs étaient de deux ordres : ils demandaient des augmentations de salaire et exigeaient le renvoi de trois officiers supérieurs auxquels on imputait la situation, soit Joseph Tremblay, directeur du service de la Sûreté municipale, Arthur Mann, son adjoint, et J.-A. Bélanger, chef du service des détectives. Pour les négociations, les pompiers, les employés du service de l'incinération et les préposés au service des pompes de l'aqueduc se greffaient aux policiers.

En matinée du 12, malgré de longues négociations en présence de sir Lomer Gouin, premier ministre de la province de Québec, tous, à l'exception des pompiers, décidaient de débrayer à midi le jour même. Quant aux pompiers, qui avaient dans un premier temps accepté de s'en remettre à l'arbitrage, eh bien ils devaient gonfler les rangs des grévistes en soirée, si bien qu'au matin du 13, ils étaient plus de 2 200 à avoir débrayé.

Les demandes des policiers

Au plan des salaires, les policiers demandaient $1 400, $1 300 et $1 200 selon le grade, en baisse de $100 par rapport à leurs demandes initiales. La Ville n'offrait que $1 400, $1 200 et $1 100, et lors de la rencontre avec sir Gouin, ce dernier avait assuré les négociateurs syndicaux de l'impossibilité de la Ville d'accéder à leurs demandes.

L'offre de la Ville était sans doute un peu moins avantageuse que l'échelle des salaires en vigueur à Toronto (entre $1 300 et $1 000, plus un bonus annuel de $250), mais tout portait à croire que l'obstacle majeur à un règlement demeurait le renvoi des trois officiers.

Ces derniers étaient accusés d'être responsables non seulement du conflit, mais aussi de la décision des policiers de *former une union*. Écoutons d'ailleurs ce policier dont LA PRESSE reproduisait les propos dans l'édition du 13 :

« Tout ça, c'est de la faute à Tremblay, faisait remarquer un vieux policier qui à regret s'était joint à la grève. Si Tremblay et Mann n'avaient pas été nommés, il n'y aurait pas eu d'abord d'union, parce que Médéric Martin (le maire de Montréal) ne nous aurait pas poussés en-dessous à nous syndiquer et à réclamer. Tout ce qui arrive, c'est de la faute à Tremblay et à Mann. Il faut qu'ils partent, autrement ça va continuer d'aller mal. Ce n'est pas la question de salaire qui est la plus importante dans toute cette affaire ; pour nous, c'est la façon dont Tremblay et ses créatures veulent nous traiter. S'il faut être taré pour arriver à une promotion, ce n'est pas propre à encourager les gens honnêtes à accomplir bien leurs devoirs. »

Le règlement du conflit

Tous les grévistes reprirent leur travail vers 21 h 30 dans la soirée du 13, après les interventions de sir Gouin, de Mgr Bruchési (« Sa Grandeur », comme on disait à l'époque), et des conseillers municipaux qui devaient en quelque sorte désavouer la commission administrative et son président, M. Décary (l'équivalent d'Yvon Lamarre, aujourd'hui).

Lors de son intervention, Mgr Bruchési avait lu aux responsables syndicaux une lettre dans laquelle M. Décary se disait prêt à renvoyer les trois hommes. Quant au conseil, il avait lui-même pris les devants en retranchant tout simplement du budget 1919 les salaires attachés aux postes de directeur et sous-directeur de la Sûreté publique.

Et il était temps que la grève finisse. D'une part parce qu'elle risquait de faire boule de neige. En effet, à minuit, au matin du 14, les employés de tramways auraient joint les rangs des grévistes si le conflit n'avait pas été réglé. Et si l'armée avait dû par devoir assurer la protection de l'aqueduc, la Police provinciale, quant à elle, refusait de remplacer la brigade montréalaise.

En deuxième lieu, la grève a donné lieu à de nombreux cas de vandalisme, de vols et d'agression. Plusieurs casernes ont été saccagées, des voitures d'incendie ont été sabotées ou lourdement endommagées, des vitrines ont été brisées et vidées de leur contenu, un pompier, le capitaine Hector Dupuis a été battu par des sympathisants des grévistes pour être demeuré au poste, le président Décary a été assailli par des fiers-à-bras, le système d'alarme des incendies a été rendu inopérant par le sabotage, et les rixes devenaient de plus en plus nombreuses.

En terminant, il faut reconnaître que même en grève, les policiers n'ont pas hésité à intervenir lorsqu'il le fallait pour empêcher la commission de crimes. On en tient pour preuve leurs témoignages devant les tribunaux, à la suite des nombreuses arrestations qu'ils avaient effectuées dans la nuit du 12 au 13. La situation aurait donc pu être catastrophique pour les quelque 700 000 citoyens qui habitaient Montréal à l'époque.

Guy Pinard

Lise Thibault succède à Jean-Louis Roux

Le premier ministre Jean Chrétien en a surpris plusieurs en procédant à la nomination de Mme Lise Thibault, qui a occupé dans le passé les postes de PDG de l'Office des personnes handicapées et de vice-président de la CSST, pour remplacer Jean-Louis Roux au poste de lieutenant-gouverneur du Québec. (**Texte publié le 12 décembre 1996**)

Lise Thibault

Gorby brise les tabous

De son apparition triomphale à la tribune des Nations unies, à sa promenade lugubre dans les ruines arméniennes de Leninakan, à plus de 10 000 km de là, Mikhaïl Gorbatchev vient de vivre une semaine exceptionnelle qui l'aura vu violer tous les tabous.

Dans les deux situations, il a déployé des qualités qu'on n'associait pas à un numéro un du Kremlin.

« Imaginatif », « souple », « visionnaire », « réaliste »... Journalistes américains et diplomates occidentaux ont rivalisé d'épithètes mercredi en l'entendant annoncer, à la tribune des Nations unies, une réduction unilatérale des forces armées soviétiques.

« Pouvez-vous imaginer Brejnev se salissant les pieds et arpentant une ville dévastée par un tremblement de terre ? », s'interrogeait samedi un jeune intellectuel de Moscou, tandis que Gorbatchev se rendait en Arménie.

Ces six derniers jours ont confirmé que l'URSS, sous sa direction, a irrévocablement brisé un moule élaboré en des décennies, estime un journaliste spécialisé. (**Texte publié le 12 décembre 1988**)

Nous avons vu dans la page du centenaire du 4 novembre dernier que les militaires, avant d'envoyer leurs pigeons voyageurs au-dessus du territoire ennemi, avaient la décence de les munir d'un masque à gaz. Et nous étions en droit de penser que nous aurions tout vu. Eh bien non ! LA PRESSE du *12 décembre 1908* nous apprenait en effet que M. Jules Neubronner avait pour sa part trouvé le moyen de doter ses pigeons voyageurs... d'appareils photo. Et s'il faut en croire l'article, M. Neubronner avait développé un film qui permettait de prendre des photos à une vitesse de 20 m/s, et d'obtenir des épreuves relativement satisfaisantes d'un centimètre carré. Un loustic dira sans doute que vient de là l'expression... *des photos à vol d'oiseau !*

C'EST ARRIVÉ UN 12 DÉCEMBRE

1992 — Trois jours après la séparation officielle de Charles et Diana, la princesse Anne épouse en secondes noces le commandant Tim Laurence.

1986 — L'ex-maire de Montréal, M. Jean Drapeau, devient ambassadeur et délégué permanent du Canada auprès de l'UNESCO

1985 — Deux cent cinquante militaires et huit civils perdent la vie dans l'écrasement d'un DC-8, à Gander.

1973 — Début de la construction à Montréal de ce qui devait devenir le plus imposant Holiday Inn du monde.

1966 — La Cour Suprême des États-Unis rejette l'appel du syndicaliste James Hoffa.

1956 — L'ONU condamne l'intervention soviétique en Hongrie, et exige que les troupes de l'URSS quittent ce pays.

1950 — Soupçonnée d'obédience communiste, l'Union des marins canadiens est dissoute par la Commission des relations ouvrières du Canada.

1949 — Nommée orateur de la législature de Colombie-Britannique, Mme Nancy Hodge devient la première femme du Commonwealth à occuper un tel poste.

1947 — Lors des élections générales à l'Île du Prince-Édouard, le Parti libéral enlève 23 des 30 sièges.

1942 — Cent personnes périssent dans un incendie, à Saint-Jean, Terre-Neuve.

1938 — Camillien Houde est élu maire de Montréal pour la quatrième fois, avec une majorité de 20 600 voix.

1927 — L'Université de Montréal reçoit la bulle du pape décrétant son autonomie par rapport à l'université Laval.

1911 — Le duc de Connaught, nouveau gouverneur-général du Canada, est l'hôte de la Ville de Montréal.

1904 — Entrée en fonction du nouveau gouverneur-général du Canada, lord Grey. C'est lui qui a donné son nom à la coupe Grey, remise annuellement à l'équipe championne du football canadien.

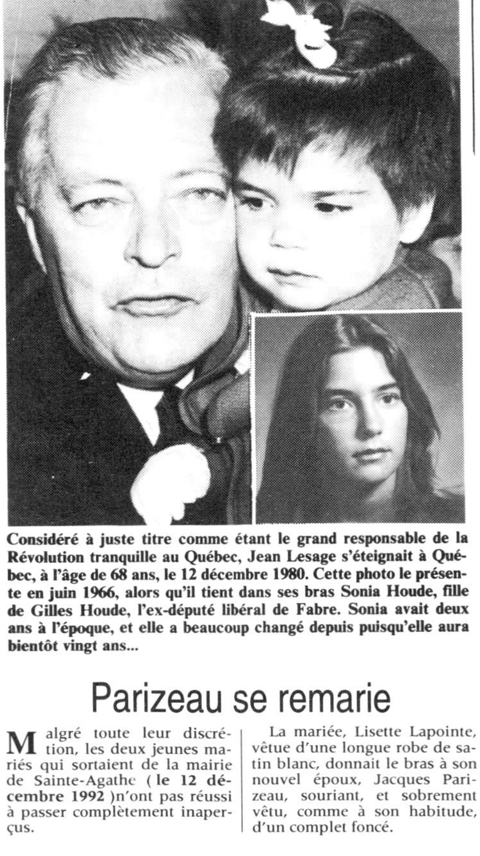

Considéré à juste titre comme étant le grand responsable de la Révolution tranquille au Québec, Jean Lesage s'éteignait à Québec, à l'âge de 68 ans, le 12 décembre 1980. Cette photo le présente en juin 1966, alors qu'il tient dans ses bras Sonia Houde, fille de Gilles Houde, l'ex-député libéral de Fabre. Sonia avait deux ans à l'époque, et elle a beaucoup changé depuis puisqu'elle aura bientôt vingt ans...

Parizeau se remarie

Malgré toute leur discrétion, les deux jeunes mariés qui sortaient de la mairie de Sainte-Agathe (**le 12 décembre 1992**)n'ont pas réussi à passer complètement inaperçus.

La mariée, Lisette Lapointe, vêtue d'une longue robe de satin blanc, donnait le bras à son nouvel époux, Jacques Parizeau, souriant, et sobrement vêtu, comme à son habitude, d'un complet foncé.

Déraillement d'un train transportant des produits toxiques

Des enquêteurs de plusieurs organismes gouvernementaux et des spécialistes en protection de l'environnement ignorent toujours la cause exacte d'un spectaculaire déraillement de 33 wagons d'un convoi de marchandises du CN survenu à un passage à niveau traversant la petite municipalité de Saint-Léonard-d'Aston, à une quarantaine de kilomètres au sud de Trois-Rivières, dans la région de Drummondville.

Plusieurs des wagons, qui se sont empilés les uns sur les autres, contenaient des produits toxiques dangereux, ce qui a forcé les autorités à procéder à l'évacuation d'environ 150 personnes. (**Texte publié le 12 décembre 1989**)

La Commission royale d'enquête sur les services municipaux

Le juge Cannon blâme huit échevins ainsi que de nombreux fonctionnaires et ex-fonctionnaires

L'HONORABLE juge L.A. Cannon déposait auprès du premier ministre sir Lomer Gouin, au matin du **13 décembre 1909**, son rapport tant attendu sur la corruption après des mois d'enquête dans les différents services municipaux.

Au cours de son enquête, le juge Cannon avait réussi à mettre en lumière toute une série de tractations impliquant des échevins et/ou des fonctionnaires municipaux, à étaler aux yeux du public de nombreux exemples de l'indifférence qui s'était installée à l'hôtel de ville, en plus de démontrer à quel point les contribuables avaient été lésés

par le gaspillage d'argent et le versement de pots-de-vin dont ils devraient faire les frais, en bout de ligne, sous la forme de coûts plus élevés ou de travaux à reprendre à des coûts additionnels, soit parce qu'ils avaient été mal faits, soit parce qu'on n'avait utilisé des matériaux de la qualité prévue. Selon le juge Cannon, ce gaspillage pouvait représenter jusqu'à 25 p. cent du budget de dépenses de la Ville.

Et le juge en venait à la conclusion que des poursuites civiles et criminelles pouvaient être entreprises contre les personnes incriminées, qui étaient en même temps condamnées à

payer une partie des frais de l'enquête.

Cette enquête avait été entreprise à la suite des nombreuses interventions de M. E.W. Villeneuve, l'âme dirigeante du Comité des citoyens, appuyé par deux avocats réputés, Mes N.M. Laflamme, c.r., et J. L. Perron, c.r. également.

Des exemples

Le texte du rapport du juge Cannon représentait trois pages complètes de LA PRESSE de décembre 1909, de sorte qu'il faudra forcément se contenter de quelques exemples, qui éclaire-

L'échevin W.J. Proulx, l'un des plus visés par les conclusions de la commission.

ront néammoins le lecteur actuel sur le genre de pots-de-vin et de patronage en vigueur à cette époque-là.

■ Abandon des poursuites par la police, sans raison valable et à l'encontre du Code pénal, entreprises contre des tenanciers de maisons de prostitution, de maisons de jeux et d'endroits où on vendait illégalement des boissons alcoolisées le dimanche.

■ Substitution de colonnes de bois recouvertes de béton aux colonnes d'acier prévues au devis lors de la construction du poste de police no 18.

■ Toujours au même poste de police, on devait découvrir que le bâtiment comportait 10 pieds de moins que prévu aux plans sur la longueur, et trois pieds de moins sur la largeur.

■ Favoritisme et patronage dans l'attribution du contrat de construction du poste de police 13. Notons que la commission de la police était sous la responsabilité de l'échevin W.J. Proulx, qui est sévèrement blâmé dans le rapport.

■ Patronage dans l'enlèvement de la neige, qui s'est traduit par une augmentation inutile de 50 p. cent des coûts.

■ Fraude qui aurait coûté des centaines de milliers de dollars à la Ville et qui aurait été dirigée par deux entrepreneurs qui auraient utilisé leur influence pour obtenir des contrats, pour ensuite soumettre des comptes à des coûts gonflés.

■ Attribution de contrats à une entreprise détenue en copropriété par le frère d'un conseiller municipal, et formée seulement

L'ex-chef des pompiers, Z. Benoît.

Le juge L.A. Cannon, président de la Commission royale d'enquête qui porte son nom.

APRÈS le début de l'enquête. Dans le même ordre d'idée, un entrepreneur obtient de nombreux contrats municipaux qu'il eut pris comme partenaire dans son entreprise la femme d'un échevin.

■ Utilisation de vieilles briques dans la construction d'un égout.

■ Toujours au chapitre des égouts, le juge a découvert qu'une facture avait été gonflée de 50 p. cent sans aucune raison valable. En guise de défense, les fonctionnaires avaient affirmé que la différence s'expliquait par le fait que la construction s'était déroulée en hiver, explication non retenue par le juge.

■ Pots-de-vin à des échevins pour l'obtention d'un emploi ou d'une promotion dans les service de la police et des pompiers.

■ De nombreux exemples de paiement de pots-de-vin pour l'obtention d'un contrat, grâce à l'intervention d'un échevin qui fait éliminer mystérieusement le plus bas soumissionnaire.

■ Adjudication d'un contrat à une entreprise à la condition qu'elle consente un sous-contrat (comme par hasard pour l'ensemble des travaux !) à une entreprise propriété d'un échevin.

■ Abus et irrégularités dans la facturation de la Montreal Light, Heat and Power Company qui, à

M. E.W. Villeneuve, l'âme de la campagne entreprise par le Comité des citoyens.

partir du 1er janvier 1909, chargeait le prix qu'elle voulait bien.

Il ne s'agit là évidemment que d'un échantillonnage des nombreux cas relevés par le juge Cannon dans son rapport. Et même si l'événement est vieux de plus de 60 ans, il est difficile de croire que ces choses-là ne pourraient pas se produire encore aujourd'hui, quelque part au Québec. Et si la corruption municipale n'est pas un phénomène récent, elle n'a pas complètement disparu non plus.

À la mi-décembre 1923, les travaux progressaient rapidement dans la construction de l'Hôtel de ville de Montréal. Cette photo permet de voir où on en était rendu dans la construction de la tour de 185 pieds de hauteur (et de 20 pieds de largeur) qui orne la partie centrale de l'édifice. Cette photo avait été réussie à l'époque par le photographe du service technique de la Ville de Montréal.

Des « bretelles » pour la tour de Pise

La pose de « bretelles » métalliques sur la célèbre tour penchée de Pise, fermée aux visiteurs depuis près de neuf ans pour risque d'effondrement, a commencé et devrait être terminée ce week-end. Ces « bretelles » sont des câbles d'acier d'environ 100 mètres de long chacun et de cinq centimètres de diamètre, qui vont être fixés de façon à enserrer l'édifice. « Nous voulons stabiliser la tour pour au moins 300 ans », a déclaré Michele Jamiolkovsky, qui préside le comité chargé de la sauvegarde d'un des monuments architecturaux les plus précieux du monde. (Texte publié le 13 décembre 1998).

Louis XVI acquitté

Près de 200 ans après son exécution, Place de la Révolution à Paris, Louis XVI a été acquitté par les téléspectateurs de TF-1, à l'issue d'un procès reconstitué.

Les téléspectateurs étaient invités à se prononcer par téléphone ou par Minitel, au terme des débats réinventés par l'animateur vedette Yves Mourousi et l'historien Arthur Conte.

Ils ont été 55 pour cent à se prononcer pour l'acquittement

du roi, 17,5 pour cent pour l'exil, et 27,5 pour cent pour la mort.

Louis XVI avait été jugé à l'issue d'un débat passionné à la Convention, ancêtre de l'Assemblée nationale, en décembre 1792 et janvier 1793. Jugé coupable de « conspiration contre la liberté publique et attentats contre la sûreté nationale », il devait être guillotiné le 21 janvier 1793. (**Texte publié le 13 décembre 1988**)

C'EST ARRIVÉ UN DÉCEMBRE 13

1993 — Le Parti conservateur offre à Jean Charest de prendre sa direction, en remplacement de Kim Campbell qui a remis sa démission.

1981 — Les droits civils des Polonais sont restreints et le mouvement *Solidarnosk* (Solidarité) est dissous.

1979 — Le gouvernement de Joe Clark est défait à la Chambre des communes, à la suite d'une motion de censure déposée par les Libéraux au sujet du budget Crosbie.

1979 — La Cour suprême du Canada déclare inconstitutionnels certains aspects de la Loi faisant du français la langue officielle du Québec. Du même coup, elle annule une loi adoptée en 1890 au Manitoba, laquelle faisait de l'anglais la seule langue officielle de cette province.

1978 — Jacques Cossette-Trudel, l'un des trois felquistes responsables de l'enlèvement de James Richard Cross, rentre au pays en compagnie de sa femme, en provenance de Paris.

1969 — Londres annonce que toutes les troupes britanniques auront quitté la Libye avant la fin de mars 1970.

1966 — Premiers bombardements américains sur Hanoï.

1962 — Les États-Unis placent en orbite un deuxième satellite de télécommunications, le *Relay I*.

1958 — Les Américains placent un singe sur orbite dans l'ogive d'une fusée *Jupiter*.

1957 — Un tremblement de terre fait 1 300 morts en Iran.

1956 — Paul Magloire, président déchu de Haïti, part en exil.

1949 — L'État d'Israël proclame Jérusalem comme sa capitale.

1947 — Dans son rapport annuel, l'Auditeur général du Canada révèle que la dette nationale s'élève maintenant à $13 milliards.

1913 — L'Italie annonce qu'elle va rendre *La Joconde* (volée deux ans plus tôt et retrouvée à Florence) au Musée du Louvre.

Les victimes de la MIUF déboutées

Les personnes qui se croyaient victimes de la mousse isolante d'urée formaldéhyde se souviendront longtemps du vendredi (13 décembre 1991) : un juge vient d'affirmer que « rien ne permet d'identifier la MIUF comme cause de ces problèmes de santé ».

« Une conclusion globale s'impose : l'absence de preuve de dommages tant à la santé qu'à la propriété à la MIUF », écrit le juge René Hurtubise,

de la Cour supérieure, dans un jugement de 1099 pages déposé au palais de justice de Montréal.

« Même dans les cas où certains demandeurs ont pu démontrer l'existence de dommages, la relation causale a toujours fait défaut », ajoute M. Hurtubise, qui rejette l'action des six demandeurs, dont les plaintes avaient été choisies parmi 5000 autres pour établir un précédent.

La moitié des détenteurs de carte de crédit en paient chaque mois le solde

Seulement la moitié des Canadiens ont la sage habitude de payer chaque mois le solde complet de leur carte de crédit, révèle une étude de Consommation et Corporation Canada.

Avec des taux d'intérêts qui varient entre 20 et 29 pour

cent, il n'est pas surprenant qu'ils paient 1 milliard en frais annuels d'intérêt. Il y a un an, leur solde s'établissait à 10 milliards et si la tendance se poursuit, il pourrait atteindre 12 milliards en décembre de cette année. (**Texte publié le 13 décembre 1989**)

L'EMBELLISSEMENT DE MONTRÉAL
LA CRÉATION D'UN GRAND BOULEVARD CENTRAL ET DE DEUX BOULEVARDS DIAGONAUX POUR DÉCONGESTIONNER LE TRAFIC.

Dans la page du centenaire de vendredi dernier, on vous présentait le plan d'aménagement routier et ferroviaire que LA PRESSE proposait dans son édition du 9 décembre 1916. Aujourd'hui, on vous présente un dessin en élévation proposé aux lecteurs de LA PRESSE trois ans plus tôt, soit le 13 décembre 1913. Cette proposition d'embellissement contenait trois caractéristiques : construction d'un métro, transformation du boulevard Saint-Laurent élargi en « Broadway » et construction de deux boulevards en diagonale.

DE NOS ROUTES DEPEND LE BIEN-ETRE NATIONAL

SOUS ce titre qui n'a rien d'accrocheur, mais qu'on a retrouvé fréquemment à la première page du journal, LA PRESSE s'engageait dans une campagne musclée et tenace en faveur de l'amélioration des routes du Québec. Cette campagne durera des mois.

Si nous avons choisi de parler de cette campagne aujourd'hui plutôt qu'hier ou demain, c'est parce que, au plus fort de la campagne, le **14 décembre 1910,** LA PRESSE commençait à voir poindre la lumière au bout du tunnel. L'appui du public commençait à se faire pressant, tandis que des organismes comme la Chambre de commerce de Montréal constataient que l'initiative de LA PRESSE s'avérait d'une popularité grandissante.

Nos appels à tout le monde, pouvait-on lire dans LA PRESSE du jour, *pour obtenir des documents et même des photographies sur les routes de la province ont été entendus. Nous recevons journellement un grand nombre de communications, quelques-unes très précieuses. Nous prions le public de continuer à nous faciliter la tâche. Il est le principal intéressé, du reste, à ce que cette campagne réussisse. Par la circulaire ministérielle publiée hier, nous voyons que les bons effets commencent déjà à se faire sentir.*

Un style pamphlétaire

LA PRESSE ne se privait de rien pour faire choc auprès des deux paliers de gouvernement pour tenter de les convaincre de l'importance de doter la province d'un bon réseau routier. Et à un style coloré et pamphlétaire qui aurait bien sied à Arthur Buies par exemple, LA PRESSE ajoutait l'image dont l'évidence ne laissait pas le moindre doute, et n'hésitait pas, le cas échéant à publier des photos provenant de pays mieux nantis que le Québec en matière d'infrastructure routière. Rappelons quelques-unes des tirades les plus virulentes de la campagne.

— La conclusion des centaines de lettres que nous recevons des quatre coins de la province, c'est qu'il faut abandonner sans délai cette coutume désuète et désastreuse de laisser à chacun sa « part de route ».

— Les habitants du Québec, aussi bien que ceux de l'Ontario ignoraient, j'imagine, qu'il n'existe pratiquement aucune voie de communication par terre entre ces deux provinces. Oui ! — qui l'eût cru ? — une véritable barrière, quelque chose comme la grande muraille de Chine, sépare les gens d'un même pays. Si nous n'avons pas élevé d'amas de pierres sur notre territoire, comme autrefois les Célestes pour se protéger des Mongols, nous empêchons tout de même les Ontariens de venir à nous, comme nous sommes incapables d'aller à eux au moyen (sic, on veut sans doute dire à cause) *de deux bras de mer et d'une île quasiment infranchissables.*

C'est sur l'île Perrot que se trouve la route dénommée par les Américains « The Devil's Road » — le Chemin du diable — et en effet il faut être le diable en personne pour franchir une fondrière de 100 pieds sise au beau milieu de cette voie, la seule qui relie Montréal et Toronto, les deux plus grandes villes du Dominion. En cas de guerre, l'île Perrot deviendrait les Thermopyles du Canada ; aucun ennemi ne pourrait la franchir à moins d'être monté sur un aéroplane.

— En évaluant les dépenses à $3,000 du mille, ça coûterait $250,000 environ pour les 80 milles du tour de l'Île de Montréal. Depuis 1642 que Maisonneuve fit son apparition ici, il est tout de même curieux que nous n'ayions pas ou peu de routes convenables dans une île peuplée de plus d'un demi-million d'habitants.

— Nous voilà sur la berge de Sainte-Anne-de-Bellevue, et en face de l'île Perrot, le but de notre voyage. (...) Nous dûmes prendre le bac antique, moyen de locomotion en pratique sous le règne du bon roi Dagobert, mais dont les trépidants mortels du XXe siècle aimeraient s'abstenir. Sur un chaland qui rappelle par sa forme l'arche de Moé moins le toit, l'homme moderne quitte l'Île de Montréal. De pont carossable, il n'existe aucun vestige, pas même un bout de pilier en ruines.

— Engageons-nous maintenant dans la route de trois milles qui traverse l'île Perrot. Une nouvelle voie a remplacé l'ancienne, celle qui évoquait des idées diaboliques à l'esprit des Américains. (...) Pour une route « toute neuve », ainsi qu'on la désigne dans le pays, (...) il n'est guère désirable qu'elle serve de prototype aux autres à venir. Un lit d'énormes pierres sert d'assise au dit chemin : une couche de terre jaune là-dessus, et c'est tout. L'oeil a l'occurrence de contempler la plus belle collection de trous et de bosses qui se puisse voir.

— Après avoir franchi Cartierville même, où la situation ne s'améliore guère, c'est le chemin conduisant à Sainte-Geneviève où, de place en place, il faut aller à très petite vitesse. Nous passons un cultivateur assis sur sa charge. C'est par un miracle d'équilibre qu'il se tient là-haut ; car sa voiture tangue et roule comme un navire en pleine tempête. (...) Le cultivateur qui part à la ville muni d'un certain lot d'oeufs fait certes en route de terribles omelettes.

— Le chemin Sainte-Catherine, Outremont, tire (sic) l'oeil par sa splendide apparence. Il se déroule, large et plat, telle une route de France.

— Sait-on qu'aux Etats-Unis, des guides sont préparés dans lesquels on trouve une topographie minutieuse des routes ? Or, à partir des frontières de la province de Québec, les routes, sur ces guides, cessent brusquement. Comme si nous n'en avions pas ici. C'est un peu yankee, mais c'est comme cela ! Cet été, cinq mille automobilistes s'en venant au Canada retournèrent à Rouse's Point, croyant qu'il leur était impossible d'atteindre Montréal par nos voies de communications. Les automobilistes étant d'ordinaire gens lestées de goussets bien garnis, il s'ensuit qu'une bonne aubaine fut perdue pour les villages du parcours et pour Montréal.

Comment pourrait-on mieux conclure qu'en rappelant que LA PRESSE, pour bien préciser qu'elle prêchait par l'exemple, acceptait au printemps de 1911, de défrayer le coût de construction d'un route entre Montréal et Rouse's Point, à la frontière américaine.

À cause des traces profondes laissées par les voitures, il fallait parfois rouler sur ce qu'on qualifierait aujourd'hui d'« accotement » pour pouvoir progresser.

La voiture embarque sur le bac qui assure la traversée de Sainte-Anne-de-Bellevue à l'île Perrot, le seul chemin qu'on puisse utiliser pour atteindre Vaudreuil, puis l'Ontario.

Échantillon d'un bout de route, pourtant située à 25 milles à peine de Québec.

Les citoyens de Lachine avaient vite compris l'importance des routes pour attirer le tourisme. Celle-ci longeait la rive du lac Saint-Louis.

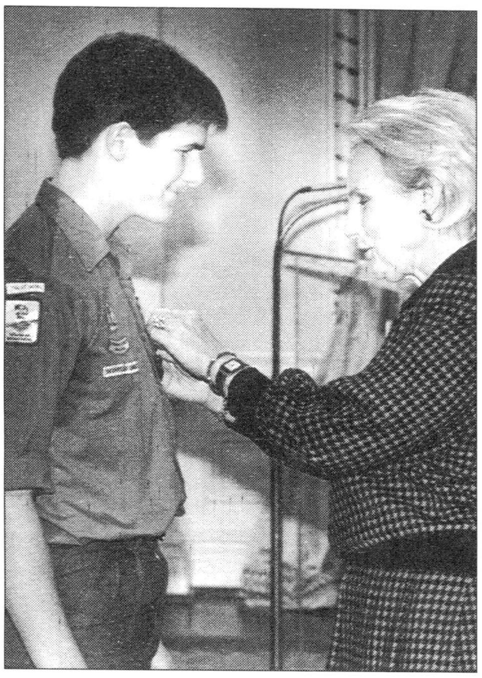

Pierre Pelland était très fier de recevoir la médaille d'« héroïsme » des mains du gouverneur général du Canada, Mme Jeanne Sauvé.

Un jeune camelot de *La Presse* honoré par les Scouts du Canada

Pierre Pelland, un jeune camelot de 17 ans de *La Presse,* était très fier et bien ému, de recevoir des mains du gouverneur général du Canada, Mme Jeanne Sauvé, la médaille d'« héroïsme » de l'Association des Scouts du Canada pour avoir sauvé d'une mort possible Mme Alice Fredette, de Montréal.

Lors de sa tournée de perception hebdomadaire, le 7 septembre 84, Pierre Pelland remarquait que Mme Fredette, une de ses clientes, donnait des signes de suffocation. Il constata qu'elle s'était étouffée avec des aliments. Grâce à une technique de secourisme, il avait alors réussi à lui dégager les voies respiratoires.

Discret, réservé, il n'en avait parlé qu'à quelques personnes. Aussi fut-il très surpris, en octobre, d'apprendre qu'on l'honorait pour avoir sauvé Mme Fredette.

Membre des Pionniers de la paroisse de Saint-Vital, il s'est dit très fier d'être décoré par les scouts, un mouvement qu'il aime et dans lequel il veut continuer à évoluer encore longtemps.

Mais c'est la cérémonie à Rideau Hall, la résidence officielle du chef de l'État canadien, qui l'a le plus touché

Deux autre Québécois ont été félicités en même temps que lui pour leurs gestes de bravoure : Jean-Marie Beaujean, de Montréal, pour avoir empêché un jeune de 18 ans de brûler vif et le jeune Sylvain Laplante, un louveteau de 11 ans, pour avoir sauvé de la noyade son petit frère de 3 ans. (**Texte publié le 14 décembre 1985**)

Ces photos tirés de LA PRESSE du *14 décembre 1931* ne provenaient pas d'une région en voie de colonisation. Croyez-le ou non, elles avaient été prises à quelques arpents de la lisière nord de la rue Sherbrooke, entre l'axe de la rue Haig et le chantier de l'institut Saint-Antoine, donc à quelques milles du centre-ville de Montréal. Mais en période de crise économique, tous les moyens sont bons pour se loger, y compris de pareilles mansardes.

14 C'EST ARRIVÉ UN DÉCEMBRE

1993 — Brigitte Bardot se dit l'abbé Pierre des animaux : « Mais ce n'est pas facile tous les jours ».

1981 — Israël annexe le Golan syrien.

1979 — Battu la veille à la Chambre des communes, le gouvernement Clark déclenche des élections fédérales.

1973 — Dans son rapport, la commission LeDain préconise des soins plutôt que la prison pour les toxicomanes.

1972 — Détournement d'un BAC-111 de Quebecair entre Wabush et Dorval.

1967 — Le coup d'État ourdi par le roi Constantin ayant échoué, ce dernier quitte la Grèce avec sa famille et se réfugie en Italie.

1967 — Le premier ministre Lester B. Pearson démissionne comme chef du Parti libéral.

1962 — Les policiers Brabant et Martineau sont tués lors d'un vol à main armé au cours duquel un des bandits était vêtu en père Noël.

1961 — Mme Claire Kirkland-Casgrain devient la première femme à siéger à l'Assemblée législative du Québec à la suite de sa victoire lors d'une élection partielle dans la circonscription de Jacques-Cartier.

1957 — Inauguration de l'aéroport de l'Ancienne-Lorette, à Québec.

1951 — Ottawa décide d'abolir le contrôle des changes un an plus tôt que prévu.

1943 — Policiers, pompiers et travailleurs manuels municipaux déclenchent la grève à Montréal.

1927 — Le feu détruit toute une partie de l'hospice Saint-Charles à Québec. On dénombre 36 cadavres.

1902 — Un incendie détruit l'hôtel Victoria et la fabrique de cigares Stonewall Jackson, à Québec, et fait deux morts.

Le Jardin botanique s'étend sur 73 hectares.

Petite histoire d'un grand jardin

Le Jardin botanique de Montréal a été fondé en 1931 par le Frère Marie-Victorin. Déjà en 1883, on parlait de construire un jardin botanique sur le flanc du Mont-Royal, projet qui avorta.

C'est le 14 décembre 1929 que le frère Marie-Victorin en relançait officiellement l'idée dans un discours présidentiel à la Société canadienne d'Histoire naturelle. Un botaniste et horticulteur d'origine allemande, Henry Teuscher, a conçu les plans du Jardin.

Au fil des ans, le Jardin botanique de Montréal a toujours ajouté à ses installations et à ses précieuses collections d'arbres et de plantes les plus variés.

En 1980, le Jardin botanique a été le maître d'oeuvre des Floralies internationales, une exposition botanique d'envergure mondiale qui s'est tenue dans l'île Notre-Dame.

En octobre 84, un riche collectionneur de Hong Kong, Yeesun Wu, faisait don au Jardin de 30 magnifiques bonsaï, des arbres nains d'une grande valeur. Ils s'ajoutent à d'autres bonsaï et aux penging que le Jardin a reçus à l'occasion des Floralies.

En mai dernier, une vaste serre d'exposition de 700 mètres carrés a été inaugurée. Il s'agit de la plus grande au Canada.

Le Jardin botanique luimême s'étend sur 73 hectares. (**Texte publié le 14 décembre 1986**)

C'EST ARRIVÉ UN DÉCEMBRE

1994 — La justice met un cran d'arrêt à la carrière politique de l'homme d'affaires français Bernard Tapie en le mettant en faillite personnelle, ce qui le prive de ses mandats électoraux en France et le rend inéligible pour cinq ans.

1989 — Le gouvernement fédéral entreprend un programme de compressions dans l'appareil de l'État qui totalisera 1,4 milliard au cours des trois prochaines années.

1985 — Le maire de Montréal, M. Jean Drapeau, est hospitalisé d'urgence après avoir perdu l'équilibre et s'être fracturé une vertèbre. Son état ne suscite toutefois aucune crainte.

1981 — Le Péruvien M. Javier Perez de Cuellar est élu secrétaire général des Nations unies en remplacement de Kurt Waldheim.

1978 — Établissement de relations diplomatiques complètes entre les États-Unis et la République populaire de Chine.

1976 — Les Espagnols répondent « oui » à 94 p. cent lors du référendum sur la réforme politique.

1973 — Libération par ses ravisseurs du jeune Paul Getty, après cinq mois de captivité. Il a été amputé d'une oreille.

1970 — Début de sanglantes manifestations dans trois ports polonais (Gdanks, Gdynia et Sopot) à cause de l'augmentation brutale des prix des aliments.

1967 — L'effondrement d'un pont reliant Point-Pleasant (Virginie de l'Ouest) à Kanauga (Ohio) cause la mort de 60 personnes.

1966 — Walt Disney, le père de *Mickey Mouse*, meurt à 65 ans.

1965 — Rencontre dans l'espace des satellites *Gemini 6* et *Gemini 7*.

1962 — *L'aventurisme* de l'Union soviétique est dénoncé par la Chine de Mao.

1961 — Adolf Eichmann est condamné à mourir sur l'échafaud.

1947 — Germaine Guévremont reçoit le prix de l'Académie canadienne-française pour son roman *Marie-Didace*.

1936 — Adhémar Raynault est élu maire de Montréal avec une majorité de 3 621 voix sur Camillien Houde.

1931 — Mgr Rodrigue Villeneuve est nommé archevêque de Québec.

Toronto craint un autre Bre-X

La Bourse de Toronto obligera les sociétés minières à divulguer de plus amples informations sur leurs projets d'exploration, afin d'éviter que ne se reproduise un autre scandale comme celui de la société Bre-X.

Après que sa valeur à la bourse eut atteint les six milliards à l'automne de 1996, les rumeurs sur une possible fraude puis la confirmation que le gisement indonésien de Busang ne contenait en fait que des quantités négligeables d'or ont réduit à presque rien la valeur de ses actions.

Le scandale de la société Bre-X a sérieusement entaché la réputation du Canada en tant que leader mondial pour amasser des capitaux à des fins d'exploration et d'exploitation minières. (**Texte publié le 15 décembre 1997**)

Non aux fusions des banques

Le ministre des Finances, Paul Martin, rejette les projets de fusions de banques.

«**N**on, c'est non ! » a martelé le ministre des Finances, Paul Martin, lorsqu'il a annoncé hier qu'il refuserait aux banques de Montréal et Royale et aux banques Toronto-Dominion et CIBC l'autorisation de fusionner.

« J'annonce, a déclaré M. Martin, que les fusions bancaires ne sont pas autorisées parce qu'elles ne sont pas au mieux des intérêts des Canadiennes et des Canadiens ».

Le ministre a notamment justifié sa décision par la diminution de la concurrence et le risque d'une baisse du service à la clientèle que pourrait entraîner la fusion des banques. (Texte publié le 15 décembre 1998)

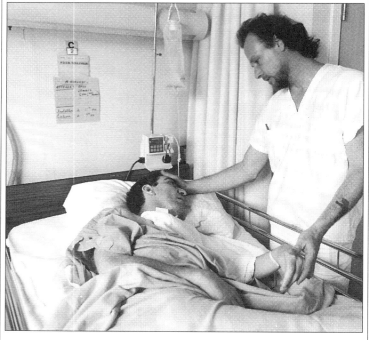

Plongé dans le coma, Richard Barnabé est maintenu en vie artificiellement à l'Institut neurologique de Montréal.

Un homme battu à mort par des policiers ?

Un automobiliste de 38 ans aurait été battu à mort par des policiers de la CUM.

La victime, Richard Barnabé, a été interpellée vers 3 h, la nuit dernière, par des agents du poste 44 de la CUM qui l'avaient pris en chasse depuis Montréal jusqu'au coin des rues Gounod et Mozart, dans le quartier Saint-Vincent-de-Paul, de l'autre côté du pont Pie-IX.

Les policiers de Laval ont été mandés en renfort, mais n'ont pas été d'un grand secours, semble-t-il. Au moment de leur entrée en scène, la poursuite était terminée et plusieurs policiers de la CUM — on parle de cinq ou six — entouraient la victime, qui gisait sur le sol.

Au moins deux témoins — un civil et une policière — auraient vu les patrouilleurs montréalais frapper la victime à coups de poings et de pieds, à la tête et au corps. L'homme a ensuite été placé dans une auto-patrouille et transporté à l'hôpital, le visage tuméfié, inconscient.

L'incident s'est produit dans l'entrée de la maison du frère de la victime, qui porte également l'uniforme de la police de la CUM. Plongé dans le coma, Barnabé est maintenu en vie artificiellement à l'Institut neurologique de Montréal. (**Texte publié le 15 décembre 1993**)

Le *15 décembre 1908*, l'édifice Birks, du côté ouest du square Phillips (où il se trouve toujours d'ailleurs) subissait de lourds dégâts lors d'un violent incendie survenu en plein cœur de l'après-midi. La croix (près d'une échelle, sur la façade de la rue Sainte-Catherine, à droite) sur ce croquis réalisé par le dessinateur de LA PRESSE indique l'endroit où le feu s'est déclaré, entre le mur et les lambris, vraisemblablement à cause d'un court-circuit. Le feu s'est ensuite communiqué au troisième étage, où le célèbre photographe Notman avait son atelier. Les dégâts furent évalués à $100 000.

Le grand patron de *La Presse*, Roger D. Landry, est fier de ce qu'il a accompli dans l'entreprise au cours des dix années qu'il l'a dirigée.

« Dans une entreprise, il n'y a pas 26 boss »
— *Roger D. Landry*

«**J**e ne joue pas au boss, je suis boss ».

Roger D. Landry dirige *La Presse* depuis 10 ans avec une poigne de fer. Patron dur et exigeant, il inspire le respect sinon la crainte.

Et que ceux qui ne l'aiment pas prennent leur mal en patience : M. Landry compte rester président et éditeur de *La Presse* pendant encore au moins cinq ans.

Lorsque M. Landry est arrivé à *La Presse* le 15 décembre 1980, l'entreprise vivait une période difficile. Elle perdait de l'argent, deux longues grèves avaient pourri le climat de travail et la haute direction n'avait aucune crédibilité auprès des employés.

« Le climat était très tendu, rappelle M. Landry, et on fonctionnait en vase clos. (...) Mon patron, Paul Desmarais, m'avait dit : "On fait marcher boîte là où on la ferme." C'était l'heure de la dernière chance ».

« Paul Desmarais m'a donné carte blanche et m'a fait totalement confiance. J'ai d'abord décidé de rencontrer tous les employés par groupes de 25 mais, les "bons rationnels", c'est-à-dire à peu près tous les cadres, me disaient que ça ne marcherait pas. »

« Dans une entreprise, il n'y a pas 26 boss, il n'y en a qu'un seul. Dire ça à des syndicats qui alors prenaient énormément de place... »

— Trop de place ?

— Non. Mais s'ils sentent un vacuum, ils l'occupent.

— Et vous avez rempli le vacuum ?

— Oui, et je le remplis encore et pour longtemps si Dieu me prête vie.

Aujourd'hui, *La Presse* n'a plus de dettes et, ajoute fièrement M. Landry, trois conventions collectives ont été signées sans grève au cours des dix dernières années. « C'est le record du siècle pour *La Presse* !. » (Texte publié le 15 décembre 1990)

Mot du président du conseil d'administration

Ce 15 décembre 1990 marque le dixième anniversaire de l'entrée en fonction de l'administration actuelle de *La Presse*.

Au cours de ces dix ans, plusieurs innovations pertinentes et efficaces ont été apportées et ont contribué au succès de *La Presse*. Je cite de mémoire : le lancement du tabloid des sports, le lancement de l'édition du dimanche, la publication quotidienne de cahiers thématiques, ainsi que la refonte graphique du journal. Ces initiatives ont entraîné une très nette amélioration de la qualité et de la diversité de ce grand quotidien.

De plus, durant cette décennie, *La Presse* a célébré son Année du Centenaire en 1984. Cet événement a donné lieu au lancement du prestigieux programme Excellence, qui comprend la nomination de la Personnalité de la semaine, le Gala annuel de l'Excellence et le choix de la Personnalité de l'année.

(...)Ce n'est là qu'un survol sommaire et incomplet des améliorations et réalisations concrètes qui ont été accomplies sous la gouverne de monsieur Roger D. Landry, Président et Éditeur de *La Presse*.

Il me fait plaisir, à titre de Président du Conseil, de féliciter monsieur Landry ainsi que ses collaborateurs et collaboratrices de tous les services pour le travail exemplaire qu'ils accomplissent.

Paul Desmarais
président du conseil
d'administration

La mer d'Aral disparaît

C'est peut-être, avec Tchernobyl, le plus grave désastre écologique du 20e siècle : à cause des activités humaines, la superficie de la mer d'Aral a diminué de moitié et la désertification qui s'est ensuivie provoque quantité d'affections qui font de cette région d'Asie centrale celle où l'espérance de vie est la plus faible de l'ex-Union soviétique.

La mer d'Aral est aujourd'hui partagée entre deux pays souverains, le Kazakhstan et l'Ouzbékistan, mais ce sont les cinq anciennes républiques soviétiques d'Asie centrale qui ont demandé en 1994 aux organisations internationales de venir se pencher sur un problème qui les affecte toutes.

Aujourd'hui, les experts chiffrent à 470 millions de dollars le budget nécessaire pour simplement maintenir les choses dans l'état actuel et tenter d'empêcher qu'elles n'empirent.

« Personne ne pense sérieusement que la mer d'Aral pourra retrouver son niveau de 1960 », explique David Pearce, qui représente la Banque mondiale à Almaty, capitale du Kazakhstan.

Et il faudra peut-être entre 15 et 20 ans pour que le niveau se stabilise.

Les immenses travaux d'irrigation réalisés dans les années 60 pour la culture intensive du coton ont pratiquement détourné l'Amou Daria et le Syr Daria, les deux seuls grands fleuves qui alimentaient cette mer intérieure. Elle a perdu les deux tiers de son volume et sa superficie est passée de 64 000 à 29 000 kilomètres carrés. En certains endroits, le rivage a avancé de... 150 kilomètres. (Texte publié le 15 décembre 1996)

UNE CALAMITE SANS PRECEDENT S'ABAT SUR LA PROVINCE DE QUEBEC

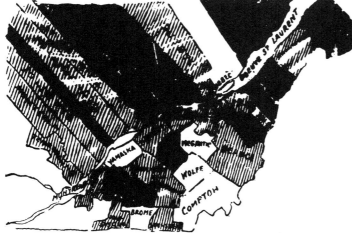

Cette carte publiée par LA PRESSE indiquait la situation dans chaque circonscription. Les secteurs noirs indiquaient les circonscriptions totalement dépourvues d'eau, tandis que les parties ombrées indiquaient celles où la disette commençait à se faire sentir.

Un grand nombre de nos campagnes manquent absolument d'eau, cet article d'importance primordiale dans l'économie domestique

L'extraordinaire sécheresse de l'automne dernier serait la cause du tarissement des puis et des cours d'eau

UNE calamité dont jusqu'ici nous n'avons jamais connu les horreurs, menace maintenant de fondre sur notre province.

Les plus sombres épisodes des jours d'épidémie pâliront si la Dame Providence permet que nous soyons les victimes de l'épreuve redoutée.

Nous allons manquer d'eau, nous en manquons déjà.

Dans un grand nombre de nos campagnes, c'est la disette absolue, et le cri terrifiant se fait déjà entendre : «De l'eau! donnez-nous de l'eau! »

Ce ne sont pas là les affres d'imaginations malades, ni les prévisions inquiétantes d'un pessimiste maniaque, ni, non plus, les inventions de quelque reporter en quête de sensation : ce n'est que malheureusement trop la réalité.

L'eau va manquer, elle manque déjà!

A MONTREAL

Ici, à Montréal, croyons-nous avoir le droit de nous moquer, — nous croyant à l'abri, — des malheurs qui vont fondre sur nos frères de la campagne! Détrompons-nous!

La sécheresse de l'automne dernier est cause que le niveau du fleuve Saint-Laurent est très bas à ce moment de l'année.

En effet, c'est avec la plus grande difficulté que l'on peut maintenir le niveau de l'eau aux réservoirs de la ville. A la maison des roues de l'aqueduc, on n'emploie actuellement qu'une seule turbine, car il n'y a pas assez d'eau pour alimenter les diverses turbines.

Les citoyens sont instamment priés de ménager l'eau, car s'il advenait un grand incendie, la ville serait placée dans un dilemme très difficile à résoudre. (...)

DANS NOS CAMPAGNES

Mais cet état de choses si inquiétant n'est rien, comparé à ce qui se passe à l'heure qu'il est dans nombre de nos campagnes les plus florissantes.

Le croirait-on, déjà, dans les environs de Magog, des rangs entiers sont désertés : la soif a chassé les malheureux cultivateurs des champs où jusqu'ici ils avaient coulé des jours heureux.

Les manufactures qui, depuis des années, semaient le bien-être et la vie dans plusieurs de nos coquets villages, se voient forcées de fermer leurs portes, jetant sur le pavé toute une armée de pauvres pères de familles.

Et pour n'avoir pas à demander le pain en même temps que l'eau, quelques-uns de ces infortunés ont commencé à s'expatrier.

DISETTE D'EAU SERIEUSE

Ailleurs, la disette est devenue tellement impérieuse, que l'eau se pèse, se mesure et se vend au plus haut enchérisseur, comme une liqueur précieuse.

A certains endroits, c'est deux centins que l'on vend ce liquide auquel la Providence pourtant nous a donné à tous des droits égaux.

Ailleurs, on est forcé de faire jusqu'à 20 milles par jour et plus, pour aller chercher de quoi désaltérer les familles et les bestiaux. Le même cri presque partout : « De l'eau! Donnez-nous de l'eau! ». (...)

L'EXODE

Actuellement, les cultivateurs sont forcés de vendre leurs bestiaux ; ils ferment même leurs chaumières et s'exilent en pleurant, avec leurs familles, des campagnes où ils ont vécu ; les industries sont dans la stagnation; les ouvriers vont ailleurs demander du pain; mais tout cela encore, qui se passe dans certains centres de la province, n'est que le prélude de ce qui nous attend si le niveau de nos rivières ne s'élève pas, et à brève échéance.

ENQUETE DE « LA PRESSE »

Puis l'article se continuait longuement en passant en revue région par région, à la suite d'une enquête entreprise par les journalistes de LA PRESSE. Comme il fallait résumer de toute manière, nous croyons qu'à l'aide de la carte qui accompagne cet article, le lecteur sera en mesure de voir dans quelles régions du Québec la situation était la plus dramatique au matin du 16 décembre 1903.

C'EST ARRIVÉ UN DÉCEMBRE 16

Le jeune Stéphane Goulet a passé plus de 12 heures accroché au bras de la croix du mont Royal.

Douze heures au sommet de la croix du mont Royal

Opération réussie pour Stéphane Goulet, 20 ans, qui a passé plus de 12 heures accroché au bras de la croix du mont Royal ce matin.

Cet élève en photographie du cégep du Vieux-Montréal voulait ainsi manifester son opposition au jugement de la Cour suprême sur la langue d'affichage des établissements commerciaux. Il a reçu l'appui chaleureux de Hans Marotte, qui s'était fait remarquer en posant une banderole sur la même croix il y a quelques mois.

Le jeune Goulet s'est amené à la croix du mont Royal vers 1 h cette nuit (**le 16 décembre 1988**) avec un groupe d'amis. Il a finalement remis les pieds sur terre vers 14 h, malgré l'insistance de plusieurs témoins et supporters qui jugeaient la situation intenable et l'invitaient à vite redescendre à cause du froid.

Le protestataire a grimpé sans difficulté. Pendant qu'il s'installait plus ou moins confortablement sur la croix, ses amis appelaient les médias. Cette initiative s'est d'ailleurs révélée un succès puisque tôt ce matin, on retrouvait deux fois plus de journalistes et de policiers que de supporters sur les lieux.

Les jeux sont faits

Le casino de Montréal qui ouvrira ses portes vers le 1er juillet prochain pourra accueillir 1500 joueurs. Il comptera 65 tables de jeu et 1200 machines à sous.

On y trouvera des tables de blackjack, de baccara et de roulette. Une salle de Keno (pour les paris sur chiffres) sera aménagée et des discussions sont en cours quant à une salle réservée aux paris hors piste pour les courses à Blue Bonnets.

Un restaurant gastronomique et différentes boutiques y seront aussi aménagés.

Les jeux sont donc faits, Montréal sera le lieu du tout premier casino québécois, qui sera installé au palais de la Civilisation de l'île Notre-Dame (l'ancien pavillon de la France lors de l'Expo 67). Il s'agit d'un investissement de 57 millions pour l'ensemble des aménagements et de plus de 31 millions pour l'achat et l'installation des jeux. (Texte publié le 16 décembre 1992)

Manteaux incinérés aux funérailles de la fourrure

La campagne menée par les People for the Ethical Treatment of Animals a amené ses supporters à incinérer des peaux devant le magasin Holt Renfrew, rue Sherbrooke Ouest à Montréal.

Les manifestants ont auparavant circulé dans le centre-ville au pas d'un cortège funéraire, tout en faisant sonner des cloches pour attirer l'attention du public.

À noter que les ventes de fourrure ont chuté d'environ 50% ces dix dernières années. (**Texte publié le 16 décembre 1997**)

« Le plus beau moment de ma vie »

Seize mois après la malheureuse méprise des Jeux olympiques de Barcelone, Sylvie Fréchette a finalement reçu sa médaille d'or des mains de Richard Pound, vice-président du CIO, lors d'une cérémonie empreinte d'émotion au Forum de Montréal et à laquelle ont participé 3500 personnes. Rayonnante de bonheur, Sylvie a déclaré que c'était le plus beau moment de sa vie lorsque Pound lui a enfilé la médaille d'or autour du cou. (Texte publié le 16 décembre 1993).

Dans son édition du *16 décembre 1921*, LA PRESSE publiait cette photo des travaux d'excavation du nouveau Palais de justice, face à l'ancien, rue Notre-Dame est. On y soulignait que 215 ouvriers et 125 attelages doubles travaillaient jour et nuit à l'excavation du vaste chantier.

Les Inuits obtiennent 1,1 milliard en plus de la moitié des T.N.O.

Les Inuits recevront 1,1 milliard d'Ottawa et se tailleront un immense domaine, le Nunavut, englobant plus de la moitié des Territoires du Nord-Ouest en vertu d'un accord historique intervenu avec le gouvernement fédéral.

L'entente, conclue au terme de 15 ans de négociations entre le ministère des Affaires indiennes et la Fédération Tungavik du Nunavut, prévoit que ce territoire de 2 millions de kilomètres carrés aura le même statut gouvernemental que le Yukon.

Les 17 500 Inuits du Nunavut, qui comptent pour plus de 80 pour cent de l'ensemble des habitants, contrôleront le nouveau gouvernement et détiendront également les droits d'exploitation du sous-sol sur 350 000 kilomètres carrés de ce territoire, soit une superficie équivalente au quart de celle du Québec. (Texte publié le 17 décembre 1991).

Nouvelles frappes contre l'Irak

Les États-Unis et la Grande-Bretagne ont lancé aujourd'hui une nouvelle série de bombardements intensifs sur l'Irak, en dépit des critiques contre cette opération qui divise la communauté internationale. Bilan : au moins 25 morts et 75 blessés, sans compter d'importantes pertes matérielles.

Des bombardiers stratégiques B-52 et des Tornados britanniques ont été déployés. Plus de 50 cibles ont été déjà atteintes dans cette opération Renard du désert, a indiqué la hiérarchie militaire américaine. Dans chaque cas il s'agissait d'éliminer les capacités irakiennes en matière d'armement de destruction massive, fait-on valoir.

Cette attaque massive tôt ce matin (heure de Bagdad) est ciblée contre le gouvernement de Saddam Hussein, accusé d'entraver le travail des inspecteurs en désarmement de l'ONU.

L'attaque contre l'Irak a été accueillie diversement à travers le monde. La Grande-Bretagne y participe directement, le Canada, l'Allemagne et le Japon approuvent. La France est quant à elle plus circonspecte, tandis que la Chine et la Russie sont furieuses... tout comme Kofi Annan, le secrétaire général des Nations unies.

Les pays arabes, pour leur part, ont vivement dénoncé l'attaque américano-britannique contre l'Irak et exigé l'arrêt immédiat des frappes. Un appel à la guerre sainte a été lancé contre les États-Unis et la Grande-Bretagne, les « pays agresseurs ». (Texte publié le 17 décembre 1998)

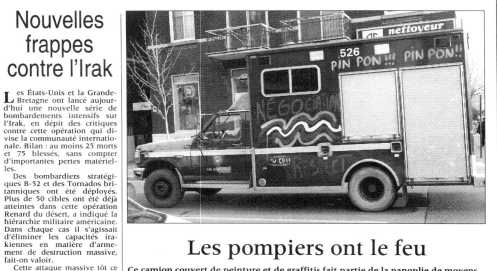

Les pompiers ont le feu

Ce camion couvert de peinture et de graffitis fait partie de la panoplie de moyens de pression des pompiers en colère contre la direction du Service de la prévention des incendies de Montréal. Après avoir brisé la colle dans les prises téléphoniques, versé de l'eau dans les réservoirs de diesel, proféré des menaces, fait de l'intimidation, peinturé des camions et fracturé des serrures, les pompiers de la Ville de Montréal en ont rajouté. Ils ont séquestré un agent de sécurité dans la caserne 49, située au 10, rue Chabanel. (Texte publié le 17 décembre 1998)

Un verdict jugé courageux à Palerme

Pour la première fois dans l'histoire judiciaire italienne, les chefs de la mafia lermitaine ont été lourdement condamnés dans leur propre fief par un jury qui a réussi, à travers des obstacles de toutes sortes, à rendre un verdict courageux.

En prononçant 19 condamnations à la détention à perpé-

tuité, la Cour a pratiquement suivi le réquisitoire du ministère public, qui avait requis 28. Mais surtout, en condamnant à la prison à vie des « parrains » comme Michele Greco, dit « le pape », accusé d'avoir ordonné 78 meurtres et contre lequel manquaient les preuves de responsabilité directe, la cour d'assises a retenu la thèse selon laquelle la mafia

est une organisation unique, dont la structure pyramidale est dominée par un organe suprême, la « coupole ».

Dans cette structure, rien ne se fait sans l'accord du « gouvernement ». Ses membres sont donc de ce seul fait complices de tous les crimes commis par l'organisation criminelle. (Texte publié le 17 décembre 1987)

LES CONDUITS SOUTERRAINS
Leur installation dans le coeur de la ville coûterait
$1,205,100 — Le rapport de l'ingénieur Phelps

Monsieur Phelps, le jeune ingénieur de Baltimore, que la commission des conduits souterrains faisait venir à Montréal, cet été dernier, au sujet de l'étude d'un plan destiné à faire disparaître les poteaux qui défi-

gurent notre ville, vient d'adresser au président de la commission des conduits souterrains, un plan détaillé accompagné de cartes explicatives de l'établissement de ces conduits à Montréal.

Il divise la Ville en trois districts, A, B et C. Le district A comprend le district populeux, celui des affaires, où les maisons sont serrées les unes contre les autres ; c'est le district compris par les quartiers Est, Centre et Ouest. Dans ce district, la pose des conduits souterrains serait plus économique parce qu'on pourrait installer un très grand nombre de services dans peu de conduits. Dans les districts B et C, le prix d'installation, bien que toujours basé sur un taux uniforme, serait inabordable à cause du peu de services que contiendraient ces conduits, à cause aussi du plus grand territoire qu'ils devraient parcourir, etc. M. Phelps comprend que dans les districts B et C, il serait trop dispendieux et partant impossible de faire disparaître les poteaux, qui ne sont pas seulement une disgrâce au point de vue esthétique, mais un danger et pour la vie des citoyens et pour les incendies à cause des fils qu'ils portent ; on pourrait toutefois améliorer l'état de choses actuel, en ne laissant dans les rues que les poteaux qu'on ne pour-

rait dissimuler dans les ruelles.

M. Phelps subdivise ensuite le plan en quatre classes, A, B, C et D, qu'il explique techniquement, et il termine en recommandant la classe C, dont le coût d'installation serait de $1,205,100 ; soit $1,005,750 pour le conduit principal, et $199,350 pour le système de distribution.

Cela se passait le 17 décembre 1903.

L'IATA grandit

L'Association du transport aérien international (IATA) accentue son implantation à Montréal et son expansion prévisible fera grimper son effectif, de 300 à 400 personnes.

Pierre J. Jeanniot, directeur général, a convaincu l'IATA de procéder à une restructuration majeure, amenant à Montréal la concentration de la compensation financière, de l'automatisation et de la commercialisation de fret et de carburant. (Texte publié le 17 décembre 1996)

Céline se marie

C'est aujourd'hui (le 17 décembre 1994) le grand jour. « Notre » Céline se marie avec René Angelil, l'ex-Baronet devenu son gérant à ses débuts en 1981. C'est Mgr Ivanoë Poirier qui les unit à l'église Notre-Dame.

Les ratiers à la chasse aux rats, au marché Bonsecours.

LA GUERRE AUX RATS

On découvre une vraie ratapolis en plein centre de Montréal. — Une troupe de chiens ratiers a commencé la lutte hier soir

UN ÉTRANGE SPECTACLE

Le rat, le fléau des grandes villes, est instrument de vengeance divine à ce que prétendaient les païens, cet ennemi redoutable de l'hygiène et de la santé publique, ce fléau des basses-cours ; le désespoir des ménagères, et le cauchemar des agriculteurs, menacerait-il, par hasard, d'envahir tous nos grands établissements ?

On dit que ce rongeur est le produit de l'invasion des barbares et que, par le nombre de variétés de rats dans un pays, on peut compter les couches de barbares qui se sont superposées. A ce compte-là, le Canada a dû être, à une époque indéterminée, habité par des infinités de hordes sauvages, surtout s'il faut en juger par le nombre et les variétés de rats qui, tous les soirs, pullulent et grouillent sur le parquet de certains de nos grands entrepôts de viandes.

C'est ainsi que LA PRESSE, dans son édition du 18 décembre 1903, commençait un article qu'elle consacrait à la lutte contre ce détestable et dégoûtant rongeur qu'est le rat. Et n'eût été du fait qu'il s'agit d'une bête repoussante, on serait porté à apprécier le texte à cause de la qualité des images projetées par la plume de l'auteur.

L'article traitait de la méthode utilisée la veille, donc le 17 décembre 1903, pour éliminer les rats qui avaient envahi le marché Bonsecours. Pour ce faire, on avait décidé de recourir à une meute de ratiers, ces chiens spécialisés dans la chasse aux rats. Retournons au texte original.

Hier soir, une quinzaine de chiens bas sur leurs pattes, de toutes races, couleurs et descriptions, arrivaient sur le coup de neuf heures, accompagnés de leurs maîtres.

LES CHIENS RENTRENT EN SCENE

Un coup discret à la porte et le gardien laissait entrer les conspirateurs. Pour attirer l'ennemi, on avait eu la précaution de lui

offrir des présents sous formes d'appâts appétissants.

Un grand silence se fit ; les lumières furent éteintes. A la clarté des lumières électriques du dehors, tout le monde fut témoin du spectacle qui avait étonné le gardien quelques jours auparavant. Les rats venaient de tous côtés. Dans l'obscurité, on voyait briller leurs yeux. C'était une étrange scène. Si cette horde de rongeurs se fut tout à coup jetée sur le petit groupe d'hommes blottis dans un coin de l'escalier, il serait curieux de savoir ce qui en serait résulté.

AU SIGNAL DONNE

A un signal donné, les lumières électriques inondèrent de leurs foyers la vaste pièce. Les chiens, en sentant leurs ennemis, s'élancèrent dans le tas avec une ardeur incroyable. Ce fut un désastre terrible pour les rongeurs. En moins de cinq minutes, 60 carcasses jonchaient le champ de bataille. Un des rats fut mordu au nez. Il lâcha un cri de douleur et d'un bond il se planta devant le trou où les fuyards se dirigeaient pour opérer leur retraite, puis, pour mieux animer et prolonger le carnage, il saisissait les rôdeurs par la nuque et les lançait prestement au milieu de la pièce afin de donner une meilleure bouchée à ses frères d'armes.

LE COMBAT EST COURT

Le combat, quoique de courte durée, fut des plus animés. Les témoins déclarent qu'ils n'ont jamais vu de pareille scène.

Plus tard, dans la soirée, un excellent tireur de la ville eut l'idée d'aller pratiquer le tir à la carabine sur les repoussants quadrupèdes. La fusillade fut animée et les victimes furent nombreuses. Un constable qui passait, entendit la détonnation. Il crut que des pillards attaquaient le gardien à main armée et entra pour perquisitionner. Il resta lui-même étonné de voir un tel amoncellement de cadavres de rats.

Le premier vol d'un appareil plus lourd que l'air eut lieu le 17 décembre 1903, à Kittyhawk, Caroline du Nord. Ce premier vol a été réussi par Orville Wright (à droite), et son frère Wilbur (à gauche) à bord de cet avion.

1994 — Les bénévoles affectés aux 58 opérations Nez Rouge dans tout le Québec ont effectué plus de 35 000 raccompagnements depuis le 8 décembre.

1992 — Le gouvernement australien annonce qu'il a l'intention de supprimer toute référence à la reine Elizabeth dans le serment d'allégeance à la nation australienne que doit prononcer tout immigrant naturalisé.

1992 — Cure d'amincissement à Hydro Ontario : faisant face à un déficit trop élevé et à une baisse de la demande, la société d'État annule un contrat d'achat d'électricité de 13 milliards avec le Manitoba.

1992 — La cuisine marocaine va devoir s'accommoder à compter d'aujourd'hui de la présence à Casablanca du premier « McDo » d'Afrique et du monde arabe.

1987 — Les derniers objets personnels de Marylin Monroe ont été placés dans une bulle de plastique qui sera ensevelie en un endroit secret, et ce n'est pas que le 5 août 2062, centième anniversaire de la mort de l'actrice, que ses admirateurs du futur pourront la déterrer.

1986 — Des chirurgiens britanniques réalisent une première mondiale en remplaçant le coeur, les poumons et le foie d'une femme de 35 ans.

Le sida est aussi une maladie d'enfant

Ce sont des mères et des enfants que l'on reçoit, affirme le docteur Véronique Pelletier. Des mères et des enfants qui vivent avec le virus d'immunodéficience humaine, ce VIH qui rime avec sida. Le sida n'est pas une maladie d'enfant ? Hélas, si !

Si l'on est généralement tenté de ne penser qu'à l'issue de cette maladie, ce n'est pas l'attitude du docteur Pelletier, pédiatre dans l'équipe du Centre maternel et infantile sur le sida de l'hôpital Sainte-Justine. Un enfant infecté par le VIH est un enfant comme les autres. Et l'on doit le traiter comme un autre. Sauf que, le jour où il attrape un rhume, il faut faire attention à lui plus qu'aux autres.

C'est un enfant qui joue, qui s'amuse, qui a des frères et des soeurs, qui vit dans une famille, qui n'est ni triste, ni déprimé, sauf quand il est malade, comme tous les enfants quand ils sont malades. Bien sûr, il a des rendez-vous réguliers à l'hôpital, mais d'autres enfants, souffrant d'autres maladies chroniques, en ont aussi.

C'est un enfant, comme les autres, de plus en plus. En 1983, quand on a « découvert » le VIH, les enfants qui en étaient affectés mouraient avant l'âge de deux ans. Ils vivent, maintenant, beaucoup plus longtemps.

« Tant que l'on n'aura pas trouvé le moyen d'empêcher l'infection par le VIH, il faut s'acharner à améliorer les conditions de vie de ceux qui en sont atteints. Il faut chercher des solutions. Il y a un problème... qu'est-ce que l'on fait ? »

Depuis 1988, date à laquelle le docteur Normand Lapointe l'a créé, c'est à répondre à cette question que s'emploie le Centre maternel et infantile sur le sida de Sainte-Justine. (**Texte publié le 18 décembre 1994**)

L'affichage bilingue sera permis à l'intérieur des commerces

L'affichage en anglais (ou en toute autre langue) sera désormais permis à l'intérieur des commerces au Québec. Le gouvernement Bourassa utilisera toutefois une clause dérogatoire pour maintenir l'unilinguisme français à l'extérieur, même si la Cour suprême estime que cela est contraire à la liberté d'expression.

« Ce fut une décision très difficile », a soutenu le premier ministre Robert Bourassa. « Le Québec francophone est inquiet de son rôle en Amérique, de son déclin démographique, et demande protection », a-t-il dit.

Il a imploré les anglophones de son caucus de ne pas claquer la porte. Par son choix, le gouvernement demande « une énorme concession » aux anglophones en niant leur droit d'afficher dans leur langue à l'extérieur de leurs commerces, en dépit du jugement de la Cour suprême. M. Bourassa a dit « souhaiter » que les élus anglophones qui réfléchissent sur leur avenir « décident de rester à l'intérieur du Parti libéral ».

« Les juges interprètent la loi. Le gouvernement doit l'appliquer », a-t-il dit. « Selon la Cour suprême, le français est menacé », a souligné M. Bourassa. Le gouvernement a donc opté pour l'unilinguisme à l'extérieur pour protéger le visage français « et clairement dire aux immigrants à quel groupe ils doivent s'intégrer », a dit M. Bourassa.

La levée de la clause dérogatoire — prévue pour cinq ans dans la constitution — dépendra « du climat de sécurité ou d'insécurité culturelle ». (**Texte publié le 18 décembre 1988**)

Mort du Dr Armand Frappier

Le Dr Armand Frappier

Le docteur Armand Frappier, fondateur de l'Institut qui porte son nom, est décédé aujourd'hui (**le 18 décembre 1991**) à l'âge de 87 ans dans un hôpital montréalais.

Le docteur Frappier est connu comme un pionnier de l'hygiène et des vaccins, ce qui était assez visionnaire dans les années 1930, une époque où la mortalité infantile portait les noms de tuberculose, dyphtérie, scarlatine et méningite.

Comme tous les hommes d'action, le docteur Frappier a été contesté. Il tenait énormément à son autonomie. « C'est pour cela qu'il a fondé son propre institut, entité séparée de l'Université de Montréal, où il dirigeait le département de microbiologie », relate le docteur Beaulnes.

En l'an 2000, la fonction publique sera majoritairement féminine

En l'an 2000, les femmes formeront près de 55 pour cent de l'effectif de la fonction publique fédérale et les emplois subalternes (commis et services divers) seront moins en demande, alors que ceux reliés à l'informatique grimperont en flèche.

Déjà peu nombreux, les jeunes seront presque absents de l'administration fédérale, alors que les minorités visibles et les personnes handicapées pourront davantage se tailler une place au soleil.

Ces projections sont celles qu'un groupe de stratèges vient de publier dans le cadre d'un rapport préliminaire livré récemment devant le Forum 89 de l'Association canadienne de la gestion du personnel des services publics.(**Texte publié le 18 décembre 1989**)

Marianne Larivière, une jeune aveugle de 13 ans, se souviendra longtemps du cadeau de Noël qu'elle a reçu : un chien-guide. Hier après-midi, l'adolescente a aussi eu la chance de monter Gamine, le cheval du directeur Jacques Duchesneau qui l'a aidée à se maintenir en selle.

Des policiers Père Noël

Marianne Larivière, une jeune aveugle de 13 ans, aura enfin son chien-guide. Les policiers du district 24 du Service de police de la Communauté urbaine de Montréal se sont engagés à lui procurer cet animal-miracle par l'intermédiaire de la Fondation Mira. Un chien bien à elle qui deviendra non seulement ses yeux, mais aussi son plus fidèle ami et confident.

Selon le porte-parole des agents du poste 25, Claude Courtois, de 6000 $ à 7000 $ sont nécessaires pour acheter et dresser un chien-guide. Les policiers ont remis un premier chèque au montant de 3000 $ à la Fondation Mira pour l'achat d'un chien-guide.

« D'ici l'été, nous allons mettre les bouchées doubles et nous aurons la somme nécessaire pour faire en sorte que Marianne ait son chien tel que promis à la date prévue », a déclaré le policier.

Selon la mère de Marianne, c'est au mois d'août prochain que la jeune fille prendra possession de son compagnon tant attendu. (**Texte publié le 18 décembre 1994**)

En un instant, une explosion a détruit, d'un seul souffle, trois maisons, rue Poincarré, causant la mort de cinq personnes.

Une explosion de gaz pulvérise trois maisons

Quelques flammes au milieu des cendres et des menus débris. Rien de plus qu'un grand trou béant là où, une demi-heure plus tôt, il y avait encore trois maisons et les familles qui les habitaient. En un instant, une explosion, la pire survenue depuis celle de La-Salle en 1965, a tout détruit d'un seul souffle, causant la mort de cinq personnes, rue Poincarré, dans le nord-ouest de la métropole.

Même si on n'a pas encore officiellement déterminé l'origine de l'explosion, on semble montrer du doigt, comme il y a 19 ans, une fuite de gaz naturel. À 7h50, les trois maisons portant les numéros civiques 11948, 11952 et 11956, rue Poincarré, tout près de Salaberry, dans le quartier Nouveau-Bordeaux, ont été rayées de la carte.

« En ouvrant les yeux, j'ai vu une immense boule de feu et le toit de la maison d'en face a volé dans les airs avant de retomber dans un fracas épouvantable. En même temps, un souffle d'une force inouïe a semblé pénétrer dans notre chambre. La fenêtre, les vitres, tout semblait aspiré vers nous ».

M. Pierre Deniger, entrepreneur, était couché au moment de l'explosion. Au-dessus du garage de sa maison, au 11951, rue Poincarré, sa chambre fait directement face au lieu du sinistre.

« Vous ne pouvez vous imaginer, raconte-t-il. On a cru que c'était la fin du monde. En entendant l'immense fracas, ma femme s'est levée d'un bond et s'est mise à courir pieds nus vers les petits. Nous gardons nos deux petits-enfants, car ma fille est en vacances au Club Med. Ma femme s'est précipitée vers eux. Elle ne semblait même pas réaliser qu'elle courait pieds nus sur la vitre qui jonchait le plancher. Je l'ai vue trébucher une fois, puis elle s'est relevée et s'est remise à courir... »

Devant sa maisons aux vitres éclatées, aux murs lézardés, M. Deniger, comme la plupart de ses voisins, semblait encore incrédule. Sur son auto, une moitié de porte de garage : la porte du garage de la maison d'en face. Dans son parterre, un arbre portait quelques décorations de Noël. Une heure plus tôt, cette guirlande argentée parait le salon de ses voisins de l'autre côté de la rue.

Dans les décombres, dans les quelques débris pulvérisés, les pompiers s'affairent toujours, quelques heures plus tard, à retrouver les victimes. Un enfant et sa gardienne, ainsi qu'un couple âgé ont été dégagés pour être aussitôt emportés par le véhicule de la morgue. Un cinquième cadavre était tellement méconnaissable qu'on ne pouvait déterminer de façon certaine s'il s'agissait d'un homme ou d'une femme. (**Texte publié le 18 décembre 1984**)

Bill Clinton

Clinton mis en accusation

Une nouvelle étape est franchie vers la possible destitution de William Jefferson Clinton, qui est désormais un président en sursis. La Chambre des représentants à majorité républicaine a voté sa mise en accusation pour parjure et entrave à la justice.

Il appartient désormais au Sénat de juger, à partir de janvier, s'il faut ou non destituer le 42e président des États-Unis dans le cadre de l'affaire Lewinsky. (**Texte publié le 19 décembre 1998**)

La police ne se déplacera plus que pour les cas urgents

En prévision de l'implantation de la police de quartier, la police de la CUM a mis en place un nouveau processus de gestion des appels qui oblige les citoyens à se rendre plus souvent dans les postes de police.

Depuis le 3 décembre, la centrale de télécommunications ne transmet plus aux policiers les appels non urgents, tels les vols de sac à main, le vandalisme et les délits de fuite qui font peu de dommages. On invite plutôt les gens à se présenter dans un poste de police, où un officier note la plainte. Dans certains cas, c'est la personne elle-même qui rédige le rapport.

« En général, une fois la surprise passée, la réaction du public est bonne », affirme l'agent Stéphane Auger, de la division de la logistique d'intervention du SPCUM, tout en reconnaissant qu'il s'agit d'un changement majeur dans les habitudes de la population de l'île de Montréal. Depuis des décennies, les citoyens avaient rarement à se déplacer quand ils faisaient appel à la police. Les budgets réduits et le concept même de la police de quartier ont forcé la direction du SPCUM à repenser ses méthodes d'intervention et, par le fait même, le traitement des appels.

Ces modifications ont pour but d'alléger la charge de travail des policiers patrouilleurs afin qu'ils puissent consacrer plus de temps à la prévention et à la répression de la criminalité, et surtout, comme le veut la police de quartier, leur donner plus de temps pour trouver des solutions aux problèmes qui sévissent dans les secteurs où ils sont appelés à travailler. Une fois en place la première phase de la police de quartier, à la mi-janvier, les citoyens devront même se présenter au poste pour rapporter un vol de véhicule ou qui se produit dans un véhicule. Dans les cas de fraudes ou de voies de fait simple, par exemple, ils seront référés directement à un enquêteur. « Cela évitera aux victimes d'avoir à relater les mêmes faits à deux policiers différents. C'est moins pénible pour eux et ça facilite le suivi du dossier », explique l'agent Auger, en citant l'exemple de la nouvelle escouade des agressions sexuelles.

Dans les situations qui ne sont pas nécessairement urgentes, mais exigent une présence policière — vols par effraction sans suspect, véhicules abandonnés —, les policiers contacteront les victimes pour les informer du moment où ils iront les rencontrer. « L'intervention ne sera peut-être pas réalisée plus rapidement, mais le citoyen sera rassuré », opine M. Auger.

En outre, le SPCUM n'entend plus se rendre systématiquement sur les lieux d'événements qui ne présentent pas de réels dangers ou qui relèvent d'autres services publics comme Hydro-Québec, etc.

En diminuant le nombre d'interventions, le SPCUM croit du même coup améliorer son efficacité, en augmentant notamment la rapidité de réponses aux appels d'urgence comme les attentats armés, les bagarres, etc.

Dans la même veine, les policiers souhaitent mieux traiter les appels qui concernent la qualité de vie des citoyens, le bruit, le harcèlement, les rôdeurs.

Dans l'ensemble du service, toutes ces mesures devraient permettre de réduire de près de 100 000 le nombre d'interventions des policiers patrouilleurs de la CUM. Ils pourraient ainsi consacrer 190 000 heures de travail à d'autres tâches.

Depuis 1994, le temps de réponse moyen est passé de six à neuf minutes par appel. Bon an mal an, la police reçoit quelque 850 000 appels. Les deux tiers sont considérés peu ou pas urgents. (**Texte publié le 19 décembre 1996**)

Des combats de coqs à Montréal!

UN pareil titre en ferait sursauter plusieurs s'il apparaissait ailleurs que dans cette page dans cette édition de LA PRESSE, à cause de la nature inhumaine de la situation.

Et si en 1904 ces soirées de combats de coqs n'étaient pas régulières, elles avaient lieu d'une manière épisodique et attiraient toujours de nombreux spectateurs, malgré une promotion forcément limitée au bouche à oreille.

À preuve celle qui eut lieu le **19 décembre 1904** et dont LA PRESSE traitait dans son édition du lendemain, en précisant dans une *Note de la rédaction* qu'elle le faisait non pas pour populariser ce sport qu'elle condamnait, mais plutôt afin de sonner le réveil chez les autorités responsables.

Selon le journaliste de LA PRESSE, les quelque 300 à 400 spectateurs étaient venus d'aussi loin que Québec, Kingston, Ottawa, Valleyfield et Saint-Hyacinthe pour assister à cette longue soirée, sur la seule foi du bouche à oreille devant la discrétion dont on entourait forcément la préparation des soirées du genre. Parmi eux, le journaliste avait relevé des professionnels, des marchands, des agents d'assurances, des hôteliers, etc. En somme, il n'y avait pas que de pauvres hères en mal de sensations fortes sur les lieux.

La soirée avait commencé avec 7 h du soir et s'était poursuivie jusqu'au lendemain matin. À son départ, à 5 h, le journaliste avait assisté à 18 combats, avec des mises totales de $2 800,50.

Un combat épique et sans doute cruel

Le dixième combat avait été le plus « passionnant ». Laissons la parole au journaliste :

Il se termina d'une façon très curieuse. Ni l'un ni l'autre des deux volatiles n'avait pu blesser grièvement son adversaire et tous deux étaient épuisés après cette longue lutte. L'un des deux, cependant, paraissait plus vigoureux et semblait avoir quelques chances de triompher finalement. Juste à ce moment-là, le plus faible, à bout de force, se laissa choir dans l'arène, où il resta SANS BOUGER.

Les partisans de l'autre coq poussèrent un cri de triomphe. Cependant, à leur désappointement, et à leur confusion, le coq resta sur ses pieds au lieu de fondre sur son adversaire, et se sauva parmi les spectateurs. La victoire fut en conséquence accordée à l'autre qui était mourant et qui n'avait pas fui parce qu'il en était incapable.

Pour les 18 combats auquel le journaliste de LA PRESSE avait assisté, la durée moyenne avait été de 13 minutes. Treize minutes de trop dans chaque cas.

Le Dr Christian Barnard a effectué la première transplantation d'un coeur humain,

Et Christian Barnard ouvrit la voie…

Christian Barnard franchit la ligne, le 19 décembre 1967, au Groote Schuur Hospital du Cap, en Afrique du Sud. À la tête d'une équipe médicale de vingt chirurgiens — en dépit des problèmes d'éthique et surtout des difficultés techniques innombrables entourant une telle entreprise — Christian Barnard procéda à la première transplantation cardiaque sur une épicier de 53 ans, Louis Washansky, dont l'état cardiaque était désespéré et incurable.

Surmontant toutes les embûches connues — prélèvement du coeur à transplanter; nécessité primordiale de maintenir les capacités vitales du coeur du donneur, malgré la mort clinique de ce dernier; techniques du branchement du coeur du donneur sur l'organisme du receveur; et surtout, phénomènes de rejet de « l'appareil » du receveur par rapport à un organe « étranger » — Christian Barnard va forcer l'inconnu, audace qui va soulever de retentissantes controverses dont la question morale ne fut pas la moindre. Sa réponse fut toute prête : « Entre une agonie inutile et une chance à donner à un désespéré, il n'y a pas à hésiter ».

Dix-huit jours plus tard, le coeur prélevé de cette jeune femme de 25 ans, Denise Ann Darvall — victime d'un accident de voiture —, s'arrêta de battre dans le corps de Louis Washansky. Consolation, l'intervention inédite de transplantation s'était avérée, techniquement, un succès remarquable, débouchant toutefois sur l'impasse du rejet, paradoxalement acte de défense. Louis Washansky devait, en effet, succomber à une double pneumonie, son système immunitaire ayant été neutralisé pour permettre au « corps étranger » de se faire accepter.

Le 2 janvier 1968, Christian Barnard recommença, obtenant un sursis de 19 mois pour son patient, le Dr Philip Blaiberg. La voie était désormais ouverte. Depuis, plus de cinq cents transplantations cardiaques — et notamment à Montréal, avec le Dr Pierre Grondin — ont été effectuées à travers les hôpitaux du monde entier, marquées par les péripéties douloureuses de cette longue lutte entre la science médicale et le système immunitaire, « combat dont l'enjeu est la survie de la greffe, et la vie du patient ».

« Un combat à ce point acharné que pratiquement, pendant un certain temps, la transplantation cardiaque fut mise au rancart, cédant le pas à d'autres pistes. Le duel, aujourd'hui encore, se poursuit, laissant place, toutefois, à une espérance d'issue favorable avec les progrès constants de la thérapeuthique immuno-suppressive. (**Texte publié le 19 décembre 1986**)

C'EST ARRIVÉ UN 19 DÉCEMBRE

1996 — Monstre sacré du cinéma italien et acteur fétiche de Federico Fellini, Marcello Mastroianni est mort ce matin à l'âge de 72 ans, à Paris.

1984 — Estimant qu'aucune réforme satisfaisante n'y avait été réalisée depuis un an, les États-Unis ont confirmé qu'ils se retireraient le 31 décembre de l'UNESCO.

1979 -- Maurice Bellemarre, le doyen de l'Assemblée nationale, abandonne son siège.

1974 — Assermentation du vice-président Nelson A. Rockfeller après sa nomination rendue nécessaire par l'accession de Gerald Ford à la présidence, à la place du démissionnaire Richard Nixon. Rockfeller devenait le troisième vice-président depuis l'élection de 1972, après Spiro Agnew et Ford.

1972 — Retour sur terre d'*Apollo 17*. C'est la fin de l'exploration lunaire par les Américains.

1967 — La Chambre des communes adopte à l'unanimité le projet de loi concernant le divorce.

1960 — Un incendie endommage le porte-avions *Constellation* alors en construction, entraînant la mort d'une cinquantaine de victimes.

1960 — La Cour Suprême du Canada reconnaît la légalité des timbres-primes.

1960 — Spécialiste en Droit international et ex-ambassadeur du Canada, Jean Désy meurt à Paris.

De Gaulle est réélu au second tour

Le président Charles de Gaulle vient de remporter une autre victoire personnelle à l'âge de 75 ans (**le 19 décembre 1965**). Mais en l'obligeant à affronter un second tour de scrutin, l'électorat français lui a en même temps signifié ce que les observateurs considèrent comme un avertissement. Le gaullisme, dit-on ne sera plus tout à fait le même.

Le général de Gaulle a été élu pour un second septennat en recueillant 55 pour cent des voix contre 45 pour cent à son unique concurrent, M. François Mitterrand.

Le général De Gaulle

Le testament biologique

De plus en plus de malades demandent à leur médecin d'abandonner les traitements même si cela risque d'avancer le moment de leur mort. Se sachant condamnés, ils refusent d'étirer leurs souffrances et réclament des analgésiques puissants.

Au Québec le débat s'est intensifié depuis les dernières années. Le mouvement Mourir dans la dignité a été créé. Il fait la promotion du « testament biologique » ou « testament de ma fin de vie ». Un document daté et signé dans lequel un adulte, bien portant ou malade, sain d'esprit, fait connaître la façon dont il aimerait être soigné et traité durant les derniers instants de sa vie. Le testament signé par un ou deux témoins, peut être versé au dossier médical le moment venu.

Selon M. Yvon Bureau, responsable du mouvement, plus de 40 000 formulaires ont été distribués à des gens qui en ont fait la demande. « Si l'idée a pris racine dans plusieurs États américains, ici, elle commence à peine à germer. » Aux États-Unis, le testament biologique qui a été légalisé dans plusieurs États est une forme de protestation contre l'acharnement thérapeutique. (**Texte publié le 19 décembre 1987**)

La gymnastique appliquée aux travaux du ménage et de la cuisine

*Nous vous proposons aujourd'hui un article que LA PRESSE offrait aux ménagères dans son édition du **20 décembre 1902**. Il s'agit d'un véritable traité de gymnastique et de morphologie appliquées aux travaux (et non travaux) ménagers.*

NOS gravures montrent comment une femme de tact peut, dans les divers travaux du ménage, et jusque dans les petites besognes de la cuisine, pratiquer des exercices de gymnastique propres à cultiver sa beauté physique, tandis qu'une autre moins bien avisée, dans l'accomplissement journalier de la même tâche, ruinera petit à petit l'élégance de sa structure.

Si l'on pense au nombre inoui de mouvements que doit exécuter une femme de ménage active, depuis le saut du lit jusqu'au coucher, on peut se faire une juste idée des résultats bons ou mauvais provenant de cette incessante gymnastique, selon qu'elle est bien ou mal faite. Il n'est pas donné à toutes les femmes de consacrer quotidiennement une heure ou deux aux exercices particulièrement ordonnés en vue de conserver aux membres leur élasticité, de leur donner plus de souplesse ou de développer la vigueur de tout le corps et la beauté des formes ; mais chacune, avec un peu d'attention, peut obtenir de bons effets, en s'efforçant de chercher toujours, dans l'accomplissement des divers travaux de ménage même, les poses qui laissent le plus d'aisance aux mouvements. C'est une façon intelligente de ménager ses forces et d'accomplir une plus grande somme de travail avec moins de fatigue.

Chaque fois que la besogne vous oblige à rester debout, sachez vous planter droit sur les jambes, de manière à faire peser également sur chaque pied le poids du corps ; si vous devez vous pencher, inclinez le buste sans courber l'échine, c'est-à-dire fléchissez la taille sans ramener les épaules en avant, et tant que dure le jour, vous marchez, allant, venant, par la maison. Sans perdre de temps, surveillez votre démarche, vous y gagnerez une élégance de port que vous saurez apprécier.

Le colonel Amoros, fondateur d'un système de gymnastique, a dit que « la gymnastique est la science raisonnée de nos mouvements, de leurs rapports avec nos sens, avec notre intelligence, nos sentiments, nos moeurs, et le développement de toutes nos facultés. »

Quelqu'exagérée que soit cette définition, elle n'en contient pas moins des vérités : il y a de tout cela dans la gymnastique.

« Les exercices de la gymnastique, des plus simples aux plus compliqués, ont le même but : faciliter le jeu des organes nécessaires à l'entretien de la vie, favoriser le développement du corps, consolider l'ossature, fortifier la constitution. Non seulement les membres fréquemment exercés deviennent plus vigoureux, plus agiles, les tendons plus souples, mais l'économie du corps humain étant une, l'activité communiquée à l'une des fonctions profite à toutes les autres ; la circulation, devenue plus active, répartit également les matériaux nutritifs et empêchent que certaines parties absorbent la nourriture des autres ; la respiration, la digestion deviennent plus rapides et la déperdition des forces exigeant une réparation, l'appétit prend une vitalité nouvelle. Tels sont les résultats hygiéniques de la gymnastique ; ils s'étendent plus loin encore.

L'inaction a pour conséquence fatale l'atrophie de certains muscles et l'inaptitude des membres aux fonctions correspondantes ; au ralentissement de la circulation correspond l'affaiblissement du cerveau, cause de décadence pour tout l'organisme, aussi bien pour les facultés intellectuelles que pour les forces musculaires. »

Voilà bien qui démontre la nécessité de la gymnastique et la part qu'il faut lui donner dans la vie. Si la gymnastique est la science raisonnée de nos mouvements, ne peut-on pas, en raisonnant chacun de nos habituels mouvements, en tirer tous les avantages d'exercices coordonnés ? Cela est certain, et pour obtenir ce résultat, une femme intelligente n'a pas besoin de maître, son tact la guidera sûrement.

Posture maladroite et dépense inutile d'énergie, des forces nerveuses, par la distribution inégale du travail aux muscles.

Posture aisée et dépenses égales des forces musculaires rendant le travail facile.

Façon inhabile et fatigante de mettre les gâteaux dans le four-neau.

Façon commode et sûre d'exécuter la même besogne.

Les émeutes anti-Ceausescu font 2000 morts en Roumanie

Les émeutes de Timisoara contre le régime de Nicolae Ceausescu se sont soldées, selon des témoignages concordants, par un véritable « massacre à la Tienanmen » qui a suscité la condamnation unanime de la communauté internationale, aussi bien à l'Ouest qu'à l'Est.

Nicolae Ceausescu

Selon l'agence Tanjug, jusqu'à 2000 personnes ont été tuées depuis que les forces de sécurité roumaines sont intervenues, dimanche, avec des chars et des hélicoptères pour réprimer les manifestations anti-gouvernementales de Timisoara. D'autres témoins parlaient d'« au moins 400 morts » durant la seule journée de dimanche.

L'agence yougoslave, comme la radio hongroise, a signalé de nouveaux incidents et des fusillades dans cette ville de Transylvanie, où des manifestants se seraient emparés d'armes dans un dépôt de munitions et tireraient sur les patrouilles de l'armée.

« Des témoins affirment que la police rassemble les manifestants arrêtés sur la place centrale de Timisoara, où ils sont battus et blessés à coups de baïonnettes avant d'être jetés dans des camions et emmenés dans des endroits inconnus », a écrit l'agence yougoslave. « La police dans la ville tire sans sommation. » **(Texte publié le 20 décembre 1989)**

C'EST ARRIVÉ UN 20 DÉCEMBRE

1988 — Alphonse Ouimet, celui que l'on a surnommé « le père de la télévision au Canada », est décédé subitement à l'âge de 80 ans.

1979 — Déposition de la question référendaire à l'Assemblée nationale du Québec.

1978 — L'ex-ministre libéral Raymond Garneau abandonne son poste à l'Assemblée nationale.

1973 — L'amiral Luis Carrero Blanco, chef du gouvernement espagnol, meurt lors d'un attentat à la bombe, à Madrid.

1972 — Au moment de décoller, un DC-9 de la North Central Airlines accroche la queue d'un Convair qui roulait sur la piste, et s'écrase au sol, à Chicago, faisant 11 morts.

1970 — Les troubles en Pologne entraînent le remplacement de Gomulka par Edward Gierek au poste de premier secrétaire du Parti communiste.

1968 — Enlevée, puis enterrée vivante par son ravisseur, Barbara Jane Markle est libéré. Le suspect sera arrêté deux jours plus tard dans les marécages floridiens.

1967 — Ouverture du pont de Trois-Rivières à la circulation routière. Il a été construit au coût de $50 millions.

1952 — Un Globemaster C-124 s'écrase à Moses Lake, dans l'état de Washington. On dénombre 87 morts, tous des permissionnaires.

1951 — Tous les moyens de transport de Montréal sont paralysés par une violente tempête de neige.

REVUE SPORTIVE DE L'ANNÉE

PARMI LES ATHLETES LES PLUS EN VEDETTE AU CANADA AU COURS DE 1934

Le *20 décembre 1934*, au début de sa cinquante-unième année de publication, LA PRESSE proposait un montage de photos des principales vedettes de l'année dans le monde du sport. Il s'agissait du boxeur Sixto Escobar (1) ; du cycliste Torchy Peden (2) ; du hockeyeur Lionel Conacher (3) ; du coureur Dave Komenen (4) ; du boxeur Jimmy McLarnin (5) ; du coureur Harold Wester (6) ; du footballeur Pete Jutkus (7) ; du hockeyeur Lynn Patrick (8) ; et du tennisman Marcel Rainville (9).

Inauguration du plus grand hôtel de tout l'Empire britannique

ENVIRON mille deux cents personnes assistaient à l'inauguration de l'hôtel Mont-Royal hier soir **(le 20 décembre 1922)**. M. W.-E. Birks, président du Board of Trade, occupait le fauteuil avec, à ses côtés, les sommités de la politique, de la finance et du monde des affaires. On a dîné et l'on a dansé. Le banquet eut lieu dans la « salle dorée ». Le grand hall d'entrée n'était qu'un immense bouquet fleuri, qu'un éclairage discret faisait magnifique. La maison n'a pas reçu encore sa toilette définitive, mais quatre ou cinq étages sont aménagés pour recevoir les voyageurs. (...)

Les architectes de l'hôtel Mont-Royal sont MM. Roux et Macdonald, de Montréal. Leur expérience dans le dessin et l'érection du château Laurier, d'Ottawa, du Fort Garry, à Winnipeg, et du Macdonald, à Edmonton, est bien connu. (...)

Il y a 1046 chambres de toutes dimensions et groupements, arrangées pour plaire à chaque type d'hôtes. Chaque suite ou chambre est pourvue de sa propre chambre de bain privée.(...)

La location de l'hôtel est heureusement choisie. Faisant front sur la rue Peel et bornée à l'est par la rue Metcalfe, au nord par Burnside Place, au sud par Mount Royal Place, elle est dans le coeur même du district des magasins et des théâtres de la ville. L'entrée principale de l'hôtel n'est qu'à une faible distance du coin des rues Peel et Sainte-Catherine, la jonction centrale du haut de la ville du système des tramways. (...) Les gares du Pacifique Canadien, du Grand-Tronc et du Canadien National ne sont qu'à quelques pas de l'hôtel.

L'article qui s'étend sur plusieurs pages comprenant les traditionnels voeux d'annonceurs précise ensuite que le terrain utilisé avait une superficie de 91 460 pieds. Jusqu'en 1913, date de leur démolition pour faire place à l'hôtel, l'emplacement était occupé par plusieur édifices, notamment le Montreal High School et le Girls High School.

L'édifice lui-même mesure 309 pieds 6 pouces par 230 pieds 10 pouces, et il atteint une hauteur de 130 pieds au-dessus du trottoir. Son volume est de 9 millions de pieds cubes. Le coût du terrain et de la construction s'est élevée à $10 millions. L'édifice a été construit en 469 jours seulement, dimanches et fêtes compris, puisque la première pelletée de terre avait été levée le 9 septembre 1921. Pour la construction de l'édifice, on a utilisé du granit de Stanstead, de la pierre repoussée canadienne et de la brique de la vallée Hocking et de Kittaning.

Décès de l'inventeur de l'ordinateur

L'homme qui a inventé le premier ordinateur, l'Allemand Konrad Zuse, est mort **(le 20 décembre 1995)**à l'âge de 85 ans à Huenfeld, près de Fulda.

Né le 22 juin 1910 à Berlin, Konrad Zuse se prit de passion pour les machines à calculer automatiques dès les années 30. C'est en 1941 qu'il mit au point le Z3, qui le fit véritablement entrer dans l'histoire de l'informatique. Grâce à un système de calcul binaire, l'ordinateur programmable était né.

Fini, la pêche à la morue!

Le ministre fédéral des Pêches, Brian Tobin, a fermé, à toutes fins utiles, la pêche à la morue sur la côte est du Canada et imposé d'importantes réductions de quotas sur la plupart des autres espèces de poisson de fond (**le 20 décembre 1993**), ce qui coûtera leur emploi à 5000 autres Canadiens de la région Atlantique.

Les mesures prises pour refaire des stocks de poissons ont déjà coûté leur emploi à plus de 30 000 personnes.

Le ministre fédéral a soutenu que même si « la pilule est dure à avaler », elle est nécessaire, les stocks de poisson de fond comme la morue, l'aiglefin et le sébaste étant menacés à l'extrême.

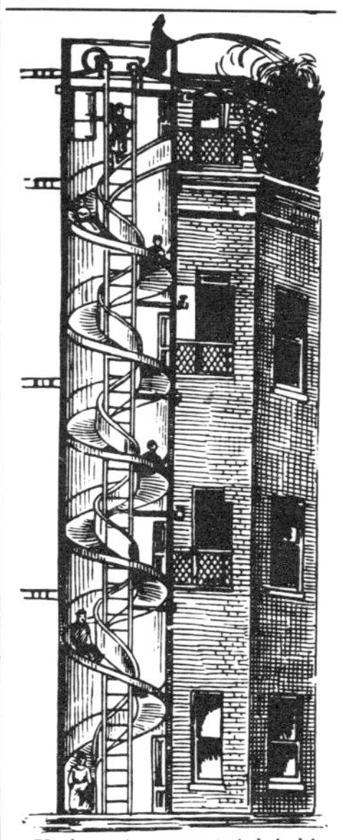

*Un inventeur montréalais bien connu à l'époque **(le 20 décembre 1902)** du nom de M. Laporte, proposait un nouveau système d'évacuation pour les édifices en hauteur. En voici les grandes lignes.*

Le système de sauvetage projeté consiste en une espèce de chute tournante construite à l'intérieur ou à l'extérieur des principaux édifices tels que : églises, collèges, théâtres, filatures, salles de réunions, etc.

Cette construction est en maçonnerie, brique, béton ou acier, et complètement à l'épreuve du feu. En jetant un coup d'oeil sur notre illustration, il est facile de comprendre qu'il s'agira, au cas d'incendie pour les occupants de l'édifice, de se jeter par cette voie protectrice pour atteindre le sol rapidement et sans danger. D'après les calculs de M. Lapointe, 120 personnes par minute peuvent facilement et sans danger sauver leur vie.

Au centre de l'appareil, il y a un tube en acier de trois pieds de diamètre qui sera entièrement sous le contrôle du département du feu. Il y a pour les pompiers une échelle par laquelle ils peuvent atteindre chaque étage ou le toit de l'édifice pour y combattre l'incendie.

En outre de ce qu'offre ce système pour sauver la vie des citoyens, on peut en même temps s'en servir pour sauver les marchandises. Et les grands entrepôts peuvent l'utiliser pour expédier du dernier au premier étage leurs marchandises et cela avec économie.

FETE DU JOUR: Saint Thomas

BEAU ET FROID

LA PRESSE

Le plus fort tirage des journaux du Canada tout entier, plus de 140,000 copies par jour

31me ANNEE — No 42 — EDITION QUOTIDIENNE—MONTREAL, VENDREDI 21 DECEMBRE 1917 — PRIX

POUR FAIRE SORTIR QUEBEC DE LA CONFEDERATION CANADIENNE

(Spécial à la "Presse")

Québec, 21.—A la séance d'aujourd'hui, à l'Assemblée Législative, M. J.-N. Francoeur, député libéral de Lotbinière, a donné avis qu'à la prochaine séance de l'assemblée législative, il proposera la motion suivante :

"Que cette Chambre est d'avis que la province de Québec serait disposée à accepter la rupture du pacte fédéral de 1867, si, dans l'opinion des autres provinces, la dite province est un obstacle à l'union, au progrès et au développement du Canada." M. Francoeur est le président du comité des bills privés.

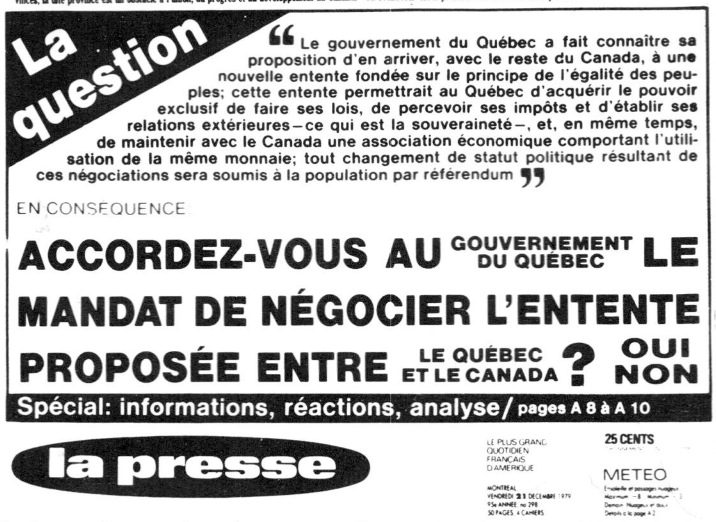

La question

« Le gouvernement du Québec a fait connaître sa proposition d'en arriver, avec le reste du Canada, à une nouvelle entente fondée sur le principe de l'égalité des peuples; cette entente permettrait au Québec d'acquérir le pouvoir exclusif de faire ses lois, de percevoir ses impôts et d'établir ses relations extérieures—ce qui est la souveraineté—, et, en même temps, de maintenir avec le Canada une association économique comportant l'utilisation de la même monnaie; tout changement de statut politique résultant de ces négociations sera soumis à la population par référendum »

EN CONSEQUENCE

ACCORDEZ-VOUS AU GOUVERNEMENT DU QUÉBEC LE MANDAT DE NÉGOCIER L'ENTENTE PROPOSÉE ENTRE LE QUÉBEC ET LE CANADA ? OUI NON

Spécial: informations, réactions, analyse/ pages A 8 à A 10

la presse

LE PLUS GRAND QUOTIDIEN FRANÇAIS D'AMÉRIQUE

MONTREAL VENDREDI 21 DECEMBRE 1979 95e ANNÉE, no 298 50 PAGES, 4 CAHIERS

25 CENTS

METEO

Ensoleillé et passages nuageux

Demain: Nuageux et doux

Détails à la page A 2

Ces deux manchettes ont deux points en commun. En premier lieu, elles ont été publiées le même jour dans LA PRESSE, mais à 62 ans d'intervalle. En deuxième lieu, les deux font état du désir de politiciens ou d'un parti politique d'amener le Québec à quitter la Confédération canadienne. La manchette de 1917 avait trait à l'avis déposé le jour même à l'Assemblée législative par le député libéral J.-N. Francoeur. Celle de 1979 est évidemment mieux connu du public puisqu'elle fait état de la question référendaire qui avait été déposée la veille à l'Assemblée nationale par le premier ministre René Lévesque. C'est un euphémisme de dire que le débat sur la place du Québec dans la Confédération canadienne ne remonte pas qu'à novembre 1976...

UN MARCHE DE NOEL PLUTOT DESOLANT

Produits peu attrayants mais de prix fort élevés

LA DINDE A 60 CENTS

La place du marché Bonsecours, autrefois si achalandée à la veille de Noël, offrait, ce matin (**le 21 décembre 1920**), un aspect plutôt désolant. Les cultivateurs n'y étaient guère plus nombreux que les jours de semaines ordinaires et n'offraient en vente que de fort rachitiques oiseaux de basse-cour. Très rares les dindons, les oies, les canards, tant recherchés à cette époque de l'année. En revanche, beaucoup de porcs éventrés, gisant dans le fond de grands berlots.

Les acheteurs étaient aussi clairsemés et peu empressés de payer la dinde 60 cents la livre. Chez les gros négociants de volailles, l'attrait des décorations attirait naturellement la masse de la clientèle. Il faut dire que les étalages étaient superbement agencés et qu'il y avait de quoi tenter les gourmets, mais beaucoup se contenteront, cette année encore, d'un modeste poulet pour leur diner de Noël, au lieu du traditionnel dindon.

Il y un temps, qui n'est pas si lointain, où ce roi de la gent ailée, était considéré très cher à 35 cents la livre. L'an passé, on en demandait 52 et 54 cents, « rien que 60 cents » aujourd'hui « et c'est bon marché », vous disent d'un air convaincu cultivateurs et marchands de gibier.

En général, les prix des oiseaux de basse-cour sont plus élevés que jamais, tandis que ceux du porc ont subi une notable diminution. L'oie se vendait 32 cents la livre à cette saison l'an dernier, aujourd'hui 35 cents ; les poulets engraissés au lait, 40¢ en 1919, 42¢ en 1920. La volaille ordinaire n'a pas varié de prix, mais les pigeonneaux domestiques et importés, les oiseaux sauvages, tels que canards, pluviers, bécassines et autres petits gibiers à plumes ont dépassé tous les records du passé.

Les oeufs à $1.16 la douzaine dans le grand commerce et à $1.25 chez certains détaillants sont aussi en train de défier toutes comparaisons. Cependant, il ne semble pas y avoir pénurie d'approvisionnements, si l'on en juge par les opulents étalages des marchés et des étaux privés dans la cité.

Les légumes sont à des prix abordables. Les commerçants déclarent que les pommes de terre ont une tendance à baisser encore, ce qui est de nature à déjouer les combinaisons des cultivateurs enclins à garder leur récolte en cave dans l'espoir de revoir la hausse fantastique de l'hiver dernier.

Pas cher madame, rien que 60 cents la livre.

Québec peut imposer le français mais non interdire l'anglais

La Cour d'appel du Québec a décidé que le gouvernement du Québec pouvait obliger les commerçants à utiliser le français comme langue d'affichage et pour leur raison sociale, mais qu'il n'avait pas le droit de leur interdire l'usage de l'anglais ou d'une autre langue.

Le plus haut tribunal du Québec affirme en effet que la liberté de choisir sa langue pour l'affichage et la raison sociale de son entreprise est bel et bien une composante de la liberté d'expression garantie tant dans la Charte canadienne des droits et libertés que dans la Charte (québécoise) des droits et libertés de la personne.

Dans un jugement unanime de quelque 70 pages, les juges George H. Montgomery, Rodolphe Paré, Amédée Monet, Claude Bisson et Roger Chouinard notent que les articles 58 et 69 de la Charte de la langue française, qui stipulent respectivement que « l'affichage public et la publicité commerciale se font uniquement dans la langue officielle » — en l'occurrence le français — et que « seule la raison sociale en langue française peut être utilisée au Québec », sont inopérantes. (**Texte publié le 21 décembre 1986**)

Landry nourrit de grands espoirs pour Kenworth

Le ministre Bernard Landry est arrivé à la conférence de presse sur la réouverture de l'usine de Sainte-Thérèse (**le 21 décembre 1996**) à bord d'un camion Kenworth, il a transformé une partie de son allocution en plaidoyer pour l'achat de cette marque: « Désormais, quand on est Québécois et qu'on a une décision de camion à prendre (...), c'est Kenworth ! » a-t-il dit.

Des 53 millions qui doivent être investis à Sainte-Thérèse, seulement 10 millions seront fournis au comptant par Paccar : 26 millions seront prêtés à 7 pour cent par le Fonds de solidarité et 13 millions, sans intérêt par les gouvernements fédéral et provincial. Environ quatre millions seront payés par le gouvernement fédéral pour former la main-d'oeuvre.

« Mais il est clair que la compagnie mettra beaucoup plus que cela après, disons, un an et demi », a opiné M. Landry.

L'usine rouvrira d'ici 1998. Environ 325 travailleurs seront d'abord réembauchés, leur nombre passant éventuellement à 600. Ces 600 emplois ne sont pas cher payés, a dit M. Landry, à cause de l'effet d'entraînement qu'a l'industrie automobile sur l'économie : « Même s'il n'y avait aucune sous-traitance, on parlerait de 1800 emplois de plus ».

C'EST ARRIVÉ UN 21 DÉCEMBRE

1996 — Le poète Gaston Miron a été porté en terre dans son village natal de Sainte-Agathe-des-Monts.

1991 — Onze des 12 républiques soviétiques ont décidé de former une nouvelle Communauté d'États souverains.

1982 — Le célèbre pianiste Arthur Rubinstein meurt à Genève.

1979 — Fin de la guerre civile en Rhodésie (futur Zimbabwe).

1974 — On retrouve dans un sous-sol le coeur du frère André, disparu de l'oratoire Saint-Joseph depuis le 16 mars 1973.

1958 — Le général Charles de Gaulle est élu président de la cinquième république française.

1957 — La Chaudière sort de son lit et inonde Beauceville ainsi que quatre autres villes dans la vallée.

1951 — On dénombre 119 morts dans un désastre minier à West Frankfurt, Illinois.

1946 — Un raz-de-marée fait 2 000 morts et laisse 100 000 personnes sans foyer, au Japon.

1945 — Le général américain George Patton meurt dans un accident d'auto près de Heidelberg, en Allemagne.

1943 — Plus de 2 000 employés municipaux de la ville de Montréal sont en grève.

1902 — Marconi parvient à établir une communication par télégraphie sans fil entre l'Angleterre et le Canada.

Le jeu de baseball chez soi

*Ce n'est pas d'hier que les enfants cherchent à meubler les longues soirées d'hiver par des jeux quelconques. Lorsque LA PRESSE a publié ce jeu de baseball, dans son édition du **21 décembre 1912**, l'électronique n'était évidemment pas encore à l'honneur, et ce jeu pourtant bien simple a dû faire le bonheur de milliers d'enfants. On aura noté que les indications sur le jeu sont évidemment en anglais.*

AU téléphone.
—Hello !
— Hello ! Est-ce le rédacteur du sport de « La Presse » ?
— Lui-même.
— Ne pourriez-vous pas venir jouer une partie de baseball, ce soir, à la maison ?
— Une partie de baseball à la maison ? Vous plaisantez ?
— Pas le moins du monde ! Venez et vous vous amuserez.

Ne sachant trop si on voulait le mystifier, notre rédacteur de sport s'est rendu tout de même à l'invitation et à 11 heures il rentrait chez lui après avoir joué une émotionnante partie de baseball. Il avait été battu par un score de 11 à 19 à la douzième inning. La partie avait été jouée dans un confortable fumoir, muni de tous les accessoires. Là, les deux adversaires avaient accompli des coups qui auraient excité l'enthousiasme des « fans » et fait pâlir d'envie les Cobb et les Lajoie.

Disons que cette joute avait été disputée avec un jeu de baseball Eureka, invention d'un joueur professionnel, que vient de mettre sur le marché l'Eureka Sales Company. Ce jeu sera certainement aussi populaire cet hiver que l'a été le ping-pong il y a quelques années.

Ce jeu reproduit, aussi exactement qu'il est possible à l'ingénuité humaine de le faire, le jeu de baseball tel qu'il est joué sur le terrain. (...)

C'est un jeu absolument scientifique et d'« intérieur », mais cependant les amateurs « enragés » du jeu de baseball peuvent le jouer avec beaucoup d'intérêt ; il a de plus le mérite d'être très simple. (...)

Ce jeu peut être joué par le nombre de personnes voulu, pourvu que ce nombre ne dépasse pas dix-huit, neuf de chaque côté si nécessaire, mais il est possible qu'il offre beaucoup plus d'intérêt et de satisfaction, si la partie se fait à deux seulement. Le tableau consiste en un losange miniature avec quatre indicateurs. Il y a deux rangées de disques colorées (*ils n'apparaissent pas sur la photo publiée par LA PRESSE à l'époque*) représentant les deux clubs : les disques ROUGES employés par l'un des clubs, et les disques BLEUS par l'autre. Quand les ROUGES sont au « bat », les BLEUS sont placés aux différentes positions du jeu sur le terrain, et vice versa. Trois des quatre indicateurs servent au jeu, le grand indicateur principal, l'indicateur de but sacrifié et l'indicateur du coureur. L'indicateur hors jeu n'est employé que pour les enregistrements (*ce qu'on veut dire en clair, c'est que l'indicateur de gauche sert à inscrire les retraits au cours d'une manche*).

La partie se joue autour de l'indicateur principal, les deux autres indicateurs ne servant qu'à faire avancer les coureurs. Dès qu'il a été décidé quel club doit frapper, le jeu commence. Le joueur au « bat » fait tourner le grand indicateur, et se gouverne par le jeu (*!!!*), tel qu'indiqué à l'espace où l'indicateur arrête. Il continue à tourner jusqu'à ce qu'il y ait trois hommes sortis (*autrement dit, trois retraits*). S'il réussit à amener ses hommes aux buts, il place ses disques sur les buts pour représenter le jeu. Le jeu se continue jusqu'à ce que neuf « innings » (reprises) aient été jouées. Les « hors de jeu » de chaque « inning » (reprise) peuvent être rapportés sur l'indicateur « Hors de jeu », afin d'empêcher toute dispute. De même quand les coureurs réussissent à atteindre le but principal (Home), les disques peuvent être maintenus dans le cercle entourant la plinthe (Home Plate) jusqu'à la fin de l'« inning » (reprise).

Bien que le jeu puisse être joué au complet sans se servir des indicateurs du coup sacrifié et du coureur, il offrirait beaucoup plus d'intérêt si on s'en servait. Quand un coureur atteint le premier (*but*), il peut être sacrifié au second, si moins que deux hommes sont sortis, ou il peut voler, à la discrétion du joueur.

Le jeu de baseball Eureka est en vente dans la plupart des grands magasins de la ville et dans toutes les maisons d'articles de sport.

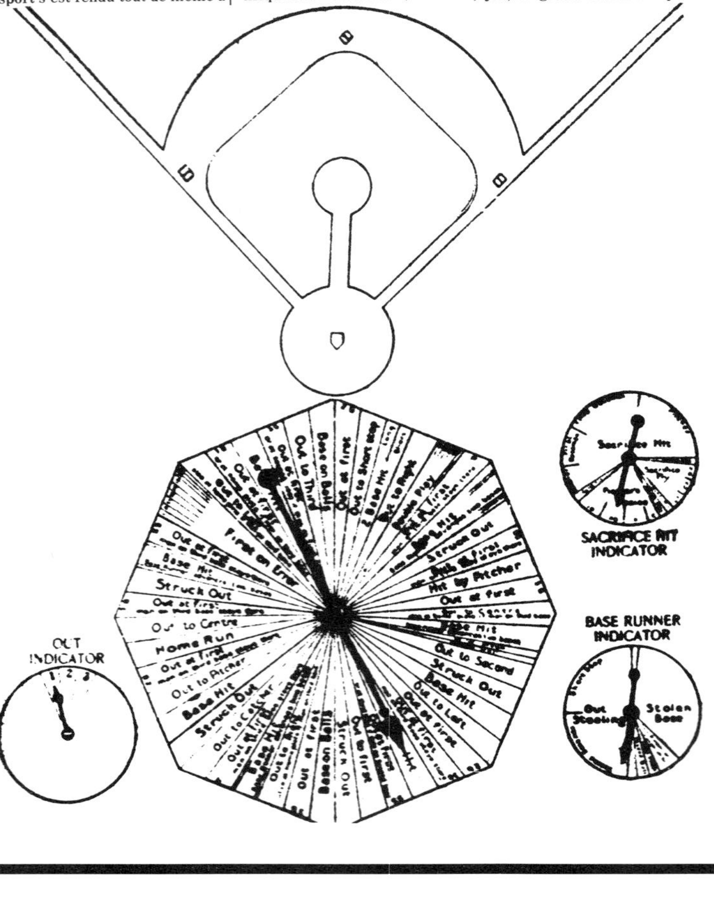

Le « lundi noir » coûterait 71 000 emplois

New York subira jusqu'en 1989 les ondes de choc du « lundi noir » du 19 octobre dernier.

Les effets du brusque effondrement des cours boursiers se traduiront à moyen terme par des pertes d'emplois, une baisse de la valeur des immeubles et un manque à gagner dans les coffres de la Ville.

Jusqu'à 71 000 emplois pourraient disparaître dans la foulée du krach en majorité dans les secteurs de la finance et des transactions mobilières, prédisent les économistes cités par le *Crain's New York Business*. (**Texte publié le 21 décembre 1987**)

L'industrie de la mort:
180 millions de chiffre d'affaires

La mort chaque année de quelque 45 000 Québécois fait vivre près de 3000 personnes à l'emploi de 350 entreprises de thanatologie, qui réalisent un chiffre d'affaires annuel de 180 millions.

Véritable industrie, la mort permet aussi à une quinzaine de fabricants de cercueils d'embaucher 950 personnes, et ce n'est pas tout. La fabrication des pierres tombales et autres monuments funéraires procure de l'emploi à 400 personnes embauchées par la vingtaine de marbriers que compte la province.

Un seul secteur d'activité n'a pas su profiter de l'expansion soutenue de l'industrie de la mort, ces dernières années, celui des fleurs. En effet, les fleuristes réalisaient autrefois 75 pour cent de leur chiffre d'affaires grâce aux enterrements. Aujourd'hui, cette proportion est tombée à 25 pour cent. Il n'y a plus de longues expositions des défunts et les incinérations sont en augmentation. Mais, surtout, parce que les fleurs sont de plus en plus remplacées par des dons à des organismes de charité. (Texte publié le 22 décembre 1990)

La fabrication des pierres tombales et autres monuments funéraires procure de l'emploi à 400 personnes embauchées par la vingtaine de marbriers que compte la province.

La mort de quelque 45 000 Québécois annuellement fait vivre près de 3000 personnes.

Les épiciers demandent la permission
de vendre du vin dans les épiceries

En faisant mousser la vente des vins dans les épiceries auprès de ses collègues du Conseil des ministres d'alors, l'ex-ministre péquiste de l'Industrie et du Commerce, M. Rodrigue Tremblay, n'avait rien inventé. Jugez-en par vous-même en lisant cette nouvelle publiée dans LA PRESSE du 22 décembre 1923.

L'ASSOCIATION des marchands détaillants du Canada, section des épiciers, a décidé de demander au gouvernement provincial le droit de vendre dans les épiceries du vin en bouteille de la commission des liqueurs de la province de Québec.

M. C. Bastien, le président, dit qu'il a pleine confiance que le gouvernement Taschereau se rendra au désir de l'association des épiciers. « Nous désirons, dit-il, vendre le vin à l'étiquette de la commission, au prix qu'elle jugera à propos de fixer. (...)

« Il est vrai qu'on n'a pas encore accordé aux épiciers le privilège de la vente des vins en bouteille, mais il n'y a pas à s'en étonner outre mesure et si dans un referendum tenu il y a quelques années la population a manifesté une opinion favorable au débit de vin par les épiciers, il n'est pas moins évident que les commerçants et leur clientèle devraient s'habituer d'abord à respecter la nouvelle loi des liqueurs et qu'il fallait faire comprendre à tous les intéressés que le commerce des liqueurs alcooliques, lorsqu'il n'est pas régi avec fermeté, est un commerce dangereux pour la santé, tant morale que physique.

« C'est ce que les épiciers ont vite compris, aussi ont-ils apporté toute leur bonne volonté à la mise en oeuvre de la loi ; et aujourd'hui ils jouissent de la confiance des officiers supérieurs de la commission.

« La population retirera-t-elle des avantages si la vente des vins est faite par les épiciers ? Je n'hésite pas à répondre affirmativement. D'abord nous allons accommoder grandement la population en mettant à sa proximité les vins ; présentement c'est une agaçante difficulté que l'ouvrier peut se procurer ce breuvage fortifiant puisque lorsqu'il revient de son labeur les magasins de la commission sont fermés et c'est un fait reconnu que les femmes ne veulent pas aller aux dépôts de liqueurs actuels. (...) J'ajouterai de plus que personne plus que nous ne peut généraliser l'usage du vin chez le peuple, puisque nous possédons la confiance de nos clients ; et lorsque nous aurons atteint cette généralisation du vin, nous aurons beaucoup fait pour la tempérance en notre métropole, puisqu'il est reconnu que les Français, grands buveurs de vin, sont les gens les plus sobres du monde entier.

« Le gouvernement perdra-t-il de ses profits qu'il utilise si généreusement pour l'instruction publique et le développement de nos ressources naturelles ? En aucune façon, puisque le vieil axiome commercial demeure le même, à savoir que c'est le débit qui fait le profit ». (...)

Une fillette relate en direct au téléphone
l'irruption d'un cambrioleur

Une petite Américaine de huit ans, terrifiée, a appelé la police et a relaté en direct l'irruption dans sa maison d'un cambrioleur armé d'un couteau qui a poignardé son père, avant d'être tué d'un coup de fusil par son frère de 14 ans.

L'enregistrement de la bande d'appel de la petite fille a été diffusé sur tous les réseaux de radio et de télévision américains, alors que les faits remontent à une semaine.

La petite fille d'Arlington (Texas), Laura Hollingsworth, appela le numéro d'urgence de la police dès l'irruption du cambrioleur dans la maison.

Voyant son père couvert de sang à la suite de coups de couteau à la tête et au bras, elle se mit à crier. Mais la téléphoniste de la police l'incita à continuer à parler, tout en donnant l'alerte.

Après le bruit d'un coup de feu elle a entendu la petite fille murmurer : « Oh, il a tué le type ». Son frère, en dépit d'une blessure à la main, s'était en effet saisi du fusil de chasse de la maison et avait tiré sur l'agresseur.

Le frère tira aussi sur la voiture de police-secours — sans faire de victimes —, pensant d'abord qu'il s'agissait de complices du cambrioleur. Là encore c'est la poursuite de la conversation téléphonique entre la téléphoniste de la police et la petite fille qui permit la fin du malentendu.

Le cambrioleur, âgé de 19 ans, est mort sur le coup.

Le père de Laura est hors de danger, et son frère n'a été que légèrement atteint. (Texte publié le 22 décembre 1988)

Le vol de drogues
au Palais de justice

ON RETROUVE
LES MALLES
VOLEES,
MAIS VIDES

Un agent de police a fait la découverte, hier après-midi, à Maisonneuve, boulevard Pie IX. — Des mesures extraordinaires prises pour l'arrestation des voleurs, qui sont encore au large.

LES deux malles contenant les drogues volées pendant la nuit de mardi à mercredi **(22 décembre 1920)** dans l'une des voûtes du Palais de justice, ont été retrouvées. Telle est la sensationnelle information que l'on nous a donnée, cet avant-midi, mais ... ces malles étaient complètement vides quand la police a mis la main dessus.

Le constable Racine, du poste no 14, était de service, boulevard Pie IX, hier après-midi, lorsqu'il aperçut tout à coup des objets sur la neige, tout à fait au nord du boulevard, dans Maisonneuve. S'étant approché il constata que ce qui avait attiré son attention était une grande malle noire, dont le couvercle avait été brisé, et les morceaux d'une valise jaune. Le tout fut transporté au poste, et un rapport fut envoyé à la Sûreté. Des détectives allèrent examiner les objets et reconnurent les malles qui avaient contenu les drogues dont la disparition fait aujourd'hui le sujet de toutes les conversations, non seulement à Montréal, mais dans les autres villes et villages, et même aux États-Unis. (...)

Les voleurs sont encore au large. Les policiers sont très réticents sur toute cette affaire, mais deux détectives que nous avons rencontrés cet après-midi nous ont affirmé être sur une excellente piste. (...)

Me Philippe Monette, l'avocat du gouvernement fédéral dans les causes de drogues, était à Ottawa, hier, lorsque la nouvelle du cambriolage est parvenue aux autorités de la capitale, par télégramme.

« Aussitôt, nous a-t-il déclaré ce matin, (...) il a été décidé que les autorités compétentes que tous les moyens humainement possibles seront pris pour retrouver les drogues volées et pour assurer l'arrestation des coupables. On ne regardera ni aux dépenses, ni au travail. Des agents spéciaux d'Ottawa se joindront aux détectives Philippe Fafard et J.-A. McDonald, qui s'occupent déjà de cette affaire à Montréal, avec les agents du chef Lorrain, de la Sûreté provinciale, et du chef Lepage, de la Sûreté municipale. » (...)

En quittant Me Monette, nous nous sommes rendus au bureau du chef Lorrain. Celui-ci nous a déclaré qu'il n'avait encore rien de nouveau dans la sensationnelle affaire. Cependant, le détective Georges Rioux qui était à lui donner son rapport pour le travail accompli pendant la journée d'hier, a été tout à coup appelé par le grand connétable Saint-Mars, qui avait sans doute d'importantes informations à lui donner.

COMMENT ON PROCEDA

On croit en certains quartiers que l'effraction n'a pas eu lieu de l'extérieur à l'intérieur du palais de justice. Les cambrioleurs se seraient laissés enfermer le soir dans le palais de justice, et une fois la nuit venue, ils se seraient emparés des drogues après avoir pénétré par effraction dans le bureau du grand connétable Saint-Mars, où se trouvait la clé de la voûte de sûreté.

En partant avec les deux précieuses malles, les cambrioleurs auraient enfoncé la vitre d'une des portes du palais pour faire croire que les audacieux personnages étaient arrivés sur les lieux juste pour perpétrer le vol. Mais le chef Lorrain, que nous avons interrogé à ce sujet, nous a déclaré qu'il ne croit pas à cette théorie. Pour lui, les cambrioleurs venaient bien du dehors.

Un autre détective (...) croit que le vol a été comploté par des adeptes des drogues qui savaient depuis longtemps que de grandes quantités de morphine et de cocaïne se trouvaient dans la voûte.

Ces individus avec l'aide de dangereux bandits, auraient fait le coup et à l'heure qu'il est, (...) le contenu des malles serait déjà rendu aux États-Unis. (...)

Les cambrioleurs ont dû (...) concevoir l'idée du vol en voyant transporter après chaque séance du tribunal les grosses malles contenant des drogues, dans la voûte du palais. Ils ont pu parfaitement voir aussi le grand connétable fermer à clef l'endroit, puis prendre le chemin de son bureau. Comme la clef est de fortes dimensions, les voleurs savaient que le grand connétable ne pouvait l'emporter dans ses goussets, et ils étaient certains de la trouver dans son pupitre.

C'EST ARRIVÉ UN
DÉCEMBRE

1979 — Décès à 77 ans de Darryl F. Zanuck, un des monstres sacrés du cinéma américain.

1974 — Phil Esposito, des Bruins de Boston, marque le 500e but de sa carrière.

1973 — Une Caravelle s'écrase au Maroc : 106 morts.

1970 — La Libye décide de nationaliser toutes les banques.

1970 — Le président socialiste Salvator Allende, du Chili, nationalise tous les grands gisements de cuivre du pays.

Qu'on prévoie un arbre de Noël pour offrir des cadeaux aux déshérités, cela se conçoit, surtout à cette période de l'année. Mais qu'un tel projet ait été conçu pour les animaux, comme c'était le cas le 22 décembre 1926, cela étonne encore aujourd'hui. Au pied de cet arbre, on distribuait un pouding spécial pour chevaux. Il avait été installé sur un terrain adjacent à l'édifice de la Sun Life par la Ligue pour la justice pour les animaux. En publiant la photo, LA PRESSE soulignait qu'il s'agissait là d'une nouveauté...

Sept incendies en 24 heures

Un regroupement des sinistres qui fait croire à l'intervention d'une main criminelle

Les pompiers de l'île de Montréal n'ont pas chômé aujourd'hui (**le 23 décembre 1984**), étant appelés sur les lieux de sept incendies — un total assez exceptionnel dans l'espace de 24 heures — qui ont chassé de chez eux, à quelques jours de Noël, les occupants de 30 logements et de quatre chambres.

Curieusement, les incendies sont survenus en deux séries, les quatre premiers tôt le matin, entre 1 h 45 et 4 heures, et les trois autres vers 16 heures, Ce regroupement incite les pompiers à croire à l'intervention d'une ou plusieurs mains criminelles.

Les pompiers de l'île de Monréal ont été appelés sur les lieux de pas moins de sept incendies en un seul jour.

Un restaurant de la Place d'Armes a été complètement détruit pas les flammes.

Une explosion fait 3 morts à LA PRESSE

LES cent ans d'histoire de LA PRESSE ont permis à ses employés de connaître leur large part de joies et de satisfactions, mais l'entreprise a aussi connu ses heures difficiles. Et c'était plus particulièrement vrai le **23 décembre 1929**, à cause du terrible accident survenu à la section *rotogravure*, accident qui avait entraîné la mort de trois confrères de travail, Narcisse Legault, ainsi que les frères Roger et Georges-M. Lee, deux jours à peine avant la Noël.

Ce qui devait être une merveilleuse croisière à bord du Queen Elizabeth II s'est littéralement transformé en cauchemar.

Le jury à l'enquête du coroner Lorenzo Prince devait porter en quelques secondes un jugement de mort purement accidentelle, à l'image des remarques du coroner Prince qui, fort de son expérience de vingt ans dans le journalisme, s'était porté garant en quelque sorte des efforts faits par LA PRESSE pour protéger la santé de ses employés.

Les différents témoignages avaient permis de prouver que l'explosion mortelle avait été due à une étincelle. En effet, se-lon un des témoins entendus, le capitaine T. McManus, de la Sûreté de Montréal, « *le feu a été mis à un baril de naphte, par une étincelle produite par le frottement du bras d'une pompe automatique dont on se servait pour puiser le liquide* ».

Un autre témoin, René Legault, sans lien de parenté avec Narcisse, a déclaré qu'après plusieurs années à l'emploi de LA PRESSE, c'était la première fois qu'il assistait à un incident du genre. Il a aussi précisé que le naphte était essentiel pour les fins de la rotogravure.

Legault a expliqué que les deux frères Lee étaient les plus près du baril de naphte. En voyant le feu, ils ont averti leurs compagnons de travail, tandis que Narcisse Legault s'élançait en avant avec un extincteur chimique ; c'est alors que se produisit l'explosion fatale.

Narcisse Legault avait 60 ans et travaillait à LA PRESSE depuis huit ans. Il avait deux fils (dont un, Lionel, travaillait à LA PRESSE) et trois filles. Outre son épouse et ses enfants, il laissait également dans le deuil deux frères et trois soeurs.

Quant aux frères Georges et Roger Lee, ils étaient âgés de 29 et 19 ans respectivement. Roger était célibataire, mais Georges était marié mais n'avait pas d'enfant.

Le Queen Elizabeth II en disgrâce

« Niagara, Niagara ! » Ce message clamé dans les haut-parleurs pour avertir de fuites dans les canalisations a bercé la croisière du Queen Elizabeth II, qui a déversé à New York des centaines de passagers furieux.

Cabines inondées, toilettes fonctionnant occasionnellement, intense activité des équipes d'entretien et de leurs aspirateurs dès 4 h du matin et jeux de scies à l'heure de la sieste : ce qui devait être une semaine de détente entre Hambourg (Allemagne) et New York, en passant par Southampton (Grande-Bretagne),

à bord du plus prestigieux paquebot naviguant encore s'est transformé en cauchemar.

Cunard voulait faire de l'étape new-yorkaise une opération de prestige et montrer le résultat de 45 millions de dollars de travaux. Quelque 450 personnalités étaient conviées à déjeuner à bord.

Pour Michael Orsvilk, originaire de Southampton, seule l'avarice de Cunard peut expliquer un tel désastre.

« Il était évidemment impossible de rédécorer un tel bateau en 28 jours », déclarait-il. (**Texte publié le 23 décembre 1994**).

Un million d'opérations par seconde

La firme américaine Intel vient d'annoncer la mise au point d'un ordinateur capable de réaliser un billion d'opérations à la seconde, c'est-à-dire un million de millions « 10.1FD ».

Cette machine devrait permettre aux scientifiques de modéliser des phénomènes très complexes, comme une explosion nucléaire ou le fonctionnement d'une chaîne d'ADN. (**Texte publié le 23 décembre 1996**)

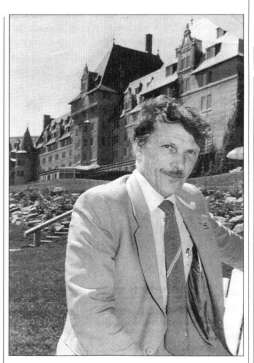

Un Himalaya de dettes a achevé d'engloutir l'empire de Raymond Malenfant, composé d'une quinzaine d'établissements hôteliers, dont le Manoir Richelieu, à La Malbaie, de six immeubles à bureaux et de deux centres de ski, au Québec, dans l'Ouest canadien et en Floride.

Le « toffe de La Malbaie » en faillite

Le « toffe de La Malbaie » n'est plus sur l'échiquier : il n'y a plus qu'un homme d'affaires déchu, ordre de la Cour supérieure oblige.

De l'empire hôtelier qu'il avait bâti, il ne reste plus à Raymond Malenfant qu'une toute petite carte : un deux de pique, un droit d'appel sur la

décision du tribunal. Ainsi, un Himalaya de dettes a achevé d'engloutir un empire composé d'une quinzaine d'établissements hôteliers, de six immeubles à bureaux et de deux centres de ski, au Québec, dans l'Ouest canadien et en Floride. (**Texte publié le 23 décembre 1992**)

---

16 autres victimes de l'OTS

Les 16 adeptes de l'Ordre du Temple solaire (OTS) disparus en France depuis une semaine ont choisi d'aller rejoindre dans l'au-delà les 53 membres de la secte trouvés morts l'an dernier dans des chalets en Suisse et au Québec.

La police française a découvert ce matin (**le 23 décembre 1995**) les corps calcinés des huit Suisses et huit Français répartis autour d'un pieu dans une clairière située à 1200 mètres d'altitude, dans une montagne du Vercors, à Saint-Pierre-de-Charennes, dans le sud-est de la France.

Un attentat terroriste fait 29 morts en Italie

Au moins 29 personnes ont été tuées et plus de 50 autres blessées quand deux explosions se sont produites dans le train express Naples-Milan bondé de voyageurs, qui se trouvait alors dans un des tunnels ferroviaires les plus longs d'Europe, à quelques 50 km au nord de Florence.

Cinq groupes, dont deux organisations d'extrême-droite ainsi que, à gauche, les Brigades rouges, ont revendiqué la responsabilité de l'attentat à l'occasion d'appels téléphoniques aux journaux italiens et aux agences de presse.

L'express Naples-Milan transportait quelque 700 vacanciers, dont plusieurs se dirigeaient vers le nord pour y passer les congés des Fêtes sur les pentes de ski. (**Texte publié le 23 décembre 1984**).

C'EST ARRIVÉ UN DÉCEMBRE

1989 — L'écrivain irlandais Samuel Beckett, prix Nobel de littérature 1969, est mort à Paris, à l'âge de 83 ans.

1978 — L'Argentine et le Chili acceptent de confier à Jean-Paul II le rôle de médiateur dans leur différend territorial.

1978 — L'écrasement d'un DC-9 d'Alitalia près de Palerme fait 107 victimes.

1973 — À Téhéran, l'OPEP annonce que six pays du golfe ont décidé de doubler les prix du pétrole brut.

1972 — Un tremblement de terre détruit Managua et fait 5 000 morts au Nicaragua.

1970 — Les autorités boliviennes libèrent le Français Régis Debray, condamné à la prison pour activités subversives.

1970 — L'Armée canadienne en poste aux principaux endroits stratégiques à la suite des *événements d'octobre*, rentre dans ses casernes.

1968 — L'équipage du *Pueblo* est libéré, mais les Coréens du Nord confisquent le navire américain.

1955 — Des inondations cause 30 morts et font pour $150 millions de dégâts en Californie et en Orégon.

1953 — Moscou annonce que Lavrenti Beria a été exécuté.

1930 — Après avoir abattu Alexei Ivanovitch Rykoff, ami intime de Lénine, Staline devient le dictateur incontestable de l'Union soviétique, le roi du Kremlin.

1927 — Disparition de la célèbre aviatrice Frances Wilson-Grayson, à bord de l'avion Dawn, au cours d'un vol entre les États-Unis et l'Angleterre.

UNE MAUVAISE BLAGUE FAIT 71 MORTS À CALUMET

La veille de la fête de Noël (le 24 décembre 1913) a été marquée par une catastrophe qui a coûté la vie à plus de cinquante enfants, à plusieurs femmes et à quelques hommes, à Calumet.

C'est le résultat d'une panique causée par un inconnu qui, sans raison, a crié : au feu ! Et jeté la frayeur parmi des centaines de personnes réunies dans une salle, le soir du 24 décembre, pour célébrer la fête de Noël.

Le programme comportait une distribution de cadeaux aux enfants de pauvres mineurs en grève. La joie illuminait les fronts. Soudain une porte s'ouvrit et un homme cria : au feu ! au feu ! puis, disparut. Ce fut alors un moment terrible. Les plus forts renversèrent les faibles pour se porter vers les portes. Naturellement les plus jeunes enfants furent les premières victimes. Le spectacle était effroyable. Sur le plancher, quand le calme fut rétabli, on pouvait voir soixante-onze cadavres broyés et mutilés. Le sang coulait.

La consternation règne à Calumet et l'arbre de Noël de 1913, qui devait donner bonheur à des centaines d'enfants a été couvert d'un voile de deuil, à cause de l'acte criminel et lâche d'un inconnu.

Le poids du Québec diminue dans le Canada

Les Québécois pèsent de moins en moins lourds dans la confédération canadienne, et pour la première fois de leur histoire ils représentent moins du quart de la population totale du pays, selon les dernières données démographiques officielles publiées par Statistique Canada.

Dans une autre bataille de la sempiternelle guerre de chiffres que se livrent Québec et Ottawa, le ministre des Finances du Québec Jean Campeau, a l'intention de récupérer du gouvernement fédéral plus de 900 millions de dollars qui seront perdus par son gouvernement d'ici l'an 2000, au titre des paiements de transfert liés à la péréquation entre les provinces les plus riches et les plus pauvres.

La péréquation est basée sur la taille relative de chaque province dans l'ensemble canadien, une taille mesurée par Statistique Canada à partir du recensement quinquennal et, par la suite, d'estimations mensuelles de la population ayant pour base le dernier recensement.

L'agence fédérale des statistiques a indiqué mercredi dernier que le Québec ne représentait plus que 24,8 pour cent de la population canadienne, au dernier décompte d'octobre (près de 7,3 millions de personnes). L'an dernier, le Québec se maintenait encore sur la ligne des 25 pour cent, après avoir dégringolé sans cesse depuis plus de vingt ans. En 1971, le Québec abritait 27,9 pour cent des habitants du Canada. (Texte publié le 24 décembre 1994)

Félix Leclerc, à son départ pour Paris.

FÉLIX DÉBUTE À PARIS

Une vedette canadienne, Félix Leclerc, a fait ses débuts ce soir (le 24 décembre 1950), veille de Noël, au Théâtre de l'A.B.C. sur les grands boulevards, dans une spectacle dont ses amis, Les Compagnons de la Chanson, étaient l'attraction principale.

Ce sont ses chansons les plus populaires, Notre sentier, Le Petit Bonheur, et d'autres encore qu'il fit entendre, et la poésie de ses charmantes vignettes de la vie rustique canadienne, la fraîcheur d'impression et le charme agreste qui s'en dégageait, furent compris et appréciés par un public pourtant blasé, mais blasé de chansons très différentes : celles par exemple d'Édith Piaf, à l'amère saveur évocatrice des troublantes grandes villes et non des bois et des campagnes.

Aussi Félix Leclerc fut-il très applaudi et maintes fois rappelé.

Les employés mettent la dernière main au système d'éclairage.

LA CROIX DU MONT-ROYAL SERA ILLUMINEE LA NUIT PROCHAINE

A cinq heures, ce soir, pour la première fois, la croix brillera sur le sommet de la montagne. — Les travaux sont terminés.

AINSI que nous l'avons déjà annoncé la croix du Mont-Royal sera illuminée pour la première fois au cours de la prochaine nuit de Noël. Tout est prêt pour que l'illumination commence à cinq heures de l'après-midi aujourd'hui (**24 décembre 1924**). Elle se continuera durant chaque nuit sans interruption.

Rappelons que cette croix désormais historique a 102 pieds de hauteur et 30 pieds d'envergure. Son diamètre est de six pieds d'épaisseur.

La compagnie Dominion Bridge, qui a construit la charpente en acier de ce monument, a suivi, dans ses grandes lignes, les plans soumis par M. Dupaigne, P.S.S., tout en se conformant aux diverses modifications adoptées par le conseil général de la société Saint-Jean-Baptiste. Quant à l'installation électrique, elle fut faite par M. J.-A. Saint-Amour.

Bref, notons que les différents travaux ont été effectués sous la direction de MM. Gascon et Parent, architectes, cependant que M. Henri-L. Auger en surveillait l'exécution à titre de représentant du conseil général de la société Saint-Jean-Baptiste. Ajoutons enfin que l'éclairage est fourni gracieusement par la Montreal Light, Heat and Power Company.

A l'occasion de l'illumination pour la première fois ce soir, nous publions ici un article de M. le notaire Victor Morin, ancien président général de la société :

Lumineux comme un phare dans la nuit ; élevant ses bras d'amour sur le peuple qui s'agite à ses pieds ; puissante, majestueuse et sereine, la CROIX DU MONT-ROYAL est un symbole en même temps qu'un souvenir pieux.

Elevée par les soins de la société Saint-Jean-Baptiste au sommet du Mont-Royal, elle rappelle en premier lieu le 24 juillet 1534 Jacques Cartier prenait possession du Canada au nom du Christ et du roi de France en plantant une croix chargée de trois fleurs de lys sur la côte de Gaspé; elle rappelle ensuite qu'un siècle plus tard Paul de Chomedey de Maisonneuve portait sur ses épaules une croix de bois jusqu'au Mont-Royal en reconnaissance de la protection divine sur sa colonie naissante de Montréal.

Mais elle est surtout un emblème, car elle atteste la survivance étonnante du peuple canadien, né sous l'égide de la croix, protégé, développé par elle, grandissant en dépit des obstacles, et puisant dans l'âpreté même des luttes, comme la religion du Christ à travers les persécutions, la vigueur nécessaire à la conservation de sa foi, de sa langue et de ses traditions.

C'est au congrès général tenu par cette société en 1923 que la proposition d'élever, au centre de la métropole du Canada, ce monument de patriotisme et de foi fut soumise par son président général et adoptée avec enthousiasme par ses délégués. Il fut décidé d'inviter tout le peuple canadien à participer à son érection par l'apport de contributions volontaires. (...)

Un concours fut établi entre les architectes, les sculpteurs et autres amis de l'art pour la préparation d'un projet artistique et réalisable en même temps, mais la modicité des ressources dont nous disposions jusqu'alors n'ayant pas permis de réaliser la plénitude de nos ambitions, nous avons dû nous borner, pour le moment, à élever la charpente métallique et pourvoir le luminaire.

La croix s'élève à sept cents pieds dans les airs, et d'où l'oeil embrasse un panorama idéal avec la ville immense rayonnant à perte de vue, la plaine fertile ornée du ruban d'argent que le grand fleuve lance depuis les lacs bleus jusqu'à la mer; ici les tons violets des montagnes isolées de l'est, et là-bas la chaîne des Laurentides que dorent les rayons du soleil couchant.

Brille au-dessus de Ville-Marie, croix d'espérance et de soutien! Tu nous rappelles tout un passé de luttes glorieuses pour la conservation de l'héritage national ; tu proclames hautement la foi ardente et intrépide des artisans du « miracle canadien »; tu symbolises pour nous la colonne de feu qui conduit à la Terre Promise.

La vieille dame très digne

Mme Bertha Cowley, 83 ans, quête pour l'Armée du Salut depuis 40 ans. Longtemps associée au magasin Ogilvy's de la rue Sainte-Catherine, la digne vieille dame déménageait sa marmite Place Alexis Nihon il y a quatre ans. Elle a joint l'oeuvre de bienfaisance dès son arrivée au Canada, en provenance de Grande-Bretagne, en 1911. (Texte publié le 21 décembre 1984).

C'EST ARRIVÉ UN *24* DÉCEMBRE

1997 — Pierre Péladeau, fondateur de Québécor, meurt d'une insuffisance cardiorespiratoire.

1975 — Me Marcel Marceau, ci-devant ombudsman du Québec, est nommé juge à la Cour fédérale.

1970 — Condamnation à mort de deux des 12 citoyens soviétiques (dont neuf de confession sioniste) pour complot en vue de détourner un avion soviétique.

1969 — Cinq vedettes canonnières vendues à Israël et bloquées à Cherbourg par l'embargo français disparaissent mystérieusement.

1968 — Un satellite américain avec à son bord Frank Borman, William Anders et James Lovell s'approche à quelque 70 milles de la surface lunaire.

1951 — La Libye accède à l'indépendance.

1949 — Le pape Pie XII inaugure l'Année sainte en ouvrant la porte sainte de la basilique Saint-Pierre.

Un jeune scout retrouvé

La consternation a vite cédé sa place aux larges sourires chez les chercheurs, quand en cette veille de Noël (le 24 décembre 1984), le policier qui prenait place dans l'hélicoptère de la Sûreté du Québec a annoncé qu'il venait de repérer l'adolescent perdu en forêt, près de St-Étienne, dans la région de Québec.

L'hélicoptère ratissait les environs depuis près de deux heures, lorsque l'observateur de la SQ, l'agent Rodrigue Pinault, a aperçu, vers 9h une faible fumée à proximité d'une série de tours à haute tension.

« Si tu nous voies, fait des signes avec tes bras », a-t-il lancé à celui qu'il cherchait, dans le mégaphone de l'hélicoptère.

Bruno Rioux, âgé de 17 ans, de Sillery, n'a pas hésité et s'est mis à gesticuler. Quelques minutes plus tard, les motoneiges se portaient à son secours.

Bruno fait partie de la troupe « Poste des pionniers ». Avec sept camarades, il participait en fin de semaine à un exercice de survie en forêt. Exercice qui n'a pas tardé à tourner au réel.

Dirigés par l'animateur Guy Bédard, les scouts s'étaient dispersés dans le boisé de Saint-Étienne samedi midi, se donnant rendez-vous 24 heures plus tard. Chacun devait passer cette journée seul, mettant en application les principes de survie en forêt qu'on leur avait inculqués.

Bruno Rioux s'apprêtait à vivre cette journée d'exercice quand, après un certain temps, il s'aperçut qu'il avait perdu sa boussole et qu'il ne pouvait plus retrouver son chemin.

Membre du mouvement scout depuis neuf ans, il ne se laissa pas envahir par le découragement et, au lieu d'errer inutilement, il décida de se construire un abri en attendant les secours.

Dimanche midi, voyant que Bruno n'était pas au rendez-vous, ses camarades attendirent un moment puis commencèrent les recherches. Mais il était trop tard et le soir tombait.

La Sûreté du Québec a été prévenue et dès 7h lundi matin, les recherches étaient entreprises sur une grande échelle avec des volontaires.

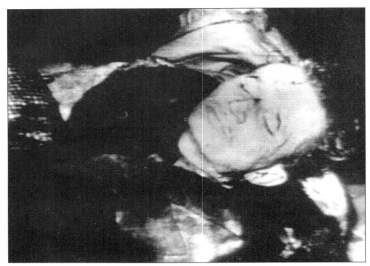

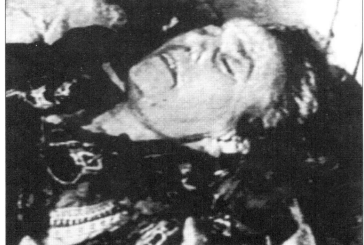

La télé Roumaine a montré le corps de Nicolae Ceausescu après qu'il eut été fusillé.

La femme du « Conducator », Elena, a aussi été passée par les armes.

Les Ceausescu passés par les armes

L a télévision roumaine a montré l'image du président déchu, Nicolae Ceausescu (**le 25 décembre 1989**), peu après son exécution.

Au lendemain de l'exécution en secret du « Conducator » et de son épouse, Elena, l'après-Ceausescu s'annonçait anarchique en Roumanie avec l'entrée en fonction d'un nouveau pouvoir issu du Front du salut national (FSN), aussitôt reconnu par l'URSS et plusieurs autres pays, dont le Canada, et aussitôt dénoncé pour sa dominante communiste par le camp démocratique roumain.

Pour bien marquer la rupture définitive avec l'ancien régime, le nouveau pouvoir, présidé par Ion Iliescu, 59 ans, compagnon d'études de Mikhaïl Gorbatchev et limogé en 1971 comme secrétaire du Comité central du PC roumain pour « esprit petit bourgeois », a enfin diffusé à la télévision les images du procès militaire secret du premier couple du pays pendant 24 ans, déchu vendredi, capturé samedi et exécuté lundi pour « génocide contre le peuple » et « destruction du pays ».

Les Roumains, sceptiques jusqu'à la diffusion des images des cadavres de Nicolae Ceausescu, 71 ans, et d'Elena, 72 ans, gisant au pied d'un mur devant lequel ils venaient de toute évidence d'être passés par le armes, laissaient exploser leur joie en chantant l'hymne traditionnel O Ce Veste Minunata (« Oh quelle bonne nouvelle j'ai entendue »), interdit sous la dictature du « génie des Carpates ».

C'EST ARRIVÉ UN DÉCEMBRE

1991 — Le Canada reconnaît à 11 républiques membres de l'ex-URSS le statut d'État indépendant.

1985 — L'Etna, le plus grand volcan d'Europe entre en éruption et provoque l'écroulement d'un hôtel, faisant un mort et quatorze blessés.

1981 — Quatre personnes perdent la vie dans l'incendie du pétrolier Hudson Transport, près de Matane.

1978 — Une station automatique interplanétaire soviétique, Vénus II, lancée le 9 septembre, atterrit en douceur sur la planète Vénus.

On trouve même des crèches... vivantes parmi les multiples représentations de la naissance du Christ.

Cette curieuse histoire... qui a fait le tour du monde

« **T** ous allaient se faire recenser, chacun dans sa propre ville ; Joseph aussi monta de la ville de Nazareth en Galilée à la ville de David qui s'appelle Bethléem en Judée, parce qu'il était de la famille et de la descendance de David, pour se faire recenser avec Marie son épouse, qui était enceinte. Or, pendant qu'ils étaient là, le jour où elle devait accoucher arriva ; elle accoucha de son fils premier-né, l'emmaillota et le déposa dans une crèche, parce qu'il n'y avait pas de place pour eux dans la salle d'hôtes. » — LUC

On n'en finirait plus de faire la tournée de toutes les crèches de Noël installées dans toutes les églises et ailleurs pour commémorer le mystérieux événement survenu il y a près de 2000 ans à Bethléem...

Toutes ces crèches contiennent les personnages traditionnels : d'abord l'Enfant-Jésus, et la Vierge Marie, et Joseph. Le boeuf et l'âne sont aussi généralement présents. Puis il y a les bergers avec leurs moutons. Et avec le temps, on voit venir les Rois mages.

Si la taille de tous ces acteurs varie de la plus petite figurine à la statue « grandeur nature », les matériaux ayant servi à leur fabrication semblent n'avoir aucune limite : on voit des personnages de la crèche en plâtre peint, bien sûr, mais également en cire, en bois, en bronze, en papier mâché, en terre cuite, en porcelaine, en ivoire, en plastique, en verre, en céramique, en faïence et même en noix de coco, en bambou et en grains de maïs. (**Publié pour Noël 1986**).

Noël, de New York...

L a messe de minuit est une tradition qui se perd à New York. Ce n'est pas que les chrétiens de la métropole américaine soient moins croyants qu'ailleurs. C'est juste que plusieurs d'entre eux ont peur de s'aventurer dans la rue après neuf heures le soir. La veille de Noël comme les autres jours de l'année.

Il faut peut-être les comprendre. Même si le taux de criminalité local a baissé trois fois plus rapidement que le taux national au cours des six premiers mois de l'année, New York continue d'être dépeinte de façon négative par les tabloïds locaux et la série de télévision. Pourtant, les bonnes nouvelles ne manquent pas. La ville, entre autres, ne fait plus partie de la liste des 25 villes les plus meurtrières des États-Unis. Mais la peur est une affaire subjective. (**Publié pour Noël 1994**).

...à Santiago

À 34 Celsius à l'ombre, la sueur gicle sous les grosses barbes blanches des pères Noël.

Sur la Plaza de Armas, ils sont une dizaine de pères Noël fraîchement arrivés du pôle Nord. Ils auraient pu venir du pôle Sud, c'est beaucoup plus proche. Mais le père Noël chilien vient aussi du Grand Nord, avec son traîneau tiré par des rennes et une grosse poche pleine de cadeaux.

Noël ici, c'est la fête des enfants. Ils sont photographiés chacun leur tour sur les genoux des célèbres grand-pères rouges.

C'est comme si Noël avait lieu en plein mois de juillet au Canada.

En ce moment, ils aimeraient tous avoir sur la tête un bonnet de neige éternelle, semblable à celui que portent les sommets de la cordillère des Andes qui encerclent Santiago. (**Publié pour Noël 1994**).

Mme Alice Poznanska-Parizeau

L'Ordre du Canada à Alice Parizeau

M me Alice Poznanska-Parizeau, écrivain, épouse de M. Jacques Parizeau, a été nommée Officier de l'Ordre du Canada (**le 25 décembre 1987**) et recevra sa médaille au printemps à la résidence du gouverneur général, Mme Jeanne Sauvé.

Cette décoration revêt un intérêt particulier, étant donné que M. Parizeau a annoncé cette semaine sa candidature au poste de président du Parti québécois et qu'il a formellement affirmé son intention de promouvoir la souveraineté du Québec.

Jésus serait né 12 ans avant le début de l'ère chrétienne

D e nouvelles recherches donnent à penser que Jésus est peut-être né à la fin de l'été ou au début de l'automne de l'an 12 avant l'ère chrétienne et que l'étoile, qui guida les rois mages vers la crèche de Bethléem, était la comète de Halley.

Bien que l'hypothèse aille à l'encontre de la tradition, quant à la date de Noël, Jim Fleming, qui donne des cours de géographie historique et d'archéologie à l'Université hébraïque de Jérusalem, estime qu'au moins le lieu de la naissance du Christ, non loin de l'endroit où se dresse aujourd'hui la basilique de la Nativité, paraît être exact.

M. Fleming est aussi le doyen du Centre d'études bibliques de Jérusalem, qu'il a créé il y a dix ans et que fréquentent des prêtres catholiques, des pasteurs protestants et des universitaires laïcs.

C'est au IVe siècle de notre ère que des exégètes, utilisant des références du Nouveau Testament, fixèrent au 25 décembre de l'an 1 la naissance de Jésus. « Mais, selon M. Fleming, il semble qu'ils aient commis une erreur d'appréciation. »

Une tablette, connue sous le nom d'Aemilius Secundus, découverte il y a 300 ans en Syrie, n'a été analysée que récemment et les savants ont constaté que le recensement avait été ordonné, comme le dit l'évangéliste, par Quirinius, gouverneur de Syrie, en l'an 12 avant l'ère chrétienne, a-t-il souligné.

Aussi, d'après M. Fleming, est-il plus vraisemblable de penser que Jésus est né entre la fin juillet et le début octobre.

Pour ce qui est de la comète de Halley, que sa trajectoire ramène tous les 76 ans aux abords de la Terre, elle était visible aux Terriens à l'an 10 avant l'ère Chrétienne, alors que, selon les chercheurs, Jésus aurait eu deux ans environ.

Les rois mages virent l'étoile à deux reprises, ce qui, selon M. Fleming, correspond également à la comète de Halley, visible pendant plusieurs semaines avant de disparaître derrière le Soleil puis de réapparaître.

Au surplus, a-t-il déclaré, selon l'histoire, l'étoile a guidé les mages « venus d'Orient » jusqu'à Bethléem — et cette direction a pu leur être donnée par la queue de la comète.

En ce Noël, la comète sera à nouveau visible de Bethléem, aux personnes qui possèdent une bonne vue ou des jumelles.

Des travaux archéologiques établissent que la basilique, construite une première fois au IVe siècle, se situe à l'orée de la Bethléem de l'Évangile, où il était tout à fait plausible qu'une auberge ait été implantée. (**Publié pour Noël 1985**)

C'EST ARRIVÉ UN
DÉCEMBRE
26

1998 — Le maire de Montréal, Pierre Bourque, reçoit ses électeurs à l'hôtel de ville. Près de 10 000 Montréalais répondent à son invitation.

1998 — Le premier ministre Jean Chrétien est désigné personnalité ayant le plus marqué l'actualité canadienne en 1998.

1990 — Nancy Cruzan, plongée dans un état végétatif irréversible depuis sept ans à la suite d'un accident de voiture, meurt, 12 jours après le débranchement de son système d'alimentation, à la demande de ses parents et à la suite d'une décision de justice.

1989 — Doug Harvey, qui est considéré comme le plus grand défenseur de l'histoire du Canadien de Montréal, meurt à Montréal des suites d'une longue maladie.

1987 — La plus grande maison close de la RFA, l'Eros Center du quartier de Sankt Pauli, dans le port de Hambourg, ferme ses portes, vaincue par la peur du sida.

1986 — Le Japon conclut un accord pour prêter trois milliards de Droits de Tirages Spéciaux au Fonds Monétaire International.

Gorbatchev: un personnage discuté

Mikhaïl Gorbatchev a fini son temps à la direction de l'URSS, mais l'évaluation de son action et de sa politique va se poursuivre encore longtemps.

Jusqu'ici, les observateurs ont brossé de lui trois portraits fort différents. Certains le considèrent comme un communiste avant tout, d'autres le voient comme un social-démocrate, et enfin, un troisième courant voit en lui un politicien de peu d'envergure.

Des États-Unis au Japon, en passant par la CEE, des hommages ont été rendus dans le monde entier à Mikhaïl Sergeievitch Gorbatchev, dont le rôle « historique » a été abondamment souligné, après l'annonce de la démission de l'homme de la perestroïka qui jouissait d'un immense prestige hors des frontières de la défunte Union soviétique. (Publié en décembre 1991).

Greffée du coeur, des poumons et du foie, elle fête Noël au champagne

Mme Davina Thompson, dont le coeur, les poumons et le foie ont été remplacés le 17 décembre lors de la première triple transplantation d'organes au monde, a levé son verre de champagne à l'avenir (le 26 décembre 1986).

Pour la première fois, elle a été autorisée à sortir de l'unité de soins intensifs, à partager le déjeuner de Noël avec d'autres patients dans l'unité chirurgicale et à prendre un verre de champagne, a déclaré un porte-parole de l'hôpital Papworth de Cambridgeshire (Angleterre).

Mme Thompson, 35 ans, avait reçu 11 jours auparavant les trois organes provenant d'une fillette de 14 ans tuée dans un accident de la route.

La patiente a pu prendre son repas de Noël — une dinde et des légumes — en compagnie de son mari Peter, 30 ans, et de leur fille Stephanie, neuf ans.

Un assaut éclair permet de libérer les 170 otages d'un Airbus

L'assaut de l'Airbus d'Air France, à la nuit tombante (le 26 décembre 1994) sur l'aéroport de Marseille-Marignane, a duré une quinzaine de minutes et a abouti à la libération des 170 otages sans perte de vies humaines autres que celles des membres du commando islamiste.

L'assaut a été lancée vers 17 h 15 après qu'un des membres du commando eut tiré un coup de feu vers la tour de contrôle, au pied de laquelle les islamistes avaient fait rouler l'appareil.

Les gendarmes ont pénétré à l'intérieur de l'appareil par ses portes arrière, après avoir lancé une action de diversion à l'avant de l'appareil.

Le GIGN (groupe d'intervention de la gendarmerie nationale) a d'abord lancé des grenades éblouissantes à l'intérieur de la carlingue, pour distraire et abasourdir les terroristes.

Une fusillade nourrie a ensuite duré une dizaine de minutes, et le mécanicien de l'avion a été entendu lançant à la radio un appel angoissé pour que cessent les coups de feu.

Un des membres d'équipage a sauté par le cockpit tandis que la plupart des passagers ont été évacués par deux toboggans de chaque côté de l'appareil.

L'assaut s'est déroulé à l'abri des regards, les témoins, y compris les journalistes, ayant été préalablement évacués du bâtiment de l'aérogare sur ordre du préfet de la région. Des images détaillées ont cependant pu être diffusées peu après par les caméras de télévision de la chaîne d'information continue LCI.

Une cinquantaine d'ambulances tous feux allumés ont très vite convergé vers l'appareil.

Un important service d'ordre mis en place à l'aéroport de Marseille-Marignane a ensuite soigneusement contrôlé 161 passagers évacués de l'avion, pour s'assurer qu'aucun terroriste ne s'était glissé parmi eux.

Chaque année, le 26 décembre, le Boxing Day ramène l'euphorie dans les commerces de Montréal.

Un vent de folie souffle dans les magasins

Un vent de folie souffle toujours sur Montréal le jour du 26 décembre. « Impossible de décrire cette journée-là. Tout va à 100 milles à l'heure », lance Pierre Auger, gérant chez HMV centre-ville (le 26 décembre 1992).

Les files d'attente interminables qui commencent à se former à certains endroits vers 10 heures du matin, les gardiens empêchant la foule assoiffée d'aubaines d'entrer en masse dans le magasin : c'est la réalité du boxing day.

« Tout le personnel est mobilisé sur le plancher ce jour-là, président et vice-président compris », lance Bernard Paré, vice-président finances chez Ogilvy.

« Les gens se préparent dès la semaine précédente : ils remarquent ce qu'ils veulent acheter ce jour-là. En une heure toutes les plus belles choses s'envolent », acquiesce Nicole Roger, vendeuse depuis huit ans dans un centre Citadelle. « C'est l'euphorie totale dans le magasin ! ».

Salman Rushdie, auteur des Versets sataniques.

La condamnation à mort de Salman Rushdie est « irrévocable »

Le guide de la République islamique, l'ayatollah Ali Khamenei, a déclaré que la fatwa historique de l'iman Khomeiny qui a condamné à mort l'écrivain britannique Salman Rushdie était « irrévocable ».

Réagissant aux dernières déclarations conciliantes de l'auteur des Versets sataniques (le 26 décembre 1990), M. Khamenei, dont les propos sont rapportés par Radio-Téhéran, a ajouté que la fatwa de Khomeiny « portait ses premiers fruits ».

« Personne n'osera plus offenser les valeurs saintes de l'Islam ni son prophète », a déclaré le guide la République islamique.

L'iman Khomeiny, décédé le 4 juin 1989, avait fait paraître le 14 février de même année sa fatwa appelant les musulmans à exécuter Rushdie. Un an après, M. Khamenei, qui lui a succédé à la fonction de guide, avait confirmé la « validité éternelle » de ce décret religieux.

La famille de l'avenir

Durant les 30 dernières années, une véritable révolution sociale a bouleversé la famille. Du jour au lendemain, on est passé du modèle traditionnel à une multiplicité de modèles : monoparental, recomposé, biparental, etc. A-t-on enfin atteint un plateau ? Verra-t-on d'autres bouleversements ? Quelle forme prendra la famille de demain ? Pour voir ce que nous réserve l'avenir en cette fin de l'Année internationale de la famille, La Presse a interrogé divers spécialistes (le 26 décembre 1994) ; tout en précisant que l'exercice n'avait rien de scientifique, ceux-ci ont accepté de livrer leurs visions de l'avenir.

« Depuis l'arrivée des femmes sur le marché du travail, on a assisté à un bouleversement qui a transformé la société. Pendant les prochaines années, on assistera à une évolution des mentalités ; cette évolution affectera la réalité des familles et entraînera une réorganisation sociale en profondeur. »

Directeur de l'Institut de formation et d'aide communautaire à l'enfant et à la famille (IFACEF), thérapeute familial et psycho-éducateur, M. Benoit Clotteau voit avec confiance l'avenir de la famille.

« Au fur et à mesure que les rôles se précisent, dit-il, on va reconnaître à la mère qu'elle peut bien jouer son rôle de parent et le nombre de parents masculins ira augmentant. Quant à la société, elle devra permettre aux deux parents d'assumer leur rôle auprès de leurs enfants. Peu à peu, on en vient à un système plus communautaire d'aide à la famille ».

La culpabilité exagérée ressentie par les parents qui travaillent et qui n'osent même plus se permettre de loisirs ensemble, tombera si le tissu communautaire devient plus fort : « Les parents vont reprendre le pouvoir », annonce le spécialiste.

Baby-boomers grands-parents

« Au moment où les baby-boomers s'approchent du troisième âge, toute la société s'apprête à vivre à l'heure des grands-parents. Il a 10 ans, alors que les baby-boomers avaient des tout-petits, on parlait des enfants en garderie ; aujourd'hui, on parle des ados. Dans quelques années, on va *tripper* grand-parent. Habitués de prendre toute la place, les baby-boomers vont continuer de le faire jusque dans la tombe ».

S'il considère que les baby-boomers vont toujours tenir le haut du pavé, M. Richard Cloutier, du Centre de recherche sur les services communautaires de l'Université Laval, entrevoit tout de même une évolution sociale qui devrait marquer la prochaine génération de familles.

« On en a terminé avec les grands bouleversements en ce domaine, dit M. Cloutier. Il est probable que les familles de demain ressembleront fort à celles que l'on a maintenant. Après le « pense d'abord à toi », on verra un retour à des valeurs communautaires. »

L'ex-roi Michel est expulsé de Roumanie

L'ex-roi Michel a quitté la Roumanie aux premières heures (le 26 décembre 1990), ont annoncé des responsables à l'aéroport de Bucarest, moins de 12 heures après le retour dans son pays de l'ancien souverain, en exil depuis 43 ans.

Contraint d'abdiquer par les autorités communistes, en 1947, l'ex-roi Michel souhaitait passer 24 heures en Roumanie.

« Il voulait seulement passer Noël dans son pays et passer la nuit près du lieu d'inhumation de ses ancêtres », a dit la princesse Margareta, fille aînée de l'ancien monarque.

Désintoxiquée à 13 ans

À peine âgée de 13 ans, l'actrice américaine Drew Barrymore abusait déjà de l'alcool et a dû faire une cure de désintoxication.

Drew Barrymore est la petite-fille du célèbre acteur alcoolique John Barrymore. Drew a joué dans Dr Jekill and Mr Hyde ainsi que dans Grand Hotel.

Elle s'était fait remarquer dans le rôle de la petite Gertie dans E.T., l'extra-terrestre. Firestarter, Cat's Eyes ainsi que dans de nombreux téléfilms américains. (Publié en décembre 1988)

Harry Truman

Feu Harry Truman

Harry Truman, qui a succombé à une longue maladie à l'âge de 88 ans (le 26 décembre 1972), n'aura certes pas été l'un des plus grands présidents que les États-Unis aient connus. Pourtant, il jouissait toujours d'une forte popularité, vingt ans après avoir quitté la Maison Blanche.

Truman, en tant que vice-président, a succédé à Franklin Delano Roosevelt à la mort de celui-ci, en avril 1945. Il fut élu à la présidence en novembre 1948.

Truman était un professionnel de la politique. Il ne fuyait point la controverse et ne craignait pas de prendre des décisions qui pouvaient être impopulaires.

Il a souvent croisé le fer avec les syndicats ouvriers et il a poussé l'audace jusqu'à relever un jour le général Douglas MacArthur de son commandement des forces des Nations unies en Corée.

Le dîner de Noël à l'hôpital Notre-Dame. Les dames patronesses et les garde-malades servent des friandises aux malades de l'institution.

DINER DE NOEL DES MALADES

Les intégristes répliquent: quatre religieux abattus

Tandis que le gouvernement français s'interrogeait sur l'opportunité de modifier la ligne politique de la France à l'endroit de l'Algérie à la suite de la prise d'otages qui a trouvé son dénouement à Marseille lundi, les services de sécurité algériens confirmaient l'assassinat à Tizi-Ouzou, à une centaine de kilomètres à l'Est d'Alger, de quatre Pères Blancs, trois Français et un Belge, tués dans leur presbytère.

Ces assassinats interviennent au lendemain de l'assaut donné par des gendarmes français contre l'Airbus d'Air France détourné et la mort des quatre terroristes, qui appartenaient au Groupe islamique armé. (**Texte publié le 27 décembre 1994**)

HIROHITO, EMPEREUR

Le prince Hirohito, qui fut nommé régent en 1921, devient immédiatement (**le 27 décembre 1926**) le cent-vingt-quatrième empereur du Japon. Hirohito était le fils aîné du Mikado Yoshihito.

Immédiatement après la mort de l'empereur Yoshihito, il a été formellement fait empereur du Japon et a reçu les trois emblèmes de sa nouvelle dignité, à savoir les trois trésors sacrés, le miroir, un joyau et le sabre que les Japonais croient avoir été donnés au premier empereur par la déesse Amaterasu.

Simultanément, des cérémonies se sont déroulées au palais impérial de Tokyo, informant les sujets de l'accession au trône de Hirohito.

Hirohito devient le 124e empereur du Japon.

Le bas de Noël de LA PRESSE

LA PRESSE a toujours fait preuve, au cours de son existence, d'une grande considération pour les plus démunis, et ce journal n'est pas étranger à l'initiative du traditionnel *bas de Noël*. En effet, pendant de longues années (il n'est même pas exagéré de parler de nombreuses décennies puisqu'on faisait déjà état de *L'oeuvre des étrennes aux enfants pauvres* aussi loin qu'en 1894!), LA PRESSE installait un immense bas de Noël, haut de deux étages comme en fait foi cette photo tirée de l'édition du *27 décembre 1923*, et dans lequel elle recueillait les dons de ses lecteurs et de ses amis afin de les distribuer aux pauvres lors d'une cérémonie organisée pour marquer le Nouvel An. Est-il besoin de rappeler

qu'à l'époque, c'est au Nouvel An plutôt qu'à la Noël qu'on distribuait les étrennes dans les familles.

Les gouverneurs et les dames patronesses de l'hôpital Notre-Dame apportent de la joie à bien des infortunés

Le grand dîner de Noël donné hier midi (**27 décembre 1904**) aux malades de l'hôpital Notre-Dame a été l'un des mieux réussis dans l'histoire de cette institution.

Les gouverneurs, les dames patronesses de l'hôpital et nombre de personnages distingués, avaient tenu à l'honneur d'assister à ce repas qui embellit tant l'existence décolorée des malades. Les salles présentaient un aspect des plus coquets. Décorées de festons et de guirlandes qui s'entouraient autour des colonnes, s'entrechaînaient, s'entremêlaient au plafond, décrivant sur le mur des arabesques, des dessins très gracieux, les différentes salles présentaient un très joli coup d'oeil. Et c'était sur les tables, au milieu des plantes et des fleurs, des friandises et des plats de tous genres, des gâteaux aux proportions monumentales. Ce qui faisait cependant le plus plaisir à voir au milieu de cette fête, c'était la figure réjouie de tous les malades, leur expression de contentement et de joie. On sentait que malgré leur infortune, ils étaient réellement heureux.

A l'entrée des salles, sous la présidence de Mgr Racicot, et servi par les dames patronesses, les invités se réunirent dans le salon de l'institution. Le Dr E.P. Lachapelle prononça quelques mots, félicitant les dames patronesses de leur zèle et du beau succès remporté. Le docteur Benoît lui succéda. Nous publions ici le texte (*abrégé*) de son discours.

« Monseigneur,

« Mesdames et messieurs.

« C'est le temps des étrennes. (...) Le Bureau d'administration veut (...) que j'aie l'honneur de dire les mots qu'il faut pour la circonstance.

« Je me rends volontiers à cette invitation, et l'honneur qu'on me fait est pour moi un plaisir, il me fournit l'occasion, Monseigneur, de vous témoigner la reconnaissance de l'hôpital pour l'exquise bienveillance qui vous anime à nos agapes charitables. Vous présidez si paternellement ce banquet des pauvres. Mais nous n'oublions pas, Monseigneur de Montréal, et vous voudrez bien dire à notre vénéré prélat combien nous avons regretté son absence, et combien

nous le remercions du vif intérêt qu'il porte à notre oeuvre.

« Je vous remercie également, Monsieur le Maire, d'avoir assisté à notre fête, vous, le premier citoyen de Montréal. La ville sait aujourd'hui ce que nous faisons pour elle, les sacrifices que nous nous imposons pour maintenir ce service d'ambulances devenu indispensable, et surtout pour réaliser l'oeuvre que vous nous avez confiée il y aura bientôt deux ans, j'ai dit la création d'un hôpital de contagieux, dans la partie française de la cité. Cet hôpital, nous achevons de le construire, et cela malgré des dépenses considérables que nous n'avions pas d'abord prévues. Vous saurez, Monsieur le Maire, nous en tenir officiellement compte, et redire au conseil municipal la bonne volonté que nous avons mise à réaliser cette oeuvre.

« Le Bureau me fournit également l'occasion de vous remercier bien cordialement, Monsieur le Consul général de France. L'intérêt que vous portez à nos pauvres malades, si loin de vos préoccupations habituelles, la bonne grâce avec laquelle vous venez chaque année prendre part à une réunion toute intime, nous prouve que la France n'a pas perdu l'une de ses meilleures qualités, celle de se faire aimer des peuples par d'aimables attentions, et de déléguer au milieu d'eux des hommes capables de le faire aimer.

« Messieurs les administrateurs ne vous oublient pas non plus, mesdames et messieurs. Notre oeuvre n'existe, ne progresse qu'avec votre concours, votre dévouement, votre charité. En assistant à cette fête préparée par votre générosité, vous avez égayé l'isolement de nos malades ; vous avez ajouté mesdames, à votre aumône, le geste gracieux qui en double le prix. »

GEORGE HERMAN RUTH
photo tirée du *Magazine illustré* de LA PRESSE de 1928.

Les extrémistes frappent presque simultanément à Rome et à Vienne

À coups de grenades et de tirs au pistolet-mitrailleur Kalachnikov, des terroristes arabes ont attaqué ce matin (**le 27 décembre 1985**) exactement à la même heure — 8h15 GMT — les comptoirs de la compagnie aérienne israélienne EL AL dans les aéroports de Rome et de Vienne.

Ces attaques ont fait au moins 13 morts et environ 90 blessés à Rome-Fiumicino et trois morts et 15 blessés à Vienne-Schwechat.

Triomphes de la technique, fléau de la guerre

Dans le but de marquer la première demie du XXe siècle, LA PRESSE proposait, dans son édition du *27 décembre 1950*, ce montage de photos qui, à ses yeux, symbolisaient le mieux les progrès techniques et les affres de la guerre. Il s'agit, en l'occurrence, des événements suivants : 1. GUGLIELMO MARCONI et l'invention de la télégraphie sans fil en 1901 ; 2. le premier vol d'un avion, le biplan des frères WILBUR et ORVILLE WRIGHT, en décembre 1903 ; 3. le début de l'industrie de l'automobile, symbolisé par la première voiture Daimler, construite par GOTTLIES DAIMLER, assis à l'arrière ; 4. le naufrage du Titanic en 1912 ; 5. les célébrations de l'armistice après la guerre de 1914-18, à Londres ; 6. l'évacuation de Dunkerque, qualifiée de « miraculeuse » par WINSTON CHURCHILL ; 7. enfin, l'explosion de la bombe atomique sur Nagasaki, en août 1945.

C'EST ARRIVÉ UN 27 DÉCEMBRE

1987 — La femme la plus âgée de Grande-Bretagne, et selon le livre Guinness des records, la plus âgée du monde, Mme Anna Williams, est décédée à l'âge de 114 ans et 209 jours à Swansea (pays de Galles).

1978 — Décès à Alger du président Houari Boumedienne, chef de l'État algérien depuis deux ans. — La police découvre un véritable charnier sous la maison d'un entrepreneur de Chicago, John Wayne Gacy. — Le journal *Montréal-Matin* ferme ses portes. Il avait été fondé en juillet 1930 sous le nom de *L'Illustration*.

1972 — Décès de M. Lester B. Pearson, prix Nobel de la paix, et ex-premier ministre du Canada.

1960 — Le roi et la reine de Belgique doivent écourter leur voyage de noces pour rentrer dans leur pays paralysé par les grèves.

1957 — Sept juges de la Cour d'Appel du Québec sont unanimes à déclarer illégale la formule Rand.

1948 — Arrestation du cardinal Mindszenty par le gouvernement communiste hongrois.

1947 — La République d'Indonésie accède à l'indépendance.

1942 — Un train rempli de soldats tamponne un train de voyageurs en Ontario : on dénombre 33 morts et 117 blessés. — Les armées nazies reculent sur six fronts.

La Vierge de Fatima aurait annoncé une guerre nucléaire

Mary Simon

L a dernière des trois célèbres prophéties annoncées par la Vierge lors d'une apparition à Fatima, au Portugal, en 1917, gardée secrète depuis par les papes successifs, concernerait l'éclatement d'une guerre nucléaire, selon un prélat italien, Mgr Corrado Balducci.

Dans son apparition, la Vierge avait confié ses prophéties à trois enfants. La première annonçait la fin imminente de la Première Guerre mondiale. Le deuxième annonçait l'éclatement d'un second conflit mondial, mais la troisième, jugée terrible, ne devait rester connue que des seuls papes.

Mgr Balducci, collaborateur de plusieurs souverains pontifes, estime que ce conflit nucléaire n'éclatera pas dans les quatre ans qui séparent l'humanité de l'an 2000. « La Madone conditionne ses prophéties au repentir. En somme, avec notre conduite nous pouvons retarder l'échéance de ce terrible cataclysme », a-t-il expliqué. (**Texte publié le 28 décembre 1995**).

Au nord, le Canada compte sur une femme

E n octobre dernier, le Canada a créé le poste d'ambassadeur aux Affaires circumpolaires, apportant une nouvelle dimension arctique à sa politique étrangère. Mme Mary Simon est devenue la première ambassadrice canadienne aux Affaires circumpolaires (**le 28 décembre 1994**) avec comme mandat principal de faire avancer les pourparlers en vue de la création d'un Conseil de l'Arctique, qui regrouperait les huit nations nordiques que sont les États-Unis (Alaska), la Russie (Sibérie), la Suède, le Danemark, la Norvège, la Finlande, l'Islande et le Canada.

En annonçant cette nomination, le ministre des Affaires étrangères, M. André Ouellet, a déclaré : « Les questions circumpolaires sont importantes pour tous les Canadiens. Depuis 25 ans déjà Mme Simon consacre son temps et ses énergies à la cause des Inuits et aux problèmes circumpolaires. Elle pourra de ce fait représenter le Canada avec efficacité et compétence dans les pourparlers avec les autres nations circumpolaires. »

L'hiver, une catastrophe économique

L a neige, le gel et le froid coûtent, au bas mot, 5 milliards aux familles québécoises et encore 4 milliards à la collectivité dans son ensemble, en ralentissant le rythme de la croissance économique et en provoquant du chômage.

Commençons par le logement. Pour résister à l'hiver, une maison québécoise coûte environ 10 pour cent de plus que celle que l'on construit en Virginie. Cela donne environ 7000 $ pour un bungalow moyen de 70 000 $.

Le coût supplémentaire s'explique par la nécessité d'avoir des fondations plus profondes, pour qu'elles résistent au gel, un système de chauffage, des murs plus épais et mieux isolés, un toit plus résistant, des fenêtres doubles, des portes de bonne qualité. En plus, à chaque année, il faut compter 500 $ en frais de chauffage.

Les coûts liés à l'automobile sont aussi élevés.

L'hiver implique certaines dépenses évidentes : pneus d'hiver, grattoirs, antigel, traitement anti-rouille. Mais d'autres coûts cachés sont encore plus importants: 15 pour cent de plus en assurances, pour le risque d'hiver, 15 ou 20 pour cent de plus en con-

sommation d'essence et le fait que les automobiles survivent moins longtemps dans un pays froid.

Du côté des vêtements, le coût d'une garde-robe hivernale est très élevé. Pour une famille de deux adultes et de deux enfants d'âge scolaire, bottes, manteaux d'hiver, mitaines, tuques et autres accessoires coûtent 1930 $. C'est énorme, d'autant plus que les enfants grandissent vite et perdent leurs mitaines, c'est bien connu.

Cela permet d'insister sur une dimension de notre climat très coûteuse pour le consom-

mateur. Ici, il fait froid l'hiver, mais il fait très chaud l'été. Cela oblige les familles à constituer deux, sinon trois garde-robes, si l'on porte des vêtements de demi-saison. C'est ce dédoublement qui coûte cher. En Norvège, par exemple, il fait froid : mais le gros chandail de laine nécessaire au mois de janvier sert également tout l'été.

En tout, on peut évaluer le coût de l'hiver à environ 3500 $ par famille, ce qui équivaut à 10 pour cent de leur revenu. À l'échelle de la province, on arrive à un coût total de 5 milliards. (**Texte publié le 28 décembre 1985**)

L'endettement excessif: une plaie qui se répand

M ême chez les jeunes, il est de plus en plus facile de s'endetter de façon excessive.

Un cas typique est celui d'un homme de 24 ans qui a accumulé 40 000 $ de dettes.

« Une caisse populaire a accordé à ce jeune, qui est vendeur dans un magasin, un prêt personnel de 20 000 $, sans endosseur et sans hypothèque.

« Avec une marge de crédit, quelques cartes et un prêt auto, on arrive rapidement à des sommes élevées ». (**Texte publié le 28 décembre 1989**)

Après un mois de surveillance assidue, l'inspecteur D.-J. Kearney, du service fédéral des douanes et de l'accise, procédait le *28 décembre 1926* à la découverte, sur la rue Mullins, à Montréal, de la distillerie clandestine (ou alambic) la plus considérable de l'histoire de la production illégale de boissons alcoolisées, puisqu'elle avait une capacité de 2 000 gallons par semaine. Le montage photographique permet de voir l'édifice de la rue Mullins et ses installations à l'intérieur. L'inspecteur Kearney paraît dans deux des photos du bas.

Le froid, les tramways et les citoyens

P LUSIEURS personnes se plaignent, depuis quelques jours, et plus particulièrement depuis les grands froids que nous avons, du service absolument déplorable que leur donne la compagnie des tramways, rue Amherst. Il arrive la plupart du temps qu'aux heures de la fermeture des bureaux et des ateliers, les tramways ne se succèdent qu'à un intervalle de 10 à 12 minutes. Aussi y a-t-il, à chaque intersection de voies de tramway, où les porteurs de correspondance ont le temps de se former par groupes trop nombreux pour prendre place dans un seul tramway, des batailles vraiment disgracieuses où l'idée du bien-être individuel l'emporte sur toute galanterie. On veut sa place, on ne veut pas geler plus longtemps, et pour décrocher cette place, on luttera ferme, sans crainte de bousculer, de condamner à dix minutes supplémentaires de froidure intolérable, de faibles femmes, des dames et des jeunes filles qui n'ont même pas la ressource d'entrer dans un bar pour se réchauffer. Ceux qui ne peuvent trouver place sur les trop rares tramways, murmurent, pestent, jurent contre la compagnie des tramways qui semble ne pas se soucier de la plainte du public, et ne pas vouloir augmenter suffisamment le nombre de ses voitures aux heures où, forcément, le trafic redouble.

Aux heures ordinaires de la journée, c'est encore pire. Ainsi, hier après-midi, deux dames que nous ne désignerons pas autrement que Mmes X et Z, mais dont nous avons les noms, ont attendu, vers 4 heures, un tramway de la rue Amherst, pendant un quart d'heure, à l'angle des rues Duluth et Parc-Lafontaine. Elles étaient gelées quand arriva le tramway se dirigeant vers le sud ; elles croyaient tout de même avoir l'occasion de se réchauffer en pénétrant à l'intérieur, mais pas du tout, la fournaise était sans feu, et tout le monde claquait des dents et grelottait. (...)

Hier soir (28 décembre 1903), à 7 heures 55, le représentant de LA PRESSE accompagné d'une dame, attendit le tramway sur le parc Lafontaine, jusqu'à 8 heures 13, soit 18 minutes sous une température de 18 degrés sous le zéro.

Les citoyens du parc Lafontaine se demandent s'ils ne sont pas

contribuables comme les autres, et si la compagnie des tramways a le droit de les négliger de la sorte. On avait cru qu'avec le nouveau circuit de la rue des Commissaires passant par le parc Lafontaine, les tramways allant vers le nord et le sud se seraient succédé à toutes les trois ou quatre minutes, mais il n'en a été de rien, paraît-il !

On commence à s'exaspérer.

Ce texte remonte à 80 ans. Pourtant, ne trouvez-vous pas qu'on pourrait, hormis le chauffage, l'appliquer à bien des situations contemporaines ?

Une bien triste scène

Si Noël est pour la majorité une occasion de réjouissance et de bombance, pour les clochards de Montréal et d'ailleurs, c'est une tout autre histoire et la tournée quotidienne des poubelles en bordure des trottoirs, dans l'espoir de dénicher quelques restes de nourriture ou un objet de valeur, est une scène bien triste à voir en cette période de l'année. (**Texte publié le 28 décembre 1997**).

Une enseignante dans l'espace

L' institutrice choisie pour être la première « personne ordinaire » à voyager dans la navette spatiale avoue se sentir étourdie dans un carrousel.

Mais Mme Christa McAuliffe, 37 ans, sera à bord de l'appareil quand celui-ci sera lancé, le 23 janvier, et donnera ses cours depuis la navette. (Texte publié le 28 décembre 1985)

LA BÉNÉDICTION DU PATRIARCHE

Quel beau tableau, illustrant une tradition qui a hélas tendance à disparaitre! Cette première page a été tirée de l'édition du *29 décembre 1917*.

Radio et télé d'État paralysées

Une grève pas comme les autres!

LE **29 décembre 1958**, une poignée de 75 réalisateurs de télévision de Radio-Canada déclenchaient à 5 h de l'après-midi une grève qui allait bouleverser pendant près de trois mois (les grévistes devaient rentrer au travail le 9 mars) les habitudes acquises par les Montréalais depuis l'avènement de la télévision au début des années 50.

En effet, devant l'appui quasi unanime (et vraisemblablement inespéré, faut-il le préciser) offert aux réalisateurs par quelque 2 200 des 2 600 autres employés de Radio-Canada ainsi que les membres de l'Union des artistes, la programmation de la radio et de la télévision francophone se retrouvait complètement chambardée, du fait que la majorité des émissions étaient à l'époque télévisées et radiodiffusées en direct. C'est ainsi que dès la première journée de la grève, les Montréalais se retrouvaient sans deux de leurs émissions préférées de l'époque, en l'occurrence « Les belles histoires des pays d'en haut » et « La poule aux oeufs d'or ». Évidemment, on n'en était qu'au lundi, et il n'était pas encore question de s'inquiéter quant au sort du match du samedi soir, au Forum... Jamais aurait-on pu penser que les téléspectateurs devraient se contenter d'une diète aussi longue de films, fussent-ils des primeurs à la télévision.

La grève reposait essentiellement sur une question de principe: la société Radio-Canada refusait de reconnaitre immédiatement le syndicat présidé par Fernand Quirion, comme ce dernier le demandait. En fait, la société d'État n'appréciait guère la syndicalisation de ses réalisateurs, considérés comme des cadres par la haute direction. Soixante-dix jours plus tard, fort de la solidarité de leurs milliers de supporters, à l'intérieur comme à l'extérieur de la boite, les réalisateurs avaient finalement gain de cause, en obtenant de Radio-Canada la reconnaissance de leur droit de se syndiquer même s'ils occupaient des fonctions à caractère patronal.

Cette grève avait également provoqué de profonds remous à cause de la qualité intellectuelle des personnalités qui s'y étaient impliquées à divers titres, et qui en sont sorties généralement grandies. On pense par exemple à MM. Pierre Elliott Trudeau, René Lévesque, Jean Marchand, Gérard Pelletier, Jean Duceppe, Roger Baulu et combien d'autres encore.

Le Québec n'allait plus être le même, d'autant plus qu'un an plus tard, Jean Lesage s'installait au Parlement de Québec et mettait en place les mécanismes de la révolution tranquille.

La « défense pour ébriété » fortement critiquée

La majorité des Canadiens ne sont aucunement d'avis que l'intoxication extrême devrait constituer une défense légitime dans des causes criminelles.

Selon un sondage effectué récemment sur cette question par l'Institut Gallup, 86 pour cent des Canadiens ne pensent pas que l'intoxication extrême, qu'elle soit causée par l'alcool ou une drogue, puisse être invoquée comme défense légitime.

Un Canadien sur dix est de l'avis contraire, tandis que 4 pour cent ne formulent aucune opinion.

La « défense pour ébriété » a fait couler beaucoup d'encre au Canada par suite de la décision de la Cour suprême d'ordonner un nouveau procès pour Henri Daviault, de Montréal, qui avait été reconnu coupable d'agression sexuelle. Daviault avait été accusé d'avoir violé une femme, en 1989, après avoir consommé beaucoup d'alcool, mais il fut acquitté parce que le juge pensait qu'il existait un doute raisonnable que l'accusé savait ce qu'il faisait au moment du délit.

Cet acquittement devait toutefois être cassé par la suite par la Cour d'appel du Québec, et la Cour suprême du Canada, faisant valoir, par six voix contre trois, que de condamner quelqu'un qui ne savait pas ce qu'il faisait était contraire aux dispositions de la Charte des droits de la personne, avait ordonné un nouveau procès. **(Texte publié le 29 décembre 1994)**

LA POLICE LEUR MET LE GRAPPIN

Une quinzaine d'agents de loteries clandestines arrêtés par le chef Carpenter et ses hommes.

LEUR SYSTÈME D'OPÉRATIONS

LE chef de la sûreté, M. Carpenter, aidé du sous-chef Charpentier et des détectives Côté, Guérin, McCall, Lemieux, Laberge, Vincent, Gallagher, Richard et McLaughlin, a fait irruption, hier soir **(29 décembre 1903)**, dans neuf maisons de jeux connues sous le nom de « policy shops » ou loteries clandestines.

Ces bouges ont existé de tous temps à Montréal. Il en résultat de tels abus, dans les années passées, que les citoyens, effrayés, firent appel à la législature, qui les prohiba complètement. Cependant, la loi telle qu'adoptée est tellement vague que des juges de haute compétence, consultés sur le chapitre des associations dont les fins sont plus ou moins aléatoires, balancèrent en faveur des joueurs. Depuis, on s'est servi de moyens divers pour éluder la loi et tromper la police, tout en « plumant » les dupes. Les victimes ne se comptent plus.

Ce qui est encore plus étonnant, c'est que des milliers d'agents sont encore actuellement sur le chemin, sollicitant des clients aussi ouvertement que les commis voyageurs représentant les grandes maisons de commerce.

Depuis six semaines, le chef Charpentier recevait des plaintes réitérées de familles, de marchands et d'industriels.

LA RUINE DES OUVRIERS

Les mères de familles venaient en pleurant demander au chef de les aider à détourner leurs maris ou leurs fils de ces antres, où, ceux qui y entrent avec une bourse perdent tout espoir d'en sortir indemnes. Ce ne sont ordinairement que de pauvres ouvriers dont le salaire est justement suffisant pour subvenir aux besoins de leur nombreuse famille.

Dernièrement, un ouvrier alléché par le récit des opérations heureuses d'un camarade d'ouvrage, plaçait toute sa paie de la semaine dans une de ces loteries. Il arriva que dans la même semaine un de ses enfants mourut et les voisins durent se cotiser pour l'enterrer. (...)

Un jeune commis fut pris, la semaine dernière, en flagrant délit de vol dans la caisse de son patron. Il jouait à la loterie. Il a fait des aveux complets. (...)

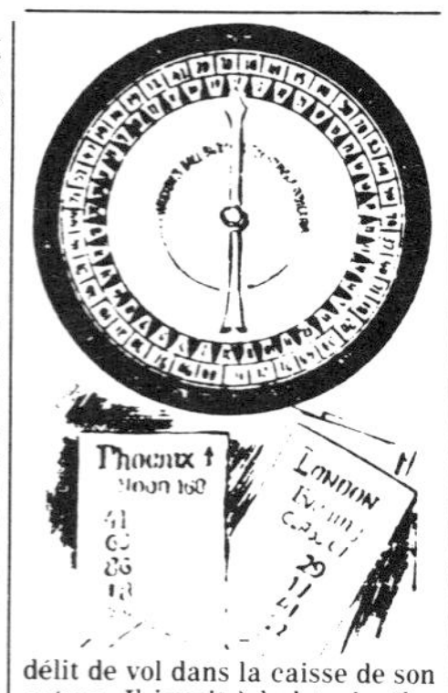

LA METHODE D'OPERER

Les méthodes de ceux qui dirigent ces loteries prohibées sont bien connues. Ils se disent agents de maisons de Londres et des États-Unis. Ces maisons d'affaires n'existent pas. Les billets se vendent au jour le jour. Comme il est dangereux de posséder des appareils de tirage coûteux, les exploiteurs ne se servent que d'une petite roulette portative qu'ils peuvent faire disparaître dans la poche de leur pardessus à l'approche de la police. Le tirage a lieu le midi et le soir.

Le matin, c'est la compagnie dite « Phoenix » ; le soir, c'est la « London ». De fait, ce sont les mêmes exploiteurs qui dirigent les deux loteries. Le résultat du tirage est annoncé aux abonnés au moyen de listes qui sont imprimées grossièrement au clavigraphe. (...)

SUR LE TOIT D'UN BATIMENT

Dans le courant de l'été dernier, la police lancée aux trousses de ces escamoteurs, ne put facilement les découvrir à cause des moyens ingénieux qu'ils adoptaient pour dépister la rousse. Le soir, les conspirateurs s'assemblaient sur le toit d'un bâtiment très élevé de la rue Saint-Laurent, et, sur le coup de 10 heures, à la clarté d'une lanterne chinoise, ils faisaient le tirage officiel. Ces méthodes étaient connues de la police, mais le plus difficile était d'arriver aux joueurs et d'obtenir des preuves suffisantes pour les faire condamner.

Mais hier, la mesure était pleine ; l'heure de l'expiation était sonnée. Le chef Carpentier, avec sa phalange de détectives, arrêtaient une quinzaine de personnnes.

Les prévenus ont nié leur culpabilité, et leur procès aura lieu plus tard.

Les Chinois s'éclatent

La Chine a à son actif la plus violente explosion non atomique provoquée de l'histoire.

L'armée chinoise a rasé le mont Paotai en y plaçant 12 000 tonnes de dynamite, dégageant ainsi le terrain pour agrandir un aéroport dans la zone économique spéciale de Zhulai, près de Macao.

L'explosion, déclenchée à 5h 50, a provoqué une onde de choc ressentie à Macao et aussi à Hong Kong où les sismologues ont dit que la déflagration équivalait à un tremblement de terre de magnitude 3,4 sur l'échelle de Richter. **(Texte publié le 29 décembre 1992)**

Une poignée de boas

Uwe Richter compte une poignée de jeunes boas constricteurs lors de l'inventaire annuel du zoo Hagenbeck de Hambourg, en Allemagne de l'Ouest. Les sept serpents, nés quelques jours avant Noël, font partie des 2159 animaux appartenant à 376 espèces différentes qui vivent dans l'enceinte du zoo... si l'inventaire est exact. (Texte publié le 29 décembre 1988).

Le Canada encore parmi les plus riches

Les Canadiens qui devront bientôt faire face au remboursement des factures accumulées durant la période des Fêtes se consoleront à l'idée qu'ils sont dans une situation meilleure que la plupart des hommes.

Selon des données publiées par la Banque mondiale, le Canada demeure l'un des pays les plus riches au monde en termes de revenu per capita et l'un des meilleurs endroits où naître et jouir d'une longue vie

Le Canada se classe 16e au monde sur la base du revenu per capita selon l'atlas de la banque mondiale : cette mesure calcule le produit national brut et le divise par la population.

Le revenu per capita au Canada en 1993 était de 20 670 $ (toutes les sommes sont en dollars américains).

La Suisse était le pays le plus riche avec un revenu per capita de 36 410 $, suivi du Luxembourg (35 850 $), du Japon (31 450 $), du Danemark (26 510 $), de la Norvège (26 340 $), de la Suède (24 830 $), des États-Unis (24 750 $), de l'Islande (23 620 $), de l'Allemagne (23 560 $ et du Koweit (23 350 $).

Le Canada arrive juste derrière les Pays-Bas (20 710$) et bien en avant l'Italie (19 620 $).

Le pays le plus pauvre du monde est le Mozambique, où le produit national brut per capita était de 80$. **(Texte publié le 29 décembre 1994).**

C'EST ARRIVÉ UN 29 DÉCEMBRE

1992 — Le suicide avec l'aide d'un médecin est refusé à une malade en phase terminale. Sue Rodriguez perd sa cause devant la Cour suprême de la Colombie-Britannique.

1989 — Deux hommes armés s'emparent de bijoux valant environ 700 000 $, à la succursale de la bijouterie Birks, au 1500, avenue McGill College dans le centre-ville de Montréal.

1975 — L'explosion d'une bombe fait 13 victimes à l'aéroport La Guardia de New York.

1973 — Carlos Arias Navarro, ministre de l'Intérieur, est nommé chef du gouvernement espagnol par le général Franco, en remplacement de Carrero Blanco, assassiné neuf jours plus tôt.

1972 — Un Lockheed L-1011 d'Eastern Airlines s'écrase dans les Everglades. On dénombre une trentaine de survivants parmi les 167 passagers et membres d'équipage. C'était le premier avion de ce type à être impliqué dans un accident depuis sa mise en service deux ans plus tôt. — Arrestation à Dublin de Rory O'Bradaigh, chef du Sinn Fein irlandais.

1969 — À Manille, une bombe explose près de la limousine du vice-président des États-Unis, M. Spiro Agnew, qui s'en tire indemne.

1960 — Décès à Lisbonne du Dr Philippe Panneton, homme de lettres sous le pseudonyme de Ringuet, et ambassadeur du Canada à Lisbonne.

1952 — Libération du Dr Alan Nunn May après six ans et huit mois dans une prison anglaise. Il avait été reconnu coupable d'avoir livré des secrets de la bombe atomique à l'Union soviétique. Il avait travaillé au Centre de recherches atomiques de Montréal.

1945 — Selon des statistiques publiées à Ottawa, la Deuxième guerre mondiale auraient occasionné les pertes suivantes chez les troupes canadiennes : 41 371 morts, 42 178 blessés, 10 844 prisonniers, et 32 disparus.

Blanchi par l'analyse de l'ADN

Après six années passées en prison pour un viol qu'il n'avait pas commis, Lennie Callace, 38 ans, père de quatre enfants, chauffeur de taxi occasionnel et voleur à la petite semaine, a retrouvé sa maison dans un quartier crasseux de Brooklyn baptisé « Le Trou ».

Callace doit sa libération à une technique récente d'identification des criminels : l'analyse de l'ADN. Ce type d'examen, admis pour la première fois en 1987 par un tribunal américain, est l'une des techniques les plus fiables avec celle des empreintes digitales. **(Texte publié le 29 décembre 1992).**

L'HOMME DU SIECLE

L'euro arrive

Les eurosceptiques ont perdu. Après 50 ans de tiraillements pour créer une économie capable de rivaliser avec celle des États-Unis, l'Europe aura finalement une monnaie commune à compter du ler janvier : l'euro.

Onze des 15 pays de l'Union européenne — la France, l'Italie, l'Allemagne, la Belgique, les Pays-Bas, le Luxembourg, la Finlande, l'Autriche, le Portugal, l'Espagne et l'Irlande — feront un grand saut dans l'inconnu, au jour de l'An, avec tous les espoirs et les risques que cela comporte. (**Texte publié le 30 décembre 1998**).

La petite Béatrice a vu le paradis

Pour toute l'Italie, elle est désormais « la petite Béatrice qui a vu le paradis ». Déclarée morte par son médecin après trois heures de coma profond, Béatrice Fuca, 13 ans, s'est soudain « réveillée » et a murmuré à ses parents : « J'étais dans un pays merveilleux », puis elle s'est éteinte quelques minutes plus tard.

L'histoire de Béatrice, de ses souffrances, de cette étrange paix avant la mort définitive, a bouleversé les médias italiens. La télévision a ouvert son journal sur Béatrice, et sur ce mystère de « l'au-delà » effleuré par l'enfant.

Elle est restée éveillée pendant une vingtaine de minutes a déclaré le père. « Elle disait : "Je me sens bien". Elle ne parlait pas d'une voix fatiguée, oppressée. Elle parlait tout doucement », explique la mère. Selon un cousin médecin, « Béatrice parlait avec beaucoup de lucidité ».

Et puis, « elle a fermé les yeux, elle était repartie dans le sommeil de la mort », dit encore le père.

Le médecin a estimé qu'il pourrait s'agir d'un cas de mort clinique apparente (coeur arrêté, mais fonctions cérébrales non encore bloquées). Si la famille et le curé de la paroisse évitent soigneusement les mots « miracle » ou « résurrection », l'évêque de Foligno, Mgr Benedetti, indiquait hier n'être « pas au courant ».

Les parents soulignent : « Pour nous, ce qui compte, c'est la douleur d'avoir perdu Béatrice ». (**Texte publié le 30 décembre 1986**).

Une mémé de 101 ans battue par un garçon de 10 ans

Une Américaine de 101 ans vient d'être attaquée par un garçon de 10 ans dont elle aidait souvent la famille.

Mme Young, veuve depuis 1961, s'occupe depuis longtemps des enfants dont les parents sont dans l'incapacité financière de pourvoir à leurs besoins. Elle envoyait souvent de la nourriture à la famille du garçon accusé de l'avoir attaquée.

Selon la police, le garçon s'était rendu chez Mme Young dimanche vers midi, lui disant qu'il revenait de l'église et lui demandant si elle avait besoin de quelque chose. Il est ensuite entré dans une pièce voisine, disant à la vieille dame qu'il ne faisait que « jeter un coup d'oeil ».

Alors que Mme Young s'inquiétait et demandait à l'enfant de ne pas mentir, il lui a rétorqué : « Ne me dites pas ce qu'il faut faire, vieille chipie », et s'emparant d'une barre métallique, il s'est mis à la frapper.

Les médecins ont rapporté qu'outre son affaissement pulmonaire, Mme Young souffrait de profondes coupures à la tête, à un doigt et au poignet gauche. (**Texte publié le 30 décembre 1986**).

LE BAISER
La contagion du craw-craw

LE baiser a beaucoup d'ennemis. Il a vrai qu'il a tant d'amis ardents et fidèles, qu'il peut défier la médisance et même la calomnie ! Mais ses adversaires ne sont point négligeables. Les moralistes, d'abord, acharnés à l'interdire, au nom d'une morale spéciale, en Angleterre notamment, au risque de compromettre l'oeuvre sacrosainte de repopulation. Les hygiénistes, ensuite, dont on n'a pas oublié la campagne pour nous persuader que le baiser était le véhicule de microbes effroyablement pathogènes qui répandaient le désordre dans notre organisme en y dansant un cake walk effréné.

On avait laissé dire aux empêcheurs de s'embrasser à la ronde, et le baiser avait conservé auprès de la majorité de nos contemporains la faveur dont il jouit avec quelque raison. Mais voici qu'il nous vient du Cap et du Transvaal une angoisse nouvelle au sujet du baiser.

Il paraîtrait démontré que le baiser expose les...participants à contracter le « craw craw ». Rien que le nom vous fait passer un petit frisson dans les mâchoires, n'est-ce pas ? Le « craw craw » sévirait à l'état endémique dans l'ouest de la colonie du Cap et dans plusieur districts du Transvaal. Il est causé par un ver microscopique de la famille des anguillulidés. Malgré son extrême petitesse, dit un de nos confrères, il est très actif et se multiplie à l'infini dans le sang du malade, qui est en proie à des démangeaisons épouvantables, particulièrement dans le dos, sur les bras et sur les épaules. L'université de Birmingham s'est occupée activement de ce nouveau fléau ; elle a déjà reconnu qu'il ne se contracte que par le contact des lèvres.

Cette fois, c'est fini de rire. Le microbe du baiser n'est pas un mythe. Les moralistes sont dans l'allégresse paraît-il, à l'idée que les amateurs auront toujours ce microbe sur les lèvres. Férocement, ils en tirent des conséquences heureuses pour notre vertu. Mais le baiser familial, le baiser de la mère à son enfant, devient aussi un danger.

Un baiser, c'est bien douce chose.

S'il faut le payer de démageaisons épouvantables, un des plus jolis gestes de l'humanité va disparaître, condamné par la science. Au fait, la fameuse tunique de Nessus, ce n'était peut-être , symboliquement, que le « craw craw » ?

Cela se passait le 30 décembre 1904.

La caution de parents indignes fixée à 100 000 $

Un juge a fixé à 50 000 dollars chacun la caution d'un couple de la banlieue de Chicago accusé d'être parti en vacances au Mexique en abandonnant ses deux jeunes enfants à la maison.

Les parents indignes, David Schoo, 45 ans et sa femme Sharon, 35 ans, ont comparu devant le juge Richard Larson sous des accusations d'abandon d'enfants, de mise en danger de leur vie et de cruauté envers eux, lors d'une audience tenue à huis clos.

Leurs deux filles, Nicole, 9 ans, et Diana, 4 ans, ont déclaré aux autorités qu'elles avaient été laissées seules tandis que leurs parents partaient en vacances. Bien que leur demeure fut propre et remplie de provisions, les enfants n'avaient aucun moyen d'entrer en contact avec leurs parents en cas d'urgence.

C'est lorsqu'un détecteur de fumée s'est accidentellement déclenché dans la maison que l'aînée, prise de peur, a appelé la police. (**Texte publié le 30 décembre 1992**).

Les riches subventionnés

Une banque invisible qui ne reçoit aucun dépôt existe au Canada et elle finance chaque année plus de 6 milliards de dollars de prêts à la consommation à un coût approchant 400 millions ! Son nom ? Personne ne le connaît, mais on pourrait l'appeler la « Banque des utilisateurs à crédit de cartes Visa et MasterCard inc. »

Comment cela est-il possible ?

Les acheteurs à crédit utilisant le système Visa MasterCard paient un coût de financement d'environ 20 pour cent au lieu des 14 pour cent qu'ils devraient normalement payer pour des prêts à la consommation ordinaire.

La différence est destinée à financer les trois semaines « de grâce » que le système accorde à cette autre classe de détenteurs de cartes de crédit : ceux qui paient leurs achats en une fois, trois semaines après avoir reçu leur état de compte, sans verser un sou d'intérêt.

Comme les banques ne font pas de miracles, il faut bien que quelqu'un finance ce que leur association qualifie de « flottement » et qu'elle évalue dans son mémoire au Parlement à 6 points de pourcentage, flottement qu'un calcul évalue à la coquette somme de 390 millions.

Ce bel exemple de solidarité inversée, qui veut que les plus endettés financent les plus riches, est soutenu par environ 55 pour cent des cartes, représentant environ les deux tiers des soldes débiteurs. (**Texte publié le 30 décembre 1986**)

Signor Guillelmo Marconi, le célèbre inventeur de la télégraphie sans fil

*Dans son édition du **30 décembre 1901**, LA PRESSE proclamait sans ambages Signor Guillelmo Marconi, l'« HOMME DU SIÈCLE ». Voyons en quels termes (qu'on trouverait plutôt lyriques à notre époque) elle l'avait fait.*

Ce montage illustré accompagnait le long article consacré à Guillelmo Marconi, dans LA PRESSE du *30 décembre 1901*.

GUILLAUME, ou plutôt — respect de l'épellation nationale — Guillelmo Marconi, le roi de la science moderne, « l'homme » du XXe siècle, ce « sorcier » de 27 ans — qu'on nous passe l'expression — qui est, enfin, parvenu, après des années d'études et de recherches, à jeter cette parcelle miraculeuse d'électricité d'un continent à l'autre, est entré à Montréal hier soir, vers les huit heures, venant de Terre-Neuve, théâtre de ses dernières expériences.

Merveille du progrès humain, Marconi l'est bien. Et qu'est-ce que le progrès, sinon l'expression de la loi divine qui conduit l'humanité du mal au bien, de la pauvreté à la richesse! Quand la terre s'échappa des mains de Dieu, elle était couverte d'aspérités et brute comme la boule de métal sortie du creuset du fondeur. Pendant bien des milliers d'années, elle fut inhabitable pour toute créature vivante. Ce n'était qu'une ébauche, à laquelle, dans ses suprêmes desseins, Dieu n'avait pas donné sa dernière main. C'est pourquoi, en déposant l'humanité sur sa terre refroidie, il fut dit : « Je suis la vie, parce que je suis la force ; je suis le travail éternel car la force ne peut se reposer. Or, je t'ai faite à mon image, c'est-à-dire que je t'ai créée pour le travail. Le globe sur lequel tu es, t'appartient ; je te le donne ; tout y est préparé pour ton bonheur, si tu travailles, pour ton malheur, si tu demeures oisive. Tu es mon associée ; poursuis, en en la perfectionnant, l'oeuvre de la création. J'ai tout fait ce qui était au-dessus de tes forces, fais le reste. Je t'ai donné l'intelligence, qui est une étincelle de mon être, et la main qui est à la fois un sceptre, signe de ta royauté, et le plus délicat des instruments de travail. À l'oeuvre donc! Je suis avec toi.

Longtemps donc, l'homme ne comprit pas sa mission divine. Au lieu de perfectionner son globe, l'humanité se divisa en nations ennemies qui se disputèrent entre elles une place au soleil, comme si la terre était trop étroite pour les loger toutes ; mais aujourd'hui qu'elle est entrée dans une vigoureuse adolescence, et que la raison lui est enfin venue, elle a honte de son passé : elle élargit la pointe des baïonnettes pour en faire des socs de charrue, et demander à la science, qui guide le travail, la gloire sans les larmes, et la richesse, fruit d'un labeur productif. L'esprit de la conquête la domine toujours, mais elle veut la conquête pacifique qui, au lieu de répandre le sang humain, verse dans des chaudières bouillantes d'eau, ce véritable sang des machines dont les flots coulent sur tous les champs de bataille de l'industrie.

Autrefois, l'homme dont les pieds craignent les épines, se traînait péniblement sur la terre, armé comme le ourang-outang, du bâton qu'il avait pris à la forêt voisine. Il ne tarda pas à dominer le cheval sur lequel il s'élança avec fierté. Mais le cheval faisait jaillir la boue et voler la poussière ; l'humanité créa le chemin de fer, aussi propre qu'un ruban de soie ; et comme le cheval, ce noble et fougueux animal, ne pouvait pas suffire à l'impétuosité de sa marche, elle l'a renvoyée à l'écurie pour construire des coursiers métalliques, qu'elle nourrit de terre et qui roulent et se précipitent comme l'ouragan. Elle a soumis les mers comme les continents ; elle s'est élancée sur de gigantesques vaisseaux, véritables Léviathans mécaniques qu'elle nourrit de feu, puis elle a dit à l'Océan étonné : « Tu es désormais mon esclave, et tu me serviras avec docilité ».

Et quand l'humanité eut parcouru toute la terre et pris possession de son domaine, elle voulut se sentir vivre partout à la fois. Elle prit alors modèle sur les êtres organisés et lança dans toutes les directions des fils électriques, véritables cordons nerveux qui lui donnent la reconnaissance instantanée des événements les plus lointains, de même que le cerveau perçoit, à l'instant même de leur production, les sensations que l'oeil, l'oreille ou la main viennent d'éprouver.

L'humanité, fille de Dieu, qui est la suprême lumière, avive la clarté du jour. Un soir donc, que les ténèbres portaient l'ennui dans son âme, elle dit : Je veux qu'il ne soit plus nuit, que la lumière soit, et la lumière fut, et des millions de becs enflammés jaillirent du sein de la terre. Puis l'électricité, âme et lumière du monde, vint remplacer de ses rayons éblouissants la lueur jaunissante et fumeuse des gaz.

Puis l'humanité dit un jour : Est-ce que mon intelligence ne vaut pas les ailes de l'oiseau, qui n'a que l'instinct ? Est-ce qu'il ne ne me sera pas donné de me promener dans les plaines de l'air et de conquérir l'océan atmosphérique ? Elle dit et créa le ballon, qu'un Santos-Dumont est aujourd'hui en train de faire marcher avec autant de précision dans les airs que la pointe du compas guidée sur le papier par le géomètre attentif.

Enfin, ces jours derniers, près de Saint-Jean, Terre-Neuve, un Marconi vient nous démontrer la transmission instantanée de l'atome électrique à travers des milles et des milles d'espace, reliant par la seule conductibilité des couches atmosphériques les continents aux continents.

C'est le dernier mot de la science!

*LA PRESSE poursuivait son long article en expliquant de quelle manière, le 12 décembre précédant, vers 11 h 30 du matin, Marconi s'y était pris pour relier, par la télégraphie sans fil, les 2 000 milles séparant la station de Toldhu, à Cornwall, Angleterre, de celle de Terre-Neuve, grâce à deux instruments, transmetteur et émetteur, accordés avec une extrême précision, puisque la transmission était assurée par des oscillations vibratoires atteignant la vitesse de **900 000** à un million de vibrations par seconde, alors que pour la première fois de l'histoire, le « s » de l'alphabet morse franchissait un océan sans l'aide d'un fil. Mais tout n'avait été sans difficulté, l'Anglo-American Cable s'étant objectée par voies légales à ce qu'il poursuive à Terre-Neuve des expériences qui allaient signifier la mort du câble sous-marin.*

Marconi était né de père italien et de mère anglaise à Griffore, près de Bologne, le 25 avril 1874. En 1896, alors qu'il avait 22 ans, il alla se fixer en Angleterre, une fois ses études terminées à l'Université de Bologne. Il avait réussi sa première expérience de télégraphie sans fil en mars 1899, alors qu'il était parvenu à relier deux villes distantes de 32 milles.

CE QUE DIT EDISON A LA PRESSE

«Présentement, je suis plutôt disposé à croire que la télégraphie sans fil ne deviendra jamais «commercialement» praticable au point de faire disparaître les systèmes actuellement en opération. Cependant, je n'ai pas le moindre doute que la télégraphie sans fil rendra des services importants au chapitre du signalement des navires et en temps de guerre pour la transmission de dépêches d'un navire à l'autre, etc.

«Cependant, je tiens à ajouter qu'on en peut prévoir ce qui arrivera dans le domaine des découvertes scientifiques. Quelque chose peut arriver un de ces matins, qui créera toute une révolution.»

Thomas A. Edison

C'EST ARRIVÉ UN 30 DÉCEMBRE

1979 — Richard Rogers, co-auteur de comédies musicales à succès comme *Oklahoma, South Pacific, The King and I et The Sound of Music,* meurt à l'âge de 77 ans.

1972 — Washington met fin aux bombardements au Vietnam du Nord alors que la guerre du Vietnam entre dans sa 13e année.

1970 — Le général Franco dénoue le drame de Burgos en commuant les peines de mort prononcées contre six nationalistes basques.

1968 — Décès de Trygve Lie, premier diplomate à occuper les fonctions de secrétaire général de l'ONU.

1967 — Décès de Vincent Massey, le premier Canadien d'origine à occuper le poste de gouverneur-général du Canada.

1949 — Le Vietnam accède à l'indépendance, mais la France se réserve le contrôle militaire du nouvel État.

1948 — Rome excommunie le nouveau gouvernement hongrois, à la suite de l'arrestation de Mgr Mindszenty.

1935 — L'aviation italienne bombarde un hôpital de la Croix-Rouge à Addis Abeba, Éthiopie. On dénombre 24 morts.

1906 — Un accident ferroviaire fait 53 morts à Washington.

1903 — Un incendie dans un cinéma de Chicago fait 682 morts.

1 milliard de grands travaux dans l'île de Montréal

Les grands chantiers de travaux publics qui seront inaugurés dans la région de Montréal en 1984 représenteront une valeur globale d'investissement de plus de 1 milliard.

« À eux seuls, les travaux de prolongement du réseau de métro dans le nord-est de la métropole et la construction d'un métro de surface vers Pointe-aux-Trembles nécessiteront des dépenses de 445 millions.

À ce grand chantier, il faudra ajouter ceux de l'élargissement de la rue Notre-Dame, du projet de développement domiciliaire aux usines Angus, l'épuration du lac Saint-Louis et le réaménagement des accès de l'aéroport de Dorval.

Qualifiée de « projet de la décennie », l'épuration du lac Saint-Louis constituera l'un des plus importants chantiers de la région de Montréal au cours des trois prochaines années. Il s'agit d'un projet global de 402 millions qui a reçu le feu vert des autorités de la CUM en novembre dernier.

La part du lion du financement des travaux viendra du gouvernement du Québec, soit une participation financière représentant 66 pour cent du coût global.

Les travaux qui seront entrepris au cours des prochains mois prévoient la construction d'émissaires et de collecteurs de même que le raccordement des réseaux actuels de trois villes, Dorval, Pointe-Claire et Beaconsfield. Jusqu'à maintenant ces municipalités déversaient leurs eaux vannes dans le lac Saint-Louis.

Un autre vaste chantier sera inauguré en 1984, celui du prolongement vers l'Est des réseaux actuels de métro. Trois nouvelles lignes seront construites, celles de Pie IX, Anjou et Pointe-aux -Trembles.

Au nombre des autres grands chantiers qui s'ouvriront en 1984, il faut compter celui de la transformation de la rue Notre-Dame en boulevard urbain entre les rues Saint-André et Viau.

50 millions pour l'aéroport de Dorval

Le gouvernement fédéral investira en 1984 plus de 50 millions dans le réaménagement des approches de l'aéroport de Dorval. Les travaux toucheront les voies d'accès, la réfection de l'aérogare, les installations administratives et les stationnements. (**Texte publié le 31 décembre 1983**)

Le calvaire du rouble

Le rouble, dévalué en août, a perdu au total 71 % de sa valeur en 1998, terminant l'année à 20,65 pour 1 $ US, contre 5,96 roubles au 1er janvier 1998, a indiqué la Banque centrale russe. Selon les premières estimations du Comité d'État des statistiques, l'inflation a par ailleurs été de 80 % en 1998. La monnaie russe a commencé à chuter le 17 août, quand la Banque centrale russe, à court de réserves, a cessé de la soutenir. (**Texte publié le 31 décembre 1998**).

C'EST ARRIVÉ UN 31 DÉCEMBRE

1986 — Toute publicité sur le tabac dans les journaux et les magazines sera interdite à compter de demain, alords qu'entre en vigueur la loi votée par le gouvernement fédéral.

1970 — Les deux condamnations à mort du procès de Leningrad sont commuées en emprisonnement à vie.

1968 — Des bombes explosent près de l'hôtel de ville de Montréal et d'un édifice du gouvernement fédéral.

1934 — Des inondations causent la mort de 50 personnes dans la région de Los Angeles.

1927 — La glace cède sous le poids de l'auto et six personnes périssent noyées dans le lac Témiscamingue.

1913 — La disette d'eau se fait de plus en plus inquiétante, même à Montréal, à cause d'un bris de tuyau.

1908 — Le toit de la Bourse de Rome s'effondre lors d'une explosion. Elle était logée dans un édifice qui était un des plus beaux vestiges de l'antiquité païenne. — Un incendie détruit le couvent des religieuses de la Charité, à Rimouski.

UN DESASTRE A LA GARE VIGER

Le débarcadère, encombré d'une foule joyeuse attendant le départ du convoi de Québec, est violemment soulevé par une explosion de gaz, et une centaine de spectateurs sont projetés dans les airs. — Scènes de confusion indescriptibles

QUELQUES minutes avant le départ du train de Québec, vendredi soir **(31 décembre 1909)**, une explosion de gaz « Pinscht » se produisit sous le quai de la gare Viger et lança dans les airs une centaine de personnes environ, dont une trentaine en sont sorties plus ou moins éclopées, d'autres ont pu seules regagner leur foyer, bien que souffrant fortement du choc nerveux que leur avait imprimé cette commotion. Pendant une heure, les voitures d'ambulance ont travaillé sans relâche à transporter les **(22)** blessés dans les différents hôpitaux et plusieurs se sont fait panser par des médecins qui se trouvaient sur le théâtre de l'accident.

Les dommages matériels s'élèvent à peine à quelques centaines de dollars, mais on ne connaîtra jamais peut-être ce que fait perdre à quelques-uns ce pénible accident qui marque si tristement la fin de l'année.

Il était 11 hres 27 vendredi soir. Le train de Québec, bondé de voyageurs, allait partir dans quelques minutes et une centaine de personnes venues reconduire des amis ou des parents qui allaient passer le Jour de l'an dans leurs familles, attendaient son départ sur le quai lorsque, tout à coup, un bruit épouvantable se fit entendre et toute cette foule se trouva dispersée. (...)

Le capitaine Bellefleur, de la police municipale, se trouvait sur le quai de la gare lorsque l'explosion s'est produite. Il dit qu'il ne peut définir la sensation qu'il éprouva et se demanda s'il était bien encore de ce monde. « Je ne suis ordinairement pas peureux, dit-il, et pourtant, je dois avouer que la crainte me retint immobile pendant quelque temps et je ne songeai pas à porter secours à mon ami Dupont que je venais reconduire au train et qui m'avait accompagné chez le barbier de la gare.

On peut s'imaginer l'effet que produirait un

TOURBILLON DE VENT

frappant une foule compacte d'une centaine de personnes et les disperserait comme des grains de poussière; c'est à peu près là ce que ressentirent les victimes de l'explosion, et même les personnes qui n'ont pas été blessées, au moment de l'accident.

Le pavé du quai fut ouvert sur presque toute sa longueur et quelques victimes retombèrent dans la poussière soulevée par la force de l'explosion. (...)

De bonne heure samedi matin, une enquête était tenue par M. McNicoll, vice-président du Pacifique Canadien. L'avis de tous ceux qui connaissent quelque chose de l'explosion fut écouté cependant que

DES EXPERTS

faisaient un minutieux examen du tuyau du gaz « Pinscht », qui avait fait explosion. Le bris du tuyau a été — à ce qui paraît le plus rationnel — causé par le froid. Le gaz est amené du réservoir principal par un tuyau souterrain d'un demi-pouce. La pression est de 150 livres par pouce carré. La théorie de l'explosion serait que le gaz s'est trouvé emmagasiné sous la plateforme, après s'être échappé par une fissure du tuyau. Ne pouvant s'échapper — vu l'épaisse couche de glace qui couvrait les planches — le gaz se trouvait localisé comme en un vaste réservoir. Ce qui semble demeurer inexplicable, c'est la cause qui a produit l'inflammation du gaz. Le feu a-t-il été communiqué par un cigare allumé, ou autrement, on ne peut le dire.

La locomotive n'a pu — par son charbon enflammé — produire l'explosion, puisqu'elle se trouvait à dix longueurs de wagon de l'endroit où s'est produit l'accident.

D'après les renseignements fournis par le gardien des cours de la gare Viger, deux explosions se seraient produites. La première, pour ainsi dire insignifiante, fut aussitôt suivie d'un terrible choc. Les experts en ces genres de réservoirs à gaz — les appareils « Pinscht » — sont de l'avis des officiers du Pacifique Canadien. (...)

IL Y A NEUF ANS

Parlant du terrible accident (...), le capitaine Bourgeois, du poste central, rappelait à un reporter de la « Presse » qu'à la même date et à la même heure, il y a neuf ans passés, un homme fut décapité par un train du Pacifique, à quelques pieds de l'endroit où eut lieu l'explosion.

Le capitaine, qui se trouvait en devoir à la gare Viger, ramassa lui-même la tête de la victime, à près de deux pieds de la voie ferrée. « Cette mort est toujours demeurée mystérieuse », a ajouté le capitaine, et l'on n'a jamais su s'il y eu suicide ou accident ».

MLLE JULIETTE BELIVEAU

La ravissante petite artiste, Juliette Béliveau, était à la gare lors de l'accident. Partie avec quelques camarades pour aller faire un tour de conduite à un parent qui partait pour Québec, elle eut l'heureuse chance que son parent fut forcé de monter dans l'un des premiers wagons, lequel se trouvait assez éloigné du lieu où l'explosion se produisit.

« Nous étions, mes amies et moi, à blaguer mon parent, nous lui disions bonjour, et comme il disparaissait dans le compartiment, voilà que je me sens enlevée, assez violemment. Ce fut la seconde d'un siècle que dura mon envolée, puis, soudain, je retombai sur le quai de la gare. Le choc fut très douloureux, mais énervée, je bondis sur mes pieds et attrapant une compagne, nous parvînmes à nous sauver ».

N.D.L.R.: Le gaz « Pinscht » était utilisé pour l'éclairage des wagons ferroviaires à l'époque.

PLACE AUX JEUNES!

Caricature d'Albéric Bourgeois publiée le *31 décembre 1909*.

M. Dieudonné Paquin, 15 ans, No 428 rue Cuvillier, gravement blessé, transporté à l'hôpital Général.

M. Adjutor Bruneau, No 114 rue Wolfe, gravement blessé au cours de l'explosion.

Mme Patrick Guay, No 30 rue Ste-Elisabeth, 28 ans, mourante à l'hôpital Victoria.

Un hélicoptère repart avec un nouveau chargement de touristes. Plusieurs occupants de l'hôtel Dupont Plaza se sont en effet réfugiés sur le toit de l'hôtel en flammes. La tragédie a tout de même causé la mort d'au moins 95 personnes en cette veille du Jour de l'An.

LES Canadiens font un début encourageant. — L'équipe « bleu, blanc, rouge », composée d'éléments recueillis des quatre coins du pays et n'ayant jamais joué ensemble donne du fil à retordre aux Ottawas, des champions qui luttent aux côtés les uns des autres depuis plusieurs années. — Pendant les deux-tiers de la partie la victoire était aux Canadiens qui jouaient plus rapidement et plus habilement que leurs adversaires. — Pitre et Payan les étoiles samedi soir. Le jeune joueur de Saint-Hyacinthe, bien que relevant d'une maladie de quatre jours, s'est révélé une étoile de première grandeur au hockey. — Lalonde a été trop individuel. Le capitaine du Canadien a fait de magnifiques assauts et de belles courses; mais il fut envoyé à la clôture par sa faute et ne passait pas la rondelle à ses confrères. — Poulin et Vézina ont été bien admirés.

C'est en ces termes que LA PRESSE parlait du match hors concours du *Club athlétique Canadien* (qui succéda temporairement, au *Club de hockey Canadien*, jusqu'en 1916 en fait, match disputé le **31 décembre 1910**. L'équipe avait alors subi un revers de 5 à 3 aux mains du club Ottawa, à l'aréna du Jubilé, à l'angle des rues Moreau et Sainte-Catherine, dans l'est de Montréal.

95 morts à Porto Rico: l'incendie serait d'origine criminelle

Le feu a frappé l'hôtel Dupont Plaza de San Juan, la veille du Jour de l'An (**le 31 décembre 1986**), causant 95 morts, dont deux Torontoises, et quelque 109 blessés, dont une trentaine demeuraient dans un état critique. L'incendie pourrait bien être d'origine criminelle.

« L'enquête menée par le FBI concentre ses efforts sur la thèse de l'acte criminel », a déclaré Rafael Hernandez Colon, gouverneur de Porto Rico.

Le ministre portoricain de la Justice, Hector Rivera, n'a d'ailleurs pas démenti que des restes de trois engins incendiaires aient été retrouvés dans les décombres. « Je ne démens pas... Nous avons une idée de la cause de l'incendie que je ne puis révéler pour le moment », a-t-il déclaré.

Une soixantaine de Québécois logeaient au Dupont Plaza.

Un différent entre la direction de l'hôtel et son personnel syndiqué avait perturbé le fonctionnement de l'établissement ces derniers temps et la situation s'était récemment détériorée : des menaces avaient été proférées, deux petits incendies avaient été allumés, et des agents de sécurité avaient été déployés à presque tous les étages de l'hôtel.

Cette illustration montre la toute dernière «première page» publiée
par *La Presse* au cours du XIXe siècle.

INDEX

Index général des principaux événements,
situations et personnages du XXe siècle tels que
retrouvés dans *La Presse*, de 1900 à 1999

NOTE EXPLICATIVE

C et index général touche les personnages, les situations et les événements principaux du siècle. Le tout est classé par thèmes — Aéronautique, Autochtones, Cinéma, etc. — et par sous-thèmes; ainsi, le thème International se sous-divise en pays concernés. À remarquer que certains événements ou personnages se retrouvent sous deux ou même plusieurs thèmes. Une catastrophe aérienne peut être également classée sous crime ou attentat, selon la cause de l'accident.

À noter que l'usage de l'italique indique qu'il s'agit d'une éphéméride. Et partout, nous avons respecté l'ordre chronologique de chacun de ces thèmes.

Quand les ordinateurs tuent l'histoire 04/1/91
Microsoft acquiert Softimage 15/2/94
Décès de l'inventeur de l'ordinateur 20/12/95
La puce a 25 ans 15/11/96
Le bogue de l'an 2000 inquiète 07/7/98
Des milliards$ dans le bas de laine de Bill Gates 08/7/98
Bogue de l'an 2 000: l'aviation civile n'est pas prête 27/9/98

INSOLITE
Un pendu mécontent se relève pour invectiver
les témoins stupéfaits 20/2/29
Naissance de 9 enfants 12/6/71
Cent ans de vie conjugale 03/9/85
Elle danse avec l'homme qui porte son coeur! 29/7/89
Jumeaux centenaires 30/9/90
Une punition à la sicilienne 12/11/92
Le monstre du Loch Ness: canular
de 60 ans 14/3/94
Une italienne de 63 ans accouche d'un garçon:
un record mondial 18/7/94
Réveil dans un cercueil 01/11/94
Dix jumeaux dans une école 21/11/94
Patient de 3000 ans traité à l'hôpital 22/1/95
Suzanne Poirier devra aller en prison pour les livres
non rendus 10/11/95
Michel, veux-tu m'épouser? 14/2/96
Trop belle pour Israël 29/7/97

INTERNATIONAL
Afrique du Sud
Prix Nobel à Desmond Tutu 10/12/84
Willie Mandela, coupable 14/5/91
Algérie
Ben Bella élu président d'Algérie 15/9/63
L'Algérie nationalise 01/10/63
Allemagne
L'Occident prépare une riposte au verrouillage
de Berlin-Est 13/8/61
L'Allemagne est réunifiée 03/10/90
Australie
Bicentenaire en Australie 01/1/88
L'Australie se républicanise 18/12/92
Belgique
Mort de la reine Astrid de Belgique 29/8/35
Meurtres d'enfants en Belgique 17/8/96
Cambodge
Mort de Pol Pot 15/4/99
Chili
Coup d'état au Chili, Allende se suicide 11/9/73
Le général Pinochet arrêté à Londres 16/10/98
Chine
Soulèvement des Boxers 13/6/00
Tchiang Kaï-Chek président de la république
de Chine 13/9/43
Chou En-laï premier ministre 01/10/49
Tchiang Kaï-Chek à Taïwan 05/12/49
La Chine rouge envahit le Tibet 07/10/50
Les Chinois entrent en Corée 28/12/50
10 000 tonnes de blé à la Chine 08/3/58
Chine accusée d'exactions au Tibet 08/8/60
Mao Tsé-Toung présente son successeur, Lin Piao 18/8/66
C'est la «Révolution culturelle» en Chine 27/8/66
La Chine à l'ONU 26/10/71
Mort de Tchiang Kaï-chek 05/4/75
Mort de Mao Tsé-Toung 09/9/76
Place Tiananmen, un an plus tard 04/6/89
Les Chinois s'éclatent 29/12/92
Les enfants adoptés en Chine renouent
avec leur culture 13/11/94
Mao assassin 19/11/94
Deux Candu vendus à la Chine:
8000 emplois au Québec 27/11/96
Hong Kong redevient chinoise 01/7/97
Le fleuve Jaune dévié 28/10/97
Congo
Assassinat de Lumumba 12/2/61
Cuba
Batista président de Cuba 14/7/40
Le chef des rebelles reconnaît l'échec de l'invasion
de Cuba 21/4/60
Cuba nationalise 07/8/60
États-Unis et Cuba rien ne va plus 04/1/61
Cuba résiste à l'invasion 17/4/61
Marxisme-léninisme à Cuba 02/12/61
Blocus de Cuba 22/10/62
Khrouchtchev retire ses missiles de Cuba 28/10/62
Ernesto Che Guevara abattu 09/10/67
Egypte
Français et Anglais à Suez 31/10/56
Sadate assassiné 06/10/81
Le terrorisme islamiste frappe en Égypte 17/11/97
Espagne
Début de la guerre civile en Espagne 28/7/36
Bombardement de Guernica 27/4/37
Franco entre à Madrid 28/3/39
Franco chef suprême en Espagne 04/8/39
Franco passe le pouvoir à Juan Carlos 19/7/74
Mort de Franco 19/11/75
Juan Carlos, roi d'Espagne 22/11/75
États-unis
Les novembres présidentiels 02/11
La prohibition aux USA 01/7/19
Exécution de Sacco et de Vanzetti 23/8/27
Fin de la prohibition américaine 05/12/33

Massacre de la St-Valentin 14/2/29
Mort de John D. Rockefeller 22/5/37
Mort de F.D. Roosevelt 12/4/45
Savants allemands recrutés par les USA 25/10/45
Henry Ford terrassé 07/4/47
La loi Taft-Hartley aux USA 22/8/47
Les USA ont la première pile atomique 29/8/47
Mort de Fiorello Laguardia 20/9/47
Le plan Marshall approuvé 02/4/48
Le général MacArthur limogé 11/4/51
Premier sous-marin atomique 21/1/54
Communisme hors-la-loi aux USA 17/8/54
Mort d'Albert Einstein 18/4/55
Bombe à Bikini 21/5/56
Violence raciale en Arkansas 24/9/57
Alaska, 49e État 03/1/59
Hawaï - 50e état américain 12/3/59
Débat télévisé Nixon-Kennedy 26/9/60
Formation du «Peace Corps» 01/3/61
Blocus de Cuba 22/10/62
Kennedy intervient en Alabama 12/5/63
Marche sur Washington des noirs américains 28/8/63
J.F. Kennedy assassiné 22/11/63
Jack Ruby abat Oswald 24/11/63
Assassinat de Malcolm X 21/2/65
Le vote accordé aux Noirs 26/5/65
Emeute à Los Angeles 13/8/65
Mort de Jack Ruby 03/1/67
Mort de Oppenheimer 18/2/67
Lyndon Johnson abandonne 31/3/68
Johnson abandonne le Vietnam 01/4/68
Martin Luther King meurt, atteint d'une balle
en plein visage 04/4/68
Mort d'Eisenhower 28/3/69
Nixon annonce le retrait du Vietnam 03/11/69
Sept inculpés dans l'affaire Watergate 15/9/72
Feu Harry Truman 26/12/72
Fin de la guerre du Vietnam 12/2/73
Procès de sept hommes: affaire Watergate 01/3/74
400 000$ d'impôt pour Nixon 03/4/74
Ford pardonne à Nixon 08/9/74
Mort d'Howard Hughes 05/4/76
Bicentenaire des États-Unis:
une immense kermesse 04/7/76
Mort de Margaret Mead 15/11/78
Le président Reagan échappe à la mort 30/3/81
Terroriste par amour 01/4/81
Grève des contrôleurs aériens aux USA 03/8/81
M. McDo est mort 16/1/84
Rencontre à saveur irlandaise: Reagan à Québec 18/3/85
Los Angeles vs New York 04/12/85
Expulsion de soviétiques 22/10/86
Thomas Edison: 1097 inventions qui marquent encore
notre vie 27/2/88
Powell, un noir chef de l'état major USA 02/10/89
Premier maire noir à New York 07/11/89
Il y a 20 ans, le Watergate 17/6/92
Fin de la guerre froide 17/6/92
Sept policiers suspendus pour avoir battu à mort
un automobiliste à Détroit 07/11/92
L'assaut de Waco donne lieu à un suicide collectif
des Davidiens 20/4/93
Clinton signe l'ALENA 08/12/93
Mort du président Nixon 23/4/94
Jackie n'est plus 19/5/94
Coups de feu sur la Maison-Blanche 30/10/94
Record de détenus aux USA 30/10/94
Reagan souffre d'Alzheimer 06/11/94
Miss America sans maillot de bain 13/7/95
O.J. Simpson est acquitté 03/10/95
La loi Helms-Burton 15/7/96
O.J. Simpson condamné à 33,5 millions 10/2/97
L'affaire Lewinski secoue la Maison-Blanche 12/8/98
Le processus de destitution de Clinton
est enclenché 11/12/98
Tuerie dans une école du Colorado 20/4/99
Éthiopie
Haïlé Sélassié déposé 12/9/74
Mort de Haïlé Sélassié 27/8/75
France
Église et État séparés en France 06/12/05
Le capitaine Dreyfus n'a pas trahi la France 12/7/06
Projet de tunnel sous la Manche 17/1/14
Landru guillotiné 25/2/22
Mort du maréchal Foch 20/3/29
Mort de Georges Clémenceau 24/11/29
Signature du traité commercial France-Canada 12/5/33
Suicide de Stavisky 08/1/34
Assassinat du roi de Yougoslavie 09/10/34
La guillotine pour Violette Nozières 12/10/34
Début de la bataille de France 05/6/40
La France demande un armistice 16/6/40
Pétain à Vichy 01/7/40
Pétain chef de l'État 10/7/40
Condamnation de Pétain 16/10/41
Hitler occupe toute la France 11/11/42
Paris emporté d'assaut 25/8/44
Pétain se livre 24/4/45
Pétain condamné à mort 15/8/45
Pierre Laval est condamné à mort 09/10/45
Le Barbe-Bleue de Paris condamné 05/4/46
Décès de Léon Blum 30/3/50
Décès du maréchal Pétain 23/7/51
Mort de Christian Dior 24/10/57

Les «Ballets roses» 02/2/59
Lancement du France 11/5/60
Maison du Québec à Paris 05/10/61
Le général Salan de l'OAS condamné 23/5/62
De Gaulle proclame l'indépendance de l'Algérie 03/7/62
De Gaulle sort indemne d'un attentat à la mitraillette 22/8/62
Mort de Robert Schuman 04/9/63
Mort de Paul Reynaud 21/9/66
La France et la souveraineté du Québec 31/7/67
En mai 1968, les étudiants faisaient trembler
la France 03/5/68
Marianne a 100 ans 04/9/70
Mort de De Gaulle 09/11/70
Mort de Pompidou 02/4/74
Giscard d'Estaing, président 19/5/74
Victoire de Mitterand 10/5/81
Le projet d'un tunnel sous la Manche renaît 02/1/85
La France continue ses essais nucléaires 19/8/85
Le patron de la Régie Renault assassiné 17/11/86
Louis XVI acquitté 13/12/88
Les chômeurs français rêvent du Québec 05/2/93
L'ancien premier ministre Bérégovoy se suicide 01/5/93
Inauguration du tunnel sous la Manche 06/5/94
Chirac président 07/5/95
Tapie, 2 ans de prison 16/5/95
Mitterrand s'éteint 08/1/96
La France bannit l'amiante 04/7/96
Mort J.Y. Cousteau 25/6/97
Mort du Comte de Paris 19/6/99
Grande-Bretagne
Mort de Victoria 22/1/01
Mort de Cecil Rhodes 26/3/02
Élection de Winston Churchill 09/5/08
Projet de tunnel sous la Manche 17/1/14
Peine de mort abolie 16/2/56
Démission d'Eden 09/1/57
Mort de Churchill 24/1/65
La GB se rallie au Marché commun 17/2/72
Première ministre en GB 03/5/79
Lord Mountbatten victime d'attentat 27/8/79
La GB prête à envahir les Falklands 20/5/82
Mme Thatcher triomphe 10/6/83
Le projet d'un tunnel sous la Manche renaît 02/1/85
Mme Thatcher s'en va 22/11/90
Inauguration du tunnel sous la Manche 06/5/94
Grèce
Mort d'Aristote Onassis 15/3/75
Mort de Christina Onassis 19/11/88
Athéna, 3 ans, multi-milliardaire 28/11/88
Haïti
Mort de François Duvalier 21/4/71
Duvalier parti, explosion de joie et de vengeance 08/2/86
Aristide rentre en Haïti 15/10/94
Hollande
Whilelmine abdique 04/9/48
Hongrie
Insurrection en Hongrie 23/10/56
Intervention de l'URSS en Hongrie 01/11/56
Inde
Indépendance de l'Inde et du Pakistan 15/8/47
Gandhi assassiné par un extrémiste 30/1/48
Indira Gandhi, premier ministre 19/1/66
Indira Gandhi assassinée 01/11/84
Rajiv Gandhi assassiné 21/5/91
Calcutta perd sa sainte 05/9/97
Irak
Nouvelles frappes contre l'Irak 17/12/98
Iran
Le shah d'Iran exilé 16/1/79
L'ayatollah en Iran 01/2/79
L'Iran nationalise 05/7/79
Américains cachés à l'ambassade canadienne
en Iran 28/1/80
Rushdie exprime ses regrets à l'Iran 19/2/89
Mort de l'ayatollah Khomeiny 03/6/89
Israël
Juifs débarqués de force à Hambourg 08/9/47
Formation du 1er cabinet du futur État juif 01/3/48
Washington reconnaît l'État juif proclamé
par David Ben Gourion 14/5/48
Israël envahit le Sinaï 29/10/56
Adolf Eichmann capturé en Argentine 23/5/60
Guerre de 6 jours au Proche-Orient 06/6/67
Les Arabes attaquent Israël 06/10/73
Mort de David Ben Gourion 01/12/73
Les pourparlers de paix sur le Moyen-Orient:
accord Égypte/Israël 12/9/78
Sadate et Begin: prix Nobel de la paix 27/10/78
Mort de Golda Meir 08/12/78
Fin de l'état de guerre Egypte et Israël 26/3/79
Mort de Moshe Dayan 17/2/92
Israël abat le chef du Hezbollah 17/2/92
52 Palestiniens abattus à Hebron 26/2/94
Arafat et Rabin: Nobel de la Paix 15/10/94
Yitzhak Rabin assassiné 04/11/95
Il y a 50 ans naissait Israël 01/3/98
Italie
Assassinat du roi Humbert 29/7/00
Les fascistes à Rome 28/10/22
Mort de Mussolini 28/4/45
Le cadavre d'Aldo Moro retrouvé 09/5/78
Petite-fille de Mussolini candidate 05/2/92
Japon
La bombe A a fait 100 000 victimes 06/8/45

SIDA

Le Canada ferme la porte aux sidéens **08/2/86**
Trente-neuf millions contre le SIDA **02/5/86**
Un millier de sidéens **28/4/87**
Le sida ferme un bordel **26/12/87**
2,5 milliards par an contre le sida? **08/6/93**
L'auto-don de sang de peur de contracter le sida **24/7/93**

SOUVERAINETÉ

Vive le Québec libre! **24/7/67**
L'essentiel du regroupement des indépendantistes
est fait **04/8/68**
Lévesque met la souveraineté en veilleuse **19/11/84**
Cinq ministres du cabinet Lévesque démissionnent **22/11/84**
Les cégépiens souverainistes à 92 pour cent **02/12/90**
La moitié des anglophones partiraient si le Québec
se séparait **28/10/93**
La majorité des Québécois ne se disent pas
Canadiens **02/12/93**
Le Vive le Québec libre de De Gaulle n'avait rien
d'improvisé **13/11/94**
Plus on va à la messe, plus on a voté NON
au référendum **04/1/96**
Bouchard repousse «la prochaine fois» **15/3/96**
Le projet référendaire mis en veilleuse **01/12/98**

SPORTS

Athlétisme
Mort du champion Louis Cyr **10/11/12**
Bannister court son mille **07/5/54**
Ben Johnson passe aux aveux **13/6/89**
Bailey en moins de 15 secondes **1/6/97**
Baseball
Nouvelle ligue de baseball **28/02/04**
Babe Ruth en prison **08/6/21**
Ruth frappe le 700e circuit de sa carrière **13/7/34**
Lou Gehrig «l'homme de fer» meurt à l'âge
de 38 ans **02/6/41**
Mort de Babe Ruth **16/8/48**
Mickey Mantle claque son 400e coup de circuit **10/9/62**
C'est décidé, Montréal aura du baseball majeur **10/7/68**
Les Expos disputent leur premier match à domicile **14/4/69**
Un stade ou en s'en va **20/6/97**
Boxe et lutte
Demsey bat Willard **04/7/19**
Dempsey défait Carpentier **02/7/21**
Schmelling champion **03/7/31**
Baer, champion mondial - poids lourds **14/6/34**
Joe Louis accroche ses gants **01/3/49**
Mort de Max Baer **21/11/59**
Mohamed Ali reprend son championnat **15/9/78**
Mort de Joe Louis **12/4/81**
Mike Tyson écope de six ans **27/3/92**
Course automobile
Campbell fait 304 milles à l'heure **03/10/35**
Tragédie au Mans **11/6/55**
Mort de Gilles Villeneuve **08/5/82**
Senna se tue au Grand Prix de San Marino **01/5/94**
Jacques Villeneuve **29/4/96**
Cyclisme
Louison Bobet remporte le Tour de France **30/7/55**
45 000 cyclistes au Tour de Montréal **07/6/93**
À vélo autour du monde **02/2/95**
La bombe Festina **19/7/98**
Football
Anglais exclus du soccer **03/6/85**
Fin des Alouettes **25/6/87**
Tapie 2 ans de prison **16/5/95**
La France triomphe! **12/7/98**
Hockey
Un nouveau Club Canadien **06/12/09**
Premier triomphe du Club Canadien **05/1/10**
Hockey des femmes **06/2/17**
Richard frappe un joueur du Boston et un officiel **14/3/55**
Richard suspendu **16/3/55**
Maurice Richard, 500 buts **19/10/57**
Les Canadiens, 18 fois champions du monde **15/3/59**
Fin de la phénoménale carrière de Monsieur Hockey **15/9/60**
Howe éclipse Richard **27/10/63**
Offre de 1 000 000$ à Bobby Hull **10/10/68**
Jean Béliveau, 500 buts **12/2/71**
Le Canada gagne la «Série du siècle» **28/9/72**
Molson rachète le Canadien **04/8/78**
Les Russes gagnent **12/2/79**
Le 15 000e but des Glorieux **26/2/86**
Mort de Jacques Plante **28/2/86**
Mariage de Gretzky **16/7/88**
Les Nordiques sont vendus **30/10/88**
700e but pour Gretzky **02/1/91**
Dehors, Patrick Roy! **03/12/95**
Ronald Corey démissionne **31/5/99**
Natation
Première traversée féminine de la Manche **06/8/26**
Marilyn Bell conquiert la Manche **31/7/55**
Victor Davis est mort **13/11/89**
Patinage
Barbara Ann Scott, championne **16/2/47**
Ski
Lucille Wheeler, championne **06/2/58**
Tennis
Laver, 2e grand chelem **08/9/69**
Chris Evert championne **06/9/75**
Martina Navratilova 9e titre **07/7/90**

Double Sébastien à Wimbledon **08/7/90**
Agression contre Monica Seles **01/5/93**

T

TRAGÉDIES

Air et espace
Wiley Post et Will Rogers se tuent en avion **15/8/35**
Le Hindenburg s'écrase en flammes **08/5/37**
Un avion percute l'Empire State Building **28/7/45**
Un avion s'écrase à Sault-au-Cochon **09/9/49**
Catastrophe aérienne aux Açores **28/10/49**
Un DC-8F s'écrase à Sainte-Thérèse: 118 morts **29/11/63**
La pire tragédie de l'histoire de l'aviation **27/3/77**
Écrasement d'un DC-10 à l'aéroport de Chicago:
276 morts **25/5/79**
Aérobus coréen abattu **01/9/83**
Un avion s'écrase en plein spectacle aérien
à Saint-Hubert **30/4/84**
Un Boeing d'Air India explose: 329 morts **23/6/86**
Airbus civil iranien abattu par la marine US **04/7/88**
Un 747 perd des passagers en vol **25/2/89**
Le mont Blanc restitue les vestiges d'un avion **27/8/89**
Nationair s'écrase en Arabie **16/7/93**
Un B747 explose en plein vol **17/7/96**
Mort tragique de Marie-Soleil Tougas et
de Jean-Claude Lauzon **10/8/97**
Un avion de Swissair s'écrase près de Halifax **03/9/98**
Causes Naturelles
Sécheresse au Québec **16/12/03**
San Francisco et vingt villes sont détruites **18/4/06**
Glissement de terrain à Nicolet **12/11/55**
Catastrophe à Fréjus **02/12/59**
Tremblements de terre à Agadir **01/3/60**
Le St. Helens fait éruption **18/5/80**
Déluge à Montréal **14/7/87**
Cent mille morts en Arménie **09/12/88**
Séisme à San Francisco **17/10/89**
100 000 morts au Bangladesh **03/5/91**
Le Pinatubo se réveille **10/6/91**
Nouvelles victimes du Vésuve **29/8/91**
Un violent séisme secoue Los Angeles **18/1/94**
Les secours débordés à Kobe **18/1/95**
Vrai déluge au Saguenay **21/7/96**
770 000 foyers privés d'électricité **06/1/98**
Mitch: vingt fois le Saguenay **05/11/98**
Avalanche mortelle dans le Grand Nord **01/1/99**
Mer et Rivières
Un drame en pleine mer: le *Titanic*
coule **14/4/12**
Plus de 1200 personnes dans les abîmes de
la mer — le *Titanic* **16/4/12**
Naufrage du *Cecilia* **01/11/12**
L'Empress of Ireland coulé près de Rimouski **29/5/14**
La catastrophe de l'*Eastland* à Chicago **24/7/15**
Le dernier voyage du *Montréal* s'est terminé
en tragédie **18/11/26**
La plus grande catastrophe du port de Montréal **17/6/32**
Torpillage de l'Arandora Star **02/7/40**
Le *Normandie* incendié **09/2/42**
Le *Noronic* rasé par un incendie **17/9/49**
Une chaloupe portant 18 personnes chavire **13/7/54**
Naufrage de l'*Andrea Doria* **25/7/56**
Le navire-école Pamir coule **23/9/57**
Un cargo explose dans le port: 5 marins disparus **14/9/65**
Naufrage de l'Ocean Ranger **15/2/82**
Le *Marques* fait naufrage **04/6/84**
Le *Titanic* est retrouvé **02/9/85**
Régates mortelles à Valleyfield **05/7/91**
Naufrage dans la Baltique **15/1/93**
L'épave de l'Empress of Ireland classée **29/4/98**
Route et rail
Les premières victimes de l'auto meurtrier **11/8/06**
Le pont de Québec s'écrase **29/8/07**
Inauguration du premier train électrique du monde **19/9/25**
Le pont Duplessis croule **31/1/51**
Un autocar plonge dans un canal **31/7/53**
Autobus contre train à Dorion **11/10/66**
Tragédie à St-Joseph-de-la-Rive **01/6/74**
Un autocar plonge dans un lac **04/8/78**
Tamponnement dans le métro de Toronto **12/8/95**
Fin tragique de Lady Di **31/8/97**
Un autocar dans un ravin **13/10/97**
Déraillement d'un TGV **04/6/98**
Terre
Le funiculaire de Québec s'écrase **12/10/96**

TRANSPORT
Air
Premier vol transatlantique d'Air France **07/7/39**
Mer
Trois records pour le *Normandie* **03/6/35**
Accord sur la Voie maritime **20/3/41**
Record de vitesse pour SS United States **07/7/52**
La voie Maritime est ouverte! **25/4/59**
Route et rail
Autoroute des Laurentides - la première au Québec **29/8/59**
Fin des tramways **30/8/59**
Le tunnel sous le Mont-Blanc réalisé **14/8/62**
Inauguration de la route Trans-Canada **03/9/62**
Inauguration du pont-tunnel Louis-H. Lafontaine **11/3/67**
Ouverture du pont de Trois-Rivières **20/12/67**
Le TGV établit sa première liaison Paris/Lyon **27/9/81**

Via Rail enterre le Trans Continental **15/1/90**
Le pont de la Confédération ouvert à la circulation **31/5/97**

TRAVAIL ET SYNDICATS

La loi Taft-Hartley aux USA **22/8/47**
Le code du travail mis en vigueur **01/9/48**
Grève d'Asbestos **13/2/49**
Ralliement des mineurs d'Asbestos **08/5/49**
Accusations contre la police provinciale après l'affaire
de Murdochville **21/8/57**
Radio et télé d'État paralysées **29/12/58**
La CTCC adopte un nouveau nom: CSN **29/9/60**
Saccage de LG2 **21/3/74**
James Hoffa disparaît **31/7/75**
Salaire minimum à 3,15$ l'heure **02/6/77**
Mort de Robert Cliche **05/9/78**
Chômage dans l'est de Montréal **01/11/85**
Les infirmières défient le gouvernement **29/6/99**

V

VILLE DE LAVAL

Adoption, du projet de loi créant la «Vile de Laval» **05/7/65**
Constitution de la cité de Laval **06/8/65**